DER NEUE PAULY

Altertum Band 12/1 Tam–Vel

DER NEUE PAULY

(DNP)

DER NEUE PAULY

Enzyklopädie der Antike

Herausgegeben
von Hubert Cancik und
Helmuth Schneider

Altertum

Band 12/1 Tam–Vel

Verlag J. B. Metzler
Stuttgart · Weimar

Inhaltsverzeichnis

Die Deutsche Bibliothek – CIP-Einheitsaufnahme

Der neue Pauly : Enzyklopädie der Antike/hrsg.
von Hubert Cancik und Helmuth Schneider. –
Stuttgart ; Weimar : Metzler, 2002
   ISBN 3-476-01470-3
NE: Cancik, Hubert [Hrsg.]

Bd. 12/1. Tam-Vel – 2002
   ISBN 3-476-01482-7

Gedruckt auf chlorfrei gebleichtem,
säurefreiem und alterungsbeständigem
Papier

ISBN 3-476-01470-3 (Gesamtwerk)
ISBN 3-476-01482-7 (Band 12/1 Tam-Vel)

© 2002 J. B. Metzlersche Verlags-
buchhandlung und Carl Ernst Poeschel
Verlag GmbH in Stuttgart
www.metzlerverlag.de
info@metzlerverlag.de

Typographie und Ausstattung:
Brigitte und Hans Peter Willberg
Grafik und Typographie der Karten:
Richard Szydlak
Abbildungen: Günter Müller
Satz: pagina GmbH, Tübingen
Gesamtfertigung: Franz Spiegel Buch
GmbH, Ulm
Printed in Germany

Juni 2002
Verlag J. B. Metzler Stuttgart · Weimar

Redaktion

Iris Banholzer
Jochen Derlien
Dr. Brigitte Egger
Luitgard Feneberg
Dietrich Frauer
Johannes Fraundorfer
Dr. Ingrid Hitzl
Dirk Rohmann
Vera Sauer
Anne-Maria Wittke

Hinweise für die Benutzung

Anordnung der Stichwörter

Die Stichwörter sind in der Reihenfolge des deutschen Alphabetes angeordnet. I und J werden gleich behandelt; ä ist wie ae, ö wie oe, ü wie ue einsortiert. Wenn es zu einem Stichwort (Lemma) Varianten gibt, wird von der alternativen Schreibweise auf den gewählten Eintrag verwiesen. Bei zweigliedrigen Stichwörtern muß daher unter beiden Bestandteilen gesucht werden (z.B. *a commentariis* oder *commentariis, a*).

Informationen, die nicht als Lemma gefaßt worden sind, können mit Hilfe des Registerbandes aufgefunden werden.

Gleichlautende Stichworte sind durch Numerierung unterschieden. Gleichlautende griechische und orientalische Personennamen werden nach ihrer Chronologie angeordnet. Beinamen sind hier nicht berücksichtigt.

Römische Personennamen (auch Frauennamen) sind dem Alphabet entsprechend eingeordnet, und zwar nach dem *nomen gentile*, dem »Familiennamen«. Bei umfangreicheren Homonymen-Einträgen werden *Republik* und *Kaiserzeit* gesondert angeordnet. Für die Namensfolge bei Personen aus der Zeit der Republik ist – dem Beispiel der RE und der 3. Auflage des OCD folgend – das *nomen gentile* maßgeblich; auf dieses folgen *cognomen* und *praenomen* (z.B. erscheint *M. Aemilius Scaurus* unter dem Lemma *Aemilius* als *Ae. Scaurus, M.*). Die hohe politische Gestaltungskraft der *gentes* in der Republik macht diese Anfangsstellung des Gentilnomens sinnvoll.

Da die strikte Dreiteilung der Personennamen in der Kaiserzeit nicht mehr eingehalten wurde, ist eine Anordnung nach oben genanntem System problematisch. Kaiserzeitliche Personennamen (ab der Entstehung des Prinzipats unter Augustus) werden deshalb ab dem dritten Band in der Reihenfolge aufgeführt, die sich auch in der »Prosopographia Imperii Romani« (PIR) und in der »Prosopography of the Later Roman Empire« (PLRE) eingebürgert und allgemein durchgesetzt hat und die sich an der antik bezeugten Namenfolge orientiert (z.B. *L. Vibullius Hipparchus Ti. C. Atticus Herodes* unter dem Lemma *Claudius*). Die Methodik – eine zunächst am Gentilnomen orientierte Suche – ändert sich dabei nicht.

Nur antike Autoren und römische Kaiser sind ausnahmsweise nicht unter dem Gentilnomen zu finden: *Cicero*, nicht *Tullius*; *Catullus*, nicht *Valerius*.

Schreibweise von Stichwörtern

Die Schreibweise antiker Wörter und Namen richtet sich im allgemeinen nach der vollständigen antiken Schreibweise.

Toponyme (Städte, Flüsse, Berge etc.), auch Länder- und Provinzbezeichnungen erscheinen in ihrer antiken Schreibung (*Asia, Bithynia*). Die entsprechenden modernen Namen sind im Registerband aufzufinden.

Orientalische Eigennamen werden in der Regel nach den Vorgaben des »Tübinger Atlas des Vorderen Orients« (TAVO) geschrieben. Daneben werden auch abweichende, aber im deutschen Sprachgebrauch übliche und bekannte Schreibweisen beibehalten, um das Auffinden zu erleichtern.

In den Karten sind topographische Bezeichnungen überwiegend in der vollständigen antiken Schreibung wiedergegeben.

Die Verschiedenheit der im Deutschen üblichen Schreibweisen für antike Worte und Namen (*Äschylus, Aeschylus, Aischylos*) kann gelegentlich zu erhöhtem Aufwand bei der Suche führen; dies gilt auch für *Ö / Oe / Oi* und *C / Z / K*.

Transkriptionen

Zu den im NEUEN PAULY verwendeten Transkriptionen vgl. Bd. 3, S. VIIIf.

Abkürzungen

Abkürzungen sind im erweiterten Abkürzungsverzeichnis am Anfang des dritten Bandes aufgelöst.

Sammlungen von Inschriften, Münzen, Papyri sind unter ihrer Sigle im zweiten Teil (Bibliographische Abkürzungen) des Abkürzungsverzeichnisses aufgeführt.

Anmerkungen

Die Anmerkungen enthalten lediglich bibliographische Angaben. Im Text der Artikel wird auf sie unter Verwendung eckiger Klammern verwiesen (Beispiel: die Angabe [1. 5²³] bezieht sich auf den ersten numerierten Titel der Bibliographie, Seite 5, Anmerkung 23).

Verweise

Die Verbindung der Artikel untereinander wird durch Querverweise hergestellt. Dies geschieht im Text eines Artikels durch einen Pfeil (→) vor dem Wort / Lemma, auf das verwiesen wird; wird auf homonyme Lemmata verwiesen, ist meist auch die laufende Nummer beigefügt.

Querverweise auf verwandte Lemmata sind am Schluß eines Artikels, ggf. vor den bibliographischen Anmerkungen, angegeben.

Verweise auf Stichworte des zweiten, rezeptions- und wissenschaftsgeschichtlichen Teiles des NEUEN PAULY werden in Kapitälchen gegeben (→ ELEGIE).

Karten und Abbildungen

Texte, Abbildungen und Karten stehen in der Regel in engem Konnex, erläutern sich gegenseitig. In einigen Fällen ergänzen Karten und Abbildungen die Texte durch die Behandlung von Fragestellungen, die im Text nicht angesprochen werden können. Die Autoren der Karten und Abbildungen werden im Verzeichnis auf S. VIff. genannt.

Karten- und Abbildungsverzeichnis

NZ: Neuzeichnung, Angabe des Autors und/oder der zugrundeliegenden Vorlage/Literatur
RP: Reproduktion (mit kleinen Veränderungen) nach der angegebenen Vorlage

Lemma
Titel
AUTOR/Literatur

Teano-Gattung
Keramik der Teano-Gattung
NZ nach: B. RÜCKERT, CVA, Tübingen 7, 1997, Taf. 31,9; 32,1; 34,1; 34,7.

Tempel
Griechische Tempel: Grundrißtypen
1 Antentempel: Aigina, archa. Aphaiatempel (570 v. Chr.)
NZ nach: G. MÜLLER, W. VOGEL, dtv-Atlas zur Baukunst 1, 1974, 184.
2 Antentempel: Sangri (Naxos), Demetertempel (um 530 v. Chr.)
NZ nach: W. MÜLLER-WIENER, Griech. Bauwesen in der Ant., 1988, 144, Abb. 84,2.
3 Prostylos: Selinus, Tempel B (um 250 v. Chr.)
NZ nach: I. MARCONI BOVIO, s.v. Selinunte, EAA 7, 178, Abb. 232.
4 Amphiprostylos: Athen, Ilissostempel (um 440 v. Chr.)
NZ nach: H. KNELL, Grundzüge der griech. Architektur, 1980, 132, Abb. 62.
5 Amphiprostylos: Magnesia [2] am Maiandros, Zeustempel (Anfang 2. Jh. v. Chr.)
NZ nach: W. MÜLLER-WIENER, Griech. Bauwesen in der Ant., 1988, 144, Abb. 84,12.
6 Ringhallenloser Hallenbau: Samos, Heraion I (1. H. 8. Jh. v. Chr.)
NZ nach: W. MÜLLER-WIENER, Griech. Bauwesen in der Ant., 1988, 144, Abb. 84,1.
7 Peripteros: Syrakus, Apollontempel (um 565 v. Chr.)
NZ nach: G. GRUBEN, Die Tempel der Griechen, ²1976, 267, Abb. 212.
8 Peripteros: Labraunda, Zeustempel (Mitte 4. Jh. v. Chr.)
NZ nach: W. MÜLLER-WIENER, Griech. Bauwesen in der Ant., 1988, 144, Abb. 84,7.
9 Dipteros: Samos, Heraion (sog. Rhoikostempel, 570/60 v. Chr.)
NZ nach: H. KYRIELEIS, Führer durch das Heraion von Samos, 1981, 73, Abb. 49.
10 Pseudodipteros: Chryse (Troas), Tempel des Apollon Smintheus (2. Jh. v. Chr.)
NZ nach: F. RUMSCHEID, Ornamentik des Apollon-Smintheus-Tempels, in: MDAI(Ist) 45, 1995, 27, Abb. 1.

Römische Podiumstempel: Ursprung und Entwicklung
1 Drei-Cellen-Tempel: Rom, Kapitol, Iuppitertempel (um 500 v. Chr.)
NZ nach: G. MÜLLER, W. VOGEL, dtv-Atlas zur Baukunst 1, 1974, 248.
2–3 Rom, Forum Romanum, Castor und Pollux-Tempel (Aedes Castorum, um 117 v. Chr.). Rekonstruktion als Peripteros sine postico oder Peripteros
NZ nach: I. NIELSEN, B. POULSEN, The Temple of Castor and Pollux 1, 1992, 108f., Abb. 100f.

4 Peripteros sine postico: Rom, Forum Augustum, Mars-Ultor-Tempel (42–2 v. Chr.)
NZ nach: P. GROS, Aurea Templa, 1976, Taf. 13.
5 Halbsäulen als Blendarchitektur: Nemausus [2] (Nîmes), sog. Maison Carrée (16. v. Chr.)
NZ nach: G. MÜLLER, W. VOGEL, dtv-Atlas zur Baukunst 1, 1974, 248.
6 Peripteros: Baalbek, sog. Bacchus-Tempel (2. Jh. n. Chr.)
NZ nach: H. STIERLIN, Städte in der Wüste, 1996, 106.

Templum
Hypothetische Rekonstruktion eines Templum auf der Basis des Ausgrabungsbefundes in Bantia (Basilicata); 1. Jh. v. Chr.
NZ nach: A. CARANDINI, La fondazione di Roma e la morte di Remo. Il t. in terra di Bantia, in: Dies., R. CAPPELLI (Hrsg.), Roma. Romolo, Remo e la fondazione della città, 2000, 256.

Tetrarches, Tetrarchia
Schema: Tetrarchie
NZ: W. EDER

Textilherstellung
Schema eines vertikalen Webstuhls bzw. Hochwebstuhls mit Gewichten (Schrägansicht und Seitenansichten)
NZ nach: J. NEILS, Goddess and Polis. The Panathenaic Festival in Ancient Athens, 1992, 109, Abb. 68.

Theater
Theatra und Odeia im Imperium Romanum (2. Jh. n. Chr.)
NZ: REDAKTION (nach: K.W. WEEBER, Panem et circenses, Ant. Welt, Sondernummer, 1994, bes. 20f.; 120f.).
Thorikos, Theater; um 500 v. Chr. (Grundriß)
NZ nach: G. MÜLLER, W. VOGEL, dtv-Atlas zur Baukunst 1, 1974, 200.
Epidauros, Theater; 2. H. 4. Jh. v. Chr. (Grundriß)
NZ nach: G. MÜLLER, W. VOGEL, dtv-Atlas zur Baukunst 1, 1974, 200.
Arausio (Orange), Theater; 1. Jh. n. Chr. (Grundriß)
NZ nach: P. GROS, L'architecture romaine ... 1: Les monuments publiques, 272, Abb. 319 unten.
Side, Theater; Mitte 2. Jh. n. Chr. (Grundriß)
NZ nach: A.M. MANSEL, Die Ruinen von Side, 1963, Abb. 100.

Theatrum Pompei
Rom, Marsfeld: Theater und Porticus des Pompeius [I 3], 61–55 v. Chr. (rekonstruierter Grundriß)
NZ nach: J.A. HANSON, Roman Theater-Temples, 1959, Abb. 19.

Thebai [1]
W3st/Njwt – das »hunderttorige« Thebai/Diospolis Magna: Stadt, Tempel und Nekropolen (3. Jt. v. Chr.–3./4. Jh. n. Chr.)
NZ: REDAKTION

Thebai [2]
Das Geschlecht des Kadmos und der Spartoi
NZ: C. KLODT

Theoderich [3]
Das Haus Theoderichs des Großen und seine dynastischen Verflechtungen
NZ: W. EDER

Autoren

Luciana **Aigner-Foresti** Wien	L. A.-F.
Maria Grazia **Albiani** Bologna	M. G. A.
Ruth **Albrecht** Hamburg	R. A.
Keimpe **Algra** Utrecht	K. AL.
Petra **Amann** Wien	P. AM.
Annemarie **Ambühl** Basel	A. A.
Walter **Ameling** Jena	W. A.
Maria Gabriella **Angeli Bertinelli** Genua	M. G. A. B.
Silke **Antoni** Kiel	SI. A.
Zofia Halina **Archibald** Liverpool	Z. H. A.
Graziano **Arrighetti** Pisa	GR. A.
Ernst **Badian** Cambridge, MA	E. B.
Balbina **Bäbler** Göttingen	B. BÄ.
Thomas **Baier** Freiburg	T. B.
Matthias **Baltes** Münster	M. BA.
Pedro **Barceló** Potsdam	P. B.
Jens **Bartels** Bonn	J. BA.
Manuel **Baumbach** Heidelberg	M. B.
Otto A. **Baumhauer** Bremen	O. B.
Hans **Beck** Köln	HA. BE.
Andreas **Bendlin** Erfurt	A. BEN.
Albrecht **Berger** Berlin	AL. B.
Gábor **Betegh** Budapest	G. BE.
Carsten **Binder** Kiel	CA. BI.
Gerhard **Binder** Bochum	G. BI.
Vera **Binder** Gießen	V. BI.
Jürgen **Blänsdorf** Mainz	JÜ. BL.
Michael **Blech** Madrid	M. BL.
Bruno **Bleckmann** Straßburg	B. BL.
Wolfgang **Blümel** Köln	W. BL.
Horst-Dieter **Blume** Münster	H.-D. B.
François **Bovon** Cambridge, MA	F. BO.
Barbara **Böck** Berlin	BA. BÖ.
Henning **Börm** Kiel	HE. B.
Nikolaus **Boroffka** Berlin	N. BO.
Ewen **Bowie** Oxford	E. BO.
Hartwin **Brandt** Chemnitz	H. B.
Iris **von Bredow** Stuttgart	I. v. B.
Jan N. **Bremmer** Groningen	J. B.
Hanns **Brennecke** Erlangen	H. BR.
Burchard **Brentjes** Berlin	B. B.
Klaus **Bringmann** Frankfurt/Main	K. BR.
Luc **Brisson** Paris	L. BR.
Ann Graham **Brock** Cambridge, MA	A. G. B.
David **Brown** Berlin	DA. BR.
Ezio **Buchi** Verona	E. BU.
Leonhard **Burckhardt** Basel	LE. BU.
Jan **Burian** Prag	J. BU.
Pierre **Cabanes** Clermont-Ferrand	PI. CA.
Lucia **Calboli Montefusco** Bologna	L. C. M.
J. Brian **Campbell** Belfast	J. CA.
Giovannangelo **Camporeale** Florenz	GI. C.
Hildegard **Cancik-Lindemaier** Tübingen	H. C.-L.
Birgit **Christiansen** Berlin	B. CH.
Justus **Cobet** Essen	J. CO.
Gudrun **Colbow** München	G. CO.
Edward **Courtney** Charlottesville, VA	ED. C.
Raphael **Dammer** Bochum	R. DA.
Gregor **Damschen** Halle/Saale	GR. DA.
Giovanna **Daverio Rocchi** Mailand	G. D. R.
Loretana **de Libero** Hamburg	L. d. L.
Stefania **de Vido** Venedig	S. d. V.
Wolfgang **Decker** Köln	W. D.
Jeanne-Marie **Demarolle** Nancy	J.-M. DE.
Massimo **Di Marco** Fondi (Latina)	M. D. MA.
Angelika **Dierichs** Münster	AN. DI.
Joachim **Dingel** Hamburg	J. D.
Götz **Distelrath** Konstanz	G. DI.
Roald Fritjof **Docter** Gent	R. D.
Klaus **Döring** Bamberg	K. D.
Gerhard **Dohrn-van Rossum** Chemnitz	G. D.-v. R.
Tiziano **Dorandi** Paris	T. D.
Annie **Doubordieu** Paris	A. DU.
Paul **Dräger** Trier	P. D.
Theodor **Ebert** Erlangen/Nürnberg	T. E.
Werner **Eck** Köln	W. E.
Walter **Eder** Bochum	W. ED.
Beate **Ego** Osnabrück	B. E.
Susanne **Eiben** Kiel	SU. EI.
Ulrich **Eigler** Trier	U. E.
Paolo **Eleuteri** Venedig	P. E.
Dorothee **Elm** Erfurt	D. E.
Karl-Ludwig **Elvers** Bochum	K.-L. E.
Johannes **Engels** Köln	J. E.
Claudia **Englhofer** Graz	CL. E.
Robert Malcolm **Errington** Marburg/Lahn	MA. ER.
Marion **Euskirchen** Bonn	M. E.
Giulia **Falco** Athen	GI. F.
Martin **Fell** Münster	M. FE.
Ulrich **Fellmeth** Stuttgart	UL. FE.
Juan José **Ferrer Maestro** Castellón	J. J. F. M.
Klaus **Fitschen** Kiel	K. FI.
Egon **Flaig** Greifswald	E. F.
Menso **Folkerts** München	M. F.
Sotera **Fornaro** Sassari	S. FO.
William W. **Fortenbaugh** New Brunswick, NJ	WI. FO.
Eckart **Frahm** Heidelberg	E. FRA.
Thomas **Franke** Bochum	T. F.
Angelika **Franz** Hamburg	A. FR.
Michael **Frede** Oxford	M. FR.
Klaus **Freitag** Münster	K. F.
Andreas **Fuchs** Jena	A. F.
Jörg **Fündling** Bonn	JÖ. F.
Hans Armin **Gärtner** Heidelberg	H. A. G.
Hartmut **Galsterer** Bonn	H. GA.
Richard **Gamauf** Wien	R. GA.
José Luis **García-Ramón** Köln	J. G.-R.
Michela **Gargini** Pisa	M. G.
Hans-Joachim **Gehrke** Freiburg	H.-J. G.
Karin **Geppert** Tübingen	KA. GE.
Simon **Gerber** Berlin	S. GE.
Tomasz **Giaro** Frankfurt/Main	T. G.
Jost **Gippert** Frankfurt/Main	J. G.
Reinhold F. **Glei** Bochum	R. GL.
Herwig **Görgemanns** Heidelberg	H. GÖ.
Thomas **Götzelt** Berlin	TH. G.
Tobias **Goldhahn** Kiel	T. GO.
Richard L. **Gordon** Ilmmünster	R. GOR.
Marie-Odile **Goulet-Cazé** Antony	M. G.-C.
Herbert **Graßl** Salzburg	H. GR.
Peter **Gröschler** Mainz	P. GR.
Kirsten **Groß-Albenhausen** Frankfurt/Main	K. G.-A.

Linda-Marie **Günther** Bochum	L.-M. G.	Bernhard **Kytzler** Durban	B. KY.
Maria Ida **Gulletta** Pisa	M. I. G.	Yves **Lafond** Bochum	Y. L.
Andreas **Gutsfeld** Münster	A. G.	Marie-Luise **Lakmann** Münster	M.-L. L.
Max **Haas** Basel	MA. HA.	Armin **Lange** Tübingen	AR. L.
Mareile **Haase** Erfurt	M. HAA.	Joachim **Latacz** Basel	J. L.
Peter **Habermehl** Berlin	PE. HA.	Yann **Le Bohec** Lyon	Y. L. B.
Ulf **Hailer** Tübingen	U. HA.	Maria Constanza **Lentini** Naxos (Messina)	M. C. L.
Ruth Elisabeth **Harder** Zürich	R. HA.	Hartmut **Leppin** Frankfurt/Main	H. L.
Roger **Harmon** Basel	RO. HA.	Silvia **Letsch-Brunner** Zürich	S. L.-B.
Arnulf **Hausleiter** Berlin	AR. HA.	Adrienne **Lezzi-Hafter** Kilchberg	A. L.-H.
Martin **Heimgartner** Basel	M. HE.	Cay **Lienau** Münster	C. L.
Theodor **Heinze** Genf	T. H.	Alexandra **von Lieven** Berlin	A. v. L.
Joachim **Hengstl** Marburg/Lahn	JO. HE.	Rüdiger **Liwak** Berlin	R. L.
Bernhard **Herzhoff** Trier	B. HE.	Winrich Alfried **Löhr** Cambridge	W. LÖ.
Stephen **Heyworth** Oxford	S. H.	Hans **Lohmann** Bochum	H. LO.
Gerhard **Hiesel** Freiburg	G. H.	Mario **Lombardo** Lecce	M. L.
Friedrich **Hild** Wien	F. H.	Volker **Losemann** Marburg/Lahn	V. L.
Christoph **Höcker** Kissing	C. HÖ.	Werner **Lütkenhaus** Marl	WE. LÜ.
Peter **Högemann** Tübingen	PE. HÖ.	Steven **Lundström** Berlin	S. LU.
Nicola **Hoesch** München	N. H.	Michael **Maaß** Karlsruhe	MI. MA.
Friedhelm **Hoffmann** Würzburg	FR. H.	Gerta **Maaß-Lindemann** Karlsruhe	G. M.-L.
Lars **Hoffmann** Mainz	L. H.	Sabina **Magrini** Florenz	S. MA.
Elisabeth **Hollender** Köln	E. H.	Wolfram-Aslan **Maharam** München	W.-A. M.
Jens **Holzhausen** Berlin	J. HO.	Dietrich **Mannsperger** Tübingen	D. MAN.
Christoph **Horn** Bonn	C. HO.	Ulrich **Manthe** Passau	U. M.
Simon **Hornblower** London	S. HO.	Christian **Marek** Zürich	C. MA.
Wolfgang **Hübner** Münster	W. H.	Christoph **Markschies** Heidelberg	C. M.
Oliver **Hülden** Tübingen	O. HÜ.	Stephanos **Matthaios** Nikosia	ST. MA.
Christian **Hünemörder** Hamburg	C. HÜ.	Jochen W. **Mayer** Stuttgart	J. W. MA.
Hermann **Hunger** Wien	H. HU.	Andreas **Mehl** Halle/Saale	A. ME.
Richard **Hunter** Cambridge	R. HU.	Mischa **Meier** Bielefeld	M. MEI.
Rolf **Hurschmann** Hamburg	R. H.	Gerhard **Meiser** Halle/Saale	GE. ME.
Werner **Huß** Bamberg	W. HU.	Franz-Stefan **Meissel** Wien	F. ME.
Hans-Peter **Isler** Zürich	H. I.	Klaus **Meister** Berlin	K. MEI.
Karl **Jansen-Winkeln** Berlin	K. J.-W.	Giovanna **Menci** Florenz	G. M.
Elisabeth **Jastrzębowska** Warschau	E. JA.	Aldo **Messina** Triest	AL. MES.
Nina **Johannsen** Kiel	NI. JO.	Ernst **Meyer** † Zürich	E. MEY.
Klaus-Peter **Johne** Berlin	K. P. J.	Simone **Michel** Hamburg	S. MI.
Sarah Iles **Johnston** Columbus	S. I. J.	Heide **Mommsen** Stuttgart	H. M.
Reinhard **Jung** Berlin	R. J.	Ornella **Montanari** Bologna	O. M.
Lutz **Käppel** Kiel	L. K.	Maria Milvia **Morciano** Florenz	M. M. MO.
Hans **Kaletsch** Regensburg	H. KA.	Christian **Müller** Bochum	C. MÜ.
Grammatiki **Karla** Berlin	G. KA.	Hans-Peter **Müller** Münster	H.-P. M.
Klaus **Karttunen** Helsinki	K. K.	Stefan **Müller** Hagen	S. MÜ.
Peter **Kehne** Hannover	P. KE.	Christa **Müller-Kessler** Emskirchen	C. K.
Karlheinz **Kessler** Emskirchen	K. KE.	Anna **Muggia** Pavia	A. MU.
Wilhelm **Kierdorf** Köln	W. K.	Alessandro **Naso** Udine	A. NA.
Mirko **Kierschowski** Freiburg	M. KI.	Heinz-Günther **Nesselrath** Göttingen	H.-G. NE.
Konrad **Kinzl** Peterborough	K. KI.	Richard **Neudecker** Rom	R. N.
Evelyn **Klengel-Brandt** Berlin	E. K.-B.	Günter **Neumann** Münster	G. N.
Claudia **Klodt** Hamburg	CL. K.	Hans **Neumann** Berlin	H. N.
Dietrich **Klose** München	DI. K.	Christoff **Neumeister** Frankfurt/Main	CH. N.
Heiner **Knell** Darmstadt	H. KN.	Karin **Neumeister** Frankfurt/Main	K. NE.
Christoph **Kohler** Bad Krozingen	C. KO.	Johannes **Niehoff** Freiburg	J. N.
Anne **Kolb** Frankfurt/Main	A. K.	Inge **Nielsen** Hamburg	I. N.
Manfred **Korfmann** Tübingen	M. KO.	Hans Georg **Niemeyer** Hamburg	H. G. N.
Herwig **Kramolisch** Eppelheim	HE. KR.	Hans Jörg **Nissen** Berlin	H. J. N.
Gernot **Krapinger** Graz	G. K.	René **Nünlist** Providence, RI	RE. N.
Helmut **Krasser** Gießen	H. KR.	Astrid **Nunn** Frankfurt/Main	A. NU.
Christopher **Krebs** Kiel	CH. KR.	Vivian **Nutton** London	V. N.
Andreas **Külzer** Wien	A. KÜ.	Thomas **Oberlies** Freiburg	TH. O.
Lukas **Kundert** Basel	LUK. KU.	Norbert **Oettinger** Augsburg	N. O.
Christiane **Kunst** Potsdam	C. KU.	Eckart **Olshausen** Stuttgart	E. O.

Johannes **Pahlitzsch** Berlin	J.P.	
Robert **Parker** Oxford	R.PA.	
Barbara **Patzek** Essen	B.P.	
Christoph Georg **Paulus** Berlin	C.PA.	
Anastasia **Pekridou-Gorecki** Frankfurt/Main	A.P.-G.	
Rossella **Pera** Genua	R.PE.	
Mischa **von Perger** Freiburg	M.v.P.	
Ulrike **Peter** Berlin	U.P.	
C.Robert III. **Phillips** Bethlehem, PA	C.R.P.	
Volker **Pingel** Bochum	V.P.	
Robert **Plath** Erlangen	R.P.	
Annegret **Plontke-Lüning** Jena	A.P.-L.	
Egert **Pöhlmann** Erlangen	EG.P.	
Michel **Polfer** Ettelbrück	MI.PO.	
Karla **Pollmann** St.Andrews	K.P.	
Werner **Portmann** Berlin	W.P.	
Friedhelm **Prayon** Tübingen	F.PR.	
Simon R.F. **Price** Oxford	SI.PR.	
Joachim **Quack** Berlin	JO.QU.	
Sven **Rausch** Kiel	SV.RA.	
François **Renaud** Moncton, NB	F.R.	
Johannes **Renger** Berlin	J.RE.	
Peter J. **Rhodes** Durham	P.J.R.	
Will **Richter** Göttingen	W.RI.	
Christoph **Riedweg** Zürich	C.RI.	
Josef **Rist** Würzburg	J.RI.	
Emmet **Robbins** Toronto	E.R.	
Wolfgang **Röllig** Tübingen	W.R.	
Dirk **Rohmann** Tübingen	D.RO.	
Veit **Rosenberger** Augsburg	V.RO.	
Jörg **Rüpke** Erfurt	J.R.	
Kai **Ruffing** Marburg/Lahn	K.RU.	
Ian C. **Rutherford** Reading	I.RU.	
Hélène **Sader** Beirut	H.SAD.	
Klaus **Sallmann** Mainz	KL.SA.	
Eleonora **Salomone Gaggero** Genua	E.S.G.	
Mirjo **Salvini** Rom	MI.SA.	
Antonio **Sartori** Mailand	A.SA.	
Vera **Sauer** Stuttgart	V.S.	
Kyriakos **Savvidis** Bochum	K.SA.	
Gerson **Schade** Berlin	GE.SCH.	
Alfred **Schäfer** Köln	AL.SCH.	
Dietmar **Schanbacher** Dresden	D.SCH.	
Ingeborg **Scheibler** Krefeld	I.S.	
Johannes **Scherf** Tübingen	JO.S.	
Peter **Scherrer** Wien	P.SCH.	
Gottfried **Schiemann** Tübingen	G.S.	
Brigitte **Schirmer** Freiburg	BR.SCH.	
Karin **Schlapbach** Zürich	K.SCHL.	
Peter Lebrecht **Schmidt** Konstanz	P.L.S.	
Tassilo **Schmitt** Bielefeld	TA.S.	
Pauline **Schmitt-Pantel** Paris	P.S.-P.	
Winfried **Schmitz** Bielefeld	W.S.	
Ulrich **Schmitzer** Erlangen	U.SCH.	
Helmuth **Schneider** Kassel	H.SCHN.	
Franz **Schön** Regensburg	F.SCH.	
Claus **Schönig** Mainz	CL.SCH.	
Hanne **Schönig** Halle/Saale	H.SCHÖ.	
Cordula **Scholz** Köln	COR.SCH.	
Martin **Schottky** Pretzfeld	M.SCH.	
Eckart E. **Schütrumpf** Boulder, CO	E.E.S.	
Christoph **Schuler** Tübingen	C.SCH.	
Christian **Schulze** Bochum	CH.S.	

Heinz-Joachim **Schulzki** Freudenstadt	H.-J.S.	
Leonhard **Schumacher** Mainz	LE.SCH.	
Andreas **Schwarcz** Wien	A.SCH.	
Elmar **Schwertheim** Münster	E.SCH.	
Markus **Sehlmeyer** Jena	M.SE.	
Stephan Johannes **Seidlmayer** Berlin	S.S.	
Reinhard **Senff** Bochum	R.SE.	
Anne Viola **Siebert** Hannover	A.V.S.	
Kurt **Smolak** Wien	K.SM.	
Holger **Sonnabend** Stuttgart	H.SO.	
Wolfgang **Spickermann** Bochum	W.SP.	
Karl-Heinz **Stanzel** Tübingen	K.-H.S.	
Frank **Starke** Tübingen	F.S.	
Christopher **Steimle** Erfurt	CH.ST.	
Dieter **Steinbauer** Regensburg	D.ST.	
Matthias **Steinhart** Freiburg	M.ST.	
Jan **Stenger** Kiel	J.STE.	
Ruth **Stepper** Potsdam	R.ST.	
Magdalene **Stoevesandt** Basel	MA.ST.	
Daniel **Strauch** Berlin	D.S.	
Karl **Strobel** Klagenfurt	K.ST.	
Meret **Strothmann** Bochum	ME.STR.	
Gerd **Stumpf** München	GE.S.	
Thomas A. **Szlezák** Tübingen	T.A.S.	
Klaus **Tausend** Graz	KL.T.	
Sabine **Tausend** Graz	SA.T.	
Gerhard **Thür** Graz	G.T.	
Werner **Tietz** Tübingen	W.T.	
Alec F. **Tilley** Waterlooville	A.F.T.	
Franz **Tinnefeld** München	F.T.	
Malcolm **Todd** Exeter	M.TO.	
Robert **Todd** Vancouver	R.TO.	
Isabel **Toral-Niehoff** Freiburg	I.T.-N.	
Alain **Touwaide** Madrid	A.TO.	
Joseph **Tropper** Berlin	J.TR.	
Charalampos **Tsochos** Erfurt	X.T.	
Giovanni **Uggeri** Florenz	G.U.	
Johannes M. **van Ophuijsen** Leiden	J.v.O.	
Gabriella **Vanotti** Novara	G.VA.	
Artur **Völkl** Innsbruck	A.VÖ.	
Hans **Volkmann** Köln	H.VO.	
Franco **Volpi** Vicenza	F.VO.	
Christine **Walde** Basel	C.W.	
Gerhard H. **Waldherr** Regensburg	G.H.W.	
Katharina **Waldner** Erfurt	K.WA.	
Gerold **Walser** † Basel	G.W.	
Uwe **Walter** Köln	U.WAL.	
Irina **Wandrey** Berlin	I.WA.	
Ralf-B. **Wartke** Berlin	R.W.	
Karl-Wilhelm **Weeber** Witten	K.-W.WEE.	
Michael **Weißenberger** Greifswald	M.W.	
Karl-Wilhelm **Welwei** Bochum	K.-W.WEL.	
Peter **Wick** Basel	P.WI.	
Rainer **Wiegels** Osnabrück	RA.WI.	
Josef **Wiesehöfer** Kiel	J.W.	
Wolfgang **Will** Bonn	W.W.	
Dietrich **Willers** Bern	DI.WI.	
Nigel **Wilson** Oxford	N.W.	
Christian **Winkle** Stuttgart	CH.W.	
Eckhard **Wirbelauer** Freiburg	E.W.	
Timothy Peter **Wiseman** Exeter	T.W.	
Michael **Zahrnt** Kiel	M.Z.	
Michaela **Zelzer** Wien	M.ZE.	

Konrat **Ziegler** † Göttingen   K. Z.
Bernhard **Zimmermann** Freiburg   B. Z.
Klaus **Zimmermann** Jena   KL. ZI.
Martin **Zimmermann** München   MA. ZI.
Sylvia **Zimmermann** Freiburg   S. ZIM.

Übersetzer

I. Banholzer	I. BA.	R. May	RE. M.
J. Derlien	J. DE.	J. W. Mayer	J. W. MA.
H. Dietrich	H. D.	S. Motullo	S. MO.
E. Dürr	E. D.	E. Nesselmann	E. N.
S. Externbrink	S. EX.	E. Olshausen	E. O.
L. Feneberg	L. FE.	B. v. Reibnitz	B. v. R.
S. Fischer	SU. FI.	L. von Reppert-Bismarck	L. v. R.-B.
Th. Gaiser	TH. G.	U. Rüpke	U. R.
A. Heckmann	A. H.	I. Sauer	I. S.
M. Heimgartner	M. HE.	C. Skrdlant	C. SK.
T. Heinze	T. H.	B. Strobel	B. ST.
M. Kramer	M. KRA.	St. Unteregge	S. U.
St. Krauter	S. KR.	M. Vahl	M. VA.
K. Ludwig	K. L.	Th. Zinsmaier	TH. ZI.
P. Mauritsch	PE. MA.	S. Zubarik	S. ZU.

Mitarbeiter in den Fachgebietsredaktionen

Alte Geschichte:	Dr. Thomas Franke
	Jörg Gerber, M. A.
	Nora Gremm
	Ralf Krebstakies
Alter Orient:	Ulrike Steinert
Archäologie (Sachkultur und Kunstgeschichte):	Dr. Fulvia Ciliberto
Christentum:	Dr. Martin Heimgartner
Griechische Philologie:	Raphael Sobotta
Historische Geographie:	Vera Sauer M. A.
Kulturgeschichte:	Christina Dix
	Sandra Schwarz
Lateinische Philologie, Rhetorik:	Diana Püschel
	Sabine Zubarik
Mythologie:	Silke Antoni
Religionsgeschichte:	Diana Püschel
	Sabine Zubarik
Sozial- und Wirtschaftsgeschichte:	Björn Onken
	Markus Rose
Textwissenschaft:	Dr. Gerson Schade

T

Tamarus. Rechter Nebenfluß des Calor (h. Calore) im Gebiet der → Hirpini, h. Tammaro. Er entspringt im Gebiet von Saepinum, durchquert den Ager Taurasinus, berührt Forum Novum (h. S. Arcangelo) und mündet bei Beneventum in den Calor; streckenweise flankiert von der Via Minucia (Station *Super Thamari fluvium*: Itin. Anton. 103,1) und der Via Traiana.

Miller, 370 · G. De Benedittis, L'alta valle del T., in: Studi Beneventani 4–5, 1991, 3–38.   G.U./Ü: H.D.

Tamassos (Ταμασ[σ]ός). Stadt im Zentrum von Kypros (Zypern) am Ostrand des Troodos-Gebirges beim h. Dorf Politiko sw von Nikosia. T. war in der Ant. wegen seines Kupferreichtums bekannt (Hom. Od. 1,184: Τεμέση; Strab. 14,6,5). Die Siedlung läßt sich bis in die Brz. zurückverfolgen. Als selbständiges Stadtkönigtum wird T. erstmals 673/2 v. Chr in einer assyr. Inschr. erwähnt [1]. Der letzte König Pasikypros verkaufte T. Mitte des 4. Jh. v. Chr. für 50 Talente an Pumiaton, den König von → Kition. Durch Alexandros [4] d.Gr. 332 v. Chr. der Herrschaft von Salamis [2] unterstellt, wurde T. wie alle anderen kyprischen Staaten Teil des Reiches der → Ptolemaier. In christl. Zeit Bischofssitz.

Ausgrabungen haben eine Befestigungsmauer aus klass. Zeit, Wohnhäuser verschiedener Epochen sowie Heiligtümer der → Aphrodite und → Kybele freigelegt. In der Nekropole fallen archa. Kammergräber der Aristokratie durch ihre aufwendige Architektur auf. Zwei Heiligtümer des → Apollon wurden bei Pera und bei Frangissa am Ufer des Pediaios ausgegraben. Letzteres enthielt zahlreiche Skulpturen, darunter eine Br.-Statue des 5. Jh. v. Chr., deren Kopf sich h. unter der Bezeichnung Chatsworth-Head in London, BM befindet.

1 R. Borger, Die Inschr. Asarhaddons, Königs von Assyrien (AfO Beih. 9), 1956, 59–61.

H.-G. Buchholz, K. Untiedt, T., ein ant. Königreich auf Zypern, 1996 · Masson, 222–228 · O. Masson, Recherches sur les antiquités de T., in: BCH 88, 1964, 199–238 · E. Oberhummer, s.v. T., RE 4 A, 2095–2098.   R. SE.

Tamesa (Tamesis). Fluß in SO-Britannia, h. Themse (Caes. Gall. 5,11,8; Tac. ann. 14,32; Cass. Dio 40,3,1; 60,20f.; 62,1). An der Mündung des T., einem vorzüglichen Naturhafen, lag → Londinium.

M. Förster, Der Flußname Themse, 1942 · A.L.F. Rivet, C. Smith, The Place-Names of Roman Britain, 1979, 466.   M. TO./Ü: I.S.

Tamia (ταμία). In begüterten griech. Häusern verwaltete die *t.* die im Haus, meist in einer abschließbaren Kammer (→ *tamieíon*; → *thálamos*) gelagerten Vorräte und Wertgegenstände. Unter den Dienstleuten hatte sie einen bes. Rang und genoß das Vertrauen des Hausherrn (Hom. Od. 2,345; Pind. O. 13,7; Xen. oik. 9,10–13; 10,10; Lib. or. 16,47).   W.S.

Tamias (ταμίας, Pl. ταμίαι/*tamíai*). Verwalter einer Tempelkasse oder einer staatlichen Kasse.

In Athen hatten die *t.* der Athena (τ. τῆς θεοῦ, *t. tês theú*) das wichtigste Schatzamt inne. Die zehn *t.* wurden aus der Schatzungsklasse der → *pentakosiomédimnoi* gelost, einer aus jeder → *phylé*. Zu Beginn des Amtsjahres übernahmen die *t.* in Anwesenheit des Rats (→ *bulé*) das mit Gold und Elfenbein gefaßte Götterbild der Athena, die mit Silber- und Goldblechen belegten br. Nikestatuen, die Weihgeschenke und den im Opisthodom (→ *Tempel*) des → *Parthenon* verwahrten Kassenbestand. Seit 454/3 v. Chr. erhielten sie von den → *hellēnotamíai* ein Sechzigstel der Beiträge aus dem → Attisch-Delischen Seebund (→ *phóros*). Über die in den drei → *cellae* [1] des Parthenon verwahrten Wertgegenstände und Weihungen legten die *t.* Inventare (*lógoi*) an, die von 434/3 an auf Stein veröffentlicht wurden (Pronaos: IG I³ 292–316; Hekatompedon: IG I³ 317–342; Parthenon: IG I³ 343–362). Für die im Opisthodom verwahrten Gelder sind keine Abrechnungen erh. Nach den Beschlüssen der Volksversammlung (→ *ekklēsía*) und unter der Kontrolle des Rats zogen die *t.* die für die Tempelkasse vorgesehenen Gelder ein, nahmen Deposite an und zahlten Gelder für Baumaßnahmen und als Darlehen für Kriegszüge aus.

Durch das Kallias-Dekret (vgl. → Kallias [7]) wurden 434/3 den Göttern zurückgezahlte Anleihen einem neu eingerichteten Kollegium von »Schatzmeistern der anderen Götter« (τ. τῶν ἄλλων θεῶν, *t. tôn állōn theôn*) übertragen (IG I³ 52A). Auch diese Kasse befand sich im Opisthodom des Parthenon. Von den im Dekret geforderten Listen über Bestand, Eingänge und Ausgaben ist ein Stein erh. (IG I³ 383). Durch die Zusammenfassung der vorher in lokalen Tempeln aufbewahrten Bestände zu einer auf der Akropolis zentral verwalteten Kasse der »anderen Götter« sollten Geldtransfers erleichtert werden. Die Amtszeit währte für beide Schatzämter von einem Panathenäenfest (→ *Panathḗnaia*) zum nächsten. Die »*t.* der Athena« und die der »anderen Götter« waren zw. 406/5 und 386/5 und erneut von 346/5 an zu einer Institution zusammengefaßt (IG II/III² 1370–1492). Aufgrund anderer Formen der Archivierung gibt es aus dem 3. Jh. v. Chr. trotz Weiterbestehens der Schatzämter keine Inventarlisten mehr.

Im 4. Jh. v. Chr. wurde in Athen das System der Ausgaben und Verwahrung staatlicher Gelder grundlegend geändert. Die unter Leitung der → *kōlakrétai* und *hellēnotamíai* stehenden Kassen wurden nach Athens Niederlage im Peloponnesischen Krieg aufgelöst. Die Einnehmer (→ *apodéktai*) wiesen statt dessen nach einem Verteilungsplan (*merismós*) direkt einzelnen Institutionen bestimmte Summen zu. Verwaltet wurden diese Zuweisungen bei den einzelnen Institutionen durch spezielle Kassenverwalter. »T. des Volkes« (τ. τοῦ δήμου, *t. tu dḗmu*) und »t. des Rats« (τ. τῆς βουλῆς, *t. tês bulês*) zahlten Beiträge für Opfer, Ehrungen und die Veröffentlichung von Beschlüssen aus. Darüber hinaus gab es *t.* für die Staatsschiffe, den Bau von Kriegsschiffen und die Verpflegung von Soldaten. Die Schatzmeister wurden gewählt; → *logistaí* prüften ihre Abrechnungen.

Besondere Bed. gewann die 373 erstmals bezeugte Kriegskasse, die von einem gewählten *t.* verwaltet wurde (τ. στρατιωτικῶν, *t. stratiōtikón*; → *stratiōtiká*), und die → *theōrikón*-Kasse, aus der u. a. die Schaugelder für Theateraufführungen gezahlt wurden. In Kriegszeiten wurden die über den *merismós* hinausgehenden Überschüsse an die Kriegskasse, nach dem Bundesgenossenkrieg (357–355, → Bundesgenossenkriege [1]) an die Verwalter des *theōrikón* (οἱ ἐπὶ τὸ θεωρικόν, *hoi epí to theōrikón*) überwiesen. Der *t.* der Kriegskasse nahm mit den Schatzmeistern des *theōrikón* und im Beisein des Rats an der Verpachtung der Minen von → Laureion und der Abgabeneinziehung durch die → *pōlētaí* teil. Politiker wie Apollodoros [1] und Demosthenes [2] forderten, um eine effektive Kriegführung gegen Makedonien zu ermöglichen, eine Konzentration der Überschüsse auf die Kriegskasse. Als nach der Niederlage von Chaironeia (338) das Amt der Verwalter des *theōrikón* geschwächt wurde, entwicklete sich ein neues zentrales Amt (ὁ bzw. οἱ ἐπὶ τῇ διοικήσει, Sg. *ho* bzw. Pl. *hoi epí tê dioikḗsei*) mit wichtigen Funktionen für die gesamte Finanzverwaltung. Zahlreiche *t.* wurden im 3. Jh. v. Chr. diesem Amt unterstellt.

Auch in vielen anderen griech. *póleis* sind Schatzmeister nachgewiesen. *T.* kann dabei den einfachen Kassenbeamten bezeichnen, der auf Anordnung vorgesetzter Stellen, meist des Rats, Einzahlungen entgegennahm und Auszahlungen leistete, aber auch den Leiter der städtischen Finanzen. In einigen Städten und Bundesstaaten waren *t.* eponyme Amtsträger (→ Eponyme Datierung). Tempelgelder wurden häufig durch städtische *t.* verwaltet.

→ Steuern III. B; Tempelwirtschaft II.

J. BLEICKEN, Die athenische Demokratie, ⁴1995, 274; 299–306 · P. BRUN, Eisphora, Syntaxis, Stratiotika. Recherches sur les finances militaires d'Athènes au IVᵉ siècle av. J.-C., 1983 · W. S. FERGUSON, The Treasurers of Athena, 1932 · H. LEPPIN, Zur Entwicklung der Verwaltung öffentlicher Gelder im Athen des 4. Jh. v. Chr., in: EDER, Demokratie 557–571 · T. LINDERS, The Treasurers of the Other Gods in Athens and Their Functions, 1975 · P. J. RHODES, The Athenian Boule, 1972 · L. J. SAMONS II., Empire of the Owl. Athenian Imperial Finance, 2000.   W. S.

Tamieion (ταμιεῖον, ταμεῖον). Kassen- oder Depotraum, in dem Gelder und Wertgegenstände von Tempeln, der Polis oder von Privatpersonen von einem Schatzmeister, Kassenwart, einem/einer Bediensteten des Hauses (ταμίας/*tamías*, ταμία/*tamía*) verwahrt wurden. Für die Athenische Symmachie (→ Attisch-Delischer Seebund) war das Apollonheiligtum auf Delos Kassenort (κοινὸν τ./*koinón t.*) für die eingehenden Beiträge (φόροι/*phóroi*; Thuk. 1,96,2; Diod. 11,47,1). In Athen war der ὀπισθόδομος/*opisthódomos* der Ort, an dem die Kasse der Polis aufbewahrt wurde. *T.* bezeichnet aber auch private Kassen und Vorratskammern bzw. Speicher, in denen Waren gelagert wurden (das *t.* der athenischen Truppen vor Syrakus: Thuk. 7,24,2; vgl. außerdem Plat. rep. 416d; 548a; 550d; Xen. mem. 1, 5,2; Xen. equ. 4,1; Plut. mor. 9E; P CZ 299,7; 472,10; P Lond. 2,216,22). In röm. Zeit entspricht das griech. *t.* dem → *aerarium populi Romani* oder dem → *fiscus* des *princeps*, das τ. στρατιωτῶν/*t. stratiōtiṓn* dem *aerarium militare*.

→ Tamia; Tamias   W. S.

Tammuz (Thammuz; sumerisch Dumu-zi, »legitimer Sohn«, aram. *Tham(m)uza*, hebräisch *Thammûz*, griech. Θαμμουζ). Vorzeitlicher König von → Uruk und Gemahl der Stadtgöttin Inanna (→ Ištar; → Hieros Gamos). Von ihr wird *T.* den Mächten der Unterwelt überantwortet, als sie – in ihrem Bestreben gescheitert, auch die Herrschaft über die Unterwelt an sich zu reißen – nur gegen das Versprechen eines (menschlichen) Substitutes aus der Gewalt der Unterwelt entlassen wird. Dumu-zi wird von den Häschern der Unterwelt gefangen; allerdings bietet sich seine Schwester an, den Aufenthalt in der Unterwelt mit ihm zu teilen, d. h. beide müssen sich für je ein halbes Jahr dort aufhalten (im Mythos von »Inannas Gang zur Unterwelt«, vgl. TUAT 3. 458–495). Das Verschwinden des Dumu-zi, das mit dem Sterben der Vegetation in der Hitze des Sommers verbunden wurde, wird in zahlreichen sumerischen und akkadischen Kultliedern beweint. Im 1. Jt. v. Chr. spielt der akkadische Mythos (TUAT 3. 760–765) von → Ištars Gang in die Unterwelt im Zusammenhang mit Begräbnisritualen eine Rolle [4. 164f.; 5. 13f.]. Von der Verbreitung des T.-Kultes in Syrien/Palaestina zeugen u. a. Ez 8,14 und Dan 11,37. Ähnlichkeiten bestehen mit dem Kult des → Adonis; so substituiert eine LXX-Handschrift T. durch Adonis, ebenso die Vulgata. Noch im 5. Jh. n. Chr. scheint der T.-Kult in Nordsyrien lebendig gewesen zu sein (Isaak von Antiocheia, Opera 2,210 BICKELL). Bis ins 20. Jh. ist T. in den sog. Tammuzi-Gesängen lebendig.

1 D. O. EDZARD, s. v. Dumuzi, WbMyth, Bd. 1, 51–53 2 K. GALLING, s. v. T., Reallex. der Vorgesch. 13, 1929, 172f. 3 T. JACOBSEN, The Treasures of Darkness, 1976, 25–73 4 S. M. MAUL, *kurgarrû* und *assinnu* und ihr Stand in der babylonischen Ges., in: V. HAAS (Hrsg.), Außenseiter und Randgruppen, 1992, 159–171 5 E. M. YAMAOUCHI, Additional Notes on T., in: Journ. of Semitic Studies 11, 1966, 10–15 6 H. ZIMMERN, Der babylonische Gott Tamuz, 1909.   J. RE.

Tamos (Τάμως) aus dem äg. → Memphis, Stellvertreter (*hýparchos*) des → Tissaphernes in Ionien (Thuk. 8,31,2; 8,87,1 und 3; für das J. 411), nahm 401 v. Chr. am Aufstand des → Kyros [3] als Beauftragter (*epimelētḗs*) für Ionien/Aiolis (Diod. 14,19,6) und Flottenführer teil (Xen. an. 1,2,21; 1,4,2) und floh nach dem Tode des Kyros bei → Kunaxa nach Äg., wo er mit seinen Söhnen von Psammetichos [6] (so Diod. 14,35,3–5; wohl Königsname für → Amyrtaios [2]), getötet wurde, der in den Besitz von Flotte und Vermögen des T. kommen wollte.   W. ED.

Tamphilus.
Röm. Cogn., → Baebius [I 1; 10–13; II 13].

Tamsapor. Feldherr → Sapors [2] II., mit der Verteidigung der persischen Westgrenze beauftragt. 357 n. Chr. setzte er sich für Friedensverhandlungen mit Rom ein (Amm. 16,9,3 f.; 17,5). Beim Wiederaufleben des Perserkrieges 359 führte T. mit Nohodares kleine, sehr bewegliche Abteilungen erfolgreich gegen die Römer (Amm. 18,8,3; 19,9,7; vgl. Themist. or. 4,57).   M. SCH.

Tamuda. Kleine mauretanische Landstadt (3. bis 1. Jh. v. Chr.) bei Tétouan (Marokko) nahe der Küste (*mare Ibericum*), mit starken karthagischen Einflüssen (Grabformen, Münzprägung). Älteste arch. Zeugnisse aus dem 6. Jh. v. Chr.; in der röm. Kaiserzeit Platz eines Militärlagers.

      M. PONSICH, s. v. T., DCPP, 436.   H. G. N.

Tamynai (Τάμυναι, auch Ταμῦναι). Ortschaft im Gebiet von Eretria [1] (Strab. 10,1,10) ca. 14 km nördl. von Porthmos [2] beim h. Avlonari, vom FH bis in die röm. Kaiserzeit besiedelt (Reste der Stadtmauer und eines dor. Tempels des 4. Jh. v. Chr.). Die Annahme, die Perser seien 490 v. Chr. bei T. gelandet (Textkonjektur zu Hdt. 6,101), ist unhaltbar. Inschr. des 3. Jh. v. Chr. bezeugen T. als Demos von Eretria (vgl. IG XII 9, 191). In den Auseinandersetzungen Athens mit Philippos [4] II. um den Einfluß auf Euboia [1] errang → Phokion 348 v. Chr. bei T. einen Sieg (Plut. Phokion 12 f.; Aischin. or. 3,86 ff.; Demosth. or. 21,161; 39,16). Kult und Orakel des → Apollon mit Spielen (Strab. l. c.; IG XII 9, 90–95a) sowie Kult des → Zeus (Paus. bei Steph. Byz. s. v. T.) sind bezeugt.

      F. GEYER, Top. und Gesch. der Insel Euboia, 1903, 75 f. · E. FREUND, s. v. T., in: LAUFFER, Griechenland, 648 f. · MÜLLER, 425.   A. KÜ.

Tanager. Nebenfluß des → Silarus, h. Torrente Tanagro in Lucania (Verg. georg. 3,151 mit Serv.: *siccus T.*; Plin. nat. 2,225 ohne Namensnennung; Vibius Sequester 151 R.; *ad Tanarum*, die Station am Flußübergang: Itin. Anton. 109,5).

      H. PHILIPP, s. v. T., RE 4 A, 2153.   E. O.

Tanagra (Τάναγρα). Stadt in Ost-Boiotia auf dem östl. Ausläufer des Kerykeion-Gebirges nördl. der Mündung des Laris in den Asopos [2], ca. 4,5 km sö des h. T. (ehemals Vratsi). Die umfangreichen Überreste sind nicht systematisch ergraben [1; 6]. Die myk. Siedlung und die Nekropole bei Vratsi mit vielen aufwendigen Bestattungen nach minoischem Vorbild sind nicht direkte Vorläufer von T. (Ber.: [8]).

Als Gründungsheros von T. galt → Poimandros (daher bei Plut. qu. Gr. 37 *Poimandría* mit T. identifiziert; Steph. Byz. s. v. Ποιμανδρία; schol. Lykophr. 326; [7. Bd. 2, 203–205]), dessen Frau T. eine Tochter des Aiolos [1] war (nach Korinna des Asopos [2], Paus. 9,20,1). Man versuchte in der Ant. (Paus. 9,20,2; [4. 37 f.]) fälschlicherweise, T. mit Graia (Hom. Il. 2,498) zu identifizieren, da T. im homerischen Schiffskatalog nicht erwähnt ist.

Bereits in archa. Zeit von Bed., war T. an der Kolonisierung von Herakleia [7] Pontike (ca. 560 v. Chr.) durch Megara [2] beteiligt (Paus. 5,26,7). Die Siedlung der im 6. Jh. v. Chr. mehrfach bezeugten *Tanagraíoi* (Olympia: SEG 11, 1202; 15, 245) in Einzeldörfern (κατὰ κώμας) konzentrierte sich in archa. Zeit wohl durch → *synoikismós* auf T. (Plut. qu. Gr. 37), das bereits von neolithischer bis in frühmyk. Zeit dicht besiedelt und dann verlassen worden war. Der Siedlungshügel war bis in byz. Zeit bewohnt. Führendes Mitglied des Boiot. Bundes (→ Boiotia, mit Karte) bereits im 6. Jh. (Bundesmünze mit Sigle TA: HN 347 f.), stellte T. nach 447 einen → Boiotarchen (Hell. Oxyrh. 19,3,392). 457 v. Chr. erfolgte bei T. die Niederlage Athens gegen Sparta (Paus. 5,10,4; IG I³ 1149); nach dem Sieg der Athener bei Oinophyta wurde T. eingenommen, seine Mauern geschleift (Thuk. 1,108,1–3; Diod. 11,80–82). T. wurde nach dem Königsfrieden 386 v. Chr. wohl wieder aufgebaut. Nach der Zerstörung von Thebai 335 v. Chr. prosperierte T., das Gebiet umfaßte ganz Ost-Boiotia von Thebai bis zum Golf von Euboia. Weitreichende Beziehungen sind v. a. im Hell. greifbar (Proxenie-Dekrete: [2]). T. und Plataiai wurden als einzige boiot. Städte bei der kyrenischen Getreidespende bedacht (SEG 9,2,32; → Getreidehandel, mit Karte). T. hatte spätestens in der Kaiserzeit den Status einer *civitas libera* (Plin. nat. 4,26); von Augustus bis Commodus war T. röm. Mz.-Stätte. Strabon (9,2,25) kennt nur noch T. und Thespiai als boiot. Städte. T. war evtl. Bischofssitz (Hierokles, Synekdemos 645,5) [3].

Zahlreiche Kulte sind nachgewiesen [4. 151–156; 7]: Hauptkult für → Hermes (Promachos, Kriophoros [7. Bd. 2, 44–50]); Tempel für Dionysos (Kultbild von → Kalamis, Paus. 9,20,4; [7. Bd. 1, 183–185]); im 3. Jh. v. Chr. Neubau eines Demeter-Tempels (LSCG 72; [7. Bd. 1, 161 f.]); Grab des Orion [1] (Paus. 9,20,3; [7. Bd. 2, 193 f.]); im 1. Jh. v. Chr. sind Serapeia greifbar [4. 110–115; 7. Bd. 1, 203 f.]. Die Dichterin → Korinna stammte aus T., hier befand sich auch ihr Grab (Paus. 9,22,3). Herakleides Kritikos (fr. 1,8–10) beschreibt T. als blühende, sichere Stadt mit freundlichen Einwohnern und rühmt den Wein; bekannt waren auch die Hähne von T. (Paus. 9,22,4; Varro rust. 3,6,9; Colum. 8,2,4; Plin. nat. 10,48).

Seit archa. Zeit wurden in T. Terrakottafiguren produziert, bes. kunstvoll und umfangreich im Hell., so daß T. heute namengebend für den Sammelbegriff »T.-Figuren« ist. Quellen bei [4]; außerdem Inschr.: IG VII 504–1663; 3501–3547; 4238; SCHWYZER, Dial., 451–463; Nachträge SEG, vgl. [5]; Mz.: HN 347–349.

→ Boiotia (mit Karte)

1 J. BINTLIFF u. a., The T. Survey 2000, in: Pharos 8, 2000, 93–127 2 J. FOSSEY, Τὰ ψηφίσματα προξενίας τῆς Ταναγρας, in: Horos 2, 1984, 119–135 3 KODER/HILD, 267 4 D. W. ROLLER, Tanagran Studies I. Sources and Documents, 1989 5 Ders., Tanagran Studies II. The Prosopography of T. in Boiotia, 1989 6 Ders., T. Survey Project, in: ABSA 82, 1987, 213–232 7 SCHACHTER 8 TH. G. SPYROPULOS, Ἀνασκαφὴ μυκηναϊκοῦ … Ταναγρας, in: Praktika 1969ff. (bis 1984).

C. FIEHN, s. v. T. (2), RE 4 A, 2154–2162 • FOSSEY, 43–58 • M. H. HANSEN (Hrsg.), Introduction to an Inventory of Poleis, 1996, 104–106 • R. HIGGINS, T. and the Figurines, 1986 • G. KLEINER, T.figuren, neu hrsg. von K. PARLASCA, 1984 • K. BRAUN, s. v. T., LAUFFER, Griechenland, 649 f.

M. FE.

Tanagrafiguren s. Tanagra; Terrakotten

Tanais (Τάναϊς).

[1] Der 1970 km lange Strom, der die Grenze zw. Skythai und Sarmatai bildete (Hdt. 4,21; nach Plin. nat. 6,20 von den Skythai *Silis* genannt) und in die → Maiotis mündete, h. Don. An seinem Unterlauf lebten seit dem 4. Jh. v. Chr. sarmatische Stämme; arch. sind hier etwa 15 ant. Siedlungen bekannt.

[2] Von bosporanischen Griechen im 3. Jh. v. Chr. wohl unter Spartokos [3] III. gegr. Stadt am rechten Ufer eines in der Ant. schiffbaren Mündungsarms (h. »toter Don«) des T. [1] beim h. Nedvigovska (Strab. 11,2,3), wo mehrere Nekropolen entdeckt wurden. Das Territorium von T. umfaßte auch das Gebiet der angrenzenden → Maiotai. Etwa 40% der PN auf den Grabinschr. von T. sind nicht griech. In röm. Zeit verstärkte sich der sarmatische Anteil der Bevölkerung. T. diente als gemeinsamer Handelsposten für griech., sarmat. und maiotische Händler. Bes. gut bezeugt sind Handelsbeziehungen zu den → Sarmatai am → Rha. T. versuchte immer wieder, sich vom → *Regnum Bosporanum* zu lösen, was wohl in der 2. H. des 2. Jh. v. Chr. gelang. Nach Mithradates [6] VI. stand T. wieder unter bosporanischer Herrschaft. Im Zusammenhang mit dem Aufstand der bosporan. Bevölkerung gegen Polemon [4] brachen auch in T. Unruhen aus, bei deren Niederwerfung (zw. 15 und 8 v. Chr.) T. schwer in Mitleidenschaft gezogen wurde (Strab. 11,2,3). T. wurde von einem königlichen Beamten verwaltet (πρεσβύτης/*presbýtes*; IOSPE 2,433); umstritten ist die Bed. der Amtsbezeichnungen ἑλληνάρχης/*hellēnárchēs* und ἄρχοντες Ταναειτῶν/*árchontes Tanaeitṓn* (ethnische oder territoriale Bed.). Der Wie-

deraufbau der Stadt wurde erst seit dem E. des 1. Jh. n. Chr. betrieben, als T. eine starke Befestigung erhielt. T. wurde ein wichtiger röm. Militärstützpunkt gegen die Nomadenstämme im Hinterland. Im 2./Anf. des 3. Jh. n. Chr. erlebte T. seine höchste wirtschaftl. Blüte. Die letzte datierbare Inschr. aus T. stammt aus dem J. 244 (IOSPE 2,454). Um 250 n. Chr. fiel die Stadt den Angriffen der → Goti und → Heruli zum Opfer.

F. V. GAIDUKEVIČ, Das Bosporanische Reich, 1971, 151–255, 362–364 • T. M. ARCEN'EVA, T., in: G. A. KOSELENKO (Hrsg.), Antičnye gosudarstva severnogo Pričernomor'ja, 1984, 93–95. I. v. B.

Tanaquil. Nach der röm. Trad. vornehme Etruskerin aus → Tarquinii und Ehefrau des fünften Königs von Rom (Pol. 6,11a,7; Fabius Pictor bei Dion. Hal. ant. 4,6,3 und 30,2 f.; Liv. 1,34,4 ff.), des ebenfalls aus Tarquinia stammenden Halbgriechen L. → Tarquinius [11] Priscus. Mit der Kunst der Weissagung vertraut, prophezeit sie bei der Ankunft des Ehepaares in Rom den Thronerwerb ihres Mannes (Liv. 1,34,8 f.; Dion. Hal. ant. 3,47,3 f.) und verschafft nach dessen Ermordung ihrem Günstling Servius → Tullius [I 4] durch List die Königswürde (Liv. 1,41; Dion. Hal. ant. 4,4 f.). In republikanischer Zeit galt T. als gute Ehefrau und Vorbild der röm. → Matronen (Enn. ann. 147 SK.; Varro bei Plin. nat. 8,194), wozu auch ihre nachträgliche Gleichsetzung mit Gaia → Caecilia [1] beitrug [4].

T. ist die latinisierte Form des etr. Frauenpraenomens Θanaχvil; die Ableitung von der nicht synkopierten Form legt eine Übernahme des Namens in die röm. Überl. vor 480/70 v. Chr. nahe. Die Sage enthält orientalische Motive [2] und ist von Livius dramatisch ausgeschmückt worden, im Detail vielleicht durch hell. Vorbilder und das augusteische Kaiserhaus (Livia [2]) inspiriert [3]. Die fest in der röm. Trad. und im röm. Ambiente verankerte Figur der T. läßt – trotz wiederholter Versuche (gänzlich überholt [1]) – keine Rückschlüsse auf die etr. Sozialstruktur zu [3].

1 J. J. BACHOFEN, Die Sage von T., 1870 2 D. BRIQUEL, Les figures féminines dans la trad. sur les trois derniers rois de Rome, in: Gerión 16, 1998, 113–141 3 I. MCDOUGALL, Livy and Etruscan Woman, in: Ancient History Bulletin 4.2, 1990, 24–30 4 MOMIGLIANO 4, 455–485. P. AM.

Tanarus. Fluß, der in den Alpes Maritimae entspringt (Plin. nat. 3,118) und bei Valentia und Forum Fulvi rechtseits in den Padus (Po) mündet, h. Tanaro. An seinem Lauf liegen Hasta [4], Alba Pompeia, Pollentia [1] und Augusta [1] Bagiennorum.

A. COSTANZO, La romanizzazione nel bacino idrografico padano, 1975, 98 • E. PANERO, La città romana in Piemonte, 2000, 25. A. SA./Ü: H. D.

Tang-e Sarvak. Schlucht auf halber Strecke zw. Ramhor, Hormuz und Behbahan in der ant. → Elymais (Landschaft im SW-Iran), in der im 2./3. Jh. n. Chr. Felsreliefs (z. T. mit elymäischen Inschr.) auf vier Felsblöcken angebracht wurden. Während einige der Reliefs die Dynasten Abar-Basi und Orodes sowie Angehörige und Würdenträger bei Herrschafts- bzw. Legitimationsriten (vor Gottheiten und Göttersymbolen) abbilden, findet sich auf Block III die Darstellung eines Reiterkampfes (mit Nebenfiguren). Die Gleichsetzung des Platzes mit einem der aus der Lit. bekannten elym. Heiligtümer bleibt umstritten.

H. von Gall, Das parthische Felsheiligtum von T. Sarwak, in: AMI N.F. 32, 2000, 319–359.　　　　J.W.

Tanis (Τάνις).

[1] Stadt im NO des Nildeltas, äg. $D^cn.t$, das bibl. Zoan, h. (Tell) San el-Hagar, der größte Ruinenhügel Äg.s (177 ha, 30 m hoch). T. wurde zu Beginn der 21. Dyn. (um 1070 v.Chr.) als Residenz anstelle der aufgegebenen Ramsesstadt (ca. 20 km südl.) gegründet. Dabei wurden Skulpturen und andere Steine der Ramsesstadt (die dort z.T. schon wiederbenutzt waren) zum Aufbau von T. verwendet. Auf dieses alte Baumaterial stützte sich die h. widerlegte Ansicht, T. sei mit der Ramsesstadt bzw. der alten Hyksosresidenz Auaris identisch. T. war nach dem NR die bedeutendste Hafenstadt und Residenz Unteräg.s und löste → Thebai [1] als königl. Nekropole ab. Auch die Hauptkulte (→ Amun, → Mut, Chons) entsprechen denen Thebens. Nach dem 8. Jh. v.Chr. war T. nicht mehr Residenz, aber Hauptort des 19. unteräg. Gaues; noch Strab. 17,1,20 nennt T. eine große Stadt. Erst nach der arab. Eroberung (642/3 n.Chr.) wurde die Siedlung fast völlig aufgegeben.

Ph. Brissaud, T., in: J.G. Westenholz (Hrsg.), Royal Cities of the Biblical World, 1996, 113–149 · M. Römer, s.v. T., LÄ 6, 1986, 194–209.　　　　K.J.-W.

[2] Nach Strab. 17,1,41 ein Ort bei → Hermupolis, zu dem ein Kanal führt.　　　　K.J.-W.

Tanit s. Tinnit

Tannaiten (von aram. $t^cn\hat{a}$ = hebr. $\check{s}\bar{a}n\bar{a}h$, »wiederholen, lehren, lernen«, vgl. auch den t.t. Mišna). Nach der traditionellen Periodisierung der → rabbinischen Literatur Bezeichnung derjenigen rabbinischen Lehrer, die in der Zeit der Entstehung der Mischna, also zw. → Hillel und → Šammaj (etwa zu Beginn der christl. Zeitrechnung), bis zu → Jehuda ha-Nasi und seinen Söhnen (Anf. 3. Jh. n.Chr.) wirkten. Nach Josef ibn Aqnin, einem Schüler des Maimonides (gest. 1204), setzt die Epoche der T. schon mit Simon dem Gerechten um 300 v.Chr. ein; nach Abraham Ibn Daud dagegen beginnt sie erst nach Jochanan Ibn Zakkai (ca. 80 n.Chr.). Ihren Aussprüchen (eingeleitet mit Verbalformen wie t^cnu, t^cni) kommt eine größere Autorität zu als den späteren, zeitlich nachfolgenden → Amoräern.

G. Stemberger, Einl. in Talmud und Midrasch, ⁸1992, 17, 75–90.　　　　B.E.

Tanne (griech. ἐλάτη/elátē, lat. abies; altgriech. elátē ist allerdings nie »Fichte«). Heute werden in Gebirgen der Mittelmeerländer 11 T.-Arten teilweise unsicherer Taxonomie unterschieden, deren Entstehung teils durch klinale Variation und geogr. Isolation, teils durch natürliche Bastardierung erklärt wird ([1. bes. 7–10] mit Abb. und Arealkarten). Außerhalb des griech.-röm. Kulturkreises wurde auf dem Alexanderzug die Himalaja-T. (Abies pindrow Royle) entdeckt (Arr. an. 4,21,3; Strab. 11,7,2; 11,7,4; [2. 2219]). Ant. Texte verraten eine gegenüber h. deutlich erweiterte Verbreitung (glaubhaft etwa Nik. Ther. 472 für Samothrake und Herakleides Kretikos 2,2 für den Pelion); Arealreduktion in It. stellt [3. 371] fest; nach arch. Befund wuchsen T. während der Bronzezeit sogar auf Kreta [3. 99–101].

Theophrast erfaßt in genauer Kenntnis der Dendrologie [2. 2219–2222] die Bestände von Korsika bis zum Pontos exakt [2. 2218f.] und unterscheidet in Griechenland eine männliche Art (Abies cephalonica) von einer weiblichen (A. alba, vgl. Theophr. h. plant. 3,9,6 und dazu [6. 153]). Artbastard beider ist Abies borisii-regis [4. 1–3, mit Arealkarten 393], so daß sich in Griechenland – und nur hier – der Baumname elátē nicht ohne weiteres einem mod. Artnamen zuordnen läßt. Die ältesten Belege in der ›Ilias‹ (5,560; 14,287; 24,450; vgl. auch Hom. h. 5,264, danach u.a. Verg. Aen. 9,674) beziehen sich auf Abies equi-trojani der Troia-T. im Idagebirge (Kaz Dağı), die von P.F.A. Ascherson nach ihrer Wiederentdeckung 1883 unter Berufung auf Verg. Aen. 2,16 so benannt wurde. In It. wächst ausschließlich Abies alba (Plin. nat. 16,197 kennt auch deren mitteleuropäische Vorkommen), auf Sizilien die h. fast ausgerottete, in der Ant. häufige (so Diod. 14,42,4) Abies nebrodensis [5. 73f.]. In der ›Pflanzenkunde‹ des Theophrast ist die T. der am häufigsten genannte Baum überhaupt: Sie lieferte das begehrteste Nutzholz der ant. Welt, das fest, leicht, glatt und elastisch ist und daher namentlich zum Bau von Schiffen (→ Holz D.; → Schiffbau), bes. Kriegsschiffen (daher die große militärstrategische Bed. ihrer Vorkommen [3. 116ff.]), aber auch zum Bau von Häusern und Brücken, für Schreib- und Maltafeln, überhaupt für feine Tischlerarbeiten aller Art verwendet wurde (Theophr. h. plant 5,7,1–5; dazu [3. 443f.; 2. 2216f., 2222f.]). Wegen ihrer Urwüchsigkeit war die T. dem Vegetationsgott → Dionysos/Bacchus heilig (s. [7. 621] zu Ov. met. 3,709, vgl. schon Xenophan. B 17 DK).

1 P. Schütt, T.-Arten Europas und Kleinasiens, 1991
2 A. Steier, s.v. T., RE 4 A, 2216–2223 3 Meiggs
4 D. Phitos et al. (Hrsg.), Flora Hellenica, Bd. 1, 1997
5 S. Pignatti (Hrsg.), Flora d'Italia, Bd. 1, 1982
6 S. Amigues (ed.), Théophraste. Recherches sur les plantes (Historia plantarum, mit frz. Übers. und Komm.), Bd. 2, 1989 7 F. Bömer, P. Ovidius Naso, Metamorphosen. Komm., Bd. 1, 1969.　　　　B.HE.

Tannetum. Ortschaft in der Gallia Cispadana (Pol. 3,40,13), h. Taneto bei Sant' Ilario d'Enza (Prov. Reggio Emilia). *Municipium, regio VIII* (Plin. nat. 3,116), am rechten Ufer des Incia, eines rechten Zuflusses des Padus (Po), zw. Parma [1] und Regium, etwas nördl. der Via Aemilia (Itin. Anton. 267,8; Tab. Peut. 4,3; Itin. Burdig. 616,12: Canneto) gelegen.

M. DEGANI, Edizione archeologica 74 (Reggio Emilia), 1974, 30f. G.U./Ü: H.D.

Tantalos (Τάνταλος, lat. *Tantalus*). Myth. König am → Sipylos, Sohn des Zeus (Eur. Or. 5; Paus. 2,22,3) oder des Tmolos (schol. Eur. Or. 4) und der Pluto [1], als Gemahl der Dione oder Euryanassa Vater von Broteas, → Niobe und → Pelops [1]. In der griech.-röm. Lit. und der bildenden Kunst wird T. hauptsächlich neben → Ixion, → Sisyphos und → Tityos als einer der Büßer in der Unterwelt dargestellt. Nach Homer steht T. dort im Wasser, kann jedoch nicht davon trinken, da es immer wieder zurückweicht. Ebenso werden die Früchte über seinem Haupt vom Wind in die Höhe gehoben, wenn er danach zu greifen versucht (Hom. Od. 11,582–592). Ein Grund für die Strafe war im Epos *Nóstoi* genannt: T., der bei den Göttern verkehren darf, bekommt von Zeus einen Wunsch freigestellt. Als er sich ein Leben wie die Götter ersehnt, erfüllt Zeus ihm die Bitte, straft ihn aber für die Hybris, indem er einen bedrohlichen Stein über T.' Haupt schweben läßt, damit dieser sein Glück nicht genießen kann (Nostoi F 9 EpGF). Diese Art der Strafe wird auch bei anderen genannt (Archil. 91,14 IEG; Alkm. 79 PMGF; Alk. 365 VOIGT; Eur. Or. 4–10 läßt T. dabei außerdem selbst in der Luft hängen). Pindar gibt als Vergehen des T. an, daß er den Göttern → Nektar und → Ambrosia [2] gestohlen und den Menschen gegeben habe. Als üble Nachrede weist Pindar die Version zurück, derzufolge T. den Göttern seinen eigenen Sohn Pelops zum Mahl vorsetzt (Pind. O. 1,37–66; schol. Lykophr. 152). Mitunter wird die Bestrafung damit begründet, daß T. Geheimnisse der Götter ausgeplaudert habe (Diod. 4,74,2; Apollod. epit. 2,1; Hyg. fab. 82). Später lastete man T. an, mit → Pandareos am Diebstahl eines goldenen Hundes des Zeus beteiligt gewesen zu sein (Paus. 10,30,2; Antoninus Liberalis 36; schol. Pind. O. 1,91a). Pausanias, der das Grab des T. am Sipylos erwähnt (Paus. 2,22,3), berichtet, daß Polygnotos [1] in der → Lesche der Knidier in Delphi dargestellt habe, wie T. die bei Homer geschilderten Qualen erduldet und zusätzlich durch den Stein bedroht wird (Paus. 10,31,12).
→ Unterwelt

A. KOSSATZ-DEISSMANN, s. v. T., LIMC 7.1, 839–843 · C. SOURVINOU-INWOOD, Crime and Punishment: Tityos, T. and Sisyphos in Odyssey 11, in: BICS 33, 1986, 37–58 · C. W. WILLINK, Prodikos, »Meteorosophists« and the »T.« Paradigm, in: CQ 33, 1983, 25–33. J.STE.

Tanusia. Tochter des Ritters L. Tanusius, gut bekannt mit Octavia [2], der Schwester des Augustus. Zusammen mit dem Freigelassenen Philopoimen rettete sie ihren 43 v.Chr. proskribierten Ehemann T. → Vinius (Suet. Aug. 27,2; Cass. Dio 47,7,4f.; App. civ. 4,44).
ME.STR.

Tanusius Geminus (das Cogn. nur in Suet. Iul. 9,2). Röm. Historiker der späten Republik, über dessen Leben nichts bekannt ist. Ob sein Werk, das (wegen Plut. Caesar 22,3) erst nach 55 v.Chr. abgeschlossen wurde und caesarfeindliche Nachrichten enthielt (bes. fr. 1 P. = HRR 2, p. 50: zur »Verschwörung« des J. 66), bloße Zeit-Gesch. war [1. 327] oder als annalistische Gesamt-Gesch. angelegt (so [2. 265]; *annales* bei Sen. epist. 93,11), ist ebenfalls unklar. Das Werk war nach Seneca umfangreich und »beschwerlich« (*ponderosi*); vielleicht verwechselte er es mit den (poetischen) *annales Volusi* (Catull. 36,1). Fr.: HRR 2, S. 49–51.

1 SCHANZ/HOSIUS 1 2 BARDON 1. W.K.

Tanz
I. ÄGYPTEN UND ALTER ORIENT
II. KLASSISCHE ANTIKE

I. ÄGYPTEN UND ALTER ORIENT
Wie in allen alten Kulturen spielte der T. im Alten Orient und in Äg. eine große Rolle; in Äg. ist er allerdings sowohl in Abb. als auch in Texten unvergleichlich besser dokumentiert, fast kein Lebensbereich ist dabei ausgenommen: »rites de passage«, magisch-apotropäische, ekstatische, huldigende, erheiternd-unterhaltsame bis erotisierende T. Kinder, Frauen und Männer tanzten in Gruppen jeweils unter sich; daneben gab es professionelle Tänzerinnen und Tänzer, die berufsmäßig ausgebildet wurden, um vor Gottheiten, dem König oder hohen Würdenträgern zu tanzen. In äg. Darstellungen und Texten lassen sich verschiedene T.-Arten unterscheiden, ohne daß diese im einzelnen rekonstruiert werden könnten. Sie können aus gemessenen, ruhigen Schrittfolgen bestehen, aber auch springend, stampfend, akrobatisch bis wild sein; letzteres gilt bes. für nubische und libysche T. In der Regel wurden die T. von rhythmischem Klatschen, aber auch von Rhythmus- und Melodieinstrumenten bzw. Gesang begleitet.

Im Alten Orient lassen sich T.-Szenen seit dem keramischen Neolithikum (ca. 7. Jt. v.Chr.) identifizieren. In der Forsch. wird T. (v.a. anhand der Textquellen) überwiegend mit geregelten rel. und magischen sowie höfisch-festlichen, gegebenenfalls erotischen Handlungsabläufen in Zusammenhang gebracht. Daneben gab es den spontanen T. im Alltag auch außerhalb des offiziellen Umfelds. In Vorderasien wurden männliche, weibliche oder nicht klassifizierbare Individuen oder Gruppen beim T. unter ihresgleichen oder vor Göttern abgebildet. Getanzt wurde bekleidet oder nackt und nicht notwendigerweise mit musikalischer Beglei-

tung. Anhand der Haltung von Körper und Extremitäten werden mehrere T.-Arten unterschieden.
→ Fest, Festkultur I.–II.; Musik I.–II.

E. BRUNNER-TRAUT, s. v. T., LÄ 6, 1986, 215–231 (Lit.) ·
Y. GARFINKEL, Dancing and the Beginning of Art Scenes,
in: Cambridge Archaeological Journ. 8, 1998, 207–237 ·
S. DE MARTINO, La danza nella cultura ittita, 1989 ·
P. CALMEYER, Federkränze und Musik, in: A. FINET (Hrsg.),
Compte rendu de la XVIIᵉ Rencontre Assyriologique
Internationale (1969), 1970, 184–195.

AR. HA., H. J. N. u. J. RE.

II. KLASSISCHE ANTIKE
A. BEGRIFF UND QUELLEN   B. GESCHICHTE
C. NACHWIRKUNG

A. BEGRIFF UND QUELLEN

Griech. und lat. Wörter für T. (χορός/chorós) stammen von folgenden Wurzeln: 1) chor-: chorós, »Tanzplatz« (Hom. Il. 18,590, Hom. Od. 8,260), »Reigen« [4. 119–120] (vgl. dt. »Chor« [10. 37–38], engl. carol [21]); 2) orch-: griech. orcheísthai, »sich bewegen« (Athen. 1,21a), »tanzen«; griech. orchḗstra, »der tiefere Halbkreis des → Theaters, wo die Chöre sangen und tanzten« (Phot. lex. s. v. orchḗstra); 3) mim-: griech. mimeísthai, »nachahmen«, urspr. »durch T. zur Darstellung bringen« ([13. 119], vgl. aber [7]); griech. pantómimos, »der alles durch T. zur Darstellung bringt« (vgl. Lukian. de saltatione 67), dt. »Pantomime«; 4) pai-: griech. paízein, »spielen, tanzen« (Hom. Od. 8,251; Hom. h. 3,200 f., 206); 5) ball-: griech. ballízein, »tanzen« (Athen. 8,362b; vgl. it. ballo, dt. »Ballett«); 6) sal-: lat. saltare, »tanzen« (kontrahiert aus salitare, Iterativum zu salire, »springen«).

Diese Wörter stehen in Beziehung zu zentralen Aspekten griech. Geisteslebens. Ritueller Chor-T. war, neben dem Opfern, Mittelpunkt von → Heroenkult und Götterverehrung bis hin zu den großen → Festen Athens: z. B. der um einen → Altar (thymélē) herum getanzte → dithýrambos oder kýklios chorós (»Kreistanz«; [14. 175–176]), so genannt im Gegensatz zu dem in einem Viereck aufgestellten → Chor des attischen Dramas (Poll. 4,108–109), beides zu Ehren des → Dionysos. T. war mimetisch (Plat. leg. 655d, Aristot. poet. 1,6, 1447a, Plut. mor. 747e): Im Kult-T. wurde die Gottheit evoziert ([20. 69–70, 117; 19. 76]), der verschlungene Langreigen géranos zeichnete das → Labyrinth von → Knosos nach (Plut. Theseus 21; [17]), der Waffentanz (→ pyrrhíchē) stellte Kriegsgesten dar usw. Chor-T. war rituelles Spielen (paízein). Dadurch wurden Menschen erst sozialisiert (Pol. 4,21,3–4); junge Leute wurden dadurch erzogen (paideúein: Plat. leg. 654ab, vgl. 672e) und ausgebildet [14. 185]; Erwachsene durften dadurch das Kind(país)-Sein wieder erleben (vgl. Plat. leg. 7,803e; Mt 18,3) [20. 1, 33]. Zusammen mit begleitendem Gesang und Instrumentalspiel bildete dies zusammen die → musikḗ: die Wort, Ton und Bewegung umfassende Einheit jener Künste, welche die → Musen pflegen (Hes. theog. 2–10; Plat. Alk. 1,108cd).

Für den ant. T. gibt es lit. und arch. Quellen: einerseits philos. Abh. (Plat. leg. 2 und 7, Plut. mor. 747a-748d, Lukian. de saltatione, Lib. or. 64), antiquarisch-lexikalische Exzerpt-Slgg. (Athen. 1 und 14, Poll. 4,95–110), zerstreute Hinweise in diversen lit. Gattungen und – sofern ihr Rhythmus Rückschlüsse auf T.-Schritte zuläßt – Hexameterdichtung [9. 117–118; 27. 65–66] sowie Chorlyrik [10. 39–40; 28]; andererseits bildliche Darstellungen (Keramik, Reliefs, Tonfiguren usw.) sowie Inschr. Diese Quellen erlauben es nicht, Bewegungen zu rekonstruieren, ermöglichen jedoch eine Vorstellung von Funktion und Bed. des T.

Der griech. T. schloß verschiedene rhythmische Bewegungsarten ein, z. B. Akrobatik (Xen. symp. 2,11; [30. 65–68]), Ballspiel (Hom. Od. 8,370–380) und Prozession (prosódion; [16. 74]). Abgesehen von → Satyrn, die mit → Mänaden tanzen, und Apollon als → chorēgós (»Chorführer«) der → Musen sind gemischtgeschlechtliche Gruppen (anamíx: Eust. in Hom. Il. 1166) selten (Hom. Il. 18,593–594; Hom. Od. 23,147; Lukian. de saltatione 12, [30. 60–64; 27. 55]). Mädchenreigen überwiegen auf geom. Vasen [30. 55; 27. 54–55] und sind bes. bei den Chorlyrikern beliebt (Plut. mor. 1136f). Griech. Lyrik- und T.-Gattungen überschneiden sich also, wie im urspr. kretischen → hypórchēma (dem Gesang »untergeordneten T.«: Athen. 14,628d). Die Aufführungspraxis scheint durch den Primat der → mímēsis geprägt zu sein: Außer Handgelenk- (Hom. Il. 18,594) bzw. Hüftfassung und Armverschränkung bei frühgriech. Reigen [27. 56–58] ist Körperkontakt selten, da er offenbar die Gestik (cheironomía: Athen. 14,629b) einschränken würde.

B. GESCHICHTE

Im ägäischen Raum ist T. in minoischer und myk. Zeit erstmals faßbar; Tonfigurengruppen z. B. stellen Kreisreigen dar [19. 34, Abb. 7, 53, Abb. 16]. Kreta galt als Wiege des T. (Athen. 5,181b, 14,630b, [18]); Homer (Hom. Il. 16,617–618, 18,590–592) und ein aiolisches Gedichtfr. (294,16 LOBEL/PAGE) verbinden T. damit, und die → Kureten, welche den T. von → Rhea erhalten haben sollen, lebten dort (Lukian. de saltatione 8). Homers Schildbeschreibung (Hom. Il. 18,490–496 und 593–602) enthält die frühesten T.-Szenen: Kreis- und Langreigen (wie auf geom. Vasen des 8. Jh. [27]) bei Hochzeits- und Weinlesefest. Diesen Vasen zeitlich nah ist die »Dipylonkanne« (Athen, NM 92), welche die älteste alphabetische Inschr. trägt: ›Wer nun von allen Tänzern (orchēstôn) am besten tanzt (paízei), der soll mich erhalten‹ (LSAG 68) – ein früher Beleg für den agonalen Geist des griech. T.

Auf das 7. Jh. v. Chr. zurück gehen erste Nachr. über T. in → Sparta, wo die → Agora chorós hieß (Paus. 3,11,9) und auswärtigen Künstlern wie → Terpandros oder dem Kreter → Thaletas die Einrichtung (katástasis) von Reigen und die Einübung von deren Weisen anvertraut wurden; diese führten das Fest der gymnopaidíai mit zu Ehren Apollons aufgeführten Reigen ein (Plut. mor. 1134bc). So begann die griech. Chorlyrik auf der

Peloponnes, mit den → *parthéneia* (»Mädchenreigen«) des → Alkman setzt deren Textüberl. ein. Aus dem *dithýrambos* wiederum entstand gemäß Aristoteles (poet. 4,14,1449a) die → Tragödie. Diese Aussage ist umstritten [22. 89–97], die Rolle des T. im attischen Drama jedoch nicht [23. 246–257; 24. 497]. *Emméleia*, → *kórdax* und *síkinnis* heißen die chorischen T. der Trag., der Komödie bzw. des Satyrspiels (Athen. 1,20e), deren Dichter »Tänzer« (*orchēstaí*: Athen. 1, 22a); Aischylos soll viele *schḗmata orchēstiká* (»tänzerische Stellungen«: Plut. mor. 747c, vgl. Poll. 105, Athen. 629f) erfunden haben (Athen. 1,21de).

Dank Zunahme von lit. und arch. griech. Quellen im 5./4. Jh. v. Chr. wird eine breitere Sicht des T. möglich. Neben den erwähnten Reigen treten der ekstatische T. der → Mänaden (vgl. Eur. Bacch. 862–866 mit [16. Abb. 12a–22]), der Waffen-T. und die sympotische T.-Darbietung, oft durch professionelle Tänzerinnen aufgeführt (Xen. symp. 2 und 9, [26. 223–233]), hervor. Die wichtigste Quelle über T. in der → Polis sind → Platons *Nómoi*: Gesprächspartner aus Kreta, Sparta und Athen, unterwegs (Plat. leg. 625a) zw. Knosos, wo Daidalos [1] den T.-Platz für Ariadne eingerichtet hat (Hom. Il. 18,590–592), und der Höhle, wo die → Kureten den Säugling Zeus vor seinem Vater → Kronos durch ihren T. schützten (Strab. 10,3,11 und 13), unterhalten sich über den himmlischen Ursprung des T. (Plat. leg. 653c–654a), seine Bed. für die Erziehung (654b–e, 672e, 795e–796d), seine mimetische Qualität (655d) und ethische Macht (656ab, 669b, 790e–791b), chorische Einrichtungen zur Förderung und Regulierung von T. (656d–672e, 798e–803b) und Arten des T. (814e–816d).

Mit dem instrumentalen Virtuosentum und der Aufsplitterung der bei Platon als intakt geschilderten *musikḗ* sowie zunehmender Professionalisierung des Theater- und Festwesens (→ *technítai*) büßte der Chor-T. im hell. Zeitalter (3.–1. Jh. v. Chr.) seine Schlüsselstellung ein. Zur Zeit des Diogenes [15] (2. Jh. v. Chr.) gab es keinen dramatischen Chor-T. mehr (vgl. Philod. de musica 4,7,1–8). Der → *pantómimos* besetzte die Themen der zum Lesedrama werdenden Trag. (Lukian. de saltatione 37ff., 61), besaß aber nicht die rel.-ethische Kraft ihres einstigen T., die es Platon ermöglicht hatte, die Götter als »Mittänzer« zu sehen (Plat. leg. 2,653e).

So trat in der röm. Ges. der Kaiserzeit eine Ambivalenz dem T. gegenüber ein, die z. B. Seneca [1] maior dazu führte, den T. als eine – allerdings *seine* – »Krankheit« (*morbus*) zu bezeichnen (Sen. contr. 3,10; vgl. Sall. Catil. 25,2, Plin. epist. 7,24,4–5, Macr. Sat. 3,14,4–7) – eine Einstellung, die bei den Kirchenvätern, z. B. Augustinus, in eine allg. negative Einschätzung des T. überging (PL 36,254,11 und 277,1). Kaiserzeitliche Gegner des T. sowie griech.-sprache Befürworter (Plutarchos [2], Lukianos [1], Libanios) beziehen sich hauptsächlich auf den *pantómimos*; Hinweise auf andere T.-Arten oder gar auf ethisch-rel. Aspekte des T. sind selten (Serv. ecl. 5,73; Sen. dial. 9,17,4; Johannesakten 94–96

[1. 198–207; 15. 59–67]; → Salii [2]). Übersichten über röm. T.: [29. 147–173; 31. 175–202].

C. NACHWIRKUNG

Humanisten wie J. C. SCALIGER (*Poetices* 1,18, 1561) und J. MEURSIUS (*Orchestra*, 1618) schrieben wiss. über den griech. T., während Popularisierer wie Th. ARBEAU ihn als Vorbild zeitgenössischen T. beanspruchten und diesen so zu legitimieren bzw. zu veredeln versuchten (*Orchésographie*, 1588, [2. fol. 2ᵛ–6ᵛ]) – zwei Grundausrichtungen, die sich bis ins 19. Jh. fortsetzen [25. 76]. Um die Wende zum 20. Jh. schlossen frz. Gelehrte aus Erkenntnissen der Kinematographie, daß bei ant. Darstellung mehrerer Tänzer jeweils ein einzelner Bewegungsablauf »analysiert« wird, und daß solche Sequenzen »reanimiert« werden können [8; 26; 24]; vgl. in Gegenbewegung dazu dt.- und engl.-sprachige histor.-philol. Ansätze [16; 29; 19; 28; 20]. Als Alternative zu einem als seelenlos und rein mechanisch empfundenen, akademischen frz. Ballett [5. 75] beriefen sich um 1900 einige Tänzerinnen auf griech. T. [3. 58–97] (z. B. Isadora DUNCAN [6. 26]); daraus ging der »Freie« bzw. »Moderne T.« hervor [3. 33–39]. Auch JAQUES-DALCROZE erhielt Impulse aus griech. T. [12. 158; 26. 245–271]. Fast ein Jh. später machte [11] die »matriarchalische« *musikḗ*-Einheit mit rituellem-mänadischem T. zu ihrer feministischen Alternative zu patriarchalischen Kunst-, Wiss.- und Ges.-Modellen.

→ Chor; Fest, Festkultur (III. 6.); Gebärden; Komödie; Lyrik; Metrik; Musik; Rhythmik; Tragödie; TANZ

1 E. JUNOD (Hrsg.), Acta Johannis, in: Corpus Christianorum Series Apocryphorum 1, 1983
2 TH. ARBEAU, Orchésographie, 1588 (Ndr. 1989)
3 G. BRANDSTETTER, T.-Lektüren, 1995, 58–117, 182–206
4 A. BRINKMANN, Altgriech. Mädchenreigen, in: BJ 130, 1925, 118–146 5 I. DUNCAN, My Life, 1927 6 Dies., Écrits sur la Danse, 1927 7 G. ELSE, »Imitation« in the Fifth Century, in: CPh 53, 1958, 73–90 8 M. EMMANUEL, La danse grecque antique, 1896 (Ndr. 1987 u.ö.)
9 T. GEORGIADES, Der griech. Rhythmus, 1949 10 Ders., Musik und Rhythmus bei den Griechen, 1958
11 H. GÖTTNER-ABENDROTH, Die tanzende Göttin, 1991
12 E. JAQUES-DALCROZE, Le rhythme, la musique et l'éducation, 1920 13 H. KOLLER, Die Mimesis in der Ant., 1954 14 Ders., Ἐγκύκλιος Παιδεία, in: Glotta 34, 1955, 174–189 15 J. KROLL, Die christl. Hymnodik bis zu Klemens von Alexandreia, 1921 16 L. LAWLER, The Maenads, in: Memoirs of the American Acad. in Rome 6, 1927, 69–112
17 Dies., The Geranos Dance, in: TAPhA 77, 1946, 112–130
18 Dies., The Dance in Ancient Crete, in: G. MYLONAS (Hrsg.), Stud. Presented to D. Robinson, 1951, 23–51
19 Dies., The Dance in Ancient Greece, 1964
20 S. LONSDALE, Dance and Ritual Play in Greek Rel., 1993
21 Oxford English Dictionary², Bd. 2, s. v. Carol, 907
22 PICKARD-CAMBRIDGE/WEBSTER
23 PICKARD-CAMBRIDGE/GOULD/LEWIS
24 G. PRUDHOMMEAU, La danse grecque antique, 1965
25 S. SCHROEDTER, T.-Lit. als Quelle zum T., in: S. DAHMS (Hrsg.), Der T. – ein Leben, FS F. Derra de Moroda, 1997, 161–179 26 L. SÉCHAN, La danse grecque antique, 1930
27 R. TÖLLE, Frühgriech. Reigentänze, 1964

28 T.B.L. Webster, The Greek Chorus, 1970
29 F. Weege, Der T. in der Ant., 1926 **30** M. Wegner,
Musik und T. (ArchHom 4), 1968, 40–69 **31** G. Wille,
Musica Romana, 1967.   R.O.HA.

Taochoi (Τάοχοι, vgl. Xen. an. 4,4,18 u.ö.; nach So-
phainetos FGrH 109 F 2 auch Τάοι/ *Táoi*). Gebirgsvolk in
Nordarmenien, das im Tal des Glaukos (Nebenfluß des
heutigen Çoruh Nehri) mehrere feste Plätze mit Nah-
rungsmittelspeichern unterhielt. Die T. standen nicht in
direkter Abhängigkeit vom Großkönig, dienten aber
zeitweise im persischen Heer als Söldner.

A. Herrmann, s.v. T., RE 4 A, 2247.   B.B.

Tapae. Ort, an dem L. → Tettius [II 2] Iulianus 88/9
n.Chr. über die → Dakoi siegte (Iord. Get. 10,12;
Τάπαι, Cass. Dio 67,10,2; 68,8,1). Von hier aus brach
Traianus 101 n.Chr. zu seinem ersten Feldzug gegen die
Dakoi auf. Die Identifizierung von T. ist unsicher (zw.
→ Tibiscum und → Sarmizegetusa oder das »Eiserne
Tor«).

J. Dobiáš, The History of Czechoslovacian Territory before
the Appearance of the Slavs, 1964, 171 f., 176 (tschechisch).
           J.BU.

Tapes s. Teppich

Taphiae (Ταφίων νῆσοι). Inselgruppe zw. → Leukas
und der akarnanischen Küste, deren Hauptinsel wohl
mit dem h. Meganisi gleichzusetzen ist, in den ant.
Quellen *Táphos*, *Taphiús* oder *Taphiússa* genannt. Karnos
[2] (h. wohl Kalamos) zählte zu den T. (Skyl. 34; Strab.
10,2,14; 20; 24; Plin. nat 4,53; 36,150; Steph. Byz. s.v.
Τάφος). In der ›Odyssee‹ gelten die Taphioi als Seefahrer
und gefürchtete Piraten (Hom. Od. 1,105; 181; 14,452;
15,427; 16,426). Die Inselgruppe soll einst den Namen
»Inseln der → Teleboai« getragen haben. Der legendäre
Zug des → Amphitryon von Thebai führte gegen die
Taphioi (Hes. scut. 19; Apollod. 2,4,5–7). Ein *Taphiádas*
ist im akarnanischen → Palairos in hell. Zeit belegt (IG
IX 1²,2, 456). Arch. Funde bezeugen die Besiedlung ei-
niger der T. im Neolithikum und in myk. Zeit [1].
→ Akarnanes (mit Karte); Taph(i)os

1 S. Benton, The Ionian Islands, in: ABSA 32, 1931,
231–246.   K.F.

Taphiassos (Ταφιασσός). Berg und Kap an der Nordküste des → Korinthischen Golfs, → Patrai gegenüber,
verm. im Grenzgebiet zw. Aitolia und (West-)Lokris in
der Nähe von Chalkis [2]. Der Geruch schwefeliger
Quellen am SO-Hang des Berges soll aus den Gräbern
des Nessos und anderer → Kentauren stammen (Strab.
9,4,8; Paus. 10,38,2). Der Berg T. ist wohl mit dem
1041 m hohen Klokova gleichzusetzen. Das markante
Kap am Golf von Korinth diente der Seefahrt als Orientierungspunkt (Diod. 8,17,1; Strab. l.c.; 10,2,4; 21;
Plin. nat. 4,6; Myrsilos FGrH 477 F 6).

K. Freitag, Der Golf von Korinth, 2000, 54.   K.F.

Taph(i)os (Τάφ(ι)ος). Nachkomme des → Perseus [1]
aus Mykene; Eponym der Insel Taphos und der angeblich durch ihn besiedelten taphischen Inseln (→ Taphiae; schol. [Hes.] scut. 11). Nach ihm heißen die
→ Teleboai auch Taphier (Taphioi). Sohn des Poseidon
und der → Hippothoe [3], Vater (Apollod. 2,51) des
→ Pterelaos, der seinerseits einen Sohn namens T. hat
(FGrH 31 F 15). T. kehrt nach Mykene zurück, er und
seine Nachkommen töten außer Likymnios alle Söhne
des → Elektryon, dessen Thron er beansprucht.   HE.B.

Taposiris (Ταποσῖρις).
[1] Ort am Nildelta (h. Abusir), ca. 50 km westlich von
Alexandreia [1] zw. Meer und Mareotis-See gelegen;
erst in ptolem. Zeit bezeugt und nach einem Tempel des
→ Osiris benannt (Umfassungsmauer erh.). In christl.
Zeit wurde eine Kirche in ihn eingebaut, eine weitere
große Kirche wurde außerhalb des Stadtgebiets entdeckt. Daneben gibt es Reste eines Leuchtturms sowie von (Binnen-)Hafenanlagen. T. (*megálē*) war wohl
Durchgangs- und Zollstation für Handel und Verkehr
mit der → Kyrenaia.

M.-F. Boussac, Deux villes en Maréotide: T. Magna et
Plinthine, in: Bull. de la Société française d'Égyptologie
150, 2001, 42–72.

[2] Ort östlich von Alexandreia [1] unweit von Nikopolis (Kom et-Terbân?), von Strab. 17,1,16 T. ἡ μικρά
(»klein«) genannt.

A. Calderini, s.v. T., in: S. Daris (Hrsg.), Dizionario dei
nomi geografici e topografici dell' Egitto greco-romano,
Bd. 4.4, 360.   K.J.-W.

Tappulus. Röm. Cogn., → Villius.

Taprobane (Ταπροβάνη). Der gebräuchlichste Name
der Insel Sri Lanka seit Onesikritos (bei Strab. 15,1,17
und Plin. nat. 6,81) und Megasthenes (Plin. nat. 6, 81),
altindisch Tāmraparṇi, mittelind. Tambapaṇṇi.

Bemerkenswert sind die unrealistischen geogr. Vorstellungen der Ant., die wahrscheinlich auf → Eratosthenes [2] beruhen: In allen griech. und lat. Quellen ist
T. viel größer als in Wirklichkeit und erstreckt sich weit
nach Westen. Doch läßt sich, z.B. bei Ptolemaios [65],
bei dem T. ein eigenes Kapitel (7,4) einnimmt, das h. Sri
Lanka so gut erkennen, daß Versuche, T. als Sumatra zu
identifizieren, verfehlt sind. Ptolemaios kennt z.B. die
alte Hauptstadt Anurādhapura als Anurogrammon.

Gelegentlich wurden auch andere Namen wie Palai
Simundu (Ptol. 7,4,1; vielleicht altind. Pārasamudra,
»jenseits des Ozeans«, mit Palaiogonoi für die Einwohner) und Salike (Markianos 81 = GGM 1,521) verwendet, später noch Sielediba (Kosmas Indikopleustes, PG
88, 2,45 und 11,13) und vielleicht Serendivi (Amm.
22,7,10, vgl. arab. Sarandīb), beide wahrscheinlich nach
Pāli Sīhaladīpa.

Die eigentliche Kenntnis der T., die man gelegentlich mit dem imaginären Land der → Antipodes iden-

tifizierte (Plin. nat. 6,81), war zunächst dürftig und erst die taprobanische Gesandtschaft nach Rom (Plin. nat. 6,84 ff.) in der Regierungszeit des Claudius [III 1] (Mitte 1. Jh. n. Chr.) brachte etwas genauere Kenntnisse, obwohl man bei Plinius auch Rückgriffe auf die *Indiká* des Megasthenes erkennen kann. Diese Gesandtschaft wurde durch einen Freigelassenen des Annius Plocamus, den ein Sturm auf die Insel getrieben hatte, veranlaßt. Der Handel verlief noch lange danach meistens über Südindien; im Peripl. m. r. 61 ist die Beschreibung von T. noch flüchtig, aber Ptolemaios waren im 2. Jh. n. Chr. bereits viele Einzelheiten bekannt. Einen blühenden Handel bezeugen die vielen röm. Mz.-Funde des 4. und 5. Jh. in Sri Lanka sowie die Tatsache, daß einige spätant. Autoren (Pseudo-Palladios, Kosmas [2]) über die Insel sehr gut informiert waren.
→ Indienhandel

S. FALLER, T. im Wandel der Zeit, 2000 · D. P. M. WEERAKKODY, T. Ancient Sri Lanka as Known to Greeks and Romans, 1997.   K. K.

Taranis. Keltischer Gott. Lucan. 1,443–446 berichtet von drei durch → Menschenopfer verehrten gallischen Göttern: → Teutates, → Esus und T. Von den spätant.-frühma. Komm. zur Stelle [1] setzen die *adnotationes* (p. 28 ENDT) → Dis Pater gleich, die *commenta Bernensia* (p. 32 USENER) einmal mit Dis Pater, einmal mit → Iuppiter; aufgrund der inschr. Belege ist die letztere Version vorzuziehen. Bildliche Darstellungen des T. fehlen. Von den wenigen Weih-Inschr. gibt die gallische Inschr. aus Orgon/Arles [2] griech. den Genitiv *Taranóu* an, nach dem auf den Nominativ *Taranos* geschlossen werden kann. Während CIL III 2804 aus Dalmatien *Iovi Taranuco* anruft, sind die beiden obergerman. Inschr. aus Godramstein/Pfalz und Böckingen bei Heilbronn (CIL XIII, 6094 und 6478) *Deo Taranucno* geweiht. Etym. bedeutet keltisch *taran* »Donner«. T. ist also der Donnergott und in dieser Funktion Aspekt des Himmelsgottes Iuppiter, wohl ähnlich dem german. Donar (nordisch Thor), der wiederum Aspekt des german. Himmelsgottes Ziu/Tyr ist. Es liegen bisher keinerlei Hinweise vor, daß T. der keltische Gott mit dem Rad ist, der als → *interpretatio* des Iuppiter in seiner Funktion als Licht- bzw. Sonnengott aufzufassen ist [3]. Die spärlichen, insgesamt nicht eindeutigen epigraphischen Belege für T. deuten eher auf eine begrenzte Bed. des Gottes innerhalb einiger Stammesverbände hin.

1 F. GRAF, Menschenopfer in der Burgerbibliothek, in: Arch. der Schweiz 14, 1991, 136–143 2 P.-M. DUVAL (Hrsg.), Recueil des inscriptions gauloises, Bd. 1, 1985, G–27 3 G. BAUCHHENSS, Die Iupitersäulen in den german. Prov. (Beihefte BJ 41), 1981, 73–81.

D. GRICOURT, D. HOLLARD, T.: Le dieu celtique à la roue, in: DHA 16, 1990, 275–315 · Dies., T.: caelestium deorum maximus, in: DHA 17, 1991, 343–400   M. E.

Tarantinon (ταραντῖνον). Ein leichtes, durchsichtiges Luxusgewand mit Fransen, das im 4. Jh. v. Chr. erstmals lit. belegt ist (Men. Epitr. 272); der urspr. Herstellungsort war Tarent (→ Taras), vgl. Poll. 7,76. Hetären legten es ohne Untergewand an (Aristain. 1,25, vgl. Ail. var. 7,9). Bei Athen. 14,622b tragen die männlichen Teilnehmer eines dionysischen Festzuges das *t*.
→ Barbaron Hyphasmata; Coae Vestes; Fimbriae; Kleidung

U. MANDEL, Zum Fransentuch des Typus Colonna, in: MDAI(Ist) 39, 1989, 547–554.   R. H.

Taras (Τάρας).
[1] Sohn → Poseidons und einer süd-it. Nymphe (Paus. 10,10,8) oder Sohn des → Herakles [1] (Serv. Aen. 3,551); Heros und Eponym der Stadt Tarent (vgl. T. [2]) und des dortigen Flusses. Gilt als Gründer (Paus. l. c.) oder zumindest Förderer (Serv. l. c.) Tarents. Auf einer tarentin. Mz. als Knabe, der seine Hände nach Poseidon ausstreckt, dargestellt; das ebenfalls auf tarentin. Mz. erscheinende Bildnis eines Delphinreiters stellt wohl trotz der Beischrift des Ortsnamens ΤΑΡΑΣ eher → Phalantos dar [1]. In Delphoi befand sich ein tarentin. Weihgeschenk, das die Überwältigung des Iapygerkönigs Opis durch T. und Phalantos zeigte (Paus. 10,13,10).

1 R. VOLLKOMMER, s. v. T., LIMC 8.1 Suppl., 1185 f.
T. GO.

[2] T. (lat. Tarentum) Stadt in Süditalien, h. Taranto.
I. GRIECHISCHE ZEIT II. RÖMISCHE ZEIT
III. RELIGION UND KULTUR
IV. BYZANTINISCHE ZEIT

I. GRIECHISCHE ZEIT

Einzige spartanische Kolonie in der → Magna Graecia (→ Kolonisation IV.), 706 v. Chr. am nachmals nach T. benannten Golf gegr., als → Sparta durch soziale und mil. Auseinandersetzungen bedroht war (1. → Messenischer Krieg, Heloten-Probleme: Ephor. FGrH 70 F 216). Der myth. Gründer → Phalanthos soll dazu in Delphoi ein Orakel eingeholt haben (Antiochos FGrH 555 F 13; Diod. 8,21; Dion Hal. ant. 19,1,2–4) dem zufolge die Kolonisten anfangs um Satyrion und T. siedelten; danach bildete sich ein städtisches Zentrum in T., Satyrion verlor an Bed. Das Gründungsorakel sagte der Kolonie die feindseligen Beziehungen zur einheimischen Bevölkerung voraus. Die im 5. Jh. v. Chr. über die Iapyges, Messapii und Peucetii errungenen Siege wurden mit Weihegeschenken in Delphoi gefeiert (Paus. 10,13,10).

473 v. Chr. erlitt T. eine schwere Niederlage im Kampf gegen die → Messapii, in deren Folge das aristokratische Regime gestürzt und eine demokratische Verfassung eingeführt wurde (vgl. Hdt. 7,170; Diod. 11,52,2; Aristot. pol. 1303a 3–6; 1320b 9–14). Um die Mitte des 5. Jh. v. Chr. wurde die Stadt, die seit archa. Zeit auf einer kleinen Halbinsel mit zwei Naturhäfen

lag, befestigt und auf der Basis eines regelmäßigen Grundrisses stark erweitert. So kamen die Nekropolen innerhalb der Stadt zu liegen, was ungewöhnlich und durch ein Orakel nachträglich zu rechtfertigen war (Pol. 8,28,5–8). Unter der Führung des → Archytas [1] in der 1. H. des 4. Jh. v. Chr. erreichte T. den Gipfel seiner Macht (Strab. 6,3,4) und den Höchststand seiner Einwohnerzahl. T. erweiterte sein Territorium auf Kosten von → Siris und gründete 433 v. Chr. Herakleia [10]. Der Reichtum der Polis in spätklass. und hell. Zeit wurde durch Landwirtschaft, Fischfang und Viehzucht, den Handel und reiche kunsthandwerkliche Produktion (Keramik, Goldschmiedekunst, Toreutik) gefördert. Im 4. Jh. v. Chr. zwang der wachsende Druck messapischer und lukanischer Völker T., bei anderen Staaten um mil. Hilfe zu bitten: bei Archidamos [2] III. 342–338 v. Chr. (Theop. 115 FGrH F 232–234; Diod. 16,62,4), bei Alexandros [6] 334–331 v. Chr. (Iust. 12,2; Liv. 8,17,9 f.; 8,24). Ant. Historiker deuteten diese Politik als Zeichen von Schwäche (Pol. 8,24,1; Strab. 6,3,4). Weitere Angriffe einheimischer Stämme lösten Interventionen des Kleonymos [3] 303 v. Chr. (Diod. 20,104,1–3) und des Agathokles [2] 298 v. Chr. aus.

II. RÖMISCHE ZEIT

Ein Vertrag zw. T. und Rom bestand bereits zur Zeit der Feldzüge des Alexandros [6]; der Konflikt zw. Rom und T. verschärfte sich während des 2. Samnitenkriegs (→ Samnites IV.) von 326–323 v. Chr. (Liv. 9,14,1–7) und erreichte 303 v. Chr. einen Höhepunkt, als Kleonymos mit Rom ein → foedus abschloß, in dem die jeweiligen mil. Einflußsphären abgesteckt wurden (App. Samn. 7,1; StV 3, Nr. 444). Der Vertragsbruch seitens der Römer 282 v. Chr. war Anlaß des Kriegs (Dion. Hal. ant. 15,16; App. Samn. 7,1), in den → Pyrrhos [3] auf seiten von T. eintrat (Plut. Pyrrhos 15 f.; Pol. 8,24 ff.; Iust. 18,1,3). Nach der Schlacht bei Maleventum (→ Beneventum) 275 v. Chr. unterwarf sich T. 272 v. Chr. den Römern (Frontin. strat. 3,3,1); die Gründung einer röm. Kolonie in Brundisium 244 v. Chr. und der Bau der → via Appia drängten T. noch weiter ins Abseits.

Die Beziehungen zw. T. und Rom waren durchwegs feindselig: Im 2. → Punischen Kriegs stellte T. zwar Schiffe für die röm. Flotte (Pol. 1,20,14), fiel aber 213 v. Chr. von Rom ab und wurde 209 v. Chr. von Q. Fabius [I 30] Maximus erobert (Liv. 27,15,9 ff.; 16,10; Plut. Fabius Maximus 22,3–8; Strab. 6,3,1; vgl. Pol. 8,24 ff.; Liv. 24,13–25). Die Folgen für T. waren verheerend: Die Stadt wurde geplündert, blieb foederata (→ foederati) und tributpflichtig, verlor aber das Recht auf eigenständige Münzprägung (Liv. 35,16,3). Die Einrichtung von → ager publicus aus den konfiszierten Ländereien führte zum Ruin der Kleinbauern und zu einer landwirtschaftlichen Krise (Liv. 44,16,7). Nur im Hafen von T. florierte der Handel (Plaut. Men. 24–31; Pol. 10,1). 122 v. Chr. wurde bei T. die colonia maritima Neptunia angelegt (Strab. 6,3,4; Vell. 1,15,4). Seit dem Bundesgenossenkrieg war Neptunia mit der griech.

Stadt vereinigt als municipium (duoviri) der tribus Clodia. Von der lex municipalis Tarentina sind wesentliche Teile erh. (ILS 6086). 37 v. Chr. fanden in T. die Verhandlungen zw. dem nachmaligen Augustus und Antonius [I 9] statt (App. civ. 5,93 f.). In der Kaiserzeit erwähnen die Quellen T. ausschließlich als ruhige, für otium (→ Muße) geeignete Stadt mit gutem Klima (Hor. carm. 2,6; Sen. dial. 9,2,13). Der fortschreitende Niedergang des Stadtzentrums veranlaßte im 4. Jh. n. Chr. den → corrector Apuliae et Calabriae zum Eingreifen (Dion Chrys. 33,25).

III. RELIGION UND KULTUR

In T. gab es ein komplexes, vielschichtiges → Pantheon. Neben einem panhellenischen Rel.-Horizont ist ein ägäisches vormyk. Substrat (Anemoi, Zeus Kataibates) zu erkennen. Die Beziehungen zu Sparta wurden nicht nur durch Kulte (Apollon Hyakinthos, Dioskuren, Artemis Korythalia) bekräftigt, sondern auch durch die sog. top. Verdoppelung der lakonischen Kulte (Aphrodite, Athena Chalkioikos, Apollon Hyakinthos; vgl. [1. 37 f.]). Ein besonderer Aspekt der privaten Religiosität in griech. Zeit offenbart sich in den überaus zahlreichen Weihegaben ausgeprägt chthonischen Charakters. Die zahlreichen Zeugnisse des → Dionysos-Kults legen die Vermutung nahe, daß T. eine wichtige Rolle bei der Verbreitung dieses Kults in It. spielte; 186/5 v. Chr. erstreckten sich die Untersuchungen im Zusammenhang mit der → Bacchanalia-Affaire auch auf T. (Liv. 40,19,9; Cass. Dio 9,15,4).

In hell. Zeit war T. eine kulturell aktive Stadt. Hier wirkten der Bildhauer Lysippos [2], der Philosoph Aristoxenos [1] und der Dichter Leonidas [3]. Aus T. stammte Livius [III 1] Andronicus. Die mod. Bebauung läßt h. nur wenig vom ant. Baubestand erkennen: Reste des ältesten bekannten Steintempels der Magna Graecia, Stadtmauer (2. H. 5. Jh. v. Chr.), Nekropolen, röm. Thermenanlage, Aquädukt.

1 E. LIPPOLIS, Taranto (E. LIPPOLIS et al., Culti greci in Occidente, Bd. 1), 1995.

P. WUILLEUMIER, Tarente, 1939 • Taranto nella civiltà della Magna Grecia (Atti X Convegno di Studi sulla Magna Grecia, Taranto 1970), 1971 • E. GRECO, Dal territorio alla città, in: AION 3, 1981, 139–157 • M. OSANNA, Chorai coloniali da Taranto a Locri, 1992, 1–38 • E. LIPPOLIS (Hrsg.), Catalogo del Museo Nazionale Archeologico di Taranto, Bd. 3.1: Taranto, la necropoli, 1994; Bd. 1.3: Atleti e guerrieri, 1997 • I. MALKIN, Myth and Territory in the Spartan Mediterranean, 1994, 115–127 • G. C. BRAUER, T. Its History and Coinage, 1986 • A. MUGGIA, L'area di rispetto nelle colonie magno-greche e siceliote, 1997, 69–75.
A. MU./Ü: H. D.

IV. BYZANTINISCHE ZEIT

Von vorwiegend strategischer Bed., wurde T. in den Gotenkriegen hart umkämpft und erst 550 von Byzanz erobert. 663 landete Constans [2] II. im Zuge seines Feldzuges gegen das Herzogtum Benevent in T. Nach seinem Tod fiel die Stadt um 680 zusammen mit der Terra d'Otranto an die → Langobardi. Zum langobardischen T. sind nur spärlich Quellen vorhanden; ebenso für die Zeit zw. 840–880, als T. mit kurzen Unterbrechungen unter arab. Herrschaft war, bis es schließlich von Byzanz und Leon Apostyppes endgültig erobert und in das → Katepanat Italien eingegliedert wurde. Nach erneuter arab. Eroberung 925 wurde T. 967 wiederaufgebaut. Um 1060 fiel T. an die Normannen. Die Bevölkerung setzte sich im MA aus Langobardi und Griechen zusammen; Bischof und hoher Klerus waren überwiegend lat.-katholisch orientiert, Beamte und Großgrundbesitzer griech.-byz.

P. Corsi, s. v. Tarent II., LMA 8, 470–474 · F. Gabrieli, Gli Arabi in terraferma italiana, in: Ders. (Hrsg.), Gli Arabi in Italia, ¹1985 · V. von Falkenhausen, Taranto in epoca bizantina, in: Studi Medievali 9, 1968, 133–166 · A. Jacob, La réconstruction de Tarente par les Byzantines aux IXᵉ et Xᵉ siècles, in: Quellen und Forsch. aus ital. Archiven und Bibl. 68, 1988, 1–19. I. T.-N.

Tarasios (Ταράσιος). Patriarch von Konstantinopolis (ca. 730–806 n. Chr.), von adliger Herkunft, Sekretär der Kaiserin → Irene, die ihn im Rahmen ihrer Restaurationsbemühungen um den Bilderkult 784 zum Patriarchen wählen ließ. Die von ihm zur Lösung des Bilderstreits (→ Syrische Dynastie) einberufene Synode (→ sýnodos [2]) in Nikaia konnte 787 in einem zweiten Anlauf die Wiederherstellung des Bilderkultes beschließen. Auf ihn gehen die auf der Synode verlesenen Beschlüsse zurück, die er bereits 754 verfaßt hatte.

Ed.: PG 98, 1424–1428 (Apologeticus) · PG 98, 1481–1500 (Oratio in Sanctam Dei Matrem in templum deductam) · PG 98, 1428–1480 (Briefe).
Lit.: S. Efthymiadis, The Vita Tarasii and the Hagiographical Work of Ignatios the Deacon, Diss. Oxford 1991. K. SA.

Taraxippos (Ταράξιππος, der »Pferdeverwirrer«, von híppos und dem Aoriststamm von taráttein). Das mit T. (s. u.) in Verbindung gebrachte Monument in Gestalt eines Rundaltars stand an der (längeren) östlichen Seite des Hippodroms von → Olympia in der Nähe der Nyssa; die Pferde scheuten dort oft, was an der Vorbereitung zur Umrundung der Wendemarke liegen mochte, aber mit göttlichem Wirken erklärt wurde. Paus. 6,20,15–18 bietet verschiedene Identifizierungen des T. und seines Monuments an und hält selbst einen Altar des → Poseidon Hippios für wahrscheinlich (neutral: Dion Chrys. 32,76; Grab des Giganten Ischenos: Lykophr. 42–43, Schol. zur Stelle mit rationalistischer Deutung; Grab des Pelops: Hesych. s. v. T.). Zu einem T. in Isthmia und Nemea vgl. Paus. 6,20,19.

J. Ebert, Agonismata, 1997, 347 · J. G. Frazer, Pausanias' Description of Greece, ²1913, Bd. 4, 84 f. · V. Gebhard, s. v. T., RE 4 A 2, 2288–2292. P. SCH.

Tarbelli (Τάρβελλοι). Volk im Westen von → Aquitania (Caes. Gall. 3,20–27; Ptol. 2,7,9; mit nicht erklärtem Beinamen bei Plin. nat. 4,108: T. Quatturosignani; vgl. ILS 6962) beidseits des mittleren und unteren Aturrus (h. Adour). Gewissen Reichtum brachte die Goldgewinnung (Strab. 4,2,1), ebenso warme und kalte Heilquellen (Plin. nat. 31,4); Schwerpunkt blieb aber die Acker- und Weidewirtschaft. 56 v. Chr. von P. Licinius [I 16] unterworfen, bildeten die T. mit anderen Völkern die civitas Aquensium in der Gallia Aquitania mit dem Hauptort Aquae Tarbellicae (h. Dax). Mehrere große Peristylhäuser, die vom 1. bis 5. Jh. bewohnt und umgestaltet wurden, sind für ihre spätant. Mosaiken bekannt (vgl. Sorde-l'Abbaye [1. 33–50]).

1 C. Balmelle, Recueil général des mosaïques de la Gaule, Bd. 4,2: Province d'Aquitaine, 1987.

A. Lussault, Carte archéologique de la Gaule, Hautes-Pyrénées 65, 1997 · D. Schaad, M. Vidal (Hrsg.), Villes et agglomérations urbaines antiques, 1992, 77–81.
J.-M. DE./Ü: E. N.

Tarchetios (Ταρχέτιος).
[1] Eponym von → Tarquinii und Bezeichnung des daher stammenden → Tarquinius. Die Wurzel tarch- ist bei Personen (lat. → Tarquinius, griech. T.) und Ortsnamen (etr. → Tarchna) gut bezeugt und gehört zum urspr. Kern der etr. Sprache; die Etym. ist unbekannt.
[2] Name eines sagenhaften Königs von → Alba Longa (Promathion bei Plut. Romulus 2): Er wird von seinen Enkeln vom Thron gestürzt, die als Zwillingsbrüder aus der Vereinigung seiner Tochter mit einem aus dem Herdfeuer erschienenen → Phallos hervorgehen und vom Großvater ausgesetzt, später aber von Tieren gerettet werden. Verbindungen mit der Sage des → Romulus [1] und Remus und mit der Gestalt des Servius → Tullius [I 4] verraten die Herkunft aus dem ital.-etr. Kulturkreis. Ein Grundstock echter Überl. dürfte sich auf das 6. Jh. v. Chr. beziehen, die Zeit einer polit. Vormachtstellung der etr. Könige Roms über die latinischen Nachbarstädte an den Albanerbergen.

Marbach, s. v. T., RE 4 A2, 2294 f. · Pfiffig, 153 f.
L. A.-F.

Tarchna
[1] Etr. Bezeichnung der Stadt Tarquinia (→ Tarquinii) seit dem 5. Jh. v. Chr. (frühetr.: *tarchuna).
[2] Etr. Gentilname, bes. im »Grab der Inschr.« in → Caere/Cerveteri. Dort sind über sieben Generationen von Namensträgern inschr. überl., davon die beiden letzten in der latinisierten Form → Tarquitius.

M. Cristofani, La Tomba delle Iscrizioni a Cerveteri, 1965.
F. PR.

Tarchon, auch Tarχunies (ET Vc 7.33; Cl 1.1060); Tarχunus (ET AT S.11). Sagenhafter Sohn des → Tyrrhenos (Cato bei Serv. Aen. 10,179), des → Telephos (Lykophr. 1246 f.) oder Bruder des ersteren (Serv. Aen. 10,198). Die Form T. leitet sich vom Namen der Stadt

→ Tarquinii (etr. Tarχna) ab [1. 285], dieser dürfte mit dem luwischen Dämon Tarχu(n) zu verbinden sein [3. 215 f.]. T. soll die zwölf etr. Städte (Strab. 5,2,2), darunter Tarquinia, gegründet und das Modell des Zwölfstädtebundes nach Norditalien übertragen haben (Liv. 5,33,9). Die Sage verrät inner-etr. Hegemonial-ansprüche Tarquinias.

In Etrurien tritt T. auch als Kulturheros auf. Er nimmt die von → Tages verkündete etr. Diszplin (*disciplina Etrusca*: → Etrusci, Etruria III. D.) auf und gibt sie den Etruskern weiter (Lyd. de ostentis 3; vgl. Colum. 10,346; Darstellung als *haruspex*: ET AT S.11; [2. Abb. 3]). Zu dieser Überl. aus dem einheimischen Repertoire gesellt sich eine im röm. Milieu ausgearbeitete Trad. des T. als Anführer der etr. Flotte und des etr. Heeres, die an der Seite des Aeneas (→ Aineias) gegen → Mezentius kämpfen (Verg. Aen. 10,153).
→ Divination

1 M. CRISTOFANI, s. v. Tarconte, in: Ders., (Hrsg.), Dizionario della civiltà etrusca, 1985, 285–286 2 PFIFFIG 3 H. RIX, Teonimi etruschi e teonimi italici, in: Annali della fondazione per il Museo Claudio Faina 5, 1998, 207–229.
                              L. A.-F.

Tarentini ludi s. Ludi; Tarentum [2]

Tarentum

[1] s. Taras [2]
[2] Heiliger Bezirk in Rom im äußersten NW des Campus Martius am Tiberis (→ Roma III. D.; Paul. Fest. 440 f.: Terentum). Hier soll der Sabiner Valesius aus Eretum gelandet sein und an der Stelle einen Kult eingerichtet haben, wo er in einer Tiefe von 20 Fuß einen Altar des Dis Pater und der Proserpina entdeckt hatte. Der Kult war der *gens Valeria* vorbehalten. Zu den Spielen in T. s. → *ludi* (III. K.). Die nahe Furt durch den Tiberis hieß Vada Tarenti (Ov. fast. 1,501).

P. BRIND'AMOUR, L'origine des jeux séculaires, in: ANRW II 16.2, 1978, 1334–1417 · J. ARONEN, Il culto arcaico del T. a Roma e la gens Valeria, in: Arctos 23, 1989, 13–39 · F. COARELLI, Il Campo Marzio, 1997, 74–117.
                           G. U./Ü: H. D.

Targetius s. Tasgetius

Targum

(hebr. *targûm*, »Übersetzung«). Seit tannaitischer Zeit (ca. 2. Jh. n. Chr.) Bezeichnung für die aram. Übers. der hebr. → Bibel. Zum → Pentateuch existieren mehrere T.-Versionen: a) Der T. Onqelos, dem wohl ein palaestinischer Text (ca. E. 1./Anf. 2. Jh. n. Chr.) zugrunde liegt und der verm. zw. dem 3. und 5. Jh. n. Chr. in Babylonien redigiert wurde, gibt den hebr. Text vorwiegend wörtlich wieder; b) T. Neofiti, T. Pseudo-Jonathan (= T. Jeruschalmi I) und der nur zu einzelnen Versen erh. Fragmenten-T. (= T. Jeruschalmi II), die ebenfalls palaestin. Ursprungs sind (Datier. ab 1./2. Jh. n. Chr. bis in gaonische Zeit, 6.–11. Jh.), stellen freiere Übertragungen dar, die den Basistext z. T. durch

umfangreiche narrative Einschübe ausschmücken. Ferner existiert auch ein T. zu den Propheten (T. Jonathan). Auch hier wird der Text eher frei wiedergegeben und ist eine Datier. extrem schwierig; einzelne Passagen (z. B. die messianische Interpretation zu Mi 5,1) sind nach der Ausbreitung des Christentums nur schwer plausibel zu machen. Eine babylon. Redaktion erfolgte wohl – wie beim T. Onqelos – zw. dem 3. und 5. Jh. Die Targumim zu den K*túbîm (»Schriften«, → Bibel), bei denen das haggadische Element (→ Haggada) am deutlichsten hervortritt, stammen aus dem 5. bis 8. Jh. n. Chr.

Der »Sitz im Leben« dieser Texte war wohl der Synagogengottesdienst: Da das Aram. als offizielle Sprache des pers. Reiches in nachexilischer Zeit (ab 538 v. Chr.) auch in Palaestina das Hebr. immer mehr zurückdrängte, wurde die hebr. Schriftlesung in der → Synagoge vom Vortrag des sog. m*túrg*mān (hebr., »Übersetzer«) begleitet, der den Text ins Aram. übersetzte. Wenn sich bereits unter den Schriften aus → Qumran ein T. zum Hiobbuch (11QTg Job und 4Tg Job) sowie T.-Fr. zu Leviticus (4QTgLev) finden, so wird deutlich, daß diese rabbin. T. ihre Vorläufer im 2. oder 1. Jh. v. Chr. hatten. Abgesehen von ihrer Bed. für die Erforschung des Aram. ist die T.-Lit. v. a. für die Auslegungsgeschichte des AT bedeutsam, da diesen Texten entnommen werden kann, wie das Judentum der ersten nachchristl. Jh. die biblischen Trad. deutete.
→ Rabbinische Literatur

J. GLESSMER, Einleitung in die Targume zum Pentateuch, 1995 · Journal of the Aramaic Bible, 1999 ff. · E. LEVINE, The Aramaic Version of the Bible. Contents and Context, 1988 · M. MCNAMARA u. a. (Ed.), The Aramaic Bible. The Targums, Bd. 1 ff., 1987–1998 (engl. Übers., fast abgeschlossen) · P. SCHÄFER, s. v. Bibelübersetzungen II.: Targumim, TRE 6, 1980, 216–228.
                           B. E.

Tarḫuntassa. Inneres Land des hethitischen Reiches (→ Ḫattusa II. mit Karte) im Süden Kleinasiens, das erstmals z. Z. Muwattallis II. (ca. 1290–1272 v. Chr.) anläßlich der vorübergehenden Verlegung der hethit. Hauptstadt in dessen gleichnamigen Hauptort (T.) (beim h. Karaman oder im oberen → Kalykadnos-Tal gelegen) ins Licht der Gesch. trat. Nach der Absetzung Mursilis III.-Urḫitesubs (ca. 1272–1265) richtete Ḫattusili II. (bisher »III.«; ca. 1265–1240) vertraglich als Abfindung für dessen von der legitimen Nachfolge verdrängten Bruder Kurunta-Ulmitesub in T. eine Sekundogenitur ein [3], die von Tudḫalija III. (»IV.«; ca. 1240–1215) in einem zweiten Sekundogenitur-Vertrag, bes. durch protokollarische Gleichstellung Kuruntas mit dem König von → Karkemiš, weiter aufgewertet wurde [2]. Die seit dem Sturz Mursilis III. drohende Spaltung der königlichen Sippe konnte indes durch diese Zugeständnisse nur kurzfristig verhindert werden. Bereits z. Z. Tudḫalijas III. erklärte sich Kurunta (u. a. in der Fels-Inschr. von Hatip bei Konya [1]) einseitig zum Großkönig. Unter Suppiluliuma II. (bis ca. 1180) kam es zur mil. Konfrontation mit T., die letztlich wohl entscheidend zum Zusammenbruch des hethit. Reiches beitrug, da T. dessen Nachfolge im Süden Kleinasiens um 1180 v.Chr. unmittelbar antrat (s. → Kleinasien III.C.1.c.).

1 A.M.DINÇOL, Die Entdeckung des Felsmonuments in Hatip, in: Turkish Academy of Sciences Journ. of Archaeology (TÜBA-AR) 1, 1998, 27–35 2 H.OTTEN, Die Bronzetafel aus Boğazköy, 1988 3 TH.VAN DEN HOUT, Der Ulmiteṧub-Vertrag, 1995. F.S.

Tarius. L.T.Rufus. Vielleicht aus Liburnia stammend ([1. 105–135], doch vgl. [2. 563]); von niederer Herkunft (Plin. nat. 18,37). An der Leitung der Operation zur See vor → Aktion/Actium beteiligt (Cass. Dio 50,14,1); wohl damals bereits Senator. In Picenum erwarb er großen Besitz (Plin. nat. l.c.); evtl. Proconsul von Zypern: IGR 3, 952. Um 16 v.Chr. in Macedonia an Feldzügen beteiligt (Cass. Dio 54,20,3), vielleicht als (*legatus*) *pro pr(aetore)* (AE 1936, 18); evtl. auch nur als Promagistrat *pro pr(aetore)*. 16 v.Chr. *cos. suff.* Nach Frontin. aqu. 102,3f. wurde er 23 n.Chr., also mit mindestens 80 Jahren, *curator aquarum*; zu Zweifeln daran: [3. 223f.; 4. 156]. Eng mit Augustus verbunden, der in seinem Haus an einem Prozeß gegen T.' Sohn teilnahm (Sen. clem. 1,15,2–7).

1 G.ALFÖLDY, Die Hilfstruppen der röm. Provinz Germania Inferior (Epigraphische Studien 5), 1968 2 J.ṦAṦEL, Senatori ed appartenenti, in: EOS, Bd. 2, 553–581 3 SYME, AA 4 CH.BRUUN, The Water Supply of Ancient Rome, 1991. W.E.

Tarkondarios (Ταρκονδάριος). T. Kastor I., Tetrarch der → Tectosages mit keltischem Namen [1. 1732]. T. unterstützte 48 v.Chr. mit seinem Schwiegervater Deiotaros in der Schlacht bei → Pharsalos → Pompeius [I 3], dem er 300 Reiter schickte (Caes. civ. 3,4,5). Nach Caesars Tod 44 v.Chr. wurden er und seine Frau in seiner Residenz → Gorbeus von Deiotaros getötet (Strab. 12,5,3). Er war Vater des T. Kastor II. (→ Deiotaros).
→ Galatia

1 HOLDER 2 W.SP.

Tarkondimotos (Ταρκονδίμοτος; auch Ταρκόνδημος/ *Tarkóndēmos*).
[1] T.I.Philantonius. König von → Amanos, Sohn des Straton. Röm. Bundesgenosse, Parteigänger von Pompeius [I 3], Caesar, Cassius [I 10] und zuletzt Antonius [I 9], auf dessen Seite er 31 v.Chr. bei → Aktion/Actium fiel (Plut. Antonius 61,2; Cass. Dio 41,63,1; 47,26,2; 50,14,2; Flor. epit. 2,13,5; IGR 3, 901 = OGIS 752 und 753). Cicero preist ihn 51 v.Chr. als *fidelissimus socius trans Taurum amicissimusque populi Romani* (»treuesten Bundesgenossen jenseits des Taurus und besten Freund des röm. Volkes«, Cic. fam. 15,1,2; vgl. Strab. 14,5,18).

[2] T. II. Philopator. Sohn von T. [1]. → Octavianus [1] entzog ihm oder seinem Bruder Philopator nach dem Tod des Vaters zunächst die Herrscherwürde, er erhielt aber 20 v.Chr. das Reich mit geringen Einbußen zurück (Cass. Dio 51,2,2; 51,7,4; 54,9,2). Ob sein Tod oder der eines Nachfolgers 17 n.Chr. Unruhen auslöste, ist ungewiß (Tac. ann. 2,42,5).

W.HOBEN, Unt. zur Stellung kleinasiatischer Dynasten in den Machtkämpfen der ausgehenden Republik, Diss. Mainz 1969, 195–211 · D.MAGIE, Roman Rule in Asia Minor, 1950, 1337f. W.SP.

Tarkos (Τάρκος, assyrisch Tarqû, äg. *Tʒh(β)rq(β)*), in der wiss. Lit. meist Taharka/o). Nubischer König, dritter und bedeutendster Herrscher (690–664 v.Chr.) der äg. 25. Dyn., Thronname *Ḫwj-Nfrtm-Rˁ*. Er wurde von seinem Bruder (?) und Vorgänger Sebichos aus → Nubien nach Äg. gerufen, als er 20 J. alt war, und stand 701 v.Chr. in der (verlorenen) Schlacht von Eltekeh an der Spitze des äg. Heeres (ANET, 287f.; 2 Kg 19,9). 690 v.Chr. folgte er Sebichos auf dem Thron, nach eigenem Ber. von diesem dazu erwählt. Er entfaltete eine ausgedehnte Bautätigkeit vom Sudan bis zum Nil-Delta. Dagegen war der Abwehrkampf gegen die Assyrer in der zweiten Hälfte seiner Regierung wenig glücklich: 674 konnte er sie zurückschlagen, aber schon 671 eroberte → Asarhaddon → Memphis. Die Familie T.' wurde gefangen, er selbst konnte fliehen. Um 667 gelang es ihm, Memphis zurückzugewinnen, aber kurz darauf mußte er sich erneut geschlagen ins südliche Äg. zurückziehen. Eine Verschwörung der Deltafürsten mit T. gegen die Assyrer wurde 665 niedergeschlagen. Kurz darauf (664) starb T. und wurde in Nuri (Sudan) in einer → Pyramide beigesetzt. Trotz seiner Mißerfolge galt T. in späterer Trad. (bei Megasthenes, FGrH 715 F 20; danach bei Strab. 1,3,21; 15,1,6) als großer Eroberer.

1 K.A.KITCHEN, The Third Intermediate Period in Egypt, ³1995, 161–172; 383–393 2 J.LECLANT, s.v. T., LÄ 6, 1986, 156–184. K.J.-W.

Tarnis. Nebenfluß des Garumna, h. Tarn (Auson. epist. 22,27–32; 26,31; Auson. Mos. 465; Sidon. epist. 5,13,1; Sidon. carm. 24,45), entspringt auf dem Cebenna Mons, Grenzfluß zw. → Narbonensis → Aquitania. Nach Plin. nat. 4,109 (Korrektur von [1. 148]) Grenzfluß zw. Tolosani (→ Tolosa) und → Petrocorii.

1 E.DESJARDINS, Géographie historique et administrative de la Gaule romaine, Bd. 1, 1876.

H.ZEISS, s.v. T., RE 4 A, 2328 · M.PROVOST, Carte Archéologique de la Gaule 81, Le Tarn, 1992, 44. MI.PO.

Tarodunum (Ταρόδουνον). Keltische Ortschaft am Ausgang des Höllentals (Ptol. 2,11,30), h. Zarten im Schwarzwald. Nachgewiesen ist eine Befestigungsanlage (ca. 200 ha) mit *murus Gallicus* (kaum Siedlungsspuren), außerhalb ein Siedlungsareal (ca. 12–16 ha) des 2./1. Jh. v.Chr. (kelt. Münzen, Goldschmelzprodukte,

Schrötling, Amphorenscherben, Glasarmring, Ringperlen).

F. FISCHER, Beitr. zur Kenntnis von T., in: Badische Fundber. 22, 1962, 37–49 · K. SCHMID (Hrsg.), Kelten und Alemannen im Dreisamtal, 1983 (mehrere Beitr.) · R. DEHN u. a., Neues zu T., in: Arch. Ausgrabungen in Baden-Württemberg 1987, 85–88 · G. WEBER, Neues zu T., in: Fundber. Baden-Württemberg 14, 1989, 273–288 · R. DEHN, Gold aus T., in: Arch. Nachr. Baden 50, 1993, 118f. · Ders., Neues zu T., in: Arch. Ausgrabungen in Baden-Württemberg 1998, 113–115.　　　　R.A.WI.

Tarpeia (Ταρπεία). Nach Antigonos [7] (FGrH 816 F 2) Tochter des röm. Befehlshabers T. → Tatius, sonst (bes. Liv. 1,11,5–9; Ov. met. 14,776; Ov. fast. 1,261f.; Val. Max. 9,6,1; Plut. antiquitates Romanae 17f; Cass. Dio fr. 4,12) Tochter des Sp. → Tarpeius [3]. T. verrät die Römer im Krieg gegen die Sabiner (→ Sabini), indem sie den feindlichen Soldaten ein Tor zur Stadt öffnet und im Gegenzug das verlangt, was die Krieger an ihren Armen tragen (deren goldene Armreifen). Die Sabiner töten T., indem sie sie mit ihren Schilden, die sie auch am Arm tragen, bewerfen. Nach Varro ling. 5,41 und Prop. 4,4 ist T. → Vestalin, nach Prop. (l.c.) begeht sie den Verrat aus Liebe zu Tatius. Die älteste Version der Sage von der Frau als Erzverräterin geht nach Dion. Hal. (ant. 2,38–40) auf Fabius Pictor (FGrH 809 F 8) zurück. Nach T. soll der »Tarpeische Felsen« benannt sein (→ Tarpeium saxum), wie das → Capitolium urspr. hieß, von dem Verräter in den Tod gestürzt wurden.　　　　S. ZIM.

Tarpeium Saxum. Steile Klippe im SO des Kapitols (→ Capitolium) in → Roma; benannt nach → Tarpeia. Ort der Todesstrafe, von dem aus verschiedener Delikte bezichtigte Delinquenten den Felsen hinunter in den Tod gestürzt wurden.

RICHARDSON, 377f. s. v. Tarpeia Rupes.　　　　C.HÖ.

Tarpeius
[1] T. mons. Nach Varro (ling. 5,41) Bezeichnung für das → Capitolium, vgl. → Tarpeium saxum.
[2] Beiname des → Iuppiter als Herr des Capitolium, wo sich der Felsen befand, von dem nach einem von T. [4] verfaßten Gesetz Verräter in den Tod gestürzt wurden (u. a. Ov. fast. 6,34; Ov. met. 15,866; Prop. 4,1,7).
[3] T., Sp. Vater der → Tarpeia, Befehlshaber auf der kapitolinischen Festung unter → Romulus [1] während des Angriffs des Sabinerkönigs T. → Tatius gegen Rom (Liv. 1,11,6).　　　　S. ZIM.
[4] T., Sp. Stimmte als *cos.* 454 v. Chr. (MRR 1,42f.) in gespannter innerer Lage (→ Siccius; → Romilius [1]) der Griechenlandgesandtschaft zu (Liv. 3,31,5–8; Dion. Hal. ant. 10,50,3–52,1) und brachte ein Gesetz mit Strafen für die Mißachtung magistratischer Anordnungen ein (Dion. Hal. ant. 10,50,1f.; Cic. rep. 2,60; Gell. 11,1,2f.). 449 soll er bei der zweiten → *secessio plebis* einer der Senatsgesandten (Liv. 3,50,15) und 448 – mehr als unglaubwürdig – einer von zwei Patriziern gewe-

sen sein, die als Volkstribunen kooptiert wurden (Liv. 3,65,1).

D. FLACH, Die Gesetze der frühen röm. Republik, 1994, 98–101; 227f. · R. M. OGILVIE, A Commentary on Livy Books 1–5, 1965, Index s. v. T.　　　　C.MÜ.

Tarphe (Τάρφη). Stadt in Ostlokris (Hom. Il. 2,533); nach Strab. 9,4,6 urspr. ON von Pharygai (vgl. Steph. Byz. s. v. T.; s. v. Φαρύγαι; s. v. Θρόνιον). Lage unbekannt.

E. W. KASE u. a., The Great Isthmus Corridor Route, Bd. 1, 1991, 88.　　　　G.D.R./Ü: H.D.

Tarquinii (Tarquinia, etr. Tarch(u)na). Etr. Stadt am linken Ufer des Marta, ca. 8 km von der Küste entfernt. Die ant. Stadt befand sich auf der Hochebene Pian di Civita, 4 km sö vom h. Tarquinia. Funde seit dem 13./12. Jh. v. Chr.; im 9.–8. Jh. (→ Villanova-Kultur) läßt die hohe Zahl an Gräbern (Pozzettogräber, meist Brandbestattung; Aschenurnen (→ Urnen) bikonisch oder in Hüttenform; als Grabbeigaben Schmuck, Waffen) ein starkes Bevölkerungswachstum erkennen. Zu Anf. des 8. Jh. wurden Erzeugnisse des lokalen Kunsthandwerks, bes. Bronzearbeiten (wie Schilde, Helme, Schwerter, Gürtelschnallen, Fläschchen), nicht nur in etr. und ital. Zentren, sondern auch nach Griechenland (Olympia) exportiert. Gleichzeitig gelangten Handwerkserzeugnisse und evtl. auch Meister aus Phönizien, Euboia [1], Oenotria, Mittel- und Osteuropa nach T. Voraussetzung dafür war die solide ökonomische Basis der Stadt, wohl aufgrund der Ausbeutung des Erzes in den nahen Monti della → Tolfa. Die ersten etr. Inschr. in T. stammen aus dem 7. Jh. v. Chr. (die älteste auf einer protokorinthischen Kotyle eingeritzt). Zu dieser Zeit wurden viele Vasen aus → Korinthos importiert und auch imitiert. In diesem Zusammenhang ist der Bakchiade → Demaratos [1] zu sehen, der sich Mitte des 7. Jh. v. Chr. mit einem Gefolge von Künstlern in T. niederließ (Plin. nat. 35,152). E. des 7./Anf. des 6. Jh. v. Chr. dominierten in T. kunsthandwerkliche Produkte von hoher Qualität (orientalisierende und archa. Reliefs, mit kleinen Zylindern und Reliefs geschmückte Bucchero-Vasen, etr.-korinth. Keramiken und Grabmalereien). Diese Art figürlicher Bildthemen, die später als in anderen süd-etr. Zentren (→ Veii, → Caere) entstand, hielt sich bis ins 2. Jh. v. Chr. Nach der Einnahme der ion. Küstenstädte durch die Perser 546 v. Chr. immigrierten wohl ion. Maler und führten ihren Kunststil ein. Zeitgleich gelangten zahlreiche sf. und rf. att. Vasen nach T.

Wie die anderen süd-etr. Küstenstädte wurde T. durch die Niederlage der etr. Flotte bei → Kyme [2] 474 v. Chr. im Kampf gegen Hieron [1] I. in Mitleidenschaft gezogen, desgleichen durch die Angriffe einer syrakusanischen Flotte unter Phayllos und Apelles 453 v. Chr. auf Elba (→ Ilva; Diod. 11,88,4f.) geschwächt. Anf. des 4. Jh. v. Chr. kam es zu Zusammenstößen mit Rom, die 351 mit einem (308 erneuerten) Waffenstillstand endeten (StV 3, 435). Tonangebend war damals in T. offenbar der grundbesitzende Adel (vgl. die großen Familiengräber von Orco, Scudi und Giglioli sowie bemalte Marmorsarkophage; → Sarkophag II.). In die 1. H. des 4. Jh. v. Chr. fällt die letzte Bauphase des großen, im 6. Jh. begonnenen Tempels, der *Ara della Regina*. Bemerkenswert ist eine Reihe von Tuffstein-Sarkophagen vom E. des 4. bis ins 2. Jh. v. Chr. Im 2. → Punischen Krieg lieferte T. 205 v. Chr. Tuch für die röm. Flotte (Liv. 28,45); 181 v. Chr. mußte T. eine röm. Kolonie an der Küste in → Graviscae (h. Porto Clementino) aufnehmen (Liv. 40,29; Vell. 1,15). T. war *municipium* der *tribus Stellatina* (CIL XI 510).

Erh. haben sich Reste der Stadtmauer (5./4. Jh. v. Chr.), der *Ara della Regina*, zahlreiche Nekropolen; auf die röm. Kaiserzeit gehen Thermen, der Brunnen des Q. Cossutius, Reliefs und Inschr. zurück. Ant. Monumente von T. erwähnen erstmals Humanisten (L. Vitelli, Annio da Viterbo). Im 16. Jh. fertigte Antonio Sangallo d. J. eine Skizze von T. an; 1546 beglich die Gemeinde von Corneto (seit 1922 Tarquinia) eine Schuld beim Papst mit 6000 Pfund ant. Bronzearbeiten. Weitere Hinweise auf tarquinische Altertümer finden sich in Schriften des 18. Jh. (G. FORLIVESI, S. MAFFEI, J. J. WINCKELMANN). Bei Grabungen im 19. Jh. wurden Gräber z. T. mit Malereien entdeckt (Villanova-Kultur, orientalisierender Stil). Im 20. Jh. konzentrierten sich die Archäologen neben den → Nekropolen bes. auf das Stadtgebiet und die *Ara della Regina*.

→ Etrusci, Etruria; ETRUSKOLOGIE

M. PALLOTTINO, Tarquinia, in: Monumenti antichi 37, 1936, 5–618 · G. CAMPOREALE, Pittori arcaici a Tarquinia, in: MDAI(R) 75, 1968, 34–53 · H. HENCKEN, Tarquinia, Villanovans and Early Etruscans, 1968 · M. CRISTOFANI, La tomba del »Tifone«, in: Memorie della Classe di Scienza morali e storiche dell'Academia dei Lincei 8.14, 1969, 209–256 · Ders., Storia dell'arte e acculturazione, in: Prospettiva 7, 1976, 2–10 · M. TORELLI, Elogia Tarquiniensia, 1975 · S. BRUNI, I lastroni a scala, 1986 · M. BONGHI JOVINO, C. CHIARAMONTE TRERÉ (Hrsg.), Tarquinia. Testimonianze archeologiche e ricostruzione storica, 1997 · A. MAGGIANI, Un programma figurativo alto arcaico a Tarquinia, in: Riv. di Archeologia 20, 1996, 5–37 · C. CHIARAMONTE TRERÉ (Hrsg.), Tarquinia. Scavi sistematici nell'abitato. Campagne 1982–1988. I materiali Bd. 1, 1999 · Studia Tarquiniensia (Archaeologia Perusina 9), 1988. GI. C./Ü: H. D.

Tarquinius

[1] Der Name T. ist die latinisierte Form eines alt-etr. Gentilnamens *tarq/χu-na*, von dem mittels des aus der idg. Grundsprache ererbten *-io*-Suffixes der lat. Name abgeleitet wurde. Im Etr. selbst ist der Name in der Form *tarq/χuna* nicht belegt; Belege zu einer Basis *tarq/χ-* aus archa. Zeit sind rar (vgl. etwa *tarχumenaia* [1. 251, Cl 2.8], *tarχelnas* [1. 86, Vs 1.2]). Jung-etr. Fortsetzer finden sich in den Gentilnamen *tarcna/tarχna* (vgl. *tarcnai, tarχnas* der Tomba delle Iscrizioni, Caere, CIE 5907–5974; *tarcnei* [1. 295, Pe 1.1224]). *Tarχunies* der

bekannten Inschr. der Tomba François (CIE 5275) ist Rücketruskisierung des lat. *T.*, erkennbar am Erhalt des *-io*-Suffixes in der Form *-ie-*.

1 ET 2. BR. SCH.

[2] T., Ar(r)uns. Der Überl. nach älterer Bruder von T. [11] und Vater des erst nach seinem Tode geborenen Egerius [1] (Liv. 1,34,2f.; Dion. Hal. ant. 3,46,5; 3,47,1).

[3] T., Ar(r)uns. Die Überl., in die T. schon z.Z. des Fabius [I 35] Pictor eingeführt war (Dion. Hal. ant. 4,30,2 = Fabius Pictor fr. 11b HRR), kennt ihn als Bruder von T. [12], der von diesem ermordet wurde, wobei auch T.' Frau Tullia die Hände im Spiel hatte (Liv. 1,46,1–9; 1,47,3; Dion. Hal. ant. 4,28,5–30,1; 4,79,1; Cass. Dio fr. 11,1; Zon. 7,9).

[4] T., Ar(r)uns. Der Überl. nach Sohn des T. [12], der ihn als Herrscher von → Circeii einsetzte, und Mitglied der Gesandtschaft nach Delphoi zusammen mit T. [8] und Iunius [I 4] Brutus; mit diesem geriet er beim Versuch der Rückführung der Tarquinier nach Rom in einen für beide tödlichen Zweikampf (Dion. Hal. ant. 4,63,1; 4,69,2; 5,15; Liv. 1,56,7; 2,6,5–9).

[5] T., Gn. Abgebildet in der Tomba François (ca. 330 v. Chr.) in Vulci, trägt dort den etr. Namen *Cneve Tarχunies Rumaχ* (CIE 5275 = [3. 121, Vc 7.33]), also Gn. T. aus Rom. Dargestellt ist die Tötung des T. durch *Marce Camitlnas*, einen Gefährten des etr. Brüderpaares *Avle* und *Caile Vipinas* (lat.: Aulus und Gaius Vibenna) und des *Macstrna* (→ Mastarna). Die Forsch. hat in ihm mitunter T. [11] vermutet. Zwar sprechen die unterschiedlichen Praen. nicht gegen diese Gleichsetzung, da sie ohnehin schwerlich histor. sind (vgl. L. bei T. [11] fälschlich aus → Lucumo); eindeutig identifizierbar ist T. (obgleich wohl eine histor. Person) dennoch nicht.

1 A. ALFÖLDI, Das frühe Rom und die Latiner, 1977, Index, s. v. Tarchu(nies) 2 T. J. CORNELL, The Beginnings of Rome, 1995, 138 f. 3 ET 2. C. MÜ.

[6] T., L. Am 4.12.63 v. Chr. vom Senat verhörter Catilinarier (→ Catilina). T., der M. Licinius [I 11] Crassus belastete, wurde als Lügner inhaftiert; Crassus vermutete Cicero hinter der Aussage, andere P. Autronius [2] Paetus (Cic. Catil. 4,10; Sall. Catil. 48,3–9). JÖ. F.

[7] T., S. Sohn von T. [12]. Der Überl. nach, die ihn ähnlich wie seinen Vater zeichnet, machte er sich im Einvernehmen mit diesem durch List zum König von → Gabii, löste durch die Schändung der → Lucretia [2] die Vertreibung der Tarquinier aus Rom und kam nach mehreren Versuchen, die tarquinische Macht in Rom wiederherzustellen (u. a. mit → Porsenna), in der Schlacht am → Lacus Regillus um (Dion. Hal. ant. 4,55,1–58,4; 4,64,2–65,4; 5,15,4; 5,22,4; 5,40,1f.; 5,61,3; 5,76,3; 6,5,1–5; 6,12,5; Liv. 1,57,6–58,5; vgl. 1,60,2, wonach T. nach der Vertreibung seines Vaters bereits in Gabii getötet wurde).

[8] T., T. Sohn von T. [12]. Der Überl. nach von seinem Vater als Herr von Signia eingesetzt, wie T. [4]

Mitglied der Gesandtschaft nach Delphoi. Gleich seinem Bruder T. [7] soll er nach mehreren Versuchen zur Rückführung der Tarquinier am → Lacus Regillus umgekommen sein (Liv. 1,56,7; 2,19,10–20,3; Dion. Hal. ant. 4,63,1; 4,69,2; 5,15,4; 5,22,4 f.; 6,11,1 f.).

[9] T. Collatinus, L. Der Überl. nach Sohn oder Enkel (Dion. Hal. ant. 4,64,2 f. = Fabius Pictor fr. 14 HRR) des → Egerius [1]; er stellte sich als Gatte der → Lucretia [2] nach deren Vergewaltigung durch T. [7] gegen T. [12], bekleidete mit → Iunius [I 4] Brutus das erste Konsulat, mußte dann aber wegen seiner Verwandtschaft mit den Tarquinii zurücktreten (Liv. 1,57,6–60,4; 2,2,2–10; Dion. Hal. ant. 4,70,2 f.; 4,76,1; 4,84,5; 5,1,2; 5,5,4–5,6,1; 5,9,2–5,12,3; zur Gestaltung der Rolle des T. in Anlehnung an das E. der Peisistratidenherrschaft in Athen [1. 232, 239]).

> 1 R. M. OGILVIE, A Commentary on Livy Books 1–5, 1965.
> C. MÜ.

[10] T. Egerius (Collatinus), Ar(r)uns s. Egerius [1]

[11] T. Priscus, L. (urspr. angeblich → *Lucumo*; Cogn. *Priscus* aus späterer Zeit). Laut röm. Trad. fünfter König Roms 616–578 v. Chr. T. galt als Sohn des → Demaratos [1]; er verließ mit seiner etr. Frau → Tanaquil → Tarquinii und stieg in Rom durch soziales Geschick und Reichtum zum Vormund der Söhne des Ancus → Marcius [I 3] auf. Dank einer List trat T. an deren Stelle die Herrschaft an. Neben Kriegen gegen die → Sabini sowie etr. und latinische Städte schrieb man ihm eine Vergrößerung des Senats (→ *senatus*) und die Einführung als etr. geltender Traditionen – wie → *ludi*, → Triumph, *fasces*, Opferrituale – zu; daher die mod. Vorstellung einer »Etruskerherrschaft« über das von Zuwanderern wie T. zwar stark beeinflußte, aber weiter latinisch geprägte Rom. Weil T. als seinen Nachfolger Ser. → Tullius ins Auge faßte, sollen ihn die Söhne des Ancus erschlagen haben, ohne aber auf den Thron zurückzukehren. Hauptquellen: Cic. rep. 2,34–36; Dion. Hal. ant. 3,46–73; Liv. 1,34–41; dazu [7. 142–156].

T. ist eine im Kern histor. Person, doch sind Zeitangaben, Zahl und Eigenart der Tarquinii spätere Zusätze. In den Quellen ist die Aufteilung der für »König T.« überl. Fakten zw. ihm und T. [12] strittig; T. erscheint teils als guter Vorgänger dieses tyrannischen Erben, teils als Intrigant. Das mod. Urteil zu Einzelheiten ist – wie für die ganze röm. Früh-Gesch. – kontrovers. Als sicher gilt das Dominanzstreben Roms in Latium mit Kriegen z. B. gegen Collatia, Crustumerium und Corniculum unter einem Tarquinier (seit ca. 570–550? [3. 124]), dem eine Unterbrechung der einzigen röm. Königs-Dyn. (Sturz T.' durch Ser. Tullius?) folgte.

[12] T. Superbus, L. (Cogn. aus späterer Zeit). Nach der Trad. der siebte und letzte König Roms 534–509 v. Chr.; er galt in älteren Quellen als Sohn, seit L. Calpurnius [III 1] Piso wegen chronologischer Probleme der Königsliste [2] als Enkel des T. [11] und als Erneuerer der Herrschaft der Tarquinii durch die Ermordung seines Schwiegervaters Ser. → Tullius. T. ergriff gesetz-

widrig die Macht, mißachtete den Senat, belastete das Volk unmäßig; die Erweiterung der Macht Roms über den Latinerbund, Prachtbauten oder der Erwerb der → *Sibyllini libri* werden in den Quellen von T.' Willkür, List und Grausamkeit überlagert. Sein legendärer Sturz durch Verwandte um T.' Neffen L. Iunius [I 4] Brutus aufgrund der Untaten seiner zwei (oder drei: [2]) Söhne (vgl. → Lucretia [2]), gefolgt von der Vertreibung der gesamten *gens Tarquinia*, war konstitutiv für das Selbstverständnis der klass. röm. Republik, ebenso Roms Behauptung gegen den Versuch des Lars → Porsenna, T. wiedereinzusetzen. Nach dem Tod seiner Söhne im Kampf gegen die Republik soll der Tyrann im Exil in Kyme [2] (oder Tusculum) 495 gestorben sein. Hauptquellen: Cic. rep. 2,44–46; Dion. Hal. ant. 4,41–85; Liv. 1,46–2,21 (Herrschaft: 1,49–60, dazu [7. 184–232]).

T.' Zeichnung in den Quellen ist von der Tyrannentopik nach griech. Schema geprägt. Das Bild eines rigiden Erneuerers der Dyn. ist dennoch glaubhaft. Tatsache ist der Bau des (erst nach T. geweihten) Tempels der Kapitolinischen Trias auf dem → Capitolium im letzten Viertel des 6. Jh., sichtbarstes Zeichen der Prosperität der Stadt [4], ebenso Roms Aufstieg zur Vormacht Latiums und Mittelitaliens am Ende der Königszeit: Die Überl. – Einnahme von Pometia, Kontrolle über Gabii, Putsch gegen T. während der Belagerung von Ardea – paßt gut zum ersten röm.-karthagischen Vertrag aus der frühen Republik (Pol. 3,22; Echtheit und Datum umstritten), der eine Kontrolle der Küste von Antium bis Tarracina durch Rom voraussetzt. Der Sturz der Tarquinii ca. 509 (anders [1; 5]: ca. 475/450) steht fest, nicht aber der direkte Übergang vom Königtum zur (aristokratisch dominierten) Republik; Sieger über T. – oder Nutznießer einer Palastrevolution seiner Familie – war vielleicht → Porsenna, der Rom (bis zu seiner Niederlage bei Aricia 504?) offenbar beherrschte (so Plin. nat. 34,139; Tac. hist. 3,72,1), sei es als »König«, sei es nach Art einer Tyrannis [3. 217 f.].

→ Roma I. C.; Tarquinii

> 1 A. ALFÖLDI, Early Rome and the Latins, 1965, passim
> 2 E. BESSONE, La gente Tarquinia, in: Rivista di Filologia 110, 1982, 394–415 3 T. P. CORNELL, The Beginnings of Rome, 1995 4 M. CRISTOFANI (Hrsg.), La grande Roma dei Tarquini, 1990 5 E. GJERSTAD, Early Rome, 6 Bde., 1953–1973, passim 6 J. MARTÍNEZ PINNA, Tarquinio Prisco. Ensayo histórico sobre Roma arcaica, 1996 7 R. M. OGILVIE, A Commentary on Livy, Books 1–5, 1965. JÖ. F.

Tarquitius. Röm. Gentilname etr. Herkunft (in der Ant. wohl als Nebenform von → *Tarquinius* angesehen, vgl. Fest. 496). K.-L. E.

I. REPUBLIKANISCHE ZEIT

[I 1] T. Priscus. Lat. schreibender Autor vielleicht des 1. Jh. v. Chr. (vgl. Verg. catal. 5,3); genannt bei → Macrobius [1] (Sat. 3,20,3; 5. Jh. n. Chr.) als Verf. eines *ostentarium arborarium* (→ Etrusci, Etruria III. mit Abb.

zur *Etrusca disciplina*), wohl einer geordneten und kommentierten Auflistung von Bäumen und Sträuchern (*arbores*) von Bed. in der → Divination. T. dürfte auch in Plin. nat. 2; 11 ind. auct.; Amm. 25,2,7; Serv. ecl. 4,43; Lyd. de ostentis 2,7 W. gemeint sein (unsicher: Fest. 340,4 L.; Lact. inst. 1,10; anders: [2. 304]). Der auf ein etr. Ethnikon zurückgehende Gentilname [1. 743 f.] könnte auf etr. Abstammung deuten, aus der Formulierung bei Macr. Sat. 3,7,2 (*liber Tarquitii transcriptus ex ostentario Tusco*) läßt sich jedoch nicht zwingend auf eine Übers. aus dem Etr. schließen (vgl. auch [3. 98]; anders: [2. 28, 93]).

1 H. Rix, Zum Ursprung des röm. und mittelital. Gentilnamensystems, in: ANRW I 2, 1972, 700–758 2 E. Rawson, Intellectual Life in the Late Roman Republic, 1985 3 C. Guittard, Contribution des sources littéraires à notre connaissance de l'Etrusca Disciplina: T. Priscus et les *arbores infelices*, in: H. Heres, M. Kunze (Hrsg.), Die Welt der Etrusker (Kongr. Berlin 1988), 1990, 91–99. M. HAA.

[I 2] T. Priscus, C. 89 v. Chr. im Stab des Cn. Pompeius [I 8] Strabo vor Asculum (ILLRP 515, Z. 9); wird identifiziert mit T. Priscus, dem Legaten des Q. → Sertorius 76 v. Chr. (Frontin. strat. 2,5,31), der 73 an der Ermordung seines Kommandeurs beteiligt war (Sall. hist. 3,81; 3,83 M.). MRR 3,203. K.-L. E.

II. Kaiserzeit

[II 1] T. Catulus. In CIL XIII 8170 (= ILS 2298) als *leg(atus) Aug(usti)* bezeichnet, der den Wiederaufbau des Praetoriums in → *colonia Agrippinensis* (h. Köln) leitete; war verm. Statthalter von *Germania inferior* im 2./3. Jh.

Eck, Statthalter, 218 f.

[II 2] M. T. Priscus. Senator; Legat des Proconsuls von Africa 52/53 n. Chr., Statilius [II 13] Taurus, den er auf Anstiften Agrippinas [3] anklagte (Tac. ann. 12,59,1; s. dazu → Statilius [II 13]); deshalb selbst aus dem Senat entfernt. Unter Nero Proconsul von Pontus-Bithynia, muß also wieder zum Senat zugelassen worden sein; 61 von den Bithyniern wegen Repetunden angeklagt und verurteilt (Tac. ann. 14,46,1); evtl. identisch mit dem Autor T. Priscus. PIR T 20. W. E.

Tarracina. Urspr. Anxur (Liv. 4,59,4), Stadt der Ausoni und Volsci auf einem Felssporn an der Küste von Latium Adiectum, h. Terracina (Latina). 406 v. Chr. von den Römern erobert, die hier 329 v. Chr. eine *colonia maritima* (→ *coloniae* C.) anlegten. T. wurde 312 v. Chr. durch einen Streckenabschnitt der Via Appia (*decumanus maximus*) mit Rom verbunden. *Municipium* der *tribus Oufentina*. Erh. ist die Stadtmauer und das sog. Forum Aemilianum (von Aulus Aemilius gepflastert, h. Piazza del Municipio) mit sog. Tempel der Roma und des Augustus (Capitolium?; Kathedrale S. Cesario). Reste von Amphitheater, Thermen, Hafen evtl. aus der Zeit des Traianus (Mole erh.). Auf dem Monte Sant'Angelo lag

der sog. Tempel des Iuppiter Anxur (→ Feronia?, frühes 1. Jh. v. Chr.). Reste von drei Aquädukten; in der Umgebung ein Heiligtum der Feronia und *villae*. Das Vorgebirge *saltus Lautulae* (h. Piscomontano) wurde unter Traianus für eine Umleitung der Via Appia am Meer entlang durchschnitten.

G. Lugli, Ager Pomptinus. Anxur-T., 1926 · B. Conticello, T., 1976 · M. R. Coppola, T., il foro emiliano, ²1993 · M. Cancellieri, La valle Pontina nell'antichità, 1990, 45–50. G. U./Ü: H. D.

Tarraco (Ταρράκων). Stadt an der Ostküste der iberischen Halbinsel (früheste Erwähnung bei Avien. ora maritima 512 ff.; Eratosth. bei Strab. 3,4,7; vgl. auch Plin. nat. 3,18; 23; 110; Ptol. 2,6,17; Itin. Anton. 391,1), h. Tarragona. Die Stadt war terrassenförmig auf einem 160 m hohen Sandsteinfelsen angelegt und verfügte im SW über einen Hafen, dessen Bucht h. versandet ist. Im 2. → Punischen Krieg war T., unter der Leitung der Brüder P. und Cn. Cornelius Scipio (→ Cornelius [I 68] und [I 77]) zur Festung ausgebaut, bis 209 (Einnahme von → Carthago Nova durch röm. Truppen) Stützpunkt der Römer (vgl. Pol. 3,95,5; Liv. 22,19,5). Aus dieser Zeit stammt die Stadtmauer (auch die unterste Schicht aus monumentalen Steinblöcken) mit ihren sechs 1,5 m breiten Toren und den nach außen vorspringenden Türmen (vgl. Plin. nat. 3,21), die über eine Länge von etwa 1100 m erh. ist.

Caesar erhob T. 45 v. Chr. zur *colonia Iulia Urbs Triumphalis Tarraco* (vgl. AE 1929, 235), *tribus Galeria* (CIL II 4193; 4212; CIL VI 3349). Von T. aus leitete Augustus seine Operationen im Krieg gegen die → Cantabri (26–24 v. Chr.). Wohl seit dem 2. Jh. v. Chr., spätestens jedoch seit 27 v. Chr. war T. Hauptstadt der Prov. Hispania Citerior (Cass. Dio 53,12,5; die Bezeichnung → Hispania Tarraconensis scheint in lit. Quellen seit Plin. nat. 3,6 auf; sie findet sich in der Titulatur der *iuridici* und *procuratores* selten, in der der Statthalter jedoch nie); die Prov. war nicht in → *dioikḗseis* aufgeteilt (διοίκησις/ *dioíkēsis* auf Inschr. bedeutet lat. *conventus*). Statthalter der kaiserlichen Prov. war ein *legatus Augusti pro praetore* consularischen, seit → Diocletianus ritterlichen Rangs (*praeses provinciae Hispaniae citerioris*). Von der Stationierung einer Garnison in T. ist nichts bekannt. In der Kaiserzeit war T. das polit. Machtzentrum der iberischen Halbinsel. An der Spitze der städtischen Verwaltung standen *duoviri*; außerdem sind *quaestores* und *aediles* sowie *flamines* und *pontifices* bezeugt. Eine Blütezeit erlebte T. im 1. und 2. Jh. n. Chr. (Landwirtschaft, Handwerk, Handel). 476 n. Chr. wurde T. von den → Westgoten besetzt. 724 zerstörten die Araber die Stadt.

Erh. sind neben Teilen der Stadtmauer Reste eines Circus und eines Amphitheaters am östl. Stadtrand. Auf der obersten Terrasse sind ein Altar des Augustus, der 15 n. Chr. errichtete Augustus-Tempel des Provinziallandtags und ein Iuppiter-Tempel arch. nachgewiesen. Aus T. und Umgebung stammen zahlreiche Mz. [1; 2] und iberische, lat. und griech. Grab-, Ehren- und Bau-Inschr. [3].

1 L. VILLARONGA GARRIGA, Les monedes ibèriques de T., 1983 **2** A. M. DE GUADAN, Numismática ibérica e ibero-romana, 1969 **3** G. ALFÖLDY, Die röm. Inschr. von T., 1975.

G. ALFÖLDY, s. v. T., RE Suppl. 15, 570–644 · R. HAENSCH, Capita provinciarum, 1997, 162–175, 480–488 · A. NÜNNERICH-ASMUS, s. v. T., in: K. BRODERSEN (Hrsg.), Ant. Stätten am Mittelmeer, 1999, 23–26 · TIR K/J 31 Tarraco/Baliares, 1997, 151–154 · TOVAR 3, 453–460.   R. ST.

Tarrutius. T., L. aus Firmum Picenum, ein versierter Astrologe (Autor griech. Fachwerke: Plin. nat. Index 18) und Philosoph im 1. Jh. v. Chr. Für seinen Freund M. Terentius → Varro [2] erstellte T. das Horoskop des Romulus [1] und berechnete den Gründungstag Roms, dessen weiteres Schicksal er prognostizierte (Cic. div. 2,98; Plut. Romulus 12,3–6; Manil. 4,773; Solin. 1,18; Lyd. mens. 1,14).   JÖ. F.

Tarsatica. Liburnische Küstenstadt an der Straße von Aquileia [1] nach Siscia (Plin. nat. 3,140; Tab. Peut. 5,1 f.; Itin. Anton. 273: Tharsatico), h. Trsat östl. von Rijeka. *Oppidum, tribus Sergia (duoviri, decuriones*: CIL III, 3027–3029).

J. ŠAŠEL, s. v. Alpium Iuliarum Claustra, RE Suppl. 13, 11–14.   PI.CA./Ü: E. N.

Tarsos (Ταρσός, Ταρσοί / *Tarsoí*, lat. *Tarsus*). Stadt mit Flußhafen im Westen der Kilikia Pedias am Unterlauf des Kydnos, h. Tarsus. T. lag an der Fernstraße von Antiocheia [1] durch die → Kilikischen Tore [1] an die kleinasiatische Westküste, nach Konstantinopolis sowie an den Pontos Euxeinos (Schwarzes Meer) bei Amisos. Im 15. Jh. v. Chr. Residenzstadt in → Kizzuwatna, dann unter hethitischer Oberherrschaft (Tarša), im 9. Jh. wohl im späthethit. Reich des Mopsos von → Karatepe, von 713 bis 663 assyrisch [1] mit griech. Kolonisation. Von 612 bis 333 Residenzstadt des Königreichs Kilikia, das bis nach Kappadokia und an den Euphrates reichte (von 401 bis 333 als persische Satrapie). Nach dem Tod Alexandros' [4] d. Gr. seleukidisch mit dem Namen Antiocheia am Kydnos.

Bei der Neuordnung des Ostens durch Pompeius [I 3] wurde T. 66 v. Chr. Hauptstadt der röm. Großprov. → Cilicia (mit Cyprus und Pamphylia). Zu Ehren Caesars Iuliopolis benannt (Cass. Dio 47,26). Aus der jüd. Gemeinde von T. stammte der Apostel → Paulus [2] (Apg 21,39). 72 n. Chr. wurde T. Hauptstadt der neu eingerichteten Prov. Cilicia. Die Stadt war Sitz des Provinziallandtages (*koinón Kilikías*), Zentralort des Kaiserkults, Ort mehrerer Lehranstalten (Universität), zahlreicher Tempel (darunter der sog. Dönüktaş) und bedeutender Festspiele. Akropolis auf dem Hüyük Gözlü Kulesı (dort prähistor. Ausgrabungen [2]) mit Hangmulde eines Theaters, spätröm. Stadtmauer mit dem »Kleopatra-Tor«. Die Siedlungskontinuität erklärt den fast vollständigen Denkmälerverlust.

260 wurde T. von den → Sāsāniden erobert (Res gestae divi Saporis 28). Rivalität v. a. mit → Anazarbos. Unter Theodosius [3] II. wurde T. Hauptstadt der Cilicia Prima im Westen und Anazarbos der Cilicia Secunda im Osten; kirchliche Metropolis mit den Suffraganen Adana, Augusta [8], Korykos [2], Mallos, Pompeiopolis (→ Soloi [2]), Sebaste (→ Elaiussa) und Zephyrion [3. 73]. Unter Iustinianus [1] wurde der Kydnos, der urspr. durch die Stadt floß, wegen Überschwemmungen umgeleitet (Prok. aed. 5,5,17–20); T. war wichtige byz. bzw. arab. Grenzfestung vom 7. bis in das 10. Jh.; 1199 wurde in der Sophienkirche von T. Leon I. zum König von Kleinarmenien gekrönt.

→ Kilikes, Kilikia; Kleinasien (mit Karte)

1 S. DALLEY, Sennacherib and Tarsus, in: AS 49, 1999, 73–80 **2** H. GOLDMAN (Hrsg.), Excavations at Gözlü Kule, Tarsus, Bd. 1–3, 1950–1963 **3** E. HONIGMANN, Stud. zur Notitia Antiochena, in: ByzZ 25, 1925, 60–88.

W. RUGE, s. v. T. (3), RE 4 A, 2413–2439 · MAGIE, 1146–1148 · HILD/HELLENKEMPER s. v. T.   F. H.

Tartaros (ὁ Τάρταρος, τὰ Τάρταρα; lat. *Tartarus*). Bei Homer und Hesiod ist der T. das finstere, modrige Gefängnis der → Titanen, in das diese nach ihrer Niederlage gegen Zeus eingesperrt worden sind (Hes. theog. 729 f.). Der T. ist so tief unter dem → Hades gelegen, wie der Himmel von der Erde entfernt ist (Hom. Il. 8,16; vgl. Hes. theog. 720); er ist von einer eisernen Mauer mit eisernen Toren umschlossen (Hom. Il. 8,15; Hes. theog. 726; bei Verg. Aen. 6,549–551 eine dreifache Mauer, vom → Phlegethon [2] umflossen). Von oben reichen die Wurzeln der Erde und des Meeres bis zum T. herab (Hes. theog. 727 f.). In Plat. Phaid. 112a-d wird T. als Schlund verstanden, in den die Unterweltsflüsse hinein- und aus dem sie wieder herausfließen. Im T. sollen auch ungehorsame Götter bestraft werden (Hom. Il. 8,13). Neben den Titanen halten sich dort der Tag und die Nacht (→ Nyx), → Atlas [2], Hypnos (→ Somnus) und → Thanatos, → Hades und → Persephone mit → Kerberos und → Styx auf (Hes. theog. 744–806; [1]). Der T. wird auch als tiefster und schrecklichster Teil des Hades aufgefaßt (Anakr. fr. 395,8 PMG; Thgn. 1036), wo Verbrecher bestraft werden (Plat. Gorg. 523b; Verg. Aen. 6,542 f.), deren Vergehen nicht gesühnt werden können (Plat. Phaid. 113e), bes. → Tantalos, → Tityos und → Sisyphos. Als Ort der Frevler nach dem Tod bildet der T. einen Gegenpol zum → Elysion: gemäß Plat. Gorg. 524a findet auf einer Wiese mit einem Kreuzweg, von wo aus man ins Elysion bzw. in den T. gelangt, das Totengericht statt ([Plat.] Ax. 371c; Verg. Aen. 6,540–543; ebd. 6,566–569 verhört → Rhadamanthys die Verbrecher im T.). Von den Christen wird der T. als paganes Pendant zur Hölle verstanden, bes. unter Berufung auf Vergil (Lact. inst. 6,4).

In Hes. theog. 119 gehört T. (nach → Chaos und → Gaia und vor → Eros [1]) zu den ersten Dingen, die entstehen [2]. In personifizierter Gestalt zeugt T.

mit Gaia Typhon (Hes. theog. 821f.; → Typhoeus), → Echidna (Apollod. 2,4), den Zeusadler (Hyg. astr. 2,15), → Thanatos (Soph. Oid. K. 1574f.) und → Hekate (Orph. Arg. 977; [3]).

→ Jenseitsvorstellungen; Unterwelt

1 M.D.NORTHRUP, Tartarus Revisited: A Reconsideration of Theogony 711–819, in: WS 13, 1979, 22–36 2 M.L.WEST (ed.), Hesiod, Theogony, 1966, 194f. (mit Einl. und Komm.) 3 C.LOCHIN, s.v. T., LIMC 7.1, 848.

O. WASER, s. v. T., ROSCHER 5, 121–128.   K.SCHL.

Tartarus. Fluß in Venetia, der bei Atria ins Meer mündete (Plin. nat. 3,121), h. Tartaro. Sein Unterlauf nutzte das urspr. Bett des Padus (Po) und wurde durch die fossa Philistina entwässert. Im Schutz der Sümpfe bei Hostilia lagerte Caecina [II 1] im Herbst 69 n. Chr., bevor er sein Heer gegen Antonius [II 13] Primus führte (Tac. hist. 3,9,1).

A.M.ROSSI ALDROVANDI, Le operazioni militari lungo il Po, 1983 · M.CALZOLARI, Le operazioni militari a Ostiglia, in: Quaderni di Archeologia del Mantovano 1, 1999, 85–121.   E.BU./Ü: H.D.

Tartessos (Τάρτησσος). Nach klass. Überl. Stadt oder Königreich in Südspanien. Als tartessische Kultur wird die end-brz. und früheisenzeitl. Kultur Südspaniens mit einem Kerngebiet (unteres Guadalquivir-Tal und Region um Huelva) und einer peripheren Zone zw. Cabo de la Nao im Osten und Río Guadiana im Westen bezeichnet. Ihre Entwicklung ist von ostmediterranem Einfluß geprägt, im 9. Jh. v. Chr. durch präkolonialen phöniz. Handel (indirekt arch. nachweisbar), seit Beginn des 8. Jh. v. Chr. durch die Gegenwart semitischer, bes. tyrischer (→ Tyros) Händler, Handwerker und »Kolonisten«. Er bestimmt das »orientalisierende« Erscheinungsbild einer brz. Bauern- und Hirtenkultur. Einzelfunde phöniz. Drehscheibenkeramik begegnen in einheimischer Umgebung. In westl. tartess. Randgebieten (Estremadura, Algarve) konzentrieren sich die Funde eingeritzter Kriegerstelen mit Darstellung von z. T. mediterranen Tracht- und Waffenelementen (u. a. Kniefibel, Kamm, Herzsprungschild).

Urbane Züge zeigen sich seit E. des 8. Jh. in Gestalt strukturierter (rechteckige Häuserzeilen u. a.), z. T. befestigter Siedlungen – vgl. Castillo Doña Blanca, Tejada La Vieja (Metallhandel). Seit dieser Zeit begegnen neue Technologien der Eisen- und Silbergewinnung und -bearbeitung, der Keramik (Töpferscheibe), aber auch neue Nutzpflanzen wie Weinrebe und Olive. Oriental. Formen und Motive (z.B. Greifen, Rosetten, Voluten, Palmetten) bestimmen einheimische Prunkkeramik, Br.-Geschirr, Elfenbeinarbeiten mit eingeritztem Dekor sowie komplexe Schmuckarbeiten (Schatzfunde von Aliseda oder Carambolo mit Dekor u. a. aus Filigran und Granulation).

Die Nekropolen (v. a. Urnenbestattungen) deuten eine nach Großfamilien gegliederte Ges. an – z. B. die Tumulusgräber von Setefilla (Lora del Río, Sevilla), die jeweils Grabbezirke mit zentralem → Ustrinum (in jüngerer Zeit Kammergrab) und Einzelgräber bilden. Die in T. verehrten Gottheiten erscheinen in der Ikonographie orientalischer Typen, z.B. → Rešep (Smiting God) oder → Astarte.

Die tartess. Kultur endet im Laufe des 6. Jh. v. Chr.: Zu dieser Zeit brachen die regelmäßigen Verbindungen der westphöniz. Niederlassungen mit der tyr. Metropole ab; die Lücke füllten bis ins 3. Viertel des 6. Jh. ionische Händler im Bereich von Huelva (ant. Onuba), dem Hafenplatz zum metallreichen Hinterland, dem Río Tinto-Gebiet. Die Identifizierung dieses Platzes mit T. (s.u. Hdt.) stützt sich auf die relative Funddichte griech., bes. ion. Keramik. In der peripheren Extremadura erlosch diese »orientalisierende« Kultur erst E. des 5. Jh. v. Chr. (→ Cancho Roano). Die von der älteren Forsch. angenomme Zerstörung der tartess. Kultur (vgl. Strab. 3,1,6 zu Schrift, Lit. und Lebensart) um 500 v. Chr. durch Karthago ist zu revidieren; T. und die tartess. Zivilisation finden ihre Fortsetzung ohne Bruch in der iberisch-turdetanischen Kultur (→ Turdetani).

Phöniz. und griech. Kontakte finden in den beiden Namensformen Tartessos (Hafenplatz, Name einer Region) und Taršiš (Region: Ps 72,10; Jes 23,6 u. a.; Schiffe: 1 Kg 10,22; Jes 2,16 u. a.) ihren Niederschlag. Beide Versionen gehen auf die Adaption eines einheimischen Lautstandes trt/trs zurück [5. 116, vgl. 114]. Den biblischen Quellen nach begannen die vorkolonialen Kontakte mit dem östl. Mittelmeerraum im 10. Jh. v. Chr. (1 Kg 10,22) mit den Taršiš-Schiffen des → Hiram und → Salomo. Die frühesten griech. Quellen lokalisieren T. jenseits der Straße von Gibraltar, d. h. am Rand der → oikuménē (Stesich. 184 SLG); sie bezeichnen damit ein empórion bzw. eine durch einen basileús beherrschte Region (Hdt. 1,163). Sie spiegeln die Erfahrungen ion. Seefahrer wider, z.B. des samischen Schiffsherren → Kolaios (Hdt. 4,152), und seit 600 v. Chr. phokäischer Kaufleute (Hdt. 1,163), die mit dem langlebigen basileús Arganthonios Freundschaft schlossen.

→ Hispania; Pyrenäenhalbinsel (mit Karte)

1 M.E.AUBET (Hrsg.), T., 1989 2 P.BARCELÓ, Karthago und die Iberische Halbinsel vor den Barkiden, 1988 3 J.M.BLÁZQUEZ, T., 1968 4 M.BLECH, T., in: Dt. Arch. Inst. (Hrsg.), Hispania Antiqua, Bd.1, Vorzeit, 2001 (im Druck) 5 M.KOCH, Tarschisch und Hispanien, 1984 6 D.RUIZ MATA, T., in: Protohistoria de la Península Ibérica, 2001, 1–190 7 A.SCHULTEN, T., 1950 8 TOVAR 1, 28f.
          M.BL.u.P.B.

Taruenna s. Tervanna

Tarus. Rechter Nebenfluß des Padus (Po), h. Taro (126 km L). Er entspringt im ligurischen Appenninus, fließt durch Forum Novum; er wurde von der Via Aemilia gekreuzt (dort eine Straßenstation Ad Tarum: Itin. Burdig. 616,14) und mündet bei Parma [1].

          G.U./Ü: H.D.

Tarusates. Kelt. Volk in → Aquitania, wohl nördl. von Aire-sur-l'Adour (Dép. Landes). Die T. wurden 56 v. Chr. von Licinius [I 16] unterworfen (Caes. Gall. 3,23,1; 27,1). Die Gleichsetzung mit den Toruates (Plin. nat. 4,108) wird von [1] zu Recht abgelehnt, jene mit den Aturenses um Aire-sur-l'Adour seit augusteischer Zeit ist hypothetisch.

1 P.-M. DUVAL, Les peuples de l'Aquitaine d'après la liste de Pline, in: RPh 29, 1955, 214–227.

M. PROVOST, Carte Archéologique de la Gaule 40, Les Landes, 1994, 33 f., 45–47.   MI. PO.

Tarusco

[1] Stadt in der Gallia Narbonensis im Gebiet der → Salluvii (Strab. 4,1,3; 12: Ταρούσκων; Ptol. 2,10,15), h. Tarascon.

A. L. F. RIVET, Gallia Narbonensis, 1988, 300.

[2] Stadt im Gebiet der Volcae Tectosages am Nordhang der Pyrenäen (→ Pyrene [2]; Plin. nat. 3,37), h. Tarascon sur Ariège.   E. O.

Taruttienus Paternus. Der röm. Jurist P. Taruttienus (Taruntenus) Paternus war 171–173 n. Chr. Leiter der Kanzlei *ab epistulis Latinis* und seit 177 Praetorianerpraefekt unter Marcus [2] Aurelius (Cass. Dio 71,12,3; 71,33,3). Nach dessen Tod wurde T. um 182 n. Chr. seines Amtes enthoben und wegen Hochverrats hingerichtet (SHA Comm. 4,7 f.). T. schrieb das erste juristische Werk über das Heerwesen (*De re militari*, 4 B.).

O. LENEL, Palingenesia iuris civilis, Bd. 2, 1889, 335 f. · KUNKEL, 219–222 · D. LIEBS, Jurisprudenz, in: HLL 4, 1997, 136 f.   T. G.

Tarvisium. Stadt in der Region Venetia am Silis mit fruchtbarem Territorium (Geogr. Rav. 4,31: *Trebicium*; vgl. Plin. nat. 3,126), h. Treviso. *Municipium* der *tribus Claudia* (*quattuorviri*: CIL V 2109; 2115; *ordo decurionum*: CIL V 2117). Von besonderer Bed. in der Spätant. (Cassiod. var. 10,27; Prok. BG 2,29,40; 3,1,35; 3,2,7–9 und 11; Greg. M. epist. 1,16a).

E. BUCHI, T. e Acelum nella Transpadana, in: E. BRUNETTA (Hrsg.), Storia di Treviso, Bd. 1, 1989, 191–310.
E. BU./Ü: H.D.

Tas Silġ. Großes ländliches Heiligtum der Iuno/Astarte am Golf von Marsaxlokk im SO der Insel Malta (→ Melite [7]), urspr. der Muttergottheit der einheimischen Megalithkultur des Chalkolithikums (3. Jt. v. Chr.) geweiht, spätestens seit dem 8./7. Jh. phöniz. Kultplatz der auf Weihgeschenken inschr. genannten ʿštrt/→ Astarte. Von Verres in seiner Amtszeit als Propraetor Siziliens ausgeraubt (Cic. Verr. 2,4,103 f.: *fanum Iunonis*), wurde es in röm. Zeit ausgebaut, dann im 2. Jh. n. Chr. aufgelassen. Auf den Ruinen entstand ein frühma. Kloster.

A. CIASCA, M. G. AMADASI GUZZO, s. v. T. S., DCPP, 442 · A. CIASCA, Malte, in: V. KRINGS (Hrsg.), La civilisation phénicienne et punique, 1995 (HbdOr I. Bd. 20), 698–711.   H. G. N.

Taschkent. Heute Hauptstadt Uzbekistans, am West-Hang des Tien-shan, in einer vom Čirčik (Nebenfluß des Iaxartes) bewässerten Oase. Das in chinesischen Quellen des 2. Jh. v. Chr. erwähnte Land Juni wurde später mit dem Gebiet von T. identifiziert. Lokaler Name war verm. Čač, wie er auch in islamischer Zeit gebraucht wurde; arabische Autoren verwenden Šaš. Erste Siedlungsspuren datieren vom 6.–4. Jh. v. Chr. (Šaš-Tepe). Ab dem 5. Jh. n. Chr. bildeten sich mehrere Ortschaften, die schließlich zu T. zusammenwuchsen. Im 8. Jh. kam T. nach Kämpfen mit chinesischem Militär unter arab. Herrschaft; seither wurde Šaš als Grenze des islamischen Bereiches gegen die Turkvölker betrachtet.

C. E. BOSWORTH, s. v. Tashkent, EI 10, 1999, 348–351 · M. I. FILANOVICH, Sistema rasselenija i gradostroitelnye formy Taschkentskogo mikrooaziza v drevnosti i rannem srednevekovje, in: G. A. PUGACHENKOVA (Hrsg.), Gradostroitel'stvo i architektura, 1989, 35–51.   H. J. N.

Tasciovanus. König in → Britannia. Sein Einflußbereich lag nach dem Zeugnis der Mz. zw. ca. 20/15 v. Chr. – 5/10 n. Chr. in Herford-, Cambridge-, Northampton-, Bedford-, Buckingham- und in Oxfordshire östl. des Cherwell, in Middlesex und im NO Surreys, sowie in Essex zusammen mit dem des Addedomaros. Die Hauptprägestätte war Verulamium (St. Albans), nur wenige Mz. stammen aus → Camulodunum. Auf einigen taucht das keltische RIGONUS als Pendant zu REX auf den Mz. der Atrebates [2] auf.

S. S. FRERE, Britannia. A History of Roman Britain, ³1987, 29–36 · P. SALWAY, Roman Britain, 1991, 47, 55 f. C. KU.

Tasgetius. Vornehmer proröm. Kelte [1. 378], dessen Vorfahren Könige der → Carnutes waren. Von Caesar 56 v. Chr. als König dieses Stammes eingesetzt, wurde er im dritten Jahr seiner Herrschaft von eigenen Leuten ermordet (Caes. Gall. 5,25; 5,29,2). Mz.-Prägung [2. 442 f.].

1 EVANS 2 J.-B. COLBERT DE BEAULIEU, Les monnaies gauloises au nom des chefs mentionnés dans les Commentaires de César, in: M. RENARD (Hrsg.), Hommages à A. Grenier, Bd. 1, 1962, 419–446.   W. SP.

Tatianos (Τατιανός). Christl. Apologet und Theologe (* um 120 n. Chr.). Nach eigener Aussage stammte T. aus dem ostsyr.-nordmesopot. Raum (or. 42). Sein Werk verrät eine der hell. Bildungstrad. verpflichtete Kenntnis der klass. Autoren. Reisen brachten T. in Kontakt mit verschiedenen philos. und rel. Systemen seiner Zeit (u. a. auch Teilnahme an nicht näher beschriebenen Mysterienkulten). Schließlich führte ihn in Rom die Beschäftigung mit der → Bibel zum Christentum (or. 29). Hier begegnete T. auch → Iustinos [6] Martys, als dessen Schüler er in der Trad. gilt. Wohl um 172 (so Eus. bei Hier. chron. ad annum 2188) kam es wegen umstrittener Anschauungen des T. – er vertrat einen rigorosen, wohl durch gnostische Vorstellungen (→ Gnosis) beeinflußten Enkratismus (ἐγκράτεια/ enkráteia, »Enthaltsamkeit«) mit ausgeprägter Leibfeindlichkeit (u. a. Ablehnung der Ehe) – zum Bruch mit der röm. Gemeinde. Anschließend kehrte T. in den Osten zurück.

Von den Schriften des T. sind nur zwei Werke erh.: Eine unter dem Namen → ›Diatessaron‹ bekannte frühe Evangelienharmonie [5] sowie die ›Rede an die Griechen‹ (Λόγος πρὸς Ἕλληνας, Oratio ad Graecos; Ed.: [1; 2]). Datier. und Entstehungsort der Rede sind umstritten (Übersicht: [6. 32[7]]). In ihr stellt T. in 42 Kap. (Inhaltsübersicht: [4. 50–52]) der in all ihren Ausprägungen (Kunst, Philosophie, Dichtung) schroff abgelehnten hell. Kultur die Überlegenheit der christl. Lehre gegenüber. Im zweiten Teil (Kap. 31–41) der durch Exkurse und polemische Wortwahl gekennzeichneten apologetischen Schrift führt er den Altersbeweis zugunsten des Christentums. Mit seinem auch in der Lehre vom → lógos [1] (G.) streng monotheistischen Ansatz erarbeitet T. einen frühen Entwurf einer christl. Systematik [4. 129]. → Apologien; Polemik

ED.: **1** M. WHITTAKER, Tatian: Oratio ad Graecos and Fragments, 1982 (mit engl. Übers.) **2** M. MARCOVICH, Tatiani Oratio ad Graecos, 1995 **3** R. C. KUKULA, Tatians Rede an die Bekenner des Griechentums, in: G. RAUSCHEN (Hrsg.), Frühchristl. Apologeten, Bd. 1 (BKV[2] 12), 1932, 177–257 (dt. Übers.).
LIT.: **4** M. ELZE, Tatian und seine Theologie, 1960 **5** W. L. PETERSEN, Tatian's Diatessaron (Suppl. to Vigiliae Christianae 25), 1994 **6** R. HANIG, Tatian und Justin. Ein Vergleich, in: Vigiliae Christianae 53, 1999, 31–73.   J. RI.

Tatianus

[1] Flavius Eutolmius T. *Praefectus praetorio Orientis* 388–392 n. Chr. T. entstammte einer nicht-senatorischen Familie wohl in Sidyma (Lykien). Nach einer Rechtsausbildung absolvierte er zw. 358 und 380 eine lange Laufbahn in der östlichen Reichsverwaltung (ILS 8844), mit u. a. vier Statthalterschaften und zuletzt einem Hofamt in der kaiserlichen Finanzverwaltung (*comitiva sacrarum largitionum*). Theodosius [2] I. holte ihn im Frühjahr 388 aus dem Ruhestand zurück und berief ihn trotz seines fortgeschrittenen Alters zum Praetorianerpraefekten des Ostens (Zos. 4,45,1). T., der nicht christlich war, erhielt 391 das ordentliche Konsulat. Mitte 392 verlor er die Praetorianerpraefektur infolge einer Intrige des → Rufinus [3] (Zos. 4,52,2), wurde anschließend in einem Hochverratsprozeß zum Tode verurteilt, jedoch vom Kaiser begnadigt und nach Lykien verbannt. Kurz darauf starb er (Asterius, homiliae in Psalmos, 4).

W. ENSSLIN, s. v. Tatianus (3), RE 4 A, 2463–2467 • A. GUTSFELD, Die Macht des Prätorianerpräfekten. Studien zum praefectus praetorio Orientis von 313 bis 395 n. Chr., 2001 • PLRE 1, 876–878.   A. G.

[2] Enkel von T. [1], geb. um 380 n. Chr. (?), vor 450 Gouverneur von Karien, *praefectus urbi Constantinopolitanae* 450–452. Er erhielt bald darauf den Titel *patricius* und 466 (neben Kaiser → Leon [4] I.) das Konsulat. Man vermutet aber wegen seines Fehlens in den *fasti consulares*, daß er alsbald (durch Intrigen des Aspar → Ardabur [2]?) in Ungnade fiel. PLRE 2, 1053, Nr. 1.
[3] Oström. *magister officiorum*, bezeugt 520 und 527 n. Chr. Iustinianus [1] I. und Theodora [2] sollen ihn aufgrund einer Testamentsfälschung beerbt haben (Prok. HA 12,5; PLRE 2, 1054f., Nr. 3).   F. T.

Tatius, T. Sagenhafter König der Sabiner (→ Sabini) in der Stadt → Cures. T. führte gegen die Römer Krieg wegen des Raubs der Sabinerinnen (Varro ling. 5,46; Liv. 1,10,1f.). Durch den Verrat der → Tarpeia, die von T. bestochen bzw. in ihn verliebt war, gelang es ihm, das röm. Kapitol (→ Capitolium) zu besetzen (Liv. 1,11,6; Prop. 4,4; Dion. Hal. ant. 2,38–40; Plut. Romulus 17,2–4). Der Krieg gegen Rom wurde beigelegt, indem → Romulus [1] und T. einen Vertrag (*foedus*) schlossen (Cic. rep. 2,13; Verg. Aen. 8,635–641; Dion. Hal. ant. 2,46,1f.). Beide regierten als gleichberechtigte Könige fünf J. lang zusammen die Stadt (Liv. 1,34,6; Dion. Hal. ant. 2,50,4; Solin. 1,21) und gaben gemeinsam Gesetze (Fest. 260,7). T. stiftete Heiligtümer und führte sabin. Kulte in Rom ein, bes. für → Ianus (Varro ling. 5,74; Dion. Hal. ant. 2,50,3; Liv. 1,55,2; Serv. Aen. 1,291). Er residierte dort, wo sich später der Tempel der Iuno → Moneta befand (Plut. Romulus 20,5; Solin. 1,21). Nachdem T. in Lavinium von Laurentern ermordet worden war (Liv. 1,14,1f.; Dion. Hal. ant. 2,51f.; Plut. ebd. 23,1–4), wurde er in Rom auf dem Aventin beigesetzt (Varro ling. 5,152). Nach T. ist die → *tribus* der Titienses benannt (Varro ling. 5,55; Cic. rep. 2,14); außerdem gehen die Titii → *sodales* auf ihn zurück (Tac. ann. 1,54,1).

J. POUCET, Les rois de Rome. Trad. et histoire, 2000, 63–66; 382–388 • Ders., Recherches sur la légende sabine des origines de Rome, 1967, 265–410.   J. STE.

Tatta (Τάττα λίμνη). Größter See in Kleinasien (Strab. 12,5,4; Plin. nat. 31,84), h. Tuz Gölü (»Salzsee«), ein abflußloses Becken im zentralanatolischen Hochland (Galatia), ca. 900 m über NN, durchschnittlich 1 m tief, Wasserfläche je nach Jahreszeit zw. ca. 1100 (Sommer, Salzgehalt bis 32%) und 2500 km[2] (nach Winterregen). Das → Salz, das aus der T. gewonnen wurde, galt als heilkräftig (Dioskurides, De materia medica 5,109,1).

BELKE, 230f.   E. O.

Tattius. C. T. Maximus. Ritter. Tribun der → *equites singulares* in Rom, bezeugt von 142–145 n. Chr. Von 156 bis 158 als *praefectus* [16] *vigilum* bezeugt; 158 wurde er → *praefectus praetorio* als Nachfolger von Gavius [II 6] Maximus bis zu seinem Tod im J. 160.

R. Sablayrolles, Libertinus miles, 1996, 487 f.   W. E.

Taube. I. Taubenarten II. Zoologisches III. Jagd und sonstige Verwendung IV. Religiöse Bedeutung V. Volkskundliches VI. Abbildungen

I. Taubenarten

Die Familie der Taubenartigen, περιστεροειδῆ/*peristeroeidḗ* (Aristot. hist. an. 5,13,544a 33–b 11 sowie 6,4, 562b 3–563a 4), umfaßt mehrere Arten:

1) Wildlebende T.: a) Πέλεια/*péleia* (abgeleitet von πολιός/*poliós* = »dunkel, blaugrau«), die Felsen-T. (Columba livia L.), die Stammform der Haus-T. Homer kennt nur diese Art, die er wegen ihrer Menschenscheu »furchtsam« (τρήρων/*trḗrōn*) nennt (z. B. Hom. Il. 5,778; Hom. Od. 12,62). Zu ihren Feinden zählten die Greifvögel (Hom. Od. 15,525–527 u. a.). Aristot. hist. an. 5,13,544b 1–5 unterscheidet bereits die *peleiás* von der Haus-T. Bei den Römern war sie offenbar schon selten. Varro rust. 3,7,1 bezeichnet sie als *columba saxatilis sive agrestis.* b) Φάσσα/*phássa* bzw. φάττα/*phátta*, lat. *palumbes (-bus, -ba)*, die Holz- oder Ringel-T. (Columba palumbes L.), identisch mit dem φάψ/*phaps* (Aristot. ebd. 7(8),3,593a 15, anders Athen. 9,393f; der Name seit Aischyl. Philoktetes fr. 232 TGF). Sie wird als dunkelgrau mit schillerndem Kopf beschrieben (Alexandros von Myndos bei schol. Theokr. 5,96), kommt in Griechenland teils als Zug- (Aristot. ebd. 7(8),12,597b 3 f. und 16,600a 24 f.), teils als ganzjähriger Brutvogel (ebd. 7(8),3,593a 16 f.) auf Bäumen (Theokr. 5,96 f.; Verg. ecl. 3,69) vor. In It. findet sie sich nur auf dem Zug (Plin. nat. 10,72 und 78; Serv. ecl. 1,58). Ihre lange Lebensdauer (25–40 J.: Aristot. ebd. 6,4,563a 1 f.; Plin. nat. 10,106) ist fabulös. c) Οἰνάς/*oinás*, die (in Höhlen brütende) Hohl-T. (Columba oenas L.), in der Größe zw. Ringel- und Haus-T. (Aristot. ebd. 7(8),3,593a 18–20), wurde als Zugvogel im Herbst v. a. beim Wassertrinken gefangen (Aristot. ebd. 593a 20 f.; Athen. 9,394b). Die Römer hatten für sie keinen speziellen Namen. d) Τρυγών/*trygṓn*, die aschgraue (eher braune) Turtel-T. (Streptopelia turtur) mit ihrem auffallenden Gurren (t.t. τρύζειν/*trýzein*, Poll. 5,89; lat. *turtur*, vgl. Isid. orig. 12,7,60), die kleinste T., ebenfalls ein Zugvogel (Aristot. ebd. 7(8),12, 597b 4; Varro rust. 3,5,7). Der angebliche Winterschlaf bei Aristot. ebd. 7(8),3,593a 17 f. ist eine Fehlbeobachtung.

2) Zahme T.: a) Die von der Felsen-T. abstammende gezüchtete Haus-T. (Columba livia domestica L.), griech. περιστερά/*peristerá* (manchmal -ός/-*ós*), Diminutiv περιστέριον, -ίδιον, -ιδεύς, lat. *columba* und *-bus* (meist das Männchen, Ausnahme z. B. Hor. epist.

1,10,5; Colum. 8,8,1; Plin. nat. 10,25), Diminutiv *columbulus* (z. B. Plin. epist. 9,25,3). Schon Sophokles (fr. 781 TGF) betont wie viele andere (z. B. Aristot. hist. an. 1,1,488b 3 und 5,13,544b 2 f.) ihre Zahmheit gegenüber dem Menschen. Die röm. Lit. erwähnt sie seit Plaut. Asin. 693 und Plaut. Cas. 138 häufig. Seit den Perserkriegen kennt man in Griechenland auch weiße T. (z. B. Athen. 9,394e). b) Die indische Grüne Frucht-T. (Crocopus spec.; [s. 247, vgl. 231]), in Indien nach Ail. nat. 15,14 ein beliebtes Geschenk für Fürsten, erwähnen als περιστεραὶ μηλίναι/*peristeraí mēlínai* (»quittengelbe T.«) vielleicht bereits → Daimachos [2] (bei Athen. 9,394e) und Aristot. 8(9),1,609a 18 f. (= Plin. nat. 10,204) als πυραλλίς/*pyrallís* (Kall. fr. 416 Pf., aber vgl. den gleichnamigen Käfer bei Plin. nat. 11,119!).

II. Zoologisches

Die häufigen ant. Beobachtungen beziehen sich meistens auf die Haus-T. mit ihrem Kropf (Aristot. hist. an. 2,17,508b 26–28), dem merkwürdigen Schließen der Augen (Aristot. part. an. 2,13,657b 10 f.) und dem saugenden Trinken (z. B. Plin. nat. 10,105). Auf das Fehlen der Galle (richtiger der Gallenblase; Aristot. hist. an. 2,15,506b 20 f.; vgl. Plin. nat. 11,194) wurde ihre Friedfertigkeit zurückgeführt. Das Schnäbeln (t.t. κυνεῖν/*kyneín*, lat. *osculari* = »küssen«) vor der Begattung und die frühe und große Fruchtbarkeit waren bekannt und wurden von Züchtern ausgenutzt (Colum. 8,8; Pall. agric. 1,24; vgl. Varro rust. 3,7,5 ff.). Beliebte Nahrung der T. waren das Eisenkraut (περιστερεών/*peristereṓn* bzw. περιστέριον/*peristérion*; → Verbenaca) und die angeblich der jährlichen Reinigung des Magens der T. dienende ἐλξίνη/*helxínē* (wahrscheinlich das Glaskraut, Parietaria officinalis L.). Ihrem Charakter wurden Furchtsamkeit, Zärtlichkeit, Gattenliebe und die – vom späteren Christentum bes. für die Turtel-T. behauptete – Treue über den Tod hinaus zugeschrieben.

III. Jagd und sonstige Verwendung

Man schoß die T. mit Pfeilen zur Ernährung (bei Hom. Il. 23,850 ff. nur als Sport) oder fing sie mit Schlingen (Hom. Od. 22,468), Netzen, Leimruten und geblendeten Lock-T. (παλλεύτριαι/*palleútriai*, lat. *illices*). In Rom mästete man gefangene Ringel-T., damit ihr trockenes Fleisch (Cato agr. 90; Varro rust. 3,7,9) saftiger würde. Die Zubereitung schildert Apicius 6,2,1 und 4,4 (zur Zucht der Haus-T. s. → Kleintierzucht II.).

In der Medizin wurden nicht nur Fleisch, die inneren Organe und das Blut diätetisch und therapeutisch vielfach eingesetzt, sondern auch v. a. der T.-Kot (*fimus columbarum*). Er wurde (u. a. bei Plin. nat. 22,123 und 125; 30,80 und 117) inner- und äußerlich gegen Ekzeme, Schwellungen und Vergiftungen, v. a. aber auch als blutstillend und Blutergüsse auflösend empfohlen.

Die bereits im äg. AR bekannte Ausnützung des Heimkehrinstinkts von Brief-T. erwähnt Ail. var. 9,2 (vgl. Paus. 6,9,3) für die Meldung über den Sieg des Taurosthenes bei den Olympischen Spielen von Olympia nach Aigina (444 v. Chr.). Im röm. Bürgerkrieg hielten T. die Verbindung zum eingeschlossenen → Mutina

(Frontin. strat. 3,13,8; Plin. nat. 10,110). Bei Anakr. fr. 149 B.[4] dient eine Brief-T. als Liebesbote.

IV. Religiöse Bedeutung

Wohl im 4. Jh. v. Chr. übernahmen die Griechen bes. die weiße T. als heilig vom Kult der → Astarte in den der → Aphrodite (u. a. Ail. nat. 4,2), später die Römer in den der Venus. In allen vom Orient beeinflußten Aphrodite-Heiligtümern (so in Amathus und → Paphos auf Zypern, auf → Kythera, und auf dem → Eryx [1] auf Sizilien) hielt man T. Die T. als das wichtigste Attribut der Aphrodite ging auch auf → Dione, → Eros [1], → Adonis u. a. über. Im Orakelwesen hatte sie bes. bei den Gründungssagen von Siwa durch den Gott Ammon (→ Ammoneion) und von → Dodona (III.) durch Zeus Bed. Bei den Juden war die T. v. a. Opfertier, bei den Christen ist sie Symbol für den Hl. Geist, für Christus und die Kirche, die Seele und bestimmte Tugenden [1].

V. Volkskundliches

Im ant. Sprichwort steht die T. ihres Charakters wegen für Liebe und Sanftmut sowie Ängstlichkeit [2. 88 f.] und naive Leichtgläubigkeit (Hesych. s. v. ἡμέρα πελειάς; Plaut. Poen. 676: *palumbis*). Das Gegensatzpaar der unkriegerischen T. und des wilden Adlers (Hor. carm. 4,4,31 f.; Mart. 10,65,12) bzw. Raben (Iuv. 2,63) charakterisiert unterschiedliches menschliches Verhalten. Häufig war »T.« Kosename für die Geliebte (z. B. Plaut. Cas. 138). In der Fabel hat die T. keine spezifische Bed. (vgl. Aisop. 129, 201 f., 235 und 238 Perry).

VI. Abbildungen

Auf ant. Mosaiken sind T. häufig abgebildet [3. 253]. Auch auf Mz. [4. Taf. 5,28–37], bes. aus Kultorten der Aphrodite, und Gemmen [4. Taf. 21,22 und 24,41] sind sie vertreten.

→ Kleintierzucht

1 J. Poeschke, s. v. T., LCI, Bd. 4, 241–244 2 A. Otto, Die Sprichwörter und sprichwörtlichen Redensarten der Römer, 1890 (Ndr. 1988) 3 Toynbee, Tierwelt 4 F. Imhoof-Blumer, O. Keller, Tier- und Pflanzenbilder auf Mz. und Gemmen des klass. Alt., 1889 (Ndr. 1972) 5 D'Arcy W. Thompson, A Glossary of Greek Birds, 1936 (Ndr. 1966), 210 f., 225–231, 238–247, 290–292 und 300–302.

J. Kosswitz, Ph. Oppenheim, s. v. Columbarium, RAC 3, 1957, 245–247 · D. Lorentz, Die T. im Alt., 1886 · V. Hehn, Kulturpflanzen und Haustiere (ed. O. Schrader), [8]1911 (Ndr. 1963), 341–354 · Keller 2, 122–131 · F. Sühling, Die T. als rel. Symbol, 1930 · A. Steier, s. v. T., RE 4 A, 2479–2500.   C. Hü.

Taucheira (Ταύχειρα). Stadt der → Kyrenaia, h. Tokra/Libyen (Hdt. 4,171); Gründung von → Kyrene (schol. Pind. P. 4,26). T. wurde 322 v. Chr. von Ptolemaios [1] erobert, von Ptolemaios [3] nach seiner Stiefmutter in Arsinoe, von M. Antonius [I 9] in Kleopatris umbenannt. Gegen E. des 4. Jh. n. Chr. wurde T. von Berberstämmen bedrängt, später unter Iustinianus [1] I. neu befestigt (Prok. aed. 6,2,4). Auf dem Konzil von Nikaia (325) war T. durch einen Bischof vertreten. Noch E. des 4. Jh. n. Chr. wurde in T. auch → Kybele verehrt.

F. Chamoux, Cyrène sous la monarchie des Battiades, 1953, bes. 164 Anm. 2, 225 f., 272 Anm. 1 · H. Kees, s. v. Tauchira, RE 4 A, 2500 f. (mit weiteren Belegen) · A. Laronde, Cyrène et la Libye hellénistique, 1987, 59–61, 161 f., 335, 382 f.   W. Hu.

Taucher. Ob Vertreter der beiden heutigen Ordnungen der Lappen-T. (Podicipedes) oder der nordeuropäischen See-T. (Colymbidae) der Ant. bekannt waren, ist zweifelhaft. Fast alle Lappen-T. überwintern jedenfalls am Mittelmeer. Die etwa entengroße, schmutzigbraune οὐρία/*uría* (Athen. 9,395e) ist als T. gedeutet worden [1. 220], die κολυμβίς/*kolymbís* (Athen. 9,395d; vgl. Aristot. hist. an. 1,1,487a 23 und 7(8),3,593b 17) als Zwerg-T. (Podiceps ruficollis) [1. 158] und der καταρράκτης/*katarrháktēs* (Aristot. ebd. 2,17,509a 4 und 8(9),12,615a 28–31) als Ohren-T. (P. auritus) [1. 132; 2. 73]

1 D'Arcy W. Thompson, A Glossary of Greek Birds, 1936 (Ndr. 1966) 2 Leitner.

Keller 2, 240–242.   C. Hü.

Taufe I. Nichtchristlich
II. Entstehung der christlichen Taufe
III. Bedeutung für das christliche Leben
IV. Taufritual

I. Nichtchristlich

Die christl. T. (βάπτισμα oder βαπτισμός, lat. *baptisma* oder *baptismus*) hat religionsgesch. Analogien: Tauch-, Besprengungs- und Waschungsrituale waren vor und neben dem Christentum verbreitet. Diese wurden aber anders vollzogen und gedeutet als die T., wenn sie auch in christl. Sicht als teuflische Persiflagen der T. galten (Tert. de baptismo 5). So kennt der Isis-Kult rituelle Reinigungsbäder (→ Isis II. E.). Fraglich ist, ob das im Kybele- (→ Kybele C. 2.) und im → Mithras-Kult bezeugte → Taurobolium tatsächlich der Darstellung des christl. Autors Prudentius entsprechend (Prud. peristephanon 10,1011–1050) eine Art T. mit Stierblut war. Für die Entstehung der christl. T. sind v. a. Impulse aus dem Judentum anzunehmen; hier ist aber weniger an die rituellen Waschungen und Bäder zu denken, die zur Entsühnung beliebig oft wiederholbar waren und die auch aus → Qumran bekannt sind, auch nicht an die jüd. T. von → Proselyten (zur Aufnahme von Nichtjuden), die vor der Zeit des NT nicht belegt ist. Die deutlichste Anregung gab die T. Jesu durch Johannes den Täufer (Mt 3,13–17), der in den Horizont palästinisch-jüd. Täuferbewegungen gehörte (→ Mandäer). Für Johannes war die nur einmal zu vollziehende T. Zeichen der Buße und der Vergebung der Sünden angesichts des nahenden Gottesreiches (Mt 3,2). Zwar machte sich Jesus diese Botschaft zu eigen (Mt 4,17), doch taufte er selbst wohl nicht (vgl. aber Jo 3,22; 4,1 f.). Die Johannes-T. blieb in nt. Zeit auch eine Konkurrenz zur christl. T.

II. Entstehung der christlichen Taufe

Nach der Sammlung der ersten christl. Gemeinden wurde offensichtlich in Adaption der Johannes-T. sofort die T. praktiziert, die ebenfalls der Sündenvergebung (Röm 6,7) und der Vorbereitung auf das nahende Gottesreich diente. Man sah sie aber als Geist-T. im Gegensatz zur bloßen Wasser-T. des Johannes an (Mt 3,11 f.; Jo 1,33; Apg 18,24–19,7). Zur Begründung wurde erst später Jesus die Aufforderung zu Mission und T. zugeschrieben (Mt 28,19; Mk 16,15 f.); hinzu kam eine typologische Ableitung aus dem AT, z. B. anhand der Sintflut (Barnabasbrief 11; Tert. de baptismo 8). Die T. führt in ein neues Leben (Röm 6,4), auch in eine geistliche Gemeinschaft »in Christus« (Gal 3,28); sie ist eine Wiedergeburt (Tit 3,5; 1 Petr 1,3.23). Ursprünglich taufte man »auf den« oder »im Namen Jesu (Christi)« (*eis to ónoma/en tōi onómati Iēsú (Christú)*, Apg 8,16; 10,48). Die T. läßt an Tod und Auferstehung Jesu Christi teilhaben (Röm 6,3 f.). Die in Mt 28,19 genannte Formel »auf den Namen des Vaters und des Sohnes und des Heiligen Geistes« ist eine spätere Entwicklung (vgl. auch Didache 7,1). Allerdings war die T. immer schon mit der Wirkung des Heiligen Geistes im Menschen verbunden (1 Kor 6,11).

III. Bedeutung für das christliche Leben

Die T. war ein Akt eigener Entscheidung; die T. von Kindern ist erst seit dem Beginn des 3. Jh. bezeugt (Tert. de baptismo 18,4 f.; Traditio Apostolica 21). Die Auffassung der T. als einer einmaligen Sündenvergebung (Herm. mand. 4,3,1 f.) wurde seit dem 2. Jh. durch die Entwicklung des kirchlichen Bußverfahrens relativiert. Im 4. Jh. wurde die T. oft bis zum Tod aufgeschoben, um nach ihr keine Sünden mehr begehen zu können (vgl. aber schon Tert. de paenitentia 6,3). Der T. ging anfangs nur eine kurze Belehrung voraus (Apg 2,37–40), die am Anf. des 3. Jh. zu einem institutionalisierten Unterricht (Katechumenat) wurde, der bis zu drei J. dauern konnte (Traditio Apostolica 17). Erlitten die Katechumenen das Martyrium, wurde dieses als »Blut-T.« angesehen (*baptisma sanguinis*, Cypr. ad Fortunatum praef. 4; Tert. de baptismo 16,1 f.; vgl. Mk 10,38; → Märtyrer). Die unmittelbare Vorbereitung auf die T. umfaßte asketische Übungen, Gebete und eine wiederholte Prüfung der Würdigkeit des Bewerbers. Von spiritualistischen Bewegungen (→ Gnosis C., → Messalianer) wurde die T. abgewertet (vgl. Iren. adversus haereses 1,21), da sie ohne Erkenntnis bzw. zusätzliche Geisterfahrungen keine volle Wirkung habe. Im altkirchlichen Sinne ist T. aber auch »Erleuchtung« (Clem. Al. paedagogus 1,26,1 f.). Aus gnostischer Sicht war der Gebrauch von Materie (Wasser) zur T. problematisch (Tert. de baptismo 1). Seit dem 3. Jh. war strittig, ob von »Häretikern« vollzogene T. anerkannt werden sollten (→ Häresie; → Schisma); dies wurde von → Cyprianus [2] abgelehnt.

IV. Taufritual

Von Tertullianus und der *Traditio Apostolica* werden am Anfang des 3. Jh. folgende Grundelemente des T.-Rituals bezeugt: Gebet über dem Taufwasser, Absage an den Teufel (*abrenuntiatio diaboli*), die eigentliche T., Ganzkörpersalbung, Handauflegung mit Gebet, die erste Teilnahme an der Eucharistie. Das Salböl wurde als Träger des Heiligen Geistes interpretiert. Die T. wurde meist in der Osternacht vom Bischof unter Assistenz von Priestern und Diakonen vollzogen. Die eigentliche T.-Handlung bestand aus einem dreimaligen Übergießen oder seltener Untertauchen, bei dem der Täufling jeweils gefragt wurde, ob er an Gott den Vater, den Sohn und den Heiligen Geist glaube. Der Inhalt des Bekenntnisses (→ Taufsymbol) wird vom Taufenden gesprochen, der Täufling antwortet mit Ja. Unmittelbar vor oder nach Ostern folgten noch »Mystagogische« Katechesen (→ Kyrillos [1] von Jerusalem, → Ambrosius), die die Täuflinge über die tieferen Geheimnisse der christl. Sakramente belehrten. Seit dem 4. Jh. löste sich die Firmung als bischöfliche Salbung und Handauflegung vom eigentlichen T.-Ritual ab; nun wurde die Kinder-T. zunehmend die Regel und die vorbereitende Katechese verkürzt bzw. aufgegeben. Schon seit dem 3. Jh. sind eigene Baptisterien neben dem Kirchenraum belegt (→ Dura-Europos). Auf das christl. Taufverständnis verweisen kreuzförmige und das ewige Leben symbolisierende oktogonale Taufbecken (verstärkt seit dem 5. Jh. belegt).

→ Sacramentum; Sethianismus; Taufsymbol

A. Benoît, Ch. Munier, Die T. in der Alten Kirche (1.–3. Jh.), 1994 · G. Kretschmar, Die Gesch. des Taufgottesdienstes in der Alten Kirche (Leiturgia 5), 1970 · L. Hartmann, Auf den Namen des Herrn Jesus, 1992 · S. Ristow, Frühchristl. Baptisterien (JbAC Ergbd. 27), 1998 · K. Rudolph, Ant. Baptisten, 1981.   K. Fi.

Taufsymbol. T. sind Glaubensbekenntnisse (= G.), die bei oder im Zusammenhang mit der → Taufe gesprochen wurden. Für die Annahme der älteren Forsch., daß schon nt. Glaubensformeln wie Röm 10,9 oder Phil 2,11 im Zusammenhang mit der Taufe standen, gibt es außer einer aus dem späten 2. Jh. stammenden Interpolation (Apg 8,37) keinen Beleg. Bekenntnisformeln bei der Taufe sind zwar seit Anf. des 3. Jh. bezeugt, doch wurden sie urspr. nicht vom Täufling gesprochen. Das T. (*symbolum* ist in diesem Zusammenhang eindeutig erstmals bei Cyprianus [2] (†258) bezeugt: epist. 75,10 f.) besteht aus den vom Taufenden gestellten Fragen (→ Taufe IV.) nach dem Bekenntnis zum Glauben an den trinitarischen Gott. Im 2. und 3. Jh. diente auch nicht ein fest formuliertes G. zur Zusammenfassung der Glaubensinhalte, sondern die *regula fidei* (κανὼν τῆς ἀληθείας/*kanṓn tēs alētheías*), eine örtlich je unterschiedlich formulierte Lehrformel (Iren. adversus haereses 1,22,1; Tert. adversus Praxean 2,2,1), auf die der Täufling im Zusammenhang mit der Taufe verpflichtet werden konnte (Iren. ebd. 1,9,4).

Deklaratorische, also vom Täufling selbst gesprochene Bekenntnisse sind erst seit dem 4. Jh. bezeugt (Kyrillos [1] von Jerusalem, Taufkatechese 18,32). Augustinus hebt hervor, das Sprechen eines Bekenntnisses sei eine stadtröm. Sitte (Aug. conf. 8,2,5), sie wird aber auch von Ambrosius dokumentiert (Ambr. explanatio symboli 3), ebenso von Egeria (Aeth. 46): Vor Ostern wurde den Katechumenen das G. vorgetragen und erklärt (*traditio symboli*). Sie lernten es auswendig und trugen es vor, allerdings noch vor dem Vollzug des eigentlichen Taufrituals (*redditio symboli*). Im Westen blieb es im Vollzug der Taufe aber häufig noch bei der Zustimmung zu den Tauffragen (Ambr. de sacramentis 2,20); erst allmählich setzte sich das Sprechen des sog. »röm. G.« (*Romanum*) bzw. im Mittelalter das des sog. »apostolischen G.« (*Apostolicum*) bei der Taufe durch. Im Osten wurde das → Nicaeno-Constantinopolitanum als Taufbekenntnis normativ.

→ Taufe

A. HAHN, Bibl. der Symbole und Glaubensregeln der Alten Kirche, 1897 · J. N. D. KELLY, Altchristl. Glaubensbekenntnisse, 1972 · W. KINZIG, CH. MARKSCHIES, M. VINZENT, Tauffragen und Bekenntnis, 1999 · A. M. RITTER, s. v. Glaubensbekenntnis(se) V.3., TRE 13, 404–408.　　　　　　K. FI.

Taulantii (Ταυλάντιοι). Illyrisches Volk, schon → Hekataios (FGrH 1 F 99; 101) bekannt (vgl. Ail. nat. 14,1; Strab. 7,7,8; App. Ill. 16; App. civ. 2,39; Ptol. 3,13,3; 3,13,20; Liv. 45,26,13; Plin. nat. 3,144; Mela 2,3). Bereits an das E. des 7. Jh. v. Chr. datiert man Galauros, einen mit den Makedonen verfeindeten König der T. (Polyain. 4,1). T. waren den Kolonisten von Korkyra bei der Gründung von Epidamnos (→ Dyrrhachion) 626/5 v. Chr. gegen liburnische Piraten behilflich (App. civ. 2,39). 435–433 unterstützten sie die vom *démos* vertriebenen Aristokraten von Epidamnos (Thuk. 1,24,5; Diod. 12,30,3). Als Zeitgenosse Alexandros' [4] d. Gr. ist → Glaukias [2] bezeugt (Arr. an. 1,5,1), den alle Illyrii als ihren König anerkannten. Ihm gelang es 313 v. Chr., den Makedonenkönig → Kassandros, der in Apollonia [1] Fuß fassen wollte, abzuwehren (vgl. Diod. 19,67,6 f.; 19,70,7; 19,78,1). Nach dem Sieg über → Genthios erklärten die Römer 167 v. Chr. die T. für *liberi et immunes* (»frei und ohne Tributverpflichtung«: Liv. 45,26,13). 33 v. Chr. unterwarf der nachmalige Augustus die T. endgültig der röm. Herrschaft (App. Ill. 16).

Anfangs an der Küste des Ionischen Meeres (→ Ionios Kolpos) zw. Epidauros und Lissos ansässig (Plin. nat. 3,144), bezeugt sie Thuk. 1,24,1 (vgl. Ps.-Skyl. 26) im Hinterland von Epidamnos zw. den Flüssen Shkumbi und Mati. 170 v. Chr. begegnen sie im Süden von Lissos (vgl. Liv. 45,26,13), also südl. des Mati.

→ Illyricum

P. CABANES, Les Illyriens de Bardylis à Genthios, 1988, 65 f.; 137–142 · M. ŠAŠEL KOS, Appian and Dio on the Illyrian Wars of Octavian, in: Živa Antika, 47, 1997, 187–198.
　　　　　　PI. CA./Ü: E. N.

Taunus. Eines der höchsten Gebirge in Germania (Mela 3,30; Name evtl. keltisch). Germanicus [2] ließ 15 n. Chr. *in monte Tauno* auf den Trümmern einer von Claudius [II 24] Drusus angelegten Befestigung ein Kastell errichten (Tac. ann. 1,56,1). Diese Befestigung wurde oft mit dem von Drusus 11 v. Chr. ›bei den Chatten unmittelbar am Rhein‹ angelegten Kastell gleichgesetzt (Cass. Dio 54,33,4). Da man dieses h. eher im Bereich des Neuwieder Beckens vermutet, ist die Identifikation der beiden Befestigungen des Drusus ebenso ungewiß wie der Zusammenhang mit Ἄρταυνον/ *Ártaunon* bei Ptol. 2,11,29. Namengebend wurde der T. für die *civitas Taunensium* (2. Jh. n. Chr.) mit dem Vorort Nida. Die h. Bezeichnung T. für das Gebirge zw. dem Unterlauf des Main, Mittelrhein, Lahn und Wetterau, das bis ins 19. Jh. nur »die Höhe« hieß, beruht auf historisierender Erneuerung.

Bis ins 1. Jh. v. Chr. gehörte das Gebiet des h. T. zur kelt. → Latène-Kultur. Polit. Mittelpunkte waren befestigte Anlagen (Ringwälle). Als die Römer unter Augustus und Tiberius durch die Wetterau in Richtung Lahn und Weser vorstießen, hatten german. Gruppen diese Struktur schon weitgehend zerstört. E. des 1. oder Anf. des 2. Jh. n. Chr. wurde der durch Kastelle gesicherte T.-Limes angelegt. Um die Mitte des 3. Jh. ging das durch den → Limes (III.) umschlossene rechtsrheinische Gebiet verloren.

→ Limes III. (mit Karte)

A. BECKER, Rom und die Chatten, 1992, passim · K. KORTÜM, Zur Datier. röm. Militäranlagen im obergerman.-rätischen Limesgebiet, in: Saalburg Jb. 49, 1998, 5–65, bes. 34–37, 49–65 · H.-G. SIMON, D. BAATZ, Eroberung und Verzicht …, in: D. BAATZ, F.-R. HERRMANN (Hrsg.), Die Römer in Hessen, ²1989, 38–83.　　　　　　RA. WI.

Taurasia

[1] Stadt der → Hirpini in den Bergen von Samnium, 298 v. Chr. von den Römern zerstört. In das Gebiet von T. wurden 180 v. Chr. ligurische Apuani deportiert (Liv. 40,38,3; 41,4; Plin. nat. 3, 105; → Baebius [I 12]).

D. MARCOTTE, Lucaniae, in: Latomus 44, 1985, 721–742 · J. PATTERSON, Sanniti, 1988, 168–170 · G. DE BENEDITTIS, Fagifulae, 1997, 17–22, 65–74.　　　　　　G. U./Ü: H. D.

[2] Wohl der Hauptort der → Taurini (App. Hann. 5; vgl. Pol. 3,60,9), die sich 218 v. Chr. erfolglos Hannibal [4] beim Einmarsch in It. entgegenstellten [1. 24, 67], evtl. identisch mit Augusta [5] Taurinorum [2].

1 G. DE SANCTIS, Storia dei Romani 3.2, ²1968
2 G. BONFANTE, G. PETRACCO SICARDI, Il nome di Torino, in: RAL, 43, 1988, 35 f.　　　　　　A. SA./Ü: H. D.

Taureas (Ταυρέας). Gehörte als Sohn des Cousins des Leogoras [1] (dessen Sohn, der Redner Andokides [1], sich brüstete, dem »ältesten aller Adelshäuser« zu entstammen, And. 1,47) zum athen. Adel. Zw. 430 und 415 v. Chr. wurde er von Alkibiades [3] im Streit um eine

→ Choregie verprügelt; 415 im Skandal des → Hermokopidenfrevels angezeigt, kam er dank Andokides' Geständnis frei. Um diese Zeit hatte T. bereits einen erwachsenen Sohn. Platon [1] kennt eine Palaistra des T. (Plat. Charm. 153a).

DAVIES, 29.   K. KI.

Taurianum. Stadt in Bruttium (Cato HRR, fr. 71; Mela 2,4,68; Tab. Peut. 7,2: *Tauriana*; Plin. nat. 3,73: *Tauroentum*) südl. vom Mataurus an der Grenze zu Rhegion beim h. Monte Traviano [1. 117–130]. Unklar ist, ob mit den Tauriani, die 213/2 v. Chr. vor den Römern kapitulierten (Liv. 25,1,2), die Bewohner von T. [1. 126; 2] gemeint sind. Spärliche arch. Überreste [1. 118 f., 130–133]; Inschr. bruttischer (Ziegelstempel) und röm. Zeit [1. 133–144; 3; 4. 255].

1 S. SETTIS, Tauriana, in: RAL ser. 8ª, Bd. 19, 1964, 117–144 2 F. PRONTERA, Cosentini e Tauriani in Livio XXV,1,2, in: Klearchos 14, 1972, 83–87 3 P. POCCETTI, Lingua e cultura dei Brettii, in: Ders. (Hrsg.), Per un'identità culturale dei Brettii, 1988, 119–121 4 M. INTRIERI, A. ZUMBO (Hrsg.), I Brettii, Bd. 2, 1995, 86 f., 184–188, 255.   M. L.

Taurike Chersonesos (Ταυρικὴ Χερσόνησος) → Chersonesos [2].

J. M. MOGARIČEV (Hrsg.), Problemy istorii i arheologii Krymy, 1994.   I. v. B.

Taurini. Ligurisches (Plin. nat. 3,123; Strab. 4,6,6) oder keltisches Volk zw. der Doria Riparia (→ Alpes Cottiae) und dem Oberlauf des Padus (Po). E. des 4. Jh. v. Chr. in die Kriege Roms gegen die Kelten verwickelt (Pol. 2,28,4), stellten sie sich 218 v. Chr. Hannibal [4] beim Einmarsch in It. vergeblich entgegen, der ihren Hauptort → Taurasia [2] zerstörte (App. Hann. 5; vgl. Pol. 3,60,9; Liv. 21,39,4). Nach 25 v. Chr. [1. 143] neu gegr. als Colonia Augusta [5] Taurinorum.

1 G. CRESCI MARRONE, La fondazione della colonia, in: E. SERGI (Hrsg.), Storia di Torino, 1997, 143–155.

E. CULASSO GASTALDI, Il contesto ligure e i Celti, in: s. [1], 95–107.   A. SA./Ü: H. D.

Taurinos s. Pelops [2]

Taurion (Ταυρείων). Makedone, *phílos* (→ Hoftitel B.) von Antigonos [3] und Philippos [7] V., als deren Statthalter in der Peloponnes T. zugunsten der Achaioi aktiv war (Pol. 4,6,4; 10,2; 10,6; 19,7 f.; 80,3; 5,92,7; 95,3; 95,5). 219/8 v. Chr. wurde T. von der Affäre um Apelles [1] tangiert (Pol. 4,87,1 f.; 4,87,8 f.; 5,27,4) und gehörte 217 bei Naupaktos wohl zu den Friedensunterhändlern [1. 112]; fraglich sind T.s negativer Einfluß auf Philippos (Pol. 9,23,9) und sein Handlangerdienst beim Tod des Aratos [2] (Plut. Aratos 52,2–3).

1 S. LE BOHEC, Les philoi des rois Antigonides, in: REG 98, 1985, 93–124.   L.-M. G.

Tauris. Insel zw. Pharos [2] und Korkyra [2] Melaina vor der dalmatischen Küste (Tab. Peut. 6,4), h. Šćedro (Kroatien). Bei T. siegte Caesars Legat P. Vatinius [I 2] 47 v. Chr. über die Flotte der Pompeianer (Bell. Alex. 45,1,2).

M. KOZLIČIĆ, Historical Geography of the Eastern Adriatic, 1990, 300.   E. O.

Taurisci (Ταυρίσκοι). Kelten im Gebiet der Alpes und des Istros [2] (Donau), erstmals erwähnt am Südrand der westl. Alpes, wo sie 225 v. Chr. als Teil des kelt. Kriegsbündnisses gegen Rom auftraten (Pol. 2,15,8; 28,4; 30,6); auch die → Taurini werden ihnen zugerechnet (Pol. 3,60,8). Cato orig. 2,6 zählt die → Lepontii und → Salassi zu den T. Im späten 1. Jh. v. Chr. erwähnt Timagenes [1] (FGrH 88 F 2) den Stammesheros, der als gallischer Tyrann von Herakles [1] vernichtet worden sei. In den östl. Alpes zählen Norici (→ Noricum; Pol. 34,10,10) und → Carni (ILS 8885) zu den T. In augusteischer Zeit kam diese Bezeichnung für einen größeren ethnischen Verband zugunsten partikulärer Populationen außer Gebrauch, T. galten als ein Teil der Norici (Strab. 4,6,9) wohl im Gebiet von → Celeia, aber auch an der unteren Save, wo sie den Thrakes unterlagen (Strab. 4,6,9–12; 5,1,6; 7,3,11; 7,5,2). Nauportus [1] galt als Siedlung der T. (Strab. 7,5,2). Nach der röm. Okkupation 35–33 v. Chr., die auch die T. betraf (App. Ill. 16; Cass. Dio 49,32,2; 50,28,4), ist das Ethnonym nicht mehr nachweisbar; Plin. nat. 3,133 hat diesen Bedeutungswandel am Beispiel der Norici festgehalten.

G. ALFÖLDY, T. und Norici, in: Historia 15, 1966, 225–241 · M. GUSTIN, T. – Verknüpfung der histor. und arch. Interpretation, in: E. JEREM, A. KRENN-LEEB u. a. (Hrsg.), Die Kelten in den Alpen und an der Donau, 1996, 433–440 · P. W. HAIDER, Zu den »norischen Tauriskern«, in: A. LIPPERT (Hrsg.), Hochalpine Altstraßen im Raum Badgastein-Mallnitz, 1993, 219–247 · R. HEUBERGER, Taurisker und Noriker, in: Innsbrucker Beitr. zur Kulturwiss. 2, 1954, 161–171 · P. PETRU, Die ostalpinen Taurisker und Latobiker, in: ANRW II 6, 1977, 473–499.
                                                              H. GR.

Tauriskos (Ταυρίσκος).

[1] Grammatiker des 2. Jh. v. Chr. und Schüler des → Krates [5] aus Mallos, auf den seine Definition der philologischen Wiss. (κριτικὴ τέχνη, *kritiké téchnē*) zurückgeht [1. 56]. Laut S. Emp. adv. math. 248–249 unterschied T. drei Teilgebiete: Grammatik (λογικόν, *logikón*), Dialektologie und Stilkritik (τριβικόν, *tribikón*) und Kommentierung (ἱστορικόν, *historikón*) erklärungsbedürftiger Inhalte. Zur Einordnung von T.' Gliederung innerhalb des grammatischen Diskurses seiner Zeit vgl. [2. 184–186].

1 H. J. METTE, Parateresis, 1952 2 H. STEINTHAL, Gesch. der Sprachwiss., Bd. 2, 1891 (Ndr. 1961).   M. B.

[2] Sohn des Artemidoros, Bildhauer aus Tralleis, Schüler des → Menekrates [8]. Mit dem Bruder → Apollonios [18] schuf er eine »Dirke-Gruppe«, die in einer röm. Kopie vorliegt.

1 Overbeck, Nr. 2038 2 Ch. Kunze, Der Farnesische Stier und die Dirkegruppe des Apollonios und Tauriskos, 1998.

[3] Toreut. Er wird von Plinius (vgl. [1]) unter den in Gold arbeitenden Künstlern genannt, die in späthell. Zeit tätig waren.

1 Overbeck, Nr. 2167 2 P. Moreno, s. v. T. (2), EAA 7, 1966, 629–630. R. N.

[4] Einzig bei Plin. nat. 35,144 erwähnter griech. Maler, im Rahmen einer Reihe als weniger bedeutend charakterisierter Künstler angeführt. Zeitstellung, Stil und Aussehen der fünf für ihn bezeugten Gemälde mit myth. Themen, Porträtdarstellungen und Sportsujets sind unbekannt.

G. Lippold, s. v. T. (5), RE 5 A, 16 · P. Moreno, s. v. T. (3), EAA 7, 1966, 630. N. H.

Taurobolium (ταυροβόλιον). Bekanntheit hat das *t.* v. a. durch die Darstellung in den christl. Quellen erlangt (s. u.), nach denen der Initiant im → Mater Magna-Kult in einer Grube stand und über sein Haupt das Blut eines über ihm geopferten Stieres (*taúros*) floß. Der Wahrheitsgehalt dieser Darstellung ist aber fragwürdig [1. 314–320].

Die Entwicklungs-Gesch. des *t.* läßt sich in drei Phasen einteilen. In seiner ersten (Mitte 2. Jh. v. Chr. – Mitte 2. Jh. n. Chr.) war das zuerst in Kleinasien in Erscheinung tretende Ritual nicht mit einer bestimmten Gottheit assoziiert; bei diesen *t.* handelte es sich offenbar ebenso um Stierkämpfe wie um Opfer (z. B. TAM II 508, Pinara). Auswanderer brachten dieses Ritual vielleicht nach It. (vgl. CIL X 1596, Puteoli, 134 n. Chr.). In seiner zweiten Phase (Mitte 2. Jh. n. Chr. – E. 3. Jh. n. Chr.) wurde das *t.* in den Kult der → Mater Magna [1] (→ Kybele C.2.) inkorporiert, zuerst in Rom, später im Westen des röm. Reiches. Dieser Wandel mag 159 n. Chr. von → Antoninus [1] Pius ausgegangen sein. Im darauffolgenden Jahr feierte die *colonia* in → Lugdunum das *t.*; das Ritual umfaßte die Übertragung von *vires* (wohl Stierhoden) aus einem Heiligtum auf dem (lokalen oder röm.) Vaticanus (CIL XIII 1751; [2. 83–88, 124–127]). Das *t.* war hier ein öffentliches Ritual; es konnte in dieser Zeit aber auch privaten Charakter haben. In der dritten Phase (spätes 3. Jh. – E. 4. Jh. n. Chr.) adaptierte die nichtchristl. stadtröm. Aristokratie das *t.* (z. B. CIL VI 1778; [1; 3. Bd. 1, 364–388]): Offenbar enthielt es nun den Aspekt von persönlicher Erneuerung und Wiedergeburt (CIL VI 510). Der christl. Lit. diente das Blut dieses »barbarischen« Opferrituals als Gegenbild des Blutes der christl. Märtyrer und Jesu Christi sowie des reinen Taufrituals (Firm. de errore 27,8–28,1; Anon. Carmen contra paganos 57–62 mit [3. Bd. 1, 386]; Prud. peristephanon 10,1001–1050 mit [4. 1–97]).

→ Kriobolion; Opfer; Taufe

1 N. McLynn, The Fourth-Century T., in: Phoenix 50, 1996, 312–330 2 R. Turcan, Les religions de l'Asie dans la vallée du Rhône (EPRO 30), 1972 3 M. Beard et al., Religions of Rome, 1998 4 A.-M. Palmer, Prudentius on the Martyrs, 1989.

P. Borgeaud, La mère des dieux, 1996, 156–168 · R. Duthoy, The T., Its Evolution and Terminology (EPRO 10), 1969 · J. B. Rutter, The Three Phases of the T., in: Phoenix 22, 1968, 226–249. SI. PR.

Tauroi (Ταῦροι). Vorskythischer Volksstamm auf der Chersonesos [2] (Krim), der wohl von den Trägern der Kizil-Koba-Kultur abstammt, im 7./6. Jh. v. Chr. von → Skythen und griech. Kolonisten ins gebirgige Hinterland verdrängt. Sie befaßten sich bes. mit Ackerbau und Viehhaltung; Handel mit den griech. Poleis ist erst ab dem 4. Jh. v. Chr. nachweisbar. Eine bei den T. verehrte Göttin wurde von den Griechen mit Artemis oder → Iphigeneia gleichgesetzt (Hdt. 4,103). 513 v. Chr. verweigerten die T. den Skythen ihre Hilfe gegen Dareios [1] (Hdt. 4,119). Im 5./4. Jh. v. Chr. gerieten sie unter skythische Herrschaft. Aus der skythisch-taurischen Symbiose gingen die Tauroskythai hervor (erstmals bei Plin. nat. 4,85). Im Krieg Mithradates' [6] VI. gegen die Skythen unterwarf Diophantos [2] auch die T. und gründete in ihrem Gebiet Eupatoria (→ Kerkinitis; Strab. 7,4,7). Nachdem Sauromates [2] II. über die Skythen gesiegt hatte, unterwarfen sich die T. ihm freiwillig (IOSPE 2,423). Als um 255 n. Chr. Borani und Goti auf der Chersonesos erschienen, fielen die T. zusammen mit den Skythen vom → regnum Bosporanum ab. Das Bündnisangebot, das Sapor [1] I. den Skythen und T. machte, lehnten diese ab (SHA Valer. 4,1).

→ Skythen (mit Karte)

A. N. Ščeglov, Tavri v VII do pervoj polovini IV v. i grečesko-tavričeskoe vzaimootnosheniya, in: O. D. Lordkipanidze (Hrsg.), Lokal'nye etno-političeskie osobennosti Pričernomor'ja v VII–IV vv. pr. n. e, 1985, 55–68 · Ch. M. Danoff, s. v. Pontos Euxeinos, RE Suppl. 9, 866–1175, bes. 1025 · A. M. Leskov, Die Taurer, in: Ant. Welt 11, 1980, 39–53. I. v. B.

Taurokathapsia (Ταυροκαθαψία: CIG 3212, Smyrna). Von *taúros* (»Stier«) und *katháptein* (»sich daranhängen«). Eine Form des Stierkampfes bei den Eleutheria in → Larisa [3] (IG IX 531; 535; 536), bei der ein Reiter sich auf den Stier schwang, ihn an den Hörnern packte und zu Boden zu werfen versuchte (so Heliod. 10,28–30; vgl. Anth. Pal. 9,543); überl. sind ein Relief aus Smyrna und Mz.-Bilder aus Larisa [1. 221–224]. Inschr. wird die T. für Städte des griech. Ostens nahegelegt (Aphrodisias: CIG 2759b; Ankyra: CIG 4039; Sinope: CIG 4157); strittig ist sie für Eleusis (vgl. Artem. 1,8). Der thessalische Brauch wurde in Rom von Caesar eingeführt (Plin. nat. 8,182) und auch unter Claudius (41–54 n. Chr.) praktiziert (Suet. Claud. 21,6).

1 K. J. GALLIS, The Games in Ancient Larisa, in:
W. J. RASCHKE (Hrsg.), The Archaeology of the Olympics,
1988, 217–235.   P. SCH.

Tauromenion (Ταυρομένιον, lat. *Tauromenium*; h. Taormina). Stadt an der Ostküste von → Sicilia, 5 km
nördl. von → Naxos [2], am Osthang des Tauros (250 m
über NN), an der Via Pompeia von → Messana [1] nach
→ Katane. Wo bereits im 8. Jh. v. Chr. → Siculi gesiedelt hatten (Diod. 14,88,1; Nekropole von Cocolonaz-
zo) und wo für das 6. Jh. griech. Siedler bezeugt sind
(Skymn. 289), entstand 396 v. Chr. die Stadt T.; Himilkon [1] hatte die 403 v. Chr. von Dionysios [1] I. im
Gebiet des (im selben J. von diesem) zerstörten → Naxos
[2] angesiedelten (Diod. 14,15,2f.), dann von diesem
abgefallenen Siculi zu ihrer Gründung veranlaßt (Diod.
14,59,1f.). Im Winter 394/3 v. Chr. von Dionysios vergeblich belagert (Diod. 14,87,4–88,4), fiel T. diesem
392 im Friedensvertrag mit den Karthagern zu (Diod.
14,96,4); er vertrieb die meisten Siculi erneut und siedelte eigene Söldner in T. an (Diod. 14,96,4). 358 sammelte Andromachos, der Vater des Historikers Timaios
[2], die Überlebenden der Katastrophe von Naxos, eroberte T. und gab ihnen hier eine Heimat (Diod.
16,7,1). Unter ihm gelangte T. zu Macht und Reichtum
(Plut. Timoleon 10,7). 345 unterstützte er Timoleon
gegen Dionysios [2] II. von Syrakusai (Diod. 16,68,7–9;
Plut. Timoleon 10–12). Etwa 316 v. Chr. gewann Agathokles [2] von Syrakusai die Stadt (Diod. 19,102,6),
verlor sie aber nach seiner Niederlage am → Eknomon
an die Karthager (Diod. 19,110,3). Seit ca. 285 herrschte
Tyndarion in T. (Diod. 22,2,1), der 278 → Pyrrhos [3]
aufnahm und bei der Eroberung Siziliens unterstützte
(Diod. 22,7,4; 22,8,3). Wenig später bemächtigte sich
Hieron [2] II. von Syrakusai der Stadt T. (Diod.
22,13,2), die ihm im Friedensvertrag mit Rom 263 ausdrücklich belassen wurde (Diod. 23,4,1; StV 3, 479).

Nach Hierons Tod 215 trat T. im 2. → Punischen
Krieg zu den Römern über (App. Sic. 5); deshalb wurde
T. in der röm. Prov. Sicilia mit dem Status einer *civitas
foederata* belohnt (Cic. Verr. 2,3,13). Im ersten → Sklavenaufstand wichtiger Stützpunkt der Sklaven, wurde
T. vom röm. Consul Rupilius [I 1] 132 erst nach langer
Belagerung erobert (Diod. 34f.,2,20f.). Wohl 21 v. Chr.
deduzierte Augustus nach T. eine Kolonie (Diod.
16,7,1; Plin. nat. 3,88; Ptol. 3,4,9).

Der orthogonale Grundriß der Stadt ist auf Terrassen
zw. den Hügel des ant. Theaters im Osten und den Hügel des ma Kastells eingefügt. Eindrucksvoll ist die Ruine des im 3. Jh. v. Chr. errichteten, im 2. Jh. n. Chr. zu
Zwecken von Gladiatoren- und Tierkämpfen (→ *munera* II.) umgebauten → Theaters [1. 364–368; 4. 70–78;
5; 6; 7. 76] – nach dem von Syrakusai größten der
→ Magna Graecia (Skenengebäude mit drei Nischen,
zwei verschiedenen Säulenordnungen). Weiterhin findet sich hier die sog. Naumachia (ein monumentales
→ Nymphäum [2. 95–98; 3. 21]); ein → Odeion (unter
Nero [1] oder den flavischen Kaisern errichtet [1. 366–

368; 4. 79f.; 2. 93–95]); ein griech. Tempel [8. 545–548]
vom Anf. des 3. Jh. v. Chr. (unter Santa Caterina;
[9. 347f.]); ein hell. Tempel der Isis und des Serapis (unter San Pancrazio; IG XIV, 433; CIL X, 6889; [4. 299; 10.
Nr. 131–193; 195]); ein Gymnasion (IG XIV, 422;
[11. 2968; 12]) mit Fr. des Bibliothekskatalogs [13; 14];
kaiserzeitliche Thermen am Forum (zuvor Agora, h.
Piazza Vittorio Emanuele; [15]); Frg. des röm. Kalen-
ders und der *fasti consulares* [16. 724f.]; zwei nach T.
führende kaiserzeitliche Aquädukte [4. 95–97]; Hausarchitektur, bisher nur spärlich nachgewiesen [17. 34–39,
97–109]; Reste der Stadtmauer im Norden [18. 88] erh.;
Inschr. [19].
→ Punische Kriege; Sicilia (mit Karte)

1 O. BELVEDERE, Opere pubbliche ed edifici per lo
spettacolo, in: ANRW II 11.1, 346–413 2 G. LUGLI,
L'architettura in Sicilia, in: Atti del 7. congresso nazionale di
storia dell'architettura (Palermo 1950), 1956, 89–107
3 R. J. A. WILSON, Aqueducts and Water Supply, in:
G. C. M. JANSEN (Hrsg.), Cura aquarum in Sicilia, 2000,
3–36 4 Ders., Sicily under the Roman Empire, 1990
5 F. SEAR, The Theatre at Taormina, in: PBSR 64, 1996,
41–79 6 P. PENSABENE, Marmi e architettura nel teatro di
Taormina, in: Un ponte fra l'Italia e la Grecia. Atti del
simposio in onore di Antonino di Vita (Ragusa 1998), 2000,
214–225 7 L. BERNABÒ BREA, Restauri del teatro antico di
Taormina 1949–1956, in: Quaderni dell'Istituto di
Archeologia dell'Università di Messina 1.1, 2000, 59–123
8 P. PELAGATTI, L'attività della Soprintendenza alle
Antichità della Sicilia Orientale, in: Kokalos 22–23,
1976–1977, 519–550 9 W. VON SYDOW, Die hell. Gebälke
in Sizilien, in: MDAI(R) 91, 1984, 239–358 10 G. SFAMENI
GASPARRO, I culti orientali in Sicilia, 1973 11 P. PELAGATTI,
s. v. Tauromenium, Taormina, in: Fasti archaeologici 22,
1967, 207f. Nr. 2968 12 Dies., Il ginnasio di T., in: PdP
295–297, 1997, 256–261 13 H. BLANCK, Anaximander in
T., in: MDAI(R) 104, 1997, 507–511 14 Ders., Un nuovo
frammento del »Catalogo« della biblioteca di T., in: PdP
295–297, 1997, 241–255 15 P. PELAGATTI, Scoperta di un
edificio termale a T., in: Cronache di archeologia 3, 1964,
25–37 16 G. M. BACCI, Scavi e ricerche a Avola,
Grammichele, Portopalo e T., in: Kokalos 30–31,
1984–1985, 711–725 17 D. VON BOESELAGER, Ant.
Mosaiken in Sizilien, 1993 18 L. KARLSSON, Fortification,
Towers, and Masonry Techniques in the Hegemony of
Syracuse, 1992 19 G. MANGANARO, Le tavole finanziarie di
T., in: D. KNOEPFLER (Hrsg.), Comptes et Inventaires dans la
cité grecque. Actes du colloque d'épigraphie (Neuchâtel
1986), 1988, 155–190.

M. BELL, s. v. T., PE, 886f · G. M. BACCI, s. v. T., EAA, 2.
Suppl., 1997, 526f.   M. C. L. u. K. MEI.

Taurophoren (τέτραρχα καινὰ ταυροφόρα). Nur in
den Schatzlisten von Delos (IDélos 1429 B II; 1432 BB I
und Ba II; 1449 Ba I, um 166 v. Chr.) erwähnte Mz.
(→ Tetradrachmon; nach den Zahlen auch Teilstücke)
mit Bild eines Stieres. Nach [3] die Großsilber-Mz. von
Eretria mit Rv. Rind in Lorbeerkranz (nach 196
v. Chr.), nach [1. 37] die frühen Tetradrachmen der
Macedonia Prima mit Rv. Artemis Tauropolos auf Stier

(nach 167 v. Chr.), und nach [2. 61–63] Mz. von Thera mit Rv. Stier, wovon aber bisher keine Tetradrachme und nur ein einziges Expl. eines → Didrachmons bekannt ist.

1 C. BOEHRINGER, Zur Chronologie mittelhell. Münzserien 220–160 v. Chr., 1972 **2** J. R. MELVILLE-JONES, Greek Coin Names in -phoros, in: BICS 21, 1974, 55–74 **3** L. ROBERT, Études de numismatique grecque, 1951, 156–159. DI. K.

Tauropolos s. Artemis

Tauros (Ταῦρος).
[1] Lukios Kalbenos T. (Λούκιος Καλβῆνος Τ.) aus Berytos, mittelplatonischer Philosoph des 2. Jh. n. Chr. (um 145 n. Chr., fr. 1 LAKMANN), lehrte in Athen. Sein Schüler Aulus → Gellius gibt in seinen *Noctes Atticae* zahlreiche Einblicke in den Schulalltag und schildert T. als einen liebenswürdigen und umfassend gebildeten Menschen (fr. 4–17) [1]. T. verfaßte zahlreiche (verlorene) Schriften (fr. 18) [1. 210 f.]. Bekannt sind: ›Über den Unterschied der Lehren des Platon und des Aristoteles‹, ›Über Körper und Unkörperliches‹ [2. Bd. 3, 62, 74, 246 f., 289], eine polemische Schrift gegen den → Stoizismus (fr. 12,43 f.) sowie Komm. zu Platons ›Gorgias‹ und ›Staat‹ [2. Bd. 3, 40, 46, 195, 205; vgl. 199]; aus T.’ ›Timaios‹-Komm. hat Iohannes → Philoponos in *De aeternitate mundi* zahlreiche Passagen übernommen (fr. 22–26) [2. 50, 214 f.].

T. vertrat die platonisch-peripatetische Lehre von der *metriopátheia* (»Mäßigung der Affekte«) und lehnte das stoische Apathie-Ideal rigoros ab [1. 34 f., 40–45, 137, 147 f.]. In der Frage nach der Entstehung der Welt wies er nach, daß die Welt nach Platon unentstanden und unvergänglich ist (fr. 22–26) [2. Bd. 5, 122–128, 138–144, 428–433, 454–460; 3. 105–121]. Wie die meisten Mittelplatoniker ging er von drei Prinzipien als Ursachen der Welt aus (Gott, Paradigma und Materie, fr. 22B,56 f.) [2. Bd. 4, 198, 526]. Als Platonerklärer genoß T. bei der Nachwelt hohes Ansehen. Er galt als einer der bes. nützlichen Kommentatoren (*chrēsimóteroi*, fr. 19) und hatte bes. Einfluß auf → Porphyrios und Iohannes → Philoponos, aber auch auf → Alexandros [26] von Aphrodisias und → Proklos.
→ Mittelplatonismus; Platon [1]

1 M.-L. LAKMANN, Der Platoniker T. in der Darstellung des Aulus Gellius, 1995 **2** DÖRRIE/BALTES **3** M. BALTES, Die Weltentstehung des Platonischen Timaios nach den ant. Interpreten, Bd. 1, 1976.
FR.: M.-L. LAKMANN (s. [1]), 229–258.
LIT.: J. DILLON, The Middle Platonists, ²1996, 237–247 · H. DÖRRIE, L. Kalbenos T., in: Kairos 15, 1973, 24–35 (= Ders., Platonica minora, 1976, 310–323) · H. A. S. TARRANT, Platonic Interpretation in Aulus Gellius, in: GRBS 37, 1996, 173–193. M.-L. L.

[2] Südanatolisches Randgebirgssystem, heute Toros Dağları, das sich von Karia und Lykia im Westen (West-T. mit den Bey Dağları, 3086 m) über Kilikia (Mittlerer T. mit dem Kalı Dağ, 3734 m) hinzieht, von wo sich der → Amanos nach SO und der Anti-T. nach Norden abzweigt, mit dem Stammgebirge aber nö bis zum Ararat-Hochland (Innerer und Zentraler Ost-T. mit dem Ararat, 5165 m) erstreckt, nachdem ein weiterer Anti-T. (Äußerer Ost-T. mit dem Çilo Dağı) sich in der Sophene sö abgespalten hat. Der T. bildete eine markante Scheide zw. Kleinasien und Syria und spielte daher verschiedentlich eine wichtige Rolle, z. B. im Vertrag von Apameia 188 v. Chr. [1. 221–224].

1 WILL 2.
W.-D. HÜTTEROTH, Türkei, 1982, 30–36 · MAGIE, 757 f.

[3] Von T. [2] zu unterscheiden ist der Teil des → Amanos, der sich von den Syrischen Toren (h. Belen-Paß, 750 m H) nordwärts erstreckt (Ps.-Aristot. de ventorum situ et nominibus 973a; Plin. nat. 5,80), h. Alma Dağı.
E. O.

[4] (Stier) s. Sternbilder

Taurosthenes (Ταυροσθένης) aus Chalkis, Sohn des Mnesarchos, unterstützte seinen Bruder → Kallias [9] bei dessen Versuch einer unabhängigen euboischen Machtpolitik zw. 349 und 338 v. Chr. Sein Einschwenken auf die Linie Athens auf Betreiben von → Demosthenes [2] wurde mit dem athen. Bürgerrecht belohnt. Nach der Schlacht bei → Chaironeia (338) lebte T. in Athen. Hauptquellen: Aischin. 3,85–87 mit schol.; Deinarch. 1,44.

PA 13435 · I. WORTHINGTON, A Historical Commentary on Dinarchus, 1992, 207–209 (Lit.). U. WAL.

Taurus
[1] Röm. Cogn. (»Stier«); in republikanischer Zeit in der Familie der → Statilii, in der Kaiserzeit auch bei den Flavii, Petronii, Rutilii.

DEGRASSI, FCap., 149 · Ders., FCIR, 270 · KAJANTO, Cognomina, 86; 329. K.-L. E.

[2] Flavius T. Stieg aus niedrigen Verhältnissen unter → Constantius [2] II. in hohe Positionen auf; zunächst *notarius* (Lib. or. 42,24 f.), 345 n. Chr. *comes* (Athan. hist. Ar. 22), dann *quaestor sacri palatii* (besuchte 354 Armenia: Amm. 14,11,14), 354/5 *patricius* (vgl. AE 1934,159), 355–361 *praefectus praetorio Italiae et Africae* (Cod. Theod. 7,4,2; 8,4,6 u. a.). 361 war er Consul.

351 war er an der Verurteilung des Photinus in Sirmium beteiligt (Epiphanius, adversus haereses 71,1,5). 359 erzwang er als Leiter der Synode von Ariminum eine einheitliche Glaubensformel (Sulp. Sev. chron. 2,41,1). Er floh 361 vor → Iulianos [11] zu Constantius (Amm. 21,9,4; Zos. 3,10,4). Nach der Machtübernahme des Iulianos wurde er von der Kommission von Kalchedon exiliert (Amm. 22,3,4). Er lebte noch um 390 (Synes. de providentia 92a,d). Harmonius, Aurelianus [4] und Eutychianus waren seine Söhne (vgl. Synes. de providentia 88a). PLRE 1, 879 f. Nr. 3.

[3] Flavius T. Sohn des Aurelianus [4], Enkel des T. [2]. Er war 416 n.Chr. *comes rerum privatarum* (Cod. Theod. 6,30,21), 428 Consul und 433–434 *praefectus praetorio Orientis* (Cod. Theod. 11,28,16; 5,3,1 u.a.). In diesem Zeitraum erhielt er die Würde eines *patricius*; 445 erneut *praefectus praetorio* (wohl ebenfalls für die Diözese Oriens, Cod. Iust. 1,2,11; 10,48,2). Überl. sind Briefe an ihn von Iohannes [13] von Antiocheia, Isidoros [6] von Pelusion und Theodoretos. Er starb 449 (Marcellinus [14] Comes, sub anno 449. PLRE 2, 1056f. Nr. 4.   W.P.

Tautalos (Ταύταλος; bei Diod. 33,1,4 nach Poseid.: *Taútamos*). Als Nachfolger des → Viriatus Oberbefehlshaber der → Lusitani, unterwarf er sich im J. 139 v.Chr. den Römern, die seinen Leuten im Gegenzug Land zur Sicherung ihrer Existenz zusprachen (App. Ib. 320–321).   TA.S.

Tavium, auch Tavia, Tabia (Τάουιον, Ταβία; altanatolisch *Tawinija*), Stadt in Galatia beim h. Büyüknefes. Seit chalkolithischer Zeit besiedelter Zentralort, der bereits in der Frühbrz. überregionale Bed. erlangte. Wichtige Kultstadt des hethit. Großreichs, bedeutendes Zentrum im 1. Jt. v.Chr. Seit 274/272 v.Chr. zentraler, rasch hellenisierter Ort der → Trokmoi und Kultort des → Tešup/Zeus Tavianos (Strab. 12,5,2). Seit 25/4 v.Chr. Teil der röm. Prov. Galatia, war T. ab 21 v.Chr. als autonome Polis organisiert und umfaßte das Gebiet der Trokmoi, die hier ihren → Kaiserkult einrichteten. Als Bistum ist T. von 325 bis ins 12. Jh. belegt. 727 wurde T. von den Arabern erobert, die byz. Garnison hielt sich jedoch bis ins 11. Jh.

K. STROBEL, C. GERBER, T., in: MDAI(Ist) 50, 2000, 213–263 · BELKE 229f.   K.ST.

Taxatio (die »Schätzung«) ist im röm. Formularprozeß (→ *formula*) die Höchstgrenze, bis zu der der → *iudex* (»Richter«) nach der Anweisung des → Praetors zur Verurteilung (→ *condemnatio*) die Urteilssumme festsetzen durfte. Die *t.* kommt typischerweise vor: (1) bei der Haftung des Herrn mit dem Eigengut (→ *peculium*) des Sklaven oder Haussohnes aus der *actio de peculio* oder aus der *actio de in rem verso* wegen Vermögensvermehrungen durch das Handeln solcher Gewaltunterworfener (→ *patria potestas*), (2) bei der Einrede des Schuldners wegen einer Notlage (→ *beneficium competentiae*) und (3) bei der Klage wegen → *iniuria* (»rechtswidrigem Verhalten«) des Schuldners.

M. KASER, K. HACKL, Das röm. Zivilprozeßrecht, ²1996, 316f., 339f. · D. NÖRR, Zur condemnatio cum taxatione im röm. Zivilprozeß, in: ZRG 112, 1995, 51–90 · Ders., Zur t. bei der actio iniuriarum, in: Collatio iuris romani. FS H. Ankum, Bd. 2, 1995, 389–401 · P. GRZIMEK, Studien zur T. Strukturen des röm. Zivilprozesses, 2001.   G.S.

Taxiarchos (ταξίαρχος). In griech. und maked. Heeren der Befehlshaber einer τάξις/→ *táxis*; in Athen war er nach dem Strategen (→ *stratēgós*) der höchste mil. Grad (z.B. Aristoph. Ach. 569; Aristoph. Av. 353; Thuk. 4,4,1; 8,92,4; Demosth. or. 4,26; Aischin. leg. 169). Er befehligte die Mitglieder seiner → *phylḗ* [1], ernannte Lochagen (Aristot. Ath. pol. 61,3; → *lóchos*) und führte wohl die Aufgebotsliste der *phylḗ* (Aristoph. Pax 1172ff.). Lat. entspricht der *t.* am ehesten der → *centurio*.   LE.BU.

Taxila (Τάξιλα, altindisch Takṣaśilā, mittelind. Takkasilā, Taksaila). Stadt im → Pandschab zw. Indus und Hydaspes, in der Nähe des h. Islamabad, von → Alexandros [4] d.Gr. (mit Karte) im Frühjahr 326 v.Chr. besucht (Arr. an. 5,8; Strab. 15,1,28), dessen treuer Gefolgsmann der junge König → Taxiles wurde. T. war schon in vorgesch. Zeiten bewohnt, und Ausgrabungen erbrachten mehrere Stadtanlagen aus verschiedenen Perioden: Hathial A und B (10.–6. und 6.–4. Jh.), Bhir Mound (etwa 3.–2. Jh.), Sirkap (2. Jh. v.Chr. – 1. Jh. n.Chr.) und Sirsukh (1.–2. Jh.). Obwohl Philostr. Ap. 2,20ff. eine recht gute Beschreibung von Sirkap gibt, läßt sich das T. des Alexandros immer noch nicht mit Sicherheit identifizieren. In der ind. Lit. wird T. oft als Sitz der Wiss. und des Buddhismus beschrieben, wovon auch die vielen Reste von Klöstern und Kultbauten zeugen.

A.H. DANI, The Historic City of T., 1986 · K. KARTTUNEN, T., Indian City and a Stronghold of Hellenism, in: Arctos 24, 1990, 85–96 · J. MARSHALL, T., Bd. 1–3, 1951.   K.K.

Taxiles (Ταξίλης). König von → Taxila, der eine weite und fruchtbare Ebene zw. Indus und → Hydaspes beherrschte; seine Nachbarn waren → Abisares im Norden und → Poros [3] im Osten. Schon sein Vater hatte sich brieflich mit Alexandros [4] verbündet (Diod. 17,86,4; Curt. 8,12,4f.; s. auch Arr. an. 4,22,6), und der junge König genehmigte den Bund, als Alexandros im Frühling 326 v.Chr. einige Zeit bei ihm als Gast verweilte (Arr. an. 5,3,5f.; 5,8,2f.; Diod. 17,86,4–7; Plut. Alexandros 59; Strab. 15,1,28; Curt. 8,12,4–16). Er begleitete dann Alexandros während des Feldzuges im Pandschab (Arr. an. 5,8,5; 5,18,6f.; 5,20,4) und wurde sein treuer Genosse, der seine Länder und einige eingegliederte Gebiete als → Satrap oder Unterkönig weiterhin beherrschte. Nach Alexandros' Rückkehr und dem Tode des Satrapen Philippos [9] herrschte T. als König zusammen mit dem maked. Statthalter Eudamos [1] (Arr. an. 6,27,2). Nach Alexandros' Tod 323 v.Chr. bestätigte Perdikkas T. als König oder Satrap (Diod. 18,3,2; Iust. 13,4,20) und so auch Antipatros [1] bei der Abmachung von → Triparadeisos 321 v.Chr. (Diod. 18,39,6). Dann war er verm. wieder weitgehend unabhängig. Danach hört man nichts mehr von ihm: Eudamos kehrte 317 aus Indien zurück (Diod. 19,14,7), und bald wurde das Reich des T. ein Teil des neuen Maurya-Reiches (→ Mauryas, mit Karte). Meistens wird er nach indischer Weise einfach mit dynastischem Namen T. genannt, aber sein persönlicher Name war Omphis (Curt. 8,12,4; 12; 14) oder Mophis (Μῶφις, Diod. 17,86,4;

Mot(h)is in der Epitome Mettensis 49), den man nicht zufriedenstellend aus dem Altind. erklären kann (die alte Erklärung als Āmbhi ist willkürlich).

K. KARTTUNEN, India and the Hellenistic World, 1997, 32 f.
K. K.

Taxis (τάξις). Bezeichnet im mil. Bereich zunächst die Schlachtordnung, die Aufstellung des Heeres oder die einzelne Schlachtreihe, als mil. Einheit in Athen den von jeder → *phylé* [1] gestellten Heeresteil (431 v. Chr.: ca. 1000 Mann), in Makedonien die regional rekrutierte, wichtigste taktische Einheit der → *phálanx* der → *pezhétairoi* (Arr. an. 3,11,9 f.) und bei Asklepiodotos (2,8) eine Truppe von 128 Mann. Man verwendete den Ausdruck auch für andere Heere wie das der griech. → Söldner 401 v. Chr. (Xen. an. 4,3,22) und ebenso für Einheiten der Flotte und → Reiterei.

1 KROMAYER/VEITH, 49; 99.
LE. BU.

Taxus (griech. ἡ [σ]μῖλος/*[s]mílos*, σμῖλαξ/*smílax*: Dioskurides, τὸ θύμαλλον/*thýmallon*; lat. *taxus*, f.), der immergrüne (Theophr. h. plant. 1,9,3; Plin. nat. 16,80), einer → Tanne ähnliche, langlebige (vgl. Plin. ebd. 16,212) Waldbaum Eibe (Taxus baccata L.). Im Alt. war der kälte-unempfindliche T. (Verg. georg. 2,113) weit verbreitet. Homer erwähnt ihn nicht, aber Theophrast kennt den *mílos* gut (h. plant. 3,4,2 und 3,10,2; 4,1,3 und 5,7,6; vgl. Plin. nat. 16,50 f.). Die Giftigkeit von Nadeln und Samen (innerhalb der roten Scheinbeere) war schon in der Ant. bekannt (Dioskurides 4,79 WELLMANN = 4,80 BERENDES; Verg. ecl. 9,30 und Serv. zur Stelle; vgl. Verg. georg. 2,257). Die Erinyen (→ Erinys) bestraften mit seinem Gift Frevel [1. 51]. Nach Caes. Gall. 6,31,5 beging der Eburonenhäuptling Catuvolcus mit dem in Gallien und Germanien reichlich vorhandenen T. Suizid. Das nach Theophr. h. plant. 3,10,2 je nach Gegend unterschiedlich gefärbte zedernähnliche Holz diente für haltbare Bogen (Verg. georg. 2,448) und Götterbilder (Paus. 8,17,2). Wegen seines düsteren Aussehens wurde der T. bei Dichtern (z. B. Lucan. 6,645 und Sil. 13,595) zum Baum der Unterwelt.

1 H. BAUMANN, Die griech. Pflanzenwelt, 1982.

F. OLCK, s. v. T., RE 5 A, 87–50 • V. HEHN, Kulturpflanzen und Haustiere (ed. O. SCHRADER), ⁸1911 (Ndr. 1963), 531 f.
C. HÜ.

Taygete s. Pleiaden

Taygetos (Ταΰγετος). Gebirgszug im Süden der → Peloponnesos (Strab. 4,6,12; 8,5,1; Paus. 3,20,4 ff.; Ptol. 3,16,14; in byz. Zeit und in der Neuzeit *Pentedáktylon*, »Fünffingergebirge«, h. wieder T.), der sich mit einer L von ca. 110 km und einer Br von ca. 25 km vom Becken von → Megale Polis bis → Tainaron erstreckt (höchste Erhebung: h. Profitis Elias, 2407 m; der südl. Teil im MA Mane, Maïne, h. Mani). Nach Osten steil abfallend, trennte er → Lakonike von → Messana [2] und beeinträchtigte so die Infrastruktur des spartanischen Staates

nachhaltig. Er besteht aus metamorphen Schiefern und Kalken (Marmor), die vom mittleren T. südwärts dominieren und kaum Bodenbildung ermöglichen, so daß graubläulicher Fels, Vegetationsarmut und Dürre das Landschaftsbild prägen. In der Ant. betonte man bes. die Höhe und Steilheit des T. (Hom. Od. 6,103; Aristoph. Lys. 117 f.; Stat. Ach. 2,427; Strab. 8,5,1; Sparta unter dem Steilabsturz des T.: Hom. h. 17,3; 33,4; Pind. P. 1,63 f.; Strab. 8,5,1; 10,2,11). Besiedelt waren nur der niedrigere, breitere Nord-Teil (Aigytis) und das breite Vorland gegen Messenia (Dentheliatis; → Denthalioi). Nur die beiden Pässe zw. Sparta und → Pharai [1] (h. Kalamata) sowie zw. Gytheion und dem h. Areopolis verbinden West- und Ostseite des T. Über den zentralen Teil des T. führten keine Fahrstraßen. Die Wälder sind h. nahezu verschwunden, ebenso der vielgerühmte Bestand an Großwild (Paus. 3,20,4). Bergstürze am T. kamen häufig vor, so beim Erdbeben von 465 v. Chr. (Strab. 8,5,7; Plin. nat. 2,191; Plut. Kimon 16,4; Cic. div. 1,112; schol. Aritoph. Lys. 1144).

PHILIPPSON/KIRSTEN 3, 417–438 • F. BÖLTE, s. v. T., RE 5 A, 91–95 • Ders., s. v. Sparta, RE 3 A, 1301–1303 • MÜLLER, 863–865.
C. L. u. E. O.

Tazza Farnese. Kameo-Schale (aus Lagenachat, ca. 20 cm Dm (→ Steinschneidekunst III.) in Neapel, NM. Die T. F. ist ein Hauptwerk der ant. Glyptik; wegen ihrer herausragenden Qualität, die keine vergleichende Betrachtung ermöglicht, bleiben die Deutung des figurenreichen Innenbildes aus der äg.-ptolem. Ikonographie und die Datier. – die Vorschläge reichen vom 3. bis 1. Jh. v. Chr. – umstritten.

E. LA ROCCA, L'età d'oro di Cleopatra. Indagine sulla T. F., 1984 • E. SIMON, Alexandria, Samarkand, Florenz, Rom. Stationen der T. F., in: H. ALTRICHTER (Hrsg.), Bilder erzählen Gesch., 1995, 15–28.
DI. WI.

Teano-Gattung. Vasengattung aus dem letzten Viertel des 4. Jh. und der 1. H. des 3. Jh. v. Chr., benannt nach ihrem Hauptfundort im nördlichen Kampanien, dem ant. → Teanum Sidicinum, das wohl auch Produktionszentrum war. Üblich sind flache Schalen auf kleinem Standring, sog. Fußteller mit hohem Stiel, Skyphoi, Gutti, Oinochoen, Kernoi und Gefäße in Vogelform (s. Abb.); andere Gefäßtypen, wie z. B. Kelchkratere, sind ausgesprochen selten. Die Verzierung der mit dunklem Glanzton bedeckten Vasen besteht aus Stempeldekor, Ritzlinien, eingeritzten Tropfenmustern und vornehmlich in weißer oder gelber Farbe aufgemalten Wellenlinien oder Efeuranken. Auf einigen Gefäßen haben sich Inschr. mit dem Namen der Brüder Berii in oskischer Schrift erh., die offenbar von ca. 310 bis ca. 280 v. Chr. als Familienbetrieb arbeiteten.

M. MAYO, K. HAMMA (Hrsg.), The Art of South Italy. Vases from Magna Graecia (Ausst.-Kat. Richmond), 1982, 259; 277–279 • P. POCETTI, Nuove iscrizioni vascolari dei Berii di Teano, in: RPAA 59, 1984 (1988), 27–35 • B. RÜCKERT, in: CVA Tübingen 7, 1997, 58–64 zu Taf. 31–35.
R. H.

Keramik der Teano-Gattung

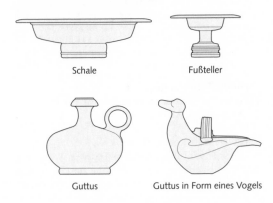

Schale   Fußteller

Guttus   Guttus in Form eines Vogels

Teanum Apulum s. Teate [2]

Teanum Sidicinum (Τεάνον Σιδικινόν). Stadt der oskischen → Sidicini im Norden von → Campania an der
via Latina (Strab. 5,3,9; Plin. nat. 3,63), h. Teano. Wenige oskische Zeugnisse (Nekropole, Mz.). Gegen E.
des 4. Jh. v. Chr. entstand die Stadt, die – durch die Sam-
nitenkriege (→ Samnites IV.) in Mitleidenschaft gezogen (Liv. 8,1,8–10; 23,5,8) – im 2. → Punischen Krieg
und im → Bundesgenossenkrieg [3] Rom treu blieb
(Sil. 12,524). Das *municipium* erhielt unter Augustus eine
colonia (Plin. nat. 3,9,63). Ant. Reste: in T. S. Thermen
(vgl. Gell. 10,3,3), Theater; vor der Stadt am Savo (h.
Savone) ein Heiligtum beim h. Loreto; Amphitheater;
röm. Nekropole; inschr. bezeugt sind zwei Fortuna-
Heiligtümer (CIL X 4633). Mineralquelle (Acidula/h.
Le Caldarelle; Plin. nat. 31,5,9; Vitr. 8,3,17). Herstellung von Goldschmiedearbeiten, Keramik.

1 P. G. Guzzo, Oreficerie dei Greci d'Occidente, in:
G. Pugliese Carratelli (Hrsg.), I Greci in Occidente,
1996, 471–480.

BTCGI 19, s. v. Teano Sidicino • S. De Caro, A. Greco,
Guide archeologiche Laterza: Campania, 1981, 235–237 •
W. Johannowsky, s. v. T. S., PE 888.   M. I. G./Ü: H. D.

Tearos (Τέαρος). Nebenfluß des Kontadeskos (h.
Kaynarca Deresı), der seinerseits in den Agrianes, einen
Nebenfluß des → Hebros, fließt. Nach Hdt. hatte der T.
heilkräftiges Wasser aus 38 teils warmen, teils kalten
Quellen; das Quellgebiet lag jeweils zwei Tagesreisen
von Apollonia [2] am Schwarzen Meer (→ Pontos Euxeinos) und von Heraion bei → Perinthos an der → Propontis entfernt. Dareios [1] I. errichtete auf seinem
Feldzug gegen die → Skythen 513 v. Chr. am T. eine
Säule mit Inschr. (Hdt. 4,89 f.). Der T. befand sich im
Kernland der → Odrysai im Gebiet des h. Strandža, in
der Astike (Plin. nat. 4,45). Trotz der ungewöhnlich genauen Beschreibung des T. und seines Quellgebiets
konnte er bislang nicht genau lokalisiert werden; u. a.
wird die Identifikation mit dem h. Büyükbunardere bei
Bunarhisar diskutiert.

V. Beševliev, Ein Rätsel der ant. Geogr. Thrakiens, in:
Studia Balcanica 19, 1976, 19–22 • T. Spiridonov, Historija
na trakijskite plemena, 1983, 83; 108; 112.   I. v. B.

Teate. Der urspr., durchweg durch die Namensform
Teanum abgelöste Name zweier Städte.
[1] Einziges *municipium* der → Marrucini (Strab. 5,4,2:
Τεατά; Plin. nat. 3,106: *Teatini Marrucinorum*) am Unterlauf des Aternus an der Via Valeria, h. Chieti, in Nachfolge einer älteren Siedlung am Fuß der Maiella im Gebiet des h. Rapino [1; 2].
[2] Stadt in Apulia (Liv. 9,20,7: *Teates Apuli*; 9,20,4: *ex
Apulia Teanenses*; vgl. Cic. Cluent. 197; Cic. Att. 7,12,2;
Strab. 5,4,2; 6,3,11; Ptol. 3,1,72) am Unterlauf des Fer-
tur (h. Fortore) beim h. San Paolo di Civitate [3; 4]. Ant.
Reste (Stadtmauern, Aquädukt, Tempel); Inschr.: [5].

1 C. Coppa (Hrsg.), Chieti e la sua provincia, 1990
2 V. Cianfarani, s. v. T. Marrucinorum, PE 888 f.
3 G. Volpe, La Daunia nell'età della romanizzazione, 1990
4 F. G. Lo Porto, s. v. Teanum Apulum, PE 888
5 A. Russi, T. Le iscrizioni e la storia del municipium, 1976.
    S. d. V. u. E. O./Ü: H. D.

Tebtynis (Τεβτῦνις, auch Τεπτῦνις). Stadt im → Fajum,
äg. *Bdnw* [1], h. *Umm al-Buraiġāt*; Hauptgott war → So-
bek, Herr von T. (griech. *Soknebtýnis*). Reste der Stadt
und des Tempels sind arch. ergraben [2; 4]. Obwohl in
der Ant. nicht von großer Relevanz, besitzt T. für die h.
Forsch. besondere Bed., weil dort Reste einer umfangreichen Tempelbibliothek aus den ersten beiden Jh.
n. Chr. entdeckt wurden: Hunderte hieroglyphischer,
hieratischer und v. a. demotischer Handschriften rel.,
wiss. oder lit. Inhaltes [3; 5], daneben einige griech.
Texte, v. a. Urkunden. Neben recht jungen Werken fällt
die Fülle des alten Traditionsgutes auf.

1 W. Cheshire, Demotic Writings of 'T.', in: Enchoria 14,
1986, 31–42 **2** C. Gallazzi, G. Hadji-Minaglou, T.,
Bd. 1, 2000 **3** J. Osing, Hieratische Pap. aus T., Bd. 1, 1998,
19–23 **4** V. Rondot, Le temple de Soknebtynis à T., in:
Archeologia e papiri nel Fayyum (Atti del convegno,
Syrakus 1996), 1997, 103–121 **5** K.-Th. Zauzich, Demotic
Texts from the Collection (The Carlsberg Papyri 1), 1991,
5–8.   A. v. L.

Techne (τέχνη, lat. *ars*).
I. Begriff und Anwendungsgebiete
II. Theoretische Reflexion   III. Lehrbücher

I. Begriff und Anwendungsgebiete

T. bzw. *ars* bezeichnet jedes professionelle Wissen
und Können (→ Kunst I.), im weiteren Sinne auch
Schlauheit, List und geschicktes Vorgehen überhaupt.
Anwendungsgebiete sind → Handwerk (V. H.), bildende Künste (→ Kunsttheorie), Dichtung und Musik,
Heilkunst, Sport, Mantik u. ä. Mit dem Begriff verbindet sich ein allgemeines Kultur- und Fortschrittsbe-
wußtsein (vgl. → Fortschrittsgedanke; → Kulturentstehungstheorien; → Kunst; → Könnensbewußtsein).

II. Theoretische Reflexion

Seit dem 5. Jh. v. Chr. kam es zu grundsätzlichen Reflexionen über das Wesen des *t.*-Wissens, zuerst wohl in der → Sophistik, die in ihrem neuartigen Unterricht Fächer lehrte, für die sie den Rang einer *t.* beanspruchte. Die → Rhetorik trat als Hauptgebiet hervor. Bes. hoch griff → Protagoras [1], der (nach Plat. Prot. 319a) die πολιτικὴ τέχνη (*politikḗ téchnē*, »die Kunst des Lebens in einer Polis«) lehren wollte. Dabei trat das kognitive, durch Lehre zu vermittelnde Element in den Vordergrund. *T.* wurde verstanden als lehrbare, rational begründete Handlungsanweisung mit dem Anspruch, ein fachlich bestimmtes Gebiet zu erfassen und beherrschbar zu machen. Man hat vermutet [2. 111 f.], daß eine Schrift des Protagoras (bei Plat. Soph. 232d erwähnt) eine Schlüsselstellung in der Diskussion hatte. Es entwickelten sich Begriffspaare wie τέχνη-τύχη (*téchnē-týchē*, »Kunst-Zufall«) und τέχνη-φύσις (*téchnē-phýsis*, »Kunst-Natur«). Die zeitgenössische → Medizin griff diese Gedanken auf; in ihr war fachliche Kompetenz oft umstritten, und ein einheitlicher Standard wurde erstrebt. Eine Grundsatzschrift ist Ps.-Hippokrates' Περὶ τέχνης (*Perí téchnēs*, De arte, ›Über die Kunst‹; → *Corpus Hippocraticum*). Die kritische Reflexion über *t.* setzte sich im Hell. fort [2; 3. 367–415].

Als → Sokrates [2] und → Platon [1] das menschliche Handeln (also die → Ethik) zum Thema grundsätzlichen Nachdenkens machten, griffen sie die Konzepte der *t.*-Diskussion auf und entnahmen daraus Kriterien für eine allg.-menschliche Handlungskompetenz, die ἀρετή (*aretḗ*, → »Tugend«): Es ging um ein lernbares, rational begründetes Wissen (unterschieden von der ἐμπειρία/ *empeiría*, der »Erfahrung«), welches auf eine praktische Handlung als Produkt (ἔργον/*érgon*) gerichtet ist (→ Erkenntnistheorie; → Praktische Philosophie). So wurde das *t.*-Modell sowie der vergleichende Blick auf handwerkliche Berufe ein wichtiger Bestandteil der sokratisch-frühplatonischen Ethik.

III. Lehrbücher

Noch im 5. Jh. n. Chr. bildete sich die Gewohnheit, rhet. Lehrschriften als *t.* zu bezeichnen (→ Rhetorik III.B.3.), so zuerst bei Isokr. or. 13,19 (um 390 n. Chr.; → Rhetorik V.). Das ist eine Verkürzung von λόγων τ. (*lógōn t.*, »Kunst der Worte« oder »der Reden«). Diese metonymische Verwendung wurde dann ausgeweitet auf Lehrbücher aller Art (→ Fachliteratur). Eine humoristische Parodie ist Ovids *Ars amatoria* (›Lehrbuch der Liebeskunst‹). Für das röm. Recht forderte Cicero eine lehrbuchartige Systematik: *de iure civili in artem redigendo* ›über die Umgestaltung des bürgerlichen Rechtes zu einer Kunst‹ (Cic. de orat. 1,42,190; Gell. 1,22,7). Dies wurde später durch → Gaius [2] unter dem eher didaktischen Titel *Institutiones* (›Unterricht‹, wohl in Anlehnung an → Quintilianus' [1] *Institutio oratoria*, ›Rhet. Unterricht‹) verwirklicht. In der Spätant. wurde der Begriff der → *Artes liberales* üblich, der »Freien« (d.h. einem Freien angemessenen, nicht berufsbezogenen oder spezialistischen) »Künste« (Lehrfächer).

1 A. Dihle, Philos. – Fachwiss. – Allg.bildung, in: Entretiens 32, 1986, 185–232 2 F. Heinimann, Eine vorplatonische Theorie der τέχνη, in: MH 18, 1961, 105–130 3 M. Isnardi-Parente, T., 1966 4 B. Meissner, Die technologische Fachlit. der Ant., 1999 5 H. Mette, Ius civile in artem redactum, 1954 6 H. Schneider, Studien zum griech. Technikverständnis, 1989.   H. GÖ.

Technik, Technologie I. Definition von Technik II. Alter Orient und Ägypten III. Klassische Antike

I. Definition von Technik

Unter T. wird allg. das Ensemble der → Werkzeuge, Geräte und Verfahren verstanden, die zur Gewinnung und Umwandlung von Stoffen, bei der Produktion sowie dem Transport von Nahrungsmitteln und Gebrauchsgütern, bei der Errichtung von Gebäuden sowie dem Bau von Anlagen der → Infrastruktur und schließlich zur Speicherung von Informationen eingesetzt werden. Die auf verschiedenen Feldern der T. verwendeten Geräte oder Verfahren sind keineswegs voneinander unabhängig, sie bilden vielmehr ein technisches System, das zahlreiche Interdependenzen aufweist; so ist etwa die Herstellung von → Werkzeugen oder Geräten, die in der → Landwirtschaft, im → Bergbau und in verschiedenen Zweigen des → Handwerks gebraucht werden, vom erreichten Niveau der Metallverarbeitung abhängig. Für die techn. Entwicklung insgesamt sind weniger einzelne Erfindungen als vielmehr die generelle Bereitschaft und Fähigkeit zur Innovation, zur Anwendung techn. Neuerungen im Bereich der → Wirtschaft von Bed.; auch der T.-Transfer, die Übernahme techn. Errungenschaften fremder Völker oder Länder, spielt in diesem Zusammenhang eine wichtige Rolle. Die histor. Relevanz der T. beruht wesentlich darauf, daß das techn. Potential, über das eine Ges. verfügen kann, auch in den Epochen vor der Industriellen Revolution einen nicht unerheblichen Einfluß auf wirtschaftliche, soziale und selbst auch polit. Entwicklungen ausübte.

H. SCHN.

II. Alter Orient und Ägypten

Trotz umfangreicher materieller Hinterlassenschaften (in Form von Artefakten, Werkzeugen, Geräten, Installationen; aber auch von Halbfabrikaten, Abfällen, Werkzeugspuren auf Objekten), trotz schriftlicher Nachr. (»Rezepten« und Anleitungen mit z. T. eigener Terminologie, z. B. »Glastexten«; → Glas II.) und bildlicher Darstellungen (v. a. auf äg. Grabreliefs) sind eine Übersicht oder der älteste Nachweis einer konkreten T. im Alten Orient und Äg. selten möglich. Nur zu erschließen sind bestimmte theoretische Kenntnisse und spezielle T. (z. B. Bohr- und Schleif-T. in der Steinschneidekunst; → Siegel). Die Wurzeln ant. T. reichen z. T. weit in die Urgesch. zurück. Äußere Bedingungen konnten zur Entwicklung bestimmter T. führen (z. B. Methoden der Nahrungsproduktion und des Ackerbaus mittels spezieller T. der Wasserversorgung und des Schutzes vor Wasser; → Landwirtschaft I.). Neue T.

hatten erhebliche Auswirkungen auf die Lebensbedingungen (z. B. Töpferscheibe auf die Massenproduktion unterschiedlicher Keramikgefäße, → Tongefäße) oder die gesellschaftliche Entwicklung (z. B. Rad auf Transportwagen, → Streitwagen).

Bes. in Vorderasien und Äg. hatte die T. bis zum 4. Jt. v. Chr. unter Ausnutzung der physikalisch-chemischen Grundlagen einen hohen Stand erreicht (z. B. Pyro-T. in Verbindung mit der Keramikherstellung und der frühen → Metallurgie I.). Im 4./3. Jt. v. Chr. ist eine bes. starke T.-Entwicklung zu belegen, darunter die Spezialisierung von Werkzeugen und Geräten (z. B. Saatpflug und Schöpfgeräte/šādūf, nachgewiesen seit akkadischer Zeit, 2. H. des 3. Jt. v. Chr.; gelagerte Achse), die Beherrschung der Probleme bei Monumentalarchitektur (→ Pyramiden, → Palast- und → Tempel-Bauten), die Bronze-Metallurgie inklusive Gußtechniken (Hohlguß; verlorene Form), kunsthandwerkliche T. (z. B. Granulation) und die Herstellung von künstlich-synthetischen Materialien (z. B. Bitumen-Mastix, Quarzkeramik/»äg. → Fayence«, erstem → Glas). Neue T. des 2. Jt. v. Chr. sind die Herstellung von Hohlglas (-gefäßen: ca. Mitte 2. Jt. v. Chr.) und die Eisenmetallurgie (Palaestina, Kleinasien: 2. H. 2. Jt. v. Chr.). Spezial-T. mit jeweils eigenen Entwicklungen waren äußerst vielfältig und berührten zahlreiche Bereiche wie z. B. Hauswirtschaft (Käse, Konservierungs-T. wie Trocknen und Einlegen in Öl oder Salz), Bier- und Weinherstellung, → Textilherstellung und Erzeugnisse aus Leder, → Handwerk und Kunsthandwerk, Bauwesen, Jagd und Krieg, das Schreiben (vgl. → Schreiber; → Schrift) u. a.

A. R. HALL, A History of Technology, Bd. 1: From Early Times to the Fall of Ancient Empires, 1975 · R. J. FORBES, Studies in Ancient Technology, Bd. 1–9, 1955–1966 · R.-B. WARTKE (Hrsg.), Handwerk und Technologie im Alten Orient, 1994 · P. R. S. MOOREY, Ancient Mesopotamian Materials and Industries, 1994 · P. T. NICHOLSON, I. SHAW (Hrsg.), Ancient Egyptian Materials and Technology, 2000.　　　　　R. W.

III. KLASSISCHE ANTIKE
A. DIE GRIECHISCH-RÖMISCHE ANTIKE ALS EPOCHE DER TECHNIKGESCHICHTE　B. STAGNATION UND INNOVATION　C. DAS TECHNISCHE WISSEN D. DIE BEWERTUNG DER TECHNIK

A. DIE GRIECHISCH-RÖMISCHE ANTIKE ALS EPOCHE DER TECHNIKGESCHICHTE

Während des Neolithikums fanden im griech. Siedlungsbereich wahrscheinlich unter östl. Einfluß die grundlegenden Techniken vorindustrieller Agrar-Gesellschaften wie Getreideanbau, Viehzucht, → Keramikherstellung, → Textilherstellung und Hausbau Verbreitung; in der Brz. (2. Jt. v. Chr.) setzten sich im griech. Mutterland und auf Kreta neue techn. Errungenschaften durch, so die Metallverarbeitung, die Errichtung monumentaler Steinbauten, die Anspannung

von Pferden vor → Wagen und der Bau größerer Schiffe. Mit dem Ende der → Mykenischen Kultur gingen auch viele techn. Kenntnisse und Fähigkeiten verloren. Erst in der archa. Zeit kam es wiederum unter dem Einfluß der Zivilisationen des östl. Mittelmeerraums zu einem beschleunigten zivilisatorischen und techn. Wandel, der in allen Bereichen des griech. Lebens seinen Niederschlag fand. Der Bau der großen archa. → Tempel, die aus schweren Stein- oder Marmorblöcken bestanden, der Bau von → Wasserleitungen und Brunnenhäusern für die innerstädtische → Wasserversorgung und von Hafenmolen, um für die → Schiffahrt sichere Häfen zu schaffen, die Aufstellung lebensgroßer und überlebensgroßer → Statuen von Angehörigen aristokratischer Familien, die Einführung des Hohlgußverfahrens bei der Herstellung von Br.-Skulpturen, die qualitative Verbesserung der Keramik (v. a. die Entwicklung von komplizierten Brenntechniken, die die Herstellung der schwarz- und rotfigurigen Vasen ermöglichten), der Bau von Schiffen mit mehreren Reihen von Ruderern an jeder Bordseite, das Aufkommen der großen Handelsschiffe mit Mast und Rahsegel sind eindrucksvolle Zeugnisse für die schnelle, fast gleichzeitige Durchsetzung dieser techn. Neuerungen im 7. und 6. Jh. v. Chr.

Durch die Kontakte zu den Kulturen Äg.s und des Vorderen Orients vermittelt, gelangten in dieser Epoche auch wesentliche Zivilisationstechniken wie → Schrift, → Astronomie und Geometrie (→ Mathematik) nach Griechenland; die → Münzprägung, die in der Folgezeit beträchtliche Auswirkungen auf → Handel und Austausch haben sollte, wurde von den Griechen im 6. Jh. v. Chr. ebenfalls aus Kleinasien übernommen. Damit waren in archa. Zeit die Grundlagen des techn. Systems der Ant. entstanden; ungeachtet weiterer Entwicklungen auf einzelnen Gebieten hatte dieses System bis zur Spätant. und zum frühen MA Bestand.

Die T. der griech.-röm. Ant. kann durch zwei Tatbestände charakterisiert werden: (1) Die wichtigsten Energiequellen (→ Energie) waren die menschliche und tierische Muskelkraft sowie Holz und Holzkohle als Brennstoffe; die Wasserkraft wurde erst seit dem frühen Prinzipat zum Mahlen von → Getreide genutzt. (2) Außerdem ist die ant. T. als Werkzeug-T. zu bezeichnen; im Arbeitsprozeß wirkte der Handwerker mit seinem Werkzeug direkt auf den Arbeitsgegenstand ein, um diesen zu verändern. Eine Mechanisierung von Arbeitsprozessen war nur in seltenen Ausnahmefällen ansatzweise gegeben. Die ant. T. unterscheidet sich somit auf eine spezifische Weise von der T. des Hoch- und Spät—MA. Eine entscheidende techn. Veränderung ist darin zu sehen, daß im MA die Wasserkraft nicht mehr allein zum Mahlen von Getreide verwendet wurde, sondern aufgrund der Entwicklung der Transmissionsmechanismen und der dadurch möglich gewordenen Umwandlung von der Rotationsbewegung des Wasserrades in eine hin- und hergehende Bewegung jetzt in verschiedenen Gewerben für völlig unterschiedliche Arbeitsprozesse

(Walkmühlen, Pochwerke, Drahtziehmühlen, wasser-getriebene Blasebälge) genutzt werden konnte. Ferner erhöhten neue Anbaumethoden die Produktivität der Landwirtschaft erheblich, und Metallurgie und Mechanik erreichten ein Niveau, das Voraussetzung etwa für die Konstruktion der durch Gewichtszug getriebenen Uhren war. Das techn. System der Ant., das in der archa. Zeit entstanden war, wurde durch diese Fortschritte im MA grundlegend transformiert. Damit kann die Ant. als Epoche der T.-Gesch. klar von den vorausgegangenen und späteren Epochen abgegrenzt werden.

B. STAGNATION UND INNOVATION

Das techn. System der Ant. war keineswegs statisch und unveränderlich, es kam vielmehr im Rahmen dieses Systems zu einer Vielzahl von techn. Neuerungen, die zum Teil bis zur Industriellen Revolution von Bed. waren. Ohne Zweifel gab es auch Bereiche, in denen → Bauern oder Handwerker immer wieder dieselben Werkzeuge verwendeten oder dieselben tradierten Verfahren anwandten, ohne an der Einführung neuer Techniken interessiert zu sein. Gerade in der ländlichen Welt des Mittelmeerraums konnten bis zur Mitte des 20. Jh. im Agrarbereich und im Handwerk Techniken beobachtet werden, die ihre Wurzeln in der Ant. hatten und fast unverändert tradiert worden waren. Dieser Tatbestand sollte aber nicht dazu verleiten, jene Vielzahl von Innovationen, die für die Ant. charakteristisch waren, zu übersehen oder für marginal zu halten.

Ein Beispiel mag die Bed. und die Merkmale techn. Fortschritts in der Ant. darlegen: Das Mahlen von Getreide, das ein Grundnahrungsmittel war, gehörte sicherlich zu den häufigsten und anstrengendsten Arbeiten; angesichts dieser Tatsache war die Entwicklung der Hebelmühle, die diesen Arbeitsvorgang erheblich erleichterte, ein für die arbeitenden Menschen nicht unwichtiger Fortschritt; die Rotationsmühle erlaubte es dann, die tierische Muskelkraft als Antrieb zu nutzen und damit den Menschen von dieser Anstrengung zu befreien (→ Mühle). Mit der Wasserkraft wurde schließlich eine neue Energiequelle erschlossen; Wassermühlen wurden errichtet, um die Versorgung größerer Städte mit Brot zu sichern. In anderen Fällen wurden Geräte durch einzelne Detailveränderungen entscheidend verbessert; dies gilt gerade für die → Pressen, die bei der Wein- und Ölerzeugung verwendet wurden. Durch Verwendung großer Holzschrauben entstand ein außerordentlich effizienter Typ von Schraubenpressen, der bis zum 19. Jh. kaum weiterentwickelt und in den Weinbaugebieten Europas in großem Umfang genutzt wurde. Auch sonst werden in der Lit. im Agrarbereich genutzte Geräte erwähnt, die in röm. Zeit entwickelt wurden, so der Räderpflug (→ Pflug), das gallische → Mähgerät oder der Dreschschlitten (→ Dreschen); ferner sind neue Verfahren der Düngung, etwa durch Anpflanzung und Unterpflügen von Lupinen belegt (→ Düngemittel).

Für den → Bergbau war die Entwicklung von Wasserhebegeräten wie der »Archimedischen → Schraube«

von Bed., denn diese konnten in den Bergwerken zur Wasserhaltung eingesetzt werden; auf diese Weise war es möglich, auch Edelmetallvorkommen, die unter dem Grundwasserspiegel lagen, für den Abbau zu nutzen.

In verschiedenen Zweigen des → Handwerks sind ebenfalls Verbesserungen der Geräte und Werkzeuge oder die Anwendung neuer Verfahren feststellbar; so erleichterte der Webstuhl mit Garn- und Tuchbaum das Weben, da der Schußfaden nach unten angeschlagen wurde und so auch im Sitzen gewebt werden konnte (→ Textilherstellung). Das Formen der → Terra sigillata mit Formschüsseln machte es möglich, ein Gefäß in einem einzigen Arbeitsschritt zu formen und zugleich mit einem Reliefdekor zu verzieren; außerdem konnten durch Wiederverwendung der Formschüssel identische Gefäße in großer Zahl produziert werden. Geradezu als techn. Durchbruch kann die Herstellung von durchsichtigem → Glas und die Einführung des Glasblasens bewertet werden; damit konnte der Werkstoff Glas in großem Umfang für die Produktion von Gefäßen und Geschirr genutzt werden; aus durchsichtigem Glas wurden ferner Fensterscheiben gefertigt, die in der Spätant. ein neues Element in der Architektur darstellten.

Im Transportwesen sind ebenfalls techn. Neuerungen deutlich erkennbar; in den weiten Binnenräumen der nw Prov. wurden schwere Lasten mit vierrädrigen Wagen befördert, die von zwei − oder auch vier paarweise hintereinander angespannten − Pferden gezogen wurden (→ Landtransport). Beim Treideln von Flußschiffen stromaufwärts wurden in der Spätant. Ochsen als Zugtiere eingesetzt; auf diese Weise konnte der Fluß als Schiffahrtsweg effizienter als zuvor genutzt werden.

In röm. Zeit hat ein neuer Baustoff, das → *opus caementicium*, ein Gußmörtel, der in eine Verschalung gegossen werden konnte und beim Trocknen so fest wurde, daß er nach Abnahme der Verschalung keiner Stütze bedurfte, die → Architektur geradezu revolutioniert; die röm. Architekten konnten mit diesem Baustoff große Innenräume schaffen, deren Decke nicht mehr von Säulen oder Pfeilern getragen werden mußte. Die → Kuppel des → Pantheon [2] in Rom ist ein grandioses Zeugnis für die souveräne Beherrschung der Möglichkeiten dieses Materials. Gerade auch beim Ausbau der Infrastruktur, beim Bau von Wasserleitungen, Brücken oder → Hafenanlagen und bei der Errichtung von Nutzbauten wie etwa Markthallen hat dieses Material seine Überlegenheit der traditionellen Bauweise gegenüber bewiesen.

Häufig wurde die Bed. des → *codex* (mit. Abb.), der sich in der Prinzipatszeit und in der Spätant. der Buchrolle gegenüber durchgesetzt hat, für die Speicherung und Vermittlung von Informationen übersehen oder unterschätzt. Tatsächlich ist der *codex* aber wesentlich leichter zu handhaben als eine Buchrolle, er kann mehr Text aufnehmen, die Seiten aus → Pergament sind beidseitig beschriftet, und der Text kann durch die Buchdeckel besser geschützt werden; das schnelle Nachschlagen ist nur mit dem *codex*, nicht aber mit der

Buchrolle möglich. Aus diesen Gründen ist die Einführung des *codex* in der Gesch. der Informationstechnik durchaus mit der Erfindung des Buchdrucks vergleichbar (→ Buch; → Textgeschichte).

Dieser – keineswegs vollständige – Überblick über techn. Neuerungen in verschiedenen Bereichen der ant. Zivilisation ist noch durch den Hinweis auf den T.-Transfer zu ergänzen. Mit der → Romanisation (und → Romanisierung) der westlichen Prov. wurde auch die röm. T. in diese Regionen gebracht, die Prov. erhielten Straßen, Wasserleitungen, Brücken, Monumentalbauten aus Stein sowie → Thermen wie die Städte It.s; Töpferwerkstätten wanderten in Gallien nach Norden, Köln (→ Colonia Agrippinensis) wurde in der Spätant. ein Zentrum der Glasherstellung. Der T.-Transfer ist normalerweise nicht mit spektakulären Erfindungen verbunden, er ist deswegen aber nicht bedeutungslos; er hat das Gesicht der Prov. grundlegend gewandelt.

C. DAS TECHNISCHE WISSEN

Techn. Probleme tauchten zunächst v. a. im → Bauwesen auf, etwa beim Transport der schweren Quadersteine oder Säulentrommeln und beim Heben derartiger Stein- und Marmorblöcke (→ Bautechnik). Unter diesen Umständen beschäftigten sich → Architekten zuerst intensiv mit techn. Problemen und ihrer Lösung und verfaßten über ihre Bauten Schriften (Vitr. 10,2,11 f.); das aus ihren Leistungen resultierende Selbstbewußtsein der Architekten fand seinen Ausdruck eindrucksvoll in der Weihung des → Mandrokles in Samos; auf dem gestifteten Bild ist die von ihm errichtete Brücke über den Bosporus dargestellt (Hdt. 4,88,1 f.). Auch der Bau von Geräten (μηχαναί/*mechanaí*) verlangte bes. techn. Kompetenz, und es ist signifikant, daß in diesem Zusammenhang die Berufsbezeichnung μηχανοποιός/ *mechanopoiós* erscheint (Plat. Gorg. 512b).

In hell. Zeit fiel die Analyse und Konstruktion von Geräten, die mechanische Prinzipien wie das Hebelgesetz, die → Winde, den Keil und die → Schraube nutzten, in das Aufgabengebiet der Mechanik. Am Anfang der technologischen Fach-Lit. steht die ›Mechanik‹ (*Mechaniká*) des → Aristoteles [6]; die Schriften des → Heron von Alexandria (1. Jh. v. Chr.) bieten einen Überblick über das Tätigkeitsfeld ant. Mechaniker. Techn. Wissen wurde nicht allein über die Schriften zur Mechanik vermittelt, sondern auch durch Werke wie *De architectura* des → Vitruvius oder die *Naturalis historia* des → Plinius [1], der gerade im Buch über die Landwirtschaft zahlreiche techn. Neuerungen erwähnt (Plin. nat. 18,172; 18,296 f.; 18,317); eine Vielzahl techn. Beschreibungen enthält ferner die Schrift des → Prokopios [3] über die Bauten des Iustinianus [1]; so erwähnt er beispielsweise die Bogenstaumauer von Daras (Prok. aed. 2,3,16–20).

D. DIE BEWERTUNG DER TECHNIK

Bei Homer wird an zahlreichen Stellen techn. Handeln thematisiert; eine negative Bewertung ist nicht gegeben, im Gegenteil, das techn. Geschick des Odysseus wird mehrmals betont (Hom. Od. 5,243 ff.; 23,188 ff.).

Die Götter – bes. Athene und Hephaistos – vermitteln den Menschen techn. Wissen (vgl. auch Hom. h. 20). Im Prometheus-Mythos übernimmt → Prometheus diese Funktion; in der Trag. des Aischylos [1] bringt er den Menschen die τέχναι/*téchnai*; bei Platon [1] ist der Mensch direkt auf techn. Handeln angewiesen, um in einer feindlichen Umwelt überleben zu können (Plat. Prot. 320c–322d). In der Gesch.-Schreibung werden techn. Leistungen durchaus gewürdigt, so etwa bei Herodotos [1] in den Ausführungen über Samos (Hdt. 3,60). In den Schriften Platons finden sich Ansätze zu einer philos. Theorie techn. Handelns, wobei etwa die Probleme des Werkzeuggebrauchs (Plat. Krat. 387d–390d) oder der Systematik der *téchnai* (Plat. polit. 259d–260e; 279a–285c) erörtert werden. In den *Nómoi* ist die Entwicklung der *téchnai* untrennbar mit der Entwicklung der Zivilisation verbunden.

Es gab in der Ant. auch eine kritische Sicht techn. Handelns; die Forderung, der Mensch müsse seine Bedürfnisse kontrollieren, führte bei → Diogenes [14] zum Verzicht auf alle überflüssigen techn. und zivilisatorischen Errungenschaften (Dion Chrys. 6,8–35); auch Seneca [2] hält techn. Erfindungen unter moral-philos. Aspekten für wertlos (Sen. epist. 90). Die Trad. einer grundsätzlichen T.-Kritik blieb in der Ant. aber stets eine Außenseiterposition.

→ Automaten (mit Abb.); Bautechnik (mit Abb.); Bergbau; Dreschen, Dreschgeräte (mit Abb.); Energie; Fortschrittsgedanke; Glas (mit Abb.); Handwerk; Heizung (mit Abb.); Infrastruktur; Keramikherstellung (mit Abb.); Landtransport (mit Abb.); Landwirtschaft; Leder; Mähgerät (mit Abb.); Mechanik; Metallurgie; Mühle (mit Abb.); Pflug (mit Abb.); Pressen (mit Abb.); Schiffbau (mit Abb.); Schraube; Straßen- und Brückenbau (mit Abb.); Textilherstellung (mit Abb.); TECHNIK

1 BLÜMNER, Techn. 2 A. GARA, Tecnica e tecnologia nelle società antiche, 1994 3 B. GILLE, Les mécaniciens grecs, 1980 4 J. W. HUMPHREY et al. (Hrsg.), Greek and Roman Technology: A Sourcebook, 1998 5 F. KIECHLE, Sklavenarbeit und techn. Fortschritt im röm. Reich, 1969 6 J. G. LANDELS, Engineering in the Ancient World, 1978 7 B. MEISSNER, Die technologische Fachlit. der Ant., 1999 8 A. NESCHKE-HENTSCHKE, Geschichten und Gesch. Zum Beispiel Prometheus bei Hesiod und Aischylos, in: Hermes 111, 1983, 385–402 9 J. P. OLESON, Bronze Age, Greek and Roman Technology. A Select, Annotated Bibliography, 1986 10 H. SCHNEIDER, Einführung in die ant. T.-Gesch., 1992 11 Ders., Die Gaben des Prometheus, in: W. KÖNIG (Hrsg.), Propyläen T.-Gesch., Bd. 1, 1991, 17–313, 12 Ders., Das griech. Technikverständnis, 1989 13 WHITE, Technology. H. SCHN.

Technitai (τεχνῖται). Urspr. allg. Bezeichnung für Handwerker und Künstler, ab 278/7 v. Chr. inschr. belegt in der (stetig erweiterten [1. 2519]) Formel οἱ περὶ τὸν Διόνυσον τ. (»die *t.* um Dionysos«). In diesen »Festkünstlervereinen« (*koiná, sýnodoi*) schlossen sich Musiker, Dichter, Schauspieler u.a. (unter ihnen evtl. Frauen: [2. 54–55], vgl. aber [1. 2527]), Kostümverleiher und Bühnenrequisiteure zusammen, um der steigenden Nachfrage der hell. Welt nach musischen und szenischen Darbietungen attischer Art nachzukommen. Die szenischen Künstler führten v. a. alte (Euripides [1], Menandros [4]), aber auch neue (restlos verlorene) Bühnenwerke auf [3. 99f.].

Die Aufgabe der Vereine war aber primär rel. Sie dienten → Dionysos, indem sie sein Fest feierten; ein Priester stand jedem Verein vor, und den agonischen Aufführungen des Festes gingen Prozession und Opfer, durch *t.* geleitet, voraus. Die Verwaltungsstruktur der *t.*-Vereine war die der hell. → *pólis.* Als »Staat im Staat« schickten sie Gesandtschaften aus, die auf gleicher Stufe mit Städten, Herrschern und Amphiktyonen (→ *amphiktyonía*) u. a. über die Privilegien verhandelten, welche die Sicherheit der reisenden *t.* gewährleisteten und ihren priesterlichen Charakter unterstrichen: Unversehrtheit der Person (*asylía*); Befreiung von Leistungen an den Staat; das Recht, in jeder Stadt einen Kranz zu tragen; sie verliehen auch Ehrungen. Was über die *t.*-Vereine bekannt ist, geht aus hell. und kaiserzeitlichen Inschr. hervor [4. 249]; spärliche lit. Hinweise bei LSJ s. v. *t.* und [3. 105–109].

Der Gründung der athen. Synode (*sýnodos*), die aus den → *dionýsiai* in Athen hervorging, folgte bald die des isthmisch-nemeischen *koinón*, das durch seine Zweigvereine überregionale Bed. erlangte und in Konkurrenz zu jener trat; andere wichtige *t.*-Vereine waren der ionisch-hellespontische mit Sitz zunächst in Teos und der äg. mit Sitz in Ptolemaïs [3]. Ein reichsweiter Verband mit Sitz in Rom bestimmte das Tun der *t.*-Vereine der Kaiserzeit, die ab Traian den Kaiser als »neuen Dionysos« verehrten [4. 239]. In der Spätant. scheinen sich die *t.* mit den athletischen Vereinen zusammengeschlossen zu haben [5. 55, 58], die im byz. Zeitalter in den → *factiones* (Blaue, Grüne) aufgingen [5. 140, 147, 152].

→ Schauspiele; Unterhaltungskünstler; Vereine

1 F. POLAND, s. v. T., RE 5 A, 2473–2558 2 S. POMEROY, Technikai kai Mousikai, in: AJAH 2, 1977, 51–68 3 O. LÜDERS, Die dionysischen Künstler, 1873 4 E. JORY, Associations of Actors in Rome, in: Hermes 98, 1970, 224–253 5 C. ROUECHÉ, Performers and Partisans at Aphrodisias, 1993, 50–60.

L'association dionysiaque dans les sociétés anciennes (Coll. École Française de Rome 89), 1986 · PICKARD-CAMBRIDGE/GOULD/LEWIS, 279–321 · G. SIFAKIS, Stud. in the History of Hellenistic Drama, 1967 · WELLES, 219–237.　　　　　　　　　　R.O.HA.

Technopaignion s. Figurengedichte

Tector (*tector albarius*). Nach Vitr. 2,8,20 ein röm. Bauhandwerker, der für den in der Regel drei Schichten starken Verputz von Wänden zuständig war, deren oberste Schicht in noch feuchtem Zustand auch bemalt oder verstuckt werden konnte.

→ Bautechnik; Freskotechnik; Stuck; Wandmalerei

　　　　　　　　　　　　　　　　　　　C.HÖ.

Tectosages (Τεκτόσαγες).
I. ÜBERBLICK   II. GALLIA   III. OSTEN

I. ÜBERBLICK

Teilverband der keltischen Völkergruppe der → Volcae, auch Volcae T., deren Ursprung wohl in den Mittelgebirgen von Thüringen bis NO-Bayern (*circum Hercyniam silvam*, Caes. Gall. 6,24,1–4) anzunehmen ist ([1. 172–179]; anders [4]). Die Großgruppe der Volcae wurde im 4. Jh. v. Chr. in eine Migrationsdynamik einbezogen, in der ein Teil, dominiert von den T., über den Donauraum nach SO-Europa zog. Eine andere Gruppe der T. zog nach Aufnahme starker Impulse der donauländischen → Latène-Kultur über den oberen Rhein (→ Rhenus [2]) nach Süd-Gallia [3]. Ein weiterer Teil der Volcae (T.) blieb als Nachbarn bzw. Gegner der sich formierenden Elbgermanen zurück.

II. GALLIA

Zum Erscheinen von östl. zentraleuropäischen und donauländischen Keltengruppen in → Gallia in der 1. H. des 3. Jh. v. Chr. gehörte die Ankunft der Wanderverbände der Volcae Arecomici und Volcae T. in Süd-Gallia [1. 172; 3]. 218 v. Chr. erzwang Hannibal [4] gegen die damals beiderseits des Stromes lebenden Volcae den Übergang über den → Rhodanus (Rhône). Im 2. Jh. v. Chr. hatte sich der Schwerpunkt der T. nach SW bis zum Oberlauf des Garumna (Garonne) und um ihr Zentrum → Tolosa (Toulouse) verlagert. Die T. hatten zw. den Pyrenäen (→ Pyrene [2]), den Cévennes (Cebenna mons), den Flüssen Garumna und Tarnis (Tarn) und dem Mittelmeer eine Vorherrschaft errichtet und zahlreiche einheimische Bevölkerungsgruppen überlagert, z. T. auch integriert. Zw. Orb bzw. Hérault und unterem Rhodanus schloß das Gebiet der Volcae Arecomici mit dem Zentrum → Nemausus [2] (Nîmes) an. Die T. gewannen durch ihre bedeutende Stellung im Fernhandelsverkehr und durch eigene Goldvorkommen großen Reichtum (vgl. die Schätze der Heiligtümer von Tolosa). In die 121 v. Chr. eingerichtete röm. Prov. Gallia → Narbonensis (→ Gallia B.) waren die T. als → *socii* eingebunden, die sich 108/106 erhoben und von Q. Servilius [I 12] Caepio in den Status abhängiger Bundesgenossen zurückgezwungen wurden. 74/72 wurde ihr Vorort Tolosa röm. Kolonie.

III. OSTEN

Im 4. Jh. v. Chr. erschienen volcisch-tectosagische Gruppen in Süd-Pannonia, von wo aus sie Vorstöße bis zu den Histri (→ Histria) unternahmen und 279/8 als ein wichtiger Teil des Heeres des → Brennus [2] bis vor Delphoi zogen (Iust. 32,3,12; Strab. 4,1,13; [1. 179–181]). Als die geschlagenen Verbände 278 v. Chr. wieder nach Norden zurückgezogen waren, setzte sich ein Teil der so-europäischen T. nach Thrakien (→ Thrakes) in Bewegung, wo der Wanderverband im J. 277 zur Verstärkung der kelt. Verbündeten der antiseleukidischen Allianz (→ Diadochenkriege) angeworben wurde [1. 236–256]. Nach 275/4 nahmen diese T. das mittelgalatische Gebiet von Süd-Paphlagonia bis zum Norden des → Tatta in Besitz, das mit Sarmalia (um Kırıkkale) etwas nach Osten über den → Halys (Kızılırmak) hinausgriff [2]. Mittelpunkte der vier T.-Tetrarchien waren Sirkeli, Gorbeus, Güzelcekale bzw. Odunboğazı. 189 v. Chr. wurden T. und → Trokmoi sowie die paphlagonischen und kappadokischen Verbündeten des Antiochos [5] III. von Cn. Manlius [I 24] Vulso am Berg Magaba geschlagen. 179 fiel das nördlichste T.-Gebiet (Land des → Gaizatorix, Becken von Gerede) an → Paphlagonia. Nach dem Massaker → Mithradates' [6] VI. am galatischen Adel 86 v. Chr. wurden die T. nur noch von einem, dann zwei und schließlich wiederum von einem Tetrarchen (Kastor Tarkondarios) regiert. Wohl in der Neuordnung des Pompeius [I 3] 65/4 wurde → Ankyra den T. zugeschlagen. → Deiotaros beseitigte 44 seinen Schwiegersohn Kastor und riß die Herrschaft über die T. und Trokmoi an sich (Cic. Phil. 2,37,95; Strab. 12,5,1). Mit der Gründung der röm. Prov. Galatia 25/4 wurde das um das nordöstl. Gebiet der → Tolistobogioi erweiterte T.-Territorium als Stadtgebiet von Ankyra, der nunmehrigen → mētrópolis der Prov. und des Vorortes des → koinón der Galatai (→ Galatia), organisiert.

→ Kelten (II.-III.)

1 K. STROBEL, Die Galater, Bd. 1, 1996 **2** Ders., Galatien und seine Grenzregionen, in: E. SCHWERTHEIM (Hrsg.), Forsch. in Galatien, 1994, 29–65 **3** H. BANNERT, s. v. Volcae (Arecomici/T.), RE Suppl. 15, 937–960 **4** G. DOBESCH, Caesars Volcae T. in Mitteleuropa, in: F. LEITNER (Hrsg.), Carinthia Romana und die röm. Welt. FS G. Piccottini, 2001, 79–102.

W. RUGE, s. v. T., RE 5 A, 171–173 · K. STROBEL, Die Staatenbildung bei den kleinasiat. Galatern, in: H. BLUM (Hrsg.), Brückenland Anatolien, 2002.   K. ST.

Tedschen (Tedžen). Mod. Stadt und Fluß im SO Turkmenistans. Grabungen zw. 1956 und 1965 belegen chalkolithische Besiedlung (Namazga I-III, ca. 4000–3000 v. Chr.), in der Endphase (Göksun-Periode) mit Bezügen nach Sīstān (Helmand Rûd: Šahr-e Sūḫte I) und Afghanistan (Kandahār: Mundīgak III) sowie Zeravšān (Sarazm II.2). Die T.-Orte wurden nach dieser Periode aufgelassen, nur der Saraḫs-Arm wurde offenbar im MA auf größerer Fläche erschlossen.

V. V. BARTOL'D, Raboty po istoričeskoj geografii, Bd. 3, 1965, 134f. · I. N. Chlopin, Ancient Farmers in the Tedžen Delta, in: East and West 24, 1974, 51–87 · PH. L. KOHL, Central Asia: Palaeolithic Beginnings to the Iron Age, 1984, 73–103 · G. N. LISICYNA, Orošaemoe zemledelie éneolitičeskich plemen Jugo-Vostočnoj Turkmenii, in: S. P. TOLSTOV, B. V. ANDRIANOV (Hrsg.), Zemli drevnego orošenija, 1969, 110–121.   TH. G.

Tefnutlegende. Mythenkomplex um die äg. Göttin Tefnut (griech. τφηνις), der Tochter des Atum, welche sich im Zorn von ihrem Vater trennt und von ihrem Bruder → Onuris unter Mithilfe des → Thot aus Nubien nach Äg. zurückgebracht wird. Belege für die »Legende« finden sich vorrangig einerseits, meist in Form kurzer Epitheta und Anspielungen, in Tempel-Inschr. v. a. Nubiens und des südl. Oberäg., andererseits im demotischen ›Mythos vom Sonnenauge‹, der auch ins Griechische übersetzt wurde. Diese griech. Übers. (P. Lit. Lond. 192, ed. [4]) wurde in der Forsch. als Hinweis auf äg. Vorläufer bzw. äg. Kontext des griech. → Romans diskutiert (vgl. [5]). Natürlicher Hintergrund des äg. Mythos ist wohl die Unsichtbarkeitsphase und der heliakische Aufgang des Sirius.

1 F. DE CENIVAL, Le mythe de l'œil du soleil, 1988 **2** D. INCONNUE-BOCQUILLON, Le mythe de la Déesse lointaine à Philae, 2000 **3** H. JUNKER, Die Onurislegende, 1917 **4** M. TOTTI (ed.), Ausgewählte Texte der Isis- und Sarapis-Rel., 1985, 168–182 (mit Komm.) **5** S. A. STEPHENS, J. J. WINKLER (ed.), Ancient Greek Novels: The Fragments, 1995, 13 f.   JO. QU.

Tegea (Τεγέα).
[1] I. LAGE II. GESCHICHTE III. BAUBESTAND

I. LAGE
Bedeutende Stadt im Süden der ostarkadischen Hochebene (→ Arkades, mit Karte; Strab. 8,8,2; Paus. 8,44,1–53,11; Ptol. 3,16,19; Plin. nat. 4,20.; [1]), deren ausgedehntes Areal zw. den h. Dörfern Hagios Sostis, Episkopi und Alea lag. Die Ebene aus fettem, fruchtbarem Lehm wird über Katavothren am Ost- und am SW-Rand entwässert. Den Süden und Osten der Hochebene durchfließt die h. Sarandapotamos; ob dieser (im Alt. als Oberlauf des Alpheios [1] identifiziert) in die Limni Taka (Takasee) mündete, ist umstritten [2. 564–567; 3. 120–130]. Der bedeutende Straßenknotenpunkt für den Verkehr von Arkadia in die → Lakonike war allseits durch Gebirgszüge geschützt. Das Klima in dieser Höhe (670 m) ist rauh; der Ölbaum gedeiht nicht mehr.

II. GESCHICHTE
Schon im Schiffskatalog (Hom. Il. 2,607) erwähnt [4. 92], wuchs T. durch den wohl ins 5. Jh. v. Chr. (ca. 478–473; vgl. [5. 131–139]) zu datierenden → synoikismós von neun Dörfern (Strab. 8,3,2; Paus. 8,45,1). Wann T. in die vier Stämme Klareotis, Hippothoitis, Apolloniatis und Athaneatis (IG V 2, 40) aufgeteilt wurde, bleibt unklar. Während sich T. im 6. Jh. noch gegen → Sparta behauptet hatte, mußte sich die Stadt um 550 v. Chr. dem → Peloponnesischen Bund anschließen. Elemente der neuen spartanischen Bündnispolitik seit der Mitte des 6. Jh. v. Chr. sind die Überführung der Gebeine des → Orestes [1] aus T. nach Sparta (Hdt. 1,67f.) und der um 550 v. Chr. geschlossene Vertrag der Spartaner mit T. (StV 2, 112). T. war an den Kämpfen gegen die Perser (→ Perserkriege [1]) bei den → Thermopylai 480 v. Chr. und bei → Plataiai 479 mit großer Truppenzahl beteiligt (Hdt. 7,202; 9,28; 9,31). Der Versuch, sich aus der Abhängigkeit von Sparta zu lösen, wurde in der Schlacht bei Dipaia (wohl beim h. Davia) um 470 niedergeschlagen (Hdt. 9,35,2). Die Rivalität

mit → Mantineia [2. 362–518] führte 423 v. Chr. zu mil. Zusammenstößen (Thuk. 4,134). T. blieb auch nach der Niederlage der Spartaner bei → Leuktra 371 v. Chr. Sparta treu (Xen. hell. 6,4,18). Die im 2. Arkadischen Bund (371–338/7 v. Chr.; → Arkades) fortbestehende Rivalität mit Mantineia war auch die Ursache für dessen Zerfall. Philippos [4] II. erweiterte das Territorium von T. südwärts (Karyatis; → Karyai [2]; Pol. 9,28,7). 324 v. Chr. faßte man in T. auf der Grundlage des Befehls → Alexandros' [4] (F.) einen Ausführungsbeschluß über die Rückführung der Verbannten (Syll.³ 306; SEG 15, 327). Am → Lamischen Krieg war T. beteiligt (Syll.³ 434f.). Seit etwa 240 v. Chr. war T. im Aitolischen Bund (→ Aitoloi); Aratos [2] bemühte sich 229/8 v. Chr. vergeblich, T. aus diesem zu lösen (Plut. Kleomenes 4,1). 226 v. Chr. schloß sich T. an Kleomenes [6] III. (Pol. 2,46,2; Plut. Kleomenes 14,1), 223 an Antigonos [3] Doson an (Plut. Kleomenes 23,1; Pol. 2,54,6ff.; 2,70,4) und trat in den Achaiischen Bund ein (→ Achaioi).

Weihungen für röm. Kaiser reichen bis zu Constans [1] (IG V 2, 140). 395 n. Chr. wurde T. von den → Westgoten unter Alaricus [2] (IG V 2, 153) eingenommen. Aus T. stammte die Dichterin → Anyte und der Tragiker Aristarchos [2]. Bei röm. Dichtern steht »tegeatisch« oft für »arkadisch«.

III. BAUBESTAND

Kaum erh. sind oberirdische Reste der ant. Stadt, arch. erforscht sind kleine Stücke der Stadtmauerfundamente, das Theater [6] und verschiedene Heiligtümer [7. 154–156]. Das Zentrum der Stadt mit Agora und einem Theater, das Antiochos [6] IV. errichten ließ (Liv. 41,20,6), befand sich bei der Kirche Pelea Episkopi, die Akropolis mit Tempeln von Athena Polias, Zeus Klarios und anderen Göttern auf dem Hügel (706 m H) östl. von Hagios Sostis. Der berühmte Tempel der Athena Alea lag außerhalb der Stadt im h. Alea. Aus myk. Zeit sind sehr geringe Reste erh. [8. 339, 395, 403, 424]. Aus dem 8. und 7. Jh. v. Chr. stammen das sog. »Alte Heiligtum« [9] sowie Reste zweier sakraler Bauten [10] und ein archa. Tempel (E. 7. Jh. v. Chr. [11]). Dieser Tempel wurde nach dem Brand von 395 v. Chr. um 350 von → Skopas [1], von dem die Giebelskulpturen stammen (Paus. 8,45,4–7), erneuert [12; 13]: der einzige Marmortempel der Peloponnesos, ein dorischer → perípteros von 6 × 14 Säulen mit korinth. Halbsäulen im Inneren. In der Nähe lagen die mit der Gründungssage von → Pergamon verbundene Quelle der → Auge [2] und andere Heiligtümer sowie das Stadion. Inschr.: IG V 2, 1–259; 560–565. Mz.: HN 418; 454–456.

1 V. BÉRARD, Tégée et la Tégéatide, in: BCH 16, 1892, 529–549 2 G. FOUGÈRES, Mantinée et l'Arcadie orientale, 1898 3 PRITCHETT, Bd. 1 4 R. HOPE SIMPSON, J. F. LAZENBY, The Catalogue of the Ships in Homer's Iliad, 1970 5 M. MOGGI, I sinecismi interstatali greci, Bd. 1, 1976 6 R. VALLOIS, Le théâtre de Tégée, in: BCH 50, 1926, 136–173 7 M. JOST, Sanctuaires et cultes d'Arcadie, 1985 8 CH. DUGAS, Le sanctuaire d'Athéna Aléa à Tégée, in:

BCH 45, 1921, 335–435 9 M. E. VOYATZIS, The Early Sanctuary of Athena Alea at T., 1990 10 E. ØSTBY et al., The Sanctuary of Athena Alea at T., in: OpAth 20, 1994, 89–114 11 Ders., The Archaic Temple of Athena Alea at T., in: OpAth 16, 1986, 75–102 12 CH. DUGAS u. a., Le sanctuaire d'Athéna Aléa, 1924 13 N. J. NORMANN, The Temple of Athena Alea at T., in: AJA 88, 1984, 169–194.

MÜLLER, 866–869 · S. GRUNAUER VON HOERSCHELMANN, s. v. T., in: LAUFFER, Griechenland, 651f. · W. FUCHS, s. v. T., PE 889f.   Y. L.

[2] Stadt der Africa proconsularis (→ Afrika [3]; Bell. Afr. 78,1), h. wohl Sidi Dekril oder Henchir Merbesse, 9 km wnw von Aggar [1] [1. 111, 120]. Im röm. Bürgerkrieg 47/6 v. Chr. stand T. auf der Seite Caesars.

1 S. GSELL, Histoire ancienne de l'Afrique du Nord, Bd. 8, 1928.

J. KROMAYER, G. VEITH, Ant. Schlachtfelder, Bd. 3.2, 1912, 819–821.   W. HU.

Tegianum (h. Teggiano). Stadt in Lucania (→ Lucani) am linken Ufer des → Tanager (h. Tanagro) an der *via Popilia* von → Consentia nach Aquilonia [1] (Plin. nat. 3,98: *Tergilani = Tegianenses*?; Liber coloniarum 209). → *Municipium*, das unter Nero [1] zur *colonia, tribus Pomptina*, erhoben wurde.

V. BRACCO, Nuove scoperte archeologiche in Lucania, in: RAL 20, 1965, 283f.   E. O.

Tegula s. Ziegel

Tegyra (Τέγυρα, Τεγύρα). Ort in → Boiotia nördl. von Orchomenos [1] an der NW-Bucht der → Kopais beim h. Poligira (Name einer Flur und eines Baches) etwa 2 km nördl. vom h. Dionisos (früher Tsamali; [1. 45–50; 3. 323, 325–328; 4. 104–109]; ein älterer Ansatz vermutet T. bei → Aspledon, s. [2. 360–373]). Hier siegte → Pelopidas 375 v. Chr. über zwei spartanische *mórai* (→ *móra* [1]). Bei T.: Tempel des Apollon und Orakel (nach den → Perserkriegen [1] geschlossen) [5. 75]. Quellen: Plut. Pelopidas 16f.; Plut. de def. or. 5; Diod. 15,37,1f.; Lykophr. 646.

1 J. BUCKLER, The Battle of T., in: Boeotia Antiqua 5, 1995, 43–55 2 FOSSEY 3 S. LAUFFER, s. v. Orchomenos (1), RE Suppl. 14, 290–333 4 PRITCHETT 4, 103–122 5 SCHACHTER, Bd. 1.   M. FE.

Tegyrios (Τεγύριος). Myth. König der Thraker. T. nimmt den verbannten → Eumolpos und dessen Sohn Ismaros bei sich auf und gibt letzterem seine Tochter zur Frau. Eumolpos flieht nach Eleusis, als ein von ihm gegen T. geplanter Hinterhalt offenbar wird. Nach dem Tode des Ismaros ruft T. Eumolpos jedoch zurück. Es kommt zur Versöhnung, und Eumolpos übernimmt die Herrschaft von T. (Apollod. 3,202). T., Eponym der boiot. Stadt → Tegyra, gehört offenbar nicht zum histor. Volk der Thraker, sondern zu denjenigen thrak.

Stämmen, die sich in vorgesch. Zeit in Boiotien niederließen [1].

1 J. TOEPFFER, Attische Genealogie, 1889, 42.　NI.JO.

Teichiussa (Τειχιοῦσσα). Befestigte Siedlung in der → Milesia (von *teichióeis* »mit hohen Mauern«: Hom. Il. 2,559; 646), 18 km sö von Miletos [2] am Basilikos Kolpos (h. Akbük Limanı) auf der Halbinsel Saplı Adası, bezeugt vom 6. bis 3. Jh. v. Chr. (IDidyma 6; Archestratos fr. 55; Stratonikos bei Athen. 8,351a und b; Thuk. 8,26; 28), das Demotikon *T(e)ichiesseís* bis in die Kaiserzeit. T. war im 5. Jh. Mitglied des → Attisch-Delischen Seebundes (ATL 1, 553 f.). Funde vom 8. bis 3. Jh. v. Chr. belegt, danach wurde T. verlassen.

H. LOHMANN, Wo lag das ant. T.?, in: Orbis Terrarum 7, 2001, 16–37.　H.LO.

Teichoskopie (τειχοσκοπία, »Mauerschau«). Bereits ant. (schol. Eur. Phoen. 88) Bezeichnung für die Ilias-Szene, in der → Helene [1] → Priamos von der troianischen Festungsmauer aus die wichtigsten griech. Heerführer (Agamemnon, Odysseus, Menelaos, Aias [1], Idomeneus) vorstellt (Hom. Il. 3,161–244, nachgeahmt u. a. von Eur. Phoen. 88–192). Der homer. Erzähler läßt Helena ein sich anderswo und zeitgleich abspielendes Geschehen wahrnehmen und dieses verbal Priamos (somit indirekt dem Publikum/Leser) präsentieren. Der Kunstgriff der T. spielt v. a. im (ant. wie mod.) Drama eine große Rolle, insbes. wenn bühnentechnische Restriktionen oder gesellschaftliche Tabuisierungen umgangen werden sollen [1].

1 M. PFISTER, Das Drama, 1982, 276–281.　RE.N.

Teidius. Röm. Gentilname. Wichtigster Träger: S. T., ein Senator, der 52 v. Chr. die Leiche des P. Clodius [I 4] auf der Via Appia fand und nach Rom brachte; 49 floh T., obwohl alt und einbeinig, mit Cn. Pompeius [I 3] aus It. (Ascon. 32 C zu Cic. Mil. 28; Plut. Pompeius 64,7).　JÖ.F.

Teima (Taimāʾ). Oase in NW-Arabien an der → Weihrauchstraße, die entlang der W-Seite der Arab. Halbinsel führte. Früheste Siedlungsspuren weisen ins späte 2. Jt. v. Chr. T. wird unter den arabischen Stämmen erwähnt, die der assyrische Herrscher → Tiglatpileser III. im J. 733 v. Chr. besiegte (vgl. AT Jes 21,14). Der letzte Herrscher des neubabylonischen Reiches → Nabonid hielt sich von 552 bis 542 v. Chr. in T. auf (Kultstadt der → Mondgottheit). Nach der achäm. Periode stand T. – selbst im nabatäischen Gebiet liegend – im Schatten der nabat. Handelsstädte Hegra und Dedān (→ Nabataioi; 1. Jh. v. Chr.–2. Jh. n. Chr.). Die kleine Ruine, v. a. aus achäm. Zeit, liegt innerhalb eines weiten, von Mauern eingefaßten Garten- und Ackerlandes.

P. J. PARR, s. v. Taymaʾ, The Oxford Encyclopedia of Archaeology in the Near East, Bd. 5, 1997, 160 f. · W. W. MÜLLER, S. F. AL-SAID, Der babylon. König Nabonid in taymanischen Inschr., in: Biblische Notizen 107–108, 2001, 109–119.　H. J. N.

Teiresias (Τειρεσίας, lat. *Teresias/Tiresias*, etr. *Teriasals, Terasias*). Blinder Seher aus Theben, Sohn des Eueres und der Nymphe → Chariklo, Vater von → Manto und → Historis. Wenn T. in der *Nekyia* mit dem Odysseusmythos verbunden wird (Hom. Od. 10,490–495; 11,90–151), ist bereits eine etablierte Seherfigur vorausgesetzt – wie in der → Melampodie, welche erzählt, wie T. – nach zweifachem Geschlechtswechsel – erklärt, daß Frauen größere Lust beim Liebesakt empfinden; deshalb blendet Hera ihn, aber Zeus kompensiert dies durch die Sehergabe (Ps.-Hes. fr. 275 M.-W.; Ov. met. 3,316–350) und die Lebensdauer über sieben Generationen, von → Kadmos [1] bis zu den Enkeln des → Oidipus (Ps.-Hes. fr. 276 M.-W.). Variiert wird diese Aitiologie durch → Pherekydes [2]: T. wird von Athene geblendet, weil er diese nackt im Bad gesehen hat, und erhält als Ausgleich die Sehergabe (FGrH 3 F 92; Kall. h. 5; [1]; unklar das Verhältnis zur Erzählung von → Aktaion und Artemis im Bad: [1. 188; 2]). T.' Tod an der Quelle Telphusa bei Haliartos (dort auch Grab und Orakel: [3]) war bereits Gegenstand der → *Epígonoi* [2] (z. B. Paus. 7,3,1; 9,33,1 u. a.).

Es läßt sich daher (gegen [4]) nicht ausschließen, daß die aus der att. Trag. bekannte Verbindung des T. mit den Labdakiden, v. a. mit → Oidipus (z. B. Soph. Ant.; Soph. Oid. T.), bereits vor dem Stesichoros zugeschriebenen P Lille 76abc (= PMGF 222b) etabliert war. T. erscheint auch im Kontext der Heraklesgeburt (Pind. N. 1,58–59; Theokr. 24,64–102).
→ Divination; Mantis

1 C. CALAME, T. dans un hymne alexandrin, in: Ders., Poétique des mythes dans la Grèce antique, 2000, 169–205 2 L. R. LACY, Aktaion and a Lost »Bath of Artemis«, in: JHS 110, 1990, 26–42 3 SCHACHTER, Bd. 3, 37–39 4 GH. UGOLINI, Unt. zur Figur des Sehers T., 1995 5 K. ZIMMERMANN, s. v. T., LIMC 8.1, 1188–1191; 8.2, 826 (Suppl.).　T.H.

Teisamenos (Τεισαμενός, lat. *Tisamenus*).
[1] Sohn des → Thersandros, des Königs von Theben, und der → Demonassa [1] (Paus. 9,5,15) und somit ein Enkel des → Polyneikes (Hdt. 6,52). Nach dem Tode des Vaters in Mysien führt zunächst für den noch zu jungen T. → Peneleos das theban. Kontingent nach Troia (Hom. Il. 2,494). Erst nach dessen Tod wird T. König von Theben. Unter seiner Herrschaft ruht der Fluch seines Geschlechtes. Sein Sohn Theras soll die Insel → Thera besiedelt haben (Hdt. 4,147; Paus. 3,15,6 f.).
[2] Sohn des → Orestes [1] und der → Hermione, König von Argos und Sparta (Paus. 2,18,6), u. a. Vater des Sparton (Paus. 7,6,2), unter dessen Herrschaft die → Herakleidai auf die Peloponnes zurückkehren (Paus. 2,18,7). T. fällt im Kampf gegen diese (Apollod. 2,176) oder – auf der Suche nach einem neuen Wohnsitz – gegen die Ionier. Zunächst in Helike bestattet, werden seine Gebeine nach Sparta überführt (Paus. 7,1,7 f.).　CA.BI.

[3] Seher aus dem Geschlecht der Iamiden (→ Iamos) in Elis (Pind. o. 6,35–71), der den Spartanern in fünf Schlachten den Sieg voraussagte (zuerst 479 v. Chr. vor → Plataiai), nachdem er Bürger Spartas geworden war (Hdt. 9,33–36; Paus. 3,11,6–8). K.-W. WEL.

[4] Athener (aus Paiania, falls mit dem Schatzmeister der Athene 414/3 v. Chr., IG I³ 309,2 u. ö. identisch), Sohn des Mechanion. 404/3 mit → Nikomachos [2] »Gesetzgeber« (*nomothétēs*; → *nomothétai*) in der durch Volksbeschluß auf seinen Antrag eingesetzten Kommission zur Revision der Gesetze (And. 1,83; Lys. or. 30,28). Vielleicht ist derselbe T. auch Ziel des Komödienspottes bei Theop. fr. 60–62 PCG.

DEVELIN 194; 199–204 · PA 13447; 13443. K. KI.

Teisias (Τεισίας).

[1] Syrakusaner, dem in der ant. Trad. neben → Korax [3] (dort Einzelheiten) die Erfindung und Begründung der Rhet. im 5. Jh. v. Chr. zugeschrieben wurde. O. B.

[2] Athener, Verwandter des → Charikles [1], während der Oligarchie (→ *triákonta*) Ratsherr (Isokr. or. 16,43), verklagte um 397/6 v. Chr. Alkibiades auf Schadenersatz, weil dessen Vater → Alkibiades [3] bei Olympischen Spielen (416?; [1. 202 f.]) den Sieg eines im Auftrag von T. erworbenen Viergespanns als seinen eigenen proklamiert habe. Isokrates (or. 16) verfaßte die Verteidigungsrede (vgl. Diod. 13,74,2; Plut. Alkibiades 12,2–5).

1 A. E. RAUBITSCHEK, The Case against Alcibiades (Andoc. IV), in: TAPhA 79, 1948, 191–210.

[3] Athener aus Kephale, Sohn des Teisimachos, war einer der Strategen bei der Operation gegen → Melos [1] 416 v. Chr. (Thuk. 5,84,3; IG I³ 370,29).

[4] Athener aus Rhamnus (Aischin. 1,157 mit Schol.), Bruder des → Iphikrates, mit dessen Rivalen Diokles er als → *chorēgós* konkurrierte (Demosth. or. 21,62).

U. WAL.

Teisikrates (Τεισικράτης). Bronzebildner aus Sikyon

im frühen 3. Jh. v. Chr. Lit. sind Porträtstatuen von Demetrios [2] Poliorketes, von Peukestas [2] und von einem sonst unbekannten *senex Thebanus* (»alter Thebaner«) bezeugt, inschr. weitere in Theben, Eretria [1] und Oropos sowie eine myth. Gruppe. Mit Piston schuf T. ein Zweigespann (Plin. nat. 34,89). Keines der Werke ist erh.; Versuche, seinen Demetrios in Kopien zu identifizieren, sind fragwürdig. Lehrer des T. war Euthykrates [2], doch sein Stil glich dem des Lysippos [2] (Plin. nat. 34,67). Söhne des T. waren der Bildhauer Thoinias und der Maler Arkesilas. Ob → Xenokrates sein Schüler war, galt in der Ant. als umstritten (Plin. nat. 34,83).

OVERBECK, Nr. 1525–1527 · LOEWY, Nr. 120–122; 478; 493 · P. MORENO, s. v. T., EAA 7, 1966, 664–666 · Ders., s. v. T., EAA Suppl., 1970, 797 · B. S. RIDGWAY, Hellenistic Sculpture, Bd. 1, 1990, 108; 126 · P. MORENO, Scultura ellenistica, 1994, 147. R. N.

Teisiphone (Τεισιφόνη, lat. *Tisiphone*).

[1] »Rächerin des Mordes«. Neben Al(l)ekto und → Megaira die dritte namentlich bezeichnete → Erinys (lat. → *Furiae*; z. B. Hyg. fab. praef. 3). Die Dreizahl ist seit Euripides belegt (Eur. Or. 408; Eur. Tro. 457) und spielt in der orphischen Trad. eine wichtige Rolle (Orph. h. 69,2; Orph. Arg. 966–969; → Orphik). Der Name T. erscheint lit. erstmals bei Lucil. 4, fr. 169 f., ist jedoch auf einer apulischen → Lekythos [1] bereits fürs 4. Jh. v. Chr. bezeugt [3. 833 f., Nr. 64]. In der lat. Dichtung ist T. Hüterin des → Tartaros (Verg. Aen. 6,555) und foltert im Dienste des → Rhadamanthys (Verg. Aen. 6,570–573; vgl. Petron. 120,97; 121,120). T. hilft → Iuno bei der Herstellung eines Giftes, das Wahnsinn verursacht (Ov. met. 4,500), Hor. sat. 1,8,34 nennt sie als Helferin beim Zauber.

[2] In Euripides' ›Alkmaion von Korinth‹ (Eur. fr. 65–87 TGF) Tochter des Muttermörders → Alkmaion [1] und der → Manto. Bei Kreon [2] in Korinth erzogen, wird sie von dessen Frau aus Eifersucht in Sklaverei an ihren eigenen Vater verkauft, der sie erst spät erkennt (Apollod. 3,94; Hyg. fab. 73).

1 O. HÖFER, s. v. T., ROSCHER 5, 207–210 2 F. JOUAN (ed.), Euripide, Bd. 8.1 (griech. und frz.), 1998, 81–116 3 H. SARIAN, P. DELEV, s. v. Erinys, LIMC 3.1, 825–843 4 SCHERLING, s. v. T., RE 9, 150–152. K. WA.

Teisippos (Τείσιππος, Τίσιππος/ *Tísippos*) aus Tricho-

nion. *Stratēgós* des Aitolerbundes (→ Aitoloi) 163/2 (?) und evtl. auch 156/5 v. Chr. (IG IX² 1,1,101–103; [1. 435 f.]), hatte sich mit → Lykiskos [3] im 3. → Makedonischen Krieg als extrem pro-röm., skrupelloser Politiker hervorgetan: 168 beim Massaker zu → Arsinoe [III 2] an 550 Aitolern, 167 als Gratulationsgesandter zu L. → Aemilius [I 32] Paullus in Amphipolis (Pol. 30,11,5; 30,13,4; Liv. 45,28,6–8; [2. 192 f.; 3. 89–91]).

1 F. W. WALBANK, A Historical Commentary on Polybius, Bd. 3, 1979 2 J. DEININGER, Der polit. Widerstand gegen Rom in Griechenland, 1971 3 H. NOTTMEYER, Polybios und das Ende des Achäerbundes, 1995. L.-M. G.

Teispes (Τείσπης). Nach dem Zeugnis der Zylinder-

inschr. des Kyros [2] II. (TUAT I 409,21) Vorfahr seines Großvaters Kyros [1] I. und somit wohl wie dieser persischer Abstammung und Herrscher in Fars (Persis) im 7. Jh. v. Chr. Die genealogische Verbindung mit den → Achaimenidai [2] bei Hdt. 7,11, der Xerxes I. einen Stammbaum mit einem T. als Sohn und einem anderen T. als Ururenkel des Achaimenes [1] in den Mund legt, geht verm. auf Dareios [1] zurück. Dieser nennt in der → Bisutun-Inschr. (TUAT I, 421–441) T. als Sohn des Achaimenes und sich selbst als Ururenkel des T., verm. um damit sein eigenes Geschlecht der Achaimenidai mit dem des Reichsgründers Kyros [2] zu verknüpfen.

W. ED.

Teithras (Τείθρας, Τίθρας/ *Títhras*). Attischer → Para-lia(?)-Demos, Phyle Aigeis, vier → *buleutaí*. Dekrete der Teithrasioi sichern T. beim h. Pikermi (SEG 21, 520; 542; 24, 151–153). Bezeugt sind Kulte für Athena, Zeus, Kore (SEG 24, 542), Herakles [1] und den Heros Datylos (SEG 24, 151). Ein Heros T. (schol. Aristoph. Ran. 477) und Feigen von T. (Athen. 14,652f) werden erwähnt.

> TRAILL, Attica 5, 41 mit Anm. 13, 68, 112 Nr. 133, Tab. 2 ·
> WHITEHEAD, Index s. v. T.   H.LO.

Tekmessa (Τέκμησσα, lat. Tecmessa). Phrygische Prin-zessin, die → Aias [1] als Beutefrau erhält (Hom. Il. 1,138). Mit ihr zeugt er den → Eurysakes. In Soph. Ai. wird T. als Figur zum ersten Mal ausgestaltet, die Bezie-hung zu Aias ist von gegenseitigem Respekt und Treue bestimmt (Dictys 2,18; Q. Smyrn. 5,521–567). Auch die röm. Tragiker beschäftigen sich mit dem Stoff, ebenso Hor. (carm. 2,4,5f.) und Ov. (ars 3,517–520).

> J. BOARDMAN, s. v. T., LIMC 7.1, 832 · E. OBERHUMMER,
> s. v. T. (1), RE 5 A, 157f. · K. SYNODINU, Tecmessa in the
> Ajax of Sophocles. Amid Slavery a Moment of Liberation,
> in: A&A 33, 1987, 99–107.   R.HA.

Tekmon (Τέκμων). Befestigte Ortschaft der → Molos-soi in → Epeiros, wohl beim h. Kestritza südl. des Sees vom h. Ioannina. T. wurde 167 v. Chr. von den Rö-mern erobert (Liv. 45,26,4).

> P. CABANES, L'Épire, 1976, 506 · N. G. L. HAMMOND,
> Epirus, 1967, 527.   D.S.

Tektaios (Τεκταῖος). Griech. Bildhauer des mittleren 6. Jh. v. Chr. Wie sein Bruder → Angelion soll T. Schü-ler von → Dipoinos und Skyllis sowie Lehrer des Ka-lon [1] gewesen sein (Paus. 2,32,5). Mit Angelion schuf er die Kultstatue des Apollon auf Delos; nach Ausweis lit. (Plut. mor. 1136a; Paus. 9,35,3) und bildlicher Zeug-nisse auf Siegeln und Reliefs war Apollon als Kuros mit Chariten auf einer Hand und einer Sphinx dargestellt. Zweifelhaft ist die späte Nachricht über eine Artemis in Delos von T. (Athenagoras, Legatio pro Christianis 17,4 SCHOEDEL).

> OVERBECK, Nr. 334; 336; 337 · P. MORENO, s. v. T., EAA 7,
> 1966, 666 · M. F. BOUSSAC, Sur quelques représentations
> d'Apollon délien, in: BCH 106, 1982, 427–443 ·
> W. LAMBRINUDAKIS, s. v. Apollon, LIMC 2, 1984, 234, Nr.
> 390 · FUCHS/FLOREN, 179f.   R.N.

Tektamos s. Teutamos

Telamon (Τελαμών).
[1] Sohn des Königs → Aiakos und der Endeïs auf → Aigina, Bruder des → Peleus, beide wegen der Er-mordung ihres Halbbruders → Phokos [1] von Aiakos verbannt. Teilnehmer an der Kalydonischen Jagd und am Zug der → Argonautai (Apollod. 3,158–161). T. heiratet Glauke, die Tochter des salamin. Königs Kech-reus, und erbt nach dessen Tod die Herrschaft über Sa-lamis (Diod. 4,72). Durch seine zweite Frau, Eriboia

oder Periboia, wird er Vater des → Aias [1]. Mit → Herakles [1] zieht er in den ersten Troianischen Krieg gegen → Laomedon [1] und erhält dessen Tocher → Hesione [4] als Beute. Mit ihr zeugt er → Teukros [2]. Als dieser aus dem Troianischen Krieg ohne Aias zu-rückkehrt, wird er von T. verbannt (vgl. Pind. I. 6,27–54; Apollod. 2,133; Hyg. fab. 89 mit Hom. Il. 8,284).
               S.ZIM.

[2] Etr. Hafenstadt (Plin. nat. 3,51; Itin. maritimum 500), ca. 20 km südl. vom h. Grosseto; das Stadtzentrum lag auf dem Poggio di Talamonaccio am *mare Tyrrhenum*. Der Mythos schreibt die Stadtgründung dem Argonau-ten T. [1] zu (Diod. 4,56,6). Wenige arch. Zeugnisse stammen vom E. der Brz., der späten → Villanova-Kultur, der orientalisierenden und der archa. Epoche, mehr vom 4.–2. Jh. v. Chr. (Mauerring, brn. Grabbei-gaben, bes. ein Tempel vom E. des 4. Jh. v. Chr. 225 v. Chr. siegten die Römer bei T. über die Kelten (Pol. 2,27,2), Anf. 86 v. Chr. landete Marius [I 1] in T. (Plut. Marius 41,3; Granius Licinianus 35,6 CRINITI). T. scheint als Strafe für die Aufnahme des Marius von Cor-nelius [I 90] Sulla zerstört worden zu sein.

> O. W. VON VACANO, B. VON FREYTAG LÖRINGHOFF,
> Talamone (Ausst.-Kat. Florenz), 1982 · G. MAETZKE
> (Hrsg.), La coroplastica templare etrusca, 1992 · L. SENSI,
> Gli scavi di G. Sordini sul poggio di Talamonaccio, 1987 ·
> O. W. VON VACANO, Der Talamonaccio. Alte und neue
> Probleme, 1988 · M. TORELLI (Hrsg.), Atlante dei siti
> archeologici della Toscana, 1992, 539–542. GI.C./Ü: H.D.

Telandros (Τήλανδρος). Stadt im Grenzbereich von Karia (→ Kares) zu Lykia (→ Lykioi) am Glaukos (Plin. nat. 5,101; Q. Smyrn. 4,7); kaum zutreffend in der Rui-nenstätte des h. Nif am oberen Nif Çayı (ant. Glaukos?) lokalisiert, vielmehr als Mitglied des → Attisch-Deli-schen Seebunds in Küstennähe zu suchen: die in den Tributquotenlisten der J. 453/2–425/4 v. Chr. (→ *phóros* C.) aufgeführten Telandrioi (vgl. ATL 1, 555) bewohn-ten wohl die Insel Telandria (h. Tersane Adası) an der Westseite der Glaukos-Bucht (h. Fethiye Körfezi); diese Siedlung war bereits im 1. Jh. n. Chr. verödet (Plin. nat. 5,131).

> W. RUGE, s. v. T., RE 5 A, 193.   H.KA.

Telchines (Τελχῖνες). Die Telchinen, myth. Urvolk der Ägäis, bes. von Rhodos; böswillige Schmiede und Zau-berer. Der Name wird nach einer ant. Etym. von *thélgein* (»behexen«) abgeleitet (Etym. m.; Hesych. s. v. T.). Lo-kalhistor. Trad. bezeichnen die T. als Ureinwohner der Inseln Rhodos, Kreta, Zypern und Keos; der Name T. ist aber auch auf dem griech. Festland bezeugt (Teu-messos, Delphoi, Sikyon). Auf Rhodos ziehen die T. → Poseidon auf, der mit ihrer Schwester → Halia [2] Kinder zeugt (Diod. 5,55). Als Söhne der Thalatta (so Diod. ebd.; anders Bakchyl. fr. 52: Nemesis und Tar-taros oder Ge und Pontos) sind die T. mit dem Meer verbunden. Sie können ihr Aussehen verändern und erhalten zum Teil Fischattribute (vgl. Suet. bei Eust. Il.

771,56–772,4). Ihre Zwerggestalt (→ Zwerge) ist nicht eindeutig belegt, aber aufgrund myth. Parallelen wahrscheinlich [1; 2]; keine bildlichen Darstellungen. Die T. treten bisweilen als Gruppe von drei, vier oder neun Individuen auf; einzelne tragen Namen (→ Lykos [3]). Die T. werden oft mit vergleichbaren myth. Figuren wie den → Daktyloi Idaioi, → Kabeiroi und → Kureten gleichgesetzt (Strab. 10,3,7; 10,3,19). Unklar ist, ob die T. als zu bösen Dämonen gewordene vorgriech. Gottheiten im Kontext des kleinasiat.-vorderoriental. Metallhandels oder als Erinnerung an prähistor. Erdbeben [3] zu deuten sind. Sie gelten als Erfinder der → Metallurgie und der Herstellung von Götterstatuen (Erklärung der Epiklesen Telchinios/-a: Diod. 5,55; vgl. GOETHE, Faust 2,8275–8302); sie verfertigen Poseidons Dreizack (Kall. h. 4,31) und die Sichel des Kronos (Strab. 14,2,7).

In den ant. Quellen überwiegt jedoch das negative Bild der T. als schadenstiftende Zauberer (góētes), wohl ein Reflex der ambivalenten Faszination, die der Schmiedekunst im Volksglauben anhaftet [4]. Die T. sind mit phthónos und baskanía (»Neid«, »Mißgunst«) assoziiert und in dieser Eigenschaft sprichwörtlich geworden (Suet. ebd.; Suda s.v. T.). Sie besitzen den bösen Blick (Ov. met. 7,366; [4]) und machen die Felder durch Besprengen mit Wasser des Styx unfruchtbar (Strab. 14,2,7). Stesichoros (fr. 265 PMGF) vergleicht die T. mit den Keren (Todesgöttinnen; → kḗr). Im berühmten »Telchinen-Prolog« der Aítia (fr. 1) nennt Kallimachos [3] seine histor. oder fiktiven Kritiker T., um sie als mißgünstige Neider zu brandmarken [6; 7]. Das Verschwinden der T. wird mit göttlichen Strafen in Form von Naturkatastrophen erklärt, auf die jeweils eine Neubesiedelung folgt (Rhodos: Diod. 5,56; Ov. met. 7,365–367; Nonn. Dion. 14,36–48). So vernichtet Zeus die T. von Keos samt ihrem Anführer Damon (Demonax) wegen ihrer Hybris; nur Dexithea wird dank ihrer Gastfreundschaft verschont, in einer Version zusammen mit ihrer Mutter Makelo (Pind. Paian 4; Bakchyl. Epinikion 1; Xenomedes 442 FGrH; Kall. fr. 75,64–69; Nik. fr. 116; Ov. Ib. 470; 475 mit schol.; [8]). Nach einem anderen Mythos tötet Apollon Lykios die T. in Wolfsgestalt (Serv. Aen. 4,377).

1 WILAMOWITZ I, 279f. 2 V. DASEN, Dwarfs in Ancient Egypt and Greece, 1993, 175–204, bes. 196f.
3 H. MAEHLER (ed.), Die Lieder des Bakchylides, I.2 (Komm.), 1982, 6–8 4 R. J. FORBES, Metallurgy in Antiquity, 1950, 78–91 5 T. RAKOCZY, Böser Blick, Macht des Auges und Neid der Götter, 1996, 58f.; 166f.
6 W. WIMMEL Kallimachos in Rom, 1960, 72–74
7 M. ASPER, Onomata allotria, 1997, 145–147
8 D. FLÜCKIGER-GUGGENHEIM, Göttliche Gäste, 1984, 42–44.

H. HERTER, s.v. T., RE 5 A, 197–224.   A.A.

Tele s. Steuern (III.); Telonai; Zoll

Teleboai (Τηλεβόαι). Mythisches Volk im Westen Akarnaniens, auf Leukas (Strab. 7,321f.) und den vorgelagerten Inseln (Plin. nat. 4,53). Ihr eponymer Stammvater Teleboas gilt als Sohn des → Poseidon und Vater des Pterelaos (Anaximand. FGrH 9 F 1) bzw. als Sohn desselben und Bruder des → Taph(i)os (Herodoros FGrH 31 F 15). Der sprechende Name bedeutet »weithin rufend« (Eust. Od. 1396,3–4) oder leitet sich in verquerer Etym. ab vom Zug der T. gegen Elektryon, um »weit entfernt« (tḗle) von der Heimat dessen »Rinder« (bóas) zu rauben (schol. Apoll. Rhod. 1,747), was von Amphitryon und Kephalos kriegerisch erwidert wird (Apollod. 2,4,5–6 WAGNER; vgl. Hdt. 5,59). Oftmals werden die T. mit den Taphiern gleichgesetzt (Hesych. s.v. Taphioi; Herodian. 84,26f.; Steph. Byz. s.v. Teleboïs), die schon in der Odyssee als Seeräuber galten (Hom. Od. 15,427). Die von ihnen bewohnte Insel ist wohl mit dem heutigen Meganisi östlich von Leukas zu identifizieren (vgl. dazu [1. 224]; → Taphiae). Für die röm. Epik gelten die T. als Herrscher von Capri (Verg. Aen. 7,734f.; Sil. 7,418), wiewohl bei Plautus ihre Verortung nach Mittelgriechenland noch greifbar ist (Plaut. Amph. 101).

1 R. SPEICH, Korfu und die Ionischen Inseln, 1982.   JO.S.

Teleboas (Τηλεβόας).
[1] s. Teleboai
[2] Griech. Bezeichnung für einen bei Xen. an. 4,4,3 als schön, aber klein beschriebenen Fluß in → Armenia. Zumeist wird er mit dem Karasu, einem östl. Nebenfluß des → Euphrates in der Region von Muh identifiziert.

F. H. WEISSBACH, s.v. T. (3), RE 5 A, 313.   K.KE.

Teledamos
[1] (Τηλέδαμος). Nach Eust. in Hom. Od. 16,118 nennt der Verfasser der → Tēlegonía einen Sohn des → Odysseus und der → Kalypso ›Telegonos oder Teledamos‹, der somit Bruder des Nausithoos [2] und des Nausinoos wäre. Die Stelle ist offensichtlich verderbt, zumal → Telegonos sonst Sohn der → Kirke ist. Zur Diskussion der Konjekturen: [1].

1 K. SCHERLING, s.v. T. (1), RE 5 A, 313f.

[2] (Paus.: Τελέδαμος, schol. Hom. Od.: Τελέδημος). Sohn des → Agamemnon und der → Kassandra, Zwillingsbruder des Pelops, als kleines Kind von → Aigisthos zusammen mit seinen Eltern und seinem Bruder getötet, in Mykene begraben (Paus. 2,16,6f.; schol. Hom. Od. 11,420).   SI.A.

[3] (Τελέδαμος). T. aus Argos, Anführer einer promaked. → hetairía [2], die mit → Philippos [4] II. konspirierte (Demosth. or. 18,295); von Polybios (18,14,3f.) verteidigt, weil Argos durch den Verrat des T. verschont und die Spartaner durch die Präsenz Philippos' auf der Peloponnes gedemütigt worden seien.

H.-J. GEHRKE, Stasis, 1985, 33.   HA.BE.

Telegonie (Τηλεγόνεια, Τηλεγονία). Abschließendes Teil-Epos (2 B.) des → Epischen Zyklus, das die letzte Lebensphase des → Odysseus (= O.) nach seiner Heimkehr nach Ithaka und seinen Tod durch seinen eigenen, mit → Kirke gezeugten Sohn → Telegonos (= Tel., »Ferngeborener«) erzählte; in der Ant. übereinstimmend einem → Eugam(m)on von Kyrene zugeschrieben (skeptisch: [3]). Die Entstehungszeit wäre demnach frühestens im 6. Jh. v. Chr. anzusetzen (631 Gründung Kyrenes). Außer sechs Bezeugungen und zwei Inhaltsangaben (Proklos; Hyg. fab. 127; alles bei [1]) sind noch fünf (oder sechs, s. [8]) Fr. erh., davon vier Stellen-Paraphrasen und ein oder zwei (zugeschriebene) Hexameter (s. [8]). Aus diesem Material ergibt sich: Ausgangspunkt für die Kompilation des T.-Verf. war wohl die (offenbar schon in der Odyssee aus älteren Erzählungen übernommene) Prophezeiung des Sehers → Teiresias in Hom. Od. 11,119–137=23,(248–253)267–284, O. werde nach der Tötung der Freier als letztes Abenteuer in ein Land gelangen, dessen Bewohner das Meer nicht kennten, werde aber wohlbehalten nach Ithaka zurückkehren und dort eines »exmaritimen« (ἐξ ἁλός/ex halós) Todes sterben. Der T.-Verf. entwickelte daraus durch Kompilation verschiedener Sagen über O.' letzte Abenteuer folgende (»tragische«) Gesch. (s. [4]): (1) Tel. wird von Kirke ausgeschickt, seinen Vater zu suchen. (2) O. geht nach Elis und besichtigt dort die Herden des → Augeias; er wird von einem Polyxenos (»Vielbewirter«) gastlich aufgenommen und bekommt einen Krater geschenkt, dessen Bildschmuck (Bau eines Schatzhauses für Augeias durch Trophonios und Agamedes, mit eingeschobener Novelle vom → Rhampsinitos-Schatzhaus-Typ) in → Ekphrasis-Manier beschrieben wird. (3) Nach Rückkehr und Opfer für Poseidon bricht O. erneut auf, kommt nach Thesprotien, heiratet dort die Königin → Kallidike [2] (mit der er einen Sohn → Polypoites [2] hat), bewährt sich als Feldherr und kehrt wieder nach Ithaka zurück. (4) Tel. langt auf dem ihm fremden Ithaka an und geht dort auf Rinderraub; von O. und Telemachos gestellt, tötet er ahnungslos seinen eigenen Vater O. (5) Nach Aufdeckung des Irrtums bringt Tel. O.' Leichnam sowie Penelope und Telemachos zu seiner Mutter Kirke; Tel. heiratet Penelope, Telemachos die Kirke. Die göttliche Zauberin Kirke macht Penelope und Telemachos (wohl auch O.) unsterblich. Die Grundgesch., also die eigentliche ›T.‹, mag alt (aber nach-odysseisch, s. Fr. 4 II PEG) sein, die *Ēliaká* und die *Thesprōtís* waren urspr. wohl eigene, späte Erzählungen, die der Verf. eingebaut hat.

ED.: **1** PEG I **2** EpGF
LIT.: **3** U. VON WILAMOWITZ-MOELLENDORFF, Homerische Unt., 1884, 349–351 **4** A. HARTMANN, Unt. zur Rekonstruktion der T. des Eugamon von Kyrene, 2 Bde., 1915–1917 **5** A. RZACH, s. v. Kyklos, RE 11, 2347–2435 (hier: 2426–2433) **6** M. L. WEST (ed.), Hesiod. Theogony, 1966, 433–435 (mit Komm.) **7** M. DAVIES, The Date of the Epic Cycle, in: Glotta 67, 1989, 89–100 **8** E. LIVREA, Nuovi frammenti della T., in: ZPE 122, 1998, 1–5 • Weitere Lit. vgl. → Epischer Zyklus.   J. L.

Telegonos (Τηλέγονος, »der fern [sc. von Ithaka] Geborene«). Bei Homer nicht erwähnt; nach Hes. theog. 1011–1014 einer der drei Söhne des → Odysseus und der → Kirke, die ihn als jungen Mann ausschickt, nach seinem Vater zu suchen. Hauptcharakter der dem → Eugamon von Kyrene zugeschriebenen verlorenen *Telegóneia*. Auf Ithaka tötet er seinen Vater unbeabsichtigt mit seiner von Hephaistos angefertigten Lanze (schol. Hom. Od. 11,134), deren Spitze von einem Rochen stammt, dessen Gift als tödlich galt. Nach Sophokles (TrGF 4, 453–461) bringt er den Leichnam seines Vaters zurück zur Insel der Kirke, Aiaia. Dort heiratet er seine Stiefmutter → Penelope und zeugt mit ihr den Namenspatron Italiens, → Italus.
→ Telegonie   S. ZIM.

Telegraphie. Der Begriff ist frz. Neubildung (*télégraphie*) vom E. des 18. Jh. aus griech. Elementen (»Fernschreiben« von Mitteilungen) und umfaßt jede Methode der Nachrichtenübertragung ohne den Transport eines Gegenstandes sowie die Mehrzahl der technischen Übermittlungsarten (→ Nachrichtenwesen), die in der Ant. fast ausschließlich beim Militär zum Einsatz kamen. Die T. basierte auf der Verwendung von akustischen und optischen Signalen. Sie erreichte ihre höchste Entwicklungsstufe im 2. Jh. v. Chr. mit Polybios [2], danach gab es keine wesentlichen Neuerungen. An akustischen Signalen sind nur Zurufe, die sog. Rufpost in Persien (Diod. 19,17) oder in Gallien (Caes. Gall. 7,3), bekannt. Die Verwendung optischer Signale, bes. Feuer und Rauch, erlaubte das Übermitteln von einfachen Botschaften wie z. B. Warnsignalen (Hom. Il. 18,211 f.; Thgn. 549–554), deren Reichweite durch Zwischenstationen erhöht wurde: von Salamis über die Inseln nach Kleinasien (Hdt. 9,3) oder von Troia über acht Relaisposten nach Argos (Aischyl. Ag. 281–316); Belege für Pyrotechnik gibt es ferner für das Seleukidenreich (Diod. 19,57,5) und vielleicht für das ptolem. Ägypten [1. 98 f., 102]. Differenziertere Nachr. wurden durch Wasser- oder Synchrontelegraphen bereits seit dem 4. Jh. v. Chr. (Pol. 10,44) und später durch den Buchstabencode des Polybios [2] übermittelt (Pol. 10,45,6–47,2); diese Technik konnte auf beliebige Botschaften erweitert werden.

Die röm. Armee scheint auf solch komplexe Signaltechniken weitgehend verzichtet zu haben; am E. der Republik ist die Verwendung von Rauchzeichen durch Caesar (Caes. civ. 3,65) bezeugt. In Analogie zu den auf der Traianssäule dargestellten Türmen, aus deren Obergeschossen brennende Fackeln hervorragen, wird eine Signalgabe durch die Wachtürme am Limes der nordwestl. Provinzen angenommen, obwohl das Fehlen weiterer Belege und die Abhängigkeit vom Wetter Zweifel aufwerfen [2; 3]. Feuer- oder Rauchzeichen wurden laut Veg. mil. 3,5,11 noch in der Spätant. zw. getrennt liegenden Truppenteilen verwendet. Ferner wurden durch einfache Signalmasten von Stadt- und Festungstürmen aus Zeichen weitergegeben. Exakte

Angaben zur Technik macht Vegetius jedoch nicht (→ Signale).

→ Nachrichtenwesen; Signale

1 E. VAN'T DACK, Postes et télécommunications ptolémaiques, in: Ders., Ptolemaica Selecta, 1988, 96–102 2 G. H. DONALDSON, Signalling Communications and the Roman Army, in: Britannia 19, 1988, 349–356 3 P. SOUTHERN, Signals versus Illumination on Roman Frontiers, in: Britannia 21, 1990, 233–242.

W. RIEPL, Das Nachrichtenwesen des Alt., 1913, 43–122 · R. J. FORBES, Studies in Ancient Technology, Bd. 6, 1958, 158–177 · DOMASZEWSKI, 1–80 · R. REBUFFAT, Végèce et le télégraphe Chappe, in: MEFRA 90, 1978, 829–861 · W. LEINER, Die Signaltechnik der Ant., 1982 · V. ASCHOFF, Gesch. der Nachr.-Technik, Bd. 1, ²1989, 1–70.   A. K.

Teleia (stigme) s. Lesezeichen

Telekleides (Τηλεκλείδης). Dichter der attischen Alten → Komödie mit drei Siegen an den Dionysien [1. test. 3] und fünf an den Lenäen [1. test. 4], aus der Generation des Kratinos [1. test. 3 und 4], d. h. ca. 450–420 v. Chr. Trotz seiner Erfolge sind nur noch acht Titel und 73 Fr. erhalten. In ihnen findet sich viel persönlicher Spott: gegen Perikles (fr. 18; 47), aber auch gegen Dichter wie Philokles [4] (fr. 15; 31), Nothippos (fr. 17) und den von Sokrates [2] inspirierten Euripides [1] (fr. 41), vielleicht gegen Morychos (*Apseudeís*, fr. 12, wohl bald nach 426 v. Chr.). Die freundschaftliche Erwähnung des Nikias [1] (fr. 44) dürfte noch an den Beginn des → Peloponnesischen Krieges fallen. Das Schlaraffenland-Motiv war prominent in den *Amphiktýones* (fr. 1).

1 PCG VII, 1989, 667–692 2 F. CONTI BIZZARRO, Poetica e critica letteraria nei frammenti dei poeti comici greci, 1999, 173–186.   B. BÄ.

Telekles (Τηλεκλῆς). Akademischer Philosoph des 3./2. Jh. v. Chr. aus → Phokaia, nach dem Verzicht des → Lakydes auf die weitere Leitung der Akademie (→ *Akadḗmeia*) in einem Leitungskollegium neben → Euandros [3] offenbar in herausgehobener Stellung (vgl. Diog. Laert. 4,60). T. hatte eigene Schüler und hielt Vorlesungen, wir wissen jedoch nichts von Schriften und spezifischen Lehrmeinungen, Apollodoros [7] (Chronik 30 DORANDI) gibt als Todesjahr 167/6 v. Chr. an; verm. starb T. vor Euandros.

W. GÖRLER, T. Euandros. Hegesinus, in: GGPh², Bd. 4.2, 834–836.   K.-H. S.

Teleklos (Τήλεκλος). König von Sparta, spielt nach der Legende eine Generation vor Beginn des 1. Messenischen Krieges eine wichtige Rolle. Als Person ist er wohl histor.; er soll Amyklai, Pharis und Geronthrai erobert (Paus. 3,2,6) und in der Dentheliatis (→ Denthalioi) mehrere Orte mit lakonischen Kolonisten besiedelt haben (Strab. 8,4,4). Seine Ermordung durch Messenier löste angeblich den 1. → Messenischen Krieg aus (Paus. 4,4,2–3).

M. MEIER, Aristokraten und Damoden, 1998, 85–87, 102–106.   K.-W. WEL.

Telemachos (Τηλέμαχος). Einziger Sohn von → Odysseus und → Penelope (vgl. → Telegonos). Wie oft spiegelt der Name des Sohnes (»Fernkämpfer«) ein Charakteristikum des Vaters wider [1]. In dessen Abwesenheit sieht der zwar wohlerzogene, aber unsichere und wenig initiative T. dem Treiben von Penelopes Freiern im wesentlichen machtlos zu, bis → Athena in der Gestalt von → Mentes [2] ihn zu forscherem Auftreten ermuntert (Hom. Od. 1,269–305). T. beruft – zum ersten Mal seit Odysseus' Auszug in den Krieg – auf Ithaka eine Volksversammlung ein und macht sich nach Pylos [1] zu → Nestor [1] und nach Sparta zu → Menelaos [1] auf, um etwas über den Verbleib seines Vaters in Erfahrung zu bringen (Hom. Od. B. 1–4, die sog. ›Telemachie‹). Penelope verfolgt den einsetzenden Reifungsprozeß mit gemischten Gefühlen, weil er sie an Odysseus' Auftrag erinnert, sich im Fall seines Wegbleibens dann wieder zu verheiraten, wenn T. erwachsen werde (ebd. 18,265–270). Die Reise nach Pylos und Sparta läßt T. vollends zum selbstsicheren jungen Mann reifen, der seinem Vater bei der Rache an den Freiern als vollwertiger Helfer zur Seite stehen wird. Außerdem streicht die ›Telemachie‹ als ›Klein-Odyssee‹ die Parallelen zw. Vater und Sohn heraus und erweist T. als Sohn des Odysseus. Auf der Rückfahrt entgeht T. mit Athenas Hilfe einem tödlichen Hinterhalt der Freier. Auf dem Landgut des → Eumaios trifft er auf seinen inzwischen zurückgekehrten Vater, der sich ihm als erstem zu erkennen gibt. Gemeinsam planen und vollstrecken sie den Freiermord (ebd. B. 15–22).

In den → *Kýpria* (argumentum p. 40 BERNABÉ) überführt → Palamedes [1] beim Rekrutieren der Troiakämpfer den Wahnsinn vorschützenden Odysseus, indem er den kleinen T. zu töten droht (nach Apollod. 3,7 mit dem Schwert, bei Hyg. fab. 95, indem er ihn dem Vater vor die Pflugschar legt). Odysseus rettet seinen Sohn und muß nach Troia mitziehen. In der → *Telegoneía* (argum. p. 103 BERNABÉ) heiratet T. nach Odysseus' Tod → Kirke und wird von ihr unsterblich gemacht.

Die neuzeitl. Rezeptionsgeschichte (seit [2]) sieht in T. in erster Linie den Helden eines »Bildungsromans«, ein Gedanke, der sich bereits in der Ant. findet (schol. Hom. Od. 1,284).

1 A. HEUBECK et al., A Commentary on Homer's Odyssey, Bd. 1: Books 1–8, 1988, 91 f. 2 ABBÉ FÉNELON, Les aventures de Télémaque, 1699.

H. HERTER, s. v. T., RE 5 A, 325–357 · F. KLINGNER, Über die ersten vier B. der Odyssee (Sächsische Akad. der Wiss., Philol.-Histor. Klasse 96.1), 1944 · C. M. H. MILLAR, J. W. S. CARMICHAEL, The Growth of T., in: G&R 1, 1954, 58–64 · G. P. ROSE, The Quest of T., in: TAPhA 98, 1967, 391–398 · N. AUSTIN, T. polymechanos, in: California Studies in Classical Antiquity 2, 1969, 45–63 · P. V. JONES, The κλέος of T.: *Odyssey* 1.95, in: AJPh 109, 1988, 496–506 · A. BERNHARD-WALCHER, s. v. T., LIMC 7.1, 855 f.   RE. N.

Telemnastos (Τηλέμναστος) aus → Gortyn. Kretischer Söldnerführer, der 192 v. Chr. → Philopoimen gegen → Nabis unterstützte (IG IV² 244,3 f.; Pol. 33,16,1; 33,16,6). Im 3. → Makedonischen Krieg überbrachte T. im Frühjahr 168 v. Chr. als Gesandter des → Perseus [2] dessen Gesuch um diplomatische bzw. mil. Hilfe an → Antiochos [6] IV. (Pol. 29,4,8–10; Liv. 44,24,1–7; vgl. [1. 167f.]).

1 E. OLSHAUSEN, Prosopographie der hell. Königsgesandten, 1974.   L.-M. G.

Telemos (Τήλεμος). Sohn des Eurymos (Hom. Od. 9,507–21; Anspielungen darauf u. a. bei Theokr. 6,23; Ov. met. 13,770–773); nach [1] lit. Namen, Kurzformen von *Tēlémachos* und *Eurýmachos*, ohne Basis in der myth. Tradition. T. lebt als Wahrsager lange unter den → Kyklopen; ob er selbst ein Kyklop ist, geht aus den Texten nicht eindeutig hervor. Er prophezeit dem → Polyphemos [2] dessen Blendung durch → Odysseus.

1 A. HEUBECK, A. HOEKSTRA, A Commentary on Homer's Odyssey, Bd. 2: Books 9–16, 1989, 39.   SV. RA.

Teleologie s. Nachträge in Band 12/2

Telephassa (Τηλέφασσα). Gattin des phoinikischen Herrschers Agenor [1], Mutter von Europe [2], Kadmos [1], Kilix und Phoinix [1] (Apollod. 3,2). Gemeinsam mit ihren Söhnen macht sie sich auf die Suche nach der entführten Tochter. Da sie Europe, ohne die sie nicht heimkehren dürfen, nicht finden, bleiben sie in Griechenland. T. stirbt in Thrakien und wird von Kadmos bestattet (Apollod. 3,21). Nach anderer Quelle (Mosch. 2,41) ist T. die Gemahlin des Phoinix und Tochter von Poseidon und Libye.   HE. B.

Telephontes s. Polyphontes [4]

Telephos (Τήλεφος).
[1] Sohn des → Herakles [1] und der → Auge [2] (Hes. fr. 165,8–10 M./W.). Über seine Jugend existieren zwei Sagenversionen: Nach einer (im Kern wohl epischen, aber auch von Euripides [1] im ›T.‹ vorausgesetzten) Version wird Auge, die Athenapriesterin von Tegea, von Herakles [1] geschwängert, gebiert T. und versteckt ihn im Heiligtum. Als die Göttin daraufhin eine Hungersnot sendet und das Kind entdeckt wird, läßt Auges Vater → Aleos [1] das Kind aussetzen (→ Aussetzungsmythen) und übergibt seine Tochter → Nauplios [1], der sie nach Mysien verkauft, wo der König → Teuthras sie heiratet. T. wird von einem Hirten gefunden (oder von einer Hindin gesäugt) und aufgezogen. Später gelangt er auf Umwegen nach Mysien zu Teuthras, dem er gegen Idas beisteht und dafür Auge heiraten soll, doch er erkennt diese im letzten Moment als seine Mutter wieder. Schließlich wird er Nachfolger des Teuthras als König von Mysien (Diod. 4,33,7–12; Apollod. 2,147; 3,104; vgl. Eur. fr. 696 N.²/K.). Nach einer anderen (wohl vorwiegend von Aischylos [1] und Sophokles [1]

vorausgesetzten) Version werden Auge und T. gemeinsam in einer Kiste auf dem Meer ausgesetzt (oder verkauft) und nach Mysien verschlagen, wo Teuthras Auge heiratet und T. als seinen Sohn aufzieht (Hekat. FGrH 1 T 29a = Paus. 8,4,9; Strab. 13,1,69).

Als beim Zug der Griechen gegen → Troia (I.) diese irrtümlich in Mysien landen, tötet T. den → Thersandros und wird selbst von → Achilleus [1] mit einem Speer am Oberschenkel verwundet. Da die Wunde nicht heilt, sucht T. aufgrund eines Orakels (*ho trṓsas iásetai*, ›Der die Wunde schlug, wird sie heilen‹) Achilleus in Argos auf. Denn die Griechen waren nach ihrem ersten vergeblichen Versuch, Troia zu finden, von der Aiolis aus dorthin zurückgekehrt. Hier bringt T. die Griechen dazu, die Wunde mit dem Rost oder den Spänen jenes Speeres zu heilen, der die Wunde zugefügt hat, und zwar entweder mit dem Versprechen, den Weg nach Troia zu weisen (Prokl. Kypria 132–134 SEVERYNS) oder durch Erpressung, indem er – als Bettler getarnt – → Orestes [1], der noch ein Säugling ist, entführt und zu ermorden droht (Eur. Telephos fr. 727 a-c N.² /K.; zum Mythos insgesamt vgl. schol. Aristoph. Nub. 919; Hyg. fab. 101; Apollod. epit. 3,19–20; [1. 17–22; 2. 41–115]).

Neben den drei großen Tragikern (TrGF III-V) schrieben auch viele andere Dichter → Tragödien mit dem Titel ›T.‹ (TrGF 22 F 2c; 39 F 4; 77 F (11)), auch ein → Satyrspiel ist bezeugt (TrGF adesp. 9a). Aristophanes parodierte den euripideischen ›T.‹ eindrucksvoll (Aristoph. Ach. 385–488; 496–556; vgl. Aristoph. Thesm. 466–764). In der Bildkunst überwiegt die Szene, in der T. Orestes bedroht [3], die o.g. Szene in Aristoph. Thesm. ist auf einem apulischen Glockenkrater ca. 370 v. Chr. dargestellt (Würzburg H 5697; [4. 37–40 mit Taf. 11.4]). Der Mythos von T. als mysischem König mit griech. Abstammung und Loyalität sowohl für Griechen als auch für Trojaner gehört wohl in die Entwicklungsstufe des griech. → Epos nach der aiolischen Besiedlung der Troas, vielleicht sogar erst ins 7. Jh. v. Chr., gleichsam als Pastiche zentraler Episoden des Troia-Mythos [5. 155]. T. wird jedenfalls in der ›Ilias‹ nicht erwähnt, erst die *Posthomerica* kennen ihn (Prokl. l.c.; Pind. O. 9,70–72; Pind. I. 5,41 f.; 8,49–52; [1. 22]).

1 C. COLLARD et al. (ed.), Euripides, Selected Fragmentary Plays, Bd. 1, 1995 2 C. PREISER, Euripides: T. (Spudasmata 78), 2000 3 H. HERES, B. STRAUSS, s. v. T., LIMC 7.1, 856–870; 7.2, 590–602 4 O. TAPLIN, Comic Angels, 1993 5 M. L. WEST, The Hesiodic Catalogue of Women, 1985.
L. K.

[2] T. Euergetes (T. Εὐεργέτης). Indogriech. König in Gandaritis wohl in der 1. H. des 1. Jh. v. Chr., nur durch seine Mz. belegt; mittelindisch Telipha.

O. BOPEARACHCHI, Un roi indo-grec Télèphe, in: SM 39, 1989, 88–94 • BOPEARACHCHI, 133–135; 344 f.   K. K.

[3] T. aus Pergamon. Griech. Grammatiker des 2. Jh. n. Chr., Lehrer des Lucius → Verus (SHA Verus 2,5). Von seinem umfangreichen Werk sind bis auf drei Fr.

(FGrH 505) nur Titel bekannt (Suda s. v. T. Περγαμηνός): neben lit.-, kultur- und sprachgesch. Schriften (zur Einteilung vgl. [1]) ein Synonymenlexikon (Ὠκυτόκιον), ein → Onomastikon von Gebrauchsgegenständen und Kleidungsstücken sowie eine Einführung in die Philol. [2. 137]. Der Einfluß seiner Schriften zur homerischen Rhet. auf die Homerscholien und -exegese [3. 560–581] ist umstritten [4. 6–9].

ED.: FHG 3,634–635 · FGrH 505.
LIT.: 1 F.-C. WENDEL, s. v. T. (2), RE 5 A, 369–371
2 R. A. KASTER, Guardians of Language, 1988, 137
3 H. SCHRADER, T. der Pergamener, in: Hermes 37, 1902, 530–581 4 F. WEHRLI, Zur Gesch. der allegorischen Deutung Homers im Alt., 1928. M.B.

Teles (Τέλης). Kyniker um die Mitte des 3. Jh. v. Chr., lehrte Philos. in Athen und Megara [2]. Von T.' → Diatriben sind acht Auszüge erh. (in Stobaios' ›Anthologie‹ nach der Epitome eines Theodoros) mit folgenden Themen: Sein und Schein (Περὶ τοῦ δοκεῖν καὶ τοῦ εἶναι), Autarkie (Περὶ αὐταρκείας), Exil (Περὶ φυγῆς), Armut (zwei Auszüge ohne Titel), Lust (Περὶ τοῦ μὴ εἶναι τέλος ἡδονήν), die vom Schicksal bewirkten Lebensumstände (Περὶ περιστάσεων) und die Leidenschaftslosigkeit (Περὶ ἀπαθείας). Diese Texte sind die ältesten erh. Zeugnisse für die in der mod. Forsch. sog. stoisch-kynische Diatribe und bieten wertvolle Proben der griech. hell. → koiné. T. vermittelt eine kynisch gefärbte Individualethik. Er beruft sich auf zahlreiche Philosophen, v. a. auf Sokrates [2], Diogenes [14] von Sinope, Krates [4] von Theben, Metrokles, Stilpon und Bion [1] von Borysthenes, seinen bevorzugten Gewährsmann. Die mod. Quellen-Forsch. unterschätzte T.; der Editor seiner Fr. [3] sah in ihm nur einen mittelmäßigen Kompilator, dessen Verdienst v. a. in der Überl. von Aussagen des Stilpon und Bion lag; eine gerechtere Wertung als echtem Schriftsteller ließ ihm [2] widerfahren.
→ Diatribe; Kynismus

ED.: 1 A. J. FESTUGIÈRE, Deux prédicateurs de l'Antiquité: Télès et Musonius, 1978 (frz. Übers.) 2 P. P. FUENTES GONZÁLEZ (ed.), Les diatribes de Télès, 1998 (mit frz. Übers. und Komm.) 3 O. HENSE (ed.), Teletis Reliquiae, ²1909 (Ndr. 1969) 4 E. N. O'NEIL (ed.), T. the Cynic Teacher, 1977 (mit engl. Übers.).
LIT.: 5 U. VON WILAMOWITZ-MOELLENDORFF, Antigonos von Karystos, 1881, 292–319. M.G.-C./Ü: B. v. R.

Telesia. Stadt der → Samnites in Campania im Tal rechts des Calor (h. Calore) vor der Mündung in den Volturnus (h. Volturno) an der Abzweigung der Straße von Alifae nach Beneventum bzw. Capua. 217 v. Chr. wurde T. von Hannibal [4], 214 von Fabius [I 30] erobert (Pol. 3,90,8; Liv. 22,13). T. war *colonia Herculea* (ILS 5987) wohl seit Sulla mit Neubauten, dann *municipium* der *regio IV, tribus Falerna.* Kupfer-Mz.: TELIS. Zenturiation (→ Feldmesser) ist nachgewiesen. Überreste, z. B. von Stadtmauer (drei Haupttore, 35 Türme), Theater, Amphitheater und Thermen (Schwefelquel-

len), liegen zw. Telese und San Salvatore Telesino. Aus T. stammte C. Pontius [I 4], der Führer der Samnites im Bundesgenossenkrieg [3].

A. ROCCO, T., in: NSA 7.2, 1941 (1942), 77–84 · L. QUILICI, T., in: Quaderni dell' Ist. di Topografia antica dell' Università di Roma 2, 1966, 85–106 · S. DE CARO, A. GRECO, Guide archeologiche Laterza: Campania, 1981, 198f. G.U./Ü: H.D.

Telesilla (Τελέσιλλα). Griech. Dichterin aus Argos, um 451/450 v. Chr. (Eus. Chronicon Ol. 82.2, p. 112 HELM). Sie soll die Frauen ihrer Heimatstadt bewaffnet und einen Sieg des → Kleomenes [3] verhindert haben (Paus. 2,20,8–10; Plut. mor. 245c-f; nicht aber bei Hdt. 6,77,2). Die wenigen überl. Fr. erwähnen häufig Apollon und Artemis im myth. Kontext. Fr. 726 PMG scheint ein Gedicht über die Hochzeit von Zeus und Hera darzustellen, fr. 717 PMG für einen Mädchenchor bestimmt zu sein. Der akephale Glyconeus wurde nach ihr Telesilleion benannt (→ Metrik V.D.4.; Heph. 11,2 p. 35 CRONSBRUCH).
→ Literaturschaffende Frauen

ED.: PMG 717–726 · D. A. CAMPBELL, Greek Lyric, Bd. 4, 1992, 70–83 (mit engl. Übers.). E.R./Ü: TH.G.

Telesippos (Τελέσιππος). Großneffe des → Perikles [1], Sohn des → Hippokrates [3], aus → Cholargos. Um 420 v. Chr. mit seinen Brüdern Demophon und Perikles Ziel des Komödienspottes (Aristoph. Nub. 1001; fr. 116 und 568 PCG; Eupolis fr. 112 PCG).

Davies, 11811, 456f. K.KI.

Telesphoros (Τελεσφόρος, »Vollender,–in«).
[1] Epitheton der → Gaia Makaira in Thebai [2] ([1. 363 Nr. 3]; SEG 46,535).
[2] Heilgott in Knabengestalt und typischer Tracht (Kapuzenmantel: [2]), dessen Herkunft unklar und dessen Verehrung vom 2. Jh. v. Chr. bis zum 1. Jh. n. Chr. nur durch Terrakotten aus versch. Gegenden der griech. Welt belegt ist. Namentlich erwähnt ist T. erstmals in einer pergamenischen Weihinschrift von 98–102 n. Chr. [3. 135 Nr. 125]. Paus. 2,11,7 berichtet von der Einführung seines Kultes in Pergamon aufgrund eines Orakels. Unter Hadrianus erscheint T. auf Mz. der Stadt; mehrmals findet er bei Aristeides [3] Erwähnung. Seit der Mitte des 2. Jh. n. Chr. verbreitete sich der Kult über das gesamte Reich (bes. in Kleinasien und im Donauraum [4. 1354–1357]). Häufig wurde T. gemeinsam mit → Asklepios und → Hygieia verehrt [5. 342f.].

1 W. VOLLGRAF, Inscriptions de Béotie, in: BCH 25, 1901, 359–378 2 H. RÜHFEL, Statuettengruppe des T. mit Kind, in: AA 1994, 62–67 3 CH. HABICHT, Die Inschr. des Asklepieions, 1969 4 V. VELKOV, V. GERASSIMOVA-TOMOVA, Kulte und Rel. in Thrakien und Niedermösien, in: ANRW II 18.2, 1989, 1317–1361 5 G. DE LUCA, Zur Hygieia in Pergamon, in: MDAI(Ist) 41, 1991, 325–362.
H. RÜHFEL, s. v. T., LIMC 7.1, 870–878 · M. WEISS, T., in: Journal of Paleopathology 5, 1993, 53–59. KL.ZI.

[3] Wahrscheinlich ein Neffe des → Antigonos [1] (vgl. Diog. Laert. 5,79; Cousin des → Demetrios [2]), der ihn 312 v.Chr. nach Griechenland schickte, um die Städte von → Polyperchons [1] Garnisonen zu »befreien«. Er vertrieb diese aus der ganzen Peloponnesos bis auf Korinthos und Sikyon, konnte aber die Belagerung von Oreos durch → Kassandros nicht aufheben (vgl. Diod. 19,74,1–2; 75,7). Als Antigonos 311 → Polemaios [1] als Befehlshaber nach Griechenland schickte, fiel T. von ihm ab, eroberte und befestigte Elis und plünderte Olympia (Diod. 19,87). Doch Polemaios nahm ihm, anscheinend friedlich, alles wieder ab. 307/6 besaß T. Einfluß in Athen (Diog. Laert. 5,79).

R. A. BILLOWS, Antigonos the One-Eyed, 1990, 435 f.
E. B.

Telesterion (τελεστήριον; → teleté). Im griech. Sprachgebrauch allg. Bezeichnung für einen Mysterientempel bzw. eine Weihekapelle für die eleusinischen Götter, benannt nach dem T. im Demeterheiligtum von Eleusis (zum dortigen Bau: → Eleusis [1] C.; vgl. auch → Mysterien B.2.). Neben der Anlage von Eleusis sind *telestéria* für den attischen Ort Phlya, für das Heraion von → Argos [II 1] und das Kabeirion von → Thebai [2] bezeugt. In Eleusis wandelte sich das T. aus einem kleinen, megaronförmigen Tempel des frühen 6. Jh. bis zum späten 5. Jh. v. Chr. in einen mehrschiffigen, mit 52 × 54 m nahezu quadratischen Säulensaal (mit 7 × 6 ionischen Säulen, die das flache Dach trugen), der ca. 7000 Besucher faßte und baulicher wie rel. Mittelpunkt des Heiligtums war. Ein formaler Zusammenhang dieses eleusinischen T. mit späteren griech. → Versammlungsbauten, bes. vom »Typus« des → Buleuterion, wird diskutiert.

A. JÖRDENS, IG II² 1682 und die Baugesch. des eleusinischen T. im 4. Jh. v. Chr., in: Klio 81, 1999, 359–390.
Weitere Lit. vgl. → Eleusis [1].
C. HÖ.

Telestes (Τελέστης).
[1] Nach einer bei Diod. 7,9,2–5 überl. Königsliste war T. der letzte König von Korinthos. Sein sprechender Name (*télos*, »Ende«) läßt an seiner Historizität zweifeln. Auf seine Ermordung folgten nach der Trad. die → Bakchiadai (Paus. 2,4,4).

J. B. SALMON, Wealthy Corinth, 1984, 47; 55.
B. P.

[2] Dithyrambendichter aus Selinus [4]. Das → *Marmor Parium* (65) erwähnt einen Sieg in Athen 402/401 v. Chr. Titel seiner Werke sind ›Argo‹ (darin Kritik an → Melanippides), ›Asklepios‹, ›Hymenaios‹, ›Die Geburt des Zeus‹ (? Διὸς γοναί). Alexandros [4] d.Gr. ließ sich das Werk des T. während eines Feldzugs schicken (Plut. Alexander 8,3). Der Tyrann Aristratos von Sikyon ließ ein Standbild des T. errichten (Plin. nat. 35,109).

ED.: PMG 805–812 · D. A. CAMPBELL, Greek Lyric, Bd. 5, 1993, 122; 124 (mit engl. Übers.) · D. F. SUTTON, Dithyrambographi Graeci, 1989, 36.
E. R./Ü: TH. G.

Telete (τελετή, Pl. *teletaí*, < *tl̥a₁-eta₂* von *teléō/télos* < *tel-a₁*, »bringen« [10. 232], gegen die übliche zweifache Ableitung von *kʷel-* und *tel-a₂*; als griech. Fremdwort im Lat. *teleta*, Apul. met. 11,22 u.ö. zum → Isis-Kult). Der Begriff kann im rel. Bereich vielerlei Erscheinungen bezeichnen (vgl. Hesych. s. v. τ.: ›Feste, Opfer, Mysterien‹, so zunächst rel. Akte im allg. (z. B. Batr. 303 [11. 97]; Aristoph. Pax 413). Er wird daher auch in Verbindung mit verschiedenen griech. → Festen gebraucht (allg.: Aristoph. Pax 418; → Choes: Eur. Iph. T. 959; → Panathenaia: Pind. P. 9,97; Olympische Spiele: Pind. O. 10,51), auch orgiastischer Art (Korybanten: Aristoph. Vesp. 121; Dionysos: Eur. Bacch. 22; [2. 36–38]). Seit dem 5. Jh. v. Chr. verengt sich die Bed. zunehmend (»Weihe«, »Initiation«) auf den Bereich der → Mysterien verschiedener Gottheiten (vgl. Aristot. rhet. 1401a 14 f.; Athen. 40d), so für Meter/Kybele [9.14, 20 f.] und Demeter ([2. 59; 3. 280; 7. Bd. 2, 355 f.]; *t*. als Einweihungs-Stufe der → *mystéria* in Eleusis noch bei [7. Bd. 1, 655–659], vgl. aber [4]), später auch für Isis [2. 44, 63]. Deshalb kann auch die christl. Rel. als »neue *t*.« bezeichnet werden (Lukian. Peregrinos 11; Orig. c. Celsum 3,59). Ebenso taucht der Terminus auf bei Heilungsriten (Asklepios: Aristeid. or. 50,7 p. 427 KEIL; Serapis: Aristeid. or. 49,48 p. 424 K.) und Reinigungszeremonien [1. 53–58], sowie im magischen Zusammenhang bei Weihung und Konsekration [8. 798] (zu den → Zauberpapyri [10. 158]).

Losgelöst von der konkreten Kultpraxis wird *t*. schließlich auch übertragen metaphorisch (so Plat. Phaidr. 249c; Chrysippos fr. 42; fr. 1008; Galen. de usu partium 7,14 p. 1,418 und 17,1 p. 2,448 HELMREICH) verwendet. Zu *teletaí* als Titel ant. Schriften s. [11. 40 f.].

Für die kultische Verehrung der T. als → Personifikation der »Weihe« finden sich z. B. die Kalenderinschr. von Kukunari in Attika (Leges Graecorum sacrae, Bd. 1 Nr. 26, p. 46–54 B 10 PROTT/ZIEHEN; 4. Jh. v. Chr.) oder eine Statuengruppe auf dem Helikon (T. zusammen mit Orpheus: Paus. 9,30,4). Strittig ist ein Relief aus dem Kloster Luku in der Thyreatis [5. 256 mit Taf. 83,2; 6. 396 f.]. Singulär ist die myth. Verortung der T. als Tochter des Dionysos und der Nymphe Nikaia (Nonn. Dion. 16,399–402; 48,879–882).
→ Initiation; Mysterien C.

1 H. BOLKESTEIN, Theophrastos' Charakter der Deisidaimonia als rel.gesch. Urkunde, 1929 **2** W. BURKERT, Ant. Mysterien, 1990 **3** Ders., Greek Rel., 1985 **4** K. DOWDEN, Grades in the Eleusinian Mysteries, in: RHR 197, 1980, 409–427 **5** S. KARUSU, Die Antiken vom Kloster Luku in der Thyreatis, in: MDAI(R) 76, 1969, 253–265 **6** O. KERN, s. v. T., RE 5 A, 393–397 **7** NILSSON, GGR **8** NOCK, Bd. 2 **9** G. SFAMENI GASPARRO, Soteriology and Mystic Aspects in the Cult of Cybele and Attis, 1985 **10** F. M. J. WAANDERS, The History of ΤΕΛΟΣ and ΤΕΛΕΩ in Ancient Greek, 1983 **11** C. ZIJDERVELD, T., 1934.
JO. S.

Telethrion (Τελέθριον). Gebirge im Norden von Euboia [1], sö der Linie Oreos (h. Pyrgos) – Histiaia (Strab.

10,1,3 f.), h. Galitsades (überwiegend Schiefer und Sandstein, bis 977 m H: Profitis Elias); die Lokalisierung des T. bei Oichalia [4] (Steph. Byz. s. v. T.) ist unrichtig. Das T. war berühmt für seine Heilkräuter (Plin. nat. 25,94; Theophr. h. plant. 4,5,2; 9,15,4; 9,15,8; 9,20,5). Eine bestimmte Region des T. hieß *Drymós* (»Eichenwald«: Strab. l.c.).

K. Fiehn, s. v. T., RE 5 A, 397 · Philippson/Kirsten 1, 572f. · J. Koder, Negroponte, 1973, 37. A. KÜ.

Teleutias (Τελευτίας). Spartiate, Stiefbruder des Agesilaos [2] II. (Xen. hell. 4,4,19; Plut. Agesilaos 21,1), zw. 392 und 381 v. Chr. mehrfach Befehlshaber spartan. Flotten, *naúarchos* 387/6 (Xen. hell. 5,1,13). Er eroberte 392 in → Lechaion Schiffe und zerstörte dort Werften (Xen. hell. 4,4,19; Plut. Agesilaos 21,1–3), übernahm 390 die Flotte des *naúarchos* Ekdikos in Knidos, kaperte zehn athenische Trieren und unterstützte Parteigänger Spartas in Rhodos [1. 84–86]. Seine Flotte übergab er 389 dem *naúarchos* Hierax in Aigina (Xen. hell. 4,8,24 f.; 5,1,1–4). T. war bei seinen Soldaten sehr beliebt, erhielt 388 ein neues Flottenkommando und gewann bei einem Überfall auf den → Peiraieus und im Kampf gegen eine athen. Getreideflotte große Beute (Xen. hell. 5,1,13–24). Als Harmost (→ *harmostaí* [1]) operierte er 382 zunächst mit Erfolg gegen die Chalkidier vor Olynthos, wurde aber dort 381 geschlagen und fiel im Kampf (Xen. hell. 5,3,1–6; Diod. 15,21,1–2).

1 R. Urban, Der Königsfrieden von 387/86, 1991. K.-W. WEL.

Telines (Τηλίνης) aus → Gela, Hierophant (→ *mystéria* D.) der chthonischen Gottheiten, führte bald nach der Stadtgründung 688 v. Chr. Geloer, die in einem Bürgerkrieg besiegt und nach Maktorion geflohen waren, unter dem Schutz der Kultgeräte dieser Gottheiten nach Gela zurück. Dies geschah unter der Bedingung, daß seine Nachkommen, zu denen auch → Gelon [1] zählte, diese Priesterwürde behielten (Hdt. 7,153). K. MEI.

Telis s. Bockshornklee

Tell (oder *Tall*; arabisch *tall*, Pl. *tulūl*; »Hügel«, dann auch »Siedlungshügel«). Häufiger Bestandteil heutiger Namen von vorderasiatischen Ruinenstätten. In Vorder- bis Zentralasien verbreitete Form von ehemaligen Siedlungsstellen, die durch übereinander gelagerte Siedlungsschichten z. T. bis in erhebliche Höhe anwuchsen. Eine Rolle spielt dabei das am weitesten verbreitete Baumaterial, der ungebrannte Lehmziegel, da solche Bauten in der Regel nur wenige Jahrzehnte überdauern, bevor sich die Ziegel wieder auflösen. Derartig entstandene Schutthaufen wurden in den seltensten Fällen entfernt, sondern eingeebnet, um dann wieder als Baugrund zur Verfügung zu stehen. Solche Hügel eignen sich vorzüglich für stratigraphische Grabungen und damit für die Erlangung arch.-chronologischer Sequenzen. H. J. N.

Teller (πίναξ/*pínax*, λεκάνη/*lekánē*; lat. *catillus*). Der T. diente wie die flacheren Platten und tieferen Schüsseln zum Zubereiten und Servieren von Speisen bei Tisch (z. B. Hom. Od. 1,141; 16,49f.); er konnte rund oder eckig, mit und ohne Standfuß, mit gewölbter oder mit steiler Wandung gebildet sein. Im arch. Fundgut ist der T. seit dem 8. Jh. v. Chr. bis zum Ausgang der Ant. in unterschiedlichen Materialien (Bronze, Holz, Silber, Ton, Zinn usw.) belegt.

→ Catinus [1]; Eßgeschirr; Eßkultur; Fischteller; Lanx

S. Künzl, Das Tafelgeschirr, in: E. Künzl (Hrsg.), Die Alamannenbeute aus dem Rhein bei Neupotz, Bd. 1, 1993, 153–176. R. H.

Telliadai (Τελλιάδαι). Sehergeschlecht in Elis (Hdt. 9,37). Namentlich bekannt sind → Hegesistratos [2] und Tellias (Hdt. 8,27,3–4). HA. BE.

Tellis (Τέλλις). Spartiate, Vater des → Brasidas, verheiratet mit Argileonis, die den Tod ihres Sohnes (422 v. Chr.) mit den Worten kommentierte, er sei tapfer gewesen, doch habe Sparta noch bessere Männer (Plut. Lykurgos 25,8–9; Plut. mor. 190b; 219d; 240c; Diod. 12,74,3). T. beschwor den Nikiasfrieden (→ Nikias [1]) 421 v. Chr. (Thuk. 5,19,2; 5,24,1) und war damals zweifellos Verfechter spartanischer Friedenspolitik. K.-W. WEL.

Tellos (Τέλλος). Athener, den → Solon [1] dem → Kroisos als glücklichsten Menschen pries (Hdt. 1,30): T. sah gesunde Kinder und Enkel in einer wohlgeordneten Polis heranwachsen, starb im Kampf für die Heimat und erhielt in → Eleusis [1] ein Ehrengrab (→ Heroenkult). Zweifel an der Historizität des T. sind grundlos [1. 44f.]. In dem von östl. Weisheitslehren geprägten lydischen Logos des → Herodotos [1] repräsentiert er zutiefst griech. Wertvorstellungen (Diesseitigkeit, Bürgerideal, Unsterblichkeit durch Nachkommen und Ruhm) [2. 382f.].

1 F. Jacoby, Patrios Nomos, in: JHS 64, 1944, 37–66
2 O. Regenbogen, Die Geschichte von Solon und Krösus, 1930, in: W. Marg (Hrsg.), Herodot, ³1982, 375–407. HA. BE. u. U. WAL.

Telluno, Tellurus s. Tellus

Tellus. Mehr als bei jeder anderen röm. Gottheit ist die Unt. der röm. »Erd«-Göttin T. mit Problemen behaftet. Die Deutung der T. als Gegenstück des Himmelgottes → Iuppiter [1. 84] und als Teil einer »reinen« röm. Ur-Rel. bildete ein romantisierendes Leitmotiv des 19. Jh. und frühen 20. Jh. Dies erforderte die Harmonisierung der angeblichen Ur-Rel. mit einem möglichen Einfluß durch die griech. »Mutter Erde« (→ Gaia) oder durch die der Erde verbundene → Demeter/→ Ceres. Ein zusätzliches Problem ergab sich aus der ant. Zusammenführung der T. mit den sog. → Sondergöttern und dem sich daraus scheinbar aufdrängenden Beweis für die Zugehörigkeit der Göttin zu einer frühen Phase der röm. Rel.: Während etwa [2] nach [3] den Einfluß der griech. Demeter auf die röm. T.-Vorstellung betonte, suchten andere (z. B. [4]) die Rolle der T. in einer ur-röm. Rel. zu erweisen. Ein *Tellurus* erscheint in einem etr. Kontext (Mart. Cap. 1,49), doch sind Signifikanz und Bed. oder gar etr. Einfluß umstritten. Klarheit ist in dieser Streitfrage nicht zu erlangen.

Urspr. mag es sich bei T. um eine röm. Göttin des Getreides und der Landwirtschaft gehandelt haben, die unter griech. Einfluß (vgl. Varro antiquitates fr. 269 CARDAUNS; Verg. Aen. 7,136f.) mit der Göttin Terra mater (so zuerst Pacuvius fr. 93 RIBBECK; Varro rust. 1,1,5) und darauf mit weiteren → »Muttergottheiten« bzw. Fruchtbarkeitsgöttinnen verbunden wurde (Varro antiquitates fr. 265; 267; 268 CARDAUNS). Wohl nie völlig mit Terra mater identifiziert, heißt T. nur einmal *mater* (»Mutter«; Macr. Sat. 3,9,12); allerdings führten wohl die »chthonischen« Aspekte der Erde zu einer teilweisen Identifizierung beider Figuren (Liv. 8,9,8; Suet. Tib. 75,1; CLE 1129,2; 1476,2). »Chthonische« Aspekte erklären auch die Nennung der T. neben den Di → Manes bei der → *devotio* des P. → Decius [I 1] Mus (Liv. 8,9,14ff.) sowie die Verbindung mit bestimmten Funktionen der Ceres [5. 91–107, 358]. Ein T.-Tempel wurde in Rom, anders als ein Heiligtum für Ceres, erst relativ spät (268 v.Chr.) gelobt (Flor. epit. 1,14); er entstand auf einem schon durch sakrale Vorgängerbauten charakterisierten Areal (InscrIt 13,2,537; [6]).

Belege für den Kult konzentrieren sich stets auf das Ritual, nicht die Göttin. An den → *Fordicidia* am 15. April wurden der T. trächtige Kühe geopfert; auch hier überlagert Ovids Erwähnung von Ceres (Ov. fast. 4,645) eine eigenständige T.-Trad.: In jeder *curia* (→ *curiae*) wurde eine Kuh geopfert, ein weiteres Opfer wurde unter Leitung des → *pontifex maximus* auf dem Kapitol dargebracht. Das Ritual in den *curiae* verweist auf einen agrarischen Kontext, das Kapitol steht für die öffentliche Zentralisierung des Kultes. T. und Ceres erhielten Opfer an den → *Sementivae feriae*. Auch im Kontext dieses alten agrar. Festes scheint eine sekundäre Assimilation an Ceres erfolgt zu sein (Ov. fast. 1,671–673; [5. 56–65]): So liegen sieben Tage zw. den Opfern für die beiden Göttinnen (Lyd. mens. 3,9). Ebenfalls agrar. orientiert ist das Opfer eines Schweins (der sog. *porca praecidanea*) vor der Ernte: Cato (agr. 134,1) nennt dabei Ceres, Varro (bei Non. 163; Gell. 4,6,8) fügt T. hinzu. In den Kontext agrar. Rituale gehört wohl auch Varro antiquitates fr. 266 CARDAUNS, der T. mit den »Sondergöttern« Tellumo, Altor und Rusor verbindet. Das männliche Gegenstück zu T., Tellumo, und die beiden anderen Gottheiten indizieren hohes Alter; gleiches mag für das Opfer an Ceres, T. und weitere »Sondergötter« in Serv. georg. 1,21 gelten. Die Verbindung der T. mit agrar. Schutzgottheiten setzt sich in der Kaiserzeit fort [7. 448].

In Augustus' rel. Vorstellungen spielte T. eine prominente Rolle, so etwa bei den *ludi saeculares* (→ *saeculum*) und auf der → Ara Pacis Augustae. Die Verbindung mit den Kaisern und die ikonographische Repräsentation der Göttin nimmt in der Kaiserzeit weiter zu [7; 8]. T.' und Terra Maters Verkörperung der fruchtbaren Erde macht eine scharfe ikonographische und auch religionsgesch. Scheidung beider Gottheiten im Einzelfall schwierig [7. 429–435].

1 J. HARTUNG, Die Rel. der Römer, Bd. 2, 1836 2 F. ALTHEIM, Terra Mater, 1931 3 A. DIETERICH, Mutter Erde, 1905 4 S. WEINSTOCK, s. v. T., RE 5 A, 791–806 5 H. LE BONNIEC, Le culte de Cérès, 1958 6 F. COARELLI, s. v. T., aedes, LTUR 5, 24f. 7 T. GESZTELYI, T. – Terra Mater in der Zeit des Prinzipats, ANRW II 17.1, 1981, 429–456 8 E. GHISELLINI, s. v. T., LIMC 7.1, 879–889.

C. R. P.

Telmessos (Τελμησσός bzw. Τελεμησσός oder Τελμίσσος/ *Telmissos*; lykisch *Telebehi*). Dynastenresidenz, dann Polis in West-Lykia, beim h. Fethiye (ehemals Makri). Brz. Spuren [1], bedeutend seit dem 5. Jh. v. Chr. (arch. Zeugnisse; lyk. Inschr. TAM 1, 1–5; Mz.), Mitglied im → Attisch-Delischen Seebund (ATL Liste 9, Sp. 3, Z. 33; Liste A 9, Sp. 1, Z. 130), ab ca. 420 v. Chr. unter der Dyn. von → Xanthos. Kurz vor 400 Verlegung des Zentralorts vom Berg Hızırlık ans Meer [1]; im 4. Jh. neben griech. auch starker karischer Einfluß; ab ca. 360 v. Chr. mit ganz Lykia an die kar. Satrapie (→ Satrap) angeschlossen. Im 3. Jh. war T. ptolem.: Polisverfassung mit eponymem Priester, drei Archonten (→ *árchontes* [1]), Einteilung der Bürgerschaft in → *pólis* und → *períoikoi* [2. 19ff.]. Mitte des 3. Jh. als *dōreá* (»Schenkung«) an die kar. Dyn. der Lysimachidai (→ Lysimachos [5]) vergeben (TAM 2, 1; [2. 159ff.]). 197 v. Chr. war T. seleukidisch, 188 attalidische Exklave. 133 unabhängig geworden, trat T. am E. der 80er Jahre v. Chr. dem → Lykischen Bund bei [1]. 43 n. Chr. wurde T. Teil der röm. Prov. Lycia. Seit dem 4. Jh. n. Chr. Bischofssitz, zeitweilig Anastasiupolis genannt. Die Wirtschaft war v. a. agrarisch geprägt (TAM 2, 1; bes. Wein: Plin. nat. 14,74), aber auch die Produktion von Tonwaren ist belegt (TAM 2, 63; 72; 128). Arch. Reste sind am Hızırlık erh., u. a. zwei lyk. Grabpfeiler, Akropolis, Felsgräbernekropole, Tumuli, Siedlungsmauer, in Fethiye spätklass., hell. und kaiserzeitliche Nekropolen, Akropolis, Theater, Odeion; die ant. Wohnsiedlung ist h. überbaut [1].

→ Lykioi, Lykia

1 W. TIETZ, Der Golf von Fethiye, 2001 (im Druck) 2 M. DOMINGO GYGAX, Unt. zu den lyk. Gemeinwesen in klass. und hell. Zeit, 2001. W. T.

Telmissos (Τελμισσός; Nebenform Τελμεσσός: Syll.³ 1047,7f.). Stadt in Karia (→ Kares) beim h. Gürece, ca. 11 km (Polemon FHG 3, 128 Fr. 35) westl. von → Halikarnassos, für dessen Vergrößerung T. um 361 v. Chr. einen Teil seiner Bevölkerung abzutreten hatte (Kallisthenes FGrH 124 F 25; Plin. nat. 5,107). Mit seinem noch in der röm. Kaiserzeit (HN 619) berühmten Apollon-Heiligtum bildete T. den Bund der Telmisseis

[1. 377–380]. Anf. 2. Jh. v. Chr. ging T. ganz in Halikarnassos auf. Auf dem Kale Tepesi oberhalb von Gürece sind Reste der befestigten lelegischen (→ Leleges) Höhensiedlung mit Mauerring und großem Wachturm erh. (5. Jh. v. Chr.?); nahebei Kammer- bzw. Felsgräber. Zur häufigen Verwechslung von T. und → Telmessos in der Ant. vgl. das Sehertum im Mythos von → Gordios [1] (Arr. an. 2,3,3 f.: T. statt Telmessos) sowie die Beschreibung der fruchtbaren Umgebung von T. bei Cic. div. 19,4, die tatsächlich Telmessos meint.

1 W. R. Paton, J. L. Myres, Three Carian Sites: T., Karyanda, Taramptos, in: JHS 14, 1894, 373–380.

W. Radt, Siedlungen und Bauten auf der Halbinsel von Halikarnassos (MDAI(Ist) Beih. 3), 1970, 75 · D. Müller, Top. Bildkomm. zu den Historien Herodots: Kleinasien, 1997, 382–384.   H. KA.

Telon (Τήλων). König der → Teleboai, Herrscher über die Insel → Capreae, von der Nymphe Sebethis Vater des → Oibalos [2] (Verg. Aen. 7,734–736; Serv. Aen. 7,734 f.; vgl. Sil. 8,541 f.).   SI. A.

Telonai (τελῶναι, Sg. τελώνης/telṓnēs; »Steuerpächter«, aus τέλη/→ télē = »Steuern« und ὠνή/ōnḗ = »Kauf, Pacht«). Private Unternehmer oder Gesellschaften im griech. Raum, die – vergleichbar mit den röm. → publicani (s. Cic. ad Q. fr. 1,1,33) – entweder gegen eine Pachtsumme vom Staat das Recht erwarben, für bestimmte Zeit und in einem definierten Bereich Steuern und Zölle zu erheben sowie Minen auszubeuten, oder die vom Staat eine bestimmte Summe erhielten und dafür eine vereinbarte Leistung erbringen mußten. Verträge dieser Art wurden im Athen der klass. Zeit unter dem Sammelbegriff misthṓmata erfaßt ([Aristot.] Ath. pol. 47,2) und von den → pōlētaí unter Aufsicht des Rates und z. T. auch der árchontes abgeschlossen (→ Verwaltung). Die Pflichten der t. (Bürgschaften, Haftung, Zahlungstermine) waren gesetzlich festgelegt (Demosth. or. 24,96 und 100 f.: nómoi telōnikoí), Versäumnisse wurden hart bestraft ([Aristot.] Ath. pol. 48,1; And. or. 1,73; 133–135).

Die hell. Staaten übernahmen mit dem griech. Bankwesen und der Geldwirtschaft auch das System der Steuerpacht, bes. ausgeprägt und deutlich sichtbar im ptolem. Äg. Dort sind t. in fast allen Bereichen der Abgabenerhebung bezeugt, z. B. auch bei der Vergabe von Fischerei- und Jagdrechten. Anders als in Griechenland (und Rom) durften sie aber die Steuern nicht selbst einziehen – dies geschah durch königliche Beamte –, obgleich sie mit ihrem Vermögen für die vereinbarte Höhe hafteten. Um einen Überschuß (epigénēma) zu erzielen, eventuell auch eine Prämie (opsónion) zu erh., mußten die t. die Steuerzahler und -einnehmer scharf überwachen und trugen so zur Effizienz des Systems bei.

W. Schwahn, s. v. T., RE 5 A, 418–425 (im hell. Teil durch Neufunde teilweise veraltet) · Rostovtzeff, Hellenistic World, 296 f.; 328–330; 349 f. · Préaux, 197 f.; 450–459.
                    W. ED.

Telos

[1] (Τῆλος). Insel im NW von Rhodos mit tief eingeschnittenen Buchten, 16 km L, bis 9 km Br, 63 km² Fläche, bis 651 m H ansteigend, überwiegend aus Schiefer und Kalksteinformationen, dazwischen weite Tufftäler; urspr. Agathussa (Hesych. s. v. Ἀγάθουσσα, Steph. Byz. s. v. T.), h. T. Besiedelt im 3. Jt. v. Chr. (Siedlungsreste bei Kastello nahe Livadia im Süden) und in minoischer Zeit (17./16. Jh. v. Chr., bei Megalo Chorion im Norden). Um 1000 v. Chr. von → Dorieis besiedelt, im 7. Jh. polit. mit → Lindos verbunden (Hdt. 7,153 f.). Seit 427/26 v. Chr. Mitglied im → Attisch-Delischen Seebund, seit 404 spartanisch, im → Korinthischen Krieg (395–386 v. Chr.) persisch (Seeschlacht bei Knidos 394: Diod. 14,84,3), danach unabhängig. Im 3. Jh. v. Chr. Anschluß an → Rhodos. Die Stadt T. lag im Norden beim h. Megalo Chorion (Stadtmauer- und Gebäudereste, u. a. Tempel der Athena Polias). T. wurde durch Erdbeben 227 zerstört, um 200 v. Chr. wiederaufgebaut (hell. Rundaltäre, Spolien südl. von Megalo Chorion). Wachturmreste finden sich rings um die Insel. T. war berühmt für seine Salbenproduktion (Plin. nat. 4,69; 13,13; Strab. 10,5,14; Skyl. 99; Kall. fr. 581).

K. Fiehn, s. v. T., RE 5 A, 427–431 · Philippson/Kirsten 4, 304–307 · H. Kaletsch, s. v. T., in: Lauffer, Griechenland, 653 f.   A. KÜ.

[2] (τέλος) s. Teleologie (Nachträge)

Telys (Τῆλυς). König bzw. Tyrann (Hdt. 5,44.47; Diod. 12,9,2) im sprichwörtlich reichen → Sybaris [4] um 510 v. Chr. Wohl unterstützt vom dḗmos, verbannte er die 500 reichsten Bürger der Stadt und konfiszierte ihr Vermögen. Nachdem diese in → Kroton Schutz fanden, griff T. die Stadt trotz der Warnungen des Sehers Kallias von Elis an. Nach dem Sieg der Krotoniaten wurde Sybaris dem Erdboden gleichgemacht und T. von seinen Anhängern umgebracht (Herakl. Pont. fr. 49 Wehrli). Die moralisch gefärbte Überl. geht von den Krotoniaten aus.

H. Berve, Die Tyrannis bei den Griechen, Bd. 1, 1967, 158.
                    B. P.

Tembris (Τέμβρις, auch Témbros, Thýmbris, Tembrógius; h. Porsuk Çayı). Linker Nebenfluß des → Sangarios (Liv. 38,18,8; Plin. nat. 6,4; HN 681). Er entspringt im → Dindymon südl. vom h. Kütahya, fließt zuerst nach Norden und wendet sich dann an → Dorylaion vorbei nach Osten.

Belke, 232 · W. Ruge, s. v. T., RE 5 A, 433.   K. ST.

Temenion (Τημένιον). Küstenort ca. 6 km südl. von → Argos [II 1] mit Heiligtümern für → Temenos, Poseidon, Aphrodite (Strab. 8,6,2; Paus. 2,36,6; 2,38,1 ff.); erh. sind Reste (z. T. unter Wasser). In T. endeten wohl die langen Mauern von Argos (vgl. Thuk. 5,82,5 f.; 5,83,2 zum J. 417 v. Chr.).

A. FOLLEY, The Argolid, 1988, 196 · E. ZANGGER, The Geoarchaeology of the Argolid, 1993, 62 f.　　　KL. T.

Temenos (τέμενος, »das Abgetrennte«, von griech. τέμνειν/*témnein*, »schneiden«, »abteilen«). Im myk. [1] und homerischen Sprachgebrauch ein Herrschern oder Adeligen zugesprochenes, hochwertiges Stück Land [2; 3]. Doch schon im homer. Epos begegnen auch Gottheiten als Eigentümer eines *t.*, das einen Altar enthalten konnte (Hom. Il. 8,48; 23,148; Hom. Od. 8,363) und damit Kultstätte war. Der Begriff verengt sich in der Folgezeit auf den sakralen Bereich, behält jedoch beide Aspekte bei: So kann *t.* entsprechend der urspr. Bed. eine der Gottheit gehörige, in der Regel verpachtete (IG I³ 84; II/III² 2498; Syll.³ 963) Länderei bezeichnen, deren Einkünfte für den Unterhalt des Heiligtums und die Durchführung des Kultes bestimmt sind. *T.* in einem spezielleren Sinne ist daneben der hl. Bezirk (Hdt. 3,142,2), innerhalb dessen sich Altar, ggf. Tempel, Priester- und Schatzhäuser etc. befanden und bestimmte Reinheits- und Verhaltensvorschriften sowie Nutzungsbeschränkungen (s.u.) galten. Notwendige Voraussetzung für Kultpraxis ist ein *t.* indes keineswegs; viele Altäre befanden sich nicht innerhalb von *teménē*. Das Bedürfnis der frühen Polisgesellschaft, Grund und Boden der Gottheit inner- wie außerhalb der Stadt ebenso wie den Besitz eines Mitbürgers rechtsverbindlich abzugrenzen, steht demnach hinter der häufigen Verbindung von Kult und *t.* Auch der Wunsch nach neutralen, d. h. vom Willen einflußreicher Personen unabhängigen Versammlungsplätzen mag eine Rolle gespielt haben, was das *t.* entstehungsgesch. in die Nähe der → *agorá* rückt. Die Aufbewahrung öffentlicher Dokumente, gewissermaßen unter Aufsicht der Gottheit, wurde zu einer wichtigen politischen Funktion inner- und außerstädtischer Heiligtümer (SEG 46,155).

Zur eindeutigen Markierung eines *t.* dienten je nach Größe und Bed. Grenzsteine (IG I³ 2,1068–1070) oder eine Einfriedung (*períbolos*). Hier begannen die Eigentumsrechte der Gottheit; hier verlief bei Kultstätten die Trennung zw. weltlicher und hl. Norm: Im Inneren des *t.* endete die Strafverfolgung (IEph V 1520; Inschr. von Stratonikeia II 1,505 Z. 61; [4. 59 Nr. 8 Z. 55 f.]; → *asylía*, → *ásylon*); Wasserbecken dienten der kultischen Reinigung (→ Kathartik); Verunreinigung (*míasma*) erzeugende Vorgänge wie Geburt, Geschlechtsverkehr und Tod waren ebenso zu vermeiden wie die Bestattung von Toten (Thuk. 3,104,2; [5. 146]); Tabubestimmungen betrafen die Einfuhr bestimmter Tiere oder Sachen (LSCG 136; SEG 36,1221; Strab. 12,8,9), aber auch die Ausfuhr von Opferfleisch [6. 476] oder Holz (Paus. 2,28,7), ja sogar das Entfernen von ungenießbaren Überresten der → Opfer. Verboten bzw. eingeschränkt waren Bautätigkeit (Syll.³ 988), land- und weidewirtschaftliche Nutzung (Aischin. 3,108; Syll.³ 963 Z. 35–37), das Fällen von Bäumen (Thuk. 3,70,4) etc. Obgleich die Akzeptanz derartiger Normen auf größtmöglicher Kontinuität beruhte, war sakraler Boden keine

unveränderliche Größe. Arch. Befunde belegen Enteignungen privaten Grundes für die Anlage oder Erweiterung eines *t.*; der umgekehrte Vorgang – Aufgabe und Profanierung eines *t.* – ist ebenfalls bezeugt [7. 130–132, 154–156]. Neben den großen öffentlichen Kulten besaßen auch Berufsverbände (SEG 37,1651) oder private Kultvereinigungen ihr *t.* (*temenítai* in Milet: [8. 93–97 Nr. 795–804; 9. 501–506]); auch Grabanlagen konnten von einem *t.* umgeben sein [10]. Noch die um die Säule des älteren Symeon Stylites herum errichtete Kirche wird von Kirchenhistorikern als *t.* bezeichnet (Euagrius Scholasticus, Historia ecclesiastica 1,14; [11]).

→ Heiligtum; Templum

1 H. VAN EFFENTERRE, T., in: REG 80, 1967, 17–26 2 W. DONLAN, Homeric τ. and the Land Economy of the Dark Age, in: MH 46, 1989, 129–145 3 S. LINK, T. und *ager publicus* bei Homer?, in: Historia 43, 1994, 241–245 4 J. REYNOLDS, Aphrodisias and Rome, 1982 5 BURKERT 6 K. ZIMMERMANN, Späthell. Kultpraxis in einer karischen Kleinstadt, in: Chiron 30, 2000, 451–485 7 B. BERGQUIST, The Archaic T. in Western Greece, in: Le sanctuaire grec (Entretiens 37), 1992, 109–158 8 P. HERRMANN (Hrsg.), Inschr. von Milet. Teil 2, 1998 9 A. BRESSON, De Marseille à Milet, in: REA 99, 1997, 491–506 10 F. ISIK, Zum Typus des T.-Grabes in Lykien, in: MDAI(Ist) 48, 1998, 157–172 11 E. HONIGMANN, s. v. Συμεώνος τ., RE 4 A, 1099–1102.

B. BERGQUIST, The Archaic Greek T., Diss. Uppsala 1967 · K. LATTE, s. v. T. (1), RE 5 A, 435–437 · G. P. LAVAS, Altgriech. T., 1974 · G. NÉMETH, Μεδ᾽ ὄνθον ἐγβαλ̃εν, in: R. HÄGG (Hrsg.), Ancient Greek Cult Practice from the Epigraphical Evidence, 1994, 59–64 · A. REICHENBERGER, T., templum, nemeton, Viereckschanze, in: JRGZ 35, 1988, 285–298 · G. WAGNER, Les inscriptions grecques d'Aïn Labakha, in: ZPE 111, 1996, 97–114, bes. 107.　　KL. ZI.

Temenothyrai (Τημενοθύραι, auch: Τημένου Θύραι/ *Tēménu Thýrai*). Stadt im Hochland der östl. → Lydia (vgl. Paus. 1,35,7) an der Grenze zum NW Phrygias (→ Phryges) in der → Mokadene an einer alten Überlandroute, wohl Station der persischen Königsstraße, beim h. Uşak. Der einheimischen Namensform nach (*-t(h)yra(i)*) war T. eine alte lydische Siedlung, nach Inschr. und Mz. (erst 1.–3. Jh. n. Chr.) zeitweilig *Flaviopolis* zubenannt; in spätant. Zeit zur Prov. Phrygia Pakatiane gehörend (Hierokles, Synekdemos 668,14).

J. KEIL, s. v. T., RE 5 A, 458 f. · K. BURESCH, Aus Lydien, 1898, 101; 161–166 · MAGIE, 999, 1429.　　H. KA.

Tementhes (Τεμένθης). Äg. König, den nach Polyain. 7,3 (vgl. FGrH 665 F 200) → Psammetichos [1] I. mit Hilfe karischer Söldner nahe Memphis schlug. T. ist wohl die gräzisierte Form von Tanutamun, äg. *Tnwt-Jmn*, Thronname *B3-k3-R᾽*, dem letzten König der 25. Dyn. (664–656 v. Chr., nicht bei Manethon [1]) und Nachfolger des → Tarkos. T. eroberte 664 Äg. bis zum Nildelta zurück, dabei kam → Necho [1] I. ums Leben. Kurz darauf wurde T. von den Truppen → Assurbanipals vertrieben. Es ist unklar, ob T. danach noch einen zweiten Vorstoß unternahm, bei dem er von Psamme-

tichos [1] zurückgeschlagen wurde. In Ober-Äg. wurde noch bis mindestens 657 nach T. datiert, über sein weiteres Schicksal in Nubien ist nichts bekannt. Er ist in al-Kurrū in einem Pyramidengrab bestattet.
→ Ägypten E.

1 P. W. HAIDER, Griechenland – Nordafrika: ihre Beziehungen zw. 1500 und 600 v. Chr., 1988, 179–184
2 J. LECLANT, s. v. Tanutamun, LÄ 6, 211–215.   K. J.-W.

Temesa (Τεμέση/ *Temésē*). Stadt in Bruttium (→ Bruttii), in röm. Zeit *Tempsa* (Strab. 6,1,5; Plin. nat. 3,72); ihre Lokalisierung ist unsicher, aber sie ist im Tal des Sabutus (h. Savuto) zu suchen. T. war eine Gründung der → Ausones; diesen folgten → Aitoloi unter → Thoas [3], dann Bruttii. 194 v. Chr. wurde eine röm. *colonia* (Strab. l.c.; Liv. 34,45) angelegt. Anhänger des → Spartacus nutzten T. als Stützpunkt (Cic. Verr. 2,5,39–41). In der Nähe von T. befand sich ein Heroon des → Polites [2] (vgl. Paus. 6,6,4–10). Die Kupferminen bei T. waren schon in frühester Zeit erschöpft (Hom. Od. 1,184; Strab. l.c.; 12,3,23); bekannt war der Wein von T. (Plin. l.c.).

G. MADDOLI (Hrsg.), T. e il suo territorio, 1982 • G. CAMASSA, Dov' è la fonte dell'argento, 1984, 30–36 • E. GRECO, Archeologia della Magna Grecia, 1992, 39, 86–96 • R. SPADEA, Il territorio a sud del Savuto, in: J. DE LA GENIÈRE (Hrsg.), Epéios et Philoctète en Italie (Cahiers du centre Jean Bérard 16), 1991, 117–130.   A. MU./Ü: H.D.

Temnos (Τῆμνος, aiol. Τᾶμνος/ *Támnos*). Aiolische Stadt im SO des Dumanlı Tepe am rechten Ufer des Hermos [2], wo der Fluß in ant. Zeit in die Ägäis (→ Aigaion Pelagos) mündete (Plin. nat. 5,119); ihre Ruinenstätte (Nemrut Kalesi) befindet sich beim h. Görece. Obwohl nicht Mitglied des → Attisch-Delischen Seebundes, konnte T. im 5. und 4. Jh. v. Chr. seine Unabhängigkeit vom persischen Großkönig wahren (Xen. hell. 4,8,15). Anscheinend stand T. schon zu E. des 3. Jh. v. Chr. unter der Herrschaft der Attaliden (→ Attalos; vgl. den → isopoliteía-Vertrag zw. T. und → Pergamon StV 2, 555). 155 v. Chr. ließ Prusias [2] II. das Heiligtum des Apollon Kynneios plündern (Pol. 32,15,12). Das Erdbeben im J. 17 n. Chr. zog auch T. in Mitleidenschaft; wie andere Städte dieser Gegend unterstützte Tiberius [1] T. beim Wiederaufbau großzügig (Tac. ann. 2,47; OGIS 471). Aus T. stammte der Redner Hermagoras [1].

J. KEIL, T., RE 5 A, 461 f. • L. ROBERT, Ét. Anatoliennes, 1937, 90.   E. O.

Temonarius (*t. equus*, wörtl. »das führende Pferd eines Gespanns«). Verantwortlicher für eine Steuerleistung. Seit der Zeit des → Diocletianus (284–305 n. Chr.) wurde die Rekrutenaushebung teilweise in das Steuersystem der → *capitatio-iugatio* integriert: Meist mehrere, zu einer Steuereinheit gehörende Grundbesitzer mußten jährlich einen Rekruten stellen bzw. die für die Aushebung eines Rekruten benötigte Summe (→ *adaeratio*)

aufbringen. Aus dem Kreis der Grundbesitzer wurde im jährlichen Wechsel der *t.* bzw. *capitularius* (Leister der Kopfsteuer) bestimmt, der den Rekruten bzw. die entsprechende Geldleistung stellte und dann im Rahmen der durch die *capitatio* festgesetzten Steueranteile von den anderen die Gesamtsumme eintrieb; sie wurde 375 n. Chr. auf 36 *solidi* (→ *solidus*) festgesetzt (zum Verfahren vgl. Cod. Theod. 6,4,21; zur Höhe der wiederholt veränderten Summe vgl. Cod. Theod. 7,13,7; 7,13,13; 7,13,20; Nov. Valentiniani 6,3,1). Die Verantwortung als *t.* war ein → *munus* (II.), das bereits in diocletianischer Zeit als *prōtostasía* (»Garant«) bezeichnet wurde (Cod. Iust. 10,62,3).

J.-M. CARRIÉ, in: J.-M. CARRIÉ, A. ROUSSELLE (Hrsg.), L'Empire romain en mutation des Sévères à Constantin (192–337), 1999, 172 • U. HILDESHEIM, Personalaspekte der frühbyz. Steuerordnung, Die Personalveranlagung und ihre Einbindung in das System der capitatio-iugatio, 1988, 82 f.   B. BL.

Tempe (τὰ Τέμπη, lat. *Tempe, Stenae*). Ca. 8 km lange, bis zu 45 m schmale und 500 m tiefe Schlucht zw. Olympos [1] im Norden und Ossa [1] im Süden, die der Peneios aus dem Inneren von Thessalia (→ Thessaloi) nach Osten zur Ägäis (Aigaion Pelagos) durchbricht, h. Koiláda Tempón. In der Ant. wurde dieses Erosionstal als Ergebnis eines Erdbebens betrachtet (Hdt. 7,129,4; Plin. nat. 4,31). Im T.-Tal wird der Myth. nach die Nymphe → Daphne [2] auf der Flucht vor Apollon in den hl. Lorbeerbaum verwandelt, von dem man alle acht Jahre einen Zweig nach Delphoi brachte (Paus. 10,5,9). Das Tal war eine der Hauptverbindungen zw. Griechenland und Makedonia, mil. galt die Passage als zu riskant und wurde meist umgangen – so von den Persern 480 v. Chr. über den westl. Olympos (Hdt. 7,172–174), von Alexandros [4] d. Gr. 336 (Polyain. 4,3,23). Zur Zeit der Makedonenherrschaft konnte das T.-Tal ohne Gefahr durchzogen werden, so von Antipatros [1] im Lamischen Krieg 323 v. Chr. (Diod. 18,12,2), von Philippos [7] V. 197 v. Chr. (Liv. 32,15,9; 33,10,6). 186/5 fand dort eine Konferenz statt, bei der die Römer zw. den Griechen und dem Makedonenkönig vermittelten (Liv. 39,25). Perseus [2] lieferte vom Westausgang aus 171 v. Chr. den Römern mehrere Gefechte (Liv. 42,54; 42,57; 42,62; 42,67). Caesar ließ 48 v. Chr. einen festen Weg durch das T.-Tal anlegen; die Bauinschr. (CIL III 588) seines Legaten Cassius [I 10] Longinus findet sich an der engsten Stelle (Liv. 44,6,11). Hadrianus besuchte das Tal 125 n. Chr. (CIL III 7362; 14206; zur Schönheit der Landschaft vgl. Hor. carm. 1,7,4; Ov. met. 1,569). In byz. Zeit hieß die Enge Lykostomion. Die mod. Verkehrswege (Eisenbahn und Straße) haben die ant. Reste stark beeinträchtigt. Es existieren noch die sog. Daphnequelle, Teile der röm. Karrengeleise und kurz vor dem Ostausgang Reste ant. Bauten, in denen das Apolloheiligtum vermutet wird.

H. KRAMOLISCH, s. v. T., in: LAUFFER, Griechenland, 654 f. • F. STÄHLIN, s. v. T., RE 5 A, 473–479 • TIB 1, 269.   HE. KR.

Tempel I. Mesopotamien
II. Ägypten III. Judentum
IV. Phönizien V. Klassische Antike

I. Mesopotamien

Der Begriff T., sumer. é, akkad. *bītu*, »Haus (der Gottheit)«, wurde unabhängig von Größe oder Bed. der Gottheit gebraucht: vom kleinen, in ein Wohngebiet eingebauten Nachbarschaftsschrein bis zu großen, freistehenden, hohen Bauten, von Einraumkultstätten bis zu mit ausgedehnten Nebengebäuden versehenen T.-Komplexen, von der Verehrung einer Gottheit zu Mehrfach-T.

Für die Frühzeit sind T. häufig nur dadurch zu identifizieren, daß sie weder Wohnzwecken dienten noch als Palast angesehen werden können. Eindeutige Merkmale wie eine Nische, in der das → Kultbild aufgestellt war, und ein davor aufgebauter Altar finden sich vereinzelt seit E. des 4. Jt., durchgängig ab dem 3. Jt. v. Chr. Von dieser Zeit an vereinheitlichten sich auch die Grundrißformen: eine breit gelagerte Cella mit ebenso breit gelagerter Vorcella und axialen Türdurchgängen im südl. Mesopot.; ein bisweilen untergliederter Langraum mit Eingang am Ende einer Längswand im nördl. Mesopot. Einen Eindruck vom ehemaligen Aussehen vermitteln lediglich Tonmodelle.

Das Wesen des mesopot. T. als Garant der Ordnung wird unterstrichen durch die Namen von T., die als Orte des kosmischen Geschehens begriffen wurden, wenn es etwa heißt, der T. sei das »Fundament von Himmel und Erde« (sumer. é-temen-an-ki, der Name der Ziqqurrat von → Babylon). Gleiches ergibt sich aus einer Reihe von Hymnen auf T. (26. bis 18. Jh. v. Chr.). Über das eigentliche Kultgeschehen sind wir kaum unterrichtet, da es weder in arch. noch in schriftl. Zeugnissen thematisiert wird. T. waren auch wirtschaftliche Zentren (→ Tempelwirtschaft), bisweilen die bedeutendsten einer Stadt, die im Sinne eines *oíkos* alle Wirtschaftsbereiche umfassen konnten (→ Oikos-Wirtschaft). Dazu gehören v. a. die Kultzentren der jeweiligen → Stadtgottheit, häufig um eine → Ziqqurrat angeordnet.

Neben einer Vielzahl anderer Formen entwickelte sich im syrisch-anatolischen Bereich im Lauf des 3. Jt. die Form eines hoch aufragenden, freistehenden T. mit mehreren hintereinander angeordneten Räumen, zu der möglicherweise der − nur aus einer Beschreibung bekannte (1 Kg 6−7; Ez 40−43) − T. → Salomos in Jerusalem gehörte (vgl. unten III.).

Hethitische T. sind v. a. aus → Ḫattuša bekannt, bes. der »Große T.« in der Unterstadt und das Felsheiligtum → Yazılıkaya. In der Oberstadt lagen mindestens 29 T., die verm. die Kulte der verschiedenen hethit. Städte repräsentierten. An einen Kultraum mit davorgelagertem Hof angebaute, verschieden große Räume und Raumgruppen geben den Komplexen ein vielfach gegliedertes äußeres Bild.

Nach verschiedenen lokalen T.-Bautrad. auf iranischem Boden und im Westen des Irans mit mesopot. beeinflußten Formen findet sich von der achäm. Zeit (5. Jh. v. Chr.) an die über den ganzen iranischen Bereich verbreitete Form des Feuerheiligtums, in Verbindung mit der Staatsrel. des → Zoroastrismus.
→ Kult; Religion; Ritual; Tempelwirtschaft

E. Heinrich, Die T. und Heiligtümer im Alten Mesopotamien, 1982 · A. George, House Most High. The Temples of Ancient Mesopotamia, 1993 · J. F. Robertson, The Social and Economic Organization of Ancient Mesopotamian Temples, in: J. M. Sasson et al. (Hrsg.), Civilizations of the Ancient Near East, Bd. 1, 1995, 443−454 · J. Bretschneider, Architekturmodelle in Vorderasien und der östl. Ägäis vom Neolithikum bis in das 1. Jt., 1991 · W. G. Dever, Palaces and T. in Canaan and Ancient Israel, in: J. M. Sasson et al. (Hrsg.), Civilizations of the Ancient Near East, Bd. 1, 1995, 605−614 · A. Caubet, Art and Architecture in Canaan and Ancient Israel, in: Ebd., Bd. 4, 1995, 2671−2691 · P. Neve, Ḫattuša. Stadt der Götter und T., 1993 · K. Schippmann, Die iran. Feuerheiligtümer, 1971. H. J. N.

II. Ägypten

T. (äg. *ḥw.t-nṯr*, »Haus des Gottes«) sind bereits in frühdyn. Zeit (ca. 3000−2700 v. Chr.) in Abb. und arch. belegt. Die T. des AR (ca. 2700−2190 v. Chr.) waren unaufwendig aus Schlammziegeln gebaut, undekoriert und lokal individuell gestaltet. Seit dem frühen MR (ca. 1990−1630 v. Chr.) wurde der Bau der T. in staatliche Regie genommen; die T. wurden zu aufwendigen, zunehmend normierten Steinbauten mit reichem inschr. und bildlichem Dekor. Meist waren sie axial angelegt; eine Folge von Toren (Pylonen), Höfen und Säulenhallen führte zum Opfersaal und zum Allerheiligsten. Die Progression zu immer dunkleren und engeren Räumen mit ansteigendem Fußbodenniveau gestaltete die Annäherung an den sakralen Raum, die Trennung von Heiligem und Profanem. Große T. konnten für die Beteiligung der → Herrscher am Kult einen Ritualpalast enthalten. Sonderformen zeigen Sonnen-T., bes. der Amarna-Zeit (14. Jh. v. Chr.; → Amenophis [4]), in denen die Opfer in offenen Höfen dargebracht wurden, oder Fels- bzw. Höhen-T., die alte Kultorte an natürlichen Grotten oder exponierten Geländepunkten architektonisch formten.

T. wurden als Wohnsitz der Gottheit verstanden, in denen das → Kultbild in täglichen Ritualen gespeist und gepflegt wurde; Anknüpfungen der frühen T.-Architektur an Wohnhaus-Grundrisse erklären sich daraus. In sakraler Überhöhung wurde der T. später als Abb. der Welt gedeutet. T. bildeten den Mittelpunkt größerer Siedlungen und das Symbol ihrer kollektiven Identität. Als prominenteste Anlagen fungierten sie, zumal im Rahmen öffentlicher → Feste, als Zentren staatlich dominierter öffentlicher Kommunikation. T. waren ökonomisch und administrativ bedeutende Institutionen; durch staatl. Zuwendungen wuchsen sie insbes. im NR (ca. 1550−1070 v. Chr.) zu großen Eigentümern mit weit verstreutem Landbesitz; die T.-Komplexe waren von Speichern und Werkstätten umgeben, und ein großer und differenziert gegliederter Personenkreis (Priester, Verwalter, Handwerker, Bauern) stand in ihrem Dienst.

→ Kult; Ritual; Religion; Tempelwirtschaft

R. STADELMANN et al., s.v. T.-T.wirtschaft, LÄ 6, 1986, 355–420 · D. ARNOLD, Die T. Ägyptens, 1992 · B. E. SHAFER (Hrsg.), Temples of Ancient Egypt, 1997.

S. S.

III. JUDENTUM

Der Jerusalemer T. wurde zuerst von König → David [1] als Zentralheiligtum in Nachfolge des Stiftszeltes geplant und im 2. Drittel des 10. Jh. unter König → Salomo gebaut und eingeweiht (1 Kg 6–8). Dieser Erste T. wurde 586 v. Chr. von Nebukadnezar [2] zerstört (2 Kg 25,9). Nach dem Edikt des Kyros [2] 538 v. Chr. und der Rückkehr aus dem babylonischen Exil (Esr 1,2–4) wurde zuerst der Altarkult wieder aufgenommen und 516 v. Chr. der Zweite T. eingeweiht (Esr 6,15–18). Dieser wurde 70 n. Chr. von den Römern unter Titus [4] zerstört (→ Jüdische Kriege, s. Nachträge). Unter sāsānidischer Herrschaft kam es ca. 615 n. Chr. zu einem Versuch, den Altarkult wieder aufzunehmen, der aber keinen Aufbau des T. einschloß.

Der Jerusalemer T. war zugleich Opferstätte (2 Sam 24,25) und Wohnung Gottes (→ Jahwe; 1 Kg 8,12f.). Aufbau und Geräte waren durch biblische Vorschriften für das Ladeheiligtum vorgegeben (Ex 35,11–19); die ins Allerheiligste gebrachte Bundeslade (1 Kg 8,6) sollte Kontinuität des Kultes symbolisieren. Dazu wurden alte Kultelemente eingebunden, z. B. die Beschreibung Gottes, der zw. den → Kerubim thront (Ps 99,1 et al.). Neben den täglichen und den Festtagsopfern wies die Zeremonie des Versöhnungstages (Lv 23,27–32), bei der der Hohepriester einmal im Jahr das Allerheiligste betrat, auf den T. als wichtigsten Ort der Beziehung zw. Mensch und Gott. Der Zentral-T. unterstrich die Bed. → Jerusalems als Residenzstadt und die gewünschte Einheit der Kult- und Volksgemeinschaft. Wöchentlich wechselnde regionale Gesandtschaften, die das Volk als Zeugen des T.-Kultes vertraten (Standmannschaften), symbolisierten in der Zeit des Zweiten T. den Zusammenhang von regionaler Religionsausübung und zentralem T.-Kult. Mit Opfern verbundene Wallfahrten zum T. waren auf drei Feste konzentriert und führten die biblisch belegte Trad. der Wallfahrt zum Ladeheiligtum fort (1 Sam 1,3). Die zuerst in 2 Chr 3,1 belegte Identifikation des T.-Berges mit dem Berg Moria (Gn 22; später mit dem Altarort Adams und → Noahs, Gn 8,20, identifiziert) gab diesem eine heilsgesch. Bedeutung.

Nach der Zerstörung des T. 70 n. Chr. blieb der T.-Gedanke im → Judentum wirksam. Jerusalem und der T.-Berg blieben gottgewählte, hl. Orte. Die T.-Symbolik aus der Spätzeit des Zweiten T. wurde teilweise in die → rabbinische Literatur übernommen. Im Festtagskalender wurde das Gedenken an die Zerstörung des Ersten und des Zweiten T. am 9. Av (Fasttag) zusammengefaßt. Die Heiligkeit des T. wurde durch das Verbot unterstrichen, T.-Details im synagogalen Bereich zu kopieren. In Erinnerung an die T.-Musik wurde für die → Synagoge Instrumentalmusik verboten, auch bestimmte Freudenbekundungen wurden abgeschafft.

Die mit dem T. verbundene Theologie wurde im rabbinischen Judentum vielfach fortgeführt. In der rabbin. Lit. wurde neben den Opfer- und Reinheitsgeboten und den Gesetzen zu T.-Abgaben auch die T.-Architektur diskutiert (mMiddot) und so eine Kontinuität postuliert, die histor. nicht belegbar ist. In diesen Kontext gehört auch die Adaption von Reinheitsvorschriften (→ Reinheit III.) des T. für alle Juden. Die Erinnerung an den T. wurde in der Bibelexegese (Midraschim, vgl. → Rabbinische Literatur V.) wachgehalten und in der Liturgie und synagogalen Poesie, die teilweise T.-Riten durch beschreibende Texte ersetzte und Gebete für den Wiederaufbau des T. enthält, ständig vergegenwärtigt.

→ Jerusalem (II.) mit Karten; Judentum; Kult; Ritual

B. HERR, Deinem Haus gebührt Heiligkeit, Jhwh, alle Tage, 2000 · W. ZWICKEL, Der T.kult in Kanaan und Israel, 1994.

E. H.

IV. PHÖNIZIEN

Charakteristisch, aber keineswegs allein verbindlich für phönizische Kultanlagen sind – wie im benachbarten Palaestina und schon für die syrisch-kanaanäische brz. Kultur – mehr oder weniger große, hochgelegene »Heilige Bezirke«: einer in später Überformung ist im Maʿābid von ʿAmrīt (→ Marathos) erh. Im Gegensatz zur griech. sakralen Monumentalarchitektur ist in der phöniz.-punischen Welt ein fester Typenkanon für den T. nicht entwickelt worden (→ Phönizier, Punier IV. A. 2.). Üblich sind zumeist kleine, in schlichter Bauweise errichtete Rechteckbauten mit einem Hauptraum für Kultbild und Opfertisch (Sarepta, 6. Jh. v. Chr.); davon abgeteilte Nebengelasse können als Magazin- und Personalräume gedeutet werden. Die Lage des Eingangs ist nicht festgelegt, in der Regel fehlt eine Antecella, die Orientierung nach Westen ist häufig. T. mit »irregulärem Plan« [1] bzw. Heiligtümer mit T. dieser Art können sowohl im Zentrum als auch am Rande einer Stadt oder außerhalb in ländlicher Umgebung liegen.

Daneben sind im Levanteraum und auf Zypern T. sowohl vom »Langraum«-Typ mit Anten (Tall Taʿyīnāt; Jerusalem, Erster Salomonischer T., s.o. III.) als auch vom »Breitraum«-Typ (Kition, Astarte-T.; T. von Kāmid al-Lauz im Biqāʿ-Tal) bezeugt. Die bes. aus persischer und hell. Zeit bekannten T. vom → Naïskos-Typ (häufig auch in den phöniz. Niederlassungen im westl. Mittelmeerraum) folgen äg. Prototypen und sind durch ägyptisierenden Bauschmuck (Uräen-Friese usw.) gekennzeichnet.

1 A. MAZAR, Excavations at Tell Qasile, Bd. 1: The Philistine Sanctuary, 1980, 61–73.

G. Markoe, Phoenicians, 2000, 125–129 · C. Perra, Sulle origini dell'architettura templare fenicia e punica in Sardegna, in: Riv. di Studi Fenici 27, 1999, 43–77.   H. G. N.

V. Klassische Antike
A. Griechenland
B. Etruskisch-italischer Bereich   C. Rom

A. Griechenland
1. Allgemeines   2. Funktionen
3. Grundrisstypen

1. Allgemeines

Der griech. T. heißt in zeitgenössischen Schriftquellen üblicherweise ναός/*naós*. Die bereits in der Ant. (z. B. bei Vitr. 3,2 f.), dann auch in der Nachantike weit verbreitete Vorstellung, der griech. T. sei ein typologisch klar definiertes und damit formal kohärentes Gebilde, beruht auf Irrtum bzw. weitläufiger Idealisierung der Säulenbauform als dem Höhepunkt der ant. griech. → Architektur. Auch gänzlich unregelmäßige Baukonglomerate wie z. B. das Erechtheion auf der Athener Akropolis (→ Athenai II.), unscheinbare, schuppenartige Gebilde (wie z. B. das frühe »Schatzhaus« im Demeter Malophoros-Heiligtum von → Selinus [4]), festungsartige Labyrinthe wie das Nekyomanteion von Ephyra [3], asymmetrisch abgeschlossene Hallenbauten wie im Heiligtum der Artemis Hemera von → Lusoi oder das → Telesterion von → Eleusis [1] waren T. im Sinne der allein maßgeblichen funktionalen Definition (s. u. V. A. 2.).

Der dorische griech. T. des 7.–4. Jh. v. Chr. besitzt zwei Trad.-Stränge: In der Mehrzahl der Expl. ist er einerseits als umfassendste Erscheinungsform des Säulenbaus (zu den griech. Bauordnungen vgl. → Säule) das Ergebnis der Transponierung einer überdimensionalen Holzbaustruktur in den monumentalen Steinbau (im späten 7. Jh. v. Chr.; z. B. der Hera-T. von Olympia; vgl. u. a. → Epistylion, → Triglyphos); zugleich aber ist er andererseits hinsichtlich der äußeren Form auch in sehr viel weniger repräsentativ-monumentaler Form belegt, etwa in der Tradierung des myk.-prähistor. → Megaron (vgl. auch → Altar; → Haus). Beide Trad.-Stränge stehen dabei formal weitgehend unverbunden (und letztlich auch unverbindbar) nebeneinander. Zumindest auf grundsätzlicher Ebene lassen sich jedoch funktionale Analogien konstatieren, denn in beiden Fällen ist als Grundmuster das mehr oder minder repräsentative, später als »Heroon« oder in sonstigen rituellen Handlungen genutzte herrscherliche Wohnhaus die mögliche Inspirationsquelle. Die Herleitung der spätestens seit etwa 600 v. Chr. im gesamten griech. Kulturraum weit verbreiteten und verschiedentlich variierten Form des zunächst dor. Ringhallen-T. mit → Cella [1] (bestehend aus Pronaos/Vorraum, Hauptraum und diesem angegliedertem Adyton oder von diesem getrennten Opisthodomos) und umlaufender → Peristasis wird in der arch. Architektur-Forsch. jedoch weiterhin höchst kontrovers diskutiert.

Bezüglich der Monumentalisierung der ionischen T., deren architektonische Ausprägung gegenüber den dor. Bauten zeitlich um gut eine Generation später liegt, wird ein Entstehungszusammenhang zw. der zunächst bevorzugten dipteralen Bauform (→ Dipteros) und einer spezifisch kollektiv-nivellierend ausgerichteten Weihgeschenk-Präsentation innerhalb der im 6. Jh. v. Chr. vergleichsweise weltoffenen griech.-persischen Kontaktzone vermutet. Dieser Zusammenhang kann in abgewandelter Form auch frühen dor. T. des Mutterlandes zugrundegelegen haben. Dabei wird der in seinem Umfang das Potential des einzelnen bzw. der einzelnen Sippe weit übersteigende T.-Bau zu Recht als eine kollektive, gemeinschaftsstärkende und identitätsstiftende Handlung im Kontext der sozialen Spannungen innerhalb der frühgriech. Poliswelt verstanden (vgl. → Polis).

Zu architektonischen Detailfragen des griech. T. vgl. → Cella [1]; → Dipteros; → Dorischer Eckkonflikt; → Fries; → Geison; → Metope [1]; → Optical Refinements; → Peripteros; → Pseudodipteros; → Epistylion; → Giebel; → Krepis [1]; → Säule; → Triglyphos.

2. Funktionen

Zentrale Handlung des griech. → Kultes ist das → Opfer; Ort dieser Handlung ist, in Verbindung mit einem Kultmal innerhalb des Heiligtums, der → Altar. Der T. ist im griech. Kultverständnis ein Requisit, das in einem → Heiligtum nicht konstitutiv notwendig war; dementsprechend gab es Heiligtümer ohne T. (Zeus-Heiligtum/Orakel in → Dodona), aber niemals ohne Altar. Der T. barg im Idealfall das → Kultbild (ein bisweilen anikonisches, immer aber in eine rituelle Handlung einbezogenes »Abbild« des Gottes, vgl. → Bild, das im Rahmen des Zeremoniells gewaschen, gesalbt oder bekleidet wurde); das räumliche Verhältnis zw. Altar (Ort der Kulthandlungen) und T. blieb dabei des öfteren architektonisch unverbindlich, also ohne eingefluchtete, axiale Verbindung. Dieser griech. T. war kein Versammlungs-, sondern ein reiner Verwahrungsraum (und demzufolge in der Regel nur für die Priesterschaft zugänglich); seine Wirkung richtete sich nach außen, was etwa in den Momenten zutage trat, wo im Rahmen des Kultes das Kultbild in einem rituellen Akt aus dem »Haus« herausgetragen und den das Szenario säumenden Kultteilnehmern präsentiert wurde. Die generelle Funktion des griech. T. als repräsentative Schau- bzw. Kulissenarchitektur zeigt sich in der »un-architektonischen«, nicht in erster Linie auf Raumumfassung ausgerichteten Struktur des Ringhallen-T. Sie erklärt auch die im späten 6. Jh. v. Chr. zunehmende Tendenz, neue T. in zentraler Lage innerhalb des Heiligtums optisch effektvoll zu plazieren (z. B. Argos, Heraion) und auf hohem Stufenbau (→ Krepis [1]) fast wie eine Statue auf einem Sockel über die Umgebung hinauszuheben.

Nur die Funktion, nicht jedoch die Form macht einen griech. Säulenbau innerhalb eines Heiligtums zum T.; dementsprechend gibt es Säulenbauten, die keine T., sondern repräsentative Schatzhäuser (→ Thesau-

Griechische Tempel: Grundrißtypen

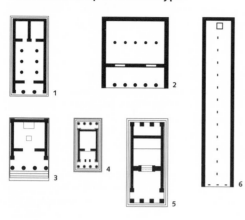

1 Antentempel: Aigina,
   archa. Aphaiatempel
   (570 v. Chr.)
2 Antentempel: Sangri (Naxos),
   Demetertempel
   (um 530 v. Chr.)
3 Prostylos: Selinus, Tempel B
   (um 250 v. Chr.)
4 Amphiprostylos: Athen,
   Ilissostempel (um 440 v. Chr.)
5 Amphiprostylos: Magnesia [2]
   am Maiandros, Zeustempel
   (Anfang 2. Jh. v. Chr.)
6 Ringhallenloser Hallenbau:
   Samos, Heraion I
   (1. H. 8. Jh. v. Chr.)

0 _____ 20 m

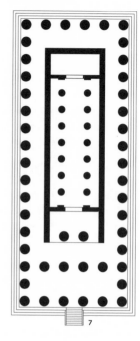

7 Peripteros: Syrakus, Apollontempel (um 565 v. Chr.)
8 Peripteros: Labraunda, Zeustempel (Mitte 4. Jh. v. Chr.)
9 Dipteros: Samos, Heraion
   (sog. Rhoikostempel,
   570/60 v. Chr.)
10 Pseudodipteros: Chryse (Troas),
   Tempel des Apollon Smintheus
   (2. Jh. v. Chr.)

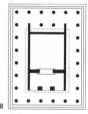

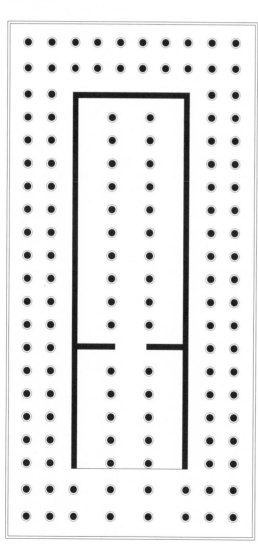

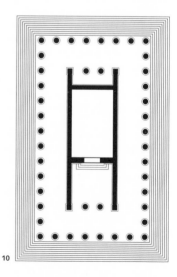

ros [1]) waren. Ob und inwieweit ein t.-förmiger Säulenbau innerhalb eines Heiligtums Kultfunktionen hatte und damit ein T. war, ist anhand verschiedener Kriterien auszumachen: Für eine Funktion als T. sprechen die unmittelbare Nähe, u.U. auch die direkte Bezugnahme eines Altars; bildliche, epigraphische oder lit. Nachrichten über mit einem Bauwerk verbundene Kulthandlungen; schließlich auch die Tradierung einer Architektur durch mehrere Bauphasen hindurch (ein Sachverhalt, der meist eben in der rituellen Relevanz des Standortes des Gebäudes begründet ist). Daraus ist im Umkehrschluß zu folgern, daß Neubauten t.-förmiger Architekturen an bis ins 6. Jh. v. Chr. hinein unbebauten Standorten innerhalb genuin alter Heiligtümer wohl keine Kult- und damit T.-Funktionen besaßen (z. B. der Zeus-T. in → Olympia und der → Parthenon auf der Akropolis von Athen). Zu berücksichtigen ist, daß der Rückschluß auf profane Funktionen eines t.-förmigen Bauwerks wegen des bloßen Fehlens eines Altars bisweilen in die Irre führen kann (Delphoi).

Als ein mögliches, wenn auch in der griech. Ant. selten verwendetes Konzept des T.-Baus existiert, vom frühgriech. → Megaron herstammend, das »Herdhaus« (ohne → Überdachung) mit einem Brand- oder Libationsaltar im Innern des Gebäudes (z. B. die Apollon-T. von Delphoi und Didyma, ferner die kretischen T. von Dreros und Prinias). Vielfach sind auch für Kult-T. Bank- und Thesauros-Funktionen überl., z. B. für den Apollon-T. von → Delphoi, in dem das Vermögen der Priesterschaft verwahrt war (→ Tempelwirtschaft).

3. GRUNDRISSTYPEN

Generell sind aus formaler und typologischer Sicht T. in Form von Kleingebäuden von den monumentalen, langrechteckigen Säulenarchitekturen zu trennen. Kleinformatige T., die ein Maß von ca. 20 m L selten übertrafen (eines der größeren Expl. war der sog. Ilissos-T. in Athen), folgten dabei dem Typus des Anten-T. ohne Säulenkranz mit einer fast quadratischen → Cella, einem Pronaos (Vorraum) und (meist) zwei zw. den → Anten plazierten Säulen (dies war auch der für Schatzhäuser geläufige Bautypus; vgl. → Thesauros [1]; ein Sonderfall ist der T. von Sangri (Naxos; vgl. Abb. Nr. 2) mit seinen fünf Säulen *in antis*. Dieses Baumuster konnte zum Doppelanten-T. erweitert werden (Rückhalle mit Säulenstellung *in antis*, die dem Pronaos analog gestaltet ist; dieses Konzept entspricht zugleich dem Grundmuster der kanonischen, von einem Säulenkranz umstandenen → Cella [1] des monumentalen Ringhallen-T., z. B. Lindos, Athena-T.). Eine weitere Variation war der → Prostylos (mit einer geschlossenen, nunmehr die gesamte Breite der Front überziehenden Säulenstellung; meist als → Tetrastylos, seltener als Hexastylos ausgebildet; vgl. Abb. Nr. 3); auch dieses Baukonzept konnte um eine der Front entsprechende Säulenstellung an der Rückwand erweitert werden (→ Amphiprostylos, vgl. Abb. Nr. 4; ausnahmsweise auch mit zwei Säulen *in antis* an der Rückwand, wie dies der Zeus-T. auf der Agora von Magnesia [2] am Mäander zeigt, vgl.

Abb. Nr. 5). Nur vereinzelt findet sich das Motiv des T. ohne umlaufenden Säulenkranz ins Monumentale gesteigert, so z.B. beim hexastylen Amphiprostylos der Athener auf Delos.

Der monumentale griech. T. war zunächst ein Hallenbau ohne umgebende Ringhalle (Samos, Heraion: Abb. Nr. 6; Sparta, Artemis Orthia-Heiligtum; Delos, sog. Naxier-Oikos), erhob sich bald darauf, in der Regel auf langrechteckigem, gestuftem, zunächst eher niedrigem, später dann immer mehr erhöhtem Unterbau (→ Krepis [1]), und war seit dem späten 7. Jh. v. Chr. mit einem einfachen (→ Peripteros) oder auch doppelten (→ Dipteros) Säulenkranz umgeben (vgl. Abb. Nr. 7–9). Während der ionische T. in den Dipteroi von Samos, Ephesos und Didyma seine architektonische Kanonisierung erfuhr, entwickelte sich das peripterale Baukonzept des dor. T. von langgestreckten, in sich unregelmäßig strukturierten Frühformen (Apollon-T. von Syrakus, um 580 v. Chr.; vgl. Abb. Nr. 7) hin zu einem in sich vollkommen, hinsichtlich seiner → Proportionen und Dimensionen klar aufeinander abgestimmten Gebilde (Zeus-T. von Olympia, um 470 v. Chr.; → dorischer Eckkonflikt). Gegenüber dieser »klassischen« Grundrißform (mit 6 × 13 Säulen) verkürzte Baukonzepte begegnen seit dem frühen 4. Jh. v. Chr. häufiger (z. B. Olympia, Metroon; Pergamon, Athena-T.; Labraunda, Zeus-T.; vgl. Abb. Nr. 8); inwieweit sie als Endpunkt einer typologischen Entwicklung sind oder aber auf eine schon um 500 v. Chr. existente Bau-Trad. zurückverweisen, bleibt unsicher.

Das in den Hell. zu datierende Muster des → Pseudodipteros (vgl. Abb. Nr. 10) mit seiner Betonung der T.-Front schließt die typologische Entwicklung des griech. T. ab; üblich wurde zudem nun eine strenge axiale Einbindung des Baukörpers in einen architektonischen Gesamtrahmen. T.-Neubauten hell. Zeit blieben, reich ausgeschmückt, überwiegend im kleinen Format und orientierten sich in den Regionen jenseits des griech. Kernlandes typologisch meist an traditionellen lokalen Vorbildern. Zum griech. Osten in der röm. Kaiserzeit s.u. V. C. 3.; zu Rundbauten vgl. → Tholos.
→ Amphiprostylos; Architektur B. III. 3.;
Dipteros (mit Abb.); Heiligtum; Kult; Peripteros;
Prostylos; Pseudo-dipteros; Religion; Tetrastylos;
Tholos (mit Abb.); TEMPEL

J. N. COLDSTREAM, Greek Temples. Why and Where, in: P. E. EASTERLING (Hrsg.), Greek Rel. and Society (Kongr. Cambridge), 1985, 67–97 · H. DRERUP, Die Entstehung der griech. T.ringhalle, in: N. HIMMELMANN-WILDSCHÜTZ et al. (Hrsg.), FS F. Matz, 1962, 32–38 · B. FEHR, The Greek Temple in the Early Archaic Period, in: Hephaistos 14, 1996, 165–192 · G. GRUBEN, Il tempio, in: S. SETTIS (Hrsg.), I Greci, Bd. 2.1, 1996, 381–434 · S. C. HERBERT, The Orientation of Greek Temples, in: Palestine Exploration Quarterly 116, 1984, 31–34 · CH. HÖCKER, Architektur als Metapher. Überlegungen zur Bed. des dorischen Ringhallent., in: Hephaistos 14, 1996, 45–79 · Ders., Sekos, Dipteros, Hypaithros – Überlegungen zur Monumentalisierung der archa. Sakralarchitektur Ioniens,

in: R. ROLLE, K. SCHMIDT (Hrsg.), Arch. Stud. in
Kontaktzonen der ant. Welt. FS H. G. Niemeyer,
1998, 147–163 · M. B. HOLLINSHEAD, Adyton,
Opisthodomus, and the Inner Room of the Greek Temple,
in: Hesperia 68, 1999, 189–218 · H. KÄHLER, Der griech.
T., 1964 · TH. KALPAXIS, Frührcha. Baukunst in
Griechenland und Kleinasien, 1966 · H. KNELL, Dorische
Peripteralt. mit gedrungenem Grundriß, in: AA 1975,
10–13 · Ders., Grundzüge der griech. Architektur, 1980,
15–174 · Ders., Dorische Ringhallent. in spät- und
nachklassischer Zeit, in: JDAI 98, 1983, 203–229 ·
H. LAUTER, Die Architektur des Hell., 1986, 180–210 ·
A. MALLWITZ, Kritisches zur Architektur Griechenlands im
8. und 7. Jh. v. Chr., in: AA 1981, 599–632 · W. MARTINI,
Vom Herdhaus zum Peripteros, in: JDAI 101, 1986, 23–36 ·
D. MERTENS, Der T. von Segesta und die T.baukunst des
griech. Westens in klassischer Zeit, 1984 · Ders., Die
Entstehung des Steint. in Sizilien, in: DiskAB 6, 1996,
25–38 · D. METZLER, »Abstandsbetonung«. Zur
Entwicklung des Innenraumes griech. T. in der Epoche der
frühen Polis, in: Hephaistos 13, 1995, 58–71 ·
A. MAZARAKIS AINIAN, From Ruler's Dwellings to
Temples. Architecture, Rel. and Society in Early Iron Age
Greece, 1997 · W. MÜLLER-WIENER, Griech. Bauwesen in
der Ant., 1988, 139–148 · H. RIEMANN, Zum griech.
Peripteralt. Seine Planidee und ihre Entwicklung bis zum
E. des 5. Jh. v. Chr., 1935 · Ders., Hauptphasen in der
Plangestaltung des dorischen Peripteralt., in: G. E. MYLONAS
(Hrsg.), Studies D. M. Robinson, Bd. 1, 1951, 295–308 ·
R. R. SCHENK, Der korinthische T., 1997 · V. SCULLY,
The Earth, the Temples and the Gods. Greek Sacred
Architecture, ²1979 · M. C. V. VINK, Houses and Temples,
Men and Goddesses, in: M. MAASKANT-KLEIBRINK, The
Landscape of the Goddess (Kongr. Groningen), 1995,
95–118.   C. HÖ.

B. ETRUSKISCH-ITALISCHER BEREICH

Hauptmerkmale des etr. (von Vitr. 4,7 als *Tuscus*,
»tuskanisch« bezeichneten) T. sind ein Grundriß im
Verhältnis 6 : 7 von Br zu L, in der vorderen Hälfte
(→ *pars antica*) eine zweifache Säulenstellung und in der
hinteren (*pars postica*) eine dreiteilige Raumanordnung
mit Mittelcella (→ Cella [1]) und Seitencellen (oder –
kontrovers – offenen Nebenräumen: *alae*) im Verhältnis
3 : 4 : 3. Weitere Charakteristika sind die tuskanische
→ Säule (II. B.) sowie ein hölzernes Gebälk, das mit tö-
nernen Verkleidungsplatten gegen die Witterung geschützt war. Der tuskan. T. war im Gegensatz zum
griech. streng frontal ausgerichtet und sehr breit (*latus*)
sowie durch die weit auseinanderstehenden, niedrigen
Säulen und das seitlich weit überkragende, flach geneigte Dach in seinem Aussehen sperrig (*varicus*; vgl. Vitr.
3,3,5). Als zeitgenössisch (1. Jh. n. Chr.) noch existie-
rende Beispiele des tuskan. T. verweist Vitruv u. a. auf
den Ceres-T. am Fuße des Aventin und auf den kapitolinischen Iuppitertempel, der zu seiner Zeit zwar
nicht in seinem urspr. Aufbau erh., aber – kultisch bedingt – auf originalem Grundriß und in tuskan. Art wie-
dererrichtet war (zur Bed. dieses T.-Typus für die röm.
Architektur und sein Nachleben in den Capitolia vgl.
→ Capitolium; s. u. V. C.). Die wahrscheinliche Erbau-

ungszeit des urspr. T. des → Iuppiter Optimus Maximus
unter Tarquinius [12] Superbus, das letzte Drittel des
6. Jh. v. Chr., deckt sich zeitlich mit den frühesten Beispielen des dreizelligen etr. T. in Etrurien (→ Veii, Portonaccio; Acquarossa, Zone F), wo dieser T.-Typ in der
Folge mehrfach und in verschiedenen Varianten – also
nicht kanonisiert – auftritt (5. Jh. v. Chr.: Marzabotto C;
Pyrgi A; Volsinii/Orvieto, Belvedere; 4. Jh. v. Chr.: Falerii, Celle). Da die Dreizelligkeit schon in der 1. H. des
6. Jh. für die etr. Profan- und Sepulkralarchitektur belegt ist (z. B. »Palast« von → Murlo/Poggio Civitate;
Grabtypus D–1 in Caere), dürfte es sich um eine spezifisch etr. Bauform handeln.

Neben dem dreizelligen bzw. einzelligen T. mit offenen Seitenräumen existierten schon früh, möglicherweise vor den Dreizellentempeln, griech. inspirierte
Oikoi (Satricum, Sacellum: Mitte 7. Jh. v. Chr.; Veii,
Piazza d'Armi: Anf. 6. Jh.) sowie Peripteroi (Pyrgi B: E.
6. Jh. v. Chr., → Peripteros) und griech.-etr. Mischformen (→ Tarquinii, Tempio della Regina: 6. Jh. v. Chr.),
die sich alle durch strenge Frontalität des Baukörpers
auszeichnen. Als orientalisch beeinflußt gilt ein Kultraum mit Altarpodium in Tarquinia (Edificio Beta:
1. H. 7. Jh. v. Chr.). Charakteristisch für etr.-ital. T.
sind »offene« Giebel und die sich daraus ergebende Verkleidung der sichtbaren Dachträger (→ *mutulus*) mit re-
liefverzierten Tonplatten (Antepagmente von Pyrgi A:
Sieben gegen Theben), ferner das Aufstellen von großformatigen Plastiken auf dem First offizieller Bauten
(Murlo/Poggio Civitate; Rom, Regia) und auf T.
(Veii, Portonaccio; Satricum, Mater Matuta). Große
Giebelkompositionen mit griech. myth. Bildthematik
setzten sich erst im Hell. durch (Telamon; Civit'Alba).
→ Etrusci, Etruria (II. C. I.)

A. M. BONGHI-JOVINO, CH. CHIARAMONTE TRERÉ,
Tarquinia, in: Tarchna 1, 1997, 55–62; 167–193 ·
G. COLONNA (Hrsg.), Santuari d'Etruria, 1985 · Ders.,
Urbanistica e architettura, in: G. PUGLIESE CARRATELLI
(Hrsg.), Rasenna, 1987, 431–494 · H. KNELL, Der etr. T.
nach Vitruv, in: MDAI(R) 90, 1983, 91–101 · F. PRAYON,
Frühetr. Grab- und Hausarchitektur, 1975, 23–27; 130–135;
154–156.   F. PR.

C. ROM

1. DEFINITION UND CHARAKTERISTIKA
2. REPUBLIK: URSPRUNG UND ENTWICKLUNG
3. RÖMISCHES KAISERREICH   4. DAS SCHICKSAL
DER TEMPEL IN CHRISTLICHER ZEIT

1. DEFINITION UND CHARAKTERISTIKA

Als röm. T. (lat. *aedes, templum*) bezeichnet man denjenigen T.-Typ, der sich in Rom und Italien zuerst unter
dem Einfluß der etr., später auch der griech. T. entwik-
kelte. Charakteristisch für einen röm. T. sind ein hohes
Podium mit Freitreppe (z. T. auch als → Rednerbühne
ausgestaltet), ein tiefer Pronaos (Vorraum) und eine
breite, fast quadratische, meist stützenlose → Cella [1]
mit Kultbildbasis an der Rückwand (oder in einer

Römische Podiumstempel: Ursprung und Entwicklung

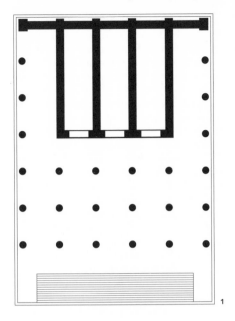

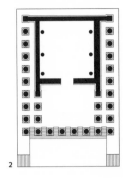

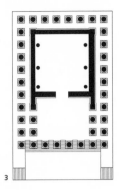

1 Drei-Cellen-Tempel: Rom, Kapitol,
  Iuppitertempel (um 500 v. Chr.)
2+3 Rom, Forum Romanum, Castor und
   Pollux-Tempel (Aedes Castorum,
   um 117 v. Chr.). Rekonstruktion als
   Peripteros sine postico oder Peripteros

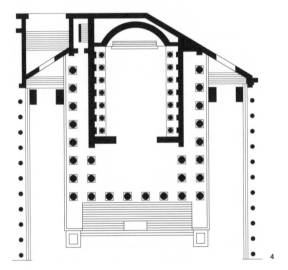

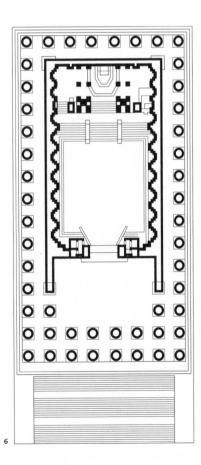

4 *Peripteros sine postico*: Rom,
  Forum Augustum, Mars-Ultor-Tempel
  (42–2 v. Chr.)
5 Halbsäulen als Blendarchitektur:
  Nemausus [2] (Nîmes), sog. Maison Carrée
  (16 v. Chr.)
6 Peripteros: Baalbek, sog. Bacchus-Tempel
  (2. Jh. n. Chr.)

0   40 m

→ Apsis). Feste Merkmale sind Frontalität und Axialität, die oft durch eine zurückgezogene, gleichwohl dominierende Position des T. in einem Hof (oder → Forum) betont wurden; der röm. T. setzt sich somit als Teil eines Bauganzen deutlich von der autonom-denkmalhaften, auf sich selbst bezogenen Monumentalität der griech. Tempel archa. und klass. Zeit ab.

Einen Eindruck von der Vielzahl verschiedener T.-Typen, die in It. in augusteischer Zeit existierten, gibt → Vitruvius, der im 3. und 4. B. seiner Abh. *De architectura* sowohl eine Klassifikation der Normal-T. (Vitr. 3,2) als auch eine Beschreibung der Rund-T. (Vitr. 4,8) gibt. Während in republikanischer Zeit sowohl die dorische (und tuskanische, s.o. V.B.) als auch die ionische und korinthische Ordnung angewandt wurden, dominierte in der Kaiserzeit die korinthische Bauordnung (→ Säule II.B.).

2. REPUBLIK:
URSPRUNG UND ENTWICKLUNG

Die frühesten T. Roms waren in etr. Art als breit-rechteckige Drei-Cellen-Tempel erbaut (z.B. der Iuppiter-T. auf dem Kapitol/→ Capitolium: Abb. Nr. 1, und der erste T. des Castor und Pollux am → Forum [III 8] Romanum, beide um 500 v.Chr. errichtet). Während T. dieses Typs noch bis in das 2. Jh. v.Chr. erbaut wurden (z.B. erster Umbau desselben Castor und Pollux-T., des T. in → Cora und des T. des samnitischen Stammesheiligtums in → Pietrabbondante), entstanden schon im frühen 3. Jh. v.Chr. griech.-beeinflußte T. in Rom. Einer der ersten davon war der Tempel A am Largo Argentina. Deutlicher Einfluß ging zu dieser Zeit von den griech. Kolonien in Süditalien und Sizilien aus: So wurde im oskischen → Pompeii schon im 6. Jh. v.Chr. ein rein griech. Peripteral-T. auf dem Foro Triangolare errichtet (→ Peripteros), und auch der Apollon-T. des 2. Jh. v.Chr. hatte diese Form, obwohl er sich auf einem Podium erhob.

Große Bed. für die röm. T.-Architektur dieser Zeit hatten auch die ostgriech.-hell. Architekten → Hermogenes [4] und → Hermodoros [4]. Ein Beispiel für die Mischung von lokalen Trad. und neuen griech. Ideen erkennt man im durch L. Caecilius [I 24] Metellus 117 v.Chr. veranlaßten Neubau des Castor und Pollux-T. am Forum Romanum (vgl. Abb. Nr. 2+3). Unsicher ist, ob er ein → Peripteros (mit umlaufender Ringhalle) oder ein Peripteros *sine postico* war (mit einem an der Rückwand endenden Pteron: »Umgang«, wie z.B. der Tempel C am Largo Argentina); beide Modelle wurden in dieser Zeit angewandt (das letztgenannte jedoch häufiger). Während dieser achtsäulige T. vom äußeren Erscheinungsbild her modern und »griechisch« aussah, war der Pronaos ungewöhnlich tief, die Cella mit großer Kultbildbasis an der Rückwand nahezu quadratisch, das Podium sehr hoch, und der T. insgesamt streng frontal ausgerichtet; die griech. Formen des Säulenbaus wurden hier in eine traditionelle, ital.-etr. Struktur eingebunden (s.o. V.B.). Derselbe Grundriß wurde auch für den (jetzt mit Sicherheit peripteral konzipierten) augusteischen Nachfolgebau des Castor und Pollux-T. benutzt, sowie für andere T. der frühen Kaiserzeit, z.B. die T. für Mars Ultor (vgl. Abb. Nr. 4) und Venus Genetrix (beide Peripteroi *sine postico*), die auf den frühen Kaiserfora angelegt wurden, und zwar symmetrisch und axial inmitten der Platzanlage.

Die meisten T. waren noch immer Prostyloi (→ Prostylos), vielfach mit Halbsäulen oder Pilastern auf den äußeren Cellamauern als Substitut für einen Peripteros (→ Pseudoperipteros, z.B. der sog. Iuno-T. in → Gabii und der Portunus-T. in Rom). Auch Rund-T. im griech. Stil wurden in der augusteischen Periode gebaut (z.B. auf dem Forum Boarium in Rom, in → Tibur/Tivoli und auf der Athener Akropolis; → Tholos). Gute Beispiele für die Rückbezüge auf hell. Bau-Trad. sind schließlich auch die großen Terrassenheiligtümer (z.B. der Fortuna Primigenia in Praeneste und des Hercules Victor in Tibur/Tivoli), die in Mittelitalien in späthell. Zeit errichtet wurden.

3. RÖMISCHES KAISERREICH

Mit den Bauten der augusteischen Zeit etablierte sich die kanonische röm. Form des T., doch gab es auch danach überraschend innovative T. in Rom, wie etwa den Zentralbau des → Pantheon [2] und den podiumslosen T. der Venus und Roma (aus hadrianischer Zeit, 117–138 n.Chr.). Die T., die in den folgenden Jh. in It. und den Prov. errichtet wurden, folgten meist, aber nicht durchgehend frühkaiserzeitlichen Modellen; regionale Trad. konnten erhebliche Auswirkungen auf die jeweiligen Bauformen haben. Im Westen findet man sowohl kanonische röm. T. (z.B. die augusteische »Maison Carrée« in Nîmes: Abb. Nr. 5, und die zahlreichen Kapitolstempel) als auch lokal-gallische T. In Nordafrika entsprachen die T., die in den schnellwachsenden Städten gebaut wurden, fast ausschließlich röm.-ital. Baumustern (z.B. das Kapitol von → Thugga/ Dougga und der severische T. in Djemila); daneben fanden auch punische Trad. vereinzelt ihren Durchschlag (wie beim Saturn-T. von Dougga).

Im griech. Osten wurden bisweilen weiterhin T. rein griech. Stils erbaut bzw. erneuert (wie das Olympieion in Athen), aber auch röm. Formen wie das hohe Podium oder die symmetrische und axiale Einbindung des Baukörpers in die umgebenden Hallen und Höfe fanden hier Anwendung; sehr üblich war dies in den blühenden Städten Kleinasiens (z.B. beim Traianeum in → Pergamon II.H.) und auch in den → Dekapolis-Städten im Nahen Osten. Darüber hinaus verblieben die T. im Osten jedoch vergleichbar mit den Erscheinungsformen des Hell., im Kern in lokalen Trad. Die modernen hell.-röm. Säulenhallen, mit welchen sie versehen wurden, blieben Äußerlichkeiten und hatten keine Auswirkung auf den Inhalt der Kulte (deutlich zu sehen im Bel-T. von → Palmyra und im T. von Qaṣr bint Firʿaun in → Petra [1]). Konsequent wurden in Äg. noch in röm. Zeit T. rein lokalen Typs gebaut.

4. Das Schicksal der Tempel in christlicher Zeit

In der Spätantike, nachdem Constantinus [1] d.Gr. das → Christentum zur nicht nur akzeptierten, sondern bevorzugten Rel. erklärte hatte und nachdem es Gratianus und Theodosius I. im späten 4. Jh. zur Staatsrel. erhoben hatten, wurden die »heidnischen« T. mehr und mehr vernachlässigt, bisweilen sogar enteignet (vgl. Cod. Theod. 16,10,19), so daß sie verfielen. Einige wurden zwar später durch ihren Umbau in Kirchen architektonisch »gerettet« (z.B. → Pantheon [2]; s. auch → PANTHEON); somit wandelte sich aber die Funktion dieser T. vom Haus der Gottesstatue und Depot für Votivgaben zu Hallen für Gottesdienst und Gemeinde. Nur die T. des → Kaiserkultes dürften, wegen ihrer traumatischen Rolle in der Gesch. des frühen Christentums (→ Toleranz), nicht für diesen Zweck wiederverwendet worden sein.

→ Architektur B. III. 3.; Capitolium; Kult; Religion; Roma III.; Tempel

A. Böethius, Etruscan and Roman Republican Architecture, 1984 · F. Coarelli, I santuari del Lazio in età Repubblica, 1987 · F. Castagnoli, Il tempio romano. Questioni di terminologia, in: PBSR 52, 1984, 3–20 · J. Ganzert, Der Mars-Ultor-Tempel auf dem Augustusforum in Rom, 1996 · P. Gros, Aurea Templa, 1976 · H. Kähler, Der röm. Tempel, 1970 · G. Kaschnitz von Weinberg, Röm. Kunst, Bd. 3 und 4, 1962–1963 · D. Metzler, Ökonomische Aspekte des Religionswandels in der Spätantike. Die Enteignung der heidnischen T. seit Konstantin, in: Hephaistos 3, 1980, 27–40 · I. Nielsen, B. Poulsen (Hrsg.), The Temple of Castor and Pollux, Bd. 1, 1992 · J. B. Ward-Perkins, Roman Imperial Architecture, ²1981 · A. Zielkowski, The Temples of Mid-Republican Rome and Their Historical and Topographical Context, 1992.   I. N.

Tempelgrab s. Grabbauten (III.B.4.; III.C. 2–3)

Tempelschlaf s. Inkubation

Tempelwirtschaft

I. Alter Orient und Ägypten
II. Klassische Antike

I. Alter Orient und Ägypten

→ Tempel (= Te.) stellten im Alten Orient (in Mesopotamien seit dem 3. Jt. v. Chr.) und in Äg. – neben dem → Palast – die wesentlichen gesellschaftlichen Institutionen dar. Neben ihrer Funktion als Stätten der Gottesverehrung übten sie in der Regel auch bedeutende wirtschaftliche Macht aus. Diese gründete sich auf die Verfügung über ausgedehnte Ländereien und somit über das wesentliche Produktionsmittel einer Agrargesellschaft, das Ackerland, sowie über die Thesaurierung von Edelmetallen, u.a. in Form von handwerklich gefertigten Weihgaben (→ Weihung).

Die Tempeldomänen Mesopot.s, die oft mehrere Hundert ha Ackerland umfaßten, wurden durch zahl-reiches, dreistufig hierarchisch gegliedertes Verwaltungspersonal geführt, das in der Regel nicht mit dem Kultpersonal identisch war. V. a. in der mesopot. → Oikos-Wirtschaft des 3. Jt. v. Chr. standen den Te. Dienstpflichtige als Arbeitskräfte zur Verfügung. Die Domänen aller Te. eines Territoriums konnten zusammen nahezu dessen gesamte Ackerfläche umfassen. Seit dem 2. Jt. trat der Palast neben die Te. als Institution, die die landwirtschaftl. Produktion in Eigenregie und mittelbar durch Vergabe an kleine Produzenten durchführte. Neben der agrarischen Produktion betrieben Te. auch umfangreiche → Viehwirtschaft und Werkstätten für die handwerkliche Produktion (→ Handwerk I.).

In Äg. galt der → Pharao als Eigentümer allen Ackerlandes. Im Verlauf der äg. Gesch. schenkten oder übereigneten die Pharaonen den Te. in unterschiedlichem Maße Ländereien und auch Arbeitskräfte, behielten sich allerdings vor, die Wirtschaftsoperationen der Te. durch ihre Beamten kontrollieren zu lassen. Eine Vorstellung über Umfang und Produktivkraft der T. im NR vermittelt z. B. eine Schenkung Ramses' [3] III. (ca. 1183–1152) an den Amuntempel von Thebai [1] (2393 km² und 86 000 Menschen). Während in Mesopot. das von den Te. bewirtschaftete Ackerland in deren unmittelbarer Umgebung lag, konnten äg. Te. auch über Ländereien in weiter Entfernung, sogar in eroberten Gebieten, verfügen, die ihnen durch königliche Schenkungen zugefallen waren [2; 3]. Der Landbesitz der Te. in Äg. kam also erst durch königl. Akt zustande. Der Landbesitz mesopot. Te. beruhte hingegen darauf, daß diese urspr. die einzige gesamt-ges. Institution waren, in der herrschaftliche und rel.-kultische Funktionen vereint waren; erst im Verlauf der Gesch. bildete sich ein Nebeneinander der beiden – auch wirtschaftl. autonomen – Institutionen Te. und Palast heraus.

Im hethitischen Anatolien beruhte die wirtschaftl. Potenz der Te. v. a. auf königl. Stiftungen von Land und Abgaben. Beides diente im wesentlichen den außerordentlich umfangreichen Erfordernissen des Kultes [4].

Im Gegensatz zu Mesopot. besaßen die Te. in Syrien (→ Ebla, → Ugarit, Emar) und Palaestina, soweit feststellbar, keinen nennenswerten Besitz an Ackerland und stellten keinen wirtschaftl. bedeutsamen Faktor dar, abgesehen von den z. T. immensen angesammelten Schätzen. Der Te. in → Jerusalem war nach der Überl. seit David [1] und → Salomo königl. Eigenheiligtum und somit Teil der Palastorganisation.

Die rel. und ges. Strukturen im → Iran (strikte Ausrichtung, Organisation und Kontrolle der Wirtschaft auf die Bedürfnisse des Staates) seit der Achämenidenzeit (→ Achaimenidai: 6.–4. Jh. v. Chr.) führten nicht dazu, daß sich dort Te. und eine T. in der aus dem übrigen Alten Orient bekannten Form entwickelten [6. 197–204, 255–265].

→ Arbeit; Palast II. B.; Sozialstruktur; Tempel

1 M. Heltzer, The Economy of Ugarit, in: W. G. F. Watson, N. Wyatt (Hrsg.), Handbook of Ugaritic Studies, 1999, 423–454 **2** B. Kemp, Ancient Egypt,

1991, 190–200 **3** D. KESSLER, s. v. Tempelbesitz, LÄ 6, 365–376 **4** H. KLENGEL, Zur ökonomischen Funktion hethit. Tempel, in: SMEA 16, 1975, 181–200 **5** J. RENGER, Wirtschaftsformen in Mesopot. zw. dem dritten und dem zweiten Jt. v. Chr., in: Colloquien der Deutschen Orient-Gesellschaft 3 (im Druck) **6** J. WIESEHÖFER, Das ant. Persien, 1993.   J.RE.

II. KLASSISCHE ANTIKE
A. ALLGEMEINES   B. STIFTUNGEN
C. EINKÜNFTE AUS LANDBESITZ   D. RELIGIÖSE
DIENSTLEISTUNGEN   E. TEMPELBANKEN

A. ALLGEMEINES
In der griech.-röm. Ant. entwickelten sich v. a. Heiligtümer an einer Handelsroute (Delos) oder zw. zwei Einflußgebieten (Lucus Feroniae) zu Zentren wirtschaftlicher Aktivitäten. Der Reichtum vieler Tempel (= Te.) stammte aus verschiedenartigen Quellen.

B. STIFTUNGEN
Bes. in den großen Heiligtümern wie → Delphoi und → Olympia bezeugten → Stiftungen die Frömmigkeit der Geber und verbreiteten ihren Ruhm. Delphis Reichtum ist bereits bei Homer belegt (Hom. Il. 9,404 f.). Trotz gelegentlicher Plünderungen nahm die Masse an Edelmetall in den großen Te. durch Stiftungen stetig zu. So stiftete etwa → Kroisos im 6. Jh. v. Chr. für Delphi Weihgaben aus Edelmetall (Hdt. 1,50 f.), und der Makedonenkönig Amyntas [3] zahlte zu Beginn des 4. Jh. v. Chr. 6000 statt der vorgeschriebenen 10 Drachmen, als er das → Orakel in Lebadeia befragte (IG VII 3055). Seleukos [2] I. schickte 288/7 v. Chr. reichliche Gaben nach Didyma, die inschr. festgehalten wurden (OGIS 214). Augustus verwendete etwa 100 Mio. HS aus Beuteanteilen, um das → Capitolium und die Te. Roms auszustatten (R. Gest. div. Aug. 21,2). Die Gründung eines neuen Heiligtums war ebenfalls durch Stiftung möglich. Xenophon hatte im Te. der Artemis von Ephesos einen Beuteanteil deponiert, aus dem er der Göttin ein Geschenk darbringen wollte. Später brachte ihm ein Priester aus Ephesos, der zu den Olympischen Spielen angereist war, das Geld nach Olympia, mit dem Xenophon in der Nähe Land kaufte und einen Te. für Artemis errichtete (Xen. an. 5,3).

C. EINKÜNFTE AUS LANDBESITZ
Die Ländereien um das von Xenophon gestiftete Heiligtum waren so ausgedehnt, daß der Zehnte des jährlichen Ertrages für → Opfer verwendet wurde; aus dem Rest sollten Arbeiten am Te. finanziert werden. Delos verdiente durch den Verkauf der Wolle der heiligen Schafe. Die Athener ließen 352/1 v. Chr. durch das delphische Orakel die Frage entscheiden, ob die Heilige Au von Eleusis brach liegen oder verpachtet werden sollte, um aus dem Gewinn das Heiligtum zu sanieren (IG II² 204 = Syll.³ 204). Im 2. Jh. v. Chr. erwarben die Te. in Äg. aufgrund ihrer Steuerfreiheit beträchtlichen Reichtum; sie besaßen u. a. Brauereien, Mühlen und Färbereien.

D. RELIGIÖSE DIENSTLEISTUNGEN
Der enge Zusammenhang zw. einer → Polis und ihrem Heiligtum manifestierte sich auch in Fragen der Finanzierung. Der πελανός (→ pelanós), urspr. ein Opferkuchen, war spätestens seit dem 5. Jh. v. Chr. zumeist in Bargeld zu leisten, ein Indiz für die Rationalisierung des Opferbetriebs. In Amorgos wurden die Einkünfte aus dem pelanós verliehen und mit den Zinsen die Opfer der Stadt finanziert (Syll.³ 1046; 1047). In Delphi variierte die Höhe des pelanós nach der Herkunft der Anfragenden; die Gesandtschaft einer Stadt zahlte mehr als Privatleute. Bei einem Opfer in der griech. Welt stand den Priestern das Fell des Opfertieres zu; in Delphi konnte man es den Priestern abkaufen.

Bes. Einblicke bietet eine kürzlich publizierte Inschr. aus Kos (wahrscheinlich 2. Jh. v. Chr., [13]), in der die Einnahmequellen des im Heiligtum befindlichen → thēsaurós [1] aufgezählt werden. Ein thēsaurós, einem mod. Opferstock vergleichbar, wurde zumeist aus zwei ausgehöhlten Steinblöcken gebildet. Im oberen Block, der oft allein durch sein Gewicht Sicherheit gewährleistete, befand sich ein Schlitz, durch den man Mz. hineinwarf. Als Opfergebühr waren für ein Rind 2 Drachmen, für kleinere Tiere entsprechend weniger zu entrichten; Sklaven zahlten bei ihrer → Freilassung 5 Drachmen, Schiffseigner und Fischer gaben 5 Drachmen pro Jahr und pro Schiff; nach einem Feldzug leisteten die Soldaten eine bestimmte Summe. Einmal im Jahr wurde der thēsaurós geöffnet; die Hälfte des Geldes stand der Priesterin zu, die andere Hälfte wurde in einer öffentlichen → Bank eingezahlt. Auch der Verkauf von Priesterämtern, die durch ihr Prestige sowie die Einrichtung eines thēsaurós und anderer Einnahmequellen attraktiv waren, kam den Te. zugute.

E. TEMPELBANKEN
Te. gewährten durch ihre solide Bauweise sowie den Schutz der Gottheit ein Höchstmaß an Sicherheit. Daher wurden seit frühester Zeit Wertsachen Te. zur Verwahrung gegeben. Die Aufbewahrung erfolgte als geschlossenes Deposit in Töpfen, Kästen, Steinkisten oder Beuteln. Laut Dion [I 3] von Prusa tastete niemand die Schätze des Te. von Ephesos an, obgleich die Stadt mehrfach erobert wurde (Dion Chrys. 31,54 ff.; vgl. aber Arr. an. 1,17,11). Insgesamt scheint das Vertrauen auf die Sicherheit der Te. aber überwogen zu haben: Fremde und Einheimische deponierten im Heiligtum Teile ihres Vermögens. Depositen waren zumeist gebührenfrei. Te. verliehen → Darlehen vornehmlich an Städte oder Herrscher, wobei die eigene Stadt keine oder nur sehr niedrige Zinsen zahlte; der → Zins für Privatleute und fremde Staaten betrug in der Regel ca. 10%. Riskantere Darlehen und Geldwechsel waren Sache von Privatbanken. Octavianus soll für die Führung der Bürgerkriege große Summen vom Capitolium in Rom sowie von den Te. von Antium, Lanuvium, Nemi und Tibur geliehen haben (App. civ. 5,24). Ant. Gemeinwesen bewahrten ihren Staatsschatz in Te. auf. Inschr. aus Athen dokumentieren die Bed. der Te. auf

der Akropolis als Kasse und Schatzhaus Athens und der attischen Symmachie; in Rom dienten das → *aerarium* sowie die Te. des Saturnus und der Ceres als staatliche Schatzkammern.

→ Heiligtum; Opfer; Priester; Stiftung; Tempel; Weihung; Wirtschaft

1 P. AMANDRY, La mantique apollinienne à Delphes, 1950 2 G. BODEI GIGLIONI, Pecunia fanatica: L'incidenza economica dei templi laziali, in: Rivista Storica Italiana 89, 1977, 33–76 3 K. BRINGMANN, H. VON STEUBEN, Schenkungen hell. Herrscher an griech. Städte und Heiligtümer, Bd. 1: Zeugnisse und Kommentare, 1995 4 J. CARLSEN, CIL X 8217 and the Question of Temple Land in Roman Italy, in: J. CARLSEN et al. (Hrsg.), Landuse in the Roman Empire, 1994, 9–15 5 A. CHANIOTIS, Illness and Cures in the Greek Propitiatory Inscriptions and Dedications of Lydia and Phrygia, in: PH. VAN DER EIJK et al. (Hrsg.), Ancient Medicine in Its Socio-Cultural Context, 1995, 323–344 6 E. E. COHEN, Athenian Economy and Society, 1992 7 D. J. GARGOLA, Grain Distributions and the Revenue of the Temple of Hera on Samos, in: Phoenix 46, 1991, 12–28 8 R. HAMILTON, Treasure Map. A Guide to the Delian Inventaries, 2000 9 D. HARRIS, The Treasures of the Parthenon and Erechtheion, 1995 10 P. HORDEN, N. PURCELL, The Corrupting Sea, 2000 11 D. M. LEWIS, Temple Inventories in Ancient Greece, in: M. VICKERS (Hrsg.), Pots and Pans, 1986, 71–86 12 T. LINDERS, B. ALROTH (Hrsg.), Economics of Cult in the Ancient Greek World, 1992 13 R. PARKER, D. OBBINK, Aus der Arbeit der ›Inscriptiones Graecae‹ VI. Sales of Priesthoods on Cos I, in: Chiron 30, 2000, 415–449 14 V. ROSENBERGER, Griech. Orakel, 2001 15 L. J. SAMONS II, The Kallias Decrees and the Inventories of Athena's Treasure in the Parthenon, in: CQ 46, 1996, 91–102 16 M. SILVER, Economic Structures of Antiquity, 1995 17 U. SINN, The Influence of Greek Sanctuaries on the Consolidation of Economic Power, in: P. HELLSTRÖM, B. ALROTH (Hrsg.), Rel. and Power in the Ancient Greek World, 1996, 67–74.   V. RO.

Temperament (κρᾶσις/*krásis*, lat. *mixtio*, »Mischung«; *complexio, temperatio, temperamentum*). Medizinischer Begriff (der Physiologie, Pathologie und Pharmakologie). In Fortführung der Theorien der ersten griech. Philosophen über die Natur (→ Naturphilosophie), bes. über die vier Elemente (→ Elementenlehre) samt ihren Qualitäten, bezeichnet *krásis* die »Mischung« von Stoffen und folglich von spezifischen Eigenschaften, welche für die Physiologie jedes Subjekts individuell konstitutiv ist (z. B. Emp. 31 B 6,96 DK). Im ant. Humoralsystem (→ Säftelehre) wurde diese Theorie durch das Gleichgewicht der vier Säfte (χυμοί/*chymoí*, lat. *humores*) konkretisiert, die mit den vier Elementen des Kosmos und deren Eigenschaften verbunden wurden. Erst im MA wurde T. speziell mit den vier universellen Charaktertypen verbunden, die auf den vier Säften Galens gründen (Sanguiniker, Melancholiker, Phlegmatiker, Choleriker).

Das Konzept des T. erscheint auch in der Therapeutik, bes. in der medikamentösen Therapeutik des → Galenos, der sie zur Erneuerung der hippokratischen Orthodoxie einführte: Die *krásis* bezeichnete nun die Mischung von Eigenschaften (und Substanzen), welche für die Heilmittel konstitutiv waren; sie konnte Grundsubstanzen und deren entgegengesetzte Eigenschaften in variablen Proportionen enthalten und je nach Zustand des Heilmittels (z. B. trocken oder feucht) verändern. Die Mischung bestimmte daher die therapeutische Wirkung der medikamentösen Substanzen ebenso wie ihre Kinetik im Körper. Somit bestand die Therapeutik darin, das richtige T. je nach Art der Störung durch Einbringung oder Elimination physiologischer Stoffe wiederherzustellen. Höchste Bed. erlangte das so definierte T. in der → Pharmakologie (V.) seit der Entwicklung der zusammengesetzten Medikamente (vom 1. Jh. v. Chr. an), welche mehrere Ingredienzien miteinander verbanden.

Bei Galenos waren die Eigenschaften der Heilmittel nach Gegensatzpaaren miteinander verbunden und wurden in vier Stufen gemessen, wobei der Mittelpunkt der Skala ihr Gleichgewicht bezeichnete; in diesem System gab es keine Nullstufe (d. h. Abwesenheit einer Eigenschaft). Diese Tatsache verkomplizierte die gesamte spätere Reflexion – v. a. in der arabischen Medizin – über die zusammengesetzten Medikamente. Die strikte Parallelisierung von Therapeutik einerseits und Physiologie sowie Pathologie andererseits durch den Begriff des T. bestimmte weitgehend die medizinischen Schriften der frühbyz. Zeit (Oreibasios, Aëtios [3], Paulos [5] von Aigina) über Heilmittel. In der Folge wurde dieser Ansatz in Byzanz zugunsten einer stärker dioskurideischen Pharmakologie aufgegeben.

Das Konzept der Stufung der Eigenschaften der medizinischen Stoffe wurde in der arabischen Medizin und in der Medizin des westlichen MA weiterentwickelt (z. B. Arnaldi de Villanova [3]). In der Renaissance gab man die Theorie der zusammengesetzten Medikamente und des T. in der Pharmakologie auf und kehrte auf Empfehlung des Arztes Ferrare Nicolao LEONICENO (1428–1524) zur Pharmakologie der einfachen Medikamente zurück.

→ Galenos; Hippokrates [6]; Pedanios Dioskurides; Säftelehre; SÄFTELEHRE

1 G. HARIG, Bestimmung der Intensität im medizinischen System Galens, 1974 2 G. HELMREICH (ed.), Galeni de temperamentis libri III, 1904 3 M. McVAUGH (ed.), Arnaldi de Villanova Opera Medica Omnia, Bd. 2: Aphorismi de gradibus, 1975 (²1992) 4 E. SCHÖNER, Das Viererschema in der Humoralpathologie, 1962.   A. TO./Ü: T. H.

Tempestates s. Winde, Winddämonen

Templum. In der röm. Augurallehre Bezeichnung für die Beobachtungshütte (Fest. 157) und das vom → Augur abgesteckte Beobachtungsfeld zum Einholen der Auspizien (vgl. Varro ling. 7,6–10; Liv. 1,18,6–8); alles außerhalb davon wird als *tescum* bezeichnet. Der Terminus *t.* bezog sich allg. in erster Linie auf Sakralbauten (→ Tempel), aber auch auf andere Örtlichkeiten, *in quibus auspicato et publice res administrarentur et senatus haberi*

Hypothetische Rekonstruktion eines Templum auf der Basis des Ausgrabungsbefundes in Bantia (Basilicata); 1. Jh. v. Chr.

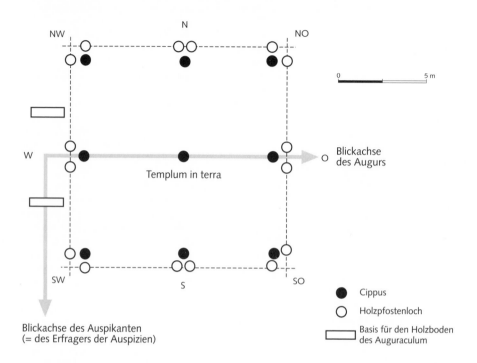

Templum in terra

Blickachse des Augurs

Blickachse des Auspikanten
(= des Erfragers der Auspizien)

● Cippus

○ Holzpfostenloch

▭ Basis für den Holzboden des Auguraculum

posset (›in denen durch Auspizien öffentliche Angelegenheiten geregelt wurden und eine Senatsversammlung abgehalten werden konnte‹, Serv. Aen. 1,466) [1]. Wegen der räumlichen Einteilung des Beobachtungsfeldes in eine → *pars antica* und eine *pars postica* und in eine linke und eine rechte H. sowie wegen des Himmelsaspekts des *t.* werden Beziehungen zur etr. → Divinationslehre vermutet, sind aber bisher nicht nachweisbar [2]. Im röm. → Bantia (Basilicata) ist ein durch Inschriftensteine markiertes *t.* erhalten ([5]; vgl. Abb.). T.-Funktion besaßen in Rom die staatlichen *auguracula* auf der Arx und dem Quirinal. Für den Palatin ist ein *auguratorium* in ma. Quellen überl. [3; 4].
→ Tempel V. B.-C.

1 S. WEINSTOCK, s. v. T., RE 5 A, 480–485 2 A. MAGGIANI, s. v. T., in: M. CRISTOFANI (Hrsg.), Dizionario della civiltà etrusca, 1985, 292f. 3 F. COARELLI, La doppia tradizione sulla morte di Romolo e gli Auguracula dell'Arx e del Quirinale, in: Gli Etruschi e Roma (Atti 1979), 1981, 173–188 4 Ders., s. v. Auguraculum, Auguratorium, LTUR 1, 142f. 5 A. CARANDINI, La fondazione di Roma e la morte di Remo. Il t. in terra di Bantia, in: Dies., R. CAPPELLI (Hrsg.), Roma, Romolo, Remo e la fondazione della città (Ausst.-Kat. Rom), 2000, 256 (mit Abb. c). F. PR.

Templum Pacis (»Friedenstempel«). Eine in Analogie zu den Fora des Caesar und Augustus unter → Vespasianus nach der Einnahme Jerusalems 71 n. Chr. gestaltete und 75 n. Chr. geweihte Platzanlage in Rom (→ Forum), deren nahezu quadratischer, säulenhallenumfaßter Hof auf einen Tempel an der sö Seite hinführt. Der zunächst verm. bewußt freigelassene Raum zw. T. P. und dem Forum Augustum – eine Maßnahme, die eine unmittelbare ideologisch-polit. Gleichsetzung zw. Caesar- und Augustusforum einerseits mit dieser neuen Anlage andererseits verhindern helfen sollte – wurde aber unter den Kaisern Domitianus und Nerva (81–98 n. Chr.) zum → Forum Transitorium [III 10] ausgestaltet; das T. P. wurde damit auch baulich in die Reihe der röm. Kaiserfora einbezogen. Die Anlage wurde in der Ant. mehrfach umgestaltet; die severische → *Forma urbis Romae* zeigt das T. P. wohl nicht mehr in seinem urspr. Zustand, sondern als Neubau nach dem Brand von 192 n. Chr.; die *Forma urbis* war zudem hier in einer der Hallen angebracht. Architektonisch erinnert der Komplex an ein → *macellum* und damit an diejenige Funktion des Ortes, die dem T. P. vorausging. Berühmtheit erlangte eine im T. P. eingerichtete öffentliche → Bibliothek (Gell. 5,21,9; 16,8,2). Das T. P. gilt als einer der frühesten Baukomplexe Roms, der umfassend mit → Spolien dekoriert war; die öffentlichkeitswirksame Wiederverwendung von Bauteilen und Bildern der unter den Flaviern weitgehend abgerissenen → *Domus aurea* des Nero war ein ebenso demonstrativer Akt wie die trophäenhafte Präsentation von Beutekunst aus der Eroberung Jerusalems.

F. COARELLI, s. v. Pax, Templum, LTUR 4, 1999, 67–70 · RICHARDSON, s. v. Pax, Templum, 286f. C. HÖ.

Tempus utile (wörtlich: »verwendbare Zeit«). Im röm. Recht eine bestimmte Art der Fristberechnung. Während im Falle eines *tempus continuum* (»ununterbrochener Zeitraum«) Anfangsdatum und Fristablauf unverrückbar festgelegt sind, impliziert *t.u.* eine Berücksichtigung allein derjenigen Tage, an denen die Frist von der betroffenen Partei genützt werden konnte. Entweder wird der Fristbeginn vom erstmaligen Können abhängig gemacht, die Frist läuft dann aber als *continuum* ab (z. B. praetorische Klagen, Dig. 15,2,1 pr.), oder der Beginn ist fixiert, und in den Ablauf der Frist werden nur solche Tage eingerechnet, an denen die Partei die Handlung tatsächlich vornehmen konnte – etwa die Berufungsfrist (Dig. 49,4,1,7). Anerkannte Gründe für eine Verhinderung sind Krankheit, Gefängnis, Abwesenheit in Staatsgeschäften etc. (Dig. 44,3,1; 48,5,12,5).   C.PA.

Tempyra (Τέμπυρα). Siedlung an der thrakischen Küste der Ägäis (→ Aigaion Pelagos) östl. von → Sale; gegr. von → Samothrake. T. war Station an der → *via Egnatia* (Strab. 7a,1,48; Itin. Anton. 322,3: *Timpiro*; Itin. Burdig. 602,8: *mutatio Ad Umimpara*), die genaue Lage ist unbekannt (Strab. 7, Fr. 47f.). In der Nähe von T. lag ein unbewaldeter Engpaß, an dem der Proconsul Manlius [I 24] Vulso 188 v.Chr. auf dem Rückmarsch von Kleinasien Kämpfe mit den → Trausoi zu bestehen hatte (Liv. 38,41,5).

E. Oberhummer, s. v. T., RE 5 A, 489 · Müller, 74.
    I.v.B.

Tenages (Τενάγης). Einer der → Heliadai (nach schol. Pind. O. 7,131a–132a, z. T. nach Hellanikos der jüngste, auch → Phaethon [3] genannt), der sieben Söhne des Helios und der Rhodos (→ Rhode). T. wird von einigen seiner Brüder aus Neid ermordet (Diod. 5,56,5–57,2; 5,61,1 = Zenon FGrH 523 F 1; schol. Hom. Il. 24,544c).   SI.A.

Tenagino Probus. Ritterlicher Amtsträger, der 268 n.Chr. noch unter → Gallienus als *praes provinciae Numidiae* den mit »Groma« bezeichneten Torbau in Lambaesis (s. Stadtplan Nr. 10c) dedizierte (CIL VIII 2571 = 18057 = AE 1974,723; vgl. [1]). Auch unter Claudius [III 2] Gothicus blieb er dort noch im Amt (AE 1936,58; ILAlg II 1,24). Er ist wohl mit dem Probus identisch, der 269 als → *praefectus Aegypti* über die Marmariten in der Cyrenaica siegte und die Stadt Claudiopolis gründete (AE 1934,257). Nach Zos. 1,4,4 kämpfte er im Auftrag des Claudius gegen Seeräuber, die ihn bei Babylon, der Grenzstadt Ägyptens zur Prov. Syria Palaestina, besiegten, worauf er sich selbst tötete. In der *Historia Augusta* (Probus 9,1) liegt eine Verwechslung mit dem späteren Kaiser Probus [1] vor.

1 H.-G. Kolbe, Die Inschr. am Torbau der Principia im Legionslager von Lambaesis, in: MDAI(R) 81, 1974, 281–300.

F. Paschoud (ed.), Zosime, Histoire nouvelle, Bd. 1, 1971, 160f. · Thomasson, Fasti Africani, 191.   W. E.

Tencteri. Germanischer Stamm, der 58 v.Chr. von den → Suebi aus ihren rechtsrheinischen Wohnsitzen verdrängt wurde. Die T. überschritten nach dreijähriger Wanderung 55 v.Chr. den Rhein (→ Rhenus [2]), besiegten die linksrheinischen → Menapii, die ihnen die Aufnahme in ihr Gebiet verweigert hatten, und zogen maasaufwärts (→ Mosa [1]) bis zu den → Eburones und → Condrusi. Hier schlug → Caesar sie vernichtend, nur ein Teil der Reiterei entkam zu den → Sugambri rechts des Rheins (Caes. Gall. 4,1,1–4,18,5). 17/16 v.Chr. siegten sie mit → Usipetes und Sugambri über ein röm. Heer unter Lollius [II 1] (Cass. Dio 54,20,4). 12/11 v.Chr. wurden sie von Claudius [II 24] Drusus unterworfen (Liv. per. 140; Flor. epit. 2,30,22–28). 58 n.Chr. zog ein röm. Heer unter → Duvius Avitus gegen sie (Tac. ann. 13,56). Im → Bataveraufstand 69/70 n.Chr. standen sie auf seiten der gallischen Anführer (Tac. hist. 4,21,2ff.). Sie sind wohl seit dem 3. Jh. n.Chr. im Stammesverband der → Franci aufgegangen.
→ Germani [1]

B. Krüger u. a., Die Germanen, 2 Bd., ⁵1988 · R. Wolters, Röm. Eroberung und Herrschaftsorganisation in Gallien und Germanien, 1990, 138–170.   R.A.WI.

Tenea (Τενέα). Ort in der südl. Korinthia an einem Weg in die → Argolis (vgl. Xen. hell. 4,4,19), wohl südl. vom h. Chiliomodion (ant. Überreste mit einer Nekropole). An der Gründung von → Syrakusai sollen Bewohner aus T. teilgenommen haben. Bei der Zerstörung Korinths 146 v.Chr. (→ Mummius [I 3]) blieb der zuvor schon autonome Ort wegen seiner Beziehungen zu Rom verschont und ist im 2. Jh. n.Chr. als selbständig belegt [1. Nr. 228]. In T. wurde v.a. Apollon verehrt (Paus. 2,5,1). T. galt sprichwörtlich als blühend (Strab. 8,6,21f.; vgl. auch Cic. Att. 6,2,3; Steph. Byz. s. v. T.).

1 J.H. Kent, The Inscriptions (Corinth 8.3), 1966.

M. Kordoses, Αρχαία και πρωτοβυζαντινή T., in: Dodone 26, 1997, 465–580 · J. Wiseman, The Land of the Ancient Corinthians, 1978, 92–93.   K.F.

Tenedos (Τένεδος). Insel im NO der Ägäis (→ Aigaion Pelagos; Ptol. 5,2,27; Dion. Per. 135; Hierokles *Synékdēmos* 686,8), 5 km vor der Küste der Troas, 20 km sw des Hellespontos und daher stets von strategischer Bed.; bestehend aus Kalk, Schiefer, Trachyt mit jungtertiären Ablagerungen; 10 km L, 5 km Br, 41 km² Fläche; im NO bis auf 191 m ansteigend, h. Bozcaada. Verschiedene frühere Namen sind für T. überl.: Kalydna, Leukophrys (Strab. 13,1,46; Hesych. s.v. Λεύκοφρυς), Phoinike, Lyrnessos (Plin. nat. 5,140). T. wurde nach dem als Gott verehrten Stadtgründer Tenes benannt (Cic. nat. deor. 3,39; Verr. 2,1,49; Herakl. Pont. fr. 7; Diod. 5,83,5; Steph. Byz. s. v. T.). Die Stadt T. lag im NO an der Stelle des h. Bozcaada (geringe Reste), hatte ein (Skyl. 95) oder zwei (Eust. zu Dion. Per. 536; Arr. an. 2,2,2) Häfen, seit dem 6. Jh. v.Chr. eine → Peraia südl. von Sigeion (Strab. 13,1,32; 13,1,44; 13,1,46f.; Aristot. rhet. 1375b 31).

Von Aioleis [1] aus Lesbos besiedelt, bereits Homer bekannt (Hom. Il. 1,38; 1,452; 11,625; 13,33), war T. nach dem → Ionischen Aufstand persisch (Hdt. 6,31; 6,41). Mitglied im → Attisch-Delischen Seebund (ATL 1,420f.; Thuk. 3,2; 3,28; 3,35; 7,57), desgleichen im → Attischen Seebund (IG II 43,79). 389 v.Chr. von Spartanern verwüstet (Xen. hell. 5,1,6), dann von Persern erobert (Arr. an. 2,2,2f.; 3,2,3). Von Verres geplündert (Cic. Verr. 2,1,49). Polit. Anschluß an Alexandreia [2] (Paus. 10,14,4).

Inschr.: IG XII 2, 639–644; Suppl. 144–148; Mz.: HN 550f.; [1].

1 H. A. Specht, Die Münzprägung von T., Diss. Wien 1968 (maschr.).

K. Fiehn, s.v. T., RE 5 A, 494–498 • Philippson/Kirsten 4, 219f. • J. Koder, Aigaion Pelagos, 1998, 287–291.
                               A.KÜ.

Teneros (Τήνερος). Mythischer Seher (→ *mántis*: Pind. fr. 51d) in Theben, Sohn des Apollon und der Eschennymphe Melia (→ Melia [1]; schol. Lykophr. 1211), die ihn im Ismenion zur Welt bringt (Pind. fr. 52k), wo auch sein Orakel lag (schol. Pind. Pyth. 11,5); Bruder des Ismenios (Paus. 9,10,6). Apollon verleiht ihm die Sehergabe (schol. Lykophr. 1211). Nach T. ist die Tenerische Ebene zw. Theben und dem Kopaissee benannt (Strab. 9,413; Paus. 9,26,1). Pindars 7. Paian führt ihn ein im Apollonorakel in → Ptoion (evtl. als thebanische Herrschaftslegitimation; [1. 343] mit Lit.); vgl. auch Strab. 9,413.

→ Orakel

1 I. Rutherford, Pindar's Paeans, 2001.   JO.S.

Tennes

[1] (Τέννης, auch Τένης/ *Ténēs*). Nach Plutarch (qu. Gr. 28) Eponym der Insel → Tenedos, Sohn des Königs → Kyknos [2]; auch Apollon wird als Vater angegeben. Stiefsohn der Philomene, die ihn nach einer angeblichen Vergewaltigung zusammen mit seiner Schwester → Hemithea in einer Truhe ins Meer aussetzt. Unter Poseidons Schutz landen sie auf der Insel Leukophrys nahe Troia, wo T. König wird. Nach ihm wird die Insel benannt. Später erkennt Kyknos die Wahrheit und segelt, um sich mit seinem Sohn zu versöhnen, nach Tenedos, doch schlägt T. mit einer Axt die Schiffstaue durch und läßt seinen Vater zurück ins Meer treiben (»Tenesaxt«). T. wird im Kampf gegen → Achilleus vor Troia getötet und daraufhin als Heros verehrt (vgl. Apollod. epit. 3,23ff.; Diod. 5,83; Cic. nat. deor. 3,15,39; Cic. Verr. 2,1,49).   S.ZIM.

[2] (phöniz. *Tabnīt*). König von → Sidon (354–350 v.Chr.), stellte sich mit aus Äg. gesandten griech. Söldnern → Artaxerxes [3] III. auf seinem Zuge gegen Äg. entgegen und schlug dabei die Satrapen von Syrien und Kilikien. Im Angesicht von Artaxerxes' Vormarsch gegen Sidon verriet T. die Stadt an ihn, wurde aber trotz-

dem nach der Eroberung hingerichtet. Sidon fiel z.T. den Flammen zum Opfer (Diod. 16,41–45), ein Teil seiner Bewohner wurde nach Babylon und Susa deportiert [1. Nr.9].

1 A.K. Grayson, Assyrian and Babylonian Chronicles, 1975 2 HN ²1911, 796 3 A. Kuhrt, The Ancient Near East 3000–330 BC, 1995, 674.   J.RE.

Tenos (Τῆνος). Insel der nördl. → Kykladen; 27 km L, bis zu 12 km Br, 195 km² Fläche; zahlreiche Steilküsten, einige offene Buchten, hauptsächlich Schiefer neben Marmor und Granit; im Osten bis 714 m H (Tsiknias, wohl die ant. *Gyraíē pétrē*, Hom. Od. 4,500; 4,507; Lykophr. Alexandra 390ff.); h. ebenfalls T. T. war wenig fruchtbar, doch war der Anbau von Knoblauch auf T. sprichwörtlich (Aristoph. Plut. 718); es gab hier viele Schlangen und Skorpione (ebd.). Beinamen für T. waren *Hydrússa* (»wasserreich«) und *Ophiússa* (»schlangenreich«; Steph. Byz. s.v. T.). Frühkykladische Idolplastik (3. Jt. v.Chr.) erh.; im Süden der Insel (bei Vryokastron) Spuren einer befestigten mittelkykladischen Höhlensiedlung. Ein myk. Kuppelgrab des 13. Jh.v.Chr. wurde im Norden bei Hagia Thekla vor Marlas entdeckt.

Um 1000 v.Chr. von → Iones besiedelt, war T. seit dem 8. Jh. bis zum E. des → Lelantischen Krieges um 650 v.Chr. von Eretria [1] abhängig (Strab. 10,1,10). Die erste Polis T. lag landeinwärts im Osten in Anomeri beim ma. Hauptort Exoburgo, daneben gab es zunächst einige verstreute Siedlungen (protogeom. und geom. Scherben, Gräber an der SW-Küste und im Norden bei Marlas). 490 v.Chr. wurde T. von den Persern unterworfen (→ Perserkriege); die von T. gestellte Triere lief zu Beginn der Schlacht bei Salamis 480 zu den Griechen über (Hdt. 8,66,2; 8,82; Paus. 5,23,2; Syll.³ 30,22). T. war Mitglied im → Attisch-Delischen Seebund (ATL 1,424f.; 2,83); 415 v.Chr. unterstützte T. den Zug der Athener gegen Syrakusai (Thuk. 7,57). Wohl noch im 5. Jh. v.Chr. wurde im Osten der Südküste beim h. T. eine neue *pólis* errichtet (Reste der Stadtmauer, Gymnasion, verschiedene Stoai erh.). Seit 376 v.Chr. Mitglied im → Attischen Seebund (IG I, 43 B 17; Syll.³ 147). 362/1 v.Chr. wurde die Insel von Alexandros [15] von Pherai geplündert, ihre Bewohner deportiert (Demosth. or. 50,4).

Nach Neuansiedlung wurde T. kultisches und polit. Zentrum des 315 v.Chr. gegr. Bundes der Nesiotai [2]; in Verbindung damit erfolgte wohl der Ausbau des Heiligtums des Poseidon und der Amphitrite in der Strandebene von Kionia westl. der Stadt T. (Tempel des 3. Jh. v.Chr. mit dorischem Peripteros, Altar, Stoa und Nebengebäuden, eigene Hafenanlage); Stadt und Heiligtum besaßen Asylrecht (Strab. 10,5,11; Philochoros FGrH 328 fr. 176; Tac. ann. 3,63). Im Hell. war T. ein vielbesuchtes Festzentrum; hell. Wachtürme sind im Westen bei Kardiani und an der sö Hafenbucht Hagios Ioannis bei Smovolon erh. Um 250 v.Chr. gab es neben der *pólis* 13 Dörfer auf T. (IG XII 5, 872). Seit 200 v.Chr. stand T. unter rhodischer Schutzherrschaft (mit hier stationierter Flotte) und war oft (aber wohl nicht ständiger) Tagungsort des Rats der Nesiotai [2] (IG XII 5, 817; 824; 830). Im 1. Jh. v. Chr. wurde T. häufig von Piraten heimgesucht und durch die → Mithradatischen Kriege wirtschaftlich ruiniert. Aufschwung brachte die röm. Kaiserzeit, speziell nach der Erneuerung des Asylrechtes des Poseidontempels unter → Tiberius [1] (Tac. ann. 3,63; Anth. Pal. 9,550). Das Heiligtum wurde Mz.-Funden zufolge bis ins 4. Jh. n. Chr. besucht, die letzte kaiserliche Ehreninschr. gilt Trebonianus Gallus (vgl. IG XII 5, 938).

→ Kykladen

P. Graindor, in: RBPh 5, 1926, 519–523 · H. Demoulin, in: Musée Belge 8, 1904, 65–100, bes. 70 ff. · K. Fiehn, K. Regling, s. v. T., RE 5 A, 507–532 · M. Le Quien, Oriens Christianus, Bd. 1, 1740 (Ndr. 1958), 943 f. · Philippson/Kirsten 4, 98–104 · Kirsten/Kraiker, 521–523; 890 (Lit.) · H. Kaletsch, s. v. T., Lauffer, Griechenland, 655–657 · R. Etienne, J.-P. Braun, Ténos et les Cyclades, (Ténos, Bd. 2), 1990.   A. KÜ.

Tensa. Sakraler Prunk- oder Götterwagen, der, verbunden mit einem komplexen Ritual (z. B. Cic. har. resp. 11,23), für den Transport der Götterbilder und -attribute (*exuviae*) in der *pompa circensis* bei den *ludi circenses* (→ *circus* II.) verwendet wurde (vgl. Iuv. 10,33–46). Die *tensae* bildeten den Schluß der → Prozession in den → *circus* (Ablauf in augusteischer Zeit bei Dion. Hal. ant. 7,72,1–14). Verwahrt wurden sie auf dem → Capitolium in einem eigens dafür eingerichteten Tempel (*aedes tensarum*) nahe dem Iuppiter-Tempel. Bildliche Darstellungen finden sich v. a. auf Mz. (z. B. [1]).

1 F. Gnecchi, I Medaglioni Romani, Bd. 2, 1912, 117.

E. Künzl, Der röm. Triumph, 1988, 105.   A. V. S.

Tenthredon (Τενθρηδών, »Gallwespe«: schol. Nik. Alex. 547a-b; vgl. [1]). Nachkomme des → Magnes [2] (schol. und Eust. zu Hom. Il. 2,756), Vater des Magnetenführers → Prothoos [3] (Hom. Il. 2,756; Lykophr. 899 mit Tzetz.; Aristot. epigr. 28, in [2]).

1 LSJ, 1775, s. v. T. 2 Th. Bergk (ed.), Poetae Lyrici Graeci, Bd. 2, ⁴1882.   SI. A.

Tentyra s. Dendara

Teos (Τέως, Hekat. FGrH 1 F 231 f.; Ethnikon Τήϊος bei Strab. 14,1,29 f.). Ant. Hafenstadt (Liv. 37,27,9) in der Region des heutigen Sığacık/Seferihisar an der kleinasiatischen Westküste ca. 30 km sw von İzmir. Die Ruinenstätte (Grundmauern des berühmten, von Hermogenes [4] erbauten Dionysos-Tempels; Theater aus hell. Zeit mit röm. Proskenion; Odeion; Gymnasion) befindet sich auf dem Isthmos auf einer kleinen Halbinsel, in deren Mitte sich die Akropolis von T. erhob. Die Stadt verfügte über einen größeren Hafen im Süden, der etwa 80 Schiffe faßte, und einen kleineren im Norden (vgl. [1. 283 f.]). Dort befand sich allem Anschein nach be-

reits eine einheimische Siedlung, als ionische Flüchtlinge sich hier im Verlauf der Ionischen Wanderung (→ Kolonisation II.) niederließen.

Sehr früh gewann T. aufgrund seiner günstigen geogr. Lage große handelspolit. Bed., deren Spuren sich für das 6. Jh. v. Chr. bis nach Äg. verfolgen lassen. T. war Mitglied im Ionischen Bund (→ Panionion); doch als diese rel.-polit. Vereinigung den vom Perserkönig Kyros [2] II. auf die Griechenstädte an der kleinasiatischen Küste ausgeübten Druck nicht wirksam abwehren konnte, wanderten ca. 543 v. Chr. viele Einwohner von T. aus und gründeten die nachmals bedeutendste Kolonie der Stadt, Abdera [1] am Delta des Nestos [1] in Thrakia. In der Seeschlacht bei → Lade 496 v. Chr. stellte T. mit 17 Schiffen das größte Kontingent der ionischen Flotte. Nach dem Zusammenbruch des → Ionischen Aufstandes 494 geriet T. unter die Herrschaft des Großkönigs, aus der sie der Sieg der griech. Flotte bei → Mykale 479 wieder befreite. Seither war T. Mitglied im → Attisch-Delischen Seebund und entrichtete einen sehr hohen Betrag nach Delos bzw. nach Athen. Während der letzten acht J. des → Peloponnesischen Krieges kämpften Spartaner und Athener verbissen um die wohlhabende Stadt. Nachdem die Spartaner mit pers. Unterstützung in diesem Ringen Sieger geblieben waren, bemühten sie sich, wie die übrigen Griechenstädte Kleinasiens auch T. gegen den Machtanspruch des Großkönigs zu decken. Mit dem Frieden des → Antalkidas im J. 387/6 fiel T. jedoch in den pers. Machtbereich zurück. Erst Alexandros [4] d. Gr. schenkte der Stadt ihre Autonomie wieder (334 v. Chr.).

Ein ganz Ionia verheerendes Erdbeben (304 v. Chr.; vgl. → Naturkatastrophen mit Karte und Übersicht) war möglicherweise der Grund dafür, daß Antigonos [1] Monophthalmos den Plan faßte, → Lebedos und T. durch einen → *synoikismós* zu vereinen, doch gelangte dieser Plan nicht zur Ausführung [12. 875 f.]. Unter Attalos [4] I. geriet T. unter die Herrschaft der Könige von → Pergamon (IV. C. 2. mit Karte). Um die Wende vom 3. zum 2. Jh. war die Stadt nicht mehr pergamenisch, sondern befand sich damals offenbar in der Hand von Antiochos [5] III. (vgl. etwa Syll.³ 601: die Vertretung der teischen Bitte um Asylieabkommen mit den Römern im Senat durch einen seleukidischen Gesandten 193 v. Chr.). Im → Syrischen Krieg (192–188) nahm T. jedenfalls gegen Rom und Pergamon Partei und wurde wohl aus diesem Grunde im Friedensvertrag von Apameia [2] dem pergamenischen Reich wiedereingegliedert. So ging T. mit dem Testament Attalos' [6] III. im J. 133 in röm. Besitz über und wurde Teil der 129 konstituierten Prov. → Asia. Die Dürftigkeit der Quellenzeugnisse für den Bestand von T. in der röm. Kaiserzeit läßt darauf schließen, daß die Bed. der einst so blühenden Handelsstadt unter der röm. Herrschaft erheblich zurückging.

Eine wichtige, uns speziell durch Inschr. erhellte Rolle spielte in T. die Dionysische Künstlervereinigung (→ *technítai*; [12. 899–901]). Aus T. stammten die Dichter Anakreon [1] und Antimachos [4] sowie der Epikureer Nausiphanes. Wichtige Inschr.: OGIS 246; 309; 325; 326; Syll.³ 37 f. (*Teiorum Dirae*, »Verwünschungen der Teier«); 344; 426; 563–566; 578; 601; 656 mit [6]; Inscriptiones Creticae I 3,1; 5,52 f.; 6,1 f.; 8,8; 8,11; 14,1; 16,2; 16,15; 19,2; 24,1; 27,1; II 1,1; 3,1 f.; 5,17; 10,2; 12,21; 15,2; 16,3; 23,3; 26,1; III 3,2. Vgl. dazu [2; 3; 4; 5; 6; 7]; vollständige Slg.: [8] mit [9] (»Piratengesetz«). Mz.: HN 595 f.; [10]. Lit.-Ber.: [12].

1 K. LEHMANN-HARTLEBEN, Die ant. Hafenanlagen des Mittelmeeres (Klio Beih. 14), 1923 2 L. ROBERT, Études Anatoliennes, 1937, 9–34 3 P. HERRMANN, Antiochos der Große und T., in: Anadolu 9, 1965, 29–159 4 J. und L. ROBERT, Bulletin épigraphique, in: REG 82, 1969, 502, Nr. 495 (Rez. zu [3]) 5 J. H. OLIVER, Notes on the Inscription at T. in Honor of Antiochos III, in: GRBS 9, 1968, 321 f. 6 P. HERRMANN, Zum Beschluß von Abdera aus T., in: ZPE 7, 1971, 72–77 7 Ders., T. und Abdera, in: Chiron 11, 1981, 1–30 8 S. ŞAHIN, Piratenüberfall auf T., in: EA 23, 1994, 1–40 9 R. MERKELBACH, Der Überfall der Piraten auf T., in: EA 32, 2000, 101–114 10 J. M. BALCER, T., in: SNR 47, 1968, 5–50 11 D. KIENAST, T., in: JNG 12, 1962, 172 12 MAGIE, 79–81, 875–903.

W. RUGE, s. v. T., RE 5 A, 539–570 · M. CRISTOFANI, s. v. T., EAA 7, 1966, 710 f. · G. E. BEAN, Kleinasien, Bd. 1, 1969, 135–146 · E. AKURGAL, Ancient Civilizations and Ruins of Turkey, 1970, 139–142.   W. BL. u. E. O.

Tepe (oder *Tape*, *Tappe*; türkisch »Hügel«). Häufig Bestandteil heutiger Namen von vorder- bis zentralasiatischen Ruinenstätten. Gleichbedeutend mit → Tell.

H. J. N.

Tepidarium s. Bäder; Thermen

Teppich (τάπης, τάπις, ταπήτιον/ *tápēs, tápis, tapētion*; lat. *tapes, tapete*).
I. ALTER ORIENT UND ÄGYPTEN
II. GRIECHISCH-RÖMISCHE ANTIKE

I. ALTER ORIENT UND ÄGYPTEN

Der einzige erh. T. (aus dem Kurgan V von Pazyrik, Südsibirien; 5.–4. Jh. v. Chr.) ist aus Wolle geknüpft [1]. Ansonsten läßt sich die Existenz von T. im Alten Orient nur aus verschiedenen bildlichen Darstellungen erschließen. Wegen ihrer Ähnlichkeit zu h. T. hat [2] die in Çatal Hüyük (Türkei) wandgemalten geom. Motive (7. Jt.) als »Kelim-Motive« bezeichnet. Sichere Zeugnisse für die Kelim-(Wirk-)technik scheinen aber erst römerzeitlich zu sein (At-Tar Höhlen, Iraq) [3]. Wenn die mit Quastenreihen gebortete »Investitur-Szene des Zimrilim« auf einem Wandgemälde aus → Mari (18. Jh. v. Chr.) [4. 336; 5] und die verzierten Steinschwellen aus neuassyr. Palästen (9.–7. Jh. v. Chr.) [6] Nachahmungen von T. waren, dann handelte es sich um geknüpfte T. Auf dem Boden äg. Bauten lagen normalerweise geflochtene Matten. Erh. sind zahlreiche koptische Stoff-Frg. (5./6. Jh. n. Chr.), die vielleicht nicht nur als Wandbehänge, sondern auch als T. genutzt wurden [7].
→ Textilherstellung

1 E. J. BARBER, Prehistoric Textiles. The Development of Cloth in the Neolithic and Br. Ages with Special Reference to the Aegean, 1991 2 J. MELLAART, The Goddess from Anatolia, Bd. 2: Çatal Hüyük and Anatolian Kilims, 1989 3 H. FUJII et al., Textiles from At-Tar Caves, in: Al-Rafidan 10, 1989, 109–166 4 A. PARROT, Les Peintures du Palais de Mari, in: Syria 18, 1937, 325–354 5 A. MOORTGAT, T. und Malerei zur Zeit Hammurabis, in: Bibliotheca Orientalis 9, 1952, 92 f. 6 P. ALBENDA, Assyrian Carpets in Stone, in: Journ. of the Ancient Near Eastern Soc. 10, 1978, 1–34 7 S. HAGEMANN, s. v. T., LÄ 6, 1986, 423 f.   A. NU.

II. GRIECHISCH-RÖMISCHE ANTIKE

Aus → Wolle oder Leinen (→ Lein) gewebte Decken und T. dienten als Wandbehang, Vorhang, als Läufer vor Klinen und Sitzmöbeln und als Bodenbelag (Aristoph. Plut. 542). Die Fülle der weiteren griech. und lat. Bezeichnungen für Textilien, die nicht als Kleidung dienten, macht es schwer, Webart und Verwendung zu erkennen [1]. Materiell erh. sind fast nur Behänge und Vorhänge [2]. Reste von Textilien, die als Bodenbelag gedient haben können, kennt man nur aus den Permafrost-Gräbern Zentralasiens, z. B. aus Noin Ula und Pazyrik [3; 4; 5].

Die bildliche Darstellung eines Boden-T. ist in der ant. Kunst kaum zu finden [6]. Dagegen werden textile Bodenbeläge in der ant. Lit. vielfach erwähnt. Sie gehörten zum Hausrat (Hom. Od. 4,298) und lagen in Zelten (Hom. Il. 9,200; 10,156). T. begegnen v. a. im Orient, bes. bei Persern und Thrakern, in vielfacher Verwendung (Xen. Kyr. 8,8,16; Athen. 4,131b und 12,514c; vgl. Xen. Kyr. 7,3,18); sie dienten nicht nur als Bodenbelag, sondern auch als Lagerstatt im Freien (Xen. Kyr. 5,5,7). In Griechenland galten sie als fremdartige Ware, die nur den Göttern zukommt (Aischyl. Ag. 914–974; vgl. Eur. Ion 1132–1165; Xen. an. 7,3,18). Der Besitz von T. war nicht nur ein Symbol für Luxus (vgl. Aischyl. ebd.), sondern auch für Verweichlichung (Xen. Kyr. 8,8,16). T. konnten figürlich verziert (Plaut. Pseud. 1,2,14; Petron. 40), einfarbig oder bunt sein; auch lobte man die Weichheit des Materials (Theokr. 15,79–95).
→ Pavimenta; Textilherstellung; Textilkunst

1 A. WACE, Tappeto, in: AJA 76, 1972, 438–440 2 M. FLURY-LEMBERG, Textilkonservierung im Dienste der Forsch., 1988, 358–408 3 J. ZICK-NISSEN, Knüpfteppich von Pazyrik und die Frage seiner Datier., in: AA 1966, 569–581 4 S. I. RUDENKO, Die Kultur der Hsiung-nu und die Hügelgräber von Noin Ula, 1969 5 Gold der Skythen aus der Leningrader Eremitage (Ausst.-Kat. München 1984), 164–169; 184 f.; 192–195 6 K. SCHAUENBURG, in: AA 1994, 524 f. Abb. 32 (Pan lagert auf einem Läufer).   R. H.

Terambos s. Kerambos

Terebinthos (ἡ τέρμινθος/ *términthos*, später τερέβινθος, lat. *terebinthus*), der immergrüne (Theophr. h. plant. 1,9,3 und 3,3,3; Plin. nat. 16,80), fiederblättrige, zweihäusige Terpentinbaum (Pistacia terebinthus L.) aus der in neun Arten am Mittelmeer verbreiteten Gattung *Pistacia* (vgl. → Pistazie) der Anakardengewächse. Seine genaue Kenntnis zeigt Theophr. h. plant. 3,15,3 f. (vgl. Plin. nat. 13,54): Das aus dem angeschnittenen Stamm und Zweigen (vgl. Theophr. ebd. 4,16,1–2) tropfende flüssige Harz (*rhētínē*, lat. *resina*; 9,2,2, vgl. Plin. nat. 14,122; 24,32 und 34) aus dem Osten (u. a. Arabien und Syrien) und von den Kykladen wurde medizinisch äußerlich (z. B. auf Pflastern und Umschlägen) und innerlich verwendet, u. a. bei Husten und Tuberkulose (Dioskurides 1,71,1–3 WELLMANN = 1,91 BERENDES). Die eßbare rote Frucht [1. Abb. 45] diente u. a. als Aphrodisiakum. Das harte, dunkle Holz, aus dem → Therikles von Korinth (5./4. Jh. v. Chr.) Becher zu drehen pflegte (Theophr. l.c. 5,3,2 = Plin. l.c. 16,205), war in der Kaiserzeit als Edelholz beliebt.

1 H. BAUMANN, Die griech. Pflanzenwelt, 1982.

A. STEIER, s. v. T., RE 5 A, 577–581 · V. HEHN, Kulturpflanzen und Haustiere (ed. O. SCHRADER), [8]1911 (Ndr. 1963), 429 f.   C. HÜ.

Terebra s. Werkzeuge

Terentia

[1] Aus vornehmem Haus, heiratete zw. 80 und 77 v. Chr. M. Tullius → Cicero. Aus der Ehe stammen M. Tullius [I 10] Cicero und → Tullia [2]. T. griff in das polit. Handeln ein, z. B. im Prozeß gegen die Anhänger → Catilinas 63 v. Chr. (Cass. Dio 37,35,4; Plut. Cicero 20,2) und im Verfahren gegen Clodius [I 4] 61 (Plut. Cicero 29,2), was ihr während des Exils ihres Ehemannes Schwierigkeiten eintrug (Cic. fam. 14,2,2; Cic. Cael. 50). Sie setzte sich für seine Rückkehr ein und handelte als Ehefrau *sui iuris* eigenständig; auch wurde ihr Vermögen nicht wie das ihres Mannes konfisziert [1. 99]. 50 verheiratete sie in Abwesenheit Ciceros Tullia mit P. Cornelius [I 29] Dolabella (Cic. Att. 6,6,1; Cic. fam. 3,12,2). Finanzielle Unstimmigkeiten führten 46 v. Chr. zum Bruch der Ehe (Cic. Att. 11,24,3; Plut. Cicero 41), Cicero mußte die Mitgift von 400000 HS zurückzahlen (Plut. Cicero 8,2); zum Unterhalt des Marcus [2. 221]. Nach der Scheidung soll T. Sallustius [II 3], dann M. Valerius [II 16] Messalla Corvinus geheiratet haben (Hier. contra Iovinianum 1,48) und im Alter von 103 J. gestorben sein (Plin. nat. 7,158; Val. Max. 8,13,6). B. 14 von Ciceros *epistulae ad familiares* ist an T. gerichtet.

1 S. DIXON, Family Finances: Terentia and Tullia, in: B. Rawson (Hrsg.), The Family in Ancient Rome, 1986, 97–118 2 J.-M. CLAASSEN, Documents of a Crumbling Marriage: The Case of Cicero and Terentia, in: Phoenix 50, 1996, 208–232.

PIR T 75 · E. RAWSON, Cicero, 1975, s. v. T.

[2] Frau des → Maecenas [2] (Suet. Aug. 66,3; Heirat vor 23 v. Chr.), Schwester des A. Terentius [I 19] Varro Murena (Cass. Dio 54,3,5). Als 23 v. Chr. eine Ver-

schwörung gegen Augustus aufgedeckt wurde, entkam Varro, da T., von Maecenas informiert, ihn warnte. Augustus soll ein Verhältnis mit T. gehabt haben (Cass. Dio 54,19; 55,7,5), was zu ihrer Scheidung von Maecenas 12 v. Chr. führte (Scheidungsgutachten von Trebatius [2]): Dig. 24,1,64). An sie richtete → Horatius [7] vielleicht carm. 2,12.

D. KIENAST, Augustus, [3]1999, 102 · PIR T 76.

[3] Geb. ca. 15 v. Chr. (laut CIL XI 7285), Mutter des *praefectus Aegypti* L. Seius [2] Strabo und Großmutter des L. Aelius [II 19] Seianus (dagegen [1]), vielleicht Schwester von T. [2].

1 D. HENNIG, L. Aelius Seianus, 1975, 5–12.

[4] Tochter des D. Terentius Scaurianus, *cos. suff.* ca. 104 n. Chr., Schwester des D. Terentius [II 5] Gentianus, *cos. suff.* 116. Sie war mit L. Hedius Rufus Lollianus [3] Avitus verheiratet, aus der Ehe stammt Lollianus [4]. Auf einer Reise durch Ägypten 129–130 ließ sie ein selbstverfaßtes Gedicht auf ihren Bruder auf einer Pyramide in Giza einmeißeln (CIL III 6625 = ILS 1046a; [1. 50]).

1 R. SYME, Hadrian and the Senate, in: Athenaeum 62, 1984, 31–60 2 RAEPSAET-CHARLIER 753.   ME. STR.

Terentianus Maurus. Afrikanischer Grammatiker um die Mitte des 3. Jh. n. Chr. (später: [4]), Verf. von drei der → Metrik gewidmeten Lehrgedichten in der Trad. der Derivationstheorie (Caesius [II 8] Bassus): a) *De litteris* (V. 85–278; Artikulation der Buchstaben), b) *De syllabis* (V. 279–1299; metrische Qualität von Buchstaben und Silben), c) *De metris* (über die Versmaße selbst; V. 1300–2981), dazu gehörte nach [2. 566f.] ursprünglich auch die Praef. (V. 1–84). Andere (lyrische?) Gedichte sind verloren. Das in der Spätant. viel benutzte Lehrgedicht blieb dem MA verborgen und ist erst 1493 in einem Cod. Bobiensis wiederentdeckt worden, der (nicht erh.) als Basis der Ed. princeps (1497) gedient hat. Im allg. Gedächtnis geblieben ist allein V. 1286: *Pro captu lectoris habent sua fata libelli*, ›Bücher haben ihre Schicksale nach der Fassungsgabe des Lesers‹.

ED.: 1 GL 6, 313–413 2 J.-W. BECK, 1993 (*De syllabis*). LIT.: 3 K. SALLMANN, in: HLL, Bd. 4, § 493 4 J.-W. BECK, T. M., in: ANRW II 34.4, 1998, 3208–3268 5 Ders., T. M. – Gedanken zur Datier., in: Hermes 122, 1994, 220–252.
                                                          P. L. S.

Terentilius. T. Harsa, C. Nach Livius (3,9,1–10,3; zur Historizität des Berichts [1. 411–413; 2. 93–95]) *tr. pl.* 462 v. Chr., dessen Antrag auf Einsetzung eines Fünfmännerkollegiums, das die Befugnisse der Consuln gesetzlich beschränken sollte – obwohl von ihm wieder zurückgezogen – lange Kontroversen auslöste, die schließlich 454 zur Gesandtschaft nach Griechenland (zum Gesetzesstudium) und zur Einsetzung der → decemviri [1] 451 führten.

1 R. M. OGILVIE, A Commentary on Livy Books 1–5, 1965
2 D. FLACH, Die Gesetze der frühen röm. Republik, 1994.

C. MÜ.

Terentilla. Nach Suet. Aug. 69,2 wird sie in einem Brief des Antonius [I 9] als eine der Frauen mit intimen Beziehungen zu Octavianus erwähnt. Verm. ist damit Terentia [2], die Frau des → Maecenas [2] gemeint (s. Cass. Dio 54,19,3); T. ist dann vielleicht Kosename.

W. E.

Terentius. Name einer aus dem Sabinischen stammenden röm. Gens, deren Angehörige am E. des 3. Jh. v. Chr. in den Quellen erscheinen. Der polit. bedeutendste Zweig ist der der *Terentii Varrones*, die mit dem *cos.* 216 v. Chr., T. [I 14] Varro, in die Nobilität gelangten. Von der Mitte des 2. Jh. an existierten mehrere Familien dieses Zweiges unabhängig nebeneinander. Weitverbreitet sind bei den T. Cognomina, die die Herkunft anzeigen (*Afer, Lucanus, Massaliota*).

K.-L. E.

I. REPUBLIKANISCHE ZEIT

[I 1] T. verhinderte als *tr. pl.* 54 v. Chr. bei den Konsulatswahlen weitere Unt. wegen Wahlbestechung gegen die Bewerber C. Memmius [I 3] und Cn. Domitius [I 10] Calvinus (Cic. Att. 4,17,3).

J. BA.

[I 2] T., Cn. Nach der auf Cassius Hemina (fr. 37 HRR = fr. 40 BECK/WALTER; vgl. Aug. civ. 7,34; anders Liv. 40,29) fußenden Version über die Auffindung angeblich von → Numa Pompilius verfaßter Schriften im J. 181 v. Chr. entdeckte T. diese im Sarg des Numa, den er beim Umgraben seines Ackers fand. Der Praetor → Petillius [I 1] ließ sie verbrennen (zum innenpolit. und kulturell-rel. Hintergrund [1; 2. 158–170]).

1 K. ROSEN, Die falschen Numabücher, in: Chiron 15, 1985, 65–90 2 E. S. GRUEN, Studies in Greek Culture and Roman Policy, 1990.

C. MÜ.

[I 3] T., L. und T. Zwei Brüder wahrscheinlich aus Firmum Picenum, 89 im Kriegsrat des Cn. Pompeius [I 8] Strabo (ILLRP 515, Z. 8); L. ließ sich 87 mit anderen von L. Cornelius [I 18] Cinna zu einem Anschlag gegen Pompeius und dessen Sohn anstiften, der jedoch fehlschlug (Plut. Pompeius 3,1–3).

K.-L. E.

[I 4] T., Ser. Versuchte 43 v. Chr. auf der gemeinsamen Flucht vor Antonius [I 9] seinen Freund D. Iunius [I 12] Brutus zu retten, indem er sich für ihn ausgab, scheiterte aber (Val. Max. 4,7,6).

J. BA.

[I 5] T. Culleo, Q. Gehörte zur Umgebung des P. Cornelius [I 71] Scipio, der nach dem Sieg bei Zama seine Entlassung aus karthagischer Kriegsgefangenschaft bewirkt hatte (Liv. 30,43,11). An Scipios Triumph nahm T. mit dem → *pilleus* eines Freigelassenen teil (Liv. 30,45,5). 195 v. Chr. gehörte er der Gesandtschaft an, die Hannibals [4] Karriere in Karthago beendete (Liv. 33,47,7–10; Iust. 31,2,1 f.). Als Volkstribun setzte er 189 durch, daß die Söhne von → Freigelassenen als Bürger auch in anderen als den vier städtischen → *tribus* Roms registriert werden konnten (Plut. Flamininus 18,2). Als

praetor peregrinus 187 war er für die durch Klagen ihrer Heimatstädte veranlaßte Ausweisung von 12 000 → Latini verantwortlich, die sich in Rom angesiedelt hatten (Liv. 39,3,4–6). Außerdem war er damals in die durch die Vorwürfe der → Petillii [I 1] verursachten Auseinandersetzungen um L. Cornelius [I 72] Scipio verwickelt; seine Rolle in den sog. Scipionenprozessen ist durch die häufig unzuverlässige Überl. (→ Annalistik) verdunkelt (Liv. 38,55; 38,60). T. soll sich 185 erfolglos um das Konsulat beworben haben (Liv. 39,32,8) und ist zuletzt 171 als Gesandter an die Karthager und an → Massinissa bezeugt (Liv. 42,35,7).

→ Punische Kriege (II.)

TA. S.

[I 6] T.(?) Culleo, Q.(?). 58 v. Chr. ist ein Culleo als Gegner des Clodius [I 4] und der Triumvirn bezeugt (Cic. Att. 3,15,5; Plut. Pompeius 49,4), vielleicht war er *tr. pl.* Verm. ist es derselbe, der 56 sein Tusculanum versteigerte (Cic. ad Q. fr. 2,2,1) und Cicero Ratschläge von Atticus überbrachte (Cic. Att. 8,12,5). Das seltene Cogn. Culleo läßt vermuten, daß er ein Nachfahre des Q. T. [I 5] Culleo war. Die Identität mit dem für 57 belegten (Cic. har. resp. 12) *pontifex minor* Q. T. ist unsicher. Die Beziehung zu dem 43 als General des Aemilius [I 12] Lepidus bezeugten Culleo (Cic. fam. 10,34,2; App. civ. 3,340) und zu dem augusteischen *procos. Siciliae* Q. T. Culleo (RPC 1 Nr. 657) ist unklar.

[I 7] T. Hispo, P. Der Freund Ciceros war um 51/0 v. Chr. der lokale Vertreter einer Ges., die an der Pacht von Gebühren und Zöllen in Asia und Bithynia beteiligt war (Cic. fam. 13,65; Cic. Att. 11,10). AE 1986, 259 könnte ein in den Senat gelangter Nachkomme erwähnt sein.

J. BA.

[I 8] T. Lucanus, C. Ehrte – verm. in der 1. H. des 2. Jh. v. Chr. – seinen Groß- und Adoptivvater (wohl bei dessen Begräbnis) mit einem Gladiatorenkampf von 30 Paaren, ließ das Ereignis auf einem Gemälde darstellen und stellte es im Hain der Diana bei → Aricia auf (Plin. nat. 35,52). Er ist wahrscheinlich identisch mit dem Senator T. Lucanus, der den Dichter → Terentius [III 1], seinen Sklaven, ausbildete und in jungen Jahren freiließ (Suet. vita Terenti 1). Der gleichnamige Münzmeister des 2. Jh. v. Chr. (RRC 217: Datier. 147 v. Chr.) darf aus chronolog. Gründen wohl kaum mit diesem Mann gleichgesetzt werden, kann aber sein Sohn sein.

W. K.

[I 9] T. Massaliota, L. War 200 v. Chr. plebeiischer Aedil (Liv. 31,50,3; Plaut. Stich. tit.) und verhandelte als Mitglied der T. Quinctius [I 14] Flamininus beigegebenen Senatsdelegation 196 v. Chr. ergebnislos mit Antiochos [5] III. über einen Ausgleich mit Rom (Pol. 18,48,3; 18,50–52). 187 war er Praetor für Sizilien (Liv. 38,42,4; 38,42,6). Seit 182 als Kriegstribun in Hispania citerior, berichtete er 180 im Senat über die Entwicklung dort (Liv. 40,35,3–7).

TA. S.

[I 10] T.(?) Varro. 25 v. Chr. wird der Sohn eines Marcus als einer der Zeugen zweier Senatsbeschlüsse unter den Praetoriern genannt (SHERK, 26). Die Identifikation mit dem Salasser-Bezwinger von 25 (Cass. Dio

53,25,2–4) oder dem für 24/3 bezeugten Legaten von Syria (Ios. ant. Iud. 15,345) bleibt unsicher [1. 43, 392].

1 SYME, AA.　　　　　　　　　　　　J.BA.

[I 11] T. Varro, A. Geleitete 190 v. Chr. eine Gesandtschaft der → Aitoloi von Rom nach Hause (Liv. 37,49,5). Als Praetor kämpfte er 184–182 erfolgreich in Hispania citerior (Liv. 39,42,1; 39,56,1; die Truppen nach annalistischer Notiz: Liv. 39,38,8–12; Prorogation: Liv. 39,45,4; zur Amtsbezeichnung *procos.* bzw. *propr.* in Liv. 39,56,1 und 40,2,5; vgl. [1]) und feierte eine → *ovatio* (Liv. 40,16,11). Danach ist er bis 167 nur noch als Gesandter bezeugt [2].

1 A. GIOVANNINI, Consulare imperium, 1983, 59–65
2 GRUEN, Rome, 237 f.

[I 12] T. Varro, A. War 146 v. Chr. Mitglied der zehnköpfigen röm. Delegation zur Ordnung Griechenlands nach dem Sieg über die Achaier (→ Achaioi; IvOl 324).

TA.S.

[I 13] T. Varro, A. War 85–82 v. Chr. Flottenlegat seines Verwandten L. Licinius [I 34] Murena in Asia; 78 oder 77 möglicherweise dort Praetor; 75 und erneut 74 wurde er von App. Claudius [I 24] Pulcher wegen Ausbeutung der Prov. Asia angeklagt, von Q. Hortensius [7] verteidigt, aber erst durch Bestechung freigesprochen (Cic. div. in Caec. 24; Ps.-Ascon. 193 f.).

ALEXANDER, 73; 79 · T. C. BRENNAN, The Praetorship in the Roman Republic 2, 2000, 558.　　　　K.-L.E.

[I 14] T. Varro, C. Erster Träger des Cogn. *Varro* (Serv. auct. Aen. 11,743 mit [1]). Quaestur und Amtszeiten als plebeiischer und curulischer Aedil (vgl. Val. Max. 1,1,16) sind nicht genau datiert. 218 v. Chr. war er Praetor. Als *homo novus* Consul 216 v. Chr., führte T. im 2. → Punischen Krieg den Befehl über das Heer, das → Hannibals [4] deutlich geringerer Streitmacht bei → Cannae unterlag. T. überlebte die Schlacht, sein Kollege L. Aemilius [I 31] Paullus fiel. Beide waren beauftragt, dem Gegner eine entscheidende Niederlage beizubringen, wobei der Oberbefehl täglich wechselte (Pol. 3,110,4). Über taktische Fragen scheint es Streit gegeben zu haben. Daran knüpfte ein früher Versuch an, die Katastrophe zu erklären: T. sollen im Vergleich zu seinem Kollegen Erfahrung (Pol. 3,110,3) und charakterliche Souveränität (Pol. 3,116,13) gefehlt haben. Obwohl er aus der Schlacht Entkommene in → Venusia sammeln und dadurch zur Stabilisierung der Lage beitragen konnte (Pol. 3,116,13–117,2; vgl. Liv. 22,54,5; 23,14,2), spielte T. im weiteren Fortgang des Krieges keine entscheidende Rolle mehr. Für rel. Aufgaben und für die notwendigen Aushebungen wurde M. Iunius [I 26] Pera zum *dictator* ernannt (Liv. 23,14,1 f.), der auch die Wahlen leitete (vgl. Liv. 23,23,9–24,5).

T. verblieb ein nachgeordnetes Kommando zunächst in Süd-It. (Liv. 23,22,10 f; 23,23,9), später angeblich in Picenum, wofür ihm bis 212 sein → *imperium* verlängert wurde [2]. Einzelheiten über diese Promagistratur sind

nicht überl., und ihr Zweck wird nicht deutlich; wahrscheinlich handelt es sich um spätannalistische Konstruktion. Das könnte auch für einen Auftrag gelten, den ihm der Senat 208 im Zusammenhang mit Unruhen in Etrurien erteilte (Liv. 27,24). Erst ab 203 ist T. als Gesandter zu Philippos [7] V. (Liv. 30,26,4; 30,42,3) und nach Afrika (200: Liv. 31,11,18) sowie als Mitglied der Kommission zur Verstärkung der Kolonie Venusia zuverlässiger belegt (Liv. 31,49,6). Offensichtlich blieb ihm jede verantwortungsvolle Aufgabe versagt, solange Q. Fabius [I 30] Maximus Cunctator die defensive Strategie bestimmte. Spätere Rückschau machte deshalb T. zum draufgängerischen Gegner einer angeblich schon vor der Niederlage vorsichtigen Politik des Senats. Dieses negative Bild wurde um Elemente der Invektive erweitert, etwa um den Vorwurf niederer Herkunft (Liv. 22,25,18–26,4; Val. Max. 3,4,4; Plut. Fabius 14,2; Cass. Dio fr. 57,24), überheblicher Demagogie (Liv. 22,38,6 f.; App. Hann. 17) und angeblicher Wahlmanipulation (Liv. 22,34,1–35,3 mit [3; 4]) vor dem Hintergrund vermeintlicher Spannungen zw. Nobilität und Volk (Liv. 22,38,6). Andere Trad., die den honorigen Umgang auch mit dem Verlierer als Zeichen der röm. Einigkeit stilisierten (Liv. 22,61,14 f.) und bis zu der Behauptung gesteigert wurden, daß man T. wegen seiner Ordnungsbemühungen nach der Niederlage achtete und sogar die Diktatur antrug (Val. Max. 3,4,4; 4,5,2; schol. Iuv. 11,200), konnten sich dagegen nicht durchsetzen. Positive wie negative Ausmalungen aber haben die wenigen zuverlässigen Angaben über T. fast völlig verdeckt.

1 C. CICHORIUS, Röm. Studien, 1922, 189–207
2 J. SEIBERT, Forsch. zu Hannibal, 1993, 249 Anm. 18
3 T. SCHMITT, Hannibals Siegeszug, 1991, 191 f.; 311–313
4 J. SEIBERT, Hannibal, 1993, 185 mit Anm. 6 (Lit.) und 7.

J. SEIBERT, s. [2], 354 f. (zur Person) · T. SCHMITT, s. [3] (Quellen).　　　　　　　　　　　　　TA.S.

[I 15] T. Varro, M. s. Varro [2] (Reatinus)

[I 16] T. Varro, P. s. Varro [3] (Atacinus)

[I 17] T. Varro Gibba, M. Begann seine polit. Laufbahn als Anwalt im Gefolge Ciceros (Cic. fam. 13,10; Ascon. 55 CLARK), wurde 46 v. Chr. Quaestor und 43 Volkstribun (MRR 2,296; 340). In diesem Jahr erklärte er unter Verweis auf seinen Beinamen, nicht mit dem proskribierten M. T. → Varro [2] identisch zu sein (Cass. Dio 47,11,3 f.; Suet. gramm. 9 verwechselt ihn mit T. [I 19] Varro Murena).

[I 18] T.(?) Varro Murena, A.(?). 46 v. Chr. erwähnt Cicero einen Varro Murena (Cic. fam. 13,22). Verm. ist dieser identisch mit dem *aed. cur.* von ca. 44 (ILLRP 704). Die Cogn. deuten auf eine Verbindung der Licinii Murenae und Terentii Varrones durch Adoption hin. Da Genaueres unklar ist, bleibt die Rekonstruktion von Praen. und → Gentile zweifelhaft. Unsicher ist die Zuordnung des 51–48 bezeugten A. Varro (Cic. fam. 3,7,4; 16,12,6; Caes. civ. 3,19,4) und des 47–45 belegten Murena (Cic. Att. 11,13,1; 13,50,4 f.).

[I 19] T. Varro Murena, A. 23 v.Chr. erscheint in den Fasti Capitolini *A. T[erentius .... Var]ro Murena* als Consul (InscrIt 13,1,59). Dieser könnte der ILS 897 erwähnte Patron von Ptolemaïs sein. Unsicher ist die Identität mit dem Bezwinger der → Salassi von 25 (Strab. 4,6,7; Cass. Dio 53,25: Terentius Varro).

Mit dem Consul nicht identisch ist verm. der 23 v.Chr. als Verschwörer hingerichtete Murena (= M.). Dieser wird in zeitgenössischen Quellen ausschließlich M. (Strab. 14,5,4; Vell. 2,93,1) bzw. Lucius M. (Vell. 2,91,2) genannt, in den späteren überwiegend Licinius M. (z.B. Sen. clem. 1,9,6; Suet. Aug. 66; Cass. Dio 54,3). Daher haben Suet. Aug. 19; Suet. Tib. 8 (Varro M.) und Tac. ann. 1,10 (Varro) wohl M. mit dem Consul verwechselt (zu Sueton vgl. T. [I 17]). Verm. waren T. und M. verwandt, denn M.s Schwester war Terentia [2] (Suet. Aug. 66; Cass. Dio 54,3,5). Der in Hor. carm. 3,19 und Hor. sat. 1,5 im Umfeld des Maecenas [2] erwähnte, ebenfalls nur Murena genannte Augur ist wohl mit M. identisch, Licinius (Hor. carm. 2,10) dagegen nicht.

J. ARKENBERG, Licinii Murenae, Terentii Varrones and Varrones Murenae II, in: Historia 42, 1993, 471–491 · SYME, AA, 300f.; 387–393.   J.BA.

II. KAISERZEIT

[II 1] Erscheint zu einem unbekannten Zeitpunkt als *dux Valeriae* (CIL III 3762; 10677 aus Aquincum und Brigetio). Als → *dux* führte er im Auftrag des Valens [2] 369 n.Chr. → Pap nach Armenia (Amm. 27,12,10; vgl. Faustus [4] von Buzand 4,55 und 5,1; Moses [2] von Choren 3,36f.) und bald darauf den vertriebenen König Sauromakes nach Iberien zurück (Amm. 27,12,16; vgl. Theod. hist. eccl. 4,32 und Them. or. 11,149b). T. war befreundet mit Basileios [1] d. Gr., der ihm 372 und 375 schrieb (epist. 99 und 214) und ihn in weiteren Briefen erwähnte (epist. 105, 215 und wohl 64), wobei die von dem Bischof für T. benutzte Amtsbezeichnung κόμης (*kómēs*) lautete. Die Tätigkeit des T., der demnach etwa 369–374 *comes et dux Armeniae* war, wird von Amm. 30,1,2–4 kritisch beurteilt: Nach dessen Darstellung intrigierte T. gegen Pap, wobei er bes. das Schicksal von dessen Ministern, → Kylakes und → Artabannes [1], gegen ihn verwendete, und veranlaßte so die Internierung des Königs 372 in Tarsos. Die Ermordung des aus der röm. Obhut entflohenen Pap im Herbst 374, die von T.' Nachfolger Traianus [2] organisiert wurde, wird in den armenischen Quellen ebenfalls mit T. in Verbindung gebracht (Faustus von Buzand 5,32; Moses von Choren 3,39). Offenbar sind also in dem Stratelat *Terent* der armen. Überl. T. und Traianus zusammengeflossen [1. 78f. Anm. 2; 153 Anm. 3]. (PLRE 1, 881f.).

1 J. MARKWART, Südarmenia und die Tigrisquellen, 1930.
                                                              M. SCH.

[II 2] M. T. Ritter, *amicus* des Aelius [II 19] Seianus. Nach dessen Tod wurde er angeklagt, dann jedoch nicht bestraft, weil er sich geschickt verteidigt hatte (Tac. ann. 6,8f.; Cass. Dio 58,19,3–5).

[II 3] Q. T. Culleo. Senator, auf eine republikanische Familie zurückgehend. Sein gleichnamiger Vater war *proconsul* von Sizilien unter Augustus (RPC I Nr. 657). Suffektconsul 40 n.Chr. Es ist unsicher, ob er mit dem Culleo auf einer Münze aus Aigai in Cilicia zu identifizieren ist (RPC I 4030).

[II 4] T. Gentianus. Sohn des Q. Hedius Rufus → Lollianus [2] Gentianus.

[II 5] D. T. Gentianus. Sohn von T. [II 11]. Senator; geb. ca. 86 n.Chr., da er bei seinem Konsulat 116 erst 30 Jahre alt gewesen sein soll (ILS 1046a); doch kann *lustra sex intra* (»innerhalb sechs Lustren«; → *lustrum*) auch durch das Metrum erzwungen worden und damit nicht ganz genau sein. Als Militärtribun nahm er wohl am 2. Dakerkrieg (ab 105) des → Traianus [1] teil, dann nach Quaestur, Volkstribunat und Praetur vielleicht am Partherkrieg; in ILS 1046a wird er *comes tuis, Traiane, triumphis* (»Gefährte deiner Triumphe, Traian«) genannt. Als Consular war er mit dem Titel *censitor* in der Prov. Macedonia tätig (ILS 1046; Dig. 47,21,2; AE 1924,57: dort *legatus Augusti pro praetore prov. Macedoniae ad census accipiendos*). Mit → Hadrianus befreundet, fiel er aber später in Ungnade (HA Hadr. 23,5). Seine Schwester, Terentia [4], ließ in Ägypt. auf einer der Pyramiden von Giza ein Trauerepigramm einmeißeln (CIL III 21, p. 967 = 6625 = ILS 1046a); vgl. [1. 106, 246, 281].

1 A. R. BIRLEY, Hadrian, 1997.

[II 6] C. T. Iunior. Ritterlicher Freund des Plinius [2] (Plin. epist. 7,25,2–6; 8,15; 9,12). Nach ritterlichen Stellungen im Heer und der Prokuratur in der → Narbonensis zog er sich auf seine Landgüter zurück. Der *cos. suff.* 146 n.Chr., Cn. T. Iunior, dürfte sein Enkel sein. PFLAUM I 163f. Nr. 69.

[II 7] T. Maximus. Aus Asia stammend; glich Nero äußerlich sehr, so daß er unter Titus [4] (79–81 n.Chr.) viele Anhänger in Kleinasien gewann. Er begab sich, wohl um Unterstützung zu finden, zu den Parthern, wo er jedoch später umkam (Cass. Dio 66,19,3). PIR¹ T 60.

[II 8] T. Maximus. Patrimonialprocurator der Prov. Pontus-Bithynia unter Domitian (Plin. epist. 10,58,5).

[II 9] A. (Olus) T. Pudens Uttedianus. Legat der *legio XIII Gemina* in Dakien unter Septimius [II 7] Severus zw. 198 und 209 n.Chr.; anschließend Statthalter in Raetia. FPD I 251f.

[II 10] T. Rufus. Bei Ios. bell. Iud. 7,31 als ἄρχων τῆς στρατιᾶς (*árchōn tēs stratiás*) in Jerusalem erwähnt (70 n.Chr.). In ihm wird meist ein Legat der *legio X Fretensis* gesehen; doch könnte er auch nur ritterlicher Kommandeur einer Vexillation gewesen sein [1. 314].

1 TH. FRANKE, Die Legionslegaten der röm. Armee, 1991.

[II 11] D. T. Scaurianus. Senator, vielleicht aus der → Narbonensis – wenn CIL XII 3169 (aus Nîmes, → Nemausus [2]) auf ihn zu beziehen ist. Nach einer üblichen senatorischen Laufbahn, einem Legionskommando und einer Statthalterschaft in einer praetorischen kaiserlichen Prov. wurde er Suffektconsul 102 n.Chr.

oder eher 104. Teilnahme am 2. Dakerkrieg des Traianus [1]; spätestens 109 Statthalter in Dakien (RMD III
148), wo unter seinem Befehl die *colonia Sarmizegetusa*
gegründet wurde [1. 99–123]; 110 wurden Auxiliare
seiner Armee mit dem röm. Bürgerrecht ausgezeichnet
(CIL XVI 57; 160; 163). Verm. hat er Traian auch in den
Partherkrieg begleitet. CIL III 14387a ist nicht auf ihn zu
beziehen. In der Inschr. des Claudius Maximus wird er
wohl als Legat in der neuen Prov. Dacia, nicht in Mesopotamia genannt (AE 1969/70,583). Sein Sohn ist T.
[II 5].
→ Dakoi (mit Karte)

1 H. WOLFF, Miscellanea Dacica, in: Acta Musei Napocensis
13, 1976 2 PISO, FPD I 13–18.   W. E.

III. LITERARISCH TÄTIGE
[III 1] T. Afer, P. Der röm. Komödiendichter Terenz,
2. Jh. v. Chr., erster afrikanischer Dichter lat. Sprache.
A. LEBEN B. WERK
C. ÜBERLIEFERUNG UND NACHWIRKUNG

A. LEBEN
Nach den (auto-)biographischen Bemerkungen in
den sechs Komödienprologen (→ Prolog D.) und den
z. T. entstellten biograph. Nachrichten (*Vita Terenti* des
Suetonius in [1]; außerdem die Didaskalien der Komödien (= K.) sowie Cic. Att. 7,3,10; Quint. inst. 10,1,99)
wurde T. um 185 (oder 195) v. Chr. in → Karthago geb.;
sein Cogn. *Afer* beweist aber, daß er Libyer war. Die
Kenntnis der griech. Sprache und Lit. kann er bereits in
stark hellenisierten Karthago erworben haben. In früher
Jugend wurde er als Sklave nach Rom gebracht, wo er
sich schnell die lat. Sprache aneignete; seine Werke sind
– abgesehen von einigen Gräzismen – frei von fremd-
sprachlichen Einflüssen. Sein Besitzer, Terentius Lucanus (vgl. T. [I 8]), dem er sein Gent. verdankt, ließ ihn
sorgfältig unterrichten und gab ihm wegen seiner Bildung die Freiheit. T. fand Gönner im → Scipionenkreis;
daß der etwas jüngere P. → Cornelius [I 70] Scipio Aemilianus (geb. um 185 v. Chr.) und sein Freund C.
→ Laelius [I 2] Sapiens ihn bei der Abfassung der Komödien unterstützten, bestritt T. nicht direkt (Ter.
Haut. prol. 22–26, Ter. Ad. prol. 15–21).

Mit der Verlesung seiner ersten K. fand er die Bewunderung des damals bedeutendsten röm. K.-Dich-
ters, des → Caecilius [III 6] Statius (gest. 168; wenn die
Andria schon zwei J. vor der gegen den Protest des
→ Luscius [I 2] Lanuvinus mühsam durchgesetzten Aufführung fertig war, ergeben sich keine chronologischen
Schwierigkeiten). Die Aufführung seiner K. in den J.
166–160 setzte der Theaterdirektor → Ambivius Tur-
pio, der schon Caecilius Statius gefördert hatte, gegen
die Anfeindungen der Konkurrenten durch. Mit dem
Eunuchus gewann T. einen solchen Erfolg, daß das Stück
am selben Tage wiederholt und die sehr hohe Preissum-
me von 8000 Sesterzen in den Hss. vermerkt worden
sein soll. Der Erwerb von Gärten an der → Via Appia

bezeugt ein beachtliches Vermögen. 159 oder 158 soll T.
auf der Rückreise von Griechenland in Arkadien oder
auf der Seereise mit knapp 25 (oder 35) J. gest. sein.

B. WERK
1. DIE STÜCKE 2. SPRACHE UND STIL
3. DRAMATIK 4. MENSCH UND GESELLSCHAFT

1. DIE STÜCKE
Aufführungsdaten: *Andria* (*Andr.*) 166, *Hecyra* (*Hec.*,
›Die Schwiegermutter‹; erster Versuch) 165, *Hautonti-
morumenos* (*Haut.*, ›Der Selbstquäler‹) 163, *Eunuchus*
(*Eun.*, ›Der Eunuch‹) bei den *ludi Megalenses* 161, *Phor-
mio* (*Phorm.*) bei den *ludi Romani* 161, *Hecyra* (zweiter
Versuch) und *Adelphoe* (*Ad.*, ›Die Brüder‹, einziges
Stück ohne Wiedererkennung) bei den *ludi funebres* des
Aemilius [I 32] Paullus 160, *Hecyra* (dritter Versuch) 160.

Griech. Vorbilder: → Menandros [4] diente als Vorlage für *Andr.*, *Haut.*, *Eun.* und *Ad.*, → Apollodoros [5]
von Karystos für *Hec.* und *Phorm.* T. hat die griech. K.
nicht wörtlich übertragen, sondern an einigen Stellen
Szenen und Rollen aus anderen Stücken eingearbeitet,
was ihm die Konkurrenten nicht als Diebstahl und ›Antasten,
Beflecken« (*contaminare*, Ter. Andr. prol. 8–21, Haut.
16–21, Eun. 20–34, Ad. 6–11) vorwarfen; denn die derart benutzten Stücke konnten nicht mehr als »neu« angeboten werden [7. 91–148; 28].

Folgende Änderungen sind – in zwei Fällen dank T.'
Eingeständnis, sonst durch den Komm. des → Donatus
[3] – nachweisbar: (a) Beseitigung der Expositionspro-
loge Menanders, obwohl sie für das Verständnis der
komplizierten Vorgesch. der → *anagnṓrisis*-Stücke (alle
außer *Ad.*!) wichtig waren; die somit fehlenden Informationen mußten durch Expositionsmonolog oder
-dialog oder sukzessiv auch später in die Bühnenhand-
lung integriert werden (Andr. prol. 22–24); durch die
nachträgliche Enthüllung erhält v. a. *Hec.* eine hohe dramatische Spannung [23]. (b) Zufügung von Personen
und Szenen aus anderen Stücken (Andr. prol. 23 f.): in
Andr. der Sklave Davos im Expositionsdialog (nach
Men. *Perinthía*) sowie die Rollen von Charinus und
Byrria (der zweite *Andr.*-Schluß V. 978 ff. ist jedoch
sicher unecht); in *Eun.* die Personen Thraso und Gna-
tho aus Men. *Kólax* (als Ersatz anderer Figuren?) und
Antipho (III 4 f.); die Entführungsszene Ad. II 1 aus Diphilos' [5] *Synapothnḗskontes*. Echte Vier-Personen-
Szenen (in allen Komödien außer *Hec.*) sind immer ein
Indiz für T.' Eingriffe. (c) Umsetzung von Handlung in
Erzählung (Don. zu Hec. 825) oder von Monolog in
Dialog (Don. zu Phorm. 339). (d) Effektvollere Schlüsse, bes. Änderung des Schlusses der *Ad.* mit Aufwertung
des strengen Demea und Düpierung des liberalen Bruders Micio. (e) Kürzungen (etliche Men.-Fr. finden bei
T. kein Gegenstück). (f) Änderung vieler Personennamen und im *Phorm.* Ersatz des menandrischen Titels
Epidikazómenos. (g) Änderung des Metrums unter Bevorzugung der von der Flöte begleiteten Langverse (fast
50%), aber nur selten Singverse (→ Canticum: Andr.

481–485, 625–638; Ad. 610–615; vgl. → Metrik VI.C. 3.). (h) Beseitigung typisch griech., in Rom anstößiger Rechtsinstitutionen (z. B. → *epidikasía* in *Phorm.*).

(i) Ein neues Element sind die → Prologe [14; 21; 23]. Zwar hatte schon → Plautus zusätzlich zur anpreisenden Inhaltsangabe (*argumentum*) über Autor und Titel der griech. Vorlage informiert, aber erst T. diskutierte in den – von einem Schauspieler, beim *Haut.* und bei der dritten Aufführung der *Hec.* vom Theaterdirektor gesprochenen – Prologen ausschließlich lit. Fragen [7. 31–60].

2. Sprache und Stil

T. hat die noch bei Plautus zahlreichen Archaismen von Formenlehre und Syntax ausgeschieden; sein Lat. ist ausdrucksreicher und wirkt moderner selbst als das Catos [1] ([16]). Im Künstlerischen den griech. Vorbildern verpflichtet, mied er sprachlich Gräzismen (von den 93 griech. Wörtern waren fast alle bereits eingebürgert). Mit *pura oratio* (Haut. prol. 46) meint T. selbst die Stilreinheit, die ebenso die Vulgarität (→ Vulgärlatein) wie das Artifizielle und die bei Plautus beliebte Stilmischung meidet. Die lit. Gegner des T. verunglimpften diese Mäßigung als kraftlosen Stil (Ter. Phorm. prol. 5). Andererseits ist seine Sprache zu feinsten Nuancierungen seelischer Bewegungen fähig [5; 6; 7. 170–212; 11; 12]; selbst Wortklang und Metrum werden zu Ausdrucksmitteln [30. 83–160]. Das Miteinander der Personen im Dialog wirkt durch häufigen Sprecherwechsel, Ellipsen und Interjektionen spontan [31; 34].

3. Dramatik

Mit den griech. Vorlagen übernahm T. die dramatische Struktur der Neuen → Komödie (I. H.), bes. die Intrigen- und Wiedererkennungshandlungen, doch lehnte er die burlesken Standardrollen ab und bevorzugte ungewöhnliche Charaktere (die edle Hetäre, den hilfreichen → Parasiten, die gütige Schwiegermutter) und ruhige Handlungen (Haut. prol. 35–40). Eindrucksvoll sind die Frauengestalten. Die bei Plautus beherrschende Figur des intrigierenden Sklaven tritt teilweise zurück [32]. Durch die Streichung der griech. Götterprologe, die dem Zuschauer die Vorgesch. und das Hauptziel der Handlung eröffneten, schuf T. ein neuartiges Moment dramatischer Spannung. Auch durch Erweiterungen der originalen Handlung und des Personenbestandes zu einer Doppelhandlung mit kontrastierenden Paaren alter und junger Männer usw. bereicherte T. die dramatische Struktur [10; 13; 24; 25; 27]. Die durch keine Illusionsdurchbrechung gestörte Bühnenfiktion ermöglicht dem Zuschauer die emotionale Identifikation mit der Handlung.

4. Mensch und Gesellschaft

Auslöser aller K.-Handlungen sind immer Liebesaffären junger Leute, aber das Interesse des T. gilt weniger dem äußeren Geschehen als den oft schmerzlichen Konflikten, die sich aus Unterschieden von Geschlecht, Alter, selten dem sozialen Stand, aber v.a. aus individuellen Anschauungen über Leben und Erziehung ergeben. Die Komik liegt darin, daß fast alle K.-Personen der Täuschung durch andere oder charakterbedingter Selbsttäuschung und wechselweiser Verkennung von Wahrheit und Schein erliegen. Ein besonderes Hemmnis auf dem Wege zum glücklichen Ende sind die Alten, die infolge von Voreingenommenheit den Stand der Dinge verkennen und als Betrugsopfer mit Wut reagieren. Erst die Selbstbesinnung und die Fähigkeit, sich dem Mitmenschen zu öffnen und auf ihn zu hören, lösen am Ende diese Konflikte. Oft erfolgt der innere Umschlag mitten in der Szene. Der äußere Zufall vollendet nur das im Innern der Menschen bereits Vorbereitete [5; 6].

C. Überlieferung und Nachwirkung

Wiederaufführungen sind durch die Didaskalien für das 2. Jh. v. Chr. bezeugt. → Volcacius Sedigitus stellte in seinem Kanon der zehn röm. K.-Dichter wohl unter dem Gesichtspunkt der Bühnenwirksamkeit T. nur an die sechste Stelle. Seit dem 1. Jh. v. Chr. beruht das positive Urteil v. a. auf der Lektüre. Cicero, der häufig aus T. zitierte (bes. Haut. 77), lobte die genaue Wiedergabe Menanders, den feinen Stil und die Mäßigung der Affekte. Caesar, der die Sprachreinheit anerkannte, vermißte andererseits die *vis comica*, die »Kraft des Witzes«, und nannte T. einen ›halbierten Menander‹ (Don. Vita Terenti 7). Nachwirkungen der T.-Lektüre sind bei den Dichtern v. a. seit augusteischer Zeit festzustellen; schon Horatius [7] (epist. 2,1,60) bezeugt T. als Schulautor. Auch die Kirchenväter benutzten und zitierten ihn.

Die Überl. der Texte geht auf das Exemplar des Dichters zurück. In den Hss. sind außer zu *Andr.* Titel und Verf., die spielgebenden Beamten und die Consuln des J. der Erstaufführung und ggf. von Wiederaufführungen (bes. *Hec.*), die Theaterdirektoren, der Komponist der Flötenmusik, die Art der Flöten, Autor und Titel der griech. Vorlage und die Opus-Zahl vermerkt. In der Kaiserzeit setzte C. → Sulpicius [II 2] Apollinaris (gest. um 160) den K. Inhaltsangaben (*periochae*) in jeweils 12 iambischen Senaren voran. Im 4. Jh. verfaßte Aelius → Donatus [3] einen ausführlichen Komm. zu Sprache, Stil, Metrik, dramatischer Struktur und zum Verhältnis zu der griech. Vorlage [18] und stellte ihm die Abh. des → Euanthius zur Gesch. des Dramas (*De fabula*) und die T.-Biographie Suetons voran; der »Donat« wurde bis ins 8. Jh. durch Kompilationen erweitert.

Die vier frühesten Hss., darunter als einzige fast vollständig der *Bembinus* (Vat. lat. 3226, es fehlen Andr. 1–887), stammen aus dem 4. Jh. Alle anderen ca. 650 Hss., davon allein ca. 100 zw. dem 9. und 13. Jh., gehen auf eine andere, von einem sonst unbekannten Calliopius betreute spätant. Ausgabe (Σ, sog. *Recensio Calliopiana*) zurück; alle sind stark interpoliert [15; 17]. In ca. 12 der γ-Hss. finden sich auf eine spätant. Vorlage zurückgehende Zeichnungen der handelnden Personen (→ Buchmalerei); sie geben keine wirkliche Aufführung wieder, sondern sind aus dem Text entwickelt [33; 35].

Von der Spätant. bis zur Neuzeit blieb T. als Stilvorbild und Quelle moralischer Sentenzen durch intensive Schullektüre für Dichter und Prosaiker wirksam, weniger für die Bühne. Hrotsvith (Roswitha) von Gandersheim (10. Jh.) schuf in freier Anlehnung an T. sechs K. nach Heiligenviten, um den »heidnischen« Autor zu ersetzen, jedoch auch nur für die Lektüre [29]. Der T.-Komm. des Aelius Donatus, 1433 wiederentdeckt, sorgte für besseres Verständnis von Drama, Sprache und Metrik. Erstdruck des T.: Straßburg um 1470. Erst R. BENTLEYS Komm. von 1726 stellte die Textkritik und Erklärung des T. auf eine wiss. Grundlage.

T. wurde im 15. und 16. Jh. in den → LATEIN-SCHULEN aufgeführt und beeinflußte die lat. Schul-K. dieser Zeit, jedoch weniger als Plautus. W. CONGREVE (1670–1729) und D. DIDEROT (1713–1784) lobten die Dichtkunst des T.; MOLIÈRE benutzte in *École des Maris* (1661) die *Ad.*, in *Les Fourberies de Scapin* (1671) den *Phorm.* und reicherte den nach Plautus gearbeiteten *L'Avare* mit der Doppelhandlungsstruktur des T. an [22]. Erst für HERDER war T. wegen des engeren Anschlusses an die griech. Vorlagen wichtiger als Plautus. A. VON WINTERFELDS erfolgreicher ›Winkelschreiber‹ (1860), eine modernisierende Bearbeitung des *Phorm.*, bleibt in der dramatischen Nachwirkung eine Ausnahme. O. WILDE bediente sich in *The Importance of Being Earnest* (1895) neben plautinischen Motiven lediglich der Struktur der Doppelhandlung mit Anagnorisis [19; 20].

→ Anagnorisis; Apollodoros [5] von Karystos; Diphilos [5]; Aelius Donatus [3]; Komödie I. H. und II.; Menandros [4]; Metrik VI. C. 3.; Plautus; Prolog D.; KOMÖDIE

VITA: **1** P. WESSNER (ed.), Aeli Donati commentum Terenti, 1902 (Ndr. 1966), Bd. 1, 3–10, mit Auctarium Donatianum 9,14 ff.
BIBLIOGR.: **2** G. CUPAIUOLO, Bibliografia Terenziana (1470–1983), 1984, mit Supplementum Terentianum, in: Bolletino di studi latini 22, 1992, 32–57 **3** K. GAISER, Zur Eigenart der röm. K., in: ANRW I 2, 1027–1113 **4** M. LENTANO, Quindici anni di studi terenziani (1979–1993), in: Bolletino di studi latini 27, 1997, 497–564.

GESAMTDARSTELLUNGEN: **5** K. BÜCHNER, Das Theater des T., 1974 **6** G. CUPAIUOLO, Terenzio: teatro e società, 1991 **7** S. M. GOLDBERG, Understanding Terence, 1986 **8** H. HAFFTER, Terenz und seine künstlerische Eigenart, in: MH 10, 1953, 1–20; 73–102 (= Sonderausgabe 1967) **9** G. JACHMANN, s. v. T. (36), RE 5 A, 598–650 **10** H. JUHNKE, T., in: E. LEFÈVRE (Hrsg.), Das röm. Drama, 1978, 224–308 **11** D. KONSTAN, Roman Comedy, 1983. EINZEL-UNT.: **12** P. FLURY, Liebe und Liebessprache bei Menander, Plautus und T., 1968 **13** W. GÖRLER, Doppelhandlung, Intrige und Anagnorisis bei Terenz, in: Poetica 5, 1972, 164–182 **14** S. M. GOLDBERG, Terence, Cato and the Rhetorical Prologue, in: CPh 78, 1983, 198–211 (mit [7. 31–60]) **15** J. N. GRANT, Studies in the Textual Tradition of Terence, 1986 **16** H. HAFFTER, Unt. zur altlat. Dichtersprache, 1934 **17** G. JACHMANN, Die Gesch. des Terenztextes im Altertum, 1924 **18** R. JAKOBI, Die

Kunst der Exegese im Terenzkomm. des Donat, 1996 **19** B. R. KES, Die Rezeption der K. des Plautus und T. im 19. Jh., 1988 **20** H. KINDERMANN, Theatergesch. Europas, Bd. 2, 1959 **21** D. KLOSE, Die Didaskalien und Prologe des T., Diss. Freiburg 1966 **22** H. W. LAWTON, Térence en France au XVIe siècle, Bd. 1, 1926 (Ndr. 1970), Bd. 2, 1972 **23** E. LEFÈVRE, Die Expositionstechnik in den K. des T., 1969 **24** Ders., Der Phormio des T. und der Epidikazomenos des Apollodor von Karystos, 1978 **25** Ders., Terenz' und Menanders Heautontimorumenos, 1994 **26** Ders., Terenz' und Apollodors Hecyra, 1999 **27** H. MARTI, Unt. zur dramatischen Technik bei Plautus und T., Diss. Zürich 1959 **28** Ders., Terenz, in: Lustrum 8, 1963, 5–101, bes. 23 f. **29** C. E. NEWLANDS, Hrotswitha's Debt to Terence, in: TAPhA 116, 1986, 369–391 **30** R. RAFFAELLI, Ricerche sui versi lunghi di Plauto e di Terenzio, 1982 **31** M. P. SCHMUDE, Reden – Sachstreit – Zänkereien, 1988 **32** P. P. SPRANGER, Histor. Unt. zu den Sklavenfiguren des Plautus und T., 1984 **33** F. R. VARWIG, Die ant. T.illustrationen, in: Hermeneumata. FS H. Hörner, 1990, 257–305 **34** B. WALLOCHNY, Streitszenen in der griech. und röm. K., 1992 **35** K. E. WESTON, The Illustrated Terence Manuscripts, in: HSPh 14, 1903, 37–54 (mit Taf. 1–96).

ED.: R. KAUER, W. M. LINDSAY, O. SKUTSCH, 1958 · J. MAROUZEAU, 1942 ff. · O. BIANCO, 1993 · P. GRIMAL, 1990.
KOMM.: A. DACIER, 3 Bde., 1688 · R. BENTLEY, 1726 (hrsg. von E. VOLLBEHR, 1846) · S. G. ASHMORE, 1908 (²1910) · J. A. BARSBY, 1991 (*Andr.*) · G. ZANETTO, 1998 (*Andr.*) · A. J. BROTHERS, 1988 (*Haut.*, mit lat. Text und engl. Übers.) · J. BARSBY, 1991/1999 (*Eun.*) · K. DZIATZKO, E. HAULER, ⁴1913 (*Phorm.*, mit lat. Text) · J. A. BARSBY, 1991 (*Phorm.*) · S. IRELAND, 1990 (*Hec.*, mit lat. Text und engl. Übers.) · K. DZIATZKO, R. KAUER, ²1903 (*Ad.*, mit lat. Text) · A. S. GRATWICK, 1987 (*Ad.*, mit lat. Text) · A. J. BROTHERS, 1988 (*Ad.*, mit lat. Text) · J. A. BARSBY, 1991 (*Ad.*, mit lat. Text). JÜ. BL.

[III 2] T. Clemens. Röm. Jurist in der Mitte des 2. Jh. n. Chr., nach Dig. 28,6,6 wohl Schüler des → Iulianus [1]; bekannt nur durch seinen – in der Rechtslit. umfangreichsten – Komm. *Ad legem Iuliam et Papiam* (›Zum Gesetz des Iulius und des Papius‹, 20 B.), aus dem Iustinianus' → *Digesta* 37 direkte Zitate überliefern.

O. LENEL, Palingenesia Iuris Civilis, Bd. 2, 1889, 335–342 · KUNKEL, 177–181 · D. LIEBS, Jurisprudenz, in: HLL 4, 1997, 143 f. T. G.

[III 3] Q. T. Scaurus. Der einflußreichste Grammatiker der traianisch-hadrianischen Epoche (Gell. 11,15,3; allg. [5]). Sein professionelles Selbstbewußtsein artikulierte sich zumal in Polemik gegen seine Zeit- und Zunftgenossen → Caesellius Vindex (Gell. l.c.). Seine Lehrtätigkeit hat sich in einer Sprachlehre, orthographischen Detail-Stud. und Komm. zu Schulklassikern niedergeschlagen. (1.) Die *Ars (grammatica)*, erh. in Pap.-Fragmenten [1] und zwei spätant. Auszügen ([7], vgl. [6]), bildete die Grundlage für die Entwicklung der lat. Schulgramm. in der frühen Spätant. Wohl als Ergänzung dienten (2.) die allein von T.' Werken erh. Schrift *De* *orthographia* [2] und (3.) *De litteris novis* über orthographische Reformen, woraus eine Serie von Einzelfragen tradiert ist [3]. (4.)/(5.) Die Komm. zu Horaz und Vergil, ebenfalls verloren, sind in den Hauptstrom der Erklärung zu diesen Autoren eingegangen.

ED.: **1** A. WOUTERS, The Grammatical Papyri from Graeco-Roman Egypt, 1979, 93–108 **2** GL 7, 11–29 **3** GL 7, 29–35 · Fr.: [4. 1–8].
LIT.: **4** H. KUMMROW, Symbola critica ad grammaticos Latinos, 1880 **5** P. L. SCHMIDT, in: HLL 4, 222–226 **6** V. LAW, An Unnoticed Late Latin Grammar, in: RhM 130, 1987, 67–89 **7** P. L. SCHMIDT, in: HLL 5, 108–111.

P. L. S.

Teres (Τήρης).
Verbreiteter thrakischer (Herrscher-)Name.
[1] T. (I.). Erster mächtiger thrak. König, der nach dem Rückzug der Perser in der 1. H. des 5. Jh. v. Chr. den → Odrysai die Herrschaft über den größten Teil Thrakiens verschaffte (Thuk. 2,29). Im SO drang er verm. bis an die → Propontis vor (vgl. Xen. an. 7,2,22), im Norden bis an die Donau. Seine Tochter ehelichte den Skythenkönig → Ariapeithes (Hdt. 4,80). Er lebte 92 J. (Theop. FGrH 115, fr. 310) und wurde Anf. der 2. H. des 5. Jh. von seinem Sohn → Sitalkes [1] oder/und dessen Bruder → Sparadokos in der Herrschaft abgelöst (Hdt. 7,137; Thuk. 2,29; 2,95).
[2] T. III. (seltener II.). Thrak. Herrscher, regierte nach 351 v. Chr. als Nachfolger des → Amadokos [2]. T. unterstützte offensichtlich eine gewisse Zeit den Makedonen → Philippos [4] II. gegen → Kersobleptes; während des siegreichen maked. Feldzuges 342/1 v. Chr. wurden jedoch beide entthront (Demosth. or. 12,8). T. prägte Br.-Münzen. Einem T., Sohn eines Amadokos, wird eine Silberphiale aus Braničevo zugeschrieben (SEG 37, 618).
[3] Thrakischer König im 2. Jh. v. Chr., der eine Tochter Philippos' [7] V. ehelichte. 149 v. Chr. unterstützte er mit → Barsabas den → Andriskos [1] Pseudophilippos (Diod. 32,15,5–7).

U. P.

Tereus (Τηρεύς). Myth. König aus Thrakien, heiratet → Prokne und verbündet sich dadurch mit dem attischen König → Pandion [1], dessen andere Tochter Philomele er vergewaltigt. Damit sie ihn nicht anzeigen kann, schneidet T. ihr die Zunge heraus. Sie stellt jedoch das Verbrechen am Webstuhl bildlich dar. Prokne rächt sich an ihrem Mann durch grausame Tötung des gemeinsamen Sohnes → Itys. Als T. seinerseits Rache nehmen will, verwandeln alle drei sich in Vögel, T. in einen Wiedehopf, die Schwestern in Schwalbe und Nachtigall (Apollod. 3,193–195; Ov. met. 6,424–674). Sophokles schrieb einen (weitgehend verlorenen) ›T.‹ (fr. 581–595 TrGF).

O. HÖFER, s. v. T., ROSCHER 5, 371–376 · E. TOULOUPA, s. v. Prokne et Philomela, LIMC 7.1, 527–529.   RE. N.

Tergeste (Τεργέστε; h. Trieste). Dorfsiedlung, später Polis bzw. Festung, Hafenstadt im Gebiet der illyrischen → Carni östl. von → Aquileia [1] (Artemidoros [3] Fr. 9, GGM I, 575; Caes. Gall. 8,24; Strab. 5,1,9; 7,5,2; Vell. 2,110,4; bei Ptol. 1,15,3; 3,1,27: Τέργεστον/ *Térgeston*; Steph. Byz. s. v. Τέγεστρα). Röm. *colonia*, *tribus Pupinia*, wohl seit dem röm. Bürgerkrieg 42/1 v. Chr. (Plin. nat. 3,127). Erh. sind Teile der Befestigungsanlage aus der späten Republik (Toranlage: »Arco di Riccardo«), des orthogonalen Straßensystems, ein röm. Tempel (verm. aus der Zeit des Domitianus, 81–96 n. Chr.) sowie ein Theater; außerhalb der Stadt Villen-Anlagen.

B. FORLATI TAMARO, s. v. Tergestum, PE, 894.
PI. CA./Ü: E. O.

Tergiversatio (wörtl. etwa »das den Rücken Wenden«). Im röm. Recht die Abwendung des privaten Anklägers im Strafverfahren (→ *accusatio*, → *delatio nominis*) von der durch ihn eingeleiteten Verfolgung des Angeklagten. Die *t.* führte seit dem SC Turpillianum (61 n. Chr.) zu einem Strafverfahren gegen den Ankläger selbst. Bei ungerechtfertigtem Rücktritt wurde die *t.* mit einer Geldbuße bestraft (Dig. 47,15,3,3). Darüber hinaus erlitt der private Ankläger den Verlust der Amtsfähigkeit und bürgerlichen Ehre (→ *infamia*, Dig. 48,16,2). Der vom (zurückgetretenen) Ankläger vor Gericht gebrachte Angeklagte konnte auch schon vor dem erwähnten SC im Anschluß an die *t.* die Fortsetzung des Verfahrens gegen sich verlangen und bei einem Freispruch seinerseits den (urspr.) Ankläger wegen falscher Anschuldigung und Verleumdung (→ *calumnia*) vor Gericht bringen (Dig. 48,16,18). Die *t.* war neben der *calumnia* und der → *praevaricatio* (Strafvereitelung) ein Mittel, das für die Strafverfolgung im röm. Recht kennzeichnende System der privaten Anklage vor Mißbrauch zu bewahren.

E. LEVY, Von den röm. Anklägervergehen, in: Ders., Gesammelte Schriften, Bd. 2, 1963, 379–395.   G. S.

Terias (Τηρίας). Fluß an der Ostküste von → Sicilia, an dessen Oberlauf → Leontinoi lag (Skyl. 13; Diod. 14,14,3; vgl. Thuk. 6,50,3; 6,94,2; Plin. nat. 3,89), h. San Leonardo di Lentini.

E. MANNI, Geografia fisica e politica della Sicilia antica, 1981, 125.   K. MEI.

Terillos (Τήριλλος). Sohn des Krinippos, Tyrann von → Himera, wurde ca. 483 v. Chr. von → Theron vertrieben. Der Hilferuf des T. und seines Schwiegervaters Anaxilaos [1] von Rhegion führte 480 zur Invasion der Karthager in Sizilien unter → Hamilkar [1], einem Gastfreund des T.; Hamilkar und sein Heer wurden von Gelon [1] und Theron bei Himera entscheidend besiegt (Hdt. 7,165–167). Über das spätere Schicksal des T. ist nichts bekannt.

H. BERVE, Die Tyrannis bei den Griechen, 1967, 134, 156.
K. MEI.

Terina (Τέρινα). Stadt in Bruttium (→ Bruttii; Thuk. 6,104,2; Plin. nat. 3,72) am »Golf von T.« (Thuk. l.c.: Τεριναῖος κόλπος/ *Terinaîos kólpos*; Plin. nat. l.c.), verm. bei Santa Eufemia Vetere (ant. Reste). Im 6. Jh. v. Chr. von → Kroton gegr. (Ps.-Skymn. 306–308; Steph. Byz. s. v. T.); nach 444 v. Chr. von → Thurioi belagert (Polyain. 2,10,1), 356 v. Chr. von den Bruttii erobert, 203 v. Chr. von → Hannibal [4] zerstört (Strab. 6,1,5). Seit dem 2. Viertel des 5. Jh. v. Chr. Silbermz.-Prägung (HN 112f.).

> F. PRONTERA, Temesa e T., in: G. MADDOLI (Hrsg.), Temesa e il suo territorio, 1982, 41–48 · R. SPADEA, L'area di Piano della Terina e di S. Eufemia Vetere, in: ebd., 79–92 · G. DE SENSI SESTITO, Momenti ed aspetti della storia di T. attraverso la circolazione monetaria, in: Rivista Storica Calabrese 6, 1985, 199–208 · E. GRECO, Archeologia della Magna Grecia, 1992, 86–96.   A. MU./Ü: J. W. MA.

Termera (Τέρμερα). Stadt der → Leleges in Karia (→ Kares) an der SW-Küste der Halbinsel von → Halikarnassos (Strab. 14,2,18; falsche Lokalisierung: Plin. nat. 5,107) beim h. Asarlık. Als eponymer Gründer wird der lelegische Räuber → Termeros genannt (schol. Eur. Rhes. 509; Steph. Byz. s. v. T.); von dessen Wüten und seiner Beseitigung durch Herakles [1] (Plut. Theseus 11) rührte die Redensart »Termerisches Übel« her, wenn einem Übeltäter mit gleicher Münze heimgezahlt wurde. E. 6. Jh. v. Chr. wurde T. vom perserfreundlichen Dynasten Tymnes beherrscht (Hdt. 5,37), unter dessen gleichnamigem Enkel (?) T. um 440 dem Attisch-Delischen Seebund angehörte (ATL 1, 446). Um 361 v. Chr. gehörte T. zu den sechs leleg. Städten, die für den von → Maussolos erzwungenen → *synoikismós* Bevölkerung nach Halikarnassos abzugeben hatten (Kallisthenes FGrH 124 F 25; Strab. 13,1,58f.), und diente dann den Tyrannen (= Hekatomnidai?; → Hekatomnos) als Internierungsort (Suda s. v. Τερμέρια κακά). Danach wurde T. von der Neugründung → Myndos überflügelt, in der T. später aufging (Strab. l.c.).

Unter den ältesten Grabfunden ist submyk. Keramik belegt; Reste der leleg. Höhensiedlung mit doppeltem Mauerring sind auf dem Asartepe erh. Nahebei zwei große leleg. Gräber; Nekropolen auf den Hügeln der Umgebung.

> F. PRAYON, A. WITTKE, Kleinasien vom 12.–6. Jh. v. Chr. (TAVO B 22), 1994, 108 · E. VARINLIOĞLU, Lelegian Cities in the Halicarnassian Peninsula in the Athenian Tribute Lists (Stud. zum ant. Kleinasien 2), 1992 · D. MÜLLER, Top. Bildkomm. zu den Historien Herodots: Kleinasien, 1997, 387–389.   H. KA.

Termeros (Τέρμερος). Seeräuber aus dem Stamm der → Leleges an der Küste von Karien (FHG 4,475,3), dort auch Gründer und Eponymos der Stadt → Termera. Von Herakles [1] getötet (Plut. Theseus 11). Nach ihm hieß ein großes Unglück sprichwörtlich *Termérion kakón* (Zenob. 6,6; Makarios 8,8 in [1]).

> 1 E. L. LEUTSCH, F. G. SCHEIDEWIN (ed.), Paroemiographi Graeci, Bd. 1, 1839, 162; Bd. 2, 1851, 215.   SV. RA.

Termes (Τέρμες). Stadt im Gebiet der keltiberischen → Arevaci (Plin. nat. 3,27; Flor. epit. 2,19,9; Ptol. 2,6,56), beim h. Tiermes (Montejo de Liceras). Neben → Numantia Hauptbrennpunkt der keltiberischen Kriege 154–133 v. Chr. T. behauptete sich auch nach dem Fall von Numantia 133 v. Chr. und wurde erst von T. Didius [I 4] 98 v. Chr. eingenommen (App. Ib. 431). Dieser veranlaßte die Bewohner von T. zur Umsiedlung in das Tal des Sobre. Erh. sind Reste einer keltiberischen Siedlung auf Sandsteinfelsen: Felswohnungen, -mauern, Nekropole in Carratiermes (6. Jh. v. Chr. bis 1. Jh. n. Chr.); im Tal röm. Ruinen: Fundamente öffentlicher und privater Häuser, ein teilweise künstlich aufgeschüttetes Forum, ein Wasserverteiler, Läden, die »casa del Acueducto« (ein großes, teilweise in den Felsen geschlagenes Haus mit Wandmalerei), ein Aquaedukt sowie Keramik.

> TOVAR 3, 371–374 · TIR K 30 Madrid, 1993, 219.
> P. B. u. E. O.

Termessos (Τερμησσός).

[1] Stadt in SW-Pisidien, neben → Sagalassos und → Selge größte Polis in → Pisidia, in ca. 1000 m H am Berg Solymos (h. Güllük Dağı, 35 km nw von Antalya). Im Mythos mit → Bellerophontes und den → Solymoi assoziiert, führte sich T. auf den Heros Solymos zurück (Mz.: [1]). Anläßlich des Alexanderzugs bezeugt (Arr. an. 1,27); in den → Diadochenkriegen Zufluchtsort des Alketas [4], der, von Antigonos [1] belagert, in T. Selbstmord beging und in einem Felsgrab bestattet wurde [3]. Im 3. Jh. v. Chr. unter ptolem. [2. 18–20], im 2. Jh. v. Chr. unter attalidischem Einfluß (vgl. die unter Attalos [5] II. gestiftete Stoa an der Agora). Seit Beginn der röm. Suprematie [4. 94–100] erfreute sich T. weitgehender Unabhängigkeit, wohl 71 v. Chr. in einem Gesetz (ILS 38) bestätigt. In der röm. Kaiserzeit gehörte T. zu der (wohl erst von den Flaviern eingerichteten) Prov. → Lycia et Pamphylia, seit den Reformen des Diocletianus zur Prov. → Pamphylia (IV.).

Die durch Inschr. (TAM 3) reich dokumentierte Stadt [5] hatte ein großes Territorium [6]. Gut erh. die hell. Befestigungsmauern, Buleuterion, Tempel des Zeus Solymeus, Theater, Odeion, Gymnasion, ausgedehnte Nekropolen. In byz. Zeit Bischofssitz.

> 1 E. KOSMETATOU, The Hero Solymos on the Coinage of T. Maior, in: SNR 76, 1997, 41–63 2 Dies., Pisidia and the Hellenistic Kings, in: AncSoc 28, 1997, 5–37 3 A. PEKRIDOU, Das Alketas-Grab in T., 1986 4 H. BRANDT, Ges. und Wirtschaft Pamphyliens und Pisidiens im Alt. (Asia Minor Stud. 7), 1992 5 B. İPLIKÇIOGLU u. a., Epigraph. Forsch. in T. und seinem Territorium, 3 Bde., 1991–1994 6 Ders., Zum Territorium von T., in: P. SCHERRER et al. (Hrsg.), Steine und Wege. FS D. Knibbe, 1999, 309–314.
> H. B.

[2] T. ἡ μικρά (*mikrá*, »die Kleine«) im Unterschied zu T. [1]; Stadt in Nord-Lykia (→ Lykioi), identisch mit → Oinoanda. Inschr. aus Oinoanda bezeugen eine Polis der Οἰνοανδεῖς/*Oinoandeís* und das Ethnikon Οἰνοανδεύς/*Oinoandeús*, aber Rat und Volk der Τερμησσεῖς οἱ πρὸς Οἰνοάνδοις/*Termēsseís hoi pros Oinoándois* (»die Termessier bei den Oinoandern«), woraus [1] auf zwei eng verbundene Nachbargemeinden schloß. Es handelt sich aber um dieselbe Polis, deren ungewöhnliche Bezeichnung mit der Ansiedlung pisidischer Kolonisten aus T. [1] in hell. Zeit zusammenhängt [2; 3; 4].

1 R. Heberdeyr, s. v. T. (3), RE 5 A, 775–778
2 J. J. Coulton, Termessians at Oinoanda, in: AS 32, 1982, 115–131 3 M. Wörrle, Stadt und Fest im kaiserzeitlichen Kleinasien, 1988, 45–53 4 N. P. Milner, A Hellenistic Statue Base in the Upper Agora at Oinoanda, in: AS 48, 1998, 113–116. C. SCH.

Terminalia s. Terminus

Terminatio (von lat. → *terminus*, »Grenze«). Die Festlegung von Grenzen zw. dem Grundbesitz einzelner Personen, v. a. aber zw. Gemeinden. Zw. röm. Prov. erfolgte dagegen fast nie eine offizielle Grenzziehung, da deren Grenzen durch den territorialen Umfang der jeweiligen Selbstverwaltungseinheiten bestimmt wurden. Als Marken dienten Grenzsteine (*termini*; ILS 5926) oder Holzpfähle [1. 244]. Die *t.* wurde von *mensores*, → Feldmessern, durchgeführt; ein Teil der theoretischen → Fachliteratur ist erh. (vgl. [1; 2; 3]). Rechtlich zuständig waren für die *t.* röm. Magistrate, entweder Sonderbeauftragte oder Statthalter, die z. B. *centuriones* oder *tribuni* beauftragen konnten. Anlaß waren Konflikte zw. Besitzern oder Gemeinden, die sich häufig an den Kaiser wandten. Protokolle solcher Grenzfestlegungen sind z. B. in der *sententia Minuciorum* aus dem J. 117 v. Chr. erh. (ILLRP 517; → Minucius [I 12]) oder in traianischer Zeit aus Griechenland (Delphoi: FdD III 4, 290–295). Holzpfähle sind nirgends erh., aber Steinen und Felsen finden sich jedoch Inschr. in fast allen Prov.; auch die Stadtgrenze Roms, das → *pomerium* (CIL VI 1231–33; 31537–39; 37022–24; 40852–55), oder das Tiberufer (CIL VI 1234–42; 31540–57; 37025–29; 40856–68) wurden durch Grenzsteine markiert. Zu den Grenzsteinen der Gracchen, mit denen die an neue Besitzer zu assignierenden Gebiete kenntlich gemacht wurden, vgl. ILLRP I² 467–475.

1 F. Bluhme et al. (ed.), Schriften der röm. Feldmesser, 2 Bde., 1848/1852 (Ndr. 1967) 2 C. Thulin, Corpus Agrimensorum Romanorum, Bd. 1, 1913 (Ndr. 1971) 3 B. Campbell, The Writings of the Roman Land Surveyors, 2000 (Text und Übers.).

G. H. Burton, The Resolution of Territorial Disputes in the Provinces of the Roman Empire, in: Chiron 30, 2000, 195–215 · W. Eck, Terminationen als administratives Problem: das Beispiel der nordafrikanischen Prov., in: A. Mastino (Hrsg.), Africa Romana 7, 1990, 933–941 · L. Gasperini (Hrsg.), Rupes loquentes (Atti del Convegno sulle »Iscrizioni rupestri«, Rom 1989), 1992. W. E.

Terminus. Wie andere ant. mediterrane Völker regelten die Römer die Grenzsteineinsetzung ebenso wie die Wahrung ihrer Grenzen (lat. *termini*, Sg. *terminus*, »Grenzstein«) durch die Anrufung göttlichen Beistands und durch rechtliche Bestimmungen [1]. Letztere wurden dem König → Numa zugeschrieben (Fest. 505 L.). Sie waren vielleicht schon Inhalt des stadtröm. → *Lapis niger* (6. Jh. v. Chr.; [2]) und spielten im röm. Eigentumsrecht eine wichtige Rolle ([3. 110–124]; vgl. Ov. fast. 2,660; [4. 98–122]). Die Wichtigkeit göttlichen und rechtlichen Schutzes der Grenzsteine zeigt sich nicht zuletzt in den Schriften der röm. → Feldmesser zur Grenzsteineinsetzung (Siculus Flaccus p. 104–109 Campbell). Die dabei vollzogenen rel. Rituale galten der röm. Gottheit T.; zu ihrem Fest, den Terminalia am 23. Februar, brachte man Kränze und Kuchen zu den *termini* (Ov. fast. 2,639–684; InscrIt 13,2, p. 414 f.).

Der anikonische Kult des T. als Stein auf dem stadtröm. Kapitol (Liv. 1,55,2–4), angeblich von Titus → Tatius ein- (Varro ling. 5,74) und nach dem Bau des kapitolinischen Heiligtums in diesem fortgeführt (Cato fr. 24 HRR; Liv. l.c.; [5]), zeitigte die mod. Annahme, T. (als → *numen*) verweise auf eine frühe, primitive Phase der röm. Rel. Andere vermuteten griech. Einfluß und erklärten den T. im kapitolin. Tempel des → Iuppiter als Iuppiter Terminalis [6. 210 f.] – in Analogie mit dem griech. Zeus Horios, der als Schützer der → *hóroi* galt und in dieser Funktion oft mit Hermes vermischt wurde [7. 205]. Iuppiter Terminalis ist inschr. kaiserzeitlich zwar belegt (CIL XI 351; [8. 64¹]), Darstellungen aus republikanischer Zeit (BMCRR 2, 362, Nr. 64–69) bilden möglicherweise eine → Herme oder Iuppiter selbst ab, wohl aber nicht Iuppiter Terminalis [9. 894]. Spekulativ bleibt der Versuch, Iuppiter Terminalis in der augusteischen Kunst (mit Verg. Aen. 9,448; Serv. Aen. 9,446; Aug. civ. 4,29) zu verorten [9]. Iuppiter (Terminalis) als Schützer der *termini* in der Prophezeiung der → Vegoia (p. 256 Campbell) aus dem 1. Jh. v. Chr. reflektiert eine etr. Trad. und zeigt vielleicht griech. Einfluß (Zeus Horios). Die Vermutung, wonach T. mit dem Ende des röm. Jahres in Verbindung stand [10. 113–116], weil der röm. Interkalationsmonat nach den Terminalia eingefügt wurde (Varro ling. 6,13; Liv. 43,11,13; 45,44,3; Macr. Sat. 1,13,14 f.; vgl. → Kalender B.4. mit Übersicht), wird dadurch widerlegt, daß Monat und Fest in keinem direkten Zusammenhang standen [11. 160–166].

→ Baitylos; Hermes; Horoi; Iuppiter; Terminatio

1 K.-H. Ziegler, s. v. Grenze, RAC 12, 1095–1107
2 L. Holland, Qui Terminum Exarasset, in: AJA 37, 1933, 549–553 3 A. Watson, The Law of Property in the Later Roman Republic, 1968 4 G. Piccaluga, T., 1974
5 G. Tagliamonte, s. v. T., LTUR 5, 27 f. 6 R. Ogilvie, A Commentary on Livy, Books I-V, 1965 7 Nilsson, GGR 1 8 Latte 9 E. Simon, s. v. T., LIMC 7.1, 893–895 10 A. Brelich, Tre variazioni Romane sul tema delle origini, ²1976 11 A. Michels, The Calendar of the Roman Republic, 1967. C. R. P.

Terpandros (Τέρπανδρος, lat. *Terpander*). Kitharode des frühen 7. Jh. v. Chr. aus Lesbos oder Kyme [3] (Suda s. v. T.). Sein Leben ist eng mit → Sparta verbunden, wo er der erste Sieger an den → Karneia (Hellanikos FGrH 4 F 85a) der 26. Ol. (676/673 v. Chr.) war. Er errang auch vier Siege in Folge bei den → Pythia (Plut. mor. 1132e), die damals alle acht J. stattfanden, wonach seine Karriere 25 J. umfaßt haben muß; er starb spätestens 640 v. Chr. (Eus. Chron. Ol. 34.3). T. galt in der Ant. als Erneuerer der griech. → Musik und als Erfinder, z. B. der Barbitos (Athen. 14,635de; → Musikinstrumente V. A. 1.) oder der Erweiterung der Lyra von vier auf sieben Saiten (Suda s. v. T.). Er soll als erster die Musik in Sparta (Plut. mor. 1134b) organisiert [4] und den kitharodischen → *nómos* [3] begründet und benannt haben (dazu seine eigenen Werke und die Homers gesungen haben, Plut. mor. 1132cd) sowie vielleicht auch die spartanischen Gesetze (Clem. Al. strom. 1,16,78,5 = Bd. 2. 51, § 3–5 STÄHLIN). Nach der griech. Überl. legte T. die sieben Teile der kitharodischen *nómoi* fest (Poll. 4,66), erweiterte die Tonleiter von der Septime zur Oktave (Aristot. probl. 920a), erfand den mixolydischen Modus (τὸν Μιξολύδιον τόνον ὅλον) sowie die Musik der → *skólia* als Gattung (τῶν σκολιῶν μελῶν) und nahm Neuerungen in der Metrik vor (Plut. mor. 1140f). Viele dieser Leistungen sind verm. Rückprojektion von Kitharoden der klass. Zeit auf den ersten berühmten Vertreter ihres Fachs. Die wenigen erh. Fr., die man T. zuschrieb, werden h. als unecht abgelehnt. Es gibt keinen Hinweis auf eine alexandrinische Ed. des T.; doch enthält ein neues Pap.-Fr. ein Zitat, das laut Aristarchos [4] von T. stammte (S 6 SLG).

ED.: **1** PMG 697–698 **2** SLG 5,6 **3** D. A. CAMPBELL, Greek Lyric 2, 1988, 294–319 (mit engl. Übers.) **4** A. GOSTOLI, Terpander, 1990 (mit it. Übers. und Komm.; Lit.).
E. R./Ü: TH. G.

Terpnos (Τέρπνος). Berühmter Kitharode. Als Nero 54 n. Chr. Kaiser wurde, rief er T. zu sich, hörte ihm täglich zu und ließ sich dadurch zum eigenen Musizieren inspirieren (Suet. Nero 20,1); gegen E. seiner Herrschaft (67) durfte Nero anläßlich der → *períodos* T. »besiegen« (Cass. Dio 8–10; Philostr. Ap. 5,7–8). Vespasian dagegen ehrte T. mit 200 000 HS anläßlich der Restaurierung des röm. → *theatrum Marcelli* (Suet. Vesp. 19).
R. O. HA.

Terpsichore (Τερψιχόρη, »die sich an Reigen freut«). Eine der → Musen (Hes. theog. 78), deren Name auf Zuständigkeit für → Chor und → Tanz verweist (Pind. I. 2,7; Korinna, fr. 935 PAGE; Plat. Phaidr. 259b-d; Anth. Pal. 9,504) und die mit → *paideía* in Verbindung gebracht wird (Diod. 4,7). Die Attribute der mit Lorbeer und Efeu Bekränzten sind Lyra und Flöte. Nach einigen Sagenversionen gilt sie als Mutter des → Linos (Suda s. v. Λίνος), → Hymenaios [1] (Alki. epist. 1,13), → Rhesos (Aristoph. hypothesis zu Eur. Rhes.) und der → Sirenen (Apoll. Rhod. 4,895).
→ Musen
C. W.

Terpsion (Τερψίων).
[1] aus Megara [2]. Im Einleitungsgespräch von Platons [1] ›Theaitetos‹ trifft Eukleides [2], vom Hafen kommend, wo er dem todkranken Theaitetos [1] begegnet ist, in der Stadt Megara mit seinem Freund T. zusammen, dem er dann im Hauptteil des Dialogs aus den Aufzeichnungen, die er sich gemacht hat, ein Gespräch vorliest, das Sokrates [2] einst mit dem Mathematiker Theodoros [2] aus Kyrene und mit Theaitetos geführt habe. Bei Plat. Phaid. 59c wird T. unter denen genannt, die beim Tod des Sokrates zugegen waren. Anhaltspunkte dafür, daß er zu den → Megarikern gehört hat, gibt es nicht.

SSR VI B 94–98.
K. D.

[2] Begründer der → gastronomischen Dichtung, verm. 4. Jh. v. Chr., Lehrer des → Archestratos [2]. T. verfaßte als erster eine *Gastrología* (verm. in Versen), von der nur ein einziges Fr. – zur Eßbarkeit der Schildkröte – erh. ist (Klearchos fr. 78 WEHRLI = Athen. 8,337a-b). Der Ausspruch ἢ δεῖ χελώνης κρέα φαγεῖν, ἢ μὴ φαγεῖν, ›man muß das Fleisch der Schildkröte essen oder nicht essen‹ kehrt bei den → Paroimiographoi wieder (Zenob. 4,19; Diogenianos 5,1; vgl. Hesych. η 108 LATTE; Suda η 85 ADLER). Die Verbindung mit komischem Kontext legt den Verdacht auf eine fiktive Person nahe. [1].

1 F. WEHRLI, Klearchos, 1948, 73.
O. M./Ü: L. FE.

Terra mater s. Tellus

Terra Sigillata. I. DEFINITION UND ABGRENZUNG II. HERSTELLUNG III. FORSCHUNGSGESCHICHTE IV. GATTUNGEN

I. DEFINITION UND ABGRENZUNG

Mod. t. t. für eine Gattung von Tafelgeschirr der röm. Feinkeramik (→ Tongefäße II.) mit roter Oberfläche und meistens mit Namensstempeln. Ant. Autoren (z. B. Plin. nat. 35,160) lassen eine Verbindung mit → *Samia vasa* (engl. *Samian Ware*) vermuten [1]. Die T. S. entwickelte sich um 40 v. Chr. im Westen aus der → Schwarzfirnis-Keramik. In Arezzo (→ Arretium) und in der Padana (→ Padus) gehen der roten T. S. schwarze Varianten voraus. Jedoch ist die Existenz einer »roten« Vorstufe, der sog. Presigillata umstritten [2. 4]. Die T. S. verdrängte rasch die vorherrschende Schwarzfirnis-Keramik von den Mittelmeermärkten und wurde in regionalen Zentren noch bis ins 7. Jh. n. Chr. produziert. Beim Tafelgeschirr aus T. S. herrschen offene Gefäßformen vor.

II. HERSTELLUNG

Die Gefäße wurden in einer Kombination von Scheiben- und Matrizentechnik geformt und oxydierend gebrannt, was den roten Farbton bewirkte (→ Tongefäße II. A. 3. f.). Der Töpfer dekorierte seine Gefäße mit Hilfe von Stempeln, Radstempelverzierungen, Reliefappliken, Barbotinetechnik, Ritzverzierung sowie mit aus einer Formschüssel gewonnenen Reliefierungen (→ Stempelkeramik, → Reliefkeramik). Die Ornamentierung der arretinischen T.S. ist unmittelbar auf den Motivschatz hell. (Metall-)Vorbilder zurückzuführen [3] und übernimmt bald die Motive augusteischer Zeit wie z.B. Victoria vor dem → Tropaion oder auf der Biga und die Satyrn und Mänaden der bacchischen Welt; daneben gibt es unverzierte und ungestempelte T.S.-Ware. Stempel (»Signaturen«) der arretin. und gallischen Werkstätten geben Einblick in die Werkstattorganisation (vgl. → Keramikherstellung, → Töpfer). Auch Graffiti aus Werkstattbereichen liefern solche Informationen [4], wie jüngst eine Liste in griech. Schrift mit acht griech. Sklavennamen aus Arezzo, die zu einer Körperschaft (*ordo*) der Tellerhersteller (*catillarii*) gehörten [5].

III. FORSCHUNGSGESCHICHTE

T.S. ist eine der am besten erforschten ant. Keramikgattungen. Das Interesse galt anfangs bes. den gestempelten Inschr. Bereits 1492 hat M.A. ALESSI eine erste Liste arretiner Fabrikantennamen erstellt [6] (vgl. CIL XI). Eine erste Klassifizierung der Gefäße wurde 1895 von H. DRAGENDORFF vorgenommen [7], die bald zum typologischen Leitfaden wurde. Ausgehend von den FO Haltern (an der Lippe) und Hofheim (am Taunus) wurden 1909 und 1912 weitere Typologien erstellt [8; 9]. Dabei können auch »Speise-Services« unterschieden werden [2. 46–47, 50]. Die neueren Klassifizierungen von 1981 [10], 1985 [11] und 1990 [2] stützen sich zunehmend auf naturwiss. Methoden. Die Fabrikantenstempel der ital. T.S. wurden jüngst neu ediert [12]. In der jüngeren Forsch. wird zunehmend die wirtschaftliche Aussagekraft der T.S. untersucht [12. 36–50; 13; 14] (→ Keramikhandel).

IV. GATTUNGEN

A. ITALIEN/AREZZO B. WESTPROVINZEN
C. DAS ÖSTLICHE MITTELMEER D. NORDAFRIKA

A. ITALIEN/AREZZO

Die Produktion der ital. T.S. begann um 40 v.Chr. in Arezzo (→ Arretium) [2; 12]. Man geht inzwischen von etwa zehn weiteren ital. Herstellungsorten aus, einige sind nachgewiesen. Die Produktion außerhalb Arezzos setzte noch im späten 1. Jh. v.Chr. ein (u.a. bei dem Töpfer Iucundus). Daß sie von Arezzo angeregt wurde, wird durch zwei Befunde nahegelegt: Das Großunternehmen des Cn. Ateius ist durch Werkstattfunde mit Arezzo und Pisa (→ Pisae) verbunden [15]; der Besitzer hatte sich wohl eine Zweigniederlassung näher am Meer wegen besserer Exportmöglichkeiten aufgebaut. Auch für Lyon (→ Lugdunum) sind Arretiner Formschüsseln bezeugt; sie stammen wohl von einem aus Arezzo emigrierten Töpfer (E. des 1. Jh. v.Chr.) [16]. Von etwa 75 bis 150 n.Chr. ist die Region um Pisa eine der wichtigsten Lieferanten spätital. T.S. [17; 18]. Ein typischer Besitzer einer großen Werkstatt ist hier L. Rasinius Pisanus, dessen Name durch Rechteck- (*tabella ansata*), Fußform- (*planta pedis*) oder Halb-

mondstempel der Ware aufgedrückt wurde; seine Werkstatt war zw. 50 und 120 n.Chr. tätig. Bezüglich der Verbreitung der Waren einzelner Werkstätten gibt es große Unterschiede [12. 46–49, Abb. 10–11].

B. WESTPROVINZEN

Unter dem Einfluß der Arretiner Werkstätten setzte in Südgallien die Produktion der T.S. bereits in augusteischer Zeit ein. Abgesehen vom kurzlebigen Produktionsort Lyon-La Muette [16; 19; 2. 19f.] lieferten v.a. die FO La Graufesenque (Aveyron; → Keramikherstellung) und Montans Hinweise für eine bedeutende T.S.-Produktion [19; 20; 2. 18f.]. Ab etwa 25 n.Chr. setzte der Export der hier hergestellten Waren in die nördl. Prov. des röm. Reiches und nach 50 n.Chr. auch in die Mittelmeerländer ein. In Pompeii fand sich z.B. eine noch unausgepackte Kiste südgallischer T.S. [21]. Im mittelfranzösischen Lezoux ist seit tiberianischer Zeit die gleiche Entwicklung erkennbar. Für die germanischen Prov. sowie Spanien und Helvetien [2. 20f.; 11. 97–174; 22] wurden kurzlebige T.S.-Werkstätten nachgewiesen, gelegentlich in Verbindung mit dem röm. Militär wie in Haltern [23]. Manchmal sind die Produktionen aber noch bis in das 2. Jh. n.Chr. [4; 24], bei den jüngeren Werkstätten noch bis ins 3.–4. Jh. n.Chr. nachweisbar.

C. DAS ÖSTLICHE MITTELMEER

Es werden fünf östl. Produktionen unterschieden [11. 1–96]: *Eastern Sigillata A* aus Syria oder → Cilicia, *B* aus der Westtürkei (→ Tralleis und → Ephesos) sowie *C* (= *Çandarlı-Ware*) aus der → Pergamon-Region, Zypriotische [14] und Pontische T.S. (→ Pontos Euxeinos). In Asia Minor und Syria fing die T.S.-Produktion bereits um die Mitte des 2. Jh. v.Chr. an, allerdings nicht immer mit einer roten Oberfläche. Erst zw. 10 v. und 10 n.Chr. ist ital. Einfluß erkennbar. Bes. die *Eastern Sigillata B* entstand unter Einfluß von ital. Töpfern, was aus Stempelnamen wie aus Arezzo »C. Centius« und aus → Puteoli »Serenus« hervorgeht. Ansonsten war die Sprache der Stempel in den östl. Prov. meist Griech. Diese Produktionen waren v.a. im östl. Mittelmeerraum verbreitet, mit Karthago und Rom als wichtigsten Handelszielen im Westen.

D. NORDAFRIKA

Ab dem späten 1. Jh. n.Chr. verdrängten die T.S.-Waren (*African Red Slip Ware*) aus der Region von Karthago (T.S. *Africana A*, bis um 300 n.Chr.) – und später aus den Prov. Africa, Byzacena und Numidia – die anderen T.S.-Waren von den Mittelmeermärkten. Die T.S. *Africana C* wurde in Zentraltunesien (220–500 n.Chr.), die T.S. *Africana D* (4.–7. Jh. n.Chr.) in vielen Zentren Nordtunesiens hergestellt. Wichtigste Klassifizierungen: [25; 26], jüngst chronologisch verfeinert ([27]; vgl. [10. 9–224]).

→ Heeresversorgung; Heerwesen; Eßgeschirr; Keramikhandel; Keramikherstellung; Lampe; Reliefkeramik; Stempelkeramik; Tafelausstattung; Tongefäße; VASEN

1 P. WEBSTER, Roman Samian Pottery in Britain, 1996
2 E. ETTLINGER et al., Conspectus formarum terrae sigillatae italico modo confectae, 1990 3 M. T. MARABINI MOEVS, Penteterìs e le tre Horai nella Pompè di Tolomeo Filadelfo, in: BA 72, 1987 Nr. 42, 1–36 4 B. HOERNER, M. SCHOLZ, »Töpfereirechnungen« aus der S.-Töpferei von Chémery-Faulquemont, in: Germania 78, 2000, 39–75
5 A. W. JOHNSTON, A Greek Graffito from Arezzo, in: Oxford Journ. of Archaeology 4, 1985, 119–124
6 F. PATURZO, Arretina Vasa, 1996, 32–33, Abb. 4–5
7 H. DRAGENDORFF, T. S. Ein Beitr. zur Gesch. der griech. und röm. Keramik, in: BJ 96/97, 1895, 18–155
8 S. LOESCHKE, Keramische Funde in Haltern, in: Mitt. der Altertums-Kommission Westfalen 5, 1909, 101–322
9 E. RITTERLING, Das frühröm. Lager bei Hofheim im Taunus, in: Annalen des Vereins für Nassauische Altertumskunde und Gesch.-Forsch. 40, 1912, 1–416
10 A. CARANDINI et al., in: G. PUGLIESE CARATELLI et al. (Hrsg.), Atlante delle forme ceramiche 1 (EAA 10.1), 1981, 1–207 11 J. W. HAYES et al., in: G. PUGLIESE CARATELLI et al. (Hrsg.), Atlante delle forme ceramiche 2 (EAA 10.2), 1985
12 A. OXÉ et al., Corpus Vasorum Arretinorum. A Catalogue of the Signatures, Shapes and Chronology of Italian Sigillata, ²2000 13 R. TOMBER, Quantitative Approaches to the Investigation of Long-Distance Exchange, in: Journ. of Roman Archaeology 6, 1993, 142–166 14 J. LUND, The Distribution of Cypriot S. as Evidence of Sea-Trade Involving Cyprus, in: S. SWINY et al. (Hrsg.), Res Maritimae. Cyprus and the Eastern Mediterranean from Prehistory to Late Antiquity, 1997, 201–215 15 P. M. KENRICK, Cn. Ateius – the Inside Story, in: Rei Cretariae Romanae Fautorum Acta 35, 1997, 389–402 16 M. PICON, J. LASFARGUES, Transfert de moules entre les ateliers d'Arezzo et ceux de Lyon, in: Rev. archéologique de l'Est et du Centre Est 25, 1974, 61–69
17 M. MEDRI, T. S. tardo italica decorata, 1992
18 C. ROSSETTI TELLA, La T. S. tardo-italica decorata del Mus. Nazionale Romano, 1996 19 C. BÉMONT, J.-P. JACOB (Hrsg.), La terre sigillée gallo-romaine, 1986 20 A. W. MEES, Modelsignierte Dekorationen auf südgallischer T. S., 1995
21 D. ATKINSON, A Hoard of Samian Ware from Pompeii, in: JRS 4, 1914, 26–64 22 M. BELTRÁN-LLORIS, Cerámica romana: tipología y classificación, 1978, 87–89
23 S. VON SCHNURBEIN, Halterner S.-Produkte in rheinischen Stützpunkten, in: Germania 64, 1986, 45–59
24 I. HULD-ZETSCHE, Trierer Reliefsigillata, Werkstatt II, 1993 25 J. W. HAYES, Late Roman Pottery, 1972
26 Ders., A Suppl. to Late Roman Pottery, 1980
27 J. LUND, Hellenistic, Roman and Late Roman Fine Wares from the Segermes Valley, in: S. DIETZ et al. (Hrsg.), Africa Proconsularis II, 1995, 449–629 28 J. W. HAYES, Handbook of Mediterranean Roman Pottery, 1997.
R.D.

Terrakotten   I. EINLEITUNG
II. ALTER ORIENT UND ÄGYPTEN
III. KLASSISCHE ANTIKE

I. EINLEITUNG

Terrakotta (von it. *terra cotta*, »gebrannter Ton«) war für viele Arten von ant. Geräten, Gefäßen und Kunstobjekten das häufigste Material. Im arch. Sprachgebrauch bezieht sich T. auf künstlerisch geformte Objekte. Neben freier Formung aus der Hand war Serienherstellung im Alten Orient (seit dem 3. Jt. v. Chr.) und im Mittelmeerraum (seit dem 6. Jh. v. Chr.) üblich: Vom Original (Patrize) wurde eine Matrize gezogen, die als Form diente. Wenn das Objekt hohl geformt war, erhielt es eine Brennöffnung. Eine Bemalung erfolgte vor oder nach dem Brand. Bei Figuren war Statuettenformat üblich; lebensgroße Figuren erhielten Holz- oder Metallverstärkungen.
R.N.

II. ALTER ORIENT UND ÄGYPTEN

T. gehören seit dem Neolithikum (7. Jt. v. Chr.) in fast allen Orten Vorderasiens zu den häufigsten Beispielen der Kleinkunst. Zuerst handmodelliert und bisweilen bemalt, wurden sie später v. a. mit Hilfe eines Models hergestellt. Tier-T. hingegen wurden weiterhin frei modelliert. Bei den vom Neolithikum an überwiegenden, meist kleinen, stark abstrahierten Frauendarstellungen sind Brust- und Hüftpartie und oft auch die Genitalzone betont. Neben Menschen- und Tierfiguren finden sich vom 2. Jt. an vermehrt Wagen, Schiffe, Möbel und andere Objekte in Miniaturdarstellungen; bes. aus der 1. H. des 2. Jt. stammen T.-Reliefs mit Szenen aus dem Alltagsleben und der rel. Praxis. Mit den → Achaimenidai (ab 6. Jh. v. Chr.) begann eine Veränderung der Formensprache und Ikonographie, die vom 4. Jh. v. Chr. an in Hinsicht auf Technik (aus mehreren Formen) und Bemalung zunehmend unter den Einfluß der hell. Kultur geriet. Frauenfiguren, meist modisch gekleidet, spielten weiterhin die größte Rolle.

Im pharaonischen Äg. waren (meist handgeformte) T. gegenüber Fayencefiguren selten. Erst unter dem Einfluß v. a. der griech. Kultur seit dem 6./5. Jh. v. Chr. nahmen Repertoire und Zahl der T. zu. In Alexandreia [1] und im Fajum entstanden Zentren der T.-Herstellung. Neben den weit verbreiteten Typen bekleideter Frauen (sog. »Tanagra-Figuren«) wurden weiterhin auch äg. Götter wie Harpokrates, Isis, Osiris und Bes wiedergegeben, die ihrerseits Eingang in die griech. Welt fanden.

Statt wie früher alle Abb. nackter Frauen als Göttinnen aufzufassen, werden sie heute (ebenso wie die Stierfiguren) für die Frühzeit als Fruchtbarkeitssymbole gesehen (verbunden mit der Bitte um Kindersegen, Schutz und Wohlergehen, was auch für spätere Typen gilt). Viele T. fanden als Weihgaben für Tempel und als geschätzte Votive im Hause, aber auch als Dekoration Verwendung.

R. OPIFICIUS, Das altbabylonische T.relief, 1961 · E. KLENGEL-BRANDT, Die T. aus Assur im Vorderasiatischen Mus. Berlin, 1978 · N. CHOLIDIS, Möbel aus Ton, 1992 · E. DOUGLAS VAN BUREN, s. v. Figurinen, RLA 3, 1957, 62–64 · W. HORBOSTEL, H.-P. LAUBSCHER, s. v. T., LÄ 6, 1986, 425–456.
E.K.-B.

III. Klassische Antike
A. Bronzezeit
B. Griechenland: 9.–6. Jh. v. Chr.
C. Griechenland: 5. Jh. bis Hellenismus
D. Etruskisch-Italischer Bereich und
Kaiserzeit   E. Aspekte der Forschung

A. Bronzezeit

In der minoischen Kultur traten ab Anf. des 2. Jt. v. Chr. figürliche T. in größerer Zahl auf. Es sind auf wenige Typen beschränkte Menschen- und Tierdarstellungen, dazu im 13. Jh. große Frauenfiguren aus gedrehten Zylindern. Myk. T. orientierten sich ab dem 15. Jh. zunächst an minoischen und wurden dann zu Idolen schematisiert.

B. Griechenland: 9.–6. Jh. v. Chr.

Im frühen 1. Jt. v. Chr., bes. ab dem 7. Jh., entwickelte sich im griech. Raum und seinen Randgebieten eine künstlerisch hochwertige T.-Produktion. Thema der fast immer kleinen Figuren sind Götter, Tiere und Menschen, einzeln oder in Gruppen, bei Handwerk, Gelage, Tanz und im erotischen Kontext sowie als Karikaturen. T.-Reliefs geben feste Ikonographien aus Mythos und Kult wieder. Daneben wurde fast alles, vom Altar bis zum Schiff, auch in Miniaturformat als T. dargestellt. Die Funktion dieser T. als Votive oder Grabbeigaben blieb stets religiös. Tonmodelle für Stein- und Br.-Plastik (*proplásmata*) galten auch als eigenständige Kunstwerke (→ Arkesilaos [7]).

Die frühesten, noch handgeformten T. der geom. Zeit (9.–8. Jh. v. Chr.) sind aus Lakonien erh. In archa. Zeit entstanden exportierende Herstellungszentren mit stilistisch-ikonographischen Trad., die von den zahlreichen lokalen Ateliers rezipiert wurden. Die tonangebenden Zentren lagen auf der Peloponnes, wo zuerst Korinth und Sparta mit Votivaltären, Masken und Reliefs hervortraten. Auf Euboia [1] entstanden ab dem 6. Jh. v. Chr. neue Statuettentypen wie die sitzende Göttin und weibliche Protomen, in Athen der Typ einer → Kurotrophos. Auf den Inseln gab es eigenständige Zentren, von denen Rhodos stark nach Kleinasien ausstrahlte. In der Magna Graecia war Lokroi [2] im 6. Jh. für Votivreliefs an chthonische Gottheiten (z. B. Persephone) bekannt; von Sybaris, Kroton und Metapontion aus erreichten ab dem 7. Jh. Demeter-Statuetten das ital. Umland. In Sizilien lieferten ab dem 6. Jh. Gela, Naxos [2] und Megara [3] Hyblaia Typen einer Göttin und kleine T.-Altäre mit myth. Reliefs.

Ebenfalls in archa. Zeit entstanden Architektur-T. zur Verkleidung von Holzteilen der frühen → Tempel. Die Erfindung figürlicher Antefixe im 7. Jh. v. Chr. schrieb die Ant. → Butades von Korinth zu (Plin. nat. 35, 151). Dort fand im 6. Jh. v. Chr. eine reiche Entwicklung der Simen (→ Sima) mit Gorgoneia, Wagenzügen und Gelageszenen bis hin zu großen Akroter-Figuren (Niken und Sphingen) statt. Ebenso bedeutend waren Architektur-T. in Athen, Delphoi und Olympia. In Kleinasien verbreiteten sich figürliche → Friese im späten 6. Jh. v. Chr. von Larisa und Sardeis aus bis auf die griech. Inseln und zur Schwarzmeerküste; bereits ab dem späten 7. Jh. erschienen sie in der Magna Graecia. Bedeutende Zentren auf Sizilien waren im 6. Jh. v. Chr. Akragas, Selinunt, Syrakus, Kamarina und Gela mit monumentalen Gorgoneia an Giebeln, figürlichen Akroteren und Wasserspeiern aus T.

C. Griechenland: 5. Jh. bis Hellenismus

Mit der Verwendung von → Marmor im Tempelbau in klass. Zeit traten Architektur-T. zurück. Im 5. Jh. v. Chr. setzte stattdessen eine qualitativ hochstehende Produktion von T.-Statuetten ein, die sich im Hell. noch steigerte. Diese dienten neben dem vorrangigen Gebrauch in Gräbern auch der Hausausstattung. Athen stellte ab 320 v. Chr. weit exportierte Mädchenstatuetten her, die in → Tanagra nachgeahmt wurden. Den Markt in Kleinasien beherrschten Pergamon, Milet, Ephesos und Smyrna mit Nachbildungen großplastischer Meisterwerke: Die meisten der 5000 Statuetten aus Gräbern in Myrina [4] sind Eroten und Mädchen. Die reiche Typologie der vergoldeten T. aus Makedonien wird in den Nekropolen von → Stoboi und → Amphipolis noch übertroffen. Gräber in Tarent enthielten viele vergoldete T.-Appliken und Dioskuren-Reliefs. Lipari weist um 350–250 v. Chr. eine originelle Produktion von Masken und Theaterfiguren auf. Im hell. Äg. fand sich das ganze Pantheon in T., meist mit äg. Götterattributen versehen, dazu Opfernde, Priester und Tänzer; solche Karikaturen werden häufig zu Unrecht einzig alexandrinischen Werkstätten zugeschrieben.

D. Etruskisch-Italischer Bereich und Kaiserzeit

Die Bed. von etr. T. zeigt sich an der angeblichen Zuwanderung des Koroplasten (mit T. arbeitender Bildhauer) Damaratos aus Korinth nach → Tarquinii (Plin. nat. 35,152). Typisch sind an der umfangreichen etr. T.-Produktion das große Format und die architektonische Funktion. Der figürliche Reichtum der Architektur-T. führt von lebensgroßen Firststatuen im 6. Jh. v. Chr. bis zu myth. Reliefgiebeln hell. Zeit. Figürliche T.-Friese finden sich ab dem 6. Jh. auch in Latium. Als sog. Campana-Platten (→ Relief II. E.) reichten sie bis in die frühe Kaiserzeit.

Vom 6.–1. Jh. v. Chr. wurden in Etrurien → Sarkophage und → Urnen mit myth. Szenen in T. hergestellt. Im 4.–3. Jh. waren Votivköpfe und Körpervotive in T. auch in Mittel-It. weit verbreitet. Mit dem Untergang der etr. Städte im 3. Jh. v. Chr. entstand eine ital.-hell. Koine; die meisten T. waren jetzt standardisierte Serienproduktion von Votiven oder großformatige Grabplastik in Lokal-Trad. (→ Etrusci II. C. 2.).

In der röm. Kaiserzeit sank die Bed. von T.-Votiven zugunsten von Kleinbronzen. Es begegnen nur wenige neue Themen wie Gladiatoren und Schauspieler. Innovativ bezüglich ihrer Themen war die T.-Produktion v. a. in Teilen Galliens und Germaniens im 2. Jh. n. Chr. Vorzüglich blieb die Qualität auch in den Ost-Prov. bis

Ende des 1. Jh. n. Chr., abnehmend hingegen in Alexandreia [1], wo bis in christl. Zeit T. produziert wurden.

In den Kontaktzonen der ant. Welt mit östlichen Kulturen fand ab dem 3. Jh. v. Chr. ein hellenisierender Einfluß auf lokale Stile, nicht aber Themen und Ikonographien statt. In größeren Mengen entstanden T. als Votive v. a. in Parthien und den Gebieten Mittelasiens, wo sie bis in die Gandhara-Kultur reichen (→ Gandaritis).

E. ASPEKTE DER FORSCHUNG

Im rel. und sepulkralen Bereich des ant. Alltags spielten T. eine wichtige Rolle. Die Forsch. konzentrierte sich bislang mehr auf kunsthistor. und wirtschaftsgesch. Aspekte. Fragen nach der Übermittlung von Ikonographien oder nach schöpferisch relevanten Werkstätten setzen die Kenntnis von Produktionsstätten und deren Chronologien voraus. Diese werden archäometrisch erforscht; die petrographische Analyse steht hierbei an vorderster Stelle. Grundlage dafür ist die voranschreitende Publikation von Fundkomplexen.

S. BESQUES, Catalogue raisonné des figurines et reliefs en terre cuite grecs, étrusques et romaines, Bde. 1–4, 1954–1992 • H. PRÜCKNER, Die lokrischen Tonreliefs, 1968 • W. D. HEILMEYER, Frühe olympische Tonfiguren, 1972 • L. BERNABÒ BREA, Menandro ed il teatro greco nelle terrecotte liparesi, 1981 • F. H. PAIRAULT MASSA, Recherches sur l'art et l'artisanat étrusco-italiques à l'époque hellénistique, 1985 • R. HIGGINS, Tanagra and the Figurines, 1986 • B. VON FREYTAG, Das Giebelrelief von Telamon und seine Stellung innerhalb der Ikonographie der Sieben gegen Theben, 1986 • M. BONGHI JOVINO (Hrsg.), Artigiani e botteghe nell'Italia preromana. Studi sulla coroplastica di area etrusco-laziale-campana, 1990 • N. A. WINTER (Hrsg.), Proc. of the First International Conference on Archaic Greek Architectural Terracottas, in: Hesperia 59, 1990, 5–323 • V. KARAGEORGHIS, The Coroplastic Art of Ancient Cyprus, Bd. 1–6, 1991–1998 • A. MOUSTAKA, Großplastik aus Ton in Olympia, 1993 • N. A. WINTER, Greek Architectural Terracottas from the Prehistoric to the End of the Archaic Period, 1993 • E. RYSTEDT (Hrsg.), Deliciae fictiles (Proc. of the First International Conference on Central Italic Architectural Terracottas, Rome 1990), 1993 • S. BESQUES, Figurines et reliefs grecs en terre cuite, 1994 • N. A. WINTER (Hrsg.), Proc. of the International Conference on Greek Architectural Terracottas of the Classical and Hellenistic Periods (1991), 1994 • M. D. GENTILI, I sarcofagi etruschi in terracotta di età ellenistica, 1995 • P. D'AMORE et al., s. v. terracotta, EAA 2. suppl. 5, 1997, 679–738 • F. HOFFMANN, M. STEINHART, Tiere vom Nil, 2001. R. N.

Terramare-Kultur. Brz. Kultur in der Poebene, charakterisiert durch Bodenerhebungen mit dunkler, nährstoffreicher Erde, die die Überreste der T.-Siedlungen birgt und in der Neuzeit als Dünger benutzt wurde. Das Verbreitungsgebiet der T. ist durch die h. Emilia und das Veneto umrissen. Zeitlich umfaßt sie die Mittel- (16.–14. Jh. v. Chr.) und Spät-Brz. (13.–12. Jh. v. Chr.). Wenige Siedlungen sind bislang arch. untersucht; bekanntere Fundorte sind Poviglio, Tabina und Castione dei Marchesi. Die Befunde zeigen Rechteckbauten mit Pfahlbaufundamenten, die die Bewohner vor den Überschwemmungen schützen sollten. Teilweise sind die Dörfer von Gräben und Erdwällen umgeben. Vorwiegender Grabritus ist Brandbestattung, im Norden treten daneben auch Körpergräber auf. Die Br.-Gegenstände (z. B. Äxte, Sicheln und Nadeln) gehören, wie auch die Keramik, deren Hauptmerkmale Hörner- und Röhrenhenkel sind, zum allg. Kulturgut der Brz. Italiens.

M. BERNABÒ BREA (Hrsg.), Le terremare si scavano per concimare i prati (Ausst.-Kat. Parma), 1994 • A. MUTTI et al., La Terramara di Castione dei Marchesi, in: Studi e Documenti di Archeologia 5, 1988, 1–456. C. KO.

Terrasidius. Seltenes röm. Gentile (SCHULZE, 373).
T., T. Diente als ritterlicher Präfekt oder Militärtribun unter Caesar in Gallien. Im Winter 57/6 v. Chr. wurden er und andere Offiziere während der Getreiderequirierung von bretonischen Stämmen gefangen genommen, die daraufhin unterworfen wurden (Caes. Gall. 3,7–16).
J. BA.

Terrassierung. T. dient weltweit in Siedlungsräumen mit stark bewegtem Oberflächenrelief der Erweiterung landwirtschaftlicher Nutzflächen zur Ertragssteigerung und prägt bis heute das Bild vieler griech. Landschaften. Indem man steile Hänge in weniger geneigte oder in ebene Stufen umgestaltet, wird die Wasserhaltung verbessert, die Wurzelbildung gefördert, die Bodenerosion gebremst und die Bearbeitung erleichtert. Die meisten T. im Mittelmeerraum dürften aus dem 18./19. Jh. stammen, doch gelang seit den 1980er J. der arch. Nachweis antiker T. v. a. in Karstgebieten (ablehnend [7]). In Erosionslandschaften sind sie selten. Die Datier. von T. ist allerdings nicht unumstritten.

Von den verschiedenen Terrassentypen sind arch. bisher nur Parallelterrassen als Schrägterrassen oder als ebene Hangstufen nachgewiesen. Terrassiert wurden Hänge von 2°–37° Neigung und bis in eine Höhe von 1100 m. Vermessungen ant. T. in Südattika ergaben ein hangparalleles Gefälle von 2–6 %, verm. zur besseren Wasserführung. Auf den Terrassen baute man wohl vornehmlich Öl (meist nicht über 600 m), → Getreide und in höheren Lagen auch → Wein an, doch ist dies im Einzelfall oft schwer zu beurteilen; T. sind häufig von Flurmauern eingefaßt.

T. werden schon für die frühe Brz. vermutet; gesichert sind sie für das minoische Kreta. Für die Levante, die griech. Inseln sowie weite Teile Griechenlands sind T. spätestens seit dem 2. Jt. v. Chr. zu postulieren. Bedeutende Reste von T. der klass. Zeit sind in Attika, auf Delos und in Lykien erh. Vereinzelt erwähnen ant. Quellen Terrassen; dabei ist die Terminologie unklar. Schwierig ist gerade auch die Unterscheidung der Mauern (αἱμασιαί/haimasiaí), die T. stützten, von Begrenzungsmauern. Auf T. könnten einzelne Beschreibungen ländlicher Tätigkeiten bei Homer hinweisen (Hom. Il. 21,257–262; Hom. Od. 18,357–359).

1 R. BALADIÉ, Sur le sens geographique du mot grec
»ophrys«, in: Journal des Savants 1994, 153–191
2 P. P. BETANCOURT et al., Excavations at Pseira, in:
D. A. HARDY (Hrsg.), Thera and the Aegean World, Bd. 3.3:
Chronology, 1990, 96–99 3 J. BRADFORD, Fieldwork on
Aerial Discoveries in Attica and Rhodes, in: The
Antiquaries Journal 36, 1956, 172–180 4 M. BRUNET,
Terrasses du cultures antiques: l'exemple de Délos,
Cyclades, in: Méditerranée 3/4, 1990, 5–11 5 Dies., Le
paysage agraire de Délos dans l'antiquité, in: Journal des
Savants 1999, 1–50 6 G. EDELSTEIN, I. MILEVSKI, The Rural
Settlement of Jerusalem Re-evaluated, in: Palestine
Exploration Quarterly 126, 1994, 2–23 7 L. FOXHALL,
Feeling the Earth Move: Cultivation Techniques on Steep
Slopes in Classical Antiquity, in: G. SHIPLEY, J. SALMON
(Hrsg.), Human Landscapes in Classical Antiquity, 1996,
44–67 8 V. HÖHFELD, Ant. Terrassenkomplexe am
Nordwesthang des Kolaklar Tepesi, in: Lykische Studien 4,
1998, 243–250 9 ISAGER/SKYDSGAARD, 81 f.
10 H. LOHMANN, Atene, 1993, 166–173; 196–219
11 O. RACKHAM, J. MOODY, Terraces, in: B. WELLS (Hrsg.),
Agriculture in Ancient Greece, 1992, 123–130
12 C. RENFREW, The Emergence of Civilisation, 1972.
                                                        H. LO.

Territorium. Der urspr. lat. Begriff T. (griech. *chóra*)
meint das Gebiet einer → Stadt (→ *civitas*, → *pólis*), innerhalb dessen die städtische Hoheit (trotz des prinzipiell personalen Charakters von ant. Gemeinwesen)
ausnahmslos galt. Diese raumordnende territoriale Körperschaft bestand aus einem Zentralort, in dem sich das
polit., administrative, wirtschaftliche (→ Markt II.), kultische und kulturelle Leben konzentrierte, und dem
umliegenden Land mit seinen Dörfern. Der griech.
Osten, It. und auch Spanien oder Nordafrika waren
früh in dieser Weise urbanisiert, d. h. es gab flächendek-
kend viele Städte mit relativ kleinem T. (in It. durchschnittlich 1500 km²). Im Norden und Westen des Mittelmeerraums mußten vielerorts erst Städte gegr. werden, um städtische Territorial-Hoheiten zu schaffen
(gallische *civitates* hatten ein durchschnittliches T. von
8300 km²).

In den »Reichsbildungen« des klass. Griechenland
(etwa im → Attisch-Delischen Seebund), insbes. aber in
der → Hellenistischen Staatenwelt und im Imperium
Romanum erwuchs den Städten eine Konkurrenz: Nun
gab es größere Territorial- oder Flächenstaaten, die
mehrere Stadtgemeinden unter einer übergeordneten
Hoheitsgewalt (betr. Recht, Verteidigung, Mz.-Prä-
gung, Finanzen, Wirtschaft, Kult, Kultur) zusammen-
faßten. Jeweils mit sehr verschiedenen Ausprägungen
blieben jedoch auch in diesen Territorialstaaten die
Selbstverwaltungsfunktionen der Städte innerhalb ihrer
eigenen T. weitgehend erhalten; sie wurden zu unteren
Verwaltungseinheiten der übergeordneten staatlichen
Einheit.

→ Staat; Stadt; Verwaltung

F. M. AUSBÜTTEL, Die Verwaltung des röm. Kaiserreiches,
1998 · H. GALSTERER, Stadt und T., in: F. VITTINGHOFF
(Hrsg.), Stadt und Herrschaft, 1982, 75–106 · A. H. M.

JONES, The Greek City, 1966 · F. KOLB, Die Stadt im Alt.,
1984.
                                                        UL. FE.

Terruncius (aus *tres* und *uncia*). Stück von 3 → *unciae*,
bei der Zwölfteilung ¼ des röm. Pfundes bzw. → *as*,
wohl älter als der → *quadrans* (Plin. nat. 33,45; vgl. Varro
ling. 5,174). Mz. im röm. und ital. → *aes grave* mit Wertzeichen 3 Kugeln. In der mod. Forsch. dient *t.* als t.t. für
das Dreiunzenstück in dezimal teilenden Assystemen
(*aes grave* in Apulien, Umbrien). *T.* im Sinn von »kleiner
Betrag«: Plaut. Capt. 477; Cic. Att. 6,2,4; Cic. fin. 4,29;
Cic. fam. 2,17,4. *T.* im Rechnungswesen = ¼ der → *li-
bella*, d. h. erst ¹⁄₄₀ → *denarius*, dann ¹⁄₄₀ → *sestertius*.

H. CHANTRAINE, Bemerkungen zum ältesten sizil. und röm.
Münzwesen, in: JNG 12, 1962, 51–64, dort 58–64 ·
K. REGLING, s. v. T., RE 5 A, 820 f. · SCHRÖTTER, s. v. T.
                                                        DI. K.

Tertia. Röm. weibl. Praen. (Varro ling. 9,60), häufiger
Cogn. Die bekanntesten Trägerinnen sind Clodia [3] T.,
Iunia [2] T. und → Mucia T.

1 KAJANTO, Cognomina, 292 2 H. SOLIN, Die stadtröm.
Sklavennamen 1, 1996, 153 f.   K.-L. E.

Tertius. Röm. Numeralpraen. (oft die Reihenfolge in
der Geburt bezeichnend), häufiges Cogn. und röm.
Sklavenname.

1 KAJANTO, Cognomina, 74; 292 2 SALOMIES, 17; 116–118
3 H. SOLIN, Die stadtröm. Sklavennamen 1, 1996, 152 f.
                                                        K.-L. E.

Tertulla

[1] Heiratete vor 87 v. Chr. M. Licinius [I 11] Crassus,
nachdem sie zuvor mit seinem (dann verstorbenen) älteren Bruder verheiratet gewesen war. Neben öffentlichem Lob (Cic. Cael. 9) gab es auch Gerüchte über
Affären (Plut. Cicero 25,5; Suet. Iul. 50,1).
[2] Frau des Bürgerkriegsveteranen T. Flavius Petro und
Großmutter des Kaisers → Vespasianus, den sie auf ihrem Gut in → Cosa erzog (Suet. Vesp. 1 f.).   J. BA.

Tertullianus

[1] Röm. Jurist der Severerzeit (um 200 n. Chr.), schrieb
Quaestiones (›Rechtsfragen‹, 8 B.) und die in der Rechtslit. einzige Monographie *De castrensi peculio* (›Vom Son-
dergut der gewaltabhängigen Soldaten‹, 1 B.). Von den
beiden Werken bewahren Iustinianus' → *Digesta* nur
fünf Fr. [1]. Die von Eus. HE 2,2,4 nahegelegte Identität
dieses *iuris antiqui interpres* (»Interpret des alten Rechts«,
Cod. Iust. 5,70,7,1a) mit dem juristisch bewanderten
Kirchenvater T. [2] ist nicht ausgeschlossen [2; 3].

1 O. LENEL, Palingenesia Juris Civilis, Bd. 2, 1889, 341–344
2 D. LIEBS, Jurisprudenz, HLL 4, 1997, 123–125 3 Ders.,
Jurisprudenz, RAC 19, 608–611.   T. G.

[2] Q. Septimius Florens T. Frühchristl. lat. Theologe an der Wende vom 2. zum 3. Jh. n. Chr.

I. Leben II. Werke und Theologie
III. Sprache und Kultur
IV. Wirkungsgeschichte

I. Leben

Gegen E. des 2. Jh. n. Chr. hatte das Christentum in Africa bereits festen Fuß gefaßt. Die Gemeinde von → Karthago bildete neben Rom und Lugdunum (h. Lyon) das dritte Zentrum der Kirche im Westen und neben Antiocheia [1] und Alexandreia [1] eine der christl. Metropolen des Reiches. Neben orthodoxen Kräften wirkten hier gnostische Gruppen (→ Gnosis), Anhänger des Hermogenes [6] oder des → Markion, sowie des → Monarchianismus. Die um 170 n. Chr. in Kleinasien entstandene Bewegung des → Montanismus feierte hier ihre größten Erfolge. Theologischer Streit und staatliche Verfolgung verunsicherten die Gemeinden, endzeitliche Ängste und Sehnsüchte lagen in der Luft (vgl. Passio Perpetuae 1,3 f.; [1; 2]).

In diese Welt wurde T. (ca. 160/170 bis nach 212 n. Chr.) in Karthago geboren. Seine pagane Familie stand offenbar mit Karthagos lit. Zirkeln in Verbindung (ein Verwandter von ihm betätigte sich als Autor: Tert. de praescriptione haereticorum 39,4; daß sein Vater als röm. Offizier gedient habe, läßt sich nicht erhärten). Er genoß eine vortreffliche rhet. und juristische Ausbildung (der häufig angenommene Aufenthalt in Rom – vgl. Eus. HE 2,2,4 –, wo er angeblich als Anwalt tätig war, bleibt fraglich; die Identität mit dem in den *Digesta* zit. Juristen T. [1] lehnt [3] wohl zu Recht ab). Er kannte die röm. und etliche griech. Klassiker; konkurrenzlos, zumindest in christl. Kreisen, bleibt seine Vertrautheit mit Autoren der flavisch-traianischen Zeit (Suetonius [2], Plinius [2] d. J., Tacitus [1], bes. Iuvenalis).

Was ihn (gegen Mitte der 190er Jahre?) zum Christentum führte, liegt im dunkeln. Wenn wir ihn mit seinen ersten Schriften (um 196) kennenlernen, ist er bereits ein etabliertes, mit einer Christin verheiratetes Mitglied der Karthager Gemeinde. Wie in Alexandreia sein Zeitgenosse Clemens [3] unterrichtete er Katechumenen (neue Gemeindeglieder); v. a. aber setzte er sein rhet. Talent ein, um in Büchern und vielleicht auch vor der Gemeinde Zeugnis vom christl. Glauben abzulegen. Nach 200 begeisterte T. sich für die radikale Botschaft der Montanisten und warb in mehreren Schriften für deren Ideale (s. u. II.). Als nach dem Osten und Rom auch der afrikanische Klerus dieser charismatischen Erneuerungsbewegung die Anerkennung verweigerte, kehrte T. der Kirche den Rücken und wechselte ins montanist. Lager (die *Tertullianistae*, auf die → Augustinus 388 in Karthago traf – vgl. Aug. de haeresibus 86 – und die er der Kirche zurückgewann, waren eher Abkömmlinge der Montanisten als eine eigene Sekte, die – so eine etablierte Meinung – ein vom Montanismus enttäuschter T. begründet habe). Die wohl späteste erh.

Schrift, *Scorpiace*, entstand 212. Ob T. wenig später starb oder – ohne weiter zu publizieren – noch ›bis ins klapprige Alter‹ (Hier. vir. ill. 53) lebte, ist unbekannt.

II. Werke und Theologie

Zu den frühesten – und berühmtesten – seiner rund 30 erh. Schriften zählt das *Apologeticum* (›Verteidigung‹, ca. 197). Als Gerichtsrede gestaltet, wirbt es für die Vertrauenswürdigkeit der Christen als Bürger des röm. Reiches. Sie sind die loyalsten Untertanen: Sie gehorchen der Obrigkeit, begehen kein Unrecht, zahlen ihre Steuern. Doch T. begnügt sich nicht mit der »Verteidigung«. Gegen alle apologetische Trad. attackiert er die paganen Kulte, den Ungeist und die Amoral, die sie (als Werk der → Dämonen) in die Welt tragen. Auf jeden missionarischen Appell verzichtet er bewußt; statt dessen fordert er Roms polit. Elite dazu auf, der Kirche weiter nachzustellen; das Unrecht der Verfolger sei der beste Beweis für die Unschuld der Verfolgten – und deren beste Werbung: ›Ein Same ist das Blut der Christen‹ (Tert. apol. 50,13). Den Konflikten, vor die ihre pagane Umwelt die Christen stellt, widmen sich bes. zwei frühe Schriften an die Adresse der Gemeinde. T. warnt sie vor dem ›Blendwerk des Teufels‹, den Schaustellungen des Theaters und der Arena, die in ihrer Sittenlosigkeit bzw. Grausamkeit die Seele zerrütten (*De spectaculis*). Damit nicht genug: der Christ muß überhaupt jedes Zugeständnis an den Götzendienst (*idololatria* umfaßt sämtliche Aspekte der paganen Kulte) und alles, was im privaten wie im öffentlichen Raum mit ihm in Verbindung steht, meiden. So darf er nicht Soldat oder Beamter werden oder in der Schule die anstößigen Mythen lehren. Immerhin räumt T. ein, daß auch der Gläubige eine klass. Bildung brauche, als Voraussetzung für seine christl. Unterweisung (*De idololatria*) – eine in der frühen Kirche gewagte Position.

Um 200 behandelt T. neben theologischen Gegenständen (*De carne Christi*, ›Über den Leib Christi‹) und liturgischen Realien (*De baptismo*, ›Über die Taufe‹) vornehmlich Fragen der christl. Ethik: die Tugend der Geduld (*De patientia*), die Körperpflege und Kleidung der Christin (*De cultu feminarum*), das Gebet (*De oratione*) oder den Bußakt (*De paenitentia*; im Streit um die Buße vertritt T. in der frühen Kirche eine strenge Position).

Ungeachtet aller sarkastischen Zwischentöne ist T.' Menschenbild im Grunde zuversichtlich. Die menschliche Natur ist mit Makeln behaftet, doch sie bewahrt in ihrem Innern ihre ursprüngliche Rechtschaffenheit und Güte; sie bleibt das – wenn auch verdunkelte – Ebenbild Gottes (diese wohlwollende Einschätzung der *conditio humana* hindert T. nicht an bösen Ausfällen gegen die Frauen – der *locus classicus* ist de cultu feminarum 1,1 –, die der misogynen Trad. der Kirche den Weg ebneten). Die Errettung verdankt der Gläubige der Gnade des Vaters, mehr noch der Menschwerdung, Kreuzigung und Auferstehung Christi, an die T. gegen alle Vernunft glaubt (*dei filius ... sepultus resurrexit; certum est, quia impossibile*, ›der Sohn Gottes ... ist aus dem Grab auferstanden; das ist sicher, weil unmöglich‹: de carne Christi 5,4 – auf dieser Passage beruht das apokryphe Diktum *credo quia absurdum*, ›ich glaube, weil es widersinnig ist‹).

Seinem Kampf gegen die inneren Feinde des Glaubens (ab etwa 203) – »Irrlehrer« und »Ketzer«, nach seinem Übertritt zum Montanismus zudem die Kirche –, gelten etliche spätere Schriften: Einen Beitrag zur christl. Kosmologie leistet das Traktat gegen Hermogenes [6], der im Rückgriff auf Platon lehrte, Gott habe die Welt aus bereits vorhandener Materie geschaffen. Als eine der ersten christl. Stimmen argumentiert T. für die *creatio ex nihilo*, die Schöpfung aus dem Nichts (*Adversus Hermogenem*, ›Gegen Hermogenes‹). Gegen → Praxeas, der Gott Vater und Sohn identifiziert, entwirft T. eine Trinitätslehre (*Adversus Praxean*, ›Gegen Praxeas‹; s.u. IV.; vgl. → Trinität). Die größere Gefahr sieht er in den Gnostikern, welche die Menschwerdung des Gottessohnes im irdischen Jesus leugnen und Gott in eine weltferne Transzendenz entrücken (bes. *Adversus Valentinianos*; ›Gegen die Valentinianer‹), und v.a. in dem »Erzketzer« → Markion mit seinen zwei Göttern, dem feindseligen → Jahwe des AT und dem christl. Gottvater (*De carne Christi*; *De resurrectione mortuorum*; *Adversus Marcionem* – T.' theologisches Hauptwerk).

Gegen die → Gnosis formulierte T. das apostolische Dogma, die Kirche – und nicht die Ketzer – bewahre die ursprüngliche Wahrheit, da sie von den Aposteln die Hl. Schrift *und* die mündliche Lehr-Trad. empfangen habe – *vor* aller Ketzerei (*De praescriptione haereticorum*). Für den Montanismus, in dem er den Geist des Urchristentums wiedererkennt, gewannen ihn dessen apokalyptische Begeisterung, die charismatische Ekstase, die radikal gelebte Askese und seine Martyriumssehnsucht. Immer wieder (z.B. *De fuga in persecutione*, ›Über die Flucht in der Verfolgung‹; *De pudicitia*, ›Über die Sittsamkeit‹) predigt er die montanistischen Ideale, begleitet von bitteren Angriffen auf die Erstarrung und Verweltlichung der Kirche und ihrer verlorenen Schafe. Erst in Karthago – und offenkundig unter T.' Einfluß – gewann der Montanismus ein eigenständiges theologisches Profil, das die → Eschatologie zähmte und die Ethik ins Zentrum stellte.

III. Sprache und Kultur

Zur Zeit T.' war Griech. für die gesamte Kirche noch immer die Verkehrssprache des christl. Klerus (T.' verlorene griech. Publikationen galten eher Karthagos gebildeter Oberschicht), doch in den Gemeinden des Westens gewann offenbar zusehends das Lat. an Boden. T. setzte diese Wende im theologischen Schrifttum durch. Ähnlich wie zwei Jh. zuvor Cicero die Sprache Roms der Philos. erschloß, machte T. sie zum Idiom der westl. Kirche und legte das Fundament ihres dogmatischen Vokabulars (etliche zentrale Begriffe, etwa die *trinitas*, »Dreifaltigkeit«, gehen auf ihn zurück). Seine neue Kunstsprache verschmolz die Redeweise der Gemeinde mit den Figuren der hohen Rhet. (daher die Anschaulichkeit und Dramatik seiner Diktion einerseits, sein sentenziöser, pathetischer oder dunkler Ton andererseits); sie schenkte dem lat. Christentum eine

genuin neue Ausdrucksform. Bildung und rhet. Technik verraten T. als Kind der → Zweiten Sophistik, wie sie im Westen Gellius [6] sowie die Afrikaner Fronto [6] und bes. Apuleius (→ Ap(p)uleius [III]) verkörperten (sie machten Karthago zum Zentrum der zeitgenössischen lat. Lit.). Kein Text zeigt dies besser als T.' Plädoyer für den Philosophenmantel (*De pallio*; um 205). In kynischer Pose hält T. seinen paganen Mitbürgern den Spiegel vor und führt sie zu einem doppelten Schluß: Jeder Verständige sollte anstelle der → *toga* das → *pallium* tragen; und wer das *pallium* trägt, sollte – Christ werden. Der hochgradig exzentrische Stil (die ›schwierigste Schrift in lat. Sprache, die ich gelesen habe‹: [4. 615]), dessen rhet. Raffinesse die philos. Argumentation mitunter ertränkt, signalisiert den intellektuellen Anspruch – und damit die Attraktivität – der christl. Botschaft.

Auch wenn T. zur griech. Philos. ein gespaltenes Verhältnis hat und (anders als die griech. Apologeten) ihren Erkenntniswert für den Theologen bestreitet: Den Graben, den er ›zw. Athen und Jerusalem, zw. Akademie und Kirche‹ (de praescriptione haereticorum 7,9) ausmacht, zieht eher sein schlechtes Gewissen. Denn auf den Konflikt der frühen Theologen, wie man sich zur »klass.« Kultur zu stellen habe, reagiert T. höchst ambivalent: Er polemisiert gegen die pagane Bildung und setzt sie zugleich in seiner Theologie auf Schritt und Tritt voraus – ist es doch gerade diese pagane Bildung, die es ihm erlaubt, seine neue Wahrheit so effektiv zu verkünden.

IV. Wirkungsgeschichte

Zumindest an der Oberfläche behinderte T.' Bruch mit der Kirche seinen Einfluß auf die westl. Theologie; offen und zustimmend wird er in den folgenden Jh. nur selten zitiert. Doch sein Beispiel ließ über Africa hinaus die christl. lat. Lit. aufblühen und inspirierte Minucius [II 1] Felix, Cyprianus [2] und Pontius [II 9] ebenso wie Novatianus, Arnobius [1] oder Lactantius [1]. Cyprianus [2] studierte ihn täglich und nannte ihn ›den Meister‹ (*magister*, Hier. vir. ill. 53), Hieronymus bewunderte in ihm einen Geistesverwandten; Augustinus' herbes Urteil über den ›Ketzer‹ T. hinderte ihn nicht daran, auf dessen Formulierungen zurückzugreifen. Nicht von ungefähr ist T. der einzige theologische Außenseiter des Westens, dessen Schriften fast vollständig erh. sind. V.a. ein Bsp. belegt diese Wirkung. In seiner montanistischen Streitschrift *Adversus Praxean* (ca. 210 n. Chr.) formulierte T. die bis h. verbreitete lat. Trinitätsformel von einer Substanz und drei Personen, deren Terminologie fester Bestandteil des theologischen Vokabulars wurde. Im 4. Jh. brachen die lat. Theologen mit seiner Auffassung der Subordination, doch sie deuteten die nizänische Lösung (→ Nicaenum) in den Bahnen seiner Differenzierung von *substantia* und *persona*.

→ Apologien; Christentum; Häresie; Karthago B.; Monarchianismus; Montanismus; Theologie; Trinität

1 G. Schöllgen, Ecclesia sordida? Zur Frage der sozialen Schichtung frühchristl. Gemeinden am Bsp. Karthagos zur Zeit Tertullians, 1984 2 J. B. Rives, Rel. and Authority in

Roman Carthage from Augustus to Constantine, 1995
3 T.D.BARNES, Tertullian, ²1985, 22–29 4 E.NORDEN, Die
ant. Kunstprosa, ²1909, Bd. 2, 606–615.

ED./KOMM.: Quinti Septimi Florentis Tertulliani opera,
2 Bde., 1954 (CCL Bd. 1–2) · J.H.WASZINK, 1947 (De
anima) · M.MENGHI, 1988 (De anima) · C.BECKER, ⁴1992
(Apol.; mit dt. Übers.) · R.F.REFOULÉ, 1952 (De baptismo;
mit frz. Übers.) · J.-P. MAHÉ, 1975 (De carne Christi; 2 Bde.;
mit frz. Übers.) · J.FONTAINE, 1966 (De corona; mit it.
Übers.) · F.RUGGIERO, 1992 (De corona) · M.TURCAN,
1971 (De cultu feminarum; mit frz. Übers.) · C.MORESCHINI,
J.-C. FREDOUILLE, 1985 (De exhortatione castitatis; mit frz.
Übers.) · J.H.WASZINK, 1987 (De idololatria; mit engl.
Übers.) · H.TRÄNKLE, 1964 (Adversus Iudaeos) · R.BRAUN,
1990–2001 (Adversus Marcionem; 4 Bde., bis B. 4; mit frz.
Übers.) · A.QUACQUARELLI, 1963 (Ad martyras; mit it.
Übers.) · P.MATTEI, 1988 (De monogamia; mit frz. Übers.) ·
A.SCHNEIDER, 1968 (Ad nationes, B. 1; mit frz. Übers.) ·
CH.MUNIER, 1984 (De paenitentia; mit frz. Übers.) ·
S.COSTANZA, 1968 (De pallio) · J.-C. FREDOUILLE, ²1999
(De patientia; mit frz. Übers.) · R.F.REFOULÉ,
P. DE LABRIOLLE, 1957 (De praescriptione haereticorum; mit frz.
Übers.) · G.SCARPAT, ²1985 (Adversus Praxean; mit it.
Übers.) · C.MICAELLI, 1993 (De pudicitia; mit frz. Übers.) ·
Ders., 1990 (De resurrectione carnis; mit it. Übers.) ·
P.A.GRAMAGLIA, 1980 (Ad Scapulam; mit it. Übers.) ·
E.CASTORINA, ²1973 (De spectaculis) · M.TURCAN, 1986 (De
spectaculis; mit frz. Übers.) · CH.MUNIER, 1980 (Ad uxorem;
mit frz. Übers.) · J.-C. FREDOUILLE, 1980–81 (Adversus
Valentinianos; 2 Bde.; mit frz. Übers.) · E.SCHULZ-FLÜGEL,
1977, ²1997 (De virginibus velandis; mit frz. Übers.).

LIT.: T.D.BARNES, Tertullian, ²1985 · R.BRAUN, Deus
Christianorum, ²1977 · J.-CL. FREDOUILLE, Tertullien et la
conversion de la culture antique, 1972 · R.KLEIN,
Tertullian und das röm. Reich, 1968 · E.F.OSBORN,
Tertullian, First Theologian of the West, 1997 ·
D.RANKIN, Tertullian and the Church, 1995 · R.D.SIDER,
Ancient Rhetoric and the Art of Tertullian, 1971.   PE.HA.

Tertullus. Häufiges röm. Cogn., Weiterbildung
(Diminutivbildung) von → Tertius.

DEGRASSI, FCIR, 270 · KAJANTO, Cognomina, 128; 292.
                                                      K.-L.E.

Tervanna. Civitas, Hauptort der → Morini (Tab. Peut.
2,2; Itin. Anton. 376; 378 f.: Tarvenna; Ptol. 2,9,8:
Ταρουάννα), der sich an einer Furt durch die Leie von
einer Flußinsel aus über das nördl. Ufer hin entwickelte.
Der arch. Befund bleibt mangelhaft, da die vieille ville
1553 auf Geheiß Karls V. eingeebnet wurde; der h. Ort
Thérouanne (Dép. Pas-de-Calais) liegt weiter südl.

R.DELMAIRE, Notes sur l'évolution urbaine de
Thérouanne, in: Rev. archéologique de Picardie 1984,
223–228 · Ders. u. a., Le Pas de Calais. Carte archéologique
de la Gaule 62/1, 1994, Nr. 12: Thérouanne, 83–98.
                                                      F.SCH.

Tervingi. Gotisches Volk E. des 3. und im 4. Jh. n.Chr.
(Amm. 31,3,4; 31,5,1: Thervingi; Claud. de consulatu
Stilichonis 1,94: Visi; Not. dign. or. 6,20; 6,61), erstmals
291 n.Chr. im Genethliacus Mamertini 11,17,3, erwähnt. Der Name geht nach [1. 407] auf got. triu
(»Baum«) zurück. Die T. siedelten nach der Teilung der
→ Goti nach 280 n.Chr. in T. und → Greuthungi im
Waldland östl. des Prut (→ Pyretos). Sie bereiteten sich
im 4. Jh. im Osten Rumäniens bis zur unteren Donau
(→ Istros [2]) im Gebiet der Sîntana-de-Mureş-Kultur
aus. 324 n.Chr. waren sie Verbündete des Licinius [II 4],
ab 332 foederati Constantinus' [1] d.Gr. und später Constantius' [2] II. bis zum Krieg gegen Valens [2] 367–369
n.Chr. Unter ihnen wirkte Bischof → Ulfila. 375 flüchtete der Großteil der T. vor den → Hunni ins röm.
Reich und wurde nach schweren Kämpfen gegen Rom
382 in den Prov. Macedonia und Thracia (→ Diocletianus mit Karte) stationiert. Im Gefolge des Alaricus [2] I.
waren T. an der Ethnogenese der → Westgoten beteiligt.

1 J.C.ZEUSS, Die Deutschen und ihre Nachbarstämme,
1837.

V.BIERBRAUER, Arch. und Gesch., in: FMS 28, 1994,
98–134 · P.HEATHER, The Goths, 1996, 43–63 ·
L.SCHMIDT, Die Ostgermanen, ²1941, 221–249 ·
H.WOLFRAM, Die Goten, ³1990, 65–145.   A.SCH.

Teschebai(ni), Te(i)šebai(ni) s. Urarṭu; Urartäisch

Tessera (von griech. τέσσαρες/τέσσαρα, »vier«). »Viereck«, Würfel, Täfelchen, Marke, Spielstein; ein Objekt
aus Erz, Blei, Bein, Glas oder Terracotta in rechteckiger,
stabförmiger, figürlicher, meist aber runder, münzähn-
licher Form. Die t., im Griech. sýmbolon genannt, diente
als Berechtigungs-, → Eintritts- und Erkennungsmarke
sowie Spiel- und Zählmarke [1]. In Athen war sie die
Kontrollmarke für die Teilnahme an der Volksversammlung oder einer Gerichtssitzung und somit Voraussetzung für den damit verbundenen Anspruch auf
finanzielle Entschädigung [5; 6].

Auf der röm. t. militaris, einer kleinen Tafel, war der
Name des Soldaten (Erkennungsmarke) oder die Lo-
sung aufgezeichnet [2. 6]. Die bekanntesten röm. tesserae sind münzähnlich, meist geprägt aus Messing oder
Erz, mit Zahlen von I-XVI (selten bis XIX) auf dem Rv.
und in der frühen Kaiserzeit dem Kaiserkopf auf dem
Av. Diese »Getreidemarken« wurden um etwa 23
v.Chr. von → Augustus mit der Reform der Getreideversorgung eingeführt (→ cura annonae); die Zahlen benennen wohl den Ausgabetag der Getreideration [2. 9–
15]. Da diesen t. – wie den sýmbola in Athen – eine
Leistung entgegenstand, kann man sie als Geldsurrogate
bezeichnen [1].

Gegossene Blei-t. begegnen (mit Ausnahme der Getreideversorgung) im staatlichen und privaten Bereich;
ihre Funktion war vielfältig, im Klientenwesen (→ cliens) dienten sie als Gutschein für Speisen oder Geld
(→ sportula) oder Ersatzgeld, auch bei Festen und im rel.
Leben wurden sie verwendet [2. 18–25; 3. 10–15;
4. 5 f.].

Eine bes. Gruppe der t. sind die → spintriae, die als
Zahlungsmittel in oder im Zusammenhang mit Bordel-

len anzusehen sind. Die früher als Bergwerksmarken bezeichneten → Metalla [2] sind keine *t.*, sondern Br.-Kleinmz. aus der Zeit der röm. Kaiser Traianus (98–117 n. Chr.) bis Antoninus Pius (138–161 n. Chr.). Eine weitere Gruppe der *t.* sind die rechteckigen *t. nummulariae* (vgl. → *nummularius*) aus Bein mit den Namen der amtierenden Consuln als Datier. und Prüf- und anderen Vermerken auf den vier Seiten, mit denen Geldsäckchen gekennzeichnet wurden [2. 27–32; 5. 217; 6. 687].

Scheibenartige *t.* aus Elfenbein mit konzentrischen Ringen auf dem Av. und den Zahlen I bis XX sind Spielsteine, solche in Tier- und Pflanzenform mit I bis XV auf dem Rv. wahrscheinlich Lossteine im privaten Bereich [2. 25].

1 Göbl 1, 31 f. 2 A. Mlasowsky, Die ant. Tesseren im Kestner-Museum Hannover, 1991 3 M. Overbeck, Röm. Bleimarken in der Staatl. Münzsammlung München, 1995 4 Dies., Röm. Bleimarken im Civiche Raccolte Numismatiche zu Mailand, 2001 5 M.-R. Alföldi, Ant. Numismatik, 1978, 215 f. 6 Schrötter, 686 f., s. v. T.

GE. S.

Tesserarius. Im röm. mil. Bereich ein Rang der taktischen Chargen (→ *principales*) mit eineinhalbfachem → Sold (*sesquiplicarii*). Der *t.* war für die Weitergabe schriftlich auf einer Taf. (*tessera*) gefaßter (Parole-)Befehle an die Mannschaft zuständig (Veg. mil. 2,7,5); diese Funktion ist seit Polybios bezeugt (6,34,7–12; vgl. Liv. 27,46,1; 28,14,7). Im Prinzipat ist der *t.* als Dienstrang in Infanterieeinheiten bis → Gallienus nachgewiesen (AE 1936,55): für die Legionen (CIL VI 2672 = ILS 2054; AE 1997,1252) und Auxiliarkohorten (CIL II 2553 = ILS 9127; CIL III 10318) ebenso wie für die stadtröm. Truppen der → Praetorianer (CIL VI 2454 = ILS 2060; CIL IX 5839 = ILS 2084; CIL XIV 220 = ILS 2061), der → *vigiles* (CIL VI 220 = ILS 2163; CIL VI 221 = ILS 2160; CIL XIV 4509) und *cohortes urbanae* (CIL IX 1617 = ILS 2117; CIL XV 7175). Im 2. Jh. n. Chr. erfolgte eine Beförderung meist zum *optio* mit doppeltem Sold (*duplicarius*).

1 M. Clauss, Unt. zu den *princpales*, 1973, 17–40 2 D. J. Breeze, B. Dobson (Hrsg.), Roman Officers and Frontiers, 1993, 11–58. LE. SCH.

Teššup, Tešop s. Wettergott

Testament

[1] (Religion) s. Bibel; Christentum; Neutestamentliche Apokryphen; Septuaginta; Testamentenliteratur; Vulgata
[2] (Rechtsgeschichte)
I. Allgemeines   II. Vorderer Orient
III. Griechenland   IV. Rom

I. Allgemeines

T. (von lat. *testamentum* im Sinn von »unter Beiziehung von Zeugen bekundeter letzter Wille«; s. u. IV.) bezeichnet eine einseitige Verfügung von Todes wegen,

mit der ein Erbe bestimmt oder jemand, der von der Rechtsordnung an sich als Erbe vorgesehen ist, von der Erbfolge ausgeschlossen wird. Das röm. T. ist das Vorbild für das T. in den europäischen Rechten bis zur Gegenwart. Die Macht, über das Vermögen und die Erbfolge frei und widerrufbar zu verfügen, ist weder selbstverständlich noch in allen Rechtsordnungen uneingeschränkt anerkannt. Die Frage der Verfügbarkeit steht in Beziehung zur Bed. der Familienfortsetzung in Rel. und Gesellschaftsordnung. Mit dem T. sind oft bestimmte Formen der Errichtung und Eröffnung nach dem Erbfall verbunden. Die Funktion einer Erbfolgeregelung erfüllte im übrigen auch die → Adoption, die es schon im Alten Orient gab.

II. Vorderer Orient
A. Alter Orient   B. Ägypten
C. Jüdisches Recht

A. Alter Orient

Die → Keilschriftrechte gingen von der Verwandtenerbfolge und damit grundsätzlich von leiblichen Erben aus (vgl. → Personenrecht I. C.). Sie kannten deshalb keine frei widerruflichen letztwilligen Verfügungen zugunsten von Familienfremden im Sinn eines T. Entsprechende, von der gebräuchlichen Nachlaßaufteilung abweichende Anordnungen waren auf Schenkungen und Teilungen des Erblassers vorab (mit dessen Interessen wahrenden Einschränkungen) oder auf den Todesfall begrenzt. Enterbung von Söhnen war beschränkt möglich. Familienfremde mußten durch ein Rechtsgeschäft (v. a. Adoption und Eheschließung) in die Familie eingegliedert werden. Die inhaltliche und rechtsgeschäftstypische Gestaltung von letztwilligen Verfügungen differiert zeitlich und örtlich grundsätzlich wie im Einzelfall. Beispielhaft hierfür sind die Weise, wie kraft ihres Standes kinderlose Hierodulen (→ *hieróduloi*) ihren Nachlaß einer anderen Hierodule vermachten (altbabylon.; [4. 81–85]), und die altassyr. T. (20./19. Jh. v. Chr.), welche z. B. die Ehefrau oder eine Tochter im Priesterstand eigens berücksichtigten und die förmlich eröffnet wurden [19], sowie letztwillige Verfügungen aus → Nuzi (15./14. Jh. v. Chr., *tuppi šimti*; z. B. [13]) oder die neubabylon. (6./5. Jh. v. Chr.) Schenkungen auf den Todesfall [21. 17–41]. Eine Loslösung von den Einrichtungen des Familienrechts erfolgte dabei nicht.

B. Ägypten

Obgleich es ein T. im eigentlichen Sinne nicht gab (vgl. → Personenrecht II. B.), kannte das äg. Recht die einseitige, widerrufliche Verfügung auf den Todesfall in Form der seit der 3. Dyn. (um 2635–2570 v. Chr.) bezeugten »Hausurkunde« (*jmt-pr*; allg. wie zur begrifflichen Unterscheidung: [6. 131–146; 3]). Sie diente eigentlich der Übertragung des Eigentums von bedeutenden Objekten, wurde aber speziell für familienrechtliche Geschäfte verwendet: Übertragung von Vermögensteilen auf die Ehefrau und andere Familienangehörige unter Lebenden, Enterbung, Schenkung auf den Todesfall unter Auflage, Festsetzung eines Vorausanteils oder Übertragung der Quantifizierung der Erbteile auf einen Treuhänder. Der Widerruf erfolgte durch eine gleichartige Urkunde. Gegen Ende des NR (ca. 1070 v. Chr.) verschwand die *jmt-pr*; statt ihrer wurde die Geldbezahlungsschrift (*sh꜄ db꜄ ḥḏ*) verwendet, welche einen Kauf fingierte (z. B. [11. 57–60; 10. 81–83, 76–79]; [14]–[17]; [3]). Seit dem E. des NR verbreitet waren Abreden in demotischen Eheverträgen (→ Demotisches Recht), mit denen der Ehemann sein gesamtes gegenwärtiges und künftiges Vermögen seiner Frau übertrug, letztlich treuhänderisch und zugunsten der gemeinsamen Kinder [10. 78 f.; 11. 56 f.]. Erbrechtliche Abreden finden sich dann auch in den gräco-äg. Eheverträgen [8; 9]. Unter griech. Einfluß wiederum kam es zum demotischen »T.« [6. 59 f.].

C. JÜDISCHES RECHT

Im jüdischen Recht gab es urspr. ausschließlich die Intestaterbfolge (→ Personenrecht III. C.). Die letztwillige Verfügung (*ṣawwa*꜄), meist mit der Erteilung des → Segens auf dem Totenbett verknüpft, bestand vorwiegend aus Anweisungen zur Lebensführung (z. B. Jer 35,6–10; vgl. auch Gn 27,1–40). Erst in der weiteren Rechtsentwicklung kam es zu Vermögensverfügungen im Sinn von Teilungsanordnungen, v. a. im Zusammenhang mit der → Hellenisierung des Judentums; den griech. Einfluß spiegelt z. B. *dejatika* (babylon. Baba Bathra fol. 152b; von διαθήκη) [1; 20].

→ Ehe; Personenrecht (I.–III.)

1 M. COHN, s. v. T., in: I. ELBOGEN (Hrsg.), Jüdisches Lexikon, Bd. 4.2, 1927, 923 f., 2 M. J. GELLER, H. MAEHLER (Hrsg.), Legal Documents of the Hellenistic World: Papers from a Seminar, 1995 3 K. B. GÖDECKEN, s. v. Imet-per, LÄ 3, 141–145 4 J. KLIMA, Unt. zum altbabylon. Erbrecht, 1940 5 C. J. MARTIN, Marriages, Wills and Leases of Land. Some Notes on the Formulae of Demotic Contracts, in: [2], 58–78 6 T. MRSICH, Unt. zur Hausurkunde des AR, 1968 7 Actes à cause de mort, Bd. 1: Antiquité (Recueils Soc. Bodin pour l'histoire comparative des institutions 59), 1992 8 H.-A. RUPPRECHT, Ehevertrag und Erbrecht, in: S. JANERAS (Hrsg.), Miscellànea papirològica. FS R. Roca-Puig, 1987, 307–311 9 Ders., Zum Ehegattenerbrecht nach den Papyri, in: Bull. of the American Soc. of Papyrologists 22, 1985, 291–295 10 E. SEIDL, Äg. Rechtsgesch. der Saiten- und Perserzeit, ²1968 11 Ders., Einführung in die äg. Rechtsgesch. bis zum Ende des NR, 1957 12 S. H. SMITH, Marriage and Family Law, in: [2], 46–57 13 E. A. SPEISER, A Significant Will from Nuzi, in: JCS 17, 1963, 65–71 14 A. THÉODORIDÈS, L'acte à cause de mort dans l'Egypte pharaonique, in: [7], 9–27 15 Ders., Le testament dans l'Égypte ancienne, in: RIDA 3ᵉ sér. 17, 1970, 109–216 (Ndr. in: [18], 409–508) 16 Ders., Le testament d'Imenkhâou, in: JEA 59, 1968, 149–154 (Ndr. in: [18], 509–516) 17 Ders., Le testament de Naunakhte, in: RIDA 3ᵉ sér. 16, 1966, 32–70 (Ndr. in: [18], 517–558) 18 Ders., Vivre de Maât. Travaux sur le droit égyptien ancien, 2 Bde., 1995 19 C. WILCKE, Assyrische T., in: ZA 66, 1976, 196–233 20 R. YARON, Acts of Last Will in Jewish Law, in: [7], 29–45 21 M. SAN NICOLÒ et al. (Hrsg.), Neubabylonische Rechts- und Verwaltungsurkunden, Bd. 1, 1935.   JO. HE.

III. GRIECHENLAND

Als eigentliche Erfinder des T. in Europa können die Griechen gelten. Mit der → *diathḗkē* haben sie ein Instrument entwickelt, das im Laufe der Zeit zu einer immer größeren Freiheit der Erblasser bei der Regelung ihrer Vermögensnachfolge führte. Ein T.-Gesetz für Athen soll schon Solon [1] geschaffen haben [1]. Damals (Anf. 6. Jh. v. Chr.) bestand die Möglichkeit, ein T. zu errichten, aber nur, wenn der Erblasser keine leiblichen Kinder hatte. Das voll entwickelte T. ist hingegen aus Ägypten in hell. Zeit überl. [2]. Für einen direkten Einfluß der *diathḗkē*, etwa über die griech. Kultur der Magna Graecia (Unteritaliens) auf das T. des röm. Rechts spricht freilich nichts.

→ Erbrecht

1 A. R. W. HARRISON, The Law of Athens, Bd. 1, 1968, 149–155 2 H.-A. RUPPRECHT, Kleine Einführung in die Papyruskunde, 1994, 111 f.   G. S.

IV. ROM

A. URSPRUNG UND FORMEN   B. PERSÖNLICHE VORAUSSETZUNGEN UND ZULÄSSIGER INHALT C. RECHTLICHE WIRKUNGEN D. DAS TESTAMENT SEIT DEM 6. JH. N. CHR. E. KULTURGESCHICHTLICHE BEDEUTUNG

A. URSPRUNG UND FORMEN

T. (wörtlich »das Bezeugte«) ist die letztwillige Verfügung. In Rom gehen seine Ursprünge in die Königszeit (vor ca. 600 v. Chr.) zurück. Vor der nach Curien gegliederten Volksversammlung (→ *curiata lex*), die zu diesem Zweck zweimal jährlich abgehalten wurde (vielleicht 24.3. und 24.5., → Kalender B.4.) [2. 447 f.; 3. 105 f.], konnte jemand, der keine Hauserben (→ *sui heredes*) hatte, einen Erben einsetzen; die Volksversammlung beschloß darüber in Form eines Gesetzes (Gai. inst. 2,101–103; Ulp. reg. 20,2; Gell. 15,27,3). Wahrscheinlich war die Erbeinsetzung durch Comitial-T. eine nachgeformte *adrogatio* (»→ Adoption eines gewaltfreien Bürgers«) unter der aufschiebenden Bedingung, daß der Erbe den Erblasser überlebte. Außerhalb dieser beiden Tage war nur ein Not-T. vor dem zur Schlacht bereiten Heer möglich (*in procinctu*, Gai. inst. 2,101; Fest. p. 294,3–9; Paul. Fest. p. 67,15–18; 96,28–29; Vell. 2,5,3: 142 v. Chr.; Cic. nat. deor. 2,3,9).

Das Manzipations-T. (*t. per aes et libram*, »T. durch Kupfer und Waage«) wurde durch die Zwölftafeln (→ *tabulae duodecim*) erlaubt: 5,3 *Uti legassit super pecunia tutelave suae rei, ita ius esto*, ›Wie er verfügt hat über Vermögen und Vormundschaft seiner Habe, so soll es rechtswirksam sein‹. Jetzt konnte der Erblasser in Form einer → *mancipatio* Einzelverfügungen (→ *legatum*) über seine Sachen treffen [3. 107²¹], die ebenso wirksam waren (*ius esto*), wie wenn ein Urteil des Gerichtsmagistrats, der das Recht hatte, *ius* durch Sprechakt zu schaffen (→ *ius* A.1.), ergangen wäre. Etwa seit dem 4./3. Jh. v. Chr. konnten im Manzipations-T. auch Erbeinsetzungen und → Freilassungen vorgenommen werden

(Dig. 50,16,120), so daß das Comitial-T. außer Gebrauch kam. Das *t. in procinctu* verschwand wohl im 2. Jh. v. Chr. [3. 107].

Etwa seit dem 2. Jh. v. Chr. war das Manzipations-T. die einzige T.-Form des röm. Rechts. Die kaiserzeitlichen Quellen (Gai. inst. 2,104; Ulp. reg. 20,2. 9; vgl. Isid. orig. 5,24,12) beschreiben das Ritual folgendermaßen: Der Erblasser übertrug vor fünf Zeugen und einem Waagehalter sein Vermögen einem *familiae emptor* (Käufer der »Familie«, d.h. des gesamten Vermögens einschließlich der Personen); dieser erwarb das Vermögen treuhänderisch durch die Worte: *Familiam pecuniamque tuam endo mandatela tua custodelaque mea esse aio, eaque, quo tu iure testamentum facere possis secundum legem publicam, hoc aere aëneaque libra esto mihi empta* (›Ich behaupte, daß deine Familie und dein Sachvermögen in deinem Auftrag und in meiner Treuhand sind, und dieses soll, damit du rechtswirksam ein Testament machen kannst, gemäß dem Volksgesetz [d.h. den Zwölftafeln], von mir erworben sein‹). Noch während des Rituals sprach der Erblasser: *Haec ita, ut in his tabulis cerisque scripta sunt, ita do, ita lego, ita testor, itaque vos Quirites testimonium mihi perhibetote* (›Dies gebe und vermache ich so, wie es in diesen Wachstäfelchen geschrieben ist, und sage es vor Zeugen, und so gewährt ihr, röm. Bürger, mir Zeugnis‹). Der Erblasser nahm in seinem Sprechakt (→ *nuncupatio*) Bezug auf versiegelte Wachstäfelchen (→ *tabulae privatae*), auf welche er seine Verfügungen bereits geschrieben hatte, so daß der Inhalt des T. bis zum Todesfall geheim blieb. Aus den Quellen geht hervor, daß es zwar üblich war, ein schriftliches T. zu errichten; dieses mußte aber durch die rituellen Sprechakte des *familiae emptor* und des Erblassers rechtswirksam gemacht werden. Tatsächlich genügte auch ein rein mündliches T., in welchem die Verfügungen sofort vor den Zeugen ausgesprochen wurden (histor. Belege [1. 62⁶⁸, 65³, 72²⁷; 2. 449¹⁵; 3. 680¹⁷‚ ²²]). Man darf daraus schließen, daß die Verschriftlichung des T. und die Einbeziehung der Urkunde in das Ritual nicht urspr. waren, das Manzipations-T. der Zwölftafelzeit vielmehr stets mündlich geschah. Der *familiae emptor* war anfangs vielleicht der Erbe selbst, später wohl eine Art → Testamentsvollstrecker; in der Kaiserzeit war er reine Formperson, der mit dem Vollzug des T. nichts zu tun hatte.

Bis ins späte 2. Jh. n. Chr. hielt man an der strengen Sprechaktform fest, und der Nachweis eines Formfehlers entkräftete eine T.-Urkunde. Soldaten konnten seit Caesar in beliebiger Form testieren [3. 681]. Antoninus [1] Pius ordnete an, daß gegen eine mit sieben Zeugensiegeln versehene T.-Urkunde der Nachweis des Formmangels auch im *ius civile* (Gai. inst. 2,120) scheiterte; damit war die T.-Urkunde nicht mehr Beweisurkunde, sondern konstitutiv, und die schriftliche Form trat an die Stelle der mündlichen [2. 451; 3. 680].

B. Persönliche Voraussetzungen und zulässiger Inhalt

Die Errichtung eines T. setzte aktive Testierfähigkeit (*testamenti factio activa*) des Erblassers voraus: röm. Bürgerrecht (→ *civitas*; Nichtbürger konnten nach ihrem Heimatrecht testieren), Gewaltfreiheit (vgl. → *patria potestas*), Mündigkeit; Frauen konnten in der späten Republik mit Zustimmung ihres Vormundes, seit Hadrian (117–138 n. Chr.) auch ohne Einschränkungen testieren [3. 683]. Im T. bedacht werden (*testamenti factio passiva*, »passive Testierfähigkeit«) konnten nur röm. Bürger; eigene Sklaven des Erblassers dann, wenn sie im selben T. freigelassen wurden. Gewaltunterworfene und fremde Sklaven erwarben durch T. für ihren Gewalthaber [3. 683 f.]. Die → *lex Voconia* (169 v. Chr.) verbot, Frauen der 1. Censusklasse zu Erbinnen einzusetzen; die *leges Furia* (ca. 200 v. Chr.), *Voconia* und *Falcidia* (41 v. Chr.) beschränkten das zulässige Maß der Legate (seit der *lex Falcidia*: drei Viertel des Nachlasses); die → *lex Iulia et Papia* (9 n. Chr.) ließ testamentarische Zuwendungen an Unverheiratete und Kinderlose zugunsten von Vätern oder der Staatskasse verfallen (→ *legatum*; → *caducum*). Nachgeborene konnten bedacht werden (→ *postumus* [2]).

Zulässige Inhalte eines T. waren Erbeinsetzungen und Enterbungen, Vermächtnisse, Freilassungen und Vormundschaften.

Die Einsetzung eines Erben (Gesamtrechtsnachfolgers: *Titius heres esto*, ›Titius soll Erbe sein‹) galt als unverzichtbarer Beginn und Grundstein des T. (Gai. inst. 2,229); Verfügungen, die vor der Erbeinsetzung geschrieben waren, waren unwirksam; fehlte eine Einsetzung überhaupt oder fielen alle Eingesetzten weg, ohne daß für sie Ersatzerben eingesetzt waren, so war das T. mit allen darin enthaltenen Verfügungen unrettbar unwirksam (→ *vacantia bona*). Diese Regel erklärt sich vielleicht aus der Entwicklungsgesch.: Das königszeitliche Comitial-T. ließ nur Erbeinsetzungen zu; ohne eine solche war es natürlich unwirksam. Das Manzipations-T. der Zwölftafeln diente anfangs nur der Vergabe von Vermächtnissen und kann daher diese Regel nicht gekannt haben. Als man später auch in einem Manzipations-T. Erbeinsetzungen zuließ, maß man dieser eine derartige Bedeutung zu, daß fortan kein T. mehr ohne eine solche denkbar war [3. 107²¹, 686]. Mit der Zeit lockerte sich in Einzelfällen die Strenge der Regel [2. 454; 3. 686⁷]. Gesetzlich berufene Erben konnten ohne weiteres enterbt werden (→ *exheredatio*).

Legate waren als dinglich oder als schuldrechtlich wirkende möglich (→ *legatum*); Fideikommisse (→ *fideicommissum*) waren innerhalb und außerhalb des T. möglich, und durch Fideikommisse konnten auch Nacherbschaften angeordnet werden (→ *substitutio*). → Freilassungen konnten direkt verfügt werden (*Stichus liber esto*, ›Stichus soll frei sein‹), so daß der Sklave unmittelbar mit dem Erbfall frei wurde, oder einem im T. Bedachten als Fideikommiß auferlegt werden (sog. *fideicommissaria libertas*) [3. 294 f.].

Vormundschaften (*Titium liberis meis, uxori meae tutorem do*, ›Titius bestelle ich meinen Kindern, meiner Frau zum Vormund‹; vgl. auch → *tutela* [1] III.) konnten grundsätzlich nur für *sui heredes* verfügt werden, später auch in anderen Fällen [3. 354–5]. Durch → *codicilli* konnte das T. ergänzt werden.

C. RECHTLICHE WIRKUNGEN

Ein T. war von Anfang an unwirksam bei Formfehlern, bei Fehlen der Testierfähigkeit des Erblassers oder bei Fehlen einer Erbeinsetzung; es wurde unwirksam durch Widerruf, Übergehung eines Sohnes (→ *praeteritio*), Verlust der Testierfähigkeit, ferner wenn keiner der Eingesetzten Erbe wurde (infolge Vorversterbens oder Ausschlagung, → *abstentio*) und auch kein Ersatzerbe (→ *substitutio*) vorhanden war [3. 690ff.]. Fielen nur einige der Eingesetzten weg, so trat, falls für sie keine Ersatzerben eingesetzt waren, Verfall (→ *caducum*) oder Anwachsung für die übrigen Erben ein (→ Erbrecht III.D.) ein [3. 690ff., 725, 729–730].

Eine T.-Erbschaft fiel (wie jede Erbschaft) einem Hauserben unmittelbar mit dem Tode zu (→ Erbrecht III.B.; → *sui heredes*); er konnte sich enthalten; ein Außenerbe mußte antreten (→ *abstentio*, → *aditio hereditatis*, → *immiscere*). War ein Alleinerbe unter aufschiebender Bedingung eingesetzt, so war die Erbschaft bis zum Bedingungseintritt subjektslos (*hereditas iacens*); Rechte und Pflichten konnten in der Schwebezeit durch zur Erbschaft gehörende Sklaven mit Wirkung für und gegen den späteren Erben begründet werden.

Ein Erbe konnte auch den zivilen Erbschaftserwerb unterlassen und an dessen Stelle beim Praetor die Einweisung in den Erbschaftsbesitz aufgrund eines Siebensiegel-T. (→ *bonorum possessio secundum tabulas*) beantragen. Wer zum Erben eingesetzt und mit Vermächtnissen belastet war, aber zugleich als gesetzlicher Erbe (→ *intestatus*) berufen war, konnte als Hauserbe sich enthalten, als Außenerbe den Antritt unterlassen, so daß er die Erbschaft als gesetzlicher Erbe und damit unbeschwert durch die testamentarischen Verfügungen erhielt. Der → Praetor verpflichtete einen solchen Erben, falls er arglistig gehandelt hatte, zur Erfüllung der T.-Verfügungen [3. 747]. War ein gewaltunterworfener Sohn oder ein *postumus* (»Nachgeborener«) im T. weder eingesetzt noch enterbt, so war das T. mit allen Verfügungen unwirksam und die gesetzliche Erbfolge trat ein (vgl. → *intestatus*); waren andere Hauserben (→ *sui heredes*) übergangen, so erhielten sie einen Teil der Erbschaft, während das T. im übrigen wirksam blieb. Der Praetor wies auf Antrag übergangene Hauserben sowie emanzipierte Kinder (die nach *ius civile* keine gesetzlichen Erben waren) entsprechend in den Nachlaßbesitz ein (→ *bonorum possessio*; → Erbrecht III. E.; → *praeteritio*) [3. 705–709]. Auch ein → *patronus*, dem sein → Freigelassener im T. nicht die Hälfte hinterlassen hatte, konnte die *bonorum possessio contra tabulas* (»entgegen dem T.«) beantragen, es sei denn, der Freigelassene hatte eigene Kinder eingesetzt [3. 708f.; 6. 111ff.]. Die *lex Papia* gewährte dem Patron selbst dann, wenn der Freigelassene

eigene Kinder eingesetzt hatte, einen Kopfteil als ziviles Erbrecht [6. 115ff.]. Durch die → *querela inofficiosi testamenti* konnte ein T. ganz entkräftet werden.

Die *lex Iulia de vicesima hereditatium* (6 n.Chr.) führte zur Sicherung der von ihr eingeführten fünfprozentigen Erbschaftssteuer ein Verfahren zur T.-Eröffnung ein; das Vorliegen von Wirksamkeitserfordernissen wurde seitdem für den Zeitpunkt der Eröffnung verlangt.

D. DAS TESTAMENT SEIT DEM 6. JH. N. CHR.

Das iustinianische und das gemeine röm. Recht kannten das schriftliche Siebensiegel-T., das mündliche vor sieben Zeugen sowie das vor einer Behörde errichtete öffentliche T., ferner formerleichterte Not-T. [4. 479–482; 7. 220–231]; das eigenhändig geschriebene (holographische) T. kam nur in der westlichen Reichshälfte vor (und ist erst wieder in der Neuzeit eingeführt worden) [4. 481]. Die Erfordernisse der Testier- und Einsetzungsfähigkeit wurden gelockert [4. 485ff., 531ff.]; auch hausfremde Nachgeborene konnten eingesetzt werden (Cod. Iust. 6,48,1), und die Möglichkeit eines Familienfideikommisses für vier Generationen (Nov. 159,2) wurde geschaffen (→ *postumus* [2]) [4. 554]. Iustinianus [1] beseitigte die klass. Regel, daß die Erbeinsetzung an der Spitze aller letztwilliger Verfügungen stehen müsse (Inst. Iust. 2,20,34; Cod. Iust. 6,23,24; 528 n.Chr.), und lockerte das Erfordernis, daß überhaupt eine wirksame Erbeinsetzung im T. enthalten sein mußte: bei Unwirksamkeit der Erbeinsetzung blieb das T. im übrigen als Vermächtnis-T. wirksam (Nov. 115,4,9) [4. 490f., 521]. Die *lex Falcidia*, die dem eingesetzten Erben ein Viertel des Nachlasses reservierte, blieb in Kraft. Der Anwendungsbereich der *querela inofficiosi testamenti* wurde erweitert; erlangte ein Angehöriger mit der *querela* ein Viertel, so blieb das T. im übrigen in Kraft [4. 518]. Das Kadukarrecht wurde 533 endgültig abgeschafft (Const. Tanta 6b; bestätigt durch Cod. Iust. 6,51). Die Vermächtnisarten wurden völlig angeglichen (Cod. 6,43,2), ohne daß die unterschiedlichen Bezeichnungen in den Quellen vereinheitlicht wurden [4. 553; 7. 574f.].

E. KULTURGESCHICHTLICHE BEDEUTUNG

Von Cato [1] Censorius wird berichtet, er bereue, daß er einen Tag seines Erwachsenenlebens *adiáthētos* (»ohne gültiges T.«? oder: »ohne bestimmte Geschäfte«?) verbracht habe (Plut. Cato maior 9); man nimmt daher oft an, es habe ein sittliches Gebot für jeden röm. Mann bestanden, ein T. zu errichten [2. 437[19]; 3. 559[2]]. Doch sollte dem Wort Catos keine zu große Bed. beigemessen werden [1. 45]. Von allen Reichsbewohnern besaß nur etwa ein Zehntel röm. Bürgerrecht, und davon war vielleicht die Hälfte erwachsen; hiervon konnte wiederum die weibliche Hälfte nicht ohne Zustimmung des Vormundes testieren (bis zur Zeit Hadrians) und testierte wohl eher nicht. Wahrscheinlich hatten auch die wenigsten der verbliebenen männlichen und erwachsenen Bürger so viel Vermögen, daß es für sie Sinn machte, überhaupt ein T. zu errichten [1. 42]. So wird man annehmen dürfen, daß zwar jährlich einige

Millionen Reichsbewohner starben, aber doch nur einige 10000 davon mit T. In den lit. und juristischen Quellen, den Inschriften und Papyri sind aus der gesamten röm. Antike nur einige Tausend T. bezeugt [1. 29ff.; 3. 679⁹, 477, 608 (zu §160⁹)]. Aus den Quellen ergibt sich ein lebendiges Bild, wonach der röm. Erblasser wohlabgewogen seine Familienangehörigen, Freunde und in wohltätigen → Stiftungen auch die Allgemeinheit bedachte (→ *legatum*). Letztwillige Zuwendungen an den Kaiser galten der Nobilität als Ehrenpflicht und flossen über die von der kaiserlichen Kasse getragene Leistungsverwaltung wieder der Allgemeinheit zu [5. 178]. Im T. gab der Erblasser ein Urteil über seine Mitmenschen ab und stellte zugleich sich selbst als pflichtbewußt dar, um der Nachwelt ein günstiges Urteil über sich selbst zu ermöglichen [5. 178f.].

→ Codicilli; Erbrecht; Fideicommissum; Legatum; ERBRECHT

1 E. CHAMPLIN, Final Judgments, 1991
2 HONSELL/MAYER-MALY/SELB, 447–462 3 KASER, RPR, Bd. 1, 105–109, 678–694 4 KASER, RPR, Bd. 2, 477–497
5 U. MANTHE, Rez. zu [1], in: Gnomon 73, 2001, 177–179
6 H. L. W. NELSON, U. MANTHE, Gai Institutiones III 1–87, 1992 7 B. WINDSCHEID, TH. KIPP, Lehrbuch des Pandektenrechts, Bd. 3, ⁹1906, 213–330.

M. AMELOTTI, Il testamento romano attraverso la prassi documentale, Bd. 1, 1966 • KARLOWA, Bd. 2, 847–879 • B. KÜBLER, s. v. T. (B), RE 5 A, 985–1010 • P. VOCI, Diritto ereditario romano, Bd. 2, ²1963, 64–103 • Ders., Linee storiche del diritto ereditario romano I: Dalle origini ai Severi, in: ANRW II 14, 1982, 392–448 • Ders., Il diritto ereditario romano nell'età del tardo impero 1 (II-IV secolo), Teil 1.1, in: Iura 29, 1978, 17–113; Teil 1.2, in: FS C. Sanfilippo, Bd. 2, 1982, 655–735.; 2 (V secolo), in: SDHI 48, 1982, 1–125 • A. WATSON, The Law of Succession in the Later Roman Republic, 1971, 8–84 • WIEACKER, RRG, 326.   U. M.

Testamentenliteratur. Die Gattung T. (abgeleitet von διαθήκη/*diathēkē*, lat. *testamentum*, »Testament« = Test., »letzte Worte«, »Vermächtnis«) umfaßt jüd. und christl. Texte; typisch sind weisheitliche, paränetische und ethische Inhalte in Form von Prophezeiungen und Reden (z. B. Ermahnungen an die Nachkommen im Test. des Hiob, den Armen Gutes zu tun und die Hilflosen nicht zu übersehen). Bekanntester Vertreter der Gattung sind die griech. überlieferten, in ihrer Endfassung christl. »Test. der zwölf Patriarchen« (*testamenta duodecim patriarcharum* = TestXII), die den letzten Willen der zwölf Söhne Jakobs zu bewahren behaupten. Die heterogenen Bestandteile dieser pseudepigraphischen Schrift (→ Pseudepigraphie II.; → Apokryphe Literatur) stammen aus der Zeit vom 2. Jh. v. Chr. bis zum 2. Jh. n. Chr. und enthalten – neben biographischen Details zu jedem Patriarchen – Warnungen vor Lastern und Anempfehlung von Tugenden. Schon seit 1900 ist durch die Funde der Kairoer Geniza ein aramäisches Test. des Levi bekannt, verm. eine Quelle des Test. des Levi aus den TestXII; auch in Qumran wurden mehrere Hss. des

sog. »Aramaic Levi Document« gefunden. Dieses und die ebenfalls in Qumran gefundenen Test. Qahats und Amrams vermitteln wichtige Kenntnisse über das ant. Judentum: Mit Hilfe der testamentarischen Trad.-Kette werden Kultvorschriften und priesterliche Theologie bis auf Noah zurückgeführt und so legitimiert.

Typischerweise umfaßt T. Sterbebettszene sowie Bekenntnis von Sünde und Reue, doch entsprechen nicht alle Test. genannten Schriften diesem Muster: Das Test. Abrahams etwa (erh. in zwei griech. Rezensionen, urspr. wohl im 1. oder 2. Jh. n. Chr. vielleicht hebr. verfaßt) enthält kein eigentliches Test., bietet aber ein geistiges Vermächtnis: Der Engel → Michael [1] offenbart Abraham seinen bevorstehenden Tod und nimmt ihn in den Himmel mit, um ihm Paradies und Hölle zu zeigen. Die T. gibt Einblick in volkstümliche Vorstellungen von Engeln, → Dämonen und Astrologie (so etwa das Test. Salomos, das letztlich die Herrschaft Christi über die Dämonen bestätigt). Der Einfluß der jüd. T. auf das frühe Christentum zeigt sich auch in biblischen Texten (vgl. 2 Petr 1,14f.). In den ersten Jh. n. Chr. breitete sich die Gattung weiter aus, wobei sich die Zuschreibung autoritativer Texte an die Apostel als förderlich erwies. Schließlich erscheint sie in gewissen → Kirchenordnungen und gilt gar als Test. Christi selbst: Das sog. »Test. unseres Herrn Jesus Christus« (*Testamentum Domini Nostri Iesu Christi*, 5. Jh.) basiert auf der Kirchenordnung des → Hippolytos [2] und stellt die Anweisungen Jesu an die Apostel in einem Dialog nach seiner Auferstehung dar.

Die T. ist ein fruchtbares Feld für die Forsch.: Fragen nach Alter, Texteinheitlichkeit und Quellen (z. B. ob christl. Themen und Vokabular urspr. oder in jüd. Schriften interpoliert sind); dazu kommen lit. und rhet. Unt. der Ermahnungen und Anweisungen, welchen die Autoren die Autorität der großen Gestalten Israels oder der Kirche verleihen wollten.

ED.: J. H. CHARLESWORTH, The Old Testament Pseudepigrapha, 1983 • R. H. CHARLES, The Testaments of the Twelve Patriarchs Translated from the Editor's Greek Text, 1908 • W. G. KÜMMEL (Hrsg.), Jüdische Schriften aus hell.-röm. Zeit, Bde. 3.1–3, 1974ff.
LIT.: A.-M. DENIS u. a., Introduction à la littérature religieuse judéo-hellénistique, 2 Bde., 2000–2001 (bes. Bd. 1, 173–199; 227–289) • R. A. KUGLER, s. v. Testaments, in: L. H. SCHIFFMAN, J. C. VANDERKAM (Hrsg.), Encyclopedia of the Dead Sea Scrolls, Bd. 2, 2000, 933–936.   A. G. B./Ü: M. HE.

Testamentsvollstrecker. Im Manzipationstestament des röm. Rechts (→ Testament) übertrug der Erblasser durch → *mancipatio* sein Vermögen treuhänderisch einem »Familienkäufer« (*familiae emptor*); möglicherweise fungierte dieser in archa. Zeit als T., doch finden sich in den Quellen keine Spuren davon [1. 108, 679; 3. 1014]. Im klass. röm. Recht des 1.–3. Jh. n. Chr. war ein eigenes Institut der Testamentsvollstreckung nur in Ansätzen vorhanden: durch → *fideicommissum* konnte ein Erbe oder Vermächtnisnehmer verpflichtet werden, das Erworbene oder einen Teil davon einem anderen auszufolgen, oder durch Auftrag (→ *mandatum*) konnte irgendjemandem die Sorge für den Vollzug des Testaments übertragen werden. Erst das spätant. Recht schuf ein durchgebildetes Institut des T. [2; 3. 1015–1016].

1 Kaser, RPR, Bd. 1, 693 2 Kaser, RPR, Bd. 2, 485
3 B. Kübler, s. v. T., RE 5 A, 1013–1016.   U. M.

Testamentum s. Testament [2] IV.

Testamentum porcelli (›Das Testament des Schweinchens‹). Lat. Saturnalienscherz (→ *Saturnalia*) wohl aus der Mitte des 4. Jh. n. Chr. [1] in Form einer Testamentsparodie: Als das Schweinchen M. Grunnius Corocotta (»gefährlicher Grunzer« [2]) vom Koch Magirus geschlachtet werden soll, bedingt es sich eine Stunde Aufschub aus, um seinen letzten Willen zu diktieren. Sein Vermögen in Form von Eicheln, Weizen und Gerste vermacht es Vater, Mutter und Schwester; ein besonderer, teils recht derber Scherz liegt darin, daß die eigenen Körperteile verschiedenen Berufs- bzw. Personengruppen vererbt werden. Weiterhin verfügt der Erblasser die Errichtung eines Grabsteins, auf dem in goldenen Lettern sein Alter angegeben werden soll (999,5 Jahre). Sieben schweinerne Zeugen unterzeichnen das Testament, das vom 17. Dez. (*sub die XVI kal. lucerninas* [3]) im Jahr der Consuln Clibanatus und Piperatus (»Gemehlt« und »Gepfeffert«) datiert. Der Wortlaut des *T. p.* ist textkritisch und sprachlich nicht ohne Probleme [4; 5], sein Inhalt rechtshistor. bedeutsam [6], seine Intention eher harmlos-komisch als satirisch-kritisch [7]. Die Beliebtheit des kleinen Textes in den Schulen bezeugt nicht ohne Mißbilligung Hieronymus (in Isaiam lib. 12 pr.; adversus Rufinum 1,17).
→ Parodie

1 P. L. Schmidt, in: HLL, Bd. 5, 1989, § 550.2
2 G. Anderson, The Cognomen of M. Grunnius Corocotta, in: AJPh 101, 1980, 57f. 3 I. Mariotti, Kalendae Lucerniae, in: Riv. di cultura classica e medioevale 20, 1978, 1021–1025 4 F. Buecheler (ed.), Petronii Saturae, ⁷1958, 346f. 5 B. Mocci (ed.), T. P., 1981 (mit it. Übers., Komm.) 6 A. d'Ors, El T. P. y su interés para la historia jurídica, in: Rev. internationale des droits de l'antiquité 3/2, 1955, 219–236 7 E. Champlin, The Testament of the Piglet, in: Phoenix 41, 1987, 174–183.   R. GL.

Testimonium. Die Bezeugung eines Rechtsgeschäfts (für dessen Wirksamkeit) oder eines anderen Vorganges (als Beweismittel im Prozeß) nach röm. Recht. Die Durchsetzbarkeit von Rechtspositionen ist seit jeher davon abhängig, daß die Voraussetzungen für deren Zustandekommen bewiesen werden können. Die Wichtigkeit von Zeugen für den Strafprozeß ist evident; sie gilt aber in nicht minderem Maße für den Zivilprozeß. Obgleich für letzteren Gerichtszweig gegen Ende der Ant. der Urkundenbeweis dem Zeugenbeweis den Rang ablief, bewahrten die Römer doch die sich urspr. aus der fehlenden Schriftlichkeit ergebende Bedeutsamkeit von Zeugen noch viele Jh. Plinius [2] führt denn in

seiner Klage über die Hektik des Großstadtlebens u. a. auch die häufige Notwendigkeit zum *t.* auf (Plin. epist. 1,9).

Das *t.* eines Geschäftsvorgangs war in Rom weit verbreitet und umfaßte etwa die → *mancipatio* in allen ihren diversen Ausformungen (bes. die → *emancipatio* und die → *adoptio*), die Eheschließung nach der *lex Aelia Sentia* (Gai. inst. 1,29), die Ehescheidung nach der *lex Iulia de adulteriis* (Dig. 24,2,9), oder die Errichtung eines → Testaments, ein für die röm. Oberschicht fundamental wichtiger Vorgang [1]. An die Fähigkeit, als Zeuge fungieren zu können, waren hohe Anforderungen gestellt: Dieser mußte röm. Bürger sein, bestimmte Altersgrenzen überschritten haben und – im Falle der Testamentserrichtung – auch selber die Testierfähigkeit besitzen. Ausgeschlossen waren somit Sklaven, zusätzlich aber auch Frauen und Personen, die in bestimmter agnatischer Verbindung (→ *agnatio*) mit demjenigen standen, dessen Geschäft bezeugt werden sollte. Eine Pflicht, als Zeuge zu fungieren, war nur teilweise rechtlich begründet: Plinius' o. g. Klage erklärt sich allein aus sozialem Zwang; es war ein Gebot der Freundschaft, ein Geschäft zu bezeugen. Dagegen war es bereits durch das Zwölftafelrecht sanktioniert, daß der Geschäftszeuge auch als Prozeßzeuge zur Bestätigung des Geschehenen auftrat (→ *tabulae duodecim*, tab. 8,22; 2,3).

Das Prozeßrecht ist die eigentliche Domäne des *t.* Dies gilt nicht allein für die Findung des für die rechtliche Beurteilung maßgeblichen tatsächlichen Geschehensablaufs, sondern auch für Formalien des Verfahrensablaufs wie schon am Wort der prozeßeinleitenden → *litis contestatio* (»Streitbezeugung«) deutlich wird. Bei der Wahrheitsfindung war der Richter in klass. Zeit in der Beweiswürdigung durchweg frei, und es gab auch grundsätzlich keine Begrenzung der Beweismittel; dem Zeugenbeweis kam allerdings das Hauptgewicht zu (vgl. dazu bes. Quint. inst. 5,7). Einen Zwang, als Zeuge in einem Prozeß aufzutreten, gab es im Zivilverfahren (→ *iudicium privatum*) nur nach der genannten Zwölftafelregel; die Freiwilligkeit war freilich durch soziale Bindungen und Pflichten mehr oder minder stark eingeschränkt. Im Strafprozeß (*iudicia publica*, → *iudicium*) wurden die Zeugen mittels → *denuntiatio* geladen, ohne daß sie sich dem entziehen konnten. Auch als Prozeßzeuge konnte nicht jeder auftreten: Sklaven wurden unter Folter befragt, was nicht als *t.* bezeichnet wurde; außerdem waren bestimmte Vorbestrafte kraft gesetzlicher Bestimmung generell unfähig, als Zeugen zu fungieren. Ferner gab es Zeugnisverbote lediglich für bestimmte Fälle, bes. bei persönlicher Nähe (z. B. Verwandtschaft) zw. Zeugen und Prozeßpartei. Die Zeugen wurden vereidigt und sagten persönlich aus. Zumindest im Strafprozeß begannen die Zeugen der Klägerseite, bevor sich die der Beklagtenseite äußerten. Auch der Beistand der gegnerischen Seite hatte ein Befragungsrecht; ein Kreuzverhör war also zulässig. Die Falschaussage eines Zeugen (→ *testimonium falsum*) stand ebenfalls schon seit den Zwölftafeln unter Strafe (*lex*

XII, tab. 8,23; Gell. 20,1,53: Sturz vom tarpeischen Felsen, → *Tarpeium saxum*; vgl. Dig. 48,8,1,1).

Etwa mit dem Beginn des 4. Jh. n. Chr. verlor die Zeugenaussage ihren urspr. Stellenwert zugunsten des Urkundsbeweises. Z. B. ließ Constantinus [1] in bestimmten Fällen das Zeugnis nur eines Zeugen nicht mehr genügen (Cod. Iust. 4,20,9); ebendort war auch angeordnet, daß den → *honestiores* (Angehörigen der Oberschicht) eher Glauben zu schenken sei als den *humiliores* (Angehörigen der Unterschicht): Die soziale Stellung (und nicht die freie richterliche Beweiswürdigung) bestimmte also den Beweiswert. Die Unfähigkeit, Zeuge zu sein, wurde um einige rel. Tatbestände angereichert: etwa daß Häretiker und Juden nur Glaubensgenossen, nicht aber Christen gegenüber als Zeugen auftreten durften. Iustinianus [1] (6. Jh. n. Chr.) erstreckte die Pflicht zur Zeugniserteilung auf jedermann (Cod. Iust. 4,20,19 pr.). Desgleichen legte er die Zeugenvernehmung in die alleinige Verantwortlichkeit des Richters. Da alle Zeugen nunmehr vor ihrer Vernehmung vereidigt wurden, stellte eine Falschaussage immer einen Meineid und damit einen Straftatbestand dar.

1 C. G. PAULUS, Die Verrechtlichung der Familienbeziehungen in der Zeit der ausgehenden Republik und ihr Einfluß auf die Testierfreiheit, in: ZRG 111, 1994, 425–435.

M. KASER, s. v. T., RE 5 A, 1046–1061 • Ders., K. HACKL, Das röm. Zivilprozeßrecht, ²1996, 367 f.; 605–607 • C. G. PAULUS, Röm. Eigentumsverständnis und Aberglaube, in: RIDA 43, 1996, 283–314 • A. WACKE, Zur Beweislast im klass. Zivilprozeß, in: ZRG 109, 1992, 411–449. C. PA.

Testimonium falsum. Das falsche Zeugnis im röm. Recht. Zeugen hatten in der durch Mündlichkeit bestimmten Ges. der Frühzeit eine wichtige Funktion. Wohl v. a. deshalb bedrohte schon ca. 450 v. Chr. das Zwölftafelrecht (→ *tabulae duodecim*, tab. 8,23) das *f. t. dicere* (die falsche Zeugenaussage vor Gericht) mit dem Sturz vom tarpeiischen Felsen (→ *Tarpeium saxum*). Während man von dieser Strafe später abkam, dürfte sich die → Todesstrafe für den, der durch sein *t. f.* ein Todesurteil bewirkt hatte, erh. haben, denn die entsprechende Bestimmung der *lex Cornelia de sicariis et veneficis* (über Meuchel- und Giftmord, Marcianus Dig. 48,8,1,1) schrieb wohl nur älteres Gewohnheitsrecht fest. In der Kaiserzeit kam es dann wieder zu einer restriktiveren Haltung, indem jedes *t.f.* als → *falsum* (»Fälschung«) behandelt wurde (Paul. coll. 8,2 f.).

R. TAUBENSCHLAG, s. v. T. f., RE 5 A, 1061 • M. P. PIAZZA, La disciplina del falso nel diritto romano, 1991, bes. 28–55. A. VÖ.

Testudo. Der Begriff *t.* (»Schildkröte«) wurde im röm. mil. Bereich in zwei Bed. verwendet; er bezeichnete einerseits verschiedene taktische Formationen im Kampf, andererseits verschiedene Geräte, die bei der Belagerung von Städten eingesetzt wurden. Im ersten Fall handelte es sich um Soldaten, die in einer Linie aufgestellt ihre rechteckigen → Schilde ohne Zwischenraum Seite an Seite so vor sich hielten, daß sie dem Feind gleichsam eine Mauer aus Holz und Eisen entgegenstellten (Liv. 32,17,13). Wenn die Soldaten sich in mehreren Reihen formierten, hoben Männer der hinteren Reihen die Schilde über den Kopf; die Soldaten an den Seiten schützten auf dieselbe Weise die Flanken der Einheit, so daß alle zusammen mit der ersten Reihe einen Panzer bildeten; in dieser Formation konnte sogar marschiert werden (Liv. 31,39,14; 34,39,6; Cass. Dio 49,30). Bei der Belagerung einer Stadt schützten sich die Soldaten bei der Annäherung an die feindlichen Mauern durch Bildung einer *t.* (Tac. hist. 3,27,2 f.; Tac. ann. 13,39,3). Um eine Mauer ohne Leiter zu überwinden, bildeten die Soldaten ebenfalls eine *t.*, wobei die Soldaten der ersten Reihe aufrecht standen, die hinteren Reihen aber mit den Schilden über dem Kopf sich so bückten oder niederknieten, daß eine steile Rampe entstand; die Soldaten der ersten Reihe und an der Flanke deckten sich wie gewohnt mit den Schilden; über diese Rampe konnten die Soldaten dann die Mauer besteigen (Belagerung von Herakleion [2] 169 v. Chr.: Pol. 28,11(12); Liv. 44,9,3–9). Die Germanen übernahmen die *t.* im 1. Jh. n. Chr. (Tac. hist. 4,23,2). Eine bildliche Darstellung der *t.* findet sich auf der Traianssäule (REINACH, RR, 50–51).

In der → Poliorketik bezeichnete *t.* verschiedene Belagerungsgeräte, die auf Räder montiert waren und über ein Schutzdach verfügten; die *t.* bot den Soldaten Schutz beim Einebnen oder Ausheben von Gräben und ermöglichte die Annäherung an die Mauer (Vitr. 10,14,1; 10,15,1). Insbes. der Sturmbock (*aries*, »Widder«), der die Mauern zum Einsturz bringen sollte, wurde auf diese Weise geschützt. Der »Widder« erhielt ein Untergestell mit Rädern sowie ein Schutzdach (*t. arietaria*: Vitr. 10,13,2; vgl. ferner die *t.* des Diades: Vitr. 10,13,6; Athenaios [5] 12,12–14,3; *t.* des Hegetor: Vitr. 10,15,2–7; Athenaios [5] 21,1–26,5; Apollodoros [14] 153,8–154,11). Wie der wirkungslose Einsatz der *t. arietaria* bei der Belagerung von Massilia 49 v. Chr. zeigt, konnten die Verteidiger gegen die *t.* durchaus Gegenmaßnahmen ergreifen (Vitr. 10,16,11 f.). Um zu verhindern, daß Feinde die *t.* in Brand setzten, wurde sie mit Häuten, die mit nasser Spreu gefüllt waren, abgedeckt (Vitr. 10,14,3; vgl. 10,15,1). Ein Turm diente dazu, Soldaten zur Beobachtung gegnerischer Aktionen aufzunehmen (Vitr. 10,15,5). Nach Vegetius verfügten die Legionen regelmäßig über *t.* (Veg. mil. 2,25,7; 4,13 f.).

→ Chelone; Poliorketik (mit Abb.)

1 D. BAATZ, Bauten und Katapulte des röm. Heeres, 1994 2 O. LENDLE, Schildkröten. Ant. Kriegsmaschinen in poliorketischen Texten, 1975. Y. L. B./Ü: S. EX.

Tethronion (Τεθρώνιον). Stadt in der östl. → Phokis (Hdt. 8,33; Plin. nat. 4,8) am Nordrand des oberen → Kephis(s)os [1]-Tals, 20 Stadien von Drymos [1], 15 Stadien von → Amphikaia entfernt (Paus. 10,33,12); verm. nö vom h. Amphikleia oder auf einem Hügel 5 km südl. des h. T. mit ant. Stadtmauerresten. 480 v. Chr. von den Persern zerstört (Hdt. 8,33; Paus. 10,3,2), 208 v. Chr. von Philippos [7] V. besetzt (Liv. 28,7,13).

N. D. PAPACHATZIS, Παυσανίου Ἑλλάδος Περιήγησις, Bd. 5, 1981, 431 · MÜLLER, 583 · J. McINERNEY, The Folds of Parnassos, 1999, 273 f.   G. D. R./Ü: J. W. MA.

Tethys (Τηθύς). Bei Hom. Il. 14,200 f. bezeichnet → Hera T. und deren Bruder → Okeanos als Stammeltern aller Götter. Nach Hesiod und anderen ist T. Tochter von → Gaia und → Uranos, Schwester des Okeanos und von diesem Mutter aller Flüsse und → Okeaniden (Hes. theog. 337–370; Apollod. 1,8; vgl. Diod. 4,69,1; 4,72,1). Während des Kampfes zw. → Zeus und → Kronos bringt → Rhea die kleine Hera bei T. und Okeanos in Sicherheit (Hom. Il. 14,202–204). Deshalb kann Hera vorgeben, ihre Stiefeltern am Rande der Welt besuchen zu wollen, um das zerstrittene Paar zu versöhnen (Hom. Il. 14,205–210). Zu auffälligen Par. der homerischen Version mit orientalischen Mythen (bes. dem → Enūma eliš) vgl. [1. 87–90]. Bei den Orphikern spielte T. eine wichtige Rolle (Plat. Krat. 402b; Orph. h. 22). T. verweigert der verstirnten → Kallisto und ihrem Sohn → Arkas das Bad im Okeanos (Ov. fast. 2,191 f.; evt. schon Hes. fr. 354 M./W.). In der röm. Dichtung kann T. metaphorisch für das Meer stehen (z. B. Verg. georg. 1,31; Catull. 88,5; Ov. met. 2,508–531), myth. Erwähnungen folgen den griech. Vorgaben (z. B. Ov. met. 11,784–786; 13,950).

1 W. BURKERT, Die orientalisierende Epoche, 1984.

O. HÖFER, s. v. T. (1), ROSCHER 5, 394–398 · M.-O. JENTEL, s. v. T. (1), LIMC Suppl., 1193–1195 · K. SCHERLING, s. v. T. (1), RE 5 A, 1065–1069.   K. WA.

Tetrachalkon (τετράχαλκον). Mz. von 4 *chalkoí* (→ *chalkús*), in Athen ½ → *obolós*, in Chios Aufschrift kaiserzeitlicher Bronze-Mz. (= ⅔ → *as* (?), bei den Seleukiden Wertzeichen X Δ (4 *chalkoí*). Hesychios (s. v. πέλανορ) setzt das spartanische Eisengeld mit einem *t.* gleich.   DI. K.

Tetradrachmon (τετράδραχμον oder τετράχμον/*tetráchmon*; lat. *tetradrachmum*, *tetrachmum*, Cic. fam. 12, 13,4; Liv. 34,52,6). Mz. von 4 → Drachmen, das übliche Großsilberstück im attischen und phönizisch-rhodischen → Münzfuß, ca. 14–17 g schwer, das Normstück als → *statér*. Besondere Bed. erlangten die vom späten 6. bis E. 4. Jh. v. Chr. geprägten *tetrádrachma* von Athen (→ Eulenprägung) und die nach dem attischen Münzfuß geprägten *t.* Alexandros' [4] d. Gr. (Av. Heraklesbüste, Rv. thronender Zeus) sowie die hell. Nachfol-

gestaaten. Im Ptolemaierreich verlor das *t.* rasch an Wert und wurde zur → Billon-Mz., als solche noch unter röm. Herrschaft bis 296 n. Chr. weitergeprägt, ab Mitte 3. Jh. nur noch in Br. Der kleinasiatische Cistophor wurde zu 3 röm. Denaren (→ *denarius*) gerechnet (Fest. 359; vgl. zur Geringschätzung der → Cistophoren Cic. Att. 2,6,3; 2,16,4; 11,1,2). Ein kupfernes *t.* des 5. Jh. v. Chr. mit Wertbezeichnung von der Ostküste der Adria bei [1].

1 K. REGLING, Kupfernes T., in: Journal International d'Archéologie Numismatique 11, 1908, 243 f.   DI. K.

Tetrakosioi (οἱ τετρακόσιοι, »die Vierhundert«). Bezeichnung einer Gruppe von 400 Athenern, die als Gremium polit. Aufgaben zu erfüllen hatten (*t.* [1]) oder solche für sich in Anspruch nahmen (*t.* [2]).

[1] Der von → Solon [1] 594/3 v. Chr. geschaffene »Rat der 400«, der aus je 100 Mitgliedern der vier (ionischen) Phylen (→ *phylé* [1]) bestand und vorberatende Funktionen für die → *ekklēsía* ausübte ([Aristot.] Ath. pol. 8,4; Plut. Solon 19,1 f.). Seine Existenz wird wohl fälschlich bezweifelt [5. 92–96]; er wurde nach 508/7 v. Chr. durch den Rat der 500 des → Kleisthenes [2] ersetzt [1; 2. 153–156].

[2] Bezeichnung für ein oligarchisches Regime, das sich 411 v. Chr. in Athen etablierte und sich – verm. in Nachahmung des solonischen Rates – auf einen Rat mit 400 Mitgliedern stützte. Anlaß für die Schaffung dieses Rates war das Angebot des → Alkibiades [3] an die athen. Flotte vor Samos, persische Hilfsgelder zu besorgen, falls in Athen ein Wechsel von der Demokratie (→ *dēmokratía*) zur Oligarchie (→ *oligarchía*) erfolge und er selbst rehabilitiert würde (Thuk. 8,47 f.). Die Finanznöte Athens und die Aussicht, auch die Diätenzahlungen abschaffen zu können, machten das Angebot attraktiv; → Peisandros [7] wurde nach Athen gesandt, um den Umsturz vorzubereiten (Thuk. 8,67–69).

Obgleich die pers. Gelder ausblieben, setzten die Oligarchen das Vorhaben auch ohne Alkibiades fort: Im Mai 411 wurden 30 Männer bestellt, die nach der Abschaffung der → *paranómōn graphē* und weiterer Bestimmungen zum Schutz der Demokratie den Vorschlag machten, einen Rat der 400 mit umfassenden Kompetenzen zu schaffen, was sofort geschah, und die athen. Bürgerschaft auf die Hoplitenklasse (→ *hoplítai*) mit voraussichtlich 5000 Bürgern zu begrenzen. Weitere Kommissionen sollten die Einzelheiten der neuen Verfassung erarbeiten und eine Liste der 5000 erstellen, die jedoch nie zustande kam. Der demokratische Rat der 500 (→ *bulé*) wurde ausbezahlt und entlassen, der Rat der 400 trat an seine Stelle und regierte in despotischer Weise. Die Flotte vor Samos wandte sich wieder der Demokratie zu (Thuk. 8, 75) und rief Alkibiades zurück, der sie davon abhalten konnte, nach Athen zu segeln (Thuk. 8,86). Ein Versuch der *t.*, mit Sparta Frieden zu schließen, mißlang (Thuk. 8,90); im Sept. 411 gelang es bei wachsender Unzufriedenheit der Hopliten (die von → Theramenes, einem Mitbegründer des Regimes der *t.*, geführt wurden) einer spartan. Flottille, eine Abteilung athen. Schiffe im Sund von Euripos [1] bei Eretria [1] zu besiegen. Dies führte zur Überwindung der *t.* und der Einrichtung einer Regierung auf der Basis der 5000, die bis zur Wiederbegründung der Demokratie 410 bestand (Thuk. 8,95–97; [Aristot.] Ath. pol. 29–33).

→ Alkibiades [3]; Athenai III. 2. und 8.; Oligarchia

1 P. CLOCHÉ, La Boulè d'Athènes en 508/507 avant J.-C., in: REG 37, 1924, 1–24 **2** RHODES **3** G. A. LEHMANN, Oligarchische Herrschaft im klass. Athen, 1997, 40–45 **4** A. W. GOMME et al., A Historical Commentary on Thucydides, Bd. 5, 1981, 106–340 **5** C. HIGNETT, A History of the Athenian Constitution, 1952, Ndr. 1967.   P. J. R.

Tetralogie (ἡ τετραλογία). Urspr. t.t. der Rhet., um vier denselben Fall aus unterschiedlichen Perspektiven behandelnde Reden zu bezeichen (→ Antiphon [4] A.), später auch verwendet, um die platonischen Dialoge in Vierergruppen zusammenzufassen (Diog. Laert. 3,57; → Platon [1] C.1.–2.). Seit der hell. → Philologie bezeichnet der Begriff v. a. vier in einem inhaltlichen Zusammenhang stehende Theater-Stücke: drei → Tragödien (→ Trilogie) und ein → Satyrspiel [2. 80f.]. Als »Erfinder« der T. kann verm. → Aischylos [1] gelten; erh. ist (ohne das Satyrspiel) seine ›Orestie‹ (458 v. Chr.; einen Überblick über sichere und erschlossene Inhalts-T. des Aischylos: TrGF III, p. 111–119). Von → Sophokles [1] ist inschr. eine ›Telephie‹ bezeugt ([1. 259f.], TrGF IV, p. 434), von → Euripides [1] stehen ›Alexandros‹, ›Palamedes‹ und ›Troerinnen‹ (415 v. Chr.) sowie ›Oinomaos‹, ›Chrysippos‹ und ›Phönikierinnen‹ in einem inhaltlichen Zusammenhang. Weitere T. sind bezeugt für → Polyphrasmon (›Lykurgie‹), → Philokles [4] (›Pandionis‹) und → Meletos [4] (›Oidipodie‹). Den Wechsel von der aischyleischen Inhalts-T. bzw. -Trilogie zu in sich abgeschlossenen Stücken bei Sophokles und Euripides könnte durch die Hypothese erklärt werden [3. 21], daß nach 450 v. Chr. für eine gewisse Zeit an jedem der drei Trag.-Tage der Großen → Dionysia je eine Trag. der drei konkurrierenden Tragiker aufgeführt wurde (›Wettkampf Drama gegen Drama‹) [1. 260].

→ Tragödie I; Trilogie; Satyrspiel

1 A. LESKY, Die trag. Dichtung der Hellenen, ³1972 2 PICKARD-CAMBRIDGE/GOULD/LEWIS, 1988 **3** T. B. L. WEBSTER, The Order of Tragedies at the Great Dionysia, in: Hermathena 100, 1965, 21–28.   B. Z.

Tetrapolis (Τετράπολις, »Vierstadt«). Kultverband der attischen *dḗmoi* → Marathon (Hauptort), Oinoe [5], → Probalinthos und → Trikory(n)thos (Strab. 8,7,1) an der att. Ostküste, von Xuthos gegr. (Strab. 8,7,1); prähistor. Siedlungen beim h. Nea Makri (→ Probalinthos), Plasi (vgl. Marathon) und Kato Suli (vgl. Trikorynthos), mh und frühmyk. Nekropole einer lokalen Dyn. in Vrana [1] erh. Als (vorgriech.) Hyttenia zählte die T. zur att. *Dōdekápolis* (»Zwölfstadt«, Strab. 9,1,20) und schickte Festgesandtschaften vom → Delion in Marathon nach → Delos und vom → Pythion [1] in Oinoe [5] nach

→ Delphoi (Philochoros FGrH 328 F 75). Nach [2] belegt dies keine staatliche Einigung von → Attika in den → Dunklen Jahrhunderten. Der Kultkalender der T. (IG II² 1358; [3. 190–194, 384 Nr. 76]) bezeugt zahlreiche, z. T. altertümliche Kulte.

1 TRAVLOS, Attika, 217, Abb. 281–288 **2** K.-W. WELWEI, Athen, 1991, 66 **3** WHITEHEAD, Index s. v. Marathonian T.   H. LO.

Tetrarches, Tetrarchia (τετράρχης, τετραρχία).
I. DEFINITION   II. MILITÄRISCHER RANG
III. VERBREITUNG IN KLASSISCHER UND
HELLENISTISCHER BIS RÖMISCHER ZEIT
IV. DIE DIOKLETIANISCHE TETRARCHIE

I. DEFINITION

Der Name *t.* (von τετράς/*tetrás* = »Einheit aus vier Teilen« und ἄρχειν/*árchein* = »herrschen«) bezeichnet einen mil. Rang, insbes. aber den Vorsteher eines Stammesbezirks innerhalb eines Viererbunds (*tetrás* oder *tetrarchía*, später einen Herrscher minderen Ranges (s. u. III.) und vereint z. Zt. des → Diocletianus beide Bed. in sich, indem er die Herrschaft in vier Teilen des röm. Reiches, aber mit abgestuften Kompetenzen der jeweiligen Herrscher beschreibt (s. u. IV.).   K. BR.

II. MILITÄRISCHER RANG

Der *tetrárchēs* war Kommandant einer *tetrarchía*: Diese Reitereinheit bestand im Heer Alexandros' [4] aus vier *lóchoi* (→ *lóchos* [1]) à 16 Mann (Arr. an. 3,18,5). Spätestens zur Zeit Philippos' [7] V. von Makedonien, aber wohl schon früher, galt diese Einteilung auch für Fußtruppen. Die → Militärschriftsteller erwähnen ebenfalls eine aus vier *lóchoi* gebildete *tetrarchía* (Asklepiodotos 2,8; Arr. takt. 10,1; Ail. takt. 9,2). Ein *t.* gehörte folglich zu den niedrigen Offiziersrängen.
→ Dekas   LE. BU.

III. VERBREITUNG IN KLASSISCHER UND
HELLENISTISCHER BIS RÖMISCHER ZEIT
In Thessalien (→ Thessaloi), das sich in die vier Landschaften Thessaliotis, Pelasgiotis, Hestiaiotis und Phthiotis gliederte (Hellanikos FGrH 4 F 52), setzte Philippos [4] II. von Makedonien Tetrarchen (*tetrárchai*, Pl.) ein (vgl. Demosth. or. 9,26; Theopompos FGrH 115 F 208; Syll.³ 274).

In Kleinasien bildeten die Anfang des 3. Jh. v. Chr. zugewanderten Teilstämme der Galater (→ Galatia), die Tolostoagier, → Trokmoi und → Tectosages, jeweils vier Bezirke mit einem *tetrárchēs* (= *t.*) an deren Spitze (Strab. 12,5,1); 86 v. Chr. ließ Mithradates [6] VI. von Pontos sie alle bis auf drei ermorden (App. Mithr. 46); 63 v. Chr. gab Pompeius [I 3] den drei Teilstämmen je einen Herrscher. Von diesen führte einer, → Deiotaros, den Königstitel, die anderen, → Brogitarus und Kastor → Tarkondarius, den Titel *t.* Damit löste sich die Bezeichnung *t.* vom Bezug auf die Vierzahl und bezeichnete einen Herrscher minderen Ranges. In dieser Bed.

	Westteil des Römischen Reiches			**Ostteil des Römischen Reiches**		
	Caesar	Augustus	Augustus	Augustus	Caesar	
284			Diocletianus			284
285	Maximianus [1]		Diocletianus			285
286	└──────► Maximianus [1]		└──────► Diocletianus			286
293	Maximianus			Diocletianus		293
	Constantius [1]	Maximianus	1. März 293	Diocletianus	Galerius [5]	
297			Erste Tetrarchie	*Domitius* [II 14]		297
	Constantius	Maximianus		Diocletianus	Galerius	
305		(Rücktritt, † 310)	1. Mai 305	(Rücktritt, † 313)		305
	Valerius [II 31]	Constantius [1]	1. Mai 305	Galerius [5]	Maximinus [1]	
	Severus		Zweite Tetrarchie			
	Val. Severus	Constantius †	25. Juli 306	Galerius	Maximinus	
	└────────► Val. [II 31] Severus	25. Juli 306	Galerius	Maximinus		
		Constantinus [1]	Dritte Tetrarchie			
306		(Juli)				306
	Constantinus [1]	*Maxentius* (Okt.)				
	(August)	bis 312				
	Constantinus	Val. Severus († 307)		Galerius	Maximinus	
307		*Maxentius*				307
		Maximianus [1]				
		bis 308				
	Constantinus	*Maxentius*		Galerius	Maximinus	
		Domitius [II 4]				
308		*Maximianus*	Nov. 308			308
	Kaiserkonferenz in Carnuntum 308					
	Constantinus	Licinius [II 4]	Nov. 308	Galerius	Maximinus	
	Constantinus	Licinius	Vierte Tetrarchie	Galerius	Maximinus	
309		*Maxentius*				309
		Domitius [II 4]				
	Constantinus	Licinius ───		Galerius	Maximinus	
310		*Maxentius*		*Maximinus* [1] ◄──		310
		Maximianus († 310)	Mai 311			
	└────► Constantinus [1] └──► Licinius [II 4]	Galerius († 311)				
311	Constantinus	Licinius	Maximinus			311
	Maxentius († 312)					
312		Constantinus	Licinius	Maximinus († 313)		312
313		Constantinus	Licinius ─────►	Licinius [II 4]		313
317	Crispus [1]	Constantinus		Licinius [II 4]	Licinius [II 5]	317
	Constantinus [2]					
				Licinius [II 4]	Licinius [II 5]	
324				(Abdankung, † 325)	(Absetzung, † 326)	324
			──► Constantinus [1]	└── Constantius [2]		
325						325
326	Crispus †					326
333					Constans [1]	333
335					Dalmatius [2]	335
			Constantinus [1] †		Dalmatius †	
337		──► Constantinus [2] II.	Constans [1] I. ◄──	Constantius [2] II.		337
		337-340	337-350	337-361		

Maxentius: Als Augustus nicht allgemein anerkannt.   Zur Reichsaufteilung vgl. Karte bei → Diocletianus wurde der Titel von röm. Seite an zahlreiche Dynasten im Osten verliehen (vgl. Plin. nat. 5,74; 5,81 f.; Ios. ant. Iud. 17,286; Ios. vita 52; Tac. ann. 15,25,3 u.ö.).

Für Iudaea ernannte M. Antonius [I 9] 41 v.Chr. Herodes [1] und Phasael zu Tetrarchen unter dem Ethnarchen und Hohenpriester Hyrkanos [3] II. (Ios. bell. Iud. 1,244; Ios. ant. Iud. 14,326). 20 v.Chr. ernannte Herodes seinen Bruder Pheroras mit Zustimmung des → Augustus zum *t.* der → *peraía* im Transjordanland (Ios. bell. Iud. 1,483). 4 v.Chr. teilte Augustus das Reich des Herodes seinem Testament folgend unter den drei Söhnen auf: Archelaos [10] erhielt unter dem Titel ἐθνάρχης/*ethnárchēs* das jüdische Kernland mit Jerusalem, Herodes [4] Antipas Galilaia und Peraia sowie schließlich Philippos [26] die nördl. Außenbesitzungen Trachonitis, Batanaia, Gaulanitis und Panias an den Jordanquellen (s. Karte bei → Hasmonäer). Beide führten als Dynasten minderen Ranges den Titel *t.* (Ios. bell. Iud. 2,93–97; Ios. ant. Iud. 17,317–320).

SCHÜRER I, 333–335 (Anm. 12) mit Belegen und Lit.

K.BR.

IV. Die diokletianische Tetrarchie

Der Begriff Tetrarchie (= Te.) als Bezeichnung des von → Diocletianus (= D.) 293 n.Chr. geschaffenen Systems einer Mehrherrschaft von vier Kaisern, verbunden mit einer faktischen Aufteilung des Reiches in vier Herrschaftsgebiete, ist eine mod. Prägung. In der Ersten Te. regierten neben zwei bereits seit 286 gemeinsam herrschenden *Augusti,* D. und → Maximianus [1], seit 293 zwei *Caesares,* Constantius [1] und → Galerius [5], die neu erhoben, den *Augusti* bei- bzw. untergeordnet und von diesen adoptiert waren. Wie schon in früheren Fällen kollegialer Herrschaft seit der Begründung des Prinzipats (→ *princeps* II.) zielte dieses System ebenso auf die Sicherung einer geregelten Nachfolge wie auf eine Aufteilung von Regierungsverantwortung. Neu war hingegen, wenn D. im J. 293 *Caesares* wählte, die mit ihm bzw. Maximianus nicht verwandt, sondern nur verschwägert waren, und dabei sogar den Sohn seines Mit-*Augustus* Maximianus, → Maxentius, überging. Neu war auch ein ausgeklügeltes System von Avancement und von Befristung der aktiven Regierungszeiten, um die das 3. Jh. prägenden chaotischen Herrscherwechsel zu vermeiden (→ Soldatenkaiser). Bald nach der 20–Jahrfeier (*Vicennalia*) des Herrschaftsantritts des D. (284) traten er und Maximianus am 1. Mai 305 zurück und wurden *seniores Augusti;* die bisherigen *Caesares* stiegen in den Rang von *Augusti* auf, zu neuen *Caesares* wurden → Valerius [II 31] Severus und Maximinus [1] Daia (eine bildliche Darstellung der neuen Konstellation bieten die Pilasterreliefs von Gamzigrad [2. 163–167]). Die neuen *Augusti* sollten nach 20 Regierungsjahren wiederum den Platz für ihre *Caesares* freimachen usw. Wann D. diese Nachfolgeordnung ins Auge faßte, bleibt fraglich und hängt letztlich mit der generellen Beurteilung seiner Handlungsbedingungen und polit. Zielvorstellungen zusammen. Nimmt man mit [3] an,

D. habe 286 und 293 bei der Ernennung von Mitregenten nur improvisierend auf aktuelle Krisen reagiert (zu den Anlässen vgl. → Maximianus [1], → Constantius [1], → Galerius [5]), braucht er 293 das Konzept einer auch zeitlich festgelegten Nachfolgeordnung noch nicht verfolgt zu haben. Die Gegenposition vertritt insbes. [4], der an eine planmäßige, die Abdankung bereits einschließende Schöpfung denkt. Dafür spricht der Zeitpunkt der Errichtung der Palastanlage in → Spalatum 295–305, die D. nach seinem Rückzug aus der aktiven Politik beziehen wollte [5. 745], und auch die Gleichzeitigkeit der Erhebung von Constantius und Galerius zu *Caesares,* die mit einer Improvisation nicht zu vereinbaren ist (Paneg. 8,3,1–3 zum *ortus Caesarum* am 1.3.293, vgl. Chron. min. 1 p. 230 MOMMSEN).

Die differenzierte Hierarchie mit der offiziellen Rangfolge D., Maximianus, Constantius und Galerius, die Betonung der Symmetrie und der »Ähnlichkeit« (*similitudo*) der Herrscher (vgl. Tetrarchenrelief von Venedig: [2. 147]) und die Selbstdarstellung als eine von Iuppiter eingesetzte Doppel-Dyn. (*Iovii* und *Herculii*) garantierten bis zum Rücktritt des D. den Zusammenhalt der Te. Dies sicherte auch den Übergang zur sog. Zweiten Te. (vgl. Abb.), deren Oberhaupt Constantius war. Dessen rascher Tod (Juli 306) löste jedoch schwere Konflikte aus, weil die Söhne der Kaiser, Constantinus [1] und Maxentius, ihre Verdrängung durch das künstliche Nachfolgesystem der Te. nicht akzeptierten. Auf der Kaiserkonferenz von Carnuntum (308) griff D. noch einmal persönlich ordnend ein. Das »System« hielt sich notdürftig, ständig von Usurpatoren gefährdet, bis 311, stützte sich dann bis 317 nur auf *Augusti* und endete 324 nach dem Sieg des Constantinus [1] über → Licinius [II 4] wieder in einer Familienherrschaft mit Constantinus als einzigem *Augustus* und seinen vier Söhnen als *Caesares.* Trotz des von D. (gest. wohl 313) noch selbst erlebten Scheiterns der Te. ist der Einfluß dieses Modells einer Mehrherrschaft kaum zu unterschätzen, da es eine Phase der Kaiserzeit einleitete, in der Mehrherrschaft und Reichsteilung zum Regelfall wurden.

→ Diocletianus; Dominat; Prinzipat; Roma (I. E.3.); Spätantike

1 D. VOLLMER, Tetrarchie, Bemerkungen zum Gebrauch eines ant. und mod. Begriffs, in: Hermes 119, 1991, 435–449   2 F. KOLB, Herrscherideologie in der Spätant., 2001   3 W. SESTON, Dioclétien et la Tétrarchie, 1946   4 F. KOLB, Diocletian und die Erste Tetrarchie, 1987   5 W. KUHOFF, Diokletian und die Epoche der Tetrarchie, 2001.   B.BL.

Tetrarchie s. Tetrarches

Tetras (τετρᾶς; Suffix wohl sikulisch [1. 57]). Sizilische Br.-Mz., Teil der → *lítra.* Nach Pollux (zum → *triás;* 9,80 f.) und Hesychios [1] (s. v. τετρᾶντα) wurde der *t.* als 4 → *unciae* = ⅓ *lítra* interpretiert, der *triás* als 3 *unciae* = ¼ *lítra* [1. 53 f.]. Dies ist sprachlich nicht haltbar, das Suffix -ᾶς bezeichnet vielmehr Teile eines Ganzen, also *t.* ¼ *lítra,* damit 3 *unciae* und entsprechend dem röm.

→ *quadrans* [1. 54–58]. Demnach ist die in der Numismatik als *triás* bezeichnete Mz. tatsächlich ein *t.* (und umgekehrt; eine Anpassung der eingebürgerten Nomenklatur würde jedoch nur zur Verwirrung führen). Der *t.* (ant. Name) trägt das Wertzeichen 3 Kugeln oder Striche.

> 1 H. Chantraine, Bemerkungen zum ältesten sizilischen und röm. Münzwesen, in: JNG 12, 1962, 51–64.   DI. K.

Tetrastylos (vom Adj. τετράστυλος, »Viersäuler«). Mod. t.t. der Bauforschung, der, in Analogie zum baugeschichtlich gängigen Hexastylos (»Sechssäuler«), einen Tempel oder Säulenbau mit lediglich vier Frontsäulen bezeichnet.

> Lit. vgl. → Tempel (V. A.3)   C. HÖ.

Tetrax s. Auerhahn

Tetrica mons. Berg im → Appenninus (Varro rust. 2,1,5; Verg. Aen. 7,713) nördl. der Via Salaria, der die vierte (Nursia der Sabini) von der fünften → *regio* (Asculum im Picenum) trennt, h. Monti Sibillini (bis 2476 m H).   G. U./Ü: H. D.

Tetricus s. Esuvius

Tetrobolon (τετρώβολον). Mz. von 4 Obolen (→ *obolós*), ⅔ der → *drachmḗ* [1] bzw. ⅓ des → *dídrachmon*, des → *statḗr*. Diese Drittelstatere wurden in Korinth, Mende u. a., wo der Stater drei (statt zwei) Drachmen hielt, auch Drachmen genannt. Das *t.* kommt im attischen, phönizisch-rhodischen und persischen → Münzfuß vor. Das athenische *t.* erwähnt Aristophanes (Pax 254); Pollux (9,63) beschreibt das athen. *t.* des 4. Jh. v. Chr. z. T. falsch mit Av. Zeuskopf (tatsächlich Athenakopf), Rv. zwei Eulen.

> W. Schwabacher, s. v., RE 7 A, 160 f.   DI. K.

Tettarakonta (οἱ τετταράκοντα, »die Vierzig«). In Athen ein Kollegium von 40 Richtern, das nach 404/3 v. Chr. zu je vier aus den zehn Phylen (→ *phylḗ* [1]) erlost wurde. Sie wurden jeweils einer anderen als der eigenen Phyle zugeordnet und behandelten Fälle, in die Angehörige dieser Phyle als Beklagte verwickelt waren. Sie entschieden in privatrechtlichen Verfahren bis zum Streitwert von zehn Drachmen selbständig und verwiesen Privatverfahren (→ *díkē* [2]) mit höheren Streitsummen an die → *diaitētaí* [2]. Es war jedoch möglich, gegen deren Entscheidung Berufung bei einem → *dikastḗrion* einzulegen, das von einem der *t.* geleitet wurde. Das Kollegium war 453/2 als Nachfolger der von Peisistratos [4] eingeführten Demenrichter (*dikastaí katá dḗmus*) wiederbelebt worden ([Aristot.] Ath. pol. 16,5) und hatte urspr. nur 30 Mitglieder. Nachdem diese in den letzten Jahren des → Peloponnesischen Krieges ihre Tätigkeit in den Demen (→ *dḗmos* [2]) aufgegeben hatten (→ Demenrichter) und zudem die Zahl 30 durch die Tyrannis der »Dreißig« (→ *triákonta*) in Verruf gekom-

men war, erhöhte man die Zahl und reorganisierte die Tätigkeit ([Aristot.] Ath. pol. 53, 1–3).

> A. R. W. Harrison, The Law of Athens, Bd. 2, 1971, 18–21; 66–68 · Rhodes, 587–591.   P. J. R.

Tettienus

[1] Galeo T. Petronianus. Senator aus → Asisium. *Cos. suff.* 76 n. Chr. Bruder von T. [2]. Wohl Adoptivvater von T. [3]; [1. 263].

> 1 M. Gaggiotti, L. Sensi, Italia: regio VI (Umbria), in: EOS 2, 263.

[2] T. T. Serenus. Bruder von T. [1]. Praetorischer Statthalter der → Lugdunensis ca. 78–80 n. Chr. [1. 300]; *cos. suff.* wohl 81. Mitglied bei den → *pontifices* [2. 8 f.; 3. 449 f.].

> 1 W. Eck, Jahres- und Provinzialfasten der senatorischen Statthalter, in: Chiron 12, 1982, 281–362
> 2 L. Schumacher, Prosopographische Unt. zur Besetzung der vier hohen röm. Priesterkollegien, 1973
> 3 A. Andermahr, Totus in praediis, 1998.

[3] Galeo T. Severus M. Eppuleius Proculus Ti. Caespio Hispo. Zur Nomenklatur [1. 136 f.]. Er stammte vielleicht aus Nord-It. und wurde von T. [1] adoptiert; seine Laufbahn in CIL V 5813: Nach der Praetur wurde er *praefectus aerarii militaris, proconsul provinciae Baeticae, cos. suff.* ca. 102/3 n. Chr., *proconsul Asiae* 117/8 oder 118/9.

> 1 Salomies, Nomenclature.

> G. Alföldy, Städte, Eliten und Ges. in der Gallia Cisalpina, 1999, 335 f.   W. E.

Tettius. Altes und oft bezeugtes röm. Gentile (Schulze, 242; 425).

I. Republikanische Zeit

[I 1] T., T. War ca. 47 v. Chr. als *praef.* der Pompeianer an der Befestigung von → Curubis beteiligt (ILS 5319).
[I 2] T. Damio. Besaß an der → Via sacra in Rom ein *vestibulum* (Vorhalle), in das Cicero 57 v. Chr. vor P. Clodius [I 4] flüchtete (Cic. Att. 4,3,3).   J. BA.

II. Kaiserzeit

[II 1] C. T. Africanus Cassianus Priscus. Ritter, aus Asisium stammend. Unter → Vespasianus *praefectus vigilum* und *praefectus annonae*; unter → Titus [3] Praefekt von Ägypt., wo er bis zum Februar 82 n. Chr. bezeugt ist (CIL III 35). Verheiratet mit → Funisulana Vettula, Schwester oder Tochter des Consulars → Funisulanus Vettonianus. Zu den verwandtschaftlichen Verbindungen [1. 110 f.; 2. Nr. 395; 3. 482 f.].

> 1 J. K. Evans, The Role of Suffragium in Imperial Political Decision-making, in: Historia 27, 1978, 102–128
> 2 Raepsaet-Charlier 3 R. Sablayrolles, Libertinus miles, 1996.

[II 2] L. T. Iulianus. Senator. Verwandt mit T. [II 1], vielleicht sein Bruder. Bereits 69 n. Chr. Legionslegat in Mösien, als er wegen eines Erfolges gegen die Sarmaten auf Antrag Othos die *ornamenta consularia* erhielt (Tac. hist. 1,79,5). Wegen seiner schwankenden polit. Haltung wollte ihn Apponius [8] Saturninus, der Statthalter Mösiens, ermorden lassen; doch floh T. zu Vespasian (Tac. hist. 2,85,2); die ihm für das J. 70 zuerkannte Praetur wurde ihm vom Senat entzogen, dann aber wegen seiner Parteinahme für Vespasian zurückgegeben. Legat der *legio III Augusta* in Africa in den J. 81 und 82; 83 Suffektconsul. Verm. führte er das Heer, das den Dakerkönig → Decebalus 88 bei Tapae besiegte (Cass. Dio 67,10,1 f.).   W.E.

Tettix (Τέττιξ, wörtl. → »Zikade«).
[1] Ein Kreter, der eine Stadt am → Tainaron in der Nähe des mutmaßlichen Eingangs zum Hades gegründet haben soll: Dorthin sandte das Orakel von Delphi Kal(l)ondas, (Spitzname: Korax), der → Archilochos im Kampf getötet hatte, um dessen Geist am Grab zu besänftigen (Plut. de sera 17,560e, davon abhängig Suda α 4112, vielleicht mittels Ail. fr. 80). Die Hypothese von [1], daß Archilochos sich selbst »T.« genannt habe, bleibt trotz Lukian. Pseudologistes 1 und Archil. fr. 223 WEST unbewiesen.

1 GÖBER, s. v. T. (1), RE 5 A, 1111.   E.BO./Ü: RE.M.

[2] Griech. Stirnschmuck auf einem Haarreif, der mit dem beginnenden 5. Jh. v. Chr. aufkam. Seinen Namen hatte er nach seiner Ähnlichkeit mit einer Zikade (Asios bei Athen. 12,525f; Herakl. Pont. bei Athen. 12,512c; Thuk. 1,6,3; Aristoph. Equ. 1331; Aristoph. Nub. 984; vgl. Ail. var. 4,22). Im Verlauf der 2. H. des 5. Jh. geriet er aus der Mode. In der mod. Forsch. setzt man den T. mit einem Stirnschmuck gleich, der – nach Ausweis der Kunstdenkmäler [1] – die Form eines spitzen Dreiecks mit unterschiedlich geformten Kanten (gekrümmt, gerade) aufweist.

1 A. KRUG, Binden in der griech. Kunst, 1968, 34f.; 128; 132 (Typ 10) 2 K. SCHAUENBURG, Stud. zur unterital. Vasenmalerei, Bd. 2, 2000, 41.   R.H.

Teufel. Was das frühe Christentum vom T. (griech. διάβολος/*diábolos*, »Verleumder, Verwirrer«, lat. *diabolus*; daneben noch viele andere Namen) dachte, knüpft an Bibel, frühes Judentum und Apokryphen an, aber auch an Vorstellungen anderer Kulturen und Rel. über schädliche und böse Mächte (→ Satan; → Dämonen). Der T. gilt allg. als ein von Gott geschaffener, urspr. guter Engel oder Engelsfürst, der aus Hochmut oder Neid von Gott abfiel und einen Teil der Engel mit sich zog: die Dämonen (D.). ›Auch »Drache« (*drakón*) heißt der D. – d. h. der T. –, weil er von Gott fortgelaufen ist (*apodedrakénai*); denn am Anfang war er ein Engel.‹ (Theophilos [4] von Antiocheia, Ad Autolycum 2,28, 14f.). Seit seinem Fall sucht der T. als Widersacher Gottes die Menschen durch Sünde und Irrglauben um zeit-

liches Wohl und ewiges Heil zu bringen. Während Götter und böse Geister der Umwelt als D. in den Glauben integriert werden konnten, wurde der Dualismus, wonach der T. ein zweites, böses Prinzip neben Gott darstellt (→ Gnosis; → Mani), einhellig verworfen.

In der → Taufe wird der Täufling der Macht des T. entrissen durch Austreibung des T. und Absage an den T. Gegen die (lebendig erfahrenen) Angriffe des T. und der D. schützen das Zeichen des Kreuzes, Gebete und hl. Gegenstände wie → Reliquien. Die ersten Mönche (→ Antonios [5]) hingegen suchten in der Wüste den Kampf mit den D.

→ Augustinus deutet die Universal-Gesch. als Streit zw. dem Staat (*civitas*) Gottes und dem des T. Einige Kirchenväter bringen das Erlösungswerk Christi mit dem T. in Verbindung: Der Tod des sündlosen Gottmenschen Christus kaufte die Menschheit los von allen Rechten, die der T. seit Adams und Evas Sündenfall über sie hatte. Dies wird entweder als ehrlicher Rechtshandel zw. Gott und dem T. gedacht oder so, daß der T. durch den Köder Christus getäuscht wurde.

Brachte das MA über den T. theologisch wenig Neues, so bereicherte es doch die Bilder- und Vorstellungswelt durch Anleihen aus dem Glauben der bekehrten Völker bis hin zum geprellten T. der Sagen und Schauspiele und zum uns geläufigen »nordischen Phantom« mit »Hörnern, Schweif und Klauen« (Goethe, Faust I, 2497f.).

→ Dämonen; Lucifer [1]; Satan

J. DANIÉLOU u. a., s. v. Démon II-IV, in: Dictionnaire de spiritualité ascétique et mystique 3, 1957, 152–234 · G. ROSKOFF, Gesch. des T., Bd. 1, 1869 · J. B. RUSSELL, Satan: The Early Christian Tradition, 1981 · A. WÜNSCHE, s. v. T., in: Realencyklopädie für protestant. Theologie und Kirche 19, ³1907, 564–574.   S.GE.

Teukroi (Τεῦκροι). Volksstamm in der → Troas (Hdt. 5,13; 5,122; 7,20; 7,43; Strab. 1,3,21; 13,1,48; 13,1,64), evtl. → Thrakes, die schon vor dem sog. Troianischen Krieg nach Thrakia zurückwanderten. Reste blieben in → Gergis in der Troas (Hdt. 5,122; 7,43), daher die Gleichsetzung von T. und Gergithai. Schon von Aischyl. Ag. 112 mit den Troes identifiziert, fanden die T. seit dem 5. Jh. v. Chr. nur noch in myth., nicht in histor. Zusammenhängen Erwähnung und leben fort in der Sage um Teukros [1].

W. RUGE, s. v. T., RE 5 A, 1121f. · W. LEAF, Strabo on the Troad, 1923, 245.   E.SCH.

Teukros (Τεῦκρος, lat. *Teucer*).
[1] Ältester myth. König in der Troas, Sohn des → Skamandros und der → Idaia [2], gibt seine beiden Töchter Neso und Bat(i)eia (Arisbe) dem → Dardanos [1] (→ Dardanidai) zu Ehefrauen; mit letzterer zeugt dieser Erichthonios, dieser → Tros, dieser → Ilos [1], dieser → Laomedon [1], dieser → Hesione [4], die von → Telamon [1] → T. [2] gebiert (Apollod. 3,139f.; Diod. 4,75). Er gilt als Einwanderer aus Kreta (Lykophr. 1302 mit schol.; Verg. Aen. 3,104ff. und Serv. z. St.).

[2] Nachfahre von T. [1], aus Salamis [1], Sohn des → Telamon [1] und der → Hesione [4], Troiakämpfer, Halbbruder des → Aias [1], kämpft an dessen Seite als bester Bogenschütze vor Troia (Hom. Il. 13,169–182; 13,266ff.; 15,437–499; Apollod. epit. 5,6; Q. Smyrn. 4,405–435). Im ›Aias‹ des Sophokles bemüht er sich um eine ehrenvolle Bestattung des Aias [1] (Soph. Ai. 1141; 1146; 1402ff.). Bei der Einnahme Troias ist er Insasse des hölzernen Pferds (Paus. 1,23,8), bei seiner Rückkehr nach Salamis wird er von Telamon abgewiesen, weil er den Tod des Aias [1] nicht gerächt habe (Lykophr. 450–478). Daher gründet er Salamis [2] auf Kypros (Pind. N. 4,46; Aischyl. Pers. 895; Hor. carm. 1,7,21–32; vgl. Verg. Aen. 1,619–626). T.' Verbindung mit Kypros könnte auf die athenische Expansionspolitik unmittelbar nach den Perserkriegen zurückgehen [1. 64f.].

1 M. P. NILSSON, Cults, Myths, Oracles and Politics in Ancient Greece, 1951.   L. K.

[3] T. von Kyzikos, griech. Historiker, 1. Jh. v. Chr. Nach der Suda (s. v. T. = T 1) schrieb er folgende Werke: ›Über die goldbringende Erde, Über Byzanz, Über die Taten des Mithradates (5 B.), Über Tyros (5 B.), *Arabiká* (5 B., »Arabisches«), Jüdische Gesch. (6 B.) und anderes‹. Rätselhaft bleibt der Inhalt der von Athen. 10,83 = F 3 erwähnten Schrift *Perí horismôn*. Nur drei Fr. sind ingesamt erh. Ein gewisser T. von Kyzikos, dessen Krankheitsgeschichte Rufus [5] von Ephesos (bei Oreib. collectiones medicae 45,30,11–13) erzählt, war wohl ein Nachkomme des T.

ED.: FGrH 274 (mit dem Komm. von JACOBY).   K. MEI.

[4] Astrologe, verm. 1. Jh. v. Chr., eher aus dem ägypt. als dem persischen Babylon oder Seleukeia, zum Namen [3. 22f.; 4. 45f.]. Er schrieb eine *Sphaera barbarica* (›Exotische Himmelskugel‹, über → Paranatellonta), deren Wirkungen diejenigen einzelner Grad(bezirk)e der Zeichen des → Tierkreises modifizieren. Wir besitzen Fr. von drei verschiedenen Texten mit unbekannten Titeln, von denen der zweite und der Schluß des ersten verm. im 10. Jh. in ein Kompendium über den Tierkreis integriert wurden, das im Spät-MA ins Pikardische und Lat. übers. wurde. Ed. der Fr.: Text 1 [1. 16–21] und bei → Rhetorios (CCAG 7, 192–213); Schluß ab Aquarius 18°: [4. Bd. 1, 126f.], Komm. [4. Bd. 2, 94–103]; Text 2 [4. Bd. 1, 108–127], Komm. [4. Bd. 2, 1–93]; Text 3 CCAG 9.2, 180–186.

T. wirkte auf Manilius [III 1], Vettius Valens, Antiochos [23], Porphyrios, Firmicus Maternus, Iulianos [19] von Laodikeia, Rhetorios, Abū Ma'šar, Johannes Kamateros (12. Jh.) sowie Giordano BRUNO und beeinflußte über Abū Ma'šar bildliche Darstellungen der Paranatellonten und Dekane der Neuzeit.
→ Tierkreis

1 F. BOLL, Sphaera, 1903 2 W. GUNDEL, s. v. T. (5), RE 5 A, 1132–1134 3 W. HÜBNER, Manilio e Teucro di Babilonia, in: Manilio fra poesia e scienza, 1993, 21–40 4 Ders., Grade und Gradbezirke der Tierkreiszeichen, 1995.   W. H.

Teumessos (Τευμησσός). Ort bzw. Berg in → Boiotia (Hom. h. ad Apollinem 224), h. Mesovuni; ca. 7 km nö von Thebai [2] ([2. 212–217]; anders [4. 96–98]: ca. 4 km sö hiervon bei der Gemarkung Soula am h. Paliobouna) am Weg nach Chalkis [1] (Paus. 9,19,1); Heiligtum der Athena Telchinia ohne Kultbild [3] bezeugt; vgl. Strab. 9,2,24; Steph. Byz. s. v. T., weitere Quellen bei [1].

1 C. FIEHN, s. v. T., RE 5 A, 1134f. 2 FOSSEY 3 SCHACHTER, Bd. 1, 129; Bd. 3, 40 4 P. W. Wallace, Strabo's Description of Boiotia, 1979.   M. FE.

Teurnia (Τεουρνία). Keltische Siedlung (Plin. nat. 3,146; Ptol. 2,13,3; spätant. *Tiburnia*; Eugippius 17,21: *metropolis Norici*), h. St. Peter im Holz (Kärnten, Österreich). Die Siedlungsspuren auf dem Holzer Berg 4 km westl. von Spittal im Tal des → Dra(v)us (h. Drau) reichen bis ins 11. Jh. v. Chr. zurück. Unter Claudius [III 1] wurde T. → *municipium*, dessen Territorium den westl. Teil des h. Kärnten bis zu den Tauern umfaßte. Städtische Einrichtungen, Beamte sowie verschiedene Kulte sind inschr. belegt. Um 400 n. Chr. Hauptstadt der Prov. Noricum Mediterraneum (→ Diocletianus mit Karte). Wegen der Gefahren der Völkerwanderung zog die Bevölkerung sich auf die ummauerte Hügelkuppe zurück. 472 n. Chr. belagerten die → Ostgoten unter Widimer T. Ab Mitte des 5. Jh. ist T. als Bischofssitz belegt (Bischofskirche mit Xenodocheion und spätant. Friedhofskirche ergraben). Um 610 Ende des urbanen Lebens durch die → Slaven.

F. GLASER, Frühes Christentum im Alpenraum, 1997, 131–141 • Ders., T. Römerstadt und Bischofssitz, 1992 • G. PICCOTTINI, Die Römer in Kärnten, 1989, 126–141.
       G. H. W.

Teuta (Τεύτα, auch *Teutana*, vgl. Flor. epit. 1,21; illyrischer Titel: »Königin« [1. 93]). Als Witwe des → Agron [3] und Regentin für ihren Stiefsohn Pinnes seit 232/1 v. Chr. Herrscherin über eine Konföderation illyr. Stämme (Cass. Dio fr. 49,3; [2. 41, 68]). T.s piratenartige Angriffe auf die epeirotische, akarnanische und auch westpeloponnesische Küste verunsicherten die dortigen Griechenstädte wie auch ital. Kaufleute in der Adria. 231/0 überfiel T. (mit Hilfe des → Skerdilaidas) → Phoinike, → Korkyra [1] und Epidamnos (→ Dyrrhachion), besiegte bei den Paxoi-Inseln eine aitolisch-achaiische Flotte und provozierte mit ihrer abweisenden Behandlung einer röm. Beschwerdegesandtschaft den 1. Illyrischen Krieg (229–228 v. Chr.; Pol. 2,4,7–6,7; 2,8–9; Flor. epit. 1,21; App. Ill. 7,18; Cass. Dio fr. 49,1f.; [2. 42f.]). Dabei ist umstritten, ob die röm. Kriegserklärung vornehmlich durch den Mord an dem röm. Gesandten → Coruncanius oder durch ein Hilfegesuch des (vorgeblich?) mit Rom verbündeten → Issa veranlaßt war [2. 48, 51–53]. Die ant. Autoren charakterisieren T. nach dem damaligen Typus einer Frau und Barbarin: emotionsgetrieben, unbesonnen und wankelmütig [2. 52; 3]. Die schnellen Erfolge der Consuln Cn.

→ Fulvius [I 2] Centumalus (mit 200 Schiffen bei Epidamnos und Issa) und L. → Postumius [I 5] Albinus (mit 20000 Fußsoldaten und 2000 Reitern bei Apollonia [1]) wurden durch Demetrios von Pharos, T.s Statthalter auf Korkyra, begünstigt, der auf die röm. Seite wechselte. Nach dem Friedensschluß mit der nach → Risinum (Rhizon) geflohenen T., die 229 abdankte und dort bis zu ihrem (baldigen?) Tod blieb, trat Demetrios mit röm. Zustimmung als Regent für Pinnes die Nachfolge T.s in einer territorial stark reduzierten und in der Bewegungsfreiheit zur See eingeschränkten Herrschaft im illyr. Raum an (Pol. 2,12,3; Cass. Dio fr. 49,7; 53; vgl. [2. 54, 79; 4. Nr. 500]).

→ Illyricum

1 H. KRAHE, Sprachliche Unt. zu den messapischen Inschr., in: Glotta 17, 1929, 81–105 2 D. VOLLMER, Symploke, 1990 3 N. EHRHARDT, T. Eine »barbarische« Königin bei Pol. und in der späteren Überl., in: R. ROLLINGER/CHR. ULF (Hrsg.), Geschlechterrollen – Frauenbild – Ant. Ethnographie, 2002, 236–247 4 StV, Bd. 3. L.-M.G.

Teutamos (Τεύταμος).
[1] (auch Tautanes: Aug. civ. 18,19). Nach Diod. 2,22,2 ist er der 20. Assyrerkönig nach Ninyas [1], der zur Zeit des Troianischen Krieges dem → Priamos auf dessen Gesuch hin Hilfstruppen sendet.
[2] (auch Τέκταμος/Tektamos). Ist als Sohn des → Doros Anführer einer Gruppe von Siedlern, die von Thessalien aus nach Kreta ziehen (Diod. 4,60,2). Dessen Sohn Asterion [1], den er mit einer kretischen Königstochter zeugt, ist Europes [2] sterblicher Mann. CH.KR.
[3] Maked. Offizier, befehligte nach → Alexandros' [4] Tod mit oder unter → Antigenes [2] die → argyráspides und, nachdem beide auf → Polyperchons [1] Befehl 319 v. Chr. zu → Eumenes [1] gestoßen waren, auch dessen hypaspistaí (Leibgarde; Diod. 18,59,3; 19,28,1). T. war auch Satrap, vielleicht von → Paraitakene. Eumenes gewann durch angebliche Umgang mit Alexandros T.' und Antigenes' Treue, so daß sie sich nicht zum Abfall bewegen ließen (Plut. Eumenes 13,7–8; Diod. 18,62–63). Doch als in der Schlacht in der Gabiene (316 v. Chr.) → Antigonos [1] die Habe und Familien des Heeres in seine Gewalt brachte, führten von T. geknüpfte Verhandlungen zur Rückgabe der Beute und Auslieferung des Eumenes' an Antigonos (Plut. Eumenes 16–18; Diod. 19,42,3 und 43). T. wird nicht weiter erwähnt.

HECKEL, 316–319. E.B.

Teutates. Keltischer Gott, der neben → Esus und → Taranis (laut Lucanus 1,443–446) angeblich durch → Menschenopfer verehrt wurde. Von den spätant.-frühma. Komm. zu Lucanus setzen die adnotationes (p. 28 ENDT) T. mit → Mercurius gleich, die commenta Bernensia (p. 32 USENER) sowohl mit Merkur als auch mit → Mars (vgl. [1]). Der Name T. könnte etym. aus einer Verschmelzung des kelt. touto-tati-s (»Vater des Stammes«) entstanden sein [2]. Unter den wenigen epigra-

phischen Belegen für T. ist ein silbernes Votivtäfelchen für Marti Toutati aus Britannien (CIL VII 84; unsicher CIL VII 335). Die Weihung aus der Kaserne der Gardereiter in Rom gilt Toutati Medurini (CIL VI 31182). Aus der Steiermark stammt die Inschr. CIL III 5320, die Mars mit einer Reihe von Beinamen anruft, unter denen sich Toutatis findet. Nicht an Mars, sondern an Iuppiter Teutanus (CIL III 10418; [3. 419]) wenden sich mehrere Weihungen aus dem Gebiet der civitas Eraviscorum (h. Gellérthegy, Ungarn). Die Belege aus Rom, der Steiermark und bes. aus Ungarn stützen die aus der möglichen Wortbedeutung abgeleitete Vermutung, daß der Name T. lediglich ein Beiname zur Bezeichnung von Stammesgöttern ist [2].

→ Interpretatio

1 F. GRAF, Menschenopfer in der Burgerbibliothek, in: Arch. der Schweiz 14.1, 1991, 136–143 2 J. DE VRIES, Keltische Rel., 1961, 45–50 3 J. FITZ, Die Verwaltung Pannoniens in der Römerzeit, Bd. 2, 1993.

P. M. DUVAL, T.-Esus-Taranis, in: Ders., Travaux sur la Gaule, Bd. 1, 1989, 275–286 · J. CH. BALTY, s. v. T., LIMC 8.1, 1197. M.E.

Teuthis (Τεῦθις). Stadt in Arkadia (→ Arkades) am → Lusios mit Heiligtümern der Athena, Artemis und Aphrodite (Paus. 8,28,4–6), beim h. Dimitsana. Seit der Brz. besiedelt, gehörte T. urspr. zu → Orchomenos [3] (Paus. 8,27,4), kam 368/7 v. Chr. zu → Megale Polis, prägte, zeitweise selbständig, als Mitglied des achaiischen Bundes (→ Achaioi [1]) eigene Kupfer-Mz.

S. HORNBLOWER, When was Megalopolis founded?, in: ABSA 85, 1990, 71–77 · R. HOPE SIMPSON, Mycenaean Greece, 1981, 88 · H. CHANTRAINE, Der Beginn der jüngeren achäischen Bundesprägung, in: Chiron 2, 1972, 175–190. KL.T.

Teuthrania (Τευθρανία). Landschaft bzw. deren Hauptort im mysischen Tal des unteren Kaïkos [1]. Der Name ist von → Teuthras abgeleitet, der die in → Mysia strandende → Auge [2] mit ihrem Sohn → Telephos [1] aufgenommen haben soll. Allg. lokalisiert man die Landschaft von der aiolischen Küste zw. → Atarneus und Kisthene (beim h. Gömeç) landeinwärts bis etwa in die Höhe des oberen → Makestos. Die Lage der Stadt (Strab. 13,1,69; Plin. nat. 5,126) ist nicht mit Sicherheit beim h. Kalerga unterhalb des Geyikli Dağ lokalisiert [1. 115]. T. war eine der Städte, die Dareios [1] I. nach 491 v. Chr. dem flüchtigen Spartanerkönig → Damaratos schenkte (Hdt. 6,70; Xen. an. 2,1,3; 7,8,17). Eine gleichnamige Stadt lag an der paphlagonischen Küste des Schwarzen Meeres (→ Pontos Euxeinos; Ptol. 5,4,2).

1 A. SCHUCHHARDT, Die Ruinenstätte, in: A. CONZE u. a. (Hrsg.), Altertümer von Pergamon, Bd. 1, 1912/13, 93–143.

W. RUGE, T. (1–2), RE 5 A, 1158–1161. E.O.

Teuthras (Τεύθρας). Möglicherweise ein Sohn von Midios und Arge (IG XI 4,1207); er herrscht als eponymer König über → Teuthrania (Apollod. 2,147) oder Mysien (Plut. de fluviis 21,4). Die Figur des T. ist im Zusammenhang mit Auge [2] und Telephos [1] am prominentesten (Paus. 8,4,9 mit Verweis auf Hekataios). Die ant. Quellen (zusätzlich: Apollod. 3,103 f.; Diod. 4,33) stimmen darin überein, daß T. die ausgesetzte Auge heiratet und ihren Sohn aufzieht (anders: Hyg. fab. 100; Plut. ebd. 21,4). Plutarch berichtet, T. habe auf dem Berg Thrasyllos einen der Artemis heiligen Eber erlegt und sei dafür mit Wahnsinn bestraft worden. Erst ein Opfer seiner Mutter habe T. geheilt, der den Berg daraufhin Teuthras nannte. T. ist auch auf dem Telephosfries in Pergamon dargestellt. CH. KR.

Teutlussa (Τεύτλουσσα, Τευτλοῦσσα; Teutloessa, Τευτλόεσσα; h. Sesklion). Insel an der Küste von Karia (→ Kares). Im Winter 412/1 v. Chr. suchten die Athener, 1 km nördl. vor → Syme von der spartanischen Flotte geschlagen, hier Schutz (Thuk. 8,42,4; Steph. Byz. s. v. T.). Plin. nat. 5,133 lokalisiert T. fälschlich bei → Rhodos. Geringe Siedlungsspuren erh.

G. SUSINI, Supplemento epigrafico, in: ASAA 41/42, 1963/1964, 203–292, hier 260. A. KÜ.

Teutoboduus. Der Name ist wohl z. T. keltisch und germanisch [1. 202; 2. 277]. König der → Teutoni, die 102 v. Chr. von C. Marius [I 1] bei Aquae [III 5] Sextiae vernichtend geschlagen wurden. T. wurde auf der Flucht gefangen und 101 dem Marius ausgeliefert, der ihn im Triumphzug mitführte (Flor. epit. 1,38; Eutr. 5,1,4; Oros. 5,16,11).

→ Germani, Germania; Cimbri

1 A. SCHERRER, Die keltisch-germanischen Namensgleichungen, in: H. KRAHE (Hrsg.), FS F. Sommer, 1955, 199–210 2 SCHMIDT. W. SP.

Teutomalius (*Toutomotulus*). König der keltischen → Salluvii, der 121 v. Chr. zu den → Allobroges floh. Diese unterützten ihn gegen seinen Stamm, wurden aber daraufhin von Cn. → Domitius [I 3] Ahenobarbus erfolgreich bekämpft (Liv. per. 61). W. SP.

Teutomatus (*Toutomatus*; keltischer Name: »der gut zu seinem Stamm ist« [1. 117f.]). König der → Nitiobroges, Sohn des → Ollovico. T. unterstützte → Vercingetorix 52 v. Chr. bei Gergovia, konnte aber einem Überraschungsangriff der Römer nur durch Flucht entkommen (Caes. Gall. 7,31,5; 7,46,5).

1 EVANS. W. SP.

Teutoni. Germanischer Stamm, nach Pytheas [4] (Plin. nat. 37,35) an der Westküste Jütlands siedelnd, wohl in Nachbarschaft zu den → Cimbri (= C.), mit denen zusammen sie wiederholt genannt werden (vgl. Vell. 2,8), so daß die Forsch.-Mehrheit (vgl. etwa [1. 232 Anm. 71]) von einem gemeinsamen Zug beider Stämme nach Süden an die Donau (→ Istros [2]), nach → Noricum (Sieg über Papirius [I 8] Carbo bei Noreia 113 v. Chr.) und durch das Gebiet der → Helvetii nach → Gallia ausgeht. Vermutet wird aber auch, daß die Wanderung der T. erst durch Erfolge der C. motiviert wurde und als Nachzug zu verstehen ist [5. 44]. 105 v. Chr. vernichteten die C. ein röm. Heer bei → Arausio. Sollten die T. im german. Heeresverband mitgekämpft haben, trennten sie sich jetzt von den C., die nach Nordspanien (→ Hispania) zogen, während die T. in Gallia blieben. Von den → Celtiberi abgewehrt, kehrten die C. nach Gallia zurück und vereinigten sich wohl im Gebiet der → Veliocasses bei Rotomagus (h. Rouen) – erneut oder erstmals – mit den T. (Liv. per. 67). Von den → Belgae abgewehrt, plünderten beide in Gallia und zogen südwärts, nachdem sie bei den → Eburones 6000 Mann und unnötiges Gepäck zurückgelassen hatten. Diese bildeten später nach dem Untergang der Hauptstreitmacht einen Teil der Atuatuci, die am → Mosa [1] (h. Maas) Fuß fassen konnten (Caes. Gall. 2,29,4f.; vgl. Cass. Dio 39,4,1). Nach Plut. Marius 15,6 zogen sie sogleich in zwei Abteilungen nach Süden, nach Oros. 5,16,9 bildeten sie erst nach Errichtung einer befestigten Sperre an der Mündung des → Isara [1] (h. Isère) in den → Rhodanus (h. Rhône) durch Marius [I 1] drei Abteilungen, wobei T. und → Ambrones über die → Alpes Maritimae nach It. einzudringen suchten. 102 v. Chr. wurden bei → Aquae [III 5] Sextiae erst die Ambrones, wenige Tage später auch die T. von den Römern geschlagen und völlig vernichtet. → Teutoboduus, der König der T., wurde gefangengenommen, die Beute unter den röm. Soldaten verteilt oder den Göttern geweiht (Flor. epit. 1,38,10f.). Danach schweigen die Quellen von den T. Die C. wurden wenig später bei → Vercellae geschlagen. Inwiefern sich Teile der C. und T. im Verlauf ihrer Züge absonderten, ist unklar. Hierfür können jedenfalls nicht die Weihungen an Mercurius Cimbrius bzw. Cimbrianus vom Heiligenberg bei Heidelberg bzw. Miltenberg oder auch der viel diskutierte sog. Teutonenstein von Miltenberg (CIL XIII 6610) – dazu [2]; anders [3. 493 Anm. 1463] – in Anspruch genommen werden.

Die Forschungslage zu den T. ist kontrovers wegen (1.) der weitgehend romzentrischen Quellen und der rhet.-ideologischen Klischees, die im *furor Teutonicus* (»Teutonisches Ungestüm«; Lucan. 1,255) überzeitlichen Ausdruck erhielten [4], (2.) des begrenzten Wissens der ant. Autoren über Motive und Ziele der wandernden C. und T. zu E. des 2. Jh. v. Chr., (3.) der Rückprojektion der polit. und mil. Konflikte und des Untergangs der beiden Stämme auf die vorhergehenden Ereignisse und (4.) der Glorifizierung des Siegers Marius.

→ Cimbri; Germani [1]

1 H.-W. GOETZ, K.-W. WELWEI, Altes Germanien, Bd. 1, 1995, bes. 202–271 2 H. NESSELHAUF, Zur Deutung des Toutonensteins, in: J. RÖDER (Hrsg.), Toutonenstein und Heunesäulen bei Miltenberg, 1960, 85 f. 3 H. BIRKHAN,

Germanen und Kelten, 1970 **4** TH. TRAZASKA-RICHTER, Furor Teutonicus, 1991 **5** D. TIMPE, Kimberntrad. und Kimbernmythos, in: B. und P. SCARDIGLI (Hrsg.), Germani in Italia, 1994, 23–60.

K. KRAFT, Tougener und Teutonen, in: Hermes 85, 1957, 367–378 · E. KOESTERMANN, Der Zug der Kimbern, in: Gymnasium 76, 1969, 310–329 · E. DEMOUGEOT, L'invasion des Cimbres-Teutons-Ambrons et les Romains, in: Latomus 37, 1978, 910–938. R.A. WI.

Textgeschichte

A. ÜBERLIEFERUNGSWEGE UND -TRÄGER
B. ARCHAIK   C. KLASSIK
D. HELLENISMUS   E. RÖMISCHE REPUBLIK
F. RÖMISCHE KAISERZEIT   G. VON DER
BUCHROLLE ZUM CODEX   H. AUSBLICK

A. ÜBERLIEFERUNGSWEGE UND -TRÄGER

Die griech. und röm. Lit. ist uns in einer Vielzahl von Überlieferungssträngen erh. Neben die direkte Überl. von Ganzschriften tritt die indirekte Überl. von Zitaten bei anderen Autoren, in Florilegien, → Scholien, → Lexika (→ Lexikographie) sowie von Texten in → Übersetzungen. Direkte und indirekte Überl. beruhen in aller Regel auf ma. → Handschriften. Zu diesen treten als Überl.-Träger → Papyrus, Holztafeln, → Inschriften, → Ostraka und Graffiti [10. 1–9]. Beispiele: Das wohl bekannteste Gedicht der → Sappho, ›Goldenthronende, unsterbliche Aphrodite‹ (191 PAGE) kennen wir in vollem Wortlaut nur aus dem Zitat bei Dion. Hal. comp. 173 ff.; dazu kommt ein Papyrus (POxy. 2288). Ähnlich ist die Situation bei Sapphos ›Jener scheint mir Göttergleich‹ (199 PAGE): Hier tritt neben das Zitat bei Ps.-Longinos, ›Vom Erhabenen‹ 10 die lat. Übers. durch Catullus [1] (51,1–16). Das bekannte ›Nachtlied‹ des → Alkman (34 PAGE) ist nur im Lex. des Apollonios [12] Sophistes (s. v. κνώδαλον) überl. Lat. Epigramme des → Cornelius [II 18] Gallus (fr. 2–4 BÜCHNER) und das *Carmen de bello Actiaco* (Codices Latini antiquiores 3, 385 LOWE; → *Carmen de bello Aegyptiaco*) kennen wir nur aus Papyri. Eine Partie der *Hekálē* des → Kallimachos [3] (fr. 260 PF.) ist nur auf einer Holztafel in Wien überl. Ein Ostrakon hat uns zusammen mit Zitaten Sappho fr. 192 PAGE erhalten. → Herons Mechanik (1. Jh. n. Chr.) schließlich kennen wir nur – abgesehen von Fr. – in einer arab. Übers. des 9. Jh. n. Chr.

Die überwiegende Menge griech. und lat. Texte ist allerdings in ma. Hss. aus Pergament oder Papier überl. Diese gehen zurück auf Pergamentcodices des 3.–5. Jh. n. Chr., in denen die auf Papyrus- → Rollen noch greifbaren griech. und lat. Texte geborgen wurden. Die von privaten und öffentlichen → Bibliotheken gepflegte Pap.-Überl. etablierte sich im 4./3. Jh. v. Chr. In der griech. Archaik und Klassik (bis zum E. des 5. Jh. v. Chr.) jedoch koexistierte die schriftliche mit der mündlichen Überl. v. a. der Dichtung (Tradierung von ›Ilias‹ und ›Odyssee‹ durch Rhapsodengilden; vgl. → Schriftlichkeit-Mündlichkeit; → Rhapsoden). Die

Überl. von Prosa allerdings scheint von Anfang an an das → Buch gebunden zu sein: Das erste belegte Prosabuch ist ›Von der Natur‹ des → Anaximandros (611–546 v. Chr.). Deshalb läßt sich die Überl.-Gesch. der archa. Zeit als eine Phase des Übergangs von der Mündlichkeit zur Schriftlichkeit verstehen.

B. ARCHAIK

In den Wirren der Wanderungszeit vom 12.–9. Jh. v. Chr. war die Kenntnis von → Linear B, der Silbenschrift für das myk. Griechisch (→ Mykenisch), verlorengegangen. Durch Übernahme und Erweiterung eines phönikischen Konsonantenalphabets um 800 v. Chr. lernten die Griechen ein zweites Mal schreiben (→ Alphabet). Inschriften und Grafitti auf Scherben zeigen, wie sich der Schriftgebrauch bis 700 v. Chr. verbreitete [3]. Die ›Ilias‹, die ebenso Merkmale der Mündlichkeit wie der Schriftlichkeit aufweist, ist aus der Technik der *oral poetry* [4] erwachsen, aber mit Hilfe der Schrift komponiert [5] (→ Homeros [1]). Der zeitliche Ansatz für diesen Vorgang schwankt zw. dem Ende des 8. Jh. v. Chr. und der Zeit nach 700, der frühen Archaik [10. 10 f.]. Für die wenig jüngere ›Odyssee‹ gilt das gleiche. Die mündliche Überl. beider Epen, aber auch des → Epischen Zyklus wurde durch Musterexemplare im Fundus der Rhapsodengilden abgesichert [10. 11⁹⁻¹³]. Bei → Hesiodos treten die Merkmale schriftlicher Komposition deutlicher hervor; die Vielfalt der Hesiod-Zitate bei den frühen griech. Lyrikern und den → Vorsokratikern läßt sich nur durch die Existenz von Hesiod-Exemplaren erklären [10. 12 f.].

Wie das → Epos lebten auch → Elegie, → Iambographen und → Lyrik im mündlichen Vortrag, was freilich schriftliche Komposition und Tradition nicht ausschließt. Improvisation in der Art der *oral poetry* ist aus metr. Gründen nur bei der Elegie denkbar. Die Textmengen, die die alexandrinischen Philologen im 3. Jh. v. Chr. von der Dichtung des 7./6. Jh. noch zusammenbringen konnten, zwingen zu dem Schluß, daß es schon früh Slgg. von Gedichten eines Autors (→ Archilochos, → Sappho, → Alkaios [4], → Pindaros [2]) oder von Gedichten verschiedener Autoren aus einer Gattung (Gelagepoesie: → Skolion) gegeben hat [15. 37–40]. Die Gedichte des Archilochos gehörten schon im 6. Jh. zum Repertoire der Rhapsoden und hatten daher die Chance, in deren Fundus weiterzuleben. Adlige Hetairien (→ *hetairía* [2]) mögen Symposiondichtung aller Art gesammelt haben. Mancher Autor mag sein Œuvre selbst zusammengetragen und der Öffentlichkeit durch Hinterlegung in einem Tempel zur Abschrift zugänglich gemacht haben, was öfter (z. B. für → Herakleitos [1]) bezeugt ist [10. 15⁵⁵⁻⁵⁷; 10. 17⁷⁶⁻⁷⁸]. Bei der Chorlyrik ist ohne die Annahme einer Slg. schon durch den Autor nicht auszukommen: → Enkomion, → Threnos, → Epinikion, → Dithyrambos waren an einen Anlaß gebunden und konnten bei ihrem Besteller nicht mit Nachleben rechnen. Außerdem würden in diesem Falle Slgg. gleicher Gattungen, aber verschiedener Autoren zu erwarten sein.

Bei der frühen griech. Prosa muß von Anf. an mit schriftlicher Trad. gerechnet werden. Und in der Tat haben wir für Anaximandros, Anaximenes [2], Herakleitos [1], Alkmaion [4] von Kroton und Hekataios [3] von Milet eindeutige Nachr. für schriftlich abgefaßte und tradierte Lehrschriften [10. 17$^{72-82}$]. Mit hexametrischen → Lehrgedichten erschlossen → Xenophanes, → Parmenides und → Empedokles [1] jedoch der Philosophie auch die mündliche Verbreitung durch Rhapsoden.

C. KLASSIK

Ende des 6. Jh. v. Chr. war mit der wiss. Prosa die Buchrolle und die Figur des intendierten Lesers in Erscheinung getreten, und im 5. Jh. v. Chr. setzte sich der Prozeß der Ablösung der Mündlichkeit von Lit. durch die Buchkultur weiter fort (gegen [2]), was man schon an dem Auftauchen von → Schreibtafeln und Buchrollen auf Vasenbildern, aber auch in der Bühnendichtung und an zahlreichen Zeugnissen für Lese- und Schreibunterricht ablesen kann [10. 18 f.] (→ Rolle; → Schreiber III.). Freilich ist nach Gattungen zu differenzieren:

Das Epos lebte nach wie vor im mündlichen Vortrag bei den großen → Festen der Poleis. Diese besaßen »Staatsexemplare« von ›Ilias‹ und ›Odyssee‹, die sich in den dem Zenodotos (geb. 325) vorliegenden Städteausgaben (ἐκδόσεις κατὰ πόλιν/ekdóseis katá pólin) aus der Aiolis, aus Argos, Chios, Massilia, Kreta, Kypros, Sinope fortsetzten. In Athen mußten seit dem Peisistratiden → Hipparchos [1] (gest. 514 v. Chr.) bei jedem Rhapsodenagon der Panathenäen (→ Panathḗnaia) ›Ilias‹ und ›Odyssee‹ im Ganzen vorgetragen werden. Dies setzt ein offizielles Exemplar voraus, wie es Hipparchos nach Athen gebracht haben soll [10. 11 f.]. Gegen Ende des 5. Jh. finden sich auch Nachr. über Homerexemplare im Privatbesitz (ἐκδόσεις κατ᾽ ἄνδρα, ekdóseis kat᾽ ándra), deren erstes dem Antimachos [3] von Kolophon gehörte [10. 21 f.]. Diese setzen den Leser bereits voraus.

Die griech. Bühnendichtung des 5. Jh. v. Chr. (vgl. → Komödie; → Tragödie) stellt derartige sprachliche und metr.-musikalische Ansprüche, daß ihre Einstudierung ohne ein Autorenexemplar nicht vorstellbar ist. Ein solches hält auf dem »Pronomos-Krater« (um 400 v. Chr.) der Schauspieler Demetrios in Händen, der einer Probe eines → Satyrspiels beiwohnt [13. Bd. 2.1, 29]. Nach der Premiere wurden Lesetexte erfolgreicher Stücke verkauft. Im 4. Jh. rechnete die Bühnendichtung neben dem Zuschauer auch mit dem Leser (so Aristot. poet. 50b 17–19). Aus umlaufenden Leseexemplaren ließ Lykurgos [9] gegen 330 v. Chr. ein »Staatsexemplar« der Tragiker herstellen, das die Texte bei Wiederaufführungen vor Eingriffen schützen sollte, und das unter Ptolemaios [6] III. nach Alexandreia gelangte [10. 23 f.].

Für die Fachwissenschaft war im 5. Jh. das Prosabuch die gemäße Publikationsform. Naturphilosophie, → Geographie (Hekataios [3]), → Medizin rechnen mit dem Leser. Herodots *Lógoi* wandten sich noch an Hörer, seine aus jenen zusammengewachsenen *Historíai* aber

waren für Leser gedacht, und seit → Thukydides war es ausgemachte Sache, daß ein Geschichtswerk zum Lesen bestimmt sei und als Buch überdauern solle (Thuk. 1,22). Gegen das seit dem 5. Jh. mächtig anschwellende Fachschrifttum machte → Platon [1] im *Phaídros* Front (Plat. Phaidr. 274c 5–278b 8) und bildete in seinen Dialogen die Methode mündlicher Unterweisung in schriftlicher Form für eine Leseröffentlichkeit ab. → Aristoteles [6] dagegen verzichtete in den uns erh. Schulschriften auf die Fiktion mündlicher Unterweisung im Dialog. Selbst die → Rhetorik fand im 5. Jh. den Weg zum Leser: Zwar war die öffentliche Rede aufs engste mit dem auswendigen Vortrag verbunden, was ihre spätere Publikation aber nicht ausschloß [10. 19 f.].

Wo es Leser gibt, erwartet man auch → Bibliotheken. Mögen die Nachr. über Tyrannen-Bibl. eines Peisistratos [4], Polykrates [1], Thrasybulos [1] auch Rückprojektionen sein, so braucht man die Zeugnisse über Privat-Bibl. des Euripides [1], Euthydemos [4], Platon [1], Aristoteles [6] nicht zu bezweifeln. Die koische Fach-Bibl. der Schule des → Hippokrates [6] ist ebenso wie die Bibl. der Akademie (→ Akadḗmeia) und des → Peripatos sicher verbürgt. Und wie die Vasen zeigen, haben auch viele Athener Bürger ihre Büchertruhe (κιβωτός/kibōtós) besessen [10. 12, 25, 161 f.].

D. HELLENISMUS

Schon griech. Tyrannenhöfe (→ Tyrannis) waren in der Regel die Ort bewußter Kulturpolitik gewesen; sie zogen Dichter und Philosophen an, und manchen wurden auch schon Bibliotheken zugeschrieben. Das alles und mehr findet sich wieder an den Höfen der Alexandernachfolger (→ Diadochen), v. a. in Alexandreia [1] (vgl. [9]). Dort begründete Ptolemaios [1] I. Soter (367–282) einen Kultverein der Musen, das → »Museion« (C.), dem zahlreiche Dichter, Philologen und Naturwissenschaftler angehörten. Zum Museion gehörte auch die Palast-Bibl., zu der später eine möglicherweise öffentliche Tochter-Bibl. im Serapeion trat. Die alexandrinischen Bibl. übernahmen die Bestände der Fach-Bibl. der hippokratischen Schule auf Kos, Homer-Mustertexte aus dem Besitz griech. Städte oder von Einzelpersonen, die Bibl. des Aristoteles [6] und Theophrastos, und bereicherten sich durch Beschlagnahme des lykurgischen Staatsexemplars der Tragiker oder von Büchern aus Schiffen im Hafen von Alexandreia. In letzteren Fällen erhielten die Besitzer Abschriften.

Unter den beiden ersten Ptolemaiern [10. 26–30] wirkten neben → Zenodotos als Philologen und Herausgeber noch Lykophron [5] von Chalkis (Komödien) und Alexandros [21] Aitolos (Tragödien und Satyrspiele); außerdem war Kallimachos [3] von Kyrene (297–240 v. Chr.) damit beauftragt, die sich häufenden Eingänge von Buchrollen zu katalogisieren. Seine *Pínakes* in 120 Rollen (→ *pínax* [5]) sind verloren, aber erschließbar: Zu einem alphabetischen Katalog der Autoren von Dichtung und Prosa mit biographischen Notizen traten alphabetisch geordnete Werkverzeichnisse mit Erläuterungen zu den Einzelwerken. Da die *Pínakes* auch die in

Alexandreia nicht vorliegenden Werke (οὐ σῴζεται/ *u sṓzetai*, »nicht erhalten«) behandelten, stellten sie ein umfassendes Lex. des gesamten im 3. Jh. v. Chr. bekannten griech. Schrifttums dar.

Gleichzeitig versuchte Zenodotos, aus Hunderten divergierender Homer-Hss. eine kritische → Ausgabe zu erstellen. Die Einteilung von ›Ilias‹ und ›Odyssee‹ in je 24 Gesänge wird auf ihn zurückgehen. Daneben edierte er auch Hesiodos, Pindaros [2] und Anakreon [1]. Vermeintlich unechte Verse versah Zenodotos mit einem Zeichen, dem → *obelós*, beließ diese aber im Text. Sein Nachfolger Apollonios [2] Rhodios kritisierte Zenodotos' kritische Methode und verließ sich, anders als dieser, lieber auf ältere Homer-Hss. Aristophanes [4] von Byzanz und Aristarchos [4] von Samothrake führten Zenodotos' Arbeiten am Homertext fort. Sie orientierten sich [8. 220–222] an dem athenischen »Staatsexemplar« von ›Ilias‹ und ›Odyssee‹, und zogen andere Hss., insbes. die »Städteausgaben« und »Personenausgaben«, nur hilfsweise heran. Damit legten sie den Grund zu der *Vulgata* der ma. Homer-Hss., die im Vergleich zu den Homerpapyri aus ptolemäischer Zeit einen besseren Text bietet. Aristophanes erfand ein System von textkritischen Zeichen (→ Kritische Zeichen), das Aristarchos ausbaute und L. Aelius Stilo (150–70 v. Chr.) erweiterte und auf lat. Autoren anwandte.

Inschr. zeigen, daß es üblich war, Sprechverse wie Hexameter und iambische Trimeter zeilenweise abzusetzen. Singverse dagegen wurden in überlangen Kolumnen fortlaufend wie Prosa geschrieben. So hat ein auf einem Pap. des 4. Jh. überl. → Dithyrambos des Timotheos [2] Kolumnen von bis zu 29 cm Länge [16. 5–10]. Hier fand erst Aristophanes von Byzanz die geeignete Editionstechnik: Er teilte Singverse in korrespondierende metrische Einheiten, die Strophen, und diese wiederum in kürzere Glieder, die »Kola« (→ Metrik). Ausgaben dieser Art machte Aristophanes von Pindaros, Alkman, Alkaios und Anakreon, und seine → Kolometrie finden wir noch in den Hss. der ›Epinikien‹ des Pindaros. Da für Aristophanes von Byzanz auch Ausgaben von Aischylos [1], Sophokles [1], Euripides [1], Aristophanes [3] und Menandros [4] bezeugt oder erschlossen sind, darf man die Kolometrie der lyrischen Partien der Bühnendichtung in den ma. Hss. ebenfalls auf ihn zurückführen [10. 32 f.].

Die alexandrinischen Philologen (→ Philologie) erschlossen die von ihnen herausgegebenen Texte auch durch → Komm. (→ *hypómnēma*), Monographien und Lexika und trugen mit ihren Arbeiten maßgeblich zur Selbstdarstellung des Ptolemaierhofes bei. Verständlich, daß auch die kleineren hell. Höfe konkurrieren wollten: Die Antigoniden hatten nicht nur Hofdichter wie Aratos [4] von Soloi, sondern auch eine Bibl., die L. Aemilius [I 32] Paullus nach der Schlacht von Pydna (168 v. Chr.; → Makedonische Kriege) nach Rom verschleppte. Am Hof der → Seleukiden in Antiocheia [1] kennen wir einen Hofbibliothekar, Euphorion [3] von Chalkis (geb. 276 v. Chr.) und wissen von dem nach dem

Vorbild des Museion eingerichteten Hof-Bibl. In → Pergamon errichtete Eumenes [3] II. unmittelbar neben dem Athene-Tempel eine große Bibl., von der beträchtliche Reste erh. sind. Auch der Herrscher von Pontos, Mithradates [6] VI. (120–63 v. Chr.), besaß eine Hof-Bibl., die L. Licinius [I 26] Lucullus 70 v. Chr. als Kriegsbeute von Sinope nach Rom brachte. Die Privat-Bibl. des Mithradates verschleppte 66 v. Chr. Pompeius [I 3] nach Rom. Neben den Hof-Bibl. gab es öffentliche Bibl. in den hell. → Gymnasien, in den Philosophenschulen und bei Privatleuten, von denen nur Apellikon von Teos genannt sei; dessen Bibliothek nahm Cornelius [I 90] Sulla nach der Eroberung von Athen (86 v. Chr.) als Kriegsbeute nach Rom mit [10. 41–45].

E. RÖMISCHE REPUBLIK

Schon im 3. Jh. v. Chr. hatten sich Verbände von Dichtern, Schauspielern, Sängern und Instrumentalisten gebildet, die → *technítai*, die das bei den unzähligen Festen erforderliche Personal stellten. Sie griffen auch in den Westen aus. Auf diesem Wege kamen die griech. Tragödie und die Mittlere und Neue Komödie nach Unteritalien und Rom. 240 v. Chr. führte ein griech. Technit, Livius [III 1] Andronicus, Mitglied des *collegium scribarum histrionumque Minervae* (»Verband der Dichter und Schauspieler von Minerva«), in Rom erstmals eine griech. Tragödie und Komödie in lat. Bearbeitung auf. Später übersetzte er die homerische ›Odyssee‹ in den heimischen Saturnier (*Odusia*) und dichtete 207 ein *carmen saeculare* [10. 44–46].

Mit Livius Andronicus läßt Suetonius [2] (*De grammaticis*) auch die röm. → Philologie (II.) beginnen. Alexandrinische Methoden wandte aber erst L. Aelius [II 20] Stilo (um 150–70 v. Chr.) an: Er trieb Echtheitskritik an Plautuskomödien, kommentierte die ›Salierlieder‹ (→ *Carmen Saliare*) und übernahm die textkritischen Zeichen des Aristarchos [4] für lat. Werke. Unter den Philologen, die Suetonius benennt, sind viele Griechen oder Halbgriechen, die als Kriegsbeute nach Rom kamen und dort freigelassen wurden. Mit L. Aelius Stilo, → Valerius [III 3] Cato (geb. 100 v. Chr., dem Wortführer der röm. → Neoteriker) und dem Antiquar → Varro [2] aus Reate (116–27 v. Chr.) aber machten sich Römer die Methoden Alexandreias zu eigen.

Mit der Schlacht bei Pydna (168 v. Chr.) begann die Ausplünderung griech. Bibl. durch Rom. Auch kleinere Bibl. kamen durch Beschlagnahme oder Kauf nach Rom. Im 1. Jh. v. Chr. gehörte eine griech.-lat. Bibl. wie die in Herculaneum ausgegrabene Bibl. des L. Calpurnius [I 19] Piso Caesoninus (vor 79 n. Chr.) bereits zu den Statussymbolen der röm. *nobiles*. Varro, Cicero und Pomponius [I 5] Atticus besaßen mehrere zweisprachige Bibl., zu denen griech. *librarii* gehörten, die den Bestand zu pflegen und durch → Abschriften zu bereichern hatten.

F. RÖMISCHE KAISERZEIT

47 v. Chr. beauftragte Caesar den Antiquar und Philologen Varro [2] aus Reate mit der Errichtung einer großen öffentlichen griech.-lat. Doppel-Bibl. Er mag

dabei an die repräsentativen Bibl. der Ptolemäer gedacht haben. Neu und folgenreich war sein Bestehen auf der Zweisprachigkeit, die schon in den republikanischen Adels-Bibl. üblich geworden war. Den nach Caesars Ermordung 44 v. Chr. liegengebliebenen Auftrag übernahm der Caesarianer Asinius [I 4] Pollio und erbaute nach 39 v. Chr. im Atrium der Libertas beim Forum Romanum eine griech.-lat. öffentliche Bibl. Pollio hatte damit Epoche gemacht: Augustus erbaute um 28 v. Chr. eine Doppel-Bibl. auf dem Palatin und 23 v. Chr. eine in der Porticus Octaviae. Nach seinem Tod erbauten Livia und Tiberius dem Divus Augustus auf dem Palatin einen Tempel und daran angegliedert eine Bibl.; unklare Zeugnisse weisen auf eine Bibl. in den Palästen des Tiberius und Nero. Vespasianus erbaute auf dem Forum Pacis nach 70 n. Chr. wieder eine Doppel-Bibl., und Traianus deren zwei, 109 in den Traiansthermen, und 112 n. Chr. im Traiansforum. Unter Antoninus [1] Pius (138–161) ist eine Bibl. der *artifices Minervae*, und unter Commodus (180–192) eine auf dem Capitol belegt. Den unter Traianus ausgestalteten Typus der Thermen-Bibl. (→ Thermen) wiederholten Caracalla (211–217) und Diocletianus (284–305); und Severus Alexander ließ beim Pantheon eine Bibl. errichten [10. 53–58].

Die hell. Bibl. hatten (vgl. Pergamon) einen Lesesaal und von diesem getrennte Magazinräume. Die röm. Bibl. dagegen fanden schon mit der Bibl. des Augustus auf dem Palatin zur Einraumgestalt: Drei von vier Wänden eines großen, zwei- bis dreigeschossigen Lesesaales waren mit Galerien und Nischen für Regale oder Schränke ausgestattet. Eine Doppel-Bibl. hatte zwei solche Räume. Der Bautypus der Einraumgestalt wurde von Rom sogar in die Prov. getragen, so nach Ephesos, Pergamon und Thamugadi, wo man sich mit nur einem Lesesaal begnügte [10. 54, 56–58].

Zur Zeit Constantinus' [1] I. (306–337) verzeichnet die *Notitia urbis* in Rom 28 Bibl., von denen acht sicher griech.-lat. Doppel-Bibl. waren. Nach Constantinus wurde Caesars imperiales Konzept nach Konstantinopolis verpflanzt: Das »Neue Rom« erhielt unter Constantius [2] II. 356 n. Chr. eine Palast-Bibl., die von Iulianus [11] und Valens [2] gefördert wurde und die nachweislich wie ihre Vorbilder in Rom zweisprachig war [10. 58–60].

C. Iulius → Hyginus und C. Maecenas → Melissus, die ersten Bibl.-Vorstände der beiden augusteischen Bibl. auf dem Palatin und in der Porticus Octaviae, waren Griechen. Wenn auch im frühen Prinzipat die Anzahl röm. Philologen zunahm, so blieben ihre Methoden Alexandreia verpflichtet: Ebenso konservativ wie Zenodotos mit Homer ging man nun mit röm. Autoren um: Varro hatte in den 21 von ihm als echt anerkannten Plautuskomödien Doppelfassungen kenntlich gemacht, aber stehenlassen. Nicht anders verfuhren Ciceros *librarii* bei der Herausgabe von Lucretius' [III 1] *De rerum natura*. L. Varius [I 2] Rufus und Plotius [I 2] Tucca machten (auf Anweisung des Augustus) keinen Versuch, die Lücken der unvollendeten *Aeneis* zu ergänzen, strichen aber offenbar Plusverse (nur aus der Sekundärüberl. bekannte unvollendete Halbverse) [10. 62f.]. Noch M. Valerius → Probus [4], Zeitgenosse des Klassizisten Quintilianus (35–nach 95 n. Chr.), ist als Textkritiker Alexandriner: Wie L. Aelius Stilo setzte er die textkritischen Zeichen des Aristarchos [4] in die von ihm edierten Texte. Dabei bevorzugte er die ältesten greifbaren Mss., wenn nicht gar → Autographen [10. 61–68].

Einen amüsanten Blick in die Welt der *hommes des lettres* des röm. → Archaismus erlauben die *Noctes Atticae* des → Gellius [6] (geb. nach 130 n. Chr.): Wir sehen Philologen in röm. Buchläden auf der Suche nach alten Hss. und nehmen an ihren Diskussionen über strittige Stellen teil. Gellius hat diese Miniaturen aus einer Unzahl von Zitaten älterer Quellen zusammengefügt, falls er nicht aus eigener Kenntnis erzählt. Wie Probus, wie seine Quellen und wie alle Archaisten verläßt er sich ganz auf den Wortlaut der ältesten erreichbaren Hs.

Mehr methodisches Bewußtsein hatte sein Zeitgenosse → Galenos (129–199), der nach Studien in Smyrna und Alexandreia seit 161 in Rom wirkte. Galenos mußte ständig zu Textvarianten im *Corpus Hippocraticum* Stellung nehmen und seine Entscheidungen begründen. Aus seinen einschlägigen Äußerungen ergibt sich das kleine Einmaleins der kaiserzeitlichen Textkritik: Schon das Autorenexemplar kann Fehler enthalten, weitere entstehen bei Erstellung der Reinschrift. Umschrift in eine andere Schrift kann zu weiteren Fehlern führen. Auslassungen entstehen durch Überspringen von Wörtern bei Wiederholungen. Dazu kommen ggf. mechanischer Textverlust und willkürliche Eingriffe der Schreiber in die Überl.; Varianten, die ein Schreiber im Interkolumnium notiert, werden vom nächsten Kopisten in den Text gezogen. Alle diese Fehler summieren sich im Lauf der Überl.

Bei seinen Entscheidungen zieht Galenos die Variante vor, die in den ältesten Hss. steht, von den älteren Kommentatoren anerkannt wird und in den Kontext paßt. Ergeben sich dabei Schwierigkeiten, dann hat schwer verständliche ältere Überl. den Vorrang vor glatteren jüngeren Varianten, da diese lediglich das Verständnis schwieriger Stellen erleichtern möchten. Galenos kennt offenbar das Konzept der *lectio difficilior*. Nur im Notfall erlaubt er sich Eingriffe in den Text. Diese sollen geringfügig sein und das Entstehen der → Textverderbnis erklären [10. 75–77]. Die gleichen textkritischen Grundsätze sind noch 200 J. später bei → Hieronymus (347–419/20) erkennbar [10. 84–86].

G. VON DER BUCHROLLE ZUM CODEX

Bis ins 1. Jh. n. Chr. wurde griech. und lat. Lit. ausschließlich in der Form der → Rolle überliefert. Das → Diptychon oder Polyptychon diente nur für ephemere Texte und Entwürfe. Vom Diptychon abgeleitet ist das Notizheft aus Pap.- oder Pergamentblättern, das schon in ptolem. Zeit belegt ist [1]. In dieser Form veröffentlichte um 84–86 n. Chr. der Verleger Secundus die Epigramme des Martialis [1]; Martialis selbst nennt → Ausgaben in der Form des → Codex von Klassikern wie Homeros [1], Vergilius, Cicero und Livius [III 2]. Damit war der Codex geboren [11]. Die neue Buchform setzte sich nur langsam durch. Die ersten Beispiele von Fragmenten griech. Pap.-Codices gehören ins 2. Jh. n. Chr. Um 300 n. Chr. sind etwa gleichviel Frg. von Rollen wie von Codices erh., und um 400 n. Chr. beträgt der Anteil von Frg. griech. Codices 90 %. Die Entwicklung des lat. Codex läuft etwa parallel; auch finden sich um 400 die ersten mehr oder weniger vollständigen griech. und lat. Codices. Damit hatte der Codex die Rolle verdrängt. In der Zeit vom 3. bis zum 5. Jh. wurde somit die ant. Lit., soweit sie erhaltungswürdig erschien, aus Rollen in Codices umgeschrieben [10. 79–81]. Die Gelehrten, die sich an dieser Riesenarbeit beteiligten, haben sich nicht selten in den sog. → subscriptiones verewigt, als erster ein Statilius [II 6] Maximus (2. Jh. n. Chr.) in einem Codex von Cicero-Reden. Im 4. Jh. n. Chr. werden solche *subscriptiones* häufig. Dabei vermerken die Bearbeiter öfter, daß sie ihre Texte nach einem zweiten Exemplar korrigiert haben [10. 74 f., 82 f.].

Der Übergang zu der neuen Buchform hatte eine einschneidende Konsequenz. Für die hell. Buchrolle hatte sich ein Standardformat herausgebildet, das man ungern überschritt: Die Rolle faßte einen epischen Gesang, eine Tragödie oder Komödie, einen platonischen Dialog oder ein Buch eines umfangreicheren Prosawerkes. Kürzere Werke wie die *Bukoliká* des Theokritos wurden in Sammelrollen zusammengefaßt. Größere Bücher mußten in zwei Teile (*tómoi*; lat. *partes*) geteilt und auf zwei Rollen verteilt werden. Das Gesamtwerk eines Autors existierte nur in der Form einer Vielheit von Rollen, die lediglich durch *indices* zusammengehalten wurden. Dagegen lud der Codex wegen seiner größeren Kapazität geradezu zur Erstellung von Gesamtausgaben ein: So ist der *Codex Ambrosianus* (5. Jh.) eine Gesamtausgabe der 21 als echt anerkannten Komödien des Plautus, der *Codex Bembinus* (5./6. Jh.) eine solche der sechs Komödien des Terenz. Ganz oder in Bruchstücken erh. sind sieben spätant. Gesamtausgaben des Vergilius in Codices. Von der ›Ilias‹ haben sich Frg. von zwei Gesamtausgaben in Codices, die *Ilias Ambrosiana* (Anf. 6. Jh.) und die *Cureton Iliad* (5./6. Jh.), erh. Aus den kommentierten Auswahlausgaben von sieben Trag. des Aischylos und Sophokles, zehn Trag. des Euripides und elf Komödien des Aristophanes in ma. Hss. kann man auf entsprechende spätant. Auswahlausgaben schließen. Der Codex ermöglichte also neue Buchtypen: Gesamtausgaben (Plautus, Terenz, Vergil), Auswahlausgaben (Bühnendichtung), Ausgaben umfangreicherer Einzelwerke (›Ilias‹) und schließlich die Möglichkeit des Sammelcodex (Homerische Hymnen, Elegie, Bukolik, Satire). In solchen Sammelcodices hatten auch kleinere und kleinste Werke die Chance der Bewahrung [10. 87–96].

H. Ausblick

384 n. Chr. versuchte Q. Aurelius → Symmachus [4], Praefekt von Rom, gegen den Bischof von Mailand, Ambrosius, vergeblich, die Wiederaufstellung des Altars der Victoria in der *curia* durchzusetzen. Zehn J. später, nach der verlorenen Schlacht am Frigidus, büßte die »heidnische« Senatsopposition jede polit. Bedeutung ein. Die Überlebenden flüchteten sich in die Erinnerung und pflegten, wie die *subscriptiones* zeigen, das lit. Erbe der Vergangenheit. Im übrigen waren die großen griech.-röm. Autoren als Stilmuster für den höheren Unterricht nach wie vor unentbehrlich und hatten daher auch im nunmehr christl. röm. Reich Überlebenschancen. Bei anderen Texten entschied das Interesse des gebildeten Lesers. Dabei verlief die Entwicklung in Ost und West verschieden, wie man an den erh. Codices bzw. Frg. ablesen kann:

Von den 329 Bruchstücken griech. Papyrus- und Pergamentcodices vom 2.–7. Jh. n. Chr., überwiegend aus Ägypten, die 1977 bekannt waren [14], entfallen 133 auf Homer, 20 auf Demosthenes [2], je 17 auf Euripides [1] und Aristophanes [3], 14 auf Hesiodos, je 13 auf Menandros [4] und Isokrates, 12 auf Kallimachos [3], neun auf Thukydides, sieben auf Platon [1], je fünf auf Pindaros [2], Theokritos und Hippokrates [6], vier auf Sophokles [1], je drei auf Apollonios [2] Rhodios und Philon [12], je zwei auf Herodotos [1], Lysias [1], Aristoteles [6], Aratos [4], Parthenios [1], Achilleus Tatios [1], Galenos. Beträchtlich ist die Zahl der nur durch je ein Codex-Bruchstück vertretenen Autoren, auffallend sind aber auch die Lücken. So ist Aischylos nicht vertreten. Es zeichnet sich ein Lektürekanon ab, der neben Homer, der Bühnendichtung und den Rednern auch hell. Autoren enthält (→ Kanon). Daneben steht eine Gruppe seltener abgeschriebener Texte, die offenbar dem Interesse der *hommes des lettres* ihr Überleben verdankten. Nach dem Einfall der Araber im 7. Jh. n. Chr. konzentrierte sich die Überl. der griech. Lit. v. a. in Konstantinopolis, doch fand im arabisch-islam. Raum (→ ARABISCH-ISLAMISCHES KULTURGEBIET) im 9.–10. Jh. eine eigene produktive Rezeption der griech. Lit. statt, zu deren Voraussetzungen eine breite, vom Kalifenhof geförderte Übersetzungsbewegung gehörte. An ihr wirkten in erster Linie die orientalischen Christen mit, so daß häufig eine syrische Version zw. der griech. und der arab. Fassung vermittelte. Im Einzelfall griff man auf gelegentlich noch vorhandene Bibliotheksbestände in griech. und syr. Sprache, vereinzelt auch auf Mss. aus Byzanz zurück; thematisch interessierte man sich weitestgehend für Philos., Naturwiss. (v. a. Medizin), Geheimwiss. (→ Magie IV.-V.) und technische Spezialgebiete (Landwirtschaft), in zweiter Linie für Popularstoffe (→ Alexanderroman III.) und christl. Lit., für letztere v. a. die Christen, als sie von der griech. zur arab. Sprache übergingen. In der Zeit des Patriarchen Photios (820–891) wurden die noch vorhandenen Pergamentcodices aus der → Majuskel in die → Minuskel umgeschrieben. In dieser Form sind etwa 900 griech. Autoren erh. geblieben.

Im Westen bedeuteten der Einfall der Westgoten in It. (401–410 n. Chr.), die Plünderung Roms durch die Vandalen (455 n. Chr.) und die Absetzung des Romulus Augustulus durch Odoacer (476 n. Chr.) noch nicht das Ende der Überl. lat. Klassiker. Die datierbaren *subscriptiones* bezeugen bis ins 6. Jh. die Existenz einer interessierten Bildungsschicht. Im Ostgotenreich nahm der alte, nunmehr christl. Amts- und Bildungsadel die Spitzenpositionen ein: so Symmachus [6] (*cos.* 485 n. Chr.), dessen Schwiegersohn, Boëthius (480–524 n. Chr., *cos.* 510 n. Chr.), und Cassiodorus (490–583 n. Chr., *cos.* 514 n. Chr.). Wie man an dem Erhaltenen zeigen kann [6], wurden neben christl. Texten im 4., 5. und frühen 6. Jh. auch lat. Klassiker in Codices umgeschrieben. In diese Zeit fallen 14 der 16 erh. spätant. Vergilcodices und vierzehn Cicerocodices.

Nach der Zerstörung des Ostgotenreichs in It. (553 n. Chr.) durch Byzanz und dem Langobardeneinfall in Oberitalien (568 n. Chr.) aber finden sich fast nur noch christl. Texte: Von den 264 Codices aus dem 6.–8. Jh. enthalten nur noch 26 profane Texte, von denen man 24 dem Fachschrifttum (→ Fachliteratur) zuordnen muß. Diese Entwicklung zeigt auch der Kanon in Cassiodorus' *Institutiones*: Zu den *Divinae Litterae* treten hier überwiegend lat. Fachschriftsteller; öfter erwähnt werden ferner Aristoteles, Cicero, Vergil, dreimal genannt werden Platon, Terenz, Quintilian, einmal Homer, Demosthenes, Livius, Seneca. Die Bibl. des Cassiodorus in Vivarium allein hätte das Fortleben der griech.-röm. Lit. also nicht sichern können. Die lat. Klassiker überlebten vielmehr in den dauerhaften spätant. Pergamentcodices der sammelfreudigen Zeit von 300 bis 550, die in profanen und kirchlichen Bücher-Slgg. in Rom, Italien, aber auch an der Peripherie überdauerten. Sofern diese Codices dem Schicksal entgingen, abgewaschen und mit Kirchenvätertexten beschriftet zu werden [7], wurden sie gegen E. des 8. Jh. zum Ausgangspunkt der Karolingischen Renaissance: Sie wurden planmäßig gesammelt, aus der Majuskel in die karolingische Minuskel umgeschrieben und blieben so erhalten.

→ Bibliothek; Bildung (mit Karte); Buch; Codex; Handschriften; Inschriften; Kommunikation; Philologie; Rolle; Scholien; Schreiber; Schreibmaterial; Schrift; Schriftlichkeit/Mündlichkeit; Subscriptio; Textverbesserung; Textverderbnis; Übersetzung; ÜBERLIEFERUNGSGESCHICHTE

1 O. GUÉRAUD, P. JOUGUET, Un livre d'écolier du IIIe siècle avant J.-C., 1938 2 E. A. HAVELOCK, The Literate Revolution in Greece and Its Cultural Consequences, 1982 3 HEUBECK 4 J. LATACZ (Hrsg.), Homer, Trad. und Neuerung, 1979 5 Ders., Homer, 1989 6 E. A. LOWE, Codices Latini Antiquiores 1–11, Suppl., 1934–1971 7 Ders., Codices rescripti. A List of the Oldest Latin Palimpsests, in: Ders., Palaeographical Papers (hrsg. von L. BIELER), 1907–1965, 1972, 480–519 8 G. PASQUALI, Storia della tradizione e critica del testo, ²1952 9 PFEIFFER, KPI 10 E. PÖHLMANN, Einführung in die Überlieferungsgesch. und in die Textkritik der ant. Lit., 1994 11 C. H. ROBERTS, T. C. SKEAT, The Birth of the Codex, 1983 12 O. TAPLIN, Comic Angels, 1993 13 A. D. TRENDALL, T. B. L. WEBSTER, Illustrations of Greek Drama, 1971 14 E. G. TURNER, The Typology of the Early Codex, 1977 15 U. VON WILAMOWITZ-MOELLENDORFF, Die T. der griech. Lyriker, 1900 16 Ders., Timotheos, Die Perser, 1903 (mit Komm.).   E. G. P.

Textilherstellung I. ALTER ORIENT UND ÄGYPTEN II. KLASSISCHE ANTIKE

I. ALTER ORIENT UND ÄGYPTEN

Das Weben – verm. aus dem Flechten von Matten und Körben hervorgegangen – ist wahrscheinlich eine der ältesten Arbeitstechniken. Da Textilien in den meisten Ländern des Vorderen Orients aus klimatischen Gründen nicht erh. sind, liefern nur wenige – meist karbonisierte – Reste den Nachweis, daß bereits im Neolithikum verschiedene Webarten bekannt waren und verschiedene Materialien (→ Wolle, → Lein) benutzt wurden. Größere Zahlen von Spinnwirteln, meist aus gebranntem Ton und häufig mit Ritzung oder Bemalung verziert, und von steinernen Webgewichten in allen prähistor. Kulturen des Vorderen Orients deuten auf eine rege T., ohne daß wir die Möglichkeit zu weiterer Differenzierung hätten. Eine Änderung tritt erst mit den ersten schriftlichen Zeugnissen Mesopotamiens und Äg.s ein.

In den archa. Texten Südmesopot.s (E. 4. Jt. v. Chr.) sind verschiedene Qualitäten von Wolle (Rohstoff) und Tuch genannt; einmal sind 27 verschiedene Tucharten aufgeführt. In keinem Fall ist jedoch eine Identifizierung mit den zur gleichen Zeit bildlich dargestellten Gewändern möglich. In Parallele zur späteren schriftlichen Überl. aus der Zeit der 3. Dyn. von Ur (Ende 3. Jt. v. Chr.) ist zu vermuten, daß nach Farbgebung, Webtechniken und Feinheit ein großes Spektrum von Textilien hergestellt wurde, und daß diese bereits im 4. Jt. zu den Hauptexportgütern gehörten, die dem rohstoffarmen Südmesopot. die Einfuhr aller wichtigen Rohstoffe (Holz, Steine, Metalle) gestatteten. Im Gegensatz zu Äg. spielte → Lein in Mesopot. eine geringe Rolle. Eine bes. reiche Überl. aus der Zeit um 2000 v. Chr. läßt uns von einer regelrechten »Industrie« sprechen, die z. B. in der Stadt → Ur zw. 12000 und 13000 Weberinnen (je 220 Frauen und Kinder unter einem Aufseher) beschäftigte.

Auf das Säubern und Kämmen der Wolle folgte das Spinnen, wobei durch unterschiedlich starkes und festes Garn bereits die Qualität des Fertigproduktes vorbereitet wurde. Zum Aussehen des Webstuhls gibt es weder schriftliche noch bildliche Nachrichten; in Parallele zu Äg. wird von einem liegenden Webstuhl ausgegangen, der in der Regel die Herstellung von bis zu 1,80 m breitem und 20 m langem Stoff ermöglichte (Texte erwähnen allerdings auch Br von 3,5 bis 4,5 m). Aus den sehr unterschiedlichen Zeitangaben für die Herstellung gleich großer Stoffe wird auf verschiedene Webarten geschlossen. Nach dem Weben wurden die Stoffe in der gleichen Produktionseinheit gewaschen und gewalkt. Auch für die übrigen Regionen des Vorderen Orients wird man von einer breiten Auswahl von Textilien ausgehen können, deren Erzeugnisse bildlich belegt sind, doch gibt es weder entsprechende Darstellungen der T. noch einschlägige Beschreibungen.

Dank der reichen bildlichen Überl. v. a. auf Grabreliefs und dank des ausgezeichneten Erhaltungszustands vieler organischer Substanzen sind wir für Äg. besser über Webstühle und Weberzeugnisse unterrichtet. Bis in das MR (ca. 1990–1630 v. Chr.) bestand der sog. vertikale Webstuhl aus vier in den Boden gerammten Pflöcken, welche die zwei Kettbäume trugen. Die Länge der Kettbäume bestimmte die Breite des Stoffes. Die Weber saßen vor einem der Kettbäume auf dem Boden. Eine wesentliche Arbeitserleichterung stellte der horizontale Webstuhl dar (ab NR, ca. 1550–1070 v. Chr.), vor dem der Weber auf einer Bank saß. Während in Mesopot. hauptsächlich weibliche Arbeitskräfte bezeugt sind, waren in Äg. weibliche und männliche Arbeitskräfte beteiligt.

Hauptrohmaterial war Lein/Flachs; erst in ptolem. Zeit kamen Baumwolle und → Seide hinzu, Wolle wurde erst in röm. Zeit gebräuchlicher. Sowohl anhand einer reichen Terminologie für Tuchqualitäten als auch durch die zahlreichen erh. Stoffe ist eine weite Palette von Qualitäten bezeugt, wobei wiederum Farbgebung, Webarten und Feinheit des Garns eine Rolle spielten. Die erh. Stücke zeigen hohe Fertigkeit im Einweben bzw. Einknüpfen von farbigen sowohl geom. wie vegetabilen Mustern. Trotz der guten Ausgangslage ist eine Identifizierung der Bezeichnungen mit den erh. Stoffarten nicht möglich.

H. E. W. Crawford, Mesopotamia's Invisible Exports in the Third Millennium, in: World Archaeology 5, 1973, 232–241 · H. Neumann, Handwerk in Mesopotamien, ²1993 · H. Waetzoldt, Unt. zur neusumerischen Textilindustrie, 1972 · R. J. Forbes, Studies in Ancient Technology, Bd. 4, 1964 · E. D'Amicone, s. v. Stoffe und Webarten, LÄ 6, 1986, 57–63. H. J. N.

II. Klassische Antike

A. Rohstoffe und ihre Bearbeitung
B. Spinnen C. Weben und Webstuhl
D. Walken und Walker
E. Gewerbliche Textilherstellung

A. Rohstoffe und ihre Bearbeitung

In der griech.-röm. Ant. wurden für die Herstellung von Textilien im wesentlichen zwei Arten von Rohstoffen verwendet, Fasern tierischer Herkunft (→ Wolle, → Seide, Haare) und solche pflanzlichen Ursprungs (→ Baumwolle, Flachs/→ Lein, → Malve etc.). Eine dritte, jedoch kaum ins Gewicht fallende Gruppe bildeten mineralische Fasern (→ Asbest: Amianth). Metallische Fadenbildungen wurden aus → Gold oder → Silber gefertigt.

Bevor Textilien gebrauchsfertig waren, hatten sie in der Regel einen langen und mitunter auch mühsamen Herstellungsprozeß hinter sich. Waren schon Gewinnung und Aufbereitung des Rohmaterials aufwendig, so bedurfte es erheblicher Anstrengungen, bis das Material zum Verspinnen geeignet war und am Webstuhl zu Gewebe verarbeitet werden konnte. So mußte die geschorene Wolle erst gewaschen, dann getrocknet und schließlich geklopft werden. Verfilzungen ließen sich durch Zupfen beseitigen. Wolle und Flachs wurden zudem gekrempelt oder gehechelt, d. h. mit einem kammartigen Werkzeug (κτείς/kteis; lat. pectum) aufgelockert und geordnet. Aus den gekrempelten Fasern ließ sich das sog. Vorgespinst oder Vorgarn (κάταγμα/kátagma) erzeugen. Diese Prozedur bezweckte eine Erleichterung beim Feinspinnen. Dabei wurden die Fasern entweder mit den bloßen Fingern auf dem entblößten Unterschenkel, oder mit Hilfe des ἐπίνητρον (→ epínētron mit Abb.) zu einem dicken gleichmäßigen Strang ausgezogen.

B. Spinnen

Erst jetzt folgte das eigentliche Spinnen (κλώθειν/klṓthein, νέειν/néein; lat. nere), indem aus diesem Vorgespinst der feine Faden (κλῶσμα/klôsma; lat. netum) gewonnen wurde. Die hölzernen Gerätschaften, die man hierzu benötigte, waren der Rocken oder Wocken (ἠλακάτη/ēlakátē; lat. colus) und die Spindel (ἄτρακτος/átraktos; lat. fusus). Der Rocken bestand aus einem einfachen Stab, die Spindel dagegen aus einem kurzen Stab, an dem ein scheiben-, kegel- oder kugelförmiger Wirtel (σφόνδυλος/sphóndylos; lat. turbo) befestigt war. Auf zahlreichen Abb. sind Frauen stehend oder sitzend beim Spinnvorgang dargestellt (vgl. die Lekythos des Amasis-Malers, New York, MMA; Beazley, ABV 154,57; wgr. Oinochoe des Erzgießerei-Malers, London, BM; Beazley, ARV² 403,38 und ferner Friesreliefs des Forum Transitorium in Rom). Eine genaue lit. Beschreibung des Spinnens findet sich bei Catullus (64,311–319). Die Spinnerin hielt den Rocken, auf dem das Vorgarn befestigt war, in der linken Hand; aus diesem zog sie einen langen Faden, der mit dem Haken (ἄγκιστρον/ánkistron) des Spindelstabs verknotet war. Beim Spinnen wurde die Spindel in Rotation versetzt. Während sie sich drehte, zog die Spinnerin aus dem Rocken mit Daumen und Zeigefinger der rechten Hand Fasern heraus. Die Rotation der Spindel zwirnte die herausgezogenen Fasern. Wenn die Spindel rotierend den Boden erreicht hatte, hatte sich auch der gezwirnte Faden verlängert. Nun wurde der Knoten am Spindelstab gelöst, der feine Faden um ihn gewickelt und neu verknotet. Der Vorgang wurde so lange wiederholt, bis die Spindel voll war. Das gesponnene Gut wurde schließlich von der Spindel genommen. Zu einem Knäuel gewickelt, konnte der Faden nun zum Weben weiterverwendet werden. Sklavinnen hatten eine bestimmte Menge (pensum) Wolle am Tag zu spinnen (Verg. georg. 4,347; Mart. 9,65,11).

C. Weben und Webstuhl

Das Prinzip des Webens (ὑφαίνειν/*hyphaínein*; lat. *(con)texere*) wie auch des Flechtens bestand darin, längs- und querliegende Fäden so miteinander zu verbinden, daß aus ihnen ein festes Gewebe entstand; die Verkreuzung der Fäden erfolgte mit Hilfe des Webstuhls (ἱστός/*histós*; lat. *tela*). In Griechenland wurde der Hochwebstuhl mit Gewichten verwendet (s. Abb.); dieser Gewichtswebstuhl bestand aus zwei Pfosten (ἱστόποδες/*histópodes*; lat. *pedes telae*), die an ihren Kopfenden mit einem Querbalken, Tuch- oder Kettbaum verbunden waren. An ihm wurde die Kette (στήμων/*stémōn*; lat. *stamen*) befestigt. Einzelne oder auch Gruppen herabhängender Kettfäden beschwerte man mit durchbohrten Gewichten aus Stein oder Ton (ἀγνῦθες/*agnýthes*, λαιαί/*laiaí*; lat. *pondera*). Die Fäden für die Kette waren fester, die für den Schuß lockerer gesponnen. Für die röm. Zeit ist ein Webstuhl belegt, bei dem die Kettfäden nicht mehr durch Gewichte gestrafft wurden, sondern zw. zwei Balken, dem oberen Garnbaum und dem unteren Tuchbaum, gespannt waren. Der Schußfaden konnte nach unten angeschlagen werden; auf diese Weise war es möglich, im Sitzen zu weben. Unter den griech. Vasenbildern ist neben der erwähnten Lekythos v.a. der Skyphos des Penelope-Malers zu nennen (Chiusi, BEAZLEY, ARV² 1300,2); eine gute Abb. des röm. Webstuhls bietet neben den Friesreliefs des Forum Transitorium ein Wandgemälde des Hypogaeum der Aurelii in Rom; daneben gibt es mehrere lit. Beschreibungen (Hom. Il. 3,125–128; Ov. met. 6,53–128; Sen. epist. 90,20; Artem. 3,36).

Beim Weben wurde in die senkrechten Kettfäden der waagerechte Einschlagfaden oder Schuß (κρόκη/*krókē*; lat. *subtemen*) eingeschoben. Dafür war die Bildung eines Faches notwendig. Die Kettfäden mußten auseinandergezogen werden, weshalb ein Teil von ihnen (bei der einfachen Leinbindung etwa jeder zweite) an dem Trennstab (κανών/*kanón*) befestigt wurde. Dadurch entstand das Fach, durch das der Schuß, der um ein Stäbchen (κερκίς/*kerkís*; lat. *radius*) gewickelt war, von einer Kante zur anderen geführt wurde. Für die Rückführung des Schusses aber war ein zweites Fach notwendig. Deswegen wurden an einem zweiten Stab, dem Litzenstab (κάλαμος/*kálamos*), alle übrigen Kettfäden befestigt. Beim Anziehen des Litzenstabes nach vorne entstand ein neues Fach, durch das der Schußfaden zurückgeführt wurde. Jedesmal wenn der Schußfaden eingetragen war, wurde er mit der Hand oder mit einem Holzspatel (σπάθη/*spáthē*; lat. *spatha*) an den vorhergehenden Schußfaden angeschlagen. Der fertig gewebte Stoff wurde dann auf den Tuchbaum aufgerollt (s. Abb.).

Eigenschaften und Aussehen des Stoffes waren nicht allein von der Beschaffenheit des Materials (Wolle, Leinen, Seide), sondern auch von der Zahl der angespannten Kettfäden und der Dichte der eingetragenen Schußfäden abhängig. Das Aussehen des Stoffes bestimmten bes. die Webmuster, die durch die unterschiedlichen

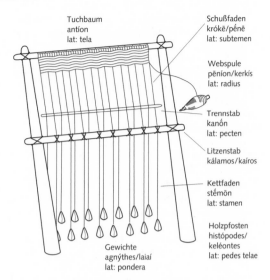

Schema eines vertikalen Webstuhls bzw. Hochwebstuhls mit Gewichten (Schrägansicht)

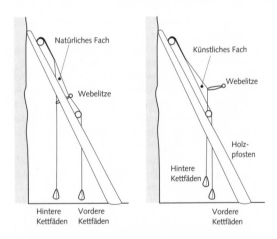

Schema eines vertikalen Webstuhls bzw. Hochwebstuhls mit Gewichten (Seitenansicht links: geöffnetes natürliches Fach, Seitenansicht rechts: geöffnetes künstliches Fach)

Bindungen – d.h. durch die Art, wie sich Kette und Schuß kreuzten – erzielt wurden. Durch bes. Webtechniken entstanden beispielsweise Längs- und Querstreifen sowie schachbrettartige Muster. Mehr Geschicklichkeit erforderten am Webstuhl schon die figürlichen und ornamentalen Motive, die als Bordüren und Streuornamente Verwendung fanden. Der Höhepunkt in der Weberei wurde in der Buntwirkerei (*polymitum*; vgl. Plin. nat. 8,196) erreicht. Die schönsten *polymita* kamen aus Alexandreia [1]. Malereien mit dem Webschiffchen (γραφαὶ ἀπὸ κερκίδος/*graphaí apó kerkídos*), kunstvolle Verzierungen auf Kleidern und Teppichen begegnen uns in der ant. Lit. häufiger. Schöne Effekte erzielten beim Weben Goldfäden, die sowohl als Kett- als auch als Schußfäden verwendet wurden (vgl. → Textilkunst).

D. Walken und Walker

Normalerweise waren Stoffe, die den Webstuhl verließen, gebrauchsfertig. Diese konnten aber zu ihrer Verschönerung noch gefärbt, mit Stickereien oder mit aufgemalten Mustern und mit applizierten Goldplättchen versehen werden. Wollgewebe wurden durch das Walken nachbehandelt; auf diese Weise sollten die Gewebe gereinigt und die Fäden dabei weiter verfilzt werden. Beim Walken wurden die Stoffe in mit Wasser und Reinigungsmittel (oft Urin) gefüllte Gefäße gelegt und dann mehrere Stunden getreten. Das Tuch wurde mit einer *aena fullonica* (einem mit Disteln versehenen Holzbrettchen) geglättet, der Gewebeflor wurde mit einer großen Bügelschere entfernt. Weißes Tuch wurde durch Schwefeln gebleicht (Apul. met. 9,24; vgl. → Walker).

E. Gewerbliche Textilherstellung

Ein großer Teil des textilen Eigenbedarfs der → Familien wurde von Frauen ohne Ansehen ihrer sozialen Stellung allein oder mit Hilfe anderer weiblicher Personen hergestellt (Hom. Od. 1,356–358; Xen. oik. 7,6; 7,36; Verg. georg. 1,293 f.; 1,390 ff.; Suet. Aug. 64,2; 73; Colum. 12 praef. 9). Die T. in den Haushalten konnte nicht immer den gesamten Bedarf der Familien decken; gerade in den größeren Städten war die ärmere Bevölkerung wohl darauf angewiesen, → Kleidung zu kaufen (Dion Chrys. 7,105). In welchem Umfang die Produktion von Textilien gewerbsmäßig betrieben wurde, läßt sich nicht exakt feststellen. Wir wissen nur, daß es im 5. Jh. v. Chr. in Athen und Megara Werkstätten gab, die auf die Herstellung von bestimmten Kleiderformen spezialisiert waren (Xen. mem. 2,7,6; vgl. Aischin. Tim. 97). In Pompeii beherrschten wahrscheinlich die Walker (*fullones*) die T.; die Walkereien (*fullonicae*) waren über das ganze Stadtgebiet verteilt. Die *fullones* traten als Gruppe in der Öffentlichkeit auf; so ließen sie etwa der Eumachia eine Statue in dem von ihr gestifteten Gebäude am Forum errichten (ILS 6368). Es war durchaus möglich, daß einzelne *fullones* in einer Stadt eine geachtete soziale Position erreichten; in Mutina gab ein Walker sogar Spiele (Mart. 3,59; → *munus*). Die Wandbilder der *fullonica* des Verecundus und vom Haus der Vettii in Pompeii geben einen Einblick in die Arbeitsabläufe einer Walkerei. In einzelnen Städten wurde Kleidung für den überregionalen Markt hergestellt (Patavium: Strab. 5,1,7; Tarsos: Dion Chrys. 34,21–23). Im → Edictum [3] Diocletiani (19–28) nehmen Textilien einen weiten Raum ein; die detaillierten Angaben machen deutlich, daß es für Textilien im Imperium Romanum einen weiten → Markt gab und daß für eine differenzierte Nachfrage verschiedene Qualitäten hergestellt wurden. Ein wichtiges Zeugnis der T. der Spätant. ist das Grabmal der Secundinii in Igel an der Mosel (Trier, Rheinisches Landesmuseum).

→ Kleidung; Teppich; Textilkunst; Walker; Wolle

1 M. Aspiris, Ein zyprischer Teller mit der Darstellung eines Webstuhls, in: BJ 196, 1996, 1–10 2 Blümner, Techn. 1, 97–205 3 A. H. M. Jones, The Cloth Industry under the Roman Empire, in: Jones, Economy, 350–364 4 W. O. Moeller, The Wool Trade of Ancient Pompeii, 1976 5 A. Pekridou-Gorecki, Mode im ant. Griechenland, 1989, 13–37 6 H. Schneider, Einführung in die ant. Technikgesch., 1992, 120–129 7 P. Walton Rogers et al., The Roman Textile Industry and Its Influence. FS J. P. Wild, 2001 8 J. P. Wild, Textile Manufacture in the Northern Roman Provinces, 1970 9 Ders., Textiles, in: Strong/Brown, 166–177 10 Ders., The Roman Horizontal Loom, in: AJA 91, 1987, 459–471 11 Zimmer, Katalog 33–46a. A. P.- G.

Textilkunst. Auch wenn die T. zu den ältesten Fertigkeiten der Menschheit gehört, sind originale ant. Reste nur im Ausnahmefall aus klimatisch begünstigten Gebieten erh. (→ Textilherstellung). Ihre Entwicklung muß deshalb überwiegend aus den indirekten Quellen erschlossen werden, d. h. aus unsystematischen Informationen der ant. Lit. und aus den Darstellungen der → Malerei, des → Mosaiks, der Vasenmalerei und der Skulptur [1]. Die Gegenstände der T. sind die → Kleidung (vgl. auch → *barbárōn hyphásmata*, → *toga*, → *trabea* [1], → *tunica*), Wandbehänge und Vorhänge, Bodenbeläge und → Teppiche, schließlich Zelte und andere temporäre Aufbauten. Die Verzierung der Stoffe in Wirktechnik (Einwirken von Wollfäden in einen meist aus Leinen bestehenden Grund), durch Stickerei, Aufnähen oder partielles Einfärben (Reservedruck) benutzte während der gesamten Ant. hindurch die drei gängigen Ornamentsysteme: den flächendeckenden Dekor mit gestreiften oder flächig sich wiederholenden Mustern, den mehrfarbigen Ornamentstreifen oder Einzelmotive wie z. B. Zierstreifen (→ *clavus*), quadratische oder runde Gewandbesätze.

Viele Rapportmuster der minoisch-myk. Wandfresken gehen auf Vorlagen der T. zurück [2]. Aber auch figürliche Darstellungen sind früh ein Thema der T.: → Helene [1] webt einen Mantel mit Kampfszenen (Hom. Il. 3,125). Die archa. Vasenmalerei des 6. Jh. v. Chr. gibt ein lebendiges Bild vom Dekorreichtum der Kleidung der Zeit [3]. Auch die Spuren von Ritzzeichnungen und Reste der farbigen Fassung archa. Skulpturen sind analoge Zeugnisse [4; 5; 6]. Die ältesten originalen Stoffreste Griechenlands sind so gering, daß T. im eigentlichen Sinn nicht feststellbar ist [7; 8. 27].

Der Import vieler wichtiger Fasern und Gewebe aus dem Nahen und Fernen Osten (z. B. → Seide, → Baumwolle, → Lein) brachte es mit sich, daß die T. wie kaum ein anderer Zweig des griech. Kunsthandwerks unter kontinuierlichem Einfluß des Vorderen Orients und bes. Persiens stand. Das Zelt des → Xerxes fiel nach der Schlacht von → Plataiai (479 v. Chr.) in griech. Hände (Hdt. 9,82). Offenkundig ist dieser Einfluß speziell im späten 5. Jh. und im 4. Jh. v. Chr. (→ *barbárōn hyphásmata*). Aus spätklass. und frühhell. Zeit stammen der golddurchwirkte Purpurstoff aus dem Königsgrab von

Vergina (→ Aigai [1]) [9] und eindrucksvolle Stoff-Frg. mit floralem Dekor und reichen Ornamentleisten aus Gräbern der nördl. Schwarzmeerküste [8. 44–51, Abb. 18, 20, 22, 26; 10].

Vom Luxus der T. in späthell. Zeit berichten die Quellen (→ *Coae vestes*), ohne daß materielle Belege faßbar sind. Erst von der frühen röm. Kaiserzeit an sind originale Reste der T. kontinuierlich erh. Bei weitem die meisten stammen aus den Gräbern an den wüstenhaften Rändern des Niltals und der äg. Oasen: intakte und in Frg. erhaltene Kleidung (→ *dalmatica*, → *tunica*), Kissenbezüge und großformatige Wandbehänge verteilen sich über mehrere Jh. bis in frühislamische Zeit. Fast alle Funde stammen aus unkontrollierten Grabungen des späten 19. Jh. und sind in die großen Museen außerhalb Äg.s gelangt [11]. Die Chronologie und Entwicklung blieb deshalb umstritten, und erst die Analogien mit datierten Funden des 1. bis 3. Jh. n. Chr. aus den syrischen Oasen → Dura-Europos und v. a. → Palmyra [12; 13] machen wahrscheinlich, daß auch die T. in Äg. lange vor der »koptischen« Zeit des Landes begann. Die Funde aus kontrollierten Kontexten gewinnen neuerdings an Bed. [13. 1¹; 14]. Figürlich verzierte Wandbehänge sind in Wirktechnik und als Reservedruck erh. [15]. Ihre bevorzugten Themen aus der Myth. und der speziell bacchischen Welt entsprechen der kaiserzeitlichen und spätant. Ikonographie der Wandmalerei und der Mosaiken [16]. Nachdem Seide (auch als Gewebe) lange v. a. aus dem Osten importiert wurde [13. 58–81], entwickelte man im spätant. Äg. eine Webtechnik für die Erzeugung größerer Seidenstoffe mit figürlichen zweifarbigen Musterrapporten in großer Feinheit [17].

→ Teppich; Textilherstellung

1 H. REUSCH, F. VON LORENTZ, s. v. Tessuti, EAA 7, 1966, 762–775 2 H. REUSCH, Die kretisch-mykenische Textilornamentik, 1945 3 P. COLAFRANCESCHI CECCHETTI, G. BECATTI, Decorazione dei costumi nei vasi attici a figure nere, 1972 4 FUCHS/FLOREN, Taf. 6,3; 7,1; 10,4; 21,2; 31,6 5 W. MARTINI, Die archa. Plastik der Griechen, 1990, 50 6 W. BRINKMANN, Die Polychromie der archa. und frühklass. Bildwerke, 2001 7 H. BLOESCH, B. MÜHLETALER, Stoffreste aus spätgeom. Gräbern südl. des Westtores von Eretria, in: AK 10, 1967, 130–132 8 A. PEKRIDOU-GORECKI, Mode im ant. Griechenland, 1989 9 S. DROUGOU, Τὸ ὕφασμα τῆς Βεργίνας. Πρῶτες παρατηρήσεις, in: Amitos. FS M. Andronikos, Bd. 1, 1987, 303–316, Taf. 63–69 10 D. GERZIGER, Eine Decke aus dem sechsten Grab der »Sieben Brüder«, in: AK 18, 1975, 51–55, Taf. 21–23 11 M.-H. RUTSCHOWSCAYA, Coptic Fabrics, 1990 12 R. PFISTER, L. BELLINGER, The Textiles. Dura-Europos, Final Report, 4.2, 1945 13 A. SCHMIDT-COLINET, A. STAUFFER, Die Textilien aus Palmyra, 2000 14 S. SCHRENK (Hrsg.), Textiles in situ (Riggisberger Ber. 11; im Druck) 15 M. FLURY-LEMBERG, Textilkonservierung im Dienste der Forsch., 1988, 358–408 16 W. RAECK, Modernisierte Mythen, 1992, 53–56, Textabb. 6; 84–94, Abb. 61 17 M. FLURY-LEMBERG, Ein spätant. Seidengewebe mit Nilszene, in: Zschr. für Schweizer. Arch. und Kunstgesch. 44, 1987, 9–15. DI. WI.

Textualis, Textura s. Gotische Schrift [2]

Textverbesserung. Wichtiger Bestandteil der Textkritik sind Konjekturen (Verbesserung einer nach Einschätzung des Hrsg. verderbten Stelle durch den Hrsg.). Von keinem bedeutenden lit. Text der Ant. sind → Autographen oder autorisierte → Abschriften erh. Da es unmöglich ist, vollkommen fehlerlose handgeschriebene Kopien zu erstellen, verschlechtert sich der Text beim Vervielfältigen durch → Schreiber zunehmend (→ Textverderbnis). Kritische Leser waren schon seit der Ant. (→ Textgeschichte) und dem MA um die Verbesserung verderbter Texte bemüht; seit der Renaissance wuchs die Zahl der Eingriffe bei offenkundigen Anomalien im Text (Verstoß gegen syntaktische Regeln oder Widerspruch zum üblichen Sprachgebrauch eines Autors), z. B. mittels → Interpolation. Später gefundene → Papyri (meist mindestens ein Jt. älter als zuvor bekannte ma. Hss.) beweisen dabei oft die Richtigkeit der T. (z. B. in Aristoph. Equ. 1070 bestätigt P Oxy 2545 die Konjektur BLAYDES' ἑκάστοθ' ἁς); die Prüfung bisher vernachlässigter ma. Hss. hat dagegen zu geringeren Erfolgen geführt. Alle modernen wiss. Edd. enthalten eine Vielzahl von Konjekturen, die dem mutmaßlichen Wortlaut des Autors entsprechen (sollen). Problematisch ist dabei bisweilen, daß die alten Sprachen oft nicht ausreichend erforscht sind, ant. Autoren Wörter in offenkundig spezieller Bed. gebrauchen, und die richtige Einschätzung des vorliegenden Sprachgebrauchs aufgrund des verlorenen Gesamtbestands nicht mehr möglich ist.

Die Humanisten des 15. Jh. hatten noch geringe griech., dafür umso bessere lat. Sprachkenntnisse, vgl. die Emendationen (Berichtigungen) eines Anon. im Lukrez-Text des Cod. Laur. 35.31. Ein bemerkenswerter Latein-Philologe war HEINSIUS, der oft mehrere Vorschläge für textkritische Probleme bei Ovid anbot [1]. Die Kenntnisse R. BENTLEYS waren in beiden alten Sprachen gleich gut, doch ging sein logischer Zugriff gelegentlich zu weit. Im 19. Jh. wandten v. a. J. N. MADVIG für das Lat. und C. G. COBET für das Griech. die grammatikalischen und synt. Regeln sehr streng an – mit mehr Erfolg (richtiger Text) bei Prosatexten als bei dichterischen Werken. Man beharrte weiterhin darauf, die inhärente logische Präzision der Texte ant. Autoren prinzipiell aufspüren zu können. Diese Methode wurde bes. von A. NAUCK verfochten; kritisiert wurde dagegen BLAYDES (sehr hohe Anzahl von Konjekturen für Sophokles und Aristophanes), dessen Emendationen einer sorgfältigen Unt. kaum standhielten. Eines der bezeichnendsten Exempel von Konjekturalkritik im Griech. bietet J. JACKSON, der jedoch nie eine vollständige Ed. vorlegte [2].

→ Philologie; Schreiber; Textgeschichte; Textverderbnis; PHILOLOGISCHE METHODEN

1 R. J. TARRANT, in: P. HARDIE et al. (Hrsg.), Ovidian Transformations, 1999, 288–300 2 J. JACKSON, Marginalia scaenica, 1955.

L. Havet, Manuel de critique verbale, 1911 · P. Maas,
Textkritik, ³1957 · R. G. M. Nisbet, How Textual
Conjectures Are Made, in: Materiali e discussioni 26, 1991,
65–91 · G. Pasquali, Storia della tradizione e critico del
testo, ²1952 · M. L. West, Textual Criticism and Editorial
Technique, 1973, 53–59.   S. H. u. N. W.

Textverderbnis. Beim Schreiben umfangreicherer
Texte entstehen unweigerlich Fehler – beim Autor
selbst [1] oder beim Kopisten – aus menschlicher Un-
fähigkeit zu längerer Konzentration und Koordination
von Hirn und Hand: Buchstaben werden vertauscht
(Beispiele: [3. 223 ff.; 4. 57–62]), sehr oft neigen die der
Sprache des Textes mächtigen → Schreiber dazu, ein
Wort durch ein anderes zu ersetzen [5; 6] (z. B. Sen.
Phaedr. 919: statt *turpibus* haben Hss. A *turbidus*), seltener
Buchstaben zu vertauschen (z. B. Sen. Herc. f. 1325 hat
Hs. E *turbibus* statt *turbidus*, mit weiterhin lat. bleibender
Endung; s. auch [7. 155–157; 8. 15–29]), ähnliches gilt
für Flexionsendungen im Griech. und Lat. Überliefe-
rungsgeschichtlich von Interesse sind Vertauschungen
von *P* und *C*, die gemeinhin durch die Ähnlichkeit der
Majuskelformen verursacht werden. Das Beispiel des
Cod. Laur. 36,49, ca. 1380 (Prop. 4,11,70 *nupturis* statt
uncturis der anderen Hss.) zeigt aber wohl eher häufig
den Einfluß des Kontextes – entweder inhaltlich (Prop.
4,11 handelt großenteils über die Ehe; *nupta* erscheint V.
36) oder durch formale Assimilierung von Wörtern im
Kontext (z. B. Catull. 62,11: statt *facilis nobis* hat Cod.
Thuaneus *facilis nobilis*) oder aber in semantischer Hinsicht (einige Horaz-Hss. haben bei Hor. carm. 1,4,8 *urit*,
»brennt«, statt *uisit*, »sieht«, nach *ardens*, »brennend«).

Griechisch- oder Lateinkenntnisse können Schreiber
geradezu beeinträchtigen; christl. Termini fließen in ältere Texte ein (schol. Hom. Il. 7,135 wird Ἰάρδανος/
Iárdanos zu Ἰορδάνης/*Iordánēs*; in Prop. 3,15,46 wird
amem, »ich möchte lieben«, zu *amen*).

Nicht nur die ähnliche äußere Form, sondern ein
identisches metr. Schema verleitet zu Ersatzwörtern
(z. B.: daktylische Wörter wie *corpora, praemia, numine,
tempore* passen in den fünften Versfuß eines Hexameters,
iambische Wörter an das Ende eines Pentameters). Häufig sind Anagramme und annähernde Anagramme [10]
(Prop. 3,5,24 *et nigras* wurde zu *integras*), Syn. anstelle des
beabsichtigten Wortes (Verg. georg. 4,361: *species* für *fa-
cies*; 2,406: *agricola* für *rusticus*) oder noch ungenauere
Äquivalente (Ov. fast. 1,207: *consul* für *praetor*), gelegentlich sogar Antonyme [11] (in Eur. Hipp. 966 ed.
Diggle σῶφρον/*sóphron*, »vernünftig«, statt μῶρον/
móron, »töricht«; Soph. Phil. 176 ed. Lachmann θεῶν/
theôn, »der Götter«, statt θνητῶν/*thnētôn*, »der Sterblichen«). Auch (und gerade) metr. passende Substitute
sind verdächtig: frühere Leser haben sich möglicherweise zu (irrtümlichen) Verbesserungen aufgrund von
für sie plausiblen Substitutionen verleiten lassen. Im
Kontext kann auch die Vertauschung von zwei Wörtern
bzw. Endungen begründet sein (zu griech. Beispielen
[12]; Verg. ecl. 4,18 hat in Hs. R *nulla . . . primo* für *prima
. . . nullo*).

In Prosa und Poesie gleichermaßen wird die Wort-
reihenfolge geändert, um sie mit späteren Normen von
Kadenz oder Betonung in Einklang zu bringen (zum
sog. *vitium Byzantinum*, »byz. Fehler«, bei Eur. Hipp.
1315 und 1322 s. [14]). Durch Umstellung ganzer Zeilen, Reim-Paare oder Strophen versuchte man bisweilen, bereits erkannte Fehler zu korrigieren (dieser bewußte Eingriff ist eher → Interpolation zu nennen).
Ursache kann jedoch zunächst ein Auslassungsfehler
wegen phraseologischer oder formaler Ähnlichkeit
zweier benachbarten Passagen sein. Auch wenn verschiedene Hss. manchmal die Verluste in anderen Hss.
wieder berichtigen, ist viel Textmaterial vollkommen
verlorengegangen (die Lücken in Catull. 62 sind ein bekanntes Beispiel für Auslassung bzw. Übergehen). Je
nach Auftreten der Ähnlichkeit am Anfang, in der Mitte
oder am Ende eines Verses spricht man von *homoearchon*,
homoeomeson oder *homoeoteleuton* [10] (vgl. Ov. met. 1,8;
fast. 2,61–4). Bisweilen gleitet gerade der eilige Schreiber von einer Wort- oder Buchstabenfolge zu einer ähnlichen später im Text und läßt alles Dazwischenliegende
weg. Man kann in Prosatexten solche Auslassungen zur
Überl.-Forsch nutzen, wenn die Länge der Auslassung
mit der Zeilenlänge in einer vorhandenen Hs. übereinstimmt [13].

Neben einzelnen falsch gelesenen Buchstaben sind
regelmäßig bestimmte Buchstabensequenzen problematisch (IC in griech. → Majuskel wurde oft als K miß-
deutet). Verwechselt werden gerne aus Grundstrichen
bestehende Buchstabengruppen (bes. bei der → Gotischen Schrift [2]; Ov. trist. 4,3,11 *timui* wird *nimium*;
Prop. 3,10,1 *mane* wird *in acie*). Überdies werden *m* und
n sehr häufig zu einem supralinearen Balken oder einem
Suspensionszeichen reduziert. → Abkürzungen sind ein
Sonderfall: Sie tragen zu T. bei. Numeralia (→ Zahl-
wort) werden in lit. Hss. zwar meist ausgeschrieben,
aber wo Buchstabenäquivalente verwendet werden,
kann es zu Irrtümern kommen. Da der Zahlwert selten
aus dem Kontext hervorgeht, sind Fehler selbst bei un-
ähnlichen Formen möglich.

Entwicklungen der → Aussprache (vgl. → Lautlehre;
→ Sprachwandel) haben oft zu Verwirrungen in der
Schreibung von ω und ο, ε und αι sowie der zahlreichen
Vokalen und Diphthonge geführt, die im byz. Griech.
wie Iota ausgesprochen wurden (ι, ει, η, ηι, οι, υ, υι; vgl.
→ Itazismus). Seltener gebrauchte Buchstaben (z. B. η
und υ) treten an der falschen Stelle und gelegentlich
vervielfacht auf. Solche Einzelheiten sehen Editoren oft
als orthographische Varianten, nicht als tatsächliche
Fehler an. Die Verdoppelung von Konsonanten
schwankt in der griech. und lat. Sprache ständig. Die
Worttrennung bleibt in beiden Sprachen sehr lange zufällig. Es ist wichtig, sich dieser Erscheinungen bewußt
zu sein, da sie andernfalls zu fundamentalen Fehlein-
schätzungen führen. Fehlgeschlagene Verbesserungs-
versuche verursachen ihrerseits weitere Irrtümer in der
Textgestalt.

→ Abschrift; Handschriften; Philologie; Schreiber; Textgeschichte; Textverbesserung; PHILOLOGISCHE METHODEN

1 M.D. REEVE, Errori in autografi, in: P. CHIESA, L. PINELLI (Hrsg.), Gli autografi medievali: problemi paleografici e filologici, 1994, 37–60　2 E. COURTNEY, Musa Lapidaria: A Selection of Latin Verse Inscriptions, 1995, 11–16　3 L.D. REYNOLDS, N.G. WILSON, Scribes and Scholars, ³1991　4 J. WILLIS, Latin Textual Criticism, 1972　5 O. ZWIERLEIN, Kritischer Komm. zu den Trag. Senecas, 1986, 481–500　6 Ders., Prolegomena zu einer kritischen Ausgabe der Trag. Senecas, 1983, 44–46　7 L. HAVET, Manuel de critique verbale appliquée aux textes latins, 1911　8 M.L. WEST, Textual Criticism and Editorial Technique, 1973　9 B.L. ULLMAN, The Manuscripts of Propertius, in: CPh 6, 1911, 282–301　10 A.E. HOUSMAN, Classical Papers, 1972, 3 Bde.　11 W.W. BRIGGS JR., Housman and Polar Errors, in: AJPh 104, 1983, 268–277　12 W.G. ARNOTT, Ezekiel Exagoge 208, in: AJPh 106, 1985, 240–241　13 A.C. CLARK, The Descent of Manuscripts, 1918, 266–280　14 W.S. BARETT (ed.), Euripides, Hippolytos, 1964 (mit Komm.).　　　S.H. u. N.W.

Thabena. Stadt der Africa proconsularis (→ Afrika [3]; Bell. Afr. 77,1 f.) an der Küste oder in Küstennähe an der Grenze des Reichs des Iuba [1], kaum mit → Thenai gleichzusetzen. Im röm. Bürgerkrieg 47/46 v. Chr. standen die Thabenenses auf der Seite → Caesars; 46 erwürgten sie die Besatzung, die Iuba in die Stadt gelegt hatte (Bell. Afr. l.c.).

H. TREIDLER, s.v. Th., RE 5 A, 1178.　　　W.HU.

Thabraca (Θάβρακα). Stadt wohl punischen Ursprungs (vgl. CIL VIII 1, 5206: Imilcho Mytthum[balis]) an der tunesischen Nordküste, 10 km von der h. algerischen Grenze entfernt (Ptol. 4,3,5; Pol. 12,1,4: Τάβρακα; Plin. nat. 5,22; Iuv. 10,194: *Tabraca*); von Bed. als Umschlagplatz für den → Marmor von → Simitthus; h. Tabarka. Inschr.: CIL VIII 1,5198–5208; 2,10837; Suppl. 1, 17329–17391.

AATun 050, Bl. Tabarca; Bl. 7, Nr. 10 · C. LEPELLEY, Les cités de l'Afrique romaine, Bd. 2, 1981, 170f. · M. LONGERSTAY, Nouvelles fouilles à Tabarka, in: Africa 10, 1988, 220–253 · Dies., Un carrefour commercial africain d'importance régionale, in: Bull. du Comité des travaux historiques et scientifiques, Section d'archéologie N.F. 22 (1987–1989), 1992, 141–152.　　　W.HU.

Thagimasades (Θαγιμασάδης, auch Θαγιμασάδας). Verm. Ahnherr und Beschützer der Königsskythen (→ Skythen II.); nur sie verehrten Th. als Pferde- und Wassergottheit, die dem griech. Poseidon gleichgesetzt wurde (Hdt. 4,59).

S.S. BESSONOVA, Religioznye predstavlenija skifov, 1983, 50–53.　　　U.P.

Thaïs (Θαΐς). Berühmte athenische *hetaíra* (→ *hetaírai*), Titelheldin von Komödien des Afranius [4] ([1. 229]), Hipparchos [2] und Menandros [4] (PCG V 107; VI 2,122–127), alle mit Zit. bezeugt. Angeblich Mätresse des Alexandros [4] d. Gr., später des Ptolemaios [1] I., mit dem sie drei Kinder hatte (Athen. 13,576d-e). Laut Kleitarchos [2] war sie bei einem Gelage Anstifterin des Brandes der Königsbauten von → Persepolis, als Rache an → Xerxes (so Plut. Alexandros 38; Diod. 17,72; Curt. 5,7). Nach dem arch. Befund war der Brand geplant (so bei Arr. an. 3,18,11–12), doch mag er auf diese Weise inszeniert worden sein.

1 A. DENIAULT, Comoedia Togata, 1981.

A.B. BOSWORTH, A Historical Commentary on Arrian's History of Alexander 1, 1980, 330–332.　　　E.B.

Thala. Stadt im Inneren Tunesiens, 53 km südl. von → Sicca Veneria, 20 km östl. von → Ammaedara (auch h. Th.). Der numidische Ort wurde stark punisiert; die urspr. punischen Kulte der Caelestis, des Pluton und des Saturnus hielten sich bis in die Spätantike. 20 n. Chr. griffen Anhänger des → Tacfarinas erfolglos eine röm. Einheit in Th. an (Tac. ann. 3,21,2). Im 3. Jh. erhielt Th. verm. den Status eines → *municipium*. Inschr.: CIL VIII 1, 501–576; 2, 10519f.; Suppl. 1, 11668–11730; Suppl. 4, 23280–23352; AE 1905, 35.

Ein anderer Ort Th. lag 20 km östl. von → Capsa (Sall. Iug. 75,1–77,1; 80,1; 89,6; Flor. epit. 3,1).

AATun 100, Bl. 35, Nr. 77 · M. LEGLAY, Saturne africain. Monuments 1, 1961, 299–306 · C. LEPELLEY, Les cités de l'Afrique romaine, Bd. 2, 1981, 315–317 · E. LIPIŃSKI, s.v. Th., DCPP, 446 · H. TREIDLER, s.v. Th. (1), RE 5 A, 1185f.　　　W.HU.

Thalamai (Θαλάμαι).
[1] Messenische Perioiken-Gemeinde (→ Perioikoi; Paus. 3,1,4; 3,26,3) auf der äußeren Mani (→ Taÿgetos) beim h. Svina östl. von Koutiphari. Neolithische und myk. (SH III A-B) Siedlungsspuren sowie Reste des bei Paus. 3,26,1 erwähnten → Inkubations-Orakels der Ino-Pasiphaë (→ Pasiphaë). Das Heiligtum (Plut. Kleomenes 7; Plut. Agesilaos 9; IG V 1, 1312–1326) stand noch z.Z. des Hadrianus unter spartan. Verwaltung. Seit Augustus gehörte Th. dem Bund der → Eleutherolákōnes an (Paus. 3,21,7).

R. HOPE SIMPSON, Mycenaean Greece, 109 · S. GRUNAUER VON HOERSCHELMANN, s.v. T., in: LAUFFER, Griechenland, 657 · G. SHIPLEY, The Other Lakedaimonians, in: M.H. HANSEN (Hrsg.), The Polis as an Urban Centre and as Political Community, 1997, 189–281.

[2] Nicht lokalisierter Ort auf der → Peloponnesos, entweder im Norden von Elis [1] (Pol. 4,75,2ff.; vermutungsweise beim h. Santameri) oder bei Pylos [4] zu suchen (Xen. hell. 7,4,26).

E. MEYER, s.v. Th. (2), RE 5 A, 1193.　　　SA.T.

Thalamos (θάλαμος). Nach älterer arch. Auffassung eine unspezifische Bezeichnung für verschiedene im Innern eines griech. Hauses befindliche Räume (→ Haus); nach neuerer Definition der meist im Obergeschoß des klass. Pastas- oder Prostashauses gelegene, damit auch nach griech. Verständnis unbedingt der Privatsphäre (→ Privatheit und Öffentlichkeit) zugehörige Schlafraum des Hausherren oder das Frauengemach (vgl. Hom. Il. 6,321; Hom. Od. 10,340 u.ö.). Die ant. Terminologie ist undeutlich; *th.* kann auch eine Waffen- oder Schatzkammer (Hom Il. 6,288 ff.; 24,191 u.ö.), das Allerheiligste eines Tempels (vgl. Lukian. De Syria Dea 31), den Raum für die unterste Reihe der Schiffsruderer oder aber den repräsentativen Deckaufbau eines Prunkschiffes bezeichnen.

W. HOEPFNER, E. L. SCHWANDNER, Haus und Stadt im klass. Griechenland, ²1994, Index s. v. Th.   C. HÖ.

Thalassios (Θαλάσσιος).

[1] (Thalassius). *Praefectus praetorio Orientis* 351–353, aus einer Kurialenfamilie (→ *curialis* [2]) des Ostens; über seine Laufbahn ist wenig bekannt, doch war Th. offensichtlich ein loyaler Gefolgsmann des Constantius [2] II.: 345 agierte er in Aquileia als → *comes* des Kaisers; 351 bekleidete er ein hohes Amt an dessen Hof in Cibalae (Zos. 2,48,5); noch im selben Jahr trat Th., der verm. Christ war, die Praetorianerpraefektur des Ostens an (Artemii Passio 12). Sein Amtssitz war Antiocheia [1], wo er den jungen Caesar Constantius [5] Gallus im Auftrag des Kaisers überwachen sollte (Amm. 14,1,10). Th. starb Ende 353 im Amt (Amm. 14,7,9). PLRE 1, 886 Nr. 1.   A. G.

[2] (Thalassius). Höherer Beamter in der 2. H. des 4. Jh. n. Chr., aus Burdigala. Er war 376/7 *vicarius* in Makedonia (Paulinus von Pella, Eucharisticus 26) und 377–378 *proconsul Africae* (Cod. Theod. 11,30,37; 11,36,23–25). 379 kehrte er nach Burdigala zurück (Paulinus, ebd. 42–44). Er starb 406/7 (l.c. 236). Th. war Schwiegersohn des → Ausonius (Symm. epist. 1,25), Paulinus [4] von Pella war einer seiner Söhne (vgl. Paulinus, ebd. 24–37; 48 f.). PLRE 1, 887 f. Nr. 3.   W. P.

[3] 430 n. Chr. als → *comes* (B.) *rerum privatarum* bezeugt, 439 → *praefectus praetorio* (B.) Illyriens; danach für ein hohes Amt im Osten des röm. Reiches vorgesehen, aber in seiner Heimatstadt → Kaisareia zum Bischof erhoben. Kirchenpolit. beweglich: Im Streit um Eutyches [3] (→ Monophysitismus) leitete er 449 eine Synode in Konstantinopel, folgte im gleichen J. in Ephesos dem Dioskoros [1], wurde deshalb zunächst vom Konzil von Chalkedon (451) ausgeschlossen, aber dann rehabilitiert; gest. vor 458. Die Kirchengesch. des Sokrates [9] endet mit Th.' Wahl zum Bischof (Sokr. 7,48,2–5; zu den Gründen s. [1. 275–277]). PLRE 2, 1060.

1 H. LEPPIN, Von Constantin d. Gr. zu Theodosius II., 1996.
H. L.

[4] 1. H. 7. Jh. n. Chr. Abt eines griech. Klosters in der libyschen Wüste. Er gilt als Erneuerer der Mystik des → Euagrios [1] Pontikos und ist bekannt durch seinen Schüler → Maximos [7] Homologetes, den er im gemeinsamen Kampf gegen den → Monotheletismus unterstützte. Erh. ist *De charitate ac continentia* (PG 91, 1428A–1469C).

M. VAN PARYS, Un maître spirituel oublié: Th. de Libye, in: Irénikon 52, 1979, 214 f.   K. SA.

Thaleia (Θάλεια, Θαλία, lat. *Thalia*; zu griech. θάλλειν, »üppig wachsen«, bes. von Obstbäumen; vgl. Diod. 4,7). Th. wird von Hesiod (1) unter den → Musen, (2) den → Nereiden und (3) den → Charites genannt und ist insgesamt dem Bereich »Fruchtbarkeit« zuzuordnen. Die späteren lit. Erwähnungen zeigen bewußte Unschärfe zw. Muse und Charite.

[1] Eine der → Musen (Hes. theog. 77), deren Zuständigkeitsbereich einerseits die Komödie (z. B. Anth. Pal. 9,504; Attribut: komische Theatermaske; »die leichte Muse«, vgl. Th.-Theater, Hamburg), andererseits die lit. Kleinformen sind. In Verg. ecl. 6,2 ist sie eine zarte und gelehrte Muse (*Musa tenuis et docta*, im Sinne von Kallimachos' *Moúsa leptaléē*, fr. 1), die der Muße und den ländlichen Festen nahesteht. Bei Horaz (carm. 4,6) ist sie eine mit *charis* (»Grazie«) ausgezeichnete Camena (→ Musen), die – ledig ihrer Bäuerlichkeit – nun den Festchören der *Roma nobilis* vorsteht [1. 171]. In Ov. trist. 4,10,55 f. steht sie synonym für dessen Liebeselegien (vgl. Ov. ars 1,263 f.; Ov. epist. 15,79–84 u.ö.; [1. 130 f.]). Th. gilt auch als Mutter der Korybanten (Apollod. 1,18) und Geliebte des → Daphnis [1] (schol. Theokr. 8,1).

[2] Eine der → Nereiden (Hes. theog. 245; vgl. Hom. Il. 18,39; Verg. georg. 4,338; Verg. Aen. 5,825).

[3] Eine der → Charites (Hes. theog. 907–912; vgl. Pind. O. 14,13–16; Apollod. 1,13).

[4] Die sizilische → Nymphe Th. ist die Mutter der → Palikoi (Macr. Sat. 5,17,15 ff.; Serv. Aen. 9,581; Aischyl. Aitnaiai, TrGF 3 F 6).

1 M. T. CAMILLONI, Le Muse, 1998.   C. W.

Thalelaios. Rechtsprofessor (*antecessor*) unter Iustinianus [1] I., verm. in Berytos, einer der acht Adressaten der *Const. Omnem* (der mit dem Abschluß der → *Digesta* 533 n. Chr. erlassenen Studienordnung), schrieb eine griech. Paraphrase des → *codex* (II.) *Iustinianus*. Das in den Basiliken und deren Scholien (→ BYZANZ I. B. 3.) überl. Werk vermittelt gute Informationen über den Codexunterricht des Th.

D. SIMON, Aus dem Kodexunterricht des Th., in: ZRG 86, 1969, 334–383; RIDA 16, 1969, 283–308; ZRG 87, 1970, 315–394; RIDA 17, 1970, 273–397 • P. E. PIELER, Rechtslit., in: HUNGER, Literatur 2, 423 f. • A. SCHMINCK, s. v. Th., ODB 3, 1991, 2030.   T. G.

Thales (Θαλῆς). Einer der → Sieben Weisen, Philosoph, Astronom und Mathematiker, angeblich Begründer der sog. → Milesischen Schule, 1. H. 6. Jh. v. Chr. Über Th. gibt es einige Anekdoten, jedoch keine zuverlässigen biographischen Daten. Th. soll Ägypten bereist haben; in welchem Maße sein Wissen auf nahöstlichen Einflüssen beruht, ist unbekannt. Ob Th. seine Theorien schriftlich aufzeichnete, ist in den ant. Quellen umstritten. Die Befürworter nennen drei Werktitel: Ναυτικὴ ἀστρολογία (*Nautikḗ astrología*, ›Nautische Sternkunde‹; in Hexametern), Περὶ τροπῆς (*Perí tropḗs*, ›Über die Sonnenwende‹) und Περὶ ἰσημερίας (*Perí isēmerías*, ›Über die Tag- und Nachtgleiche‹; Diog. Laert. 1,23 = 11 A 1 DK). Hauptquelle für Th.' Philos. ist → Aristoteles [6], wenngleich aus sekundären Quellen schöpfend (verm. doxographischen Kompendien des Hippias [5] aus Elis [1]).

Laut Aristoteles war Th. der Begründer (*archēgós*) der → Naturphilosophie, da er als erster für alles Seiende (ἅπαντα τὰ ὄντα/*hápanta ta ónta*) ein materielles → Prinzip (ἀρχή/*archḗ*) postuliert und mit der Tradition der Göttergenealogien gebrochen habe (Aristot. metaph. 1,3,983b 17–984a 3). Prinzip alles Seienden war für Th. das Wasser (ὕδωρ/*hýdōr*). Unklar ist, ob dies mit der schwächeren Behauptung gleichzusetzen ist, daß alles Seiende aus dem Wasser hervorgegangen ist, oder der stärkeren, daß alles Seiende aus Wasser besteht. Aristoteles vermutet, daß Th.' These von der Beobachtung angeregt wurde, daß alles Leben aus dem Feuchten stammt. Th. habe als erster die Ruhelage der Erde dadurch erklärt, daß sie auf Wasser schwimme – dies aufgrund der Beobachtung, daß feste Gegenstände wie Holz auf Wasser, aber nicht auf Luft ruhen können (Aristot. de caelo 2,13,294a 28–b 1 = 11 A 14 DK). Th. erklärte den → Magneten für beseelt, da er Eisen bewegt. Hieraus schließt Aristoteles folgerichtig, daß Th. die »Seele« (ψυχή/*psychḗ*) als Ursprung der → Bewegung begriff (Aristot. an. 1,2,405a 19–21 = 11 A 22 DK). Ein weiterer Th. zugeschriebener Ausspruch (πάντα πλήρη θεῶν/*pánta plḗrē theṓn*, ›Alles ist voll von Göttern‹, Aristot. an. 1,5,411a 8 = 11 A 22 DK) könnte die Verallgemeinerung der vorigen These sein, sofern er sich auf die unaufhörlichen Bewegungen und Veränderungen im Kosmos bezieht, die ihren Ausgang von unsterblichen Seelen nehmen müssen.

Wegen seiner wiss. Autorität wurden Th. in der Ant. vielerlei Entdeckungen zugeschrieben: Er soll eine Sonnenfinsternis vorausgesagt haben (Hdt. 1,74 = 11 A 5 DK u.a.), wohl die totale → Finsternis vom 28. Mai 585 v. Chr. [2]. Th. kann eine solche Vorhersage relativ lange Zeit vorher gemacht haben, aber die Art der Berechnung muß offen bleiben. Eudemos [3] von Rhodos weist Th. die Datier. von Sonnenwenden zu (Derkylides 198,14 = 11 A 17 DK). Laut Diog. Laert. 1,27 soll Th. die Länge des Sonnenjahrs auf 365 Tage bestimmt haben, als leicht aus der vorigen Berechnung folgt (→ Zeitrechnung).

Th. soll Messungen aufgrund des Verhältnisses zw. ähnlichen Dreiecken vorgenommen haben. So habe er die Entfernung von auf See befindlichen Schiffen berechnet (Prokl. in Eukl. 352,12–15 = 11 A 20) und die Höhe einer → Pyramide aus der Länge ihres Schattens ermittelt (Diog. Laert. 1,27 = 11 A 1 DK u.a.). Proklos weist ihm folgende geom. Sätze zu: Der Durchmesser halbiert den Kreis; in gleichschenkligen Dreiecken sind die Basiswinkel identisch; die Scheitelwinkel zweier sich schneidender Geraden sind gleich. Nach Diog.

Laert. 1,24 = 11 A 1 DK stellte Th. das (üblicherweise als »Satz des Th.« bekannte) Theorem auf, daß der Winkel in einem Halbkreis ein rechter ist. Th. stellte sicher keine formalen Beweise für diese Theoreme auf, sondern demonstrierte sie induktiv und verwendete sie für die Lösung praktischer Probleme.

Th. wirkte auf spätere Philosophen weniger durch seine neuen Erkenntnisse und Theorien, sondern seine allg. Methode, Naturphänomene mit physikalischen Ursachen und nicht unter Rückgriff auf die traditionellen Götter zu erklären. Diesen Ansatz wurde über die → Milesische Schule (Anaximandros und Anaximenes) weitergegeben und in unterschiedliche Richtungen weiterentwickelt.

→ Astronomie C.; Kartographie II.;
Mathematik IV. A.4.; Vorsokratiker; Winkel- und
Kreisteilung; VORSOKRATIKER

1 B. SNELL, Die Nachr. über die Lehren des Th. und die Anfänge der griech. Philos.- und Lit.gesch., in: Philologus 96, 1944, 170–182 2 F. R. STEPHENSON, L. J. FATOOHI, Th.'s Prediction of a Solar Eclipse, in: Journ. for the History of Astronomy 28, 1997, 279–282.

FR.: DIELS/KRANZ 1, 67–81 · J. MANSFELD, Aristotle and Others on Th., in: Mnemosyne 38, 1985, 109–129 · P. O'GRADY, Th. of Miletus, in: The Internet Encyclopedia of Philosophy, 2001. G. BE./Ü: TH. ZI.

Thaletas (Θαλήτας, bei manchen Autoren fälschlich »Thales«: z. B. Paus, 1,14,4; Plut. Lykurgos 4), Chorlyriker des 7. Jh. v. Chr. aus Gortyn (Kreta). Er war in Sparta an verschiedenen musikalischen Reformen in der Generation nach → Terpandros zusammen mit → Xenodamos von Kythera, → Xenokritos von Lokroi und anderen beteiligt (Plut. de musica 9,1134b-c). Wie diese war er Komponist von → Paianen (Plut. l.c.) bzw. von → *hyporchḗmata* (schol. Pind. Pyth. 2,127). Spätere Musiktheorie schrieb ihm die Einführung paionischer und kretischer Rhythmen aus Kreta nach Sparta zu (Plut. de musica 10,1134d). → Polymnestos soll ein Epos über ihn gedichtet haben, da er (mit seinen Paianen?) eine Seuche beendet haben soll (Paus. 1,14,4).

FR.: D. A. CAMPBELL (ed.), Greek Lyric, Bd. 2, 1988, 267, 320–329.
LIT.: L. KÄPPEL, Paian, 1992, 349–351 · I. RUTHERFORD, Pindar's Paeans, 2001, 37. L.K.

Thalia s. Thaleia

Thallo (Θαλλώ). Eine der → Horai, der Töchter des → Zeus und der → Themis (Hes. theog. 901–903; Hes. erg. 74f.). Die Zuordnung der Th. zu den Horai oder zu den → Charites ist umstritten, ebenso Zahl und Namen der Horai (Hyg. fab. 183; Paus. 9,35,1–4; Poll. 8,106).

A. LESKY, s. v. Th., RE 5 A, 1214f. · V. MACHAIRA, s. v. Horai, LIMC 5.1, 502f.; 5.2, 344–368. R. HA.

Thallophoria (θαλλοφορία, »das Zweigtragen«). Bei den → *Panathḗnaia* der durch ausgewählte Greise (Xen.

symp. 4,17,4) vollführte Akt der Darbringung von Zweigen; der Terminus *th.* ist nicht belegt, wohl aber θαλλοφόρος/*thallophóros* (»Zweigträger«; Hesych. s. v.) sowie das Verb θαλλοφορεῖν/*thallophoreín* (Eust. in Hom. Od. 1157,24), was beides sprichwörtlich wurde (Aristoph. Vesp. 542f. mit schol.; Suet. *perí blasphē-mión* 8,10) in der Bed. »nur noch zum Zweigtragen nütze«. Insofern ist die mod. Terminologie [1. 278; 2. 1215] motiviert durch die in zahlreichen Kulten belegte analoge (wenn auch unterschiedlich gehandhabte) Praxis: die → *eiresiṓnē* (ein mit Wollbinden geschmückter Ölbaumzweig) beim Fest des Apollon Patroos, bei den → *Pyanópsia* und den → *Thargélia* (schol. Aristoph. Equ. 729); die *ōschoí* bei den → *Ōschophória* der Athena Skiras; Myrtenzweige im eleusinischen Kult der Demeter; die *thýlla* im Aphrodite-Kult sowie die Zweigdarbringung bei der → Hikesie [1. 278–294]. Auch für den Dionysos-Kult (Plut. mor. 527d), die Verehrung des Apollon Hylates (Paus. 10,32,6), die thebanische → *Daphnēphoría* und das delphische → *Septḗrion* ist diese Praxis bezeugt [2. 1215–1221; 1221 (zu Rom)].

Im ptolem. Alexandreia [1] konnte wegen der Häufigkeit dieses Kultaktes derselbe kaum zur Identifizierung des jeweiligen Festes beitragen (die *Lagynophória* bei Eratosth. FGrH 241 F 16; [1. 285f.]). Zur *dendrophoría*, einem weit verbreiteten (Strab. 10,2,10) Sonderfall der Th., als Kultpraxis vgl. [1. 279].

1 M. BLECH, Studien zum Kranz bei den Griechen, 1982 2 A. TRESP, s. v. th., RE 5 A, 1215–1225. JO. S.

Thalna. Röm. Cognomen wohl etr. Herkunft, → Iuventius [I 5–8].

SCHULZE, 94. K.-L. E.

Thalpios (Θάλπιος). Enkel des Aktor [4], Sohn des → Aktorionen Eurytos und der Theraiphone, neben Amphimachos [2], Diores [1] und Polyxenos [3] Anführer der insgesamt 40 Schiffe der Epeier vor Troia (Hom. Il. 2,618–624; Paus. 5,3,3f.; Dares 14; Diktys 1,17). Th. wird unter den Freiern der Helene [1] (Apollod. 3,129; Hyg. fab. 81) und unter den Besteigern des Troianischen Pferdes (Q. Smyrn. 12,323) genannt, sein Grab liegt in Elis (Aristot. epigramm 36, in [1]).

1 TH. BERGK, Poetae Lyrici Graeci, Bd. 2, ⁴1882. SI. A.

Thalysia (Θαλύσια) hat die Konnotation von »Überfluß« und bezeichnet ein griech. Opfer von Erstlingsfrüchten (*aparchaí*) für → Artemis (so Hom. Il. 9,534). Ein Hinweis auf sein beträchtliches Alter ist der Name *Thalysiádēs* (Hom. Il. 4,458). Später standen die *th.* bes. mit → Demeter in Verbindung (Theokr. Eidyllion 7 spielt am Tag der *th.*). Es gab auch ein »thalysisches« Brot, welches aus den Erstlingsfrüchten hergestellt wurde (Athen. 3,114a), vergleichbar dem *thárgēlos*-Brot (→ *thargélia*). Menandros [12] Rhetor (p. 391 RUSSELL-WILSON) zieht eine Parallele zw. »*aparchaí* von Reden« und *th.* für Demeter und → Dionysos, Nonnos (Dion. 47,493; 48,224) benutzt den Begriff für jedes Erstlings-

opfer sowie als Bezeichnung für eine Demeter-Priesterin (ebd. 12,103; 25,198). → Opfer

W. GÖBER, s. v. Th., RE 5 A, 1230f. · NILSSON, GGR, Bd. 1, 468. J. B./Ü: SU. FI.

Thammuz s. Tammuz

Thamudisch. Bezieht sich nicht nur auf einen frühnordarabischen Dialekt, der in einer abgewandelten altsüdarab. Schrift in Graffiti (6. Jh. v. bis 4. Jh. n. Chr.) auf der ganzen arab. Halbinsel überl. ist, sondern nach neuestem Forsch.-Stand auf diverse Einzeldialekte, d. h. Taymanisch (Früh-Th. A) und Hismaisch (Früh-Th. E) sowie südl. Th. B, C, D. Er läßt sich daher nicht dem arab. Stamm der Θαμυδῖται/*Thamydítai* allein zuordnen. → Altsüdarabisch; Arabisch

1 M. C. A. MACDONALD, Reflections on the Linguistic Map of Pre-Islamic Arabia, in: Arabian Archaeology and Epigraphy 11, 2000, 28–79 2 W. W. MÜLLER, Das Frühnordarab., in: W.-D. FISCHER (Hrsg.), Grundriß der arab. Philol. 1, 1984, 18–20. C. K.

Thamugadi. Stadt der Prov. Numidia (→ Numidae), etwa 20 km östl. von → Lambaesis (Itin. Anton. 34,1; 35,2; 40,7; Tab. Peut. 3,4), h. Timgad. 100 n. Chr. von Munatius [II 4] Gallus als *colonia Marciana Traiana Th.* gegr. (CIL VIII Suppl. 2, 17842f.), wohl die letzte vortitulare *colonia* in → Afrika [3]. Wie die beachtlichen Überreste beweisen, blühte die Stadt rasch auf. Punisch beeinflußte Numidae dürften die Kulte von Caelestis, Saturnus, Aesculapius, Neptunus, Pluton, Hercules und Ceres nach Th. gebracht haben. Für 256 ist ein Bischof bezeugt. E. des 4. Jh. war der Donatist Optatus [4] Bischof der Stadt (Aug. epist. 87,5; 108,5). Inschr.: CIL VIII 1, 2340–2443; 2, 10738–10743; Suppl. 2, 17811–17939; 3, 22313; AE 1977, 863; 1981, 892, 896–899, 901; 1987, 1072; 1989, 875, 882f.; 1992, 1832f.; 1994, 1894–1897.

AAAlg, Bl. 27, Nr. 255 · S. GERMAIN, Les mosaïques de Timgad, 1969 · H. HORSTKOTTE, Das Album von Timgad, in: ZPE 75, 1988, 237–246 · J. LASSUS, La forteresse byzantine de Th., 1981 · P. MORIZOT, Timgad et son territoire, in: Y. LE BOHEC (Hrsg.), L'Afrique, la Gaule, FS M. Le Glay (Collection Latomus 226), 1994, 226–243. W. HU.

Thamyras (Θαμύρας). Name auf fünf Gemmen. Nur die Glaspaste des 18. Jh. an einem Reliquiar der Wiener Schatzkammer ist nachweislich die Kopie einer verschollenen Gemme mit Nereide augusteischer Zeit. Th. wird als Signatur des Gemmenschneiders aus dem Dioskurideskreis (vgl. → Dioskurides [8]) gewertet. Die anderen vier »Signaturen« sind mod. Zufügungen auf ant. Steinen bzw. Bestandteil von Fälschungen, wohl nach dem Wiener Vorbild. → Steinschneidekunst

E. ZWIERLEIN-DIEHL, Th.-Gemmen, in: H.-U. CAIN et al. (Hrsg.), Beitr. zur Ikonographie und Hermeneutik, FS N. Himmelmann, 1989, 425–431, Taf 67 f.   S. MI.

Thamyris

Thamyris (Θάμυρις, auch Θαμύρας/ *Thamýras*). Myth. Sänger aus Thrakien (vgl. → Orpheus), der in menschlicher Selbstüberschätzung die → Musen zum Wettkampf auffordert und natürlich verliert (zum Motiv: → Marsyas [1], → Niobe, → Kapaneus). Zur Strafe nehmen sie ihm die Sangesgabe (wieder) weg und verstümmeln ihn (Hom. Il. 2,594–600, ohne dies genauer zu bestimmen; Hes. cat. 65 spricht von Blendung). Den gleichen Stoff wird Sophokles in seiner Trag. ›Th.‹ (TrGF 4 F 236–245) behandelt haben, in der der Dichter selbst als Schauspieler aufgetreten ist (Soph. test. Ha TrGF 4). Th. soll ein dunkles und ein helles Auge gehabt haben (schol. b Hom. Il. 2,595), und entsprechend war seine Theatermaske gestaltet (Poll. 4,141). Spätere machen ihn zum Erfinder der → Homosexualität (Apollod. 1,16) bzw. der → Päderastie (Suda s. v. Th.; vgl. Orph. test. 77 KERN).

> O. HÖFER, s. v. Th., ROSCHER 5, 464–481 · A. NERCESSIAN, s. v. Th., LIMC 7.1, 902–904.   RE. N.

Thanatos

Thanatos (Θάνατος). Personifikation des → Todes in der griech. Myth. und Kunst, praktisch ohne kultische Bed. Th. ist Sohn der → Nyx (Nacht) und Zwillingsbruder des Hypnos (Schlaf, vgl. → Somnus; Hes. theog. 211 f.; 756 f.; Hom. Il. 14,231), mit dem zusammen er den toten → Sarpedon [1] von Troia nach Lykien transportiert (Hom. Il. 16,453–457; 16,671–683). Diese seit E. des 6. Jh. v. Chr. auf attischen Vasen beliebte Szene wird auch auf das Alltagsleben übertragen, so daß Th. und Hypnos auf att. Lekythoi [1] als Geleiter der Verstorbenen fungieren. Auf der → Kypseloslade waren Th. und Hypnos antithetisch als schlafende Kinder in den Armen der Nyx dargestellt (Paus. 5,18,1). Die ambivalente Natur des Th., der je nach zugrundeliegender Auffassung des Todes als sanfter Erlöser (oft in der Trag.) oder als grausamer, Göttern und Menschen verhaßter Todesbringer (so schon Hes. theog. 758–766) erscheint, spiegelt sich in der Ikonographie, die Th. zunächst wie Hypnos als geflügelten Jüngling darstellt, später jedoch durch Bart, wirres Haar und Hakennase vom jugendlichen Hypnos absetzt und dem Greis → Charon [1] annähert; im Gegensatz zu mod. Vorstellungen trägt er aber keine Insignien des Todes. In volkstümlichen Erzählungen tritt Th. als Scherge des → Hades auf, der von → Herakles [1] (Eur. Alc. 1–76; 837–860; 1140–1142) oder → Sisyphos (Pherekydes FGrH 3 F 119) überwältigt und vorläufig um seine Opfer geprellt wird, dem letztlich aber niemand entkommt. In dieser Rolle ist er nach Phrynichos' [1] Vorbild durch Euripides' ›Alkestis‹ in die europäische Lit. eingegangen. → Mors; Tod

> J. BAŽANT, s. v. Th., LIMC 7.1, 904–908 · E. VERMEULE, Aspects of Death in Early Greek Art and Poetry, 1979, 37–39; 145–151 · C. SOURVINOU-INWOOD, »Reading« Greek Death, 1995, 326–327.   A. A. u. C. W.

Thapsa

Thapsa (Θάψα). Nordafrikanische Hafenstadt (Ps.-Skyl. 111; der ON ist punisch), verm. identisch mit → Rusicade. Evtl. unterschied man im 4. Jh. v. Chr. zw. dem Kap Rusicade und der Siedlung Th.

> AAAlg, Bl. 8, Nr. 196 · H. TREIDLER, s. v. Th., RE 5 A, 1271 f.   W. HU.

Thapsakos

Thapsakos (Θάψακος; lat. *Thapsacus*). Stadt in Syrien, am Westufer des Euphrates [2] gelegen, wichtiger Flußhafen und Euphratübergang (semitisch *tiphsah*, »Übergang, Furt«), zuerst in 1 Kg 5,4 als (fiktiver) Grenzort im NO des Reiches Salomos genannt. In Th. überschritt → Kyros [3] d. J. den Euphrat (Xen. an. 1,4,11 und 17 f.), wenig später kam → Konon [1] als Nauarch nach Th., das 20 Tagesreisen von der Kilikischen Pforte (→ Kilikische Tore [1]) entfernt liegt (Diod. 14,21,5), von wo aus der Fluß schiffbar ist (Diod. 14,81,4). Nach der Schlacht bei Issos 333 v. Chr. floh Dareios [3] hier über den Strom (Arr. an. 2,13,1); Alexandros [4] folgte ihm 331 v. Chr. auf zwei Schiffsbrücken (Arr. an. 3,6,4) und ließ kurz vor seinem Tode in Th. Vorbereitungen für den Bau einer Flotte treffen (Arr. an. 7,19,3; Plut. Alexandros 68; Curt. 10,1,19). Später wird Th. – wohl wegen eines Namenswechsels – nicht mehr erwähnt. Th. wurde an verschiedenen Stellen am Euphrat lokalisiert (Vorschläge bei [1. 1278–1280]), ist aber höchstwahrscheinlich bei Qalʿat Naǧm, ca. 20 km östl. von Manbiǧ zu suchen [2].

> 1 E. HONIGMANN, s. v. Th., RE 5 A, 1272–1280
> 2 O. LENDLE, Wo lag Th.?, in: H. BÜSING et al. (Hrsg.), Bathron. FS H. Drerup, 1988, 301–305.   W. R.

Thapsos

Thapsos (Θάψος).

[1] Flache, sandige (Serv. Aen. 3,688) Landzunge, an der Ostküste von → Sicilia, nw von → Syrakusai, über einen Isthmos von ca. 100 m mit dem Festland verbunden (Thuk. 6,97,1), h. Penisola di Magnisi. Um 730 v. Chr. ließ sich → Lamis aus Megara [2], nachdem er → Trotilon aufgegeben hatte und aus → Leontinoi verdrängt worden war, auf Th. nieder; nach seinem Tod verließen seine Begleiter Th., um sich in Megara [3] Hyblaia 7 km nördl. eine neue Heimat zu schaffen (Thuk. 6,4,1). Es gab auf Th. vom 15. bis zum 9. Jh. v. Chr. ein → *empórion* (»Handelshafen«). Erh. sind Funde myk. Keramik (SH IIIA/IIIB), Br.-Arbeiten aus Melite [7] und Kypros [1]. Wegen der geogr. Ungunst von Th. – die Halbinsel wurde bei stürmischem Wetter immer wieder überspült – entstand hier kein selbständiges Gemeinwesen mehr.

> E. MANNI, Geografia fisica e politica della Sicilia antica, 1981, 235.   GI. F. u. E. O.

[2] (pun. *Tpsr*, h. Ras Dimasse). Eine evtl. phoinikische, eher wohl punische Siedlung sö von → Leptis Minor in der Byzacena (→ Afrika [3]; Ps.-Skyl. 110; vgl. Liv. 33,48,1 f.; Strab. 17,3,12). 310 v. Chr. von Agathokles [2] bei dessen Afrika-Expedition erobert (Diod. 20,17,6); 149 v. Chr. im dritten → Punischen Krieg von den röm. Invasoren auf ihre Seite gezogen (App. Lib. 94,446) und 146 in den Status eines *populus liber* (»freien Volks«) befördert (*lex agraria*, Z. 79; vgl. Plin. nat. 5,25). Bei Th. schlug → Caesar 46 v. Chr. die Pompeianer und Iuba [1] (Bell. Afr. 79–86; Plut. Cato minor 58,13; Plut. Caesar 53; Cass. Dio 43,7,1–9,3). In der Kaiserzeit erlebte Th. eine bes. Blüte. Bei Th. wurde eine ausgedehnte pun. Nekropole gefunden. Inschr.: CIL VIII Suppl. 4, 22897; AE 1989, 893.

AATun 050, Bl. 66, Nr. 75–78 · H. BEN YOUNÈS, La présence punique au Sahel, Diss. Tunis 1981, 208–251 · S. LANCEL, E. LIPIŃSKI, s. v. Thapsus, DCPP, 447. W. HU.

Thargelia (θαργήλια, auch *Targelia*). Das mit → Apollon verbundene Hauptfest am 6./7. (Geburtstag von Artemis bzw. Apollon) des attisch-ionischen Monats *Thargeliṓn* (später April bis später Mai). Die Etym. ist unbekannt; in der Ant. wurde der Name mit einem Eintopfgericht verbunden, dem *thárgēlos* (z. B. Phot. ψ 22), der aus den dem Gott geopferten Erstlingsfrüchten bestand. Die Wichtigkeit des Festes zeigt sich auch in seiner onomastischen Produktivität (vgl. z. B. die milesische Kurtisane Th.: Hippias FGrH 6 F 3; überhaupt war das Fest in → Miletos [2] von großer Bed.: Parthenios 9,5), u. a. auch an Apollons Epitheton *Thargḗlios*, das er in der milesischen Kolonie → Olbia [1] trug (SEG 30,977a). Am ersten Tag der Th. wurden die Austreibung des → *pharmakós* [2] und die Siege über Troianer (Damastes FGrH 5 F 7; Hellanikos FGrH 4 F 152a) und Perser gefeiert (Ail. var. 2,25). Am zweiten Tag wurde ein Opfer von Erstlingsfrüchten dargebracht, die → *eiresiṓnē* (eine Art Maibaum) umhergetragen und Wettbewerbe im Chorsingen von Männern und Knaben durchgeführt: Bevor die neue Ernte gefeiert werden konnte, mußte die Stadt von allem Übel gereinigt werden.
→ Pharmakos [2]; Sündenbockrituale

V. GEBHARD, s. v. Th., RE 5 A, 1287–1304 · J. BREMMER, Scapegoat Rituals in Classical Greece, in: R. BUXTON (Hrsg.), Oxford Readings in Greek Rel., 2000, 271–293. J. B./Ü: SU. FI.

Tharros (Θάρρος; lat. *Tharrus*). Phöniz. Niederlassung (kurz vor bzw. um 700 v. Chr. gegr.) an der Westküste Sardiniens auf der den Golf von Oristano nach Westen abschließenden Halbinsel Sinis, zw. zwei indigennuraghischen Siedlungen; Orient-Kontakte sind seit dem 2. Jt. v. Chr. belegt. Reiche Funde aus den Nekropolen (Goldschmuck) und dem Tophet (Votivstelen) aus lokalen Werkstätten bezeugen die hohe wirtschaftliche Blüte des Ortes seit dem 7./6. Jh., auch unter der Herrschaft → Karthagos. Die phöniz.-pun. Bauten des ausgedehnten Ruinenfeldes (Befestigungsmauern, 5. Jh. v. Chr.; Naïskos) sind z. T. röm. überformt.
→ Kolonisation; Phönizier, Punier; Sardinia (mit Karte)

R. D. BARNETT, C. MENDLESON, Th. A Catalogue of Material in the British Museum, Sardinia, 1987 · M. L. UBERTI, s. v. Th., DCPP, 447–449 · M. T. FRANCISI

et al., Th. 25. La Campagna del 1998, in: Riv. di Studi Fenici 28, 2000, 129–215. H. G. N.

Tharyps (Θάρυψ). Der 429 v. Chr. als unter der Vormundschaft eines Sabylinthos stehend genannte Th. (Thuk. 2,80,6) ist der erste für uns histor. zweifelsfrei faßbare König der → Molossoi. Nach Plut. Pyrrhos 1,4 machte er sich als erster molossischer Herrscher dadurch einen Namen, daß er die Städte mit griech. Sitten, Bildung und milden Gesetzen ausstattete; nach Iust. 17,3,9–13 war er in Athen erzogen worden und stiftete als erster Gesetze, eine Ratsversammlung, jährlich wechselnde Ämter und eine *rei publicae forma* (»staatliche Struktur«). Demnach dürfte unter ihm der monarchisch geführte Bundesstaat konstituiert worden sein. Th., der auch das athenische Bürgerrecht erhielt (Syll.³ 228), regierte wohl bis ca. 390 oder 385.

S. FUNKE, Aiakidenmythos und epeirotisches Königtum, 2000, 119–142. M. Z.

Thasos (Θάσος).
I. GEOGRAPHIE II. ARCHAISCHE ZEIT
III. KLASSISCHE ZEIT IV. HELLENISTISCHE ZEIT
V. RÖMISCHE ZEIT

I. GEOGRAPHIE
Insel in der nördl. Ägäis (→ Aigaion Pelagos); 398 km², bis zu 1203 m hoch, 10 km ssw der Mündung des Nestos [1], durch eine ca. 7 km breite Meerenge vom maked. Festland getrennt, ohne tiefer eingeschnittene Buchten; überwiegend Marmor mit eingelagerten Gneisen und Glimmerschiefern, vereinzelt Granit (NO, SW); aufgrund reicher Wasservorkommen üppige Vegetation (u. a. Kiefern, Eichen, Kastanien).

II. ARCHAISCHE ZEIT
Name wohl vorgriech.; spätneolith. Siedlungsspuren. Von thrak. Sapaioi oder → Saioi bewohnt (entsprechende PN noch auf Inschr. klass. Zeit). Anf. des 7. Jh. v. Chr. erfolgte die → Kolonisation durch → Paros; unter den ersten Siedlern war auch der Dichter → Archilochos. Der im Hell. monumental ausgebaute Hauptort der Insel, gleichfalls Th., lag an der Nordküste beim h. Limenas. Eine 4 km lange Stadtmauer, die auch die Akropolis (Heiligtümer des Pan, der Athena Poliuchos, des Apollon Pythios) und den Kriegshafen einschloß, wurde erstmalig im 7. (oder Anf. 6.) Jh. v. Chr. errichtet, in der Folge mehrfach zerstört und restauriert. Verschiedene Tore waren mit Reliefs und metr. Inschr. versehen. Östl. des Kriegshafens befand sich der Handelshafen. In der Stadt wurden im Laufe der Jh. neben verschiedenen öffentlichen Bauten mehrere Heiligtümer errichtet (für Artemis, Dionysos, Herakles, Poseidon, nach 380 v. Chr. zentral für Zeus Agoraios). Infolge reicher Bodenschätze gewann Th. schon früh bes. Bed.: neben dem für Bauvorhaben geschätzten → Marmor (Plin. nat. 36,44; Vitr. 10,2,15; Stat. silv. 1,5,34; 2,2,92) gab es Kupfererze, Silber und Gold, das bereits von → Phöniziern gewonnen wurde (Hdt. 6,47; vgl.

auch Hdt. 2,44; Paus. 5,25,12). Im 7. Jh. v. Chr. begann die Kolonisation des Th. gegenüberliegenden thrak. Küstenstreifens (→ *peraía*) zw. Nestos [1] und → Strymon (Hdt. 7,108,3–109,2; Skyl. 67) mit Gründung von Galepsos [1], Neapolis [1], Oisyme und Pistyros; die hier erzielten Einkünfte ließen Th. zur wohlhabenden Wirtschaftsmacht werden: Beziehungen bestanden bis nach Syria, Äg. und Unteritalien.

III. KLASSISCHE ZEIT

494 v. Chr. wurde die Stadt vergeblich durch → Histiaios [1] belagert; Ausbau der Befestigungsmauer (Hdt. 6,28,1; 6,46,2). Nach der Besetzung Thrakiens 492 v. Chr. durch → Mardonios [1] erfolgte die Unterwerfung von Th. unter pers. Oberhoheit, dabei Schleifung der Mauern (→ Perserkriege [1] C.). 480 v. Chr. Versorgung des pers. Heeres; 477 v. Chr. wurde Th. Mitglied im → Attisch-Delischen Seebund mit 30 Schiffen. Wirtschaftliche Interessenkonflikte bes. in Äg. und der *peraía* führten 466/5 v. Chr. zum Aufstand gegen Athen, der nach dreijähriger Belagerung der Stadt 463/2 v. Chr. niedergeschlagen wurde. Folgen waren die abermalige Schleifung der Mauern, Auslieferung von Flotte und *peraía*, drei Talente Tribut (vgl. ATL 1, 282f.; nach Rückgabe der *peraía* 446 v. Chr.: 30 Talente). 411 v. Chr. wurde eine Oligarchie errichtet (Thuk. 8,64), und es erfolgte der polit. Anschluß an Sparta in Auseinandersetzungen mit pro-athen. Demokraten, die von Neapolis [1] aus agierten. Flotte und Stadtmauern wurden wieder aufgebaut. 408/7 v. Chr. wurde Th. durch → Thrasybulos [3] für Athen zurückgewonnen (Xen. hell. 1,4,9; Diod. 13,72,1). Nach der Niederlage Athens 404 v. Chr. (→ Peloponnesischer Krieg) wurden Strafmaßnahmen unter Lysandros [1] verhängt (Xen. hell. 2,2,5): spartan. Besatzung und polit. Kontrolle, aber Aussöhnung mit dem pro-athen. Neapolis auf Vermittlung von Paros. 389/8 v. Chr. erneute Anlehnung an Athen (Demosth. or. 20,59; Aristeid. Panathenaikos 112,2); seit 375 v. Chr. Mitglied des 2. → Attischen Seebundes.

IV. HELLENISTISCHE ZEIT

Trotz der Eroberung der Insel durch Philippos [4] II. (340/39 v. Chr.), nachdem Th. Schiffen aus → Byzantion Zuflucht gewährt hatte (Demosth. or. 18,197), war Th. autonomes Mitglied des → Korinthischen Bundes (Syll.³ 260 b 5). Nach der Eroberung durch Philippos [7] V. (202 v. Chr.) bis 196 unter maked. Herrschaft, danach auf röm. Initiative hin unabhängig. Die 168 v. Chr. erfolgte Schließung der maked. Minen bewirkte wirtschaftliche Stärkung und umfangreiche Mz.-Prägung: Zurückdrängung des bisher auf dem Balkan vorherrschenden maked. Geldes; bedeutender Handel mit NO-Europa.

V. RÖMISCHE ZEIT

88 v. Chr. verweigerte Th. → Mithradates [6] VI. die Unterstützung im Kampf gegen Rom; wegen dieser loyalen Haltung erfolgte 80 v. Chr. ein röm. Senatsbeschluß mit Bestätigung der → *amicitia*; Th. wurden → Skiathos und → Peparethos zugewiesen. Im röm.

Bürgerkrieg war Th. 42 v. Chr. Verpflegungsbasis der Truppen von Iunius [I 10] Brutus und Cassius [I 10] (App. civ. 4,106f.; 4,109; Plut. Brutus 38); deswegen wurde Th. von Antonius [I 9] eingenommen (App. civ. 4,136): Verlust von Skiathos und Peparethos an Athen, doch Erhalt der Unabhängigkeit. Der ungebrochene Wohlstand der Insel auch während der röm. Kaiserzeit zeigte sich in der Stadt Th. in einer bis zum 3. Jh. n. Chr. andauernden Bautätigkeit: röm. Viertel im SO der Agora, unter Hadrianus ein Odeion und eine größere *villa*, um 215 n. Chr. Aufstellung eines (unvollendet gebliebenen) Ehrenbogens. Mz.-Prägung bis Anf. des 3. Jh. Seit Mitte des 4. Jh. frühchristl. Bistum (wohl bis zum frühen 7. Jh.), Kirchenbauten (Akakios-Basilika). Aus Th. stammten der Athlet und Politiker Theogenes [1], der Maler → Polygnotos [1], der Dichter → Hegemon [1], der Literat → Stesimbrotos, der Geograph Androsthenes und der Epigrammatiker → Zosimos. Th. war für seinen Wein berühmt, der zw. dem Schwarzen Meer, dem Vorderen Orient und Sicilia gehandelt wurde (Amphorenfunde; Aristoph. Eccl. 1119; Aristoph. Plut. 1021; Aristoph. Lys. 196; Demosth. or. 35,35; Xen. symp. 4,41; Plin. nat. 14,39; 74; 117).

Inschr.: IG IV I², 94b; 31; 51–55; XII 8, 261–630a; Suppl. XII 347–515; SEG 2, 505–508; 3,756f.; 18, 338–382; 29, 763–792; 31, 755–802; 38, 851–61; vgl. [1]. Mz.: HN 217; 263ff.; vgl. [2].

→ Bergbau

1 P. CHARNEUX, Liste argienne de Théarodoques, in: BCH 90, 1966, 156–239, hier 157 II 20; 227–229 2 G. LE RIDER, Trésor de monnaies trouvé à Th., in: BCH 80, 1956, 1–19.

CH. PICARD (Hrsg.), Études thasiennes, 1944ff. (bisher 15 Bde.) · D. I. LAZARIDES, Th. and Its Peraia, 1971 · Thasiaca (BCH Suppl. 5), 1979 · A. E. BAKALOPULOS, Ἱστορία τῆς Θάσου, 1984 · Guide de Th. (École Française d'Athènes, Sites et monuments), 1987 · Y. GARLAN, Vin et amphores de Th., 1988 · G. WAGNER, Ant. Edel- und Buntmetallgewinnung auf Th., 1988 · W. GÜNTHER, s. v. Th., in: LAUFFER, Griechenland, 657–662 · H. WEINGARTNER, Die Insel Th., 1994 · J. KODER, Aigaion Pelagos (TIB 10), 1998, 291–293.   A. KÜ.

Thaulon s. Buphonia

Thaumakie (Θαυμακίη). Eine der Städte in Magnesia [1], die unter dem Anführer → Philoktetes mit insgesamt sieben Schiffen vor Troia vertreten sind, heute nicht lokalisiert (Hom. Il. 2,716–719; Strab. 9,5,16; Plin. nat. 4,32; vgl. Steph. Byz., s. v. Θαυμακία).   SI.A.

Thaumakoi (Θαυμακοί). Stadt in Achaia → Phthiotis am Nordhang des → Othrys, an einem der wichtigsten Zugänge nach Thessalia. Mauerreste und Keramikfunde deuten auf eine Entstehung im 4. Jh. v. Chr., die ersten lit. Quellen beziehen sich auf Ereignisse des 3. Jh. v. Chr., als Th. zum Aitolischen Bund gehörte. In den mil. Auseinandersetzungen kurz nach 200 v. Chr. zw. Römern, → Aitoloi und Philippos [7] V. wird Th.

mehrfach genannt (Liv. 32,4,1–7; 32,4,13; 36,14,12–14). 189 v. Chr. kam Th. zu Thessalia. Zahlreiche Inschr. der Folgezeit, u. a. ein Meilenstein von 283 n. Chr. (IG IX 2, 222), die byz. Mörtelmauer um die Akropolis, Belege für Th. als Bischofssitz im MA und der h. Name Domoko bezeugen die Siedlungskontinuität des Ortes.

G. DAUX, P. DE LA COSTE-MESSELIÈRE, De Malide en Thessalie, in: BCH 48, 1924, 343–376 • F. STÄHLIN, s. v. Th., RE 5 A, 1331–1337 • TIB 1, 148 • H. KRAMOLISCH, s. v. Domokos, in: LAUFFER, Griechenland, 200. HE. KR.

Thaumas (Θαύμας). Sohn des → Pontos [1] und der → Gaia (der → Tethys: Orph. fr. 117), Bruder von → Nereus, → Phorkys [1], → Keto und Eurybie (Hes. theog. 237f.; Apollod. 1,10); durch → Elektra [1] (Ozomene: Hyg. fab. 14,18) Vater der → Harpyien und der → Iris [1] (Hes. theog. 265–267; 780; Verg. Aen. 9,5; Ov. met. 4,480 u. ö.; zur Deutung der Genealogie: Plat. Tht. 155d; Cic. nat. deor. 3,20,51). Th. wird auch als Vater des Flusses → Hydaspes (Nonn. Dion. 26,358–365) und der Arke (Ptol. Chennos 6,6, p. 39 CHATZIS) erwähnt. SI. A.

Thaumatopoios, Thaumaturgos
s. Unterhaltungskünstler

Theadelpheia (Θεαδέλφεια). Dorf im → Fajum südl. des Karunsees nahe beim h. (Baṭn) Ihrīt, unter Ptolemaios [3] II. um die Mitte des 3. Jh. v. Chr. gegr. und durch zahlreiche Pap.-Funde bekannt. Hauptgottheit war der unter dem Namen Pnepheros verehrte Krokodilgott.

1 A. CALDERINI, Dizionario, Bd. 2, 1977, 240–248; Suppl. 1, 1988, 135f.; Suppl. 2, 1996, 66 2 E. BERNAND, Recueil des inscriptions grecques du Fayoum, Bd. 2, 1981, 1–86. K. J.-W.

Theagenes (Θεαγένης).
[1] Tyrann von Megara [2] im letzten Viertel des 7. Jh. v. Chr; entstammte wahrscheinlich einer adligen Familie und pflegte adlige → Gastfreundschaften in ganz Griechenland. Nach späterer Trad. soll er bei seiner Machtergreifung das Vertrauen des Volkes im Kampf gegen die Grundbesitzer der Stadt gewonnen (durch Hinschlachten der Herden: Aristot. pol. 5,1305a 21–26) und eine Leibgarde von der Volksversammlung zuerkannt bekommen haben (Aristot. rhet. 1,1357b 30–33). Wahrscheinlicher ist, daß er mit adligen Freunden und Verbündeten einen Machtkampf in Megara für sich entschied. Er verheiratete seine Tochter mit → Kylon [1] von Athen, gewährte diesem bei seinen Machtaspirationen mil. Beistand und nach deren Scheitern auch Asyl (Thuk. 1,126,3; Paus. 1,28,1; 1,40,1). In Megara war er in späterer Zeit berühmt für den Bau einer → Wasserleitung und eines Brunnenhauses im Norden der Agora (Paus. 1,40,1; 1,41,2). Seine Tyrannis wurde nach späterer Überl. von den Megarern beendet, d. h. wohl durch andere nach Macht strebende Aristokraten und

deren → hetaíroi (Aristot. pol. 5,1304b 34–38; Plut. mor. 295cd).

H. BERVE, Die Tyrannis bei den Griechen, Bd. 1, 1967, 33f., 536 • R. P. LEGON, Megara, 1981 • L. DE LIBERO, Die archa. Tyrannis, 1996, 225–230. B. P.

[2] Th. aus Rhegion, 6. Jh. v. Chr., griech. Gelehrter (oder → Rhapsode?) und Verf. einer Abh. über → Homeros [1] (Tatianos 31,31,16 SCHWARZ = 8 fr. 1 DK; Porph. Quaestiones Homericae 1,240,14 SCHRADER = 8 fr. 2 DK; vgl. Suda θ 81 s. v. Θεαγένους χρήματα = 8 fr. 4 DK). Neben Realienkunde (Homers Herkunft und Lebenszeit) behandelte Th. darin wohl auch textkritische und interpretatorische Probleme. Th. soll die allegorische Auslegung Homers begründet haben (Porph. l. c.; → Allegorese). Die Ant. sah in Th. wegen seiner philol. Homer-Studien den Begründer der → Philologie (grammatikế téchnē), definiert als Kunde des εὖ γράφειν (eu gráphein, »schön schreiben«) und darüber hinaus der Sprachrichtigkeit (schol. Dionysios Thrax, Ars grammatica, GG I 3, 164,23–29 und 448,12–16 = 8 fr. 1a DK).

→ Allegorese; Philologie; Grammatik

ED.: 1 DIELS/KRANZ, p. 51–52 (Nr. 8).
LIT.: 2 W. BERNARD, Spätant. Dichtungstheorien, 1990, 76–78 3 R. LAQUEUR, s. v. Th. (9), RE 5 A 2, 1347 4 PFEIFFER, KPI, 25–28 5 N. RICHARDSON, La lecture d'Homère par les Anciens, in: Lalies 10, 1992, 293–327 6 G. M. RISPOLI, Teagene o dell'allegoria, in: Vichiana 9, 1980, 243–257 7 G. ROCCA-SERRA, Naissance de l'exégèse allégorique et naissance de la raison, in: J.-F. MATTÉI (Hrsg.), La naissance de la raison en Grèce, 1990, 77–82 8 F. WEHRLI, Zur Gesch. der allegorischen Deutung Homers im Alt., Diss. Basel 1928, 89–91. ST. MA.

[3] Thebaner, Feldherr in der Schlacht von → Chaironeia (338 v. Chr.) und letzter Anführer der berühmten thebanischen → Phalanx (»Heilige Schar«; Deinarch. 1,74; Plut. Alexander 12.; Plut. mor. 259d; 260c).
HA. BE.

[4] Th. aus Knidos. Griech. Grammatiker, dessen Wirken laut Philostratos [5] in die 1. H. 2. Jh. n. Chr. fiel; Th. zählte neben → Munatios zu den Lehrern des → Herodes [16] Atticus (Philostr. soph. 2,1,14). Seine weitere philol.-gramm. Tätigkeit ist unbekannt; Schriften oder auch Spuren davon sind nicht erh. Die auf Galenos (Methodus medendi 13,15 = 10, 909f. KÜHN) beruhende Ansicht, Th. sei mit dem Kyniker Th. [5] identisch [1], ist nicht haltbar.

1 C. L. KAYSER (ed.), Flavii Philostrati Vitae sophistarum, 1838, 312 2 W. STEGEMANN, s. v. Th. (12), RE 5 A, 1349. ST. MA.

[5] Th. von Patras, Kyniker des 2. Jh. n. Chr., Schüler des → Peregrinos Proteus. Th. verglich seinen Lehrer in einer überschwenglichen Lobrede mit den indischen → Gymnosophisten und rühmte bes. seinen Feuertod. Lukianos kritisiert Th. und den gesamten → Kynismus in seinem ›Ende des Peregrinos‹. Laut Galenos (Methodus medendi 13,15 = 10, 909–910 KÜHN), erteilte Th. jeden Tag auf dem Traiansforum in Rom öffentlich Unterricht und starb an einer Leberentzündung, die der Arzt Attalos, Schüler des berühmten Soranos von Ephesos, falsch behandelt hatte. Eine Gleichsetzung mit dem gleichnamigen Philosophen, der laut Lukian. Kataplus 6 aus unglücklicher Liebe zur »Kurtisane von Megara« gestorben sei, scheidet daher verm. aus [1].

1 J. BERNAYS, Lukian und die Kyniker, 1879, 90.

M. G.-C./Ü: B. v. R.

[6] Reicher Athener vornehmer Herkunft. Anscheinend nichtchristlich, galt er als Förderer der Philosophenschulen. 450 n. Chr. wohl *árchōn*, stieg er auch im Reichsdienst auf, wurde Mitglied des Senats, wohl auch Patrizier und evtl. *praefectus praetorio* von Illyrien. Ein klass. Traditionen hervorhebendes Enkomion auf ihn – vielleicht von → Pamprepios – ist fr. erhalten. PLRE 2, 1063 f.; TRAILL, PAA 501540.   H. L.

[7] Griech. Historiker unbestimmter Zeit und Herkunft, Verf. einer maked. Gesch. (*Makedoniká pátria*). Die 15 erh. Fr. sind alle im geogr. Lexikon des Stephanos [7] von Byzanz überl. und geben ausschließlich Namen bzw. Aitia (→ Aitiologie) von Orten: Sie vermitteln daher ein höchst einseitiges Bild. FGrH 774.

K. MEI.

Theages (Θεάγης). Pseudepigraphischer Autor einer pythagoreisierenden Schrift Περὶ ἀρετῆς (*Perí aretḗs*, ›Über die Tugend‹, zwei Frg. bei Stob. 3,76–81 und 81–84 HENSE), 1. Jh. v. / 2. Jh. n. Chr. Einen Th. erwähnt Iambl. v. P. 257 und 261 (auf der Grundlage von Apollonios [14] von Tyana), jedoch nicht als Pythagoreer, sondern als Mitglied der Tausend von → Kroton, der sich an der demokratischen Revolution gegen die Pythagoreer beteiligte, obgleich er diesen nahestand (ebd. 255). Er fehlt auch in Iamblichos' Pythagoreerkatalog. Die beiden erh. Frg. sind stark von peripatetischer Moralpsychologie geprägt, aber nicht orthodox aristotelisch; das pythagoreische Element besteht rein oberflächlich in der Betonung der zu erstrebenden Harmonie der → Seele.
→ Pythagoreische Pseudepigraphen; Pythagoreische Schule C.   M. FR.

Theaidetos (Θεαίδητος) aus Rhodos, Vater des → Astymedes [1. 155²], bedeutender, gemäßigt romfreundlicher Staatsmann [2. 185, 188], der 189 v. Chr. mit Philophron bei Cn. → Manlius [I 24] Vulso für den Friedensvertrag zu Apameia [2] (→ Antiochos [5] III.) u. a. die Zuteilung Lykiens (→ Lykioi) an Rhodos erreicht hatte (Pol. 22,5,2; [1. 85; 3. 182]). Th. reiste im Frühjahr 167 ca. 80jährig als Nauarch nach Rom, um ein neues Bündnis zu bewerkstelligen, verstarb aber dort (Pol. 30,5,1–10; 30,21 f.; Liv. 45,25,7–10; [1. 139, 155–158; 4. 200–202]).

1 H. H. SCHMITT, Rom und Rhodos, 1957 2 J. DEININGER, Der polit. Widerstand gegen Rom in Griechenland, 1971 3 F. W. WALBANK, A Historical Commentary on Polybius, Bd. 3, 1979 4 R. M. BERTHOLD, Rhodes in the Hellenistic Age, 1984.   L.-M. G.

Theaitetos (Θεαίτητος).
[1] Mathematiker aus Athen, Schüler des → Theodoros [2] von Kyrene und später Mitglied von Platons Akademie (→ *Akadḗmeia*). In Platons [1] nach ihm benanntem Dialog tritt Th. im J. 399 v. Chr. als etwa Fünfzehnjähriger zusammen mit dem greisen Theodoros [2] auf; er ist also um 414 geboren. Platon beschreibt ihn als sanftmütig, tapfer und von müheloser Auffassungsgabe. Th. starb 369 an den Folgen einer Epidemie, nachdem er in der Schlacht von Korinth verwundet worden war.

Th. hat wesentliche Beiträge zur Lehre von den Irrationalitäten geleistet, indem er sich mit Größen beschäftigte, die zwar (linear) inkommensurabel, deren Quadrate aber kommensurabel sind, und er hat diese Größen klassifiziert. Daß man diese Klassifikation der irrationalen Größen auch in B. 10 von → Eukleides' [3] ›Elementen‹ findet, ist ein Indiz dafür, daß dieses Buch auf Th. zurückgehen könnte ([10. 271–282]; skeptischer [1. 303]).

Platon (Tht. 147d–148b) schildert, daß Th. zwischen Strecken unterschied, die beim Quadrieren eine Quadratzahl hervorbringen, und solchen, die dies nicht tun; die letzteren nennt Th. δυνάμει (*dynámei* = potentiell, d. h. in der 2. Potenz) kommensurabel zu den ersteren, die er als Länge (μῆκος, *mḗkos*) bezeichnet. Th. spricht den Satz aus: ›Strecken, die ein Quadrat erzeugen, dessen Flächeninhalt zwar eine ganze Zahl, jedoch keine Quadratzahl ist, haben kein gemeinsames Maß mit der Längeneinheit‹, und deutet an, daß es für Kuben einen analogen Satz gibt. Der Satz über die Irrationalität der Quadratwurzeln aller nichtquadratischen natürlichen Zahlen ist eine Verallgemeinerung der Erkenntnis des → Theodoros [2], der einzeln bewiesen hatte, daß die nicht ganzzahligen Größen von √3 bis √17 irrational sind. Den Beweis führte Th. verm. indirekt. Die für einen solchen Beweis notwendigen Sätze stehen in B. 10 von Eukleides' ›Elementen‹ (10,5–6 und 9); ein Scholion zu 10,9 weist diesen Satz ausdrücklich dem Th. zu.

Der (nur in arabischer Übers. erhaltene) Komm. des → Pappos zu B. 10 von Eukleides' ›Elementen‹ [9. 63] schreibt – unter Berufung auf → Eudemos [3] aus Rhodos – Th. die Klassifizierung bestimmter Größen zu, die auch im Quadrat irrational sind: die Mediale (μέση, *mésē*) habe er dem geom., die Binomiale (ἐκ δύο ὀνομάτων, *ek dýo onomátōn*) dem arithmetischen und die Apotome (ἀποτομή, *apotomḗ*) dem harmonischen Mittel zugewiesen. Diese drei Arten von irrationalen Strecken werden in B. 10 der ›Elemente‹ definiert (10,21; 10,36; 10,73); dort wird bewiesen, daß alle drei Strecken irrational sind und einander ausschließen. Ausgehend von Mediale, Binomiale und Apotome, werden in B. 10

weitere Arten von Irrationalitäten definiert und untersucht. Wahrscheinlich gehen auch diese Irrationalitäten auf Th. zurück [10. 281 f.].

B. 13 von Eukleides' ›Elementen‹ ist den regulären Polyedern gewidmet. Die in B. 10 abgeleiteten Irrationalitäten werden in B. 13 dazu benutzt, um die Kantenlängen dieser Polyeder zu berechnen. Nach einem Scholion zu Eukleides' B. 13 [5. 654, Z. 1–6], geht B. 13 der ›Elemente‹ auf Th. zurück. Nach demselben Scholion wurden drei der fünf regelmäßigen Polyeder (Würfel, Tetraeder, Dodekaeder) von den älteren Pythagoreern gefunden, die übrigen beiden (Oktaeder, Ikosaeder) aber von Th.; die Suda (s. v. Th.) berichtet, Th. habe als erster die fünf regulären Körper gezeichnet (s. hierzu [6. 75–77] und [11]). Demnach hat Th. nicht nur Oktaeder und Ikosaeder entdeckt, sondern für alle fünf Körper exakte Konstruktionen geliefert; er hat gezeigt, daß sie in eine Kugel einbeschrieben werden können, und die Verhältnisse der Kantenlängen zum Durchmesser der Kugel berechnet. Schließlich dürfte Th. auch gewußt haben, daß es nur fünf reguläre Polyeder gibt. Somit scheinen B. 10 und 13 der ›Elemente‹ ein aufeinander bezogenes und abgeschlossenes Werk des Th. zu sein.

Für die Klassifikation der Irrationalitäten, wie sie in Eukl. elem. B. 10 durchgeführt wird, war eine Proportionenlehre erforderlich, die nicht nur (wie die pythagoreische Theorie) auf rationale Größen anwendbar war. Es ist sehr wahrscheinlich, daß Th. eine allg. gültige Proportionenlehre schuf, die auf der in Eukl. elem. 10,1 und 2 dargestellten ›Wechselwegnahme‹ (ἀνθυφαίρεσις, anthyphaíresis) beruhte. Somit kann man Th. als Vorläufer des → Eudoxos [1] bei der Begründung einer allg. Proportionenlehre ansehen [6. 64–68].

→ Mathematik

1 I. BULMER-THOMAS, s. v. Theaetetus, in: GILLISPIE 13, 301–307 2 K. VON FRITZ, s. v. Th. (2), RE 5 A, 1351–1372 3 Ders., Platon, Theaetet und die ant. Mathematik, in: Philologus 87, 1932, 40–62; 136–178 (Ndr. mit Nachtrag, 1969) 4 T. L. HEATH, A History of Greek Mathematics 1, 1921, 209–212 5 J. L. HEIBERG (Hrsg.), Euclidis Elementa, Bd. 5, 1888 6 S. HELLER, Theaetets Bed. als Mathematiker, in: Sudhoffs Archiv 51, 1967, 55–78 7 L. HELLWEG, Mathematische Irrationalität bei Theodoros und Th., 1994 8 W. KNORR, The Evolution of the Euclidean Elements, 1975, Kap. 7 und 8 9 W. THOMSON (ed.), The Commentary of Pappus on Book X of Euclid's Elements, 1930 (mit engl. Übers.; Ndr. 1968) 10 B. L. VAN DER WAERDEN, Erwachende Wiss., 1956, 271–291 11 W. C. WATERHOUSE, The Discovery of the Regular Solids, in: Archive for History of Exact Sciences 9, 1972, 212–221. M. F.

[2] Epigrammdichter des »Kranzes« des Meleagros [8], 1. H. 3. Jh. v. Chr. (Verf. der Grabinschr. für den Philosophen → Krantor: Epigramm 2 GOW-PAGE), mit dem von Kallimachos [3] gelobten Th. (vgl. fr. 117 TrGF) zu identifizieren (Anth. Pal. 9,565). Die überl. Epigramme (vier in der Anth. Pal., zwei bei Diog. Laert.) stehen in kallimacheischer Stil-Trad. (vgl. z. B.

den ungewöhnlichen Dialog mit einer Votivgabe, Anth. Pal. 6,357 und Kall., Anth. Pal. 6,351).

GA I.1, 182 f.; 2, 520–524 • K. J. GUTZWILLER, Poetic Garlands. Hellenistic Epigrams in Context, 1988, 226; 311 • E. LIVREA, Teeteto, Antagora e Callimaco, in: SIFC 7, 1989, 24–31.

[3] **Th. Scholastikos** (Θ. Σχολαστικός). Epigrammatiker des Kýklos des → Agathias. Die sechs überl. Gedichte variieren traditionelle Themen nur gering: zu Anth. Pal. 6,27 und 10,16 vgl. → Leonidas [3] von Tarent, Anth. Pal. 6,4 und 10,1; zu 16,221 vgl. → Parmenion [3], Anth. Pal. 16,222; zu 16,233 vgl. Ps.-Simon, 16,232. Die beiden anderen Gedichte betreffen zeitgenössische Ereignisse der J. 555 (16,32b) und 567 n. Chr. (9,659).

A. CAMERON, The Greek Anthology, 1993, 70 f. • Av. und A. CAMERON, The Cycle of Agathias, in: JHS 86, 1966, 6–25, bes. 8, 14, 19–22 • W. J. W. KOSTER, Theaetetus pseudogrammaticus, in: JHS 87, 1967, 131 f.

M. G. A./Ü: L. FE.

Theangela (Θεάγγελα). Stadt in Karia (→ Kares), östl. von → Halikarnassos, östlichste Siedlung der → Leleges; Vorgängersiedlung war evtl. Syangela (Συάγγελα = S.), auf dem h. Alazeytin Kalesi westl. oberhalb von Çiftlik [1. 112–116, 145–147; 2. 89–96], oder aber auf dem Kaplan dağ sw des h. Etrim [3. 17 Anm. 3, 224 Anm. 33a]. S. war im 6./5. Jh. in der Hand der karischen Dynastenfamilie des Pigres, der 480 v. Chr. in der Schlacht bei Salamis [1] (→ Perserkriege [1]) ein Kommando in der pers. Flotte innehatte (Hdt. 7,98); wohl unter dessen gleichnamigem Enkel gehörte S. um 440 dem → Attisch-Delischen Seebund an.

Im Bergland ringsum weitgestreut, massiert bei Alazeytin, finden sich die für die Leleges typischen sog. »Compound«-Rundbauten, befestigte Pferche bzw. Berggehöfte mit Innenhof und kraggewölbten Speicher- und Wohnräumen. Um 361 v. Chr., z. Z. des Ausbaus von Halikarnassos durch → Maussolos, wurde S. vergrößert bzw. wie → Myndos neu gegr. (Kallisthenes FGrH 124 F 25; Strab. 13,1,59), wobei der ON in Th. gräzisiert (h. Çömlekçi) wurde. Wie Halikarnassos und Myndos erhob Th. Anspruch auf Gründung durch Siedler aus → Troizen [vgl. 4]. Um 310 mußte sich Th. dem Makedonen Eupolemos (Teildynast in Karia; → Mylasa) unterwerfen (StV 3, 429), war aber später wieder frei, soweit es nicht im 2. Jh. v. Chr. zu Halikarnassos gehörte. Im 3. Jh. v. Chr. war Th. von Piraterie und Menschenraub betroffen (IG XI 4, 1054). Th. unterhielt Beziehungen zu Troizen, Hyllarima in Karia und der → peraía von Rhodos. Eine Erwerbsquelle war die (steuerpflichtige; StV 3, 429 Z. 5) Bienenzucht. Aus Th. stammte Philippos, der Verf. einer karischen Lokalchronik (3. Jh. v. Chr.). Arch. Reste: Mauerring, Fundamente öffentlicher Gebäude sowie leleg. Häuser, Zisternen, das Dynastengrab.

1 G. E. BEAN, J. M. COOK, The Halicarnassus Peninsula, in: ABSA 50, 1955, 85–171 2 Dies., The Carian Coast III, in:

ABSA 52, 1957, 58–146 **3** W. RADT, Siedlungen und Bauten auf der Halbinsel von Halikarnassos (MDAI(Ist) Beih. 3), 1970 **4** A. WILHELM, KS 2.1, 1984, 302–307 Nr. 7 f.

W. RUGE, s. v. Syangela, RE 4 A, 999 • Ders., s. v. Th., RE 5 A, 1373–1377 • W. RADT, Die Leleger auf der Halbinsel von Halikarnassos, in: Ant. Welt 6, 1977.5, 2–16 • F. IŞIK, Frühe Funde aus Th., in: MDAI(Ist) 40, 1990, 17–36.

H. KA.

Theano (Θεανώ).

[1] Athenapriesterin in → Troia, Tochter des thraki-schen Königs → Kisseus und der Telekleia, der Tochter des → Ilos [1] (Hom. Il. 6,298–300; 11,223–224; schol. Eur. Hec. 3; Lukian. imagines 19), seit Euripides auch Schwester der → Hekabe (Eur. Hec. 3 und schol.; schol. A Hom. Il. 16,718; vgl. Verg. Aen. 7,320). Von → An-tenor [1] Mutter zahlreicher Kinder (der sog. Anteno-riden). Als Athenapriesterin ist sie im Kampf um Troia für die Griechen von zentraler Bed. (Hom. Il. 6,269–311). Sie empfängt die griech. Gesandtschaft, die um die Herausgabe der → Helene [1] bittet (Bakchyl. 15 = di-thyrambos 1 MAEHLER; vgl. Hom. Il. 3,203–208 und 11,138–141). Beim Untergang Troias wird ihr Haus von den Griechen verschont (Paus. 10,27,3: Darstellung in der → lésche der Knidier in Delphoi). Th. wandert mit ihrer Familie und Helene nach Kyrene aus (Pind. P. 5,82–88), nach anderen Quellen nach Illyrien (Serv. Aen. 1,242) oder in die Poebene (Verg. Aen. 1,242–249; vgl. 7,320; 10,703–705).

[2] Gattin des Metapontos in Ikaria. Nach der Geburt eigener Söhne versucht sie vergeblich, die Kinder der → Melanippe [1], die sie diesem untergeschoben hat, da sie zunächst kinderlos blieb, zu töten. Als dabei ihre eigenen Kinder getötet werden, begeht sie Selbstmord (Hyg. fab. 186).

I. ESPERMANN, Antenor, Th., Antenoriden, 1980 • V. GEBHARD, s. v. Th. (2–3), RE 5 A, 1377–1379 • O. HÖFER, s. v. Th. (1) und (3), ROSCHER 5, 546–549 • A. LEZZI-HAFTER, s. v. Th. (1), LIMC 7.1, 911–914. K. WA.

[3] Als Frau des → Pythagoras [2] spätestens seit → Hip-pobotos (3. Jh. v. Chr.) bekannt (dieser zitiert als Beleg einen angeblichen Vers des Empedokles 31 B 155 DK; vgl. Diog. Laert. 8,43), bisweilen auch als Frau des Brontinos und Schülerin des Pythagoras identifiziert (Diog. Laert. 8,42). Dies führt dazu, daß die Suda zwei Pythagoreerinnen des Namens Th. unterscheidet. Th. wird in der Ant. überaus häufig erwähnt (z. B. Porph. vita Pythagorica 4; 19; Iambl. v. P. 132; 146; 265; 267); es kursierte eine Fülle von Schriften unter ihrem Namen, darunter Ἀποφθέγματα Πυθαγορείων (*Apophthégmata Pythagoreíōn*, ›Pythagoreersprüche‹), Περὶ Πυθαγόρου (*Perí Pythagóru*, ›Über Pythagoras‹), Παραινέσεις γυναι-κεῖαι (*Parainéseis gynaikeíai*, ›Frauliche Ermahnungen‹), Περὶ ἀρετῆς (*Perí aretés*, ›Über die Tugend‹; Suda s. v. Θ). Erh. ist ein Fr. aus Περὶ εὐσεβείας (*Perí eusebeías*, ›Über die Frömmigkeit‹; Stob. 1,10; 13, p. 125 f. WACHS-MUTH); darin wird Pythagoras fälschlich zugeschrieben,

daß alles aus der → Zahl entstehe; Zahlen gebe es nicht, alles entstehe gemäß der Zahl. Ein Fr. überliefert Clem. Alex. strom. 4,44,2. Von sieben Briefen (epist. 4,10 [2]) sind fünf an Frauen gerichtet; der Titel ›Frauliche Er-mahnungen‹ und einige Anekdoten (Diog. Laert. 8,43; Iambl. v. P. 132) dürften den Anstoß auch zu den Brie-fen geliefert haben.

→ Philosophinnen; Pythagoreische Schule

ED.: **1** H. TESLEFF, The Pythagorean Texts, 1965, 193–201 **2** R. HERCHER (ed.), Epistolographi Graeci, 1873 (Ndr. 1965), 603 ff. M. FR.

Thearidas (Θεαρίδας).

[1] Aus → Megale Polis, Vater des → Lykortas, verhan-delte 222 v. Chr. mit → Kleomenes [6] III. über seine eroberte Heimatstadt (Syll.³ 626; Plut. Kleomenes 24) [1. 194; 199 f.].

[2] Aus Megale Polis, Sohn des → Lykortas, Enkel von Th. [1], verwaltete um 182 v. Chr. → Messene [2] (IvOL 46,6). Als älterer Bruder des → Polybios [2] scheint sich Th. nach 167 polit. Profilierung enthalten zu haben ([2. 211 Anm. 1]; vgl. [3. 118 Anm. 56]), begegnet aber in zwei achäischen Gesandtschaften nach Rom: 159/8 (Pol. 32,7,1) und 147 v. Chr., als der Achäerbund (→ Achaioi) seine Position in der eskalierenden Krise um Korinth vor den Senat zu bringen suchte (Pol. 38,10,1–2; Paus. 7,14,3) [2. 226 f.]. Th. wurde von Epi-dauros geehrt (IG IV 1422).

[3] Aus Megale Polis, Sohn eines Philopoimen, Enkel von Th. [2] (IG V 2,535), stiftete nach 167 v. Chr. für die neuen Mauern seiner Stadt 20 Minen (IG V 2,442).

1 R. URBAN, Wachstum und Krise des Achäischen Bundes von 280 bis 222 v. Chr., 1979 **2** J. DEININGER, Der polit. Widerstand gegen Rom in Griechenland, 1971 **3** H. NOTTMEYER, Polybios und das E. des Achäerbundes, 1995. L.-M. G.

Theater I. BEGRIFF II. ARCHITEKTUR III. KULTURGESCHICHTE DES ANTIKEN THEATERS

I. BEGRIFF

Griech. θέατρον (*théatron*: »Ort, von wo man schaut«); lat. *theatrum*. Das griech. Wort kann jede An-lage von Sitzreihen oder aufgestellte Tribünen (*íkria*) als Versammlungsort für festliche, kultische oder sportliche Vorführungen bezeichnen, so in → Sparta beim Fest der Gymnopaidia 491 v. Chr. (Hdt. 6,67,3), im Heiligtum von → Olympia (Xen. hell. 7,4,31) oder die Altarstufen im Amphiareion von → Oropos (IG VII 4255,29 f.). Auch eine vom Vasenmaler Sophilos [1] (ca. 570 v. Chr.) dargestellte Tribüne für Wettspiele zu Ehren des Patrok-los [1] darf als Th. gelten [1]. Als t. t. im engeren Sinne bezeichnet *théatron* zunächst die Sitzreihen der Zu-schauer (und übertragen das dort versammelte Publi-kum: Hdt. 6,21,2), dann erst die gesamte Th.-Anlage, welche neben dem Zuschauerbereich den Tanzplatz für den → Chor (*orchéstra*) und das Bühnengebäude (→ *ské-né*) umfaßt (Thuk. 8,93,1). Spät bezeugt ist *théatron* als

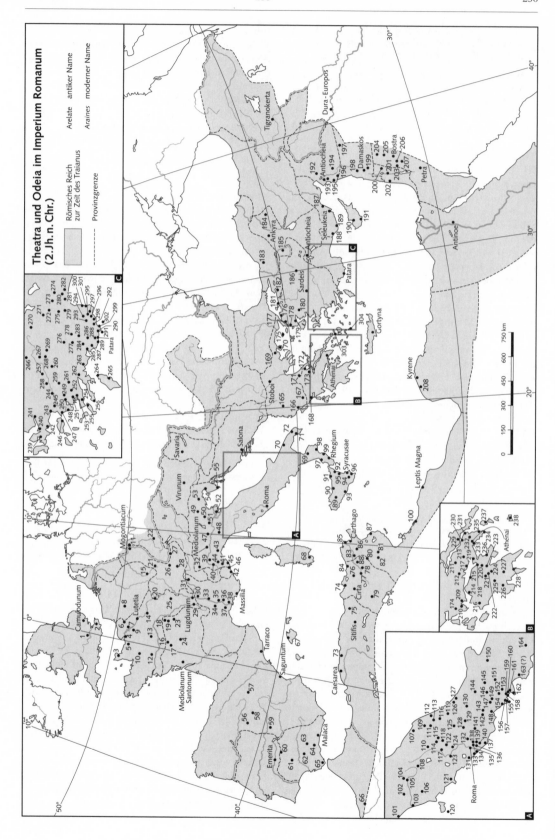

Theatra und Odeia im Imperium Romanum
(2. Jh. n. Chr.)

Römisches Reich zur Zeit des Traianus
Provinzgrenze

Arelate   antiker Name
Araines   moderner Name

1. Verulamium
2. Durovernum
3. Alauna
4. Iulibona
5. Aregenua
6. Caesaromagus
7. Andeleius
8. Noviodunum
9. Mediolanum Santonum
10. Noviodunum Diablintum
11. Nida
12. Gennes
13. Araines
14. Vellaunodunum
15. Grannus
16. Sanxay
17. Civaux
18. Avaricum
19. Drévant
20. Alesia
21. Chenevrières
22. Sumelocenna
23. Aquae Neri
24. Augustoritum
25. Augustodunum
26. Epomanduodurum
27. Augusta Raurica
28. Aventicum
29. Aquae Segetae
30. Vienna
31. Boutae
32. Augusta Praetoria
33. Valentia
34. Alba Helvorum
35. Vasio
36. Arausio
37. Nemausus
38. Arelate
39. Eporedia
40. Augusta Taurinorum
41. Augusta Bagiennorum
42. Forum Iulii
43. Libarna
44. Pollentia
45. Albintimilium
46. Antipolis
47. Brixia
48. Parma
49. Acelum
50. Luna
51. Verona
52. Adria
53. Concordia
54. Tergeste
55. Pola
56. Clunia
57. Bilbilis
58. Arcobriga
59. Toletum
60. Metellinum
61. Regina
62. Hispalis
63. Urso
64. Acinipo
65. Baelo
66. Ad Mercurium
67. Pollentia
68. Nora
69. Castiglione di Paludi
70. Metapontum
71. Rudiae (?)
72. Lupiae
73. Tipasa
74. Rusicade
75. Cuicul
76. Calama
77. Thubursicum
78. Madaura
79. Thamugadi
80. Althiburus
81. Sufetula
82. Cillium
83. Simitthu
84. Hippo Regius
85. Hippo Diarrhytus
86. Carthago
87. Leptis Minor
88. Civitas Popthensis
89. Segesta
90. Solus
91. Tyndaris
92. Tauromenium
93. Heraclea Minoa
94. Acrae
95. Catana
96. Helorus
97. Vibo Valentia
98. Gioiosa Ionica
99. Locri Epizephyrii
100. Sabratha
101. Luna
102. Luca
103. Pisae
104. Faesulae
105. Florentia
106. Volaterrae
107. Ostra
108. Arretium
109. Ricina
110. Iguvium
111. Urbs Salvia
112. Firmum
113. Falerio
114. Asisium
115. Hispellum
116. Asculum
117. Tuder
118. Spoletium
119. Interamnia
120. Planasia
121. Cosa (?)
122. Carsulae
123. Ferentum
124. Ocriculum
125. Amiternum
126. Teate
127. Anxanum
128. Nersae
129. Alba Fucens
130. Iuvanum
131. Caere
132. Tibur
133. Portus
134. Ostia
135. Bovillae
136. Albanum
137. Antium
138. Tusculum
139. Nemi
140. Lanuvium
141. Ferentinum
142. Aquinum
143. Casinum
144. Bovianum
145. Saepinum
146. Allifae
147. Teanum
148. Minturnae
149. Cales
150. Herdonia
151. Beneventum
152. Capua
153. Suessula
154. Liternum
155. Misenum
156. Bauli
157. Baiae
158. Pausilypum
159. Neapolis
160. Herculaneum
161. Pompeii
162. Surrentum
163. Paestum (?)
164. Grumentum
165. Byllis
166. Buthroton
167. Dodona
168. Nikopolis
169. Philippoi
170. Thasos
171. Larisa
172. Demetrias
173. Thebai
174. Stratos
175. Samothrake
176. Parion
177. Ilios
178. Alexandreia Troas
179. Assos
180. Pergamon
181. Kyzikos
182. Myrleia
183. Prusias
184. Tavium
185. Pessinus
186. Aizanoi
187. Elaiusa
188. Selinus
189. Anemorion
190. Soloi
191. Kurion
192. Kyrrhos
193. Daphne
194. Apameia
195. Laodikeia
196. Gabala
197. Palmyra
198. Heliopolis
199. Sahr
200. Emmatha
201. Gadara
202. Dora
203. Skythopolis
204. Philippopolis
205. Kanatha
206. Gerasa
207. Philadelpheia
208. Ptolemais
209. Nea Pleuron
210. Oiniadai
211. Chaironeia
212. Delphoi
213. Thespiai
214. Patrai
215. Aigira
216. Elis
217. Sikyon
218. Korinthos
219. Isthmos
220. Mykenai
221. Orchomenos
222. Mantineia
223. Argos
224. Tegea
225. Megalopolis
226. Messene
227. Sparta
228. Gythion
229. Eretria
230. Oropos
231. Rhamnus
232. Ikaria
233. Peiraieus
234. Aixone
235. Thorikos
236. Epidauros
237. Iulis
238. Melos
239. Erythrai
240. Klazomenai
241. Smyrna
242. Teos
243. Ephesos
244. Tralleis
245. Magnesia
246. Samos
247. Priene
248. Miletos
249. Euromos
250. Herakleia
251. Iasos
252. Mylasa
253. Bargylia
254. Halikarnassos
255. Kos
256. Knidos
257. Mastaura
258. Nysa
259. Alabanda
260. Aphrodisias
261. Stratonikeia
262. Kedreai
263. Kaunos
264. Rhodos
265. Lindos
266. Blaundos
267. Hierapolis
268. Laodikeia
269. Kolossai
270. Apameia
271. Sagalassos
272. Kremna
273. Pednelissos
274. Selge
275. Kretepolis
276. Kibyra
277. Bubon
278. Balbura
279. Termessos
280. Sylleum
281. Perge
282. Aspendos
283. Oinoanda
284. Kadyande
285. Telmessos
286. Tlos
287. Pinara
288. Xanthos
289. Letoon
290. Antiphellos
291. Megiste Nesos
292. Kyaneai
293. Arykanda
294. Edebessos
295. Rhodiopolis
296. Limyra
297. Korydalla
298. Myra
299. Aperlai
300. Phaselis
301. Olympos
302. Dolichiste Nesos
303. Delos
304. Thera

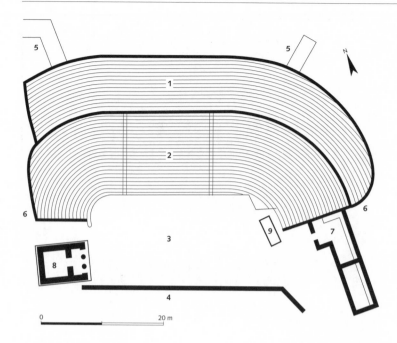

Thorikos, Theater; um
500 v. Chr. (Grundriß).

1 jüngeres koílon
2 älteres koílon
3 orchéstra/Spielfläche
4 Terrassenmauer
5 Zugangsrampe
6 Stützmauer
7 Felsenkammern
8 Tempel
9 Altar

Terminus für die künstlerische Praxis des Rollenspiels
vor Zuschauern, also für das Th.-Spiel selbst und seine
Organisation (1 Kor 4,9).

1 E. SIMON, Die griech. Vasen, 1981, Abb. 50.   H.-D. B.

II. ARCHITEKTUR
A. GRIECHISCH B. RÖMISCH

A. GRIECHISCH

Th. gehören zu den häufigsten Bauten der klass.
Ant.: von rund 750 griech. und röm. Th. und Odeia
(→ ōdeíon) sind Baureste bekannt, etwa 160 weitere Th.
sind nur inschr. oder lit. bezeugt. Die ältesten griech.

Th. gehen ins ausgehende 6. Jh. v. Chr. zurück, einzelne
wurden noch im 4. Jh. n. Chr. errichtet. Ihr Verbreitungsgebiet ist die gesamte ant. Welt, von Portugal bis
Afghanistan und von England bis Ägypten (vgl. Karte).

Die Annahme, zw. den minoischen Schautreppen
und den ältesten griech. Th. bestehe ein Zusammenhang [1; 2], ist unhaltbar, da weder eine chronologische
noch eine inhaltliche Kontinuität nachweisbar ist. Das
griech. Th. als Bautypus ist vielmehr für einen bestimmten Zweck neu geschaffen worden, nämlich als Auffüh-
rungsplatz für die griech. Dramen (s. u. III.). Dramatische Aufführungen waren grundsätzlich auch ohne ein
festes, gebautes Th. möglich. Um so bemerkenswerter
ist, daß die ersten Th. bereits kurz nach der Heraus-

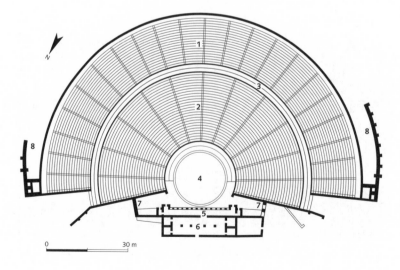

Epidauros, Theater;
2. H. 4. Jh. v. Chr. (Grundriß).

1 jüngeres koílon
2 älteres koílon
3 diázöma/Gürtelgang
4 orchéstra/Spielfläche
5 proskénion/Bühne
6 skēné/Bühnengebäude
7 párodos/seitlicher
  Zugang
8 Stützmauer

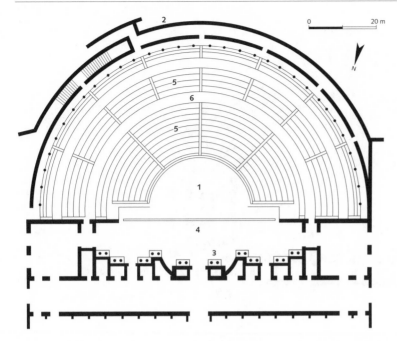

Arausio (Orange), Theater;
1. Jh. n. Chr. (Grundriß).

1 Orchestra/Spielfläche
2 Cavea/Zuschauerraum
3 Scenae frons/Bühnenwand
4 Pulpitum/Bühne
5 Cuneus/Sitzreihenkeil
6 Praecinctio/Gürtelgang

bildung der → Tragödie noch im ausgehenden 6. Jh. v. Chr. entstanden. Das am besten erh. frühe Beispiel um 500 v. Chr. ist das Th. von → Thorikos in Attika [3], welches das etwas früher entstandene (nicht erh.) Dionysos-Th. in Athen nachbildet. Allen frühen griech. Th. gemeinsam ist, daß sie den Gegebenheiten des Geländes angepaßt sind. Als Zuschauerbereich wurde stets ein natürlicher Hang gewählt; die Orchestra (ὀρχήστρα), d. h. der Tanzplatz für den → Chor, wurde teilweise mit Hilfe einer Stützmauer als ebene Fläche davor angelegt. Feste Bühnengebäude gab es noch nicht. Dies zeigt neben der arch. Dokumentation auch die Bezeichnung → skēnḗ (σκηνή, wörtl. »Zelt«) für das Bühnenhaus.

Die kreisförmige Orchestra steht nicht am Anf. des griech. Th.-Baus, wie früher angenommen wurde [4]. Sie wurde erst im mittleren 4. Jh. v. Chr. zusammen mit dem halbkreisförmig angeordneten Sitzhaus geschaffen, erstmals wohl für das Dionysos-Th. in Athen (→ Athenai II.2., mit Plan der Akropolis). Die neue Kreisform setzte sich dann rasch durch. Bei griech. Th. umfaßt das Sitzhaus meist etwas mehr als einen Halbkreis, doch kommen auch halbkreisförmige, gelegentlich auch deutlich darunter bleibende Grundrisse vor. Beim röm. Th. ist der Halbkreis die Regel.

Um 330 v. Chr. entstand im Dionysos-Th. in Athen das erste fest gebaute Bühnenhaus mit seitlichen Paraskenien (παρασκήνια/paraskḗnia) [5], die sich bei einigen anderen frühen griech. Th. wie Aigai [1] (Vergina) und Eretria [1] wieder finden (→ skēnḗ). Diese ersten griech. Bühnenhäuser wiesen eine niedrige Bühne auf. Um 300 v. Chr. kam ein zweiter, die Spielfläche zur Skene hin erweiternder Grundrißtypus, das sog. Pro-

skenion-Bühnenhaus auf, welches im Mutterland und in Kleinasien große Verbreitung fand, während in NW-Griechenland und im Westen Paraskenien-Bühnenhäuser vorherrschend blieben. Zusammen mit dem Proskenion-Bühnenhaus wurde das hohe προσκήνιον/proskḗnion eingeführt (λογεῖον/logeíon genannt), welches von nun an für die Auftritte der Schauspieler diente. Daneben konnten traditionelle Dramen mit aktiver Chorbeteiligung weiterhin in der Orchestra vor dem Hintergrund des Proskenions aufgeführt werden, dessen Front die dafür nötigen drei Türen aufwies. Die hohe Spielbühne wurde von einer 2,5–3,5 m hohen dorischen, seltener ionischen Säulenhalle getragen; zwischen den Säulen waren bemalte Holztafeln, die pínakes (→ pínax [6]), eingeschoben, die im späteren Hell. zunehmend fehlen. Die Bühnenhauswand oberhalb des Proskenions konnte große, inschr. als thyrṓmata bezeichnete Öffnungen aufweisen, eine architektonische Gliederung tragen oder glatt (in diesem Fall wohl bemalt) sein. Im 2. Jh. und 1. Jh. v. Chr. wurden insbes. in Kleinasien zahlreiche neue Th. erbaut, welche gemeinsame Eigenheiten aufweisen [6].

Eine Sonderentwicklung zeigen auch die Th. Westsiziliens [7]. Diese beeinflußten den hell. Th.-Bau Kampaniens und, zusammen mit diesem, die Entstehung des kanonischen röm. Th., welches durch seine bauliche Einheitlichkeit charakterisiert ist.

B. RÖMISCH

Die ältesten Th. im nicht-griech. Italien gehen ins frühe 1. Jh. v. Chr. zurück und haben, wie in Bononia [1] (Bologna [8]) oder Capua ([9]), einen Zuschauerraum, der auf einer künstlichen Erdaufschüttung ruht. Mit der Erfindung des → opus caementicium wurde es

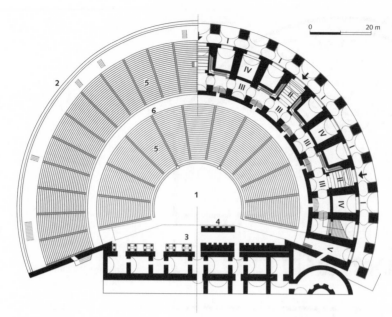

0   20 m

Side, Theater; Mitte 2. Jh. n. Chr.
(Grundriß).

  1   Orchestra/Spielfläche
  2   Cavea/Zuschauerraum
  3   Scenae frons/Bühnenwand
  4   Proscaenium/Bühne
  5   Cuneus/Sitzreihenkeil
  6   Praecinctio/Gürtelgang

  I   Umgang
  II   Treppenhäuser
  III   Ringkorridor
  IV   Magazine, Verkaufsläden
  V   Parodos/Zugang

möglich, den Zuschauerraum ohne allzu großen Aufwand frei zu errichten und damit den Th.-Bauplatz unabhängig vom Gelände zu wählen. Das erste Beispiel für eine über gebauten Substruktionen errichtete → Cavea ist um 100 v. Chr. das Th. von → Teanum Sidicinum im nördlichen Kampanien [10].

In der Stadt Rom war die Errichtung von Stein-Th. verboten, wie ein Senatsbeschluß von 151 v. Chr. bekräftigte, durch welchen ein seit 154 v. Chr. im Bau befindliches Stein-Th. für die *ludi Megalenses* wieder eingerissen wurde (Liv. per. 48; Val. Max. 2,4,2; Vell. 1,15,3; App. civ. 1,28). Auch das Sitzen bei Th.-Aufführungen wurde damals untersagt, obgleich dies früher üblich gewesen war (Plaut. Poen. prol. 19–24; Liv. 34,44,5; 34,54,3–4; Cic. har. resp. 9,24). Bis in die Mitte des 1. Jh. v. Chr. wurden daher für die Aufführungen jeweils Holz-Th. errichtet, welche in der späten Republik immer aufwendigere Formen annahmen (Plin. nat. 36,24,113–115).

Das erste frei gebaute, »steinerne«, kanonische röm. Th. ist das *theatrum lapideum* (Vitr. 3,3,2), welches Cn. Pompeius [I 3] Magnus auf dem Marsfeld in Rom errichten ließ und 55 v. Chr. einweihte [11; 12. 322–326, 337f.], das → Theatrum Pompei(i). Es steht in der Trad. republikanischer Beuteweihungen; mit dem Th. war ein die Cavea bekrönender und der Venus Victrix geweihter Th.-Tempel und eine Quadriporticus verbunden. Während das Pompeius-Th. weitgehend von neuzeitlichen Stadthäusern überbaut wurde, ist das zweite große Th. in Rom, das Marcellus-Th. (→ Theatrum Marcelli) [12. 326–343; 13], welches Augustus 13 oder 11 v. Chr. dem Andenken seines Neffen, M. Claudius [II 42] Marcellus, weihte, noch teilweise sichtbar. Beide Bauten wurden für die spätere Entwicklung vorbildlich. Dagegen fanden die Anleitungen zum Th.-Bau bei Vitruvius (5,3–5,9), welche seit der Renaissance große Wirkung ausübten, in der Realität des ant. Th.-Baus keine Entsprechung.

Das Bühnengebäude des röm. Th. war fest mit der Cavea verbunden und hatte eine nur 1–1,5 m hohe Bühne (*pulpitum*), welche oft eine reich geschmückte Nischenfront zur Orchestra hin aufwies und nicht selten mit einer Vorhangeinrichtung (*aulaeum*) ausgestattet war. Diese erlaubte es, die Bühne vor Spielbeginn durch einen Vorhang zu verbergen, welcher mit Hilfe eines komplexen Mechanismus aus Seilen, Winden und Gegengewichten in einen Graben zwischen Pulpitumfront und Bühne versenkt und nach Spielschluß wieder hochgezogen wurde. Die ältesten Vorhangeinrichtungen gehen noch in die spätrepublikanische Zeit zurück. Hinter der Bühne, welche durch drei Türen aus dem *postscaenium* zu betreten war, befand sich eine oft aus kostbarem Steinmaterial errichtete Schmuckwand mit zwei bis drei korinthischen, seltener ionischen Säulenordnungen, die *scaenae frons* (Vitr. 5,6,1; 5,7,1). Als Aufenthaltsort für das Publikum konnten eine → Porticus (*porticus in summa cavea* oder *porticus post scaenam*) und seitlich neben der Bühne angeordnete *basilicae* (→ Basilika) vorhanden sein. Gänzlich überdachte röm. Th. werden Odeia (→ ōdeíon) genannt.

Die Th.-Bauten fanden in der Kaiserzeit im ganzen Bereich des Imperiums große Verbreitung. In augusteischer Zeit und im 1. Jh. n. Chr. wurden die meisten Städte Italiens mit Th. ausgestattet. Herodes [1] d. Gr. und Iuba [2] II. von Mauretanien, die beide ihre Jugend in Rom verbracht hatten, ließen in ihren Hauptstädten Jerusalem (Ios. ant. Iud. 15,268) und Cherchel [14] Th. nach röm. Vorbild errichten. Ins 1. Jh. n. Chr. gehört auch die Mehrzahl der Th. in Gallien und Spanien, während die Blütezeit des Th.-Baus in Nordafrika ins

2. Jh. n. Chr. fällt. All diese Th. folgten dem westlichen röm. Typus, ebenso einzelne kaiserzeitliche Th. in Griechenland und im Osten. Eine Sonderentwicklung zeigt sich in Kleinasien, wo die traditionelle griech. Form des Zuschauerraums mit überzogenem Halbkreis mit einem Bühnengebäude röm. Trad. kombiniert wurde, welches jedoch die hohe Bühne des hell. Th. beibehielt. Einen bes. Typus mit reduziertem Bühnenhaus vertreten auch die gallo-röm. Th. [15].

Bes. in der östlichen Reichshälfte, wo es fast keine Amphitheater (→ Amphitheatrum) gab, wurden manche Th. für Gladiatorenspiele (→ *munus* II.) und Tierhetzen (→ *venatio*) umgebaut, wobei oft die untersten Sitzreihen entfernt werden mußten. Der Einbau eines Schwimmbeckens in der Orchestra ermöglichte die Aufführung von Wasserballetten [16]. Viele Th. kamen schon früh außer Gebrauch, andere wurden bis in die Spätant., manchmal bis ins MA genutzt (z. B. Velletri, Vicenza).

→ Amphitheatrum; Bühnenmalerei; Ekkyklema; Mechane; Odeion; Schauspiele; Skene; Theaterbau

1 C. Anti, Teatri greci arcaici, 1947, 27–38 2 Ders., L. Polacco, Nuove ricerche sui teatri greci arcaici, 1969 3 Travlos, Attika, 430 f. 4 W. Dörpfeld, E. Reisch, Das griech. Th., 1896, 366 5 H. Knell, Athen im 4. Jh. v. Chr., 2000, 126–147 6 H. P. Isler, Bemerkungen zu kleinasiatischen Th. des Hell., in: H. Friesinger, F. Krinzinger (Hrsg.), 100 Jahre Öst. Forsch. in Ephesos. (Symposion Wien 1995), 1999, 683–688 7 Ders., Contributi per una storia del teatro antico: Il teatro greco di Iaitas e il teatro di Segesta, in: Numismatica e antichità classiche 10, 1981, 131–164 8 J. Ortalli, Il teatro romano di Bologna, 1986 9 F. Coarelli, Architettura e arti figurative in Roma: 150–50 a. C., in: P. Zanker (Hrsg.), Hell. in Mittelitalien, 1976, 21–51, hier 27–32 10 W. Johannowsky, Relazione preliminare sugli scavi di Teano, in: BA 48, 1963, 152–165, Abb. 17–32 11 E. Frézouls, La construction du theatrum lapideum et son contexte politique, in: Théâtre et spectacles dans l'antiquité (Colloque Strasbourg 1981), 1983, 193–214 12 P. Gros, La fonction symbolique des édifices théâtraux dans le paysage urbain de la Rome augustéenne, in: L'Urbs, espace urbain et histoire (Colloque Rome 1985), 1987, 319–343 13 P. Fidenzoni, Il teatro di Marcello, 1970 14 G.-Ch. Picard, La date du théâtre de Cherchel, in: Bull. d'Archéologie Algérienne 6, 1975/76 (1980), 49–54 15 F. Dumasy, Petit atlas des édifices de théâtre en Gaule romaine, in: Ch. Landes (Hrsg.), Le goût du théâtre à Rome et en Gaule romaine (Ausst.-Kat. Lattes), 1989, 43–75 16 G. Traversari, Gli spettacoli in acqua nel teatro tardo-antico, 1960.

D. De Bernardi Ferrero, Teatri Classici in Asia Minore, Bde. 1–4, 1966–1974 • M. Bieber, The History of the Greek and Roman Th., ³1961 • C. Courtois, Le bâtiment de scène des théâtres d'Italie et de Sicile, 1989 • G. Forni, s. v. teatro, EAA, Suppl., 1970 (1973), 772–789, mit Nachtrag von H. P. Isler, s. v. teatro e odeon, EAA, Suppl., 1971–1994 (1997), 549–563 (Zusammenstellung aller bekannten griech. und röm. Th.) • E. Frézouls, Aspects de l'histoire architecturale du théâtre romain, in: ANRW II 12, 1982, 343–441 • M. Fuchs, Unt. zur Ausstattung röm. Th. in It. und den Westprov. des Imperium Romanum, 1987 •

R. Graefe, Vela erunt. Die Zeltdächer der röm. Th. und ähnlicher Anlagen, 1979 • H. P. Isler, Die ant. Theaterarchitektur, in: P. Ciancio Rossetto, G. Pisani Sartorio (Hrsg.), Teatri greci e romani alle origini del linguaggio rappresentato, 3 Bde., 1994, 86–125 • J.-C. Lachaux, Théâtres et amphithéâtres d'Afrique proconsulaire (o. J., ca. 1980) • K. Mitens, Teatri greci e teatri ispirati all'architettura greca in Sicilia e nell'Italia meridionale c. 350–50 a. C. (Analecta Romana Instituti Danici Suppl. 13), 1988 • E. Pöhlmann, Die Prohedrie des Dionysos-Th. im 5. Jh. und das Bühnenspiel der Klassik, in: MH 38, 1981, 129–146 • S. F. Ramallo Asensio, F. Saniuste de Pablos (Hrsg.), Teatros Romanos de Hispania. Cuadernos de Arquitectura, Bd. 2, 1993 • A. Segal, Theatres in Roman Palestine and Provincia Arabia, 1995.
H. I.

Karten-Lit.: K.-W. Weeber, Panem et circenses (Ant. Welt Sonder-Nr.), 1994, bes. 20 f.; 120 f.

III. Kulturgeschichte des antiken Theaters
A. Griechenland   B. Rom

A. Griechenland
1. Die Anfänge   2. Vorbereitung und Ablauf der Aufführungen
3. Dichter – Schauspieler – Publikum

1. Die Anfänge

Theatralische Darstellungen gab es in Griechenland lange vor den Th.-Bauten. Hervorgegangen sind sie aus Tänzen maskierter Chöre, die im Kult des → Dionysos auftraten. Aus ihnen entstanden während der 2. H. des 6. Jh. v. Chr. in Athen → Tragödie, → Komödie (= Kom.) und → Satyrspiel. Dorische Vorläufer der Trag. in Korinth (→ Arion) und in Sikyon (Kult des → Adrastos [1]) sowie die wohl chorlosen Kom. (*drámata*) des → Epicharmos auf Sizilien haben kaum Spuren in der weiteren Entwicklung hinterlassen. Dagegen zeigen attische sf. Vasen (seit ca. 540) von einem Aulosspieler begleitete Tänzer in Tiergestalt, die bis → Aristophanes [3] auf der Bühne fortlebten [1].

Die in Athen schon den Anfängen des Th.-Spiels beigemessene Bed. zeigt sich in der Tatsache, daß zw. 536 und 533 v. Chr. die Organisation der Trag.-Aufführungen an den städtischen → Dionysia dem höchsten Staatsbeamten, dem *árchōn epónymos*, übertragen wurde. Den Anstoß zu dieser Entscheidung hatte wohl → Thespis mit seinen Neuerungen gegeben. Er hatte aus der urspr. improvisatorischen Darstellung eines Vorsängers und eines respondierenden dionysischen Chores ein myth. Spiel allgemeineren Charakters mit einem zugrundeliegenden Text gemacht [2]. So nahm die Trag., ungeachtet ihrer Bindungen an den → Kult, festere Formen an und konnte zu einer Angelegenheit der → *pólis* werden. Der Schauplatz dieser frühen Aufführungen war offenbar das Lenaion (→ Lenaia) auf der → Agora [3. 29–58]. Die Entwicklung vollzog sich schnell; andere Dichter traten neben Thespis, so daß die Idee eines dramatischen → Wettbewerbs jeweils zw. dreien entstand. Unter solchen Voraussetzungen erbaute man Anf. des 5. Jh. eine *orchḗstra* im *témenos* des Dionysos Eleuthereus und schuf am SO-Hang der Akropolis (vgl. → Athenai II. mit Plan) Raum für größere Zuschauermengen. Das Th.-Spiel erhielt seine bleibende Heimstätte, an der fast alle uns erh. griech. Dramen ihre erste Aufführung erlebten.

Dieses Th. war ein geheiligter Raum für rituelle, aus dem Kult hervorgegangene Darstellungen. Zwar entfernte sich die Trag. von ihren Ursprüngen: Sie büßte die dionysische Thematik ein, verringerte den Anteil der gesungenen und getanzten Chöre zugunsten des dramatischen Dialogs und kam der Schaulust der Menge entgegen, doch die kultische Trad. riß nicht ab. Die Trag. blieb Kern des Festprogramms, ein myth. Spiel maskierter Sänger und Darsteller, das jeweils für eine einzige Aufführung geschaffen wurde.

Andererseits brachte die Trag. Probleme der Polisgemeinschaft zur Sprache und nahm Bezug sogar auf aktuelle Ereignisse (Aischyl. Pers.; Aischyl. Eum.), so daß man von einem polit. Th. [4], nicht aber von einem ideologisch gefärbten Staats-Th. sprechen kann. Die Athener Beamten blieben im Hintergrund und begnügten sich mit der Organisation und der Aufsicht über den Festverlauf. Die freie Bürgerschaft stellte nicht nur die Masse der Zuschauer (allmählich bis zu 17000), sondern auch die Chorsänger (ca. 1200) und für jeden → Chor (insgesamt 28) einen Sponsor (→ *chorēgós*). Der Staat aber nahm die Aufführungen zum Anlaß für Akte nationaler Selbstdarstellung [5. 17f.].

2. Vorbereitung und Ablauf der Aufführungen

Die städtischen Dionysia begannen mit einer → Prozession zum Tempel des Festgottes und mit einem → Opfer; dann wurden im benachbarten Th. Kultlieder (→ *dithýrambos*) vorgetragen. Jede der zehn attischen → Phylen stellte dazu einen Knaben- und einen Männerchor von jeweils 50 Sängern. Der Chorege der siegreichen Phyle erhielt als Preis einen Dreifuß, den er als Weihgeschenk an der sog. Tripoden-Straße aufstellte, die am Nordhang der Akropolis verlaufend wohl die beiden Dionysos-Heiligtümer verband [6]. Alle weiteren Festtage waren dem Drama gewidmet: drei der Trag. und einer der Kom. (seit 486 v. Chr.). Drei Tragiker stritten mit je einer Trilogie und abschließendem Satyrspiel (→ Tetralogie) um den Sieg, fünf Kom.-Dichter mit je einem Einzelstück.

Zum zweiten mit dramatischen Agonen ausgestatteten Dionysos-Fest, den Lenaia, gehörte von alters her die Kom., doch übernahm der Staat erst um 440 v. Chr. durch den *árchōn basileús* die Ausrichtung. Damit wechselten auch diese Aufführungen vom Lenaion ins Dionysos-Th. [7. 22–24]. Wieder traten fünf Konkurrenten mit je einer Kom. an, dazu wenig später zwei Tragiker mit je zwei Stücken, jedoch ohne Satyrspiel.

Die Vorbereitungen setzten Monate vor den Aufführungen ein. Sobald die Archonten (→ *árchontes* [1]) im Juli ihr Amt angetreten hatten, bestellten sie die Choregen für die nächsten Dionysia, damit diese rechtzeitig die Mitglieder für ihren Chor anwarben und die Probenarbeit organisierten. Chorsänger waren bis zum Ende des Festes vom Kriegsdienst befreit (Demosth. or. 21,15). Entsprechend früh mußten die Dichter, die sich am Agon beteiligen wollten, ihre Stücke bereithalten. Nach welchen Kriterien der Archon sie auswählte, ist unbekannt. Die Probenarbeit mit dem Chor, wie überhaupt die Regie, fiel urspr. dem Dichter selbst zu; später übernahm diese Aufgabe meistens ein professioneller Choreograph (*chorodidáskalos*) [8]. Text, Melodien und Tanzschritte sämtlicher Lieder einer trag. Tetralogie zu memorieren, verlangte von den Laiensängern Ausdauer und Konzentration. In der Neuen Kom. waren Chorlieder zu Intermezzi geschrumpft und nicht länger Teil des tradierten Textes. Die Anekdote, der zufolge → Menandros [4] kurz vor dem Fest sein Stück zwar im Kopf fertiggestellt, die Verse aber noch nicht aufgeschrieben habe (PCG 6,2 testim. 70), verdeutlicht, daß professionelle Schauspieler eine Dialog-Kom. schnell einüben konnten.

Zwei Tage vor Beginn der Dionysia fand der sog. Proagon statt, seit 444 v. Chr. im → Odeion des Perikles. Bei dieser Zeremonie stellten die Dichter ihre Stücke vor, Chor und Schauspieler präsentierten sich dem Volk ohne Masken, doch dem kultischen Anlaß entsprechend bekränzt. Im Jahr 406 v. Chr. trat auf die Nachricht vom Tod des → Euripides [1] der greise → Sophokles [1] mit seiner Truppe im Trauergewand und unbekränzt auf (TrGF 4, testim. 54).

Für den dramatischen Wettbewerb suchte man größtmögliche Chancengleichheit zu sichern. So wurde die Reihenfolge der trag. → Tetralogien bzw. der einzelnen Kom. ausgelost, die Wahl der Schauspieler stand schon früh nicht mehr im Belieben der Dichter und v. a. wurden die Laienrichter (κριταί, *kritaí*), die am Ende stellvertretend für das Publikum ihr Urteil abzugeben hatten, erst im letzten Augenblick in einem ausgeklügelten Los- und Auswahlverfahren bestimmt [5. 40–43]. Die Aufführungen selbst begannen früh morgens und endeten gegen Abend; die reine Spielzeit für eine trag. Tetralogie oder für fünf Kom. in Folge war eine physische und geistige Herausforderung. Die anspruchsvollen Texte wurden vom Athener Massenpublikum bereitwillig aufgenommen. Aristophanes (Av. 785–789) macht allerdings Witze über komische Fluchten aus langweiligen Trag.-Aufführungen.

Das große Freilicht-Th. prägte einen von Konventionen bestimmten antiillusionistischen Aufführungsstil. Bühnenbilder gab es erst, seitdem der neutrale Holzbau der → *skēnḗ* ins Spiel einbezogen wurde; das mochte erstmals in der ›Orestie‹ (458 v. Chr.; → Aischylos [1]) geschehen sein. Nun konnte der Ort der Handlung mit den Mitteln der → Bühnenmalerei durch vorgehängte Kulissen charakterisiert werden: als Palast oder Tempel (Trag.), Wald oder Höhle (Satyrspiel), Bürgerhaus (Kom.). Ortswechsel zw. den aufeinanderfolgenden Stücken signalisierte ein schneller Kulissentausch (weit entfernt vom aufwendigen Realismus, den die Szenenbilder von [9] suggerieren). In der Trag. war der Ort der Handlung durch die dauernde Präsenz des Chores in der *orchḗstra* festgelegt, eine verbindliche Forderung nach Einheit des Ortes gab es jedoch nicht. Aus dramatischen Motiven konnte der Chor zwischenzeitlich ausziehen und wiederkehren (Poll. 4,108); bei Aischyl. Eum. 234 ist dies mit Ortswechsel von Delphi nach Athen verbunden. Die Alte Kom. verfuhr viel freier; ihr metatheatralisches Spiel verlangte kein illusionistisches Bühnenbild [7. 266–271]. Menandros schließlich folgte (wie in vielen Details) der strengeren Trag.; seine stereotype Straßenszene mochte am ehesten realistisch erscheinen.

Zu den Konventionen des att. Dramas gehörte v. a. das Spiel mit der → Maske. Choreuten und Schauspieler gaben ihre Individualität auf und verwandelten sich in ein dionysisches Gefolge (vgl. → Pronomos-Maler). In Sprache und äußerer Erscheinung wirkte das myth. Personal der Trag. groß und fremdartig, die Dickbäuche mit umgebundenem → Phallos aus der Alten und Mittleren Kom. auf groteske Weise indezent und häßlich. Ganz allmählich vollzog sich in beiden Gattungen eine Hinwendung zu mehr Realismus. So muten einige Figuren bei Euripides durch ihr sophistisch geschultes Argumentieren zeitgemäß an, und die Menschen des Menandros, die das traditionelle Kom.-Kostüm abgelegt haben, überraschen durch Lebensklugheit und schickliche Sprache. Die Aufführungen vermittelten dennoch kein lebensnahes Bild, wenn man bedenkt, daß traditionsgemäß alle Frauenrollen von Männern gespielt und einige Rollen auf verschiedene Sprecher aufgeteilt werden mußten, was eine Einheit von dramatischer Figur und individueller Stimme ausschließt [10. 65–69].

Konventionen bestimmten auch die szenische Gestaltung. Weil Nachtszenen bei Tageslicht gespielt wurden, mußten sie durch sog. Wortregie verdeutlicht werden (→ Regieanweisung). Bluttaten wurden, vielleicht aus rel. Scheu, von der Bühne ins Hinterszenische verbannt, ein Bote berichtete den Hergang (→ Botenszenen). Anderes wurde in trag. Manier auf dem → *ekkýklēma* vorgezeigt, einer Bühnenmaschine, deren realitätsferne Theatralik Aristophanes durch ironische Verwendung hervorhebt. Nicht darstellbare Innenszenen verlegte die Kom. stillschweigend nach draußen, weil sie dramatische Darstellung dem epischen Bericht vorzog [10. 56–62]. Da Szenenwechsel zumal in der Trag. vermieden wurde, mußte man Außerszenisches zum Spielort transportieren. Dabei wurden zeitlich zurückliegende Ereignisse durch Boten berichtet oder auch in Briefen mitgeteilt, gleichzeitige durch einen Beobachter von erhöhter Stelle aus geschildert (Teichoskopie, »Mauerschau«).

3. DICHTER – SCHAUSPIELER – PUBLIKUM

So wie Thespis in der von ihm inszenierten Trag. in wechselnden Rollen als Schauspieler (→ *hypokritḗs*) seinem Chor gegenübertrat, waren auch seine Nachfolger zugleich Dichter, Komponist, Schauspieler, Regisseur (Einstudierer des Chors) und Inspizient. Ihre Dramen waren für Aufführungen bestimmt, deren szenische Bedingungen sie selbst schufen und erweiterten. So nahm → Aischylos [1] einen zweiten Schauspieler (→ *deuteragōnistḗs*) hinzu und ermöglichte dramatische Dialoge ohne den Chorführer; der junge Sophokles erhöhte die Zahl der Sprecher auf drei (→ *tritagōnistḗs*). Dabei ist es verbindlich geblieben; nur Statisten (in der Regel Knaben [11], die der Chorege extra bezahlte) durften darüber hinaus eingesetzt werden. Die Entwicklung in der Kom. verlief anders. Als Stegreifspiel unterlag sie keinem Reglement; danach wurde die Zahl der Sprecher auf vier begrenzt (nur Aristoph. Ach. benötigen fünf) [12]. Die Neue Kom. hat die Formenstrenge weitergetrieben und in Anlehnung an die Trag. nur noch drei zugelassen.

Aischylos wählte seinen ersten Mitschauspieler Kleandros verm. aus den Reihen der Choreuten; später kam Mynniskos aus Chalkis dazu (TrGF 3, testim. 1,15). Sophokles verzichtete früh auf eigene Bühnenauftritte, weil sich ein professioneller Schauspielerstand herauszubilden begann; seinen ihm treu ergebenen Darstellern schrieb er Rollen auf den Leib (TrGF 4, testim. 1,6). Etwa seit 449 v. Chr. wurde an den Dionysia auch die beste Leistung eines trag. → *prōtagōnistḗs* prämiert, und kurz darauf zog an den Lenaia die Kom. nach. Damit war die Kunst des Schauspielers gleichrangig neben das Werk des Dramatikers getreten.

Da lag es nahe, daß man auch die Regie Fachleuten übertrug. Kallistratos [1] und → Philonides [1] inszenierten erfolgreich für → Aristophanes [3]. Zuvor schon waren in »Dramatikerdynastien« Söhne mit nachgelassenen Stücken ihrer Väter aufgetreten. Die Komposition der Musik aber verblieb bei den Dichtern, solange Chorlieder und Arien Bestandteile ihres Textes waren. Aristophanes verspottete die neumodische Musik des Euripides und → Agathon [1], ahmte sie aber gleichwohl nach (Av. 227–262). Ob Menandros seine Chorintermezzi noch selbst anfertigte, wissen wir nicht. Zeitweilig also trat der Dichter hinter den Sponsor, dem Regisseur und den Protagonisten zurück; im Falle des Sieges aber erhielt er vor versammelter Menge den dionysischen Efeukranz [8. 98].

Die Schauspieler genossen allg. Ansehen, auch ein → *métoikos* wie Mynniskos oder unselbständige Tritagonisten wie in seiner Jugend der Redner → Aischines [2]. An Bed. allerdings übertraf der Protagonist seine beiden nachgeordneten Helfer bei weitem; diese konkurrierten nicht mit ihm, sondern unterstützten seinen führenden Part und trugen so zum Sieg bei [13]. Zu dritt mußten sie die Dialogpartien einer Tetralogie bewältigen: Der Protagonist sicherte sich den jeweils führenden Part und weitere Glanzstücke, den beiden anderen blieb eine Fülle disparater Männer- und Frauenrollen, die schnellen Maskenwechsel erforderten. Den Stil der Aufführung prägten nicht psychologisches Einfühlen und natürliche Wiedergabe, sondern Stimmbeherrschung in Deklamation und Gesang, dazu eine den Dimensionen des Theaters angemessene Gestik und Bewegung.

Im Schauspieler-Agon (→ Wettbewerbe, künstlerische) war der Keim zum Starkult angelegt, daher dauerte es nicht mehr lange, bis die Protagonisten aus Gründen der Chancengleichheit den Dichtern vom Archon zugelost und bezahlt wurden [14]. Auch an den ländlichen Dionysia in Attika fanden schon im 5. Jh. Aufführungen statt, und im 4./3. Jh. entwickelte sich überall in der griech.-sprachigen Welt ein reiches Th.-Leben, nun an verschiedenen Götterfesten oder aus profanem Anlaß (z.B. Eroberung von Tyros durch Alexandros [4] den Großen 331 v.Chr.). Wandertruppen unter Führung eines Protagonisten spielten gern Klassiker; Spuren von Überarbeitungen zeigen unsere Texte. Der Zusammenschluß von Künstlern aller Sparten zu Gilden der sog. → technítai des Dionysos diente der Wahrung des künstlerischen Niveaus, der sozialen Sicherung und dem gesellschaftlichen Zusammenhalt [5. 81 f.] (→ Vereine).

Unter den Athenern gab es kompetente Zuschauer, denn viele hatten selbst schon einmal mitgewirkt; dennoch urteilten die ausgelosten Richter subjektiv (Kratinos, fr. 360 PCG). Die wochenlangen Proben überall in der Stadt hatten die Neugier geschürt, so daß am Fest Bürger, Metoiken und Gäste zusammenströmten. Auch Knaben hatten Zutritt zum Th., Frauen waren nicht ausgeschlossen, doch nur marginal vertreten. Wohl schon im 5. Jh. v. Chr. wurde ein Eintrittsgeld von 2 Obolen pro Tag erhoben, die man bar einem Th.-Pächter (ἀρχιτέκτων, architékton) zahlte, der für den Unterhalt der Anlage sorgte und Sitze bereithielt. Ob von Fall zu Fall Bedürftigen das Geld erstattet wurde, ist umstritten; regelmäßige Zahlung sog. Schaugelder (→ theōrikón) hat erst → Eubulos [1] um 350 v.Chr. eingeführt. Die Ehrenplätze im Th. (→ prohedría) waren Priestern, polit. Amtsträgern und Staatsgästen vorbehalten; die weiteren Sitze waren hierarchisch gestaffelt, die hintersten verachtet.

Vom Lärm im Th. berichten viele ant. Anekdoten. Handfesten Streit schlichteten Ordner mit Stöcken [8. 273]. Das Publikum reagierte leidenschaftlich und spontan auf das Bühnengeschehen (mit Tränen: Hdt. 6,21 und Gelächter: schol. Eur. Or. 279). Es sparte nicht mit → Beifall oder mißmutigem Zischen und Trampeln; auch von bezahlten Claqueuren ist die Rede. Die ausdrückliche Bitte um Applaus am Ende kennt nur die Neue Komödie.

B. ROM
1. THEATERSPIEL ZUR ZEIT DER REPUBLIK
2. THEATERSPIEL IN DER KAISERZEIT

1. THEATERSPIEL ZUR ZEIT DER REPUBLIK
Griech. und ital. Tradition des Th.-Spiels trafen in Rom zusammen, als der Freigelassene → Livius [III 1] Andronicus im Jahre 240 v.Chr. an den ludi Romani (→ ludi II.B.) ein Drama in lat. Bearbeitung inszenierte.

Griech. Aufführungen im Westen gab es seit → Epicharmos und der dorischen Posse, seit Aischylos auf Sizilien und seit Aristophanes auf ital. Bühnen des 4. Jh. (vgl. → Phlyakenvasen) [15]; reiches arch. Material dokumentiert die Neue Kom. [16], deren Kunde über Soldaten und Kaufleute nach Rom gelangte. Daneben bestand eine ital. Trad. des sub-lit. mimus (→ Mimos II.). Ein weiteres Stegreifspiel, die → Atellana fabula, hatte der oskische Sprachraum hervorgebracht: ein Maskenspiel, das grobe Alltagsszenen mit Bauern und Handwerkern zeigte und feste Typen verwendete. Beide Gattungen hatten sich Anf. des 3. Jh. auch in Rom etabliert (genauere Zeugnisse fehlen). Das lit. Th. griechischer Herkunft konnte die etablierten Stegreifformen nicht spurlos verdrängen. Die Atellana lebte weiter, weil röm. Jugendliche sie aufnahmen und als Nachspiel zu dramatischen Aufführungen präsentierten. Der Kom.-Dichter → Plautus aber – ein ehemaliger Atellanenspieler, wie sein Name Maccius (Maccus, »Tölpel«) besagt – und die übrigen Dichter der → palliata bearbeiteten griech. Originale frei und bereicherten sie durch ital. Elemente [17].

Die Atellanenspieler nahmen ihre Masken am Schluß nicht ab, um sich durch Anonymität vor bürgerlichem Ehrverlust zu schützen; die Masken hatten also keine kultische Funktion. Zugleich erkennt man die Einschätzung der Schauspieler: Aus dionysischen Künstlern waren Gaukler geworden; kein röm. Bürger, nur Freigelassene und Sklaven durften vor Publikum agieren (→ infamia). Brauchten diese aber verhüllende Masken? Diomedes (GL 1,489) könnte damit recht haben, daß erst der Schauspieler → Roscius [I 4] sie verbindlich eingeführt habe. Die einzelnen Gattungen hätten sich demnach deutlich voneinander abgesetzt.

Die Aufführungen standen unter der Aufsicht der curulischen → aediles. Sie fanden im Rahmen von Festspielen (→ ludi) statt, nicht als autonome Veranstaltungen, sondern neben rel. Riten und circensischen Darbietungen aller Art. Die Bühne wurde in der Nähe eines Tempels oder im → Circus aufgeschlagen: ein langgestrecktes Podest (pulpitum), auf dem auch Boxer und Seiltänzer, an ludi funebres → Gladiatoren auftraten [18]. Ein lebendiges Bild von der Stimmung im Th. vermittelt Plautus' Poenulus (17–45): Männer und Frauen schauen zu, auch Sklaven und Ammen mit ihren Säuglingen; ein Platzanweiser (dissignator) und der → lictor des Festgebers mühen sich um Ordnung. Der Prologsprecher fordert Ruhe; es ist der vom Aedil beauftragte Leiter der aufführenden Truppe (dominus gregis). Er hat das Stück dem Dichter abgekauft und auf eigenes Risiko inszeniert, hat die Musik für die umfangreichen Gesangspartien (→ canticum) komponieren lassen, einen Kostümverleiher (choragus: Plaut. Curc. 462–466; Plaut. Persa 159f.) engagiert und selbst die Hauptrolle übernommen. Über die Funktion des Chors im röm. Th. wissen wir wenig; die Trag. hat ihn (regelmäßig?) übernommen, die Kom. eliminiert und aus griech. Fünf-Akte-Sprechdramen Singspiele mit durchlaufender

Handlung (*actio continua*) gemacht. Die röm. Th.-Architektur hat den Chor nicht mehr berücksichtigt: der Raum zw. Bühne und Zuschauern (die ehemalige *orchḗstra*) wurde zu einem Halbkreis verengt und für Ehrensitze genutzt (s.o. II.).

Im 1. Jh. v. Chr. gelangten einige herausragende Schauspieler zu Ruhm und Reichtum, so → Aesopus Clodius in der Trag. und Roscius in der Kom., doch der Geschmack des Massenpublikums (Pol. bei Athen. 14, 615b-e; Hor. epist. 2,1,182–186) wandte sich vom lit. Drama ab. Dessen lebendige Trad. war schon erloschen, als in Rom das Pompeius-Th. 55 v. Chr. eingeweiht wurde. Über das Eröffnungsprogramm spottet Cicero (fam. 7,1): Man bot zwei alte Trag. mit absurdem Aufwand an Requisiten, danach Kom. und Atellanen und schließlich fünf Tage Tierhetzen (→ *venatio*) und einen Tag Elefantenschau.

2. THEATERSPIEL IN DER KAISERZEIT

Jetzt erst wurde das Th. durch monumentale Steinbauten in den Städten zu einer sichtbar etablierten Institution. In Rom förderten die Kaiser → *ludi* und *spectacula* aller Art, wobei Caligula und Nero [1] sich bes. hervortaten. Die szenischen Darbietungen umfaßten wiederaufgeführte Kom. und trag. Einzelszenen, die bald virtuos rezitiert (*fabula cantata*), bald pantomimisch dargestellt (*fabula saltata*) wurden. Für Neros öffentl. Bühnenauftritte und seine wachsende Th.-Manie liegt eine mustergültige Dokumentation und Auswertung vor [19]. Der Trend lief auf bloße Unterhaltung und Sinnenkitzel hinaus, dennoch entstanden weiterhin zahlreiche myth. Trag. und nationalröm. Historiendramen (→ *praetexta*) [20], zumeist dilettantische Übungen in hohem Stil oder Texte für die → Rezitation im Liebhaberkreis. Eine Sonderstellung nimmt das Corpus der Trag. → Senecas [2] ein; ihre prinzipielle Aufführbarkeit ist Gegenstand heftiger Kontroverse [21; 22].

Seither beherrschten zwei weitgehend unlit. Gattungen die Bühne: das »niedere« Rüpelspiel des Mimos, das über Jh. hin Elemente des Improvisatorischen bewahrt hatte, und der hochartifizielle → Pantomimos, der myth. Trag.-Szenen mittels Tanz und Gebärden wiedergab, wobei ein von einem Orchester begleiteter Chor den Text sang. Der Pantomime, der mit Hilfe wechselnder Masken und reicher Kostüme Männer und Frauen darstellte, fesselte sein Publikum durch Körperbeherrschung und erotische Ausstrahlung. Mimischer → Tanz fand auch andere Ausprägung: Apuleius (met. 29,3–34,1) schildert ein myth. Ballett zum Thema des Parisurteils im Th. von Korinth [23]. Anhaltende Kritik der Kirchenväter an den *spectacula* [24] hatte ebensowenig vermocht, deren Attraktivität einzudämmen, wie die Weigerung des röm. Staates, Schauspielern volles Bürgerrecht zuzuerkennen. Das röm. Th. lebte fort bis in die Spätantike.

→ Atellana fabula; Bühnenmalerei; Chor; Choregie; Dithyrambos; Fest; Festkultur; Histrio; Hypokrites; Komödie; Literatur; Literaturbetrieb; Ludi, Maske; Mimos; Pantomimus; Phlyakenvasen; Praetexta;

Prohedria, Protagonistes; Schauspiele; Tanz; Tragödie; Unterhaltungskünstler; Wettbewerbe (künstlerische); THEATER; THEATERBAU

1 PICKARD-CAMBRIDGE/WEBSTER, 152–154, Taf. 7–9 **2** A. LESKY, Die trag. Dichtung der Hellenen, ³1972, 53 **3** F. KOLB, Agora und Th., Volks- und Festversammlung (Arch. Forsch. Bd. 9), 1981 **4** CHR. MEIER, Die polit. Kunst der griech. Trag., 1988 **5** H.-D. BLUME, Einführung in das ant. Th.wesen, ³1991 **6** TRAVLOS, Athen, 566 **7** H.-J. NEWIGER, Drama und Th., 1996 **8** PICKARD-CAMBRIDGE/GOULD/LEWIS, 90f. **9** H. BULLE, H. WIRSING, Szenenbilder zum griech. Th. des 5. Jh.s, 1950 **10** H.-D. BLUME, Menander, 1998 **11** G. M. SIFAKIS, Boy Actors in New Comedy, in: G. W. BOWERSOCK (Hrsg.), Arktouros. FS B. M. W. Knox, 1979, 199–208 **12** D. M. MACDOWELL, The Number of Speaking Actors in Old Comedy, in: CQ 44, 1994, 325–335 **13** M. G. SIFAKIS, The One-Actor Rule in Greek Tragedy, in: A. GRIFFITHS (Hrsg.), Stage Directions. FS E. W. Handley, 1995, 13–24 **14** P. GHIRON-BISTAGNE, Recherches sur les acteurs dans la Grèce antique, 1976, 179–191 **15** O. TAPLIN, Comic Angels, 1993 **16** J. R. GREEN, Th. in Ancient Greek Society, 1994 **17** L. BENZ et al. (Hrsg.), Plautus und die Trad. des Stegreifspiels. FS E. Lefèvre, 1995 **18** F. H. SANDBACH, How Terence's Hecyra failed, in: CQ 32, 1982, 134f. **19** P. L. SCHMIDT, Nero und das Th., in: BLÄNSDORF, 149–163 **20** I. OPELT, Das Drama der Kaiserzeit, in: E. LEFÈVRE (Hrsg.), Das röm. Drama, 1978, 427–457 **21** O. ZWIERLEIN, Die Rezitationsdramen Senecas (Beitr. zur klass. Philol. 20), 1966 **22** D. F. SUTTON, Seneca on the Stage, 1986 **23** N. FICK, Die Pantomime des Apuleius, in: BLÄNSDORF, 223–232 **24** H. JÜRGENS, Pompa diaboli. Die lat. Kirchenväter und das ant. Th. (Tübinger Beitr. zur Altertumswiss. 45), 1972.

P. ARNOTT, Greek Scenic Conventions in the Fifth Century B. C., 1962 · R. C. BEACHAM, The Roman Th. and Its Audience, 1991 · W. BEARE, The Roman Stage, ³1964 · M. BIEBER, The History of the Greek and Roman Th., ²1961 · G. BINDER, B. EFFE (Hrsg.), Das ant. Th., Aspekte seiner Gesch., Rezeption und Aktualität, 1998 · M. BONARIA, Romani mimi, 1965 · E. CSAPO, W. J. SLATER, The Context of Ancient Drama, 1995 · F. DUPONT, L'acteur-roi ou le théâtre dans la Rome antique, 1985 · H. KINDERMANN, Das Th.publikum der Ant., 1979 · B. LEGUEN, De la scène aux gradins. Théâtre et représentations dramatiques après Alexandre le Grand (Pallas 47), 1997 · H. LEPPIN, Histrionen, 1992 · N. SAVARESE (Hrsg.), Teatri romani. Gli spettacoli nell' antica Roma, 1996 · A. H. SOMMERSTEIN et al. (Hrsg.), Tragedy, Comedy and the Polis, 1993 · I. E. STEFANIS, Dionysiakoi technitai, 1988 · O. TAPLIN, Greek Tragedy in Action, 1978 · T. B. L. WEBSTER, Griech. Bühnenaltertümer, 1970 · J. W. WINKLER, F. I. ZEITLIN (Hrsg.), Nothing to Do with Dionysos? Athenian Drama in Its Social Context, 1990.   H.-D.B.

Theatermarken s. Eintritts- und Erkennungsmarken

Theatrum Balbi. Steinernes → Theater auf dem → Campus Martius in Rom (→ Roma III.), von L. Cornelius [I 7] Balbus anläßlich seines Triumphes über die → Garamantes 19 v. Chr. begonnen und 13 v. Chr. ein-

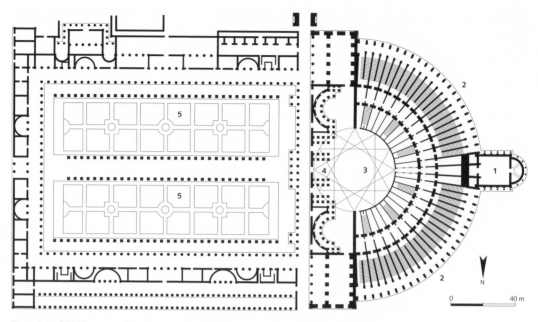

Rom, Marsfeld: Theater und Porticus des Pompeius [I 3], 61–55 v. Chr. (rekonstruierter Grundriß).

1   Tempel der Venus Victrix   3   Orchestra/Spielfläche   5   Gartenanlage
2   Cavea/Zuschauerraum   4   Scenae frons/Bühnenwand

geweiht (Suet. Aug. 29,5; Cass. Dio 54,25,2). Bedeutende Reste sind im h. Rom im Umkreis der Piazza Paganica erh., z. T. unausgegraben. Das mehrfach umgebaute und nach dem Brand von 80 n. Chr. wohl gänzlich neuerrichtete Theater faßte ca. 8000 Besucher und war damit das kleinste der stadtröm. Theaterbauten. Ein annähernd quadratischer Hof mit Apsis schloß sich hinter dem Bühnengebäude an. Dessen Bezeichnung *Crypta Balbi* auf der → *Forma urbis Romae* läßt auf eine Cryptoporticus (→ Crypta) schließen; die Anlage als solche fügt sich damit in die seit der Stiftung des → Theatrum Pompei(i) traditionellen Formen stadtröm. Theateranlagen ein, die jenseits des eigentlichen Theaterbauwerks immer auch einen Muße- bzw. Ruheort für das Publikum aufwiesen.
→ Theater (II.)

G. GATTI, Il Teatro e la Crypta di Balbo in Roma, in: MEFRA 91, 1979, 237–313 · D. MANACORDA, s. v. Th. B., in: LTUR 5, 1999, 30 f. · RICHARDSON, s. v. Th. B., 381 f.
C. HÖ.

Theatrum Marcelli. → Theater auf dem Marsfeld (→ Campus Martius) in Rom; wohl schon unter Caesar begonnen und von Augustus 17 v. Chr. anläßlich der Saecularspiele (→ *saeculum* III.) vollendet (aber erst 13 oder 11 v. Chr. im Namen des früh verstorbenen Neffen und ersten »Erben« des Augustus M. → Claudius [II 42] Marcellus geweiht). Der Bau erhebt sich an demjenigen Platz, an dem üblicherweise das temporär und nur aus Anlaß von Aufführungen errichtete große Holztheater aufgebaut wurde, und stellt sich somit in eine im damaligen Rom wohlbekannte Trad. Der im MA bewohnte und deshalb auch nachant. städtebauliche Bed. besitzende Komplex faßte laut Regionenkatalog ca. 20000 Zuschauer. Sein heutiger Zustand geht auf faschistisch initiierte Ausgrabungs- und Restaurierungsarbeiten von 1926–1932 zurück.

P. CANCIO ROSSETTO, s. v. Th. M., LTUR 5, 1999, 31–35 · P. FIDENZONI, Il teatro di Marcello, 1970 · RICHARDSON, s. v. Th. M., 382 f. · Ders., s. v. Theater of Marcellus, in: N. THOMSON DE GRUMMOND (Hrsg.), An Encyclopedia of the History of Classical Archaeology, Bd. 2, 1996, 1093–1095. C. HÖ.

Theatrum Pompei(i). Das Pompeius-Theater, das erste Steintheater Roms, das die lange Reihe der bis dahin in Rom und ganz It. aus Gründen der öffentlichen Sicherheit vorherrschenden temporär errichteten Holztheater (→ Amphitheatrum; → Theater II.) durchbrach; vom Triumvirn → Pompeius [I 3] nach seinem Triumph (61 v. Chr.) begonnen und mit aufwendigen Spielen 55 v. Chr., seinem zweiten Konsulatsjahr, eingeweiht. Der riesige Komplex auf dem westlichen Marsfeld (→ Campus Martius) vor der Stadt Rom (→ Roma III.) bestand aus einem im Halbrund ca. 150 m messenden Theater, einer sich hinter der Bühne anschließenden Porticus-Anlage (ca. 180 × 135 m), die als → Garten ausgestaltet war, und einer Reihe von den Platz abschließenden → Exedren, in denen u. a. eine Statue des Pompeius aufgestellt wurde. Oberhalb der → *cavea* des Theaters erstreckte sich ein ebenfalls dem Komplex zugehöriger Tempel für Venus Victrix. Das

Th.P. stellt ein beinahe in griech.-hell. Trad. stehendes Herrschermonument dar und war bei seiner Errichtung dementsprechend umstritten; es bildete zwar nicht formal, aber doch intentional das Vorbild für herrscherliche Repräsentationsanlagen wie später das → Forum [III 5] Iulium und weitere röm. Kaiserfora (auch wenn die Verbindung von Theater/*cavea* und Tempel alte ital. Wurzeln hatte, vgl. z.B. das Terrassenheiligtum von → Praeneste/Palestrina). In der → Porticus des Th.P. tagte in den 40er-Jahren häufig der Senat; hier wurde am 15. März 44 v.Chr. das Attentat auf → Caesar verübt.

P.Gros, s.v. Th.P., LTUR 5, 1999, 35–38 · J.A.Hanson, Roman Theater-Temples, 1959 · M.Hülsemann, Theater, Kult und bürgerlicher Widerstand im ant. Rom, 1987 · Richardson, s.v. Th.P., 383–385 · Ders., s.v. Theater of Pompey, in: N.Thomson de Grummond (Hrsg.), An Encyclopedia of the History of Classical Archaeology, Bd. 2, 1996, 1095f.   C.HÖ.

Thebai

[1] Das ägypt. Theben, Stadt im 4. oberäg. Gau.

I. Namen   II. Geschichte
III. Topographie   IV. Religiöse Feste

I. Namen

Eigentlich *Wȝs.t* (»die Starke«), davon abgeleitet ab spätestens der 17. Dyn. eine weibliche Personifikation *Wȝs.t nḫt.tj* (»das siegreiche Theben«). Ab dem MR (ca. 1990–1630 v.Chr.) oft einfach als *njw.t*, »die Stadt (schlechthin)«, bezeichnet – daher auch die hebräische Form *noʾ* [Ez 30,14f.; Jer 46,25; Nahum 3,8) und assyrisch *Nēʾ* [10. 260] – oder ausführlicher »die südliche Stadt« (im Kontrast zu → Memphis). Daneben findet sich auch der Ausdruck *Jwn.w rsj* (»südliches Heliopolis«). Griech. Θῆβαι/*Thēbai* zuerst bei Hom. Il. 9,381–384 als »hunderttoriges Th.« (im Kontrast zum siebentorigen Th. [2] in Boiotien). Diese Form dürfte durch Anpassung einer lautlich ähnlichen äg. Form an die bekannte griech. Stadt entstanden sein; Ausgangspunkt ist verm. äg. *Ḏȝ-mȝʿ*, koptisch *Čēme*, eigentlich die Bezeichnung des Bereiches auf dem Westufer um Madīnat Hābū. Von den Griechen wurde Th. aufgrund des mit Zeus gleichgesetzten Hauptgottes Amun oft als *Diós Pólis* (»Stadt des Zeus«), vielfach mit dem Zusatz ἡ μεγάλη/*hē megálē* (»die große«) bezeichnet; ab dem 1.Jh.n.Chr. amtlich auch → *mētrópolis* [2].

II. Geschichte

Erste Siedlungsfunde weisen weit in die Vorgesch. zurück (5.–4. Jt.v.Chr.) [4]. Aus dem späten AR (ca. 2400–2200 v.Chr.) stammen einige Gaufürstengräber [8], die erstmals polit. Bed. anzeigen. Möglicherweise stammen erste Bauten am Tempel von Karnak (s.u. III.A.) aus dieser Zeit [2]. Zu großer polit. Macht gelangte Th. durch eine Gaufürstenlinie der 1. Zwischenzeit (ca. 2190–1990 v.Chr.), die unter Antef I. den Königstitel (zunächst in verkürzter Form) annahm und un-

ter Mentuhotep II. Äg. siegreich wiedervereinigte. Th. wurde kurzzeitig Residenzstadt, bis es ab der 12. Dyn. von al-Lišt (südl. von Memphis) abgelöst wurde. Kulturell blieb Th. jedoch bedeutsam. Der Kernbereich des Haupttempels von Karnak stammt aus dieser Zeit, ebenso die »Weiße Kapelle«. Von Th. aus begann die 17. Dyn. den Kampf gegen die → Hyksos (unter Ahmose erfolgreich abgeschlossen). In der 18. Dyn. erlebte Th. als Zentrum eines Weltreiches seine größte Blüte. Der Amuntempel von Karnak wurde zum wichtigsten Tempel Äg.s.

Unter den Ramessiden (1294–1070 v.Chr.) verlor Th. polit. an Gewicht, blieb aber Bestattungsort der Herrscher und wichtiges rel. Zentrum. Nach Abzug der gehobenen Verwaltungsschicht nach Norden sind v.a. rel. Funktionäre sowie gehobene Handwerker belegt. Nach dem E. der Ramessidenzeit entstand in Th. der Gottesstaat des → Amun, der den Hauptgott des Ortes (durch Orakel) zum allentscheidenden Herrscher machte. Die in → Tanis residierende 22. Dyn. versuchte, Th. unter Kontrolle zu halten und Nebenlinien des Königshauses als Hohepriester des Amun einzusetzen; z.T. mit blutigen Konflikten. Für die nubischen Herrscher, die in der 25. Dyn. den Thron bestiegen, war Th. ein wichtiger Ausgangspunkt für ihre Macht. Die wichtigste Machtposition in Th. war in dieser Zeit die »Gottesgemahlin des Amun«, eine zölibatär lebende Priesterin, die ihr Amt durch Adoption weitergab; üblicherweise wurden Töchter des Pharaos eingesetzt. Bei der assyrischen Eroberung unter → Assurbanipal (664 v.Chr.) wurde Th. erbarmungslos geplündert. Die 26. Dyn. (aus Saïs) stieß bei der Konsolidierung ihrer Herrschaft nach Süden vor und konnte die amtierende Gottesgemahlin nubischer Herkunft sowie ihre designierte Nachfolgerin zwingen, eine Tochter des Psammetichos [1] zu adoptieren. Ihr zur Seite trat ab dieser Zeit ihr Obergutsverwalter.

Mit der persischen Eroberung (525 v.Chr.) verlor Th. weiter an Bed., Kambyses [2] soll es geplündert haben (Diod. 1,46). Zahlreiche nachgewiesene Priesterämter zeigen Th.s weitergehende Bed. als rel. Zentrum im 4. und 3. Jh.v.Chr. Unter den → Ptolemaiern wurde die Thebais als Verwaltungsregion des südlichen Oberäg. beibehalten. Ab 206 v.Chr. wurde Th. zur Basis der national-äg. Gegenkönige *Ḥr.w-wn-nfr* (Hyrganophris) und *ʿnḫ-wn-nfr* (Chaonophris), die zeitweilig die Ptolemaierherrschaft in Oberäg. beseitigten, aber 186 v.Chr. endgültig besiegt wurden. Ca. 132/1–129 hielt der Rebell → Harsiesis Th. in seiner Gewalt. Ein weiterer Aufstand 88–85 v.Chr. führte zur totalen Zerstörung der Stadt durch Ptolemaios [15] IX., doch wurde sie wieder aufgebaut. Ihre Bauwerke werden von Diod. 1,46–49 ausführlich (bes. das Ramesseum), von Strab. 17,46 kurz beschrieben und von Hadrian bewundert. Hauptsitz der Verwaltung der röm. Provinz war nicht mehr Th., sondern das nahegelegene Hermonthis.

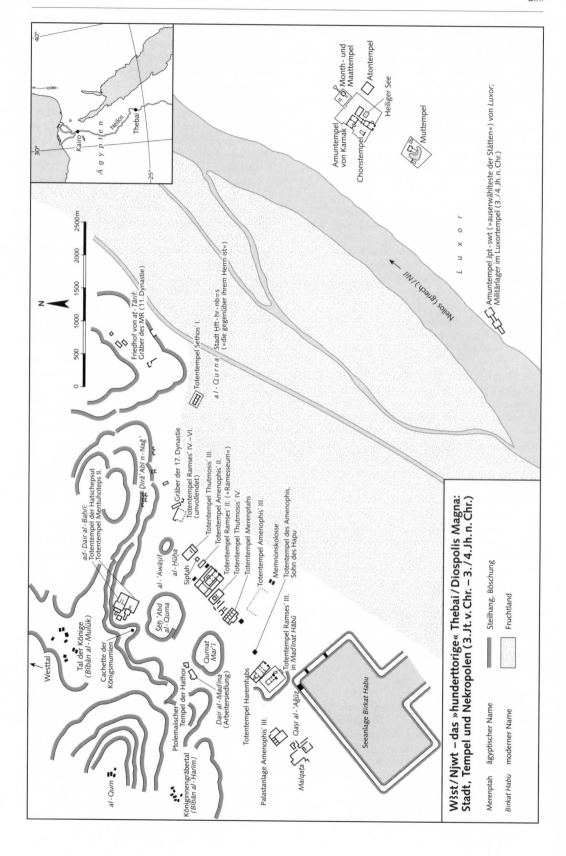

Wꜣst/Njwt – das »hunderttorige« Thebai / Diospolis Magna:
Stadt, Tempel und Nekropolen (3. Jt. v. Chr. – 3. / 4. Jh. n. Chr.)

Merenptah   ägyptischer Name
Birkat Ḥabu   moderner Name

Steilhang, Böschung
Fruchtland

III. Topographie

Über die eigentliche Struktur der Siedlung ist wenig bekannt, da Wohnbebauung aus älterer Zeit kaum erforscht und nur in kleinen Bereichen freigelegt ist.

A. Ostufer: Luxor und Karnak

Am Ostufer des Nil liegt zunächst der Kern der Stadtanlage, die sich um zwei Zentren gruppiert. Beim h. Karnak befindet sich der Tempel des Amun, der aus bescheidenen Anf. zum wohl größten und bedeutendsten Tempel Äg.s wurde. Ramses [3] III. eignete ihm über 80 000 Menschen und 2393 km² Land zu (→ Tempelwirtschaft). Sein immer stetig wachsendes Areal wurde von einer großen Ziegelmauer umschlossen, innerhalb der Anlage gab es beim heiligen See Wohnhäuser von Priestern. Seitlich neben dem Tempelbau innerhalb des Temenos dürfte ein Königspalast gelegen haben, der zumindest in der 18. Dyn. Hauptsitz der Verwaltung war [6]. Nördl. des Haupttempels entstand der Tempel des Month, südl. derjenige der Mut, weiter östl. unter Amenophis [4] IV./Echnaton der nur kurze Zeit bestehende Aton-Tempel von gigantischen Dimensionen. Im Inneren der großen Umfassungsmauer von Karnak gibt es zahlreiche kleinere Tempel und Kapellen. Um diese Tempelanlage dürften die Wohnquartiere gelegen haben. Wohnbebauung ist bis in die ptolem. Zeit sicher nachgewiesen. Aus ptolem. Zeit stammen einige bedeutende Archive von Tempelbediensteten, deren Immobilienverkäufe Angaben über verschiedene Stadtviertel machen [9].

Zweites Tempelzentrum ist Luxor, dessen Hauptachse aufgrund eines Bezugs auf den Karnak-Tempel ungewöhnlicherweise nordsüdlichorientiert ist. Hier wurde zur Tetrarchenzeit (um 300 n. Chr.) ein röm. Legionslager errichtet, im Tempel eine Kaiserkultanlage etabliert.

B. Westufer:
Königsgräber, Tempel und Nekropolen

Auf dem Westufer bestand zunächst die Totenstadt. Schon in der 11. Dyn. entstanden neben den Königsgräbern im Bereich von at-Ṭārif bis ad-Dair al-Baḥrī Gräber hoher Beamter [1]. Bescheidene Gräber der 13. und 17. Dyn. (auch die der Herrscher) liegen in Ḍirāʿ Abī n-Naǧʿ. Die Königsgräber der 18.–20. Dyn. wurden unzugänglich im Tal der Könige (s. Karte) angelegt, die Totentempel der Herrscher dagegen, die am Vorbild von Göttertempeln orientiert waren, am Fruchtlandrand auf dem Westufer. Sie erhielten üblicherweise auch einen Palastkomplex, dessen Charakter (Modell oder reale Nutzung?) umstritten ist. Etwa ihrer räumlichen Entwicklung folgend, mit dem Wunsch nach Blickkontakt, wurden die Gräber der hohen Beamten in die Felsen gehauen [5]. Auch in der 25. und 26. Dyn. entstanden große Gräber, die Achsenbezug auf Stationskapellen des Talfestes suchten, in späteren Epochen wurden alte Gräber wiederverwendet.

Im nördl. Bereich des Westufers entstand die dem eigentlichen Th. gegenüberliegende Siedlung ḥft-ḥr-nb=s (»die ihrem Herrn gegenüber ist«), für die unter Hatschepsut (ca. 1500 v. Chr.) eine Umwallung nachgewiesen ist. Als Siedlung der Nekropolenhandwerker wurde Dair al-Madīna von Thutmosis [1] I. begründet. Weitere Siedlungen auf dem Westufer schlossen sich unter der Führung eines eigenen, vom Ostufer unabhängigen Bürgermeisters zusammen. Südl. des Areals der Totentempel baute Amenhotep III. (→ Amenophis [3] III.) einen Palast und legte einen großen künstlichen See an. Mit den Unruhen und Libyereinfällen am E. der 20. Dyn. wurde Dair al-Madīna aufgegeben, die Siedlung verlagerte sich in den Bereich der Totentempel, bes. um das Ramesseum und Madīnat Hābū. Dort wird der Begräbnisplatz der Urgötter lokalisiert, dessen theologische Bed. in der Spätzeit zunahm. Hier wohnten v. a. Balsamierer und Totenpriester, deren Archive teilweise erh. sind. Die dortige Siedlung, äg. Čēme, griech. Μεμνόνεια/Memnóneia, blieb bis mindestens ins 8. Jh. n. Chr.

IV. Religiöse Feste

Das komplexe Siedlungsgelände mit mehreren wichtigen Punkten auf beiden Ufern war rel. durch eine Reihe von Prozessionsfesten verbunden [3], bei denen die Götter den Nil überquerten und zeitweise Quartier in anderen Tempeln nahmen. Der demotische *Papyrus* Spiegelberg berichtet in lit. Form über den Streit äg. Priester um Pfründen und Anrechte im Zusammenhang mit der Prozessionsbarke des Amun [11]. Diod. 1,97 verbindet den homerischen Ber. (Hom. Il. 1,423) über den Aufenthalt der Olympischen Götter bei den Äthiopiern mit der Überfahrt der Zeusbarke über den Nil, sicher unter Bezug auf das Talfest. Beim Opetfest zog die Barke des Amun von Karnak nach Luxor; es war bes. mit der Machtbestätigung des Königs verbunden. Relikte dieses Festes laufen in arabischer Zeit bis h. als Fest des lokalen Scheichs weiter, sie werden mod. zunehmend »pharaonisiert«.

→ Ägypten; Nil; Religion (III.); Tempel

1 D. Arnold, Gräber des Alten und Mittleren Reiches in El-Tarif, 1976 2 B. V. Bothmer, The Karnak Statue of Ny-User-Ra, MDAI(K) 30, 1974, 165–170 3 A. Cabrol, Les voies processionnelles de Thèbes, 2001 4 B. Ginter et al., Silexindustrien von El Târif, 1979 5 F. Kamp, Die thebanische Nekropole, 1996 6 D. B. O'Connor, Beloved of Maat, the Horizon of Re: The Royal Palace in the New Kingdom, in: Ders., D. P. Silverman (Hrsg.), Ancient Egyptian Kingship, 1995, 263–300 7 E. Otto, Topographie des thebanischen Gaues, 1952 8 M. Saleh, Three Old Kingdom Tombs at Thebens, 1977 9 S. P. Vleeming (Hrsg.), Hundred-Gated Thebes, 1995 10 H.-U. Onasch, Die assyrischen Eroberungen Äg.s, 1994 11 W. Spiegelberg, Der Sagenkreis des Königs Petubastis, 1910.   JO. QU.

Karten-Lit.: J. Baines, J. Malek, Weltatlas der alten Kulturen: Äg., 1980 · E. Brunner-Traut, Äg. Kunst- und Reiseführer mit Landeskunde, ⁶1988, 588–686 · I. Shaw, P. Nicholson, British Museum Dictionary of Ancient Egypt, 1995, 287.

[2] (Θῆβαι, dichter. Θήβη/ *Thḗbē*, Ethnikon Θηβαῖος/ *Thēbaíos*; lat. *Thebae, Thebe*, die Stadt Theben, h. Thiva).

I. LAGE UND BAUBESTAND   II. GESCHICHTE
III. MYTHOS: DER THEBANISCHE SAGENKREIS

I. LAGE UND BAUBESTAND

Hauptort von → Boiotia im Norden des vom Helikon [1] bis → Tanagra ziehenden, meist niedrigen (340–400 m) Riegels tertiärer und quartärer Böden, der das Hochtal des Asopos [2] im Süden vom *Tenerikón pedíon* (der Tenerischen Ebene) und im Norden vom *Aónion pedíon* (der Aonischen Ebene; → Aonia) trennt (zwei Ebenen westl. bzw. nördl. von Th.).

Die beherrschende Lage an der Kreuzung der wichtigsten Wege in Mittelgriechenland hoch über dem leicht zugänglichen Aonion Pedion sowie die vielen Quellen in der Umgebung machten Th. zum idealen Siedlungsplatz und strategisch bedeutsamen Ort; Probleme bereiteten aber v. a. die Wasserversorgung in der Siedlung selbst (seit myk. Zeit Wasserleitung aus dem Helikon: Herakleides Kritikos 1,13; [8. 50–52]) und die Befestigung. Der Siedlungskern von Th., die seit dem 3. Jt. ständig besiedelte *Kadmeía* (vgl. II. A.), liegt auf dem zum Aonion Pedion gerichteten Vorsprung der tiefsten Einsattelung des Höhenzuges, der durch den tief eingegrabenen Bachlauf der Dirke [2] im Westen, einen steileren Abfall zur Ebene im Norden und die Chrysorrhoas-Schlucht im Osten (im östl. folgenden Taleinschnitt der → Ismenos, wie die Dirke perennierend) markiert wird; lediglich im Süden ist leichter Geländeanschluß gegeben.

Das von Süden nach Norden geneigte Plateau der Kadmeia mit vier Gipfeln (bis zu 750 m lang und 400 m breit) endet etwa 60 m über der Ebene und war ummauert; zeitweilig erstreckte sich das städtische Gebiet (ebenfalls von Mauern umschlossen) im Westen, Norden und Osten über die angrenzenden Hügel und in das Aonion Pedion (Mauer des 4./3. Jh. v. Chr., Dionysios Kalliphontos 94 f. (GGM I 241): 43 Stadien, ca. 7 km L [8. 117–122]). Bereits Homer weiß von den sieben Toren von Th. (Hom. Il. 4,40; Hom. Od. 11,263), deren Lage und Reihenfolge arch. nicht in allen Fällen gesichert ist [8. 32–38]. Das natürliche Polisgebiet ist das Aonion Pedion mit den angrenzenden Hügeln. Durch Annexion wurde es bis Mitte des 4. Jh. auf über ⅓ Boiotias ausgeweitet [5. 106 f.]; später verschiedentlich stark beschnitten, war es 335–316 v. Chr. sogar vollständig aufgelöst.

Infolge permanenter Besiedlung, mehrfacher Zerstörung und schwieriger geologischer Bedingungen sind kaum ant. architektonische Zeugnisse erh.: Teile der Mauer der Kadmeia, im SO das Elektrai-Tor (im 4. Jh. v. Chr. erneuert) und östl. im Ismenion (dem Orakel-Heiligtum des Hismenios, dann Apollon Ismenios) Reste des dort jüngsten Tempels (dor. → *perípteros* des 4. Jh., dem in geom. Zeit ein erster Tempel, wohl aus Holz und ohne Säulen, und im 7. Jh. ein Poros-Tempel

– vielleicht der erste Griechenlands – vorausgingen). Hier befanden sich Weihgeschenke u. a. des → Kroisos (Hdt. 1,52; 1,92) sowie eine Kultstatue des → Kanachos [1] (Paus. 9,10,2). Vor allem die Beschreibung des → Pausanias [8] (9,5,1–9,18,6; 23,1–4; 25,1–10) vervollständigt die Kenntnis der arch. Top. von Th. (vgl. [8]). Im Mus. von Th. befinden sich Funde aus der Stadt und von wichtigen Plätzen der Umgebung (Kabirion, Tanagra).

Th. spielt im Mythos eine hervorragende Rolle, die seine Bed. in myk. Zeit und auch Kämpfe mit rivalisierenden Mächten, regional (v. a. Orchomenos [1]) wie überregional (v. a. Argos [II]: → Sieben gegen Theben sowie der Zug der → *epígonoi* [2]; → *Thēbaís*) andeuten, evtl. auch an orientalische Einflüsse erinnern (vgl. unten III.) In Th. gab es zahlreiche Kulte, Heiligtümer ([7. 1492–1543], dazu jeweils [6; 8]) und einige Agone. Die in Th. heimischen Kulte weisen stark archaisierende Tendenzen auf, worauf die zahlreichen vorolympischen Götter und Heroen hinweisen. Hauptkulte waren: Dionysos [6. 1,185–192], Apollon [6. 1,77–88], Herakles [6. 2,14–30].

II. GESCHICHTE
A. VON DER HELLADISCHEN ZEIT BIS ZU DEN PERSERKRIEGEN   B. VON DEN PERSERKRIEGEN BIS LEUKTRA   C. VON DER THEBANISCHEN HEGEMONIE BIS ZU ALEXANDER D.GR.
D. HELLENISMUS UND RÖMISCHE ZEIT
E. SPÄTANTIKE UND BYZANTINISCHE ZEIT

A. VON DER HELLADISCHEN ZEIT BIS ZU DEN PERSERKRIEGEN

Landwirtschaft und Handel waren die materiellen Grundlagen der Stadt, die stets den ON Th. geführt hat. Mit verschiedenen Einwanderern im Laufe des 2. Jt. begann der Aufschwung von Th., das vielleicht zeitweilig Orchomenos [1] untergeordnet war. Eine Blütezeit erfolgte ab etwa der Mitte des 2. Jt. v. Chr., mit regionaler Vormachtstellung über den Süden und Osten Boiotias: eine der größten Akropoleis myk. Zeit in Griechenland, Sitz eines wohlhabenden Adelshauses (spätmyk. Palastanlage, reiche Ausstattung, Wandmalerei, Schmuck), Handwerk und Handel sind arch. nachgewiesen. Dieser Siedlung wird die Gründungssage von → Kadmos [1] zugewiesen, von dem der Burgberg seinen Namen hat. Zahlreiche, bes. babylonische Siegelzylinder (→ Siegel) v. a. des 14. Jh. v. Chr. und umfangreiche Teile eines → Linear-B-Archivs machen die Bed. und überregionalen Beziehungen des myk. Th. deutlich [1; 2], das vor dem Ende der myk. Zeit zerstört wurde (13./12. Jh.; SH III B); vielleicht spielt Th. deswegen in Homers *Ilias* kaum eine Rolle. Dort wird im Schiffskatalog als eine unter vielen boiotischen Städten *Hypothḗbai* erwähnt (Hom. Il. 2,505; die Einwohner des myth. Th. heißen *Kadmeíoi*: Hom. Od. 11,276; vgl. Hom. Il. 4,385: *Kadmeíōnes*), wohl die Siedlung am Fuß der Kadmeia.

Die in den → Dunklen Jahrhunderten [1] einwandernden Boiotoi nahmen auch Th. in Besitz, das sich wahrscheinlich im Laufe des 7. Jh. v. Chr. als Führungsmacht in Boiotia durchsetzte. Innere Spannungen wurden durch den → aisymnḗtēs Philolaos [1] aus Korinthos entschärft, der eine bis 457 v. Chr. gültige gemäßigte Oligarchie auf der Basis von nicht akkumulierbarem Grundbesitz einsetzte (Aristot. pol. 2,12 1274b 2–5; [4. 372–375]). Ca. 560 war Th. an der Kolonisation von Herakleia [7] Pontike beteiligt (Suda s. v. Ἡρακλείδης). Ende des 6. Jh. wurde ein zunächst nach außen wenig wirksamer Staatenbund mit Th. an der Spitze und Bundesmünzprägung gebildet (sog. Boiotische Bund, vgl. → Boiotoi; HN 349–354; [5. 110]). Th. leistete auch Hilfe für Peisistratos [4] zur endgültigen Installation der Tyrannis in Athen (Hdt. 1,61; Aristot. Ath. Pol. 15,2).

Um 519 v. Chr. (Hdt. 6,108; Thuk. 3,55f.; 61,2) erfolgte wegen der Hinwendung von → Plataiai zu Athen ein korinthischer Schiedsspruch und anschließend eine Niederlage gegen Athen, nach welcher der Asopos als Südgrenze des theban. Gebiets bestimmt wurde. Auch später unternahm Th. weitere erfolglose Angriffe auf Athen (Hdt. 5,77; 5,80f.). Beim Anmarsch der Perser 480 v. Chr. (→ Perserkriege [1]) stellte Th. zwar ein Aufgebot für die Stellungen im → Tempe-Tal und bei → Thermopylai (Plut. mor. 864e; Hdt. 7,202; 205f.; 222; 233); sobald jedoch → Xerxes I. in Mittelgriechenland stand, wechselte Th. die Seite und unterstützte diesen tatkräftig. Nach der Schlacht von Plataiai wurde Th. durch den Hellenenbund belagert, was durch die Selbstauslieferung der führenden Männer beendet wurde, welche dann exekutiert wurden (Hdt. 9,86–88). Unter dem Druck Spartas wurde die Stellung von Th. stark eingeschränkt (vgl. Diod. 11,81,3; Plut. Themistokles 20,3f.: Versuch Spartas, Th. aus der delphischen → amphiktyonía auszuschließen).

B. Von den Perserkriegen bis Leuktra

Gegen die wachsende Macht der Athener unterstützte → Sparta aktiv die Hegemonialpolitik der Thebaioi, die so die führende Rolle in Boiotia wiedererlangen und systematisch ausbauen konnten. Dabei mußte die oligarchische Opposition in die Verbannung gehen. Nach Festigung der Macht von Th. (457 v. Chr. Sieg über Athen bei Tanagra) verließen die Spartaner Boiotia; zwei Monate später allerdings unterlag Th. bei → Oinophyta Athen (Thuk. 1,107f.). In Th. wurde nun eine demokratische Verfassung eingeführt (Aristot. pol. 5,2,1302b 27ff.; [4. 166f.]), die jedoch nur bis 447 (Niederlage Athens bei → Koroneia: Thuk. 1,113) in Kraft blieb und durch die zurückgekehrten Oligarchen gestürzt wurde, welche die in den → Hellenica Oxyrhynchia beschriebene oligarchische Verfassung installierten, die bis 382 v. Chr. bestand (Zensus nach Grundbesitz, Th. stellte zwei der elf → Boiotarchen: Hell. Oxyrh. 19,3,385f.; [4. 168–172]; → Boiotia).

Im → Peloponnesischen Krieg war Th. auf Seiten Spartas einer der härtesten Gegner Athens (427 v. Chr.: Zerstörung von Plataiai, Thuk. 3,68,4; 424 Sieg beim → Delion [1]; zahlreiche umliegende Orte wurden durch → synoikismós Th. eingegliedert, Hell. Oxyrh. 20,3,436–441) und forderte nach der Niederlage Athens dessen vollständige Zerstörung (Xen. hell. 2,2,19f.; 6,5,35; 6,5,46), was von Sparta abgelehnt wurde. Sehr bald erfolgte wieder eine Entfremdung von Sparta und Annäherung an Athen; die verbannten Demokraten aus Athen fanden Aufnahme in Th. und konnten den Sturz der Dreißig Tyrannen (→ triákonta) von dort aus vorbereiten.

Der von Th. provozierte, im Bund mit Athen, Argos, Korinthos, Euboia u. a. geführte → Korinthische Krieg gegen Sparta (395–386 v. Chr.) ging verloren. Nachdem 392 Friedensverhandlungen gescheitert waren, mußte Th. dem → Antalkidas-Frieden beitreten, der die Autonomie der griech., also auch der boiotischen Städte festschrieb. Damit war die Stellung von Th. im Boiotischen Bund erheblich geschwächt, das Stadtgebiet schrumpfte (u. a. Wiederaufbau von Plataiai und Thespiai, Autonomie von Orchomenos); Th. wurde zur Heeresfolge für Sparta verpflichtet. 382 v. Chr. wurde die Kadmeia von einer spartan. Garnison besetzt; diese erhielt freien Abzug, als → Pelopidas und andere Verbannte 379 von Athen aus einen Umsturz in Th. herbeigeführt hatten. In den nun folgenden Kämpfen gegen Sparta konnte sich Th. mit dem Boiotischen Bund behaupten, in dem eine am athen. Vorbild orientierte demokratische Verfassung eingeführt wurde (Direktversammlung, Reduktion der Zahl der Boiotarchen; Bundes-Mz.; IG VII 2407f.; [4. 177–180]). Auf Einladung Athens war Th. zeitweilig Mitglied im 2. → Attischen Seebund. 371 erfolgte ein Angriff von Th. auf → Phokis und eine Annäherung Athens an Sparta; Verhandlungen über einen gemeingriechischen Frieden scheiterten erneut am Anspruch von Th., für ganz Boiotia zu unterzeichnen. Der Versuch Spartas, Th. gewaltsam zum Einlenken zu zwingen, endete mit dem Sieg der Thebaner unter → Epameinondas 371 v. Chr. bei → Leuktra.

C. Von der Thebanischen Hegemonie bis zu Alexander d. Gr.

In der Folgezeit konnte Th. unter Leitung von Epameinondas und Pelopidas die griech. Politik bestimmen: Mehrere Züge auf die Peloponnesos (u. a. Restitution von → Mantineia; Gründung des Arkadischen Bundes, → Arkades; synoikismós von → Megale Polis), Einflußnahme im Norden und schließlich auch maritime Unternehmungen prägten diese Phase der sog. Thebanischen Hegemonie. Anders als Athen und Sparta baute Th. seinen Boiotischen Bund nicht zu einem über Boiotia hinausreichenden Herrschafts- und Zwangsinstrument um. Der oligarchische Umsturzversuch des → Menekleidas 364 v. Chr. verursachte ein theban. Strafgericht, bei dem Orchomenos [1] zerstört wurde (Diod. 15,79,3f.). Wie sehr die Politik durch Pelopidas und Epameinondas bestimmt wurde, zeigt sich darin, daß nach deren Tod (364 bei → Kynoskephalai bzw. 362 bei Mantineia) keine neuen polit. Impulse mehr für ganz Griechenland von Th. ausgingen (Pol. 6,43,4–7). Eher in regionale Konflikte involviert, verlor Th. seine Vormachtstellung auch in Mittelgriechenland.

Im wechselvollen Verlauf des 3. → Heiligen Krieges ab 356 v.Chr. rief Th. → Philippos [4] II. zu Hilfe, der 369–366 als Geisel in Th. gelebt hatte. Der 346 erfolgte Friedensschluß stellte die Position von Th. wieder her. Erneut wegen eines Streits um Delphoi durch die Amphiktyonen auf den Plan gerufen, sah sich Philippos 338 bei → Chaironeia einem griech. Bündnis unter Führung Athens gegenüber, dem – nach Ablehnung eines maked. Bündnisangebots – auch Th. angehörte. Nach der Niederlage im Besitz erheblich beschnitten, von einer von den Makedonen abhängenden Führung (extreme Oligarchie) regiert und mit einer maked. Besatzung in der Kadmeia konfrontiert, wagte Th. nach Philippos' Tod einen Aufstand, der aber schnell unterdrückt wurde; auf die falsche Nachricht vom Tod Alexandros [4] d.Gr. lehnte sich Th. erneut gegen die maked. Herrschaft auf. Dessen rasches Erscheinen vor Ort und das Ausbleiben der Verbündeten (u.a. Athen) besiegelten den Untergang von Th., an dem Alexandros ein exemplarisches Strafgericht durchführte: Die Stadt wurde – abgesehen von den Heiligtümern, dem Haus des Pindaros [2] und dem Besitz der Makedonenfreunde – dem Erdboden gleichgemacht, die Männer hingerichtet, die übrige Bevölkerung, sofern sie nicht geflohen war, in die → Sklaverei verkauft, das theban. Land an die umliegenden Poleis verteilt. Die maked. Besatzung beließ Alexandros auf der Kadmeia.

D. HELLENISMUS UND RÖMISCHE ZEIT

316 ließ → Kassandros Th. wieder aufbauen, die Flüchtlinge wurden zurückgerufen, zahlreiche Poleis halfen mit Spenden (Diod. 19,54,1–3; Marmor Parium B 14; IG VII 2419). In der Folgezeit konnte Th. jedoch seine frühere Machtstellung nie mehr erlangen, es wurde auch nicht mehr Vorort des Boiotischen Bundes. Th. konnte kaum wieder eigenständige Politik gestalten und mußte sich verschiedenen hell. Herrschern anschließen, wurde 280 v.Chr. autonom. Ein kurzes Bündnis mit den → Achaioi wurde nach der Niederlage gegen die → Aitoloi durch einen Bund mit diesen ersetzt (245); seit 236 v.Chr. war Th. mit den Makedones verbündet (Pol. 20,4–7).

197 v.Chr. von → Quinctius [I 14] Flamininus überrumpelt (2. → Makedonischer Krieg), war Th. in der Folge nicht ganz freiwillig mit Rom verbündet. Th. beteiligte sich an vielen Aufständen gegen Rom (vgl. Antiochos [5] III., Perseus [2], achaiischer Aufstand 146 v.Chr., Mithradates [6]), ohne jemals ernsthaft mil. opponieren zu können. 87 v.Chr. mußte Th. vor Cornelius [I 90] Sulla kapitulieren und wurde hart bestraft. Zunächst Teil der röm. Prov. Macedonia, wurde Th. ab 27 v.Chr. der neu eingerichteten Prov. → Achaia zugeschlagen. Die Bed. der Stadt nahm ständig ab. Zwar bestand Th. in der röm. Kaiserzeit weiter, jedoch, wie Strabon meint, nur noch als eine unbedeutende Kleinstadt (Strab. 9,2,5: »nicht einmal mehr ein nennenswer-

tes Dorf«), die Siedlung war auf die Kadmeia beschränkt (Paus. 9,7,6).

Erh. sind Ehreninschr. für röm. Kaiser (IG VII 2493–2505); → Hadrianus besuchte Th. 125 n.Chr. Aus Th. stammten der Dichter → Pindaros [2] (5.Jh.v.Chr.) und der Kyniker → Krates [4]. Das Flötenspiel hatte in Th. eine lange Trad., berühmte Künstler stammten von hier (z.B. → Pronomos).

Weitere Quellen: Herakleides Kritikos 1,12–22; Strab. 9,2,3; 9,2,5; 9,2,32; Steph. Byz. s.v. Θήβη. Inschr.: IG VII 2405–2706c; 4247f.; SCHWYZER, Dial. 464–474; [3. 206–208; 9]; zu Linear-B-Tafeln: [2; 10].

1 V. ARAVANTINOS, Le scoperte archeologiche ed epigrafiche micenee a Tebe, in: P. A. BERNARDINI (Hrsg.), Presenza e funzione della città di Tebe nella cultura greca, 2000, 27–59 **2** Ders. et al., Thèbes, Fouilles de la Cadmée, Bd.1: Les tablettes en linéaire B de la Odos Pelopidou, 2000 **3** FOSSEY, 199–212 **4** H.-J. GEHRKE, Stasis, 1985, 164–183, 372–375 **5** M. H. HANSEN (Hrsg.), Introduction to an Inventory of Poleis, 1996, 106–110 **6** SCHACHTER **7** F. SCHOBER, L. ZIEHEN, s.v. Th. (1), RE 5 A, 1423–1553 **8** S. SYMEONOGLOU, The Topography of Th., 1985 (mit ausführlicher Bibliogr.) **9** S. KOUMANOUDIS, Θηβαϊκὴ προσωπογραφία, 1979 **10** A. SACCONI, L. GODART, Les tablettes en linéaire B de Thèbes, 1978.

H. BECK, Polis und Koinon, 1997, 83–106, 213–223 · P. A. BERNARDINI (Hrsg.), (vgl. [1]) · K. BRAUN, s.v. Th., in: LAUFFER, Griechenland, 662–667 · R. J. BUCK, A History of Boeotia, 1979 · J. BUCKLER, The Theban Hegemony, 1980 · P. CLOCHE, Thèbes de Béotie, 1952 · N. G. L. HAMMOND, Political Developments in Boeotia, in: CQ 50, 2000, 80–93 · A. D. KERAMOPULLOS, Θηβαϊκά (AD 3), 1917 · N. PHARAKLA, Θηβαϊκά Ελλάδος (ArchE 135), 1998 · N. D. PAPACHATZIS, Παυσανίου Ελλάδος Περιήγησις, Bd. 5, ²1981, 47–121, 145–147, 168–177 · J. ROY, Thebes in the 360s B.C., in: CAH 6², 187–208 · Zeitschrift: Teiresias, Bd. 1, 1971 ff. · F. VIAN, Les origines de Thèbes, Cadmos et les Spartes, 1963.   M. FE.

E. SPÄTANTIKE UND BYZANTINISCHE ZEIT

Th. selbst entging aufgrund seiner Befestigung der Kadmeia (im Gegensatz zum Umland) den Plünderungen durch → Alaricus [2] (Zos. 5,5,4). Die durch das Erdbeben von 551 beschädigten Mauern wurden noch unter → Iustinianus [1] I. wieder erneuert (Prok. aed. 4,3,5). Th. war Bistum; Bischof Anysios nahm am Konzil von → Ephesos (431) auf der Seite der Anhänger des → Kyrillos [2] teil [1. 42f.]. Kunstgesch. bedeutsam ist die laut Bauinschrift auf 872 datierte Gregorios Theologos-Kirche [2. 1145f.]. Bei Hierokles, Synekdemos 645,4, erscheint Th. als μητρόπολις Βοιωτίας/metrópolis Boiōtías, später ist es als Sitz des Strategen des → théma Hellas bezeugt. Von bes. landesgesch. Interesse ist ein teilweise erh. Kataster [3. 1–145].

Im 12. Jh. war Th. Handelsstützpunkt der Genuesen und Venezianer und bekannt für seine Produktion von Seiden- und Purpurgewändern, deren Hersteller der Normannenkönig Roger II. 1147 nach Palermo umzusiedeln zwang; den Reichtum der Stadt im 12. Jh. förderte auch die u.a. von Benjamin von Tudela bezeugte große jüdische Gemeinde. Im 13. und 14. Jh. war Th. meist unter fränkischen Herren, die die Kadmeia als Stadtburg ausbauten [2. 1106f.; 4. 295–335]. 1262 wurde hier der Friedensvertrag zw. Achaia, Athen, Euboia und Venedig geschlossen. Die → Türken besetzten Th. erstmals 1363–1378 sowie endgültig ab 1460.

1 R. SCHIEFFER (Bearb.), Acta conciliorum oecumenicorum 4,3,2, 1982 2 J. KODER, s. v. Hellas, RBK 2, 1099–1189 3 N. G. SVORONOS, Recherches sur le cadastre byzantin et la fiscalité au XIe et XIIe siècles, in: BCH 83, 1959, 1–145 4 P. ARMSTRONG, Byzantine Thebes. Excavations on the Kadmeia (1980), in: ABSA 88, 1993, 295–335.

T. E. GREGORY, s. v. Thebes, ODB 3, 2032 • J. KODER, TIB 1, 269–271, 315 (Reg.) • Ders., s. v. Th., LMA 8, 608f. (Lit.) • F. R. TROMBLEY, Boeotia in Late Antiquity, in: H. BEISTER, J. BUCKLER, Boiotika, 1989, 215–228, bes. 221f.   E. W.

III. Mythos: Der Thebanische Sagenkreis

Der myth. Gründer von Th. ist → Kadmos [1], der auf der Suche nach der von Zeus geraubten Schwester → Europe [2] von Tyros nach Griechenland kommt und in Delphoi die Weisung erhält, einer Kuh zu folgen und dort, wo sie niedersinke, eine Stadt zu erbauen. Kadmos gehorcht und opfert die Kuh der Athene; die Quelle, bei der er für das Opfer Wasser holt, bewacht ein Drache des → Ares. Diesen erschlägt er und sät die Zähne nach Athenes Rat in die Erde. Aus ihnen wachsen bewaffnete Männer, das künftige Adelsgeschlecht von Th., Sparten (→ Spártoi) genannt. Zur Sühne für die Tötung des Drachens dient Kadmos ein J. lang dem Ares und erhält hiernach dessen und Aphrodites Tochter → Harmonia zur Frau. Zu den Hochzeitsgeschenken zählt das verhängnisvolle Halsband, mit dem später → Eriphyle bestochen wird. Kadmos und Harmonia werden zuletzt in Schlangen verwandelt (Ov. met. 3,1–137; 4,563–603; Apollod. 3,1–4; 3,21–26; 3,39; Hyg. fab. 6; Paus. 9,5,1; 9,12,1–3; Nonn. Dion. 3–5). Der Ehe entstammen Polydoros, der Vater des → Labdakos, und vier Töchter: Ino, → Semele, → Autonoë und → Agaue. Agaues Gatte ist der Sparte Echion [1]; ihr Sohn → Pentheus vertreibt Polydoros vom Thron, auf Pentheus folgt Labdakos.

Während der Unmündigkeit von Labdakos' Sohn → Laios [1] usurpiert der Spartenabkömmling → Lykos [6] die Herrschaft. Dessen von Zeus schwangere Nichte → Antiope [1] flieht vor dem Zorn ihres Vaters → Nykteus nach Sikyon und heiratet dort den König Epopeus, nachdem sie auf der Flucht die Zwillinge → Amphion [1] und → Zethos geboren hat. Lykos holt Antiope mit Gewalt zurück und quält sie; seine Gattin → Dirke [1] will sie an einen Stier gebunden zu Tode schleifen lassen, doch Antiopes hinzukommende Söhne erkennen und retten die Mutter und übernehmen die Herrschaft über Th. Sie errichten die Stadtmauer, deren Steine sich durch Amphions Leierspiel von selbst zusammenfügen (Apollod. 3,40–44; Hyg. fab. 7; 8; Paus. 9,5,2–9).

Laios findet unterdessen Zuflucht bei → Pelops [1]. Weil er sich an dessen schönem Sohn → Chrysippos [1] vergeht, verfolgt sein Geschlecht ein Fluch. Er gewinnt den theban. Thron zurück und heiratet → Iokaste aus dem Geschlecht der Sparten. Aufgrund eines Orakels, sein Sohn werde ihn töten, setzt er den neugeborenen → Oidipus mit durchbohrten Fersen aus, doch Hirten bringen ihn zu König Polybos von Korinth, der ihn als sein eigenes Kind aufzieht. Oidipus erschlägt an einem Dreiweg unwissentlich seinen Vater Laios und erhält in Th. die Hand seiner Mutter Iokaste, nachdem er die Stadt von der → Sphinx befreit hat. Der Ehe entstammen vier Kinder, → Eteokles [1], → Polyneikes, → Antigone [3] und → Ismene [1]. Vatermord und Inzest kommen später ans Licht, Iokaste erhängt sich, Oidipus bestraft sich durch Selbstblendung (Soph. Oid. T.; Sen. Oed.; Diod. 4,64; Apollod. 3,48–56; Hyg. fab. 66; 67; 85; Paus. 9,5,10–11). Eteokles und Polyneikes wollen abwechselnd herrschen, doch Eteokles bricht den Vertrag, und Polyneikes, inzwischen Schwiegersohn des Königs → Adrastos [1] von Argos, zieht mit sechs weiteren Heerführern gegen seine Heimat, nachdem durch Eriphyles Verrat der Widerstand ihres Gatten, des Sehers → Amphiaraos, überwunden worden ist (→ Sieben gegen Theben). Alle bis auf Adrastos fallen, die Brüder töten einander im Zweikampf. Neuer König wird Iokastes Bruder → Kreon [1]. Er bestraft Antigone, die Braut seines Sohnes → Haimon [5], mit dem Tod, weil sie trotz seines Verbots Polyneikes bestattet. Haimon tötet sich aus Verzweiflung; Kreons zweiter Sohn → Menoikeus [2] nimmt, einem Orakel gehorchend, für Th. den Opfertod auf sich, indem er sich von der Mauer stürzt (vgl. Hom. Il. 4,370–410; Aischyl. Sept.; Soph. Oid. K. 1292; Soph. Ant.; Eur. Phoen.; Eur. Suppl.; Sen. Phoen.; Stat. Theb.; Diod. 4,65; Apollod. 3,57–79; Hyg. fab. 68–74; Paus. 2,20,5; 9,5,12–13; 9,8,6–9,5; 9,9,1–4; 9,18,1–6; 9,25,1f.; 10,10,3).

Seine Tochter → Megara [1] gibt Kreon [1] dem → Herakles [1] für dessen Hilfe gegen die Minyer zur Frau. In seiner Abwesenheit will der Eroberer → Lykos [7] Megara zur Ehe zwingen, Herakles erschlägt ihn bei seiner Rückkehr (Apollod. 2,61f.; 2,67–73).

Rechtmäßiger König wird → Laodamas [1], der Sohn des Eteokles. Er fällt beim Vergeltungszug der Epigonen (vgl. → Epígonoi [2]) von der Hand des Amphiaraos-Sohnes → Alkmaion [1], nachdem er selbst → Aigialeus [1], den Sohn des Adrastos, getötet hat, und → Thersandros, der Sohn des Polyneikes, kommt auf den Thron, den er an seinen Sohn Teisamenos [1] und seinen Enkel Autesion weitergibt (Diod. 4,66; Apollod. 3,80–85; Hyg. fab. 76; Paus. 9,5,13–16; 9,9,4–5; 10,10,4).

Th. ist die Geburtsstadt des → Dionysos, welchen Zeus mit der Kadmos-Tochter → Semele zeugt. Die eifersüchtige Hera vernichtet Semele und richtet Ino, die Amme des Dionysos, und ihren Mann → Athamas zugrunde: Im Wahn tötet Athamas seinen älteren Sohn Learchos. Auf der Flucht vor ihm stürzt sich Ino mit

Das Geschlecht des Kadmos und der Spartoi

Kadmos [1] = Könige Thebens
Udaios = Spartoi

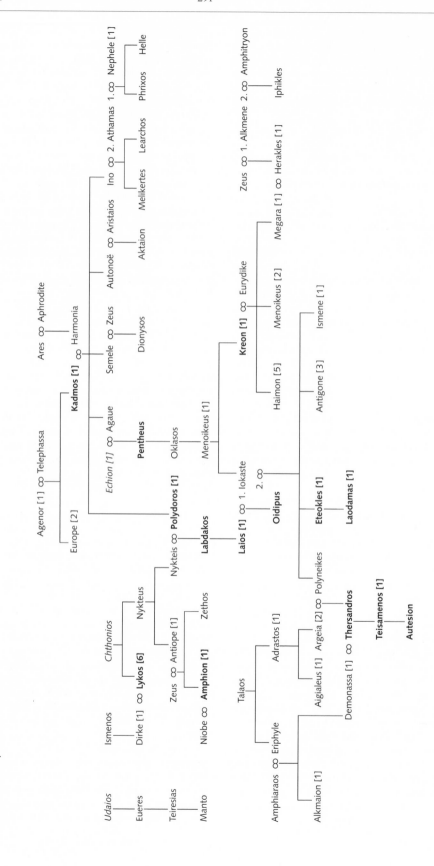

→ Melikertes, dem jüngeren, ins Meer; sie werden in die Götter → Leukothea und Palaimon transformiert. Zuvor hat Ino den Kindern des Athamas aus erster Ehe mit → Nephele [1], → Phrixos und → Helle, nach dem Leben getrachtet: beide können auf einem goldenen Widder entkommen (Ov. met. 3,253–315; 4,416–562; Apollod. 3,36 f.; Hyg. fab. 1–5; Nonn. Dion. 7–10).

Den → Pentheus zerreißt seine Mutter → Agaue in bacchantischer Raserei zur Strafe für die Leugnung der Göttlichkeit des Dionysos (Eur. Bacch.; Ov. met. 3,511–733; 4,516–562; Apollod. 3,26–29; Hyg. fab. 184; Nonn. Dion. 44–46). → Aktaion, der Sohn von Autonoë und Aristaios, wird von Artemis, die er zufällig beim Baden erblickt, in einen Hirsch verwandelt, worauf ihn seine Jagdhunde zerfleischen (Ov. met. 3,138–252; Apollod. 3,30–32; Hyg. fab. 180 f.; Paus. 9,2,3 f.; Nonn. Dion. 5). Apollon und Artemis töten mit ihren Pfeilen die Nachkommenschaft des Amphion und der → Niobe, die sich mit ihrer Kinderzahl vor Leto gebrüstet hat (Ov. met. 6,146–312; Apollod. 3,45–47; Hyg. fab. 9).

Ein zweiter göttlicher Sohn des Zeus aus Th. ist → Herakles [1]; seine Mutter ist → Alkmene, die Gattin des Tirynthiers → Amphitryon, der bei Kreon [1] Zuflucht gefunden hat. Hera bringt ihn durch eine List um die Erstgeburt und die daran gebundene Herrschaft und sendet zwei Schlangen in seine Wiege, die er jedoch erwürgt. Später schlägt sie ihn mit Wahnsinn, so daß er seine Frau Megara und beider Kinder tötet (Eur. Herc.; Sen. Herc. f.; Apollod. 2,61 f.; 2,73; Hyg. fab. 29; 32; Paus. 9,11,1–3; 9,12,4; 9,16,6 f.).

Von den *Spártoi* stammt Th.s großer Seher → Teiresias ab. Weil er zweimal sein Geschlecht gewechselt hat, ziehen ihn Zeus und Hera zu Rate in ihrem Streit, ob Männer oder Frauen bei der Liebesvereinigung mehr Vergnügen empfinden. Teiresias gibt Zeus recht, daß die Lust der Frauen größer sei. Hera blendet ihn aus Wut, doch Zeus schenkt ihm die Sehergabe und eine siebenfache Lebensspanne. Teiresias' Tochter und Gehilfin ist die Seherin → Manto (Ov. met. 3,316–338; Apollod. 3,69–72; Hyg. fab. 75).

E. BETHE, Thebanische Heldenlieder, 1891 · C. ROBERT, Oidipus, 1915 · PRELLER/ROBERT 3.1, 876–968 · H. J. ROSE, Griech. Myth. Ein Hdb., 1955, 148–152; 181–197; 208–214 · I. KRAUSKOPF, Der thebanische Sagenkreis und andere griech. Sagen in der etr. Kunst, 1974 · C. ZIMMERMANN, Der Antigone-Mythos in der ant. Lit. und Kunst, 1993.   CL. K.

[3] (Θῆβαι Φθιώτιδες/ *Th. Phthiótides*). Th. war neben → Halos im Süden der nördl. Hauptort der Krokischen Ebene (Κρόκιον πεδίον/ *Krókion pedíon*) in der Achaia → Phthiotis. Urspr. lag Th. ca. 3,5 km westl. der Küste des Golfs von Pagasai beim h. Mikrothivai (ehemals Aketsi). Auf dem Akropolis-Areal fanden sich Spuren von Besiedlung von der Jungsteinzeit bis in myk. Zeit und dann wieder ab geom. Zeit. Die Reste der Stadtmauern deuten auf eine Erbauung im 4. Jh. v. Chr. hin.

Lit. Nachrichten gibt es seit dieser Zeit: 302 v. Chr. plante → Kassandros zu der schon früher erfolgten Einbeziehung von Pyrasos (Hafen) und Phylake [1] in das Stadtgebiet eine weitere Vergrößerung, die aber von Demetrios [2] Poliorketes verhindert wurde (Diod. 20,110). Im 3. Jh. n. Chr. wurde Th. eine Festung der → Aitoloi, die von dort aus Raubzüge unternahmen, bis Philippos [7] V. 217 die Stadt eroberte, die Bewohner versklavte und Makedones ansiedelte (Pol. 5,99 f.; Liv. 39,5,3). In der röm. Kaiserzeit verlagerten sich Stadt und Name auf das günstiger gelegene → Pyrasos. Dieses neue Th. (seit 1907 Nea Anchialos) erlebte als Hafenstadt eine große Blüte und war einer der bedeutendsten Bischofssitze Thessaliens: fünf christl. Basiliken und der Bischofspalast sind arch. nachgewiesen. Die Stadtmauern wurden durch Iustinianus [1] im 6. Jh. n. Chr. erneuert (Prok. aed. 4,3,5). Im 7. Jh. zerstörte ein Brand die Stadt. Das Areal wurde danach noch kurz von → Slaven bewohnt (Gräber).

A. DINA (Ντινα), Νεότερες έρευνες στην παλαιοχριστιανική πόλη των Φθιωτίδων Θηβών, in: La Thessalie (Actes du Colloque International, Lyon 1990), 1994, 357–370 · F. STÄHLIN, s. v. Th., RE 5 A, 1582–1593 · TIB 1, 271 f. · Grabungsber. in Praktika: G. A. SOTIRIOS (ab 1930), P. I. LAZARIDIS (ab 1959), A. DINA (ab 1990).   HE. KR.

[4] Befestigte Polis in → Ionia, 13 km westl. von → Priene auf einem Tafelberg im Südhang der → Mykale westl. von Doğanbey. Th. gehörte spätestens seit dem 4. Jh. v. Chr. zu → Miletos [2], von → Samos erworben (IPriene 418). Die Grenze zur → *peraía* von Samos, zu Priene und → Skolopoeis markierten Inschr. (IPriene 37 Z. 158; 361; 363). In hell. Zeit war Th. verlassen (IPriene 361–379).

TH. WIEGAND, Priene, 1904, 17, 469–474 · N. EHRHARDT, Milet und seine Kolonien, ²1988, 14 f.   H. LO.

Thebais (Θηβαΐς). Titel zahlreicher poetischer Bearbeitungen des Thebanischen Sagenkreises (→ Thebai [2] III.). Ganz erh. ist nur die lat. *Th.* des → Statius [II 2]. Fr. haben wir (1) aus der sog. »kyklischen Th.«, (2) aus der *Th.* des → Antimachos [3]. Aus der »kyklischen Th.« sind (bei [1]) 8 Testimonien und 10 Fr., darunter 6 wörtliche mit insges. 20 Hexametern erh. Aus dem Inhalt ist noch kenntlich: (1) → Musenanruf mit Thema-Angabe »Argos« (nicht »Theben«), (2) → Oidipus verflucht seine Söhne Polyneikes und Eteokles (fr. 2; 3), (3) Einführung des → Tydeus [1] als eines der (sieben) Hauptangreifer Thebens (fr. 5), (4) Reste einzelner Zweikämpfe vor Theben (fr. 6–10). Das Gedicht wurde schon früh → Homeros [1] zugeschrieben, allerdings schwerlich bereits vom Elegiker → Kallinos (gegen [3] s. [4; 5]); um 575 v. Chr. war diese Zuschreibung aber offenbar gängig [6; 5]; gegen Entstehung bereits im 8. Jh. [1] sprechen sprachliche Indizien ([7] gegen [8]). Der Stoff (Oidipus; Krieg von Argos gegen Theben) ist dem Ilias-Dichter und seinem Publikum völlig vertraut, war also geläufiges Thema der *oral poetry* [8], aber kaum schon vor der Ilias in epische Form gebracht (so [9. 75–79]). Der Kern der Gesch. ist wohl eher in histor. Ereignissen der myk. Epoche zu suchen [10; 11; 12 mit Lit.] als in orientalischen Motiv-Parallelen der nachmyk. Zeit [8].

ED.: **1** PEG **2** EpGF.
LIT.: **3** E. FITCH, The Evidence for the Homeric Th., in: CPh 17, 1922, 37–43 **4** J. A. DAVISON, Quotations and Allusions in Early Greek Literature, in: Ders., From Archilochus to Pindar, 1968, 81 f. **5** J. B. TORRES-GUERRA, Homero, compositor de la Tebaida, in: Cuadernos de Filología Clásica 8, 1998, 133–145 **6** E. CINGANO, Clistene di Sicione, Erodoto e i poemi del Ciclo tebano, in: Quaderni Urbinati 20, 1985, 31–40 **7** M. DAVIES, The Date of the Epic Cycle, in: Glotta 67, 1989, 89–100 **8** W. BURKERT, Seven against Thebes, in: C. BRILLANTE et al. (Hrsg.), I poemi epici rapsodici non Omerici e la tradizione orale, 1981, 29–51 **9** J. B. TORRES-GUERRA, La Tebaida homérica como fuente de Ilíada y Odisea, 1995 **10** A. RZACH, s. v. Kyklos, RE 11, 2361–2374, bes. 2362 **11** F. DIRLMEIER, Der Mythos von König Oedipus, ²1964 **12** A. SCHACHTER, The Theban Wars, in: Phoenix 21, 1967, 1–10. J. L.

Thebanischer Sagenkreis s. Thebai [2] III.

Thebe (Θήβη).

[1] Tochter des → Iason [2] von → Pherai, deren Namen auf das einstige polit. Werben Iasons um boiotische Unterstützung [1. 286] bzw. auf die Herkunft ihrer Mutter aus Theben [2. 50] verweist. Gegen die tyrannische Politik ihres Cousins und Gatten → Alexandros [15] von Pherai ermunterte Th. 364 v. Chr. → Pelopidas zur Intervention in Thessalien (Plut. Pelopidas 28 f.) und soll 359 ihre Brüder Teisiphonos und → Lykophron [3] zur Ermordung des Alexandros angestiftet haben (Xen. hell. 6,4,35–37; Diod. 16,14,1; Plut. Pelopidas 35; Konon FGrH 26 F 1,50), was → Moschion [1] zu der Trag. ›Die Leute von Pherai‹ (Φεραῖοι) inspirierte (TGF 812; [1. 290, 293, 670–672; 2. 50 f.]).

1 H. BERVE, Die Tyrannis bei den Griechen, 1967
2 S. SPRAWSKI, Jason of Pherae, 1999. L.-M. G.

[2] (auch Thebai/Θῆβαι). Stadt in → Mysia verm. im Gebiet des h. Paşa Dağı, 2 km nnö vom h. Edremit [1. Bd. 1, 45]. Th. galt als Gründung des → Herakles [1], benannt nach dessen Frau Th. Residenz des Eetion [1], des Königs der → Kilikes in Mysia (Hom. Il. 22,479). Strabon kennt die Siedlung noch (Strab. 13,1,7; 13,1,61; 13,1,65), sie war aber zu seiner Zeit verlassen. Die Ebene von Th. zog sich bis an die Küste des Golfs von → Adramyttion hin (Strab. 13,1,65), an der die Städte → Chryse (b), → Killa [1] und → Lyrnessos lagen.

1 J. STAUBER, Die Bucht von Adramytteion (IK 50/51), 2 Bde., 1996.

W. RUGE, s. v. Th. (5), RE 5 A, 1595–1599. E. SCH.

Theben s. Thebai

Theches (Θήχης).
Bergrücken im Osten des Nordanatolischen Randgebirges (Xen. an. 4,7,21; Diod. 14,29,3: τὸ Χήνιον ὄρος/to Chḗnion óros). Von hier aus erblickten die »Zehntausend« (→ Xenophons Anábasis) auf ihrem Rückzug nach der Schlacht bei → Kunaxa (Herbst 401 v. Chr.) erstmals wieder das Meer (hier: das Schwarze Meer; → Pontos Euxeinos). Der Th. ist wohl im Bereich des Zigana-Passes (Zigana Geçidi, 2025 m H) zu lokalisieren.

T. B. MITFORD, The Roman Frontier on the Upper Euphrates, in: R. MATTHEWS (Hrsg.), Ancient Anatolia, 1998, 255–272, hier 270. E. O.

Theia

[1] (Θεία, »die Göttliche«, auch Eryphaessa, »die weithin Leuchtende«, genannt). Titanin, Tochter des → Uranos und der → Gaia, durch den Titanen → Hyperion Mutter des Helios, der → Eos und der → Selene, durch → Okeanos Mutter der → Kerkopen (Hes. theog. 135; 371; Orph. fr. 114; Catull. 66,44).
→ Titanen S. ZIM.

[2] (Τεΐας). Ostgotenkönig 552 n. Chr.; von → Totila 552 nach Nord-It. geschickt, um → Narses [4] den Weg nach It. zu verlegen; von diesem jedoch umgangen, zog er sich darauf zu Totila nach Rom zurück (Prok. BG 4,26,21–24; 4,29,1). Nach dessen Tod (552) entkam Th. nach Ticinum, wurde dort zum König erhoben (Prok. BG 4,33,6) und versuchte, von den Franken Unterstützung zu erhalten (Prok. BG 4,33,7; von → Theodebald abgelehnt). Er ließ röm. Senatoren und zahlreiche Geiseln in Pavia hinrichten (Prok. BG 4,34,1–8). Zum Schutz des für die Verhandlungen mit den Franken wichtigen Schatzes in Cumae (→ Kyme [2]; Prok. BG 4,34,17–19; → Aligern), das → Narses belagerte, zog Th. nach Süden, wurde am → Mons Lactarius von byz. Truppen gestellt, vernichtend geschlagen und getötet. Die Goten wählten keinen König mehr, ergaben sich Narses und erhielten freien Abzug (Prok. BG 4,35; vgl. Agathias, Historiai 1,1,1).
→ Ostgoten

1 PLRE 3,1224 **2** P. AMORY, People and Identity in Ostrogothic Italy, 1997, 454 **3** H. WOLFRAM, Die Goten, ⁴2001, 360. WE. LÜ.

Theias (Θείας).
Sohn des Belos und der Nymphe Oreithyia (oder deren Gatte), zeugt unwissentlich mit seiner Tochter Smyrna (→ Myrrha) den → Adonis. Als er den Frevel entdeckt, versucht er zunächst, seine Tochter umzubringen, die sich der Tat durch Verwandlung in den gleichnamigen Baum entzieht, dann tötet er sich aus Scham selbst (Antoninus Liberalis 34; Apollod. 3,183 f. nach Panyassis; Tzetz. Lykophr. 829). Nach anderen Quellen heißt der Vater der Smyrna → Kinyras (Ov. met. 10,298–518; Hyg. fab. 58; Tzetz. Lykophr. 831).
SI. A.

Theiodamas (Θειοδάμας; lat. *Theodamas, Thiodamas*).
König der von → Herakles [1] aus ihrer Heimat vertriebenen Dryoper, Vater des → Hylas. Die Umsiedlung der
räuberischen Dryoper in die Peloponnes (Bakchyl. Paian 4; Hdt. 8,43; 8,47; Diod. 4,37) wird – vielleicht nach
Hesiods *Kḗykos gámos* (Hes. fr. 263–269; [1]) – in der
hell. Lit. mit Th. in Verbindung gebracht: Bei Apollonios Rhodios (1,1211–1219) provoziert Herakles als
Kriegsvorwand einen Streit um den Pflugstier des armen Bauern Th., der sein Volk zu Hilfe ruft; im anschließenden Kampf wird Th. getötet, sein junger Sohn
→ Hylas von Herakles entführt und aufgezogen. Kallimachos (fr. 24–25) charakterisiert Th. hingegen als in-
humanen Rohling, der dem hungrigen → Hyllos [1],
dem Söhnchen des Herakles, einen Bissen Nahrung
verweigert, worauf Herakles den Ochsen erschlägt;
Krieg und Umsiedlung sind die Folge (vgl. schol. Apoll.
Rhod. 1,1212–1219a; Nonn. Dion. 35,89–91: sogar
→ Deianeira muß zu den Waffen greifen und wird verwundet; Ov. Ib. 487f.). Bei Kall. h. 3,160f. wird das
Erschlagen des Stiers mit dem komischen Heißhunger
des Herakles motiviert (vgl. Apollod. 2,153; Anth. Plan.
101). Die Ähnlichkeit des Th.-Mythos mit dem Aition
des lindischen Stieropfers an Herakles Bouthoinas (Kall.
fr. 22f.) – im ersten Buch von Kallimachos' *Aítia* bilden
die beiden ein Paar – führte bei späteren Autoren zur
Verwechslung des Th. mit dem Pflüger von Lindos
(Philostr. imag. 2,24; Amm. 22,12,4).

1 R. MERKELBACH, M. WEST, The Wedding of Ceyx, in:
RhM 108, 1965, 300–317, bes. 304f.

A. BARIGAZZI, Eracle e Tiodamante in Callimaco e
Apollonio Rodio, in: Prometheus 2, 1976, 227–238 ·
G. MASSIMILLA (ed.), Callimaco: Aitia, libri primo e
secondo, 1996, 292–294 (mit it. Übers. und Komm.).   A. A.

Theios (Θεῖος). Die Bezeichnung *Theíôi* findet sich,
ausnahmslos im Dat., in mehreren Inschr., u. a. in einem
Opferkalender aus hadrianischer Zeit. Strittig ist (Diskussion der Quellen: [1]), ob es sich um eine selbständige Gottheit handelt (etwa als mask. Gegenstück zu
→ Theia [1]) oder um eine orthographische Variante für
den Dat. von *theós* (»Gott«) bzw. *to theíon* (»das Göttliche«, »die Gottheit«). Ist *Theíôi* durch *kai* (»und«) mit
dem Namen einer anderen Gottheit verbunden, ist auch
die Deutung als deren weiterer Aspekt (oder Epitheton)
möglich.

1 K. ZIEGLER, s. v. Th. (1), RE 5 A, 1611f.   SI. A.

Theisoa (Θεισόα).
[1] Stadt in Arkadia (→ Arkades; Paus. 8,27,7: »bei Or-
chomenos«), h. bei der Mühle Karkalou (1050 m H)
gelegen. Erh. sind Reste der Akropolis-Befestigung, der
Stadtmauer, eines hell. Heiligtums (IG V 2, 511) und von
Häusern. Zuerst Teil von → Orchomenos [3], wurde
Th. 368 v. Chr. → Megale Polis einverleibt. Durch
→ Philopoimen wieder autonom (SEG 14, 455) gewor-
den, war Th. Mitglied des Achaiischen Bundes (vgl.
→ Achaioi [1]) und prägte eigene Mz.

S. DUSANIC, Notes epigraphiques sur l'histoire arcadienne,
in: BCH 102, 1978, 346–358 · J. ROY, Tribalism in
Southwestern Arcadia in the Classical Period, in: Acta
Antiqua 20, 1972, 43–51, bes. 48.

[2] Gebiet und Ort am Nordhang des → Lykaion am
linken Ufer des Alpheios [1] beim h. Th. (Paus. 8,27,4),
368 v. Chr. in → Megale Polis eingemeindet. Erh. sind
Reste der Stadtmauer.

J. ROY, Tribalism in Southwestern Arcadia in the Classical
Period, in: Acta Antiqua 20, 1972, 43–51, bes. 46 ·
N. PAPACHATZIS, Παυσανίου Ἑλλάδος Περιήγησις 4, 1980,
349f.   KL. T.

Theke (θήκη) bezeichnet im weiteren Sinne jede Art
von Behälter. Insbes. sind seit dem 5./4. Jh. v. Chr. in
Texten und Inschr. damit nischenförmige Bestattungs-
plätze gemeint, sei es für Leichenbestattung in Grabbauten (Melos, 4. Jh. v. Chr.) oder Grüften (Hdt. 1,67,3;
2,148,5), sei es für die Aufbewahrung von Aschenurnen
(Alexandreia), nicht aber → Sarkophage. Lat. *theca* hingegen bezieht sich ausschließlich auf Behälter für Gegenstände, v. a. Schreibutensilien.
→ Loculi

E. SAGLIO, s. v. loculus, DS 3.2, 1904, 1292–1295 · A. HUG,
s. v. Th., RE 5 A, 1934, 1613–1615 · D. C. KURTZ, J.
BOARDMAN, Thanatos. Tod und Jenseits bei den Griechen,
1985, 307; 341; 361.   R. N.

Thekla (Θέκλα, lat. *Thecla*). Trotz der erst relativ späten
lit. Bezeugung (→ Paulusakten; E. 2. Jh. n. Chr.) der
Paulusschülerin Th. avancierte diese zur prominentesten weiblichen Heiligen der christl. Spätant. Die auf
Enthaltsamkeit abzielende Predigt des Paulus motivierte
die aus dem kleinasiat. Ikonion stammende junge Frau
dazu, von der geplanten Eheschließung Abstand zu nehmen, um sich stattdessen dem Apostel anzuschließen.
Durch wunderbares göttliches Eingreifen überstand Th.
zwei Verurteilungen zum Tode, wurde aber nichts-
destotrotz als Märtyrerin verehrt. Während Th. zunächst v. a. als asketische Missionarin und Apostolin galt,
die lehrte und taufte, wurde sie zunehmend zum Symbol enthaltsamer Jungfräulichkeit stilisiert, das allen
Frauen als Vorbild dienen sollte. In Seleukeia [5] (Kilikien) entwickelte sich ein Zentrum des Th.-Kultes, das
die Erinnerung an die Märtyrerin pflegte und diese als
Wundertäterin in Anspruch nahm. Mit großer Wahrscheinlichkeit kann angenommen werden, daß der le-
gendenhaften Überl. ein histor. Kern zugrundeliegt,
auch wenn das NT eine Paulusschülerin namens Th.
nicht erwähnt.

→ Frau IV. (Christentum); Märtyrer; Paulusakten

1 R. ALBRECHT, Das Leben der hl. Makrina auf dem
Hintergrund der Th.-Traditionen, 1986 2 S. L. DAVIES, The
Revolt of the Widows. The Social World of the Apocryphal
Acts, 1980 3 A. JENSEN, Th. – Die Apostolin. Ein
apokrypher Text neu entdeckt, 1995 4 D. R. MACDONALD,
The Legend and the Apostle, 1983 5 C. NAUERTH,
R. WARNS, Th. Ihre Bilder in der frühchristl. Kunst, 1981.
R. A.

Thela. Sohn des → Odoacer; von diesem zum Caesar in
It. erhoben (ca. 489–493 n. Chr.); seit 493 bei → Theoderich [3] d. Gr. als Geisel, nach dem Tod Odoacers
(493) nach Gallien verbannt und beim Versuch der
Rückkehr von Theoderich ermordet. (Iohannes Antiochenus fr. 241a, FHG 5, 29; Anon. Vales. 11,54). PLRE
2,1064.   WE. LÜ.

Thelepte. Stadt der Byzacena (→ Afrika [3]); wichtiger
Straßenknotenpunkt, 77 km nnw von → Capsa, h.
Medinet el-Kdima mit bedeutenden ant. Überresten.
Evtl. seit → Vespasianus → *municipium*, seit → Traianus
[1] *colonia*. 354 n. Chr. residierte hier der → *dux* der By-
zacena (Cod. Iust. 1,27,2,1; vgl. Itin. Anton. 77,4; Tab.
Peut. 4,5; Prok. aed. 6,6,18). Inschr.: CIL VIII 1, 176–
183; 211; 216; 2094; 2565 b; CIL VIII 2, 10032–10037;
Suppl. 1, 11263–11273; 4, 23181–23186; [1. 56].

> 1 J.-B. CHABOT (ed.), Recueil des Inscriptions Libyques,
> 1940.

> AATun 100, Bl. Feriana, Nr. 14 • R. B. HITCHNER, The
> Kasserine Archaeological Survey (1982–1986), in: AntAfr
> 24, 1988, 7–41 • A. ENNABLI, s. v. Th., PE 906.   W. HU.

Thelphusa (Θέλφουσα). Stadt in Arkadia (→ Arkades)
am linken Ufer des Ladon [2] beim h. Th. an der Straße
von → Psophis nach → Heraia (Paus. 8,25,1–11; Hierokles synekdemos 647,6). Erh. sind Reste der Stadtmauer
und der Agora (Säulenhalle, Tempel). Th. war in archa.
und klass. Zeit autonom, um 235 v. Chr. Mitglied des
Achaiischen Bundes (→ Achaioi [1]; Pol. 2,54,12). Stratos, die Festung im Westen der Stadt, wurde im → Bundesgenossenkrieg [2] von Aitoloi und Eleioi besetzt, von
Philippos [7] V. Th. zurückgegeben (Pol. 4,60,3; 4,73,2;
4,77,5). Th. besaß Kulte des Asklepios (am rechten Ufer
des Ladon) und der Demeter Erinys.

> R. STIGLITZ, Die großen Göttinnen Arkadiens, 1967,
> 112–122; 125 • N. PAPACHATZIS, Παυσανίου Ἑλλάδος
> Περιήγησις 4, 1980, 276–280 • M. JOST, Thelpousa
> d'Arcadie, in: BCH 110, 1986, 633–645 • Dies., Sanctuaires
> et cultes d'Acardie, 1985, 284–287; 301–311.   KL. T.

Thema (θέμα, Pl. θέματα/*thémata*; wörtl: »Aufstel-
lungsgebiet« [6]). Byz. Verwaltungsbezirke, die seit dem
7. Jh. n. Chr. an die Stelle der röm. Prov.-Einteilung
treten: Nach dem Verlust Äg.s und des Nahen Ostens
(Mitte 7. Jh. n. Chr.) wurden die röm. Truppen nach
Kleinasien zurückgezogen und dort in den vier Th. der
Anatolikoi, der Armeniakoi, der Thrakesioi und des
→ Opsikion jeweils unter dem Kommando eines
→ *stratēgós* neu aufgestellt (→ Byzantion, Byzanz II. D.
mit Karte). Die Kompetenzen der Prov.-Verwaltung
gingen bis zur Mitte des 8. Jh. vollständig an die Th.
über, so daß mil. und zivile Gewalt in einer Hand vereint wurden. Diese Organisationsform der Th. hat Vorläufer im 6. Jh. in Sonderregelungen des Iustinianus [1]
I. für einige Prov. sowie im 6./7. Jh. in den → Exar-
chaten von Ravenna und Karthago.

Da die Chronik des Theophanes [2] Homologetes
von der Ankunft des Kaisers Herakleios [7] ›im Land der
Th.‹ auf dem Weg zu seinem Feldzug gegen die Perser
(622) berichtet, wurde die Gründung der ersten Th. in
seine Zeit datiert [3. 55]. Der Ausdruck *th.* in der erheblich jüngeren Chronik ist jedoch offenbar ein Anachronismus; Th. sind erst seit etwa 660 eindeutig belegt.
Die Einrichtung der Th. gilt als einer der Gründe für die
erfolgreiche Verteidigung des byz. Kleinasiens gegen die
→ Araber. Doch hatte die große Machtfülle der *stratēgoí*
auch häufig Usurpationsversuche zur Folge, weshalb die
urspr. großen Th. später unterteilt wurden.

Im europäischen Reichsteil entstanden noch im
7. Jh. die Th. Thrakien (→ Thrakes II.) und Hellas
(Mittel- und Südgriechenland), weitere kamen mit der
Rückeroberung verlorener Gebiete im 9. und 10. Jh.
dazu. Nach der Schrift *Perí themátōn* des Kaisers Konstantinos [1] VII. Porphyrogennetos umfaßte das byz.
Reich im frühen 10. Jh. 17 Th. in Kleinasien und 12 in
Europa [2; 7]. Die Zahl der Th. stieg bis zur Mitte des
11. Jh. auf fast 50 an. In dieser Zeit wurde innerhalb der
Th. wieder eine zivile Verwaltung unter der Leitung
eines *kritḗs* (»Richters«) oder eines *praítōr* (»Praetors«)
eingerichtet. Die typische Organisationsform der Th.
ging so verloren, doch ist der Terminus als Bezeichnung
für territoriale Einheiten noch in spätbyz. Zeit bezeugt.
→ Byzantion, Byzanz II. D.

> 1 M. GELZER, Die Genesis der byz. Themenverfassung, 1899
> 2 A. PERTUSI (ed.), Costantino Porfirogenito, De
> thematibus, 1952 (mit Komm.) 3 G. OSTROGORSKY, Sur la
> date de la composition du Livre des Thèmes, in: Byzantion
> 23, 1953/54, 31–66 4 J. KARAYANNOPULOS, Die Entstehung
> der byz. Themenordnung, 1959 5 R.-J. LILIE, Die
> zweihundertjährige Reform, in: Byzantinoslavica 45, 1984,
> 27–39, 190–201 6 J. KODER, Zur Bed.entwicklung des
> Terminus θέμα, in: Jb. der Öst. Byzantinistik 40, 1990,
> 155–165 7 TH. PRATSCH, Unt. zu De thematibus, in: Varia 5,
> 1994, 13–145.   AL. B.

Themakos (Θημακός). Attischer → Mesogeia(?)-De-
mos, Phyle Erechtheis, ab 224/3 v. Chr. der Ptolemaïs,
ein *buleutḗs*; Lage unbekannt. IG II² 1212 (FO: *in vico
Kara*, h. Iliupolis) ist wohl kein Dekret von Th., vgl. [1].

> 1 WHITEHEAD, 392 Nr. 135.

> TRAILL, Attica 15, 38, 62, 69, 75, 112 Nr. 134, Tab. 1, 13 •
> J. S. TRAILL, Demos and Trittys, 1986, 126.   H. LO.

Themavokal. Vok. Element, das (allein oder im Verbund mit vorangehenden Lauten) zur Bildung von
Wortstämmen (griech. θέμα/*théma*) dient. Für → indogermanische Sprachen charakteristisch ist ein als *e* und *o*
auftretender Th.; er kennzeichnet sowohl nominale
(z. B. in dem dem Akk. Sg. lat. *agrum*, griech. ἀγρόν,
altind. *ájram* zugrundeliegenden Stamm *$h_2 ág$-r=o-* »Ak-
ker«, sog. »o«-Deklination) als auch verbale Stämme
(z. B. den in lat. *agite / agunt*, griech. ἄγετε / ἄγουσι(ν),
altind. *ajata / ajanti* »treibt / sie treiben« vorliegenden
Präs.-Stamm *$h_2 ág$-e/o-*). Ursprünglich dürfte der idg.

Th. derivative Funktion gehabt haben, die aber in den Einzelsprachen meist verblaßt ist; eine klare Funktionalität zeigt der Th. noch als Bildungssuffix des Konj. im Griech. und Indo-Iranischen (z. B. in homer. ἴομεν »wir wollen gehen«; im Lat. finden sich Reste in Futurbildungen wie z. B. 3. Sg. *erit* < *$h_1$es-e-t(i)* »wird sein« = altind. *asat(i)* gegenüber 3. Sg. Ind. Präs. *est* »ist« < *$h_1$es-ti*). Auf einzelsprachlicher Neuerung beruht die sog. »alpha-thematische« Flexion mit Th. -a- im Griech. (z. B. im Stammsuffix -σα- des sigmatischen Aor.).
→ Flexion

E. Tichy, Idg. Grundwissen, 2000, 52–55 · M. Meier-Brügger, Idg. Sprachwissenschaft, 2000, 150f. · Rix, HGG, 1976, 207 · Schwyzer, Gramm., 457–459; 642–643; 790–791.   J. G.

Themis (Θέμις, wörtl. »Recht«, »hl. Satzung«). Griech. Göttin bzw. göttl. → Personifikation des altgeheiligten Rechts (vgl. dagegen → Dike [1]); sie steht für die traditionelle Ordnung der Dinge, sei es, daß diese auf menschlicher Konvention beruht (so z. B. Hom. Od. 14,56, wo es um die richtige Behandlung von Fremden geht), sei es auf der Natur selbst (so z. B. Hom. Od. 9,130 von der »Natur der Frau«). Wichtig ist sie im Zusammenhang der ordnungsgemäßen Einberufung von Versammlungen (vgl. Hom. Il. 20,4f. etc.). Urspr. bedeutet *th.* verm. »was niedergelegt wurde«, im Myk. vielleicht das Wort für »Schulden« [1. 25f., 106, 121].

Nach Hes. theog. 135 ist Th. Tochter des → Uranos und der → Gaia, von → Zeus Mutter der → Moiren, der → Horen, der → Eunomia, der → Dike [1] und der → Eirene [1]. Im ›Prometheus‹ des Aischylos ist sie mit Gaia/Gē gleichgesetzt und dort Mutter des → Prometheus (Aischyl. Prom. 18; 209f.; 874). Eng ist Th. mit Zeus als der obersten Rechtsinstanz verbunden (Hom. Od. 2,68; Hes. theog. 901). Im Einflußbereich der Gaia ist sie auch Orakelgöttin: als solche warnt sie Zeus (und Poseidon) vor der Heirat mit → Thetis (Pind. I. 8,27–33; vgl. Aischyl. Prom. 170ff.; 188f.; 515ff.; 755ff.; 907ff.). Sie ist es auch, die in den → *Kypria* zusammen mit Zeus den Troianischen Krieg beschließt, um die Erde von Überbevölkerung zu befreien (Kypria EpGF F 1; PEG I F 1; Prokl. Kypria 84 Severyns) oder das Heroengeschlecht für seine Ungerechtigkeit zu bestrafen (POxy. 3829,9–12). Die Nähe zur Erdgöttin Gaia mit Orakelfunktion wird insbes. durch ihre Stellung in → Delphoi deutlich, wo sie im Gründungsmythos des Apollonheiligtums die zweite Inhaberin des Orakels zw. Gaia und Phoibe [1]/Phoibos Apollon gewesen sein soll (Aischyl. Eum. 1–8; vgl. Hom. h. 3,123–125, wo Th. als Amme Apollons fungiert; bei [2. 17] als histor. Reminiszenz interpretiert; [3] dagegen sieht die Sukzession nicht als histor. Reminiszenz, sondern als propagandistische Fiktion des 5. Jh. v. Chr.).

Die beiden bekanntesten bildlichen Darstellungen der Th. sind die Statue des → Chairestratos aus Rhamnus (280 v. Chr.: Athen, NM 231) sowie das Innenbild einer att. Trinkschale (ca. 440–430 v. Chr.: Berlin, SM).

Kultische Verehrung genoß Th. allenthalben: In Olympia hatte Th. einen Altar dicht neben dem Heiligtum der Gē (Paus. 5,14,10). Weitere Kultstätten befanden sich in Thessalien (Larisa IG IX 2,517,40; Metropolis ebd. 274; Pharsalos ebd. 256; Gonnoi ebd. 1042; Halos ebd. 109,49; Hypata ebd. 20), Boiotien (IG VII 1816, vgl. Paus. 9,22,1), Attika (Athen: Paus. 1,22,1 etc.): Am berühmtesten war das Heiligtum in Rhamnus, wo Th. zusammen mit → Nemesis verehrt wurde [4].

1 T. B. L. Webster, From Mycene to Homer, 1958
2 J.-F. Bommelaer, Guide de Delphes. Le site, 1991
3 C. Sourvinou-Inwood, Myth as History. The Previous Owners of the Delphic Oracle, in: J. Bremmer (Hrsg.), Interpretations of Greek Mythology, 1987, 215–241
4 Travlos, Attika, 388–403.

K. Latte, Der Rechtsgedanke im archa. Griechentum, in: A&A 2, 1946, 63–76 · H. Vos, Th., Diss. Utrecht 1956 · W. Pötscher, Moira, Th. und Time im homerischen Denken, in: WS 73, 1960, 5–39, bes. 31ff.   L. K.

Themiskyra (Θεμίσκυρα). Überaus fruchtbare Küstenlandschaft (Hekat. FGrH 1 F 7a; Apollod. 2,101; Plin. nat. 6,9; Iust. 2,4,1) bzw. griech. Stadt (peripl. m. Eux. 29; Ps.-Skyl. 89; evtl. im 3. → Mithradatischen Krieg zerstört, da für spätere Zeit keine Informationen vorliegen, beim h. Terme) im Norden des → Paryadres an der Südküste des Schwarzen Meeres (→ Pontos Euxeinos) am unteren Thermodon [2], wo der griech. Mythos die → Amazones ansiedelte (vgl. Aischyl. Prom. 724f.; Hdt. 4,110).   E. O.

Themison (Θεμίσων).

[1] Tyrann von Eretria [1], besetzte 366 v. Chr. mit einigen Exulanten → Oropos. Die Drahtzieher der Aktion saßen in Theben, und von dort kam auch Hilfe, um einen athenischen Gegenangriff abzuwehren. Nach einem Schiedsgericht ging die *pólis* an die Thebaner, die das Regime des Th. beibehielten (Diod. 15,76,1; Demosth. or. 18,99; Xen. hell. 7,4,1).

J. Buckler, The Theban Hegemony, 1980, 193f.   HA. BE.

[2] **Th. aus Laodikeia.** Griech. Arzt, 2./1. Jh. v. Chr., Gründer der Schule der → Methodiker. Er lebte in Rom und wurde Schüler des Asklepiades [6] von Bithynien. Im Alter distanzierte er sich von seinem Lehrer (Celsus, De medicina, praef. 12; Caelius Aurelianus, De morbis chronicis 2,215; Plin. nat. 29,5,6); unklar ist, in welchen Punkten. Th. lehnte die Erforschung verborgener Krankheitsursachen ab, da er glaubte, sämtliche Krankheiten basierten auf einigen wenigen, offen zu Tage liegenden Zuständen des Körpers, den sog. »Kommunitäten« (κοινότητες; lat. *communia*). Die Verfassung des Patienten deute unmittelbar auf die jeweilige Kommunität hin; weiterführende Ursachenforschung sei überflüssig und Zeitverschwendung.

Th. teilte Krankheiten in drei Kategorien ein, die auf drei *status*/»Zuständen« (*strictus*/»zusammengezogen«, *laxus*/»flüssig« und *medius*/»gemischt«) basierten, je nach

Größe der Teilchen und der Kanäle, die sie passierten. Th. gliederte als erster eine Abh. nach akuten Krankheiten (im allg. durch *status strictus* verursacht) und chronischen Krankheiten (im allg. durch *status laxus* verursacht; Caelius Aurelianus, De morbis chronicis, praef. 3). Er unterstrich die Bed. des *diátritos* – des Alternierens von Tagen, an denen gegessen, und Tagen, an denen gefastet wird – im Verlauf der Behandlung (Caelius Aurelianus, De morbis acutis 1,16,155). Sein Schüler → Antonius [II 19] Musa entwickelte seine Anschauungen weiter, während → Thessalos [6] sie stark modifizierte.

1 M.M. TECUSAN (ed.), The Fragments of the Methodist Sect, 2002 2 P. MUDRY, J. PIGEAUD (Hrsg.), Les écoles médicales à Rome, 1991, passim 3 J. PIGEAUD, L'introduction du Méthodisme à Rome, in: ANRW II 37.1, 1993, 565–599.   V.N./Ü: L.v.R.-B.

Themisonion (Θεμισώνιον). Stadt in SW-Phrygien (Strab. 12,8,13; Paus. 10,32,4; Ptol. 5,2,26; Hierokles, Synekdemos 666,3), verm. beim h. Dodurga nördl. von Acıpayam im Tal des Kazanes (Mz.: BMC Phrygia 418 f.); dieser Fluß ist wohl dem Casus (dem h. Karayük Çayı), den Manlius [I 24] auf seinem Marsch von Tabai nach Kibyra 189 v. Chr. überschritt (vgl. Liv. 38,14,1), gleichzusetzen. Th. war benannt nach Themison, einem Freund des Antiochos [3] II.; es ist jedoch anzunehmen, daß die Stadt unter anderem Namen schon früher bestand (vgl. Paus. 10,32,4). Th. gehörte zum *conventus* von → Kibyra [1] (Plin. nat. 5,105).

BELKE/MERSICH, 403 • ROBERT, Villes, 112–116.   E.O.

Themista (Θεμίστα). Eine der → Philosophinnen der → Epikureischen Schule; Anf. 4. Jh. v. Chr. Gattin des Leonteus [2] (Diog. Laert. 10,5,25), mit dem sie einen Sohn namens Epikuros hatte (Diog. Laert. 10,26). Cicero lobt Th.s »Weisheit« (*sapientia*) und nennt sie als Verfasserin zahlreicher Schriften (*tanta volumina*, Cic. Pis. 63). Epikuros richtete einige Briefe (Auszug: Diog. Laert. 10,5 = fr. 125 USENER) und ein Werk ›Neokles an Th.‹ an sie (Νεοκλῆς πρὸς Θεμίστα; Diog. Laert. 10,28). Von ihrem Werk ist nichts erhalten.

M. ERLER, in: GGPh² 4.1, 105.   T.D./Ü: J.DE.

Themistios (Θεμίστιος). → Aristoteles-Kommentator und Politiker (ca. 317 – ca. 385 n. Chr.).
I. LEBEN   II. WERK   III. WIRKUNG

I. LEBEN

Th. wurde verm. in Paphlagonien geb. und erhielt seine Rhet.- und Philos.-Ausbildung bei seinem Vater Eugenios, selbst Philosoph (Them. or. 20). Zw. etwa 345 und 355 n. Chr. leitete er seine eigene Philosophenschule in Konstantinopolis und bereitete im Zusammenhang mit der Lehre Paraphrasen (= P., mit gelegentlich detaillierteren Ausführungen) aristotelischer Schriften vor (vgl. → Aristoteles [6]). Den Rest seines Lebens verbrachte er dort im Dienst des kaiserlichen

Hofes, u. a. evtl. als Proconsul von Konstantinopolis (357–359). Eine seiner diplomatischen Reisen führte ihn mit Kaiser Constantius [2] II. nach Rom (Them. or. 34,13). Seine zahlreichen vor Kaisern gehaltenen epideiktischen Reden gewähren Einblick in seine polit. Karriere, andere Reden in seine Ausbildung und sein Privatleben.

II. WERK

Als Philosoph ist Th. ein wichtiges Verbindungsglied zw. dem Aristotelismus der frühen Kaiserzeit, vertreten v. a. von Alexandros [26] von Aphrodisias, und dem der späteren neuplatonischen und christl. Aristoteles-Kommentatoren → Simplikios und → Philoponos. Als Anhänger der alten griech.-röm. Kulte und als allg. orthodoxer Vermittler aristotelischer Gedanken galt Th. bei griech., arab., byz. und ma. Kommentatoren als verläßlicher Interpret. Seine überl. Paraphrasen (in CAG, Bd. 5) behandeln Aristoteles' *Analytica Posteriora* und *Physica* (beide nur griech. erh.), *De Caelo* und *Metaphysica* B. 12 = Λ (beide überl. in hebr. Übers., letzteres auch in arab. Fr.) und *De anima* (griech., arab. und in einer ma. lat. Übers. erh.). Mehrere P. sind verloren, ebenso vielleicht einige Schriften zu Platon. Die P. zu Aristoteles' *De anima* war Th.' bei weitem wichtigstes und einflußreichstes Werk, in erster Linie wegen der Interpretation der schwer verständlichen aristotelischen Abh. zum → Intellekt in Aristot. an. 3,5 (Them. in Aristot. an. 100,16–107,29). Es wurde oft vermutet, daß Th. die (von Alexandros von Aphrodisias vorgeschlagene) Identifikation des menschlichen mit dem göttlichen Intellekt (vgl. Aristot. metaph. B. 12) zu vermeiden versucht habe. Während jedoch das offenkundige Festhalten an persönlicher Unsterblichkeit der ma. Trad. willkommen war, unterscheidet sich Th.' eher unklare Position nicht wesentlich von der des Alexandros. Ebenso unklar ist, wie weit Th.' Abh. zum Intellekt vom → Neuplatonismus abhängig und wie groß sein Wissen über diese Schule im allg. und über die Werke des → Plotinos im bes. war. Seine Reden und seine P. zeigen größere Kenntnis der platonischen Dialoge (bes. des ›Timaios‹), und nur gelegentlich verwendet er neuplaton. Terminologie.

33 Reden des Th. sind griech. überliefert. Sie bieten histor. Informationen über die kaiserliche Politik des 4. Jh. und eine Staatsphilos. der Königsherrschaft. Th. betrachtete sich selbst als einen Philosophen im polit. Bereich; dabei war er vom platonische Ideal inspiriert. Größte Beachtung jedoch fand sein Eintreten für rel. → Toleranz (Them. or. 5) sowie seine Fähigkeit, mit dem christl. Kaiser Iulianos [11] auszukommen.

III. WIRKUNG

Th.' Aristoteles-P. wurden zw. dem 9. und 13. Jh. ins Syrische, Hebr. und Arab. übersetzt und waren auch in Byzanz einflußreich, wo Sophonias und Theodoros Metoichites (um 1300) seine expositorische Methodik aufgriffen. Im Westen wurden die P. zu Aristoteles' *Analytica Posteriora* und *De anima* ins Lat. übersetzt, letztere um 1160 von Wilhelm von Moerbeke für Thomas von Aquin. Im späten 15. Jh. wurden sämtliche P. vom Venetianer Ermalao BARBARO ins Lat. übersetzt (Treviso, 1481); sie wurden im → ARISTOTELISMUS der Renaissance viel benutzt. Im Gegensatz dazu fanden die Reden vor dem 17./18. Jh., als die wiss. Beschäftigung mit der Alten Gesch. begann, nur geringe Beachtung. Mit der Ed. durch J. HARDOUIN (Paris 1684) konnte Th. von Historikern (z. B. E. GIBBON) als Quelle für die Spätant. verwendet werden.

→ Aristoteles-Kommentatoren

ED. UND ÜBERS.: R. J. PENELLA, The Private Orations of Themistius, 2000 (Übers.) · R. B. TODD, Themistius on Aristotle on the Soul, 1996 (engl. Übers.).
LIT.: G. DAGRON, L'empire romain d'Orient du IV siècle et les traditions politiques d'hellenisme…, (Travaux et memoires, Centre de Recherche d'Histoire et Civilisation Byzantines), Bd. 3, 1968, 1–242 · R. B. TODD, Themistius, Catalogus Translationum et Commentariorum, Bd. 8, 2002 (im Druck) · J. VANDERSPOEL, Themistius and the Imperial Court…, 1995.　　　　R. TO./Ü: M. VA.

Themisto (Θεμιστώ).
[1] Tochter des Lapithen → Hypseus, dritte Frau des → Athamas (Herodoros 31 F 38 FGrH; Apollod. 1,84; Athen. 13,560d; Nonn. Dion. 9,305–307; Tzetz. Lykophr. 22), dem sie mehrere Kinder gebiert. Ihre Vorgängerinnen waren → Nephele [1] und Ino. Als letztere zurückkehrt, versucht Th., deren Kinder zu töten (Hyg. fab. 4,239, anders fab. 1). Ino bewirkt durch einen Kleidertausch, daß Th. ihre eigenen Kinder umbringt, worauf diese sich das Leben nimmt.
[2] Tochter des → Inachos [1], von → Zeus Mutter des → Arkas und Stammutter der Arkader (Istros 334 F 75 FGrH).

TH. GANSCHOW, s. v. Leukonoe, LIMC 6.1, 272 · A. LESKY, s. v. Th. (1–2), RE 5 A, 1680–1683.　　　　R. HA.

Themistogenes (Θεμιστογένης) von Syrakus. Nach Xen. hell. 3,1,2 Verf. einer Schrift über den Feldzug des → Kyros [3], dessen Tod in der Schlacht (bei Kunaxa 401 v. Chr. und den geglückten Rückzug griech. Truppen. Die Existenz der Schrift, die zuweilen einem Th. zugeschrieben wurde (vgl. [1. Bd. 2, 199^911]), ist jedoch zweifelhaft, da → Xenophon dieses Ereignis selbst beschrieb (Xen. an. 1–4) und sich selbst zitieren könnte. Es liegt deshalb näher, mit [2. 1644–1646] in Th. (= »Abkömmling der Themis«) ein Pseudonym zu sehen, das von Xenophon gewählt wurde, um die *Anábasis* glaubhafter zu machen, wie schon Plut. mor. 345e erklärt: Die Fiktion, ein anderer habe diese (und somit auch die eindrucksvollen Leistungen Xenophons) dargestellt, nimmt dem Bericht den Ruch des Eigenlobs und gibt ihm eine Glaubwürdigkeit, die bei der Verwendung der Ich-Form kaum erreichbar gewesen wäre. Vielleicht gebrauchte Xenophon das Mittel des Pseudonyms auch in an. 2,1,12, wo der Athener Theopompos wohl die Meinung Xenophons formuliert [3. 500].

1 F. SUSEMIHL (ed.), Aristoteles' Politik, 2 Bde., 1879 (mit dt. Übers.) 2 H. R. BREITENBACH, s. v. Xenophon (6), RE 9 A, 1569–2051 3 H. ERBSE, Xenophons Anabasis, in: Gymnasium 73, 1966, 485–505.　　　　E. E. S.

Themistokles (Θεμιστοκλῆς). Athener aus Phrearrhioi in der Phyle Leontis und aus dem Geschlecht der → Lykomidai, geb. um 525 v. Chr. als Sohn des → Neokles [1] (Hdt. 7,143 u. ö.; Nep. Th. 1,1; Plut. Th. 1,1 und 4; Aristeid. 5,4) und einer vielleicht nicht-athen. Mutter (vgl. Nep. Th. 1,1; Plut. Th. 1,2); bedeutender Politiker zur Zeit der → Perserkriege [1].

Lehrer des als eigenwillig geschilderten (vgl. Thuk. 1,138,3; Nep. Th. 1,2; Plut. Th. 2), wenig Wert auf musische Bildung legenden Th. (Ion FGrH 392 F 13) soll → Mnesiphilos gewesen sein. In der üblichen Laufbahn eines athen. Aristokraten wurde Th. wohl *árchōn* 493/2 (Dion. Hal. ant. 6,34,1; vgl. Thuk. 1,93,3), kam in den Areopag (→ *Áreios págos*) und dürfte bei Marathon 490 v. Chr. als → *stratēgós* gekämpft haben (vgl. Plut. Aristeides 5,4). Polit. ehrgeizig und umstritten war Th. schon in den 480er J., als er beim → *ostrakismós* viele Stimmen auf sich zog, aber nie verbannt wurde; seine Bed. in diesen J. bleibt kontrovers, die Deutung reicht bis zum Extrem einer von Th. geschaffenen »radikalen → *demokratía*«. Höhepunkte seiner Karriere bilden seine Rolle als treibende Kraft beim Ausbau der athen. Flotte ab 483/2, die auf seinen Vorschlag aus den neuen Silberminen bei → Laureion finanziert wurde (vgl. Hdt. 7,144,1; Thuk. 1,14,3; 1,93,4; [Aristot.] Ath. pol. 22,7; Plut. Th. 4,1 und 3; Nep. Th. 2,2), und beim Abwehrkampf gegen die Perser ab 481.

Wohl von Th. angeregt, rief Athen alle Verbannten zurück außer denjenigen, die wegen krimineller Delikte verbannt worden waren (vgl. [Aristot.] Ath. pol. 22,8; And. or. 1,109; Plut. Aristeides 8,1), und betrieb die Beilegung der Konflikte zw. den griech. Staaten (Plut. Th. 6,5; Aristeid. or. 3 2,248; vgl. Hdt. 7,145); ein Kongreß der zur Abwehr Entschlossenen unter Führung Spartas (Herbst 481) sollte ein strategisches Konzept entwickeln (vgl. Hdt. 7,145). Auf Betreiben des Th. ersetzte das Orakel von → Delphoi einen ersten völlig entmutigenden Spruch (›flieht ans Ende der Welt‹) durch das Gebot, sich hinter ›hölzernen Mauern‹ zu verschanzen, und ermöglichte es so, die Athener zur Aufgabe der Stadt (→ Troizen-Inschrift) und zum Seekampf zu bewegen (Hdt. 7,141–144; Plut. Th. 10,3.; vgl. Demosth. or. 19,303; Diod. 11,13,4; Nep. Th. 2,8; Plut. Th. 10,4; Aristeid. or. 1,1,226; or. 3,2,256; Iust. 2,12,16). Th. führte im Frühjahr 480 die Truppen an der – bald wieder aufgegebenen – Sperre im → Tempe-Tal (Hdt. 7,173; Diod. 11,2,5; Plut. mor. 864e; Plut. Th. 7,2) und im Sommer die athen. Flotte bei → Artemision [1] (Hdt. 8,4; Diod. 11,12,4; Nep. Th. 3,2; Plut. Th. 7,2). Nach dem Fall der → Thermopylai (→ Leonidas [1]) konnte Th. seine Flotten-Strategie nur durch eine List retten, indem er Xerxes zum Angriff auf die griech. Flotte im Sund von → Salamis [1] verleitete, was zur Niederlage der Perserflotte führte.

Th. blieb nur kurz auf der Höhe seines Ruhmes; die Schlacht gegen das Perserheer bei → Plataiai 479 war ein Sieg v. a. der Spartaner unter → Pausanias [1], in Athen traten schon 479 etwa → Aristeides [1] oder → Xanthippos hervor, bald auch → Kimon [2]. 479/8 überwarf sich Th. mit Sparta, weil er die Wiederbefestigung Athens (»themistokleische Mauern«; → Athenai II.7.) betrieb und sich gegen den Ausschluß von Griechenstädten aus der delphischen → Amphiktyonia wandte (Plut. Th. 19,1–3; 20,3; Thuk. 1,89–92). 477/6 richtete Th. als → chorēgós aufwendig die ›Phoinikerinnen‹ des → Phrynichos [1] aus (Plut. Th. 5,5), doch wurde ihm zunehmend Habgier und Prunksucht vorgeworfen (Hdt. 8,111; Timokreon fr. 1 PMG; Plut. Th. 5,4, 21), schließlich wurde er durch → ostrakismós (vgl. Thuk. 1,135,3; Plut. Th. 22,4) Ende der 70er-Jahre (Eus. Chron., Ol. 71,1: 472/71 v. Chr.) verbannt. Th. betrieb seine nun anti-spartan. Politik aus dem Exil in Argos, bis Sparta den Athenern angebliche hochverräterische Korrespondenz des Th. mit dem persischen Großkönig zuspielte. Th. wurde in Abwesenheit zum Tode verurteilt (Thuk. 1,135,2; Krateros FGrH 342 F 11; Plut. Th. 23,1) und floh auf abenteuerlichen Wegen nach Kleinasien (Thuk. 1,136f.; Nep. Th. 8f.; Diod. 11,56; Plut. Th. 24ff.; Aristodemos FGrH 104 F 1,10). Dort starb er 65jährig (Plut. Th. 31,6) ca. 459 als Lehnsmann der Perserkönige Xerxes I. und Artaxerxes [1] in → Magnesia [2], vielleicht durch Selbstmord (Thuk. 1,138; Nep. Th. 10; Diod. 11,58; Plut. Th. 27ff.). Seine Gebeine wurden angeblich heimlich nach Attika zur Beisetzung verbracht (Thuk. 1,138,6).

Th. wurde seit Herodot und Thukydides (1,138) in der ant. Überl. als eine schillernde, neidvoll bewunderte und zugleich verhaßte Gestalt gezeichnet. Auch die mod. Forsch. ist in ihrem Urteil nicht einheitlich. Zur Portraitbüste siehe [1], zur Rezeption in der Oper: Joh. Christian BACH, *Temistocle: opera seria*, Libretto von P. METASTASIO.

1 G. M. A. RICHTER, Portraits of the Greeks, 1965, ²1984 (R. R. R. SMITH).

QUELLEN: F. J. FROST, Plutarch's Th.: a Historical Commentary, 1998 · J. L. MARR (ed.), Plutarch: Life of Th., 1998 (mit engl. Übers. und Komm.) · N. A. DOENGES (ed.), The Letters of Th., 1981 (mit engl. Übers. und Komm.; verfehlt) · F. SCHACHERMEYR, Stesimbrotos und seine Schrift über die Staatsmänner (SBAW 247), 1965.
LIT.: TRAILL, PAA 502610 · DAVIES 6669 · DEVELIN 55 · A. R. BURN, Persia and the Greeks, 1984 · R. J. LENARDON, The Saga of Th., 1978 · A. J. PODLECKI, The Life of Th.: A Critical Survey of the Literary and Archaeological Evidence, 1975. K. KI.

Themistos (Θέμιστος). Syrakusier, mit Harmonia, der Tochter Gelons [2] II. bzw. Enkelin Hierons [2] II. (Liv. 24,24,2 und 6; 25,7 und 10), verheiratet. Er war verm. Mitglied des von Hieron für seinen unmündigen Enkel Hieronymos [3] bestellten Regentschaftsrates und beteiligte sich nach dessen Ermordung an dem von

→ Adranodoros geplanten Umsturz (Liv. 24,24,2; 24,25). Auf Befehl der über das Komplott informierten Strategen wurde er jedoch – ebenso wie Adranodoros – 214 v. Chr. hingerichtet (Liv. 24,24,4).

H. BERVE, Hieron II., 1959, 86–99. K. MEI.

Thenai (punisch *Tjnt*?; Θένα, lat. *Thena, Thenae*). Urspr. wohl pun. Stadt (vgl. CIS I 3, 4911 und arch. Funde) in der Byzacena (→ Afrika [3]; Strab. 17,3,12; 17,3,16; Plin. nat. 5,25), 12 km südl. von Taparura (h. Sfax); Endpunkt der 146 v. Chr. von Cornelius [I 70] Scipio angelegten *fossa* [7] *regia* am Golf von Gabès (→ Syrtis; vgl. [1. 435 Anm. 80]); h. Thyna. Die Hafenstadt, wohl seit → Hadrianus *colonia*, erlangte seit dem 2. Jh. n. Chr. einige Bed. Seit 255 als Bischofssitz bezeugt.

1 HUSS.

M. FENDRI, Découverte archéologique dans la région de Sfax, 1963, 56. W. HU.

Thenephmos (Θένεφμος). Ägypter, der bereits 247/6 v. Chr. als Inhaber einer *dōreá* (»vom König verliehener Grundbesitz«) von 10000 *árurai* bezeugt ist. PP IV 10083. W. A.

Theocritus (Θεόκριτος). Kaiserlicher Sklave, später Freigelassener, der von → Saoteros unter → Commodus gefördert wurde; Tänzer und Pantomime, der unter → Caracalla zu größtem Einfluß kam, verm. auch Ritterrang erhielt, da er beim Feldzug Caracallas gegen Armenien ein Heer kommandierte. Angeblich ging sein Einfluß bei Caracalla weit über den der Praetorianerpraefekten hinaus. Er hatte Caracalla auch nach Alexandreia [1] begleitet, wo er den Befehl gab, den *procurator* (*epítropos*) der Stadt, Flavius Titianus (PIR² F 381), zu töten (Cass. Dio 78,21,1–4). W. E.

Theodahat (*Theodahadus*; Θευδάτος). 534–536 n. Chr. König der → Ostgoten in Italien, aus der Familie der → Amali, Sohn der → Amalafrida, Neffe → Theoderichs [3] d. Gr.; besaß in → Tuscia große, oft unrechtmäßig erworbene Landgüter (Prok. BG 1,3,2; vgl. z. B. Cassiod. var. 4,39). Nach → Athalaricus' Tod wurde Th., der bisher gelehrte Studien betrieben hatte (Prok. BG 1,3,1), von → Amalasuntha zum König berufen, wobei die faktische Macht bei dieser bleiben sollte (Prok. BG 1,4,4–12; Cassiod. var. 10,1–4: Bemühen der beiden um byz. Anerkennung). Darauf ließ Th. jedoch Amalasuntha ermorden, um die Macht zu übernehmen (Prok. BG 1,4,12–15; 4,25–8; Chron. min. 2,11,104). Dieser Vorgang, den Th. durch eine Gesandtschaft an den oström. Hof zu verschleiern suchte (Prok. BG 1, 4,15), wurde von → Iustinianus [1] genutzt, um Ansprüche auf It. geltend zu machen. Th. erwog zeitweise einen Thronverzicht gegen Garantien für sich selbst (Prok. BG 1,6,1–27; 7,11–25; [2]). Nach der byz. Invasion It.s 536 blieb Th. untätig, die Goten erhoben → Vitigis zum König (Prok. BG 1,11,1–9; Iord. Get.

309 f.); Th. wurde E. 536 auf dem Weg von Rom nach Ravenna ermordet (Prok. BG 1,11,9).

1 P. AMORY, People and Identity in Ostrogothic Italy, 1997, 454 f. 2 E. CHRYSOS, Die Amalerherrschaft in Italien und das Imperium Romanum, in: Byzantion 51, 1981, 430–474 3 PLRE 2,1067 f. 4 H. WOLFRAM, Die Goten, ⁴2001, 337–341. WE.LÜ.

Theodamas. Wohl ein indogriech. König oder Fürst, nur durch eine Kharoṣṭī-Inschrift (sog. Bajaur Seal) belegt als mittelind. *Theudama*. Es ist keineswegs sicher, daß die Lesung der kurzen Inschrift als ›des Königs Theodamas‹ richtig ist, aber der Name ist sicher.

Corpus Inscriptionum Indicarum 2.1, Nr. 3　　K. K.

Theodas (Θεοδᾶς) aus Laodikeia. Griech. Arzt um 125 n. Chr., zusammen mit → Menodotos [2] Schüler des Skeptikers → Antiochos [20]; ein führender Vertreter der Schule der → Empiriker. Er schrieb (1.) ›Hauptpunkte‹ (Κεφάλαια), die → Galenos sowie ein späterer (ansonsten unbekannter) Theodosios kommentierten; (2.) ›Über die Teile der Medizin‹ (Περὶ τῶν τῆς ἰατρικῆς μερῶν), worin er die Bed. von Autopsie, *historíē* (»Forschung«) und Analogie betonte; (3.) eine ›Einleitung in die Medizin‹ (Εἰσαγωγή). Seine Werke wurden noch im 3. Jh. in Ägypten abgeschrieben. Nur die Titel sind erh.

DEICHGRÄBER, 214–215, 401.　　V. N./Ü: L. v. R.-B.

Theodebald (*Theodebaldus*; Θευδίβαλδος). Frankenkönig 547–555 n. Chr., Sohn → Theoderts, bei Regierungsbeginn noch ein Kind. Von → Iustinianus [1] 551 für ein Bündnis gegen → Totila umworben (Prok. BG 4,24,11–30), lehnte Th. ab, ebenso ein Hilfegesuch der → Ostgoten 552 (Prok. BG 4,34,17 f.; zum Verhältnis zu Byzanz vgl. MGH Epp. 3,131 f., 547 n. Chr.). Angeblich gegen Th.s Willen unterstützten → Leuthari und → Butilinus jedoch 553/4 die Goten in It., allerdings ohne Erfolg. Nach Th.s Tod 555 wurde sein Teilreich dem von Chlotachar einverleibt (Agathias, Historiae 2,14). PLRE 3,1227 f.

E. EWIG, Die Merowinger und das Frankenreich, 1988, 40 • E. ZÖLLNER, Gesch. der Franken, 1970, 96–101. WE.LÜ.

Theodebert (*Theodebertus*; Θευδίβερτος). Fränkischer König 533–547 n. Chr. (534–548?, vgl. [1. 7]), Sohn → Theoderichs [4] (Greg. Tur. Franc. 3,20–36). Eroberte 534 zusammen mit seinen Onkeln Burgund, nutzte ab 539 die byz.-gotischen Kämpfe zum Eingreifen in It. (Prok. BG 2,25), besetzte Teile Nord-It.s und betrieb ein selbstbewußtes (vgl. MGH Epp. 3,132 f. an → Iustinianus [1]) Doppelspiel zw. Goten und Byzanz. Er plante angeblich einen Zug nach Thrakien (Agathias, Historiae 1,4,1). Nach seinem Tod bei der Jagd (547/8: s. o.), folgte sein Sohn → Theodebald nach. Th. führte z. T. das Epitheton *Magnus* (Chron. min. 2,236; vgl. Greg. Tur. Franc. 3,25; [1. 7–10]).

1 R. COLLINS, Theodebert I., in: D. BULLOUGH et al. (Hrsg.), Ideal and Reality in Anglo-Saxon Society, 1983, 7–33 2 PLRE 3,1228–1230. WE.LÜ.

Theodektes (Θεοδέκτης). In Athen wirkender, nur in Fr. erh. Rhetor und Tragiker des 4. Jh. v. Chr., geb. in Phaselis (Lykien), Sohn eines Aristandros. Einzig die Suda (s. v. Th.) überl. einen gleichnamigen Sohn des Th., der ebenfalls lit. tätig war (historiographische und ethnographische Werke, rhet. Lehrschrift in 7 B., Enkomion auf Alexandros [6]); alle übrigen Quellen differenzieren nicht zw. den beiden Th., so daß in manchen Fällen die Zuordnung schwerfällt. Auf Th., Sohn des Aristandros, dürften diese Angaben zu beziehen sein: Er war Schüler des → Isokrates (Dion. Hal. de Isaeo 19 und ad Ammaeum 1,2; Plut. mor. 837c; Suda s. v. Th.); auf den ihm gewidmeten Abschnitt im Werk des Hermippos [2] ›Über die Schüler des Isokrates‹ (vgl. Athen. 10,451e) geht verm. die gesamte biographische Überl. zurück. Außerdem soll er Platon [1] (Suda) und Aristoteles [6] (Suda; Plut. Alexandros 17,674a; vgl. aber unten) gehört haben. Aus materiellen Gründen war er gezwungen, sich als → *logográphos* und Redelehrer zu betätigen (Phot. 120b 30 = Theop. FGrH 115 F 25); angeblich schrieb er auch ein rhet. Lehrbuch in Versen (Suda). Bei der aufwendigen Leichenfeier des 353 v. Chr. gest. → Maussolos trat er in Konkurrenz zu den berühmtesten Rednern der Zeit mit einem → *epitáphios* [2] auf; Sieger wurde er selbst oder Theopompos [3] (Suda; Gell. 10,8,6).

In einer späteren Phase seines Lebens (Suda; Plut. mor. 837c) wandte sich Th. auch der trag. Dichtung zu: Er soll 50 Dramen aufgeführt (Suda; Steph. Byz. s. v. Φασηλίς), an 13 Agonen teilgenommen und 8 Siege errungen haben (Grabepigramm bei Steph. Byz.); inschr. bezeugt sind 7 Dionysiensiege (IG II² 2325), dazu verm. einen (nicht bezeugten) Lenäensieg. Großen Erfolg hatte Th. mit der Aufführung der Trag. *Maússōlos* bei dessen Leichenfeier (Gell. 10,18,7; Suda). Die übrigen überl. oder erschließbaren Stücktitel (*Aías*, *Alkmaíōn*, *Helénē*, *Lynkeús*, *Oidípus*, *Oréstēs*, *Philoktḗtēs*, *Tydeús*; dazu wahrscheinlich *Thēseús*, *Thyéstēs*) zeigen, daß Th. die traditionellen myth. Stoffe dramatisierte; aus den Fr. geht hervor, daß er sich sprachlich eng an Euripides [1] anschloß (zuweilen bis zum fast wörtlichen Kopieren, vgl. Fr. 1a SNELL mit Eur. Med. 231). Als bes. Fähigkeiten des Th. werden hervorgehoben: sein Geschick, Rätsel zu stellen und zu lösen (vgl. Athen. 10,451ef mit zwei Beispielen), sowie sein außergewöhnlich gutes Gedächtnis (Cic. Tusc. 1,59; Quint. inst. 11,2,51; Poll. 6,108; Ail. nat. 6,10). Th. starb in Athen und wurde in einem wohl prachtvollen, von Dichterstatuen umgebenen Grabmal an der Hl. Straße nach Eleusis beigesetzt (Plut. mor. 837cd; Paus. 1,37,4).

Der Versuch einer chronologischen Präzisierung hat von folgenden Daten auszugehen: (1) Die Didaskalie (TrGF I, p. 29) setzt Th. zw. Astydamas [2] und Aphareus [2]; sein erster Sieg muß also in die Zeit zw. 372 und spätestens 360 fallen. (2) Alexandros [4] d.Gr. erwies 334 in Phaselis einer dort aufgestellten Statue des verstorbenen Th. eine weinselig-heitere Reverenz (Plut. Alexandros 17,9,674a); der Text macht klar, daß (a) Alexander und Th. gemeinsam bei Aristoteles Schüler waren und deshalb ein persönliches Verhältnis zw. ihnen bestand, und deutet an, daß (b) der Tod des Th. im Jahr 334 noch nicht lange zurücklag. (3) Laut Suda starb Th. im Alter von 41 J. noch zu Lebzeiten seines Vaters. Die Unvereinbarkeit von (1) mit (3)/(2b) ist evident; zudem scheint es zumindest schwierig, die Karriere als Rhetor und die Teilnahme an 13 Agonen mit 50 Stücken in einer Lebensspanne von 41 J. unterzubringen. [6] stellt deshalb den auch formal deplazierten Satz: ›Er stirbt 41jährig…‹ aus dem Suda-Artikel ›Th., Sohn des Aristandros‹ in den folgenden ›Th., Sohn des Th.‹ um. Auf diesen wäre dann auch die Statue in Phaselis zu beziehen, zumal zu einem persönlichen Verhältnis zu Alexander neben dem geringeren Altersunterschied auch die Nachricht paßt, daß dieser Th. ein Enkomion auf Alexanders Onkel (s.o.) verfaßt habe. Dann müßte das für den älteren Th. überl. Schülerverhältnis zu Aristoteles für den jüngeren angenommen werden. Für den Sohn ergibt sich also mit einiger Wahrscheinlichkeit eine Lebenszeit von ca. 380/376 bis 339/35, für den Vater ein Geburtsjahr zw. ca. 410 und 400 und ein Todesjahr nach 339/35.

Unklar muß bleiben, welcher von beiden die bei Aristot. rhet. 1410b 2 f. als Θεοδέκτεια/Theodékteia erwähnte rhet. Lehrschrift verfaßt hat, da die Suda ein solches Werk für beide bezeugt (für den älteren allerdings in Versen). Es läßt sich auch nicht sichern, ob diese Schrift identisch war mit der im Werkverzeichnis des Aristoteles (Diog. Laert. 5,24) genannten Τέχνης τῆς Θεοδέκτου συναγωγή/Téchnēs tēs Theodéktu synagōgē in einem B. oder in welchem sonstigen Verhältnis jene zu dieser stand (publikationsfähige Überarbeitung eines noch unfertigen Traktats? Kurzfassung?). Über die Verfasserschaft der rhet. téchnē des Th. rätselte bereits die Antike (Quint. inst. 4,2,31), als Autor genannt wird sowohl Th. (bei Cic. orat. 172, 194, 218; Quint. inst. 4,2,31; Dion. Hal. comp. 2 u.ö.) als auch Aristoteles (rhet. Alex. 1421a 38; Anonymus Seguerianus, 1,454 SPENGEL; Val. Max. 8,14,3). Bezüglich des Inhalts wird allg. angenommen, daß das 3. B. der aristotelischen Rhet. sich eng an die Θεοδέκτεια anlehnt.

ED.: 1 TrGF I, 227–237 (Trag.) 2 V. ROSE, Aristotelis Fragmenta, 1886, 114–118 (Rhet.).
LIT.: 3 K. BARWICK, Die Rhetorik ad Alexandrum und Anaximenes, Alkidamas, Isokrates, Aristoteles und die Theodekteia, in: Philologus 111, 1967, 47–55 4 BLASS 2, 441–447 5 A. H. CHROUST, Aristotle's Earliest »Course of Lectures on Rhetoric«, in: AC 33, 1964, 58–72 6 L. RADERMACHER, Θεοδέκται (AAWW 74), 1939, 62–69 7 TH.-K. STEPHANOPOULOS, Tragica II, in: ZPE 75, 1988, 3–38 8 G. XANTHAKIS-KARAMANOS, Deviations from Classical Treatments in Fourth Century Tragedy, in: BICS 26, 1979, 99–102 9 Dies., Stud. in Fourth Century Tragedy, 1980, 53–58, 63–70 10 Dies., Τὸ Αἰγαῖο στὸ ἔργο τοῦ ῥήτορα

καὶ τραγικοῦ Θεοδέκτη: ὁ Μαύσωλος, in: Parnassos 32, 1990, 12–23.
M. W.

Theoderich (*Theodericus*; Θευδέριχος).
[1] Th. I. König der → Westgoten 418–451 n.Chr., Nachfolger des → Vallia, wohl Schwiegersohn des → Alaricus [2] [1. 180]. Trotz Ansiedlung der Westgoten 418 in Gallien belagerte er 425 Arelate (Arles), erneuerte dann das *foedus* mit Rom (→ *foederati*), kämpfte aber wiederum 436 gegen → Aetius [2]. 438 unterlagen die Goten, 439 kam es nach erneuten gotischen Erfolgen wieder zu einem Vertrag mit Rom. 450 versuchte → Attila vergeblich, Th. zu gewinnen; Th. fiel 451 auf röm. Seite auf den Katalaunischen Feldern (→ Campi Catalauni). Nachfolger wurde sein Sohn → Thorismud [2]. PLRE 2, 1070f.

1 H. WOLFRAM, Die Goten, ⁴2001, 180–183.

[2] Th. II. Westgotenkönig 453–466 n.Chr., Sohn Th.s [1] I., Nachfolger des älteren Bruders Thorismud [2], den er und sein Bruder Fredericus [1] ermordet hatten (Hydatius, Chronica 148 BURGESS). Er bewog 455 den gallischen *magister militum* → Avitus [1] dazu, den Kaisertitel anzunehmen (ebd. 156; Sidon. carm. 7,388–602). Während dieser nach It. zog und 456 dort gegen → Maiorianus [1] und → Ricimer unterlag, besiegte Th. in Spanien die Sueben unter → Rechiarius (Hydatius ebd. 165–168; 171). 458 griff er das röm. → Arelate (Arles) an, wurde 459 aber von Kaiser Maiorianus [1] besiegt (ebd. 192). Fredericus konnte 461 → Narbo einnehmen, unterlag aber 463 → Aegidius (ebd. 212; 214.). Th. starb 466, angeblich ermordet von seinem Bruder und Nachfolger → Euricus (ebd. 233f.). PLRE 2, 1071–1073.

H. WOLFRAM, Die Goten, ⁴2001, 184–186.

[3] Th. d. Gr. aus dem Geschlecht der → Amali, König der → Ostgoten seit 471(?) n.Chr., *rex* in It. 493–526. Geb. um 453 [7. 13] als Sohn des Königs Theodemir und der kath. Gotin → Ereleuva (Anon. Vales. 12,58); alle Nachrichten über Th. bis ca. 478 sind unsicher. Wohl von 461 bis 471 (so [4. 13]; vgl. aber [8. 60f.]; Iord. Get. 281; vgl. Ennod. panegyricus 11) lebte er als Geisel für Frieden zw. Theodemir und → Leo [4] I. in Konstantinopel. Nach der Rückkehr führte er (als Mitherrscher seines Vaters?) selbständig Krieg gegen die → Sarmatai und besetzte → Singidunum (Iord. Get. 281f.). Noch vor dem Tod seines Vaters (474; [8. 67f.]) geriet er im Kampf um einen besseren Status als → *foederati* in langwierige Konflikte mit Byzanz und zudem in Streit mit dem Goten Th. [5] Strabo, der von Thrakien aus die Herrschaft über die Balkangoten anstrebte ([8; 9. 263–278]; vgl. [5. 149–152]). Die got. Gruppe unter Vidimir wich 473 diesem Druck nach Westen aus (Iord. Get. 285f.), Th. blieb als König der Schar seines Vaters in Pannonien/Moesien (Iord. Get. 288; [8. 67f.]). Bedrohlich wurde seine Lage, als Strabo durch die Unterstützung des Usurpators → Basiliskos 475/6 an Macht

Das Haus Theoderichs des Großen und seine dynastischen Verflechtungen

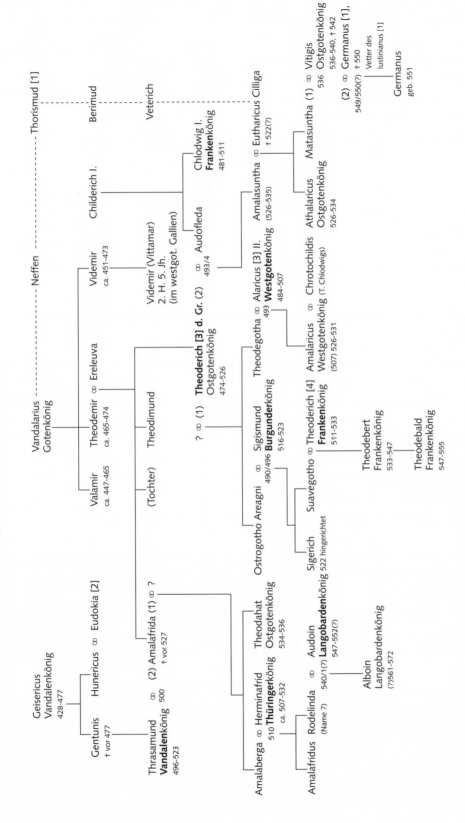

Westgotenkönig : Erstmalige dyn. Verbindung eines Volkes mit der Familie Theoderichs d. Gr.

gewann, doch erhob Kaiser Zenon (474–491) im Gegenzug Th. 476 zum *patricius* und *mag. mil. praesentalis* (Malchus fr. 18,2 BLOCKLEY). Die Konkurrenz zw. Th. und Strabo ermöglichte Zenon eine für Th. gefährliche Schaukel- und Hinhaltepolitik, die erst mit Strabos Tod (481) endete. 483 kam es zum vorläufigen Ausgleich (Chron. min. 2,92; Th. 484 Consul: Anon. Vales. 11,49); erneute Spannungen (Th. belagerte 486 Konstantinopolis: Chron. min. 2,93) führten 488 zum Auftrag Zenons an Th., die Herrschaft des → Odoacer in It. zu übernehmen (Anon. Vales. 11,49).

Th. erreichte It. 489, setzte sich an der Addua (h. Adda; Chron. min. 1,317) gegen Odoacer, der sich nach Ravenna zurückzog, durch, blieb aber – da ohne endgültigen Erfolg – in seinem Status als Herrscher in It. ungesichert (490 Gesandtschaft an Zenon: Anon. Vales. 11,53 und 57; 492 Gesandte an → Anastasios [1]). Nach dreijähriger Belagerung → Ravennas (bis zum 5.3.493) teilten Th. und Odoacer die Herrschaft in It. auf (Prok. BG 1,1,24; Anon. Vales. 12,54; Chron. min. 1,320f.; vgl. [7. 25]), doch ließ Th. den Odoacer kurz darauf (15.3.) ermorden und wurde im selben J. vom got. Heer zum *rex Gothorum* ausgerufen (zur rechtlichen Bedeutung s. [6. 44–59; 7; 9. 285–288]). 497 folgte mit der Zusendung der Herrschaftsinsignien durch Anastasios eine formelle Anerkennung (Anon. Vales. 12,64; [6. 143–160]), doch führte Th. auch weiter nur den Titel *rex*, nicht die röm. Kaisertitulatur (Prok. BG 1,1,26; [6. 73–141]).

Th. war als Herrscher um Ausgleich der got. und röm. Interessen bemüht. Das got. Heer erhielt wohl ein Drittel der Steuereinnahmen und Land (auch zur Sicherung der Herrschaft [5. 159f.]). Die röm. Staatsstruktur blieb bestehen: Th. als Nachfolger der röm. Kaiser, im J. 500 Rombesuch zur Feier der dreißigjährigen Königsherrschaft (*tricennalia*; Anon. Vales. 12,67; [6. 161–172]). Die das Heer stellenden Goten und die Römer blieben aber getrennt (got. Administration parallel zur röm. [4. 188–197]), ebenso die Rechtsprechung. Die *civilitas* (Herrschaft des Rechts, vgl. Cassiod. MGH AA 12,521) war Grundlage des Zusammenlebens beider Gruppen [2. 50–60; 7. 79f.]. In kirchlichen Fragen griff der Arianer (→ Arianismus) Th. anfangs nur vorsichtig ein, etwa im Papststreit des »Laurentianischen Schismas« 501 bis ca. 506/7 [7. 114–139]; spätere Spannungen im rel. Bereich (Anon. Vales. 14,83–16,89) sind vor dem Hintergrund der Auseinandersetzung mit Byzanz ab 523 (s.u.) zu sehen ([7. 235–245]; vgl. aber [6. 286–297]).

Innerhalb des Westreichs beanspruchte Th. eine Vorrangstellung für das got. It. (vgl. Cassiod. var. 1,1,3: *alias gentes anteimus*, »anderen Völkern gehen wir voran«; [3; 9. 306f.]). Seine dynastische Bündnispolitik mit germanischen Königen (vgl. Stemma) brach zusammen, als Th. wegen des got.-byz. Konfliktes um Pannonien (504–511) seinen Verbündeten nicht wirksam helfen konnte [9. 322], der Franke Chlodwig (→ Chlodovechus) 507 den Westgoten → Alaricus [3] II. überwand

und zugleich Byzanz diplomatisch auf den Westen ausgriff; die Reste des Westgotenreichs [3. 37] kamen unter Kontrolle des Th. (→ Amalaricus; → Theudis).

Th.s letzte J. wurden überschattet vom Scheitern der Nachfolgeregelung (Tod des Schwiegersohns → Eutharicus) und Konflikten mit dem röm. Senat, der dabei Hilfe in Byzanz suchte (Hinrichtung des → Boëthius und → Symmachus [6]; [7. 212–258]). Nach Th.s Tod (30.8.526, Anon. Vales. 16,94f.; vgl. Prok. BG 1,1,39) folgte sein zehnjähriger Enkel → Athalaricus unter der Vormundschaft der → Amalasuntha nach (Prok. BG 1,2,1–3).

→ Ostgoten

1 PLRE 2,1077–1084 2 P. AMORY, People and Identity in Ostrogothic Italy, 1997 3 D. CLAUDE, Universale und partikulare Züge in der Politik Th.s, in: Francia 6, 1978, 19–58 4 W. ENSSLIN, Th., ²1959 5 P. HEATHER, Theoderic, King of the Goths, in: Early Medieval History 4, 1995, 145–173 6 D. KOHLHAS-MÜLLER, Unt. zur Rechtsstellung Th.s d. Gr., 1995 7 J. MOORHEAD, Theoderic in Italy, 1992 8 A. SCHWARCZ, Die Goten in Pannonien und auf dem Balkan nach dem E. des Hunnenreiches bis zum It.-Zug Th.s d. Gr., in: Mitt. des Instituts für Öst. Gesch.-Forsch. 100, 1992, 50–83 9 H. WOLFRAM, Die Goten, ⁴2001.

[4] Frankenkönig 511–533 n. Chr., Sohn des → Chlodovechus, eroberte 507 in dessen Auftrag Gebiete im Süden Galliens (Greg. Tur. Franc. 2,37) und regierte nach dem Tod seines Vaters 511 als König in einem Teilreich (Rheinland, Teile Alamanniens u. a.; Hauptort wohl Reims; ebd. 3,1; [2. 76]). Erhebungen gegen ihn blieben erfolglos (ebd. 3,9,11–12; 14). Th. gewann das Gebiet der → Thuringi, wobei er anfänglich deren inneren Streit nutzte, später (533) → Herminafrid ermorden ließ (ebd. 3,4; 7; [2. 82f.]). Er starb 533 oder 534, sein Sohn → Theodebert wurde Nachfolger (ebd. 3,23). PLRE 2,1076f.

1 M. HEINZELMANN, Gallische Prosopographie, in: Francia 10, 1982, 531–718; bes. 703. 2 E. ZÖLLNER, Gesch. der Franken, 1970.

[5] Th. Strabo, Gotenkönig, Sohn des Triarius, nicht aus der Familie der → Amali. Er konkurrierte mit den amalischen Goten Theodemirs, Vidimirs und → Valamers um Einfluß bei den Goten und günstige Bedingungen im Verhältnis zu Ostrom. Sein Teilstamm erhielt seit 459 n. Chr. jährliche Zahlungen von Byzanz für ruhiges Verhalten (Iord. Get. 270). Nach der Ermordung (471) von Aspar (→ Ardabur [2]), der mit Th. verwandt war [2. 65], forderte Th. die Anerkennung als dessen Erbe und ein röm. Kommando in Thrakien, was ihm Kaiser → Leo [4] I. 473 zugestand; Th. wurde u. a. als König aller Goten *magister militum* (Malchos fr. 2 BLOCKLEY). Der amalische Teilstamm unter Thiudemir und → Theoderich [3] d. Gr. forderte darauf eine Aufwertung der eigenen Stellung und erlangte sie nach Kämpfen auch (Iord. Get. 285–288). Kaiser → Zenon löste 474 das Bündnis mit Th., der aber unter dem Usurpator → Basiliskos wieder ein Kommando erhielt (auch über Th. [3] [2. 68 f.]). Nach der Rückkehr Zenons 476 wurde Th. in seiner Vorrangstellung vom Amaler Th. [3] abgelöst (Iord. Get. 289), 477 führten Th.s Forderungen sogar zum Abbruch der Beziehungen (Malchos fr. 15). Die amalischen Goten sollten gegen Th. vorgehen, doch verständigten sich beide Heere am *mons Sondis* (Malchos fr.18,2); 478 ging eine gemeinsame Gesandtschaft an Zenon, der mit Th. einen Vertrag schloß. Der Amaler Th. [3] zog nach Epeiros ab. 479 geriet Th., der den Usurpator → Marcianus [7] unterstützen wollte, erneut mit Zenon in Konflikt und wurde seiner Ämter enthoben (Malchos fr.19). 481 griff er erfolglos Konstantinopel an, zog dann nach Illyrien und Griechenland und starb dort nach einem Reitunfall (Iohannes Antiochenus fr. 211,5, FHG 4, 619 f.; Chron. min. 2,11,92).

1 PLRE 2, 1073–1076 2 A. SCHWARCZ, Die Goten in Pannonien und auf dem Balkan nach dem Ende des Hunnenreichs bis zum It.-Zug Th.s d. Gr., in: Mitt. des Inst. für Öst. Gesch.-Forsch. 100, 1992, 50–83. WE.LÜ.

Theodizee A. Definition B. Philosophie- und Theologiegeschichtliches

A. Definition

Unter dem Begriff der Th. wird der Versuch verstanden, die Übel in der Welt, insbes. das Leiden unschuldiger Wesen und das Glück von Verbrechern, mit der Vorstellung eines ebenso allmächtigen wie gütigen und gerechten Gottes zu vereinbaren. Der neuzeitliche Begriff »Th.« (LEIBNIZ) hat, obwohl aus griech. Worten abgeleitet, im Griech. selbst keine Entsprechung.

B. Philosophie- und Theologiegeschichtliches

Das Problem, auf das die Th. eine Antwort geben will, wird in dichterischer Form etwa im Buch Hiob des AT dargestellt; die Virulenz dieses Problems für die hell. Philosophenschulen wird durch Cic. nat. deor. 3,75–93 bezeugt (vgl. auch Epik. fr. 374 U., durch Lact. de ira dei 13,19 der Folgezeit bekannt); seine philos. prägnanteste Form wurde ihm in der griech. Ant. von S. Emp. P. H. 3,9–12 gegeben (das Argument selbst geht möglicherweise auf Karneades zurück): Wenn Gott für alles in der Welt Vorsorge getroffen hat, dann ist er auch der Urheber von Übeln; hat er aber nicht für alles in der Welt Vorsorge getroffen, dann ist er entweder mißgünstig oder schwach.

Das früheste philos. Zeugnis für eine Antwort auf dieses Problem findet sich bei → Platon [1] (Plat. rep. 10,617e): Hier ist es im Mythos des → Er die Wahl eines Lebensloses durch die Seele vor der Geburt, die Gott schuldlos machen soll. Im → Neuplatonismus wird das Problem von → Plotinos (enneades 1,8: ›Woher die Übel‹) aufgegriffen; in Plot. enneades 3,2 (de providentia 1) werden drei Argumentationslinien entwickelt: (a) Herunterspielen der Übel: Armut und Krankheit seien für den Guten ein Nichts (3,2,5); Krieg, Plünderung, Mord sei ›ein Verschieben der Kulissen und Szenenwechsel‹ (3,2,15); (b) die Schuld liege bei dem, den das

Unglück trifft, sei es, daß es Strafe für Missetaten in einer früheren Existenz ist (3,2,13), sei es, daß der Triumph der Verbrecher dem mangelnden Widerstand der Gerechten anzulasten ist (3,2,8); (c) die Welt müsse als großes Schauspiel betrachtet werden, in dem auch die Schlechten eine Rolle haben (3,3,17).

→ Augustinus diskutiert das Problem der Th. u. a. in De libero arbitrio 3. Er argumentiert in Anlehnung an Plotinos' Argument (c), daß zur Vollkommenheit der Welt auch jene Seelen beitragen, die im Elend sind, weil sie sündigen wollten (3,91). Das Leiden von Kleinkindern, die noch nicht sündigen können, hält er dadurch für gerechtfertigt, daß ihre Eltern ›durch Schmerzen und Tod ihrer geliebten Kinder gezüchtigt‹ und dadurch verbessert werden (3,230). Das Leiden der Tiere wird analog aus einem pädagogischen Zweck für die Menschen erklärt (3,234–236). Von Augustinus ist die spätere Diskussion des Problems bei THOMAS VON AQUIN, CALVIN und LEIBNIZ abhängig.

→ Prädestinationslehre; Theologie

F. BILLICSICH, Das Problem des Übels in der Philos. des Abendlandes, Bd. 1, ²1955 · G. STREMINGER, Gottes Güte und die Übel der Welt, 1992 · B. L. WHITNEY, Theodicy. An Annotated Bibliography on the Problem of Evil 1960–1991, 1998 (nur engl. Lit.). T. E.

Theodor Abū Qurra († um 830), aus → Edessa [2].

Th. lebte als Mönch im Kloster Mār Sābā bei Jerusalem, wurde nach 780 und nach 799 melkitischer (→ Melkiten) Bischof von → Ḥarrān (Gründe für eine zeitweilige Amtsenthebung sind unklar). Seine syrischen Schriften [1. 212] sind nicht erh. Er ist der erste deutlich faßbare christl. Theologe, der auch in arab. Sprache schreibt: In über 20 (teils noch unpublizierten) Traktaten (zu den Edd. [5. 238 f.]; dt. Übers. [1; 2]) behandelt er in der Auseinandersetzung mit Muslimen (→ Islam), Monophysiten (→ Monophysitismus), Nestorianern (→ Nestorios) und Manichäern (→ Mani) die kontroversen Fragen der → Trinität, der Naturen und Menschwerdung Christi (→ Theologie II.; Chalkedonense, → sýnodos II. D. 4), sowie der Bilderverehrung (→ Kultbild IV.; → Syrische Dynastie). In der Trad. des → Iohannes [33] von Damaskos sowie unter Rückgriff auf die aristotelische Philos. (→ Aristotelismus) und die frühchristl. → Apologien weist er das Christentum als die einzig wahre, da vernunftgemäße Rel. aus [2]. Die griech. Werke unter dem Namen des Th. (PG 94, 1595–1597; PG 97, 1462–1640) sind teils wohl Übers. aus dem Arab., teils auch Erzählungen *über* Th., etwa von Disputationen mit Muslimen (dt. [4. 85–183]). Sie spiegeln u. a. den islamischen Diskurs über die Ewigkeit des → Koran [4. 161] und die Willensfreiheit des Menschen [4. 155–159].

1 G. GRAF, Die arab. Schriften des Th. Abû Qurra, Bischofs von Ḥarrân, 1910 2 Ders., Des Th. Abû Ḳurra Traktat über den Schöpfer und die wahre Rel., 1913 (dt. Übers.) 3 S. H. GRIFFITH, Free Will in Christian Kalām, in: Parole de l'Orient 14, 1987, 79–107 (Lit.) 4 R. GLEI, A. T. KHOURY,

Johannes Damaskenos und Th. Abū Qurra, 1995
5 H. SUERMANN, s. v. Th. Abū Qurra, TRE 33, 2001,
237–239 (Lit.).   M. HE.

Theodora (Θεοδώρα).

[1] Röm. Kaiserin; Stieftochter (Aur. Vict. Caes. 39,25;
Eutr. 9,22,1) oder Tochter (Anon. Vales. 1,1; Philostorgios 2,16) des Maximianus [1]. Entgegen der Behauptung späterer Quellen war sie schon vor der Erhebung
des → Constantius [1] zum Caesar 293 n. Chr. (→ *tetrárchēs* IV.) mit ihm verheiratet, verm. als er *praefectus praetorio* des Maximianus war (unklar Paneg. 2,11,4). Die
sechs Kinder aus dieser Ehe bilden den jüngeren Zweig
des constantin. Kaiserhauses, der durch die Verwand-
tenmorde von 337 weitgehend ausgelöscht wurde (vgl.
Stemma bei → Constantinus [1]). PLRE 1, 895 Nr. 1.
→ Kaiserfrauen   B. BL.

[2] Oström. Kaiserin, Gattin Iustinianus' [1] I., geb. ca.
500 n. Chr., Augusta seit 1.4.527, gest. 28.6.548. Eher
bekannt als histor. bedeutsam sind die Nachrichten des
Prokopios [3] (Prok. HA 9) über ihr skandalöses Vorle-
ben [1. 235–239; 4. 89–109], das den Kaiser trotz Ein-
sprüchen der Aristokratie nicht hindern konnte, sie zu
heiraten [1. 237]. Polit. Talent bewies sie erstmals im
→ Nika-Aufstand 532. Iustinianus, bereits entschlossen,
einem Sturm auf den Palast zu weichen, ließ sich nur
durch ihre mutige Intervention zum Verbleiben bewegen [1. 453 f.; 4. 35–40].

An innenpolit. Entscheidungen war Th. maßgeblich
beteiligt. Sie nahm Einfluß auf den General → Belisarios
über seine Gattin Antonina, mit der sie eng befreundet
war [1. 285 f.], setzte aber auch 542 seine vorübergehende [1. 498] Abberufung durch. Bereits 541 wurde der
mächtige Staatsmann → Iohannes [16] »der Kappado-
kier« auf ihr Betreiben gestürzt und verbannt [1. 480–
483]. Weil ihre Ehe mit Iustinianus kinderlos geblieben
war, suchte sie aus Eifersucht auf die Kinder seines Vetters → Germanos [1], der als präsumptiver Nachfolger
des Kaisers galt [1. 324 f.], deren Heiraten zu verhindern
[1. 578]. Auch → Amalasuntha, die Tochter → Theoderichs [3], wurde, als Iustinianus sie seinem bes. Schutz
unterstellte, wahrscheinlich ein Opfer ihrer Mißgunst
[1. 338; 4. 127–129]. Zu ihren Favoriten gehörte hingegen der bei den Reichen wegen seiner Finanzpolitik
gefürchtete hohe Beamte Petros Barsymes [1. 762], dessen Abberufung sie nicht verhindern, aber bald rück-
gängig machen konnte [1. 765 f.].

Auch in der Rel.-Politik verfolgte Th. ein eigenes
Konzept. Im Gegensatz zu ihrem Gatten protegierte sie
(oft erfolgreich) die Anhänger der monophysitischen
Glaubensrichtung [1. 280] (→ Monophysitismus) und
setzte deren Einführung bei den Nubiern [1. 301 f.] und
Ghassaniden [1. 624 f.] durch. 535 erreichte sie in Alexandreia [1] die Erhebung des Monophysiten Theodosios
zum Patriarchen [1. 380] und gewährte ihm nach seiner
Absetzung E. 537 ihren persönlichen Schutz [1. 385].
Im gleichen J. wurde in Rom der ihr gefügige → Vigilius Papst, der allerdings ihre Erwartungen nicht erfüllte [1. 386 f.; 3. 174–182].

Ferner nahm Th. Einfluß auf das Rechtswesen. Sie
führte für hohe Provinzbeamte den Treueid auf Kaiser
und Kaiserin ein [1. 464]; v. a. erhöhte sie den rechtlichen Schutz für Frauen durch Erschwerung der
→ Scheidung, Regelung einer finanziellen Absicherung
für Geschiedene und → Witwen [1. 414] sowie die Verpflichtung der Ehemänner, ihre verstoßenen Gattinnen
wieder aufzunehmen [1. 554]. Auch gründete sie ein
Kloster zur Aufnahme umkehrwilliger Prostituierter
[1. 237]. Wahrscheinlich noch keine 50 J. alt, erlag sie
einem Krebsleiden [1. 589].

1 STEIN, Spätröm. R. 2, 894, Index s. v. Th. (mit detaillierten
Quellenangaben) 2 R. BROWNING, Justinian and Th., 1971,
²1987 (dt. 1981 u.ö.) 3 A. BRIDGE, Th., 1978 (dt. 1999)
4 H.-G. Beck, Kaiserin Th. und Prokop, 1986.

J. IRMSCHER, s. v. Th., LMA 8, 631 f. · W. E. KAEGI, s. v. Th.,
ODB 3, 2036 f. · PLRE 3, 1240 f. Nr.1.

[3] Schwester des → Chazaren-Qaǧans Ibuzeros; urspr.
hieß sie Čičak (?), wurde 704 n. Chr., getauft auf den
Namen der Th. [2], Gattin → Iustinianus' [3] II., der,
695 nach Chersonesos [3] verbannt, von dort an den
Hof der → Chazaren geflohen war. Er lebte mit ihr eine
Zeitlang in → Phanagoreia. Als sie ihn dort vor der Absicht ihres Bruders, ihn an Kaiser → Tiberius [3] II. (III.)
Apsimar auszuliefern, gewarnt und ihm so die rechtzei-
tige Flucht ermöglicht hatte, kehrte sie selbst an den
Chazarenhof zurück. Doch ließ Iustinianus, als er 705
wieder Kaiser von Byzanz geworden war, sie mit dem
gemeinsamen Sohn → Tiberius [5] zu sich holen und
erhob sie zur Augusta. Ihre Todesumstände sind unbekannt.

C. HEAD, Justinian II., 1972 · R.-J. LILIE, Prosopographie
der mittelbyz. Zeit 1.4, 2001, Nr. 7282.

[4] Augusta, restaurierte als Witwe des byz. Kaisers
→ Theophilos [10] zusammen mit den Regenten für
ihren Sohn, → Michael [5] III., 843 n. Chr. den Bilderkult (→ Syrische Dynastie).

A. KÜLZER, s. v. Th., LMA 8, 632 f. · R.-J. LILIE,
Prosopographie der mittelbyz. Zeit 1.4, 2001, Nr. 7286.

[5] (Herrschende) Kaiserin von Byzanz (1055/6), Tochter Constantinus' [10] VIII., letzte Angehörige der
→ Makedonischen Dynastie.

A. KÜLZER, s. v. Th. (3), LMA 8, 633 · K.-P. TODT, Die Frau
als Selbstherrscher: Kaiserin Th., in: Jb. der öst.
Byzantinistik 50, 2000, 139–171.   F. T.

Theodoretos (Θεοδώρητος).

[1] Bischof von Kyrrhos (* um 393, Bischof 423, † um
466). Im monastischen Milieu Antiocheias [1] erhielt
Th. eine solide klass. Ausbildung. Als eifriger Seelsorger
bekämpfte er in seinem Sprengel Häretiker (→ Häresie)
und bemühte sich um die Verbesserung der Lebensverhältnisse. Im christologischen Streit zw. → Kyrillos [2]
von Alexandreia und → Nestorios stellte sich Th. vor-
behaltlos hinter letzteren. Seiner Absetzung durch die

Synode von Ephesos 449 folgte die Rehabilitation in Chalkedon (→ Kalchedon) 451. Als Teil der sog. »Drei Kapitel« verurteilte das 2. Konzil von Konstantinopel 553 postum die gegen Kyrillos gerichteten Schriften des Th.

Th. war ein produktiver Autor mit breit gestreuten Interessen. Hohe Originalität entfaltete er in seinen exegetischen Schriften, u. a. Komm. zu Pss, Jes, HL und den Paulusbriefen. Die Überlegenheit des Christentums gegenüber den Anhängern der griech.-röm. Kulte erweist die Apologie ›Heilung der heidnischen Krankheiten‹ (ἑλληνικῶν θεραπευτικὴ παθημάτων, *Graecarum affectionum curatio*, CPG 6210). Th. verfaßte drei histor. Schriften: Neben der stark apologetischen ›Kirchengeschichte‹ (ἐκκλησιαστικὴ ἱστορία, *Historia ecclesiastica*, [3]), die das Werk des Eusebios [7] von Kaisareia bis 428 fortsetzt, vereinte er in einer Mönchsgesch. (φιλόθεος ἱστορία, *Historia religiosa*, CPG 6221) die → Biographien von 30 berühmten Asketen. Die Ketzergesch. (αἱρετικῆς κακομυθίας ἐπιτομή, *Haereticarum fabularum compendium*, CPG 6223) beschreibt verschiedene Häresien und stellt ihnen abschließend die orthodoxe Lehre gegenüber. Dogmatisches Hauptwerk ist der gegen den → Monophysitismus gerichtete Dialog ›Der Bettler‹ (*Eranistḗs*; CPG 6217). Rund 230 Briefe dokumentieren KG und Alltag des 5. Jh.

ED.: **1** CPG 6200–6288 **2** G. GUTBERLET, A. SEIDER, BKV², Bd. 50 f., 1926 (dt. Teilübers.) **3** L. PARMENTIER, G.CH. HANSEN, Th., Kirchengesch. (GCS, N. F. 5), ³1998.
LIT.: **4** S.-P. BERGJAN, Theodoret von Cyrus und der Neunizänismus, 1994 **5** J.-N. GUINOT, L'exégèse de Théodoret de Cyr, 1995 **6** H. LEPPIN, Von Constantin dem Großen zu Theodosius II., 1996. J. RI.

[2] Byz. Grammatiker und Verf. eines pneumatologischen Lex. (Περὶ πνευμάτων, *Perí pneumátōn*). Die Abh. zu den Spiritus (nach → Herodianos' [1] Καθολικὴ προσῳδία, B. 20) war verm. bis ins 13. Jh. als Unterrichtstext in Gebrauch (zur Überl.-Gesch. vgl. [1. 8–10; 2. 791–798]). Eine kritische Ed. fehlt weiterhin [3. 779].

1 P. EGENOLFF, Vorläufige Nachr. über die orthoepischen Stücke der byz. Litt. (Programm Mannheim), 1887 **2** G. UHLIG, Noch einmal EIEN und zum ersten Male ΘΕΟΔΩΡΗΤΟΥ ΠΕΡΙ ΠΝΕΥΜΑΤΩΝ, in: Neue Jbb. für Philol. und Pädagogik 121, 1880, 789–798 **3** A. R. DYCK, Aelius Herodian, in: ANRW II 34.1, 1993, 772–794. M. B.

Theodoridas (Θεοδωρίδας). Griech. Dichter aus Syrakus (2. H. des 3. Jh. v. Chr.; zur Herkunft vgl. Athen. 15,599e), dessen vielfältige Werke fast alle verloren sind (vgl. [1]), mit Ausnahme von 19 eleganten Epigrammen (Weihungen, Grabgedichten und zwei epideiktischen Gedichten; unsicher ist die Zuschreibung von Anth. Pal. 7,282) in Meleagros' [8] »Kranz« (4,1,53 f.). In einer fiktiven Grabinschr. (Anth. Pal. 13,21) kritisiert Th. → Mnasalkes; auch → Euphorion [3] scheint er mit einem Epitaphion anzugreifen (7,406), das er verm. noch zu dessen Lebzeiten verfaßte.

ED.: **1** SH 739–747 **2** GA I.1, 191–195; 2, 537–551 **3** FGE 95.
LIT.: **4** K. J. GUTZWILLER, Poetic Garlands. Hellenistic Epigrams in Context, 1998, 19 f., 34, 37, 41, 228.
M. G. A./Ü: L. FE.

Theodorides (Θεοδωρίδης). Griech. Tragiker (TrGF I 78 A), belegte an den athenischen → Lenaia 363 v. Chr. den zweiten Platz mit einer ›Medeia‹ und einem ›Phaethon‹ (DID A 2b, 94). B. Z.

Theodoropolis (Θεοδωρόπολις, auch Θεοδωρούπολις/ *Theodōrúpolis*). Name mehrerer auf der nördl. Balkanhalbinsel von Iustinianus [1] I. gegr. und nach seiner Frau → Theodora [2] benannter Orte bzw. Kastelle, die alle nicht genau lokalisiert sind.
[1] Stadt in der Moesia Secunda (→ Moesi, mit Karte) an der Donau (Istros [2]), zw. Securisca (h. Cherkovitsa) und Iatrus (h. Krivina; Prok. aed. 4,7,5).
[2] Kastell in der Dacia Ripiensis (Prok. aed. 4,6,18) am rechten Ufer der Donau (Istros [2]).
[3] Kastell in der Prov. → Haemimontus, *dioecesis* Thraciae (Prok. aed. 4,11,20).
[4] Kastell in der Prov. Rhodope, Thraciae (Prok. aed. 4,11,20).

V. BESEVLIEV, Zur Deutung der Kastellnamen in Procops Werk De aedificiis, 1970 · V. VELKOV, Cities in Thrace and Dacia in Late Antiquity, 1977, passim. I. v. B.

Theodoros (Θεόδωρος).
[1] Vielseitiger griech. Architekt, Bronzebildner, Toreut und Erfinder archa. Zeit aus Samos (zum Berufsbild vgl. → Architekt). Sohn des Telekes (Hdt. 3,41; Paus. 8,14,8; 10,38,6), nach anderen Quellen (Diog. Laert. 2,103; Diod. 1,98) des → Rhoikos [3], mit dem er so häufig gemeinsam genannt wird, daß weder ihr Verhältnis zueinander klärbar ist [1] noch ihre Werke eindeutig voneinander abgrenzbar sind. Wiederholt wird berichtet, Th. habe den Ring des → Polykrates [1] angefertigt bzw. mit einem Siegel versehen (Hdt. 3,41,1; Paus. 8,14,8). Für → Kroisos soll er als Toreut einen großen Silberkrater geschaffen haben, der nach Delphoi gestiftet wurde (Hdt. 1,51). Weitere Schriftquellen berichten von einem Goldkrater (Athen. 12,154 f.), einer goldenen Rebe im Besitz des persischen Königs (Himerios, Eclogae 31,8), einer Br.-Statue des Apollon Pytheos in Samos (Diod. 1,98,5; Athenagoras 17), einem Selbstbildnis (Plin. nat. 34,83) und seiner allg. Bed. als Bildhauer (Plat. Ion 533b).

Über den großen Heratempel in → Samos [3] verfaßte Th. eine Schrift (Vitr. 7 praef. 12), weshalb er gemeinsam mit Rhoikos [3] als dessen Architekt gilt ([2; 5]; die Zusammenarbeit ist jedoch keineswegs unstrittig: [6]). Beide werden auch, zusammen mit → Smilis, als Baumeister des lemnischen → Labyrinths erwähnt (Plin. nat. 36,90). Als beratendem Ingenieur wird Th. die Mitwirkung bei der Fundamentierung des Artemistempels in → Ephesos zugeschrieben (Diog. Laert. 2,103) (aus zerkleinerter Holzkohle und einer Schicht aus

Schaf-Fellen: Plin. nat. 36,95; dagegen sprechen die Ausgrabungsbefunde [3]). Auch die Skias in → Sparta wird mit Th.' Namen verbunden (Paus. 3,12,10). Nicht zuletzt gründet sich sein Ruhm auf Überl., die ihn als Erfinder von Winkelmaß, Wasserwaage, Drehbank und Schlüssel (Plin. nat. 7,198) sowie der Technik des Br.-Hohlgusses (Paus. 8,14,8; 9,41,1; 10,38,6) bezeichnen (→ Bildhauertechnik). Die ant. Nachwelt scheint ihn als Universalgenie verstanden zu haben, dem man zahlreiche Erfindungen zutraute, ohne daß dies in jedem Falle zutreffen muß [4]. Deshalb ist kaum abschließend zu klären, welche Werke wirklich auf Th. zurückgehen. Darüber hinaus bleibt die zeitliche Einordnung seiner Person problematisch. Da u. a. Hdt. 3,41,1 ihn unmittelbar mit Polykrates [1] in Verbindung bringt, könnte sein Wirken in die 2. H. des 6. Jh. v. Chr. fallen und er selbst als Zeitgenosse des Rhoikos verstanden werden.

1 H. Brunn, Gesch. der griech. Künstler, Bd. 1, ²1889, 23–29 2 G. Gruben, Die Tempel der Griechen, ³1980, 331–335 3 H. Vetters, Ephesos. Vorläufiger Grabungsbericht 1980, in: AAWW 118, 1981, 139 4 R. Tölle-Kastenbein, Herodot und Samos, 1976, 54 f. 5 E. Buschor, Heraion von Samos. Frühe Bauten, in: MDAI(A) 55, 1930, 49–51 6 A. E. Furtwängler, Wer entwarf den größten Tempel Griechenlands?, in: MDAI(A) 99, 1984, 97–103.

G. Lippold, s. v. Th. (95), RE 5 A, 1917–1920 · W. Müller, Architekten in der Welt der Ant., 1989, 208 · H. Svenson-Evers, Die griech. Architekten archa. und klass. Zeit, 1996, 7–49.   H. KN.

[2] Mathematiker aus Kyrene, Lehrer des → Theaitetos [1] und vielleicht auch → Platons [1] (so Diog. Laert. 3,6). Nach → Eudemos [3] lebte Th. zw. Anaxagoras und Platon [3. 65,21–66,9]. In Platons ›Theaitetos‹ tritt er (im J. 399) als Altersgenosse des Sokrates auf. Demnach ist er um 470–460 v. Chr. geb. und nach 399 gestorben. Platon bezeugt auch, daß Th. Schüler und Freund des → Protagoras [1] war (Plat. Tht. 161b; 170c u. ö.) und sich außer mit Mathematik auch mit Astronomie und Musik beschäftigte (ebd. 145a-d).

Th.' wesentliche Leistung besteht darin, daß er die Theorie der Irrationalitäten ausbaute. Nachdem die Pythagoreer schon die Irrationalität von √2 erkannt hatten, wies Th. nach, daß auch die Quadratwurzeln aus den nichtquadratischen natürlichen Zahlen von 3 bis 17 (also die Größen √3, √5, √6, √7, √8, √10 ... √15, √17) irrational sind. Bei Plat. Tht. 147d heißt es, Th. habe erkannt, daß die Seiten von Quadraten mit 3 und 5 Quadratfuß Inhalt nicht kommensurabel zu der einfüßigen Seite seien; er sei jede einzelne Seite durchgegangen bis zur siebzehnfüßigen, bei der er ›irgendwie‹ ($\pi\omega\varsigma$, pōs) aufgehört habe. Platon deutet weder an, wie Th. diesen Sachverhalt bewies, noch, warum er gerade bei √17 aufhörte. Es hat verschiedene Ansätze gegeben, diese Fragen zu beantworten (s. [5. 204–209; 6. 36–48]). [1] gibt eine einfache Konstruktion an, die aber nicht erkennen läßt, wie Th. herausfand, daß die Quadratseiten

inkommensurabel zur Einheit sind. Ein Ansatz von Zeuthen, weiterentwickelt von van der Waerden (s. [9. 238–240]), gibt hierfür eine plausible Erklärung; sie beruht auf der Annahme, daß Th. das bei Eukl. elem. 10,1 und 2 formulierte Verfahren der Wechselwegnahme ($\dot{\alpha}\nu\theta\upsilon\varphi\alpha\dot{\iota}\rho\epsilon\sigma\iota\varsigma$, anthyphaíresis) kannte, um nachzuweisen, ob zwei Größen kommensurabel sind oder nicht. [6. 13–23] hat gezeigt, daß sich der geom. Beweis der Pythagoreer für die Irrationalität von √2 mit den Mitteln der Zeit leicht auf die folgenden Quadratwurzeln aus Nichtquadratzahlen bis 17 übertragen ließ.

Th. befaßte sich auch mit höheren Kurven: Proklos bezeugt, er habe die Schraubenlinie eine Verschmelzung ($\kappa\rho\tilde{\alpha}\sigma\iota\varsigma$, krásis) einer geraden und runden Linie genannt [3. 118, Z. 7 f.].

1 J. H. Anderhub, Joco-Seria. Aus den Papieren eines reisenden Kaufmanns, 1941 2 I. Bulmer-Thomas, s. v. Theodorus of Cyrene, in: Gillispie 13, 314–319 3 G. Friedlein (ed.), Procli Diadochi in primum Euclidis Elementorum librum commentarii, 1873 4 K. von Fritz, s. v. Th. (31), RE 5 A, 1811–1825 5 T. L. Heath, A History of Greek Mathematics, Bd. 1, 1921, 202–209 6 S. Heller, Ein Beitrag zur Deutung der Th.-Stelle in Platons Dialog »Theaetet«, in: Centaurus 5, 1956, 1–58 7 L. Hellweg, Mathematische Irrationalität bei Th. und Theaitetos, 1994 8 W. Knorr, The Evolution of the Euclidean Elements, 1975, Kap. 3, 4, 6 9 B. L. van der Waerden, Erwachende Wiss., 1956, 233–240.   M. F.

[3] Th. aus Byzanz (Θ. Βυζάντιος). Rhetoriker des 5./4. Jh. v. Chr.; die Suda (s. v. Th.) bezeichnet ihn als »Sophisten«. Nach Diog. Laert. 2,8,103 war er berühmt für seine polit. Reden. Nach Cic. orat. 12,39 beschäftigte sich Th. in der Nachfolge des Gorgias [2] und des Thrasymachos mit der epideiktischen Rede (→ epídeixis), bes. mit Stilmitteln und Fragen des Satzbaus. Erh. ist von Reden des Th. nichts, und die in der Suda genannten Titel sind umstritten. Aristot. soph. el. 33,183b 29 nennt ihn für die Entwicklung der → Rhetorik an dritter und letzter Stelle nach Teisias [1] und Thrasymachos. Als Lysias [1], 412 aus Thurioi nach Athen zurückgekehrt, Rhet. lehrte, erwies sich Th. als dessen erfolgreicherer Konkurrent; Cic. Brut. 12,48 bemerkt unter Berufung auf Aristoteles dazu, Th. sei ›feinsinniger in der Theorie, aber trockener beim Reden‹ gewesen als Lysias (vgl. Plat. Phaid. 269d 6–8). Th. verfaßte eine Téchnē; mehrere Fassungen des Th. kann man erschließen aus der Aussage des Aristot. rhet. 1400b 15–16, die ganze frühere téchnē des Th. bestehe aus dem Topos der Auswertung begangener Fehler in Anklage und Verteidigung [4. 70, Anm. 39], und aus Dion. Hal. de Isaeo 9. Als Inhalt dieser téchnē nennt Platon (Phaidr. 266d 5–267a 2), der Th. als besten logodaídalos (»Wortkünstler«) charakterisiert, eine verfeinerte Gliederung der Gerichtsrede – mit den Teilen prooímion (Einleitung), diḗgēsis (Erzählung), martyríai (Zeugenaussagen), tekmḗria (Beweise), eikóta (Wahrscheinlichkeitsgründe), pístōsis (Beglaubigung), epipístōsis (Nachbeglaubigung), élenchos (Widerlegung) und epexélenchos (Nachwiderle-

gung) in Anklage und Verteidigung. Aristoteles erwähnt noch des Th. überraschende, neuartige Ausdrucksweise (Aristot. rhet. 1412a 24–26) sowie dessen Wortwitz (1412a 33–b 1).

1 SCHMID/STÄHLIN I, Bd. 3, 192–194 2 BLASS I, 259–262 3 P.HAMBURGER, Die rednerische Disposition in der alten τέχνη ῥητορική, 1914, 75 f. 4 G.KENNEDY, The Art of Persuasion in Greece, 1963 5 J.MARTIN, Ant. Rhet., 1974.

O.B.

[4] Vater des Redners → Isokrates. Als begüterter Flötenfabrikant, weswegen er in der attischen Komödie verspottet wurde (Aristoph. fr. 722 PCG; Strattis fr. 3 PCG), konnte er seinen Söhnen eine hervorragende Ausbildung bieten. Er war in Athen → chorēgós. Sein Grab lag beim Kynosarges (Isokr. 15,161; Ps.-Plut. vitae decem oratorum 4 = Plut. mor. 836e; 838bc; Dion. Hal. de Isokrate 1; Suda s. v. Th.). TRAILL, PAA 506790.

[5] Athener, Freund des → Alkibiades [3], wurde 415 v. Chr. wegen Beteiligung an den Mysterienprofanationen (Plut. Alkibiades 19,2; 22,4; Plut. symp. 1,4,3 = Plut. mor. 621c) und dem → Hermokopidenfrevel (And. 1,35) denunziert. Er floh aus Athen oder wurde hingerichtet. TRAILL, PAA 505990.

W.S.

[6] **Th. von Phokaia.** Griech. Architekt spätklass. Zeit. Da er eine Schrift über die → Tholos im Athenaheiligtum von → Delphoi verfaßte (Vitr. 7 praef. 12), liegt es nahe, ihn auch als entwerfenden Architekten dieses peripteralen Rundbaus zu verstehen [1], der zw. 410 und 370 v. Chr. datiert wird [2]. Er zeigt Th. als einen Architekten, der unter dem Eindruck von Bauten des → Iktinos [3] seiner qualitativ bemerkenswerten Architektur einen rational komplizierten und vielschichtig gestalteten Entwurf unterlegte.

1 G.ROUX, La tholos d'Athéna Pronaia dans son sanctuaire de Delphes, in: CRAI 1988, 290–309 2 F.SEILER, Die griech. Tholos, 1986, 57–71 3 G.GRUBEN, Die Tempel der Griechen, ³1980, 97–99.

H.SVENSON-EVERS, Die griech. Architekten archa. und klass. Zeit, 1996, 320–329 (mit Lit. und weiteren Schriftquellen).

H.KN.

[7] Tragischer Schauspieler aus Athen (1. H. 4. Jh. v. Chr.). Vier Siege an den → Lenaia sind bezeugt, weitere an den → Dionysia wahrscheinlich [1]. Seinen Ruhm künden viele Anekdoten, sogar die Komödie erwähnt ihn (→ Ephippos [2] PCG V fr. 16), die ihm auch einen derben Spottnamen anhängt (etwa ›Klaffarsch‹; PCG VIII fr. 351). Th. spendete einen hohen Betrag für den Wiederaufbau des Apollontempels in Delphoi (Syll.³ I 239 B 68). Sein Grab an der Heiligen Straße nach Eleusis hat noch Pausanias [8] gesehen (1,37,3). Sein Spiel rührte den Tyrannen → Alexandros [15] von Pherai zu Tränen anläßlich einer Aufführung der *Trōádes* oder der *Hekábē* des Euripides [1] oder auch der *Aerópē* des Karkinos [4]. In jedem Fall fiel Th. als dem → *prōtagōnistḗs* eine Frauenrolle zu; dazu paßt, daß er oft die *Antigónē* des Sophokles [1] gespielt haben soll (Demosth. or. 19,246). Schwer vereinbar damit ist die Notiz

(Aristot. pol. 7,1336b 28), daß er jede Aufführung selbst eröffnen wollte, weil die erste Stimme sich dem Publikum einpräge [2. 73 f.]. Tatsächlich rühmte man sein ungekünsteltes Sprechen [3], aber auch seine imitatorische Fähigkeit (Plut. mor. 18c).

1 METTE, 184, 164 2 F.JOUAN, Réflexions sur le rôle du protagoniste tragique, in: Théâtre et spectacles dans l'antiquité (Actes colloques Strasbourg), 1981, 63–80 3 W.BURKERT, Aristoteles im Theater, in: MH 32, 1975, 67–72.

I. E. STEFANIS, Dionysiakoi technitai, 1988, Nr. 1157.

H.-D.B.

[8] Th. aus Athen. Trag. Schauspieler und evtl. Tragiker, 2. H. 4. Jh. v. Chr. (TrGF I 265).

B.Z.

[9] **Th. aus → Kyrene,** genannt »der Gottlose« (ὁ Ἄθεος, *ho Átheos*), ein → Kyrenaïker; geb. vor 335, gest. nach 260 v. Chr. In jungen Jahren soll Th. aus Kyrene verbannt worden sein. Gegen Ende des 4. Jh. hielt er sich in Athen auf, wo ihn Demetrios [4] aus Phaleron zw. 317 und 307 vor einer Anklage wegen → asébeia bewahrte, später dann in Alexandreia [1] am Hofe Ptolemaios' [1] I., der ihn zu einem nicht näher bekannten Zeitpunkt in unbekannter Mission zu Lysimachos [2] nach Thrakien schickte. Im Alter kehrte er nach Kyrene zurück (Diog. Laert. 2,101–103). Lehrer des Th. waren Aristippos [4] d.J., → Annikeris aus Kyrene und der »Dialektiker« Dionysios [9] aus Chalkedon (Diog. Laert. 2,86 und 98).

Wie Annikeris und Hegesias [1] nahm Th. an der urspr. kyrenaïschen Lustlehre (→ Lust) Modifikationen vor. Annikeris hatte den eigenständigen Wert der rein seelischen Lust herausgestellt. Sein Schüler Th. ging noch einen Schritt weiter: Er betrachtete die seelische Lust (χαρά, *chará*) als höchstes Gut und den seelischen Schmerz (λύπη, *lýpē*) als größtes Übel, die körperliche Lust (ἡδονή, *hēdonḗ*) und den körperlichen Schmerz (πόνος, *pónos*) aber als mittlere Dinge, mithin als wertneutral (Diog. Laert. 2,98). Was die Bewertung der → Freundschaft und die sich aus ihr ergebenden Konsequenzen betrifft, folgte Th. Annikeris, der dieser einen eigenständigen Wert zuerkannt hatte, nicht, sondern kehrte zur Auffassung der urspr. Kyrenaïker und des Hegesias zurück, ja spitzte diese sogar noch zu: Hatten diese der Freundschaft zwar keinen eigenständigen, wohl aber einen relativen Wert attestiert, insofern sie nämlich bei der Beschaffung von Lustempfindungen nützlich sein könne, so bestritt Th. der Freundschaft jeglichen Wert und begründete dies damit, daß der Weise keinen anderen Menschen brauche, da er sich die seelischen Lustempfindungen, die er als einziges erstrebe, allein verschaffe (l.c.). Unklar ist, mit welchen Argumenten Th. in seiner Schrift ›Über Götter‹ (S. Emp. adv. math. 9,55; Diog. Laert. 2,97) die Existenz von Göttern so vehement bestritt, daß er den Beinamen »der Gottlose« erhielt. In den erh. Zeugnissen wird dieser Sachverhalt immer nur konstatiert, aber nirgends erklärt.

→ Kyrenaïker

ED.: **1** E.MANNEBACH, Aristippi et Cyrenaicorum fragmenta 1961, 58–63 **2** SSR IV H **3** M.WINIARCZYK, Diagorae Melii et Theodori Cyrenaei Reliquiae, 1981. LIT.: **4** K.DÖRING, Th., in: GGPh² 2.1, 1998, 261–264 **5** M.WINIARCZYK, Th. ὁ Ἄθεος, in: Philologus 125, 1981, 64–94.   K.D.

[10] Griech. Tragiker (TrGF I 134), siegte nach 150 v.Chr. in Magnesia [2] (DID A 13, 1).   B.Z.

[11] Sonst unbekannter Autor eines Epigramms aus dem »Kranz« des Meleagros [8]: eine Weihung an Hermes durch Kalliteles beim Abschluß der *ephēbeía* (Anth. Pal. 6,282) im Stil des → Leonidas [3] von Tarent. Wegen der Verbreitung des Namens Th. ist von einer Identifizierung des Th. mit dem bei Diog. Laert. 2,103 f. in einer Reihe von 20 gleichnamigen Epigrammatikern Genannten abzuraten.

> GA I.1, 196; 2, 551 f.   M.G.A./Ü: L.FE.

[12] Sohn des Seleukos [9], ca. 123–118 v.Chr. *stratēgós* Zyperns, danach verm. Exeget in Alexandreia [1], 105/4 Priester Kleopatras [II 6] III. auf Lebenszeit (Kölner Papyri II 81). PP VI 15046.

> I.MICHAELIDOU-NICOLAOU, Prosopography of Ptolemaic Cyprus, 1976, 68 f. Nr. 13.   W.A.

[13] (Mittelindisch *Theudora*). Indogriech. Statthalter (*meridárchēs*) in Swāt (Pakistan; undatiert), durch eine buddhistische Kharoṣṭī-Inschrift bekannt (Corpus Inscriptionum Indicarum 2.1, Nr. 1). Derselbe Name ist wohl auch belegt in anderen Kharoṣṭī-Inschr., als *Thaidora* (ebd. Nr. 24) und *Theutara* (Nr. 37).   K.K.

[14] *Libertus* des Sex. → Pompeius [I 5], mit dem er nach der Niederlage bei Naulochos 35 v.Chr. nach Asien floh; als ein Anschlag auf Cn. → Domitius [I 6] Ahenobarbus fehlschlug, ließ Pompeius Th. als Verräter hinrichten (App. civ. 5,137).   W.E.

[15] Erzieher von Antonius [I 10] Antyllos, dem Sohn von M. → Antonius [I 9] und → Fulvia [2]. Nach der Eroberung Alexandreias [1] lieferte er Antyllos an → Octavianus aus, wurde dann aber auch selbst gekreuzigt (Plut. Antonius 81,1 f.).   W.E.

[16] Griech. Rhetor aus → Gadara, dessen Hauptschaffenszeit nach Hier. chron. in das J. 33/2 v.Chr. fiel. Um diese Zeit erteilte er in Rom dem späteren Kaiser → Tiberius [1] Unterricht in der Rhet. (Suet. Tib. 57; Sen. suas. 3,7; Suda s.v. Th.), nachdem er in einem Redewettstreit gegen Antipatros [11] und Potamon gesiegt hatte. Später (frühestens 27 v.Chr.) ging er nach Rhodos, wo er bis an sein Lebensende lehrte. Die Suda überl. ein umfangreiches Werkverzeichnis, das neben rhet. Lehrschriften (ein rhet. Hdb. des Th. wurde laut Quint. inst. 2,15,21 ins Lat. übers.; zu seiner weiten Verbreitung Iuv. 7,177) auch sprachwiss. und histor.-geogr. Schriften umfaßt; seine Reden werden von Dion Chrys. 18,12 zur Lektüre empfohlen. Erh. ist von all dem nichts, doch läßt sich das rhet. System des Th. und seine Kontroverse mit dem etwas älteren Apollodoros [8] und dessen Schülern teilweise aus dem → *Anonymus*

Seguerianus sowie aus verstreuten Bemerkungen bei Quintilian rekonstruieren:

Th. bezeichnete die Rhet. als *ars* (nicht als *virtus*, Quint. inst. 2,15,21), kannte statt fünf nur vier Arbeitsschritte des Redners (*inventio* der Sachen und Worte statt *inventio* und *elocutio*, ebd. 3,2,8; → *partes orationis*) und statt der isokrateischen drei nur eine Qualität der Erzählung (*verisimile*, da weder Kürze noch Klarheit in jedem Fall nützlich sei, ebd. 4,2,31 f.). In der Lehre von den *stáseis* (die Th. κεφάλαια γενικώτατα/*kephálaia genikṓtata* nannte; vgl. → *status* [1]) geht er wie Apollodoros von einer Zweiteilung aus, benutzt aber andere Termini und Subdivisionen (ebd. 3,6,36). Eigenwilligkeit und Originalität in der Terminologie scheinen überhaupt kennzeichnend für ihn gewesen zu sein (vgl. Ps.-Longinos, Peri hypsus 3,5). Der Kern der Kontroverse mit Apollodoros, die nach Quint. inst. 3,1,17 f. wie eine Auseinandersetzung zw. verschiedenen Philosophenschulen geführt wurde und praxisfern war (ebd. 5,13,59), bestand darin, daß Th. den Vorschriften einer normativen Rhet. eine vergleichsweise geringe Verbindlichkeit und der spontanen, situationsorientierten Erfindung entsprechend größeren Freiraum zubilligte.
→ Rhetorik

> G.M.A. GRUBE, Th. of Gadara, in: AJPh 80, 1959, 337–365 · G.BALLAIRA, La dottrina delle figure retoriche in Apollodoro di Pergamo, in: Quaderni urbinati di cultura classica 5, 1968, 37–91 · G.FORTE, Apollodorei e Teodorei, in: Rendiconti dell' Accademia di Archeologia, Lettere e Belle Arti di Napoli 48, 1973, 77–93.   M.W.

[17] Griech. Glossograph, bekannt durch ein Werk Ἀττικαὶ γλῶσσαι (›Attische Glossen‹) oder Ἀττικαὶ φωναί (›Attische Ausdrücke‹), woraus Athenaios [3] (11,496e; 14,646c; 15,677b; 678d; 691c) einige Erklärungen anführt. Th. lebte wohl vor der 1. H. des 1. Jh. n.Chr. (Athen. 15,677b: Benutzung seines Werkes durch → Pamphilos [6]); eine Gleichzeitigkeit mit → Apollodoros [7] aus Athen ist aus Athen. 14,646c nicht zu erschließen. Th.' Wirken fällt somit eher mit der Blüte des → Attizismus um die Zeitenwende zusammen.

> A.GUDEMAN, s.v. Th. (36), RE 5 A, 1838 · F.SUSEMIHL, Gesch. der griech. Litt. in der Alexandrinerzeit, Bd. 2, 1892, 188.   ST.MA.

[18] Sonst unbekannter Verf. eines satirischen Monodistichons über die große Nase eines Hermokrates (Anth. Pal 11,198): die Ähnlichkeit zu Mart. 12,88 datiert ihn verm. in die Zeit des → Lukillios (1. Jh. n.Chr.).

> F.BRECHT, Motiv- und Typengesch. des griech. Spottepigramms, 1930, 94 · M.LAUSBERG, Das Einzeldistichon, 1982, 415 f.   M.G.A./Ü: L.FE.

[19] Neuplatoniker aus Asine [2] (Prokl. in Plat. Tim. 2,274,10 f. DIEHL), geb. zw. 275 und 280, gest. spätestens 360 n.Chr.; Schüler des → Porphyrios in Rom (Damaskios, Vita Isidori 166, p. 230 ZINTZEN). Vielleicht schickte Porphyrios selbst Th. zur Fortsetzung seiner Studien zu → Iamblichos [2], dessen berühmtester Schüler er wurde (Eun. vit. soph. 5,1,4–5, p. 11,10–16 GIANGRANDE). Laut Proklos [2] war Th. kein orthodoxer Schüler. Er trat seinem Lehrer entgegen, indem er die Lehren des Numenios [6] (Prokl. ebd. 2,274,10–277,26 DIEHL), des Amelios (ebd. 1,309,14–20; 25–27 D.) und des Porphyrios unterstützte. Um 357–359 wußte Kaiser Iulianus [11] von diesem Gegensatz zw. den Anhängern des Th. und denen des Iamblichos: der Ausdruck *hoi Theodóreioi* (»Theodorianer«; Iul. epist. 12, p. 19,7 BIDEZCEL) läßt vermuten, daß Th. eine Schule hatte.

Zwei Schriften wurden Th. zugeschrieben: (1) ›Über die Namen‹ (Περὶ ὀνομάτων/*Perí onomátōn*), dem Proklos mittels Iamblichos' ›Phaidros‹-Komm. zugänglich (Prokl. theologia Platonica 4,23, p. 68,15–18 SAFFREY-WESTERINK); in dieses Werk gehören die Spekulationen über das »Eine« (*hen*; s.u.). (2) Die Schrift ›Daß die Seele alle Gestalten [der Lebewesen] ist‹ (Ὅτι ἡ ψυχὴ πάντα τὰ εἴδη [τῶν ζῴων] ἐστίν/*Hóti hē psychḗ pánta ta eídē [tōn zṓiōn] estín*) behandelte wohl die Seelenwanderung und vertritt nach dem Vorbild des Kronios (eines Anhängers von Numenios und Porphyrios) die These, daß sich eine Seele nicht nur in anderen Menschen, sondern auch in allen Arten von Tieren inkarnieren könne (Nemesios, De natura hominum 2 p. 34,18–35,11 MORANI). Eine Vorstellung von Th.' System gibt Proklos in der Aufzählung der der Seele übergeordneten Prinzipien (ἀρχαί/*archaí*, Prokl. in Plat. Tim. 2,274,16–275,2 D.; vgl. Prokl. in Plat. Parm. 7 p. 52,6–27 KLIBANSKY-LABOWSKY = 508,68–79 STEEL): 1. An erster Stelle steht das erste Prinzip, unsagbar und unaussprechlich. 2. Darauf folgt eine Triade, welche die Ebene des Intelligiblen beschreibt und sich aus Elementen zusammensetzt, die Bestandteil des Terminus *hen* (»das Eine«) sind: der Spiritus asper »h«, die Wölbung des Buchstabens »e« (Prokl. Theologia Platonica 4,23, p. 68,15–18 S.-W.) und der Buchstabe »n«. 3. Die intellektuelle Triade, welche die Tiefe des → Intellekts bestimmt: der Akt, der dem Sein vorausgeht, der Verstehensakt, der dem Intellekt vorausgeht, und der Akt des Lebens, der dem Leben vorausgeht. 4. Die demiurgische Triade umfaßt das Sein, den Intellekt und die Seelenquelle. Diese Abfolge der Prinzipien (das Unsagbare, das Eine, intelligible Triade, intellektuelle Triade, demiurgische Triade und Triade der Seelen) führt zu einer Gleichsetzung des Th. mit einem Philosophen aus Rhodos; letzteren erwähnt Proklos (Prokl. in Plat. Parm. 6, col. 1055,25–1058,2 COUSIN²) in der Auflistung der Interpretationen bezüglich der ersten Hypothesen des zweiten Teils des platonischen ›Parmenides‹.

→ Neuplatonismus

ED.: 1 W. DEUSE, Th. von Asine. Slg. der Testimonien und Komm. (Palingenesia 6), 1973.
LIT.: 2 Ders., Unt. zur mittelplaton. und neuplaton. Seelenlehre (AAWM, Einzelveröffentlichung 3), 1983

3 H.D. SAFFREY, Le »Philosophe de Rhode« est-il Théodore d'Asinè, in: E. LUCCHESI, H.D. SAFFREY, Antiquité païenne et chrétienne. FS A.-J. Festugière, 1984, 65–76 (= Ders., Le néoplatonisme après Plotin, in: Histoire des doctrines de l'Antiquité classique 24, 2000, 101–117) 4 Ders., Encore Théodore d'Asinè sur le Parménide, in: Ainsi parlaient les Anciens. FS J.-P. Dumont, 1994, 283–289 (= Ders., in: s. [3], 2000, 119–124). L.BR./Ü: E.D.

[20] Nur durch Briefe des → Libanios bekannter oström. Beamter in der 2. H. des 4. Jh. n. Chr. Nach Studien in Berytos und Antiocheia [1] war er zunächst Advokat (Lib. epist. 339), um 364/5 Statthalter in der Diözese Asiana (l.c. 1534, 1480). Er stammte aus Arabien (l.c. 339,6) und war Nichtchrist. (l.c. 1182,2). PLRE 1, 897 Nr. 11.

[21] Wurde im Winter 362/3 n. Chr. von → Iulianos [11] zum Oberpriester (*archiereús*) in der Prov. (oder Diözese?) Asia ernannt, um dort die Heiligtümer zu leiten und die Priester zu beaufsichtigen (Iul. epist. 89a, 452d ed. BIDEZ; hierzu gehört wohl auch das lange Brief-Fr. epist. 89b). An ihn gerichtet sind evtl. auch zwei weitere Briefe des Iulianos (epist. 30; 79). PLRE 1, 897 Nr. 8.

[22] Aus einer angesehenen Familie in Gallien stammend, erreichte Th. am Hof des → Valens [2] den zweithöchsten Rang unter den Notaren (*secundicerius notariorum*), wurde aber 371/2 n. Chr. aufgrund eines Orakels, das ihn als Nachfolger des Valens geweissagt hatte, nach einem Hochverratsprozeß hingerichtet (Amm. 29,1,8–35; Zos. 4,13,3 f.; Aur. Vict. epit. Caes. 48,3 f.). PLRE 1,898 Nr. 13.

[23] Durch Briefe des → Libanios bekannte, einflußreiche Persönlichkeit am Hof des → Theodosius [2] I. in den J. 388–390 und 393 n. Chr. (Lib. epist. 848; 919; 1086 u. a.). Evtl. ist er identisch mit dem Proconsul von Achaia von 379/395 und dem *praef. urbis Constantinopolitanae* von 385 (oder 387). PLRE 1,899 Nr. 17; vgl. 899 Nr. 16; Nr. 18. W.P.

[24] Mehreren griech. (undatierbaren) Autoren dieses Namens werden zugewiesen: (1) ›Metamorphosen‹ (SH 749; SH 750, verm. Quelle für Ovid), wohl in mindestens 22 B.; (2) ein Epos über Kleopatra [II 12] VII. (SH 752); (3) ein Lied über das att. Fest der Aletis (›Landstreicherei‹, SH 753 f., Mythos von Ikarios und Erigone) von einem Th. aus Kolophon, zeitlich vor Aristoteles [6], der ihn erwähnt (Aristot. fr. 515 ROSE = Athen. 14,618c; vgl. [5]). Weiterhin bezeugt sind ein Epigrammatiker (SH 755) und Autor homoerotischer Dichtung (SH 756) sowie ein Th. von Ilion, Autor der romanartigen *Trōiká* (FGrH 48).

1 SH 749–756 (mit Lit.) 2 FGrH 48; 62 3 M. FANTUZZI, Epici ellenistici, in: K. ZIEGLER, L'epos ellenistico, 1988, LXXXV (Lit.) 4 E. DIEHL, s. v. Th. (18), RE 5 A, 1809 5 Ders., s. v. Th. (19), RE 5 A, 1809 f. S. FO./Ü: I. BA.

[25] **Th. von Mopsuhestia.** Christl. Theologe, geb. verm. um 352 in Antiocheia [1] als Sohn vornehmer Eltern, gest. 428 n. Chr. in → Mopsu(h)estia. Sein Bru-

der Polychronios war Bischof von Apameia [3]. Th. studierte u. a. bei → Libanios und trat dann mit seinem Studienkollegen und Freund → Iohannes [4] Chrysostomos in das klosterähnliche *askḗtērion* des → Diodoros [20] von Tarsos ein (vgl. Ioh. Chrys. epistulae ad Theodorum lapsum). Dort erlernte er die sog. »antiochenische« Technik der Bibelauslegung, die – im Gegensatz zur »alexandrinischen«, in der Trad. des → Origenes [2] stehenden Schule – die → Exegese auf einen »höheren Schriftsinn« methodisch streng einschränkte. Nach einem kürzeren Aufenthalt in → Tarsos wurde er 392/3 Bischof von Mopsu(h)estia. Aus seinem 36jährigen Wirken dort (Theod. hist. eccl. 5,40,2) sind nur wenige Details bekannt: So vermittelte er 394 auf einer Provinzialsynode in Konstantinopolis und beteiligte sich publizistisch an verschiedenen theolog. Konflikten seiner Zeit.

In Antiocheia entstanden zunächst exegetische Arbeiten, in Mopsuestia verfaßte er weitere Komm. Theologisch bedeutsam waren die 4 B. ›Gegen → Apolinarios von Laodikeia‹ (CPG 2, 3858, weitgehend verloren) und seine Parteinahme im Streit um die Lehren des → Pelagios [4] gegen → Augustinus. Die Datier. der ›Katechetischen Homilien‹ (CPG 2, 3852), die auch eine wichtige liturgische Quelle darstellen, ist immer wieder umstritten.

Th. unterteilt die menschliche Gesch. in zwei Zeitalter (*katastáseis*), das gegenwärtige und das zukünftige. Letzteres wird durch das Erlösungswerk Christi eingeleitet. Durch die → Taufe wird der Christ als Gottes Kind angenommen und partizipiert so an der wahren Sohnschaft des Sohnes Gottes (Katechetische Homilien 14,10). Analog denkt Th. das Verhältnis von Gottheit und Menschheit in Christus: Auch der vom göttlichen *lógos* »angenommene Mensch« partizipiert aufgrund einer spezifischen Verbindung (*synápheia*) an den Eigenschaften der göttlichen Natur. Wie sich die Rede von der einen Person Christi in ihren zwei Naturen bei Th. zu der analogen Formulierung des Reichskonzils von → Kalchedon (Chalkedon) verhält, ist umstritten. Die Wirkungsgesch. des Th. ist aufgrund der Kanonisierung von Positionen des Apolinarios beim einflußreichen → Kyrillos [2] von Alexandreia beeinflußt und sein Bild daher oft entstellt: Seine Christologie wurde unter dem Schlagwort »zwei Söhne« als Trennungschristologie mißverstanden und 553 im Zusammenhang des Dreikapitelstreits auf dem 5. Ökumenischen Konzil von Konstantinopolis verurteilt; bes. seine exegetischen Werke werden seither v. a. von den persischen Nestorianern (→ Nestorios) tradiert.

→ Christentum

ED.: CPG 2, 3827–3848 (mit Ergänzungen im Supplementum 1998).
LIT.: R. DEVREESSE, Essai sur Théodore de Mopsueste (Studi e testi 141), 1947 · J. M. DEWART, The Influence of Theodore of Mopsuestia on Augustine's Letter 187, in: Augustinian Studies 10, 1979, 113–132 · A. GRILLMEIER, Jesus der Christus im Glauben der Kirche, Bd. 1, ²1979,

614–634 · U. WICKERT, Studien zu den Pauluskomm. Theodors von Mopsuestia (ZNTW, Beiheft 27), 1962.

C.M.

[26] Sonst unbekannter Verf. einer hexametrischen Grabinschr. (Anth. Pal. Appendix, Add. II 705b, p. 597 COUGNY); vier Verse, zitiert von Eunapios (fr. 45 [1]; FHG 4,33), in denen übertreibend → Musonius [3] mit den Heroen Aiax, Achilleus und Patroklos verglichen wird, sind erhalten.

1 R. C. BLOCKLEY, The Fragmentary Classicising Historians of the Later Roman Empire, 1983, Bd. 2, 65.

M.G.A./Ü: L.FE.

[27] (Th. Priscianus). Arzt, s. Theodorus [3]

[28] Ingenieur (*optimus in mechanicis*, Prokl. de providentia 1,11), 5. Jh. n. Chr., nur durch → Proklos [2] bekannt, den Adressaten seiner Schrift, auf die dieser mit *De providentia* (überl. nur in lat. Übers. des Wilhelm von Moerbeke, 13. Jh.) antwortete. Vom griech. Original des Proklos-Textes ist nichts überl., größere fast wörtliche Auszüge enthält Kaiser Isaak Komnenos' Schrift ›Über Vorsehung und Schicksal‹ (12. Jh.). Die Datier. der Abh. des Th. samt der drei Schriften des Proklos über die Vorsehung in die 2. H. des 5. Jh. ergibt sich aus der Anspielung des Proklos (gest. 485) auf sein eigenes vorgerücktes Alter (De providentia 45,1–6), dem Hinweis auf frühere Abh. (De malorum subsistentia 1,17f.) und einem möglichen Bezug auf christl. Schikanen (De providentia 22,8–10). Laut Proklos sind für Th. »Vorsehung« (*providentia*) und »Schicksal« (*fatum*) gleichbedeutend; sie bezeichnen die erste bewegende Kraft, die das Universum in eine notwendige → Bewegung versetzt, deren Übertragung wie über die Räder und Rollen einer Maschine funktioniert. Proklos bietet eine platonische Antwort zum Problem der Vorsehung: Wenn auch Gott bestimmte Kenntnis (*determinata cognitio*) der Zukunft besitzt, so ereignet sich die Zukunft gemäß der Natur der Dinge für die einen auf bestimmte (*determinate*), für die anderen auf unbestimmte (*indeterminate*) Weise.

→ Prädestinationslehre

H. BOESE (ed.), Procli Diadochi tria opuscula de providentia, libertate, malo, 1960 · D. ISAAC (ed.), Proclus, Trois études sur la providence, Bd. 2, 1979 (Proclus, De providentia, p. 9–98; Isaac Commène, De la providence et de la nécessité physique, p. 99–169, mit frz. Übers.) · M. ERLER (ed.), Isaac Sebastokrator, Über Vorsehung und Schicksal (Beitr. zur klass. Philol. 111), 1979 · Ders., Proklos Diadochos, Über die Vorsehung, das Schicksal und den freien Willen an Th., den Ingenieur (Mechaniker) (Beitr. zur klass. Philol. 121), 1980 (dt. Übers. und Komm.).

L.BR./Ü: M.KRA.

[29] Die Legende vom christl. Rekruten (*térōn*) Th. entstand um das 5. Jh. n. Chr.; die Hagiographie (→ Acta Sanctorum) beförderte ihn zum General (*stratēlátēs*). Ab dem 10. Jh. wurden zwei Th. unterschieden.

H. DELEHAYE, Les légendes grecques des saints militaires, 1909, 151–167

[30] Th. Anagnostes (Θ. Ἀναγνώστης, *Th. Lector*), 1. H. 6. Jh. n. Chr., Lektor an der → Hagia Sophia. Er faßte die Kirchengesch. des → Sokrates [9], → Sozomenos und → Theodoretos [1] zu einer *Historia tripartita* zusammen, die mit dem Jahr 439 endete. Th. führte sie als *Historia ecclesiastica* bis 518 fort; dabei hielt er gegen Anastasios [1] I. an den christologischen Entscheidungen der Synode von → Kalchedon (451) fest; letzteres Werk ist in der lat. Übers. des → Cassiodorus (ca. 560 n. Chr.) erhalten.

> G.Ch. Hansen (ed.), Th. Anagnostes, Kirchengesch. (GCS, N. F. 3), ²1995 · R. Hanslik, W. Jacob (ed.), Cassiodori-Epiphanii Historia tripartita (CSEL 71), 1952 · F. Diekamp, Zu Theodorus Lektor, in: HJb 24, 1903, 553–558.   K.SA.

[31] Th. Askidas (Θ. Ἀσκιδᾶς). Bischof von Kaisareia/Kappadokien († 588). Zunächst Mönch in der Neuen Laura in Palaestina, stieg der seit Anf. der 530er Jahre meist in Konstantinopolis weilende Th. rasch zum engen Berater Kaiser Iustinianus' [1] auf, der ihn 537 zum Bischof von Kaisareia erhob. Geschickt verstand er seinen theologischen Standort – als Origenist, d.h. Parteigänger einer Gruppe von Theologen, die sich auf die Lehren des → Origenes [2] beriefen [1] – zu verbergen. 543 unterzeichnete er das kaiserliche Edikt gegen die Origenisten. Der dem → Monophysitismus zumindest nahestehende Th. gilt als Initiator der von Iustinianus v. a. auf dem Konzil von Konstantinopolis 553 betriebenen Verurteilung der sog. Drei Kapitel ([2. 441, 497], anders: [3. 236]). Eine von Papst Vigilius am 14.8.551 gegen ihn als »bösen Geist« Iustinians [2. 497] ausgesprochene Absetzung blieb ohne Folgen.

> 1 B. Daley, What Did »Origenism« Mean in the Sixth Century?, in: G. Dorival, A. Le Boulluec (Hrsg.), Origeniana sexta, 1995, 627–638 2 A. Grillmeier, Jesus der Christus im Glauben der Kirche, Bd. 2.2, 1989, bes. 439–443 3 J. Meyendorff, Imperial Unity and Christian Divisions, 1989.   J.RI.

[32] Th. Scholastikos (Θ. Σχολατικός). Byz. Rechtsgelehrter aus Hermupolis, mit dem in der Vorrede zur const. *Omnem* (der mit dem Abschluß der → *Digesta* 533 n. Chr. erlassenen Studienordnung) erwähnten *antecessor* nicht identisch; schrieb in der 2. H. des 6. Jh. eine kurze griech. Paraphrase des → *codex* (II.) *Iustinianus*, die der von → Thalelaios folgt, sowie ein Breviar der Slg. von 186 iustinianischen und späteren → *Novellae*.

> N. van der Wal, Les commentaires grecs du Code de Justinien, 1953, 119–121 · P.E. Pieler, Rechtslit., in: Hunger, Literatur 2, 436 · A. Schminck, s. v. Th. Scholastikos, ODB 3, 1991, 2046f.   T.G.

[33] Th. Proconsul. Epigrammatiker des *Kýklos* des → Agathias (vgl. aber [2]), verm. identisch mit dem gleichnamigen *magister officiorum* (566–576) und zweimaligen *proconsul* (gerühmt von Agathias Anth. Pal. 1,36), daher nicht der *decurio* Th. [1; 3], dem Agathias seine Slg. widmete (4,3,101). Erh. ist eine monodistichische Grabinschr.: Hades lacht über das plötzliche Erscheinen eines Mimen-Schauspielers unter den Toten (Anth. Pal. 7,556).

> 1 Av. und A. Cameron, The Cycle of Agathias, in: JHS 86, 1966, 8, 20, 22f. 2 R. C. McCail, The »Cycle« of Agathias, in: JHS 89, 1969, 93f. 3 A. Cameron, The Greek Anthology from Meleager to Planudes, 1993, 72–74.   M.G.A./Ü: L. FE.

[34] Th. von Raithu. Theologischer Schriftsteller (*um 570/580; †vor 638). Der in einem Kloster nahe Raithu (SW des Sinai) lebende Th. wurde von [2] aus guten Gründen mit dem gleichnamigen Bischof der nahen Stadt Pharan, einem der ersten Vertreter des Monenergismus (→ Monotheletismus), identifiziert. Dessen Lehre wurde auf dem 6. Ökumenischen Konzil in Konstantinopolis (680/1) verurteilt. Hauptwerk des Th. ist seine aus zwei locker verbundenen Teilen bestehende, zw. 580 und 620 verfaßte *Praeparatio* [1]. Während der erste Teil acht → Häresien der Alten Kirche vorstellt und widerlegt, bietet der zweite Teil als philos. Traktat Begriffsbestimmungen. Die Schrift *De sectis* (CPG 6823) gilt seit [2] nicht mehr als Werk des Th.

> Ed.: 1 F. Diekamp, Analecta patristica, 1938, 185–222. Lit.: 2 W. Elert, Der Ausgang der altkirchlichen Christologie, 1957, 185–229 3 J. Rist, s. v. Th. von Raithu, Biographisch-Bibliogr. Kirchenlexikon 11, 976–978 (Lit.).

[35] Bischof von Paphos/Zypern (Mitte 7. Jh.). In der Kirche von Trimithus trug Th. am 14.12.655 eine Gedächtnisrede auf den Lokalheiligen Spyridon vor (Ed.: [1. 1–103]). Als Quelle diente ihm eine h. verlorene, später mehrfach benutzte Vita in Jamben vom Ende des 5. Jh. n. Chr.

> 1 P. van den Ven, La légende de S. Spyridon évêque de Trimithonte, 1953.   J.RI.

[36] Th. Studites (Θ. Στουδίτης). Byz. Abt und Theologe, geb. 759 in Konstantinopolis; trat 780 in das von seinem Onkel Platon geleitete Kloster Symbolon in Bithynien ein und lebte seit 782 mit diesem zusammen im neu gegr. Kloster Sakkudion (Bithynien), wo er 787/8 Priester und 794 Abt wurde. Wegen seines Widerstands gegen die kirchenrechtlich unzulässige zweite Ehe Kaiser Constantinus' [8] VI. wurde er 795/6 nach Thessalonike verbannt, kehrte aber nach dessen Sturz 797 wieder nach Sakkudion zurück. 798 ging er, angeblich wegen eines der zahlreichen arabischen Einfälle, nach Konstantinopolis, wo er Abt des Studios-Klosters wurde und als führender Exponent des bilderfreundlichen Mönchtums (→ Syrische Dynastie) schnell polit. Einfluß gewann. 806 geriet Th. in Streit mit Patriarch Nikephoros [1] I. wegen dessen Versuch, durch einen Kompromiß den o. g. sog. Moichianischen Streit beizulegen, wurde 809 verhaftet und auf die Insel Chalke (bei Konstantinopolis) verbannt. Unter Kaiser Michael [3] I. wurde er 811 wieder Abt des Studios-Klosters, nach dem erneuten Ausbruch des Bilderstreits 815 aber von Leo [8] V. abermals verbannt, diesmal an verschiedene Orte in Kleinasien, zuletzt seit 819 nach Smyrna. 821 durch Michael [4] II. freigelassen, lebte er in den Klöstern von Bithynien und starb 826 auf der Insel Prinkipo im Marmarameer. Sein Leichnam wurde 844 nach der endgültigen Beilegung des Bilderstreits in das Studios-Kloster überführt.

Th. trat als Autor energisch für die Bilderverehrung und für die Wiederbelebung des asketischen Mönchsideals ein. Auf ihn geht die sog. studitische Reform des byz. → Mönchtums zurück (vorbildliche Klosterregel des Studios-Kloster, kirchliche Hymnendichtung). In seinen zahlreichen Briefen zumeist an geistliche Personen, die als Quelle für die Zeit von 797 bis 826 von großer Bed. sind, Predigten, theologischen Schriften und Gedichten pflegte er eine eigenwillige Sprache mit volkssprachlichen Anklängen und Neologismen.
→ Literatur (VII.); Syrische Dynastie

ED.: PG 99 · P. SPECK, Th. Studites, Jamben auf verschiedene Gegenstände (Supplementa Byzantina 1), 1968 (mit dt. Übers. und Komm.) · G. FATOUROS, Theodori Studitae Epistulae, 2 Bd., 1992 (Bd. 1, 21*–38*: Werkliste mit Ed.-Verzeichnis).
LIT.: A. DOBROKLONSKIJ, Prep. Feodor, ispovĕdnik i igumen studijskij (Der heilige Theodor, Bekenner und Abt von Studion, russ.), 2 Bde., 1913–14 · I. HAUSHERR, Saint Théodore Stoudite, 1926 · J. LEROY, La réforme stoudite, in: Orientalia Christiana Analecta 153, 1958, 181–214 · P. SPECK, Konstantin VI., 1978 · TH. PRATSCH, Th. Studites (759–826) – zw. Dogma und Pragma, 1998.   AL. B.

[37] Th. Prodromos (Θ. Πρόδρομος). Bedeutender und vielseitiger byz. Autor des 12. Jh. n. Chr. Um 1100 in → Konstantinopolis geb., erfuhr Th. die übliche Ausbildung in Gramm., Rhet. und Philos. Er war Schüler des Stephanos Skylitzes, vielleicht auch des Michael Italikos. Seinen Lebensunterhalt verdiente er mit Lehrtätigkeit und Auftragswerken für den Kaiserhof und sonstige hochgestellte Persönlichkeiten. Relativ früh (um 1140) zog er sich wegen einer Pockenerkrankung in ein Altersheim zurück; er starb verm. vor 1158 (oder gegen 1170).

Sein Werk umfaßt histor. Gedichte [1], Reden, Briefe, eine Erklärung der Kanónes des → Kosmas [3] und des → Iohannes [33] von Damaskos zu den Christusfesten, rel. Epigramme (z. B. iambische und hexametrische Tetrasticha auf die Hauptereignisse des AT und NT [2], Lehrschriften zu Philos. und Gramm., rhet.-satirische Werke in Versen (z. B. das satirische Drama Katomyomachía, ›Katzmäusekrieg‹ [3]) und Prosa (z. B. die ›Maushumoreske‹ [4]), den Versroman ›Rhodanthe und Dosikles‹ [5]. Die Zuweisung von vier volkssprachlichen Bettelgedichten (sog. Ptōchoprodromiká [6]) an Th. bleibt bisher umstritten. Die Gedicht-Slg. des Cod. Marcianus XI.22 ist wahrscheinlich nicht Th., sondern einem etwas jüngeren Zeitgenossen (dem sog. Manganeios Prodromos) [7] zuzuschreiben.

ED.: 1 W. HÖRANDNER, Th. Prodromos. Histor. Gedichte, 1974 (mit Werkliste) 2 G. PAPAGIANNIS, Th. Prodromos. Jambische und hexametrische Tetrasticha auf die Haupterzählungen des Alten und Neuen Testaments, 1997 3 H. HUNGER, Der byz. Katz-Mäuse-Krieg, 1968 4 I. TH. PAPADEMETRIOU, Τὰ σχέδη τοῦ μυός. New Sources and Text, in: Illinois Studies in Language and Literature 58, 1969, 210–222 5 M. MARCOVICH, Th. Prodromi De Rhodanthes et Dosiclis Amoribus Libri IX, 1992 6 H. EIDENEIER, Ptochoprodromos, 1991 (mit dt. Übers.) 7 S. BERNARDINELLO, Th. Prodromi De Manganis, 1972.
LIT.: A. KAMBYLIS, Prodromea. Textkritische Beitr. zu den histor. Gedichten des Th. Prodromos, 1984 · A. KAZHDAN, S. FRANKLIN, Studies on Byzantine Literature of the Eleventh and Twelfth Centuries, 1984, 87–114 · W. HÖRANDNER, Autor oder Genus? Diskussionsbeiträge zur »Prodromischen Frage« aus gegebenem Anlaß, in: Byzantinoslavica 54, 1993, 314–324 · Ders., s. v. Prodromos Th., LMA 7, 239–240 · I. VASSIS, Graeca sunt, non leguntur. Zu den schedographischen Spielereien des Th. Prodromos, in: ByzZ 86/7, 1993/4, 1–19 · D. R. REINSCH, Zu den Prooimia von (Ptocho-)Prodromos III und IV, in: Jb. der Öst. Byzantinistik 51, 2001, 215–223.   G. KA.

Theodorus

[1] Flavius Mallius Th., von niedriger Abkunft, wohl aus Mailand, Christ, nach rhet. Ausbildung Advokat, dann Statthalter in Africa (377?), 378(?) consularis Macedoniae, 379(?) magister memoriae, 380 comes sacrarum largitionum, evtl. agens vice comitis rerum privatarum, 382/3 praefectus praetorio per Gallias, 397/399 praefectus praetorio Italiae, 399 cos. (Panegyrikos von Claud. carm. 16/17). Er unterstützte zunächst → Stilicho, rückte später aber anscheinend von ihm ab. 408/9 war er wahrscheinlich nochmals praefectus praetorio Italiae. → Augustinus widmete 386 dem auch wiss. tätigen Th. (Traktat De metris: KEIL, GL 6, 585–601) seine Schrift De beata vita. PLRE 1, 900–902 Nr. 27.   K. G.-A.
[2] Flavius Th., aus der Familie der Decii. Er bekleidete unter → Theoderich [3] d. Gr. wichtige Ämter (praef. praet. 500 n. Chr., consul 505, patricius 509; vgl. Cassiod. var. 1,27; Anon. Vales. 12,68), wurde 525 n. Chr. von Theoderich mit Papst Iohannes nach Konstantinopel gesandt, nach der Rückkehr inhaftiert (Anon. Vales. 15.90–1) [1. 239–242]. Empfänger von Fulg. Rusp. epist. 6 (CCL 91,240–44; → Fulgentius).

1 J. MOORHEAD, Theoderic Italy, 1992 2 PLRE 2, 1097f.   WE. LÜ.

[3] Th. Priscianus. Arzt des 4.–5. Jh. n. Chr., wahrscheinlich aus Nordafrika stammend. Schüler des → Vindicianus; Verf. einer nur lat. überl. therapeutischen Slg. (Euporista, ›Verfügbare Heilmittel‹, um 400) in drei B.: phaenomena (äußere Krankheiten, aufgelistet »von Kopf bis Fuß«); logicus (innere Krankheiten, eingeteilt in chronische und akute) und gynaecia (Frauenleiden). Nach Angabe des Verf. wurde das Werk auf Griech. abgefaßt und dann von ihm in einer gekürzten Fassung ins Lat. übersetzt. Es entspricht einer Tendenz der Medizin seiner Zeit: der Umgestaltung der großen therapeutischen Enzyklopädien in Werke für die tägliche Praxis (→ Medizin IV.H.).

Ein Fr. eines Werks *De physicis*, das Eusebius, dem Sohn des Th., gewidmet ist, handelt von Kopfschmerzen und Epilepsie. Die diätetische Abh. *Diaeta Theodori* wird Th. zu Unrecht zugewiesen. Der Text der *Euporista* wurde im 6. Jh. n. Chr. im Rückgriff auf den Text des Marcellus [8] Empiricus und der → *Physica Plinii Bambergensis* erweitert. *Euporista* und *De physicis* wurden von 1532 an unter dem Verfassernamen Octavius Horatianus herausgegeben.

> ED.: V. ROSE, Theodori Prisciani Euporiston libri III cum Physicorum fragmento et additamentis pseudo-Theodoreis, 1894.
> LIT.: K. DEICHGRÄBER, s. v. Theodoros (46), RE 5 A, 1866–1868 · J. FAHNEY, De pseudo-Theodori additamentis, 1913 · TH. MEYER, Th. P. und die röm. Medizin, 1909 · T. SUNDELIN, Ad Theodori Prisciani Euporista Adnotationes, 1934 · L. ZURLI, Il pensiero medico di Th. P. nelle prefazioni ai suoi libri, in: C. SANTINI (Hrsg.), Prefazioni, prologhi, proemi di opere tecnico-scientifiche latine, Bd. 2, 1992, 463–497. A.TO./Ü: T.H.

Theodosia (Θεοδοσία; h. Feodosiya). Stadt an der Nordküste des Schwarzen Meeres (→ Pontos Euxeinos) in einer fruchtbaren Ebene, mit ausgezeichnetem Hafen, der 100 Schiffe fassen konnte (Strab. 7,4,4), um 700 v. Chr. von Miletos [2] gegr. Um 500 v. Chr. hatte Th. autonome Mz.-Prägung. In der 1. H. des 4. Jh. v. Chr. von → Leukon [3] I. erobert, war Th. danach die westlichste Polis des → Regnum Bosporanum (Arr. per. p. E. 30). Die Stadt war ein wichtiger Umschlagplatz für den bosporanischen Getreideexport nach Griechenland und bedeutende Grenzfestung gegen die → Tauroi; die Blütezeit von Th. lag im 4. Jh. v. Chr. Sie war ein Zentrum des sog. Skythenaufstandes im 2. Jh. v. Chr.

> V. F. GAJDUKEVIČ, Das Bosporanische Reich, 1971, 203–205 · N. EHRHARDT, Die Kolonien Milets, 1983, 82f. · D. B. ŠELOV, Th., Herakleia und die Spartokiden, in: VDI 1950.3, 168–178 · D. D. KACHARAVA, G. T. KVIRKVELIA, Goroda i poseleniya Prichernomor'ya antichnoi epokhi, 1991, 294f. I.v.B.

Theodosiopolis (Θεοδοσιόπολις, Θεοδοσιούπολις).

[1] Th. in → Osroëne (Nordmesopotamien), nach Prok. BP 2,19,29 (vgl. aed. 2,2,16) am → Ḫabur ca. 40 Meilen (= 60 km) von Dara entfernt gelegen, das von Theodosius [2] I. um 383 n. Chr. zur Stadt erhobene (Malalas 13,40 p. 345 DINDORF) Dorf Resaeina (= Ra's al-ʿAin am Quellkopf des Ḫabur), das am Ende des byz. → Limes (VI. C.) lag, zusätzlich durch Kastelle (Prok. aed. 2,6,13 ff.); 577 verwüstete der pers. Feldherr Sarnachorganes das Umland; 584 erreichte ein Teil des Heeres des Philippikos, vom Persienfeldzug heimkehrend, nur mit Not Th. (Theophylaktos Simokattes 1,13,10 ff.). Bischöfe von Th.: vgl. [2].

1 G. GREATREX, Rome and Persia at War, 502–532, 1998, 89 Anm. 110, 114, 119 2 M. LEQUIEN, Oriens Christianus, Bd. 2, 1740 (Ndr. 1902), 979–981. W.R.

[2] (armen. Karin, arab. Qālīqalā; seldschukisch Arzan ar-Rūm > Arz ar-Rūm, »Römerland«, > türk. Erzerum in der Osttürkei). Stadt in → Armenia, von Theodosios [3] II. gegründet (Prok. aed. 3,1,11; nicht von Theodosios [1] I., ebd. 3,5,2). Um 420 n. Chr. wird Th. erstmals anläßlich der Belagerung durch Bahrām V. Gōr erwähnt (Theod. hist. eccl. 5,37,7 ff.). Spätestens seit der Synode von → Kalchedon (451) war Th. auch Bischofssitz. 502 fiel es in die Hände des → Sāsāniden Kabades; von → Anastasios [1] I. wieder zurückerobert, erhielt es verstärkte Wehranlagen und wurde zwischenzeitlich in Anastasiopolis umbenannt (Prok. aed. 3,5,3 ff.). Ab 645/46 v. a. unter arab. (→ Araber) Herrschaft, 1071 von den Seldschuken erobert.

> C. TOUMANOFF, Studies in Christian Caucasian History, 1963, 195f. K.SA.

Theodosios (Θεοδόσιος).

[1] Griech. Mathematiker und Astronom.

I. LEBEN UND WERKE II. FORTWIRKEN

I. LEBEN UND WERKE

Th. war nach Strab. 12,4,9 einer der bedeutendsten Männer → Bithynias; der in der Suda (s. v. Th.) angegebene Herkunftsort »Tripolis« dürfte sich auf einen anderen Th. beziehen. Da Strabon auch Th.' Söhne als bedeutende Mathematiker nennt, muß Th. in die 2. H. des 2. Jh. oder spätestens in die 1. H. des 1. Jh. v. Chr. gehören. Verm. ist er identisch mit dem Th., den → Vitruvius (9,8,1) als Erfinder einer Universalsonnenuhr (→ Uhr) nennt.

Von Th. sind drei Werke erh.:

1. Σφαιρικά (*Sphairiká*, ›Sphärik‹, in 3 B.; Ed. mit lat. Übers. und Schol.: [1]; dt. Übers.: [4. 75–179]; frz. Übers.: [3]). Die Schrift ist das älteste erh. Lehrbuch über die Geom. auf der Kugel. Das Werk, das verm. für astronomische Zwecke gedacht war, behandelt die Eigenschaften der Himmels- und der Erdkugel sowie die wichtigsten Kugelkreise (Äquator, Meridian, Ekliptik, Horizont usw.). Es fußt auf → Autolykos [3] und benutzt noch nicht die Methoden der sphärischen Trigonometrie. Die Sätze und Beweise sind nach dem Vorbild von → Eukleides' [3] ›Elementen‹ aufgebaut.

2. Περὶ οἰκήσεων (*Perí oikéseōn*, ›Über die Zonen der Erde‹; lat. *De habitationibus*, in 12 Propositionen. Ed. mit lat. Übers. und Schol.: [2. 13–52]) behandelt die Phänomene, die durch die Himmelsumdrehung (d. h. in heutiger heliozentrischer Sicht, durch die Erdrotation) veranlaßt werden, und die sich daraus ergebenden Erscheinungen für die Bewohner der verschiedenen → Zonen der Erde.

3. Περὶ ἡμερῶν καὶ νυκτῶν (*Perí hēmerṓn kaí nyktṓn*, ›Über Tag und Nacht‹; lat. *De diebus et noctibus*, in 2 B.; Ed. mit lat. Übers. und Schol.: [2. 53–176]) behandelt

das Längenverhältnis von Tagen und Nächten und seine Verschiebungen im Verlauf des Jahres sowie damit zusammenhängende Probleme.

Th. verfaßte verm. auch astrologische Schriften und einen Komm. zur ›Methodenlehre‹ des → Archimedes [1] (zur Problematik s. [8]). Diese Schriften sind verloren.

II. FORTWIRKEN

Die ›Sphärik‹ hatte großen Einfluß, speziell auf → Menelaos' [6] ›Sphärik‹ und diejenigen Teile von → Pappos' Collectio, die die Kugel betreffen. Die drei erh. Schriften des Th. gehörten – zusammen mit Werken des Autolykos, → Aratos [4], Menelaos und anderen Texten wie Eukleides' Phainómena – zu einer Gruppe von Arbeiten, die in der Ant. als »Kleine Astronomie« (im Gegensatz zu → Ptolemaios' [65] ›Almagest‹) bezeichnet wurden; im Arabischen gab es eine ähnliche Slg. von Schriften unter dem Namen »Mittlere Bücher« (d. h. B., die man zw. Euklids ›Elementen‹ und Ptolemaios' ›Almagest‹ studieren sollte). Alle drei Schriften des Th. wurden im 9. Jh. ins Arabische übersetzt. Von der ›Sphärik‹ gibt es zwei arab. Übers.: Eine ist anon., die Grundlage für die lat. Übers. des Gerhard von Cremona (12. Jh.); die andere, die Qustā ibn Lūqā zugeschrieben wird, ist nur in Hss. in hebräischer Schrift erh. und veranlaßte zwei hebr. Bearbeitungen (durch Jacob ben Machir und Moses ibn Tibbon). Im 13. Jh. entstanden mindestens zwei weitere arab. Fassungen (von Naṣīr ad-Dīn aṭ-Ṭūsī und Ibn Abī Šukr). Neben Gerhards Übers. aus dem Arab. gab es noch eine zweite ma. lat. Fassung der ›Sphärik‹, höchstwahrscheinlich von Iohannes Campanus; sie enthält zahlreiche Zusätze, endet aber mitten in B. 3. Der erste lat. Druck (Venedig 1518) beruht auf dem Text des Campanus. Die griech. editio princeps veröffentlichte Johannes PENA (Paris 1558). Zahlreiche weitere lat. Bearbeitungen aus dem 16. und 17. Jh. sind bekannt, u. a. von F. MAUROLICO, C. DASYPODIUS, C. CLAVIUS, M. MERSENNE, C. DECHALES und I. BARROW (allg. zum Fortwirken vgl. [7]).

→ Astronomie C.

EDD., ÜBERS.: 1 J. L. HEIBERG, Th. Tripolites, Sphaerica (AAWG, N.F. 19.3), 1927 2 R. FECHT, Theodosii De habitationibus liber, De diebus et noctibus libri duo (AAWG, N.F. 19.4), 1927 3 P. VER EECKE, Les sphériques de Théodose de Tripoli, 1927 (Ndr. 1959) 4 A. CZWALINA, Autolykos; Th. von Tripolis, Sphaerik, 1931 (dt. Übers. mit Komm.).
LIT.: 5 I. BULMER-THOMAS, s. v. Th. of Bithynia, in: GILLISPIE 13, 319–321 6 T. L. HEATH, A History of Greek Mathematics, Bd. 2, 1921, 245–252 7 R. LORCH, The Transmission of Th.' Sphaerica, in: M. FOLKERTS (Hrsg.), Mathematische Probleme im MA. Der lat. und arabische Sprachbereich, 1996, 159–183 8 K. ZIEGLER, s. v. Th. (5), RE 5 A, 1930–1935.   M.F.

[2] Pyrrhonischer Skeptiker und empirischer Arzt, Ende 2. Jh. n. Chr.; die Suda s. v. Th. identifiziert ihn fälschlich mit einem Mathematiker Th. und schreibt ihm ein Ὑπόμνημα εἰς τὰ Θευδᾶ κεφάλαια (›Komm. zu den

Hauptpunkten des Theodas‹) und Σκεπτικὰ κεφάλαια (›Skeptische Hauptpunkte‹) zu. Bei diesem Skeptiker handelt es sich offenbar um denjenigen Th., dessen ›Skeptische Hauptpunkte‹ Diog. Laert 9,70 erwähnt; diese Schrift enthält dessen Verteidigung des Pyrrhonismus (→ Pyrrhon). Th. muß gegen Ende des 2. Jh. gewirkt haben, da Galenos ihn bereits in De experientia medica 2.3, p. 98 WALZER) erwähnt; aus Galen ergibt sich, daß Th. → Empiriker war. Nach Diog. Laert. 9,70 lehnte Th. die Benennung des → Skeptizismus nach Pyrrhon ab, da unbekannt sei, was andere (also auch Pyrrhon) gedacht hätten; zudem sei Pyrrhon nicht der Erfinder des Skeptizismus gewesen und habe nicht die entsprechende Lehre (dógma) vertreten.

→ Skeptizismus

D. DEICHGRÄBER, Die griech. Empirikerschule, 1965, 219, 401.   M. FR.

[3] Griech. Grammatiker aus Alexandreia, um 400 n. Chr. [4. 85–86]; Hauptwerk: Κανόνες εἰσαγωγικοὶ περὶ κλίσεως ὀνομάτων καὶ ῥημάτων (›Elementare Regeln über Nominal- und Verbalflexion‹, [1]), ein von → Choiroboskos kommentiertes und lange grundlegendes Lehrbuch der Deklinations- und Konjugationslehre. Von T. stammt verm. der an die Ars grammatica des → Dionysios [17] Thrax angehängte Traktat Περὶ προσῳδιῶν (›Über die Prosodien‹; GG 1.1, 105–114) [3]. Ob T. eine Epitome der Καθολικὴ προσῳδία (›Allg. Prosodie‹) des Ailios → Herodianos [1] schuf, ist zweifelhaft [2. 367].

ED.: 1 A. HILGARD (ed.), Theodosii Alexandrini Canones isagogici (GG 4.1), 1889, 1–99.
LIT.: 2 R. A. KASTER, Guardians of Language, 1988, 366–367 (Nr. 152) 3 B. LAUM, Das Alexandrinische Akzentuationssystem, 1928, 27–29 4 A. OGUSE, Le papyrus grec de Strasbourg 364+16, in: Aegyptus 37, 1957, 77–88 5 A. WOUTERS, The Grammatical Papyri from Graeco-Roman Egypt, 1979, 196–197, 271–273 6 Ders., The Chester Beatty Codex AC 1499, 1988, 30–31 mit Anm. 33.   ST. MA.

[4] Th. Melitenos (Θ. Μελιτηνός). Der fingierte Autorenname Th. M. (eigentlich Melissēnós) wurde der anon. überl. Chronik des → Symeon [2] Logothetes von dem griech. Geistlichen Symeon Kabasilas hinzugefügt, als er 1578 eine h. in München befindliche Hs. (Cod. Monacensis Graecus 218, 11. Jh.) an den kaiserlichen Gesandtschaftsprediger Stephan GERLACH verkaufte [2. 207–212].

1 TH. L. F. TAFEL (ed.), Theodosius Melitenus, 1859
2 O. KRESTEN, Phantomgestalten in der byz. Literaturgesch., in: Jb. der Öst. Byzantinistik 25, 1976, 207–222.   AL. B.

Theodosius

[1] Flavius Th. Vater von Th. [2], aus Spanien, wo er Güter in Cauca besaß, Katholik; sein Vater war → Honorius [1], seine Ehefrau Thermantia [1]. Er bewährte sich als Soldat, stellte 368 n. Chr. im Auftrag des → Valentinianus [1] als → comes rei militaris die röm. Herr-

schaft in Britannien wieder her. Nach Kämpfen gegen die Franken im Gebiet der Rheinmündung war er seit E. 369/Anf. 370 → *magister equitum praesentalis* (oder *per Gallias?*), kämpfte 372 mit Valentinianus gegen den Alamannenkönig → Macrianus [1], besiegte 373/4 in Africa den Usurpator → Firmus [3] und setzte u. a. den *comes Africae* → Romanus ab. Dessen Freunde (darunter Maximinus [3] und Merobaudes [1]) veranlaßten einen Prozeß wegen seiner Härte gegenüber den disziplinlosen Soldaten in Africa, der zur Verurteilung (vor dem Tod des Valentinianus I. am 17. Nov. 375) und Hinrichtung (Anf. 376) des Th. in Karthago führte. Kurz vor der Hinrichtung ließ er sich taufen. Später sorgte sein Sohn Th. [2], zunächst in den Sturz hineingezogen, für seine Rehabilitation. PLRE 1, 902–904 Nr. 3.   K.G.-A.

[2] **Th. I. (d. Gr.).** Röm. Kaiser 379–395, geb. 11. Jan. 347 in Cauca (NW-Spanien), gest. 17. Jan. 395 in Mediolanum (Mailand).
I. Leben   II. Religionspolitik   III. Bedeutung

I. Leben

Seit 368 diente Th. im Stab seines Vaters Th. [1], bewährte sich in Feldzügen in Britannien und gegen die → Alamanni sowie 374 als *dux Moesiae* gegen die → Sarmatai; 376 heiratete er → Flacilla (gest. 386). Im Herbst 378 nach dem Tod des → Valens [2] erhob Kaiser → Gratianus [2] ihn zum → *magister militum*, am 19. Jan. 379 in Sirmium zum Augustus für den östl. Reichsteil einschließlich Thrakiens sowie vorübergehend für die Diözesen Dakien und Makedonien. Wichtige Anliegen waren ihm die Stärkung der Armee und die Sicherung der Balkangebiete. So schloß er 382 ein Bündnis mit den Goten (→ Goti), die sich zur Waffenhilfe verpflichteten, dafür aber autonom auf Reichsboden siedeln durften; ein solcher Vertrag blieb singulär (→ *foederati*). Die Germanisierung der Armee setzte sich fort, doch gab es neben Germanen (wie → Hellebic(h)us, → Richomeres, → Stilicho) unter den Generalen auch Römer (wie → Timasius, → Promotus). 383 setzte sich im Westen der Usurpator Maximus [7] gegen Gratianus durch; Th. erkannte ihn zunächst an und entschloß sich erst zum Kampf, als → Valentinianus [3] II. aus It. geflohen war und er selbst dessen Schwester Galla [2] geheiratet hatte (E. 387).

Dabei kam ihm zu Hilfe, daß verm. 387 mit den Persern ein Vertrag geschlossen worden war, der den Frieden im Osten längerfristig sicherte (→ Parther- und Perserkriege). Im Sommer 388 gelang der Sieg über Maximus; Th. überließ nun den Westen formal Valentinianus, blieb aber bis 391 in It. und sicherte sich großen Einfluß. Im Sommer 392 kam es auf Betreiben des *mag. mil.* → Arbogastes zur Usurpation des → Eugenios [1], in deren Verlauf Valentinianus auf ungeklärte Weise das Leben verlor. Es gelang Th., Eugenios in einer Schlacht im Sept. 394 am Frigidus (östl. Venetien) zu besiegen, er zog sich aber eine Wunde zu, an deren Folgen er im folgenden Januar starb. Auf dem Sterbebett vertraute

er seine Söhne → Honorius [3] (Augustus im Westen) und → Arcadius (im Osten) der Obhut Stilichos an. → Ambrosius hielt die Leichenrede vor der Überführung des Leichnams nach Konstantinopolis, wo Th. in der Apostelkirche beigesetzt wurde.

II. Religionspolitik

Th., der aus einer nicaenisch gesinnten (→ Nicaenum) Familie kam, erlangte v. a. durch seine Gesetzgebung große Bed. für die christl. Kirchen, insbes. die nicaenische. Am 28. Februar 380, noch vor seiner Taufe, erließ er ein Gesetz (Cod. Theod. 16,1,2), das oft als Einsetzung des Christentums zur Staatsreligion gedeutet wurde, letztlich aber nur bestimmte, wer als katholisch anzusehen sei, womit allerdings wiederum Privilegien verbunden waren. Die Motive hierfür dürften nicht nur in der Rel. an sich zu suchen sein, sondern auch darin, daß rel. Streitigkeiten immer eine Gefährdung des Staates bedeuteten. Diese Intention zeigen im Laufe seiner Regierungszeit erlassene Gesetze gegen Häretiker, deren Vielzahl aber zugleich ihre geringe Wirksamkeit verdeutlicht (→ Häresie; → Schisma).

Einen Einschnitt bedeutete die Taufe des todkranken Th. im Herbst 380, denn nun unterlag zum ersten Mal ein Kaiser kirchlichen Regeln und Sanktionen. Dies brachte insofern Konflikte mit sich, als es die Kaiser noch gewohnt waren, selbst die rel. Angelegenheiten zu bestimmen. Th. bildete hier keine Ausnahme: Zwar ist seine Rolle auf dem (2. ökumenischen) Konzil, das er im Sommer 381 nach Konstantinopolis (→ *sýnodos* II.D.) einberufen hatte, nicht völlig klar, doch entsprach das Ergebnis sicherlich seinen Vorstellungen (→ Nicaeno-Constantinopolitanum). Auch nach 381 respektierten die Bischöfe des Ostens die Autorität des Th. in Glaubensfragen, was sich nicht zuletzt bei der Besetzung von Bischöfsstühlen zeigte, z.B. in Antiocheia [1] und Konstantinopolis. Von einer durch den Kaiser gelenkten Staatskirche kann jedoch nicht gesprochen werden.

Auf mehr Widerstand traf Th. im Westen, wo er insbes. mit dem Mailänder Bischof Ambrosius mehrfach in Konflikt geriet: zuerst 388 bei einem Streit um die von Christen niedergebrannte Synagoge von Callinicum (→ Nikephorion), als Ambrosius durchsetzte, daß die Brandstifter straffrei ausgingen, dann 390 nach einem Massaker an der Bevölkerung von → Thessalonike [1], das Th. zwar nicht angeordnet hatte, das er andererseits aber auch nicht hatte verhindern können. In diesem Zusammenhang kam es zur Verhängung der Kirchenbuße über Th. und zum sog. Bußakt von Mailand. Dieser war prägend für das Verhältnis von Herrscher und Kirche, sollte aber nicht mit späteren Auseinandersetzungen (Canossa) verglichen werden, da die Voraussetzungen andere waren. Th. verstand es jedenfalls, sowohl diese Ereignisse als auch seine milde Reaktion nach dem Statuenaufstand von Antiocheia [1] (Lib. or. 19,25; 20,3; 22,5) zu seinen Gunsten zu nutzen, hielt aber Ambrosius in Zukunft von sich fern.

Die valentinianisch-theodosianische Dynastie

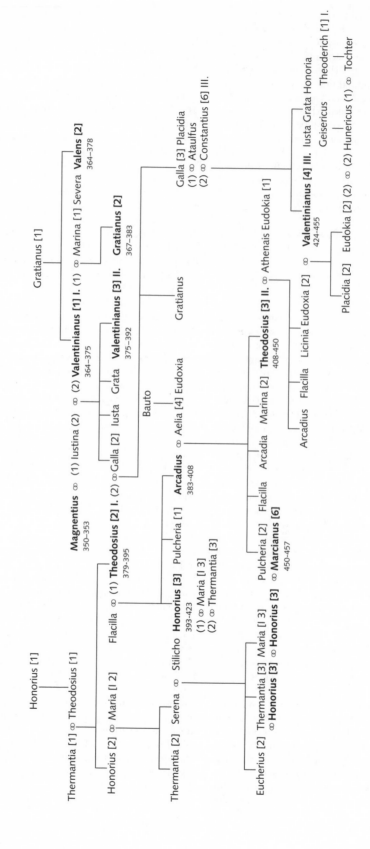

Die Gesetzgebung gegenüber den Juden bewegte sich im traditionellen Rahmen. Anhänger der alten Kulte hatten zunächst wenig von Th. zu befürchten; erst zu Beginn der 390er Jahre wurden der Besuch von Tempeln, Opfer und schließlich jeglicher Götterkult verboten. Der anfänglichen Zurückhaltung entsprach das hohe Ansehen, das auch altröm. gesinnte Politiker und Redner wie → Themistios, → Tatianus [1] und → Libanios genossen.

III. BEDEUTUNG

Neben der Religionspolitik war Th. auf zahlreichen Gebieten aktiv, wie v.a. seine Gesetze zeigen, die zumeist im *Codex Theodosianus* überl. sind. Seine Bemühungen galten, abgesehen von den Bereichen des Heerwesens und der Rechtsprechung, weniger großen Reformen als vielmehr der Bewahrung des Bestehenden; dazu gehörte z.B. die Sorge, daß die Lage der *curiales* [2] sich nicht weiter verschlechterte, aber auch, daß das Reich keine weiteren Gebiete verlor. Schon im 5. Jh. wurde Th. in christl. Kreisen der Beiname »der Große« (griech. bezeugt: MGH AA 60,11 und 61) beigelegt. Während christl. Autoren ihn zwar nicht unkritisch, aber doch im allg. positiv bewerteten (etwa Oros. 7,34,4; Aug. civ. 5,26), verurteilten ihn altröm. gesinnte Schriftsteller wie Zosimos (4,27–29 und 33) und Philostorgios scharf.

→ Christentum; Toleranz

W. ENSSLIN, Die Religionspolitik des Kaisers Th. d. Gr., 1953 · J. ERNESTI, Princeps christianus und Kaiser aller Römer, 1998 · R. M. ERRINGTON, The Accession of Th. I, in: Klio 78, 1996, 438–453 · Ders., Church and State in the First Years of Th. I, in: Chiron 26, 1996, 1–27 · Ders., Th. and the Goths, in: Chiron 27, 1997, 21–72 · Ders., Christian Accounts of the Religious Legislation of Th. I, in: Klio 79, 1997, 398–443 · K. GROSS-ALBENHAUSEN, Imperator christianissimus, 1999 · N.Q. KING, The Emperor Th. and the Establishment of Christianity, 1961 · H. LEPPIN, Von Constantin d. Gr. zu Th. II., 1996 · Ders., s. v. Th., in: TRE 33, 255–258 · A. LIPPOLD, Th. d. Gr. und seine Zeit, ²1980 · N. B. MCLYNN, Ambrose of Milan, 1994 · S. WILLIAMS, G. FRIELL, Th., 1994.   K. G.-A.

[3] Th. II. Oström. Kaiser (1.5.408–28.7.450 n. Chr.). Geb. 10.4.401 als Sohn des oström. Kaisers → Arcadius und der → Aelia [4] Eudoxia, wurde er am 10.1.402 zum Augustus erhoben und nach dem Tod seines Vaters bereits im Alter von sieben J. Kaiser. Auch als er mündig war, herrschten wegen seiner Charakterschwäche vorwiegend andere Personen an seiner Statt, zunächst der *praef. praet. per Orientem* → Anthemios [1], ab 414 als Augusta seine Schwester → Pulcheria [2] (geb. 399), nach seiner Heirat (421) mehr und mehr seine Gattin, die Athenerin Athenais mit dem Taufnamen → Eudokia [1], ab 435 auch deren Favorit, der gebildete Ägypter → Kyros [4] aus Panopolis, Stadtpräfekt von Konstantinopolis, sowie nach dessen Sturz (441) und der endgültigen Übersiedlung der frommen Kaiserin nach Jerusalem (443) der Eunuch → Chrysaphios, der seinen Einfluß bis zum Tod des Kaisers behielt.

Tendenzen der östl. Verwaltungsaristokratie, das gesamte röm. Reich wieder unter einem Kaiser zu vereinen, blieben unter Th. ohne Ergebnis, zumal auch im westl. Reichsteil ein angesehener Angehöriger der theodosianischen Dynastie, → Valentinianus [4] III. (425–455), herrschte. Im Gegensatz zu seinem Großvater Th. [2] I. zeigte Th. II. wenig Interesse an einer kriegerischen Außenpolitik und bevorzugte diplomatische Lösungen, v.a. gegenüber der aggressiven Politik → Attilas (443 und 447). Wie sein Vater Arcadius hielt er sich so gut wie ständig in Konstantinopolis auf. So erklärt es sich, daß seine Politik wie auch die der genannten einflußreichen Personen mehr der Innenpolitik zugewandt war. Hier sind folgende Maßnahmen zu erwähnen: in → Konstantinopolis der Bau der bis h. im wesentlichen erh. sog. Theodosianischen Landmauer (408–413) und der Seemauern am Goldenen Horn und an der Propontis (439); die gesetzliche Organisation des höheren Bildungswesens (425); die erste Kodifizierung der Kaisergesetze von Constantinus [1] I. (311) bis 437, der *Codex Theodosianus* (→ Codex II.C; [1]), der 438 veröffentlicht und 439 für das ganze röm. Reich in Kraft gesetzt wurde; die Einführung des Griechischen als Amtssprache im östl. Reichsteil; schließlich die wichtige dogmatische Entscheidung über die hypostatische Union (→ Hypostase [2]) von Gottheit und Menschheit in der Person Christi auf dem von Th. einberufenen ökumenischen Konzil von Ephesos (431), die allerdings erst unter seinem Nachfolger → Marcianus [6] auf dem Konzil von → Kalchedon (451) entscheidend präzisiert wurde (→ Trinität).

1 A. SCHMINCK, s. v. Codex Theodosianus, ODB 1, 475.

STEIN, Spätröm. R. 1, 246; 275 f.; 281 f.; 285–287; 291–311 · T. E. GREGORY, A. CUTLER, s. v. Th., ODB 3, 2051 f. · PLRE 2, 1100 f. Nr. 6.

[4] Th. III. Adramytinos, byz. Kaiser (715–717 n. Chr.). Er wurde als Steuereinnehmer im Thema → Opsikion von rebellierenden Truppen gegen → Anastasios [2] II. zum Kaiser erhoben, schloß 716 einen Friedens- und Handelsvertrag mit den Bulgaren (→ Bulgarisches Reich), dankte 717 nach kurzem Kampf zugunsten → Leo(n)s [6] III. ab und starb als Kleriker in Ephesos, wurde aber später in der Kaisergruft der Apostelkirche zu Konstantinopolis beigesetzt.

P. SCHREINER, s. v. Th., LMA 8, 642 f. · P. A. HOLLINGWORTH, s. v. Th., ODB 3, 2052 · R.-J. LILIE, Prosopographie der mittelbyz. Zeit 1.4, 2001, Nr. 7793.

[5] Sohn des byz. Kaisers Constantinus III. (Febr. – Mai 641; nicht zu verwechseln mit dem Usurpator → Constantinus [3] III.), jüngerer Bruder → Constans' [2] II., 659 n. Chr. auf dessen Befehl ermordet.

R.-J. LILIE, Prosopographie der mittelbyz. Zeit 1.4, 2001, Nr. 7797.   F. T.

Theodotion (Θεωδοτίων; nach Epiphanios, de mensuris et ponderibus 17; 2. Jh. n. Chr.), altkirchlicher Auffassung zufolge ein Proselyt aus Ephesos (Iren. adversus haereses 3,21). Th. verfertigte (im Gegensatz zu Aquila [3] und Symmachos [2]) keine neue griech. Übers. des AT, sondern revidierte eine griech. Übers. nach dem hebr. Text. Ob seine Vorlage mit der → Septuaginta identisch ist, ist umstritten, da sich »theodotionische« Lesarten auch in Texten finden, die zeitlich vor Th. liegen. [1] identifizierte Th. mit dem Autor der im 1. Jh. n. Chr. entstandenen kaige- oder palästinischen Rezension.

→ Bibelübersetzungen (I. B.); Septuaginta

1 D. BARTHELEMY, Les devanciers d'Aquila (VT Suppl. 10), 1963 2 S. P. BROCK, s. v. Bibelübersetzungen I.2, TRE 6, 1980, 163–172. 3 E. WÜRTHWEIN, Der Text des AT, ⁵1988, 65.   B. E.

Theodotos (Θεόδοτος).

[1] In den Bauurkunden für den Asklepiostempel von → Epidauros als dessen Architekt mehrfach erwähnt; seine Herkunft ist ebenso unbekannt wie sein späterer Verbleib. Th.' Gehalt betrug während seiner Tätigkeit 365 Drachmen pro J. zuzüglich weiterer Zahlungen unklaren Betreffs. Ob er mit dem in IG IV² 102 (B I Zeile 97) genannten Bildhauer Th. identisch war, der für 2340 Drachmen die Akrotere des Giebels schuf, ist unsicher; der Name Th. ist hier möglicherweise irrtümlich ergänzt. Schaffenszeit um 370 v. Chr.

H. SVENSON-EVERS, Die griech. Architekten archa. und klass. Zeit, 1996, 406–414 (mit Lit.- und Quellenangaben).   C. HÖ.

[2] Naúarchos des Antigonos [1], wurde 315 v. Chr. auf der Fahrt an der kilikischen Küste bei Aphrodisias von Polykleitos [5] geschlagen. (Diod. 19,64,4–7; vgl. BERVE 2 Nr. 361).

H. HAUBEN, Het Vlootbevelhebberschap in de vroege diadochentijd, 1975, 100 f.

[3] Sohn des Antibolos, aus Kalydon (FdD III 1, 519), ging nach 228 v. Chr. ins Exil nach Äg., wo er Magas [3] ermordete (P HAUN 6,32 [1]); 221 vereitelte er als tetagménos epí Koílēs Syrías (stratēgós?, s. [2]) durch Besetzung Gerrhas und anderer Punkte den Versuch Antiochos' [5] III., nach Süden durchzubrechen. Durch Intrigen nach Alexandreia berufen, rächte sich Th., indem er Antiochos ins Land holte (zweite Julihälfte 219; Pol. 5,40,1–3; 5,61,3–5). Er übergab Ptolemais [8] und Tyros mit vierzig Schiffen dem Antiochos (Pol. 4,37,5). Th. wurde dessen Generalgouverneur im neu eroberten Gebiet und Befehlshaber von zehntausend argyráspides (Pol. 5,66,5; 79,4). Th. wollte vor Rhaphia Ptolemaios [7] IV. im ägypt. Lager beseitigen, tötete aber Andreas [1] (Pol. 5,81; 3 Makk 1, 2 f.). 214 half er → Lagoras bei der Eroberung von Sardeis (Pol. 7,16–18). PP VI 15045.

1 T. LARSEN (ed.), Papyri Graecae Hannienses, Bd. 1, 1942 (Ndr. 1974) 2 BENGTSON 3, 168 f.

R. BAGNALL, The Administration of the Ptolemaic Possessions outside Egypt, 1976, 15 f. · J. D. GRAINGER, Aitolian Prosopographical Studies, 2000, 319.

[4] Th., genannt hēmiólios (»der Eineinhalbfache«; hierzu [1. 391⁴³], Feldherr → Antiochos' [5] III., wurde 222 v. Chr. mit Xenon gegen Molon [1] geschickt, zog sich aber wohl wegen unzureichender Kräfte nach Seleukeia [1] am Tigris zurück (Pol. 5,42,5; 43,7). Er besetzte 219 mit Nikarchos [1] die Pässe nach → Koile Syria und eroberte → Gerrha, half Antiochos 218 beim Sieg über den ptolem. Feldherrn Nikolaos [1] (Pol. 5,68,9–11) und bei der Belagerung und Eroberung von Rabbath Ammon (Pol. 5,71,6). Er befehligte mit Nikarchos die Phalanx bei → Rhaphia (Pol. 5,83,3) und wurde mit Antipatros [7] zu Friedensverhandlungen nach Alexandreia geschickt (Pol. 5,87,1).

1 W. HUSS, Ägypten in hell. Zeit, 2001.

H. SCHMITT, Unt. zur Gesch. Antiochos' d. Gr., 1964, 128–132 · J. D. GRAINGER, A Seleukid Prosopography and Gazetteer, 1997, 120.   W. A.

[5] Syrakusaner, Mitverschwörer gegen → Hieronymos [3]; verriet 215 v. Chr. unter der Folter den Römerfreund Thrason (Liv. 24,5,10–14; Val. Max. 3,3 ext. 5). Th. bewog 214 nach dem geglückten Attentat auf Hieronymos bei Leontinoi mit Sosis den → Adranodoros in Syrakus zur Übergabe des Palastes (Liv. 24,21,4; 24,21,7; 24,22,16; 24,23,1) und wurde mit diesem und anderen vom Volk zu Strategen (praetores) gewählt (Liv. 24,23,1). Bei der bald folgenden Machtübernahme von → Epikydes [2] und → Hippokrates [8] wurde Th. offenbar kaltgestellt.

[6] Molosser, im 3. → Makedonischen Krieg den Makedonen freundlich gesinnt; plante 170 v. Chr. vergeblich einen Anschlag auf den röm. Consul A. → Hostilius [7] in der Hoffnung, die Epiroten (→ Epeiros) dadurch auf die Seite des → Perseus [2] zu bringen (Pol. 27,16,1; vgl. [1. 627 f.]). Nach der Niederlage bei → Pydna 168 beging T. in Passaron Selbstmord (Pol. 30,7,2 f.; Liv. 45,26,5–9).

1 N. G. L. HAMMOND, Epirus, 1967.   L.-M. G.

[7] Griech. Arzt und Augenspezialist, 2./1. Jh. v. Chr. (Celsus, De medicina 6,6,6). Eine Augensalbe (→ kollýrion) wurde nach ihm benannt, die u. a. Kupfer, → Aloe, → Myrrhe und Opium (→ Rauschmittel III.) enthielt. Dieses Mittel gegen geschwollene Augenlider und verschiedene schmerzhafte Augenbeschwerden wurde viele Jh. lang verwendet.   V. N.

[8] Rhetor aus Chios (Samos: App. civ. 2, 354), der an der Erziehung → Ptolemaios' [20] XIII. beteiligt war und so in eine hohe, aber verm. nicht formalisierte Position am Hof in Alexandreia [1] gelangte. Er gilt als der wichtigste Befürworter des Mordes an → Pompeius [I 3], dessen Kopf er Caesar überbracht haben soll (Plut. Caes. 48, 2; Liv. per. 112), weshalb er aus Äg. fliehen mußte. Iunius [I 10] Brutus oder Cassius [I 10] ließen ihn 43 in Asia hinrichten (App. civ. 2, 377; Plut. Pompeius 80,9; Plut. Brutus 33,6). Als Schulstoff nennt Quint. inst. 3,8,55 f. *apud C. Caesarem consultatio de poena Theodoti* (›eine Beratung bei Caesar über die Strafe für Th.‹). PP VI 14603.

H. HEINEN, Rom und Ägypten von 51 – 47 v. Chr., 1966, 43–45; 71–76.   W. A.

[9] Iulios Th. Sophist aus dem attischen Demos Melite [3], geb. ca. 120 n. Chr., Schüler des → Lollianos [2] und des → Herodes [16] Atticus, gegen den er sich später zusammen mit dem Onkel seiner Frau, Claudius Demostratos (PIR C 849, vgl. [1]), stellte (Philostr. soph. 2,2). Th. wurde von Marcus [2] Aurelius als erster auf den kaiserlichen Lehrstuhl für Rhet. in Athen berufen (Philostr. l.c.), den er für zwei Jahre innehatte (174–176 n. Chr., vgl. [2]). Hohe öffentliche Ämter bezeugen Statuenbasen zu Ehren seiner Frau und seines Sohnes (IG II-III², 3816; 4087); ihn selbst ehrten seine Schüler (ebd. 3813).
→ Philostratos [5–8]; Zweite Sophistik

1 G. W. BOWERSOCK, Greek Sophists in the Roman Empire, 1969, 97 2 I. AVOTINS, The Holders of the Chairs of Rhetoric at Athens, in: HSPh 79, 1975, 315–316 3 PIR I 599.   E. BO./Ü: RE. M.

[10] Gnostiker. Unter den Werken des Clemens [3] von Alexandreia sind ›Auszüge (*epitomaí*) aus Th. und den Lehren der sog. östlichen Schule zu → Valentinus' [1] Zeiten‹ überl. Darin wird neben den Abschnitten, die Clemens' eigene Positionen enthalten, vieles den → Valentinianern allg. zugeschrieben. In den Passagen über Th. finden sich Gedanken zur Totentaufe, Christologie, zur Notwendigkeit der menschlichen Fortpflanzung und zum Schicksal (*heimarméne*). Die → Taufe wird als geistige Wiedergeburt verstanden (Clem. Al. excerpta ex Theodoto 78,2).
→ Eirenaios [2]

F. SAGNARD, Extraits de Théodote, 1970 · W. FOERSTER, Die Gnosis, Bd. 1, ²1995, 193–204, 287–302 (dt. Übers.).   J. HO.

[11] Th. der Schuster s. Monarchianismus
[12] Th. Kolokynthios (Θ. Κολοκύνθιος). → *Comes Orientis* vor 522 n. Chr., Stadt-Eparch von Konstantinopolis 522/3, versuchte auf Befehl Kaiser Iustinus' [1] I. die Zirkuspartei der Blauen (→ *factiones*) zu disziplinieren. Er erregte dadurch den Zorn Iustinianus' [1] I., vor dem er sich aber nach Jerusalem retten konnte. PLRE 2, 1104 f. Nr. 11.   F. T.

Theodotus. Aurelius Th. amtierte vom 14.8.262 bis 8.11.263 n. Chr. als → *praefectus Aegypti* (P Straßburg I 5; POxy. XVII 2107; 1467) und besiegte für Kaiser → Gallienus den Usurpator L. → Mussius Aemilianus (SHA Gall. 4,2; SHA trig. tyr. 22,8), um danach die Verwaltung Äg.s zu übernehmen. Wahrscheinlich ist er auch

identisch mit dem Th., der um 262 in Afrika gegen den Usurpator → Memor kämpfte (Zos. 1,38,1; Petros Patrikios, Excerpta de sententiis, 264 Nr. 160 BOISSEVAIN).

PIR T 120 · PLRE 1, 906.   T. F.

Theogenes (Θεογένης).
[1] Berühmter Kampfsportler von der Insel Thasos, 480 v. Chr. → Olympionike (gegen Euthymos von Lokroi [1. Nr. 191; 214; 222]) im → Faustkampf [1. Nr. 201], 476 v. Chr. im → Pankration [1. Nr. 215]. Diese Siegeskonstellation ist für Th. erstmalig belegt auf einer Inschr. in Delphoi [2. Nr. 37] aus dem 4. Jh. v. Chr., welche eine Verehrung des Athleten durch die Heimatpolis noch vier Generationen nach seinem Tode bezeugt. Pausanias berichtet von drei Siegen in Delphoi, zehn an den → Isthmia sowie neun an den → Nemea [3] (Paus. 6,11,5). Glaubhaft ist die Zahl von 1300 (lit. Quellen zufolge 1200 bzw. 1400) Gesamtsiegen (unter Einbezug aller Rundensiege) in einer langen Karriere, die allein für den Faustkampf 22 J. ohne Niederlage aufwies. Th. war auch gelegentlich als Langläufer erfolgreich (Paus. 6,11,5). Seine Siegesstatue in → Olympia war ein Werk des Aigineten → Glaukias [1]; der Berührung von Statuen des Th. wurde heilende Wirkung zugeschrieben (Paus. 6,11,2 und 9). Nach Abschluß seiner Athletenlaufbahn war Th. in seiner Heimat auch polit. tätig (Dion Chrys. 31,95; vgl. [2. 121]).

1 L. MORETTI, Olympionikai, 1957 2 J. EBERT, Griech. Epigramme auf Sieger an gymnischen und hippischen Agonen, 1972.

W. DECKER, Sport in der griech. Ant., 1995, 133–136.   W. D.

[2] Athen. Politiker, 425 v. Chr. mit → Kleon [1] ausgesandt, um die Lage in Pylos zu untersuchen (Thuk. 4,27,3). 421 gehörte er zu den Athenern, die den Eid auf den Frieden des Nikias [1] und die athenisch-spartanische → *symmachía* leisteten (Thuk. 5,19,2; 5,24,1). In dieser Zeit wurde er von der attischen Komödie häufig verspottet [1]. 404/3 war er einer der dreißig Tyrannen (→ *triákonta*; Xen. hell. 1,3,13). TRAILL, PAA 504040.

1 D. M. MACDOWELL (ed.), Aristophanes. Wasps, 1971 (Text und Kommentar), 283 f.

[3] Um 340 v. Chr. zum *árchon basileús* (→ *árchontes*) erlost, machte er → Stephanos [1] zu einem seiner Stellvertreter (→ *páredros*). Er heiratete → Phano, angeblich die Tocher des Stephanos aus erster Ehe, die als → *basilínna* kultische Pflichten übernahm. Wegen des Verdachts, Phano sei tatsächlich die Tochter der Hetäre → Neaira [6], wurde Th. vor den Areopag (→ *Áreios págos*) geladen. Weil er versprach, Phano aus dem Haus zu weisen und Stephanos zu entlassen, verzichtete der Areopag auf die Verhängung einer Geldstrafe ([Demosth.] or. 59,72–84). TRAILL, PAA 504080.

K. A. KAPPARIS (ed.), Apollodoros »Against Neaira«, 1999 (mit engl. Übers. und Komm.).   W. S.

[4] → *Dioikḗtḗs* Ägyptens unter Ptolemaios [7] IV., zw. 218/7 und April/Mai 207 mehrfach bezeugt, was als Beweis für eine kontinuierliche und effiziente Verwaltung des Landes gelten kann. PP I/VIII 32.

W. Huss, Ägypten in hell. Zeit, 2001, 463 f.   W. A.

Theognetos (Θεόγνητος). Komödiendichter des 3. Jh. v. Chr. (vgl. den in fr. 2 erwähnten Pantaleon). Erh. sind zwei Fr. und drei Titel: Κένταυρος (›Der Kentaur‹), Φιλοδέσποτος (›Der, der seinen Herrn liebt‹, wohl auf einen Sklaven gemünzt [2. 287¹⁰]) und Φάσμα ἤ Φιλάργυρος (›Das Gespenst oder der Geizhals‹); im erh. fr. 1 dieses Stücks wird jemand verspottet, der durch die Beschäftigung mit der stoischen Philos. seinen Verstand verloren habe.

1 PCG VII, 1989, 696–698   2 H.-G. Nesselrath, Die att. Mittlere Komödie, 1990.   B. Bä.

Theognis (Θέογνις).
[1] Elegischer Dichter des 6. Jh. v. Chr.
I. Zur Person   II. Das Corpus Theognideum

I. Zur Person

Th. stammt aus Megara [2] in Griechenland (Didymos im schol. Plat. leg. 630a; kaum Megara [3] in Sizilien: Suda Θ 136 und verm. Plat. leg. 630a). Hauptschaffenszeit: ca. 544–541 v. Chr. (Suda l.c.; gegen [17. 65–71]: ca. 630–600 v. Chr.). Als guter Ratgeber wird Th. zuerst bei Plat. l.c. (der Elegien (= El.) 77–78 zitiert) und Isokr. or. 3,42–43 erwähnt. Xenophon schrieb ein Werk ›Über Th.‹ mit Zitat von El. 22–23 und 183–190 (Stob. 4,29,53). Th.' Gedichte wurden verm. bei Symposien des 5. und 4. Jh. v. Chr. gesungen (→ Gastmahl): aus dieser Zeit stammt wohl die Slg, die der ca. 1220 Zeilen umfassenden Anthologie (= »B. 1«) zugrundeliegt, die Th. in ma. Hss. zugeschrieben wird. Die früheste Hs. (A) stammt aus dem frühen 10. Jh. (Cod. Parisinus suppl. gr. 388), von deren verlorenem Zwilling die fünf anderen Haupt-Hss. abhängen (IEG 1, xi–xiii). Weitere drei Distichen (1221–1226) sind bei Stob. 4,29,53, eines (1229–1230) bei Athen. 457b überliefert.

II. Das Corpus Theognideum
A. Das 1. Elegien-Buch
B. Das 2. Elegien-Buch

A. Das 1. Elegien-Buch
1. Aufbau   2. Themen

1. Aufbau

Th. selbst können etwa 308 Zeilen zugeschrieben werden, aufgrund verläßlicher Zitate bzw. durch die Anrede an seinen Geliebten Kyrnos, immer im Vokativ Κύρν(ε): 76 mal (Κύρνε in El. 19–20 ist verm. das »Siegel«, → *sphragís*; anders [19]), oder Πολυπαίδη: 9 mal. Diese Elegien umfassen nur ca. 25 % von B. 1, in bestimmten Abschnitten gehäuft (19–254; 319–372; 539–554; 805–822; 1171–1184b), doch stammen von Th.

zweifellos auch weitere Gedichte. B. 1 enthält darüberhinaus Gedichte des → Tyrtaios (1003–1006, vgl. 935–938, vielleicht 879–884), → Mimnermos (795–796, 1017–1022), → Solon [1] (153 f.; 227–232; 315–318; 585–590, was für die Slg. attischen Ursprung nahelegt) und → Euenos [1] (467–496; 667–682). Von anderen Autoren stammen Fr., die einen gewissen Onomakritos (503–508) oder Demokles (903–930: 4. Jh.?) ansprechen, dazu ein Gedicht für eine Aufführung in Megara im J. 480, also zu spät für Th. (773–779, vielleicht auch 757–764).

Mit [17. 40–59] läßt sich B. 1 unterteilen: (a) 19–254: hauptsächlich Gedichte von Th. (davon 37 mit Vokativen Κύρν(ε)/Πολυπαίδη; mit 19 ff. als Prolog und 237–254 als Epilog); (b) 255–1022: Gedichte verschiedener archa. und klass. Elegiker; (c) 1023–1220: wie (b), aber mit größerem Anteil von Th. (a) gehen vier kurze Hymnen voraus (symposiastischem Brauch entsprechend). Die Wiederholung von ca. 25 Passagen (einzelnen Zeilen, Distichen und sogar Distichenpaaren, aber keinem vollständigen Gedicht) zw. (a), (b) und insbes. (c), oftmals mit Textvarianten, läßt auf mechanisches Kopieren aus zwei oder mehr hell. Slg. schließen, POxy. 2380 mit 254–278, und PBerolinensis 21220 mit 917–933 belegen diese Zeilenfolgen für zumindest einige Slgg. aus dem 2./3. Jh. n. Chr., doch müssen diese Slgg. nicht notwendigerweise die Quelle für die zahlreichen ant. Zitate bilden (u. a. Alkidamas' *Museíon*, Platon [1] und viele Philosophen, Xenophon, Isokrates, Plutarchos [2], Artemidoros [6], Hermogenes, Clemens [3] von Alexandreia, Philostratos [5], Libanios, Stobaios und Orion; besprochen in [12. 82–103; 16]). Die Worte OY ΔYNAMOY, gesungen von einem Trinker auf einer attischen Schale (ca. 480 v. Chr., München 2646) könnten eine Verballhornung von El. 939 (οὐ δύναμαι…, ›ich kann nicht…‹) darstellen; 25 f. und 434–438 erscheinen auf Ostraka des 3. Jh. v. Chr., 245 f. auf einer Inschr. aus Oinoanda (ca. 230 n. Chr.). Diese zahlreichen Zitate belegen die Existenz einer oder mehrerer gnomischer Slgg. ähnlich der erh. Slg. vom 4. Jh. v. bis zum 5. Jh. n. Chr. Möglicherweise standen zwei Hss. wie A der Suda (oder deren Quellen) zur Verfügung, was wohl deren Zuschreibung von 2800 Zeilen an Th. erklärt [12. 101]. Die *Editio princeps* von B. 1 wurde 1543 von Vinetus gedruckt. Die Diskussion der Probleme der Slg. setzte mit [2] ein.

2. Themen

Th. ist in den ihm zuweisbaren Gedichten als älterer Mann dargestellt, der einem (fiktiven?) Knaben Kyrnos Ratschläge erteilt und durch seine Lieder Unsterblichkeit verheißt (237–254). Dieser oligarchische Th. preist Geselligkeit und Vertrauen (75–78; 87–90) unter »guten Männern« (ἀγαθοί, *agathoí*; 31–36; 69–72), die Freunde (φίλοι/*phíloi*) und Kameraden (ἑταίροι/*hetaíroi* 97–100) sind; er selbst wird von seinen Mitbürgern nicht geschätzt (24) und ist stets mißtrauisch. Th. greift korrupte Politiker an, die Bürgerkrieg und Tyrannei verursachen können (39–52, vgl. 833–836), beklagt den sozialen

Aufstieg von Männern, die er als niedrig geboren und bäurisch verachtet (53–58, 183–192), spricht sich aber dennoch für Flexibilität aus (215–218). Unspezifische Klagen über die Folgen von Armut (173–182) und Exil (209–210) oder Beschwerden über eigene verlorene Güter (1197–1202) sind kein Beweis für eine Verbannung des Th. Den Tyrannen und die Feinde, an denen er sich rächen möchte (337–340) nennt Th. nicht namentlich (im Gegensatz zu → Alkaios), was den wiederholten Vortrag von Th.' Gedichten erleichtert, aber die Identifizierung seiner Gegner unmöglich macht (z.B. Theagenes bei [16. 65–71]). Zahlreiche Formulierungen stellen Th. in die Trad. der frühen griech. → Elegie (z.B. El. 340, vgl. Mimnermos 6 W.).

Andere Gedichte in B. 1 verbinden soziopolitische Ratschläge, Aphorismen (→ *gnómē*) und Klagen mit sympotischen Weisheiten über Vergnügen (983–988) und Trinken (211 f. = 509 f.; 261 f.; 467–496, von Euenos; 503–508 an einen gewissen Onomakritos); zwei Gedichte haben eine Frau als Sprecherin (579–582; 257–260), ein anderes erzählt ein Liebesabenteuer (263–266).

B. Das 2. Elegien-Buch

B. 2 enthält ausschließlich explizite päderastische Gedichte, es erscheint nur in Hs. A unter dem Titel ›El.-B. 2‹ von weiteren 159 Zeilen (1231–1389, nur dort erh.). Die Gedichte beginnen oft mit der Anrede »Junge« ((ὦ) παῖ), niemals mit *Polypaídē*, und nur einmal (1354) mit *Kýrne*. B. 2 umfaßt vier Wiederholungen aus B. 1, sowie analog zu B. 1 Texte von Solon (1253–1254) und (verm.) Euenos (1341–1350), dazu ein eigenständiges Vorwort, adressiert an Eros (1331–1334, sehr ähnlich Apoll. Rhod. 4,445–449, vgl. [9] zur Stelle) und einen Epilog (1386–1389), ist aber wohl eine Slg. mit einer separaten, nicht mehr rekonstruierbaren Gesch.

Im Gegensatz zu B. 1 wird B. 2 in keinem ant. Text zitiert; nur Hermias (zu Plat. Phaidr. 231e p. 38C) kennt die Zeilen 1253 f. (jedoch unter Solons Namen), und Z. 1365 (›O Schönster der Knaben‹, ὦ παίδων κάλλιστε) wird von einem Symposiasten auf einer att. Schale von ca. 490 v.Chr. (Athen MN 1357) gesungen. Es ist unwahrscheinlich, daß diese Gedichte einmal zu B. 1 gehörten und von einem sittenstrengen Byzantiner (erfolglos) verbannt wurden [15; 16. 43–45].

→ Elegie I.

Bibliogr.: 1 D. E. Gerber, Early Greek Elegy and Iambus XIII.: Th., in: Lustrum 33, 1991, 186–214.

Ed.: 2 F. Welcker, 1826 3 IEG 4 D. Young, 1961, ²1971 5 B. A. van Groningen, 1966 (B. 1, mit frz. Übers.) 6 J. Carrière, 1948, ²1975 (mit frz. Übers.) 7 D. E. Gerber, Greek Elegiac Poetry, 1999 (mit engl. Übers.) 8 A. Garyza, 1958 (mit it. Übers.) 9 M. Vetta, 1980 (B. 2) 10 F. R. Adrados, Líricos griegos, 1956–1959, ²1981 (mit span. Übers.) 11 M. M. Carost, E. L. Najlis, 1968 (mit span. Übers.) 12 T. Hudson-Williams, 1910 (mit Einl. und Komm.).

Komm.: 13 M. L. West, s. [17], 149–167.

Lit.: 14 F. Jacoby, Th. (SPrAW, Philol.-histor. Klasse 10), 1931, 90–180 (= Ders., Kleine Philol. Schriften, 1961, 345–455) 15 J. Kroll, Th.interpretationen (Philologus

Suppl. 29, Heft 1), 1936 16 J. Carrière, Théognis de Mégare, 1948 17 M. L. West, Studies in Greek Elegy and Iambus 1974 18 T. J. Figueira, G. Nagy (Hrsg.), Th. of Megara, 1985 19 L. Pratt, The Seal of Th., Writing and Oral Poetry, in: AJPh 116, 1995, 171–184 20 E. L. Bowie, The Theognidea, in: G. W. Most (Hrsg.), Collecting Fragments: Fr. sammeln, 1997 21 D. E. Gerber, Th., in: Ders. (Hrsg.), A Companion to the Greek Lyric Poets, 1997, 117–128.

[2] Athener, bereits 425 v.Chr. als Tragödiendichter bekannt (Aristoph. Ach. 138 verspottet ihn als *psychrós*/ »kalt«, d.h. leblos: vgl. ebd. 9; Aristoph. Thesm. 170). Die Suda (v 397) verzeichnet eine Niederlage des Th. durch → Nikomachos [3]. Schol. Aristoph. Ach. 11 u.a. identifizieren ihn mit dem gleichnamigen Mitglied der Dreißig Tyrannen 404/3 v.Chr. (→ *triákonta*; vgl. Xen. hell. 2,3,2; Lys. 12,6; Harpokr. 95,1). Er ist möglicherweise auch der Verf. einer Elegie auf die Syrakusaner (oder Athener?), die die Belagerung Athens von 415–413 überlebten (von der Suda θ 136 Th. [1] zugeschrieben).

TrGF I 28.   E.BO./Ü: RE.M.

[3] Bischof von Nikaia († vor 343). Auf dem Konzil von Nikaia 325 unterzeichnete er als Ortsbischof und Parteigänger des → Areios das Symbol des Konzils, verweigerte aber die Unterschrift unter die angefügten Verurteilungen (so Soz. 1,21). Nach weiterer Unterstützung der Arianer wurde er zusammen mit Eusebios [8] von Nikomedeia abgesetzt und verbannt. In einem gemeinsamen Brief (sog. *libellus paenitentiae*: CPG 2048; vielleicht an die Provinzialsynode Bithyniens) rechtfertigten sich beide und baten um Rekonziliation. Nach seiner Rückkehr 328 trat Th. an hervorragender Stelle gegen → Athanasios von Alexandreia auf.

Lit.: R. Williams, Arius. Heresy and Trad., 1987, 71–74.
                                                            J.RI.

Theognostos (Θεόγνωστος). Byz. Grammatiker, 9. Jh. n.Chr., Verf. eines (verlorenen) Werkes über Euphemios' Aufstand in Sizilien 826–827 (vgl. Theophanes Continuatus, Chronographia p. 82 Bekker) und einer 1003 Regeln enthaltenden → ›Orthographie‹ (Περὶ ὀρθογραφίας; Cod. Baroccianus 50, 10. Jh.). Mehrere in älteren Werken nicht belegte und in die späteren → Etymologika übernommene Wörter machen den eigentlichen Wert der zweigliedrigen Lehrschrift aus, deren Hauptquellen ein Glossar zu Kyrillos [6] und (laut Th.' Widmungsbrief) → Herodianos [1] sind.

1 J. A. Cramer, Anecdota Graeca..., Bd. 2, 1835 (Ndr. 1963), 1–165 2 K. Alpers, T. Περὶ ὀρθογραφίας, Diss. Hamburg, 1964.   GR.DA.

Theogonie (Θεογονία). Die »Entstehung der griech. Götter« sowie derjenigen Weltteile und moralischen/ abstrakten Prinzipien, deren → Personifikationen Götter waren (→ Kosmogonie).

Alle theogonischen Systeme der Ant. basieren auf genealogischen Verbindungen; dies zeigen schon die Epen Homers. Da der Begriff der Schöpfung aus dem Nichts unbekannt war, waren die Meinungen über den Ursprung aller Dinge geteilt: In der Ilias werden (Hom. Il. 14,200–204) → Okeanos und → Tethys als Stamm-Eltern aller Götter angesehen, oder (Hom. Il. 15,187–193) → Zeus, → Poseidon und → Hades als Söhne des → Kronos und der → Rhea genannt; die Herrschaft über die Teile des Kosmos wird auf diese verteilt: Zeus erhält den Himmel, Hades die Unterwelt und Poseidon das Meer; Erde und → Olympos werden von allen drei gemeinsam beherrscht [6. 1437–1439].

Dieselben Kriterien der genealog. Verbindung und der Kompetenzverteilung liegen der ›Theogonie‹ des → Hesiodos zugrunde [6. 1439–1456], dem einzigen vollständig erh. Werk zu diesem Thema. Es zielt auf Systematik und Vollständigkeit; jeder Teil und jedes Glied der Welt ist berücksichtigt und hat eine darüber wachende Gottheit [1. 282–307; 10. 1–39]: Am Anfang steht das → Chaos (Hes. theog. 116) [3], dann entstehen → Gaia, → Tartaros und → Eros (Hes. theog. 116–122). Die erste Generation weist im allg. eine gleichermaßen physische und göttliche Physiognomie auf, die letzten beiden Generationen sind dagegen (Hes. theog. 886–917) anthropomorpher, häufig Personifikation intellektueller Qualitäten oder ethischer Prinzipien: → Horai (ebd. 901–906); → Charites (ebd. 907–909); → Musen (ebd. 915–917; vgl. 53–103). Die Herrschaftswechsel von → Uranos über Kronos zu Zeus erfolgen auf einen Gewaltakt hin (ebd. 154–182; 453–500). Die Göttergesch. enthält auch zwei große Schlachten: die Götter der letzten Generation gegen die → Titanen (die Kinder der Götter der ersten Generation, d.h. des Uranos und der Gaia; ebd. 629–720) und die des Zeus gegen Typhaon (→ Typhoeus, Sohn der Gaia und des Tartaros; ebd. 820–868). Der letzte Teil des Werks (V. 886–1018) enthält Listen der Verbindungen von Göttern untereinander sowie mit Menschen und deren Nachkommen. Nach einer Schlußformel in den V. 1019–1020 beginnt in den V. 1021–1022 der »Frauenkatalog«. Hesiodos' Érga setzen die theogon. Spekulation fort mit daímones (erg. 121–126; 140–142) und nach ihrem Tod glückseliger Heroen (erg. 166–173), die in der ›Th.‹ nicht behandelt sind.

Hesiodos' System der Th. hatte nicht nur griech. Vorbilder (vgl. die homer. Dichtung), sondern auch in den Kulturen des Vorderen Orients (hurritisch-hethitisch, phöniz., babylonisch, ägypt.), von denen er gewiß beeinflußt war [2. 35–57; 5. 159–179, 197–229; 7; 9. 1–54] (→ Weltschöpfung). Aussagen sind auch von weiteren Autoren überl.: → Musaios, → Epimenides, → Pherekydes [1] von Syros, → Akusilaos [4. 1–72; 6. 1456–1466], allesamt stark von Hesiodos beeinflußt; theogon. Elemente waren auch in der Spekulation der Philosophen enthalten [4. 74–445].

→ Hesiodos; Orphik, Orphische Dichtung; Weltschöpfung

1 G. ARRIGHETTI (ed.), Esiodo. Opere, 1998 2 W. BURKERT, Da Omero ai Magi. La tradizione orientale nella cultura greca, 1999 3 W. FAUTH, s.v. Chaos, KlP 1, 1129–1130 4 G. S. KIRK, J. E. RAVEN, The Presocratic Philosophers, ²1983 (¹1971; dt. 1994) 5 C. PENGLASE, Greek Myths and Mesopotamia, 1994 6 H. SCHWABL, s.v. Weltschöpfung, RE Suppl. 9, 1433–1582 7 Ders., Die griech. Theogonien und der Orient, in: Éléments orientaux dans la rel. grecque ancienne (Colloque Strasbourg 1958), 1960, 39–56 8 F. VIAN, Le mythe de Typhée et le problème de ses origines orientales, in: s. [7], 17–37 9 P. WALCOT, Hesiod and the Near East, 1966 10 M. L. WEST, Hesiod, Theogony, 1966. GR. A./Ü: T. H.

Theoi Megaloi, Theai Megalai (θεοὶ μεγάλοι, θεαὶ μεγάλαι, lat. *di magni*).
I. ALLGEMEINES II. SAMOTHRAKE III. MESSENIEN

I. ALLGEMEINES

Bezeichnung für verschiedene Gottheiten bzw. Göttergruppen in der griech. Welt. Man unterscheidet zw. Gottheiten bzw. Göttergruppen, bei denen das Adj. »groß« als Ehrenepitheton verwendet wurde (z. B. *Megálē Týchē, Theós hýpsistos mégas theós*), und solchen, deren kultisches *nomen proprium* »Großer Gott« bzw. »Große Götter« war, wie den *Th. M.* in Karien (SEG 11,984; 2. Jh. n. Chr.). Die Inschr. belegen ein breites Verwendungsspektrum zw. diesen zwei Polen. Oft handelt es sich bei den *Th. M.* um Gottheiten bzw. Göttergruppen von rein lokaler Bed., die innerhalb der örtlichen Götterhierarchie (→ Pantheon [1]) einen bes. hohen Stellenwert hatten. Solche Anrufungsformeln kommen in Thrakien und im westl. Schwarzmeergebiet, in Kleinasien (Lydien, Galatien, Pontos) und Äg. (v. a. bei Serapis [1] und im Fajum, [2]) häufig vor.

II. SAMOTHRAKE

Obwohl die Götter der samothrakischen → Mysterien außerhalb der Insel fast immer als *theoí Samothrákēs* o. ä. bezeichnet wurden, hießen sie auf der Insel *Th. M.* oder einfach *Theoí*, »(die) Götter«. Ihre Identität war schon in der Ant. umstritten. Der wahrscheinlichsten Hypothese zufolge war die Hauptfigur eine Form der anatolischen »Mutter« (→ Muttergottheiten), begleitet von zwei (oder mehr) sog. → »Dioskuroi« bzw. → Kureten [3. 73–103]. Versuche, die verworrenen Trad. über die Mysterien in Einklang miteinander zu bringen (vgl. z. B. → Samothrake II.), sind müßig. Die rege Beteiligung der Römer an den Mysterien, hauptsächlich zw. der Mitte des 2. Jh. v. Chr. und dem E. des 2. Jh. n. Chr., gründete wahrscheinlich auf der Annahme, daß die röm. → Penates (*di magni*) entweder direkt aus Samothrake oder über Troia eingeführt worden waren [4].

III. MESSENIEN

Mnasistratos' Neuregelung (92/1 v. Chr.) der Mysterien von Andania (→ Andania B.) listet verschiedene Opfer an Demeter, die *M. Theoí* und andere Gottheiten auf (LSCG Nr. 65 Z. 32–34; Z. 68 f.). Dieselben oder gleichnamige Götter (auch *M. Theaí*) sind anderswo in

Messenien belegt (z.B. SEG 11,984: Bouga; 43,163: Messene). Das in Andania vorgeschriebene Opfer, eine zweijährige Muttersau, deutet auf weibl. Gottheiten hin; während Paus. 4,26,6–27,6 nur von *M. Theaí* (→ Demeter, Kore) berichtet, unterscheidet die Inschr. zw. Demeter und den *M. Theoí* [5. 96–98]. Vielleicht deuten die *M. Theoí* in Messenien auf einen Kult des → Pluton und der Kore (→ Persephone) hin.

→ Dardanos [2]; Kabeiroi; Kadmos [1]; Pantheos; Samothrake (II.B.); Serapis

1 H.R. GOETTE, Kaiserzeitliche Bildnisse von Sarapis-Priestern, in: MDAI(K) 45, 1989, 182–186
2 A. TWARDECKI, Weihinschr. für Hermes oder Souchos?, in: ZPE 99, 1993, 197–202 3 B. HEMBERG, Die Kabiren, 1950 4 A. J. KLEYWEGT, Varro über die Penaten und die »Großen Götter« (Mededelingen Koninklijke Nederlandse Akad. Wetenschappen, Afd. Letterkunde N.R. 35.7), 1972 5 NILSSON, GGR, Bd. 2.

B. MÜLLER, Μέγας Θεός, Diss. Halle-Wittenberg, 1913, 281–299 · S.G. COLE, Th. M., 1984 · Dies., The Mysteries of Samothrace during the Roman Period, in: ANRW II 18.2, 1989, 1565–1598 · H. EHRHARDT, Samothrake, 1985 · W. BURKERT, Concordia discors, in: N. MARINATOS, R. HÄGG (Hrsg.), Greek Sanctuaries, 1993, 178–191.
R.GOR.

Theoi pantes (θεοὶ πάντες, »alle Götter«). Die Gesamtheit der Götter. Diese wird in Schwurformeln, Eiden und Gebeten angerufen, in Verwünschungen, kurzen Anrufungen oder Bitten genannt. Den *th. p.* werden Weihungen dargebracht und Altäre gewidmet. Der sakrale Ort ihrer kultischen Verehrung ist das → Pantheon [2]. Die theophoren griech. Personennamen *Pánthe(i)os, Pánthe(i)a, Panthýs* sind nach den *th. p.* gebildet. Weihungen für das »Allgöttliche«, *to pántheion*, stehen mit ihrem Kult in Verbindung ([1; 3. 697–703] mit Belegen). Die Gesamtheit der Götter, die außer mit *th. p.* auch mit *p. th.* oder nur *hoi theoí* o.ä. bezeichnet wird, kann in den genannten Kontexten allein stehen, oft geht aber die namentliche Nennung eines Gottes oder mehrerer Götter voraus.

Vor dem 3. Jh. v. Chr. ist die kultische Verehrung der *th. p.* nur vereinzelt belegt. Es gibt aber im 5. und 4. Jh. v. Chr. zahlreiche Nennungen in Eid- und Schwurformeln und kurzen Anrufungen (u.a. Xen. an. 6,1,31; 7,6,18; Demosth. or. 18,1,141; Aischin. 1,116). Parodien offizieller Gebete für die *th. p.* finden sich bei Aristophanes (Thesm. 295ff.; Av. 864ff.). Ab dem 3. Jh. v. Chr., im Hell. und in der Kaiserzeit, ist der Kult der *th. p.* überall in der griech. Welt – v.a. in Kleinasien, aber auch in Syrien, Äg., auf den griech. Inseln und in Griechenland selbst – verbreitet; Altäre, Heiligtümer und vereinzelt auch Priesterschaften für *th. p.* sind bezeugt, darüber hinaus ein Monat *Pántheios/Panthḗios*, wohl nach einem alljährlichen Fest aller Götter benannt (in Pergamon, Methymna, im persischen Antiocheia [3], in Mytilene und Neapel: [3. 703]).

Zur rel.-gesch. Einordnung der *th. p.* im Rahmen des ant. → Polytheismus s. → Pantheos, Pantheios (I.).

1 F. JACOBI, ΠΑΝΤΕΣ ΘΕΟΙ, 1930 2 H. USENER, Götternamen, 1896 3 K. ZIEGLER, s.v. Pantheion, RE 18.3, 697–747. D.E.

Theoi patrioi (θεοὶ πάτριοι; πατρῷοι/*patrṓioi*; πατρικοί/*patrikoí*: P CZ 3, 59421,2; 3. Jh. v. Chr.; [8. 883]), »väterliche« (ererbte, heimische, althergebrachte) Gottheiten; in mehrsprachigen Inschr. lat. → *patrii di* (z.B. Inschr. des Cornelius Gallus in: OGIS II 654,9; 29 v. Chr.; Philai). Bes. *patrṓios* erscheint auch in Verbindung mit Theonymen, v.a. → Apollon [2; 9], → Zeus. Semantische Differenzierungen zw. *pátrios, patrṓios, patrikós* bei ant. Lexikographen (Belege: ThGL VI 612) stimmen mit dem tatsächlichen Befund häufig nicht überein.

Mit den *th. p.*, ebenso wie mit *bōmós p., táphos p., thysía p., hierá p.* u.ä., wird verwiesen auf die durch (reale oder fiktive) rel. Trad. legitimierte Identität der verwandtschaftlichen oder sozialen (polit., rel.) Eigengruppe (z.B. Genos, → Phratrie, → Polis, Ethnie; reiche Belege: [1; 3; 4; 8]). Die Abgrenzung gegen eine Fremdgruppe ist mitunter betont (Hdt. 1,172: *pátrioi* versus *xeinikoí theoí*). Ein derartiger Verweis kann durch Rückgriff auf traditionelle Formen in der Tempelarchitektur oder der Kultbildikonographie visualisiert sein (Heiligtum des Apollon Patroos auf der Athener Agora: [5]). Die Wirkung ist durch zusätzliche Nennung von »mütterlichen Gottheiten« (*mētrṓioi theoí*) steigerbar (Xen. hell. 2,4,21; Xen. kyn. 1,15; Lukian. Peregrinus 36; vgl. IG III 235).

Eine Bed. der *th. p.* im Kontext griech. → Kolonisation läßt sich vermuten [6. 112–114], frühe Belege sind aber erst Aischyl. Pers. 404 (472 v. Chr.) und eine Inschr. aus → Thasos (um 480/70 v. Chr.: [7. 447, Nr. 6]), wo im 5. Jh. v. Chr. Zeus, Athena, Artemis und die Nymphen als *th. p.* verehrt wurden.

1 W. ALY, s.v. Patrioi theoi, RE 18.4, 2254–2262 2 CH.W. HEDRICK, The Temple and Cult of Apollo Patroos in Athens, in: AJA 92, 1988, 185–210 3 O. HÖFER, s.v. P. Th., ROSCHER 3.2, 1684–1690 4 J. ILBERG, s.v. Patrooi theoi, ROSCHER 3.2, 1713–1717 5 H. KNELL, Der jüngere Tempel des Apollon Patroos auf der Athener Agora, in: JDAI 109, 1994, 217–237 6 W. LESCHHORN, Gründer der Stadt, 1984 7 C. ROLLEY, Le sanctuaire des dieux patrooi et le Thesmophorion de Thasos, in: BCH 89, 1965, 441–483 8 G. RONCHI, Lexikon theonymon rerumque sacrarum, Bd. 4, 1976, 883–888 9 X. DE SCHUTTER, Le culte de Apollon Patroos à Athènes, in: AC 56, 1987, 103–129. M.HAA.

Theokles (Θεοκλῆς). Sohn des Hegylos, Bildhauer aus Sparta. Th. war Schüler von → Dipoinos und Skyllis, somit im mittleren 6. Jh. v. Chr. tätig. Von ihm und seinem Sohn stammte eine Darstellung des »Herakles bei den Hesperiden« in Zedernholz im Schatzhaus von Epidamnos in → Olympia; die Hesperiden standen zur Zeit des Pausanias im Heratempel (Paus. 6,19,8).

OVERBECK, Nr. 328f. · P. MORENO, s.v. Th., EAA 7, 1966, 816 · H. MARWITZ, Hegylos?, in: AA 1969, 106f. · FUCHS/FLOREN, 215. R.N.

Theoklymenos (Θεοκλύμενος). Myth. Seher aus Argos, als Sohn des → Polypheides Nachkomme des → Melampus [1] (Hom. Od. 15,223–256). In → Pylos [1] begegnet der wegen eines Totschlages flüchtige Th. dem → Telemachos. Dieser nimmt den Schutzflehenden mit nach Ithaka, wo er ihn zunächst in der Obhut des → Peiraios läßt (ebd. 15,256–286; 15,508–546). Später in den Palast geholt, verkündet Th. der → Penelope, daß sich → Odysseus wieder im Lande befindet (ebd. 17,71–165), und prophezeit ihren Freiern ihr bevorstehendes grausames Ende, wird jedoch als wahnsinnig verspottet (ebd. 20,350–383).   NI.JO.

Theokosmos (Θεόκοσμος). Bildhauer aus Megara im späten 5. Jh. v. Chr., Vater des → Kallikles [2]. In Megara schuf er mit Hilfe des → Pheidias ein goldelfenbeinernes Kultbild des Zeus (→ Goldelfenbeintechnik), das nach 431 v. Chr. wegen des → Peloponnesischen Krieges unfertig blieb. Am Siegesdenkmal des Lysandros [1] in Delphoi (405 v. Chr.) arbeitete Th. die Statue des Hermon [3].

OVERBECK, Nr. 855; 979; 1035 · LIPPOLD, 203 f. ·
P. MORENO, s. v. Th., EAA 7, 1966, 816 · A. JACQUEMIN,
Offrandes monumentales à Delphes, 1999, Nr. 322.   R.N.

Theokrines (Θεοκρίνης). Athener aus dem Demos Hybadai (IG II/III² 2,2, 2409, 44 f.), notorischer → sykophántēs (vgl. Demosth. or. 18,313), der seinen Lebensunterhalt durch Klagedrohungen und Erpressungen bestritt. Die Gerichtsrede des Epichares aus dem J. 342 v. Chr. ([Demosth.] or. 58) ist gegen ihn gerichtet.

TRAILL, PAA, 508320 · SCHÄFER, Bd. 4 (Beilagen),
266–280.   HA.BE.

Theokritos (Θεόκριτος).
[1] Th. aus Chios, griech. Sophist und Politiker, geb. vor 365 v. Chr., Schüler des Isokrateers (→ Isokrates) Metrodoros (Strab. 14,645; Ps.-Plut. mor. 11ab; Athen. 12,540 A; Suda s. v. Th.). Th. war ein überzeugter Gegner der Makedonenkönige und ihrer Anhänger: So richtete er heftige Angriffe gegen Aristoteles [6] (Plut. mor. 603c; Diog. Laert. 5,11) und Anaximenes [2] (Hermippos bei Athen. 1,21c). Nach der Eroberung Kleinasiens und der Unterwerfung von Chios durch → Alexandros [4] d. Gr. attackierte er diesen und Theopompos [3] (vgl. Theop. FGrH 115 F 243) mit scharfen Worten. Antigonos [1], den er ebenfalls verspottete, ließ ihn hinrichten (Plut. mor. 633c; Ps.-Plut. mor. 11bc). Th. verfaßte → Chrien und schrieb eine ›Gesch. Libyens‹ sowie ›Wunderbare Briefe‹. Diese Werke sind verlorengegangen, nur einige seiner verletzenden Äußerungen sind überliefert.

ED.: FGrH 760.
LIT.: BERVE 2, Nr. 364.   K.MEI.

[2] Bedeutender griech. Dichter, 3. Jh. v. Chr.; Hauptwerk: ›Eidyllien‹ (= Eid.).
I. DER DICHTER   II. WERK   III. NACHWIRKUNG

I. DER DICHTER

Th. stammte höchstwahrscheinlich aus → Syrakus (vgl. Eid. 11,7; 28,16; Anth. Pal. 9,434), verbrachte aber wohl einen großen Teil seines produktiven Lebens in der östlichen Ägäis, v. a. auf Kos, und in Alexandreia [1]. Er suchte bzw. erreichte ein Patronatsverhältnis zu Hieron [2] II. von Syrakus (Eid. 16) und zu Ptolemaios [3] II. Philadelphos (Eid. 14,57–70; 15; 17); Eid. 15 und 17 (s.u.) wurden nach der Heirat von Ptolemaios und Arsinoë [II 3] II. (um 275) und vor dem Tod der Königin (270 bzw. 268) verfaßt. Th. kannte gewiß die *Phainómena* des → Aratos [4] (Eid. 17,1; 22,8–22) und weist Anklänge an Kallimachos [3] auf (bzw. klingt bei diesem an: Eid. 17 ~ Kall. h. 4; Eid. 11 ~ Kall. epigr. 46 PF.). Eid. 13 (›Hylas‹) und 22 (›Die Dioskuren‹) behandeln dieselbe Gesch. wie zwei benachbarte Episoden der *Argonautiká* des → Apollonios [2] von Rhodos (Apoll. Rhod. 1,1153–1357; 2,1–163). Die meisten mod. Unt. meinen, Th. habe Apollonios auf eine weniger epische, modernere Weise umgearbeitet (zur Diskussion s. [21]). Es gibt keinen Hinweis darauf, daß Th. auch als Philologe tätig war.

II. WERK
A. ÜBERLIEFERUNGSFRAGEN   B. STILISTIK UND THEMEN   C. DIE BUKOLISCHEN GEDICHTE D. SPRACHE UND FORM

A. ÜBERLIEFERUNGSFRAGEN

Th. werden 30 Gedichte, die sog. ›Eidyllien‹ (εἰδύλλια/ *eidýllia*, »kleine Formen«) – die Herkunft des Begriffs ist unbekannt –, zugeschrieben, dazu das Figurengedicht ›Syrinx‹ sowie ca. 25 Epigramme; von zwei weiteren Gedichten sind Bruchstücke bekannt (Eid. 31 und ›Berenike‹). Eid. 9, 19, 20, 21, 23, 27 stammen mit Sicherheit, Eid. 8 und 25 höchstwahrscheinlich nicht von Th.; zumindest einige der Epigramme sind unecht. Die Gedichte wurden verm. zunächst einzeln rezitiert bzw. in Umlauf gebracht; einige wurden kurz nach Th.' Tod oder noch von Th. selbst zusammengestellt und veröffentlicht. Die erste Slg., von der wir Kenntnis haben, entstand durch Artemidoros [4] von Tarsos in der 1. H. des 1. Jh. v. Chr. (vgl. Anth. Pal. 9,205), sie ist wahrscheinlich die von → Vergilius benutzte. Sie begann verm. (wie anscheinend alle ant. Th.-Ausgaben) mit den sog. bukolischen (s.u.) Gedichten (Eid. 1 und 3–9, jedoch nicht notwendigerweise in dieser Reihenfolge). Über 20 ant. Pap. sowie etwa 180 Hss. aus MA und Renaissance sind bekannt; die Hss. bilden drei große Familien, die ambrosianische (nur K, Cod. Ambrosianus 886, 13. Jh., die beste Hs.), die laurentianische und die vatikanische. Die *ed. princeps* wurde von BONUS ACCURSIUS 1480 in Mailand besorgt. Die übliche mod. Anordnung der Slg. geht auf H. STEPHANUS zurück

(Eid. 1–18 sind schon in der vatikanischen Familie in dieser Reihenfolge überl.).

B. Stilistik und Themen

Th. operiert und innoviert innerhalb geläufiger poetischer Formen. So verarbeiten ein → Enkomion auf Ptolemaios [3] II. Philadelphos (Eid. 17) und die Hymnen auf die Dioskuren (Eid. 22) und Dionysos (Eid. 26) traditionelle Strukturen des → Hymnos, doch überrascht Eid. 22 durch hexametrische → Stichomythie und augenfälligen stilistischen wie ethischen Kontrast zw. den Polydeukes und Kastor gewidmeten Abschnitten. Eid. 17 ist eine elaborierte Version des (im Hell. weitverbreiteten) kurzen hexametrischen Enkomion auf einen Herrscher und Patron: Ptolemaios Philadelphos wird einem großen homerischen König wie Agamemnon, aber darüber hinaus noch Apollon (wobei Kos die Rolle von Delos übernimmt) und Zeus angeglichen (dessen Geschwisterehe mit Hera der von Philadelphos und Arsinoë ähnelt). Eid. 24 erzählt von Herakles' Kindheit und Erziehung. Die Anleihen bei → Pindaros (Pind. N. 1; Pind. Paian 20) sind beträchtlich, variieren jedoch ständig die Vorlage; die humorvolle Darstellung des häuslichen Lebens von Herakles' Eltern – Alkmene wiegt ihre Kinder auf einem Schild in den Schlaf und singt ihnen dazu ein Lied – schafft etwas ganz Neues. Eid. 18 läßt den *epithalámios* wiedererklingen, den Helenas Freundinnen am Vorabend ihrer Hochzeit mit Menelaos sangen; es evoziert die schöne, verlorene spartanische Welt (vgl. → Alkmans ›Partheneion‹) – und nutzt dabei das ironische Potential der späteren Gesch. des Ehepaares. Das Enkomion auf Hieron II. mit der Bitte um ein Patronatsverhältnis (Eid. 16, *Chárites*) ist eine außergewöhnliche Mischung aus Hymnos, → Mimos und volkstümlichem Bettellied (Th. stellt seine Gedichte als Kinder dar, die bettelnd von Haus zu Haus ziehen, um mit Klagen über den Geiz der Zeitgenossen zurückzukehren). Viele Bearbeitungen von Motiven aus den Siegesliedern des Pindaros und des → Simonides zeigen, wie Th. Ähnlichkeit und Kontrast vergangener und zeitgenössischer poetischer Kultur bewußt und kreativ gestaltet.

Solch überlegter Umgang mit poetischen Formen kennzeichnet auch zwei Gedichte, welche die Mimoi des → Sophron [1] wiederbeleben (Eid. 2 und 15). Eid. 2 ist die Ich-Erzählung der von ihrem Liebhaber Delphis verlassenen Simaitha; die Gewöhnlichkeit des Geschehens steht im Gegensatz zur Evokation epischer Heroinen (z. B. der verlassenen Ariadne) und den Anklängen an höhere Lit. (Homer, Sappho), doch verhehlt die ironische Darstellung der naiven Simaitha nicht ihre traurige Einsamkeit. Der erste Teil des Gedichts schildert die magischen Praktiken, mit denen Simaitha Delphis zurückgewinnen bzw. bestrafen will; auffällige Parallelen in den → Zauberpapyri lassen erkennen, wie Eid. 2 populäre Trad. zu hoher Kunst erhebt. Eid. 15 ist ein Gespräch zweier Frauen aus Syrakus, die in Alexandreia leben und dort ein Fest für → Adonis besuchen, das Arsinoë im Königspalast veranstaltet. Indem das Gedicht den Kontrast zw. der Gewöhnlichkeit sowie den bescheidenen Verhältnissen der beiden Frauen und der luxuriösen Präsentation (τρυφή, *tryphḗ*) des Palasts betont, dramatisiert es den Übergang der syrakusischen Mimos-Trad. – und des Dichters, also des Th. selbst – in das neue kulturelle Zentrum der griech. Welt.

C. Die bukolischen Gedichte

Sizilische Trad. prägen auch die bekanntesten Werke des Th.: acht Gedichte in lit. Dorisch (vgl. Kall. h. 5–6) mit relativ unpoetischem (botanisch allerdings sehr reichem) Vokabular, die eine »bukolische« Welt von Frieden und Gesang erschaffen, gestört nur durch Gefühlsqualen ihrer Bewohner (Hirten bzw. Erntearbeiter in Eid. 10). Diese Gedichte präsentieren sich als lit. Versionen realer oder fiktiver Volksliedpraktiken; daher sieht die europ. pastorale Trad. in Th. ihren Begründer. Eid. 11, das Lied des homerischen → Kyklopen (in seinen jüngeren Tagen, als ihn nicht Odysseus, sondern die unerwiderte Leidenschaft für die Meeresnymphe → Galateia [1] quälte), trägt auch bukolische Züge, obwohl es einer anderen Trad. angehört und sich metrisch deutlich vom »bukol. Mimos« unterscheidet. Eid. 5 inszeniert einen Wettbewerb in antiphonem, improvisiertem Gesang zw. zwei rauhen Hirten. Wechselrede ist Gestaltungsprinzip auch in Eid. 1, 4, 6 und 7, wobei Th. aber nie dasselbe Strukturmuster wiederholt. Der Gründungsmythos dieser »bukol.« Dichtung sind die Leiden des → Daphnis, das Thema von Eid. 1, das in den ant. Slgg. stets an erster Stelle gestanden zu haben scheint.

Eid. 1 enthält die → *ékphrasis* einer wunderbar dekorierten Holzschale – eine Bearbeitung der Schildbeschreibung in der ›Ilias‹, die das Bukolische als konkurrierendes Wertesystem dem Epischen gegenüberstellt. Auch Eid. 7, die *Thalýsia* (»Erntefest«), reflektiert offen über die Schöpfung der künstlichen, poetischen Welt: Der Erzähler Simichidas spricht von einem Ausflug aufs Land von Kos, wo er Lykidas begegnet, der ›ganz wie ein Ziegenhirt aussah‹, dessen Zeichnung aber stark an einen Gott (Apollon?) erinnert. Die beiden singen im Wechsel (βουκολιάζεσθαι, *bukoliázesthai*) über erotische Themen, und Lykidas übergibt Simichidas seinen Stab – eine Umgestaltung von Hesiodos' »Initiation« durch die → Musen zu Beginn der ›Theogonie‹. Der Gang von der Stadt aufs Land und die übertriebene Künstlichkeit des *locus amoenus* am Schluß des Gedichtes dramatisieren die bewußte Ironie, die in allen bukol. Gedichten des Th. zu finden ist: Das reale Land hat mit dieser lit. Konstruktion sehr wenig zu tun.

Eid. 3 ist eine weitere Umsetzung der Konventionen von Mimos und quasi-dramatischer Performanz: Ein Ziegenhirt singt ein → *paraklausíthyron* vor der Höhle seines (evtl. imaginären) Geliebten. Dieses sängerische Bemühen um Einlaß in die Höhle hat starke Parallelen zum Lied des → Polyphemos (der »ausgeschlossen« ist, weil er nicht schwimmen kann, Eid. 11), unterscheidet sich aber durch sein Arrangement in zwei- oder dreizeilige »Stanzen«, die den dramatischen Charakter der Vorführung hervorheben.

D. Sprache und Form

Eid. 28–31 imitieren Dialekt, Versmaße (in stichischer Verwendung) und auch Themen der archa. Dichter → Sappho und → Alkaios. Diese kreative Wiederaufnahme älterer poetischer Konventionen ist für die Dichtung des 3. Jh. v. Chr. typisch (→ Hellenistische Dichtung). Alle übrigen Gedichte des Th. (mit Ausnahme der Epigramme) sind in Hexametern abgefaßt. Die bukol. Gedichte weichen rhythmisch und sprachlich vom übrigen Corpus ab. Manche sind auffallend spondeisch, während die griech. Dichtung des 3. Jh. v. Chr. generell eher zu daktylischem Rhythmus tendierte; doch stimmen sie viel stärker mit den Regeln des kallimacheischen Hexameters überein als Th.' epische Gedichte (z. B. Eid. 13; 16; 17; 22). Für seine Nachfolger etablierte Th. das Dorische als die der bukol. bzw. pastoralen Dichtung angemessene dialektale Färbung; die These von [27], dies sei die Sprache einer kyrenäischen Emigranten-Elite in Alexandreia gewesen, bleibt unbewiesen. Lit. und dialektale Trad. des → Ionischen sind dagegen am offenkundigsten im erzählenden ›Hymnos auf die Dioskuren‹ (Eid. 22) und im Monolog eines Liebhabers (erómenos; Eid. 12 ist vielleicht eine Bearbeitung von Konventionen theognideischer päderastischer Dichtung; → Theognis [1]). Bei anderen Gedichten bleibt die sprachliche Mischung undurchsichtig (Eid. 13; 16). Das Werk des Th. zeigt durchgehend sein Bestreben, neue poetische Strukturen innerhalb der Hexameterdichtung zu schaffen. Th. ist unser bester Zeuge für die reiche Blüte von Kurzgedichten im 3. Jh. v. Chr. und für die Vielfalt poetischer Formen, die diese Kultur schuf und umgestaltend erneuerte.

III. Nachwirkung

Th.' bukol. Gedichte wurden oft nachgeahmt (z. B. Eid. 8, 9 und die bukolischen Gedichte durch Moschos [3] aus Syrakus und Bion [2]); sie waren Hauptvorbild für Vergils ›Eklogen‹. Die große Zahl der Papyri, die Reichhaltigkeit der Scholien (die vielleicht auf den in augusteischer Zeit lebenden Theon [4] zurückgehen), die zahlreichen Auszüge (z. B. bei Stobaios und den Grammatikern) und kreativen Übernahmen (etwa bei Lukianos, in Longos' Roman ›Daphnis und Chloe‹ und in Nonnos' Dionysiaká) sowie die Zitate bei Tzetzes [2] und im Roman des Niketas Eugenianos im 12. Jh. n. Chr. bezeugen allesamt die Langlebigkeit und Beliebtheit seines dichterischen Werks.

→ Bukolik; Hellenistische Dichtung; Mimos; Bukolik/Idylle

Ed. gesamt: 1 K. Latte, 1948 2 A. S. F. Gow, 1952, 1958 3 H. Beckby, 1975 4 C. Gallavotti, ³1993. Auswahl: 5 P. Monteil, 1968 6 K. J. Dover, 1971 7 R. Hunter, 1999. Scholien: 8 C. Wendel, Scholia in Theocritum Vetera, 1914. Lit.: 9 J. Burton, Theocritus's Urban Mimes, 1995 10 B. Effe (Hrsg.), Th. und die griech. Bukolik, 1986 11 Ders., G. Binder, Die ant. Bukolik: eine Einführung, 1989 12 M. Fantuzzi, Teocrito e la poesia bucolica, in: G. Cambiano et al. (Hrsg.), Lo spazio letterario della Grecia antica 1.2, 1993, 145–195 13 F. Griffiths, Theocritus at Court, 1979 14 K. J. Gutzwiller, Theocritus' Pastoral Analogies. The Formation of a Genre, 1991 15 D. M. Halperin, Before Pastoral: Theocritus and the Ancient Trad. of Bucolic Poetry, 1983 16 M. A. Harder et al. (Hrsg.), Theocritus, 1996 17 A. Horstmann, Ironie und Humor bei Th., 1976 18 R. Hunter, Theocritus and the Archaeology of Greek Poetry, 1996 19 Ders., Theocritus, Encomium of Ptolemy, 2002 20 G. Hutchinson, Hellenistic Poetry, 1988, 143–213 21 A. Köhnken, Apollonios Rhodios und Th., 1965 22 G. Lawall, Theocritus' Coan Pastorals, 1967 23 W. Meincke, Unt. zu den enkomiastischen Gedichten Theokrits, 1965 24 U. Ott, Die Kunst des Gegensatzes in Theokrits Hirtengedichten, 1969 25 T. G. Rosenmeyer, The Green Cabinet: Theocritus and the European Pastoral Lyric, 1969 26 L. Rossi, The Epigrams Ascribed to Theocritus: A Method of Approach, 2001 27 C. J. Ruijgh, Le Dorien de Théocrite: dialecte cyrénien d'Alexandrie et d'Égypte, in: Mnemosyne 37, 1984, 56–88 28 M. Sanchez-Wildberger, Theokrit-Interpretationen, 1955 29 C. Segal, Poetry and Myth in Ancient Pastoral, 1981 30 G. Serrao, Problemi di poesia alessandrina, Bd. 1, 1971 31 K.-H. Stanzel, Liebende Hirten. Theokrits Bukolik und die alexandrinische Poesie, 1995 32 U. von Wilamowitz-Moellendorff, Die Textgesch. der griech. Bukoliker, 1906 33 G. Zanker, Realism in Alexandrian Poetry: a Literature and Its Audience, 1987.

R. HU./Ü: T. H.

[3] s. Theocritus

Theologia tripertita s. Theologie; Varro [2]

Theologie (θεολογία).
I. Griechisch-römisch   II. Christlich

I. Griechisch-römisch
A. Begriff   B. Literarische Gattungen
C. Hauptthemen und historische
Entwicklung

A. Begriff

Die griech. Philosophen bezeichnen als »Theologen« (→ theológos) zunächst die Dichter, die eine auf dem → Mythos basierende Rede (lógos) von den Göttern (theoí) führen, von ihren Handlungen und Verhaltensweisen, ihren genealogischen und dynastischen Entwicklungen, den ursächlichen Prägungen, die sie der Welt geben. In diesem Sinne gelten etwa → Orpheus, → Musaios [1], → Homeros [1] und → Hesiodos als »Theologen« (Aristot. metaph. 2,4,1000a). Insofern die Beschaffenheit der Götter konsistent-vernünftigem Denken zugänglich sein soll, tritt aber die → Philosophie selbst als Th. auf und weist die Dichter in die Schranken. Bei → Platon [1] unterscheidet Sokrates [2] zwei Arten, wie sich rationale Th. auf die erzählerisch tradierte bezieht: Der Exeget versuche, den ihm vorliegenden Mythen einen verborgenen vernünftigen Sinn abzugewinnen (→ Allegorese 5.); hingegen müsse der

Gründer einer Polis eine normative Th. festlegen, anhand von deren Grundsätzen die Dichtung zu zensieren und zu programmieren sei: Ein Gott sei Urheber nur des Guten, nicht des Schlechten, er verändere sich nicht und nehme keine fremde Erscheinung an (Plat. rep. 376e–383c). → Aristoteles [6] nennt die »erste Philos.« (ἡ πρώτη φιλοσοφία/ *hē prótē philosophía*), zu der er selber den Grund legt, die »theologische« (θεολογική/ *theologikḗ*, Aristot. metaph. 6,1,1026a), da Gott als erstes → Prinzip (αἴτιον/ *aítion*) ihr vornehmster Gegenstand sei. → Proklos [2] (5. Jh. n. Chr.) bestimmt als Th. die Wiss. von den ersten, selbstgenügsamen Prinzipien alles Seienden (αἱ πρώτισται ἀρχαὶ τῶν ὄντων/ *hai prótistai archaí tōn óntōn*); Platon zeichne sich als Theologe dadurch aus, daß er noch jenseits der aufsteigenden Reihe von Körper, Seele und Geist das erste Prinzip aufgefunden habe (Prokl. theologia Platonica 1,3).

B. Literarische Gattungen

Vernünftige Gedanken über die Götter sind Teil umfassender griech. Entwürfe über die Welt, Natur und Kosmos (→ Herakleitos [1]: 22 A 1 DK; 22 B 67 DK; Plat. Tim.), über Politik und Ethik (Plat. Euthyphr.; rep.; leg.), das Sein als Seiendes (Aristot. metaph. 12) oder bilden Monographien (Protagoras fr. 80 B 4 DK). In den Philosophenschulen wurden aus den Schriften der Meister autoritätsgebundene Theologien erhoben und gegen Einwände der anderen Schulen verteidigt (→ Philosophischer Unterricht); für Konfrontation und Vergleich bot sich das theolog. Streitgespräch an (Cic. nat. deor.). Manche Philosophen dichteten Hymnen auf Götter (→ Kleanthes [2], → Proklos [2]).

C. Hauptthemen und historische Entwicklung

An Themen, die bis heute die theolog. Lit. prägen, kommen bei Platon das Problem des → Anthropomorphismus der Götter (→ Xenophanes) und die → Hermeneutik für die von Göttern erzählenden Texte zur Sprache; außerdem muß gegenüber den (expliziten oder nur praktischen) Gottesleugnern ein Gottesbeweis geführt werden. So erachtet es der athenische Hauptredner in Platons ›Gesetzen‹ aufgrund seiner Erfahrung mit Leuten, die nicht an die Existenz von Göttern, an deren Anteilnahme am Menschlichen oder an deren Unbestechlichkeit glauben, für nötig, daß ein Gesetzeswerk eine zu solchem Glauben geneigt machende Präambel enthalte. Aufgrund einer allg. Bewegungslehre sei das Dasein der Götter zu erweisen, nämlich als derjenigen Wesen, die anderes bewegen, nicht aber von anderem bewegt werden, sondern sich selbst bewegen (→ Bewegung); die Tugendlehre führt zu den anderen beiden Theologumena (Plat. leg. 10; → Tugend). Die Interessen von Staatsgründern und die Intentionen des rationalen Theologen kann Platon in eins setzen, bei Bürgern eines schon bestehenden Staates mit funktionierenden rel. Institutionen ist dies nicht ohne weiteres möglich. In einer v. a. von → Varro [2] tradierten Dreiteilung der Th. bildet die staatsbürgerliche ein eigenes Genus, wenn sie auch unter dem Einfluß der natürlichen und der mythischen Th. steht (*theologia tripertita*: Varro, Antiquitates rerum divinarum fr. 6–12 CARDAUNS).

Auch die Gestaltung und Erhaltung des Alls wird myth. auf göttliches Wirken zurückgeführt, und auch dieses Wirken legt Platon als eminent vernünftig und gut, als Basis polit. Ordnung dar. Den Namengeber seines Dialoges ›Timaios‹ läßt er im Vortrag eine Vielzahl an Göttern benennen (Plat. Tim. 39b–41a). Der Baumeister der Welt (→ *dēmiurgós* [3]), ein rein geistiges Wesen, mischt aus gewissen Ingredienzien die Seele des Alls, formt den als diffus-plastisch vorgestellten Raum zu Ansammlungen regelmäßiger Körper und diese zum kugelartigen Allkörper, fügt Seele und Körper auf immer zusammen und stellt so einen anderen, gewordenen Gott her (Plat. Tim. 34a-b). Zu dieser Welt gehören weitere Götter, die ihre Wirksamkeit entfalten, z.B. den Menschen herstellen (Plat. Tim. 42e–47e). → Numenios [6] unterscheidet vom *dēmiurgós* den rein in sich ruhenden, nicht etwas herstellenden Gott und kommt so auf eine »platonische« Trias: das Gute selbst – der gute Werkmeister – der schöne Kosmos (fr. 16–22 DES PLACES). In anderer Weise bietet Platons Rede vom Weltbaumeister, von dessen vernünftigem Planen und Schlußfolgern sowie von dem unwandelbaren ideellen Vorbild, dem die herzustellende Welt entsprechen soll, Anknüpfungs- und Abgrenzungspunkte für christl. Schöpfungstheologie (Iust. Mart. 1 apol. 59; Orig. de principiis 1,1,3; 2,1,4).

In einer knappen Argumentenfolge enthält Aristoteles' [6] ›Metaphysik‹ die Lehre von Gott, dem vollendet Seienden – das Hauptstück der Wiss. vom Seienden als solchem, die Aristoteles für die freien, der Erkenntnis als Selbstzweck obliegenden Bürger entwickelt. Der reine Geist sei tätig und lebendig, jedoch in Hinsicht auf Veränderung unbewegt; Gegenstand seines Denkens sei nichts als das Denken selbst. Dieser Gott werde als das glückselige Wesen von allen anderen erstrebt und sei somit die Zielursache der Bewegung des ganzen Kosmos. Wie bei Platon geht es immer noch darum, den Gott als Bewegungsprinzip für den Kosmos zu identifizieren, doch als Glückseliger hat für Aristoteles der »erste Beweger« (τὸ πρῶτον κινοῦν ἀκίνητον, Aristot. metaph. 1073a, vgl. 1012b) keine Intention mehr auf den Kosmos, sondern dieser – in der Bewegung der Körper und im Denken der Vernunftwesen – auf den Gott. Die Ineinssetzung der drei Konstituentien des Denkens (denkendes Subjekt, Tätigkeit des Denkens, gedachtes Objekt) und ihre Erhebung zum göttlichen reinen Akt (*actus purus*) ist im MA für die Trinitätstheologie und die Philos. des Geistes ein Faszinosum.

Aus dem Postulat, es gebe Wesen, die an Lebensdauer, Einsicht und Wirkmacht die Menschen weit überragen, formt → Kleanthes [2] von Assos eines der zahlreichen stoischen Argumente für das Dasein der Götter: Ein Wesen muß das vollkommenste in der Welt sein, der Mensch als von seinem Körper zwangsbeherrschtes Wesen kann dies nicht sein, folglich kommt nur ein göttliches in Frage (SVF I 529; → Stoizismus). Dieses und das o.g. platonische Argument markieren die Vielfalt der »kosmologischen« Gottesbeweise, die → Sextos Empeirikos von drei anderen Typen unterscheidet: den Argumenten aufgrund des Konsenses aller Menschen, den Nachweisen, daß aus der Negation des Göttlichen Absurditäten folgen, und den Widerlegungen der Gegenargumente (S. Emp. adv. math. 9,92). Die Stoiker stellen den einzelnen Göttern den einen, die Welt als ganze durchwaltenden, vernünftigen Gott gegenüber.

Die → Epikureische Schule nimmt an, es gebe Götter (vgl. Epik. epist. ad Menoeceum), schreibt ihnen menschliche Gestalt zu – wenn auch die Feinheit der atomaren Zusammensetzung ihrer Körper alles andere Körperliche weit übertreffe – und läßt sie evtl. sogar für menschliches Sensorium erfaßbar sein (vgl. aber Epik. fr. 17,4 ARRIGHETTI); andererseits seien die Götter in ihrer Glückseligkeit nicht betroffen von den Vorgängen in der menschlichen oder anderen körperlichen Welten, nähmen auch keinen Einfluß darauf und müßten deshalb nicht gefürchtet oder besänftigt werden (→ Epikuros C.). Mit zutiefst aufklärerischem Gestus versucht → Lucretius [III 1], den Römern diese Th. freier Menschen nahezubringen: Nur wer es strikt vermeidet, die Götter etwa als Erklärungsgrund für meteorologische Vorgänge einzusetzen, könne in Seelenruhe den Gottesdienst vollziehen und die von den Göttern ausgehenden Schemen als angemessene Vorstellungen aufnehmen (Lucr. 6,43–91). Der Stoiker → Seneca [2] wendet sich ebenfalls gegen den Glauben, die Götter seien fähig und bisweilen willens, den Menschen Schaden zuzufügen, oder sie ließen kultisch mit sich verhandeln; doch daß sich die Götter in ihrer Güte – ggf. auch strafend – um die Menschen kümmerten, mag er nicht leugnen (Sen. epist. 95,47–50), und Naturphilos. betreibt er aus Naturfrömmigkeit (Sen. nat. praef.). Der vernünftige Geist (spiritus, animus) ist demnach ein Gott in uns und verbindet uns durch sein Streben mit dem Ur- und Vorbild göttlichen Lebens (epist. 41). Zuvor hatte Cicero in einem großen Streitgespräch eine Synthese stoischer Th. vorgeführt: Die Götter existieren, mit unvergänglichen Körpern und Vernunft begabt wirken sie als der Kosmos selbst und als kosmische und irdische Kräfte, sie regieren den Kosmos durch Vorsehung (providentia) zum Wohle aller Wesen, und insbes. tragen sie in wichtigen Belangen Sorge für die Menschen (nat. deor. 2). Dabei läßt Cicero durchblicken, daß diese Th. – anders als die der Epikureer (nat. deor. 1) – in ihrer Dogmatik der autoritativ überkommenen röm. Staatsrel. bestens entspreche; die Argumente für die einzelnen Theologumena werden jedoch im Schlußteil des Dialogs aus einer akademisch-skeptischen Position heraus allesamt in Zweifel gezogen (nat. deor. 3), so daß rational-argumentative Th., gerade auch wenn sie affirmativ auftritt, eher als Verunsicherung denn als Fundierung der Rel. erscheint.

→ Plotinos stellt theolog. Überlegungen in vielen seiner Traktate an (vgl. z.B. Plot. enneades 3,2f. zur → Theodizee). Auch wenn er von dem kaum zu benennenden ersten Prinzip, dem Einen (hén), spricht, wird er theolog., indem er außer dem neutralen auch das maskuline Personalpronomen für das Eine verwendet. Durch seine Philos. strebt er die Einung des Menschen mit dem göttlichen Prinzip (ἀρχὴ ὄντος, θεός, arché óntos, theós; enneades 6,9,9) an, insofern ist sie als »mystische« Th. zu bezeichnen. Proklos stellt aus 211 Lehrsätzen und den dazugehörenden Beweisen eine ›Theolog. Elementarlehre‹ (Stoicheíōsis theologikḗ) zusammen. Dort bereitet er die Rede von den Göttern (ab propositio 113) durch eine umfangreiche Grundlegung vor: Der Kosmos wird als ein Gefüge aus Teilhabebeziehungen zw. Einheit und Vielheit, Ursache und Verursachtem entworfen. Dabei nimmt Proklos aus der platonischen und der aristotelischen Trad. Überlegungen zu den Prinzipien von Bewegung, Denken, Ordnung und Güte auf. Zw. dem ersten Prinzip (dem Einen und Guten) und den Seelen der Menschen wirkt vermittelnd eine reich differenzierte und hierarchisierte Vielzahl göttlicher Wesen. Der platonische Grundtext für die Th. als Prinzipienlehre, wie sie nach Proklos auch → Damaskios in ein System ausfaltet, ist Platons Dialog ›Parmenides‹. Auf das christl. MA hat diese Trad. v.a. durch den an die ›Elementarlehre‹ angelehnten Liber de causis (→ Aristotelismus D.) gewirkt.

→ Atheismus; Kosmologie; Metaphysik; Monotheismus (IV.); Neuplatonismus; Philosophie; Prinzip; Religion; Seelenlehre; Theodizee; METAPHYSIK; PLATONISMUS; RELIGIONSKRITIK

W. BEIERWALTES, Plotins philos. Mystik, in: M. SCHMIDT (Hrsg.), Grundfragen christl. Mystik, 1987, 39–49 · S. BROADIE, Rational Theology, in: A. A. LONG (Hrsg.), The Cambridge Companion to Early Greek Philosophy, 1999, 205–224 · A. J. FESTUGIÈRE, Pour l'histoire du mot θεολογία, in: Ders., La Révélation d'Hermès Trismégiste, Bd. 2, 1949 (Ndr. 1981 u.ö.), 598–605 · D. FREDE, A. LAKS, Traditions of Theology, 2002 · T. DE KONINCK, Aristotle on God as Thought Thinking Itself, in: L. P. GERSON (Hrsg.), Aristotle. Critical Assessments, Bd. 1, 1999, 365–402 · H. J. KRÄMER, Der Ursprung der Geistmetaphysik. Unt. zur Gesch. des Platonismus zw. Platon und Plotin, 1964 · J. MANSFELD, Theology, in: K. ALGRA u.a. (Hrsg.), The Cambridge History of Hellenistic Philosophy, 1999, 452–478 · S. MENN, Plato on God as »Nous«, 1995 · La notion du divin depuis Homère jusqu'à Platon (Entretiens 1), 1954 · M. SANTORO (ed.), Demetrio Lacone, La forma del dio (PHerc. 1055), 2000 · A. Ph. SEGONDS, C. STEEL (Hrsg.), Proclus et la Théologie Platonicienne (Actes du Colloque International, Louvain 1998), 2000. M. v. P.

II. CHRISTLICH

A. BEGRIFF   B. INSTITUTIONELLER KONTEXT UND FORMEN   C. INHALTE   D. REZEPTION

A. BEGRIFF

Der griech. Begriff theología (Verb: theologeín) wurde erst mit einiger Verspätung von christl. Autoren benutzt, um die systematische Reflexion und Lehre hinsichtlich der christl. »Rede von Gott« zu bezeichnen. Hatten Christen mit diesem Begriff im 2. Jh. die mythische oder hymnische Rede von Gott bezeichnet (z.B. Isidoros [4] bei Clem. Al. strom. 6,53,5; vgl. 5,21,4), so ist seit dem 3. Jh. auch ein lehrhafter Akzent festzustellen (z.B. Clem. Al. strom. 1,176,1f.; 5,56,3; Orig. contra Celsum 2,71). Auch der Lobpreis oder das Gebet ist für → Origenes [2] *theologeín* (schol. zum HL 7,1). → Eusebios [7] verfaßte erstmals eine ›Kirchliche Th.‹ (*De ecclesiastica theologia*; gegen → Markellos [4] von Ankyra). *Theología* kann nun präzise die Lehre von Gott bzw. den drei göttlichen Personen im Unterschied zur Lehre von der *oikonomía*, d.h. der Inkarnation und dem Heilshandeln Jesu, bezeichnen (Eus. HE 1,1,7). Für → Euagrios [1] Pontikos ist die Kontemplation der → Trinität als höchste Form der Erkenntnis *theología*.

B. INSTITUTIONELLER KONTEXT UND FORMEN
Die Verwendung des Begriffs *theología* vermittelt keine adäquate Vorstellung von der Spannweite und Bed. theologischer Reflexion im ant. Christentum. Christl. Th. entstand in den freien christl. Schulen des 2. Jh. Dort wurde das Christentum als → Philosophie im ant. Sinne vermittelt, d.h. als Lehre, die verbindliche Auskunft über Gott, die Welt und das richtige menschliche Leben vermittelt. Es gibt vier einander wechselseitig durchdringende Hauptformen antiker christl. Th.:

a) In der Apologetik (→ Apologien) wurde pagane Rel. als verwerfliche, dämonisch inspirierte Myth. interpretiert, pagane Philos. als unvollkommene Wahrheitserkenntnis und Vorbereitung auf das Christentum. Unter Verweis auf das AT präsentierte sich das Christentum als vollkommene urspr. Wahrheit, von der alle spätere Wahrheit abhängt und deren Fülle sich im Logos-Christus (→ *lógos* [1] G.) inkarniert.

b) In der → Exegese wurden die durch den → Kanon [1] V. begrenzten autoritativen Schriften des AT und NT kommentiert: Nach Anfängen bei → Basileides [2], → Papias und Herakleon markiert Origenes einen Höhepunkt, dessen Bibelkommentare die Methoden der hell. → Philologie (I.C.-F.) christl. rezipierten. Die erste theologisch durchdachte Kanonkonzeption formulierte → Markion. Durch die Entwicklung einer allegorischen → Hermeneutik/→ Allegorese konnten Widersprüche im biblischen Kanon bewältigt werden (Origenes). Durch → Predigt wurde die Exegese den Laien vermittelt.

c) In der antihäretischen → Polemik wurde die abweichende Lehre definiert, klassifiziert und widerlegt: Eine erste Blüte der → Häresiologie markiert die Schrift *Adversus haereses* des → Eirenaios [2] von Lyon. Zur Abgrenzung gegen die → Häresien wurde immer wieder die rechte Lehre in variabler Kurzform formuliert, die sog. »Glaubensregel« (*regula fidei*). Sie ist die Vorläuferin der späteren Glaubensbekenntnisse.

d) Bald begann eine strikt problembezogene Reflexion der christl. Disziplin, sowohl was das persönliche Leben betrifft (→ Askese; vgl. z.B. → Clemens [3] von Alexandreia, → Tertullianus), als auch im Hinblick auf

die Lehre von der christl. → Kirche, die Bedingungen für Aufnahme, Ausschluß und Wiederaufnahme in deren Gemeinschaft (vgl. z.B. → Cyprianus [2] von Karthago). Die Klimax der Frühphase christl. Th. bezeichnet das fr. überl. Werk des Origenes [2]: Seine Schrift *Contra Celsum* ist das wichtigste Werk christl. Apologetik, seine Schrift *Perí archốn* (›Von den Prinzipien der Welt‹; vgl. die ähnlich betitelten Schriften des → Longinos [1] und → Damaskios) entwirft ein aus Exegese, Häresiologie und experimentierender Spekulation entwickeltes theolog. System, das erklärt, wie Gott die freie Seele zum richtigen, vollkommenen Leben führt (→ Seelenlehre).

In der von → Constantinus [1] d. Gr. inaugurierten Reichskirche kam es verstärkt zur Normierung christl. Lehre. Die häresiologische Arbeit konzentrierte sich auf die Formulierung und Verteidigung von Glaubensbekenntnissen. Das → Nicaenum, das Bekenntnis der ersten Reichssynode von Nikaia [5] (325; → *sýnodos* II.), wurde im Laufe des 4. Jh. verbindlich; orthodoxe Lehre sollte das in Nikaia [5] Festgelegte gegenüber häretischer Neuerung explizieren und verteidigen. Der Traditionsbeweis wurde für die Th. dominant; theologische Positionen wurden mit Florilegien, d.h. mit Zitaten aus Schriften von als orthodox anerkannten Theologen abgestützt; die exegetischen Werke wurden zu → Katenen, die aus den vorhergehenden Bibelkommentaren Zitate zur jeweiligen Schriftstelle zusammenstellten.

In der asketischen Laienbewegung des → Mönchtums mit seinen verschiedenen Organisationsformen entwickelte sich die Reflexion auf die asketische Praxis zu einer monastischen Th. (z.B. Iohannes → Cassianus), die das seelsorgerlich-asketische Anliegen der paganen (z.B. stoischen oder platonischen) und christl. Schulen der Spätant. aufnahm und weiterentwickelte.

C. INHALTE
In der fruchtbaren Frühphase der christl. Th. (2.–3. Jh.) wurden fast alle späteren Themen bereits behandelt, z.B. ob der Vater Jesu Christi mit dem Gesetzgeber- und Schöpfergott des AT identisch sei (→ Markion), ob und wie Jesus wirklich Mensch geworden sei und ob er den ganzen Mensch rette oder nur einen geistigen Kern (→ Gnosis), ob Christus vor seiner Menschwerdung als → *lógos* des Vaters existiert habe (Präexistenz) und in welcher Beziehung der Präexistente zum Vater stehe. Schließlich wurde die Lehre von der »Schöpfung aus dem Nichts« (lat. *creatio ex nihilo*) entwickelt.

In der Reichskirche des 4. Jh. wurde – bes. im Osten – die Trinitätslehre zum Streitgegenstand (→ Trinität; → Arianismus): Eine auf das → Nicaenum gestützte Orthodoxie setzte sich durch, derzufolge alle drei Personen der Trinität (Vater, Sohn, Heiliger Geist) unbeschadet ihrer realen Selbständigkeit ein einziges Wesen (οὐσία/*usía*) haben. Im anschließenden christologischen Streit, bei dem allerseits das Nicaenum als Grundlage akzeptiert wurde, ging es darum, unter Wahrung der Personeinheit Jesu Christi dessen reale Menschheit festzuhalten. Die Synode von → Kalchedon (451; vgl.

→ *sýnodos* II.) brachte keine Lösung, die christl. Ökumene zerbrach in Konfessionskirchen.

Im Westen war → Tertullianus [2] für die Formulierung der Trinitätslehre wichtig. → Augustinus durchdachte fast sämtliche Gebiete der Th. selbständig und begründete neue Terminologien und Diskussionstraditionen, z.T. in impliziter und expliziter Auseinandersetzung mit neuplatonischen Positionen. Im Streit mit den schismatischen Donatisten (→ Donatus [1]) entwickelte er seine Kirchen- und Sakramentenlehre, seine Paulusexegese konstruierte zur Legitimation der souverän prädestinierenden göttlichen Gnade die Lehre von der Erbsünde (→ Prädestinationslehre) und provozierte die seelsorgerlich motivierte Kritik des Laientheologen → Pelagius [4].

D. REZEPTION

Die Rezeptions-Gesch. antiker christl. Th. ist weitgehend mit der Gesch. der christl. Th. identisch und stellt somit einen hervorragenden Fall vielfach gebrochener Kontinuität von der Ant. zur Gegenwart dar. Einen Bruch markierte die Reformation, die systematisch die Autorität des Traditionskonsenses durch Berufung auf die Bibel als das Wort Gottes in Frage stellte. Zum anderen ist seit der Aufklärung fraglich, was antike christl. Th. zu theolog. Diskursen beizutragen hat, die sich – implizit oder explizit – vor dem Forum neuzeitlicher Vernunft verantworten müssen. Während Apologetik und Häresiologie kaum unmittelbar rezeptionsfähig sind, scheint die ant. Schriftauslegung (→ Allegorese) im Zuge eines die Engführungen der histor. Exegese überwindenden hermeneutischen Pluralismus wieder vermehrt beachtet zu werden.

→ Bibel; Christentum; Exegese; Häresiologie; Kirchenväter; Literatur (VI.); Philosophie (C.4.); Polemik; Toleranz; THEOLOGIE

H. CHADWICK, s. v. Florilegium, RAC 7, 1969, 1131–1160 · G. EBELING, s. v. Th. I. Begriffsgeschichtlich, RGG 6, 1962, 754–769 · A. GRILLMEIER, Jesus der Christus im Glauben der Kirche, Bd. 1–2.4, 1979ff. · P. HADOT, Wege zur Weisheit oder was lehrt uns die ant. Philos.?, 1999 · F. KATTENBUSCH, Die Entstehung einer christl. Th., in: Zeitschrift für Theologie und Kirche 38, 1930, 161–205 · A. LE BOULLUEC, La notion d'hérésie dans la littérature grecque. IIe-IIIe siècles, 2 Bd., 1985 · C. SCHOLTEN, Die alexandrinische Katechetenschule, in: JbAC 38, 1995, 16–37 · B. STUDER, Schola Christiana. Die Th. zw. Nizäa und Chalcedon, 1998. W. LÖ.

Theologos (θεολόγος, lat. *theologus*). Verfasser von Schriften über Wesen, Wirken und Genealogie der Götter. Als früheste Vertreter galten Orpheus, Musaios [1], Homer und Hesiod (Aristot. metaph. 2,4,1000a). Von Aristoteles (metaph. 13,4,1091a) über Cicero (nat. deor. 3,54) und Plutarchos [2] (Is. 25,360d) bis Eusebios (Pr. Ev. 5,14,3) bezeichnet der Begriff Philosophen, die sich mit der Erforschung des Göttlichen (*theología* bzw. *theologikḗ*) beschäftigen. Spätestens zur Zeit Plutarchos' (de def. or. 15,417f.) existierte in Delphoi ein eigenes Amt des *th.*, dessen Inhabern die Pflege und Vermitt-

lung lokaler Kulttradition oblag. Mehrmals begegnen *theológoi* in kaiserzeitl. Inschr. kleinasiatischer Städte: so in Pergamon (z. B. IEph Ia 22 Z. 4; 63/64: ein *th.* für alle Tempel der Stadt), in Smyrna (z. B. ISmyrna II 1,653; 654: jeweils zwei Schwestern als *theológoi* im Demeterkult; [1. 357]), in Ephesos (z. B. IEph Ia 27 Z. 295/296) und im Kult der Göttermutter von Thyateira (TAM V 2,962). Ihre Hauptaufgabe war – im Gegensatz zu den Hymnoden (→ *hýmnos*) – der Vortrag prosaischer Festreden [1. 380f.]. Ähnliche Funktionen wurden wohl auch von Mitgliedern der christlichen Gemeinde ausgeübt (SEG 20,778; [2. 355]). Die Ostkirche ehrt den Evangelisten → Iohannes [1] (IEph Ia 45 A u.ö.) sowie → Gregorios [3] von Nazianz als *th.*, den Mystiker Symeon (949–1022) als »Neuen Theologen«.

→ Theologie

1 NILSSON, GGR 2 2 D. ROQUES, Synésios de Cyrène et la Cyrénaïque du Bas-Empire, 1987.

L. ZIEHEN, s. v. Th., RE 5 A, 2031–2033. KL. ZI.

Theolytos (Θεόλυτος) aus Methymna (Lesbos). Undatierbarer Verf. von *Bakchiká épē* (›Bakchischen Liedern‹) über die Liebe des Meergottes Glaukos [1] zu Ariadne (drei Hexameter bei Athen. 7,296a-b). Vielleicht identisch mit dem von Athen. 11,470b erwähnten Autor der *Hóroi* (›Jahrbücher‹; vgl. schol. Apoll. Rhod. 1,623–626).

1 CollAlex fr. 1 2 FHG 4, 515 3 E. DIEHL, s. v. Th., RE 5 A, 2033 4 M. FANTUZZI, Epici ellenistici, in: K. ZIEGLER, L'epos ellenistico, 1988, LXXXVIf. S. FO./Ü: I. BA.

Theomestor (Θεομήστωρ). Sohn des Androdamas aus Samos, versenkte als *triḗrarchos* in der Perserflotte bei der Schlacht von → Salamis [1] 480 v. Chr. Schiffe der Griechen und wurde deshalb in Samos nach Aiakes [2] als Tyrann eingesetzt (Hdt. 8,85). Ohne sein Wissen verhandelten die Samier mit der griech. Flotte (Hdt. 9,90; vgl. 9,103). Als sich nach deren Sieg bei Mykale 479 die Griechen in Samos versammelten (Hdt. 9,106), erwähnt die Überl. T. nicht mehr.

H. BERVE, Die Tyrannis bei den Griechen, 1967, 115f.; 588 · L. DE LIBERO, Die archa. Tyrannis, 1996, 309; 415 · G. SHIPLEY, A History of Samos, 1987, 108f. J. CO.

Theomnastos (Θεόμναστος). Vornehmer Bürger von Syrakus, hielt 73–71 v. Chr. zu C. → Verres, für den er Ehrendekrete erwirkte und Abgaben eintrieb (Cic. Verr. 2,2,50f.; 2,3,101); zum Dank wurde Th. (durch Losbetrug: 2,2,126f.) Zeuspriester in Syrakus und durfte sich am Purpurhandel bereichern (2,4,59). Nach kurzem Widerstand gegen die Ermittlungen Ciceros, der Th. als verrückt darstellt, übergab Th. ihm 70 v. Chr. aus Angst ein Register von Wertobjekten in Verres' Besitz (2,4,148f.). JÖ. F.

Theomnestos (Θεόμνηστος).
[1] Athener, wurde nach der Schlacht bei Korinthos (394 v. Chr.) wegen Feigheit von Lysitheos in einem

Dokimasieprozeß (*epangelía dokimasías*; → *dokimasía*) angeklagt. Th. wurde verurteilt, konnte dadurch nicht als Redner in der Volksversammlung auftreten, erreichte aber durch einen Prozeß wegen falschen Zeugnisses gegen Dionysios die Aufhebung des Urteils. Gegen den erneut von Theon erhobenen Vorwurf der Feigheit ging Th. mit einer Anklage wegen Beleidigung (*díkē kakēgorías*; → *kakēgoría*) erfolgreich vor. Daraufhin wurde er allerdings von einem weiteren Zeugen, den er des Vatermords beschuldigt hatte, wegen Beleidigung verklagt. Die Anklagerede hat → Lysias [1] verfaßt (Lys. or. 10, Auszug in or. 11). TRAILL, PAA 508670.

M. HILLGRUBER (ed.), Die zehnte Rede des Lysias, 1988 (mit Komm.). W.S.

[2] Veterinärmedizinischer griech. Autor, um 320 n. Chr., Freund eines Kaisers, evtl. des Valerius Licinianus Licinius [II 4], den er in einem eiskalten Februar auf einer Reise von Kärnten nach It. begleitete (Corpus Hippiatricorum Graecorum 1,183). Er war Militärveterinär und interessierte sich offenbar für physiologische Fragen. In seinen Schriften, die abgesehen von einigen Fr. und einer noch nicht veröffentlichten, in Istanbul verwahrten arabischen Hs. verloren sind, verarbeitete er → Apsyrtos [2].
→ Hippiatrika; Veterinärmedizin V. N./Ü: L. v. R.–B.

Theon (Θέων).
[1] Th. aus Samos, griech. Maler des Hell., wirkte um und nach 300 v. Chr. Als vorbildliche Exempla in Anleitungen zur Rhetorik (z. B. Quint. inst. 12,10,6) werden v. a. seine überzeugenden Bilderfindungen und deren gelungene Inszenierungen gerühmt. Durch gestalterische *phantasía* (lat. *ingenium*, »Bilderfindung«; → Phantasie) sollten kreative Vorstellungskraft und psychologisches Einfühlungsvermögen beim Betrachter gleichermaßen angeregt werden, damit dieser auch Nichtsichtbares imaginieren könne. So zeigte ein bei Ail. var. 2,44 beschriebenes Gemälde des Th. nur einen einzelnen Krieger, dessen pathetische Gestik, Haltung und Mimik verm. Assoziationen zum gewalttätigen Zweikampf im kriegerischen Umfeld evozierte. Dazu paßt der anekdotisch gefärbte Bericht, daß bei der Präsentation des Bildes vor Publikum zur Effektsteigerung ein Trompeter Kampfsignale blies. Weitere Werke, allesamt nicht erh., waren der geblendete Leierspieler → Thamyris und der wahnsinnige → Orestes [1] nach dem Muttermord. Th. wurde gelegentlich mit dem von Plin. nat. 35,144 kurz zuvor zitierten Zeitgenossen, dem namensverwandten Theoros identifiziert, da die Bildthemen der beiden teilweise übereinstimmten.

P. MORENO, Elementi di pittura ellenistica, in: A. ROUVERET (Hrsg.), L'Italie méridionale et les premières expériences de la peinture hellenistique, 1998, 7–67 · Ders., s. v. Th. (2), EAA 7, 1966, 817 · J. J. POLLITT, The Ancient View of Greek Art, 1974, 456 (Index) · I. SCHEIBLER, Griech. Malerei der Ant., 1994, 221 (Index). N.H.

[2] Nur inschr. bezeugter Komödiendichter des 3. Jh. v. Chr.; Lenäensieger.

1 PCG VII, 1989, 699. B. BÄ.

[3] Ca. 50 bis ca. 41 v. Chr. → *dioikḗtēs* ganz Äg.s unter Ptolemaios XIII. [20] und Kleopatra VII. [II 12].

L. MOOREN, The Aulic Titulature in Ptolemaic Egypt, 1975, 141 Nr. 0178. W. A.

[4] Alexandrinischer Grammatiker augusteischer Zeit, Sohn des Grammatikers → Artemidoros [4] von Tarsos (vgl. Herodian. de prosodia catholica, GG 3,1,502,14), Vorgänger des → Apion auf dem Gramm.-Lehrstuhl in Alexandreia [1] (vgl. Suda s. v. Ἀπίων). Verf. eines Lex. des komischen und tragischen Stils (Λέξεις κωμικαί; vgl. Hesych. epist. ad Eulogium 3–4 LATTE) und umfassend gelehrter (nur in Fr. überl. [1]) Komm. zu Homeros [1], Pindaros [2], Sophokles [1], Kallimachos [3], Lykophron [5], Theokritos, Apollonios [2] Rhodios und Nikandros [4], die spätere Komm. zu den hell. Dichtern stark prägten.

1 C. GUHL, Die Fr. des alexandrinischen Grammatikers Th., 1969 2 C. WENDEL, s. v. Th. (9), RE 5 A, 2054–2059.
GR. DA.

[5] Mathematiker und Philosoph aus Smyrna, frühes 2. Jh. n. Chr. Th. muß zur Zeit Hadrians gelebt haben: Er zitiert als jüngste Autoren den Hofastrologen des Tiberius, Thrasyllos [2], und den Peripatetiker Adrastos [3], nicht aber den ›Almagest‹ des → Ptolemaios [65]. Andererseits schreibt Ptolemaios dem Th. Beobachtungen von Venus und Merkur aus den J. 127, 129, 130 und 132 zu (Almagest 9,9; 10,1; 10,2). Verm. ist der »alte Th.«, den Th. [8] von Alexandreia in seinem Komm. zum ›Almagest‹ zit., mit Th. [5] identisch. Eine in Smyrna gefundene Büste aus der Zeit Hadrians trägt die Inschr. Θέωνα Πλατωνικὸν φιλόσοφον (›Th., der platonische Philosoph‹) – Th. war also auch als Philosoph bekannt.

Die einzige erh. Schrift des Th. ist: Τὰ κατὰ τὸ μαθηματικὸν χρήσιμα εἰς τὴν Πλάτωνος ἀνάγνωσιν (*Ta katá to mathēmatikón chrḗsima eis tēn Plátōnos anágnōsin*, ›Was man an mathematischem Wissen für die Lektüre Platons braucht‹; Ed. [1] und [3]). Die Schrift ist v. a. wertvoll, weil sie aus älteren Quellen zitiert. Trotz des Titels enthält sie keinen Komm. zu mathemat. Stellen in Platons [1] Dialogen, sondern sie ist eine allg. Einl. in die → Mathematik für Studenten der platonischen Philos. Der erste Teil des Werks behandelt v. a. die Arithmetik und die Musik. Im arithmetischen Abschnitt geht Th., ähnlich wie → Nikomachos [9] von Gerasa, auf die Einteilung der Zahlen in gerade und ungerade, Primzahlen und zusammengesetzte Zahlen, Quadrat- und Nichtquadratzahlen usw. ein. Bes. interessant ist der Abschnitt über die Seiten- und Diagonalzahlen, der bei Nikomachos keine Entsprechung hat. Der Abschnitt über die → Musik behandelt die Instrumentalmusik, Musikintervalle und die Harmonie des Universums (→ Sphärenharmonie). Th. zitiert hier u. a. Thrasyllos, → Adrastos [3], Aristoxenos [1], → Hippasos [5], → Eudoxos [1] und Platon [1].

Viel umfangreicher und bedeutender ist der zweite Teil des Werks, der die → Astronomie betrifft und folgende Themen behandelt: Beweise für die Kugelgestalt der Erde; Bestimmung des Erdumfangs; Einteilung des Himmels; Eigenarten und Bewegungen der Fixsterne und der Planeten; Entstehung und Erklärung von Sonnen- und Mondfinsternissen (→ Finsternisse). Th. geht auf Epizykel und Exzenter ein und zeigt ihre Äquivalenz; außerdem stellt er das System der homozentrischen Sphären dar, das von → Eudoxos, → Kallippos [5] und → Aristoteles [6] benutzt worden war. Den Schluß bildet ein Exzerpt aus der Astronomie-Gesch. des → Eudemos [3].

Weitere Werke des Th., v. a. Komm. zu Schriften Platons [1], sind verloren [5].

→ Astronomie C.; Mathematik IV. A.; Musik IV.

> 1 H. Dupuis (ed.), Théon de Smyrne philosophe Platonicien, Exposition des connaissances mathématiques utiles pour la lecture de Platon, 1892 (mit frz. Übers.; Ndr. 1966) 2 T. L. Heath, A History of Greek Mathematics, Bd. 2, 1921, 238–244 3 E. Hiller (ed.), Theonis Smyrnaei philosophi Platonici Expositio rerum mathematicarum ad legendum Platonem utilium, 1878 (Ndr. 1995)
> 4 G. L. Huxley, s. v. Th. of Smyrna, in: Gillispie 13, 325 f.
> 5 K. von Fritz, s. v. Th. (14), RE 5 A, 2067–2075. M. F.

[6] Griech. Rhetor und Autor der ältesten erh. Lehrschrift über die rhet. → progymnásmata, die aufgrund innerer Kriterien und auffälliger Übereinstimmungen mit Quintilianus [1] am ehesten ins 1. Jh. n. Chr. zu datieren ist. Quintilian zitiert mindestens einmal einen Rhetor Th. (inst. 3,6,38; vielleicht auch 9,3,76). Die Suda kennt einen Aelius Th. aus Alexandreia, der neben Komm. zu Xenophon, Isokrates und Demosthenes [2] auch rhet. und gramm. Fachschriften verfaßt sowie über progymnásmata geschrieben habe. Trotz der Häufigkeit des Namens liegt die Annahme nahe, daß dieselbe Person gemeint ist; Th. ist am ehesten in das 1. Jh. n. Chr. zu datieren.

Die erh. Lehrschrift ist die anspruchsvollste und differenzierteste Behandlung dieser Materie. Auf eine allg., von didaktischer Erfahrung und kluger pädagogischer Einsicht zeugende Einl. folgte die Behandlung von 15 progymnásmata, von denen im griech. Original nur die ersten neun und der Beginn des zehnten erh. sind; der Rest liegt in einer im 6. Jh. entstandenen armenischen Übers. vor. Die Übungen 11 bis 15 (Lesen, Hören, Paraphrasieren, Ausarbeiten, Begründen der Gegenposition) sollen nach Th.s Konzept nach und nach par. zu den Übungen 1 bis 10 auf dem Lehrplan stehen. Wenn man deren ursprüngliche – in der Überl. (die von einem einzigen nach ca. 850 entstandenen Archetypus abhängt) durcheinandergeratene – Reihenfolge wiederherstellt (dies gelingt mit Hilfe der Verweise im Text und der Übers.), ergibt sich klar Th.s pädagogisches Prinzip des Fortschreitens vom Leichteren zum Schwierigeren. Dem tritt die Einsicht zur Seite, daß der Lehrer stets Rücksicht auf die Unterschiedlichkeit der Begabungen nehmen müsse. Das Werk ist insgesamt nicht als Lehrbuch für Schüler bestimmt, sondern soll den Lehrenden als Leitfaden dienen und auch Lesern mit lit. Ambitionen nützlich sein. Th. zeigt mehrfach Eigenständigkeit in seinen Definitionen der progymnásmata; seine zahlreichen Beispiele nimmt er aus Homeros [1], den Attikern (außer den Tragikern), er zitiert auch Menandros [4] und Ktesias. Th. äußert sich ablehnend gegenüber der asianischen Stilrichtung (→ Asianismus) und läßt Beeinflussung durch stoisches Gedankengut erkennen.

> Ed.: M. Patillon, 1997 (mit ausführlicher Einl., armenischem Text, frz. Übers.) · R. Butts, 1986 (mit Komm. und engl. Übers.).
> Übers.: D. Reche Martínez, 1991 (span.) · G. A. Kennedy, 1999 (engl.).
> Lit.: I. Lana, Quintiliano, il Sublime e gli Esercizi preparatori di Elio Teone, 1951 · M. Gronewald, Ein Fr. aus Th.s Progymnasmata, in: ZPE 24, 1977, 23 f. · G. Uluhogian, La versione armena dei 'Progymnasmata' di Teone, in: Eikasmos 9, 1998, 219–224. M. W.

[7] Th. von Alexandreia. Arzt und Verf. hygienischer Schriften im 2.–3. Viertel des 2. Jh. n. Chr. Als Autodidakt verfaßte er eine Schrift in vier B. über Gymnastik, worin er den gesundheitsfördernden Effekt der einzelnen körperlichen Übungen genau beschrieb (vgl. Galenos, CMG V,4,2,92 f.). Wenn er der anon. Gegner des → Galenos ist (Gal. Thrasybulos 46: 5,895 K.), dann stellte er seine erfolgreiche Methode von Massage und Körpertraining gegen die lediglich theoretischen Feststellungen des → Hippokrates [6]. Th. unterschied zw. Spezialtraining für Athleten und allgemeinen Übungen zur Gesunderhaltung. V. N./Ü: L. v. R.-B.

[8] Mathematiker und Astronom aus Alexandreia [1], 2. H. 4. Jh. n. Chr.

I. Leben und Werk II. Fortwirken

I. Leben und Werk

Th.s Lebenszeit ist gesichert durch chronologische Notizen in seinen erh. Werken: Er beobachtete im J. 364 n. Chr. zwei → Finsternisse in Alexandreia; andere Berechnungen beziehen sich auf die J. 360 und 377. Der Suda-Artikel (2,702 Adler) nennt Th. unter Kaiser → Theodosius [2] I. (379–395). Seine Tochter war die Philosophin und Mathematikerin → Hypatia, deren gewaltsamen Tod (415) Th. wohl nicht mehr erlebte. Th. wirkte als Lehrer der Mathematik und Astronomie in Alexandreia. Seine erh. Schriften beschäftigen sich mit den grundlegenden Werken des → Eukleides [3] und des → Ptolemaios [65] zur Mathematik bzw. Astronomie.

Th.s ausführlichstes Werk ist sein Komm. zu Ptolemaios' ›Almagest‹ in 13 Büchern. B. 11 ist verloren, von B. 5 ist nur ein Fr. erh.; andere B. sind verm. lückenhaft (Ed. von B. 1–4: [6]; der Rest ist nur in [1] zugänglich).

Es handelt sich verm. nicht um einen eigenen, vollständigen Komm., sondern um eine Fortsetzung und Ergänzung des Komm. des → Pappos. Das Werk ist wahrscheinlich eine Bearbeitung von Th.s Vorlesungen. Es ist v.a. wichtig durch seine Zit. aus h. verlorenen mathemat. und astronom. Schriften, z. B. aus → Zenodoros' Abh. über isoperimetrische Figuren.

Th. schrieb auch zwei Komm. zu den ›Handlichen Tafeln‹ des → Ptolemaios [65] (II. A. 3.), in denen dieser leicht faßbare Verfahren angab, um die Positionen der Himmelskörper zu berechnen [8]. In dem längeren Komm. (Ed.: [4]) erklärt Th. nicht nur, wie die Taf. zu benutzen sind, sondern auch Gründe und Verfahren für ihre Erstellung. Der kürzere Komm. (Ed.: [7]) wurde für diejenigen Schüler geschrieben, die an geom. Beweisen nicht interessiert waren, und beschränkt sich auf eine »Gebrauchsanweisung«.

Th. verfaßte ferner Ausgaben naturwiss. griech. Werke. Dabei kam es ihm nicht auf eine philol. getreue Wiedergabe an, sondern auf die Herstellung eines möglichst glatten, gleichmäßigen und leichtverständlichen Textes als Grundlage für den Unterricht. Th.s Edd. betrafen Schriften des Euklid (›Elemente‹, ›Data‹, ›Optik‹, die ihm zugeschriebene ›Katoptrik‹; s. [3. 139–148, 174–180]) und Ptolemaios' ›Handliche Tafeln‹. Während bei Euklids ›Elementen‹ erst im 19. Jh. eine nicht-theonische Hs. gefunden wurde (→ Eukleides [3] C.), sind von anderen Schriften des Euklid mehr Hss. bekannt, die nicht auf Th.s Redaktion zurückgehen.

Die Suda erwähnt (h. verlorene) Schriften des Th. zur Astrolab und Mantik sowie eine ›Abh. über das kleine Astrolab‹ (→ astrolabium). Da ihm auch in arab. Quellen eine Schrift ›Über die Arbeit mit dem Astrolab‹ zugeschrieben wird, scheint es, als habe Th. das planisphäre Astrolab gekannt, das im MA bei den Arabern und im Westen sehr verbreitet war (zu dessen Frühgesch. s. [5])

II. FORTWIRKEN

Obwohl Th. kein bedeutender Wissenschaftler war, hatten seine Schriften und Bearbeitungen großen Einfluß. Durch seine Ed. gelangten die ›Handlichen Tafeln‹ zu den arab.-islam. Astronomen und von dort (über al-Battānī und die ›Toletanischen Tafeln‹) im 12. Jh. nach Westeuropa. Seine Komm. zum ›Almagest‹ und zu den ›Handlichen Tafeln‹ wurden in Byzanz stark beachtet und veranlaßten Stephanos von Alexandreia (vgl. → Stephanos [9]), einen Komm. zu den ›Handlichen Tafeln‹ zu schreiben. Eine Bemerkung in Th.s kürzerem Komm. zu den ›Handlichen Tafeln‹ über die Vorstellung ›gewisser Astrologen‹, daß der Frühlingspunkt eine regelmäßige Vorwärts- und Rückwärtsbewegung auf der → Ekliptik beschreibe, führte dazu, daß Habaš al-Hāsib (um 850) und andere arab. Astronomen in Bagdad Theorien und Modelle über die Bewegung des Frühlingspunktes aufstellten. Im 12. Jh. kamen derartige Gedanken über das muslimische Spanien (az-Zarqāllu) nach Westeuropa. Dort wurde diese sog. Trepidationstheorie in die ›Alfonsinischen Tafeln‹ übernommen und

erschien bis zum 16. Jh. in verschiedenartiger Form in den Arbeiten von PEURBACH, Johannes WERNER und KOPERNICUS.

→ Astrolabium; Astronomie; Mathematik

1 S. GRYNAEUS (ed.), Claudii Ptolemaei Magnae Constructionis (= *Megálēs syntáxeōs*) ... lib. XIII. Theonis Alexandrini in eosdem commentariorum lib. XI, Basel 1538 2 T. L. HEATH, A History of Greek Mathematics, Bd. 1, 1921, 58–63, 360f.; Bd. 2, 1921, 526–528 3 J. L. HEIBERG, Litterargeschichtliche Stud. über Euklid, 1882 4 J. MOGENET, A. TIHON (ed.), Le 'Grand Commentaire' de Th. d'Alexandrie aux Tables Faciles de Ptolémée, 2 Bde., 1985–1991 (mit frz. Übers.) 5 O. NEUGEBAUER, The Early History of the Astrolabe, in: Isis 40, 1949, 240–256 6 A. ROME, Commentaires de Pappus et de Th. d'Alexandrie sur l'Almageste, Bd. 2 und 3, 1936–1943 7 A. TIHON (ed.), Le 'Petit Commentaire' de Th. d'Alexandrie aux Tables Faciles de Ptolémée, 1978 (mit frz. Übers.) 8 A. TIHON, Th. d'Alexandrie et les *Tables faciles* de Ptolémée, in: AIHS 35, 1985, 106–123 9 G. J. TOOMER, s. v. Th. of Alexandria, in: GILLISPIE 13, 321–325 10 K. ZIEGLER, s. v. Th. (15), RE 5 A, 2075–2080. M. F.

[9] Griech. Arzt, verm. 4. oder 5. Jh. n. Chr. Als → *archiatrós* in → Alexandreia [1] schrieb er unter dem Titel *Ánthrōpos* (›Der Mensch‹) ein knappes Hdb. der Medizin, von dem → Photios eine Zusammenfassung bietet (bibl. cod. 22). Das B. enthält eine Liste von therapeutischen Verfahren, angeordnet »von Kopf bis Fuß«, gefolgt von einem Abschnitt über einfache und zusammengesetzte Heilmittel sowie einer Rezeptauswahl aus älteren Autoren. V. N./Ü: L. v. R.–B.

Theophane (Θεοφάνη). Schöne und begehrte Tochter des → Bisaltes [2], von Poseidon in ein Schaf verwandelt, mit dem er in Widdergestalt den goldenen Widder zeugte, der → Phrixos und → Helle über das Meer trägt (Hyg. fab. 3; 188; Ov. met. 6,117). CA. BI.

Theophanes (Θεοφάνης).

[1] Th. von Mytilene. Enger Berater und Historiograph des → Pompeius [I 3] (= Pomp.). Th., Sohn des Ieroitas, war, wie eine neugefundene Inschr. [1. 377–383] zeigt, schon vor seiner Bekanntschaft mit Pomp., den er 67 v. Chr. auf dem Feldzug gegen Mithradates [6] begleitete (FGrH 188 T 2), als Prytane in → Mytilene polit. tätig (T 1). 62 v. Chr. (vgl. Cic. Arch. 24 = T 3a) erhielt er von Pomp. in einer Heeresversammlung das röm. Bürgerrecht und erscheint daher in IG XII 2, 150 als Cn. Pomp. Th. Dank seiner Bemühungen bekam Mytilene die Freiheit zurück (T 4), weshalb Th. nach seinem Tod (*terminus ante quem* 36 v. Chr.) als *Theós Zeús eleuthérios philópatris Theophánēs* konsekriert wurde (IG XII, 163b). Seine Nachkommen spielten noch im Rom des 2. Jh. n. Chr. eine wichtige Rolle.

Verschiedene Aussagen bezeugen den bedeutenden Einfluß, den Th. auf Pomp. ausübte: Strab. 12,2,3 = T 1; Plut. Pomp. 49,13 f. = T 5 c; Cic. Att. 5,11,3 = T 7; Caes. civ. 3,18,3–5 = T 8b. Auf Anraten des Th. soll sich

Pomp. auf seine Flucht nach Ägypt. begeben haben (Plut. Pomp. 76,6–9 = T 8d). Noch 44 v.Chr. stand Cicero (Att. 15,19,1 = T 9) mit ihm in Verbindung.

Titel, Aufbau und zeitliche Ausdehnung des Werkes über Pomp. sind nicht bekannt. Da Cicero (T 3 a) bereits 62 v.Chr. Th. als *scriptorem rerum suarum* (»Geschichtsschreiber« sc. des Pompeius) bezeichnet, ergibt sich trotz der gegenteiligen Auffassung von [2], der diesen Passus unzutreffend interpretiert, ›daß es sich um ein schnell hingeworfenes Tendenzwerk mit praktisch-politischem Zweck handelt‹ [3]. An der propagandistischen Tendenz ist im Hinblick auf T 1–4 und F 1 nicht zu zweifeln, auch wenn die sieben erh. Fr. – sie stammen zumeist aus Strabon –, abgesehen von F 1, nur geogr. Beschreibungen bieten. Die Rekonstruktion des Werkes, wie sie [2] auf der Basis von Strab. B. 11 und 12 vornimmt, ist äußerst hypothetisch.

ED.: FGrH 188.
1 V. I. ANASTASIADIS, G. A. SOURIS, Th. of Mytilene: A New Inscription Relating to His Early Career, in: Chiron 22, 1992 2 R. LAQUEUR, s. v. Th. (1), RE 5 A, 2090–2127 3 F. JACOBY, Komm. zu FGrH 188, 1930, 614–618 4 P. PÉDECH, Deux grecs face à Rome au 1er siècle av. J.-C.: Méthrodore de Scepsis et Th. de Mytilène, in: REA 9, 1991, 65–78. K.MEI.

[2] Th. Homologetes (Θ. Ὁμολογητής, *Th. Confessor*, * ca. 760 n.Chr. in Konstantinopolis, † 12.3.817/8 auf Samothrake). Th. war adliger Herkunft (Eltern: Isaak und Theodote); er kam an den Hof Kaiser Leo(n)s [7] IV. und widmete sich danach ab dem Alter von 20 Jahren zusammen mit seiner Frau Megalo dem monastischen Leben. Er wurde Abt des von ihm gegr. Klosters τοῦ Μεγάλου Ἀγροῦ (*tu Megálu Agrú*) am Berg Sigriane (Südküste des Marmarameeres). Während des Bilderstreites (→ Syrische Dynastie) zitierte Kaiser Leon [8] V. Th. wegen dessen bilderfreundlicher Haltung nach Konstantinopolis. Nach zweijähriger Inhaftierung wurde Th. nach Samothrake verbannt, wo er bis zu seinem Tod blieb. Von seinem Freund Georgios → Synkellos [2] ermuntert, dessen Weltchronik für die Zeit von 285 bis 813 fortzusetzen, übernahm Th. das von diesem gesammelte Material und fertigte das Werk zw. 811 und 814 an. Für das 4.–6. Jh. wurden von Th. selbst oder durch Kompilatoren weitere Quellen herangezogen (→ Sokrates [9], → Sozomenos, → Theodoretos [1] sowie → Prokopios [3] von Caesarea, → Priskos, → Iohannes [18] Malalas, → Theophylaktos [1] Simokates, → Georgios [6] Pisides u. a.). Für die J. 602–769 berücksichtigte Th. stärker als → Nikephoros [1] die nicht überl. Vorlage des Μέγας Χρονογράφος (*Mégas Chronográphos*). Für die Zeit bis 813 ist Th. unsere einzige histor. Quelle. Seine zw. Hoch- und Volkssprache schwankende Χρονογραφία (*Chronographía*) ist streng annalistisch angelegt; sie wurde durch spätere Chronisten (bes. → Georgios [5] Monachos) erweitert. Anastasios Bibliothekarios übersetzte sie ins Lateinische.

C. DE BOOR (ed.), Theophanis chronographia, Bd. 2, 1885 · HUNGER, Literatur. K.SA.

[3] Epigrammatiker, lebte verm. z.Z. des Konstantinos Kephalas (vgl. → Anthologie E.) und kurz vor dem Schreiber, der die gesamte *Anthologia Palatina* zusammenstellte (= J, 1. H. 10. Jh. n. Chr.), vgl. → Konstantinos [2] von Rhodos. Überl. sind zwei Gedichte: eine Antwort auf Konstantinos [3] von Sizilien über die Vorzüge eines Stuhls (Anth. Pal. 15,14, vgl. 15,13) und ein erotisches Einzeldistichon (15,35, vgl. 5,83 f.). Die Identifikation mit Th. [2] Homologetes ist ebenso auszuschließen wie die mit zwei homonymen Hymnendichtern [1].

1 A. CAMERON, The Greek Anthology from Meleager to Planudes, 1993, 283–285, 305–308, 316. M.G.A./Ü: L. FE.

[4] Th. Continuatus oder *Scriptores post Theophanem* ist die konventionelle Bezeichnung eines nur in der Hs. Vaticanus graecus 167 (11. Jh.) überl. Gesch.-Werks für die J. 813 bis 961, das aus vier unabhängig voneinander entstandenen Abschnitten besteht:

(1) Die ersten vier B. sind die Fortsetzung der Chronik des Th. [2] für die J. 813 bis 867. Sie wurden im Auftrag des Kaisers Konstantinos [1] VII. Porphyrogennetos verfaßt und propagieren die Interessen der → Makedonischen Dynastie. An die Stelle der annalistischen Darstellung bei Theophanes tritt hier eine Abfolge von Kaiserbiographien; als Quelle diente u. a. das Gesch.-Werk des Genesios (→ Iosephos [6]). (2) Das fünfte Buch, die sog. *Vita Basilii*, ist die Biographie des Kaisers Basileios [5] I. (867–886), in der sein Leben durch Anekdoten und Legenden ausgeschmückt wird. Die *Vita Basilii* entstand ebenfalls im Auftrag des Konstantinos; die ältere Ansicht, er habe sie persönlich verfaßt, wird mittlerweile bezweifelt [3]. (3) Der um 963 entstandene Hauptteil des sechsten Buchs über die J. 886 bis 948 kehrt zur chronistischen Form mit der bunten Aneinanderreihung von Informationen zurück und steht der sog. → Georgios [3] Continuatus nahe. Er vertritt eine der adligen Oberschicht gegenüber freundliche Tendenz, distanziert sich aber deutlicher als die Chronik des Symeon [2] Logothetes von der Regierung des Romanos [2] I. Lakapenos. (4) Der Schluß des sechsten Buchs entstand ebenfalls um 963 und ist möglicherweise ein Werk des Konstantinopler Stadtpräfekten Theodoros Daphnopates. Dieser letzte Teil sollte wohl bis zur Gegenwart des Verf. reichen, bricht aber im J. 961 ab. Der Autor unterstützt wiederum die Maked. Dynastie und stellt bes. die Person des Konstantinos VII. positiv der des Romanos I. gegenüber.

ED.: 1 I. BEKKER, Th. Continuatus, 1838 2 L. BREYER, Vom Bauernhof auf den Kaiserthron. Leben des Kaisers Basileios I., des Begründers der Maked. Dyn., 1981 (dt. Übers. von B. 5, mit Komm.).
LIT.: 3 HUNGER, Literatur 1, 339–343 4 I. ŠEVČENKO, Re-reading Constantine Porphyrogenitus, in: N. OIKONOMIDES (Hrsg.), Byzantine Diplomacy, 1990, 167–195. AL.B.

Theophano (Θεοφανώ).

[1] Th. Anastaso (Θ. Ἀναστάσω). Byz. Kaiserin (ca. 941 bis nach 976 n. Chr.), Gattin → Romanos' [3] II. (959–963), dem sie die späteren Kaiser → Basileios [6] II. und → Constantinus [10] VIII. gebar; sie wurde 963 Gattin → Nikephoros' [3] II., an dessen Ermordung 969 sie als Anstifterin beteiligt war.

> A. KAZHDAN, s. v. Th., ODB 3, 2064 f.

[2] (auch Theophanu, ca. 960–991 n. Chr.). Gattin des abendländischen Kaisers Otto II. seit 972, Nichte des byz. Kaisers → Iohannes [35] I. Tzimiskes, wahrscheinlich Tochter des Konstantinos Skleros und der Sophia Phokaina. Sie regierte nach dem Tod ihres Gatten (983) für ihren minderjährigen Sohn Otto III.

> A. DAVIDS (Hrsg.), The Empress Th.o, 1995 · A. VON EUW, P. SCHREINER (Hrsg.), Kaiserin Th.u, 2 Bde, 1991 · G. WOLF (Hrsg.), Kaiserin Th.u, 1991.　　F. T.

Theophiliskos (Θεοφιλίσκος). Rhodischer Admiral, erfocht 201 v. Chr. bei Chios den Sieg der rhodisch-pergamenischen Allianz gegen → Philippos [7] V., bei dem er tödlich verletzt wurde (Pol. 16,2–9; [1. 118–120]).

> 1 R. M. BERTHOLD, Rhodes in the Hellenistic Age, 1984.　　L.-M. G.

Theophilos (Θεόφιλος).

[1] Komödiendichter des 4. Jh. v. Chr.; Sieger an den Dionysien von 329 [1. test. 2], Vierter an denen von 311 mit dem *Pankratiastḗs* [2. 190, 200]. Th. gehört zur ausgehenden Mittleren und beginnenden Neuen → Komödie (I. G.); von den neun bekannten Titeln weisen zwei – Νεοπτόλεμος (›Neoptolemos‹), Προιτίδες (›Die Proitos-Töchter‹) – auf Mythenstücke hin, die übrigen auf alltägliche Stoffe. In den Ἐπίδημοι (›Die Verreisten‹) überlegt ein Sklave, ob er seinem guten Herrn weglaufen soll (fr. 1); im Φίλαυλος (›Der den Aulos liebt‹) wird vor »gefährlichen« Hetären gewarnt (fr. 11). Als weitere zeitgenössische Personen kommen im Ἐπιδαύριος (›Der Mann aus Epidauros‹) der gefräßige Offizier Atrestidas von Mantineia vor (fr. 3), im Ἰατρός (›Der Arzt‹; fr. 4) der Schlemmer-Politiker → Kallimedon mit dem Spitznamen Karabos (»Krabbe«) [3. 276 f.].

> 1 PCG VII, 1989, 700–707 2 H.-G. NESSELRATH, Die attische Mittlere Komödie, 1990 3 Ders., The Polis of Athens in Middle Comedy, in: G. W. DOBROV (Hrsg.), The City as Comedy, 1997, 271–288.　　B. BÄ.

[2] Sohn des Alexion, brachte zwischen 279 und 274 v. Chr. als Anführer einer Festgesandtschaft Ptolemaios' [3] II. und der Alexandriner ein Weihgeschenk nach Delos. PP VI 14989.

> E. OLSHAUSEN, Prosopographie der hell. Königsgesandten, Bd. 1, 1974, 320 f. Nr. 212.　　W. A.

[3] Th. Autokrator Dikaios (Θ. Αὐτοκράτωρ Δίκαιος). Indogriech. König in Paropamisadai (→ Paropamisos)

etwa am Beginn des 1. Jh. v. Chr., nur durch seine Münzen belegt; mittelindisch *Theuphila*.

> BOPEARACHCHI, 103–106; 307 f.　　K. K.

[4] Th. von Antiocheia. Christl. Apologet, laut Eus. HE 4,20 Bischof von Antiocheia [1]. Kurz nach 180 verfaßte er die lose aus drei eigenständigen Büchern bestehende Schrift *Ad Autolycum* (Ed.: [1]; Inhaltsübersicht: [1. 4–14]). B. 1 handelt über verschiedene Aspekte des Gottesglaubens (Christennamen u. a.), B. 2 dagegen greift die griech.-röm. Lit. und Philos. an und legt den Schöpfungsbericht aus. B. 3 verteidigt die christl. Lebensführung (Altersbeweis mittels Chronologie). Weitere Schriften sind verloren.

> ED.: 1 M. MARCOVICH, Patristische Texte und Studien 44, 1995 2 A. DI PAULI, BKV², Bd. 14, 1913, 12–110 (dt. Übers.).

[5] Th. der Inder († nach 364 n. Chr.). Kaiser Constantius [2] II. beauftragte um 342 den von der im Indischen Ozean gelegenen Insel Dibēs (Dibos) stammenden Th. mit einer Gesandtschaft zu den im Süden der arab. Halbinsel lebenden Himyaren (Bau dreier Kirchen). Nach seiner Rückkehr zählte er zum Kreis der arianischen Kirchenpartei der sog. Anhomöer um Bischof Aëtios von Antiocheia (→ Arianismus).

> I. SHAHÎD, Byzantium and the Arabs in the Fourth Century, 1984, 86–106.

[6] Bischof von Alexandreia [1] (* um 345, † 412 n. Chr.). Im Mittelpunkt seiner Aktivitäten stand die Verteidigung der Führungsrolle der Kirche von Alexandreia im Osten, bes. gegenüber dem aufstrebenden Konstantinopolis. In der Auseinandersetzung um die Rezeption der Lehren des → Origenes [2] wurde der streitbare Th. schließlich zum verbissenen Gegner der Origenisten (Synode von Alexandreia um 400). Skrupellos in der Wahl seiner Mittel, gelang ihm auf der sog. Eichensynode 403 die Absetzung des Iohannes [4] Chrysostomos als Bischof von Konstantinopolis. In Alexandreia bekämpfte Th. massiv die alten Kulte (391 Zerstörung des → Serapeums). Von seinem umfangreichen Schrifttum (CPG 2580–2684; Liste bei [4]) sind meist nur Fr. erh. Wichtig für die origenistische Kontroverse ist die verzweigte, z. T. bei → Hieronymus übersetzte Korrespondenz, darunter einige Osterfestbriefe. Des weiteren sind verschiedene Homilien erh.; der *Tractatus contra Origenem de visione Isaiae* (CPG 2683) dürfte ebenfalls von Th. stammen.

> 1 W. A. BIENERT (Hrsg.), Origeniana septima: Origenes in den Auseinandersetzungen des 4. Jh., 1999 2 H. CROUZEL, s. v. Théophile d'Alexandrie, Dictionnaire de Spiritualité 15, 524–530 (Lit.) 3 A. FAVALE, Teofilo d'Alessandria, 1958 (ältere Lit.: 215–224) 4 M. RICHARD, Les écrits de Théophile d'Alexandrie, in: Le Muséon 52, 1939, 33–50.　　J. RI.

[7] Mitglied des Kronrats (*comes sacri consistorii*) und Rechtsprofessor (*antecessor*) in Konstantinopolis unter Iustinianus [1] I. (6. Jh. n. Chr.; [2. 58 ff.]), stark beteiligt an der Kompilation des → *Codex* (II. C.) *vetus* (const. *Haec* 1; *Summa* 2), der → *Digesta* (const. *Tanta/Dedoken* 9) und der → *Institutiones* (const. *Imperatoriam* 3; *Omnem* 2; *Tanta* 11; [4. 397–405]). Der zum letzten Mal in der const. *Tanta* (dem Einführungsgesetz zu den *Digesta*) von 533 n. Chr. erwähnte Th. schrieb eine griech. Paraphrase der *Institutiones*, das einzige fast vollständig erh. Werk des iustinianischen Rechtsunterrichts (Ed.: [1]), und einen Index zu den *Digesta*, der mindestens deren erste 19 B. erfaßte [3].

1 C. FERRINI (ed.), Institutionum Graeca paraphrasis Theophilo antecessori vulgo tributa, 2 Bde., 1884–1897 (Ndr. 1967) 2 J. H. A. LOKIN, Die Karriere des Theophilus Antecessor, in: Ders. et al. (Hrsg.), Subseciva Groningana 1, 1984, 43–68 3 P. E. PIELER, Rechtslit., in: HUNGER, Literatur 2, 400–428, bes. 419 f.; 422 4 D. PUGSLEY, On Compiling Justinian's Digest, in: J.-F. GERKENS (Hrsg.), Mélanges F. Sturm, Bd. 1, 1999, 395–405. T. G.

[8] Th. aus Edessa. Etwa 695–785 n. Chr., verteidigte als Christ die Astrologie gegen die Angriffe der Kirche. Er stützt sich dabei auf ältere Werke wie die des Anonymus von 379 oder von → Iulianos [19] von Laodikeia.

W. KROLL, s. v. Th. (13), RE 5 A, 2138 · W. und H. G. GUNDEL, Astrologumena, 1966, Index. W. H.

[9] Th. und sein Teufelspakt stehen im Mittelpunkt einer zw. 650 und 850 n. Chr. entstandenen, in mehreren Rezensionen überlieferten griech. Legende, die in ihrer erweiterten Fassung einem Kleriker Eutychianos zugeschrieben wird (sog. Eutychianus-Rezension; Ed. [2. 182–219]). Der angeblich während der Regierung des byz. Kaisers Herakleios [7] in Adana in Kilikien lebende Kleriker Th. schließt, nachdem er seine Stelle verloren hat, gegen die Zusicherung irdischen Erfolgs einen durch schriftlichen Vertrag besiegelten Pakt mit dem Teufel. Bald schon reut ihn seine Tat, er tut Buße und bittet Maria um Beistand, mit deren Hilfe er den Vertrag zurückerhält. Die älteste Form der Legende liegt in der sog. Venediger Fassung (Ed. mit dt. Übers.: [2. 164–177]) vor. Die Eutychianus-Rez. bildet als älteste aller erweiterten Fassungen deren Grundlage; sie wurde durch die lat. Übers. des Diakons Paulus von Neapel (Mitte 9. Jh.) im Westen verbreitet (sog. *Paenitentia Theophili*) und Grundlage für zahlreiche Bearbeitungen und Neufassungen [1].

1 P. CHIESA et al., s. v. Theophilus-Legende I-V, LMA 8, 1997, 667–670 2 L. RADERMACHER, Griech. Quellen zur Faustsage, 1927. J. RI.

[10] Letzter byz. Ikonoklastenkaiser (829–842 n. Chr.) aus der → Amorischen Dynastie; war wegen seiner gerechten Herrschaft beim Volk beliebt und förderte das Bildungswesen. Er kämpfte gegen die Araber in Klein-

asien, konnte aber die Einnahme der Festung Amorion 838 nicht verhindern.
→ Syrische Dynastie

A. KÜLZER, s. v. Th., LMA 8, 664 f. · P. A. HOLLINGWORTH, Th., ODB 3, 2066 · R.-J. LILIE, Prosopographie der mittelbyz. Zeit 1.4, 2001, Nr. 8167. F. T.

[11] Th. Protospatharios (Πρωτοσπαθάριος). Verf. mehrerer griech. medizinischer Abh., von denen einige (s. u. Nr. 4 und 5) auch unter den Namen Philaretos (vgl. → Philaretos [1]) oder Philotheos zirkulierten, ins 7. oder eher 9./10. Jh. n. Chr. zu datieren: Ein als P. bezeichneter Th. ist Adressat eines Briefs des → Photios (epist. 123); die unter seinem Namen überl. Pathologie (s. u. Nr. 3) und Diagnostik (Nr. 4 und 5) zeigen verm. arabischen Einfluß. Der Titel Protospatharios (»Leibwächter«) impliziert eine Funktion am Hof von Byzanz. Ein Porträt findet sich in der Hs. Bologna, BU 3632, fol. 51ʳ.

Das Corpus der dem Th. zugewiesenen Abh. deckt alle Aspekte der Medizin von der Propädeutik bis zur Behandlung ab. Th.' Pathologie wird von der Analyse der Fieberarten dominiert, wobei die Diagnose hauptsächlich auf der Unt. von Urin und Puls (verm. unter arab. Einfluß) beruht. Hauptwerke: (1.) Komm. zu den hippokratischen ›Aphorismen‹, verwandt mit dem Komm. des Stephanos [9] von Alexandreia [1; 2]; (2.) *De corporis humani fabrica* (›Über die menschliche Leibstruktur‹) [3]; (3.) *De febribus* (›Über Fieber‹) [4]; (4.) *De urinis* (›Über Urin‹), in der byz. Welt weit verbreitet [5. Bd. 1, 261–283]; (5.) *De pulsibus* (›Über den Puls‹) [6]; (6.) *De excrementis* (›Über Exkremente‹) [5. Bd. 1, 397–408]. Eine ebenfalls unter dem Namen eines Th. erh. *Apotherapeutikḗ* stammt eher aus dem 10.–14. Jh. [7; 8]; weitere griech. und lat. Werke sind von ungewisser Echtheit. *De pulsibus* und *De urinis* wurden ins Lat. übers. und fanden in der Slg. *Articella* (›Kleine Kunst‹) im frühen MA weite Verbreitung (gedruckt ab 1476, andere Abh. des Th. in lat. Übers. ab 1533 – Nr. 4 und 5: 1533; Nr. 2: 1536; Nr. 1: 1549); eine einzige Abh. (Nr. 2) wurde 1555 in griech. Sprache veröffentlicht.

1 F. R. DIETZ (ed.), Apollonii Citiensis … scholia in Hippocratem et Galenum, 1834, Bd. 2, 224–544 (Ndr. 1966) 2 A. WOLSKA-CONUS, Stephanos d'Athenes (d'Alexandrie) et Theophile le Protospathaire, in: REByz 52, 1994, 5–68 3 G. A. GREENHILL (ed.), Th.P., De corporis humani fabrica libri, 1842 4 D. SICURI, De febribus, 1862 5 J. L. IDELER, Physici et Medici Graeci Minores, 2 Bde., 1841–42 6 F. Z. ERMERINS (ed.), Anecdota medica graeca, 1840 (Ndr. 1963), 1–77 7 A. P. KUZES, The Apotherapeutic of Th. according to the Laurentian Codex plut. 75.19, in: Praktiká tēs Akadēmías Athēnṓn 19, 1944, 35–45 8 A. M. IERACI BIO, Sur une ›Apotherapeutike‹ attribuée à Théophile, in: J. JOUANNA, A. GARZYA (Hrsg.), Storia e ecdotica dei testi medici greci, 1996, 191–205.

K. DEICHGRÄBER, s. v. Th. (16), RE 5 A, 2148 f. · HUNGER, Literatur 2, 299–301. A. TO./Ü: T. H.

Theophrastos (Θεόφραστος). Peripatetischer Philosoph, ca. 371/0–287/6 v. Chr., Schüler und Nachfolger des → Aristoteles [6].

I. LEBEN   II. WERK   III. LOGIK
IV. PHYSIK UND METAPHYSIK
V. ERKENNTNISTHEORIE UND PSYCHOLOGIE
VI. MENSCHLICHE PHYSIOLOGIE, ZOOLOGIE UND
BOTANIK   VII. ETHIK, RELIGION UND POLITIK
VIII. RHETORIK UND POETIK   IX. MUSIK

I. LEBEN

Th., geb. in Eresos auf Lesbos, soll Schüler des Alkippos gewesen sein. Wenn er auch in Athen bei → Platon [1] studierte, dann hatte er nicht nur mit Aristoteles [6], sondern auch mit → Speusippos und → Xenokrates Kontakt. Nach Platons Tod (347) folgte Th. Aristoteles nach Kleinasien, dann nach Makedonien, als dieser zur Erziehung Alexandros' [4] gerufen wurde (343/2). Später kehrten beide nach Athen zurück, wo Aristoteles 335 die peripatetische Schule (→ Peripatos) gründete. Nach Alexandros' Tod (323) blieb Th. trotz antimaked. Stimmung in Athen und wurde Schuloberhaupt. Th. soll 2000 Schüler gehabt haben, darunter den Dramatiker → Menandros [4] und den Politiker → Demetrios [4] von Phaleron, der es Th. verm. ermöglichte, als Fremder in Athen für seine Schule Land zu erwerben.

II. WERK

Die mannigfaltigen Interessen des Th. spiegeln sich in der Liste von 225 Titeln bei Diog. Laert. 5,42–50 wider. An der Produktivität des Th. ist demnach nicht zu zweifeln. Zu den erh. Werken zählen zwei wichtige Abh. über Botanik (Περὶ φυτῶν ἱστορία/*Historia plantarum*; φυτικῶν αἰτίαι/*De causis plantarum*) [4; 5; 6]. Mehrere unterschiedlich umfangreiche Werke handeln über menschliche Physiologie (Schweiß, Ermüdungserscheinungen, Schwindelanfälle; vgl. [7; 8; 9]), über Fische, Gerüche, Feuer, Winde, Meteorologie (nur auf Arab. und möglicherweise unvollendet erh.) und Steine [10; 11; 12; 13; 14; 15]. Erh. sind auch eine Abh. über Metaphysik und ein doxographisches Werk über Sinneswahrnehmung [16; 17; 18]. Das bekannte Buch über die menschlichen Charaktere (Ἠθικοὶ χαρακτῆρες, *Ēthikoí Charaktéres*) wurde im 17. Jh. Grundlage für die lit. Gattung der Charakterstudie [19; 20]. Das heutige Wissen über Th. ist begrenzt; die meisten Werke sind verloren. In der ant. und ma. Lit., in griech. und lat., aber auch arab. Quellen finden sich zahlreiche Verweise auf verlorenes Material, das heute in zwei Bd. vorliegt (Texte 1–741 in [1], im folgenden nur mit der Textnummer zitiert; [1; 2; 3]).

III. LOGIK

Besser als andere philos. Disziplinen gewährt die → Logik einen Einblick in die im Peripatos übliche gemeinschaftliche Forsch.-Arbeit. Die erh. Arbeiten des Aristoteles enthalten Hinweise auf wohl innerhalb der Schule vorgebrachte Ansichten; zahlreiche Berichte über Lehrmeinungen, die Th. und → Eudemos [3] gemeinsam oder aber »alten Autoren« zugeschrieben werden, verstärken den Eindruck, daß diese einen aristotelischen Rahmen akzeptierten und vielfach das gleiche Gebiet bearbeiteten, allerdings in bemerkenswert unabhängigem Geist (daß Th. von Aristoteles durch die Anerkennung der Quantifizierung von Prädikaten abgewichen sei, beruht auf der Fehlinterpretation eines Scholions [30]). Th. führte die Unterscheidung zw. singulären (»bestimmten«, *horisménē*) und partikulären (»unbestimmten«, *a(di)óristos*) Ausdrücken ein (82). Ob Th. diese Unterscheidung aus einem in heutigem Sinne logischen Motiv traf, ist unklar. Für Prämissen, in denen dem Prädikat ein negativer Ausdruck vorangeht, prägte er die Bezeichnung »aus Umstellung« (*ek metathéseōs*). In der Syllogistik (→ Logik B.; → Notwendigkeit B.) entwickelte Th. – über die vier kanonischen Modi der ersten Figur der kategorischen Syllogismen hinaus – fünf indirekte Modi (äquivalent mit den später als vierte Figur geführten), die Aristoteles nebenbei erwähnt (91). Die Modi der dritten Figur ordnete er nach der relativen Unmittelbarkeit ihrer Beweise anders an und fügte beim ersten Modus eine Unterscheidung hinzu.

Bedeutender sind seine Beiträge zur Modallogik: Th. behauptete gegen Aristoteles, daß die allg. verneinende problematische Prämisse mit einseitiger Möglichkeit umkehrbar sei (102), und v. a. daß bei Prämissen mit verschiedenen Modalitäten der Schluß die Modalität der schwächeren Prämisse annehme (105–109). Andere Neuerungen zeigen, daß Th. die Begrenzungen der aristotelischen Syllogistik der Begriffe ausweitete: sein prosleptischer Syllogismus (110), in dem der Obersatz (z. B. »Was von jedem Menschen gilt, von all dem gilt, daß es Substanz ist«) implizit einen dritten Begriff enthält, der im Untersatz (»Nun gilt Lebewesen von jedem Menschen«) explizit gemacht wird, erlaubte ihm eher, über Arten als über Individuen zu verallgemeinern, vielleicht mit der Absicht, Formen festzustellen und Arten zu erfassen. Dieser prosleptische Syllogismus ist eine Art des hypothetischen Syllogismus in der ant. Bed. des Begriffes, d. h. er enthält eine oder mehrere zusammengesetzte Prämissen. Zwar entwickelte v. a. der → Stoizismus (bes. → Chrysippos [2]) die Aussagenlogik, doch gibt es Beweise für Th.' andauernde Bemühungen z. B. um eine andere Terminologie [28].

IV. PHYSIK UND METAPHYSIK

Th. schrieb ausführlich über → Natur; von der ›Physik‹ (Φυσικά/*Physiká*, 8 B.) und ›Über die Natur‹ (Περὶ φύσεως/*Perí phýseōs*, 3 B.) sind nur Fr. erhalten. Seine ›Metaphysik‹ ist zwar kurz, aber vollständig überl. Sie ist weder eine allg. Unt. über das Sein *qua* Sein noch eine Spezial-Unt. über Entitäten, die sich formal von physischen und mathematischen unterscheiden; vielmehr untersucht sie die Prinzipien der Natur und erforscht somit die Grundlagen der Naturwiss. Th. beginnt mit den »ersten« Dingen (*ta prṓta*), und obwohl er weit ausholt und auch die Natur des Intelligiblen und des Göttlichen streift, gibt er deutlich zu verstehen, daß diese Unt. der ersten Dinge immer deren Wirkung auf die gegenwärtige, sichtbare Ordnung der Welt im Blick haben müsse. Th.' Schrift ›Über die Natur‹ setzt diese Fragestellung fort. Das erh. Fr. (144) weist nach, daß es in der Naturphilos. bzw. -wiss. (*physiología*) um Ursprünge (*archaí*) ebenso geht wie um Ursachen, genauer um Erklärungsfaktoren (*aítia*) und Elemente (*stoicheía*). Th. räumt ein, daß es Grenzen für die Bestimmung von Gründen gibt (*diá ti*, 159), bes. von Zweckursachen (*héneka tu*, Theophr. metaphysica 7a 19–22, 10a 22–11a 18). Dies ist grundsätzlich vereinbar mit der Anerkennung der Rolle der → Notwendigkeit, im Gegensatz zur aristotelischen Auffassung von der Finalität der Natur (z. B. in Aristot. part. an.), doch geht Th. in seiner Beweisführung gegen einen Endzweck über Aristoteles hinaus; implizit kritisiert er auch Platons [1] überzogene Ansprüche an teleologische Erklärungen. Es wird allg. angenommen, daß Th. den von Aristoteles postulierten unbewegten Beweger (→ Bewegung; → Natur I. B.) ablehnt; zutreffender wäre es, zu sagen, daß er die zu diesem Postulat führenden Überlegungen gründlich prüft (Theophr. metaph. 4b 18–5a 8) und auf die Notwendigkeit verweist, dieses Postulat mit Erklärungen der Vielfalt beobachtbarer Bewegungen zu ergänzen, die der unbewegte Beweger angeblich bewirkt, jedoch nicht zur Gänze determinieren kann. Bis zum Vorliegen solcher Ergänzungen enthält sich Th. des Urteils.

Th. teilt mit Aristoteles und den meisten seiner Vorläufer die Überzeugung, daß die Welt ewig ist (184); er scheint mit vielen anderen, u. a. Platon und Aristoteles, zu akzeptieren, daß die Himmelskörper mit ihrer höheren Regelmäßigkeit (Theophr. metaph. 11b 17–19) unvergänglich und göttlich sind (252a). Th. tendiert zur Annahme, daß das Universum ein singuläres System ist, einem Bündel von Gesetzen unterworfen; er stellt Aristoteles' Unterteilung in sublunare und himmlische Sphären ebenso in Frage wie platonische Tendenzen zum Dualismus (wenn auch metaph. 7a 22–b 8 an die Sonnenanalogie aus Platons ›Staat‹ erinnert). Er diskutiert die Annahme, die Sonne besitze eine feurige Natur (De igne 5–6); wieweit seine Meinung zu den Elementen mit Aristoteles übereinstimmt, ist unklar – v. a., ob er ein fünftes Element annahm (wie später → Straton [2] von Lampsakos) oder verwarf. Th.' Meteorologie scheint → Epikuros beeinflußt zu haben. Th.' Bezeichnung der → Zeit als zufälliges Attribut (und nicht wie bei Aristoteles als »Zahl«) von Bewegung (151) ist keine große Neuerung; originär ist dagegen sein Begriff vom Ort (*tópos*) als Anordnung und Lage des ihn einnehmenden Körpers in Beziehung zur Natur und dem Vermögen des Körpers. Hier zeigt er er eine völlig andere Perspektive, die eher auf den natürlichen Ort der Dinge in einer weitergefaßten Weltordnung gerichtet ist als auf ein abstraktes und formales, quasi-geometrisches Konzept.

V. Erkenntnistheorie und Psychologie

Indem Th. die Annahme eines unbewegten Bewegers als unbewiesen ansieht, scheint er (wenn auch sogar von einer strenger empirischen Position aus als Aristoteles selbst) das platonische Ideal einer Einheits-Wiss.

anzuerkennen (Theophr. metaph. 6a 15–18). Implizit greift er Aristoteles' Aufteilung der Wiss. nach verschiedenen Klassen (*génē*) von Seiendem (*ónta*) an, die jeder Klasse einen bestimmten Genauigkeitsgrad des Wissens zuordnet. Gleichzeitig scheint er weniger zuversichtlich als Aristoteles zu sein, daß die Seinsvielfalt auf eine begrenzte Anzahl rationaler Prinzipien reduziert werden kann. Th. empfiehlt die → Analogie als Mittel, um von Vertrautem auf Unbekanntes zu extrapolieren (metaph. 9a 7–9, 18–23); wie Platon und Aristoteles beschränkt er seine Skepsis durch den Glauben an die Möglichkeit des intuitiven Verstehens (*nus*; vgl. → Intellekt), das frei von Täuschungen ist (metaph. 9b 13–16). Th. betont die Selbstevidenz (*to enargés*) als eine dem intellektuellen Verstehen und der Sinneswahrnehmung gemeinsame Qualität. Er selbst unterschied vielleicht – innerhalb einer im allg. aristotelischen Erkenntnistheorie – anstelle des zweideutigen aristotelischen Gebrauchs von *phantasía* (»Erscheinung/Vorstellung«) zw. einer *logikḗ phantasía* (mit Vernunft und Sprache verbundener Vorstellung) und einer Bildentstehung als Nebeneffekt der Sinneswahrnehmung (→ Phantasie). Th. könnte auch die Beziehung zw. Verstand (*nus*) und Sinneswahrnehmung (*aísthēsis*) als Urteilskriterien durch Vergleich mit der Relation von Handwerker und Werkzeug geklärt haben (301a). Der Sinneswahrnehmung wird die Suche nach Ursachen (*aitíai*) ebenso zugeschrieben wie die Beobachtung der Unterschiede – mit der unmittelbaren Präzisierung, daß die Sinneswahrnehmung dem Denken (*diánoia*) Dinge zuführt, einige einfach durch Suchen, andere dadurch, daß sie eine Verwirrung hervorruft, die allerdings durch weiteres Suchen erhellt wird (metaph. 8b 10–16). Ergänzend schreibt Th. der Erkenntnis (*epistḗmē*) den Akt des ›Erfassens des Gleichen in einer Vielheit‹ zu (metaph. 8b 24–25); die Sprache ist durchaus platonisch (vgl. Plat. rep. 537c 2–7; Plat. Phaidr. 265d 3–5), aber der Kontext zeigt eindeutig, daß Th. sich auf allen Ebenen, bis hin zur untersten Spezies, auf unterscheidende Eigenschaften konzentriert. Für Th. scheint methodisch die Möglichkeit wichtig, daß ein Phänomen mehrere Erklärungen zuläßt; in diesem Falle müssen wir alle relevanten Gründe erkennen (Theophr. h. plant. 9,19,4; ein Hinweis, der Epikuros inspiriert haben könnte).

In seiner Schrift ›Über die Seele‹ (Περὶ ψυχῆς/*Perí psychḗs*) bewegt sich Th. innerhalb herkömmlicher peripatetischer Grenzen; er bemüht sich deutlich, die knappen Bemerkungen des Aristoteles zu erklären und zu ergänzen, und zieht wie dieser physikalische Erklärungen dialektischen vor. Typisches Beispiel ist Th.' eingehende Wiederaufnahme des Themas Sinneswahrnehmung, in der er Analogien zw. den verschiedenen Sinnen hervorhebt, bes. durch die Annahme eines Zwischengliedes bei Schall und Geruch (bei letzterem materielle Ausströmungen) und durch Nutzung einer ausführlichen doxographischen Prüfung früherer Bearbeitungen (De sensibus). Unsicher bleibt, inwieweit seine scharfsinnigen Unterscheidungen über die Natur und den Ort des Verstandes (307, 312), die Aristoteles' dunkle Bemerkungen erhellen sollten, jedoch oft Uneinigkeit und Auseinandersetzungen bewirkten, wirklich eine wesentliche Abweichung von diesem darstellten.

VI. Menschliche Physiologie, Zoologie und Botanik

Nirgends zeigt sich der peripatetische Wunsch nach exakt beschreibender Physik deutlicher als in Th.' umfassenden Monographien über Pflanzen und in seinen kleineren Werken über die menschliche Physiologie, in denen man die Entwicklung der griech. Naturwiss. verfolgen kann. Der aristotelische Rahmen bleibt: es gibt vier Grundeigenschaften, deren Wirkung von der Mischung abhängt; das Herz spielt im lebendigen Körper eine Hauptrolle, mit einer Art von Atem, der Körper und Seele des organischen Individuums buchstäblich zusammenhält, indem er sowohl psychische Funktionen und physische Bewegungen als auch das Zentrum und die Extremitäten verbindet. Die kleineren Werke umfassen, im Einklang mit dem Gesamtwerk, generelle theoretische Abh. ebenso wie Spezial-Abh., die von den Autoren der ps.-aristotelischen *Problēmata* verwendet wurden.

Als geradezu bewußte Arbeitsteilung erscheint, daß Th. über Pflanzen, Aristoteles dagegen über das Leben der Tiere lehrte und schrieb. Th. untersucht dieses Thema wohl deshalb ebenfalls, um nach dem Tod seines Lehrers den Lehrbedarf zu befriedigen, und wohl auch, um Aristoteles' Schwerpunkt auf der Anatomie von Tieren durch Beobachtungen über deren Verhalten und Habitat zu ergänzen. Th. interessiert sich für das vermeintlich intelligente Verhalten von Tieren, wobei er die Trennlinie zw. Menschen und (anderen) Tieren leicht verwischt; hierbei nimmt er Straton [2] vorweg, der den Tieren einen Intellekt (*nus*) zugeschrieben haben soll (s. VII.). Der Beleg dafür ist jedoch nicht überzeugend, zudem rechnete Th. auch in der Zoologie mit alternativen Erklärungsmöglichkeiten (359a).

In Bezug auf Sachinformationen bestanden die beiden botanischen Hauptwerke des Th. den Test der Zeit besser als die zoologischen des Aristoteles. Es gibt zahlreiche strukturelle Parallelen. Beide trennen zw. Büchern deskriptiver Forsch. (*historía*; Th. berichtet über ca. 550 Pflanzenarten) und Büchern mit Erklärungen (*aítia*; im Gen. Pl. ununterscheidbar von *aitíai*, Ursachen oder Gründen). Es überrascht nicht, daß eine derartige Analyse gemäß platonisch-aristotelischer Trad. die Erforschung von Spezies durch Unterscheidungsmerkmale mit einschließt. Dies betrifft (wie in Aristoteles' Werken über Tiere) die Unt. der Teile (Morphologie) und der Entstehung, der Geographie und des Habitats, unter Berücksichtigung von Umwelt- und Anbaufaktoren. Seine vortaxonomische Verwendung von Genus und Differentia bei der Bestimmung der wesentlichen Charakteristika einer Pflanze und seine ungenaue Klassifizierung durch »Umriß«-Definitionen (*týpoi*) liefern ihm botanische Konzepte, die Kontinuitäten zw. Spezies erlauben, denen auch Aristoteles zugestimmt hätte.

Th.' einleitende Warnung vor überzogenen Ähnlichkeitszuschreibungen und Analogien, bes. von Parallelen zw. Pflanzen und Tieren (h. plant. 1,1,3–4), ist charakteristisch, ohne deswegen unorthodox zu sein, genauso wie seine Forderung nach einer Studie, die dem Subjekt angemessen sei (*oikeía theōría*, h. plant. 1,1,4). Th. ist, wie Aristoteles, ein kritischer Zuhörer, weder skeptisch noch leichtgläubig, z.B. bezüglich des spontanen Entstehens in freier Natur (c. plant. 1,5,1–5, vgl. 350 Nr. 5c und 359a). Die Betonung eines »wahrnehmenden Verstandes« (*aisthētikḗ sýnhesis*), einer aufmerksamen Klugheit, die nur durch Erfahrung gewonnen werden kann (c. plant. 2,4,8), ist ihrem Wesen nach zwar aristotelisch, aber doch auch spezifisch theophrastisch geprägt. Das Thema »Böden« wird im Zusammenhang mit natürlichen Einflüssen (ebd. 2,4,1) und dem Entstehen und Wachstum in der freien Natur behandelt (ebd. 2,1,1), im Gegensatz zur Kultivierung in Landwirtschaft und Gartenbau, doch führt die Beachtung der unterschiedlichen Leistungsfähigkeiten von Böden dennoch von der reinen Beschreibung zu Regeln für die beste Nutzung. Unmittelbarer Kontext sind also Produktion (*téchnē*) und theoretische Wiss. (*epistḗmē*) gleichermaßen; insofern stimmt Th. mit Aristoteles (Aristot. eth. Nic. 1; 6) über die praktischen und produzierenden Künste und sogar über *sýnhesis* überein.

VII. Ethik, Religion und Politik

Th.' Ansichten über → Tugend sind in → Areios [1] Didymos' Überblick über die peripatetische Ethik zusammengefaßt: Tugend wird als Mittelwert von emotionalen Reaktionen verstanden. In einigen Punkten folgt diese Zusammenfassung wohl Aristoteles ›Eudemischer Ethik‹ und nicht der bekannteren ›Nikomachischen‹. → Gerechtigkeit wird z.B. als rechter Mittelwert zw. Übermaß und Mangel angesehen; die Liste der Tugenden und Laster enthält keine gesellschaftlichen Dispositionen, vielleicht weil Th. zw. den beiden einen signifikanten Unterschied erkannte. Th. maß dem kontemplativen als dem der Götter ähnlichen Leben große Bed. bei (461; 482); es soll eine Kontroverse zw. ihm und → Dikaiarchos gegeben haben, der das tätige Leben dem kontemplativen vorzog (481). Gleichwohl schloß Th. die praktische Tätigkeit nicht vom besten Leben aus; vielmehr sei → Glück zum Teil von Faktoren abhängig, auf die das Individuum keinen Einfluß habe (498).

Th. erkannte, daß Gesetzgebung niemals im vollen Wissen um den Verlauf zukünftiger Ereignisse stattfinden könne, so daß gesetzwidrige Handlungen gelegentlich gerechtfertigt werden könnten (534; 628–630). Th. betonte den rechten Zeitpunkt (*kairós*) und führte Politiker als Beispiele an, die unter gewissen Umständen ungerecht handelten oder Ungerechtigkeiten zumindest zum Wohl des Stadtstaates zuließen (614–615; 617); die Bed. des → Gesetzes sollte dadurch jedoch nicht gemindert werden. Aristoteles sammelte und ordnete Material über Verfassungen, Th. dagegen solches über Gesetze, sowohl der Griechen als auch der Barbaren (590;

eine Arbeitsteilung wie bei den o.g. botanischen Schriften). Ein wichtiges längeres Exzerpt aus ›Über Verträge‹ (Περὶ συμβολαίων/ *Perí symbolaíōn*; möglicherweise Teil der ›Gesetze in alphabetischer Ordnung‹, 24 B.) beschreibt die für einen gültigen Vertrag notwendigen Schritte.

Hieronymus erwähnt ein »goldenes Büchlein« ›Über die Ehe‹ (*De nuptiis*), in der Th. dem weisen Mann von der Heirat abrät (Hier. adv. Iovinianum 1,47f.). Die Darstellung der Frau erinnert an die ›Charaktere‹; die übertrieben polemische Beweisführung war vielleicht urspr. Teil einer rhet. Übung. Jedenfalls entsprach diese Ansicht wohl kaum Th.' eigener Meinung, denn laut anderer Quellen gestand er einer Frau zu, tugendhaft und die Freundin eines tugendhaften Ehemannes sein zu können (533).

Laut Porphyrios habe Th. Tieropfer verboten; dies sei als ungerechter Akt mit dem Heiligen nicht vereinbar (584a). Mit diesem wichtigen Gedanken, daß Tiere ungerecht behandelt werden können, steht Th. gegen Aristoteles. Außerdem existierte für Th. eine natürliche Verwandtschaft (*oikeiótēs*, nicht zu verwechseln mit der stoischen *oikeíōsis*) zw. Mensch und Tier (531), die Th.' Abneigung gegen Tieropfer begründete.

VIII. RHETORIK UND POETIK

Th. unterscheidet (wie sein Lehrer) drei Arten von Rhet. und mehrere Teile einer Rede. Er erörtert auch rhet. Argumentation und berücksichtigte höchstwahrscheinlich neue Entwicklungen in der hypothetischen Syllogistik, um die verschiedenen möglichen Arten von Argumenten besser zu erklären [45; 46]. Th. erweitert die aristotelische Dreiteilung des guten Stils zu vier Qualitäten: korrektes Griech., Klarheit, Angemessenheit und Schmuck (684). Er teilt mit Aristoteles das Interesse an der Metapher; für die Verwendung allzu kühner Metaphern empfiehlt er einen »apologetischen« Zusatz (689–690). Aristoteles folgend scheint Th. den Satz nach seiner inneren Struktur zu analysieren; er besteht auf freier Gestaltung des → Prosarhythmus und zeigt eine Vorliebe für den Päon (702–704). Über Aristoteles hinauszugehen scheint seine Bevorzugung einer Periode, bei der das Schlußkolon länger als das vorhergehende ist (701), ebenso seine Äußerung, ein → Kolon könne über päonische Qualität verfügen, auch wenn Päone weder genau am Anfang noch am Ende stehen (703). Th. zeigt größeres Interesse am rednerischen Vortrag selbst als Aristoteles: er diskutiert Körperbewegung und Stimme (712) und berücksichtigt auch die Bed. der Augen und den negativen Effekt eines starren Blicks (713).

Die ›Charaktere‹ stehen in enger Beziehung zur Rhet. und sind deshalb in rhet. Hss. erhalten. Nicht erst spätere Rhetoriker nutzten die Charakterskizzen für den Lehrbetrieb, bereits Th. könnte sie zur Demonstration von Charakterdarstellung verwendet haben. Den Bezug zur Poetik zeigt Th.' Schüler Menandros [4], dessen Bühnenfiguren oft mit einer der Skizzen in Verbindung gebracht werden können (z.B. Sikon, der

redselige Koch im *Dýskolos*, mit denen über Redseligkeit und über Geschwätzigkeit); doch auch die Idee der Verhaltensmuster könnte zentral für ein Stück des Menandros gewesen sein: In der *Perikeiroménē* setzt das ungestüme Verhalten des Polemon das Spiel in Gang und stellt sich schließlich als unveränderlich heraus.

ALLGEMEIN: **1** W. FORTENBAUGH, P. HUBY, R. SHARPLES, D. GUTAS, Theophrastus of Eresus: Sources for His Life, Writings, Thought and Influence, 2 Bde., 1992 (= FHS&G; Ndr. 1993, mit Korrekturen).
ED.: H. PLANT.: **4** A. HORT, Enquiry into Plants And Minor Works On Odours And Weather Signs, 2 Bde., 1916 (mit engl. Übers.) **5** S. AMIGUES, Theophrastus, Recherches sur les plants, 3 Bde., 1988–1993 (mit frz. Übers.)
C. PLANT.: **6** B. EINARSON, G. LINK, Theophrastus: De causis plantarum, 3 Bde., 1976–1990 (mit engl. Übers.).
KLEINERE NATURKUNDLICHE WERKE:
7 W. FORTENBAUGH, On Sweat, 2002 (Über Schweiß, mit engl. Übers. und Komm.; im Druck) **8** M. SOLLENBERGER, On Fatigue, 2002 (Über Müdigkeit, mit engl. Übers. und Komm.; im Druck) **9** R. SHARPLES, On Dizziness, 2001 (Über Schwindelanfälle) **10** Ders., On Fish, in: RUSCH 5 (vgl. [34]), 1992, 347–382 (Über Fische; mit engl. Übers.) **11** U. EIGLER, G. WÖHRLE, Theophrast. De Odoribus, 1993 (Über Gerüche; mit Komm. und dt. Übers.) **12** V. COUTANT , Theophrastus. De igne, 1971 (Über Feuer; mit Komm. und engl. Übers.) **13** V. COUTANT, V. EICHENLAUB, 1975 (Über Winde; mit engl. Übers. und Komm.) **14** H. DAIBER, The Meteorology, in: RUSCH 5, 1992, 166–293 (Meteorologie) **15** D. EICHHOLZ, De Lapidibus, 1965 (Über Steine; mit engl. Übers. und Komm.).
METAPHYSIK: **16** A. LAKS, G. W. MOST, Théophraste, Métaphysique, 1993 (mit Komm. und frz. Übers.) **17** M. VAN RAALTE, Metaphysics, 1993 (mit engl. Übers. und Komm.).
ÜBER SINNESWAHRNEHMUNGEN: **18** G. STRATTON, Theophrastus and the Greek Physiological Psychology Before Aristotle, 1917 (De sensibus: Ed. und engl. Übers.).
CHARAKTERE: **19** P. STEINMETZ, Theophrastus, Charaktere, 2 Bde., 1960–1962 **20** J. RUSTEN, Theophrastus, Characters, 1993 (mit engl. Übers.).
KOMM. ZU FHS&G: **21** R. SHARPLES, Sources on Physics, 1998 (Über Physik) **22** Ders., Sources on Biology, 1995 (Biologie) **23** P. HUBY, Psychology, 1999 (Psychologie).
FORSCH.-BER.: **24** W. FORTENBAUGH et al. (Hrsg.), Rutgers University Studies in Classical Humanities (= RUSCH), Bd. 1–8, 1983–1998.

LIT.: GRUNDLEGEND: **25** O. REGENBOGEN, s. v. Th. (3), RE Suppl. 7, 1354–1562 **26** F. WEHRLI, Th., GGPh² 3, 1983 **27** W. BURNIKEL, Textgesch. Unt. zu Neun Opuscula Theophrasts, 1974.
EINZELNE THEMEN:
LOGIK: **28** J. BARNES, Theophrastus and Hypothetical Syllogistic, in: RUSCH 2, 1985, 161–176 **29** I. BOCHEŃSKI, La logique de Th., 1947 **30** W. FORTENBAUGH, Theophrastus, no. 84 FHS&G: There's Nothing New Here, in: RUSCH 7, 1995, 125–139 **31** L. REPICI, La logica di Th., 1977.
METAPHYSIK: **32** G. REALE, Th. e sua aporetica metafisica, 1964.

PHYSIK: **33** P. STEINMETZ, Die Physik des Th., 1964
34 R. SHARPLES, Th. On the Heavens, in: J. WIESNER
(Hrsg.), Aristoteles, Werk und Wirkung, Bd. 1, 1985.
DOXOGRAPHIE, SINNESWAHRNEHMUNG: **35** H. DIELS,
Physicorum opiniones, in: DIELS, DG, 102–108
36 H. BALTUSSEN, Th. against the Presocratics and Plato,
2000.
BOTANIK: **37** G. SENN, Die Pflanzenkunde des Th., 1956
38 R. STRÖMBERG, Theophrastea. Studien zur botanischen
Begriffsbildung, 1937 **39** G. WÖHRLE, Th.' Methode in
seinen botanischen Schriften, 1985.
ETHIK, REL. UND POLITIK: **40** J. BERNAYS, Th.' Schrift
über Frömmigkeit, 1866 **41** W. FORTENBAUGH, Quellen zur
Ethik Theophrasts, 1984 **42** W. PÖTSCHER, Th., ΠΕΡΙ
ΕΥΣΕΒΕΙΑΣ, 1964 **43** A. SZEGEDY-MASZAK, The Nomoi of
Th., 1981.
RHET. UND POETIK: **44** A. DOSI, Sulle tracce della poetica
di Teofrasto, in: RIL 94, 1960, 599–672
45 W. FORTENBAUGH, Cicero, On Invention 1.51–77:
Hypothetical Syllogistic and the Early Peripatetics, in:
Rhetorica 16, 1998, 25–46 **46** Ders., Teofrasto di Ereso:
Argomentazione retorica e sillogistica ipotetica, in: Aevum
74, 2000, 89–103 **47** D. INNES, Th. and the Theory of Style,
in: RUSCH 2, 1985, 251–267 **48** J. STROUX, De Theophrasti
virtutibus dicendi, 1912. WI. FO. u. J. v. O./Ü: PE. MA.

IX. MUSIK
Die verlorenen Musiktraktate des Th. hießen *Har-
moniká, Perí musikḗs* und *Perí tṓn musikṓn* (Diog. Laert.
5,46–49). 16 Testimonia und Fr. (in [5] ediert und
übers.) sind für die Musikgesch. von Belang. Das einzige
wörtliche Zit. (aus *Perí musikḗs*, von Porphyrios überl.)
postuliert, daß Qualität (etwas dem Klang Innewohnen-
des) statt Quantität (pythagoreischem Zahlenverhältnis)
die Tonhöhe bestimme [3. 61,22–65,15], kritisiert die
Intervallehre des Aristoxenos (harm. 1,15: 20,20–21,4
DA RIOS; vgl. Ptol. harmonika 1,9; [3. 64,24–65,13])
und nennt Musik ›Bewegung der Seele‹ ([3. 61,22–23
und 65,13]; vgl. Athen. 14,628c).

1 W. ANDERSON, Musical Developments in the School of
Aristotle, in: Royal Music Association Research Chronicle
16, 1980, 92–97 **2** A. BARKER, Greek Musical Writings,
Bd. 2, 1989, 110–118 **3** I. DÜRING, Porphyrios' Komm. zur
Harmonielehre des Ptolemaios, 1932 (Ndr. 1978) **4** Ders.,
Ptolemaios und Porphyrios über die Musik, 1934 (Ndr.
1980 u. ö.), 160–168 **5** W. FORTENBAUGH, Th. of Eresus,
Bd. 2, 1992, 560–583. RO. HA.

Theophylaktos (Θεοφύλακτος).
[1] Th. Simokat(t)es (Θ. Σιμοκάτης). Byz. Historiker,
geb. in Ägypten, Jurist und hoher Beamter in Konstantinopolis unter Kaiser Herakleios [7] (610–641). Der Familienname *Simokates* ist nicht vor der Suda bezeugt, die
Schreibung mit -tt- erst neuzeitlich. Verf. einer als Fortsetzung des Menandros [13] Protektor konzipierten
›Allg. Gesch.‹ (οἰκουμενικὴ ἱστορία/ *Oikumenikḗ historía,*
8 B.) über die Regierungszeit des Kaisers Mauricius
(582–602) mit einem Rückblick auf die Zeit seit 572.
Am Beginn des Werks steht ein an klass. griech. Vorbildern (Diodoros [18], Ephoros, Isokrates) orientiertes
Prooimion; diesem geht wiederum ein Dialog zw.
Gesch. und Philos. voraus (möglicherweise urspr. ein
selbständiger Text), in dem Kaiser Herakleios gelobt
und sein Vorgänger Phokas [4], der Mörder des Maurikios, geschmäht wird [4].

Das Gesch.-Werk stellt die behandelte Zeit ausführlich dar, jedoch chronologisch ungenau und in einem
dunklen, überladenen Stil. Ereignisse in Italien und im
Westen werden kaum berücksichtigt. Die Authentizität
der Darstellung wird betont durch das Zitieren von
Briefen und Dokumenten im Wortlaut. Th. geht weit
über die Schilderung von Feldzügen hinaus und behandelt auch den Kaiserhof und sein Zeremoniell. Bemerkenswert ist ferner ein langer Exkurs über die Völker
Zentral- und Ostasiens. Die christl. Einstellung des Th.
tritt gegenüber früheren Autoren stärker in den Vordergrund; das Werk enthält Wundererzählungen, Iko-
nenbeschreibungen und christl. Glaubensdefinitionen
und steht so im Charakter zw. der spätant. Gesch.-
Schreibung und der späteren byz. Chronistik, der sein
Inhalt in Auszügen durch die Chronik des Theophanes
vermittelt wurde.

Th. verfaßte auch eine Gedächtnisrede auf Kaiser
Maurikios (Mauricius), die bei der Beisetzung unter
Herakleios im Jahre 610 gehalten wurde, ferner eine
naturwiss. Abh. in Dialogform, die inhaltlich mit dem
Dialog am Beginn des Gesch.-Werks zusammenhängt,
85 Briefe an fingierte Personen und einen Traktat über
die Vorherbestimmung der Todesstunde.

ED. UND ÜBERS.: **1** C. DE BOOR, P. WIRTH, Theophylacti
Simocattae historiae, 1972 **2** P. SCHREINER, Th. Simokates,
Gesch., 1985 (dt. Übers.) **3** M. und M. WHITBY, The
History of Theophylact Simocatta, 1986 (engl. Übers.).
LIT.: **4** TH. NISSEN, Das Prooemium zu Theophylakts
Historien und die Sophistik, in: Byz.-Neugriech. Jb. 15,
1939, 3–13 **5** O. VEH, Unt. zu dem byz. Historiker Th.
Simokattes, 1957 **6** HUNGER, Literatur 1, 313–319
7 T. OLAJOS, Les sources de Théophylacte Simocatta
historien, 1988 **8** M. WHITBY, The Emperor Maurice and
His Historian, 1988. AL. B.

[2] * ca 760, † ca 842. Bischof von → Nikomedeia vor
806. Nach den vagen Angaben seiner Vita (verfaßt von
einem gleichnamigen Th. um 900) trat Th. vor 784 in
den Dienst des späteren Patriarchen → Tarasios. Vor 787
ließ Th. sich als Mönch am Schwarzen Meer nieder.
Kaiser → Leo [8] V. verbannte ihn wegen seiner bilderfreundlichen Gesinnung (→ Syrische Dynastie) nach
Stobilos, wo er nach 30 J. starb. Fest des Hl. Th. ist der 8.
oder 7. März.

A. VOGT, S. Théophylacte de Nicomédie, in: Analecta
Bollandiana 50, 1932, 67–82. K. SA.

Theopompos (Θεόπομπος).
[1] Unter den frühen spartanischen Königen ist der Eu-
rypontide Th. (→ Eurypontidai), Sohn des Nikandros
[1] (Hdt. 8,131), als einziger in einer zeitnahen Quelle
sicher belegt: Tyrtaios (fr. 2 GENTILI/PRATO) nennt ihn
als siegreichen König im 1. → Messenischen Krieg (ca

700/690–680/70 v. Chr.). Er war wohl Kollege des Agiaden Polydoros [6] (Paus. 4,7,7), scheint in spartan.-argivischen Konflikten um die → Kynuria [1] eine Rolle gespielt zu haben (Paus. 3,7,5), ebenso in Auseinandersetzungen zw. Spartanern und Arkadern (Polyain. 8,34). Seine Sonderstellung als erster faßbarer spartan. König führte schon in der Ant. zu Legendenbildung; so wurde der sog. Zusatz zur Großen → Rhetra [2] fälschlich auf Polydoros und Th. zurückgeführt (Plut. Lykurgos 6,7 f.), um neben → Lykurgos [4] auch ihn als Begründer der spartan. Ordnung (→ Sparta I. B.) ausweisen zu können. Auch im Hinblick auf die Einführung der → éphoroi gab es neben der Lykurg-Trad. eine Th.-Trad. (Aristot. pol. 5,1313a 26; Plut. Lykurgos 7,1). Th. besaß ein mnēma (»Gedenkstätte«) beim Lykurg-Heiligtum (Paus. 3,16,6) und war durch seine kurzen Sinnsprüche berühmt (Plut. Lykurgos 7,2; 20,7; 30,3).

S. LINK, Das frühe Sparta, 2000, 71–75 • M. MEIER, Aristokraten und Damoden, 1998, 75; 80; 93; 187; 259–261 • M. NAFISSI, La nascita del kosmos, 1991, Index s. v. Th.   M. MEI.

[2] Athen. Komödiendichter des 5./4. Jh. v. Chr., zweimal Lenäensieger, das erste Mal nach → Metagenes [1. test. 5], d. h. wohl nach 410; erster Sieg bei den Dionysien spätestens 403 [1. test. 4]; war bis in die 70er oder 60er J. des 4. Jh. tätig [2. 203]. 108 Fr. (davon 11 unsicher) und 20 Stücktitel erh., wovon ein Drittel auf myth. Stoffe hinweisen [2. 203 f.]. Polit. und persönliche Anspielungen datieren Στρατιώτιδες (Stratiṓtides, ›Die Soldatinnen‹), Καπήλιδες (Kapḗlides, ›Die Hökerinnen‹), Παῖδες (Paídes, ›Die Knaben‹) und Τεισαμενός (Teisamenós [4], Politiker der demokratischen Restauration nach 403) ins letzte Jahrzehnt des 5. Jh.; dagegen gehören Ἀφροδίτη (Aphrodítē) [3. 2175] sowie Ἄδμητος (Ádmētos) und Ἡδυχάρης (Hēdychárēs, ›Der Luxus-Schwelger‹; [2. 194]; vgl. den Platon-Spott in fr. 16) in das 4. Jh. Die Εἰρήνη (Eirḗnē, ›Der Frieden‹) spielt vielleicht auf den Frieden zw. Athen und Sparta von 375/4 v. Chr. an [3. 2176]; Μῆδος (Mḗdos, ›Der Meder‹) erwähnt Kallistratos [2] als Begründer des 2. → Attischen Seebundes (fr. 31), entstand also nach 377 v. Chr.

1 PCG VII, 1989, 708–749 2 H.-G. NESSELRATH, Die attische Mittlere Komödie, 1990 3 A. KÖRTE, s. v. Th. (6), RE 5 A, 2174–2176.   B. BÄ.

[3] Th. von Chios. Griech. Historiker des 4. Jh. v. Chr., neben → Ephoros Hauptvertreter der sog. rhet. → Geschichtsschreibung (II. C.).

I. LEBEN   II. WERK   III. TENDENZ UND WIRKUNG

I. LEBEN

Nach einer Kurzvita bei Photios (bibl. 176 = Th. FGrH 115 T 2) wurde der 378/7 geborene Th. in jungen Jahren zusammen mit seinem Vater Damasistratos wegen lakōnismós (»Spartafreundlichkeit«) aus Chios verbannt, durfte aber 333/2 auf Betreiben Alexandros' [4] d. Gr. zurückkehren. Nach dessen Tod zum zweiten

Mal verbannt, gelangte er, ›von überall vertrieben‹, schließlich an den Hof Ptolemaios' [1] I. Dieser wollte ihn als ›Unruhestifter‹ beseitigen lassen, doch wurde er dank der Intervention von Freunden gerettet. Er starb wahrscheinlich bald nach 320.

II. WERK

Th. war nach ant. Überl. (vgl. FGrH T 1,5a) Schüler des → Isokrates und zunächst lange Zeit als Redner tätig (F 25). Nach eigenen Angaben (F 25) umfaßten seine Reden 20000 Zeilen (d. h. ca. 600 Druckseiten). Folgende Titel sind überl. (T 48): ›An Euagoras‹ (Pros Euagóran), Panathēnaikós, Lakōnikós, Olympikós.

Ferner verfaßte er polit. Flugschriften (T 48): ›Briefe aus Chios‹, ›Loblied auf Philipp‹, ›Ratschläge an Alexander‹ sowie eine ›Invektive gegen Platon und seine Schule‹ (T 7; 48; F 259).

Histor. Werke: (1.) Eine Epitome des → Herodotos [1] in zwei B. (T 1, F 1–4), von [1. 47–52] fälschlicherweise als Exkurs der Philippiká (s. u. 3.) betrachtet. Es handelt sich vielmehr um eine selbständige Schrift, den ersten nachweisbaren Auszug aus einem früheren Geschichtswerk.

(2.) Hellēniká, ›Griech. Geschichte‹ in 12 B. Th. setzte die Darstellung des → Thukydides [2] ab 411 fort bis zur Seeschlacht von Knidos 394, die das Ende der kurzfristigen spartanischen Hegemonie bedeutete (T 13 und 14). Mit diesem Werk trat Th. in Konkurrenz zu → Xenophons Hellēniká (1–4,3), schrieb allerdings wesentlich ausführlicher als dieser. Da nur 19 teilweise belanglose Fragmente erhalten sind (F 5–23), lassen sich keine sicheren Aussagen über Inhalt, Aufbau, Tendenz, Diktion und Qualität der Hellēniká machen. Die oftmals (zuletzt von [2]) Th. zugewiesenen sog. → Hellenika Oxyrhynchia sind sicherlich nicht mit diesem Werk identisch [3; 4; 5]

(3.) Philippiká bzw. Philippikaí historíai: ›Gesch. des → Philippos [4]‹ in 58 B., Th.' umfangreiches Haupt- und Spätwerk, publiziert nach 324 (F 330). Daraus sind zahlreiche Fr. (F 24–396) und ca. 500 Zeilen an wörtlichen Zitaten überl. Die Philippiká umfaßten nicht nur die Gesch. Philipps von Makedonien, sondern waren eine universalhistorische Darstellung, welche ›die Taten der Griechen und Barbaren‹ (F 25) mit Philipp II. im Mittelpunkt beinhaltete. Symptomatisch hierfür ist, daß die Buchzahl, als später Philippos [7] V. lediglich die Taten Philipps aufschreiben ließ, von 58 auf 15 zusammenschrumpfte (T 31). Th.' Geschichtsbegriff war sehr weit: Er berücksichtigte nicht nur polit. und mil. Ereignisse, sondern bot Ethnographisches, Geographisches, Kulturhistorisches, Religionsgeschichtliches, Alltägliches, memorabilia, thaumásia (»Wunderbares«), ja sogar Mythisches (F 381). Außerdem fanden sich in den Philippiká umfangreiche Exkurse, u. a. ›Wunderbares‹ (B. 8, vgl. F 64–84), ›Über die athenischen Demagogen‹ (B. 10, F 85–100) sowie Sikeliká (B. 41–43, F. 183–205), welche die Tyrannis des Dionysios [1] I. und des Dionysios [2] II. (406/5–344/3) behandelten. Bemerkenswert waren der rhetor. Charakter und die kunstvolle

Stilisierung der *Philippiká*, u.a. die zahlreichen gorgianischen Redefiguren (vgl. z.B. T 34, F 225, 263; → Gorgias [2]).

III. TENDENZ UND WIRKUNG

Allenthalben manifestierte sich eine stark moralisierende Tendenz: Th. wurde nicht müde, die sittliche Verkommenheit, bes. die Trunksucht und das luxuriöse Leben einzelner Männer, aber auch ganzer Völker anzuprangern. Th. war von aristokratisch-konservativer Gesinnung, die mit spartafreundlicher Einstellung einherging [6]. Er sah die von ihm bevorzugte Staats- und Gesellschaftsordnung am ehesten in einer patriarchalischen Monarchie verwirklicht, als deren idealen Repräsentanten er Philippos [4] II. betrachtete: Nach Th. (F 27) hatte Europa noch nie einen solchen Mann hervorgebracht. Für die Zeit-Gesch. stützte sich Th. häufig auf Autopsie, eigenes Erleben und persönliche Erkundung (T 20a): Er lebte längere Zeit am Hof Philipps (T 7) und bereiste ganz Griechenland (F 25); für die zurückliegende Zeit verwandte er histor. und lit. Material aller Art, darunter Reden, Komödien, Flugschriften.

In hell.-röm. Zeit war Th. einer der meistgelesenen und einflußreichsten griech. Geschichtsschreiber. Dionysios [18] von Halikarnassos (ad Pomp. 6 = T 20) rühmt in seiner Gesamtwürdigung u.a. seine Wahrheitsliebe, Gelehrsamkeit, Ursachenforschung, Vielseitigkeit, persönliches Engagement, häufige Autopsie, sorgfältige Recherche sowie Reinheit, Hoheit und Großartigkeit des Stils, dagegen tadelt er exzessive Schmähsucht sowie überlange Exkurse. Pompeius [III 3] Trogus nannte (in augusteischer Zeit) das eigene Werk in Anlehnung an Th. *Historiae Philippicae*.

→ Geschichtsschreibung (II.C.)

1 M.R. CHRIST, Th. and Herodotus: A Reassessment, in: CQ 43, 1993, 47–52 2 B. BLECKMANN, Athens Weg in die Niederlage. Die letzten Jahre des Peloponnesischen Krieges, 1998, 19–31 (Lit.) 3 K. MEISTER, Die griech. Geschichtsschreibung, 1990, 90–94 4 G.S. SHRIMPTON, Theopompus the Historian, 1991 5 O. LENDLE, Einführung in die griech. Geschichtsschreibung, 1992, 129–136 6 K. VON FRITZ, Die polit. Tendenz in Theopomps Geschichtsschreibung, in: A&A 4, 1954, 45–64.

ED.: FGrH 115 (mit dem Komm. JACOBYS).
LIT.: P. AMANN, Th. und die Etrusker, in: Tyche 14, 1999, 3–14 · G. BONAMENTE, La storiografia di Teopompo tra classicità ed ellenismo, in: Annali dell' Instituto Italiano per gli studi classici 4, 1973/1975, 1–86 · W.R. CONNOR, Theopompus and Fifth-Century Athens, 1968 · M.A. FLOWER, Th. of Chios. History and Rhetoric in the Fourth Century B.C., 1994 · P. PÉDECH, Trois historiens méconnus: Théopompe, Duris, Phylarque, 1989 · K. REED, Th. of Chios. History and Oratory in the Fourth Century, Diss. Univ. of California 1976 · R. VATTUONE, Koinai Praxeis. Le dimensioni 'universali' della storiografia fra Erodoto e Teopompo, in: L. AIGNER FORESTI (Hrsg.), L' ecumenismo politico nella coscienza dell' occidente, 1998, 57–98.   K. MEI.

[4] Sohn des Charidemos, Athener aus dem Geschlecht der Buseliden. Ihm wurde 361/0 v. Chr. die umstrittene Erbschaft des reichen Hagnias zugesprochen, doch wurde sie 359/8 durch den Vormund eines Neffen angefochten und Th. zur Auszahlung des halben Erbteils verpflichtet (Isaios, or. 11). Gegen seinen Sohn → Makartatos [3] wurden weitere rechtliche Schritte wegen des Erbes eingeleitet ([Demosth.] or. 43).

DAVIES, 2921 XII · TRAILL, PAA 509770 · SCHÄFER, Bd. 4 (Beilagen), 229–236 (mit Stemma).   HA. BE.

[5] C. Iulius Th. aus Knidos, Vater des → Artemidoros [5]; beide nahmen für ihre Heimatstadt am Abschluß des Bündnisvertrages mit Rom 45 v. Chr. teil. Th. galt als Freund → Caesars und ist vielleicht mit dem Th. identisch, der → Cicero (Cic. Att. 13,7,1 [1. test. 2]) im selben Jahr im Tusculanum besuchte. Th. arbeitete als Mythograph (Plut. Caesar 48,730d1 [1. test. 4]); von seinem Werk (verm. Μύθων Συναγωγή, ›Mythen-Slg.‹) ist nichts erh.

ED.: 1 FGrH 21.
LIT.: 2 C. CICHORIUS, Ein Bündnisvertrag zw. Rom und Knidos, in: RhM 76, 1927, 327–329 3 FGrH, Komm. zu 21 (p. 498, 548) 4 G. HIRSCHFELD, C. Julius Th. of Cnidus, in: JHS 7, 1886, 286–290.   ST. MA.

[6] Th. aus Kolophon. Epischer Dichter, nicht datierbar; sein Werk *Harmátion* (›Wagen‹, zwei Hexameter bei Athen. 4,183a = SH 765) ist evtl. eine epische Neubearbeitung eines alten musikalischen → *nómos* [3]; vgl. [2]; die Verse beschreiben ein indisches Musikinstrument mit vier Saiten (*skindapsós*). Ein ›Zyprisches Lied‹ erwähnt Fulg. Afer 1,3 p. 19 HELM = SH 766.

1 E. DIEHL, s.v. Th. (7), RE 5 A, 2176 2 U. VON WILAMOWITZ-MOELLENDORFF, Hell. Dichtung, Bd. 1, 106, Anm. 3 3 M. FANTUZZI, Epici ellenistici, in: K. ZIEGLER, L'epos ellenistico, 1988, LXXXVII.   S. FO./Ü: I. BA.

Theoria (θεωρία).

[1] Bezeichnung für eine der am besten belegten Formen der → Pilgerschaft [1], bei der die griech. *póleis* offizielle Gesandtschaften zu nichtlokalen Heiligtümern schickten. → *Theōrós* (θεωρός) bezeichnet den offiziellen Gesandten. Die Bezeichnung rührt verm. daher, daß die *theōroí* Opfer und Feste im Heiligtum oder einen »Gott« (*theós*) mit eigenen Augen »schauten« (*horán*; zur umstrittenen Etym. s. [1. 433f.]), im Unterschied zu denen, die zuhause blieben oder die Götter durch Stellvertreter konsultierten [2]. Mehrere hiermit verwandte Bed. sind zu unterscheiden: (a) *th.* in der Bed. »Besichtigung« (Isokr. Trapezitikos 4; PTebtunis 1,33, 112 v. Chr.); (b) *theōrós* als Magistrat auf Paros, Thasos und in Mantineia [3. 6] sowie (c) als Abgesandter eines Heiligtums, der Feste ankündigt (s.u.). *Theōríai* sind v.a. inschr. vom 6. Jh. v. Chr. bis in die röm. Zeit belegt. Inschr. aus klass. Zeit sind selten, beinhalten aber z.B. den Vertrag zw. Andros und Delphoi (CID 1,7; [4]). Zahlreicher sind die hell. Belege, v.a. im Zusammen-

hang mit neu eingeführten Festen in Kleinasien. Die athen. Gesandtschaft nach Delphoi (*Pythaís*) erlebte im späten 2. Jh. v. Chr. eine spektakuläre Wiederbelebung [5]. Im 2. Jh. n. Chr. sind *th.* nach → Klaros [1] häufig belegt.

Die Aussendung einer *th.* folgte üblicherweise einem Zeitplan, der sich an den Festen des betreffenden Heiligtums orientierte, und wurde als rel. Pflicht angesehen. In anderen Fällen wurde der Zeitpunkt durch die aussendende *pólis* bestimmt (z. B. bei der athen. *Pythaís*: [5. 1–12]). Zu den Aufgaben gehörten Opfer im Heiligtum, oft gemeinsam (*synthysía*) mit anderen *póleis* [6], sowie die Darbringung der Erstlingsfrüchte (*aparchaí*) oder anderer Weihegaben. Darüber hinaus diente die *th.* wohl der Stärkung des Gemeinschaftsgefühls (z. B. der panhellenischen Identität) zw. den entsendenden *póleis*; sie hatte keine polit.-diplomatischen Aufgaben [7]. Weitere wichtige *th.* wurden ad hoc, v. a. zur Befragung von → Orakeln, zusammengestellt.

Einige panhellenische Heiligtümer (Delphoi, Olympia, Delos) zogen *theōroí* aus ganz Griechenland an, andere nur aus einer bestimmten Region, z. B. → Samothrake aus der NO-Ägäis [8. 48–59], → Dodona aus NW-Griechenland [9. 259–273]. Zuweilen wurden auch Gesandtschaften zu einem lokalen Heiligtum als *th.* angesehen (z. B. Aristoph. Pax 873 f.). Oft bestand eine enge Beziehung zw. einem Heiligtum und einer Stadt; solche Beziehungen konnten als Fortsetzung histor. Verbindungen verstanden werden, wie die zw. Kolonie und Mutterstadt (z. B. Brea und Athen: IG I 3, 42; vgl. → *mētrópolis* [1]). Manchmal sandten Städte *th.* im Zusammenhang mit einer → *amphiktyonía* zu einem Heiligtum; in Delphoi sind allerdings die *theōroí* von den → *hieromnḗmones*, die die amphiktyonischen Zusammenkünfte besuchten, unterschieden.

Auf ihrem Weg zu panhellenischen Heiligtümern galten *theōroí* als unverletzlich (→ *asylía*); dennoch war die Reise gefährlich [10]. Athenische *theōroí* benutzten bes. Schiffe (*theōrídes*), u. a. die → Salaminia; die Schiffsmannschaften spielten zuweilen eine wichtige Rolle im Ritual [11]. Die Abreise der *theōroí* wurde manchmal von einem »apopemptischen« Opfer oder Fest begleitet (LSCG 156b); die Zeit ihrer Abwesenheit galt teilweise als heilig (Plat. Phaid. 58b; [7]). Dieselbe *th.* konnte mehrere Heiligtümer auf einer Reise besuchen (LSCG 156b,16–7; IG XI 2,287 B39; IDélos 298 A10). In Delphoi genossen die *theōroí* Befreiung von Hafengebühren [12]. Bei ihrer Ankunft kümmerten sich → *próxenoi* um sie [13]. Die offizielle Aufnahme (*theōrodokía*; der *theōrodókos* nimmt den Gast auf) ist selten belegt und entwickelte sich auch später als die *th.* [14]. Sie übernachteten in Zelten, später in Häusern und Herbergen, und hielten Mahlzeiten in sog. *hestiatória* ab [15].

Die Größe einer *th.* schwankte von einer bis zu über hundert Personen, meist unter einem oder mehreren *architheōroí* [16]. Manchmal nahmen Mitglieder rel. *génē* (→ Familie IV. A.) eine führende Position bei Pilgerschaften ein [17]. *Th.* konnten von einer Eskorte begleitet werden, oft einer Gruppe von Heranwachsenden, die eine Prozession oder einen Chor formierten [18]. Die *th.* läßt sich aus diesem Grund auch als institutioneller Rahmen für einen Passageritus junger Leute betrachten. *Theōroí* begleiteten auch Athleten zu Wettkämpfen ([19. 297–299]; → Sportfeste).

Die *th.* war eine Institution der *pólis* (Thuk. 6,16,2): In Athen waren einige *architheōríai* → Liturgien; die *theōroí* wurden von den → *kōlakrétai* ausgestattet (FGrH 324 F 36), zurückgekehrte *theōroí* erhielten von der Stadt Ehrungen. Eigene *th.* aussenden zu können, war verm. ein Zeichen polit. Autonomie; nur in Ausnahmefällen behielten Gemeinden auch nach der Vereinigung mit einer anderen *pólis* das Recht, *th.* auszusenden oder zu empfangen. Eine *th.* drückte die Beziehung zw. der Heimatstadt und der Zielstadt mit ihrem Heiligtum aus. Zuweilen scheinen *th.* zweigleisige Prozesse gewesen zu sein: Die Bewegung von *theōroí* von einer *pólis* in eine andere wurde durch eine zweite Gruppe, die in umgekehrter Richtung zog, beantwortet [20. 50, 61]. *Theōroí* wurden auch Gesandte genannt, die → Feste ankündigten (*epangelía*), entweder bei der Einführung neuer Feste oder bei der Wiederkehr bereits etablierter [4; 14]. Dieselben *theōroí* konnten bei Festen ihre *pólis* vertreten und deren Feste ankündigen [3. 21].

Th. in kultischer Bed. wird von ant. Autoren mit *th.* als philos. Terminus für »Kontemplation« in Zusammenhang gebracht (s. Th. [2]).

1 CHANTRAINE 2 2 I. C. RUTHERFORD, Th. and Darshan, in: CQ 50, 2000, 133–146 3 P. BOESCH, ΘΕΩΡΟΣ, 1908
4 G. ROUGEMONT, Les Théores d'Andros à Delphes, in: Études Delphiques (BCH Suppl. 4), 1977, 37–47
5 A. BOETHIUS, Die Pythais, Diss. Uppsala, 1918
6 C. P. JONES, »Joint Sacrifice« at Iasus and Side, in: JHS 118, 1998, 183–186 7 J. KER, Solon's Th. and the End of the City, in: Classical Antiquity 19, 2000, 304–329 8 S. G. COLE, Theoi Megaloi, 1984 9 H. W. PARKE, The Oracles of Zeus, 1967 10 I. C. RUTHERFORD, Theoric Crisis, in: SMSR 61, 1995, 276–292 11 B. JORDAN, The Athenian Navy in the Classical Period, 1975, 169 ff. 12 F. SALVIAT, Document amphictionique CID IV 2: Restitution, in: BCH 119, 1995, 565–571 13 J. POUILLOUX, Les décrets Delphiques pour Matrophanes de Sardes, in: BCH 98, 1974, 159–169
14 P. PERLMAN, City and Sanctuary in Ancient Greece, 2000
15 M. P. J. DILLON, »The House of the Thebans« (FD III.1 357–358) and Accommodation for Greek Pilgrims, in: ZPE 83, 1990, 64–88 16 J. COUPRY, Ἀρχεθεωροὶ εἰς Δῆλον, in: BCH 78, 1954, 285–294 17 I. C. RUTHERFORD, The Amphikleidai of Sicilian Naxos, in: ZPE 122, 1998, 81–89
18 Ders., in: P. MURRAY, P. WILSON (Hrsg.), Music and the Muses (in Vorbereitung) 19 C. SOURVINOU-INWOOD, What is Polis Rel.?, in: O. MURRAY, S. PRICE (Hrsg.), The Greek City from Homer to Alexander, 1990, 295–322
20 A. CHANIOTIS, Die Verträge zw. kretischen Poleis in der hell. Zeit, 1996 21 H. RAUSCH, Th.: Von ihrer sakralen zur philos. Bed., 1982.   I. RU./Ü: S. KR.

[2] Philos. Begriff.

I. Begriff   II. Vorsokratik und Platon
III. Aristoteles   IV. Plotinos
V. Römische und christliche Philosophie

I. Begriff

In der griech. Philos. bezeichnet *th.* bes. seit Platon [1] und Aristoteles [6] die bes. Art des philos. Wissens und die sich danach richtende, beschauliche Verhaltensweise. *Th.* ist somit sowohl eine Erkenntnishaltung (des interessefreien, rein konstatierenden wiss. Wissens) als auch eine Lebensform (die kontemplative oder spekulative), welche die Philosophen im allg. als Alternative zum praktisch-polit. Leben nahelegen, da sie dem Menschen beständige Glückseligkeit und Gottähnlichkeit gewährt.

II. Vorsokratik und Platon

Schon → Thales und → Anaxagoras [2] erhoben die *th.* als reine Beschauung der himmlischen und kosmischen Ordnung zur idealen Lebensform für den Philosophen – selbst zu Lasten der praktischen Alltagsinteressen (vgl. die wirkungsreiche Anekdote von Thales, der den Himmel betrachtend in einen Brunnen fällt und dabei von einer thrakischen Magd ausgelacht wird, Plat. Tht. 174a-b; Diog. Laert. 1,34). Beide Denker gelten als »weise« (σοφοί/ *sophoí*) und als eminente Vertreter der theoretischen, an der reinen → Weisheit (σοφία/ *sophía*) orientierten Lebensform (Aristot. eth. Nic. 6,7,1141b 3 ff.; eth. Eud. 1,5,1216a 13–14), Perikles [1] dagegen als Vorbild der praktischen → Klugheit (φρόνησις/ *phrónēsis*) und der praktisch-polit. Lebensform (Aristot. eth. Nic. 6,5,1140b 7 ff.; → Praktische Philosophie).

Die erste maßgebliche Bestimmung der *th.* als Erkenntnisform der Philos. und als Grundhaltung des Philosophen liefert → Platon [1]. In Anlehnung an den gewöhnlichen Sprachgebrauch bestimmt er *th.* als ein Schauen, durch das die Seele das Seiende in seiner → Wahrheit erfaßt (Plat. Phaidr. 247c3–e4; d4). In ihrem höchsten Vollzug ist *th.* ›die Schau, die das Ganze von Zeit und Sein erkennt‹ (Plat. rep. 486a). Als »göttliche Schau« (θεία θεωρία/ *theía theōría*, ebd. 517d 4 f.) bezeichnet Platon im Höhlengleichnis die Betrachtung der Idee des Guten als der allerhöchsten, selbst jenseits vom Sein liegenden Wirklichkeit, zu welcher der Philosoph gelangen kann (→ Ideenlehre). Daß die höchste Stufe des Erkenntnisprozesses mit Hilfe eines praktisch-moralischen Terminus (das »Gute«) gekennzeichnet wird, hängt wohl damit zusammen, daß Platon *th.* nicht als bloße Erkenntnis, sondern vielmehr als Grundhaltung der ganzen Seele ansetzt.

III. Aristoteles

→ Aristoteles [6] greift die platonische Bestimmung der *th.* als höchster Erkenntnis- und Lebenshaltung wieder auf, integriert und definiert sie jedoch innerhalb seiner systematischen Auffassung des wiss. Wissens neu. Er unterscheidet die theoret., rein beschauenden Wiss. (Theologie, Mathematik, Physik) von den praktischen und den poietischen (zur Dreiteilung vgl. Aristot. top.

6,6,145a 14–18; metaph. 6,1; 11,7; eth. Nic. 6,2,1138a 27–28; zur Zweiteilung von theoret. und praktischer Philos. vgl. top. 7,1,152b 4; metaph. 2,1,993b 20–21; auch cael. 3,7,306a 16; metaph. 12,9,1074b 38–1075a 2). Die Unterscheidungskriterien sind:

(a) die Zielsetzung: In den theoret. Wiss. strebt man die beschauende Erkenntnis der → Wahrheit (ἀλήθεια/ *alḗtheia*) an, in den praktischen und poietischen Disziplinen das Gelingen des jeweiligen Tuns.

(b) die Seinsweise des jeweils intendierten Gegenstands: Die theoret. Wiss. erforschen das notwendig Seiende (τὸ ἀναγκαῖον/ *to anankaíon*), die praktischen und poietischen hingegen solches, was anders sein kann, als es ist (τὰ ἐνδεχόμενα ἄλλως ἔχειν/ *ta endechómena állōs échein*), das Kontingente.

(c) die Argumentationsweise: Nur die theoret. Wiss. können wegen der Beständigkeit ihres Gegenstandes die höchst genaue Argumentationsweise (ἀκριβολογία/ *akribología*) und die rigorose, apodiktische Beweisführung (ἀπόδειξις/ *apódeixis*) anstreben.

Theoret. Wiss. (ἐπιστήμη θεωρητική/ *epistḗmē theōrētikḗ*) ist auch das Wissen, das Aristoteles »erste Philos.« (πρώτη φιλοσοφία/ *prṓtē philosophía*) nennt, und das später den Namen → »Metaphysik« erh. sollte (→ Prinzip).

Th. als die ausgezeichnete Form des Wissens ist nach Aristoteles zugleich die höchste Form des Handelns (πρᾶξις/ *práxis*), da sie den Menschen in einen Zustand versetzt, der dem Leben Gottes ähnlich ist (ὁμοίωσις θεῷ/ *homoíōsis theṓi*). Gott lebt nämlich dadurch, daß er solches Denken vollzieht, das Denken des Denkens ist (νοήσεως νόησις/ *noḗseōs nóēsis*, Aristot. metaph. 12,9, 1074b 34 f.; 12,7 und 9). Obwohl der Mensch nur selten und für eine kurze Weile reine *th.* vollziehen kann, ist dennoch die theoret. Lebensform (βίος θεωρητικός/ *bíos theōrētikós*, lat. *vita contemplativa*) für sich selbst erstrebenswert und dem praktisch-polit. Leben (βίος πολιτικός/ *bíos politikós*, lat. *vita activa*) vorzuziehen. Durch sie allein kann der Mensch beständige Glückseligkeit erreichen (Aristot. eth. Nic. 10,6–9; Aristot. pol. 7,3,1325b 14 ff.) und sogar danach streben, »unsterblich zu werden« (ἀθανατίζειν/ *athanatízein*; eth. Nic. 10,7,1177b 33).

IV. Plotinos

Der Bed. von *th.* verleiht → Plotinos (→ Neuplatonismus) eine paradoxe Erweiterung, derzufolge »alle Wesen nach *th.* streben« (πάντα θεωρίας ἐφίεσθαι, Plot. enneades 3,8,1). Das hängt mit seiner neuplatonischen Hypostasenlehre (→ *hypóstasis* [2]) zusammen und führt zu einem »Pankontemplationismus«. Alle Stufen des Seins (Geist, Seele, Natur) sind → Emanationen, »Hervorbringungen« (ποιήσεις/ *poiḗseis*), der Tätigkeit des bei sich selbst verharrenden (ἐν αὐτῷ μένον/ *en hautṓi ménon*) und sich selbst zugewandten, betrachtenden (θεωροῦν/ *theōrûn*) Einen. Geist, Seele und Natur vollziehen auf ihrem jeweiligen ontologischen Niveau die *th. Práxis* wird dabei als schwächere Nachahmung der poietischen Tätigkeit der *th.* (»Schatten der *th.*«, σκιὰ θεωρίας/ *skiá theōrías*, ebd. 3,8,4,32) aufgefaßt, weil *práxis* durch ihre

Schwäche sich nicht zu sich selbst, sondern nur nach außen richten kann. Daß alles nach *th.* strebt, heißt demnach, daß alles die Tätigkeit des Geistes (νοῦς/*nus*) nachahmt, welcher »lebendige *th.*« ist (θεωρία ζῶσα/*theōría zōsa*, ebd. 3,8,8,11), die das Eine betrachtet.

V. RÖMISCHE UND CHRISTLICHE PHILOSOPHIE

Bedeutsam für die lat. Philos. war v. a. die aristotelische Auffassung der *th.* Cicero (Cic. Att. 1,2,16; nat. deor. 1,50) und Seneca [2] (Sen. epist. 95,10) übertrugen θεωρεῖν/*theōreín* mit lat. *contemplari*, das urspr. die Himmelsbetrachtung der → *augures* bezeichnete. Bes. wichtig wurde die Übers. *contemplatio* durch Augustinus, der den Begriff zur Bezeichnung der Schau Gottes (*contemplatio divina*) im jenseitigen Leben verwendet (Aug. de immortalitate animae 6,10), wegen ihrer theologisch-spirituellen Implikationen. Diese Bed. bestätigt im übrigen Ps.-Dionysios [54] Areopagites, der *th.* als Schau geistiger Wesen versteht. Eine andere Übers. setzte sich im 6. Jh. mit Boëthius durch: Er übertrug *theōreín* mit *speculari* und *th.* mit *speculatio* (Boeth. in isagem Porphyrii commenta 1,3), was in den Aristoteles-Übers. und -Komm. des MA beibehalten wurde (obwohl man teilweise für *th.* auch *consideratio* findet).

→ THEORIE/PRAXIS

R. ARNOU, Praxis et Th., 1921, ²1972 · H. BLUMENBERG, Das Lachen der Thrakerin, 1987 · F. BOLL, Vita contemplativa (SHAW, Philos.-Histor. Kl., H. 8, 1920), 3–34 · J. DUDLEY, Gott und Th. bei Aristoteles, 1982 · T. B. ERIKSEN, Bios theoretikos. Notes on Aristotle's Ethica Nicomachea X, 6–8, 1976 · J.-A. FESTUGIÈRE, Contemplation et vie contemplative selon Platon, 1936 (²1950) · O. GIGON, La teoria e i suoi problemi in Platone e Aristotele, 1987 · W. JAEGER, Über Ursprung und Kreislauf des philos. Lebensideals, in: SPrAW, Philos.-Histor. Kl, 25, 1928, 390–421 (= Ders., Scripta minora, Bd. 1, 1960, 347–393) · A. KENNY, Aristotle on Perfect Life, 1992 · G. KÖNIG, s. v. Theorie I., HWdPh 10, 1998, 1128–1138 · H. KOLLER, Theoros und Th., in: Glotta 36, 1958, 273–286 · J. PFEIFFER, Contemplatio Caeli. Unt. zum Motiv der Himmelsbetrachtung in lat. Texten der Ant. und des MA, 2001 · H. RAUSCH, Th. Von ihrer sakralen zur philos. Bed., 1982 · G. REDLOW, Theoria. Theoret. versus praktische Lebensauffassung im philos. Denken der Ant., 1966 · J. RITTER, Mundus intelligibilis. Eine Unt. zur Aufnahme und Umwandlung der neuplatonischen Ontologie bei Augustinus, 1937 · Ders., Die Lehre vom Ursprung und Sinn der Th. bei Aristoteles (1953), in: Ders., Metaphysik und Politik. Studien zu Aristoteles und Hegel, 1969, 9–33.

F. VO.

Theorikon (θεωρικόν). Öffentliche Gelder, ausgezahlt an attische Bürger zur Teilnahme an Festen, bes. dramatischen Aufführungen. Die Einführung des *th.* (auch plur. θεωρικά sc. χρήματα, *theōriká* sc. *chrḗmata*) wurde bald → Perikles [1] zugeschrieben, der damit das Volk habe bestechen wollen (Plut. Perikles 9), bald → Agyrrhios, der um 400 v. Chr. Diätenzahlung für Teilnehmer an der → *ekklēsía* erwirkte; zeitgenössische Zeugnisse fehlen jedoch. Offenbar hat erst → Eubulos [1] um 350 regelmäßig Staatsgelder für die Subventionierung des Theaterbesuchs verwendet [1] und dazu eine eigene Behörde eingesetzt [2].

→ Fest, Festkultur; Theater III

1 E. RUSCHENBUSCH, Die Einführung des Th., in: ZPE 36, 1979, 303–308 2 P. J. RHODES, A Commentary on the Aristotelian Athenaion Politeia, ²1993, 514–516.

J. J. BUCHANAN, Theorika, 1962 · PICKARD-CAMBRIDGE/GOULD/LEWIS, 266–268, s. v. Dionysiakoi technitai, Nr. 1157. H.-D. B.

Theoros, theorodokos s. Theoria [1]

Theosebeia (Θεοσέβεια). Dichterin, von der ein einziges Epigramm überl ist. (Anth. Pal. 7,559): Akestoria (Personifikation der Medizin) trauert über den Tod des Arztes Ablabios (verm. sprechender Name: ἀ-βλάβη/ *a-blábē*, »Abhalter von Schaden«). Ihrer Identifikation mit der gleichnamigen Schwester des Alchimisten Zosimos (3. Jh. n. Chr., vgl. [2]) steht wohl chronologisch ihre Zugehörigkeit zum *Kýklos* des → Agathias entgegen [1].

1 Av. und A. CAMERON, The Cycle of Agathias, in: JHS 86, 1966, 8 2 R. C. McCAIL, The »Cycle« of Agathias, in: JHS 89, 1969, 94. M. G. A./Ü: L. FE.

Theosebios (Θεοσέβιος). Neuplatonischer Philosoph des 5. Jh. n. Chr., nur durch → Damaskios bekannt. Laut dessen ›Leben des Isidoros‹ (Phot. 56–59 und fr. 109–110 ZINTZEN = 45 A, B; 46 B, D, E ATHANASSIADI) schrieb Th. in Alexandreia [1] zwei Vorlesungen des → Hierokles [7] mit, der Platons ›Gorgias‹ kommentierte. Th. konnte angeblich mittels Exorzismus Dämonen vertreiben. Da kinderlos, lebte er mit seiner Frau in Keuschheit, wohl gemäß einer pythagoreischen Regel. Th. nahm, obwohl Platoniker, für seine Überlegungen die Lehrgespräche des → Epiktetos zum Vorbild.

C. ZINTZEN (ed.), Damascii Vitae Isidori reliquiae, 1967 · P. ATHANASSIADI (ed.), Damascius, The Philosophical History, 1999 (engl. Übers. und Komm.). L. BR./Ü: J. DE.

Theosophia (Θεοσοφία). Titel eines christl. Werkes unbekannten Verfassers (Severos [3] von Antiocheia nach [2]) vom E. des 5. Jh. n. Chr. Der Titel zeigt einen Bezug zu → Porphyrios' Schrift ›Philosophie aus Orakeln‹, wo dieser *th.* (eine Verschmelzung aus »Theologie« und »Philosophie«) wohl erstmals zum t. t. machte (fr. 303; 323; 340a SMITH, vgl. Porph. de abstinentia 2,45,4; 4,17,1); davor ist das Adv. θεοσόφως/*theosóphōs* nur bei Clem. Al. strom. 1,1 (17,3) belegt; später bei → Eusebios [7], → Proklos [2], → Damaskios, Ps. → Dionysios [54] Areopagites. Erh. ist die sog. ›Tübinger Th.‹, eine Epit. der B. 8–10 (mit Inhaltsangabe der übrigen B.) in einer einzigen Tübinger Hs. (Mb 27, ein Apographon einer 1870 verbrannten Straßburger Hs.). Einzelne Stücke sind noch in anderen Hss. erh. ([1. XVII] mit Stemma); weitere kleinere Slgg. sind späteren Datums [1. 91–135]. Die ersten sieben B. handelten über den »wahren Glauben«, die folgenden über

Orakel griech. Götter (B. 8), über die »Theologien« griech. und ägypt. Weiser (B. 9) und über Sibyllenorakel (B. 10); dieser Abschnitt ist aus der originalen Schrift in zwei Hss. erh. [1. 57–90]; die Einleitung dieser sog. Sibyllen-*th.* kehrt u. a. im Prooimion der → *Sibyllina oracula* (Hss. F) wieder. Das nicht exzerpierte 11. B. enthielt Orakel des → Hystaspes [1] und eine Chronik von Adam bis Zenon (474–491); das Weltende wurde im 500. Jahr nach Christi Geburt erwartet (500/1 oder 507/8). Der Autor will zeigen, daß die nichtchristl. Quellen mit der Hl. Schrift übereinstimmen und die christl. Lehren bezeugen; deshalb dürften diese Trad. nicht übergangen werden (vgl. [1. § 7]: ›Wer diese Zeugnisse beseitigt, beseitigt auch Gott, der sie verursachte‹.

→ Theologie

1 H. ERBSE (ed.), Theosophorum Graecorum Fragmenta, 1995 2 P. F. BEATRICE, Das Orakel von Baalbek und die sog. Sibyllentheosophie, in: RQA 92, 1997, 177–189.　　J. HO.

Theoteknos (Θεότεκνος). *Curator civitatis* (*logistés*; → *logistaí*) von Antiocheia [1] ca. 312 n. Chr.; regte dort eine Petition der Stadt an → Maximinus [1] Daia an, die Christenverfolgung (→ Toleranz E.) wiederaufzunehmen; später als Statthalter Syriens (?) und Initiator einer Orakelstätte des Zeus maßgeblicher religionspolit. Ratgeber des Maximinus; eher wegen seiner Nähe zu diesem als wegen seiner rel. Überzeugung ließ ihn Licinius [II 4] 313 n. Chr. hinrichten (Eus. HE 9,11,6).　　B. BL.

Theotimos (Θεότιμος). Griech. Historiker aus hell. Zeit. Verf. verschiedener lokalgeschichtlicher Werke: ›Über Kyrene‹ (FGrH 470 F 1 und 2), *Italiká* (FGrH 834 F 1), ›Gegen Aieluros‹ (FGrH 470 F 3–5), einen rhodischen Spezialschriftsteller unbekannter Zeit (Aieluros FGrH 528). FGrH 470 und 834.　　K. MEI.

Theoxene (Θεοξένη) aus dem ptolem. Königshaus heiratete um 295 v. Chr. Agathokles [2], der sie und ihre zwei Söhne (*parvuli*, Iust. 23,2,6–8) kurz vor seinem Tod 289 mitsamt der Mitgift nach Äg. zurückschickte. Der polit. Zweck der Heirat ist unklar. Wegen ihrer Mitgift (*regale instrumentum*) gilt Th. als Tochter Ptolemaios' [1] I. und der Eurydike [4], war vielleicht aber als Tochter der Berenike [1] und Schwester des Magas [2] seine Stieftochter. PP VI 14511.

W. HUSS, Äg. in hell. Zeit, 2001, 203.　　W. A.

Theoxenia s. Xenia

Theoxenos (Θεόξενος). Achaier aus → Leontion, Vater des → Kallikrates [11], besiegte 197 v. Chr. als *stratēgós* des Achaiischen Bundes (→ Achaioi) bei → Alabanda in Unterstützung der Rhodier ein Makedonenheer (Liv. 33,18,5 f.). Sein entsprechendes Weihgeschenk in → Delos ist in den dortigen Inventarlisten der Jahre 194–179 verzeichnet [1. 135⁶; 2. 137⁴].

1 M. LAUNEY, Recherches sur les armées hellénistiques, Bd. 2, 1987 2 J. DEININGER, Der polit. Widerstand gegen Rom in Griechenland, 1971.　　L.-M. G.

Thera (Θήρα).
I. GEOGRAPHIE II. BRONZEZEITLICHE BESIEDLUNG III. VOM 15. BIS ZUM 6. JH. V. CHR. IV. KLASSISCHE, HELLENISTISCHE, RÖMISCHE ZEIT

I. GEOGRAPHIE

Insel (73 km²) der südl. → Kykladen mit gleichnamiger Stadt (Strab. 10,5,1; Paus. 3,1,8); ehemals Santorini (von it. *Santa Irene*), h. Thira, mit den kleineren Inseln → Therasia und Aspronisi eine Inselgruppe, die sich höchstwahrscheinlich um 1628 (Dendro-Datier.) infolge eines gewaltigen Vulkanausbruchs gebildet hat; Palaia Kaimeni und Nea Kaimeni sind Gipfel eines bereits in prähistor. Zeit bzw. erst 1707(?) v. Chr. entstandenen Vulkans (noch h. heiße Quellen). Trotz der Problematik der Datier. ist immerhin sicher, daß diese → Naturkatastrophe entgegen älteren Theorien nicht für den Untergang der minoischen Palastkultur verantwortlich gemacht werden kann. Das Zentrum eines urspr. mit dem Kalkgestein des h. Profitis Elias (564 m H) verbundenen Vulkanbergs mit mehreren Kratern wurde durch eine Folge von Explosionen weggesprengt. Die Außenseite wurde durch eine über 30 m hohe Bimssteinschicht überschüttet, der Kraterrand brach an drei Stellen im Westen ein, an denen das Meer einflutete und die h. Caldera (ca. 86 km², bis zu 390 m tief) mit im Norden bis zu 360 m hohen, nahezu senkrechten Innenwänden bildete. 197 v. Chr. entstand Hiera, 19 oder 46 n. Chr. Phia und eine weitere Insel (Strab. 1,3,16; Plut. mor. 399c; Plin. nat. 2,202; Iust. 30,4,1 f.; Paus. 8,33,4; Sen. nat. 2,26,4; Cass. Dio 60,29,7; Amm. 17,7,13; Aur. Vict. Caes. 5,14), die h. alle wieder verschwunden sind.

Der Boden von Th. galt als ertragreich (schol. Pind. P. 4,11), die Weine waren berühmt (Poll. 6,16); farbenprächtige Gewänder aus Th. verwendete man in der att. Komödie (Athen. 10,24; Theophr. Fr. 119).

II. BRONZEZEITLICHE BESIEDLUNG

Der Fuß des Vulkans war seit dem Spätneolithikum besiedelt, frühkykladische Funde wurden u. a. im h. Akrotiri sowie im h. Phtellos gemacht. Südl. von Akrotiri bestand eine brz. Siedlung mit zwei- und dreistökkigen Gebäuden und einer geschätzten Ausdehnung von 20 ha: Die öffentlichen und privaten Gebäude dieser Siedlung erbrachten den größten und besterhaltenen geschlossenen Fundkomplex ägäischer bzw. brz. → Wandmalerei (in Secco- und in → Freskotechnik). Sie zeigt Elemente kykladischer Trad., gehört aber zur min. Kunst (→ Minoische Kultur und Archäologie). Neben abstrakten und stark abstrahierenden Motiven sind u. a. folgende figürliche Themen bekannt: Landschaftsdarstellungen mit Tieren und Pflanzen, Fischer, ein Flottenfries mit Szenen zur See und an Land, boxende Kinder, eine Prozession, verschiedene rituelle Szenen hauptsächlich mit Frauen, aber auch Fabelwesen und evtl. weibliche Gottheiten. Die Themen des figürlichen Raumdekors werden sehr unterschiedlich interpretiert, da – wie in der kretischen Wandmalerei, aber im Gegensatz zu äg. Darstellungen – keine Inschr. beigegeben sind.

Die soziale und ökonomische Organisation der späten Brz. ist größtenteils unklar. Palastbauten wurden nicht gefunden. Viele Bauten mit eigenen Magazinen könnten auf die ökonomische Unabhängigkeit der Bewohner hindeuten. Umstritten ist der Grad des min. Einflusses auf Th. und dessen sozioökonomischer Hintergrund; deutlich zeigt er sich in der Adaption der → Linear-A-Schrift und des min. Gewichtssystems sowie u. a. in Architektur und Malerei.

III. VOM 15. BIS ZUM 6. JH. V. CHR.

Mit der großen Vulkaneruption erlosch in Th. für geraume Zeit alles Leben. Beim h. Monolithos an der Ostküste entstand im 13. Jh. v. Chr. eine neue Siedlung mit Beziehungen zu myk. Zentren. Im 10. Jh. v. Chr. erfolgte Besiedlung durch → Dorieis aus der → Lakonike (Hdt. 4,147–151; Strab. 10,5,1), die auf dem 370 m hohen Bergvorsprung Mesavuno im SO die Polis Th. gründeten. Älteste Anlagen: die sog. Götteragora, Gymnasion der Epheben, säulenloser Tempel des Apollon Karneios (um 600 v. Chr.); nw davon ein Tempel des Apollon Pythios (6. Jh. v. Chr.), Fundamente archa. Häuser. Im Norden der Stadt verschiedene Nekropolen; kunsthistor. bedeutend sind die großen geom. dekorierten Gefäße. Es wurde ein eigenes »theräisches« → Alphabet entwickelt, das sich allmählich dem in Sparta verwendeten anglich (Fels-Inschr. in Th.). Um 630 v. Chr. wurde von Th. aus → Kyrene gegr. (Hdt. 4,150–156).

IV. KLASSISCHE, HELLENISTISCHE, RÖMISCHE ZEIT

Im 5. Jh. v. Chr. trat an die Stelle des Königtums die Aristokratie. 431 v. Chr. Athen noch fernstehend (Thuk. 2,9,4), trat Th. 430/29 v. Chr. in den → Attisch-Delischen Seebund ein (Tribut: 3 Talente, vgl. ATL 1, 284f., seit 425/24 v. Chr. 5 Talente, vgl. ATL 1, 216f.); wohl nach dem Sieg des → Peloponnesischen Bundes 404 v. Chr., evtl. aber schon früher, gestaltete Th. die Verfassung nach spartanischem Vorbild (drei → éphoroi; vgl. IG XII 3, 330; 336). Im 4. Jh. v. Chr. war Th. Mitglied des 2. → Attischen Seebundes. Um 330 v. Chr. erhielt Th. zur Linderung der auf der Insel wie in ganz Hellas herrschenden großen Hungersnot 15 000 Scheffel Getreide von Kyrene. Seit 275 v. Chr. war Th. Flottenstützpunkt der → Ptolemaier; während des → Chremonideïschen Krieges 267–261 v. Chr. wurde ein ptolem. Statthalter auf die Insel entsandt; Einrichtung einer Garnison auf dem Mesavuno. Der ptolem. Kriegshafen lag bei Exomythion an der Südspitze von Th. In dieser Zeit setzte eine umfangreiche Bautätigkeit in der Stadt ein (u. a. Fels-Heiligtum für Serapis, Isis und Anubis). Im Zentrum von Th. lag die Agora mit westl. angrenzendem Dionysos-Tempel, der seit dem 2. Jh. v. Chr.

dem ptolem. Königskult diente; außerdem Theater, Privathäuser, im Norden der Stadt Kultbezirk für Ptolemaios [6] III. mit Felsreliefs (Adler, Löwe, Delphin).

146 v. Chr. zogen die Ptolemaier ihre Garnison von Th. ab, im 1. Jh. v. Chr. erfolgte die Eingliederung in die röm. Prov. → Asia. In der röm. Kaiserzeit abermals bedeutende Bautätigkeit: u. a. Basilike Stoa (z. Z. des Augustus), Badeanlage und Thermen. Seit dem 4. Jh. n. Chr. war Th. Bistum; mehrere frühchristl. Kirchenbauten sind auf der Insel nachgewiesen (u. a. Basilika Archangelos Michael bei Th.), ferner Reste byz. Befestigungsmauern.

→ Ägäische Koine (mit Karte); Minoische Kultur und Archäologie; THERA

PHILIPPSON/KIRSTEN 4, 164–185 • SP. MARINATOS, Excavations at Thera I-VII, 1968–1976 • Th. and the Aegean World (International Congress Papers I-III), 1978–1990 • H. RIEDL, W. KERN (Hrsg.), Geogr. Stud. im Bereich der Kykladen, 1980 • N. MARINATOS, Art and Religion in Th., 1984 • L. MORGAN, The Miniature Wall Paintings of Th., 1988 • CHR. DOUMAS, The Wall-Paintings of Th., 1992 • PH. YOUNG FORSYTH, Th. in the Br. Age, 1997 • W. HOEPFNER (Hrsg.), Das dorische Th., 1997 • P. I. SOTERAKOPOULOU, Ἀκρωτήρι Θήρας, 1999 • W. L. FRIEDRICH, Fire in the Sea …, 2000 • ST. W. MANNING, A Test of Time, 1999 • H. LOHMANN, Die Santorin-Katastrophe – ein arch. Mythos? in: E. OLSHAUSEN, H. SONNABEND (Hrsg.), Naturkatastrophen in der ant. Welt (Geographica Historica 10), 1998, 337–363 • CH. A. TELEVANTOU, Ἀκρωτήρι Θήρας, Οἱ τοιχογραφίες τῆς Δυτικῆς Οἰκίας, 1994 • K. PALYVOU, Ἀκρωτήρι Θήρας, Ἡ οἰκοδομικὴ τέχνη, 1999 • J. W. SPERLING, Th. and Therasia (Ancient Greek Cities 22), 1973.   A. KÜ. u. R. J.

Therambos (Θεράμβως). Th. wird bei Hdt. 7,123,1 als südöstlichste Stadt der → Pallene [4] genannt (Skyl. 66: *Thrambēís*; Steph. Byz. s. v. Θράμβος), im Gebiet des h. Paliuri vermutet. Th. ist in den Athener Tributquotenlisten anfangs zusammen mit → Skione, ab 446/5 v. Chr. gesondert mit dem gleichbleibenden Betrag von 1000 Drachmen verzeichnet (ATL 1, 284f.) und scheint bis zum E. des → Peloponnesischen Krieges 404 v. Chr. im → Attisch-Delischen Seebund geblieben zu sein. Die weitere Gesch. von Th. ist unbekannt; Th. könnte wieder von Skione inkorporiert worden sein.

M. ZAHRNT, Olynth und die Chalkidier, 1971, 187f.   M. Z.

Theramenes (Θηραμένης). Bedeutender athenischer Politiker und Feldherr am E. des 4. Jh. v. Chr.; Sohn des → Hagnon [1]; Lehrer des → Isokrates. Th. beteiligte sich am oligarchischen Umsturz in Athen 411, war Mitglied im Rat der 400 (→ *tetrakósioi*) und → *stratēgós*. Er widersetzte sich Bestrebungen, den Krieg gegen den Peloponnesischen Bund unter erheblichen Zugeständnissen zu beenden, und trug maßgeblich dazu bei, daß die von den Oligarchen errichtete Befestigung der → Eetioneia, die angeblich den Spartanern die Einfahrt in den → Peiraieus ermöglichen sollte, eingerissen wurde (Thuk. 8,68,4; 89–92; Lys. 12,65). Nach dem Sturz der 400 setzte sich Th. dafür ein, die Teilhabe an der polit. Ordnung auf 5000 Bürger zu erweitern und die Besoldung für alle Ämter abzuschaffen (Thuk. 8,97; Diod. 13,38,2). Nach der Wiederherstellung der Demokratie (→ *dēmokratía*) war Th. *stratēgós* und beteiligte sich 410–408 v. Chr. erfolgreich an der Eroberung von Kyzikos und Byzantion. In Paros stellte er die Demokratie wieder her und sicherte Athen von Chrysopolis aus den zehnprozentigen Sundzoll (Xen. hell. 1,1,12–22; Diod. 13,47,6–8; 49–51; 64,2f.; 66f.). Als *triḗrarchos* erhielt er 406 nach dem Seesieg bei den → Arginusai den Auftrag, die Schiffbrüchigen zu retten, dem er wegen eines Sturms nicht nachkam (vgl. → Thrasybulos). Nach Athen zurückgekehrt, forderte Th. dennoch die Athener mit Erfolg auf, die *stratēgoí* wegen der unterlassenen Bergung der Schiffbrüchigen anzuklagen (Xen. hell. 1,6,35; 1,7,4–8; 17; 31; Diod. 13,98,3; 101,2 u. 7).

Seine Wahl zum *stratēgós* für 405/4 wurde bei der → *dokimasía* für ungültig erklärt (Lys. 13,10). Nach der Niederlage bei → Aigos potamoi verhandelte Th. 405 im Auftrag des Volkes mit → Lysandros [1] und ging als Gesandter nach Sparta. Wegen der Belagerung ihrer Stadt waren die Athener gezwungen, die von Th. im März 404 überbrachten Friedensbedingungen Spartas zu akzeptieren (Xen. hell. 2,2,16–23). Zu den auf Druck des Lysandros eingesetzten Dreißig (→ *triákonta*) gehörte auch Th. Als Terror und Verfolgungen zunahmen, kam es zu einem inneren Machtkampf zwischen Th. und → Kritias. Th. setzte sich dafür ein, die Basis der Oligarchie zu vergrößern. Nach Verleumdungen wurde Th. im Okt. 404 des Verrats an der Oligarchie beschuldigt. In einer vor dem Rat gehaltenen Rede verteidigte Th. sein polit. Handeln und rechtfertigte seine Ablehnung der radikalen Demokratie und der extremen Oligarchie (→ *oligarchía*). Kritias ließ Th., der sich an den Altar geflüchtet hatte, ergreifen und zur Hinrichtung abführen (Xen. hell. 2,3,15–56; Diod. 14,4,5–5,4). TRAILL, PAA 513930.

→ Athenai III. 8; Peloponnesischer Krieg

C. BEARZOT, Lisia e la tradizione su Teramene, 1997 · B. BLECKMANN, Athens Weg in die Niederlage, 1998, 334–386; 548–569 · G. A. LEHMANN, Oligarchische Herrschaft in klass. Athen, 1997 · W. J. MCCOY, The Political Debut of Theramenes, in: CH. D. HAMILTON, P. KRENTZ (Hrsg.), Polis and Polemos, 1997, 171–192 · J. VON UNGERN-STERNBERG, »Die Revolution frißt ihre eigenen Kinder«. Kritias vs. Theramenes, in: Ders., L. BURCKHARDT (Hrsg.), Große Prozesse im ant. Athen, 2000, 144–156 · K.-W. WELWEI, Das klassische Athen, 1999, 224–230; 233f.; 243–251.   W.S.

Therapeuten (θεραπευταί) werden von → Philon [12] diejenigen genannt, die ihr Leben in Askese und philos. Kontemplation (*bíos theōrētikós*) allein der Verehrung Gottes widmen (zum Namen vgl. Plat. Phaedr. 252c und die Slg. von Inschr. aus Pergamon, Delos u. a. [1] für die Verehrer bes. von äg. Gottheiten). Philon bietet zwei Etym.: »Heiler der Seele« und »Verehrer des höchsten Seins«. Als die »Besten« unter ihnen bezeichnet er eine Gruppe von jüd. Einsiedlern am Mareotischen See südwestlich von Alexandreia [1] in Ägypten, von denen wir allein durch seine Schrift *De vita contemplativa* wissen (ihre Echtheit wird heute allg. angenommen; unklar ist, ob Philon selbst den Ort besucht hat). Philons Darstellung ist von seinem eigenen philos. Standpunkt und rhet. Stilisierung geprägt und läßt wichtige Informationen vermissen, z. B. über die Anzahl der Th. und ihre ökonomische Grundlage. Obwohl er von den äg. Th. die → Essener als Beispiel eines tätigen Lebenswandels (*bíos praktikós*) unterscheidet, wird die Gruppe meist als essenisch angesehen, so schon Hier. adv. Iovianum 2,14 (PL 23,316f.) und Epiphanios adv. haereses 29,4,9f.; Eus. HE 2,16f. hält sie dagegen für christl. Mönche.

Philon beschreibt, daß sich die vornehmlich älteren Männer und Frauen (!) an den vom Klima begünstigten, wenig besiedelten Ort zurückzogen, um die Heilige Schrift (allegorisch) auszulegen und rel. Hymnen und Lieder zu schaffen; exegetische Lit. der »Gründer der Sekte« stehe ihnen zur Verfügung. Sie wohnen jeweils für sich allein in einfachen Häusern (ihren früheren Besitz haben sie vererbt oder verschenkt); jedes Haus verfügt über einen heiligen Raum. Sie beten zweimal täglich und essen nur das Nötigste. Einfache Kleidung, geschlechtliche Enthaltsamkeit und Askese prägen ihr Leben. Der Sabbat wird mit einer gemeinsamen Feier begangen. Ein bes. Fest wird alle 50 Tage (= 7 Wochen, vgl. Lv 23,15ff.) gefeiert mit einem Vortrag des Ältesten, Kultmahl (Brot, Salz, Ysop, Wasser) und Gesang. Philon erwähnt jüngere, bes. ausgesuchte Mitglieder, die die Bedienung freiwillig übernehmen. Diese werden wohl auch sonst die Versorgung der älteren »Schriftgelehrten« sichergestellt haben. Philons Beschreibung hat auf das christl. Mönchtum und bis in die Neuzeit auf verschiedene Einsiedler-Bewegungen als idealisierendes Vorbild Einfluß genommen.

1 J. E. TAYLOR, P. R. DAVIES, The So-Called Th. of *De vita contemplativa*, in: Harvard Theological Review 91, 1998, 3–24.

F. C. CONYBEARE (ed.), Philo, About the Contemplative Life, 1895 (griech., armen., lat.) · F. DAUMAS, P. MIQUEL (ed.), Philo, de vita contemplativa, 1963 · J. RIAUD, Les Thérapeutes d'Alexandrie, in: ANRW II 20.2, 1987, 1189–1295 (mit Lit.).   J.HO.

Therapnai (Θεράπναι).

[1] Stadt auf Kreta, wohl im mittleren Norden (verm. zw. → Eleutherna und → Kydonia; [vgl. 1. 198]), zu den wichtigeren Orten der Insel gerechnet (Mela 2,113; Plin. nat. 4,59).

1 P. FAURE, La Crète aux cents villes, in: Κρητικὰ Χρονικά 13, 1959, 171–217.   H.SO.

[2] Kultort in Lakonia (→ Lakonike) am linken Ufer des Eurotas, ca. 2 km sö von → Sparta auf einem Vorberg des Parnon. Bebaut im SH IIB-IIIA 1, aufgegeben im SH

IIA 2–IIIB 1, nach kurzer Neubesiedlung durch Brand oder Erdbeben im SH IIIB 2 zerstört. Die von H.W. CATLING vorgenommene Identifizierung des myk. Herrenhauses mit dem homer. Sparta wird h. meist bezweifelt (vgl. Lit. bei [1]). In frühgeom. Zeit wurde hier wohl eine Göttin mit ihren Helfern verehrt, die später mit → Helene [1] (Hdt. 6,61) und ihren Brüdern, den → Dioskuroi, gleichgesetzt wurde (Pind. N. 10,55f.; Pind. I. 1,31f.). Aus klass. Zeit stammt ein offenes Heiligtum mit eigenwilliger, pyramidenförmiger Konstruktion, bestehend aus monumentaler Rampe und Cella. In Th. – seit dem Hell. Menelaion (Pol. 5,18,3; 5,22,3) – wurde der Begräbnisplatz der Helene [1] und des Menelaos [1] (Paus. 3,19,9) bis ins 4. Jh.n.Chr. besucht.

1 B.EDER, Argolis, Lakonien, Messenien, 1998, 90, 115f.

S.GRUNAUER VON HOERSCHELMANN, s.v. Th., in: LAUFFER, Griechenland, 671f. • C.ANTONACCIO, An Archaeology of the Ancestors…, 1995, 155–166 • S.CONSTANTINIDES, Lakonian Cults, 1989. SA.T.

[3] Angebliche Ortschaft im Gebiet von Thebai [2] (Strab. 9,2,24); dabei handelt es sich jedoch bei Strab. l.c. evtl. um ein Mißverständnis von Eur. Bacch. 1043f. [1. 247f.]. Der Lokalisierungsansatz [2. 94–96] beim h. Neochorakion ist unwahrscheinlich, denn dort lag Skolos.

1 FOSSEY 2 P.M.WALLACE, Strabo's Description of Boiotia, 1979.

J.M.FOSSEY, Th. and Skolos in Boiotia, in: Ders. (Hrsg.), Papers in Boiotian Topography and History, 1990, 125–129. M.FE.

Therasia (Θηρασία). Insel (9 km², bis 295 m H; Strab. 1,3,16; 10,5,1; Plin. nat. 2,202; 4,70; Ptol. 3,15,28; Iust. 30,4,1; Steph. Byz. s.v. Th.) der Inselgruppe um → Thera, westl. der Hauptinsel, mit dieser und Aspronisi Teil des urspr. Vulkanbergs. Im Süden von Th. wurde eine durch den Vulkanausbruch verschüttete prähistor. Siedlung mit enger Verwandtschaft (vgl. Anlage, Keramik, Geräte) zu Akrotiri auf Thera gefunden. In histor. Zeit von → Dorieis besiedelt; Reste von Gräbern im Süden, einer Siedlung im Norden erh.; Grab-Inschr. IG XII 3, 1053–1057.

J.W.SPERLING, Thera und Th., 1973. A.KÜ.

Therikleia s. Therikles

Therikles (Θηρικλῆς). Korinthischer Töpfer, der am ausführlichsten bei Athen. 11,470e–472e behandelt wird. Th. soll zur Zeit des → Aristophanes [3] (ca. 455–385 v.Chr.) eine Schalenform aus Ton mit schwarzglänzender Oberfläche hergestellt haben, die auch in anderen Materialien nachgeahmt (Theophr. h. plant. 5,3,2) und in der ant. Lit. vielfach gerühmt wurde; die Bezeichnung »therikleisch« (thēríkleios) wurde dann auch für andere Gefäßformen benutzt.

A.BLAIR BROWNLEE, Antimenean Dinoi, in: J.H.OAKLEY et al. (Hrsg.), Athenian Potters and Painters, 1997, 517. M.ST.

Therimenes (Θηριμένης). Spartiate, führte im Spätsommer 412 v.Chr. eine Flotte nach Kleinasien, um dem naúarchos → Astyochos Hilfe zu bringen; er zwang vor Miletos athenische Streitkräfte zum Rückzug (Thuk. 8,26,1–29,2) und handelte im Herbst für Sparta einen zweiten Subsidienvertrag mit Persien aus. Auf der Rückfahrt kam er 411 durch Schiffbruch ums Leben (Thuk. 8,36,2–38,1). K.-W.WEL.

Therippides (Θηριππίδης). Athener der 1. H. des 4. Jh. v.Chr. aus dem Demos Paiania, Minenpächter, Freund des Vaters des Rhetors → Demosthenes [2] und als dessen Vormund eingesetzt. Demosthenes verklagte ihn nach Erreichen der Volljährigkeit wegen Veruntreuung seines Erbes (Demosth. or. 27,4 und 12–49; 28,12–16; SEG 28,205; 29,155).

LGPN II Th. S. 225 Nr. 3 • PA 7238 • SCHÄFER Bd. 1, 270f. J.E.

Theris (Θῆρις). Stratēgós des → nomós [2] Herakleopolites (PSI VIII 949; Yale Papyri I 57), dann 69/8 v.Chr. syngenḗs (→ Hoftitel B. 2) und hypomnēmatográphos (»Sekretär«; OGIS 736), vielleicht bis 64/3 (BGU VIII 1767). PP I/VIII 9; 262. W.A.

Therma, Thermai (Θέρμα, Θέρμαι). Ort in der Korinthia mit heißen Quellen (Xen. hell. 4,5,3; 4,5,8), wohl identisch mit dem h. Lutraki, in dessen Nähe sich h. noch solche befinden.

J.SALMON, Wealthy Corinth, 1984, 156f., 366. K.F.

Thermae s. Thermen

Thermai (Θέρμαι αἱ τῶν Ἱμεραίων / Th. hai tōn Himeraíōn, wörtl. »Th. der Himerer«, lat. Thermae). Stadt an der Nordküste von → Sicilia, h. Termini Imerese. Zwei J. nachdem die Karthager (→ Phönizier) → Himera zerstört hatten, gründeten sie 407 v.Chr. die 12 km westl. gelegene, nach den dortigen heißen Quellen benannte Stadt Th. als punisch-libysche Kolonie (Diod. 13,79,8). Auch die Überlebenden von Himera fanden hier eine Heimat (Cic. Verr. 2,86). 397 v.Chr. veranlaßte Dionysios [1] I. Th. zur Teilnahme an seinem Zug gegen → Motya (Diod. 14,47,6), ein Jahr später besetzte → Himilkon [1] auf seinem Vormarsch gegen → Messana (Diod. 14,56,2) die Stadt. Th. stand meist unter Herrschaft → Karthagos, so 361 v.Chr., als Agathokles [2] hier geboren wurde (Diod. 19,2,2). Im 1. → Punischen Krieg eroberten die Römer 252 v.Chr. die von den Karthagern evakuierte Stadt (Pol. 1,39,13; Diod. 23,20). Fortan blieb Th. in röm. Hand (Cic. Verr. 2,2,90; 2,2,112). Th. erhielt den Status einer civitas decumana (Cic. Verr. 3,99). Nach der Eroberung Karthagos 146 v.Chr. gab Cornelius [I 70] Scipio Africanus die von den Karthagern 409 in Himera geraubten Kunst-

werke den Bürgern von Th. zurück (Cic. Verr. 2,4,73; vgl. 2,2,87). Röm. Überreste: Amphitheater, ein basilikaähnliches Gebäude, Wohnhäuser.
→ Sicilia (mit Karte)

O. BELVEDERE u. a., Termini Imerese, 1993 · R. J. A. WILSON, Sicily under the Roman Empire, 1990, 166 f.
K. MEI. u. GI. F.

Thermaios Kolpos (Θερμαῖος κόλπος). Nach der Stadt → Therme auch h. so benannter Meerbusen zw. Thessalia (→ Thessaloi) und der → Chalkidike, bedeutend für die Verbindung des maked. Binnenlands mit der Ägäis (→ Aigaion Pelagos; Hekat. FGrH 1 F 146; Hdt. 7,121–123; 8,127; IG I² 302,68; Mela 2,2,35 und Plin. nat. 4,36 bzw. 4,72: *Thermaicus* bzw. *Thermaeus sinus*). Skyl. 66 und Mela l.c. setzen die Bucht an der Mündung des → Peneios an. Der nach NO umgebogene innere Winkel des Th. K. diente vorzüglich als geogr. Orientierungspunkt für die Vermessung der griech. Halbinsel nordwestwärts nach Epidamnos (→ Dyrrhachion) und südwärts nach → Sunion (Strab. 2,1,40; 2,5,21; 7,7,4).

J. KODER, Aigaion Pelagos (TIB 10), 1998, 57–59, 61 · P. SOUSTAL, Makedonien (TIB 11), im Druck.   A. KÜ.

Thermantia

[1] Mutter des Theodosius [2] I.; gest. vor 389/391. n. Chr. PLRE 1, 909 Nr. 1.

[2] Enkelin der Th. [1], mit ihrer Schwester → Serena vor 384 n. Chr. in die Familie ihres Onkels → Theodosius [2] d. Gr. aufgenommen und wie eine Adoptivtochter behandelt (Claud., Laus Serenae 105–109; 118; 187; Aur. Vict. Epit. Caes. 48,1); mit einem hohen Offizier verheiratet. PLRE 1, 909 Nr. 2.

[3] Aemilia Materna Th., Tochter des → Stilicho und der → Serena, nach dem Tod ihrer Schwester → Maria [I 3], der ersten Frau des Kaisers → Honorius [3], 408 n. Chr. mit diesem verheiratet. Nach Stilichos Sturz (22.8.408) geschieden, wurde sie zu ihrer Mutter zurückgeschickt und starb vor Mitte 415. PLRE 2, 1111 f.
K. G.-A.

Therme (Θέρμη). Stadt am nach Th. benannten → Thermaios Kolpos nahe der hell. Gründung → Thessalonike; ihre Lokalisierung ist umstritten. Schon im 6. Jh. v. Chr. maked., wurde Th. Sammelplatz für die persische Flotte 480 v. Chr. (→ Perserkriege [1]; Hdt. 7,121). 432 v. Chr. wurde Th. vom Athener Archestratos erobert (Thuk. 1,61,2), doch dem maked. König Perdikkas [2] II. bald darauf zurückgegeben (Thuk. 2,29,6). 368 nahm der maked. Thronprätendent Pausanias [3] Th. ein (Aischin. leg. 27). 316/5 ging Th. als bedeutendste von 26 Ortschaften in → Kassandros' Neugründung Thessalonike auf (Strab. 7a,1,21); deswegen behaupteten einige ant. Autoren, Th. sei nur ein früherer Name für Thessalonike (Strab. 7a,1,24).

F. PAPAZOGLOU, Les villes de Macédoine, 1988, 190–196.
MA. ER.

Thermen   I. ETYMOLOGIE UND DEFINITION   II. ARCHITEKTUR   III. BETRIEB

I. ETYMOLOGIE UND DEFINITION

Thermae (Pl. fem.) ist eine Latinisierung und Substantivierung des griech. Adjektivs θερμός/*thermós*, »warm«. Als Bezeichnung für eine Badeanstalt wurde das Wort erst in seiner latinisierten Form benutzt, später in dieser Bed. auch in die griech. Sprache rücküberführt. Wie schon in der Ant., so gibt es auch in der mod. Forsch. keine präzise Definition der Th. im Unterschied zu den → Bädern (*balnea*). Üblicherweise werden Th. als große, öffentliche Badegebäude mit einer Vielfalt zusätzlicher Funktionen definiert. Außer den eigentlichen Baderäumen (vgl. → Bäder) gehörten zu Th. Sportplätze (*palaestrae*; → *palaístra*), die ihrerseits mit Schwimmbecken ausgestattet sein konnten, sowie Räume und Hallen für soziale und kulturelle Zwecke: Restaurants und Bars, aber auch → Bibliotheken (II. B. 2. b.) und Vortragssäle (s. u. II. A.). Obwohl die Th. im Grunde profane Bauwerke waren, konnten sich darin auch Räume oder Altäre für kultische Verwendung befinden. Während in den Städten vergleichsweise viele Bäder erbaut wurden, gab es meistens nur wenige Th.; nur in röm. Metropolen wie Rom und Ephesos wurden mehrere Th. gebaut.

II. ARCHITEKTUR

A. TYPOLOGIE
B. URSPRUNG UND FRÜHE ENTWICKLUNG
C. AUSSTATTUNG   D. DIE THERMEN ROMS
E. DIE THERMEN DER RÖMISCHEN PROVINZEN
F. DIE THERMEN DER SPÄTANTIKE

A. TYPOLOGIE

Die noch heute akzeptierte Typologie der Th. wurde von D. KRENCKER 1929 mit seiner Veröffentlichung der Trierer Kaiserthermen [4] vorgelegt; er schlug drei Haupttypen vor: den Reihen-, den Ring- und den Kaisertyp, jeder mit mehreren Subtypen (vgl. Abb.).

Im Reihentyp waren die Haupträume, d. h. *caldarium* (= C, Heißwasserraum), *tepidarium* (= T, lauwarmer Durchgangsraum), *laconicum/sudatorium* (= L/S, Schwitzraum), *frigidarium* (= F, Kaltwasserraum) sowie das *apodyterium* (= A, Umkleideraum), so miteinander verbunden, daß der Badegast auf dem Hin- und Rückweg z. T. dieselben Räume betreten mußte: A > T > L/S > C > T > F > A. Das Prinzip war, durch Räume mit abgestuften Temperaturen (T) die heißesten Räume (C, L/S) zu erreichen, um sich danach, nochmals via T, im Kaltwasserraum (F) abzukühlen. Der Sportplatz (= P, *palaestra*) war nomalerweise mit F oder A verbunden und wurde vor dem Baden benutzt.

Bei Th. des Ringtyps betrat man dieselben Baderäume nicht zweimal, es gab vielmehr zwei Durchgangsräume T: A > T1 > L/S > C > T2 > F > A. Dieses System ermöglichte den Badenden bequemes Zirkulieren und wurde deshalb oft für größere Th., der Rei-

Thermen: Die Haupttypen als Schemata

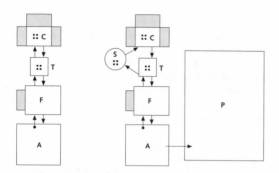

Reihentyp

A   apodyterium (Umkleideraum)
B   basilica thermarum (Wandelhalle)
C   caldarium (Heißwasserraum)
CPi calida piscina (Warmwasserbecken)
F   frigidarium (Kaltwasserraum)
HT   Wärmeschleuse
N   natatio (Schwimmbecken)
P   palaestra (Sportplatz)
S   sudatorium (Schwitzraum)
T   tepidarium (lauwarmer Durchgangsraum)
U   unctorium (Salbraum)

::   suspensura (beheizter Raum)
     Becken

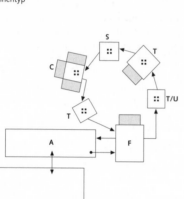

Ringtyp

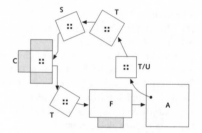

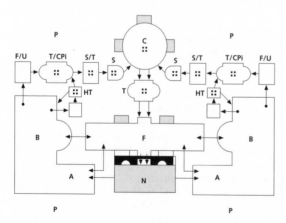

Kaisertyp

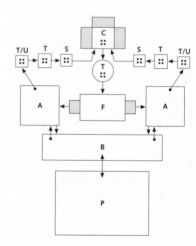

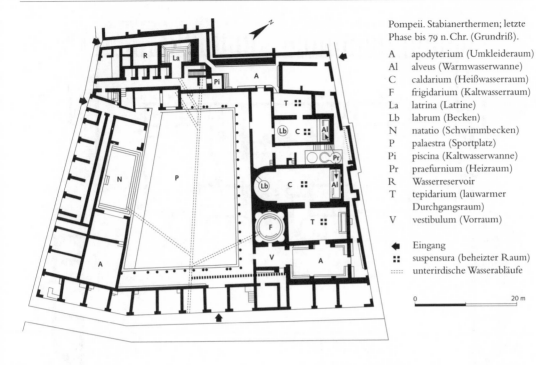

Pompeii. Stabianerthermen; letzte
Phase bis 79 n. Chr. (Grundriß).

A   apodyterium (Umkleideraum)
Al   alveus (Warmwasserwanne)
C   caldarium (Heißwasserraum)
F   frigidarium (Kaltwasserraum)
La   latrina (Latrine)
Lb   labrum (Becken)
N   natatio (Schwimmbecken)
P   palaestra (Sportplatz)
Pi   piscina (Kaltwasserwanne)
Pr   praefurnium (Heizraum)
R   Wasserreservoir
T   tepidarium (lauwarmer
        Durchgangsraum)
V   vestibulum (Vorraum)

◄   Eingang
⠿   suspensura (beheizter Raum)
⋯⋯   unterirdische Wasserabläufe

0   20 m

hentyp hingegen meistens für kleinere Anlagen gewählt.

Der Kaisertyp ist eigentlich ein verdoppelter Ringtyp: An eine Zentralachse mit Räumen wurden symmetrisch zwei Flügel angelegt, so daß diese gemeinsam
über die zentrale Raumgruppe verfügen konnten. Dieser Typ war ideal für große Th., da er die besten Möglichkeiten für problemloses Zirkulieren größerer Be-
suchermengen bot. Auch konnte jeder der zwei Flügel
als selbständiges Bad des Reihentyps genutzt werden;
oft hatten beide Flügel je eine P. Der Badegang in Th.
des Kaisertyps begann in den Flügeln zweier verschiedener Gruppen und endete in den gemeinsamen (= g)
Räumen: A > T > S/L > gC > gT > gF > A. Die
Anlagen dieses Kaisertyps hatten auch das umfang-
reichste Raumrepertoire für soziale Anlässe: Hallen,
Bibliotheken, Gärten, Palaestren etc.

B. Ursprung und frühe Entwicklung

Ursprung und frühe Entwicklung der Th. sind in der
Forsch. viel diskutiert worden. Sicher scheint, daß ihrer
Entstehung die Verbindung zweier griech. Gebäudety-
pen zugrundeliegt: des öffentlichen Bads (balaneíon, vgl.
→ Bäder) und der öffentlichen Sport- und Erziehungs-
institution des → Gymnasions. Die Vereinigung dieser
beiden Funktionen in einem Gebäude fand nicht in
Griechenland, sondern in Kampanien (→ Campania) in
Süditalien statt, wo sich frühzeitig griech. mit ital.-in-
digener Kultur vermischte. Diese Entwicklung läßt sich
in den gut erh. Th. von → Pompeii (mit Plan) verfolgen, dort am besten in den Stabianer-Th. (s. Abb.), die
vom frühen 4. Jh. v. Chr. bis zum Vesuvausbruch des
Jahres 79 n. Chr. bestanden. In Kampanien wurde nicht

nur der für die systematisierte Planung der Th. sehr
wichtige Beton erfunden (→ opus caementicium); dort
fand auch die Entwicklung der Heiztechnik, des
Hypokaustsystems (→ Heizung) statt. In den Th. von
Pompeii kann auch die Entwicklung der Wasserversorgung (→ Wasserleitung) vom Brunnen mit Hebewerk
über Tretmühlen bis zur Einführung der Aquädukte gut
verfolgt werden. Generell standen die Th. aufgrund ihrer komplizierten Funktionalität und der vielen technischen Einrichtungen immer im Brennpunkt der röm.
Bautechnik und Architektur.

C. Ausstattung

Die Rolle der großen Th. als ein soziales Zentrum
der Stadt brachte es mit sich, daß viel Wert auf ihre
Ausstattung gelegt wurde: An den Wänden wurden sowohl → Wandmalerei (in den eher bescheidenen Gebäuden) als auch vielfältige, vielfarbige Marmorverklei-
dungen (→ Inkrustation) angebracht. Die Böden konnten mit → Mosaiken, die mitunter für Th. relevante
Motive wie Meereswesen darstellten, oder auch mit farbigen Marmorplatten belegt sein. Die Gewölbe besaßen
häufig Stuck oder Glasmosaiken und wurden oft von
Säulen aus hochwertigen Materialien getragen. In den
großen Kaiser-Th. wurden zahlreiche Statuen aufgestellt; es gab hier zwar kaum ein festes Statuenpro-
gramm, doch waren Athleten und Heilgötter bevorzugte Sujets; daneben standen in den großen Hallen der Th.
Bildnisse von Politikern (Kaisern oder Beamten der
Stadt).

D. Die Thermen Roms

Obwohl die ersten Th. schon in hell. Zeit in Kampanien entstanden, wurde dieser hellenisierende Bautyp

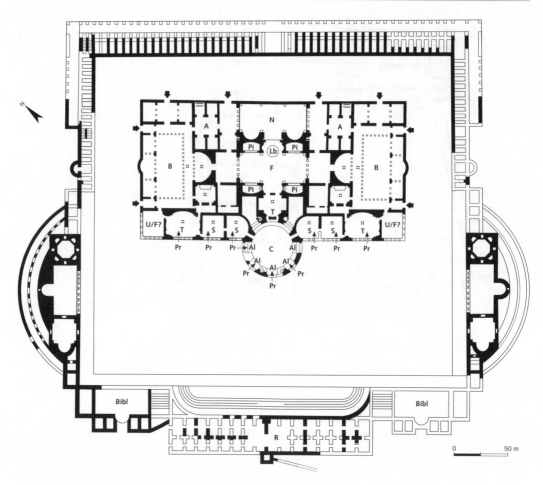

Rom. Caracalla-Thermen; ca. 212-217 n. Chr.; Umfassungsmauer unter Elagabal (218-222 n. Chr.)
und Severus Alexander (222-235 n. Chr.); Grundriß.

A	apodyterium (Umkleideraum)	Lb	labrum (Becken)	T	tepidarium (lauwarmer
Al	alveus (Warmwasserwanne)	N	natatio (Schwimmbecken)		Durchgangsraum)
B	basilica thermarum (Wandelhalle)	Pi	piscina (Kaltwasserbecken)	U	unctorium (Salbraum)
Bibl	bibliotheca (Bibliothek)	Pr	praefurnium (Heizraum)	◀	Eingang
C	caldarium (Heißwasserraum)	R	Wasserreservoir	∷	suspensura (beheizter Raum)
F	frigidarium (Kaltwasserraum)	S	sudatorium (Schwitzraum)		

erst in augusteischer Zeit im konservativen Rom salon-
fähig. Die ersten Th. Roms wurden von M. Vipsanius
→ Agrippa [1] in dessen privaten Gärten auf dem
→ Campus Martius (Marsfeld) errichtet und 12 v. Chr.
der Öffentlichkeit übergeben. Von diesen Th. ist wenig
bekannt, da lediglich geringe Reste erh. sind; wir können nur aus der → Forma Urbis Romae und Zeichnungen
der Renaissance einen Eindruck von ihren Grundrissen
erhalten. Dafür wurde in der Kaiserstadt Rom in den
drei folgenden Jh. eine ganze Reihe riesiger Th., die als
Hauptwerke dieses Architekturtyps anzusehen sind, von
Kaisern erbaut, zuerst vom philhellenisch gesinnten
→ Nero (54–68 n. Chr.). Seine Th. wurden in enger
Verbindung mit den Th. Agrippas errichtet; die Bade-

gäste konnten somit zugleich deren Gärten und das da-
zugehörige große Schwimmbecken (stagnum) benutzen.
Auch über Neros Th. ist wenig bekannt, einige originale Reste sowie Relikte von ihrem Umbau durch Kaiser Alexander Severus [2] wurden auf dem Marsfeld
gefunden; dazu kennen wir den Grundriß aus Zeichnungen der Renaissance: Zum ersten Mahl ist hier der
symmetrische und axiale Kaisertyp belegt.

Die Titus-Th. wurden in enger Verbindung mit dem
Palast Neros, der → domus aurea, auf dem Oppius-Hügel
gebaut; ebenso deren Nachfolger, die Traians-Th., die
den hierfür weitgehend abgebrochenen Palast in pro-
grammatischer Absicht ganz überlagerten (und mit diesem Akt das einst von Nero für seinen Palast zweckent-

fremdete Stadtgebiet in einer großen Geste der Bevölkerung zurückgab). Diese riesige Anlage (103 950 m² Grundfläche), die erste in der Reihe der stadtröm. Kaiser-Th., ist symmetrisch und axial angelegt und mit einer monumentalen Umfassungsmauer umgeben, die nicht nur die Hauptgebäude umschließt, sondern auch Gärten und Sportplätze. In der Umfassungsmauer wurden Bibliotheken und → Nymphäen eingerichtet; gegen Süden bildet die Mauer eine riesige halbrunde → Exedra, vielleicht eine Art Sporttheater. Während die Kaiser-Th. zunächst repräsentativ ins Zentrum der Stadt plaziert wurden, wurden sie später in den dicht bewohnten Stadtteilen außerhalb des Zentrums errichtet, so die Caracalla-Th. (s. Abb.), wohl die am besten erh. und bekanntesten der Kaiser-Th., und die von Diocletianus im NO und Constantinus [1] d.Gr. im Osten der Stadt erbauten Anlagen (→ Roma III., mit Karte).

Zum ersten Mal wurden in den Caracalla-Th. die Hauptgebäude, in welchen die Baderäume, die Palaestren und ein riesiges Schwimmbecken lagen, isoliert inmitten des von der Umfassungsmauer umgrenzten Gebiets plaziert. Entlang der Eingangsseite war eine lange Reihe von *tabernae* (Geschäfte; → Insula, → Haus) eingebaut, während nach hinten eine theaterartige Struktur ein riesiges Wasserreservoir tarnte. Auf dieser Seite lagen auch zwei Bibliotheken, wohl wie gewöhnlich eine griech. und eine lat. (→ Bibliothek I. C.). Das Baukonzept der letzten wirklich riesigen Th. Roms, der Diocletians-Th. (140 600 m² Grundfläche) war dem der Caracalla-Th. recht ähnlich, die Räume waren jedoch größer und einfacher ausgelegt; laut Olympiodoros (bei Phot. 63a) konnten diese Th. die doppelte Zahl von Besuchern aufnehmen. Nur Teile davon sind erh. (z. T. aus Renaissance-Zeichnungen bekannt); in das Hauptfrigidarium wurde später die von MICHELANGELO entworfene Kirche S. Maria degli Angeli eingebaut. Wie auch in den Traians-Th. bildete die Südseite der Umfassungsmauer in dieser Anlage ein riesiges Halbrund, das sich noch h. in der Form der Piazza Esedra (Piazza Republica) in Rom spiegelt.

Die letzten Kaiser-Th. Roms wurden von Constantinus [1] d.Gr. erbaut; sie sind nur durch wenige Ruinen und ebenfalls aus Renaissance-Zeichnungen bekannt. Laut Regionenkatalog des 4. Jh. n. Chr. gab es in dieser Zeit in Rom acht Th. und 854 Bäder (*balnea*) wobei mit Th. hier eindeutig nur die größten Th.-Anlagen gemeint sind.

E. DIE THERMEN DER RÖMISCHEN PROVINZEN

Ausgehend von Rom und It. gelangten Th. wie Bäder als Bautypen bald in die Provinzen des röm. Reichs. Sie spielten eine nicht unbedeutende Rolle im Prozeß der → Romanisierung. In allen Provinzstädten wurden Bäder, in den größeren auch Th. errichtet. Die Verteilung der Th. in den Prov. spiegelt die histor. Entwicklung: Th. gab es nur in den reicheren Städten, und die Anlagen gehören v. a. dem 2. und 3. Jh. n. Chr. an, also der Blütezeit des röm. Reiches. In den Prov. des westl. Mittelmeerraumes sind die meisten Th. in den reichen

Städten Nordafrikas erh. geblieben; sie wurden hier nicht vorwiegend von den Kaisern, sondern von der wohlhabenden bürgerlichen Elite dieser Städte erbaut: Dies gilt für die antoninischen Th. → Karthagos und die hadrianischen Th. in → Leptis Magna, aber auch für viele andere, teilweise gut erh. Th. Nordafrikas. Die Th. in diesem Gebiet waren offensichtlich direkt von den in Rom entwickelten Baumustern inspiriert. In den nw Prov. wurden große Th. meist in den kaiserlichen Hauptstädten errichtet; so finden sich zwei große Th. in → Augusta [6] Treverorum, und auch → Mediolan(i)um [1], eine weitere tetrarchische Hauptstadt, hatte Kaiserthermen.

In den Prov. des östl. Mittelmeerraumes gab es im Gegensatz zum Westen bereits verwandte Institutionen wie die Gymnasien, und nicht zuletzt in Kleinasien förderte deren Anwesenheit die Entwicklung eines weiteren Th.-Typs, des sog. Th.-Gymnasion, vorwiegend in den Großstädten der Prov. Asia: So hatte allein → Ephesos vier solcher Anlagen, andere wurden u. a. in Aizanoi und → Aphrodisias [1] errichtet. Charakteristisch ist das große Gewicht, das der Sportbereich innerhalb dieser Anlagen hat – ein Erbe der griech. Gymnasien. So nahmen die Palaestren oft fast ebensoviel Platz ein wie die Baderäume, und sie wurden mit vielen weiteren Räumlichkeiten versehen.

F. DIE THERMEN DER SPÄTANTIKE

In der Spätant. wurden Th. nur mehr selten errichtet, nicht zuletzt wegen des großen Aufwands. Nur in den neuen tetrarchischen Hauptstädten wie Augusta [6] Treverorum, Mediolan(i)um [1] und Byzantion/Konstantinopolis entstanden noch solche Prestigebauten. In Rom bestanden die meisten Kaiser-Th. bis zur Zerstörung ihrer Wasserversorgung (der Aquädukte); anderswo wurden diese riesigen Bauten oft viel früher aufgegeben oder in Badegebäude bescheidener Art umgewandelt. Während die gezielt für die Hygiene geschaffenen Bäder in den von den Arabern eroberten Gebieten und, in bescheidenerem Maße, auch in den Klöstern im Westen überlebten und noch h. ihre Erben finden, wurde die Idee der großen öffentlichen Th. als multifunktionales Baukonglomerat und als sozialer und kultureller Treffpunkt im abendländischen Kulturkreis nicht weitergeführt.

→ Architektur B. III. 6.; Bäder (mit Abb.); Körperpflege; Städtebau II. C.

1 J. DELAINE, Recent Research on Roman Baths, in: Journal of Roman Archaeology 1, 1988, 358–368 2 G. GARBRECHT, H. MANDERSCHEID, Die Wasserbewirtschaftung röm. Th., 1994 3 W. HEINZ, Röm. Th. Badewesen und Badeluxus im röm. Reich, 1983 4 D. KRENCKER et al., Die Trierer Kaiserth., 1929 5 H. MANDERSCHEID, Bibliographie zum röm. Badewesen unter bes. Berücksichtigung der öffentlichen Th., 1988 6 I. NIELSEN, Thermae et balnea, ²1993 7 F. YEGÜL, Bath and Bathing in Classical Antiquity, 1992. I. N.

III. Betrieb
A. Historische Quellen
B. Baumeister und Besitzer
C. Ausgaben, Einkommen, Eintrittsgeld
D. Leitung und Personal
E. Bade- und Öffnungszeiten, Badebetrieb
F. Christliche Spätantike

A. Historische Quellen

Die meisten Informationen zum ant. Badebetrieb stammen aus lit. (auch urchristl.) Quellen; dazu kommen Gesetzessammlungen, Papyri (→ Papyrus) und → Inschriften. Obwohl es regionale und zeitbedingte Verschiedenheiten gab, können diese Quellen den Befund im röm. Reich generell beleuchten. Nur wenige lat. Quellen vermitteln umfassende Informationen über den Badebetrieb; in der Regel muß man solche in sehr unterschiedlichen Kontexten suchen (s. bes. III. E.). Offenbar waren die kleinen (Miet-) Bäder und im Lauf der Jh. auch die großen Th.-Anlagen ein derart selbstverständlicher und wohlbekannter Teil des städtischen Lebens, daß die Autoren es für unnötig hielten, sich dazu genauer zu äußern. Darum sind auch nur wenige Quellen als tendenziös zu bezeichnen, so bes. Texte der Satiriker (z. B. Mart. 2,14 u.ö.; Iuv. 6,419–425), der SHA (z.B: Hadr. 17; Gord. 6,6; Gall. 17,4) und nicht zuletzt der Kirchenväter (s.u. III. F.). Sehr zuverlässige Informationen findet man in den Gesetzessammlungen, speziell im → corpus iuris civilis, das Auskünfte über die gesamte röm. Ant. geben kann, sowie in den griech. Papyri aus Äg., die öfters private und soziale Verhältnisse beleuchten. Die epigraphischen Quellen sind bes. in bezug auf den sozialen Status der Bäder und ihre Finanzierung aufschlußreich.

B. Baumeister und Besitzer

Baumeister und Besitzer der Th. und Bäder konnten, mußten aber nicht personell oder institutionell identisch sein. Die Th. waren meist in öffentlichem Besitz, entweder Eigentum des Kaisers bzw. Staates oder der → Stadt. In letzterem Fall wurden sie normalerweise aus dem »Honorar« (summa honoraria) der Ratsmitglieder bezahlt. Wegen ihres großen Propagandawertes wurden sie auch von reichen Privatleuten oder hoffnungsvollen Politikern erbaut, gelegentlich auch betrieben. Im Gegensatz dazu waren die Bäder üblicherweise in Privatbesitz (»Mietbäder«, balnea meritoria); sie konnten von Privatpersonen gebaut, gekauft oder gepachtet werden und trugen oft den Namen des Besitzers. Selten sind Preise für die Gebäude angegeben, aber wir haben einige Zahlen aus dem 1.–2. Jh. n. Chr.: So kostete der Bau der erh. 4500 m² großen Neptun-Th. in → Ostia aus Hadrianischer Zeit (ca. 130 n. Chr.) zwei Millionen Sesterzen, exklusive des Grundstücks. Der Bau von Bädern war weitaus billiger, sie kosteten rund 300 000–600 000 Sesterzen, die kleinsten nur um 150 000 Sesterzen. Den Th. vergleichbare Preise waren für → Bibliothek und → Theater auszulegen; während eine Stadt aber nur je eine Bibliothek und ein Theater benötigte,

gab es oft mehrere Th. Deren Einrichtung und Betrieb machten somit eine der größten Ausgaben der Stadt aus [1. 119–122].

C. Ausgaben, Einkommen, Eintrittsgeld

Die Betriebskosten (tutela) der Th. in öffentlichem Besitz entstanden v. a. durch den Bedarf an Heizmaterial und Wasser; sie wurden meist, wie auch die Instandhaltung der Anlagen, durch munera (→ munus II.) oder → Liturgien (I.) bezahlt, doch auch durch Zinsen von privaten, meist testamentarischen Vermächtnissen. Dieses System funktionierte lange problemlos, bis ökonomische Probleme der Städte in der Spätant. dazu führten, daß die munera kleiner wurden; dann wurden Staatshilfe und persönliches Eingreifen des Kaisers nötig, um die Th. in Betrieb zu halten. Die Bäder in Privatbesitz wurden oft durch Pächter betrieben; der Pächter mußte die Betriebskosten decken und dazu dem Eigentümer Pachtgeld bezahlen, während dieser für die Instandhaltung der Anlage verantwortlich war. Der Pachtvertrag eines Bades aus Vipasca in Portugal liefert dazu viele Informationen (CIL II 5181,19–31) [1. 122–124].

Die Einkünfte der Bäder und Th. waren im Verhältnis zu den Ausgaben nicht sehr groß; sie setzten sich in erster Linie aus dem Eintrittsgeld (balneaticum) sowie der Verpachtung bestimmter Dienstleistungen (wie Garderobenaufsicht), dem Vermieten von tabernae und Standplätzen, auch der Zulassung der → Prostitution zusammen. Während die Bäder in Privatbesitz wie alle Geschäfte einen Gewinn erwirtschaften mußten, war dies in den großen städtischen oder kaiserlichen Th. nicht notwendig; letztere konnten daher oft freien Zulaß gewähren. Auch wurde das Eintrittsgeld für Th. und Bäder manchmal von einer Stiftung, von einer Privatperson oder vom Kaiser bezahlt. Der Besuch des Bades war immer sehr billig; Cicero (Cic. Cael. 62) erwähnt als erster, daß er zu seiner Zeit nur einen quadrans (»Viertelas«) kostete (vgl. Iuv. 2,152; 6,447; Sen. epist. 86,9: res quadrantaria). Im Vipasca-Vertrag aus Traianischer Zeit (98 bis 117 n. Chr.) wurde allerdings ein semis (»ein halbes As«) für Männer verlangt; Frauen zahlten aus uns unbekannten Gründen etwas mehr (erschlossen aus Iuv. l.c.), Kinder hatten freien Zugang (CIL II 5181, 22 ff.). Im Preisedikt (→ edictum [3]) des Diocletianus wurde der Eintrittspreis auf 2 denarii festgelegt. Er konnte auch in Form von tesserae (Eintritts- und Erkennungsmarken) bezahlt werden. Diese waren Münzen ähnlich, trugen aber als Aufschrift den Namen des Bads, z. B. balineum Germani; Badeszenen und -geschirr waren manchmal darauf abgebildet. Man übergab die Eintrittsmünzen dem Garderobenwärter (capsarius) beim Eingang. Eine Geldkassette für diesen Zweck wurde in den Forum-Th. von → Pompeii gefunden [1. 131–135].

D. Leitung und Personal

Da die Badepraxis der Römer kompliziert war (s.o. I.), benötigten die Bäder und bes. die großen Th. viel Personal. Wenn das Bad im Besitz von Staat oder Stadt war, wurde ein Manager (conductor) eingesetzt; auch ein

Beamter wie der *gymnasíarchos* (→ Gymnasiarchie) konnte dafür verantwortlich sein. Während diese Männer freie und oft hochangesehene Bürger waren, war der tägliche Leiter (*bal[i]neator*, »Bademeister«) normalerweise ein Freigelassener oder auch Sklave (in den Bädern in Privatbesitz z. T. mit dem Pächter identisch). Zum Personal gehörten Facharbeiter und Ungelernte; zu ersteren (Freigelassenen oder Sklaven) zählten z. B. Einschmierer bzw. Masseur (*unctor*), Heizer (*fornacator*), Wassergießer (*perfusor*) und Garderobenwärter (*capsarius*). Wenn es einen Sportplatz (→ *palaistra*) in der Anlage gab, kamen Trainer und Ärzte dazu. Das ungelernte Personal gehörte zum Inventar (*instrumentum*) des Bades und bestand immer aus Sklaven (*mancipia*). Diese wurden oft zusammen mit dem Bad verkauft und wohnten auch dort, da das Bad wegen Feuergefahr immer unter Aufsicht stehen mußte.

E. BADE- UND ÖFFNUNGSZEITEN, BADEBETRIEB

Das Baden in öffentlichen Th. oder in Bädern in Privatbesitz machte einen festen Teil des Alltags vieler Römer und Römerinnen aus (→ Freizeitgestaltung). In der Forsch. wird die Frage diskutiert, ob Männer und Frauen auch zusammen badeten (*balnea mixta*) und ob dies als normal akzeptiert wurde. Die ant. Autoren, die darüber schreiben (allesamt Männer; zuerst Plin. nat. 33,153), gehören in die Kaiserzeit, in der die erh. Th. und Bäder oft über nur eine Abteilung verfügten. In aller Regel badeten Männer und Frauen nach Auskunft der ant. Autoren getrennt (Varro ling. 9,68; Gell. 10,3,3; Vitr. 5,10,1), was die arch. Befunde bestätigen. Erh. Badegebäude aus republikanischer Zeit besaßen zwei Abteilungen, z. B. die Forum-Th. und die Stabianer-Th. in Pompeii (s. Abb.); allerdings brachen Frauen nicht selten diese Konvention, was auch durch die Wirkungslosigkeit von Verboten bezeugt wird (Quint. 5,9,14; Ov. ars 3,639f.; bes. Mart. 7,35; Verbote: SHA Hadr. 18,10; Aur. 23,8, die beide für – wenigstens zeitweilig übliche – *balnea* bzw. *lavacra mixta* sprechen). Nach dem Vipasca-Vertrag (CIL II 5181,20f.) z. B. badeten die Frauen am Vormittag (erste bis siebte Stunde), die Männer am Nachmittag und am Abend (achte Tagesstunde bis zweite Stunde der Nacht). In anderen Fällen, wie in den großen Th. Roms, waren die Bäder vom frühen Nachmittag an geöffnet: Es war verm. zu teuer, diese riesigen Gebäude den ganzen Tag genügend zu beheizen; außerdem arbeiteten viele Frauen am Vormittag und konnten darum die Bäder nicht besuchen.

Eine Badeglocke ertönte, wenn das Bad warm genug und für die Besucher zugänglich war. Solche Glocken oder Gongs wurden sowohl in den Diocletians-Th. in Rom als auch in den Stabianer-Th. in Pompeii gefunden. Sonnen- und Wasseruhren zeigten die Zeit an (→ Uhr). Die Th. hatten normalerweise jeden Tag geöffnet, nur nach dem Tod des Kaisers oder als Strafe (so 177 n. Chr. für die Christen; Eus. HE 5,1,5) wurden sie geschlossen (Diod. 1,72,3; Eus. Vita Constantini 4,69). In allen Schichten der röm. Gesellschaft war es üblich, sehr oft in den öffentlichen Bädern oder Th. zu baden,

in der Kaiserzeit mindestens einmal täglich. Nach kritischen Bemerkungen der *Historia Augusta* badeten manche Kaiser mehrmals am Tag (SHA Gord. 6,6; SHA Gall. 17,4), Commodus z. B. sieben- bis achtmal (SHA Comm. 11,5); auch christl. Bischöfe wurden von den → Kirchenvätern wegen mehrmaligen täglichen Badens verurteilt (Sokr. 6,22). Bes. die großen Th. fungierten als soziale und kulturelle Zentren, in welchen viele Menschen (so in Rom das große arbeitslose Proletariat) einen beträchtlichen Teil des Tages verbringen konnten: ein wichtiger Grund für Kaiser und Städte, Th. zu bauen und zu betreiben.

Einen Eindruck über den eigentlichen Badebetrieb vermitteln die einzelnen Abteilungen der Th. (s. oben II.) und das dort tätige Personal (s. oben III. D.). Darüber hinaus waren Th. Stätten einer bald mehr, bald weniger gehobenen → Freizeitgestaltung, wozu v. a. sportliche Aktivitäten (bes. Ballspiel: CIL VI 9797; Sen. epist. 56,2; Mart. 12,82; vgl. aber Mart. 7,32), kulturelle Angebote (Vorträge, Lektüre; Dichterlesung: Mart. 3,44,12f.), Unterhaltung, Klatsch (Mart. 12,82; Iuv. 11,3f.), Würfelspiel, Essen und Trinken (Mart. 12,19), bei passender Gelegenheit auch die Befriedigung sexueller Bedürfnisse (Dig. 3,2,4,2) zählten. Einige weitere Aspekte des Badebetriebs vermitteln Epigramme Martials, z. B. Th.-Besuch von Mahlzeitschnorrern (2,14; 12,82); sexuelle Phantasien (3,51 und 72); privates Luxusbad (6,42; vgl. Plin. epist. 2,17,11f.; 5,6,25–27). Über den in den Th. herrschenden → Lärm äußert sich Seneca (epist. 56,1f.), der an anderer Stelle (86,5–13) den mod. Ausstattungs- und Badeluxus der Th. mit bescheidenen altröm. Bädern und Badegewohnheiten vergleicht.

F. CHRISTLICHE SPÄTANTIKE

Obwohl einige Bäder und Th. einen schlechten Ruf hatten, bes. als Ort der Prostitution beider Geschlechter oder wegen des gemeinsamen Badens von Männern und Frauen, wurde weder ihre Nutzung noch ihre wichtige Rolle für die psychische und physische Gesundheit der Bevölkerung von den Kirchenvätern in Frage gestellt. So stellte Tertullianus (165–220 n. Chr.) fest, daß die Christen Forum, Märkte (→ *macellum*), Bäder, Wirtshäuser und andere Einrichtungen wie alle übrigen Römer besuchten (Tert. apol. 42,2). Noch später hören wir von Mönchen und Bischöfen, welche die öffentlichen Bäder frequentierten, sogar zusammen mit Frauen (Iohannes Moschos, PG 87.3, 3036A). Die Sorge der Kirchenväter galt der Sittlichkeit der Frauen, bes. der Jungfrauen, woraus sich schließen läßt, daß auch christl. Frauen gelegentlich zusammen mit den Männern badeten. Allerdings erlaubten die Kirchenväter *balnea mixta*, wenn es keine anderen Möglichkeiten gab – ein Dauerproblem, denn *balnea mixta* wurden von vielen Kaisern anscheinend vergeblich untersagt; das letzte Verbot das wir kennen, stammt aus dem späten 7. Jh. n. Chr. (Trullanum II, Canon 77; 11,977 MANSI). Daß die Sitten sich dennoch nach und nach änderten, wird an den Gebäuden selbst deutlich: So wurden die Th. der Spätzeit meist mit zwei Abteilungen versehen oder um einen kleinen Badebereich für Frauen ergänzt.

Erst mit dem Ende des Weström. Reiches gegen Ende des 5. Jh. verschwanden die öffentlichen Th. im Westen; die wenigen noch verbliebenen standen in Verbindung zu Klöstern oder Kirchen und waren nur für Pilger und Kranke zugänglich [2. 135–146]. Im seither verstärkt romanisierten Osten setzte sich die röm. Badetradition jedoch fort. Dies gilt für das Byz. Reich, aber auch für die von den Arabern eroberten Gebiete, wo die öffentlichen Bäder (Hammams) mit strenger Trennung der Geschlechter noch heute einen wichtigen Platz im ges. Leben einnehmen.

1 I. NIELSEN, Thermae et balnea, ²1993
2 B. WARD-PERKINS, From Classical Antiquity to the Middle Ages, 1984, 119–154.

A. BERGER, Das Bad in der byz. Zeit, 1982 · W. HEINZ, Röm. Th. Badewesen und Badeluxus im röm. Reich, 1983 · J. MARQUARDT, Das Privatleben der Römer, 1886 (1964), 269–297 · E. W. MERTEN, Bäder und Badegepflogenheiten in der Darstellung der Historia Augusta, 1983 · H. MEUSEL, Die Verwaltung und Finanzierung der öffentlichen Bäder zur röm. Kaiserzeit, 1960 · F. YEGÜL, Bath and Bathing in Classical Antiquity, 1992, bes. 30–47 · J. ZELLINGER, Bad und Bäder in der altchristl. Kirche, 1928. I. N.

Thermodon

[1] (Θερμώδων). Nicht sicher lokalisierbarer Fluß (Hdt. 9,43,2: potamós; Paus. 9,19,3: cheímarros: »Sturzbach«) in → Boiotia zw. → Tanagra und → Glisas, eher in der Nähe von Glisas. Evtl. der südl. des → Hypatos [2]-Gebirges (h. Sagmatás) und südl. an Glisas vorbeifließende h. Kalamítis [1. 222f.]. Die Gleichsetzung mit dem Haimon [6] (Plut. Theseus 27,6; Plut. Demosthenes 19) ist falsch.

1 FOSSEY. M. FE.

[2] Küstenfluß (h. Terme Çayı), der im → Paryadres bei der nicht lokalisierten Burg Phanoria (Plin. nat. 6,10) am Berg Amazonios (evtl. identisch mit dem Themiskyreion, Apoll. Rhod. 372), wohl dem Çöldür Tepesi in den Canik Dağları entspringt, im Osten das → Iris [3]-Delta durchzieht und bei → Themiskyra in das Schwarze Meer (→ Pontos Euxeinos) mündet (Plin. nat. 6,10).

E. O.

Thermopylai (αἱ Πύλαι/hai Pýlai, »Tore«, lit. Θερμοπύλαι; lat. Thermopylae)

I. GEOGRAPHIE
II. TOPOGRAPHIE UND GESCHICHTE

I. GEOGRAPHIE

Berühmter Küstenpaß am Nordfuß des → Kallidromos, im Alt. der einzige für Truppenbewegungen brauchbare Durchgang von Nord- nach Mittelgriechenland. Man teilte daher Griechenland ein in »innerhalb und außerhalb der Pylai« (Strab. 8,1,3; 9,4,15; Pol. 10,41,5; Plut. mor. 418a; 867b-d; Plut. Demetrios 23,2; Plut. Titus Flaminius 5,3; Arr. an. 1,7,5; Paus. 10,20,9;

Suda s. v. Γαλάται; StV 3, 558 IV A, Z. 3) oder ließ Griechenland sogar erst bei den Th. beginnen (Hdt. 7,176,2; Paus. 1,4,2; 3,4,8; dagegen Herakleides Kritikos 3,90 ff. PFISTER). Hinter dem Gebirgswall von Kallidromos und → Oite fühlte man sich geschützt, eine Bedrohung des Passes aber oder gar seine Überwindung wirkte alarmierend. Die Hoffnung, Griechenland hier verteidigen zu können, hat aber fast stets getrogen, da der Paß immer wieder umgangen werden konnte.

Das Gelände ist gegenüber dem Alt. durch die von Süden kommenden Flüsse, später auch den → Spercheios stark verändert; es sind seitdem 4–7 km Land angeschwemmt worden. Die von Süden kommenden Flüsse mündeten damals getrennt ins Meer, h. in den stark nach Süden abgedrängten Spercheios; der Malische Golf reichte viel weiter ins Land hinein als heute. Etwa 9 km westl. der eigentlichen Th. bricht der Asopos [1] in einer 4 km langen Felsenklamm durch das Gebirge; nach Osten folgen zuerst mäßig steile Hänge, dann schroffe Steilhänge, die durch undurchdringlichen Wald oder Buschwald unbegehbar waren. Hier trat das Meer im Alt. an drei Stellen hart an den Gebirgsfuß heran und bildete Engstellen: das h. sog. Westtor, 3 km weiter östl. das Mitteltor (die eigentlichen Th.) und das Osttor weitere 3 km östl. bei → Alpenos. Zw. West- und Mitteltor lag auf einem Hügel Anthele, der alte Sitz der pylaiischen → amphiktyonía unmittelbar westl. über dem h. Zastanorema, dessen Felsenschlucht tief ins Gebirge einschneidet. Gegenüber an der Ostseite der Schlucht entspringen an ihrem Ausgang die heißen Quellen, nach denen die Th. benannt sind, schon im Alt. zum Baden hergerichtet und von Herodes [16] Atticus weiter ausgebaut (Philostr. soph. 2,1,5). Das stark riechende, grünlichblaue schweflige Wasser ist am Austritt 54,8°C heiß. Es verbreitet sich in vielen Rinnen über die Ebene und hat diese mit einer weißen Sinterschicht von mehreren km² Ausdehnung bedeckt, die das Gelände zusätzlich verändert. Die Quellen waren dem Herakles [1] heilig, der hier ein offenes → Heiligtum besaß.

II. TOPOGRAPHIE UND GESCHICHTE

Die Lage am Mitteltor ist dadurch bestimmt, daß hier ein 56 m hoher Hügel mit Steilabsturz zum Meer vortritt, der durch eine flache Einsattelung mit dem Gebirge verbunden ist (»Hügel I«). Auf ihm zieht sich die schon 480 v. Chr. verfallene (Hdt. 7,176,4 f.), aber offenbar mehrfach reparierte »Phokermauer« in Ost-West-Richtung mit Front nach Süden etwa 140 m lang hin, erst von [1] 1939 in ihrer richtigen Lage erkannt. Sie beherrscht die südl. über den Sattel führende Straße, sperrt sie aber nicht; von einer nord-südl. ziehenden Sperrmauer über den Sattel ist h. keine Spur vorhanden. Westl. vom Hügel I fällt das Gelände breit und flach zum Zastanorema ab. Südl. und östl. hinter dem Hügel I liegt eine Talmulde mit einer Quelle an ihrem Ostende. Etwa 100 m nö vom Hügel I liegt der nur 25 m hohe »Hügel II«, der Kolōnós bei Herodot (7,225). Die ant. Straße führte über die Einsattelung und südl. unterhalb von Hügel I und II hindurch.

Die Kämpfe zw. Griechen und Persern (→ Perserkriege [1]) in den ersten Augusttagen 480 v.Chr. spielten sich auf Hügel I und westl. davon ab, wo auch → Leonidas [1] fiel. Die letzten Verteidiger zogen sich auf den Hügel II zurück, wo sie durch den Pfeilhagel der Perser aufgerieben wurden (Hdt. 7,225 f.); große Massen von Pfeilspitzen wurden hier gefunden. Auf dem Hügel II liegt h. ein flacher Steinkreis im Boden mit dem berühmten Th.-Epigramm (vgl. Hdt. 7,228; Cic. Tusc. 1,101), nördl. des Hügels jenseits der mod. Straße steht seit 1955 ein Denkmal für Leonidas und die Toten von 480 v.Chr., deren Gräber (Hdt. 7,225,2; 7,228; Strab. 9,4,16; Paus. 9,32,9) arch. nicht nachgewiesen wurden.

Schon im Alt. veränderten die Anschwemmungen das Gelände; Philippos [4] II. machte die Straße »breit und leicht begehbar« (Arr. an. 7,9,4; Syll.³ 220). 279 v.Chr. war am Mitteltor ein Sumpf, man konnte aber noch von den Schiffen bis an das Land schießen (Paus. 10,21,4; 10,21,7). Antiochos [5] III. mußte 191 v.Chr. im Kampf gegen M.' Acilius [I 10] Glabrio die Verteidigung ans Osttor verlegen, wo schon ein breiter Landstreifen vorhanden war (Liv. 36,15,10), und Alaricus [2] konnte 395 n.Chr. »wie auf einer Rennbahn« hindurchziehen (Eun. fr. 65 MILKON). Der Umgehungsweg des Anopaia-Passes führt in ungefähr 1000 m Höhe auf dem Gebirgsrücken mit einem nördl. und einem südl. Zweig, die sich östl. der Zastanoschlucht treffen, entlang. Der Aufstieg von Westen v.a. über die mäßig steilen Hänge gleich östl. der Asoposschlucht über die h. Quelle Chalkomata und das Panagiakloster ist möglich; so wurde er von den Persern unter Ephialtes' [1] Führung 480 v.Chr. benutzt und ähnlich von den Römern unter M.' Acilius [I 10] Glabrio 191 v.Chr.; ferner aus dem Asopostal südl. der Schlucht (nicht aus der Schlucht selber!) über das h. Eleftherochori, in weiterer westl. Umgehung von den Galli (→ Kelten III. A.) 279 v.Chr. benutzt, und schließlich zum Süden her. Die → Aitoloi sicherten diese Wege nach dem Einfall der Galli 250–246 v.Chr. durch die Sperrforts Teichius, Rhoduntia und Kallidromos, deren Identifizierung mit den vorhandenen ant. Anlagen nicht ganz sicher ist.

Das Gebiet der Th. gehörte urspr. den Phokeis (→ Phokis), um 480 v.Chr. zu Malis (→ Malieis). Schon die mit den Persern verbündeten → Thessaloi umgingen 480 v.Chr. die Phokermauer im Mitteltor (Hdt. 7,215; Demophilos FHG 2,86). 353 v.Chr. hinderten die Athener den Makedonenkönig Philippos [4] II. am Durchzug (Diod. 16,38,1 f.; Iust. 8,2,8; Demosth. or. 19,84, dazu Aischin. or. 2,132 ff.). 279 v.Chr. wollte ein großes kombiniertes Heer unter Führung der Aitoloi die Galli hier abwehren, wobei wie 480 auch die Galli auf dem Anopaia-Paß die Stellung umgingen. Doch konnten dieses Mal die Verteidiger auf att. Schiffen gerettet werden (Paus. 10,20,3–22,1; 10,22,8–13). 191 v.Chr. suchte Antiochos [5] III. im Kampf gegen M.' Acilius [I 10] Glabrio durch eine befestigte Stellung am Osttor die Römer aufzuhalten, die die Stellung wieder auf dem Gebirgsweg umgingen, wobei → Cato [1] das Sperrfort Kallidromos durch Überraschungsangriff einnehmen konnte (Liv. 36,15,5–19,13; Plut. Cato Maior 13 f.; App. Syr. 17 ff.). In hell. Zeit. lag auf dem Hügel II eine kleine Siedlung, ebenso sind hier Befestigungen und Gräber verschiedener Zeiten gefunden. Philippos [7] V. konnte den Durchzug 207 v.Chr. gegen aitolischen Widerstand erzwingen (Liv. 28,7,3).

Um 257 n.Chr. wurden die Th. zum Schutz gegen die → Goti von Griechen besetzt (Synk. 1, 715 DINDORF (= 381 C). Alaricus [2] nahm 395 n.Chr. die Enge kampflos (Zos. 5,5; Eun. Fr. 65), während die → Slaven 539/40 n.Chr. den Durchbruch wieder durch Umgehung über den Anopaia-Paß erzwangen (Prok. BG 2,4,10). Iustinianus [1] I. ließ die Th. neu befestigen und durch eine dauernde Besatzung sichern (Prok. aed. 4,2,2–15; BG 4,26,1; HA 26,31). Reste dieser umfangreichen Befestigungen sind am Osttor bei den heißen Quellen und im Gebirge an mehreren Stellen als Straßensperren noch sichtbar.

Ant. Quellen zur Top.: Hdt. 7,176; 198 f.; Strab. 9,4,12–17; Skymn. 600 f.; Paus. 4,35,9; schol. Aristoph. Nub. 1050; Harpokr. in Suda s.v. Θ.; Tab. Peut. 7,5; Syll³ 243 D 42 ff.; 250 D 42 f.; 251 H III 9 ff.

→ Leonidas [1]; Perserkriege; SCHLACHTORTE

1 S. MARINATOS, Forsch. in Th., in: M. WEGNER (Hrsg.), Ber. über den 6. Internationalen Kongreß für Arch., 1940, 333–341.

PHILIPPSON/KIRSTEN 1, 251–254 · G.B. GRUNDY, The Great Persian War, 1901, 257–317 · L. HARMENING, Th., in: J. KROMAYER, G. VEITH (Hrsg.), Ant. Schlachtfelder, Bd. 4, 1931, 21–63 · F. STÄHLIN, Das hellenische Thessalien, 1924, 198–205 · Ders., s.v. Th., RE 5 A, 2398–2423 · E. MEYER, Thermopylen, in: MDAI(A) 71, 1956, 101–106 · S. MARINATOS, Thermopylae, An Historical and Archaeological Guide, 1951 · A.R. BURN, Thermopylae and Callidromos, in: G.E. MYLONAS (Hrsg.), FS D.M. ROBERTSON, Bd. 1, 1951, 480–489 · Ders., Th. Revisited, in: K.H. KINZL (Hrsg.), Greece and the Eastern Mediterranean in Ancient History and Prehistory. FS F. Schachermeyr, 1977, 89–105 · P.A. MAC KAY, Procopius »De Aedificiis« and the Topography of Thermopylae, in: AJA 67, 1963, 241–255 · KODER/HILD, 273–275 · N.D. PAPACHATZIS, Παυσανίου Ἑλλάδος Περιήγησις, Bd. 5, 1981, 370–380 · PRITCHETT 4, 123–233 · MÜLLER, 369–384 · H. KRAMOLISCH, Thermopylen, in: LAUFFER, Griechenland, 672–674 · P. JANNI, Le Termopili, 1991, 110–122 · J. McINERNEY, The Folds of Parnassos, 1999, 217–225, 243–251, 333–336 · J. LABARBE, Un témoignage capital de Polyen sur la bataille de Thermopyles, in: BCH 78, 1954, 1–21 · A.V. DASKALAKIS, Problèmes historiques autour de la bataille des Thermopyles, 1962 · C. HIGNETT, Xerxes' Invasion of Greece, 1963, 105–148, 361–370 · A.R. BURN, Persia and the Greeks, ²1984, 378–422 · N.G.L. HAMMOND, The Expedition of Xerxes, in: CAH 4, ²1988, 518–591 · G.J. SZEMLER, Th., in: E.W. KASE u.a. (Hrsg.), The Great Isthmus Corridor Route, Bd. 1, 1991, 111–115; vgl. 120–133 · W.J. CHERF, The History of the Isthmus Corridor during the Roman Period, in: ebd., 134–144 · J. ROSSER, The Dark Ages, in: ebd., 145–155 ·

J. F. Lazenby, The Defence of Greece, 1993, 117–150 ·
G. J. Szemler u. a., Th. Myth and Reality, 1996.

E. MEY. u. G. D. R.

Thermos (Θέρμος, Θέρμον). Seit archa. Zeit rel. Zentrum der aitolischen Stämme im NO des Trichonis-Sees/h. Limni Trichonida (→ Aitoloi, mit Karte), ab dem 4. Jh. v. Chr. »Bundesheiligtum« des → *koinón*, in dem Jahresfeste mit Markt und die Hauptversammlungen des Bundes stattfanden (Pol. 5,7,8; Liv. 31,32,3; Ethnikon Θέρμος, IG IX 1² 1, Z. 102; vgl. Pol. 5,6,6; Strab. 10,3,2) [1]. In Th. wurden → Apollon Thermios, Apollon Lyseios und → Artemis verehrt [2]. Th. lag auf einer Hochebene am NO-Ufer des Trichonis-Sees beim h. Thermo. Der Ort war im MH besiedelt (»Megaron A«). Um 1200 v. Chr. wurde Th. zerstört, jedoch erneut besiedelt (»Megaron B« aus geom. Zeit) [3]. Dort wurde um 630 v. Chr. dem Apollon Thermios ein dorischer Tempel errichtet [4], der in hell. Zeit durch einen Neubau ersetzt wurde. Überreste zweier weiterer Tempel, dreier Stoai, eines Brunnens, einer Agora, einer Exedra sowie Fundamente für Weihegaben und eines Buleuterion aus hell. Zeit sind erh. In hell. Zeit war Th. nicht mit einer Siedlung verbunden. 218 und 206 v. Chr. wurde Th. von Philippos [7] V. geplündert (Pol. 5,7,1–13,1; 11,7,2); danach wurde der Bezirk mit einer Mauer umgeben.

1 P. Funke, Polisgenese und Urbanisierung in Aitolien, in: M. H. Hansen, The Polis as an Urban Centre and as a Political Community, 1997, 145–188 **2** C. Antonetti, Il santuario apollineo di Termo in Etolia, in: M.-M. Mactoux et al. (Hrsg.), Mél. P. Lévêque, Bd. 4, 1990, 1–27 **3** I. A. Papapostolou, Οι νεώτερες έρευνες στο Μέγαρο Β΄ του Θέρμου, in: Dodone 26, 1997, 327–346 **4** G. Kuhn, Bau B und C in Th., in: MDAI(A) 108, 1993, 29–47.

C. Antonetti, Les Étoliens, 1990, 149–210. K. F.

Theron (Θήρων). Tyrann von → Akragas aus dem Geschlecht der → Emmeniden, lebte ca. 540/530–472 v. Chr. Seiner ersten Ehe entstammten Thrasydaios und Demarete, die Gemahlin des Gelon [1]; in zweiter Ehe war Th. seit ca. 485 mit einer Tochter des Polyzalos verheiratet (Timaios FGrH 566 F 93; schol. Pind. O. 2,29b-d; s. Stemma bei → Deinomeniden).

Th. errang 488 die Herrschaft über Akragas (Diod. 11,53,1) und eroberte 483 durch Vertreibung des → Terillos die Stadt → Himera (Hdt. 7,165), die er seinem Sohn Thrasydaios anvertraute. Der Hilferuf des Terillos und seines Schwiegersohnes Anaxilaos [1] von Rhegion hatte die große Invasion der Karthager zur Folge, doch wurden diese bei Himera 480 von Th. und Gelon vernichtend geschlagen (Hdt. 7,165–167. Diod. 11,20–26).

Th.s Herrschaft wird von Pindaros [2] (Pind. O. 2,5–100) und Diodoros [18] (Diod. 10,28,3 und 10,53,2) äußerst günstig beurteilt. Unter ihm erlebte Akragas eine große wirtschaftliche und kulturelle Blüte und wurde zu einer der schönsten und reichsten Städte der griech. Welt (vgl. Pind. P. 12,21–23; Timaios FGrH 566; Diod.

11,25,2–5). Th. ließ zahlreiche sakrale und profane Bauten errichten und berief die Dichter Pindaros [2] und Simonides [2] an seinen Hof: Ersterer verherrlichte in den ›Olympien‹ 2 und 3 Th.s Wagensieg bei den Olympischen Spielen 476.

477 geriet Th. in Gegensatz zu Gelons Nachfolger Hieron [1] I., da sich die Himeraier – über die drückende Herrschaft des Thrasydaios empört – an Hieron wandten und sich Polyzalos vor Hieron zu Th. flüchtete, doch versöhnten sich die beiden Herrscher in letzter Minute, vielleicht durch Vermittlung des Simonides (Timaios FGrH 566 F 93,15; Diod. 11,48–49). Th. starb 472 und erhielt heroische Ehren (Diod. 11,53,2). Nachfolger wurde Thrasydaios, der bereits ein Jahr später gestürzt wurde.

D. Asheri, Gelon's Empire and the Battle of Himera, in: CAH 4, ²1988, 766–775 · Ders., Sicily in the Age of Hiero, in: CAH 5, ²1992, 149–154 · H. Berve, Die Tyrannis bei den Griechen, 1967, Bd. 1, 132–136; Bd. 2, 595–597 · G. Maddoli, Il VI e V secolo a.C., in: E. Gabba, G. Vallet (Hrsg.), La Sicilia antica, Bd. 2.1, 1979, 1–102, bes. 38–42. K. MEI.

Thersandros (Θέρσανδρος). Sohn des → Polyneikes und der → Argeia [2], Bruder u. a. des Alastor und des Timeas, von → Demonassa [1] Vater des → Teisamenos [1] (Pind. O. 2,76–81 mit schol.; Hdt. 4,147; 6,52). Th. nimmt am erfolgreichen Zug der Epigonen gegen Thebai [2] teil (→ *Epígonoi* [2]), nachdem er – nach dem Vorbild seines Vaters – durch die Bestechung der → Eriphyle mit dem → *péplos* [1] der → Harmonia die Teilnahme des → Alkmaion [1] als Anführer des Zuges gesichert hat (Diod. 4,66,1–3; Apollod. 3,80–82; 3,86; Paus. 2,20,5; 9,8,7). Nach der Einnahme von Thebai wird ihm die Stadt zur Herrschaft übergeben. Th. ist auch Teilnehmer am ersten Zug des → Agamemnon gegen Troia, der sie irrtümlich nach Mysien führt, wo Th. von → Telephos [1] getötet wird (Prokl. Kypria 126–128, p. 81 Severyns; Apollod. epit. 3,17; Paus. 9,5,14 f.). Th. ist daher – trotz Serv. Aen. 2,261 – wahrscheinlich nicht identisch mit dem *Thessandrus*, den Verg. Aen. 2,259–264 unter den Insassen des Troianischen Pferdes nennt (irrtümliche Gleichsetzung bei Stat. Theb. 3,682 f.; Dictys 1,14; 2,2; richtige Unterscheidung bei Hyg. fab. 69,5; 71A; 108,1).

1 G. Berger-Doer, s. v. Th. (2), LIMC 7.1, 920 f. (mit Bibliogr.) **2** K. Scherling, s. v. Th. (2), RE 5 A, 2452–2454. SI. A.

Thersilochos (Θερσίλοχος).
[1] Paionier, Gefolgsmann des Asteopaios, von Achilleus [1] am Skamandros getötet (Hom. Il. 21,209).
[2] Troer, nach Verg. Aen. 6,483 f. Sohn des Antenor [1], Gefährte des → Hektor im Kampf (Hom. Il. 17,216), später von → Turnus [1] erschlagen (Verg. Aen. 12,363). CA. BI.

Thersippos (Θέρσιππος). Teilnehmer am Feldzug Alexandros' [4] d. Gr. Dieser schickte ihn 333/2 von Marathos aus zu Dareios [3] mit der Antwort auf dessen erstes Friedensangebot (Arr. An. 2,14,4; Curt. 4,1,14); vielleicht identisch mit dem Th., der nach Alexandros' Tod in einem Dekret der → Nesiotai [2] (OGIS 4) geehrt wird (so [1. Bd. 1,369; Bd. 2.2,376]).

1 G. A. DROYSEN, Gesch. des Hell., 3 Bde., ²1877/8 (Ndr. der Ausgabe 1952/3, hrsg. von E. BAYER, 1980) 2 BERVE, Nr. 368 3 E. PODDIGHE, Il decreto dell'isola di Nesos in onore di Tersippo, in: Ancient History Bull. 15, 2001, 95–101.   E.B.

Thersites (Θερσίτης). Griech. Troiakämpfer. In der ›Ilias‹ (Hom. Il. 2,211–277) ist Th. der körperlich mißgebildete (die entsprechende Beschreibung ist in der ›Ilias‹ einmalig) und zänkische Nörgler, der wegen seiner sarkastischen Bemerkungen allen verhaßt ist – zumal dem → Achilleus [1] und dem → Odysseus. Nachdem letzterer dem heimkehrwilligen Heer Einhalt geboten hat, attackiert Th. → Agamemnon mit Argumenten, die bewußt an diejenigen des Achilleus (Hom. Il. B. 1) anknüpfen, aber auch diesen selbst kritisieren. Odysseus bringt ihn mit verbaler und physischer Gewalt zum Schweigen, was Th. den schadenfrohen Spott des Gesamtheeres einträgt. Th. hat in der ›Ilias‹ keine Genealogie, weshalb seine soziale Stellung unsicher bleibt [1. 22]. In der → Aithiopís macht Th. sich über Achilleus' angebliche Liebe zu → Penthesileia lustig, der ihn mit einem Faustschlag tötet (argum. p. 68 BERNABÉ; Gegenstand und Titel eines Satyrspiels des Chairemon: TrGF I, p. 217f.). Die Tat spaltet das griech. Heer. Daraufhin fährt Achilleus nach Lesbos, um Apollon, Artemis und Leto Sühneopfer auszurichten. Lukian (dialogi mortuorum 25) verspottet Th., indem er den häßlichsten Griechen einen Schönheitswettbewerb mit dem attraktivsten (→ Nireus [2]) austragen läßt.

1 A. G. GEDDES, Who's Who in Homeric Society, in: CQ 34, 1984, 17–36.

J. SCHMIDT, s. v. Th., ROSCHER 5, 665–675 · W. BECK, s. v. Th., LFE 2, 1022f. · K. ZIMMERMANN, s. v. Th., LIMC 8.1, 1207–1209.   RE.N.

Thesauros (θησαυρός; »Schatz«, »Schatzhaus«). [1] Schatzhaus im Sinne eines Schutzgebäudes innerhalb eines Heiligtums, das einen wertvollen, aus empfindlichen Materialien gefertigten Gegenstand, z. B. ein Weihgeschenk (→ Weihung), barg; in der ant. griech. Terminologie ist mit *th.* nicht nur der Ort bzw. das bauliche Behältnis, sondern auch der eigentliche Inhalt (das jeweilige Wertstück) bezeichnet. *Thēsauroí* waren in griech. Heiligtümern bes. des späten 7. bis frühen 5. Jh. v. Chr. allg. gängige Erscheinungsformen von Weihgeschenken; sie wandelten sich schnell von einfachen Schutzbauten mit Hüttencharakter zu als Kleinod ausgestalteten Gebäuden, deren Prunk nicht selten das eigentlich zu schützende Weihgeschenk in den Schatten

stellte. Bauplastische Dekoration (→ Karyatiden-Säulen an den Th. von Knidos und Siphnos sowie kunstvolle Bemalung und Relieffriese an den Th. von Siphnos und Athen in → Delphoi; Giebel-Reliefs an verschiedenen Th. der Akropolis von Athen; opulenter, polychromer Terrakotta-Schmuck am Schatzhaus von Gela in → Olympia) betonten den Schmuckcharakter ebenso wie verschiedene ornamenthafte Abweichungen von den klass. Säulenordnungen (→ Säule; z. B. die »ionische« Blattkelch-Säule des Th. von Massilia in Delphoi). Nicht selten diente letztlich der Th. allein als bauplastisch reich bestücktes Weihgeschenk (Athener-Schatzhaus in Delphoi). Stifter von Th. waren in der Regel *póleis* und nicht Einzelpersonen.

Meist standen die Th. in den Heiligtümern konzentriert an herausgehobenem Ort (Schatzhaus-Terrasse in Olympia; »Hekatonpedon« auf der Athener Akropolis). Dieser Standort gewährte dem Betrachter unmittelbare Vergleiche; den Stiftern bot er einerseits ideale Möglichkeiten direkter Konkurrenz, andererseits aber auch gleiche Rahmenbedingungen. Dies war anders bei Heiligtümern, in denen die Th. weit gestreut angesiedelt waren: Hier kam der Standortwahl für die Repräsentationswirkung und damit der Möglichkeit einer Einflußnahme auf Entscheidungsträger großes Gewicht zu (vgl. z. B. das ideal an einer Wegbiegung plazierte Athener-Schatzhaus in Delphoi). Als Grundform des Th. dominiert der Antentempel (→ Tempel V.) mit zwei den Eingang rahmenden Säulen; tetrastyle oder hexastyle Konzepte (Th. von Gela in Olympia) sind Ausnahmen. Vereinzelt kann auch eine → *thólos* als Th. dienen (Sikyonier-Monopteros in Delphoi).

A. BEHRENS-DU MAIRE, Zur Bed. griech. Schatzhäuser, in: W. HOEPFNER, G. ZIMMER (Hrsg.), Die griech. Polis. Architektur und Politik, 1993, 76–81 · H. BÜSING, Das Athener-Schatzhaus in Delphi (MarbWPr), 1992 · K. HERRMANN, Beobachtungen zur Schatzhaus-Architektur Olympias, in: U. JANTZEN (Hrsg.), Neue Forsch. in griech. Heiligtümern (Kongr. Athen 1974), 1976, 321–350 · A. MALLWITZ, Architektur eines Schatzhauses, in: Ber. über die Ausgrabungen von Olympia 7, 1961, 29–55 · Ders., Olympia und seine Bauten, 1972, 163–180 · M. MAASS, Das ant. Delphi, 1993, 151–175 · J. P. MICHAUD, Le Trésor de Thèbes, 1973 · G. ROUX, Trésors, temples, tholos, in: Ders. (Hrsg.), Temples et Sanctuaires, Séminaire de recherche 1981–1983, 1984, 153–171 · L. SCHNEIDER, CH. HÖCKER, Die Akropolis von Athen, 2001, 88–98.

[2] Zu den ebenfalls griech. *th.* genannten »Opferstöcken« und deren ökonomischer Funktion in ant. Heiligtümern → Tempelwirtschaft II. D.   C.HÖ.

Thesaurus. Im röm. Recht der t.t. für den Schatz, den jemand findet (Inst. Iust. 2,1,39). Der spätklass. Jurist Iulius [IV 16] Paulus (Anf. 3. Jh. n. Chr.) verwendet dafür *thensaurus*, den er definiert als ›ein lange zurückliegendes Weglegen von Geld, an das keine Erinnerung mehr vorhanden ist, so daß es keinen Eigentümer mehr hat‹ (*vetus quaedam depositio pecuniae, cuius non existat me-*

moria, ut iam dominium non habeat, Dig. 41,1,31,1). Als *th.* wurde aber nicht nur Geld, sondern jeder Wertgegenstand angesehen. Warum man dafür ein griech. Lehnwort gebrauchte, läßt sich nicht ermitteln. Bereits die röm. Juristen des 2. Jh. v. Chr. beschäftigten sich mit dem Schatzfund. Aber erst für die Zeit Hadrianus' (2. Jh. n. Chr.) wird von einer Regelung des Eigentumserwerbs berichtet: Der Kaiser habe das Eigentum je zur Hälfte dem zufälligen Finder und dem Grundstückseigentümer zugesprochen, auch wenn es sich bei ihm um den Kaiser selbst oder eine Gemeinde handelte (Inst. Iust. 2,1,39). Theodosius [2] I. erhöhte 380 n. Chr. den Anteil des Finders auf ¾ des *th.* (Cod. Theod. 10,18,2). Seit Zenon (474 n. Chr.) galt aber wieder die hadrianische Regel (Cod. Theod. 10,15,1). Die Grundstückseigentümerhälfte fiel beim Fund aus Gräbern oder öffentlichem Boden an den Staat (Dig. 49,14,3,10f.). Anders war offenbar die Regelung des jüd. Rechts: Nach Mt 13,44 blieb der Schatz Eigentum des Grundstückseigners.

→ Münzfunde C.

Honsell/Mayer-Maly/Selb, 165–167.　　G. S.

Theseis (Θησηΐς). Titel zahlreicher (genaue Anzahl unbekannt) poetischer Bearbeitungen der athenischen → Theseus-Sage. Bereits Aristoteles [6] (Aristot. poet. 1451a 16–22) spricht von ›allen denjenigen Dichtern, die eine *Heraklḗís*, *Th.* und ähnliche Dichtungen geschaffen haben‹. Die Produktion weiterer, dem jeweiligen Zeitgeschmack entsprechender Themavariationen setzte sich, wie bei anderen myth. Sujets, in griech. und lat. Sprache bis in die Kaiserzeit fort. Wir kennen in der Regel nur die Verf.-Namen [4. 1046] bis auf zwei Fälle: (1) Aus einer (anon.) hexametrischen *Th.*, die verm. z. Z. der → Peisistratidai in Athen (2. H. 6. Jh. v. Chr.) entstand (und wohl die Hauptquelle für die späteren lit. und künstlerischen Bearbeitungen bildete), sind zwei Testimonien (fr. 1; 2 PEG) erh., die für den Inhalt sichern: a. Verbindung des Theseus mit der Amazonenkönigin → Antiope [1]; b. Angriff der Antiope und ihrer Amazonen auf Theseus bei seiner Hochzeit mit → Phaidra; c. Tötung der Angreiferinnen durch Herakles; d. Theseus' Unterstützung des Herakles bei dessen Bezwingung der kerynitischen Hirschkuh (fr. 2 PEG mit Komm. z. St.). (2) Aus einer *Th.* eines sonst unbekannten Diphilos alexandrinischer Zeit sind zwei Hinkiamben über eine Olympiaden-Teilnahme des Theseus erh. [2. 61f.].

Ed.: **1** PEG **2** IEG.
Lit.: **3** H. Herter, Theseus der Athener, in: RhM 88, 1939, 244–286, bes. 282f. **4** Ders., s. v. Theseus, RE Suppl. 13, 1045–1238 **5** F. Brommer, Theseus, 1982.　　J. L.

Theseus (Θησεύς). Myth. König und Staatsheros der Athener (→ Athenai). Th. gehört der Generation vor dem Troianischen Krieg an. Er ist Sohn der → Aithra, der Tochter des → Pittheus; sein göttlicher Vater ist → Poseidon, sein menschlicher der athenische König → Aigeus.

I. Mythos
II. Demokratischer König und Athener
III. Kult   IV. Ikonographie

I. Mythos

Th. wächst bei Pittheus in Troizen auf, da Aigeus die schwangere Aithra wegen eines Orakels verläßt. Nachdem er die dort von Aigeus hinterlegten Erkennungszeichen (Schwert, Schuhe) gefunden hat, macht er sich auf den Weg nach Athen. Während der Reise muß Th. mehrere Kämpfe gegen Unholde und ein Untier bestehen (erste erh. Liste in der geogr. Reihenfolge bei Bakchyl. 18,19–30; vollständig Diod. 4,59,2–5; Apollod. 3,217f.; Plut. Theseus = Th. 8–11; [10. 5–16]). Meist bestraft er sie durch → Talion. Zuerst tötet Th. → Periphetes [1]/Korynetes und nimmt dessen Keule an sich, dann bezwingt er am Isthmos → Sinis (Eur. Hipp. 977f.; Ov. met. 7,440–442), mit dessen Tochter → Perigune er den → Melanippos [3] zeugt (Plut. Th. 8), anschließend beseitigt er die krommyonische Sau, die viele Menschen getötet hat. Bei Megara trifft er auf → Skiron, der Vorbeikommende von einem Felsen stürzt; Th. schleudert nun seinerseits ihn ins Meer. Bei Eleusis überwältigt Th. → Kerkyon [1], der Reisende im Ringen bezwingt; dabei erfindet er den kunstmäßigen Ringkampf (Paus. 1,39,3). In Attika bestraft er → Prokrustes dafür, daß er Wanderer in ein unpassendes Bett zwingt und mit einem Hammer traktiert. Am Kephisos nehmen die Phytalidai Th. freundlich auf und bringen auf seine Bitte ein Sühnopfer dar (Plut. Th. 12,1). Nach der Ankunft in Athen überwindet er den marathonischen Stier, der nach Isokr. or. 10,25 von Poseidon geschickt, nach Apollod. 2,95 der von Herakles bezwungene kretische Stier ist. Dann entgeht er einem Giftanschlag seiner Stiefmutter → Medea, vgl. [13]. Th. wehrt auch den Angriff seines Onkels → Pallas [1] und der 50 Pallantiden ab und tötet sie, da sie ihm Aigeus' Nachfolge streitig machen (Philochoros FGrH 328 F 107; Apollod. epit. 1,11).

Die zentrale Episode in der Th.-Sage ist seine Fahrt nach Kreta und die Tötung des → Minotauros. Th., die als Tribut für → Minos ausgewählten athen. Kinder begleitet, demonstriert seine göttliche Abkunft, indem er → Amphitrite auf dem Meeresgrund besucht (Bakchyl. 17; Paus. 1,17,3; Hyg. astr. 2,5). Auf Kreta gelingt es ihm mit Hilfe der → Ariadne, den Minotauros zu töten und anhand ihres Fadens aus dem → Labyrinth herauszugelangen. Ariadne flieht mit Th., doch läßt er sie auf Dia zurück, wo → Dionysos sie findet. Daß Th. Ariadne verläßt, wird auf seine Treulosigkeit oder eine Weisung der Götter zurückgeführt (Hes. fr. 298 M./W.; Pherekydes FGrH 3 F 148; Diod. 5,51,4; Prop. 2,24,43; Ov. epist. 10; Hyg. fab. 43). Bei seiner Rückkehr nach Athen vergißt Th., das verabredete weiße Segel zu setzen, so daß sich Aigeus aus Kummer über den vermeintlichen Tod seines Sohnes von der Akropolis oder ins Meer stürzt (Catull. 64,207–245; Ov. Ib. 495f.; Apollod. epit. 1,10).

Als Teilnehmer am Amazonenfeldzug des Herakles [1] (Eur. Heraclid. 215–217) raubt Th. → Antiope [2], mit der er → Hippolytos [1] zeugt. Darauf fallen die Amazonen (→ Amazones) in Attika ein, werden jedoch von Th. am Areopag besiegt (Isokr. or. 12,193; Diod. 4,28,1–4; Apollod. epit. 1,16). Aus der späteren Verbindung mit → Phaidra gehen die Söhne → Demophon [2] und → Akamas hervor. Bei der Hochzeit seines Freundes → Peirithoos mit Hippodameia [2] kommt es zum Kampf der Lapithen (→ Lapithai) gegen die → Kentauren, an dem sich auch Th. beteiligt (Isokr. or. 10,26; Diod. 4,70,3). Nach Phaidras Tod beschließen beide, sich jeweils eine Zeus-Tochter zur Frau zu nehmen. So entführen Th. und Peirithoos zuerst die junge → Helene [1] aus Sparta nach Aphidna, wo sie aber von den Dioskuren befreit wird. Um Persephone für Peirithoos zu rauben, begibt sich Th. sogar mit ihm in den Hades. Sie werden dort überwältigt und gefesselt, von Herakles jedoch wieder befreit (Hes. fr. 280f. M./W.; Hellanikos FGrH 4 F 134; 168; Diod. 4,26,1). Da in Athen → Menestheus [1] die Macht an sich reißt, setzt sich Th. schließlich nach Skyros ab, wo er von → Lykomedes [1] getötet wird.

Der Zyklus seiner Taten erweist Th. als ein athen. Pendant zu → Herakles [1], mit dessen panhellenischer Bed. als Heros er aber nicht konkurrieren kann. Zur Bearbeitung des Th.-Stoffes in epischer Form vgl. → *Thēseís* (EpGF p. 155f.) [10. 19–25].

II. DEMOKRATISCHER KÖNIG UND ATHENER

Als wichtigste polit. Leistung des Königs Th. wurde in der Ant. der → *synoikismós* angesehen, die Vereinigung der verstreut siedelnden Bewohner Attikas zu einer → *pólis*. Th. soll → Attika neu organisiert haben, indem er die polit. Institutionen der vorherigen zwölf Städte auflöste und an ihre Stelle zentrale Einrichtungen in → Athenai setzte (Thuk. 2,15,1f.; Isokr. or. 10,35; Philochoros FGrH 328 F 94; Cic. leg. 2,2,5; Plut. Th. 24). Manche ant. Autoren gingen sogar so weit, Th. die Einführung der Demokratie (→ *dēmokratía*) zuzuschreiben. Den Widerspruch, daß Th. gleichzeitig Monarch und Wegbereiter der Demokratie ist, nahm man in Kauf, um dem polit. System Athens histor. Legitimität zu verleihen [3; 14. 112–118; 17. 143–169]. Bei Euripides [1] leitet Th. zwar den Staat, ist aber an eine demokrat. Verfassung gebunden (Eur. Suppl. 349–353; 404–408). Nach Ps.-Aristoteles weicht Th.' Regierung von der Königsherrschaft ab (Aristot. Ath. pol. 41,2). Als Neuerung des Th. wurde die Gleichheit des Stimmrechtes angesehen (Eur. Suppl. 353). Außerdem reformiert er die von Erichthonios [1] gestifteten → *Panathénaia* und führt die Monatsbezeichnung *Hekatombaión* ein (Paus. 8,2,1; schol. Plat. Parm. 127a; Plut. Th. 12,2).

Als vorbildlicher König vereinigt Th. alle Vorzüge in sich, die die Athener sich selbst zuschrieben: Tapferkeit, Gerechtigkeit, Hilfsbereitschaft. Für seine umfassende Tugend vom Volk geliebt und bewundert, treibt er die Bürger zur Nachahmung an (Isokr. or. 10,21f.; 10,37;

Xen. kyn. 1,10; Strab. 1,2,8). Bes. die attische Trag. zeichnete Th. als einen Prototypen des Atheners, der Bittflehenden Schutz gewährt (Soph. Oid. K.; Eur. Suppl.; Eur. Herc.) [9]. Der Th.-Mythos ließ sich auch polit. instrumentalisieren: Zur Zeit des Kleisthenes [2] versuchte man, Th. dem dorischen Heros Herakles gegenüberzustellen, um so Athens Gleichberechtigung neben Sparta zu demonstrieren. Die Überführung der Gebeine des Th. (s.u.) steigerte → Kimons [2] Popularität und sollte verm. den athen. Führungsanspruch unter den Ioniern untermauern [8; 15; 17. 35–81].

III. KULT

Seiner Bed. als Identifikationsfigur entsprechend spielte Th. auch im Kult der Athener eine wichtige Rolle. Nachdem möglicherweise bereits die → Peisistratidai seinen Kult gefördert hatten, wurde er Anf. des 5. Jh. sehr populär, blieb aber auf Athen beschränkt [5; 12. 143–149]. Speziell der 8. Tag des Monats war Th. gewidmet, am 8. Pyanopsion wurden die *Théseia* gefeiert, zu denen Opfer, eine Prozession und Agone mil. Charakters gehörten [4. 224–226; 11. 77–79]. Entscheidend für die Entwicklung von einem Gentilkult zur Angelegenheit der ganzen Polis war, daß → Kimon [2] im J. 475 v.Chr. die Gebeine des Th. von Skyros nach Athen überführen ließ. Ein Heiligtum für Th. hatte es aber bereits vorher gegeben (Aristot. Ath. pol. 15,4). Die Opfer für Th. waren dem Geschlecht der Phytalidai anvertraut (Plut. Th. 23,5; s.o. I.). Die Bräuche der → *Óschophória* wurden mit der Kretafahrt des Th. in Verbindung gebracht [2. 143–156; 16. 102–175]. Ferner kann Th. als Verkörperung des Epheben gelten, insofern er als von außen kommender Jüngling durch Aigeus in die Stadt aufgenommen wird (vgl. → *ephēbeía*). Er steht damit für die Integration des Epheben in die Welt der Vollbürger. Auch die Fahrt nach Kreta und die anschließende Rückkehr können in Zusammenhang mit Initiationsriten gesehen werden [2. 432–435; 7. 227–375; 17. 94–104].

1 F. BROMMER, Th., 1982 2 C. CALAME, Th. et l'imaginaire Athénien, 1990 3 J.N. DAVIE, Th. the King in Fifth-Century Athens, in: G&R 29, 1982, 25–34 4 DEUBNER 5 V. GOUŠCHIN, Athenian Synoikism of the Fifth Century B.C., or Two Stories of Th., in: G&R 46, 1999, 168–187 6 H. HERTER, s.v. Th., RE Suppl. 13, 1045–1238 7 H. JEANMAIRE, Couroi et Courètes, 1939 8 J.-M. LUCE, Th., le synoecisme et l'Agora d'Athènes, in: RA 1, 1998, 3–31 9 S. MILLS, Th., Tragedy and the Athenian Empire, 1997 10 J. NEILS, The Youthful Deeds of Th., 1987 11 PARKE 12 H. A. SHAPIRO, Art and Cult under the Tyrants in Athens, 1989 13 C. SOURVINOU-INWOOD, Th. as Son and Stepson, in: BICS Suppl. 40, 1979 14 B. S. STRAUSS, Fathers and Sons in Athens, 1993 15 K. TAUSEND, Th. und der del.-att. Seebund, in: RhM 132, 1989, 225–235 16 K. WALDNER, Geburt und Hochzeit des Kriegers (RGVV 46), 2000 17 H. J. WALKER, Th. and Athens, 1995.

J. STE.

IV. IKONOGRAPHIE

Im 8. und 7. Jh. v. Chr. ist nur das Abenteuer des Th. mit dem → Minotauros auf Vasen gesichert [2; 4. 161–

168]; ab etwa 570 v. Chr. erscheint er auch im Kampf gegen die thessalischen → Kentauren, bei der Entführung der → Helene [1] oder dem Abenteuer im → Hades. Im letzten Viertel des 6. Jh. v. Chr. wurden Darstellungen seiner Jugendtaten als Zyklus in der att. Kunst populär (sf. und rf. Schalen; Athenerschatzhaus in Delphoi, ca. 490 v. Chr.; im Giebel des Apollontempels in Eretria [1], um 510 v. Chr.: Entführung der Antiope [2]; vgl. [7]).

In der 1. H. des 5. Jh. wird Th. in der politisch-propagandistischen Verarbeitung der → Perserkriege in Athen auch in der bildenden Kunst zum Nationalheros (Amazonenkampfbilder, Gemälde im Theseion und in der Stoa Basileios an der Agora, Metopen des Hephaisteion). Darstellungen konkret mit einzelnen Ereignissen des griech.-persischen Konflikts zu verbinden (wie [1]) ist aber wohl problematisch. Im 2. Viertel des 5. Jh. sind auf Vasen auch stillere Szenen beliebt [8]. Vom 4. Jh. an nehmen die Darstellungen des Th. rasch ab; att. und frühe südital. Gefäße zeigen fast nur noch die Szenen mit dem marathonischen Stier und → Skiron.

Auf den Wänden der Vesuvstädte im 1. Jh. n. Chr. sind Th. und der Minotauros dargestellt. In der Kaiserzeit waren v. a. Labyrinth-Mosaikfußböden (mit und ohne Minotaurostötung in der Mitte) beliebt, die von dort in frühchristliche Kirchen und ma. Buchillustrationen Eingang fanden [9. 175–194].

Von der Renaissance bis ins 18. Jh. wurde fast nur das Thema → Ariadne/Dionysos (Bacchus) rezipiert; zur Zeit des beginnenden Nationalismus im 19. Jh. erlebte Th. eine Art Wiedergeburt als »athletischer Champion« im Kampf der Zivilisation gegen die Barbarei (Skulpturen von Canova) [9. 195–290].

1 J. Boardman, Herakles, Th. and Amazons, in: D. C. Kurtz et al. (Hrsg.), The Eye of Greece. FS M. Robertson, 1982, 1–28 2 F. Brommer, Th.-Deutungen, in: AA 1982, 69–88 3 C. Dugas, R. Flacelière, Thésée. Images et récits, 1958 4 K. Fittschen, Unt. zum Beginn der Sagendarstellungen bei den Griechen, 1969 5 J. Neils, s. v. Th., LIMC 7, 922–951 6 E. Paribeni, s. v. Teseo, EAA 7, 1966, 746–752 7 H. A. Shapiro, Th.: Aspects of the Hero in Archaic Greece, in: D. Buitron-Oliver (Hrsg.), New Perspectives in Early Greek Art, 1991, 123–139 8 C. Sourvinou-Inwood, Th. as Son and Stepson, 1979 9 A. G. Ward (Hrsg.), The Quest for Th., 1970.   B. Bä.

Theseus-Maler. Att. spät-sf. Vasenmaler, ca. 505–485 v. Chr.; benannt nach seinen → Theseus-Darstellungen. Gleichzeitig mit den großen früh-rf. Meistern hielten viele Vasenmaler noch an der alten sf. Technik fest, in der sie v. a. kleinere Gefäße nachlässig bemalten. Gegenüber diesen zeichnet sich der Th.-M. durch seinen klaren Figurenstil mit langen geschmeidigen Ritzlinien und durch eine sehr individuelle Themenvielfalt aus. Bisher konnten ihm ca. 200 Vasen zugewiesen werden, v. a. Skyphoi der sog. »Reiher-Klasse« (häufig mit weißem Stelzvogel unter den Henkeln). Später spezialisierte er sich zusammen mit dem stilverwandten Athena-Maler auf Lekythen, bemalte aber auch andere Gefäßformen, z. T. wgr., wobei er mehrfach die Töpferwerkstatt gewechselt zu haben scheint. Charakteristisch sind weniger die myth. Handlungsbilder (wie die Theseustaten), als die ruhig gruppierten oder behaglich gelagerten Götter und Heroen sowie seine einfallsreichen Szenen aus dem täglichen Leben. Häufig sind Vorder- und Rückseite aufeinander bezogen oder zeigen die gleiche Szene.

→ Gefäße; Schwarzfigurige Vasenmalerei

C. H. E. Haspels, Attic Black-Figured Lekythoi, 1936, 141–147; 249–254 • Beazley, ABV, 518–521 • Beazley, Paralipomena, 255–260 • Beazley, Addenda², 129f. • O. Borgers, Some Subjects and Shapes by the Th. Painter, in: R. F. Docter (Hrsg.), Proc. of the XVth International Congr. of Classical Archaeology Amsterdam, 1998, 87–89.
                                                              H. M.

Thesmophoria (Θεσμοφόρια; zum Begriff s. u.). Fest der → Demeter und Kore (→ Persephone), das in fast der gesamten griech. Welt gefeiert und ausschließlich von Frauen begangen wurde (veraltete Beleg-Slg.: [1. 313–317]). Die Kultpraxis wies wohl lokale und regionale Unterschiede auf [2. 76]. Die Mehrzahl der Quellen bezieht sich auf Attika, wo das Fest im Herbstmonat Pyanepsion an mehreren Orten stattfand [3]. Dort scheint die Teilnahme auf verheiratete Bürgerinnen beschränkt gewesen zu sein (Aristoph. Thesm. 293 f., 330; Kall. fr. 63,9–12; [4. 196f.]), die das Fest offenbar jedes Jahr begingen (Men. Epitr. 522f.; Isaios 3,80). Die Frauen jedes → dḗmos [2] wählten »Herrscherinnen« (árchusai), die die Vorbereitungen trafen (IG II² 1184 = LSCG, Suppl. 124; Isaios 8,19). Während der drei Festtage wohnten die Frauen in skēnaí, »Hütten« oder »Zelten«. Die drei Tage hießen (schol. Aristoph. Thesm. 80) Ánodos, »Aufstieg« (Heiligtümer der Demeter Thesmophoros lagen oft auf Anhöhen, zuweilen aber auch außerhalb der Stadt: [5]), Nēsteía, »Fasten«, ein Tag düsteren Charakters, an dem die Frauen fastend auf der Erde (Plut. Demetrios 30,5; Plut. Is. 69,378d-e) auf Matten aus Pflanzen saßen, denen antiaphrodisische Wirkung zugeschrieben wurde (z. B. schol. Theokr. 4,25), und Kalligéneia, »Gute Geburt«. Das Bankett (Isaios 3,80; IG II² 1184 = LSCG, Suppl. 124; [4; 6. 619, 640–648]) fand verm. am Ende des zweiten oder am dritten Tag, also nach dem »Fasten«, statt.

In zwei Quellen sind die Reste einer detaillierten, aber im Ablauf des Fests nicht genauer lokalisierten Schilderung einer zentralen Ritualsequenz erh. (schol. Lukian. dialogi meretricii 2,1 p. 275f. Rabe; Clem. Al. protreptikos 2,17,1; [6]): das Heraufholen der verwesten Überreste von Ferkeln und ferkel- oder phallusförmigen Speltkuchen aus unterirdischen Kammern (mégara). Dem Saatkorn beigemischt, sollten diese Überreste die Ernte befördern. Die Kammern sind arch. bezeugt [6. 617]; Votivfiguren von Ferkeln und ferkeltragenden Frauen wurden sehr oft der Demeter dargebracht [6. 623–626; 8. 284]. Weitere Elemente des Fests sind aus den Quellen bekannt, lassen sich aber nicht genau einordnen.

Die geschilderte Ritualsequenz hatte – neben einer myth. – eine ant. »physische« Erklärung, welche die verwendeten Gegenstände als »Zeichen für das Sprießen der Feldfrüchte und die Saat der Menschen« deutete. Die Forsch. sah lange eine Fassung dieser Erklärung als Schlüssel zur Deutung der Th. an [9; 10; 11]. Neuere Deutungen betonen dagegen, z.B. mit Rückgriff auf die ›Thesmophoriazusai‹ des → Aristophanes [3], den Aspekt der Definition von Geschlechterrollen ([12. 151–155; 4; 13. 81–83]; feministische Perspektiven: [14; 15]). Neben der sozialen Hauptfunktion der Th., der Definition der weiblichen Geschlechterrolle, sollte aber der Bezug zur Fruchtbarkeit der Felder nicht vernachlässigt werden [16. 235–260].

Die beiden Göttinnen wurden oft als tō Thesmophórō angerufen, auch einzeln bekam jede von ihnen, v. a. Demeter, die Bezeichnung Thesmophóros, in der Ant. als »Bringerin der Gesetze« (thesmoí) gedeutet (z.B. schol. Lukian. l.c.; Diod. 5,5,2; Kall. h. 6,19). Die mod. Forsch. nimmt meist an, daß sich Thesmophóros auf das Tragen realer Gegenstände bezieht (thesmoí = »hingesetzte Gegenstände«), d. h. auf die Überreste, die aus den mégara heraufgeholt wurden [6. 627 Anm. 34]. In der Ant. kann die Bezeichnung aber nicht in dieser Weise verstanden worden sein, da sie immer auf die Göttinnen, nie auf ihre Verehrerinnen bezogen wurde.

1 NILSSON, Feste 2 J. N. BREMMER, Greek Rel., 1994 (²1999) 3 K. CLINTON, The Thesmophorion in Central Athens and the Celebration of the Th. in Attica, in: R. HÄGG (Hrsg.), The Role of Rel. in the Early Greek Polis, 1996, 111–125 4 M. DETIENNE, Violentes »eugénies«, in: Ders., J. P. VERNANT (Hrsg.), La cuisine du sacrifice en pays grec, 1979, 183–214 (engl. 1989) 5 S. G. COLE, Demeter in the Ancient Greek City and Its Countryside, in: S. ALCOCK, R. OSBORNE (Hrsg.), Placing the Gods, 1994, 199–216 6 U. KRON, Frauenfeste in Demeterheiligtümern, in: AA 1992, 611–650 7 N. J. LOWE, Th. and Haloa, in: S. BLUNDELL, M. WILLIAMSON (Hrsg.), The Sacred and the Feminine in Ancient Greece, 1998, 149–173 8 W. BURKERT, Homo necans, 1972 9 DEUBNER 10 PARKE 11 E. SIMON, Festivals of Attica, 1983 12 M. DETIENNE, Les jardins d'Adonis, 1972 13 R. PARKER, Miasma, 1983 14 J. J. WINKLER, The Laughter of the Oppressed, in: Ders., The Constraints of Desire, 1990, 188–209 (dt. 1994) 15 L. NIXON, The Cults of Demeter and Kore, in: R. HAWLEY, B. LEVICK (Hrsg.), Women in Antiquity: New Assessments, 1995, 75–96 16 H. S. VERSNEL, Transition and Reversal in Myth and Ritual, 1993.

A. C. BRUMFIELD, The Attic Festivals of Demeter and Their Relation to the Agricultural Year, 1981 · BURKERT, 365–370 · K. DAHL, Th., 1976.　　R. PA./Ü: S. KR.

Thesmophoros s. Thesmophoria

Thesmophylakes (θεσμοφύλακες, von θεσμός, thesmós = »Satzung, Vertrag« und φυλάττειν, phyláttein = »bewachen«). »Vertragshüter«, ein im klass. Griechenland selten belegtes Collegium (für Elis: Thuk. 47,9) mit kaum erkennbaren Kompetenzen. In hell. Zeit in Boiotia (IG VII 3172,178; vgl. Plut. mor. 292d thesmophylákios nómos) und auf Keos (IG XII 5,595B) als Behörde bezeugt, die für die Vollstreckung gerichtlicher Strafen sorgte und (auf Keos) Anklage gegen Beamte erhob. Im ptolem. Äg. (für Alexandreia [1] belegt) leiteten th. eine Vollstreckungsbehörde, die über die formale Richtigkeit von Verträgen befand und in Streitfällen die Vollstreckung (wohl durch die → práktōres II.) einleitete.

W. SCHWAHN, s. v. Th., RE 6 A, 29–31.　　W. ED.

Thesmos s. Gesetz

Thesmotheten (θεσμοθέται, »Rechtssetzer«). Bezeichnung einer Gruppe von sechs Männern in Athen, die zusammen mit dem árchōn, dem → basileús und dem → polémarchos das Kollegium der neun → árchontes bildeten. Im 5. oder 4. Jh. v. Chr. wurde eine zehnte Position geschaffen, bekannt als »Sekretär« (grammateús; → grammateís) der Th.; seither wurde aus jeder der zehn → Phylen des → Kleisthenes [2] einer der zehn Amtsträger bestellt. Am Wirkungsort der Th., dem thesmotheteíon, arbeiteten und speisten alle árchontes ([Aristot.] Ath. pol. 3,5; schol. Plat. Phaid. 235d).

Die Th. waren nicht für den Erlaß von Gesetzen, sondern für die Prozeßführung zuständig (→ Prozeßrecht IV. B.). Anfangs werden sie wie die anderen árchontes die Rechtsverfahren selbst entschieden haben; Solon sah ein Berufungsrecht gegen ihre Urteile bei einem → dikastḗrion vor (urspr. bei der → hēliaía (3.), d. h. vielleicht bei der als Gerichtsinstanz fungierenden Volksversammlung: [Aristot.] Ath. pol. 9,1). Spätestens seit der Mitte des 5. Jh. entschieden die Th. in den meisten Fällen nicht mehr selbst, sondern führten nur eine Voruntersuchung durch (→ anákrisis) und übernahmen den Vorsitz im dikastḗrion, das über das Urteil entschied.

Die Th. waren für die meisten »öffentlich-rechtlichen« Verfahren (→ graphḗ [1]), die jeder Beliebige (ho bulómenos) anstrengen konnte, zuständig, jedoch nicht als Kollegium, sondern jeder für sich in einzelnen Fällen. Die aristotelische Schrift Athenaíōn politeía (59,2–6) nennt eine Reihe von solchen Prozessen mit polit. Hintergrund: → eisangelía, apóphasis, → probolḗ (sofern sie vor ein dikastḗrion kamen), → paranómōn graphḗ und nómon mḕ epitḗdeion theînai (»Setzung eines unzweckmäßigen Gesetzes«), Verfahren gegen → próhedros und deren → epistátai; des weiteren einige Prozeßarten, in denen der Kläger Kaution (parástasis) zu hinterlegen hatte (weitere sind aus anderen Quellen zu erschließen), Verfahren zur Vorprüfung (→ dokimasía) von Amtsträgern und Personen, denen ihr dḗmos den Bürgerstatus verweigert hatte, und Fälle, die vom Rat an ein dikastḗrion überwiesen wurden. Die Th. waren in begrenztem Umfang auch für Privatprozesse (→ díkē [2]) verantwortlich; ebenso für die Ratifizierung von Rechtsabkommen mit anderen Staaten (sýmbola) sowie die Behandlung von Streitfällen, die aus solchen Abkommen entstanden.

In der Verantwortung der Th. lag auch die Organisation des gesamten Gerichtswesens; sie legten die Gerichtstage fest und ordneten die Gerichtshöfe bestimmten Magistraten an bestimmten Tagen zu. Zusammen mit den übrigen *árchontes* und dem »Sekretär« der Th. überwachten sie die im 4. Jh. sehr komplizierte Prozedur der Auswahl der Richter (→ *dikastḗs*) und deren Zuordnung zu den Gerichten am jeweiligen Gerichtstag, wobei jeder für seine eigene → Phyle tätig wurde ([Aristot.] Ath. pol. 63–66). Außerdem wohnten sie den Pythischen Spielen (→ Pythia) in Delphi bei (Demosth. or. 19, 128). 344/3 wurden alle Th. durch *apocheirotonía* (→ *cheirotonía*) abgewählt, danach aber wieder eingesetzt (Demosth. or. 58,27f.).
→ Prozeßrecht

BUSOLT/SWOBODA 2,2, 1096–1100 · RHODES, 661–668; 697–706.   P. J. R.

Thespeia (Θέσπεια, Hom. Il. 2,498, Hdt. 8,50,2; auch Θεσπιαί/Thespiaí, Xen. hell. 5,4,10, IG VII 1862; lat. *Thespiae*). Stadt in Süd-Boiotia. Südl. des h. Th. (ehemals Erimokastron) [1] sind Reste des *polyandreíon* (Massengrabs) mit den 424 v. Chr. bei → Delion [1] Gefallenen erh. [2]. Das Territorium (Survey: [3]) umfaßte am Golf von Korinthos Siphai und Kreusis, im Norden die Ebene von Leuktra, im Westen Askra und das Musenheiligtum sowie Donakon und Keressos. Th. wehrte im 6. Jh. v. Chr. mit boiotischer Hilfe einen Angriff der → Thessaloi ab und nahm auf Seiten der Griechen an den → Perserkriegen [1] teil (Hdt. 7,202; 7,222; 9,30; Syll.³ 31). Nach der Zerstörung durch die Perser 480 v. Chr. (Hdt. 8,50,2) erfolgte ein Wiederaufbau [4]. Im Boiotischen Bund (→ Boiotia, mit Karte) stellte Th. zwei → Boiotarchen mit Thisbe [1] und Eutresis (Hell. Oxyrh. FGrH 66 F 1,266f.). Nach der Schlacht bei Delion ließ Thebai [2] die Stadtmauern von Th. niederreißen (Thuk. 4,133,1). Ab 379/8 war in Th. eine spartanische Garnison stationiert, die zw. 373 und 371 von Thebai vertrieben wurde [5]. Um 371 v. Chr. wurde Th. von Thebai eingenommen, die Bevölkerung deportiert. Vor der Schlacht gegen die Spartaner bei → Leuktra (371 v. Chr.) erlaubte → Epameinondas dem Kontingent von Th. sich zu entfernen [6].

Wann die Stadt wieder besiedelt wurde, ist unklar (IG IV² 1, 94,6; Demosth. or. 19,325; zu Th. in hell. Zeit vgl. die Inschr. [7]). Wegen Unterstützung Roms im Krieg gegen Mithradates [6] VI. wurde Th. *civitas libera* (Plin. nat. 4,25). Th. unterstützte Marcus [2] Aurelius im Kampf gegen die Germanen [8]. Die unter Kontrolle von Th. stehenden Feste für → Eros [9. 216–219] und die → Musen [10] blieben auch in der Kaiserzeit bedeutend.

1 FOSSEY, 135–140 2 D. V. SCHILARDI, The Thespian Polyandreion, 2 Bde., 1979 3 K. FREITAG, Der Golf von Korinth, 2000, 159–170 4 J. BINTLIFF, A. M. SNODGRASS, Mediterranean Survey and the City, in: Antiquity 62, 1988, 57–71 5 P. SIEWERT, Eine Br.-Urkunde mit elischen Urteilen über Böoter, Thessaler, Athen und Thespiai, in:

10. Ber. über die Ausgrabungen in Olympia, 1981, 228–248 6 C. J. TUPLIN, The Fate of Thespiae during the Theban Hegemonie, in: Athenaeum 64, 1986, 321–341 7 P. ROESCH, Thespies et la confédération béotienne, 1965 8 C. P. JONES, The Levy at Thespiae under Marcus Aurelius, in: GRBS 12, 1971, 45–48 9 SCHACHTER I 10 D. KNOEPFLER, Cupido ille propter quem Thespiae visuntur, in: Ders. (Hrsg.), Nomen latinum, 1997, 11–17.

A. HURST, A. SCHACHTER (Hrsg.), La montagne des Muses, 1996.   K. F.

Thespiades (Θεσπιάδες).
[1] Beiname der Musen nach dem Ort Thespiae (→ Thespeia) am → Helikon [1] (Varro ling. 7,20; Ov. met. 5,310; Fulg. mythologiae 1,11, p. 7,5–8 HELM). Von mehreren Künstlern werden Th.-Statuen erwähnt (Cic. Verr. 2,4,2,4; Plin. nat. 34,66; 34,69; 36,33; 36,39).

1 P. MÜLLER, s. v. Th., LIMC 8.1, 1 (mit Bibliogr.).

[2] Die 50 (nach Hyg. fab. 162: 12) Töchter des Thespis (oder Thespios), des Königs von → Thespeia, und der Megamede (nach Diod. 4,29,1–5 von mehreren Frauen geboren). Auf Wunsch des Thespis zeugt → Herakles [1], als er bei ihm einkehrt, mit jeder von ihnen je einen Sohn (Herodoros FGrH 31 F 20; Ephor. FGrH 70 F 13; Apollod. 2,65f.; Ps.-Sen. Hercules Oetaeus 369f.; mit leichten Varianten Paus. 9,27,6f.). Der Großteil dieser Söhne zieht mit → Iolaos [1] nach Sardinien, um eine Kolonie zu gründen (Diod. l.c.).   SI. A.

Thespiai s. Thespeia

Thespis (Θέσπις) aus Ikarion [1] im att. Demos Ikaria [1. 49], nach einer auf dem → Marmor Parium (43) bezeugten Trad. »Erfinder« (→ *prṓtos heuretḗs*) der → Tragödie (TrGF I 1 T 2), nach einer anderen (Suda θ 282 = T 1) sechzehnter oder zweiter Tragiker nach Epigenes von Sikyon. Er soll zw. 535/4 und 532/1 die erste Trag. an den Großen → Dionysia in Athen aufgeführt haben (vgl. jedoch [3]) und gilt als Erfinder der → Maske der Schauspieler (aus Leinen, T 1). Durch die Hinzufügung von → Prolog (*prólogos*) und → *rhḗsis* machte er aus dem reinen Chorgesang → *dráma* im eigentlichen Sinne (Them. or. 26,316d = TrGF I 1,6). Da jedoch die frühen Dichter Th., → Pratinas und → Phrynichos [1] »Tänzer« (*orchēstaí*) genannt worden seien (T 11), kann man auf den noch vorwiegend chorischen Charakter ihrer Stücke schließen. Sprichwörtlich geworden ist der Th.-Karren (lat. *plaustrum*, Hor. ars 276f.), mit dem Th. zusammen mit seinen Schauspielern durch die Lande gefahren sei. Daß sich tatsächlich Fr. des Th. erh. haben, ist aus überl.-gesch. Gründen eher unwahrscheinlich [2], bereits in der Ant. wurden sie auch dem → Herakleides [16] Pontikos zugeschrieben (T 24, vgl. TrGF I 93).
→ Tragödie I.

FR.: TrGF I 1.
LIT.: 1 A. LESKY, Die trag. Dichtung der Hellenen, ²1972, 49–56 2 H. LLOYD-JONES, Problems of Early Greek

Tragedy, in: Ders., Greek Epic, Lyric, and Tragedy, 1990, 225–237 3 W. R. CONNOR, City Dionysia and Athenian Democracy, in: CeM 40, 1989, 7–32.   B. Z.

Thesprotoi, Thesprotia (Θεσπρωτοί, Θεσπρωτία). Einer der drei Hauptstämme von → Epeiros mit Siedlungsgebiet zw. → Thyamis im Norden, dem Golf von → Ambrakia bis zum Fluß Aphas (h. Louros) im SO und der Adria (→ Ionios Kolpos) im Westen. Bei Hom. (Od. 14,314–320; 16,425–427) werden die Th., bes. das Totenorakel *nekyomanteíon* von Ephyra [3], erwähnt; die Küstenstadt → Buthroton wird von Hekat. FGrH 1 F 105 als → *pólis* bezeichnet. Ant. Autoren (Strab. 7,7,11; Hdt. 2,56) bezeichnen die Th. als urspr. bedeutendsten Stamm der Epeirotai mit Kontrolle über das Heiligtum von → Dodona, doch wurde ihnen diese Rolle seit dem 6. Jh. v. Chr. erst von den → Chaones, dann von den → Molossoi streitig gemacht, in deren Konföderation sie im 4. Jh. Mitglied waren. Zu dieser Zeit spaltete sich im Süden der mächtige Teilstamm der Kassopoi (→ Kassope) von den Th. ab. Im Epeirotischen Bund des 3. Jh. v. Chr. waren die Th. einer der drei Teilstämme. Zu E. des 3. → Makedonischen Krieges wurden auch Teile von Thesprotia von den röm. Truppen geplündert (Pol. bei Strab. 7,7,3).

P. CABANES, L'Épire, 1976, 506 · S. I. DAKARIS, Θεσπρωτία, 1972 · N. G. L. HAMMOND, Epirus, 1967, 527.   D. S.

Thessalisch. Das Th. ist in archa. und klass. Zeit spärlich überl. (Ausnahme: die Sotairos-Inschr. aus dem west-th. Tethonion, 5. Jh. v. Chr.), reichlicher erst seit E. des 3. Jh. v. Chr. (FO: Larisa [3], ferner Atrax, Krannon, Pherai, Skotussa; Kierion, Pharsalos; Metropolis [4]; Phalanna). Es sind auch ca. 100 th. Glossen erh. Das Th. ist relativ einheitlich. Für eine Trennung zwischen Ost-Th. und West-Th. ist das Material (etwa Gen. Sg. -οι(ο), Inf. -εμεν im Ost-Th. gegenüber west-th. -ου, -ειν) eher unzureichend. Besonderheiten: <EI> für *aị* in Larisa (Inf. -σειν, -σθειν = -σαι, -σθαι), <E> statt <O> für *o* in der Hestiaiotis (z. B. τεν … χρονεν, τεις, αυτεις = τὸν χρόνον, τοῖς, αὐτοῖς). Üblich sind *Koinḗ*-Forme(l)n mit th. Kolorit (z. B. Ποτειδουνι, οναλουμα = hell. Ποσειδῶνι, ἀνάλωμα statt echt-th. Ποτιδανι, οναλα).

Das Th. zeigt, neben (a) westgriech. und (b) ostgriech. Merkmalen, (c) Übereinstimmungen mit dem Aiol.-Lesb. und (d) mit dem Boiot., sowie (e) spezifische Merkmale. Zu (a): unassibiliertes *-ti(-)* (z. B. κατιγνειτος »Bruder«); Typ τόσσος (aber πετταρες »vier«); Nom. Pl. τοι (auch οι); athematischer Inf. auf -μεν; *g^uel-* »wollen« (βελλομαι); Aor. auf -ξα- (auch -σα-). Zu (b): 1. Pl. auf -μεν; ἱερός. Zu (c-d): *$r̥$ > ro; *k^ue > pe; athemat. Dat. Pl. auf -εσσι; ια »eins«; Perf. Ptz. mit -nt-; Gebrauch des Patron. Zu (c): Geminata statt erster Ersatzdehnung (χερρος, απυστελλαντος, συμμεννταντουν, εμμεν = χειρός, ἀποστείλαντος, °μεινάντων, εἶναι), auch aus *r, n + ị* (περρατει, κρεννεμεν = πειρᾶται, κρίνειν); απυ, ποτι, ποτα; αι κε. Zu (d): 3. Pl.

mit <-vθ->; themat. Inf. auf -εμεν; γινυμαι. Zu (e): Hebung von *$\bar{e}$, *$\bar{o}$ (<EI>, <OY>); Synkope (Απλουν, Ασ(σ)το°, ξενδοκος = Ἀπόλλων, Ἀριστο°, ξενοδόκος); Erhaltung von sekundärem *-ns-* (πανσα, Ptz. F. -νσα), *-Vns* > *-Vs* (Akk. Pl. τος); sekundäres *i* > *ị* vor Vokal (κυρρον, πολλιος, προξεννιαν = κύριον, πόλεως, προξενίαν; auch ιδδιαν/ιτδιαν, εξεικαττιοι, εκκλεισσιαν = ἰδίαν, ἑξακόσιοι, ἐκκλησίαν); Geminata μναμμειον, χρειμμα (= μνημεῖον, χρῆμα); 3. Pl. auf -εν (ονεθεικαεν = ἀνέθεσαν); αγγρειμι, μα = αἱρέω, δέ. (a-b) deuten auf eine west- und eine ostgr. Komponente hin, (c-d) auf ursprüngliche Verwandtschaft mit dem Lesb. und dem Boiot.

Probe, Larisa, 214 v. Chr.: … μεσποδι κε ουν και ετερος επινοεισουμεν αξιος τοι παρ αμμε πολιτευματος ετ τοι παρεοντος κρεννεμεν ψα[φ]ιξασθει[ν … (Wiedergabe in *oratio obliqua* von inschriftlichem (*Koiné*): … εως αν ουν ετερους επινοησωμεν αξιους του παρ υμιν πολιτευματος επι του παροντος κρινω ψηφισασθαι …).

→ Griechische Dialekte; Thessaloi

QUELLEN: IG IX 2 (1908) · J.-Cl. DECOURT, Inscriptions de Thessalie, Bd. 1: Les cités de la vallée de l'Énipeus, 1995 · A. S. McDEVITT, Inscriptions from Thessaly, 1970 (Liste) · B. HELLY, Inscriptions de Thessalie: état du *corpus*, in: Verbum 10, 1987, 69–99. ED.: Ders., in: BCH 94, 1970, 161–189 · Ders., in: Mnemosyne 23, 250–296 · V. MISAÏLIDOU DESPOTIDOU, in: ABSA 88, 187–217. LIT: BECHTEL, Dial. 1, 131–212 · W. BLÜMEL, Die aiolischen Dial., 1982 · J. L. GARCÍA RAMÓN, Geografía intradialectal tesalia: la fonética, in: Verbum 10, 1987, 101–153 · Ders., Cuestiones de léxico y onomástica tesalios, in: AION (sezione linguistica) 19, 1997, 521–552 (mit Lit.) · THUMB/SCHERER, 175–193.   J. G.-R.

Thessaloi, Thessalia (Θεσσαλοί, Θεσσαλία, thessalisch auch Θεθαλοί / *Thethaloí* bzw. Φεταλοί / *Phetaloí* oder Πετθαλοί / *Petthaloí*: [6]).

I. GEOGRAPHIE
II. FRÜHGESCHICHTE BIS ARCHAISCHE ZEIT
III. KLASSISCHE ZEIT
IV. HELLENISMUS UND RÖMISCHE ZEIT
V. BYZANTINISCHE ZEIT

I. GEOGRAPHIE

Nordgriech. Stamm bzw. Landschaft zw. → Makedonia, → Epeiros und Mittelgriechenland; das Gebiet der Tetraden Thessaliotis, Hestiaiotis, Pelasgiotis und → Phthiotis (1), mit ca. 9790 km² das größte griech. Stammesgebiet (Strab. 9,4,18), umgeben von hohen Bergzügen: im Norden des Olympos [1] (2918 m), im Westen der Pindos [1], nach Süden der → Othrys und zum Meer Ossa [1] sowie → Pelion. Um den Binnenraum lagerte sich ein Gürtel von → *períoikoi*-Gebieten, die von den Th. unterworfen wurden: im Norden Perrhaibia (→ Perrhaiboi), im Osten die Magnesia [1], im Süden die Achaia → Phthiotis (2) und bis in die Spercheios-Senke zuweilen die Regionen der → Malieis, → Ainianes und → Oitaioi. Das thessal. Herrschaftsgebiet spannte sich damit zeitweise vom Olympos bis zu den → Thermopylai (h. die *nomoí* Larisa, Trikala, Karditsa, Magnisia und Phthiotis). An der langen Steilküste (Ossa-Pelionkette: Eur. Alc. 595) gibt es Naturhäfen nur in der Bucht vom h. Volos (→ Pagasai, → Pyrasos). Durch die weiträumigen Binnenebenen des Kernlandes (100–150 m über NN) zieht sich im Westen ein verzweigtes Wassernetz der perennierenden Flüsse → Peneios und Enipeus [2], die sich bei Limnaion vereinigen und einen Keil durch die mittelthessal. Schwelle (bis 700 m über NN) nach Osten in die Pelasgiotis treiben. Von dort bahnt sich der Peneios einen Weg nach NO durch das → Tempe-Tal und mündet zw. Olympos und Ossa ins Meer. Die ant. Hauptverkehrsachse von Norden nach Süden, die Makedonia mit Griechenland verband, verlief im wesentlichen wie die h. Autobahn durch das Tempe-Tal nach Larisa [3], → Pherai, entlang des Golfs von Volos nach Lamia [2], nach Westen ging sie von Larisa über Trikala nach Kalambaka zum Paß von Metsovo (1650 m).

Die starke Binnenlage bedingt ein kontinentales, für mediterrane Vegetation (Olivenanbau) zu gegensätzliches Klima (schneereiche Winter, sehr heiße Sommer, im April/Mai Glutwind vom Pindos). Während die Alluvialböden der Ebenen um Larisa, → Krannon, → Skotussa und Pherai gute Möglichkeiten für Vieh- und Pferdezucht sowie Getreideanbau bieten, erhält das Schwemmland in den westl. Tetraden in den Regenmonaten eher zuviel Wasser und ist nur teilweise kultivierbar. Die ausgedehnten Sumpfgebiete und der binnenländische Charakter führten in der Ant. zur zutreffenden geomorphologischen Erklärung, daß Thessalia einst ein See war (Hdt. 7,129). Die Entwässerung erfolgte durch Erosion im Tempe-Tal. Quellen zur Top. und Geogr.: Ps.-Skyl. GGM 1, 64f.; Apoll. Rhod. 1,35–68; 1,519–598; Strab. 9,4,18–9,5,23. Die thessal. Orte im Schiffskatalog Hom. Il. 2,681–759 [12. 76–96].

II. FRÜHGESCHICHTE BIS ARCHAISCHE ZEIT

Erste Siedlungsspuren vom E. des Paläolithikum verdichten sich rasch und zeugen seit dem Frühneolithikum von einer kontinuierlichen, regen Besiedlung mit bislang über 400 arch. nachgewiesenen Siedlungsplätzen (z. T. befestigte Anlagen; Zentrum → Sesklo zw. Pagasai und dem Westufer der → Boibe; vgl. [1]). Im SH II A erfolgte die langsame Verbreitung der myk. Kultur über das in den ältesten Sagen (→ Argonautai, → Iason [1]) genannte Palastzentrum von → Iolkos [2; 12. 70f.]. Nach Einsickern von Zuwanderern aus Epeiros und Unterwerfung der Vorbevölkerung entwickelte sich seit dem 9. Jh. v. Chr. durch Adaption nw Einflüsse graduell ein regionales Stammesbewußtsein mit eigenem, aiolischem Dialekt (→ Aioleis [1] C.) und materieller Kultur, zuerst in der Pelasgiotis (protogeom. Zentrum von Pherai [3. 170–175]; zu den archa. FO [4. 275–280]).

Die Th. weiteten ihren mil. Einfluß schnell über die Binnenebenen des Peneios aus: gegen E. des 7. Jh. Unterwerfung der *períoikoi* [7; 8], Einnahme des Heiligtums

und der Amphiktyonie (→ *amphiktyonía*) von Anthela am Malischen Golf; durch Stimmanteile der *períoikoi* auch maßgebliche Kontrolle der delphischen Amphiktyonie (→ Delphoi; später 14 der 24 → *hieromnémones*: Aischin. or. 2,116; Vorsitz bei den → Pythia [2]; vgl. [15]). Infolge des 1. → Heiligen Kriegs erlangten die Th. kurzzeitig die Hegemonie über → Phokis und bedrängten → Boiotia, wurden aber um die Mitte des 6. Jh. zurückgeschlagen (Schlachten von Hyampolis und Keressos; [9]); in der Folgezeit unterstützten sie die → Peisistratidai in Athen (Hdt. 5,63). In der 2. H. des 6. Jh. gestaltete Aleuas »der Rote« (→ Aleuadai) aus Larisa den Verband der Th. grundlegend neu [10; 11; 12] durch die jetzt als Wehrbezirke organisierten Tetraden und ihre Verknüpfung mit den seit alters bestehenden *kléroi* (»Landlose«, → *kléros*; je 40 Reiter und 80 → *hoplítai*: Aristot. Fr. 497f. ROSE mit [12]). Da diese im Besitz aristokratischer Familien waren (Larisa: → Aleuadai; → Pharsalos: Echekratidai; Krannon: → Skopadai) und von unfreier Bevölkerung bewirtschaftet wurden (→ *penéstai* [1]; [14]), zementierte diese Verfassung auf Dauer die für Thessalia charakteristische Vorherrschaft der Adelsclans (oft als βασιλεῖς/*basileís*, »Könige«, bezeichnet: Pind. P. 10; [12. 101–130]). Neue Studien sehen als Oberbeamten dieser Ordnung den Tetrarchen (→ *tetrárchēs*; und nicht mehr den ταγός/*tagós*), der ausschließlich lokale Kompetenzen gehabt haben soll: [12] mit [13]).

III. KLASSISCHE ZEIT

Unter Führung der perserfreundlichen Aleuadai schloß sich Thessalia frühzeitig → Xerxes I. an (der Widerstand der übrigen Adelshäuser, die darin die Gefahr der aleuadischen Dominanz sahen, wurde vom Hellenenbund nicht gestützt: Hdt. 7,172f.; vgl. [16]). Nach den → Perserkriegen übernahmen die Echekratidai die Vorherrschaft und bewerkstelligten 461 v. Chr. eine Allianz mit Athen (Thuk. 1,102,4 mit [17. 186f.]), die aber von spartafreundlichen Parteigängern unterwandert wurde (Schlacht von → Tanagra 457 v. Chr.). Rivalitäten zw. aristokratischen Kräften bestimmten auch die Haltung der Th. im → Peloponnesischen Krieg: Während das → *koinón* mit Athen verbündet war, kooperierten einzelne Adelige mit dem Spartaner → Brasidas (Thuk. 4,78,1–6). Der Thessal. Bund, an dessen Spitze der von der Bundesversammlung gewählte *tagós* und unter diesem die Tetrarchen standen [18. 14–23] (seit Mitte des 5. Jh. Polemarchen: SEG 1960, 243; → *polémarchos* [4]), hatte nur geringe Durchsetzungsmöglichkeiten (Münzprägung: [19]). Das Amt des *tagós* verlor kontinuierlich an polit. Bed. [20. 125–127]; instruktiv ist das Fehlen eines ausgeprägten Bundeskultfestes (s. aber [25. 23–25] zur Rolle des Athena Ithona-Kultes).

Im 4. Jh. v. Chr. verschärfte sich der Konflikt zw. dem Bund und der gentilizischen Organisation der Adelsfamilien durch die Ambitionen der Machthaber von Pherai (für Thessalia atypische Sozialstruktur: [17. 189]). Ihre Herrschaft (oft als → Tyrannis mißver-

standen; dazu [21; 22]) war durchaus populär (Lykophron [2], Iason [2]). Unter Iason (375/4 zum *tagós* gewählt) erlebte der Bund eine neue Blüte (Bündnisse mit
Athen und → Thebai [2]). Seine Ermordung im J. 370
verhinderte die Realisierung weiterer Pläne [22. 115–
132]. Gegen die gewaltsame Expansion der Nachfolger
(Polydoros [7], → Polyphron, Alexandros [15]) sah sich
der Bund zu Hilfsgesuchen an Makedonia (Alexandros
[3]) und die Stadt Thebai genötigt, für die → Pelopidas
mehrfach intervenierte (Schlacht von → Kynoskephalai
364 v. Chr.); unter diesem auch Reform der Bundesor-
ganisation (nicht nach boiotischem Vorbild; [20. 130f.,
219]) und Stärkung der Zentralgewalt (jährliches Archontat: IG II² 116). Neuerliche Angriffe von Pherai
konnte der Bund aber nur mit Hilfe Philippos' [4] II.
abwehren, der zum mil. Oberbefehlshaber der Th. auf
Lebenszeit gewählt wurde [24. 377] und seine Macht in
Thessalia zielstrebig ausbaute (Wiederbelebung des
Tetradenwesens, Dekarchien in den Städten). Thessalia
wurde eigenständiges Mitglied im → Korinthischen
Bund (Abtrennung der *períoikoi*: ToD 2, 177), war aber
direkt von Makedonia abhängig und wegen seiner geo-
strategischen Lage für die Makedonenkönige die nächsten 170 J. von bes. Bed.

IV. HELLENISMUS UND RÖMISCHE ZEIT

Seit dem → Lamischen Krieg kam es zu wiederholten
Abfallbewegungen vom thessal. Bund, die von Poly-
perchon [1] und Demetrios [2] vereitelt und nach 294
durch Gründung der Hauptstadt Demetrias [1] an der
Stelle von Pagasai (unter Einbeziehung der Orte von
Magnesia [1] als *kōmai*; → *kōmē*) eingedämmt wurden
[23]. Zur Konsolidierung unter maked. Herrschaft kam
es aber erst nach dem Tod des Pyrrhos [3] 272 v. Chr.,
der für die Eigenständigkeit des Bundes der Th. einge-
treten war ([24] mit Neudatier. der berühmten »Dao-
chos-Inschr.«: Syll.³ 274). Im Schnittpunkt zw. Makedonia und den südl. Regionen blieb das Schicksal von
Thessalia bewegt: wechselnde Einfälle der → Aitoloi
[26. 165–183] und maked. Rückeroberungen durch
Antigonos [3] (224 Mitglied des Hellenenbundes: StV 3,
507); unter Philippos [7] V. (Briefe an Larisa: Syll.³ 543)
maked. Ausgreifen bis in die Phthiotis (Eroberung von
Thebai). Erst nach dem 2. → Makedonischen Krieg
(Schlacht von Kynoskephalai 197 v. Chr.) mußte Philippos ganz Thessalia (einschließlich Demetrias) räumen.

Nach der Freiheitserklärung an den → Isthmia 196
v. Chr. erfolgte die Restituierung des Bundes der Th.
(auch von Perrhaibia und Magnesia; dafür Gebietskom-
pensationen im Gebiet der Malieis und in der Achaia
→ Phthiotis (2)) und unter Federführung des T. Quinctius [I 14] Flamininus die Einrichtung der neuen Verfassung mit einem jährlich wechselnden → *stratēgós* an
der Spitze (Strategenliste: IG IX 2, XXIVf.; [27]), einem
→ *synhédrion* in Larisa (Vertreter der Bundesstädte); in
den Städten Kollegien von in der Regel fünf *tagoí* [12].
In Larisa wurde dem Zeus Eleutherios ein Bundeskult
mit Wettkämpfen gestiftet (IG IX 2,525; 528). Aber-

malige Spannungen, ausgelöst durch das Engagement
des Perseus [2] in Dolopia (→ Dolopes) und Thessalia,
mündeten nach erfolglosen Verhandlungen in Larisa in
den 3. → Makedonischen Krieg (hauptsächlich in Thessalia ausgetragen). Nach der Schlacht von Pydna im J.
168 blieb Thessalia jedoch neben dem neu eingerichteten Städtebund von Magnesia als polit. Organismus
bestehen, auch nach der Eingliederung in die röm.
Prov. Macedonia im J. 148 (seit 146 wieder um Perrhaibia erweitert [27. 204–213]).

Im röm. Bürgerkrieg 48 v. Chr. (→ Roma I.D.4.)
war Thessalia erneut maßgeblicher Kriegsschauplatz.
Bei der Prov.-Ordnung von 27 v. Chr. wurde es Achaia
zugeschlagen [28; 29]. → Augustus übernahm für das
Jahr 27/26 ostentativ die eponyme Bundesstrategie
[27. 128f.], bei der Reorganisation der delphischen
Amphiktyonie erfolgte aber eine deutliche Zurückstu-
fung von Thessalia hinter Nikopolis [3] (Paus. 10,8,3;
zur Organisation des Bundes, hauptsächlich Pflege des
Kaiserkultes, vgl. [29]). In der Reichsordnung des Diocletianus bildete Thessalia (mit Magnesia) eine eigene
Prov. der Diözese Moesiae (→ Moesi; → Diocletianus,
mit Karte).

→ Makedonia (mit Karte); Thessalisch

1 B. OTTO, Die verzierte Keramik der Sesklo- und
Diminikultur Thessaliens, 1985 2 B. FEUER, The Northern
Mycenaean Border in Thessaly, 1983 3 C. MORGAN, The
Archaeology of Sanctuaries, in: L. G. MITCHELL,
P. J. RHODES (Hrsg.), The Development of the Polis in
Archaic Greece, 1997, 168–198 4 F. LANG, Archa.
Siedlungen in Griechenland, 1996 5 H. D. WESTLAKE,
Thessaly in the Fourth Century B. C., 1935 6 P. R. FRANKE,
Φεθαλοί, Φεταλοί, Πετθαλοί, Θεσσαλοί, in: AA 1970, 85–93
7 F. GSCHNITZER, Abhängige Orte im griech. Alt., 1958
8 G. KIP, Thessal. Stud., 1910 9 G. A. LEHMANN, Thessaliens
Hegemonie über Mittelgriechenland im 6. Jh. v. Chr., in:
Boreas 6, 1983, 35–43 10 F. GSCHNITZER, Namen und
Wesen der thessal. Tetraden, in: Hermes 82, 1954, 451–464
11 M. SORDI, La lega tessala, 1958 12 B. HELLY, L'état
thessalien, 1995 13 M. SORDI, Rez. zu [12], in: Gnomon 70,
1998, 418–421 14 J. DUCAT, Les Pénestes des Thessalie,
1994 15 F. LEFÈVRE, L'Amphictione pyléo-delphique, 1998
16 H. D. WESTLAKE, The Medism of Thessaly, in: JHS 56,
1936, 12–24 17 H.-J. GEHRKE, Stasis, 1986 18 J. A. O.
LARSEN, Greek Federal States, 1968 19 P. R. FRANKE,
Numismatic Evidence on the Existence of a Thessalian
Confederacy, in: NC 2, 1973, 5–13 20 H. BECK, Polis und
Koinon, 1997 21 J. MANDEL, Jason, in: Rivista storica
dell'Antichità 10, 1980, 47–77 22 S. SPRAWSKI, Jason of
Pherai, 1999 23 F. STÄHLIN, Pagasai und Demetrias, 1934
24 W. GEOMINY, Zum Daochos-Weihgeschenk, in: Klio 80,
1998, 369–402 25 A. MOUSTAKA, Kulte und Mythen auf
thessal. Mz., 1983 26 J. B. SCHOLTEN, The Politics of
Plunder, 2000 27 H. KRAMOLISCH, Die Strategen des
Thessal. Bundes, 1978 28 G. W. BOWERSOCK, Zur Gesch.
des röm. Thessaliens, in: RhM 108, 1965, 277–289
29 F. BURRER, Mz.-Prägung und Gesch. des Thessal. Bundes
in der röm. Kaiserzeit, 1993.

A. PHILIPPSON, Thessalien und Epiros, 1897 ·
PHILIPPSON/KIRSTEN 1,1 · F. STÄHLIN, Das hellenische
Thessalien, 1924 · Ders., s. v. Thessalia, RE 6 A, 70–111 ·

Kirsten/Kraiker, 592–622 · Pritchett 2 · H.-J. Höper, Beobachtungen über den Wandel von Siedlungen und Behausungen in Ostthessalien, in: L. Hempel (Hrsg.), Geogr. Beitr. zur Landeskunde Griechenlands, 1984, 41–120 · Y. Auda u. a., Espace géographique et géographie historique en Thessalie, in: F. Audouze (Hrsg.), Archéologie et espaces, 1990, 87–126 · I. Blum, Top. antique et géographie en pays grec, 1992 · B. G. Intzesiloglou, Ἱστορικὴ τοπογραφία τῆς περιοχῆς τοῦ κόλπου τοῦ Βόλου, in: La Thessalie, Quinze années de recherches archéologiques (1975–1990), 1994, 31–56 · La Thessalie, pays de dieux de l'Olympe (Les dossiers d'archéologie 159), 1991.   HA. BE.

V. Byzantinische Zeit

392 n. Chr. wurde das → Illyricum (wie Hellas [1] und Thessalia) der östl. Reichshälfte des röm. Reiches zugeschlagen (→ Theodosius [2] I.). Es kam zu wiederholten Einfällen verschiedener Volksstämme aus dem Norden (u. a. der → Goti). Nach Iustinianus [1] I. (gest. 565) verloren die Kaiser in → Konstantinopolis die Kontrolle über Thessalia. Ab 578 drangen im Gefolge der → Avares → Slaven nach Thessalia ein, die sich dort ansiedelten und »byzantinisiert« wurden. Ab der Mitte des 8. Jh. erfolgte eine zweite slavische Einwanderung. Im 10. Jh. Einfälle der → Bulgaroi (bis 1014), 1082 Plünderung durch die Normannen unter Robert Guiscard. Die Handelsprivilegien Alexios' I. für die Venezianer erstreckten sich auch auf die Städte der Th. Nach 1204 stand Thessalia unter lat. (Bonifaz von Montferrat), ab 1218 teilweise unter epeirotischer Herrschaft. 1393 fiel das Gebiet nach vorübergehender katalanischer, byz. und serbischer Herrschaft an die Osmanen unter Bayezid I.

Koder/Hild · A. P. Abramea, Ἡ Βυζαντινὴ Θεσσαλία μέχρι τοῦ 1204, 1974.   COR. SCH.

Thessalonike (Θεσσαλονίκη).

[1] (lat. Thessalonica, -nice; auch h. Th.).
I. Lage, klassische Zeit
II. Byzantinische Zeit

I. Lage, klassische Zeit

Stadt am → Thermaios Kolpos mit günstigem Naturhafen und besten Verbindungen ins Hinterland (nachmals auch über die → via Egnatia) nahe dem noch nicht lokalisierten → Therme (Grabfunde aus vorhell. Zeit); etwa 315 v. Chr. von → Kassandros gegr. und nach seiner Frau Th. [2], einer Halbschwester Alexandros' [4] d. Gr., benannt; ca. 26 kleinere Gemeinden, einschließlich → Therme und → Chalastra [1] (Strab. 7a,1,20), gingen in der Neugründung auf. Der Umstand, daß → Pella [1] wegen der zunehmenden Verlandung des → Lydias als Hafenstadt immer mehr an Bed. verlor, begünstigte die Entwicklung von Th. zur bedeutendsten maked. Hafenstadt. Nach dem E. des 3. → Makedonischen Krieges 168 v. Chr. Hauptstadt der zweiten maked. merís (regio, »Teilstaat«: Liv. 45,29,9).

Nach dem Sieg der Römer über Philippos VI. (→ Andriskos [1]) 148 v. Chr. wurde Th. Sitz der röm. Provinzialverwaltung in Macedonia (→ Makedonia (II. D.; Cic. Planc. 41). Die Stadt nahm im Bürgerkrieg 42 v. Chr. Stellung für M. Antonius [I 9] und den nachmaligen Augustus, weshalb sie nach der Schlacht bei → Philippoi den Status einer civitas libera erhielt, was sie auf Mz. feierte (BMC Macedonia 115 Nr. 62). Unter Gordianus [3] III. erhielt Th. den Titel neōkóros, unter Decius [II 1] war Th. → mētrópolis [2] und → colonia (IG X 2,1,167). Die Stadt konnte mit ihren starken Befestigungsanlagen mehrere gotische Angriffe (→ Goti) abwehren (250, 253, 262, 269 n. Chr.; vgl. Zos. 1,29; 43,1); nach der röm. Niederlage von Hadrianopolis [3] 378 n. Chr. diente Th. → Theodosius [2] I. als Basislager für den Krieg gegen die Goti. Die Wehrhaftigkeit der Stadt bewog wohl → Galerius [5] dazu, sie prächtig als Residenzstadt auszubauen. Nach der Verlegung des Amtssitzes des → praefectus praetorio in → Illyricum von → Serdica nach Th. wurden wohl um 442/3 die Stadtmauern verstärkt (IG X 2,1, 43), die im Verlauf der nächsten Jh. den Angriffen von → Hunni und immer wieder von → Avares und → Slaven trotzten – nicht zuletzt, wie man sagte, dank der Hilfe des Märtyrers Demetrios [17] (vgl. die Miracula S. Demetrii des Iohannes [31]).

Im 3. Jh. v. Chr. empfing Th. delphische theoroí, »Festgesandte« [1. 17 Z. 66]. Spätestens seit Philippos [7] V. (221–179 v. Chr.) hatte die Stadt eine eigene polit. Gemeindestruktur mit Rat, Volksversammlung und Kassenbeamten (tamíai); doch beanspruchte der König in einigen Finanzfragen das letzte Wort (Moretti 111; IG X 2,1, 1028). Seit 187 v. Chr. eigene Mz.-Prägung. Auch waren politárchai in Th. tätig. Damals hatte Th. bereits eine sehr große Bevölkerung (urbs celeberrima: Liv. 45,30,4), was Strab. 7,7,5 über anderthalb Jh. später noch bezeugt. Zu E. des 1. Jh. v. Chr. gab es in Th. einen conventus civium Romanorum (IG X 2,1, 32f.), eine jüd. Gemeinde, die 49/50 und 56 n. Chr. der Apostel Paulus [2] besuchte (Apg 17,1–9), desgleichen eine Gemeinde der Serapisverehrer (Moretti 111).

Teilweise erh. sind die »künstlichen« Hafenanlagen (322 n. Chr. unter Constantinus [1] I. erbaut), ein ion. Tempel aus der Zeit um 500 Jh. v. Chr. (auf dem Gebiet von Therme?), die orthogonale Stadtanlage, die Stadtmauer mit der Porta Aurea und die Wehranlage der Akropolis, das Serapeion im Westen der Unterstadt, Odeion und Stoa an der Agora, eine fünfschiffige Basilika (Krypta), die Basilika der Panagia Archeiropoietos (nach 431 auf röm. Thermen erbaut), die Kirche Hosios Daouid aus dem 5. Jh. (Mosaik), außerdem Thermen, Gymnasion und Stadion im Norden der Stadt sowie ein Theater. Unter Galerius [5] errichtete erh. Bauten: Palast (mit Thronsaal), Hippodrom, Ehrenbogen (305 n. Chr. aus Anlaß seines Sieges über die Perser 297 errichtet) sowie eine Rotunde (Mosaiken vom E. des 4. Jh., als diese in eine Kirche umgebaut wurde, h. Ausstellungsraum). Einzelfunde (u. a. Statuen etc.): Arch. Mus. in Istanbul und Thessaloniki.

Aus Th. stammen die Schriftsteller Antipatros [9], Iosephos [5], → Kaminiates, Makedonios [2] und Philippos [32]. Der Größe und allgemeinen Bed. der Stadt entsprach der Einfluß des dortigen Bischofs, der als Metropolit von Macedonia im 4. und 5. Jh. eine bes. Stellung gleichsam als Vertreter der Interessen des Bischofs von Rom im Illyricum erwarb.
→ Makedonia (mit Karten)

1 A. PLASSART, in: BCH 45, 1921, 1–85.

F. PAPAZOGLOU, Les villes de Macédoine, 1988, 189–212 · M. VICKERS, Hellenistic Thessaloniki, in: JHS 92, 1972, 156–170 · Ders., s. v. Th., PE 911–913 · J. M. SPIESER, Thessalonique et ses monuments, 1984 · P. ADAM-BELENE (Hrsg.), Thessaloniken Philippu Basilissan (Θεσσαλονίκην Φιλίππου Βασίλισσαν), 1985 · I. TOURATSOGLOU, Die Münzstätte von Thessaloniki in der röm. Kaiserzeit, 1988 · H. P. LAUBSCHER, Der Reliefschmuck des Galeriusbogens in Thessaloniki, 1975 · N. D. PAPACHATZIS, Die Denkmäler von Thessaloniki, 1963 · TIR K 34 Naissus, 1976, 139–147.

MA. ER.

II. BYZANTINISCHE ZEIT
Der Bischof von Th. diente im Ostreich als Gegengewicht zum Patriarchen von Konstantinopolis, bis das → Illyricum im 8. Jh. der Jurisdiktion des Papstes entzogen und der östl. Kirche unterstellt wurde. Th. blieb in dieser Zeit durchgehend in byz. Hand, obwohl zeitweise seine ganze Umgebung von den → Slaven beherrscht wurde, und stieg mit der Stabilisierung der byz. Position auf der Balkanhalbinsel im 9.–12. Jh. wieder zu einem bed. Handelszentrum auf. Die Plünderungen durch arab. Piraten 904 und durch die Normannen 1186 konnte diese Entwicklung nicht verhindern. Von 1204 bis 1224 war Th. Hauptstadt eines Königreichs der Kreuzfahrer, kam dann wieder in byz. Hand und wurde zuerst 1387, endgültig 1430 von den Osmanen erobert.

A. VACALOPOULOS, History of Thessaloniki, 1963.　AL. B.

[2] Tochter des Philippos [4] II. und der Nikesipolis (Athen. 13,557c), einer Nichte des Iason [2] (Steph. Byz. 312 M.), die bald nach der Geburt der Th. starb. Th. muß den Namen (wörtl. »Thessalischer Sieg«) nach Philippos' Sieg über → Onomarchos erhalten haben, ist daher wohl 352/1 v. Chr. geb. Über ihre Jugend ist nichts bekannt, sie erscheint erst 317/6 in Pydna wieder, als es von → Kassandros belagert und erobert wurde. Nachdem dieser → Olympias [1] hatte töten lassen, heiratete er die ca. 35jährige Th., um einen Anspruch auf den maked. Thron vorzubereiten (Diod. 19,52,1); eine frühere Ehe Th.s im damals üblichen Alter hatte Olympias sicher verhindert, um aus Th.s Gatten keinen Thronbewerber werden zu lassen. Th. hatte mit Kassandros drei Söhne und wurde von ihm durch die Gründung von Th. [1] geehrt. Nach Kassandros' und des ältesten Sohnes Tod (298/7) war sie de facto Regentin, bis der zweitälteste Sohn, Antipatros [2], sie 294 ermordete (Diod. 21,7 MÜLLER).　E. B.

Thessalos (Θεσσαλός).
[1] Eponym der griech. Landschaft Thessalia (→ Thessaloi; Plin. nat. 4,28), Sohn des → Haimon [1] (Rhianos FGrH 265 F 30), des Herakliden Aiatos (Charax FGrH 103 F 6) oder des → Iason [1] und der → Medeia (Diod. 4,54f.).　CA. BI.

[2] Athener, Sohn des Peisistratos [4]. Ungenannt bei Herodot, erscheint Th. zuerst bei Thukydides (1,20,2; 6,55,1) als kinderloser Vollbruder des Hippias [1] und Hipparchos [1] von deren Athener Mutter; im Bericht der (ps.-)aristotelischen *Athēnaíōn politeía* (17f.) ist Th. dagegen Halbbruder der beiden als Sohn der → Timonassa, heißt dort → Hegesistratos [1] und führt »Th.« als Alternativnamen. Auch spätere Autoren tragen nicht zur Klärung bei.

TRAILL, PAA 513175 · DAVIES 11793, V. C · RHODES, 224–230 (anders).

[3] Athener, Adliger aus Lakiadai, Sohn des → Kimon [2] und der mit den Alkmeoniden verwandten Isodike. Th. war 415 v. Chr. der Ankläger gegen → Alkibiades [3] wegen des Mysterienfrevels (Plut. Alk. 19,3; 22,4; Diodoros Periegetes, FGrH 372 F37).

TRAILL, PAA 513180 · DAVIES 8429, XIII. C.; 9688, VIII. D.).
K. KI.

[4] (Thettalos). Erfolgreicher Tragödienschauspieler der 2. H. des 4. Jh. v. Chr. (DID A 1, 315) in Athen, in Alexandros' [4] d. Gr. Gefolge auch andernorts (→ Tyros, vgl. Plut. Alexander 29,681d 12f.). 331 Gesandter für Alexandros in Karien (Plut. ebd. 10,669d 21f.).

PICKARD-CAMBRIDGE, 357 (Index III).　B. Z.

[5] Th. von Kos. Griech. Arzt, 5.–4. Jh. v. Chr., den ant. Biographen zufolge ältester Sohn des → Hippokrates [6] und Verf. bzw. Bearbeiter einiger unter dem Namen seines Vaters überl. Schriften. In einem der pseudohippokratischen Briefe (epist. 22: 9,392 L.) wird ihm geraten, Geom. und Mathematik als Grundlagenfächer der Medizin zu studieren. Der *Presbeutikós* (epist. 27: 9,404–428 L.) ist eine fiktive Rede des Th., welche die Athener überzeugen will, die Koer eingedenk der Dienste seines Vaters und seiner Familie für Athen (v. a. während der von Thukydides beschriebenen Pest, vgl. → Epidemische Krankheiten II. B.) nicht zu versklaven. Th. sagt darin aus, er sei nach Makedonien, mit dessen Herrscherfamilie er freundschaftlich verbunden war, und nach Thessalien gereist, um im Kampf gegen die Pest zu helfen. Später habe er mit → Alkibiades [3] ohne Vergütung an der Sizilischen Expedition (→ Peloponnesischer Krieg) teilgenommen und sei von den Athenern mit einer goldenen Krone belohnt worden. Ob daran etwas Wahres ist, ist schwer zu sagen: Die Rede selbst ist fiktiv und jüngeren Datums, doch einige Details sind durchaus plausibel. Ob Th. Herausgeber oder gar Verf. einiger Schriften des *Corpus Hippocraticum* war, ist gleichfalls fraglich. In der Nachfolge hell. Gelehrter hatte → Galenos Th.' Verfasserschaft zur Erklärung von

Widersprüchen und Irrtümern in den hippokratischen Texten benutzt. Doch herrschte schon damals Ungewißheit darüber, welche Texte Th. nun tatsächlich verfaßt habe (das 2., 4. und 6. ›Epidemien‹-Buch: Galenos, CMG V,10,2,2). Die These von Th.' Beteiligung am hippokratischen Corpus bot ein willkommenes Alibi, um den großen Hippokrates von Irrtümern freizusprechen.

W. D. SMITH, Hippocrates. Pseudepigraphic Writings, 1990 (mit engl. Übers.) · H. DILLER, s. v. Th. (5), RE 6 A, 165–168 · SMITH, 121–122, 215–218 · J. R. PINAULT, Hippocratic Lives and Legends, 1992 · J. JOUANNA, Hippocrate, 1992, 68–69.

[6] Th. von Tralleis. Griech. Arzt, wirkte um 60 n. Chr. in Rom. Als umstrittener → Methodiker erklärte Th. sich unabhängig von seinen Vorläufern und entwickelte die Vorstellungen des → Themison [2] so stark weiter, daß er als Neuschöpfer oder Vollender des Methodismus gelten konnte. Er verkündete seine Überlegenheit in seinen Schriften (darunter ein prahlerischer Brief an Nero [1]), bei seinen zahlreichen, von großem Gefolge begleiteten öffentlichen Auftritten sowie auf seinem Grabstein, auf dem er *iatroníkēs*, »Erster der Ärzte«, genannt wurde (Plin. nat. 29,5,9). Seine polemischen Ausfälle provozierten ebenso heftige Reaktionen, welche viele Einzelheiten seines Lebens und seiner Lehre überlagern. Th. entwickelte Themisons Vorstellung von Krankheitskommunitäten als Ergebnis von Veränderungen in den Körperteilen und -poren weiter, um damit eine Vielfalt von körperlichen Zuständen zu erklären. Er unterschied allgemeine, diätetisch behandelbare Zustände (→ Diätetik) von solchen, die chirurgische Intervention verlangen, wobei er beide Kategorien weiter untergliederte. Letztere Zustände finden sich entweder äußerlich oder innerlich und sind durch Anomalien von Ort bzw. Größe oder durch Insuffizienz bedingt. Vergiftungen bildeten eine weitere Kommunität. Das Erscheinungsbild des Körpers verrät dem Arzt auf den ersten Blick, um welche Kommunität es sich handelt; aus ihr ergibt sich die Behandlung, die auf die Wiederherstellung des Gleichgewichts zielt und je nach Lokalisation wie auch Schweregrad der Krankheit mit Rücksicht auf das Alter des Patienten und die jeweilige Jahreszeit erfolgt.

Eine zweite Neuerung des Th. bestand in der *metasýnkrisis*, der kontinuierlichen Veränderung der Körperporen durch therapeutische Maßnahmen; diese konnten, wenn das veränderte Erscheinungsbild des Körpers es verlangte, bis zum konsekutiven Einsatz anscheinend konträrer Behandlungsformen gehen. Diese Bereitschaft, das therapeutische Vorgehen von Grund auf zu ändern, stand in Gegensatz zu den Anschauungen der Hippokratiker und → Empiriker, die das einmal gewählte Therapieverfahren bis zum Abschluß der Erkrankung fortführen wollten.

Th.' Sonderform des Methodismus galt später als eigentlicher Methodismus: So richten sich die Angriffe des → Galenos gegen den Methodismus im Grunde gegen Th.' Nachfolger, die »thessalischen Esel«. Doch spiegelt Galenos' Kritik an Th.' ungenauer Terminologie, mangelnden anatomischen Kenntnissen und therapeutischer Verworrenheit Th.' eigene skeptische Geringschätzung von Wissensgebieten wider, die er für zu unklar oder irrelevant für die effiziente medizinische Praxis hielt. Eine weit verbreitete, Th. zugeschriebene Abh. über astrologische Heilkräuter ist jüngeren Datums (4.–6. Jh.). Die darin enthaltenen autobiographischen Daten und hermetischen Lehrmeinungen widersprechen allem, was wir ansonsten von Th. wissen [1; 2]. → Methodiker

1 H. V. FRIEDRICH, Th. von Tralleis, 1968 2 D. PINGREE, Thessalus astrologus, in: P. O. KRISTELLER (Hrsg.), Catalogus Translationum et Commentariorum 3, 1976, 83–86.

FRG.: M. M. TECUSAN, The Fragments of the Methodist Sect, 2002 · H. DILLER, s. v. Th. (6), RE 6 A, 168–182 · J. PIGEAUD, L'introduction du Méthodisme à Rome, in: ANRW II 37.1, 1993, 565–599. V. N./Ü: L. v. R.-B.

Thestios (Θέστιος). Myth. Herrscher über → Pleuron in Aitolia (Strab. 10,2,24; 10,3,6), Sohn des → Ares (Apollod. 1,59; Ps.-Plut. de fluviis 22,1, GGM 2, p. 661 f.) oder des Agenor [3] (Asios bei Paus. 3,13,8) und der Demonike/Demodike (Apollod. 1,59; schol. Apoll. Rhod. 1,146–149a) oder der Peisidike (Ps.-Plut. l.c.), Bruder des Euenos, Molos und Pylos (Apollod. 1,59); von Eurythemis (Apollod. 1,62), Leukippe (Hyg. fab. 14,17) oder anderen (schol. Apoll. Rhod. 1,146–149a; 1,201a) Vater mehrerer Söhne (*Thestiádai*), u. a. von Iphiklos (Bakchyl. 5,128 f.; Apollod. l.c.; Hyg. fab. 14,17), → Plexippos (Apollod. l.c.; Ov. met. 8,439–444; Hyg. fab. 173 f.; 244), Eurypylos (Apollod. l.c.; schol. Hom. Il. 9,567a) und → Toxeus [3] (schol. Apoll. Rhod. 1,201b; Ov. l.c.), und mehrerer Töchter (*Thestiádes*), u. a. von → Althaia [1] (Eur. fr. 515 NAUCK²; Bakchyl. 5,137 f.; Diod. 4,34,4–7; Paus. 8,45,6), → Leda (Eur. fr. 515 N.²; Strab. 10,2,24; Paus. 3,13,8; Hyg. fab. 77; 150) und Hypermestra [2] (Diod. 4,68,5; Apollod. l.c.; Hyg. fab. 250). Th. findet seinen Sohn Kalydon [2] zusammen mit seiner eigenen Frau vor, glaubt an Ehebruch und tötet ihn. Anschließend ertränkt er sich im Fluß Axenos, der dann zunächst nach ihm Thestios und später → Acheloos [1] genannt wird (Ps.-Plut. l.c.).

1 J. BOARDMAN, s. v. Thestiades, LIMC 8.1, 5 f.
2 S. WOODFORD, s. v. Thestiadai, LIMC 8.1, 4 f. 3 Dies., s. v. Th., LIMC 8.1, 6. SI. A.

Thestor (Θέστωρ).
[1] Sohn Apollons und der Laothoe [2], einer der → Argonautai, trägt als Seher auch den Namen → Idmon [1] (Apoll. Rhod. 1,139). Vater des Sehers → Kalchas und des Alkmaon (Hom. Il. 1,69; 12,394), außerdem des → Theoklymenos (Hyg. fab. 128) sowie der Leukippe und der Theone (Hyg. fab. 190). In dieser Gesch. wird erzählt, wie Th. und seine beiden Töchter

durch eine Reihe von merkwürdigen Zufällen zu König Ikaros von Karien verschlagen werden und sich dort schließlich die Verwicklungen nach gefährlicher Zuspitzung durch → *anagnórisis* glücklich lösen.

[2] Troianer, Sohn des Enops, von → Patroklos [1] getötet (Hom. Il. 16,401–410).

[3] Gefährte des → Odysseus, von → Kirke in ein Schwein verwandelt [1].

　　1 O. Touchefeu-Meynier, s. v. Th., LIMC 8.1, 6.　　T. GO.

Theta (sprachwissenschaftlich). Der Buchstabe Θ bezeichnet im Griech. einen stimmlosen aspirierten dentalen Verschlußlaut /tʰ/; diese Lautung erweisen Wechselschreibungen wie kret. Πυτίōι (für Πυθίωι), Fälle von Hauchassim. und -dissim. (att. Ἀνθίλοχος, kret. Τευφιλω [1. 204, 257; 2. 139–141]) sowie die lat. Wiedergabe durch *t* in früh übernommenen Lw. (*tus*, Plaut. aus griech. θύος [3. 160]). Seit hell. Zeit, im Lakon. früher, mehren sich die Indizien für eine spirantische Aussprache [θ] (παρσένε, Aristoph. Lys. 1263 im Chorlied der Spartanerinnen, in lakon. Inschr. erst im 4. Jh. v. Chr. bezeugt: ἀνέσηκε) [1. 204–206]. Keinen Aufschluß gibt die Wiedergabe von θ durch *th* im Lat. seit dem 2. Jh. v. Chr.; durch *Afenodorus*, CIL III 9178, ist spirantische Aussprache vorausgesetzt [3. 160 f.].

In Erbwörtern geht θ auf uridg. *dʰ* zurück (ἐλεύθερος »frei« < *₂léudʰ-ero-), daneben kommt als Quelle *gʷʰ* vor *e* (θείνω »schlage« < *gʷʰen-ie/o-), in wenigen Fällen auch uridg. *t₂* (οἶσθα »weißt« < *uoid-t₂a) in Betracht [1. 297 f.; 4. 72, 84, 87]. Durch Hauchdissim. entsteht *t* aus urgriech. *tʰ* (τάφος »Grab« < *tʰapʰo- neben θάπτω »bestatte« < *tʰapt- [4. 97]). Die Folge *t'ḭ* wird hinter Kurzvokal (aber sonst (im Ion.-Att. stets) zu σ assibiliert; im Boiot. und Kret. steht hierfür ττ (ion.-att. μέσος »mittlerer«, dor. μέσσος, boiot. und kret. μέττος < *metʰḭo- < *medʰḭo- [1. 320 f.; 4. 90]); in ähnlicher Weise wird *ths* zu *ss* (bzw. *s*) assim. (πείσομαι < *pʰeḭtʰ-s- [1. 321; 4. 98]). Zur Wiedergabe von θ im Lat. s. o. Die lautliche Geltung des Buchstabens θ im Etr. ist umstritten (→ Etruskisch C.); in aus dem Griech. entlehnten EN steht er für griech. θ (etr. θεσε aus griech. Θησεύς). → Aussprache; T (sprachwissenschaftlich)

　　1 Schwyzer, Gramm. 2 M. Bile, Le dialecte crétois ancien, 1988 3 Leumann 4 Rix, HGG.　　GE. ME.

Theten (θῆτες). Nach den ältesten Zeugnissen (Hom. Od. 4,644; 11,489; Hes. erg. 602) Angehörige der unterbäuerlichen Schicht in den griech. Gemeinschaften der archa. Zeit. Sie waren allem Anschein nach personenrechtlich Freie, die als Gesinde im Hause ihrer Arbeitgeber, zunächst vornehmlich Bauern, lebten oder sich als → Tagelöhner bzw. Saisonarbeiter verdingten. Daher wird das Wort später zu einem Syn. für Lohnarbeiter (Plat. polit. 290a; Isokr. or. 14,48; Aristot. pol. 1278a 12 f., vgl. Hdt. 8,137,2) und bezeichnet generell ärmere Schichten (Aristot. pol. 1278a 22). In der älteren Forsch. gelegentlich geäußerte Annahmen, die Th. seien Hörige bzw. *serfs* oder *bondsmen* gewesen, finden in

der Überl. keine Stütze. Freilich waren Th. am ehesten von Schuldknechtschaft (→ Schulden) bedroht.

In technischem Sinn bezeichnet der Begriff in der timokratischen → *politeía* Solons [1] die unterste der vier Schatzungsklassen (Aristot. Ath. pol. 7,3 f.; Aristot. pol. 1274a 21; Plut. Solon 18,1 f.). Als solche sind die Th. in Athen auch noch im 5. und 4. Jh. v. Chr. belegt (Gründung der athen. → *apoikía* Brea in Thrakien: IG I³ 46; 44 = Syll.³ 67; athen. Expedition nach Sizilien: Thuk. 6,43; Gesetz über die Verheiratung einer → *epíklēros* aus der Schicht der Th.: Demosth. or. 43,54), wobei weitgehend unklar bleibt, wie die Grenze zur nächsthöheren Klasse, den → *zeugítai*, gezogen war. Nach Aristoteles gewährte Solon den Th. den Zugang zur Volksversammlung und den Gerichten, aber nicht zu den Ämtern. Wie der Fall des Anthemion zeigt, war sozialer Aufstieg eines Th. in die Schicht der → *híppeis* möglich (Aristot. Ath. pol. 7,3 f.). Die rechtlich-polit. Differenzierung der athen. Bürgerschaft wirkte sich v. a. auf mil. Gebiet aus; zum Dienst in der Flotte und als Leichtbewaffnete wurden v. a. die Th. herangezogen (Thuk. 6,43; vgl. 8,24,2; Aristot. pol. 1321a 5–15). Im 4. Jh. v. Chr. wurde diese Unterscheidung allerdings weitestgehend bedeutungslos. → Arbeit; Lohnarbeit

　　1 L. A. Burckhardt, Bürger und Soldaten, 1996 2 M. H. Hansen, The Athenian Democracy in the Age of Demosthenes, 1991, 43–46; 106–109 3 Rhodes, 136–146 4 W. Schmitz, Nachbarschaft und Dorfgemeinschaft im archa. und klass. Griechenland, in: HZ 268, 1999, 561–597; bes. 573 f.　　H.-J. G.

Thetideion (Θετίδειον). Heiligtum der → Thetis auf dem Gebiet von → Pharsalos. Kurz vor der Schlacht von → Kynoskephalai lagerten 197 v. Chr. das röm. und das maked. Heer in dessen Nähe (Pol. 18,20; Liv. 33,6,10). Die Lokalisierung ist problematisch: in Frage kommen dafür aufgrund der Marschrouten das Gelände bei Dasolophos (ehemals Bekides) oder wegen ant. Reste die Gegend um das h. Thetidion (ehemals Alchami).

　　J.-C. Decourt, La vallée de l'Enipeus en Thessalie, 1990, 205–207 · F. Stählin, s. v. Th., RE 6 A, 205 f.　　HE. KR.

Thetis (Θέτις). Tochter des → Nereus und der Doris [I 1], eine der → Nereiden (Hes. theog. 240–244; vgl. Hom. Il. 1,358; 18,36; Pind. P. 3,92; Apollod. 1,11 u. a.), von → Hera erzogen (Hom. Il. 24,60), Mutter des → Achilleus [1]. Als → Poseidon und → Zeus Th. begehren, sagt ein Orakel der → Themis vorher, daß der Sohn der Th. seinen Vater entmachten werde. Darauf beschließt Zeus, Th. gegen ihren Willen mit dem sterblichen → Peleus zu vermählen; ihren Sohn soll Th. gemäß einer weiteren Prophezeihung der Themis im Krieg sterben sehen (Pind. I. 8,28–37; vgl. Aischyl. Prom. 908–912.; Apoll. Rhod. 4,800–802). Th. versucht durch Verwandlung in verschiedene Tiere und Feuer vergeblich, sich dem Peleus zu entziehen (Pind. N. 4,62 f.) und wird mit ihm in prächtiger Hochzeit vermählt (Hom. Il. 18,432–435; 24,60–63; vgl. Catull. 64). Nach den → *Kýpria* verzichtet Th. aus Rücksicht auf Hera auf die Ehe mit Zeus und wird von diesem zur Strafe dafür mit Peleus vermählt (Kypria fr. 2 EpGF; vgl. Hes. cat. fr. 210). Nach einer auf Hesiods *Aigímios* zurückgehenden Trad. wirft Th. ihre Kinder von Peleus in einen Kessel mit kochendem Wasser ›weil sie wissen wollte, ob sie unsterblich seien‹ (Hes. fr. 300), wobei Achilleus vom Vater gerettet wird. Nach späteren Quellen legt Th. Achilleus ins Feuer und salbt ihn mit Ambrosia, um ihn unsterblich zu machen. Spätestens seit Soph. existiert jedoch auch die Trad., daß Th. Peleus nach der Geburt des Achilleus verläßt (Soph. fr. 151 TrGF 4; vgl. Apoll. Rhod. 4,866–868; schol. Apoll. Rhod. 4,816; Apollod. 1,171).

Seit dem 5. Jh. v. Chr. ist die Erzählung belegt, nach der Th. Achilleus als Mädchen verkleidet unter den Töchtern des Lykomedes [1] verbirgt, um seine Teilnahme am Troianischen Krieg zu verhindern (Paus. 1,22,6; Apollod. 1,171; vgl. Eur. fr. 682–686; Eur. incertarum tabularum fr. 880; 888; fr. adespota 9 TGF). In der ›Ilias‹ beklagt Th. die Sterblichkeit des Achilleus, gegen die sie nichts unternehmen kann (z. B. Hom. Il. 18,54–56). Sie gibt ihm Kleidung und einen goldenen Trinkbecher mit in den Krieg (ebd. 16, 221–224). Als Achilleus um → Patroklos [1] klagt, erscheint sie ihm zusammen mit den Nereiden, sagt ihm voraus, daß er nach dem Kampf mit → Hektor fallen werde und verspricht, ihm neue Waffen von Hephaistos zu beschaffen (ebd. 18,35–147) Am nächsten Morgen übergibt sie Achilleus die Waffen (ebd. 19,1–39). Nach der → *Aithiopís* entrückt Th. ihren Sohn nach dem Tod auf die Insel Leuke (EpGF p. 47,26–28; vgl. Pind. N. 4,49; Eur. Andr. 1260–1262).

Die große Beliebtheit der Th. in der griech. Vasenmalerei erreichte ihren Höhepunkt zw. 570 und 460 v. Chr., wobei am häufigsten der Kampf mit Peleus und die Übergabe der Waffen an Achilleus dargestellt wurden [4. 11]. Kultische Verehrung der Göttin Th. ist belegt in Sparta (Paus. 3,14,4), Thessalien (Hdt. 7,191,2) und bei Pharsalos (Eur. Andr. 20; 246; 565; → Thetideion).

1 M. MAYER, s. v. Th., RE 6 A, 206–242 2 W. H. ROSCHER, s. v. Th., ROSCHER 5, 785–799 3 L. M. SLATKIN, The Power of Th., 1991 4 R. VOLLKOMMER, s. v. Th., LIMC 8.1, 6–14 5 K. WALDNER, Geburt und Hochzeit des Kriegers, 2000, 82–101 6 E. W. LEACH, Venus, Th. and the Social Construction of Maternal Behavior, in: CJ 92.4, 1997, 347–372.   K. WA.

Theudios (Θεύδιος). Mathematiker und Philosoph aus Magnesia, wohl 4. Jh. v. Chr. Die einzigen Informationen über ihn stammen aus dem Mathematikerkatalog in → Proklos' [2] Euklid-Komm. [1. 67, Z. 12–20]. Dort erscheint er nach → Eudoxos [1] und vor Philippos von Medma, der ein Schüler Platons [1] war; Th. war also wohl ein Zeitgenosse des Aristoteles [6]. Nach Proklos betrieb Th. mit → Menaichmos [3] und → Deinostratos

gemeinsame Forsch. an der Akademie (→ *Akadémeia*), brachte die »Elemente« in ein geordnetes System und gab vielen definitionsartigen Bestimmungen eine allgemeinere Fassung (zur Deutung der unterschiedlichen Lesarten s. [2]). Somit war Th. möglicherweise der unmittelbare Vorgänger des → Eukleides [3] als Autor eines mathematischen Lehrbuchs. [4. 3 f.] vermutet, daß aus den ›Elementen‹ des Th. die mathematischen Beispiele des Aristoteles [6] stammen.

1 G. FRIEDLEIN (ed.), Procli Diadochi in primum Euclidis Elementorum librum commentarii, 1873 2 K. VON FRITZ, s. v. Th., RE 6 A, 244–246 3 T. L. HEATH, A History of Greek Mathematics, Bd. 1, 1921, 320–321 4 J. L. HEIBERG, Mathematisches zu Aristoteles (Abh. zur Gesch. der mathematischen Wiss. 18), 1904, 1–49 5 G. L. HUXLEY, s. v. Theudius of Magnesia, in: GILLISPIE 13, 334.   M. F.

Theudis. König (*rex*) im westgotischen Spanien 531–548 n. Chr., Großonkel → Totilas, wohl aus einer einflußreichen got. Familie [2. 157f.]. Als »Waffenträger« (*armiger*) von → Theoderich [3] d. Gr. ca. 511 als Befehlshaber zu den → Westgoten geschickt, Vormund des → Amalaricus. Th. heiratete eine wohlhabende Spanierin und übte, von Theoderich geduldet, die Herrschaft in Spanien aus (Prok. BG 1,12,50–54). Nach Amalaricus' Tod 531 wurde Th. *rex*, 548 wurde er ermordet (Chron. min. 2,283 f.; zum Datum [4. 356]).

1 P. AMORY, People and Identity in Ostrogothic Italy, 1997, 171 f. 2 P. HEATHER, Theoderic, in: Early Medieval Studies 4, 1995, 145–173 3 PLRE 2, 1112 f. 4 H. WOLFRAM, Die Goten, ⁴2001.   WE. LÜ.

Theudotos (Θεύδοτος). Griech. Tragiker (TrGF I 157), siegte mit dem Satyrspiel ›Palamedes‹ verm. im 1. Jh. v. Chr. in Magnesia [2] (DID A 13,5).   B. Z.

Theurgie (θεουργία), aus griech. »göttlich« (θεῖος, *theíos*) und »Handlung« (ἔργον, *érgon*): »Handlungen, die zum Göttlichen hin orientiert sind«. In den ersten Jh. n. Chr. kamen mehrere rel. Bewegungen auf, die Elemente platonischer Philos., Praktiken des trad. Kultes und neue Lehren kombinierten, von denen die Anhänger behaupteten, daß sie ihnen unmittelbar von den Göttern offenbart worden seien. Eine der einflußreichsten unter diesen war die Th., die bei der Götterverehrung die Riten in den Vordergrund stellte.

Die Th. soll von → Iulianos [4] »dem Chaldäer« und seinem Sohn → Iulianos [5] »dem Theurgen« gegründet worden sein, nachdem beiden Orakel übermittelt worden waren; zu den Wundergesch., die sich um beide rankten, s. → Iulianos [4/5]. Wie in den meisten mystischen und esoterischen rel. Systemen wurden auch in der Th. Lehren und Riten von Einzelperson zu Einzelperson tradiert [4]. Ihr berühmtester Anhänger war der röm. Kaiser Iulianus [11], der von Maximos [5] von Ephesos eingeweiht wurde [5. 213–243]. Die hl. Schriften der Th. waren die → *Oracula Chaldaica*, griech. Texte in daktylischen Hexametern, die angeblich von Apollon und Hekate bei Epiphanien oder aber durch von der Gottheit besessene Medien übermittelt worden waren [2].

Indem sie die Bed. von Ritualen betonten, stellten sich die Theurgen gegen Zeitgenossen wie → Plotinos, dessen Ansicht, man solle ausschließlich durch Kontemplation und Philos. die Götter verehren und so seine Seele verbessern, auf der Annahme beruhte, daß die menschliche Seele zur Inkarnation nicht völlig aus dem himmlischen Reich hinabsteige (→ Neuplatonismus). Die Theurgen dagegen begründeten die Notwendigkeit des Rituals damit, daß die → Seele in den menschlichen Körper hinabsteige und daß folglich die in der materiellen Welt mit Hilfe materieller Objekte durchgeführten Rituale therapeutisch auf die Psyche wirkten. Diejenigen, die – wie Plotinos – ausschließlich für Kontemplation und Philos. eintraten, sahen die materielle Welt als Quelle von Verunreinigung an; die Theurgen glaubten dagegen, daß selbst den niedrigsten Teilen der Welt heilbringende göttliche Kraft innewohne [1; 5].

Die Th. übernahm platonische Lehren (→ Platon [1]) zur Metaphysik und Kosmologie, u. a. die Transzendenz des höchsten Gottes, der oft als »Vater« (πατήρ/patér) bezeichnet und als aus reinem, feurigem Licht bestehend beschrieben wird (z. B. Oracula Chaldaica fr. 5). Dem Vater entspringen verschiedene nicht-transzendente → Emanationen, die alle kosmogonische und soteriologische Funktionen haben. Auch diese Emanationen bestehen aus Licht, wenn auch von geringerer Reinheit (z. B. Oracula Chaldaica fr. 34, 35, 37; Iambl. de myst. 1,9; 31,11–18). Am wichtigsten für die tägliche Kultpraxis der Th. war die »Weltseele« (psychḗ) genannte Emanation, die mit der griech. Göttin → Hekate identifiziert wurde: Sie wohne zw. dem irdischen und dem himmlischen Reich, trenne beide und ermögliche doch zugleich den Übergang – sowohl für die sterbliche Einzelseele, wenn diese zum himmlischen Reich aufsteige, als auch für verschiedene göttliche Wohltaten, wenn jene in das irdische Reich hinabstiegen. Sie soll auch den Theurgen viele seiner Rituale lehren [3]. Wie in anderen platonisch beeinflußten Systemen befindet sich die → Materie (hýlē) am unteren Ende der ontologischen Stufenleiter; sie spiegelt die göttlichen Ideen (Formen) nur unvollendet wider (→ Ideenlehre). Darum kann die Materie körperliche Begierden auslösen, die den Theurgen in die Irre führen. Philos. Übung und Rituale helfen, sie zu überwinden [3. Kap. 9].

Hinsichtlich der Rituale ähnelte die Th. weitgehend den herkömmlichen griech. und röm. Religionen: Sie umfaßte Reinigungen, Initiationen und verschiedene »magische« Riten wie die Anrufung der Götter mit ihren geheimen Namen und die Manipulation natürlicher Stoffe wie Pflanzen und Steine (z. B. Oracula Chaldaica fr. 132, 133, 150; vgl. [3. Kap. 6–8; 4; 5]). Die Th. entwickelte aber auch spezielle Rituale, die eine Begegnung (sýstasis) zw. Theurgen und Gottheit ermöglichen sollten. Meist kreisen diese Rituale um den Empfang göttlichen Lichtes durch den Theurgen, das dieser in

Körper und Seele aufnimmt. Während einer sýstasis kann er weitere Belehrung über die Durchführung eines Rituals empfangen, seine Seele durch die Begegnung mit dem göttlichen Licht verbessern oder – durch die Aufnahme dieses Lichtes – seine Seele zeitweilig in das himmliche Reich aufsteigen lassen (anagōgḗ), wo sie durch die Schau an der göttlichen Schönheit Anteil hat. Iamblichos [2] beschreibt in De mysteriis, wie man sich die Wirkung dieser Rituale prinzipiell vorstellte; Anweisungen für einzelne Rituale finden sich in Fr. der Oracula Chaldaica und den Komm. ihrer ant. Ausleger. Die bemerkenswerteste anagogische Technik war das rituelle Einatmen von Sonnenlicht, das als materielle Manifestation des göttlichen Lichtes angesehen wurde (Oracula Chaldaica fr. 124, 130; vgl. fr. 2, 122, 132; [4]). Die detaillierte Beschreibung eines sehr ähnlichen Vorganges findet sich in einer wenig späteren Quelle, der sog. »Mithrasliturgie«, die von der Th. beeinflußt sein könnte (PGM IV 475–829). Iamblichos und andere betonen allerdings, daß zusätzlich zu dem, was der Theurg selbst zu tun hat, die Gottheit anwesend sein muß, damit eine anagōgḗ stattfinden kann (z. B. Iambl. de myst. 1,12; 40,19–41,8; 3,31; 178,8–16). Daher kann man »Th.« auch als »Handlung der Götter an den Sterblichen« deuten. Die Quellen erwähnen, daß die gereinigte Seele des Theurgen nach dem Tod das Recht hatte, in das Reich der Engel aufzusteigen, daß sie sich aber selbstlos nochmals inkarnieren solle, um den Seelen anderer bei ihrer Vervollkommnung zu helfen (Oracula Chaldaica fr. 137f. mit Komm.; Iambl. de anima 457,8–10; [6. 58–63]).

→ Oracula Chaldaica

1 G. SHAW, Theurgy and the Soul, 1995 2 R. MAJERCIK (ed.), The Chaldean Oracles, 1989 (mit engl. Übers. und Komm.) 3 S. I. JOHNSTON, Hekate Soteira, 1990 4 Dies., Rising to the Occasion: Theurgic Ascent in Its Cultural Milieu, in: P. SCHÄFER, H. G. KIPPENBERG (Hrsg.), Envisioning Magic, 1997, 165–194 5 C. VAN LIEFFERINGE, La th., des Oracles Chaldaïques à Proclus, 1999 6 A. SMITH, Porphyry's Place in the Neoplatonic Trad., 1974.

S. I. J./Ü: S. KR.

Theveste (Θεουέστη). Stadt der Africa Proconsularis (→ Afrika [3]; Ptol. 4,3,30; Prok. BV 2,21,19), einer der wichtigsten Straßenknotenpunkte in Nordafrika, 38 km sw von → Ammaedara, h. Tébessa mit bedeutenden ant. Überresten (u. a. Caracalla-Bogen). Th. wurde 247 v. Chr. von Hanno [6] d. Gr. erobert ([1. 71; 246 Anm. 232]; Pol. 1,73,1; Diod. 4,18,1; 24,10,2; Amm. 17,4,2f.). Seit → Traianus war Th. colonia. Die von → Vandali und Berbern (→ Berberisch) zerstörte Stadt wurde unter → Iustinianus [1] I. wiederaufgebaut. Inschr.: CIL VIII 1, 1837–2020; 2, 10623–10642; Suppl. 1, 16498–16667; Suppl. 4, 27844–27926; ILAlg I 2993–3471bis; AE 1969–1970, 633 III; 1977, 863; 1989, 880f.; 883; 886; 1995, 1671–1757.

1 HUSS.

AAAlg, Bl. 29, Nr. 101 · J. CHRISTERN, Das frühchristl.
Pilgerheiligtum von Tebessa, 1976 · J. GASCOU, La
politique municipale de l'Empire romain en Afrique
proconsulaire, 1972, 91–97 · C. LEPELLEY, Les cités de
l'Afrique romaine, Bd. 2, 1981, 185–189 · E. LIPIŃSKI, s. v.
Tébessa, DCPP, 442 f.   W. HU.

Thiasos (θίασος). Zusammenschluß von Personen zur
Verehrung eines Gottes, in der Regel ein rel. → Verein.
Aus dem Hell. und der röm. Kaiserzeit gibt es zahlreiche, über die gesamte ant. Welt verstreute epigraphische Quellen, in denen *thíasoi* neben → *collegium*,
→ *koinón*, → *orgeṓnes*, → *éranos* und anderen Bezeichnungen für rel. sowie nicht-rel. Vereine genannt werden, von denen sie nicht immer eindeutig zu unterscheiden sind [1; 2. 8–56].

Ein → Solon [1] zugeschriebenes Gesetz, in dem *hie-
roí orgeṓnes* und *thiasṓtai* erwähnt werden (Dig.
47,22,4), könnte ein Beleg für die Existenz von *th.* im Athen
bereits des 6. Jh. v. Chr. sein, doch liegt hier wohl eher
ein Hinweis auf die Situation des 2. Jh. n. Chr. vor. Unklar ist auch, welche Funktion die *th.* seit dem Beginn
des 4. Jh. als Untereinheiten der attischen → Phratrien
hatten (Isaios 9,30; [2. 18–20; 3. 9–12]). In vorhell. Zeit
werden *th.* überwiegend im Kontext des → Dionysos-
Kultes (→ Mänaden) und anderer verwandter ekstati-
scher Kulte erwähnt (Demosth. or. 18,260; [4] mit weiteren Verweisen). Aus den zumeist lit. Quellen geht
nicht immer hervor, ob es sich bei diesen *th.* um dauerhafte Kultvereine handelte oder um Zusammen-
schlüsse, die nur für die Dauer eines Rituals, beispielsweise eines Festumzuges, Bestand hatten. In myth. Texten wird der Begriff auch allg. zur Bezeichnung eines
göttlichen Gefolges verwendet.
→ Collegium [1]; Vereine

1 J. S. KLOPPENBORG, Collegia and thiasoi, in: Ders.,
S. WILSON (Hrsg.), Voluntary Associations in the
Graeco-Roman World, 1996, 16–30 2 F. POLAND, Gesch.
des griech. Vereinswesens, 1909 3 A. ANDREWES,
Philochoros on Phratries, in: JHS 81, 1961, 1–15
4 H. S. VERSNEL, Ter Unus, 1990.   D. E.

Thibron (Θίβρων).
[1] Spartaner, eröffnete im Herbst 400 v. Chr. Spartas
Krieg gegen Persien, befehligte aber nur eine geringe
Streitmacht (Isokr. or. 4,144) und hatte erst einige Erfolge, nachdem er ehemalige Söldner des Kyros [3]
(etwa 5000–6000 Mann) übernommen hatte (Xen. an.
7,6,1; 7,8,24; Xen. hell. 3,1,4–6; Diod. 14,36,1–37,4); er
zog dann auf Weisung der → *éphoroi* nach Karien (Xen.
hell. 3,1,6–7), wurde aber in Ephesos durch → Derky-
lidas abgelöst und in Sparta mit Verbannung bestraft,
weil seine Truppen in Gebieten der spartanischen *sým-
machoi* geplündert hatten (vgl. Xen. hell. 3,1,8; Diod.
14,38,2). Nach dem Scheitern spartan.-persischer Verhandlungen erneut (381) Befehlshaber in Kleinasien,
gewann er Ephesos und Priene, wurde aber vom Satrapen → Struthas überraschend angegriffen und fiel (Xen.
hell. 4,8,17–19; Diod. 14,99,1–3). Th. soll von gewin-

nendem Wesen, aber als Heerführer unentschlossen und
ohne Selbstdisziplin gewesen sein (Xen. hell. 4,8,22). Er
ist offenbar identisch mit dem Verfasser einer Schrift
über den legendären Gesetzgeber → Lykurgos [4] (Aristot. pol. 1333b 18) [1. 163].

1 P. CARTLEDGE, Agesilaos and the Crisis of Sparta, 1987.
                                                K.-W. WEL.

[2] Aus Lakedaimonien, Söldnerführer des → Harpalos,
den er 324 v. Chr. auf Kreta ermordete; Th. flüchtete
mit den Schätzen und Söldnern zuerst nach Kydonia,
dann in die Kyrenaika (Diod. 17,108,8; 18,19,2 f.; Strab.
17,3,21 p. 837; Arr. succ. 1,16), wohin er von Verbannten aus Kyrene und Barka geholt wurde, auf deren Seite
er in die inneren Auseinandersetzungen eingriff und
Kyrene zwang, ihn zu unterstützen (StV III 414). Angeblich wollte er das der Kyrenaika benachbarte Libyen
für sich unterwerfen, unterlag aber nach Anfangserfolgen 322/1 dem Ophellas [2] und wurde in Taucheira
hingerichtet (Arr. succ. 1,17 f.; Diod. 18,19–21; zum
Datum FGrH 239 B 10).

A. LARONDE, Cyrène et la Libye hellénistique, 1987, 41–84 ·
O. MØRKHOLM, Early Hellenistic Coinage, 1991, 67 f. ·
W. HUSS, Ägypt. in hell. Zeit, 2001, 98–100.   W. A.

Thinis (griech. Θίνις, Θίς; koptisch *tin*). Hauptort des 8.
oberäg. Gaues, genaue Lage unbekannt, alte Königs-
metropole der 1. und 2. Dynastie (3000–2635 v. Chr.);
diese Periode wird nach Manethon [1], der die Herrscher (u. a. → Menes [1]) der 1. Dyn. Θεινίτης/ *Theiní-
tes*, »Thiniten«, nennt, auch als Thinitenzeit bezeichnet.
Die Nekropole(n) von Th. lag(en) am anderen Nilufer
bei → Lepidotonpolis. Hauptgott von Th. war → Onuris.

E. BROVARSKI, s. v. Th., LÄ 6, 476–486 · W. HELCK, s. v.
Thinitenzeit, LÄ 6, 486–493.   J. RE.

Thiniten s. Thinis

Thiodamas (lat. Bildung aus griech. Θειοδάμας, »der
vom Göttlichen Bezwungene«). Seher, Sohn des
→ Melampus [1], beim Zug der → Sieben gegen Theben Nachfolger des von der Erde verschlungenen
→ Amphiaraos, Anführer des von ihm selbst in göttlicher Begeisterung vorgeschlagenen nächtlichen Über-
falls auf die schlafenden Thebaner, welche das Argiver-
lager eingeschlossen haben (Stat. Theb. 8,271–341;
8,365 f.; 10,160–346).   CL. K.

Thisbe (Θίσβη, Θίσβαι/ *Thísbai*).
[1] Stadt in SW-Boiotia (zum Namen [1]), ca. 4 km von
der Küste entfernt am Fuß des Helikon [1]; erh. sind
Siedlungsreste mit Mauerring [2] beim h. Th. (ehemals
Kakosi; [3]). Am → Korinthischen Golf befanden sich
mehrere von Th. abhängige Häfen [4]. Ein Damm führte von Th. durch die Ebene zur Küste (Paus. 9,32,2 f.;
[5]). Th., im homerischen Schiffskatalog (Hom. Il.
2,502) als »taubenreich« bezeichnet, gehörte im 4. Jh.

v. Chr. dem Boiotischen Bund (→ Boiotia, mit Karte) an (Hell. Oxyrh. FGrH 66 F 1,267). Im 2. Jh. v. Chr. unterstützte Th. das benachbarte → Chorsiai (SEG 3, 342). Im 3. → Makedonischen Krieg eroberten die Römer Th. (Pol. 27,5,3 ff.; Liv. 42,46,7) und regelten anschließend 170 v. Chr. ihre Verhältnisse mit einem Senatsbeschluß neu (SHERK, Nr. 2; [6]). Inschr. reichen bis in das 3. Jh. n. Chr. Weitere Quellen: Ptol. 3,14,9; Hierokles, Synekdemos 645,3.

1 S. LEVIN, The Etymology of the Place-Name Th., in: J. BINTLIFF (Hrsg.), Recent Developments in the History and Archaeology of Central Greece, 1997, 13–19 2 F. G. MAIER, Die Stadtmauer von Th., in: MDAI(A) 73, 1958, 17–25 3 T. E. GREGORY, Archaeological Explorations in the Th. Basin, in: J. M. FOSSEY, Boeotia Antiqua, Bd. 2, 1992, 17–34 4 K. FREITAG, Der Golf von Korinth, 2000, 155–159 5 J. KNAUSS, Die Alten Talsperren beim taubenumschwärmten Th., in: Ant. Welt 26, 1989, 32–55 6 H.-J. GEHRKE, Th. in Boiotien, in: Klio 75, 1993, 145–154.

FOSSEY, 177–185. K. F.

[2] s. Pyramos [2] und Thisbe

Thmuis (Θμοῦις; äg. *T3-m3w(t)*, »Neuland«), das h. (*Tall*) *Timay*, Nachbarstadt von → Mendes im NO des Nildelta; zuerst bei Ios. bell. Iud. 4,659 erwähnt, aber bedeutend älter (vgl. arch. Funde [1]; Hdt. 2,166). In röm. Zeit verdrängte Th. Mendes als Gauhauptstadt; Amm. 22,16 führt Th. unter den bedeutendsten Städten Äg.s auf. Noch vor 250 n. Chr. (bis ins 10./11. Jh.) war Th. Bischofssitz. Im späteren MA verödete Th. fast vollständig. In den Ruinen fanden sich bedeutende griech. Papyri, späthell. Skulpturen und hell. und röm. Mosaiken.

1 H. DE MEULENAERE, s. v. Th., LÄ 6, 493 f. 2 S. TIMM, s. v. Timay, in: Ders., Das christl.-koptische Äg. in arab. Zeit, Bd. 6, 1992, 2670–2678. K. J.-W.

Thoas (Θόας).

[1] Myth. Herrscher auf → Lemnos (Hom. Il. 14,230; 23,745), Sohn des Dionysos und der → Ariadne, Bruder des → Oinopion und des → Staphylos [1] (Apollod. epit. 1,9). Th. ist über seine Tochter Hypsipyle (Ov. epist. 6,114) mit der Argonautensage (→ Argonautai) verbunden, da sie ihn vor dem Männermord der → Lemnischen Frauen errettet (Apollod. 1,114 f.), später wird er dennoch getötet (ebd. 3,65) bzw. entkommt nach einer anderen Version nach Oinoie (= Sikinos) oder Chios (Apoll. Rhod. 1,620 ff.). Nach Hyg. fab. 15; 120 gelangt er ins Taurerland, wird also mit Th. [5] gleichgesetzt.

[2] Sohn der Hypsipyle und des → Iason [1] (Hypothesis b zu Pind. N. p. 2,10 DRACHMANN), sonst Nebrophonos oder Deipylos genannt (Apollod. 1,115; Hyg. fab. 15), Bruder des → Euneos [1], die zusammen ihre Mutter in Nemea wiederfinden (Eur. Hypsipyle).

[3] Führer der → Aitoloi vor Troia, Sohn des → Andraimon [1] (Hom. Il. 2,638). Nach Hyg. fab. 108 Insasse des hölzernen Pferdes. Odysseus heiratet dessen

Tochter (Apollod. epit. 7,40), Th. selbst gelangt auf der Heimfahrt entweder nach Illyrien (Lykophr. 1011 ff.) oder Temese (Strab. 6,1,5).

[4] Sohn des → Ikarios [2] und der Naiade → Periboia [1], somit Bruder der → Penelope (Apollod. 3,126).

[5] Grausamer König der Taurer, Sohn des Borysthenes (Antonius Liberalis 27,3), der alle Fremden durch die Artemispriesterin → Iphigeneia schlachten läßt. Als → Orestes [1] und → Pylades [1] mit ihr und dem Kultbild fliehen, verfolgt Th. sie bis zur Insel Sminthe, wo er von Orestes und Chryses getötet wird (Hyg. fab. 120 f.).

P. L. DE BELLEFONDS, s. v. Th. II, LIMC 8.1, 15 f. CA. BI.

[6] Th. aus Ithaka. Griech. Glossograph vor dem 4. Jh. v. Chr., bekannt nur durch Erotianos π 57 s. v. πικερίῳ (diesem gegen die Hs.-Angabe durch Aristot. fr. 636 ROSE, nicht Aristophanes [4] von Byzanz, fr. 416 SLATER übermittelt), mit bes. Interesse an der phrygischen Sprache (vgl. → Neoptolemos [9] aus Parion und → Kleitarchos [3] aus Aigina).

1 H. GÄRTNER, s. v. Th. (11), RE Suppl. 14, 760 2 K. LATTE, Glossographica, in: Philologus 80, 1925, 160⁴⁷ 3 W. J. SLATER (ed.), Aristophanis Byzantii fragmenta (SGLG 6), 1986, 164 (Komm. zu fr. 416) ST. MA.

[7] Sohn des Mandrodoros aus Magnesia [2], einer der Trierarchen der Indusflotte auf dem Feldzug des → Alexandros [4] d. Gr. (Arr. Ind. 18,7). Nach Erkundung der Küste von → Gedrosia (Arr. an. 6,23,2–3) und während des Rückmarsches durch die gedrosische Wüste erhielt er 325 v. Chr. die Statthalterschaft über Gedrosia, starb aber kurz darauf (Arr. an. 6,27,1).

BERVE, Nr. 376. E. B.

[8] Aitoler aus Trichonion, Bundesstratege 203/2 und 194/3 v. Chr., mit seinem Bruder Dikaiarchos (Stratege 195/4) und → Nikandros [2] Exponent der radikalen Romgegner [1. 68–73]. Mit der Parole, die Römer hätten im 2. → Makedonischen Krieg nur dank aitol. Waffenhilfe gesiegt und würden seither selbst die Griechen knechten, propagierte T. zur Befreiung von Hellas eine aitol.-seleukidische Allianz, reiste zweimal zu → Antiochos [5] III. und brachte 193 das Hilfsgesuch des Aitolerbundes an jenen zustande. Mit der Ankunft des Königs in Griechenland und seiner Ernennung zum *stratēgós autokrátōr* begann im Spätherbst 192 der → Syrische Krieg (Liv. 35,33,8 [1. 74–76; 2. 427–433; 446–448; 463–465]). Dem 191 nach Kleinasien geflohenen Seleukiden folgte T. anläßlich einer erneuten aitol. Gesandtschaft (Liv. 36,26,6), der ihn 188 gemäß dem Friedensvertrag von Apameia an die Sieger auslieferte. Die Römer begnadigten ihn in der berechtigten Hoffnung, daß er sich nunmehr pro-röm. profilieren werde; T. war erneut 181/80 und 173/2 Bundesstratege, 169 widerstand er im 3. Maked. Krieg dem Allianzwerben des → Perseus [2] bei den Aitolern (Pol. 21,43,11; 28,4,10–12; Liv. 38,38,18; Diod. 29,10; 31 [1. 97 f.; 108; 132; 152; 2. 526; 538]).

→ Aitoloi

1 J.Deininger, Der polit. Widerstand gegen Rom in Griechenland, 1971 2 J.D. Grainger, The League of the Aitolians, 1999. L.-M.G.

Thoeris (Θόηρις u.ä., äg. *T3-wr.t*, »die Große«). Äg. Schutzgöttin, verm. mit Ipet identisch. Beide haben Nilpferdgestalt mit Löwentatzen und Krokodilsschwanz. Der Name Th. dürfte urspr. nur ein Epitheton der Ipet gewesen sein. Wichtigstes Attribut ist eine mit der Hieroglyphe für »Schutz« identische Schleife. Ihre Schutzfunktion machte Th. recht populär (z.B. als → Amulett), sie ist jedoch nicht als volkstümliche Gottheit zu sehen. Vielmehr steht sie im Zusammenhang mit astronomischen Vorstellungen; sie gilt als Sternbild am Nordhimmel [1. 24–26]. Kultorte: v.a. → Oxyrhynchos, wo sie mit → Seth zusammen die Hauptgottheit war, sowie der Ipettempel in Luxor (→ Thebai [1]).

1 A. von Lieven, Der Himmel über Esna, 2000
2 M. Verner, Statue of Twēret Dedicated by Pabēsi, in: ZÄS 96, 1969, 52–63 3 C. de Wit, Les inscriptions du temple d'Opet à Karnak, Bd. 1–3, 1958–1968. A.v.L.

Tholos (θόλος fem.; lat. *tholus*) Rundbau; unter dem Begriff wird hier auch der Monopteros subsumiert.

I. Griechenland II. Rom

I. Griechenland

Das Kreisrund des Baukörpers der Th. bildete im Architekturbestand der ant.-griech. Welt immer eine optisch herausragende Besonderheit; die Th. ist ein insgesamt in der Ant. seltener, aber höchst prägnanter und bewußt verwendeter Architekturtypus. Baukonzepte ebenso wie Detailformen erfuhren hierbei keine kanonische Ausprägung; auch die Funktionen der Th. waren weitgespannt: Kultbau; Heroon/Grabbau, Ehrendenkmal, Schatzhaus, Speiseraum/Versammlungsbau; nicht selten sind Vermischungen dieser Funktionen, so etwa die Verschmelzung von Heroon, Ehrendenkmal und Schatzhaus im sogenannten Philippeion von → Olympia (II.C.3. mit Abb.). Formal unterscheidbar sind drei Baukonzepte: die Peripteral-Th. mit Säulenkranz und Cella (Delphoi, Apollon- und Athenaheiligtum: vgl. Abb.; Epidauros; Olympia, Philippeion; die Ordnungen der Innensäulen der Cella können von der der Außensäulen abweichen), der säulenlose Zylinder (v.a. Athen, Agora: vgl. Abb.; Samothrake, Arsinoeion) und, sehr vereinzelt, das monopterale Ehrendenkmal (Athen, Lysikrates-Monument von 335/4 v.Chr.). Effektvoll in einer Th. präsentierte Statuen wie die knidische Aphrodite (als Ensemble kopiert in der Hadriansvilla von Tivoli) folgten dieser auch im Philippeion von Olympia begegnenden Denkmal-Idee, auch wenn das architektonische Ambiente eine Kultfunktion suggerierte. Die Herleitung der als Tempel im Sinne eines Kultbaus verwendeten *thóloi* aus der Grab-Architektur (sog. Th.-Gräber der minoisch-myk. Kultur, z.B. die Gräber von Messara auf Kreta oder das »Atreus-Grab« von Mykenai,

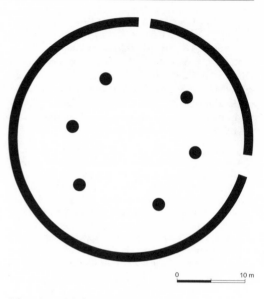

Athen, Agora; Tholos in Zylinderbauweise.
5.Jh. v.Chr. (Grundriß).

vgl. → Tumulus) wird ebenso diskutiert wie die verschiedentliche Rekonstruktion kreisrunder, ansonsten funktional undeutbarer Strukturen als Th.-Heroon (→ Kaunos [2]; Nymphaeum?).

II. Rom

In der ant. röm. Architektur bildet der Rundtempel eine eigenständige Formvariante des → Tempels; frühe Beispiele erheben sich in der generellen Art des röm. Kultbaus auf einem Podium, spätere in griech. Manier auf einem Stufenbau. Bekannteste Beispiele sind in Rom der Vesta-Tempel auf dem → Forum [III 8] Ro-

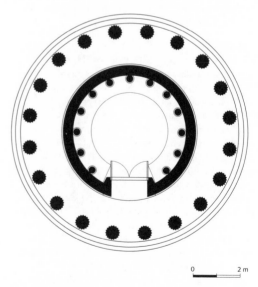

Delphi, Heiligtum der Athena; Peripteral-Tholos.
4.Jh. v.Chr. (Grundriß).

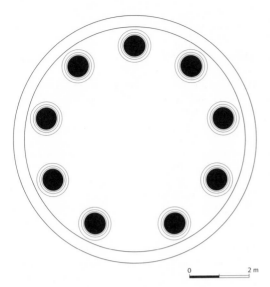

Athen, Akropolis; Monopteros der Roma und des
Augustus. Nach 27 v. Chr. (rekonstruierter Grundriß).

manum, der sog. Rundtempel am Tiber und die Th. am
Largo Argentina, ferner die Rundtempel von → Ti-
bur/Tivoli, im Fortuna-Heiligtum von → Praene-
ste/Palestrina und der mittelkaiserzeitliche Bau in
→ Baalbek. Daneben begegnet der Monopteros zunehmend als Kategorie der kultisch verbrämenden Denkmal-Architektur, so z. B. der Roma-Augustus-Monopteros auf der Akropolis von Athen mit seiner wie in
einem Baldachin präsentierten Statuengruppe. Eine
Sonderform der Th. ist der überkuppelte Rundbau,
meist jedoch nicht als Solitär gestaltet, sondern im Kontext einer → Villa als Speisesaal (Rom, Domus Aurea)
oder im architektonischen Verbund – z. B. → Thermen
als Baderaum? – verwendet (Baiae). Zur kultischen
Funktion solcher Bauten vgl. bes. auch → Pantheon [2].
Als auf ant. Bau- und Geschmacksmuster zurückver-
weisende Denkmal-Architektur gewinnt der Monopteros seit dem 18. Jh. neue Bed., v. a. in der Land-
schaftsarchitektur.

H. BANKEL, Knidos. Der hell. Rundtempel und sein Altar,
in: AA 1997, 51–71 · W. BINDER, Der
Roma-Augustus-Monopteros auf der Akropolis in Athen
und sein typologischer Ort, 1969 · H. BÜSING, Zur
Bauplanung der Th. von Epidauros, in: MDAI(A) 102, 1987,
225–258 · M. S. F. HOOD, Th. Tombs of the Aegean, in:
Antiquity 34, 1960, 166–176 · F. RAKOB,
W. D. HEILMEYER, Der Rundtempel am Tiber in Rom,
1973 · G. ROUX, Trèsors, Temples, Th., in: Ders. (Hrsg.),
Temples et sanctuaires. Séminaire de recherche 1981–1983,
1984, 153–171 · F. SEILER, Die griech. Tholos. Unt. zur
Entwicklung, Typologie und Funktion kunstmäßiger
Rundbauten, 1986 (mit Lit.) · I. WEIBEZAHN, Gesch. und
Funktion des Monopteros. Unt. zu einem Gebäudetyp des
Spätbarock und des Klassizismus, 1975.   C. HÖ.

Thomas (Θωμᾶς).
[1] Der Apostel Th. ist »einer der zwölf« Jünger → Jesu.
Nur bei Jo gewinnt Th. ein eigenes Profil: Er fordert
seine Mitjünger zur Nachfolge Jesu bis in den Tod auf
(Jo 11,16). Auf sein Fragen hin offenbart sich Jesus als
der »Weg, die Wahrheit und das Leben« (14,5 f.). Nach
Ostern verpaßt er zuerst die Erscheinung des Auferstan-
denen und will nicht glauben (»ungläubiger Th.«), bevor er ihn berührt habe. Bei dessen Erscheinung be-
kennt er als erster Jesus als »Herr und Gott« und wird
zugleich zum Gegenbild für alle, die glauben, ohne zu
sehen (20,24–29; vgl. [1]). Th. erscheint in den Apo-
stellisten der synoptischen Evangelien (Mt 10,3 und
Par.) an mittlerer Stelle. Er rückt bei → Lukas vom 8.
Platz (Lk 6,15) auf den 6. vor (Apg 1,13). In Jo 21,2 wird
er schon an 2. Stelle genannt. Die Bed. des Th. verstärkt
sich in frühchristl. Zeit bes. in Syrien. Sein Grab wurde
in Edessa [2] verehrt (→ Abgarlegende). Viele z. T. gnostische und manichäische Apokryphen (→ Neutestamentliche Apokryphen; → Apokryphe Literatur) wurden unter seinem Namen verbreitet: → Thomasevangelium; Buch des Th.; Kindheitserzählung des Th.;
Th.-Akten; Th.-Apokalypse [2]. Laut Eus. HE 3,1,1 ist
Th. der Missionar Parthiens. Bis h. wird er als Missionar
Indiens verehrt. Aufgrund seines Beinamens *Dídymos*
(griech. Übers. des aram. Namens Th. = »Zwilling«; Jo
11,16 u. a.) wird Th. in den Th.-Akten (31) zum Zwillingsbruder von Jesus. In der syr. Trad. trägt er den Beinamen Judas.

1 R. F. COLLINS, s. v. Th., Anchor Bible Dictionary, 528 f.
2 W. SCHNEEMELCHER, Nt. Apokryphen, Bd. 1, ⁶1999;
Bd. 2, ⁵1989.   P. WI.

[2] Th. Scholastikos (Θ. Σχολαστικός). Vielleicht ins
6. Jh. n. Chr. zu datierender, sonst unbekannter Verf.
eines Epigramms, das seine Liebe zu den ›drei Sternen
der Rhetorik‹ (Demosthenes [2], Ailios Aristeides [3]
und Thukydides) erklärt (Anth. Pal. 16,315).
[3] Th. Patrikios (Θ. Πατρίκιος). Verf. eines Grabepi-
gramms über den mehrfach siegreichen Wagenlenker
Anastasios (Anth. Pal. 16,379). Bei Planudes als → *pa-*
tríkios und → *logothétēs* der Rennen bezeichnet, daher
evtl. identisch mit einem Th. Patrikios (*logothétēs* 907
und 913), der mit Leon Choirosphaktes und Arethas in
Briefwechsel stand.

A. CAMERON, The Greek Anthology from Meleager to
Planudes, 1993, 319 f.   M. G. A./Ü: L. FE.

[4] Th. Magistros (Θ. Μάγιστρος). Byz. Schriftsteller
und Philologe aus → Thessalonike (ca. 1275–1350
n. Chr.). Er wurde Mönch mit dem Namen Theodulos.
Aus seinem Schülerkreis gingen bekannte byz. Gelehrte
(z. B. Philotheos Kokkinos, Gregorios Akindynos,
→ Demetrios [43] Triklinios) hervor. Zw. 1314 und
1318 reiste er im Auftrag des Kaisers Andronikos II.
nach Konstantinopolis. Th. schildert ausführlich diese
Gesandtschaftsreise in einem Brief an den Mönch Isaak.
Sein philol. Werk umfaßt ein attizistisches WB. (Ἐκλογὴ

ὀνομάτων καὶ ῥημάτων Ἀττικῶν / *Eklogḗ onomátōn kai rhē-
mátōn Attikṓn*) und → Scholien zu Aischylos [1], Sophokles [1], Euripides [1], Pindaros [2] und Synesios [1].
Von seinen rel. Schriften sind das Enkomion auf Gregorios [3] von Nazianz und das auf Iohannes den Täufer
zu nennen. Die rhet. Werke des Th. (Briefe und Reden)
sind hauptsächlich Schuldeklamationen. Ein Fürsten-
und ein Untertanenspiegel zeigen die Weltanschauung
des Verf. Die Identifizierung des Th. mit dem Mönch
Thekaras ist aus chronologischen Gründen abzulehnen.

> ED.: PG 145, 215–548 · F. RITSCHL, Thomae Magistri …
> Ecloga vocum Atticarum, 1849 (Ndr. 1970) · F. W. LENZ,
> Fünf Reden Th. Magisters, 1963.
> LIT.: E. V. MALTESE, s. v. Th. Magistros, LMA 8, 721 ·
> E. TRAPP, s. v. Μάγιστρος Θ., Prosopographisches Lex. der
> Palaiologenzeit 1/7, 1985, Nr. 16045 · N. G. WILSON,
> Scholars of Byzantium, 1983, 247–249 · S. K. SKALISTIS,
> Θωμάς Μάγιστρος. Ο Βίος και το έργο του, 1984 ·
> E. C. KOPFF, Th. Magistros and the Text of Sophocles's
> Antigone, in: TAPhA 106, 1976, 241–266.   G. KA.

Thomasevangelium. Das Th. ist Teil einer der 1945 in
→ Nag Hammadi gefundenen koptischen Hss. (NHCod
II,2). Es ist eine Slg. von 114 Sprüchen Jesu; ein Teil war
schon vorher griech. in drei Oxyrhynchos-Papyri (1,
654 und 655; → Oxyrhynchos B.) bekannt. Die Hälfte
der Sprüche hat Par. in den kanonischen, bes. den synoptischen Evangelien, andere (ca. 20) sind von den Kirchenvätern zitiert. Das Th. gibt sich als geheime Lehre
Jesu aus, die dieser seinem Zwillingsbruder Judas
→ Thomas [1] anvertraute. Formgeschichtlich sind einzelne Sprüche, bes. Gleichnisse, so alt wie die synopti-
sche Evangelien-Trad. des 1. Jh. Insgesamt gehören jedoch die mystischen, asketischen und frühgnostischen
Tendenzen der Redaktion ins 2. Jh. Ein Th. wird im 3.
Jh von Hippolytos [2] (Refutatio omnium haeresium
5,7,20) und Origenes [2] (Homiliae in Lucam GCS
49,1,2) erwähnt.

> B. LAYTON u. a. (ed.), Nag Hammadi Codex II,2–7 … and
> P. Oxy. 1, 654, 655, I (NHS 20), 1989 · F. T. FALLON, R.
> CAMERON, The Gospel of Thomas: A Forschungsbericht
> and Analysis, in: ANRW II 25.6, 1988, 4196–4251 ·
> P. SELLEW, The Gospel of Thomas: Prospects for Future
> Research, in: J. D. TURNER, A. McGUIRE (Hrsg.), The Nag
> Hammadi Library after 50 Years, 1997, 327–346.   F. BO.

Thon (Thonis; Θῶνις). Stadt an der Mittelmeerküste
Äg.s (äg. *t᾿ ḥn.t*), im Bereich der kanobischen Nilmündung, nach Strab. 17,1,16 und Diod. 1,19 ehemals wichtige Handelsstation. Durch den kürzlich erfolgten Fund
eines Doppels der Naukratis-Stele ist die Identifizierung
mit Herakleion wahrscheinlich geworden. Aus dem
Ortsnamen Th. entstand wohl die Figur des homonymen Heros, der in den Trad. um Helena (→ Helene [1])
in Äg. eine Rolle spielt. Hdt. 2,113–115 berichtet von
Th. als Wächter der Nilmündung, der König Proteus
die Ankunft von Paris und Helena meldet.

> J. YOYOTTE, Notes de toponymie Égyptienne IV: Th., in:
> MDAI(K) 16, 1958, 423–430.   JO. QU.

Thoon (Θόων). Name, der mehrfach in griech. Epos
und Myth. erscheint:
[1] Troer, Sohn des → Phainops [2] sowie Bruder des
→ Phorkys [2] und des Xanthos, von → Diomedes [1]
getötet (Hom. Il. 5,152).
[2] Troer, von → Odysseus getötet (Hom. Il. 11,422).
[3] Troer, von → Antilochos getötet (Hom. Il. 12,140;
13,545).
[4] Einer der → Phaiakes (Hom. Od. 8,113).
[5] Einer der → Giganten, von den Moiren erschlagen
(Apollod. 1,38).
[6] Begleiter des → Dionysos in Indien (Nonn. Dion.
28,112).   CA. BI.

Thoosa (Θόωσα, »die Dahinstürmende«).
[1] Meernymphe, Tochter des → Phorkys [1], von Poseidon Mutter des Kyklopen → Polyphemos (Hom.
Od. 1,71–73, wovon alle späteren Erwähnungen abhängen: Nonn. Dion. 39,293; Apollod. epit. 7,4; Porph. de
antro Nympharum 35; Hesych. s. v. Th.; bei Theokr.
11,26 nicht namentlich genannt).
[2] Tochter des Poseidon, nach einer Version des Mythos von Apollon Mutter des Sängers → Linos (Certa-
men Homeri et Hesiodi 46).   A. A.

Thootes (Θοώτης). Herold des → Menestheus [1] vor
Troia, wird von diesem zu den beiden → Aias [1–2] und
zu → Teukros [2] geschickt, um Hilfe im Kampf gegen
die Lykier → Sarpedon [1] und → Glaukos [4] zu erbitten (Hom. Il. 12,342–363).   SI. A.

Thorai (Θοραί). Att. → Paralia-Demos, Phyle Antiochis, 307/6 – 200 v. Chr. Demetrias, vier *buleutaí*. Nach
Strab. 9,1,21 an der att. SW-Küste zw. → Aigilia (h. Fi-
nikia?) und → Lamptrai, also wohl zw. Lagonisi und
Hagios Dimitrios ([2. 243 Anm. 10; 3], anders [1]).

> 1 C. W. J. ELIOT, Coastal Demes of Attika, 1962, 65–68
> 2 H. LAUTER, Ein ländliches Heiligtum hell. Zeit in Trapuria
> (Attika), in: AA 1980, 242–255 3 J. S. TRAILL, Demos and
> Trittys, 1986, 140.
> TRAILL, Attica 14, 54, 68, 112 Nr. 135; Tab. 10, 12.   H. LO.

Thorax (θώραξ).
[1] Brustpanzer. Der *th.* diente als Teil der griech. Ho-
plitenrüstung (→ *hoplítai*) dem Schutz von Brust und
Rücken. Gebräuchlich war in geom. und archa. Zeit
der Glockenpanzer aus → Bronze; er bestand aus zwei
sich unten ausweitenden Platten, die bis zur Hüfte
reichten und an den Seiten zusammengehängt wurden.
Dieser *th.* bot hervorragende Deckung gegen Speer-
stöße und -würfe, Pfeilschüsse sowie Schwerthiebe,
war aber äußerst schwer und unhandlich, beeinträchtigte so die Beweglichkeit der Soldaten erheblich. Er wurde gegen E. des 6. Jh. v. Chr. daher vom Kompositpan-

zer verdrängt, der durch auffällige, fest mit dem Rük-
kenteil verbundene Schulterstücke und ein evtl. aus
→ Leder oder Metallschuppen gefertigtes, bis zur Taille
reichendes und vorne schließbares Vorderteil gekennzeichnet war, oder vom metallenen Muskelpanzer, der
enger dem Körper angepaßt war und dessen Formen
dekorativ nachbildete. Metallbeschlagene Lederriemen
deckten Hüften und Lenden; auch Schulter und Nak-
ken konnten durch Metallstücke geschützt werden
(Xen. equ. 12,1ff.). Hervorragende bildliche Darstellungen dieses Brustpanzers finden sich auf att. Keramik-
gefäßen (rf. Amphore: Achilleus, Rom VM; BEAZLEY,
ARV 987,1; rf. Stamnos: Abschied eines Kriegers, London BM; BEAZLEY, ARV 992,65); erh. sind einzelne
Stücke aus archa. Zeit (Grabbeigaben oder Weihgaben)
[3. Taf. 17, 21]. Gegen E. des 5. Jh. v. Chr. bestand der
th. der Hopliten oft aus Leder oder Leinen. In hell. Armeen konnte er auch von Leichtbewaffneten getragen
werden (Pol. 10,29,6; 11,9,5), aber bisweilen scheinen
nur Reiter und Offiziere einen *th.* getragen zu haben.
→ Bewaffnung; Panzer

1 J. M. COOK, J. BOARDMAN, Archaeology in Greece, in: JHS
74, 1954, 142–169 2 V. D. HANSON, The Western Way of
War, 1989, 76–83 3 A. SNODGRASS, Arms and Armour of the
Greeks, 1967 (²1999), 41; 50; 90 f.   LE. BU.

[2] Aleuade (→ Aleuadai), Gastfreund des → Pindaros
[1], seit 498 v. Chr. → *tagós* in Thessalien (Pind. P.
10,62–71) [1. 412]. 482 schickte er Gesandte nach Susa,
wohl um → Xerxes I. Unterstützung bei dessen Grie-
chenlandfeldzug anzubieten (Hdt. 7,6,2). 480 begleitete
er ihn auf dem Rückzug (Hdt. 9,1) und zog 479 mit
→ Mardonios [1] nach Griechenland (Hdt. 9,58; → Perserkriege).

1 P. CARLIER, La royauté en Grèce avant Alexandre, 1984.

[3] Spartiate, befehligte 406 v. Chr. unter dem *naúarchos*
Kallikratidas [1] vor Mytilene und 405 unter dem Ober-
kommando des Lysandros [1] bei Lampsakos spartanische Hilfstruppen, vielleicht bei → Aigos potamos
(Xen. hell. 2,1,18; 2,1,28; Diod. 13,76,6; Plut. Lysandros 9,5 [1. 33 Anm. 4; 2. 111]. T. wurde 404 Harmost
(→ *harmostaí* [1]) in Samos (Diod. 14,3,5), aber nach
dem → Peloponnesischen Krieg [3. 81] auf Betreiben
der Feinde des Lysandros wegen Bereicherung im Amt
hingerichtet (Plut. Lysandros 19,7).

1 D. LOTZE, Lysander und der Peloponnesische Krieg, 1964
2 J.-F. BOMMELAER, Lysandre de Sparte, 1981 3 CH. D.
HAMILTON, Agesilaus and the Failure of Spartan Hegemony,
1991.   K.-W. WEL.

[4] Sw. Teil des → Mes(s)ogis-Gebirges in West-Klein-
asien, h. Gümüş Dağı, nördl. des Maiandros [2] zw.
Magnesia [2] im Osten und der → Mykale im Westen
(Strab. 14,1,39). Auf den östl. Vorhöhen lag Leukophrys
(Xen. hell. 3,2,19; 4,8,17).
→ Daphitas

R. J. A. TALBERT (Hrsg.), Barrington Atlas of the Greek and
Roman World, 2000, Karte 61 E2 • J. KEIL, s. v. *Mesōgís*,
RE 15, 1101.   H. LO.

Thorikos (Θορικός). → Paralia-Demos mit kleinstäd-
tischem Charakter an der SO-Küste Attikas, Phyle
→ Akamantis, fünf (sechs) *buleutaí*. Siedlungstätigkeit
seit dem Spätchalkolithikum (E. 4. Jt. v. Chr.). In frühmyk. Zeit Fürstensitz mit bedeutender myk. → Nekropole [1], der im SH IIIA von Athen aufgesogen wurde (→ *synoikismós* des → Theseus; Thuk. 2,15,1), mit
eigener Mythen-Trad. (→ Kephalos [1]). Von Strab.
9,1,20 zur att. Dodekapolis (»Zwölfstadt«) gezählt.
Die Bed. des → Laureion als Erzlagerstätte im 2. Jt.
[5] beruht auf dem Bergbau in Th., der auch das eisenzeitliche Th. mit seinen zahlreichen Erzwäschen im
Stadtgebiet prägte. Der frühe Theaterbau (5. Jh. v. Chr.,
erweitert im 4. Jh.) hat noch kein halbkreisförmiges *koi-
lón* (→ Theater; vgl. [3]). Ein dorischer Tempel für Demeter und Kore blieb unfertig. 410/9 wurde die Halbinsel Hagios Nikolaos bei Th. befestigt (Xen. hell. 1,2,1;
[4]). Nach teilweiser Entsiedlung E. des 4. Jh. v. Chr.
war Th. in der Kaiserzeit verödet (Plin. nat. 37,70; Mela
2,46).
Quellen: Strab. 9,1,22; 10,5,3; Skyl. 57; Hom. h. 5,
126; Hdt. 4,99; Thuk. 8,95,1; Xen. vect. 4,43; [2].

1 V. CREMASCO, R. LAFFINEUR, The Engineering of
Mycenaean Tholoi, in: Aegaeum 20, 1999, 139–148
2 J. LABARBE, Th. Les testimonia, 1977 3 H. LOHMANN, Zur
baugesch. Entwicklung des ant. Theaters, in: G. BINDER,
B. EFFE (Hrsg.), Das ant. Theater, 1998, 191–249
4 C. A. van ROOY, Fortifications in South Attica and the
Date of Th., in: Acta Classica (Kapstadt) 12, 1969, 171–180
5 Z. A. STOS-GALE, C. F. MACDONALD, Sources of Metals
and Trade in the Br. Age Agean, in: N. H. GALE (Hrsg.), Br.
Age Trade in the Mediterranean, 1991, 249–288.

H. F. MUSSCHE u. a., Th. 1–9, 1963–1990 • Ders., Th. A
Mining Town in Ancient Attika, 1998 • TRAILL, Attica 19,
48, 59, 67, 112 Nr. 136 Tab. 5 • TRAVLOS, Attika 432–445
Abb. 543–563 • WHITEHEAD, Index s. v. Th.   H. LO.

Thorismud

[1] Urgroßvater des von → Theoderich [3] d. Gr. zum
Nachfolger designierten → Eutharich (vgl. Cassiod. var.
11,1,19; Iord. Get. 81; 250f.; 298). Der Stammbaum ist
wohl partiell eine Erfindung Cassiodors.

P. HEATHER, Cassiodorus and the Rise of the Amals, in: JRS
79, 1989, 103–128, bes. 118–120 • PLRE 2,1116.

[2] Westgotenkönig 451–453 n. Chr., Sohn → Theoderichs [1]. Nach dessen Tod in der Schlacht auf den
→ Campi Catalauni (451) eilte Th., obwohl schwer verletzt, nach Tolosa, um sich die Herrschaft zu sichern.
Danach verfolgte er eine expansive Politik; er wurde
453 von seinen Brüdern getötet (Iord. Get. 218; 228).

PLRE 2,1115f. • H. WOLFRAM, Die Goten, ⁴2001, 183.
WE. LÜ.

Thorius

[1] Th., Sp. Volkstribun in der Zeit nach dem Tod des C. Sempronius [I 11] Gracchus 121 v. Chr. und Urheber eines → Agrargesetzes, das die Arbeit der gracchischen Kommission zur Verteilung des → *ager publicus* beendete. Identifizierung und Datier. des Urhebers sowie genauer Inhalt des Gesetzes sind unklar: Nach Cicero (Brut. 136, vgl. de orat. 2,284) habe Th. den *ager publicus* ›von der Pacht durch ein schädliches und wertloses Gesetz befreit‹ oder ›durch ein schädliches und wertloses Gesetz durch eine Pacht befreit‹. Nach Appian (civ. 1,122) habe Sp. Borius (so die Hss., nach Cic. verbessert zu Th.) ein Gesetz eingebracht, daß der *ager publicus* in der Hand der gegenwärtigen Besitzer bleiben solle und diese dafür pachtpflichtig seien. Diese Gesetze werden miteinander identifiziert und ihrerseits gewöhnlich mit dem inschr. erhaltenen Ackergesetz von 111 [1. Nr. 2] gleichgesetzt.

1 M. H. CRAWFORD (ed.), Roman Statutes, Bd. 1, 1996
2 A. LINTOTT, Judicial Reform and Land Reform in the Roman Republic, 1992, bes. 282–286.

[2] Th. Balbus, L. Aus Lanuvium, Münzmeister 105 v. Chr. (RRC 316), 79 Legat des Q. Caecilius [I 31] Metellus Pius in Spanien, wo er in den ersten Kämpfen gegen Q. → Sertorius fiel (Flor. 2,10,6 f.; Cic. fin. 2,63 f.). K.-L. E.

Thornax (Θόρναξ).

[1] Berg im Westen des Pron, des Stadtbergs von → Hermion(e) mit archa. Heiligtum des Zeus Kokkygios und hell. des Apollon (Paus. 2,36,1 f.). Zeus soll hier als Kuckuck mit Hera Hochzeit gehalten haben.

N. FARAKLAS, Ancient Greek Cities 19, 1973, Anh. 2, 3.

[2] Ort bei → Sparta am östl. Ufer des → Eurotas, evtl. auf dem h. Kokkinorachi mit Funden seit myk. Zeit. Hier befand sich ein Heiligtum des Apollon Pythaieus (Paus. 3,10,8; 3,11,1; Strab. 8,5,3) mit einem kolossalen archa. Götterbild, für das → Kroisos Gold gestiftet hatte (Hdt. 1,69).

H. WATERHOUSE, R. HOPE SIMPSON, Prehistoric Laconia I, in: ABSA 55, 1960, 82. KL. T.

Thorsberger Moor.

Ein Torfmoor in Süderbrarup (Schleswig-Holstein), in dem in der 2. H. des 19. Jh. zahlreiche Funde verschiedenster Art, z. B. Waffen, Schmuck, Geräte, Mz., Textilien und Gefäße, geborgen wurden (1. Jh. v. Chr. bis 4. Jh. n. Chr.). Der Fundplatz wird als zentrale Kult- und Opferstätte des germanischen Stammes der Angeln interpretiert. Die Fundobjekte stammen u. a. auch aus röm. Werkstätten und (als Geschenke oder Beutegut?) von südl. benachbarten german. Stämmen zwischen Rhein und Elbe. Mit der Auswanderung der Angeln im 5. Jh. n. Chr. enden die Opfergaben; erst in wikingischer Zeit (10. Jh. n. Chr.) lebt der Opferkult noch einmal kurzzeitig auf. Ähnliche Opfermoore sind im südskandinavischen Raum (z. B.

Illerup, Nydam, Vimose) und anderen german. Gebieten (z. B. → Oberdorla in Thüringen) bekannt.
→ Germanische Archäologie

C. v. CARNAP-BORNHEIM, Neue Forsch. zu den beiden Zierscheiben aus dem Th. M.fund, in: Germania 75, 1997, 69–99 • C. ENGELHARDT, Thorsbjerg Mosefund, 1863 (erw. Ndr. 1969) • G. LOEWE, Kreis Schleswig, in: Arch. Denkmäler Schleswig-Holsteins 8, 1998, 21–26 • K. RADDATZ, Der Th. M.fund. Gürtelteile und Körperschmuck, 1957 (dazu Kat., in: Offa 44, 1987, 117–152) • Ders., Der Th. M.fund-Kat., 1987. V. P.

Thospitis Limne (Θωσπῖτις λίμνη). See in → Armenia. Strab. 11,14,8 sieht die T. L. mit der östl. davon gelegenen *Arsenē límnē* (h. Erçek Gölü) als Einheit an (vgl. auch Dion. Per. 988). Verschiedene Seen erkennen hier Ptol. 5,13,7 (*Arsissa límnē*) und Plin. nat. 6,128 (*lacus Thospites, lacus Aretissa*); h. der ostanatolische Van Gölü, ein abflußloses Becken, 1648 m über NN, mit einer Wasserfläche von ca. 3574 km² und einer größten Tiefe von 451 m. Die ant. Autoren wußten, daß das Wasser stark sodahaltig ist und in ihm nur eine einzige Fischart (Ukelei, im Mündungsbereich der Zuflüsse) gedieh. Am östlichen See-Ufer lag beim h. Van die Residenzstadt Tušpa von → Urartu (1. H. 1. Jt. v. Chr.).

F. H. WEISSBACH, s. v. T. L., RE 6 A, 349 f. E. O.

Thot (Θωύθ u. ä.; lat. *Theuth*; äg. *Ḏḥwtj*). Äg. Gott der Weisheit, Wiss. und Schreibkunst sowie des Mondes. Kult v. a. in → Hermupolis (magna), daneben gab es jedoch an zahllosen anderen Orten Kulte. Th.s Verehrung ist verm. seit der Frühzeit, sicher aber ab dem AR (ca. 2700–2190 v. Chr.) bezeugt. Er wird meist als Mensch mit Ibiskopf dargestellt; Ibis und Pavian sind ihm heilig. Th. soll entweder ein Sohn der → Neith sein oder ohne Mutter entweder einem Urei entstiegen oder aus der homosexuellen Beziehung zwischen → Seth und → Horus hervorgegangen sein [12]. Deren Streit schlichtet er später. Mit Seth verbinden ihn noch andere Mythen, auch tritt er häufig als Substitut für diesen ein [6]. Eine nur bei Plut. Is. 352A und PGM I 95–105 belegte Trad. macht Th. auch zum Vater der → Isis [3. 120–121; 7. 70–73]. Th. gilt u. a. als Herz des → Re, Zunge des → Phthas und Hüter der → Maʾat. Er fungiert ferner als Wesir und Stellvertreter des Re, daneben als göttlicher Vorlesepriester. Neben seinen positiven Aspekten scheint er jedoch auch Elemente eines *tricksters* zu besitzen [13]. Verschiedene rel. und magische Schriften wurden ihm zu verschiedenen Zeiten zugeschrieben. Bes. bedeutend ist das demotische sog. Th.-Buch, das einen philos. Dialog zw. Th. und einem Schüler enthält, ein Vorläufer der → Hermetischen Schriften [4]. In griech.-röm. Zeit wurde Th. mit → Hermes gleichgesetzt. Während Th. in spät-äg. Quellen als »zweimal-«, »dreimal-« oder gar »fünfmalgroß« bezeichnet wird, erscheint er in griech. Sprache nur als *Trismégistos* (→ Hermes) [9; 10. 159 f.; 11]. Als solchem war ihm als angeblichem Verf. zahlloser astrologischer, alchemistischer und philos. Traktate eine glänzende Karriere weit über das E. der pagan-äg. Rel. hinaus beschert.

→ Hermes; Hermetische Schriften; Mondgottheit III.

1 P. Boylan, Thoth, the Hermes of Egypt, 1922 2 M.-Th. Derchain-Urtel, Th. à travers ses épithètes dans les scènes d'offrandes des temples d'époque gréco-romaine, 1981 3 J. G. Griffiths, Plutarch's De Iside et Osiride, 1970 4 R. Jasnow, K.-Th. Zauzich, A Book of Thoth?, in: C. J. Eyre (Hrsg.), Proc. of the Seventh International Congr. of Egyptologists, 1998, 607–618 5 D. Kurth, s. v. Th., LÄ 6, 1986, 497–523 6 E. Otto, Th. als Stellvertreter des Seth, in: Orientalia 7, 1938, 69–79 7 PGM I 8 J. F. Quack, Das Pavianshaar und die Taten des Th., in: Stud. zur Altäg. Kultur 23, 1996, 305–333 9 J. Quaegebeur, Thot-Hermès, le dieu le plus grand!, in: Hommages à F. Daumas, Bd. 2, 1986, 525–544 10 J. D. Ray, Archive of Hor, 1976 11 R. K. Ritner, Hermes Pentamegistos, in: Göttinger Miszellen 49, 1981, 73–75 12 R. El-Sayed, Th. n'a-t-il vraiment pas de mère?, in: Rev. d'Égyptologie 21, 1969, 71–76 13 S. Schott, Th., le dieu qui vole des offrandes et qui trouble le cours du temps, in: CRAI 1970, 547–556.   A. v. L.

Thracia. Röm. Prov. im Norden der Balkanhalbinsel, 45 n. Chr. eingerichtet. Östl. grenzte sie an das Schwarze Meer (→ Pontos Euxeinos) von Apollonia [2] bis zum Bosporos [1] unter Einschluß von → Byzantion (Ptol. 3,11; Herod. 3,1,5; seit spätestens 201 n. Chr. gehörte auch Mesambria [1] zu Th.); südl. an die Nordküste der Ägäis (→ Aigaion Pelagos) unter Einschluß der Inseln → Prokonnesos, → Thasos, → Samothrake und evtl. zeitweise auch → Imbros; westl. an die Prov. Macedonia (Grenze am Nestos [1] und am Mittel- und Oberlauf des → Strymon); nördl. an die Prov. Moesia Inferior. Bis Traianus [1] unterstand Th. einem *procur.*, danach einem *praetor*; Hauptstadt war → Perinthos. Die vorröm. Städte waren als *póleis* organisiert, den Status einer *colonia* hatten die Städte Apros (h. Germeyan), → Deultum und Coela (nördl. von Eçeabat). Bis Hadrianus wurde die alte vorröm. Einteilung in *stratēgíai* (→ *stratēgós* II.) beibehalten, später war die Prov. in Stadtterritorien gegliedert. Der → Kaiserkult lag in den Händen des → *koinón* (I.) der → Thrakes mit Sitz in → Philippopolis. Unter Traianus und Hadrianus erfolgte die Urbanisierung von Th. (Pautalia, Serdica, Nikopolis [2] ad Istrum, Markianupolis).

→ Moesia (mit Karte); Thrakes

B. Gerov, Beitr. zur Gesch. der röm. Prov. Moesien und Thrakien, Bd. 3, 1998, 1–406 • Ders., Die Grenzen der röm. Prov. Th., in: ANRW II 7.1, 1979, 212–240 • V. Gerasimova-Tomova, Die Administration der Städte in Thrakien, in: Act. du IXe Congr. international d'épigraphie grecque et latine 1, 1987, 239–246 • V. Velkov, Cities in Thrace and Dacia in Late Antiquity, 1977, 127–133.   I. v. B.

Thraex s. Munus (III. E.)

Thraistos (Θραῖστος). Grenzort im nördl. Hochland von → Elis [1], der Akroreia, an der Straße von Arkadia nach → Elis [2] (Xen. hell. 7,4,14); die genaue Lage ist unbekannt; 402 v. Chr. von → Pausanias [2] eingenommen (Diod. 14,17,8). Einen Richter aus Th. um 300 v. Chr. in Kalydon [3] erwähnt die Inschr. IG IX 1² 138.   KL. T.

Thrakes, Thrake, Thraci (Θρᾶκες, Θρῦκες/ *Thrêikes*; Θράκη/ *Thráikē*, Θρήκη/ *Thrēikē*), die »Thraker« und das von ihnen besiedelte »Thrakien«, lat. *Thraci, Thracia*.

I. Name   II. Geographie   III. Sprache
IV. Geschichte   V. Archäologie und Kultur
VI. Wirtschaft, Kultur und Kunst
VII. Religion

I. Name

Thrakes (Th.) ist ein auf sprachlicher und kultureller Homogenität basierender griech. Sammelbegriff für die Bevölkerung der nördl. Balkanhalbinsel von der Nordküste der Ägäis (→ Aigaion Pelagos, auch »Thrakisches Meer« genannt: Strab. 1,2,20) bis zur Donau (Istros [2]; oft wird von den ant. Autoren auch noch das Gebiet bis zu den nördl. Karpaten dazugerechnet) und von der westl. Küste des Schwarzen Meeres (→ Pontos Euxeinos) bis ungefähr zum Lauf des Vardar (→ Axios). Ob die Th. der archa. Zeit von der brz. Bevölkerung dieses Gebietes abstammten, ist ungeklärt.

II. Geographie

Im Norden grenzte Thrake (= The.), das Siedlungsgebiet der Th., an das der → Skythen, im Westen an das der Illyrioi und anderer Stämme, deren ethnische Zugehörigkeit noch ungeklärt ist (etwa → Dardani und Paiones); im SW grenzte es an → Makedonia. Seit der Mitte des 5. Jh. v. Chr. (Hdt. 3,90) sind auch in Kleinasien Th. belegt (vgl. auch Xen. an. 6,4,1: ἐν τῇ Θρᾴκῃ τῇ ἐν τῇ Ἀσίᾳ). Es kann sich hier um eine alte, mit den europäischen Th. verwandte Bevölkerung handeln (das gilt v. a. für die Bithynoi (→ Bithynia), vielleicht aber auch für andere Stämme wie die → Mariandynoi), um deportierte Volksgruppen (vgl. Hdt. 5,14f.) oder um Fiktionen, die aufgrund ähnlich klingender Orts- bzw. Stammesnamen von griech. Schriftstellern ausgedacht wurden (z. B. eine Migration der Phryges aus SW-The. aufgrund der Ähnlichkeit des Stammesnamens → Bryges). Auch auf einigen Inseln der nördl. Ägäis wohnten in archa. Zeit Th. (z. B. → Edones auf Thasos, Savi auf → Samothrake).

III. Sprache

Der Charakter der thrak. Sprache (→ Balkanhalbinsel, Sprachen A.) ist aus dem recht umfangreichen onomastischen Material, einigen späten und nicht sicheren Glossen, wenigen kurzen Inschr. sowie durch die Substrat-Forsch. im Bulgarischen und Rumänischen nur in groben Zügen erschließbar (Phonologie, Wortbildung). Danach ist das Thrak. eine indeur. Sprache, mit dem Illyrischen und (weniger) mit dem → Phrygischen verwandt. Bemerkenswert sind viele Par. mit Wortstämmen der baltischen Sprachen. Nördl. des → Haimos (Balkangebirges) sind auch iran. Elemente zu erkennen, kleinasiatische v. a. im SO. Man hat eine Lautverschiebung der thrak. Verschlußlaute feststellen wollen, die der im German. ähnelt (ph, th, kh > p, t, k; p, t, k > b, d, g), wobei es sich aber auch um eine schwächere Aussprache der stimmlosen Konsonanten handeln könnte; die indeur. palatalen Gutturale wurden zu s, kurzes o zu a. Da alle Namen ausschließlich durch griech. bzw. lat. Texte überl. sind, müssen Ungenauigkeiten in ihrer Wiedergabe angenommen werden. Für PN und ON sind zweistämmige Bildungen charakteristisch. Versuche, eine dakische, getische oder paionische Sprache nachzuweisen, scheitern am Quellenmangel. Die thrak. Sprache wurde in hell. und röm. Zeit immer mehr vom Griech. und in geringerem Umfang vom Lat. verdrängt. Dennoch scheint sie sich in Gebirgsgegenden bis in frühbyz. Zeit erh. zu haben.

IV. Geschichte
A. Frühe und klassische Zeit
B. Hellenistische Zeit   C. Römische Zeit
D. Byzantinische Zeit

A. Frühe und klassische Zeit
Erste Belege für die Existenz der Th. finden sich bei Homer (Hom. Il. 2,844f.; 10,434f.: Θρήϊκες) und in der frühgriech. Lyrik (Vita Arati p. 76 Maass in Archil. fr. 6; Archil. fr. 28; fr. 51,40–43; Anakr. fr. 2,1,10). Mit Thrake (= The.) wird darin das Hinterland der Küste der Ägäis (→ Aigaion Pelagos) bis zum → Strymon und das Gebiet um den → Hellespontos bezeichnet, wo die Griechen zum ersten Mal mit den Th. in Kontakt kamen. Im 6. Jh. v. Chr. wurde im Zuge der griech. → Kolonisation (IV.) der Name auf die Westküste des Schwarzen Meeres (→ Pontos Euxeinos) und das dazwischenliegende Gebiet ausgedehnt, und auch die Kenntnisse der thrak. Stammeswelt, ihrer Geogr. und Ethnologie erweiterten sich zusehends. Die wertvollste Quelle dafür ist das Gesch.-Werk des → Herodotos [1], der selbst große Teile von The. bereist hatte. Von bes. Interesse für die Griechen war die Nordküste der Ägäis mit ihren reichen Metallvorkommen (Pangaion, Orbelos, Dysoron). Hier wie an der Küste des Schwarzen Meeres begannen Th. und Griechen nebeneinander zu siedeln, wirtschaftliche und kulturelle Kontakte zu entwickeln, was zum Beginn einer → Hellenisierung der dortigen thrak. Oberschicht führte.

Ein bedeutsamer Einschnitt in der Entwicklung der südl. The. war die persische Okkupation um 500 v. Chr. Nach ihrem Abzug im Jahr 479 v. Chr. hinterließen die → Achaimenidai [2] (mit Karte) ein polit. Vakuum, das von thrak. Herrschern gefüllt wurde, die eigene Staatsgründungen betrieben (vgl. die → Paiones, → Edones, → Bisaltai) und auch eigene Mz. prägten. Das größte

thrak. Reich gründeten die → Odrysai, die von SO-The. aus große Teile des thrak. Gebiets unterwarfen. Ihre Herrscher unterhielten einerseits gute Beziehungen zu Athen, andererseits auch mit dem → Regnum Bosporanum (mit Karte).

Diese Staatsbildungen veränderten die thrak. Stammeswelt, von der wir trotz einer Fülle von Namen nur wenig wissen, da die Griechen oft willkürlich traditionelle Bezeichnungen (z. B. → Kikones) oder selbst erfundene Namen (z. B. → Melinophagoi) für territoriale Bevölkerungsgruppen verwendeten. Andere Namen wiederum stellen Bezeichnungen von Stammesverbänden dar, wie z. B. → Triballoi, Bessoi (→ Bessi) oder → Getai. Selbstbezeichnungen der Th. geben nur die thrak. Mz., die aber nicht von Stämmen, sondern von Staaten herausgegeben wurden. Einige Stammesnamen sind erst spät in hell. Zeit bezeugt, wie z. B. die Serdoi (→ Serdica), → Astai und Dentheletai, wobei offen bleibt, seit wann sie ihre belegten Siedlungsgebiete eingenommen hatten.

B. Hellenistische Zeit
Im 4. Jh. v. Chr. begann die Expansion der Makedones (→ Makedonia). Philippos [4] II. drang in mehreren Feldzügen in das damals dreigeteilte Reich der Odrysai ein und eroberte es nach und nach trotz des Widerstandes der Athener. Süd-The. fiel nach schweren Kämpfen in seine Hand. Philippos versuchte, seine Stellung in The. durch die Anlage befestigter Kolonien an wichtigen Flüssen (Hebros, Tonzos) zu festigen (Gründung von Städten wie → Philippopolis, → Kabyle) und siedelte dort maked. und griech. Kolonisten an. Auch auf die Gebiete nördl. des Haimos griffen die Makedones aus (z. B. → Istros [3]) und brachten sie unter ihre Kontrolle. Im Binnenland konnte sich die maked. Herrschaft nur mühsam halten: Alexandros [4] d. Gr. zog vor seinem Asienfeldzug gegen die Triballoi (Arr. an. 1,1–4). In sein Heer reihte er viele thrak. Soldaten ein (teils als Verbündete, teils als Söldner), von denen etliche zu den Elitetruppen gehörten.

Lysimachos [2], der nach Alexandros' Tod die Strategie The. verwaltete, hatte dort gegen mehrere Feinde und Aufstände zu kämpfen (Seuthes [4] III., der Aufstand von → Kallatis). Über die maked. Verwaltung von The. gibt es keine Quellen. Nach der Niederlage des Lysimachos [2] (281 v. Chr.) fiel The. an die → Seleukiden. Trotz der maked. Kontrolle konsolidierten sich die thrak. Herrscher in zahlreichen selbständigen Kleinkönigtümern, die teilweise nur arch., seltener auch inschr. und numismatisch faßbar sind. Der bedeutendste Dynast dieser Zeit war → Seuthes [4] III. (mit Residenz → Seuthopolis). Durch den Beginn der Urbanisierung in The. kam es zu wirtschaftlicher Belebung. Durch das Söldnertum und den hell. Handel entwickelten sich die Ware-Geld-Beziehungen auch im Inneren des Landes, was am Mz.-Umlauf in The. und den Mz.-Prägungen der thrak. Dynasten ablesbar ist.

In den 70er J. des 4. Jh. v. Chr. drangen mehrere Gruppen von → Kelten (III. A.) in The. ein. Eine kelt.

Stammesgruppe errichtete südl. des Haimos → Tyle. Angriffe auf die griech. Poleis am Schwarzen Meer wurden gemeinsam von Griechen und Th. abgewehrt (IGBulg I², 307). Antigonos [2] Gonatas schlug 277 v. Chr. bei Lysimacheia [1] ein großes Keltenheer und erhielt den früheren Herrschaftsbereich des → Lysimachos als Königreich. Im Binnenland wurden die Kelten von Th. vernichtend besiegt und vertrieben (Pol. 4,46,4).

Nach dem 3. → Syrischen Krieg fielen die seleukidischen Besitzungen in The. an → Ptolemaios [6] III. (Lysimacheia, Ainos, Maroneia, Sestos und Kypsela). Da die → Ptolemaier vorrangig an Seehäfen interessiert waren, erstreckte sich ihr Herrschaftsgebiet wohl kaum weit ins Hinterland (Pol. 5,34,9). Damals dienten viele Th. im ägypt. Heer (Pol. 5,38,4; vgl. die Zeugnisse zahlreicher Pap. und Inschr. aus Äg.). Die von Philippos [4] II. gegr. Städte wurden im 3. und 2. Jh. v. Chr. zu Residenzen thrak. Dynasten: Um Kabyle herrschte das Königshaus der Astoi (Pol. 13,10,10), um Philippopolis das der Bessoi. Nördl. des Haimos waren ebenfalls mehrere autonome Königreiche entstanden, die im Osten teilweise mit den griech. Poleis in Konflikt gerieten (z. B. Istros [3]) und offensichtlich nicht sehr stabil waren. In Scythia Minor (der h. Dobrudscha) siedelten neben getischen und dakischen Th. auch Skythen, Griechen sowie Tyragetai und → Bastarnae (Strab. 2,1,42); Mz. wurden hier von thrak. und skythischen Herrschern geprägt. Stämme, die aus dem Norden über die Donau (Istros [2]) kamen, bedrohten dieses Gebiet und seine Poleis (vgl. Syll.³ 709).

Über die Feldzüge Philippos' [7] V., der gegen die → Maidoi zog und zeitweilig Philippopolis besetzte (Pol. 23,8,7; Liv. 44,42), kamen die Th. zum ersten Mal mit Rom in Kontakt. → Perseus [2] wurde in der Schlacht bei Pydna (168 v. Chr.) von den mit Th. verbündeten Römern geschlagen.

C. RÖMISCHE ZEIT

167 v. Chr. kam erstmals eine thrak. Geisel – Bithys, der Sohn des Kotys [I 3] – nach Rom. Die thrak. Dynasten waren nun gezwungen, jeweils für oder gegen Rom Partei zu ergreifen. 119 v. Chr. unternahmen Maidoi, Bessoi und → Scordisci einen Angriff auf die röm. Prov. Macedonia und auf Mittelgriechenland, der erst 107 v. Chr. zurückgeschlagen wurde (vgl. Syll.³ 710). Während des 1. → Mithradatischen Krieges (89–85 v. Chr.) unternahmen Th. Einfälle nach Thessalia und Dalmatia (89 v. Chr.). Fast alle Städte am Schwarzen Meer und viele thrak. Dynasten wurden Verbündete des pontischen Königs (Eutr. 6,10; App. Mithr. 13,15,69). Erst 87 v. Chr. gelang es Cornelius [I 90] Sulla, die Maidoi am mittleren → Strymon zu schlagen. Dabei half der Odrysenkönig Sadalas [1] den röm. Truppen. C. Scribonius [I 3] Curio zog als erster röm. Feldherr 76–73 v. Chr. bis zur Donau (*bellum Dardanicum*; Eutr. 6,2; Oros. 5,23,20). Während des 3. Mithradatischen Krieges (74–63 v. Chr.) schlug → Licinius [I 27] Lucullus die Bessoi, zerstörte die Städte Philippopolis, Kabyle und

Uskudama (nachmals → Hadrianopolis [3]) und gelangte zur Westküste des Schwarzen Meeres, wo die meisten Poleis ganz oder teilweise zerstört wurden (Liv. Per. 97; Eutr. 6,10).

Dennoch konnten die Römer den thrak. Widerstand lange Zeit nicht brechen: Antonius [I 2] Hybrida wurde 62/1 v. Chr. bei Istros [3] von → Getai geschlagen (vgl. IGBulg I², 13), C. Octavius [I 2] konnte sich 60 v. Chr. gegen die Bessi (Suet. Aug. 3,2; 94,5), Calpurnius [I 19] Piso in den J. 57 bis 55 v. Chr. gegen die Dentheletai (Cic. Pis. 84; Cic. prov. 4) durchsetzen. Während des röm. Bürgerkrieges waren der odrysische König Kotys [I 5], der Herrscher der Sapaioi und der dakische König → Burebistas auf der Seite des Pompeius [I 3]. In der Schlacht bei Aktion/Actium (31 v. Chr.) standen der getische Herrscher Dikomedes und andere thrak. Dynasten auf der Seite des M. Antonius [I 9]. In den J. 29/8 v. Chr. führte Licinius [I 13] Crassus die »mysischen Kriege« gegen die Bastarnae und → Dakoi, die Gebiete südl. des Haimos angegriffen hatten, und schlug sie mit Hilfe des getischen Königs Rholes bis über die Donau zurück. 28 v. Chr. schlug er die Serdoi, Bessoi, Odrysai und Teile der Getai (Liv. Per. 134–136; Cass. Dio 51,23–25). Das Gebiet südl. des unteren Istros [2] (Donau) wurde unter röm. Protektorat gestellt. 12 v. Chr. wurde die Prov. → Moesia eingerichtet.

Süd-The. blieb wegen der Romfreundlichkeit seines Königs → Rhoimetalkes [1] I. autonom. Nach dessen Tod (13 n. Chr.?) wurde das Reich der Odrysai von Rom zw. seinem Sohn → Kotys [I 9] III. und seinem Bruder → Rhaskuporis [3] aufgeteilt. Als Rhaskuporis 19 n. Chr. den von Rom unterstützten (Tac. ann. 2,64) Kotys ermorden ließ, wurde er von Tiberius beseitigt. Regent des südl. Königreiches wurde → Trebellenus Rufus als Vormund der drei noch unmündigen Söhne Kotys' III., das Reich des Rhaskuporis erhielt dessen Sohn → Rhoimetalkes [2] II. In den J. 21 und 26 n. Chr. erhoben sich große Teile der thrak. Bevölkerung gegen die romfreundliche Politik des Rhoimetalkes. Nachdem der rechtmäßige Erbe, → Rhoimetalkes [3] III., der in Rom aufgewachsen war, 46 n. Chr. ermordet worden war, richtete Claudius [III 1] trotz heftigen Widerstandes von seiten der Th. die Prov. → Thracia ein. Der Zollbezirk der Ripa Thraciae wurde Moesia zugeschlagen. Die thrak. Aristokraten fanden innerhalb der Prov. ihren Platz in der neuen Oberschicht; einige von ihnen wurden als Verwalter der Strategien eingesetzt (vgl. IGBulg I², 12) oder nahmen andere hohe Verwaltungsposten in neu gegr. Städten ein.

Schon unter Claudius [III 1] begann eine intensive Bautätigkeit in Moesia und Thracia: Kastelle und Brücken wurden gebaut, Befestigungsanlagen restauriert, ein enges Straßennetz ausgebaut, neue Städte (z. B. Apros) gegr. Diese Maßnahmen veränderten die wirtschaftlichen und gesellschaftlichen Grundlagen von The. deutlich. Sie ermöglichten einen erheblichen Aufschwung des gesamten Landes. Aus Syrien, Äg. und Kleinasien immigrierten viele Handwerker und Kaufleute, jüdische Gemeinden entstanden in einigen Städten (z. B. in Philippopolis). Besondere Anstrengungen wurden zur Stärkung des Donau-Limes (→ Limes V.) unternommen, da immer wieder → Sarmatai, → Iazyges und → Rhoxolanoi versuchten, nach Moesia einzudringen (z. B. 68/9: Tac. hist. 3,24). Um 84 n. Chr. wurde die Prov. Moesia in Moesia Inferior und Superior geteilt, was im Zuge der Vorbereitungen auf den Krieg gegen die → Dakoi (B.) geschah. Traianus wandelte das Königreich des → Decebalus nach zwei Kriegen in eine Prov. (Dacia, 106 n. Chr.) um.

Die intensive Urbanisierung, der starke Zustrom neuer Siedler und röm. → Veteranen, die verstärkte Einbindung in das wirtschaftl. und polit. Leben des Imperium Romanum und die zahlreichen Truppenaushebungen unter der thrak. Bevölkerung ließen zunehmend die ethnischen und kulturellen thrak. Elemente in den Hintergrund treten. Im Süden und Osten des Landes wurde Griech. die Hauptsprache, während sich am Donau-Limes und im Westen das Lat. durchsetzte.

Ab der 1. H. des 3. Jh. kam es zu schweren Einfällen wandernder Stämme aus dem Norden, beginnend mit dem Angriff der → Carpi auf Moesia Inferior. Zw. 242 und 245 folgten Überfälle der Sarmatai, → Goti und Carpi, 248 schlossen sich auch → Vandali an. Zwei Jahre später zogen Goti gegen Philippopolis und Augusta Traiana (h. Stara Zagora, s. → Beroia [2]; Iord. Get. 102). Bei → Abrit(t)os fiel Kaiser Decius [II 1]. 254/5 kamen die Goti bis Thessalonike. Erst 269, als sie mit Heruli, Gepidae, Bastarnae u. a. Stämmen bis Griechenland vordrangen, gelang es Claudius [III 2] Gothicus, sie bei Naissus zu schlagen. Die Prov. Dacia konnte allerdings nicht gehalten werden (272 n. Chr.). Zur besseren Verteidigung der Nordgrenze wurden zwei neue Prov. geschaffen: Dacia Mediterranea mit Hauptstadt → Serdica und Dacia Ripensis mit Hauptstadt → Ratiaria. Viele Goti wurden als Kolonen in den stark entvölkerten Gebieten des Landes angesiedelt.

Nach Überwindung der tiefen Krise des Imperium im 3. Jh. erhielten die Donau-Prov. in der Reichspolitik immer größere Bed., zumal auch einige Kaiser (z. B. Diocletianus, Constantinus [1] I.; Iovianus) aus diesen Gebieten stammten. Aus einem peripheren Land wurde The. zum Hinterland der neuen Hauptstadt → Konstantinopolis.

→ Balkanhalbinsel (Sprachen), mit Karte; Dakoi; Getai; Limes (V.); Odrysai; Moesi (mit Karte); Thracia

J. Wiesner, Die Thraker, 1963 • Ch. Danov, Altthrakien, 1976 • E. Maksimov, Der alte Erzbergbau Bulgariens, in: Geologie 20, 1971, 553–563 • D. Dečev, Die thrak. Sprachreste, ²1976 • Ders., Charakteristik der thrak. Sprache, 1960 • V. Georgiev, Trakite i tehnijat ezik, 1977 • V. Velkov, A. Fol, Les Thraces en Egypte gréco-romaine, 1977 • Z. Gočeva u. a. (Hrsg.), Izvori za istorijata na Trakija i trakite, 1981 • U. Peter, Die Mz. der thrak. Dynasten, 1997 • J. Youroukova, Coins of the Ancient Thracians, 1976 • D. Danov, Trakijsko izvoroznanie, 1998 • A. Fol, Političeskata istorija na trakite, 1972 • Ders., Trakija i Balkanite prez ranno-elinističeskata epoha, 1975 • M. Domaradzki, Keltite na Balkanskija poluostrov, 1984 • K. Jordanov, Thraker und Skythen unter Philipp II., in: Bulgarian Historical Review 19/3, 1991, 37–59 • D. K. Samsares, Les Thraces dans l'Empire Romain d'Orient, 1993 • M. Tacheva-Hitova, Istorija na Balgarskite zemi v drevnostta 2, 1987 • D. M. Pippidi, Scythica Minora, 1975 • D. Boteva, Dolna Mizija i Trakija v rimskata imperska sistema, 1997. I. v. B.

D. Byzantinische Zeit

Die Verwaltungsreformen des Diocletianus und des Constantinus [1] I. teilten die alte Prov. → Thracia in vier *eparchíai* (*provinciae*) auf. (1) Thracia: Hauptort → Philippopolis, (2) Rhodope: → Traianopolis [1], (3) Europa: Herakleia (das alte → Perinthos), (4) Haimimontos: → Hadrianopolis [3] (vgl. Hierokles [8], Synekdemos 631,4–635,14). Dadurch konnte The. in der Folge ganz verschiedene Bed. haben:

(1) die klass. Verwendung (oft bei byz. Schriftstellern) im Sinne der Landschaft zw. → Haimos (Balkangebirge), Schwarzem Meer (→ Pontos Euxeinos), Ägäis (Marmarameer, → Aigaion Pelagos) und dem Fluß → Nestos [1] (vgl. → Moesi, Moesia, mit Karte); (2) die → *dioíkēsis* (II.) Th., die außerdem noch die Prov. Moesia secunda und Scythia (die h. Dobrudscha) umfaßte, also auch das Land nördl. des Balkangebirges; (3) die erste der o. g. vier Provinzen.

Obwohl die byz. Themenverfassung E. des 7. Jh. (Errichtung eines → *thémas Thrákē*, das weitgehend der alten Prov. Europa entsprach [1. 76; 2]) anderen Vorgaben folgte, behielt die Kirche diese Prov.-Einteilung die byz. Zeit über weitgehend bei. Th.' Bed. resultierte bes. aus seiner geogr. Lage am Schnittpunkt wichtiger Verkehrsachsen (West-Ost, via Egnatia; Nordwest-Südost von → Serdica nach → Byzantion/→ Konstantinopolis; Nord-Süd-Achse entlang des Schwarzen Meeres (vgl. [1. 132 ff. mit Karte]) und wurde durch die Gründung von Konstantinopolis 324 n. Chr. noch gesteigert: Th. ist jetzt (bis zur Verlagerung der türkischen Hauptstadt nach Ankara 1923) das Hinterland der byz. und osmanischen Hauptstadt. Th. war (bes. nach dem Verlust Siziliens und Ägyptens) Nahrungsmittellieferant [1. 149 f.] und gleichzeitig Hauptaufmarschgebiet aller potentiellen Eroberer vom europ. Festland aus: → Goti (Schlacht von Hadrianopolis 378), → Hunni, → Avares (Belagerung von 626) und → Bulgaroi (seit E. des 7. Jh.; → Bulgarisches Reich), aber auch der Kreuzfahrer und Osmanen, deren erster Brückenkopf in Europa das thrak. → Kallipolis [3] war (1352). Eine lange Mauer schützte daher speziell das unmittelbare Hinterland der Hauptstadt (→ Anastasios [1], im J. 503).

Trotz häufiger Verwüstungen konnte sich die spätant.-röm. Stadtkultur, die in den griech. Kolonien wie → Abdera [1], → Ainos [1], → Mesambria, → Perinthos und → Selymbria bis in archa. Zeit zurückreichte, im wesentlichen halten. Die z. T. mit den Avaren verbündeten → Slaven konnten zwar seit dem 6. Jh. das flache Land besiedeln (Thema Smolenon, nach einem slavi-

schen Stamm), jedoch in Städten wie Philippopolis, Hadrianopolis, → Bizye, → Beroia, Debeltos, Didymoteichon/Plotinopolis oder Rhaidestos nur allmählich Fuß fassen (vgl. die arch. Spuren in Diokletianopolis (→ Keletron bei [1. s. v.]). Hier konnte das byz. Reich seine Autorität zumeist bis in die spätbyz. Zeit behaupten; nur unter dem Bulgarenkhan Krum gelang während der Feldzüge von 812/3 die Eroberung zahlreicher Städte und die Umsiedlung von Teilen der Bevölkerung, wie später unter dem Zaren Symeon (893–927; → Bulgarisches Reich B.). Durch vergleichbare Umsiedlungen der Reichsregierung aus Kleinasien wurden auch zahlreiche → Paulikianer in Th. angesiedelt; in den Städten waren auch die Armenier stark vertreten.
→ Moesia (mit Karte)

1 SOUSTAL, Thrakien 2 R. J. LILIE, »Thrakien« und »Thrakesion«, in: Jb. der öst. Byzantinistik 26, 1976, 7–47.

R. BROWNING, Byzantium and Bulgaria, 1975 · T. E. GREGORY, s. v. Thrace, ODB 3, 2079f. · P. SOUSTAL, s. v. Thrakien, LMA 8, 736f. · S. RUNCIMAN, A History of the First Bulgarian Empire, 1930 · P. STEPHENSON, Byzantium's Balkan Frontier, 900–1204, 2000.   J. N.

V. ARCHÄOLOGIE UND KULTUR
A. ALLGEMEINES
B. BRONZE- UND EISENZEIT
C. 5. JH.–1. JH. V. CHR.
D. RÖMISCHE ZEIT

A. ALLGEMEINES

Die Thrakische Arch. erforscht Gebiete, die im Alt. von thrak. Bevölkerung besiedelt waren. Natürliche Grenzen sind im Süden die Ägäis, im Osten das Schwarze Meer (→ Pontos Euxeinos) und im Norden die Nordkarpaten. Im Westen bildeten Theiß (Tisia) und Kreisch (Crisia) Grenzgebiete, während Th. im SO bis nach Kleinasien siedelten und im NO, vom 5.–2. Jh. v. Chr. das Herrscherhaus des → Regnum Bosporanum (→ Spartokiden, hellenisierte Thraker) stellten, bis das Reich 107 v. Chr. durch Mithridates [6] VI. Eupator dem Regnum Pontum eingegliedert wurde. Die eigentliche Thrak. Arch. betrifft v. a. die ehemaligen röm. Prov. Dacia (→ Dakoi C.), Moesia (→ Moesi) und → Thracia.

An wichtigen Gebirgen sind → Haimos, Karpates und Rhodope zu nennen. Die Hauptflüsse sind Tisia, Marisius, Alutus, Danubius/Istros, Hierasos, Pyretos, Strymon, Hebros und Tonzos. An Bodenschätzen sind Kupfer und Eisen (in der Dobrudscha, im Hinterland der bulgarischen Schwarzmeerküste und in Siebenbürgen) sowie Gold, Silber und Salz (in den Westkarpaten) zu nennen.

In der rumänischen und bulgarischen, neuerdings auch moldavischen Forsch. werden Brz. und Eisenzeit (ca. 2000 v. Chr. bis 6. Jh. v. Chr.) als »thrakisch« bezeichnet.

B. BRONZE- UND EISENZEIT
(CA. 2000–6. JH. V. CHR.)

Verschiedene brz. (1. H. 2. Jt. v. Chr.), durch spiral- und mäanderverzierte Keramik definierte und nach FO benannte Kulturen (z. B. Otomani, Wietenberg, Monteoru, Tei) werden in der Forsch. als »thrakisch« bezeichnet, wenngleich sich diese Ansicht auf keinerlei ant. Quellen stützen kann. Ein Kontakt zur griech. Welt wird arch. erst durch spät-brz. (2. H. 2. Jt. v. Chr.) Anker- und Barrenfunde an der bulgarischen Schwarzmeerküste (zw. Apollonia [2] und Mesambria [1]) nachgewiesen. Auch in der frühen Eisenzeit wird die Bezeichnung »thrak.« für charakteristische Keramik, außen schwarz poliert, innen rötlich, mit Kannelur- (Gáva-Holirady-Kultur im Norden) und Stempelverzierung (Pšeničevo-Gruppe und Verwandte im Süden, später auch der Basarabi-Stil im Norden) verwendet. Seit dem 7./6. Jh. v. Chr. wird im Osten und Süden griech. Einfluß in der Töpferei spürbar (Drehscheibenkeramik). Bes. deutlich wird dies in thrak. und getischen Gräberfeldern des 6.–4. Jh. v. Chr. im Hinterland der Küstenstädte (z. B. Ravna und Dobrina bei Mesambria [1]; Bugeac, Canlia und Satu Nou bei Tomi; Zimnicea), in denen griech. Formen zunächst handgemacht imitiert, später durch Drehscheibenware ersetzt wurden. Vergleichbar ist die Situation in dem Gräberfeld von Chotin (Slowakei) am NW-Rand des thrak. Siedlungsraumes. Nördl. des Istros [2] wurde die Entwicklung im 8.–7./6. Jh. v. Chr. durch skyth. Gruppen (→ Agathyrsoi, → Skythen) gestört, und zeitweilig dominierten skyth. geprägte Waffen und Keramik (z. B. in den arch. Gruppen Ciumbrud und Ferigile-Bîrseşti). Die Kelten (→ Kelten III. A.) hinterließen arch. und sprachlich Spuren (etwa im Namen der getischen Stadt Aigyssos).

C. 5. JH.–1. JH. V. CHR.

Seit Mitte des 5. Jh. v. Chr. bildeten sich, nach griech. und persischem Beispiel, thrak. Staaten, sowohl im Randbereich (z. B. Königreich → Bithynia), als auch im Kerngebiet, von denen das Reich der → Odrysai am bekanntesten ist. Ihr König → Teres (um 450 v. Chr., urspr. zw. Rhodope und Kabyle ansässig, vgl. Hdt. 4,92), bildete ein Reich, das sich unter Sitalkes [1] (um 440–424 v. Chr.) bis an die Struma (→ Strymon) im Westen und an die Donau (Istros [2]) im Norden ausdehnte. Es beherrschte etwa die Serdoi, in deren Gebiet sich → Serdica zur Stadt entwickelte. Sitalkes' [1] Reich wurde Mitte des 4. Jh. v. Chr. unter Nachfolgern verteilt und schließlich von → Philippos [4] II. 342/1 v. Chr. erobert und dem Makedonenreich eingegliedert. Das Herrschergeschlecht der Odrysai blieb jedoch weiter erh., z. B. mit Seuthes [4] III. (seine Residenz war in → Seuthopolis, einer nach griech. Vorbild regelmäßig angelegten, befestigten Stadt mit Münzprägung im Gebiet der → Moesi/Mysoi). Weitere Städte mit eigener Münzprägung waren etwa → Dionysopolis (3.–2. Jh. v. Chr. bis Gordianus [3] III.) und → Mesambria [1] (seit dem 5. Jh. v. Chr.).

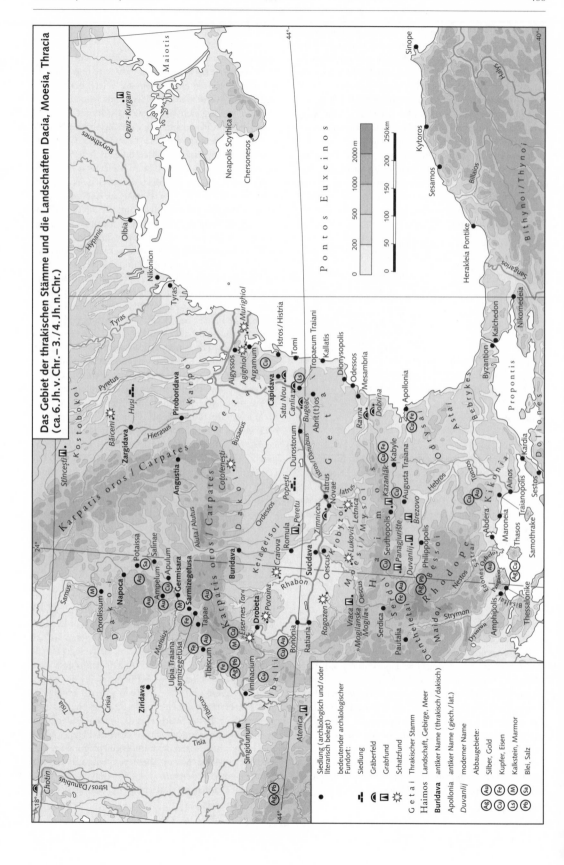

Das Gebiet der thrakischen Stämme und die Landschaften Dacia, Moesia, Thracia (ca. 6. Jh. v. Chr. – 3. / 4. Jh. n. Chr.)

D. RÖMISCHE ZEIT
(1. JH. V. CHR.–3./4. JH. N. CHR.)

Bedeutendere Städte und mil. Stützpunkte, oft mit thrak./get./dak. Namen, waren → Apulum (Hauptstadt der Dacia Apulensis), → Capidava (unter Traianus bei einer dako-get. Siedlung erbautes röm. Kastell), Drobeta (im 2. Dakerkrieg wichtiger röm. Stützpunkt), → Durostorum (unter Diocletianus Hauptstadt der Prov. Scythia), → Germisara (Thermalbäder und Steinbrüche), → Kabyle (im 4./5. Jh. mehrere Basiliken, 583 von Avares zerstört), → Napoca (im 3. Jh. Sitz des Procurators von Dacia Porolissensis), → Novae [1] (um 30 n. Chr. gegr. an einem Donau-Übergang, im 5. Jh. Hauptstadt der → Ostgoten), → Pautalia (unter Traianus über einer Siedlung der Dentheletai gegr., Verwaltungszentrum), → Porolissum (Verwaltungszentrum der 124 n. Chr. entstandenen Prov. Dacia Porolissensis), → Ratiaria (Hauptstadt der Dacia Ripensis) und → Serdica (seit Aurelianus [3] Hauptstadt der Prov. Dacia Ripensis, seit Diocletianus von Dacia Mediterranea). Die Bevölkerung dieser Städte setzte sich zumeist aus einem Gemisch von Thrakern/Dakern, Griechen, Römern und kleinasiatischen Handwerkern, im NO auch Skythen, zusammen. Wichtige Donaubrücken befanden sich in Oescus [2] (unter Constantius [1] I. erbaut) und Drobeta (von Apollodoros [14] aus Damaskos unter Traianus erbaut). Münzprägungen erfolgten in → Philippopolis (von Domitianus bis Elagabal), Serdica (von Marcus [2] Aurelius bis Gallienus) und → Istros [3]/Histria (bis Gordianus [3] III.).

VI. WIRTSCHAFT, KULTUR UND KUNST

Wirtschaftliche Grundlage der Th. war die Landwirtschaft, darunter auch Pferdezucht. Von Bed. waren außerdem → Sklavenhandel und → Bergbau: Eisen, Kupfer, Blei, Silber (entsprechende Verwaltungszentren in Pautalia, Ampelum, Apulum, Mesambria [1] und Waffenfabrik in Ratiaria), → Gold (Pautalia, Apulum) und → Salz (Potaissa, Salinae). Städtische Siedlungen der Th., häufig durch die thrak.-get. Endung -dava/-deva (z. B. Buridava, Capidava, Piroboridava, Pulpudeva, Sucidava, Zargidava, Ziridava) gekennzeichnet, dürften kelt. → oppida entsprochen haben und wurden in röm. Zeit zumeist weiter bewohnt.

Die Verfügbarkeit von Edelmetallen im thrak.-dak. Gebiet begünstigte die → Toreutik. Gold und Silber ist aus Schatzfunden vom Norden (Băiceni) über die Dobrudscha (Agighiol, Murighiol), die Südhänge der Karpaten (Coțofenești), die Walachei (Craiova, »Eisernes Tor«, Poroina) bis südl. der Donau (Letnica, Lukovit, Rogozen) bekannt.

Entsprechende reiche Grabfunde (»Fürstengräber«) mit Silber- (auch vergoldet) oder Goldgegenständen sind selten nördl. (Peretu, Stîncești), häufiger südl. der Donau (Atenica, Brezovo, Duvanlij, Kazanlăk, Panagjurište, Vraca) ausgegraben worden. Griech., achäm. und skyth. Anregungen wurden aufgenommen und zu einem eigenen thrak. Stil umgesetzt. Typisch sind sand-

uhrförmige Becher (z. B. Agighiol, »Eisernes Tor«) mit Tierfriesen (z. B. Hirsche mit überdimensioniertem Geweih, dessen Sprossen in Greifen enden), Rhyta (z. B. Borovo, Panagjurište, Vraca), Phialen, die sich aus dem ostgriech.-kleinasiatischen Raum herleiten lassen (z. B. Rogozen, Vraca), und Pferdegeschirr mit drei- oder vierfachen Wirbeln von Tierköpfen (z. B. Băiceni, Brezovo, Craiova, Kazanlăk, Letnica, Lukovit, Peretu, Vraca). Vergoldete Beinschienen und Helme aus Silber (z. B. Agighiol, Coțofenești, Peretu, Vraca) mit figürlich myth. Darstellungen dürften kaum praktischen Schutz geboten haben. Stilistisch ähnliche Darstellungen finden sich z. B. auch auf den Platten aus dem Hort von Letnica (→ Hortfunde). In den meisten der Fürstengräber findet sich auch direkter griech. Import (Metallgefäße, Helme, Keramik). Die Kuppelgräber mit Eingangsbereich (Dromos; vgl. → Grabbauten) und häufig mehreren Kammern des 4.–3. Jh. v. Chr., etwa der hochgestellten Odrysai, enthalten Wandgemälde mit hell. Motiven, die aber in Statik und Reihung thrak. wirken (z. B. Kazanlăk).

Die Th. übernahmen jedoch nicht nur Einflüsse aus dem Orient und der griech. Welt. Metallfunde in typisch thrak. Ausprägung reichen bis zum Oguz-Kurgan nördl. der Krim. Der Gott → Dionysos (mit zahlreichen Heiligtümern im thrak. Gebiet) soll thrak. Ursprungs sein; → Orpheus, der thrak. Sänger und Leierspieler, der wilde Tiere, Steine und Bäume bezauberte (z. B. mit zuhörenden Th. auf einem Krater des Orpheus-Malers, 5. Jh. v. Chr., Berlin, SM) und von thrak. Frauen zerrissen wurde, als er sich dem Dienst des Dionysos widersetzte, wurde fest in die griech. Myth. eingefügt. Der Kult des »Thrak. Reiters«, in vielen Darstellungen belegt, jedoch kaum näher bekannt, läßt sich, trotz ikonographischer Ähnlichkeiten, nicht mit jenem des → Mithras verbinden, der später bei Th. populär wurde.
→ Regnum Bosporanum; Schwarzmeergebiet (II.); Skythen

P. ALEXANDRESCU, Le groupe de trésors thraces du Nord des Balkans (I), in: Dacia N. S. 27, 1983, 45–66; (II), in: Dacia N. S. 28, 1984, 85–97 · D. BERCIU, Arta traco-getică, 1969 (Thrako-get. Kunst, rumän.) · G. BICHIR, The Archaeology and History of the Carpi from the 2nd to the 4th Century AD, 1976 · J. V. BOLTRIK, E. E. FIALKO, Der Oguz-Kurgan. Die Grabanlage eines Skythenkönigs der Zeit nach Ateas, in: Hamburger Beitr. zur Arch. 18 (1991), 1996, 107–129 · I. H. CRIȘAN, Ceramica daco-getică cu specială privire la Transilvania, 1969 (Die dako-get. Keramik unter bes. Berücksichtigung Transsylvaniens, rumän.) · C. DAICOVICIU et al., Istoria României, Bd. 1, 1960 (Gesch. Rumäniens, rumän.) · CH. DANOV, Altthrakien, 1976 · D. P. DIMITROV, M. ČIČIKOVA, The Thracian City of Seuthopolis, 1978 · M. DUŠEK, Thrak. Gräberfeld der Hallstattzeit in Chotín, 1966 · A. FOL (Hrsg.), Der thrak. Silberschatz von Rogozen, Bulgarien, 1988 · Ders., I. MAZAROV, Goldene Fährte Thrakien, 1978 · Gold der Thraker. Arch. Schätze aus Bulgarien (Ausst.-Kat. Köln usw., 1979–1980) · B. HÄNSEL, Zur Chronologie des 7. bis 5. Jh. v. Chr. im Hinterland von Odessos an der westl.

Schwarzmeerküste, in: PrZ 49, 1974, 193–217 ·
R. F. HODDINOT, Bulgaria in Antiquity, 1975 · K. HOREDT,
Die dak. Silberfunde, in: Dacia N.S. 17, 1973, 127–167 ·
B. KULL, Tod und Apotheose. Zur Ikonographie in Grab
und Kunst der jüngeren Eisenzeit an der unteren Donau, in:
BRGK 78, 1997, 197–466 · A. I. MELJUKOVA, Skifija i
frakijskij mir, 1979 (Skythien und die thrak. Welt, russ.) ·
E. MOSCALU, Ceramica traco-getică, 1983 (Thrako-get.
Keramik, rumän.) · Ders., Das thrako-get. Fürstengrab von
Peretu in Rumänien, in: BRGK 70, 1989, 129–190 ·
B. NIKOLOV, Trakijski săkrovišta ot Vraca i Vračansko, 1980
(Thrak. Schätze aus Vraca und dem Kreis Vraca, bulgar.) ·
M. OPPERMANN, Thraker zw. Karpatenbogen und Ägäis,
1984 · C. PREDA, Monedele geto-dacilor, 1973 (Die Mz.
der Geto-Daker, rumän.) · W. SCHULLER, Die bulgar.
Schwarzmeerküste im Alt., 1985 · V. VELKOV, Gradăt v
Trakija i Dakija prez kăsnata antičnost (IV-VI v.), 1959 (Die
thrak. und dak. Stadt in der Spätant. (4.–6. Jh.), bulgar.) ·
Ders., Gesch. und Kultur Thrakiens und Moesiens, 1988 ·
I. VENEDIKOV, T. GERASSIMOV, Thrak. Kunst, 1976 ·
I. VENEDIKOV, P. PAVLOV, Săkrovišteto ot Letnica, 1974
(Der Schatz von Letnica, bulgar.) · J. WIESNER, Die
Thraker, 1963.   N. BO.

VII. RELIGION

Da indigene schriftliche Quellen zur thrak. Rel.
nicht überl. sind, beruhen diesbezügliche Kenntnisse
stark auf griech. Autoren, die sich in der Regel aber nur
gelegentlich und unsystematisch zu Thrakien äußern
[1. 94–102] und lediglich einen partiellen Einblick in
rel. Vorstellungen und Handlungen geben. Zusätzliche
Informationen zu Aspekten des Kultes lassen sich aus
thrak. Inschr. und der arch. Unt. von thrak. Siedlungen
und Heiligtümern gewinnen [2; 3].

Eine einzigartige Quelle zur thrak. Rel. stellt
→ Herodotos [1] dar, laut dessen Bericht die Th. nur
drei Gottheiten verehrten: → Ares, → Dionysos und
→ Artemis; allerdings ehrten die thrak. Prinzen → Hermes als ihren Vorfahren und Patron (Hdt. 5,7–8). Herodot unterscheidet die verschiedenen Gegenden Thrakiens nicht nur unter dem Gesichtspunkt spezifischer
rel. Praktiken und Nuancen, sondern auch regional
unterschiedlicher fundamentaler rel. Konzepte (Hdt.
5,3,2–5; vgl. 4,94,1–4; 4,95–96). Die epigraphischen
Dokumente und die Hinweise in späteren lit. Texten
zeugen von verbreiteter Übernahme griech. und lat.
Namen von Gottheiten, doch ist unklar, inwieweit dies
die rituelle Praxis beeinflußte.

→ Kabeiroi; Orpheus; Zalmoxis

1 Z. H. ARCHIBALD, The Odrysian Kingdom of Thrace:
Orpheus Unmasked, 1998 2 A. BALKANSKA, Sboryanovo
II. The Thracian Sanctuary at »Demir Baba Teke«, 1998
3 Z. H. ARCHIBALD, Thracian Cult: From Practice to Belief,
in: R. G. TSETSKHLADZE (Hrsg.), Ancient Greeks West and
East, 1999, 427–468.

M. OPPERMANN, Thrak. und danubische Reitergötter, in:
M. J. VERMASEREN (Hrsg.), Die orientalischen Rel. im
Römerreich, 1981, 510–536 · M. TACHEVA-HITOVA,
Eastern Cults in Moesia Inferior and Thracia, 1983.
                                                      Z. H. A.

Thrakisch s. Balkanhalbinsel, Sprachen

Thrasamund(us). König der Vandalen 496–523, Enkel des → Geisericus, Sohn des → Gentunis; Nachfolger
seines Bruders → Gunthamundus (Prok. BV 1,8,8;
Chron. min. 2,193; Daten seiner Herrschaft: Chron.
min. 3,458 f.). Th. heiratete ca. 500 → Amalafrida, die
Schwester des Ostgotenkönigs → Theoderich [3] d. Gr.
(Anon. Vales. 12,68). Die Beziehung zu diesem wurde
ca. 511 dadurch belastet, daß Th. den Westgoten → Ge-
salicus finanziell unterstützte, der nach einer Niederlage
gegen die Ostgoten nach Afrika geflohen war (Chron.
min. 2,223; Briefe Theoderichs an Th.: Cassiod. var.
5,43 f.). Obgleich Arianer, wich Th. von der Linie der
gewaltsamen Verfolgung der Katholiken ab (Prok. BV
1,8,9 f.); dennoch geriet er wegen der Verbannung ka-
tholischer Bischöfe nach Sardinien (Chron. min. 2,193)
in Konflikt zum byz. Kaiser → Iustinus [1] (dessen
Schreiben: Collectio Avellana 212, 519 n. Chr.). Th.
starb am 6.5.523 (Chron. min. 3,459); wenige J. zuvor
hatte er eine schwere Niederlage gegen die Marusii erlitten (Prok. BV 1,8,15–29). PLRE 2,1116 f.
→ Vandali

H.-J. DIESNER, Das Vandalenreich, 1966, 88–94.   WE. LÜ.

Thrasea. Röm. Cognomen, nur in der Kaiserzeit bezeugt (→ Clodius [II 15]; → Valerius [II 20–21]).
                                                      K.-L. E.

Thraseas (Θρασέας). Sohn des Aetos [1], Vater des Ptolemaios [29] und des Apollonios (187–175 wohl Nachfolger seines Bruders als seleukidischer Statthalter, vgl.
2 Makk 3,5), Bürger von Aspendos, Alexandreia [1] und
Athen (nach 224; Th. wird wegen der Vermittlung reicher Geschenke geehrt [1. 46 f. Nr. 17 E]); wie sein Vater *stratēgós* Kilikiens unter Ptolemaios [6] III. (nach 238),
stratēgós Syriens und Phöniziens unter Ptolemaios [7] IV.
(zw. 217 und 204). Sein homonymer Sohn (PP VI 14977)
war als hoher Beamter auf Zypern tätig und nahm in
Tamassos delphische *theōroí* (→ *theōrós*) auf [4. 123²⁸].

1 K. BRINGMANN, H. v. STEUBEN, Schenkungen hell.
Herrscher, 1995 2 C. P. JONES, CH. HABICHT,
A Hellenistic Inscription from Arsinoe in Cilicia, in:
Phoenix 43, 1989, 317–346 3 J. P. REY-COQUAIS, Apport
d'inscriptions inédites de Syrie et de Phénicie, in:
L. CRISCUOLO, G. GERACI (Hrsg.), Egitto e storia antica,
1989, 614–617 4 G. DAUX, Trois remarques de chronologie
delphique, in: BCH 104, 1980, 115–125.   W. A.

Thrason (Θράσων). Indogriech. König im → Pandschab etwa am Beginn des 1. Jh. v. Chr., nur durch eine
einzige Mz. belegt, mittelindisch *Thrasa*.

BOPEARACHCHI, 106 f.; 310.   K. K.

Thrasyalkes (Θρασυάλκης). »Einer der alten Naturphilosophen« (τῶν ἀρχαίων δὲ φυσικῶν εἷς οὗτος, Strab.
17,1,5; 35 fr. 1 DK; [1. 2343; 2]), aus → Thasos, wohl
5. Jh. v. Chr. Th. ordnete die Winde dem → Boreas und

dem → Notos als den Hauptwinden zu (Strab. 1,2,21;
Poseid. FGrH 87 F 74 mit Komm., kritisch erkl. von
[1. 2343 f.]). Für die Ursache der Nilschwelle (→ Nil)
hielt Th. die Sommerregen in Nubien, die ihrerseits
durch von Norden [2] (bzw. von Süden(?) [4. 1377 f.])
herangetriebene Wolkenmassen bedingt seien (Strab.
17,1,5; Lyd. mens. 4,107; Poseid. FGrH 87 F 79 mit
Komm.).
→ Meteorologie

1 R. Böker, s. v. Winde, RE 8 A, 2211–2387 2 W. Capelle,
s. v. Th., RE 6 A, 565–567 3 Diels/Kranz, Bd. 1, 377.
                                                    H. A. G.

Thrasybulos (Θρασύβουλος).
[1] *Prýtanis* bzw. *aisymnḗtēs*, dann Tyrann (Aristot. pol.
1305a 16–18) von Miletos [2] in dessen Blütezeit um die
Wende vom 7. zum 6. Jh. v. Chr., Zeitgenosse des Thales (Diog. Laert. 1,27). Nach Herodot konnte Th. einen
zwölfjährigen Krieg gegen die Lyderkönige → Sadyattes
[2] und → Alyattes (Hdt. 1,17–23; Polyain. 6,47) durch
eine List (Hdt. 1,22: vorgetäuschter Reichtum) beenden
und letzteren zu Frieden und Freundschaft bewegen,
weil → Periandros von Korinthos ihm einen Spruch
von Delphoi an Alyattes verraten hatte (Diog. Laert.
1,31; 95). Mit Periandros und Th. verbindet sich auch
das Bild vom Köpfen der herausragenden Ähren, einem
typischen Tyrannentopos. Teils gilt dies als Rat des Th.
an Periandros (Hdt. 5,92,η1; Diog. Laert. 1,100; Plut.
mor. 147cd), teils als Rat des Periandros (Aristot. pol.
1284a 26–36; 1311a 20–23; 1313a 35–41); Tarquinius
[12] Superbus folgt Th. (Dion. Hal. ant. 4,56; Liv. 1,54).

    H. Berve, Die Tyrannis bei den Griechen, 1967, 19; 21; 101;
    491; 528; 535; 578 f. · N. Ehrhardt, Milet und seine
    Kolonien, 1988, 200–202 · L. de Libero, Die archa.
    Tyrannis, 1996, 165–167; 357; 399; 401; 406 f.; 410.   J. CO.

[2] Th., Sohn des → Deinomenes [1], Bruder und
Nachfolger des → Hieron [1] in der Tyrannis von Syrakus. Nach elf Monaten wurde seine Regierung 466/5
v. Chr. durch einen demokratischen Aufstand beendet.
Er selbst fand in Lokroi [2] Asyl (Sim. fr. 106 D.; Aristot.
pol. 5,1312b 11 und 14; 5,1315b 38; Diod. 11,66–88;
Plut. mor. 403c).

    H. Berve, Die Tyrannis bei den Griechen, Bd. 1, 1967,
    152 f.; 607.   B. P.

[3] Athener aus dem Demos → Steiria, bedeutender demokratischer Politiker und Feldherr des späten 5./4. Jh.
v. Chr. Er war 411 als *triḗrarchos* maßgeblich an der Niederwerfung eines oligarchischen Umsturzes auf Samos
beteiligt und organisierte mit → Thrasyllos [1] den Widerstand gegen die Oligarchen in Athen (Thuk. 8,73;
75,2; → *tetrakósioi*). Zum → *stratēgós* gewählt, setzte er
sich für die Rückkehr des → Alkibiades [3] ein (Thuk.
8,81,1), siegte mit Thrasyllos in den Seeschlachten von
→ Kynos Sema und → Abydos [1] (Thuk. 8, 104–106;
Diod. 13,39 f.; 45,7) und besiegte 410 mit Alkibiades bei
Kyzikos die peloponnesische Flotte unter → Mindaros

(Xen. hell. 1,1,12–20; Diod. 13,49–51; Polyain. 1,40,9).
Anschließend operierte er in Thrakien, unterwarf Thasos und Abdera. 406 belagerte er Phokaia (Xen. hell.
1,4,9 f.; 5,11; Diod. 13,69; 72,1 f.). Nach der Seeschlacht
bei den → Arginusai 406 erhielten er und → Theramenes als *triḗrarchoi* den Auftrag, die Schiffbrüchigen zu
bergen, was wegen Sturms nicht ausgeführt werden
konnte (Xen. hell. 1,6,35; Diod. 13,101,2). Unter der
Herrschaft der Dreißig (→ *triákonta*) floh Th. nach Theben, von wo aus er mit athenischen Exulanten Phyle im
→ Parnes besetzte. Nach siegreichen Gefechten (Xen.
hell. 2,4,1–7; Diod. 14,32) besetzte Th. den → Peiraieus,
wo er erneut einen Sieg über die Oligarchen errang
(Xen. hell. 2,4,10–22; Diod. 14,33,1–4). Nach der
durch spartan. Vermittlung erfolgten Aussöhnung rief
Th. zum Frieden zw. den Bürgerkriegsparteien auf
(Xen. hell. 2,4,39–42). Th.’ Einbürgerungsgesetz für die
Peiraieuskämpfer vereitelte → Archinos mit einer → *pa-
ranómōn graphḗ* (Aristot. Ath. pol. 40,2; Aischin. 3,195;
POxy 1800 frg. 6–7).

Um die volle außenpolit. Handlungsfreiheit wieder-
zuerlangen, riet Th. 395 zwar noch zur Verurteilung des
→ Demainetos [3], trat dann aber für ein Defensivbünd-
nis mit dem unmittelbar von Sparta bedrohten Theben
ein (→ Korinthischer Krieg). Nach den gescheiterten
Friedensverhandlungen mit Sparta von 392/1 wurde
Th. 390/89 als *stratēgós* mit einer Flotte zum Hellespont
entsandt. Er bewegte zwei odrysische Fürsten zu einem
Bündnis mit Athen (→ Medokos, → Seuthes [2]), stellte
in Byzantion eine demokratische Ordnung her, führte
den zehnprozentigen Sundzoll wieder ein, gewann die
Kalchedonier als Verbündete Athens und errang Erfolge
auf Lesbos. Als bei den Bemühungen, Gelder zum Unterhalt der Flotte einzutreiben, Soldaten aus seiner Flot-
te das Gebiet von → Aspendos plünderten, kam er ums
Leben (Xen. hell. 4,8,25–31; Diod. 14,94,2–4; 99,4).
Cornelius → Nepos [2] verfaßte eine Biographie des
Th. Traill, PAA 517010.

    B. Bleckmann, Athens Weg in die Niederlage, 1998, Reg.
    s. v. Th. · R. J. Buck, Thrasybulus and the Athenian
    Democracy, 1998 · K.-W. Welwei, Das klass. Athen, 1999,
    224–257; 264–274.

[4] Athener aus Kollytos; klagte → Alkibiades [3] nach
der Niederlage von Notion (406 v. Chr.) an (Plut. Alkibiades 36,1). 404/3 Mitkämpfer des Th. [3] in Phyle
und im Peiraieus (Demosth. or. 24,134). Anfang 377
konnte Th. auf einer Gesandtschaft Theben als Mitglied
des Zweiten → Attischen Seebundes gewinnen (Aischin. 3,138). Traill, PAA 516935.

[5] Th. aus Kalydon, *métoikos* in Athen, erstach im
Herbst 411 v. Chr. → Phrynichos [2] und leitete so den
Sturz der Vierhundert (→ *tetrakósioi*) ein. Ihm wurde
dafür 409 ein goldener Kranz und das athen. Bürgerrecht verliehen (Lys. 13,71 f.; IG I³ 102). Traill, PAA
517030.

[6] Athener aus Erchia. Alexandros [4] d. Gr. forderte
seine Auslieferung, woraufhin er auf persische Seite

wechselte. 334 kämpfte er unter dem pers. Feldherrn → Memnon [3] (Diod. 17,25,6), 326/5 war er in Athen *stratēgós* (IG II/III² 1628a 40f.). TRAILL, PAA 516925.

W.S.

[7] Seher aus Elis, Sohn eines Aineias aus dem Stamm des → Iamos (Paus. 8,10,5). Mantineia stiftete seine Statue nach Olympia, nachdem er den Sieg der Stadt gegen Sparta unter Agis [4] in einer sonst nicht überl. Schlacht zw. 250 und 245 v.Chr. vorausgesagt und selbst mitgekämpft hatte (Paus. 6,2,4; 8,10,5); er weissagte aus den Eingeweiden des Hundes (Paus. 6,2,5). Plut. mor. 253b zählt ihn zu den Mördern des Tyrannen → Aristotimos 270 v.Chr. und identifiziert ihn mit einem Th., der für Pyrrhos [3] in Olympia eine Statue stiftete (Paus. 6,14,9); dieser hatte 272 die Peloponnes »befreien« wollen (Plut. Pyrrhos 26,10). Paus. 6,13,11 erwähnt die Statue eines Olympioniken Agathinos, Sohn eines Th.

J.CO.

Thrasydaios (Θρασυδαῖος).
[1] Th. aus Elis. Führer antispartanischer Demokraten im Krieg zw. Elis und Sparta (402–400 v.Chr.), mußte nach Anfangserfolgen 400 Frieden schließen, in dem die Eleier auf abhängige Orte mit Ausnahme von Olympia verzichteten (Xen. hell. 3,2,21–31; Diod. 14,17,4–12; 34,1; Paus. 3,8,3–5).

K.-W.WEL.

[2] Der vielleicht aus Pharsalos stammende Th. (vgl. Syll.³ 240H) war in den 340er Jahren v.Chr. unter Philippos [4] II. thessalischer Tetrarch (Demosth. or. 18,295; Theop. FGrH 115 F 209, wo er als Tyrann seiner Landsleute, als geistig unbedeutend und als größter Schmeichler bezeichnet wird), 339/8 v.Chr. zusammen mit Daochos [2] als Philipps Gesandter in Theben (Plut. Demosthenes 18,2 unter Berufung auf Marsyas, FGrH 135/6 F 20) und von 338 bis 335 thessalischer *hieromnḗmōn* (→ *hieromnḗmones*) in Delphi.

N.G.L. HAMMOND, G.T. GRIFFITH, A History of Macedonia Bd. 2, 1979, 534f.; 621. M.Z.

Thrasykles (Θρασυκλῆς).
[1] Athener, beantragte 421/0 v.Chr. die → *proxenía* für einen Peloponnesier (IG I³ 80,7) und beeidete mit anderen den Waffenstillstand und das Bündnis Sparta-Athen im sog. Frieden des Nikias [1] 421 (Thuk. 5,19,2; 24,1). 412/1 war Th. mit → Strombichides *stratēgós* vor Kleinasien (Thuk. 8,15,1; 17,3; 19,2).
→ Peloponnesischer Krieg

TRAILL, PAA 517180 · DEVELIN 157; 141. K.KI.

[2] Sohn des Hippa[..., οἰκόνομος τῶν νήσων (»Leiter der königl. Finanzverwaltung auf den Inseln«; [1. 147] zu IG XII Suppl. 169 [Ios] von 285/246 v.Chr.). Th. wurde vielleicht auf Delos geehrt (IG XI 4, 1043).

1 R. BAGNALL, The Administration of the Ptolemaic Possessions outside Egypt, 1976. W.A.

[3] Th. aus Athen. Tragiker, inschr. am Schatzhaus der Athener in Delphoi bezeugt (26/5 bzw. 22/1 v.Chr.; TrGF I 177). B.Z.

Thrasyllos (Θράσυλλος).
[1] (auch Θράσυλος). Athener, diente 411 v.Chr. als Schwerbewaffneter bei den Streitkräften auf Samos und war dort maßgeblich an der Niederwerfung eines oligarchischen Umsturzes beteiligt (Thuk. 8,73). Zusammen mit → Thrasybulos [3] organisierte er den Widerstand gegen die Oligarchen in Athen (→ *tetrakósioi*) und verpflichtete die athen. Streitkräfte und die Samier durch Eid, die Demokratie zu wahren und den Krieg weiterzuführen (Thuk. 8,75,2). Zu → *stratēgoí* gewählt (Thuk. 8,76,2; Diod. 13,38,3), unternahm Th. und Thrasybulos [3] einen Angriff auf das von Athen abgefallene → Eresos (Thuk. 8,100) und trugen entscheidend zu den Siegen von → Kynos Sema und Abydos [1] bei (Thuk. 8,104–106; Diod. 13,39f.; 45,7). Nach Athen zurückgekehrt, konnte Th. im Sommer 410 einen Vorstoß des → Agis [2] auf die Stadt abwehren (Xen. hell. 1,1,33f.). Daraufhin bewilligten ihm die Athener Streitkräfte, mit denen er im Sommer 409 nach Ionien aufbrach (Dion. Hal. hypothesis zu Lys. or. 32). Bei Ephesos erlitt er eine Niederlage (Xen. hell. 1,2,1–13; Diod. 13,64). Von Lampsakos aus unternahm Th. 408 mit → Alkibiades [3] Züge gegen Abydos [1] und Kalchedon (Xen. hell. 1,2,15–17; 3,6; Diod. 13,64,2–4; 13,66,1–2; Plut. Alkibiades 29,2–4). Anfang 407 nach Athen zurückgekehrt, wurde Th. erst nach Alkibiades' Sturz 406 erneut zum *stratēgós* gewählt (Xen. hell. 1,5,16; Lys. 21,7; Diod. 13,74,1). 406 wurde Th. mit fünf weiteren *stratēgoí* wegen der unterlassenen Bergung Schiffbrüchiger nach dem Sieg bei den → Arginusai zum Tode verurteilt und hingerichtet. TRAILL, PAA 517480.
→ Peloponnesischer Krieg

B. BLECKMANN, Athens Weg in die Niederlage, 1998, 269–314 · K.-W. WELWEI, Das klassische Athen, 1999, 224–236. W.S.

[2] Philosoph und Astrologe. Kaiser → Tiberius [1] begegnete ihm bei seinem Aufenthalt auf Rhodos und nahm ihn als Lehrer unter seine engsten Vertrauten auf. Bis zu seinem Tod 36 n.Chr. blieb Th. einer seiner maßgeblichen Ratgeber. In seinen (nicht erh.) Schriften handelte er zum einen über mathematische und astronomische/astrologische Probleme, z.B. ›Über den siebensaitigen Kanon‹ (Περὶ τοῦ ἑπταχόρδου/*Perí tu heptachórdu*, Porph. in Ptol. Harmonica p. 91,13f.; 96,16 DÜRING = DÖRRIE/BALTES 3, Nr. 87.1 [1. 267]), zum anderen über philos. Themen wie die pythagoreische und platonische Prinzipienlehre (Porph. Vita Plotini 20,71ff. = DÖRRIE/BALTES 3, Nr. 74, Z. 63ff. [1. 282]). Sein bes. Interesse galt neben Platon [1] auch Demokritos [1], den er als »Anhänger pythagoreischer Lehren« sah (ζηλωτὴς τῶν Πυθαγορικῶν, Diog. Laert. 9,38). Zu diesem – und wohl auch zu Platon – verfaßte er einführende Schriften (über Leben, Werke und Lehren: Diog. Laert. 9,41). Daraus erh. sind seine Klassifizierung der Dialoge Platons und deren Einteilung in Tetralogien (Diog. Laert. 3,56–61 = DÖRRIE/BALTES 2, Nr. 48.1) – wobei Th. sich offenbar auf frühere Vorlagen stützen konnte [2. 338–344] – sowie eine entsprechende Einteilung der Werke des Demokritos (Diog. Laert. 9,45–48).

1 DÖRRIE/BALTES 3, 1993 2 DÖRRIE/BALTES 2, 1990.

FR.: H. TARRANT, Thrasyllan Platonism 1993, 215–249.
LIT.: L. DEITZ, Bibliographie du platonisme impérial antérieur à Plotin, in: ANRW II 36.1, 1987, 162 ·
J. MANSFELD, Prolegomena 1994, 58–107 · H. TARRANT, (s.o.).   M.-L.L.

[3] Kaiserzeitliche Autoren weisen auf einen Musiktheoretiker dieses Namens hin, der mit Th. [2] identifiziert wird. Der Titel seines verlorenen Musiktraktats ist unterschiedlich überl. [3. 91,14 und 96,16]; Περὶ τῶν ἑπτὰ τόνων/ Perí tōn heptá tónōn (»Über die sieben Töne«) ist Konjektur. Theon [5] überliefert Definitionen ([4. 47,18–49,5], übers. in [1. 212f.]; [4. 85,8ff.]) und eine Monochordeinteilung ([4. 87,4–93,9], übers. in [1. 226–229]) des Th., von Nikomachos [9] abgelehnt (MSG 260,12–17; [2. 23 und 26; 1. 266, Anm. 87; 5. 165f.]); Porphyrios überliefert seine Bestimmungen von Proportionen [3. 91,16–92,8], Konsonanz und Harmonie [3. 96,19–25].

1 A. BARKER, Greek Musical Writings, Bd. 2, 1989
2 C. BOWER, Boethius und Nicomachus, in: Vivarium 16, 1978, 1–45 3 I. DÜRING, Porphyrios' Komm. zur Harmonielehre des Ptolemaios, 1932 4 E. HILLER (ed.), Theon Smyrnaeus, 1878 (Ndr. 1976) 5 F. LEVIN, The Manual of Harmonics of Nicomachus, 1994 6 MSG.
         RO. HA.

Thrasylochos (Θρασύλοχος).

[1] Sohn des Kephisodoros aus dem Demos → Anagyrus, Athener, Bruder des Meidias [2] (Demosth. or. 21,78; 28,17), zwang Demosthenes [2] 363 v. Chr. mit einem → Antidosis-Verfahren zu einer aufwendigen → Trierarchie, war selbst wohl schon 361 (Ps.-Demosth. or. 50,52) und noch vor 325/4 (IG II² 1629d,753f.; 1631b,121f.) triérarchos. Eine Weihung für Amphiaraos 338–330 v. Chr. ist inschr. erhalten (SEG 15,285); PA 7347; DAVIES 385f.

[2] Messenischer Politiker des 4. Jh. v. Chr., wurde mit seinem Bruder Neon [2] von Demosthenes [2] (or. 17,4; 18,295; Theop. FGrH 115 F 41) als promaked. Tyrann und Freund des Philippos [4] II. beschuldigt, aber von Pol. 18,14,3 als patriotischer Staatsmann gelobt. Nach der Ermordung des Philippos II. vertrieben, wurde er ca. 333 wieder als Anführer einer Tyrannis oder Oligarchie in Messenien (→ Messene [2]) eingesetzt [1. 1252f.].

1 H. WANKEL, Demosthenes. Rede für Ktesiphon über den Kranz, 1976 (Komm.).   J.E.

Thrasymachos aus Chalkedon (Θρασύμαχος Χαλκηδόνιος). Sophistischer Rhetoriker (Plato. rep. 328b 6; Grabschrift: 85 A 8 DK; Suda s. v. Th.). Aristot. soph. el. 33,183b 29 ordnet ihn in der Entwicklung der rhet. Theorie zw. Teisias und → Theodoros [3] von Byzantion ein. Aristophanes [3] persifliert Th. in den Daitalés (85 A 4 DK) 427 v. Chr. als Sophisten und Rhetoriker. Des Th. Rede für die Larisäer (Clem. Al. strom. 6,16) muß nach 413, dem Regierungsantritt des → Archelaos [1], verfaßt worden sein. → Platon [1] (rep. 328b 8) läßt ihn mit dessen Anhänger Kleitophon (ebd. 340a 3–b 8) auftreten. Dabei charakterisiert er Th. als grob und anmaßend und läßt ihn Sokrates wegen dessen vorgeblichen »Nicht-Wissens« kritisieren (ebd. 337a 3–7). Die von Th. im Gespräch mit Sokrates [2] aufgestellte Behauptung, »das Gerechte« sei nichts anderes als »der Vorteil des Stärkeren« (ebd. 338c 1–2), ist Ausdruck von Th.' Kritik am Niedergang von Moral und Recht im Athen des → Peloponnesischen Krieges und der inneren Wirren.

Bekannt war Th. als Lehrer der Rhet. (Plat. Phaidr. 266c 2–5, 269d 6–8, 271a 4–7), anerkannt wegen seiner Beiträge zur Entwicklung der Rhet.: Die Suda (s. v. Th.) nennt folgende Titel: Téchnē rhētoriké (Lehrbuch der Rhet.), Aphormaí rhētorikaí (rhet. Topoi), Symbuleutikaí (Beratungsreden), Paígnia (epideiktische Musterreden); weitere bezeugte Werke: Aristot. rhet. 1404a 13: éleoi (Anweisungen zur Erregung von Mitleid, vgl. Plat. Phaidr. 267c 7–d 2); Athen. 10,416a: Slg. von Prooimien; schol. Aristoph. Av. 880: ein großes Lehrbuch der Rhet.; Plut. symp. 1,2,3: hyperbállontes (niederwerfende Reden, Argumente); Dion. Hal. Demosthenes 3. p. 132,13: dēmēgorikoí lógoi (Volksreden). Nach Aristot. rhet. 1404a 12–15 hat Th. in seiner Schrift über die Erregung des Mitleids auch über den Vortrag (hypókrisis) gehandelt, kannte also dessen Bed. für die Erregung der Affekte (vgl. Quint. inst. 3,3,4). Laut Cic. orat. 39 waren Th. und Gorgias [2] aus Leontinoi die ersten, die sich mit der epideiktischen Rede (→ epídeixis) befaßten. Dionysios [18] von Halikarnassos behauptet, laut Theophrast habe Th. die rhythmische Periode mit dem Päon als Hauptrhythmus eingeführt (Demosth. 3 p. 132,4ff.) und den mittleren Stil geschaffen (Dion. Hal. Demosthenes 3 p. 132,3ff., vgl. Cic. orat. 79).

FR.: DIELS/KRANZ 85 · M. UNTERSTEINER, Sofisti, ²1967, Bd. 2, 175–180 · RADERMACHER, Art. Script., 70–76.
LIT.: SCHMID/STÄHLIN I, Bd. 3, 2–11 · GUTHRIE, Bd. 3 · PLATONICUS, Un retore semi-sofista, in: Riv. di Filosofia 31, 1940, 27–36 · G. BRISCOE KERFERD, The Doctrine of Th. in Plato's »Republic«, in: Durham Univ. Journ. 40, 1947, 19–27 · G. M. A. GRUBE, Th., Theophrastus and Dionysius of Halicarnassus, in: AJPh 71, 1952, 251–267 · M. SORDI, A proposito di uno scritto politico del 401–400 a. C., in: RFIC 83, 1955, 175–198 · G. KENNEDY, The Art of Persuasion in Greece, 1963, 68–80 · R. DAHRENDORF, In Praise of Thrasymachus: Essays in the Theory of Society, 1968, 129ff. · J. P. MAGUIRE, Th. – or Plato?, in: Phronesis 16, 1971, 142–163 · B. H. F. TAURECK, Die Sophisten, 1995, 71–80.   O.B.

Thrasymedes (Θρασυμήδης).

[1] Sohn des → Nestor [1] und der Anaxibia (Tochter des Kratieus), Bruder u.a. des Echephron [1] und des Peisistratos [1] (Hom. Od. 3,412–415; Apollod. 1,94; Dictys 1,13), Vater des Sillos und so Großvater des → Alkmaion [2] (Paus. 2,18,8). Th. zieht mit seinem Bruder → Antilochos, der später durch Memnon [1] fällt (vgl. Q. Smyrn. 2,267–344), und 15 Schiffen (Hyg. fab. 97,5) nach Troia (Hom. Il. 9,81; 10,255–259; 14,9–11 u.ö.; Philostr. Heroicus 26,10 DE LANNOY bestreitet die Teilnahme der beiden), wo er zwei Feinde tötet (Hyg. fab. 114; vgl. CIG 6126 B). Th. wird unter den Insassen des Troian. Pferdes genannt (Q. Smyrn. 12,319; Triphiodoros 169). Nach dem Krieg kehrt er nach Pylos zurück (Hom. Od. 3,39; 3,412–415; 3,442–450), wo er auch begraben liegt (Paus. 4,36,2). Th. ist dargestellt am Tempel der → Messene [1] (Paus. 4,31,11). SI.A.

[2] Sohn des Arignotos, Bildhauer aus Paros. Er schuf um 380–370 v. Chr. in Epidauros das goldelfenbeinerne Kultbild des Asklepios, das auf Mz. abgebildet und von Paus. 2,27,2 beschrieben wurde (→ Goldelfenbeintechnik). Laut erh. Bauabrechnungen stellte Th. am Tempel die Decke, die Tür und Gitter zw. den Säulen her.

OVERBECK, Nr. 853; 854; 854a · G.ROUX, L'architecture de l'Argolide aux IVe et IIIe siècles avant J. C., 1961, 84–130 · P.MORENO, s.v. Th., EAA 7, 1966, 838f. · B.KRAUSE, Zum Asklepios-Kultbild des Th. in Epidauros, in: AA 1972, 240–257 · A.STEWART, Greek Sculpture, 1990, 273f. · L.TODISCO, Scultura greca del IV secolo, 1993, 58 · B.S.RIDGWAY, Fourth-Century Styles in Greek Sculpture, 1997, 36f. · G.B.WAYWELL, The Sculptors of the Mausoleum at Halicarnassus, in: Ders., I.JENKINS (Hrsg.), Sculptors and Sculpture of Caria and the Dodecanese, 1997, 60–65. R.N.

Thrasymos (Θράσυμος). Bedeutendes Bergbaurevier des attischen Demos Sunion im → Laureion, mit anderen Revieren durch Straßen verbunden, durch den FO von IG II² 2638 im Botsari-Tal lokalisiert.

H.LOHMANN, Atene, 1993, Index s.v. Th., Abb. 12.
H.LO.

Thraustila

[1] *Protector* des → Valentinianus [4] III., zuvor im Dienst des → Aetius [2]. Zusammen mit Optila ermordete er 455 n.Chr. Valentinianus, um den Tod des Aetius zu rächen, wohl im Auftrag des → Maximus [8], dem er das Diadem überbrachte (Iohannes Antiochenus fr. 201,4f., FHG 4, 615; Chron. min. 1,303: dort Schwiegersohn des Aetius [2]; 2,86). PLRE 2,1117f.

[2] *Magister militum* im Ostreich, nach einer Verschwörung gegen → Zenon 480 n.Chr. hingerichtet (Iohannes Antiochenus fr. 211,4, FHG 4, 619). PLRE 2, 1118.

[3] König der Gepiden, 488 n.Chr. von dem nach It. ziehenden → Theoderich [3] d. Gr. besiegt. (Paulus Diaconus, Historia Romana 15,15). PLRE 2, 1124f.
WE.LÜ.

Threnos (θρῆνος, Pl. *thrēnoi*), Totenklage. Homer unterscheidet offenbar zw. dem eher spontanen γόος (*góos*, »Wehklagen«) von Verwandten oder Freunden (vgl. Hom. Il. 18,316; 24,723; 24,747) und dem von Außenseitern gesungenen *th.*: Die auf einem Bett aufgebahrte Leiche → Hektors ist von Sängern umgeben (Hom. Il. 24,719–722), den Anführern des *th.* (ἔξαρχος/*éxarchos*: Hom. Il. 24,721; ἐξάρχειν/*exárchein*: 18,316) und den Frauen, die diesen Gesang mit Klagen begleiten. Bei den Klagen für Patroklos (Hom. Il. 18,28–31 und 339–342) übernehmen kriegsgefangene Troerinnen den Refrain. Von Anfang an werden also die Sänger eines *th.* von unartikuliertem Weinen und Wehklagen begleitet; später waren regelmäßig angemietete Klageweiber üblich, vgl. Aischyl. Choeph. 733 (verm.) und Plat. leg. 800e. Solon begrenzte für Athen den Einsatz angeheuerter *th.*-Sänger (Plut. Sol. 21,4) [3. 10–14]. Der *th.* entwickelte sich zu einer bes. lyrischen Gattung; Werke u.a. des → Pindaros (fr. 128a–139 MAEHLER) und des → Simonides [2] (PMG 520–531) wurden (jedoch erst von den Alexandrinern) als *th.* bezeichnet [5. 71–100] (zur Klage in der → Tragödie vgl. → kommós [2]). Im Hell. gab es hexametrische *th.* (*Epitáphios Bíōnos*; *Epitáphios Adṓnidos* [1; 2]).

In der Ant. nahm man für den Brauch des *th.*-Singens nichtgriech. Ursprung an [5. 59–61, 66]; *th.* werden tatsächlich nur bei Troianern (Hom. Il. 24,721) erwähnt (nicht jedoch bei Patroklos, vgl. Suda s.v. θρηνούς). Aus diesem Grund wird Hom. Od. 24,58–61 (die Musen singen einen *th.* für Achilleus, während die Nereiden wehklagen) von den T-Scholien – vielleicht zu Recht – athetiert.

→ Epikedeion; Epitaphios; Kommos; Tod; Trauer

ED.: 1 A.S.F. GOW, Bucolici Graeci, 1952 2 J.D.REED, Bion of Smyrna, the Fragments and the Adonis, 1997 (mit Komm.).
LIT.: 3 M.ALEXIOU, The Ritual Lament in Greek Trad., 1974 4 K.DERDERIAN, Leaving Words to Remember (Mnemosyne Suppl. 209), 2001 5 E.REINER, Die rituelle Totenklage der Griechen, 1938. E.R./Ü: RE.M.

Thria (Θρία). Großer att. → Paralia-Demos, Hauptort der Küsten-Trittys, Phyle → Oineis, ab 126/7 n.Chr. der → Hadrianis, sieben (acht) *buleutaí*, in der nach Th. benannten Ebene (*Thriásion pedíon*) von → Eleusis [1] beim h. Aspropirgos (ehem. Kalyvia) 5 km nö von Eleusis (vgl. [3]) gelegen; vom → Parnes führte eine Wasserleitung nach Th. IG II² 2500 (FO Eleusis) betrifft eine Agora, zu der Thriasioi und Eleusinioi Zugang hatten. Aus Th. selbst liegen keine Urkunden vor. Die große Bucht der Ebene von Th., im Norden vom Parnes, im Osten vom → Aigaleos begrenzt, war seit neolith. Zeit besiedelt; die arch. Reste sind h. weitgehend zerstört; erh. ist eine myk.(?) Brücke: [1]. Den Zugang von Westen kontrollierten die Kastelle von Palaiokastro und Plakoto [2. 520 Abb. 12–14], im Norden lag die Festung → Phyle [2], im Osten sperrte das → Dema den nördl. Zugang zur Ebene von → Athenai [1]. Durch die Ebene von Th. führte die Hl. Straße von Athenai nach Eleusis [4].

1 M. LANGDON, A Cyclopean Bridge and Rutted Road in the Thriasian Plain, in: SMEA 34, 1994, 51–60 Taf. 1–4 **2** H. LOHMANN, Die Chora Athens im 4. Jh. v. Chr., in: W. EDER (Hrsg.), Die athen. Demokratie im 4. Jh. v. Chr. (Bellagio August 1992), 1995, 515–548 **3** TRAILL, Attica 9, 20, 50, 59, 67, 112 Nr. 137, Tab. 6, 15 **4** TRAVLOS, Attika 91, 95, 177–190 Abb. 225–244.

TRAVLOS, Attika 52, 81, 319f. H. LO.

Thriambos s. Dionysos (I. C. 5.); Dithyrambos

Thrinakie (Θρινακίη). Myth. Insel, in der Nähe von → Skylla [1] und → Charybdis (Hom. Od. 12,260f.), auf der die Töchter des Sonnengottes Helios (→ Sol) dessen heilige Rinder hüten. Umsonst warnen → Teiresias und → Kirke den → Odysseus, daß sein und seiner Gefährten Schicksal von der Unversehrtheit der Rinder abhänge (ebd. 11,110–112; 12,137–139): Als Odysseus in Schlaf fällt, schlachten seine völlig ausgehungerten Gefährten, von → Eurylochos [1] angestiftet, die Tiere (ebd. 12,260–402), weshalb sie später alle umkommen, während Odysseus als einziger überlebt. Lokalisierungsversuche (seit Thuk. 6,2,2) gehen auch hier an der Sache vorbei (→ Lotophagen). RE. N.

Thrius (Θριοῦς). Stadt in Achaia (→ Achaioi [1]; Plin. nat. 4,22) wohl sw von → Patrai, genaue Lage unbekannt. Nachmals zu → Elis [2] gehörig (Steph. Byz. s. v. Θ.). Th. erscheint um 120 v. Chr. in einer Weihinschr. für den Zeus von Olympia (SEG 15, 254 Z. 2). KL. T.

Thron
I. ALTER ORIENT UND ÄGYPTEN II. PHÖNIZIEN
III. GRIECHISCH-RÖMISCHE ANTIKE

I. ALTER ORIENT UND ÄGYPTEN
Zeremoniell ausgestaltetes Sitzmöbel für Götter und Herrscher mit erhöhter Rücklehne, oft mit Armlehnen. Die Seitenteile waren häufig als Tiere bzw. Tierprotomen gestaltet; auch die Stuhlbeine waren in Form von Tierbeinen ausgearbeitet. Abgesehen von wenigen Frg. in Stein waren wohl die meisten Th. aus Holz gefertigt und sind daher im vorderasiatischen Bereich nicht erh., jedoch aus zahlreichen Abb. bekannt. Th. waren verm. meist mit metallenen (Gold) oder elfenbeinernen Applikationen versehen (vgl. die zahlreich erh. Beispiele aus Äg.).

M. METZGER, Königsth. und Gottesth. Th.formen und Th.darstellungen in Äg. und im Vorderen Orient, 1985 · E. SIMPSON, Furniture in Ancient Western Asia, in: J. SASSON (Hrsg.), Civilization of the Ancient Near East, Bd. 3, 1995, 1647–1671 · E. GUBEL, Phoenician Furniture, 1987 · K. P. KUHLMANN, s. v. Th., LÄ 5, 523–529. H. J. N.

II. PHÖNIZIEN
Innerhalb der hochentwickelten phöniz. Möbelkunst ist der nach äg. Vorformen entwickelte sog. Sphingen-Th. (Seitenteile mit Lehne als → Sphinx) eine genuin phöniz. Schöpfung. Älteste Darstellung auf dem → Aḥiram-Sarkophag; im 1. Jt. v. Chr. bis in hell. und röm. Zeit u. a. als Götter-Th. (Baal, Astarte) weit verbreitet (→ Sidon, Ešmūn-Heiligtum).

E. GUBEL, Phoenician Furniture (= Studia Phoenicia 7), 1987 · Ders., s. v. Th., DCPP, 472. H. G. N.

III. GRIECHISCH-RÖMISCHE ANTIKE
In der griech.-röm. Ant. ist der Th. (θρόνος/thrónos; lat. *solium*; Stuhl mit Rückenlehne, mitunter auch Armlehnen und Fußbank) Sitz von Göttern, Göttinnen, Königen und Königinnen, heroisierten Toten, Priestern und des Ehrengastes. In der röm. Kultur war das *solium* der repräsentative Sitz des → *pater familias*, der auf ihm morgens seine Klienten empfing (→ *salutatio*) und ihnen Rechtsbescheide erteilte.

Berühmte Beispiele waren der Th. des Apollon von → Amyklai [1], der des Asklepios von → Epidauros und der des Zeus von → Olympia. Als Material der Th. diente v. a. Holz, das mit Elfenbein, Gold- oder Silbereinlagen und -beschlägen versehen werden konnte. Th. tauchen in den Inventarlisten der Heiligtümer auf, in die man sie weihte (Hdt. 1,14,3; Paus. 5,12,5; → Weihung). Die Th. der myk. Herrscher waren offenbar aus Holz, denn in den Palästen von → Mykenai, → Pylos [2] oder → Tiryns haben sich die Einlassungen erh., in denen sie standen. Ein steinerner Th. mit hoher Rückenlehne, fehlenden Armlehnen und niedriger Sitzfläche ist in → Knosos (»Thronsaal«) erh. In griech., etr. und röm. Zeit kannte man Th., deren Beine in Tierfüßen endeten, die einen runden oder rechteckigen Querschnitt hatten oder gedrechselt waren. Die Rückenlehne konnte als durchgehende Fläche gearbeitet sein, aber auch aus einzelnen Querhölzern bestehen. Eine bes. Variante ist der etr. sog. »Sphingen-Th.«, benannt nach den seitlich der Sitzfläche angebrachten hockenden Sphingen (→ Sphinx), der auf phöniz. Vorbilder zurückgeht (s. o. II.). Etr. sind die sog. Rund-Th. mit ihrem kegelstumpfartigen oder zylindrischen Unterteil und der gerundeten Lehne und Sitzfläche, die seit dem 7. Jh. v. Chr. üblich waren und sich bis in röm. Zeit hielten. Von den erh. Th. ragen die etr. brn. Rund-Th. hervor, die marmornen Th. des Dionysostheaters in Athen und das Holz-Elfenbeinexemplar aus Salamis [2] (Zypern). → Möbel (mit Abb.); Palast IV.; Stuhl

RICHTER, Furniture, 13–33; 85–89; 98; 101 · S. STEINGRÄBER, Etr. Möbel, 1979, 22–34; 93–106; 148–157 · H. PRÜCKNER, Ein Th. für Apollon, in: H. FRONING (Hrsg.), Kotinos, FS E. Simon, 1992, 123–130 · S. T. A. M. MOLS-HOUTEN, Meubels in Herculaneum. Vorm, Techniek en Functie, 1994 · M. D. SCHÖN, Der Th. aus der Marsch, Ausst.-Kat. Museum Burg Bederkesa, 1995 · M. TORELLI, The »Corsini Throne«: A Monument of the Etruscan Genealogy of a Roman Gens, in: Ders., Tota

Italia. Essays in the Cultural Formation of Roman Italy, 1999, 150–164.   R.H.

Thronion (Θρόνιον). Stadt in Ost-Lokris (→ Lokroi [1]) am NO-Hang der → Knemis am Rande der sich zum Malischen Golf hin öffnenden Ebene des Boagrios am Küstenweg nach → Thermopylai (Aischin. or. 2,132) beim h. Palaiokastro (Spuren der hell. und röm. Siedlung, Festungsanlage erh.). Th. war Heimat der Familie des Aias [2] (Hom. Il. 2,533; Eur. Iph. A. 262ff.). Vom Erdbeben 426 v. Chr. schwer betroffen (Demetrios aus Kallatis FGrH 85 F 6), war Th. dennoch bis zum Aufstieg von → Skarpheia in der Spätant. Hauptzentrum von Ost-Lokris (Skyl. 61; Strab. 9,4,4; Ptol. 3,15,17; Plin. nat. 4,27). Th. war beteiligt an der Gründung von → Abdera [1] (Pind. fr. 52b 1), von Th. in Thesprotia (nicht lokalisiert; Paus. 5,22,3f.), evtl. von → Kyme [3] (Strab. 13,3,3). 431 v. Chr. wurde Th. von den Athenern im → Peloponnesischen Krieg erobert (Thuk. 2,26,2), 353 im 3. → Heiligen Krieg von → Onomarchos, der die Einwohner von Th. versklavte (Diod. 16,33,3); 346 v. Chr. wurde Th. Philippos [4] II. zugeschlagen (Aischin. or. 2,132). Inschr. bezeugen die Auseinandersetzungen mit Skarpheia (FdD, Bd. 3, 38,3; 42,7).

G. Klaffenbach, Zur Gesch. von Ost-Lokris, in: Klio 20, 1926, 68–88 · W.K. Pritchett, Stud. in Ancient Greek Top. 4, 1982, 151–155 · Müller, 441 · S.L. Ager, Interstate Arbitrations in the Greek World, 1996, 370–374, 482–490.   G.D.R./Ü: H.D.

Thryon (Θρύον). Bei Homer (Il. 2,592; 11,711f., dort unter dem Namen Thryoessa) genannte Ortschaft am Unterlauf des Alpheios [1]. Lage nicht sicher bekannt. Im Alt. mit → Epitalion am Südufer des Alpheios gleichgesetzt (Strab. 8,3,23–25), möglicherweise aber auch an dessen Nordufer gelegen [1].

1 F. Bölte, Ein pylisches Epos, in: RhM 83, 1934, 324f.; 327f.   T.GO.

Thuburbo
[1] Th. Maius. Stadt der Africa Proconsularis (→ Afrika [3]; Plin. nat. 5,29; Ptol. 4,3,35; Itin. Anton. 48,9; Tab. Peut. 5,4), 65 km sw von → Karthago im fruchtbaren Tal des Oued Miliane, h. Henchir Kasbat. Die urspr. berberische Stadt wurde stark punisiert [1. 300–302]; Inschr. [2. 885; 3; 4] und mehrere der Pflege pun. Kulte dienende Bauten röm. Zeit bezeugen diesen Prozeß. Seit → Hadrianus → municipium [5. 244, 278], seit → Commodus colonia (CIL VIII 1, 848; [5. 267, 281; 6. 719]). Seit 258 Bischofssitz.

1 C.G. Picard, Catalogue du Musée Alaoui, N.S. Bd. 1.1, o.J. 2 Répertoire d'épigraphie sémitique, Bd. 2, 1907–1914 3 J.-B. Chabot, Inscription bilingue de Th. M., in: Le Muséon 37, 1924, 162–164 4 L. Poinssot, Une inscription bilingue de Th. M., in: Bull. du Comité des travaux historiques et scientifiques. Section d'archéologie, 1938–40, 394–399 5 R. Cagnat et al. (Hrsg.), Inscriptions Latines

d'Afrique, 1923 6 A. Merlin (Hrsg.), Inscriptions Latines de la Tunisie, 1944.

AATun 050, Bl. 35, Nr. 67 · C. Lepelley, Les cités de l'Afrique romaine, Bd. 2, 1981, 199–205 · A. Lézine, Th. M., 1968 · E. Lipiński, s. v. Th. M., DCPP, 452 · E.M. Ruprechtsberger, Th. M., in: Ant. Welt 13.4, 1982, 2–21.

[2] Th. Minus. Stadt der Africa Proconsularis (→ Afrika [3]; Itin. Anton. 44,1; Tab. Peut. 5,4), 45 km westl. von → Karthago im Tal des → Bagradas, h. Tebourba (ant. Überreste, u.a. ein Amphitheater). Nach 36 v. Chr. gründete hier der nachmalige Augustus für Veteranen der achten Legion die colonia Octavanorum Thuburbitanorum.

AATun 050, Bl. 19, Nr. 75 · C. Lepelley, Les cités de l'Afrique romaine, Bd. 2, 1981, 205f.   W.HU.

Thubursicum
[1] Th. Bure (punisch Tbrbš[j]?). Berberische, punisierte Stadt der Africa Proconsularis (→ Afrika [3]; Aug. contra Cresconium 3,43,47; vgl. Ptol. 4,3,29; Geogr. Rav. 39,31), 8 km nw von → Thugga, h. Teboursouk. Kult des Baal Hamon (→ interpretatio II. Romana: Frugifer; [1. 506]) bezeugt. Seit Septimius [II 7] Severus → municipium, seit Gallienus colonia. Inschr.: CIL VIII 1, 1424–1469; 2, 10618; Suppl. 1, 15254–152360; 4, 25994–26092; [1. 504–508; 2. 1329–1354; 3. 12].

1 R. Cagnat et al. (Hrsg.), Inscriptions Latines d'Afrique, 1923 2 A. Merlin (Hrsg.), Inscriptions Latines de la Tunisie, 1944 3 J.-B. Chabot (Hrsg.), Recueil des inscriptions libyques, 1940/41.

AATun 050, Bl. 33, Nr. 27 · C. Lepelley, Les cités de l'Afrique romaine, Bd. 2, 1981, 206–209 · Y. Thébert, s. v. Téboursouk, DCPP, 443.

[2] Th. Numidarum. Alte numidische Stadt (Zentrum der → Musulamii) in der Africa Proconsularis (→ Afrika [3]; Tac. ann. 4,24,1; Aug. epist. 44,1), 32 km sw von Souk-Ahras (Algerien), h. Khamissa, mit bedeutenden ant. Überresten (u.a. → Theater mit einer scaenae frons von 54 m). Seit Traianus [1] → municipium (ILAlg 1, 1240), vor 270 n. Chr. colonia (ebd. 1, 1268). Inschr.: CIL VIII 1, 4874–5141; Suppl. 1, 17150–17203; ILAlg 1, 1220–1982; [1].

1 J. Carcopino, Note sur deux Inscriptions nouvelles de Khemissa, in: Revue Africaine 58, 1914, 353–361.

AAAlg, Bl. 28, Nr. 297 · C. Lepelley, Les cités de l'Afrique romaine, Bd. 2, 1981, 210–217.   W.HU.

Thugenides (Θουγενίδης). Dichter der Alten → Komödie (1. C.); ob er auf der Dionysiensiegerliste an fünfter Stelle hinter Kratinos stand [1. test. *1], ist unsicher. Zu dem einzigen belegten Stück Δικασταί (Dikastaí, ›Die Richter‹) sind zwei kurze Fr. erh.; auch fünf weitere ohne Stücktitel überlieferte Fr. sind unergiebig.

1 PCG VII, 1989, 750–752.   H.-G.NE.

Thugga (pun. *Tbgg*). Numidische, punisierte [1. 258–261] Stadt der Africa Proconsularis (→ Afrika [3]; Ptol. 4,3,29; Prok. aed. 6,5,15), etwa 100 km wsw von → Karthago, h. Dougga, mit bedeutenden ant. Resten punischer, numidischer und röm. Zeit (z. B. das hell.-numidische Mausoleum des *'tbn*; [3. 157f.]). 307 v. Chr. wurde Th. anscheinend von einem Offizier des Agathokles [2] erobert (Diod. 20,57,4: Τῶκαι/ *Tŏkai*). Zw. 146 und 46 v. Chr. gehörte Th. zum numidischen Reich (→ Numidae). Der Übergang von der numid. zur (neu-)pun. Verfassung ist inschr. nachweisbar (vgl. [4. Nr. 101]; CIL VIII Suppl. 4, 26517). Auch nach der Eingliederung von Th. ins röm. Provinzialsystem (46 v. Chr.) blieben pun. Verfassungsstrukturen (z. B. zwei → Sufeten und *portae*) bestehen [2. 551]. Die Römer richteten in Th. einen → Karthago angegliederten *pagus civium Romanorum* ein. 205 n. Chr. wurden → *civitas* und → *pagus* zum → *municipium* fusioniert; seit → Gallienus *colonia*. Inschriften: CIL VIII 1, 1471–1544; 2, 10619f.; Suppl. 1, 15502–15548; 4, 26456–27380; AE 1969–1970, 649; 652f.; 1991, 1665f.; [5. 1–9].

1 C. G. PICARD, Catalogue du Musée Alaoui. N. S. Bd. 1.1, o.J. 2 HUSS 3 F. RAKOB, Numidische Königsarchitektur, in: H. G. HORN, CH. B. RÜGER (Hrsg.), Die Numider, 1979, 119–171 4 H. DONNER, W. RÖLLIG (Hrsg.), Kanaanäische und aram. Inschr., Bd. 1, 1966 5 J.-B. CHABOT (Hrsg.), Recueil des inscriptions libyques, 1940/41.

AATun 050, Bl. 33, Nr. 183 · G. CAMPS, s. v. Dougga, EB 16, 2522–2527 · C. LEPELLEY, Les cités de l'Afrique romaine, Bd. 2, 1981, 218–223.   W. HU.

Thukritos (Θούκριτος). Sohn des Thukritides aus dem Demos Halimus; Athener, dessen Sohn Euxitheos dem Th. das Bürgerrecht in einem Verfahren ca. 346 v. Chr. (Demosth. or. 57,28,67f.) bezeugen mußte.

LGPN 2, s. v. Th., p. 227 Nr. 7 · PA 7259.   J. E.

Thukydides (Θουκυδίδης).

[1] Sohn des Melesias, Schwiegersohn des → Kimon [2] (schol. Aristeid. 46), athen. Politiker aus dem Demos Alopeke. Seit Mitte der 50er Jahre des 5. Jh. v. Chr., spätestens seit 449, Repräsentant der Oligarchen; von Plutarch zur Verkörperung der polit. Kräfte gegen → Perikles [1] stilisiert (Plut. Perikles 6,2f.; 8,5; 11; 14; Fab. Max. 30,2). Th. griff die athenische Baupolitik an, da sie, verbunden mit einem Sozial- und Arbeitsbeschaffungsprogramm (betont von Plut. Perikles 12,5), die Demokratie befestigte. Die Kritik an der offensiven Seebundspolitik zielte auf die Methode, keinesfalls auf die Sache. Die Ostrakisierung (→ *ostrakismós*) des Th. 443 war nicht zuletzt Folge inkonsequenten Verhaltens und läutete die von dem Historiker Th. [2] als »Herrschaft des ersten Mannes« (Thuk. 2,65) definierte »Ära« des Perikles ein. Der Parteiengegensatz in Athen (*aristokratiké* bzw. *dēmotiké prohaíresis*) wird von Plut. Perikles 11,3 in Analogie zum Gegensatz zwischen Optimaten und Popularen im spätrepublikanischen Rom

überzeichnet. Th.' Rolle seit der Rückkehr nach Athen 433 bleibt unklar, die Behauptung des Satyros [8] (bei Diog. Laert. 2,12), er habe Anaxagoras [2] wegen → *mēdismós* angeklagt, ist in Zweifel zu ziehen. Plutarchs Nachr. beruhen bes. auf Stesimbrotos von Thasos (FGrH 107, fr. 10a).

→ Attisch-Delischer Seebund

P. KRENTZ, The Ostracism of Thoukydides, Son of Melesias, in: Historia 33, 1984, 499–504 · H. D. MEYER, Thukydides Melesiou und die oligarchische Opposition gegen Perikles, in: Historia 16, 1967, 141–154.   W. W.

[2] Th. aus Athen Bedeutender griech. Historiker, Verfasser einer Gesch. des → Peloponnesischen Krieges (431–404) in 8 Büchern.
I. HERKUNFT UND LEBEN
II. WERK   III. WÜRDIGUNG

I. HERKUNFT UND LEBEN

Sohn des Oloros, aus dem attischen Demos Halimus, geb. um 460 v. Chr.; Todesdatum unbekannt. Sicher erlebte Th. das Ende des Pelop. Krieges 404 (Thuk. 2,65,12; 5,26,1), einige Passagen seines Werkes lassen Kenntnis von Ereignissen des frühen 4. Jh. vermuten. So klingt die Leistungsbilanz des maked. Königs Archelaos [1] (gest. 399) wie ein Nachruf (2,100); eine Rede des Syrakusers Athenagoras (6,36–40) könnte Erfahrungen mit → Dionysios [1] I. spiegeln, der seine Mil.-Monarchie zwar bereits 406 begründete, sie aber erst nach einigen J. festigen konnte; letztlich könnte Th. noch 397 geschrieben haben, wenn der auf einer Inschr. aus Thasos (CRAI 1983, 376–403) als noch lebend genannte Lichas mit der Person identisch ist, von deren Tod Th. (8,84,5) berichtet.

Der Name des Vaters, Oloros, weist auf thrakische und königliche Herkunft (Hdt. 6,39). Obgleich fremdländische Namen eher über diplomatische oder freundschaftliche Kontakte als durch Verwandtschaft in das athen. Namensgut gelangten, spricht vieles für eine enge Beziehung zu Thrakien (→ Thrakes): Th. besaß dort sicherlich ererbte Bergwerkskonzessionen und polit. Einfluß (4,105), seine Bemerkungen über thrak. Wildheit (7,29,3), Wirtschaft (2,97) und Mythologie (2,39) klingen sachverständig und sein Einsatz als einer der beiden ›Strategen in Thrakien‹ im J. 424 (4,104,4) ist wohl kein Zufall, sondern Folge spezieller Erfahrung im Raum der nördl. Ägäis, die sich die Athener bei diesem Auftrag zunutze machten.

Über das Leben des Th. bis 431, als er mit Beginn des Krieges dessen Gesch. zu schreiben begann (1,1), läßt sich keine Sicherheit gewinnen. Er wird wie andere junge Athener aus guter Familie in den 440er- und 430er-Jahren die Spiele in Olympia, Delphoi und anderswo besucht und dabei wohl auch → Pindaros [2] getroffen haben, dessen Heimat Boiotien 457–446 von Athen kontrolliert wurde. 430 erkrankte Th. an der Pest, überstand sie jedoch. Seine anschauliche, medizinisch sachverständig klingende Beschreibung der

Krankheit (2,48–53), deren Wirkung auf Moral und Rel. er darstellt, erweist sich in ihrem Vokabular zwar im Vergleich mit den Hippokratischen Schriften als weniger medizinisch-technisch, übertrifft aber die medizinischen Schriften durch genauere Beobachtung: Th. erkennt das Phänomen der Ansteckung und der durch Krankheit erworbenen Immunität (vgl. → Epidemische Krankheiten). Obgleich Metaphern aus der Medizin in der frühen griech. Dichtung (etwa bei Pindar) weit verbreitet sind, darf man bei Th. doch eine spezifische Nähe zur → Medizin vermuten, wenn er – als Rat des Nikias [1] an den Prytanen – eine medizinische Maxime wiedergibt, nämlich als Arzt einer übel beratenen Stadt ›nach Kräften zu helfen oder doch nicht willentlich zu schaden‹ (6,14).

In der Mitte der 420er-Jahre diente Th. wohl als → stratēgós und war nachweislich 424 in der Nord-Ägäis tätig (4,104,4). Dort gelang es ihm im Winter 424/3 nicht, einem überraschenden Angriff des spartanischen Generals → Brasidas auf → Amphipolis zuvorzukommen. Der Verlust der teilweise von Athenern besiedelten und wegen ihres Schiffsbauholzes wichtigen Stadt führte zur Verbannung des Th. (oder zur Flucht, um einer Verurteilung zuvorzukommen; → phygḗ). Sein Bericht über die Ereignisse zeigt keine Spur eines Versuchs, sich zu entlasten oder die Schuld dem Mitstrategen Eukles zuzuschieben. Auch die Erhöhung des Brasidas gleichsam zum zweiten Achill, dessen Ausstrahlung und Charisma offenbar auch auf Th. wirkten, ist kaum der kleinlichen Absicht zuzuschreiben, dadurch das eigene Versagen zu entschuldigen; denn Brasidas wird keineswegs idealisiert: Emotionslos konstatiert Th. dessen ›verführerische Lügen‹ (4,108,5; vgl. 4,85,7), denen Städte wie → Skione begeistert erlagen (5,32,1), um dann – von Sparta bald wieder aufgegeben – ein grausames Schicksal von seiten der Athener zu erfahren (4,121,1).

Die Verbannung verschaffte dem aufgrund seiner thrak. Besitzungen weiterhin vermögenden Th. die Muße, zu reisen und Informationen aus erster Hand zu gewinnen. Der Bruch in seiner Biographie entspricht damit etwa dem erkennbaren Einschnitt vor der zweiten Hälfte seines Werkes (5,25–8,109) und auch dem Wechsel des Gegenstands: War Th. bis zum Waffenstillstand von 423 ein aktives Mitglied der polit. und mil. Elite Athens gewesen, so schwand nun sein Zugang zu offiziellen Informationen aus Athen, während seine Möglichkeiten zur gemächlichen Sammlung von Nachrichten außerhalb Athens wuchsen. Davon abgesehen bleibt Th.' Leben der nächsten Jahrzehnte Spekulation. Ant. Biographen vermuteten seinen Wohnsitz in Thrakien. Ein Teil der mod. Forsch. sucht aufgrund seiner genauen Kenntnis der Stadt → Korinthos dort seinen Aufenthaltsort. Oder hielt er sich in Sizilien auf, um die Örtlichkeit der Kämpfe zu erforschen, deren katastrophalen Verlauf er ausgiebig und in einer überzeugenden Mischung von Rhetorik und Tatsachenbericht schildert (7,43–4; 70–87)? Gelegentlich könnte die Fülle von De-

tails den Augenzeugen verraten wie im Bericht über die Spiele in → Olympia 420 (vgl. 5,49–50), doch ebenso lebhaft ist die Abfahrt der athen. Flotte nach Sizilien beschrieben (6,30–32), die er nicht miterlebt haben kann.

II. WERK
A. INHALT B. METHODE
C. PROBLEME DER FORSCHUNG

A. INHALT

Das Hauptwerk des Th., die Beschreibung des Krieges zw. Athen und Sparta und deren jeweiligen Verbündeten, umfaßt den ›Zehnjahreskrieg‹ (dekétēs pólemos: 5,25,1) bzw. Archidamischen Krieg (→ Archidamos [1]) von 431 bis zum Waffenstillstand 423 und den Frieden des → Nikias [1] 421 (1,1–5,24), die sechsjährige Phase des unsicheren (hýpoptos: 5,26,3) Friedens nach 421 (5,25–116), die Sizilische Expedition Athens 415–413 (B. 6 und 7) und im 8. B. den Krieg in Attika und der östl. Ägäis (Dekeleiischer Krieg und Ionischer Krieg) sowie den oligarchischen Umsturz (→ oligarchía) 411 in Athen (→ Peloponnesischer Krieg D. und E.).

Der Bericht des Th. endet abrupt im Sommer 411. Dies hat in der Forsch. zu Überlegungen über die mögliche Gestaltung des ungeschriebenen 9. und 10. B. und sogar zu Spekulationen über den Gesamtaufbau des Werkes in zwei »Pentaden« (zu je 5 B.) geführt. Wie in einem Diptychon sollten dabei in jeder Pentade vergleichbare Charakteristika der anderen Pentade gespiegelt sein. Zwar gibt es auffallende Entsprechungen, z. B. in den Anfangspassagen des 1. und des 6. Buches in den Berichten über die Anfänge des Archidamischen Krieges bzw. der Sizil. Expedition. Aber zum einen muß die heute vorliegende Bucheinteilung nicht schon das Werk des Th. sein, obgleich die Länge einer ant. Papyrusrolle etwa dem Umfang eines thukydideischen Buches entspricht (→ Rolle). Zum andern gibt es auch auffallende Entsprechungen, die nicht in das Pentadenschema passen, etwa zw. dem ersten Drittel des 4. B. (spartan. Schlappe 424 bei Pylos) und den B. 6 und 7 (speziell 7,71,7; athen. Niederlage in Sizilien).

Als einziges weiteres Werk wurde Th. in der Ant. ein Epigramm auf den Tragiker Euripides [1] zugeschrieben. Die Zuordnung wird gewöhnlich angezweifelt, doch ist die Qualität des Gedichts hoch und zeigt »thukydideische« Anklänge; Th. war zudem an Epigrammen als Kunstform interessiert und zitierte sie mehrfach.

B. METHODE

Wie → Herodotos [1] vor ihm und wie die Dichter Homeros [1], Pindaros [2] und Bacchylides nimmt auch Th. sorgfältig ausgearbeitete → Reden in sein Werk auf (ca. ein Viertel des Gesamtumfangs). Ihr hohes Maß an Abstraktion bereitete selbst gebildeten griech.-kundigen Lesern der Ant. Verständnisprobleme (vgl. Cic. or. 9,30), obwohl die Reden durchaus den Zeitgeschmack getroffen haben könnten. Anders jedoch als seine Vorgänger empfand Th. die Authentizität als Problem und nimmt in seinem einzigartigen Methodenkapitel (1,22) für sich in Anspruch, den Rednern das in der jeweiligen Situation rhetorisch Notwendige (*ta déonta*) in den Mund gelegt und dies in Einklang mit den wesentlichen Inhalten des wirklich Gesagten gebracht zu haben. Dieses methodologische Selbstbewußtsein verleiht seinem Werk die spezielle Färbung, die dazu geführt hat, Th. als »Historiker für Historiker« zu bezeichnen; doch spielt dies seine stetige Anziehungskraft auf Gelehrte herunter, die sich außerhalb der histor. Fachwissenschaft mit Fragen der Politik und der Natur des Menschen beschäftigen.

C. Probleme der Forschung

Neben biographischen Unt. einzelner Lebensstufen des Th. verdient der Forsch.-Ansatz Beachtung, der einzelne Schichten des thukydideischen Textes zu isolieren sucht; auch er ist insofern biographisch, als davon ausgegangen wird, daß sich mit fortschreitendem Lebensalter des Th. (mit seiner inneren Entwicklung) auch der Plan seines Werkes weiterentwickelt habe; es müsse sich also eine Art Stratigraphie seines Werkes entdecken lassen, wenn man auf interne Hinweise der Abfassungszeit (»frühe« bzw. »späte« Passagen) und auf Anzeichen einer gewissen Unfertigkeit achte (abgesehen von dem abrupten Ende). Diesem »analytischen« Ansatz steht ein »unitarischer« gegenüber; er sieht im thukydideischen Werk ungeachtet seiner Ecken und Kanten ein künstlerisch gestaltetes und einheitliches Ganzes, das erst nach dem Peloponnesischen Krieg entstanden sei. Dieser Streit um die Komposition des Werkes bildete viele Jahrzehnte bis weit in das 19. Jh. hinein die »thukydideische Frage« par excellence. Während aber der analytische Ansatz völlig aus der Mode gekommen ist, zeigt sich seit etwa 20 Jahren eine Tendenz, die unitarische Vorstellung von der kunstvollen Einheit der acht B. auf die Spitze zu treiben.

Für die analytische Richtung könnte sprechen, daß vereinzelte Passagen eindeutig spätere Ereignisse vorwegnehmen, am deutlichsten die erwähnten Anspielungen auf den Fall Athens (z. B. 2,65,12). Dabei kann es sich jedoch auch um spätere Einfügungen handeln, die keineswegs eine späte Entstehung der umgebenden Darstellung und Reden beweisen. Andere Passagen erscheinen deshalb als früh, weil sie in der Tat keine Kenntnis von Entwicklungen zeigen, die Th. später in den Vordergrund stellte. Als Beispiel kann die Rolle der Perser und der Einsatz ihres Geldes im Krieg dienen. In der Skizze des Krieges bis zum J. 404 (2,65,10–12), also trotz ihrer Stellung im 2. B. eindeutig eine späte Passage, haben die späteren pers. Subsidien an Sparta hohen Erklärungswert für den Kriegsverlauf, und im 8. B. spielen der Großkönig und seine Satrapen die Hauptrolle in der Diplomatie; die für den Kriegsverlauf nach 412 ebenso wichtigen finanziellen Beziehungen Athens zu den Persern sind dagegen nur unzureichend erklärt, ja kaum erwähnt (vgl. 5,26). Hier also scheint ein Einschub unterblieben zu sein.

Als Zeichen der Unfertigkeit wurde gesehen, daß in großen Abschnitten des Werkes (etwa im letzten B. und im Großteil des 5. B. ab 5,25) sonst übliche Charakteristika fehlen, bes. direkte Reden; zudem tauchen dort Eigenheiten auf, wie unbearbeitete Vertragsdokumente (darunter zwei in Dialektform), die sich sonst nicht finden (abgesehen von den Dokumenten zum Waffenstillstand von 423 in 4,118). Zu dieser Form von Unfertigkeit kommt in der Darstellung der Jahre nach 421 der Eindruck, Th. kenne die Details des Nikias-Friedens nur unvollständig; möglicherweise hatte er das Ende des Krieges abzuwarten, um die Verträge einfügen zu können.

Für die Vertreter der unitarischen Richtung sind dagegen diese angeblichen Schwächen in Wahrheit ein Zeichen von Innovation und Scharfsinn: Die Vertragsdokumente sollten auf ironische Weise die Kluft zw. den Absichten der Diplomatie und der Realität der Politik betonen. Offensichtliche Meinungsumschwünge, wie in der Frage der Erfolgschancen der Sizil. Expedition (prinzipielle Zustimmung in 2,65,11; pessimistische Grundstimmung in B. 6 und 7), stünden nicht in Widerspruch zueinander, sondern seien vielmehr auf einen Wechsel von Akzent und Optik zurückzuführen. Mit dieser Art von Einfallsreichtum kann man fast jeden beliebigen Zug erklären, aber wohl kaum die Wiederholung zweier identischer Personenlisten mit je 17 Namen in kurzem Abstand (5,19 und 5,24). Es bleibt das Fazit, daß entgegen der unitarischen Sicht der vorliegende Text eben nicht gründlich revidiert wurde und Th. weiter daran arbeiten wollte.

Allerdings bietet der unitarische Ansatz den Vorteil, das Interesse an der Grundstruktur des Werkes zu fördern und damit auch an der »homerischen« Technik, mittels ähnlicher Formulierungen über weite Abstände im Text hinweg Vergleiche zu ziehen; etwa mit den Worten ›So nah waren sie der Gefahr gewesen‹, die Th. im 3. B. für Mytilene und im 7. B. für Syrakus gebraucht (3,49,4 bzw. 7,2,4). Der Verzicht auf »analytische« Fragen der Komposition macht auch den Blick auf die genuin lit. Eigenarten des thukydideischen Werkes frei, nämlich auf dichterische Parallelen, vielleicht sogar Anleihen. Sie sind bes. deutlich in den dramatisch gestalteten »Sizil. Büchern« (B. 6 und 7): Der euphorische Start der athen. Flotte hat Gemeinsamkeiten mit der Abfahrt der Argonauten bei Pindar (P. 4); das letzte Kapitel von B. 7 enthält gehäuft metrische Phrasen und Wörter aus dem Vokabular der sophokleischen Tragödie. Homer ist die gemeinsame Quelle für die Tragödie und für Th.

III. Würdigung

Das Werk des Th. ist weder eine schwerfällige Kriegschronik noch ein plattes polit. Pamphlet, sondern ein geschmeidiges und komplexes Kunstwerk, dessen Wirkungsabsicht, falls es überhaupt eine hat, außerordentlich schwer faßbar ist. Ein Nachprüfen der histor. Korrektheit ist schwer möglich, weil Th. selten Varianten der Ereignisse bei anderen Autoren zitiert, und weil weitere Lit., die seine Aussagen und Daten ergänzen oder korrigieren könnte (z.B. Antiochos [19] und Philistos für die sizil. Geschichte), nur in Fr. erhalten ist. Die inschriftliche Überl. bietet sich als Korrektiv an. Sie bezeugt schon vor dem Krieg weit größeres athen. Interesse am ital. und sizil. Raum, als im Bericht des Th. zu erkennen ist. Inschr. könnten vielleicht auch das Bild der Athener bei der Vernichtung der Melier (5,84–116; → Melos) relativieren oder an den verachteten athen. Demagogen (vgl. 2,10 f.; 4,27,5–28,5) auch positive Züge erkennen lassen. Eine wenig beachtete, doch wesentlich mit Inschr. verbundene Kontrollmöglichkeit sind Personennamen: ihr Studium insgesamt oder nach Regionen stützt den Anspruch des Th. auf Genauigkeit im einzelnen.

Th. setzt beim Leser viel voraus. Themen wie Frauen, Kulte oder Wettkämpfe, die bei Herodot und Pindar im Vordergrund stehen, treten bei Th. weit weniger hervor. Seine Auswahlkriterien lassen sich nicht leicht auf einen Nenner bringen, etwa als Reaktion auf Herodot (obwohl auch dafür manches spricht). Gelegentlich gestattet er allerdings flüchtige Blicke in die Welt, die er normalerweise nicht beachtet: Sein Bericht von den Olympischen Spielen des J. 420 (5,49 f.) und sein Exkurs zum Ende der athen. → Tyrannis (6,54–59) wirken fast wie Versuche, sich mit Pindar und Herodot zu messen oder sie gar zu schlagen.

Die Rezeption des thukydideischen Werkes war in der Ant. nicht so breit wie die des immer und allgemein beliebten Herodot. Doch Th. geriet nie aus dem Blick, weder im 4. Jh. v. Chr. (→ Philistos) noch im Hellenismus (→ Polybios [2]; → Poseidonios [3]), und er erfreute sich in der röm. Kaiserzeit einer gewissen Beliebtheit bei Historikern, die sich für Politik interessierten, etwa bei → Tacitus; auch → Sallustius [III 3] setzte sich mit Th. auseinander, während → Dionysios [18] von Halikarnassos sich v. a. lit.- und stilkritisch mit ihm beschäftigte. Im MA kannte das westliche Europa Th. nur in indirekter Überl., während sein Werk für die byz. historiographische Trad. nicht unwichtig war. Zur Rezeption ab der Renaissance vgl. → GESCHICHTSMODELLE, → GESCHICHTSWISSENSCHAFT/GESCHICHTSSCHREIBUNG und → THUKYDIDISMUS.

→ Athenai III.; Geschichtsschreibung II.; Peloponnesischer Krieg; Sparta I.

ED.: H. S. JONES, 2 Bde., 1900/01, erw. und rev. von J. E. POWELL, 1942 · C. HUDE, 1913–1925 (Ed. maior), 1920–28 (Ed. minor), neu ed. von O. LUSCHNAT (B. 1–2), 1954 · G. B. ALBERTI, 2 Bde. (B. 1–5), 1972–1992. KOMM.: J. CLASSEN, J. STEUP, Th. erklärt, 8 Bde., 1920–1922 · A. W. GOMME, K. J. DOVER, A. ANDREWES, A Historical Commentary on Th., 5 Bde., 1945–1981 · S. HORNBLOWER, A Commentary on Th., 2 Bde., 1991–1996 · P. J. RHODES, Th. (Buch 2), 1988 · Ders., Th. (B. 4,1–5,24), 1998. ÜBERS.: H. WEINSTOCK, 1938 (dt.) · A. HORNEFFER, G. STRASBURGER, 1984 (dt.) · P. LANDMANN, 1976² (dt.) · CH. FORSTER SMITH, Th., 4 Bde. 1969–1976 (Ndr.; engl.) ·

J. DE ROMILLY, Th., 8 Bde., ³1964–1972 (frz.). LIT.: L. CANFORA, Tucidide, 1988 · W. R. CONNOR, Th., 1984 · J. H. FINLEY, Three Essays on Th., 1967 · K. VON FRITZ, Die griech. Gesch.-Schreibung, 2. Bde., 1967, 523–823 · S. HORNBOWER, Th., 1987 · V. HUNTER, The Composition of Th.' History, in: Historia 26, 1977, 269–294 · H. LEPPIN, Th. und die Verfassung der Polis, 1999 · K. MEISTER, Die griech. Gesch.-Schreibung, 1990, 45–62 · H. PATZER, Das Problem der Gesch.-Schreibung des Th. und die thukydideische Frage, 1937 · H. R. RAWLINGS III, The Structure of Th.' History, 1981 · G. RECHENAUER, Th. und die hippokratische Medizin, 1991 · T. ROOD, Th., Narrative and Explanation, 1998 · C. SCHNEIDER, Information und Absicht bei Th., 1974 · E. SCHWARZ, Das Geschichtswerk des Th., ²1929 · H.-P. STAHL, Th., 1966. S.HO.

Thule (Θούλη). Th. war ein Konzept, gelegentlich ein lit. Terminus (→ Antonios [3]), weniger eine geogr. Lokalisierung. Die Vorstellung von einem Land im nördl. Okeanos, weit im Norden von → Britannia, findet sich bei Verg. georg. 1,30 und beruht nahezu sicher auf dem Ber. des → Pytheas [4]. Strabon (1,4,2–5; 2,4,1; 2,5,8; 4,5,5) ist der erste Geograph, der den ON Th. verwendet, ohne jedoch etwas über die geogr. Lage zu sagen. Tac. Agr. 10 und Ptol. 2,3,32 wandten Th. auf die Shetland-Inseln an, aber wohl nur deshalb, weil diese das am weitesten im Norden gelegene ihnen bekannte Land waren. Unklarheit darüber, wo und was Th. war, hielt die gesamte Ant. hindurch an. Prok. BG 2,15,4ff. schrieb den Namen Skandinavien zu. Alles, was man sich von Th. erzählte, wußte man nur vom Hörensagen; aber evtl. basierte immerhin die viel zitierte Trad. der »gefrorenen See« (Strab. 1,4,2; Übers. umstritten) auf der Autopsie eines einzelnen. Die Verweise auf 6 Monate Tag und 6 Monate Nacht (Plin. nat. 2,186) beruhen auf Beobachtungen, aber nicht notwendigerweise auf der des Pytheas.

M. CARY, E. H. WARMINGTON, The Ancient Explorers, 1929, 36–40 · R. HENNIG, Terrae incognitae 1, ²1944, 58–63 · B. CUNLIFFE, The Extraordinary Voyage of Pytheas the Greek, 2001, 116–133. M. TO./Ü: I. S.

Thumelicus. Der verm. 15 n. Chr. in röm. Gefangenschaft geb. und 17 n. Chr. im Triumph des Germanicus [2] mitgeführte Sohn des → Arminius und der → Thusnelda (Strab. 7,1,4). Der Passus aus den *Annales*, in dem Tacitus schildert, wie der in Ravenna erzogene Knabe ›dem Gespött zum Opfer fiel‹ (ann. 1,58,6), ist verloren. Als die → Cherusci 47 n. Chr. von Rom → Italicus [1] als König erbaten, lebte Th. nicht mehr (Tac. ann. 11,16,1). Th. ist der Held des 1854 unter dem Pseudonym Friedrich HALM erschienenen Trag. ›Der Fechter von Ravenna‹, deren Urheberschaft früher heftig umstritten war [2. 414].

1 D. TIMPE, Der Triumph des Germanicus, 1968, 59–74 2 R. WIEGELS, W. WOESLER (Hrsg.), Arminius und die Varusschlacht, 1995. V. L.

Thumna (Θούμνα: Ptol. 6,7,31; Τάμνα: Strab. 16,4,2–4 und Steph. Byz.; *Thomna*: Plin. nat. 6,153; 12,64; inschr. *Tumnaᶜ*, vgl. biblisch *Timnaᶜ* Gn 36,12; 1 Chr 1,51; h. *Ḥaǧar Kuḥlān*). An der → Weihrauchstraße zw. → Sabbatha und → Mariaba im h. Jemen gelegen, einst Hauptstadt des Königreiches der → Qatabān (*Kattabaneís*). Grabungen erbrachten neben Wohnhäusern einen Torbau, einen Tempel und Gräber. Die Datier. ist noch unsicher: 685/430 v. bis 100/200 n. Chr.

> G. W. VAN BEEK, s. v. Timnaᶜ, The Oxford Encyclopedia of Archaeology in the Near East, Bd. 5, 1997, 215–217 • K. SCHIPPMANN, Gesch. der alt-südarab. Reiche, 1998, Index.   H. J. N.

Thunfisch. Der recht große gemeine Th. (Thynnus thynnus L., griech. ὁ θύννος/*thýnnos*, att. auch ἡ θυννίς/*thynnís* – v. a. das Weibchen: Aristot. hist. an. 5,9,543a 9; Athen. 7,303c–304b – oder ἡ θύννη/*thýnnē*: z. B. Opp. hal. 1,756; lat. *thynnus* oder *thynnis*) und der kleinere Germon (Albacora thynnus L., vielleicht der αὐλωπίας/*aulōpías*, Ail. nat. 13,17) waren die wirtschaftlich wichtigsten und deshalb mit vielen Namen versehenen Speisefische des Mittel- und Schwarzmeeres. Die Jungfische (unter 1 Jahr) nannte man πηλαμύς/*pēlamýs* oder πηλαμίς/*pēlamís* (Aristot. hist. an. 6,17,571a 11, von *pēlós*, »Schlamm«) bzw. lat. *pelamys, pelamus* oder auch *limosa* (Plin. nat. 9,47); noch jüngere Exemplare (σ)κορδύλη/*(s)kordýlē*, lat. *cordyla* (Aristot. ebd. 571a 16; Plin. l.c.) oder πριμάδες/*primádes* bzw. πρημάδες/*prēmádes* (z. B. Aristot. ebd. 7(8),15,599b 17; Nikochares bei Athen. 7,328e).

Verstreute, aber nicht immer richtige Angaben über das Aussehen des Th. finden sich v. a. bei Aristot. hist. an.: Er sei glatt (2,13,505a 27), ein in Schwärmen lebender (1,1,488a 6 f. und 8(9),2,610b 4; vgl. Plin. nat. 9,49), vom Atlantik herkommender Zugfisch (δρομάς/*dromás*; Aristot. ebd. 5,9,543a 1 f.), der im Schwarzmeer (5,10,543b 2 f.; vgl. Opp. hal. 3,620–622 und 4,504 f.) im Sommer laicht (Aristot. ebd. 5,10,543b 11 f. und 6,17,571a 11–13; vgl. Strab. 7,6,2); der Zug erfolge nur bei Sonnen- und Mondlicht (Aristot. ebd. 7(8),13,598b 19–21; vgl. Hdt. 1,62), wobei die Küste immer auf der rechten Seite sei, weil der Fisch nur mit dem rechten Auge deutlich sehen könne (Aristot. l.c.; Plin. nat. 9,50; Plut. de sollertia animalium 29 = mor. 979e, vgl. Aischyl. fr. 308 N.² = 614 METTE; Ail. nat. 9,42). Als wärmeliebendes Tier (Aristot. ebd. 7(8),19,602a 31–b 2) halte er sich im Winter in der Meerestiefe auf (7(8),15,599b 8 f.), weil er die Jahreszeiten erkennen könne (Ail. nat. 9,42 unter Berufung auf Aristot.). Die zusätzliche Bauchflosse des Weibchens (Aristot. ebd. 5,9,543a 12 f., vgl. Plin. nat. 9,47) gibt es nicht, wohl aber Riesenexemplare, wie dasjenige von 15 Talenten (ca. 393 kg) Gewicht (Aristot. ebd. 7(8),30,607b 32–34; vgl. Plin. nat. 9,44).

Die (auch h. noch) große Bed. des Fanges während des Vorbeizugs der Th. für viele Orte an den Küsten des Mittel- und Schwarzmeeres (wie z. B. → Kyzikos) wird

u. a. durch Abb. im Stadtwappen und auf Mz. dokumentiert [1. Taf. 7,7–10 u.ö.]. An vielen Fangorten gab es Einsalzungsbetriebe. Ein besonderes Zentrum des Th.-Fangs war wegen seiner Lage Byzantion am → Bosporos. In der Fangsaison Ende Mai bis Mitte Oktober (Aristot. ebd. 7(8),15,599b 10 f.; Plin. nat. 9,53) kündigten Wächter auf hohen »Th.-Warten« (*thynnoskopeía*) am Strand das Herannahen der Th.-Schwärme an (Opp. hal. 3,637–40). Mit Booten und Schleppnetzen wurden die Tiere eingekreist, mit Harpunen getötet (Opp. ebd. 640–48; Ail. nat. 15,5). An anderen Orten, bes. auf Sizilien, benutzte man Wurfnetze oder Angelhaken mit verschiedenen Ködern (Opp. hal. 3,132–143; Ail. 13,16), spießte die Th. mit bestachelten Holzklötzen auf (Opp. hal. 4,531–560) oder betäubte sie mit Giften (z. B. Aristot. ebd. 7(8),20,602b 32–603a 1; Plin. nat. 25,98 und 120). Das kalbfleischartig schmeckende Fleisch bildete infolge der großen Menge und der Haltbarkeit durch Einsalzen (Plin. nat. 9,48; vgl. Dioskurides 2,31 WELLMANN = 2,32 BERENDES) eine wichtige Ernährungsgrundlage. Der Th. wurde gebraten oder gekocht (Apicius 9,11; 10,1 und 3); er diente sowohl als Truppennahrung (Aristoph. Ach. 1100 f.; Iuv. 7,120) als auch als Delikatesse (Athen. 3,118a und 7,303e), obwohl er hartes Fleisch hat (Gal. de bonis malisque sucis 4,13; Gal. de facultatibus alimentorum 3,30,4 [2]). Fleisch, Fett (Plin. nat. 32,87: gegen Lepra), Galle und Blut wurden gegen Geschwüre, Bisse, Zahnschmerzen und als Purgier- und Enthaarungsmittel (Plin. nat. 32,76 und 135) verwendet.

> 1 F. IMHOOF-BLUMER, O. KELLER, Tier- und Pflanzenbilder auf Mz. und Gemmen des klass. Alt., 1889 (Ndr. 1972)
> 2 G. HELMREICH (ed.), Galenus, de alimentorum facultatibus; De bonis malisque sucis, 1923 (CMG 5,4,2).

> KELLER 2,382–392 • A. STEIER, s. v. Thynnos, RE 6 A, 720–734 • D'ARCY W. THOMPSON, A Glossary of Greek Fishes, 1947, 79 ff.   C. HÜ.

Thuria (Θουρία). Stadt von → Perioikoi in → Messana [2] in der Ebene des → Pamisos [1] auf schmalem Hügelplateau (Strab. 8,4,5; Paus. 4,31,1 f.; Ptol. 3,16,22) östl. vom h. Antheia und Aithaia. Erh. sind Teile der Stadtmauer aus klass. Zeit sowie Tempel- und Hausfundamente. Der Hügel, schon im FH besiedelt, erlebte in myk. Zeit eine Blüte (Tholos- und Kammergräber). Nach einer Unterbrechung in SH III C war er an der höchsten Stelle (nördl. der prähist. Siedlungen) von protogeom. bis in hell. Zeit bewohnt. Die Bevölkerung von Th. schloß sich 464 v. Chr. dem Aufstand der Messanioi gegen Sparta an, ein Teil zog auf den → Ithome [1] (Thuk. 1,101,1). In Th. wurden weiterhin die Pohoidaia (→ Poseidon I. A.; IG V 1, 213, Z. 18) gefeiert; es gab hier auch Kulte der Athena und der Upis. Nach der Befreiung 369 v. Chr. von Messana [2] war Th. Perioikenstadt von → Messene [2] (SGDI 2619), ab 182 v. Chr. Mitglied des achaiischen Bundes (→ Achaioi [1]; Pol. 23,17,2). Seit 146 v. Chr. wohl freie Gemeinde, fiel Th. unter Augustus an → Sparta, die Bevölkerung begann, in die Ebene abzuwandern; soweit bekannt, prägte Th. als einziger von Sparta abhängiger Ort eigene Mz.

R. HOPE SIMPSON, Mycenaean Greece, 1981, 129f. · N. PAPACHATZIS, Παυσανίου Ἑλλάδος Περιήγησις 3, 1979, 98–104 · K. HARTER-UIBOPUU, Das zwischenstaatliche Schiedsverfahren im Achäischen Koinon, 1998, 63–72 · B. EDER, Argolis, Lakonien, Messenien, 1998, 172f.   KL. T.

Thuringi. Germanischer Stamm, im 3./4. Jh. n. Chr. aus den → Hermunduri herausgebildet; erstmals um 400 n. Chr. erwähnt (Vegetius Renatus, De mulomedicina 3,6,3). Der Siedlungskern der Th. lag nördl. des Thüringer Waldes bis zum mittleren → Albis (h. Elbe). Im 5. Jh. scheint sich der Stamm in seinem Kerngebiet konsolidiert zu haben. Unmittelbare Nachbarn der Th. waren die → Saxones im Norden und die → Alamanni im Süden. Die urspr. Feuerbestattung in Urnen wurde um 400 von Körper-Bestattung mit Ost-West-Orientierung abgelöst. Die bisherigen arch. Spuren weisen auf kleine Siedlungen, keine größeren Zentralorte. Vereinzelt dienten Th. im röm. Heer; die meisten Th. wurden um 530 n. Chr. Untertanen der → Franci; Teile wanderten mit den → Langobardi in den Donauraum, Teile verschmolzen mit den → Baiovarii.

M. TODD, Die Germanen, 2000, 236–238 · B. KRÜGER (Hrsg.), Die Germanen, Bd. 2, 1983, 502–548 · G. BEHM-BLANKE, Ges. und Kunst der Germanen, 1973.   G. H. W.

Thurioi (Θούριοι, lat. Thurii). Griech. Stadt am Ionios Kolpos, wo bis zur Zerstörung im J. 510 v. Chr. → Sybaris [4] lag, ca. 134 km sw von Tarent (→ Taras); h. das Ruinenfeld bei Parco di Cavallo, Parco dei Tori und Casa Bianca. Nach mehreren von → Kroton vereitelten Versuchen vertriebener Sybaritai, ihre Heimatstadt wiederherzustellen (Strab. 6,1,13), beschlossen die Athener 444/3 v. Chr. die Gründung der panhellenischen Kolonie Th. (benannt nach einer Quelle Thuria) bei Sybaris (Diod. 12,10f.; Strab. 6,1,13). An der Gründung beteiligten sich u. a. der Historiker Herodotos [1] und der Sophist Protagoras [1], der eine demokratische Verfassung im Geiste des → Charondas abfaßte (Diod. 12,11,3). → Hippodamos ist wohl die innovative Stadtanlage zuzuschreiben (Diod. 12,10,6f.).

Die Anf. der Kolonie waren vom Konflikt mit Tarent um das Gebiet von Siris geprägt (Antiochos FGrH 555 F 11; Diod. 12,23,2f.), der mit der gemeinsamen Gründung von Herakleia [10] 433/2 v. Chr. sein Ende fand (Diod. 12,36,4). 413 v. Chr. unterstützte Th. die sizilische Expedition der Athener (→ Peloponnesischer Krieg; Thuk. 7,35,1). Die dauernden Auseinandersetzungen mit den → Lucani und → Bruttii im Hinterland zwangen Th. oft, fremde Hilfe in Anspruch zu nehmen (Kleandridas von Sparta nach 443: Polyain. 2,10,2; Italiotischer Bund, → Magna Graeca I. B. 393: Diod. 14,101,1; vgl. StV 2, 230; Korinthos 343/2: Plut. Timoleon 16,1–4). 389 v. Chr. erlitt Th. bei Laos (h. Marcellina?) eine schwere Niederlage gegen die von Dio-

nysios [1] I. unterstützten Lucani (Diod. 14,101f.). 302 wurde die Stadt von Kleonymos [3] besetzt und vom röm. Consul Aemilius [I 33] Paullus befreit (Liv. 10,2,1f.; vgl. Plin. nat. 34,32). Auch 285/4 v. Chr. erhielt Th. röm. Unterstützung gegen die Lucani (Liv. per. 11; vgl. 6,1,13). Danach war Th. mit Rom verbündet (vgl. Liv. 25,15,9), 212 v. Chr. aber schloß die Stadt sich → Hannibal [4] an und blieb bis 203 v. Chr. treu an seiner Seite (Liv. 25,15,7–17; App. Hann. 146f.). 194 v. Chr. wurde in Th. eine latinische Kolonie Copia gegr. (Liv. 34,53,1f.; Strab. 6,1,13), der ON Th. hielt sich aber weiter (sogar bis in die Spätant., vgl. Geogr. Rav. 4,31). Das Gebiet von Th. war Schauplatz der Kämpfe gegen → Spartacus (App. civ. 1,117; Suet. Aug. 3,1); von Sex. Pompeius [I 5] wurde die Stadt 40 v. Chr. vergeblich belagert (App. civ. 5,56–62).

Die Zeugnisse aus der röm. Kaiserzeit beschränken sich auf wenige Inschr., Reste öffentlicher Gebäude und Nekropolen. Die Siedlung wurde Anf. des 6. Jh. n. Chr. endgültig aufgegeben (Prok. BG 7,23; 7,28). Die Kulte von Th. standen in der Trad. von Sybaris (Diomedes, Athene) und Athen (Athene, Boreas). Bei der Gründung fiel dem delphischen Apollon eine entscheidende Rolle zu (Diod. 12,35,3). Die Kulte des Herakles und der Athene (Minerva) wurden in röm. Zeit fortgeführt. Aus Tumulusgräbern bei Th. stammen vier orphische Goldblättchen (4. Jh. v. Chr.; OF F 47, 32f, 32c, 32e; → Orphicae Lamellae).

BTCGI 5, 398–403 · M. OSANNA, Chorai coloniali da Taranto a Locri, 1991, 138–149 · A. BOTTINI, Archeologia della salvezza, 1992, 27–51 · Sibari e la Sibaritide (Atti XXXII Convegno, Taranto 1992), 1993 · D. LABATE, Turi. Dalle origini all'età ellenistica, 1995 · E. GRECO, Turi, in: Ders. (Hrsg.), La città greca antica, 1999, 413–430.
                                                         A. MU./Ü: J. W. MA.

Thurion (Θούριον). Bergzug (511 m H) in West- → Boiotia zw. → Lebadeia und → Chaironeia; h. Th. In einer Senke am NW-Rand Tempel des Apollon Thurios [1. 383f.; 2. 43f.]. Zum Orthopagos (Plut. Sulla 17,4; h. Hagios Demetrios), dem nw Abschnitt des Th., gehört der über Chaironeia aufsteigende Petrachos (Paus. 9,41,6), wo im 1. → Mithradatischen Krieg → Cornelius [I 90] Sulla über Archelaos [4] siegte (86 v. Chr.; Plut. Sulla 17,4–19,5; Paus. 9,40,7).

1 FOSSEY 2 SCHACHTER 1.

S. LAUFFER, Kopais, Bd. 1, 1986, 145–147 · J. CAMP u.a., A Trophy from the Battle of Chaironeia of 86 B. C., in: AJA 96, 1992, 443–455.   M. FE.

Thusnelda. Die ›Frau im Schatten des → Arminius‹ [1. 121], der die Tochter des Cheruskerführers → Segestes (Strab. 7,1,4) entführt hatte. Von Arminius schwanger, geriet Th. (wie Tacitus eindrucksvoll schildert), nach wie vor Arminius zugetan, wieder in die Gewalt des Vaters und gebar – seit 15 n. Chr. in röm. Gefangenschaft – → Thumelicus (Tac. ann. 1,55–59).

Ihn führte sie 17 n. Chr. im Triumph des Germanicus [2] mit (Strab. 7,1,4). Der Konflikt zw. Vater und Gatten und die Beziehung zw. Arminius und Th. bot parallel zur Arminius-Rezeption reichlich Stoff für Lit., Oper und bildende Kunst. Als »Th.« in der Umgangs- und »Tussi« in der Jugendsprache lebt Th. bis heute fort.

1 J. PRIEUR, Th. Eine Spurensuche durch zwei Jt., in: Lippische Mitt. aus Gesch. und Landeskunde 69, 2000, 121–181.   V.L.

Thutmosis. Name von vier → Pharaonen der 18. Dyn., äg. *Dḥwtj-msjw* (»Thot ist geboren«). Ihr zeitlicher Ansatz ist unsicher, da die Regierungsdauer von Th. I. und II. unbekannt ist und die Thronbesteigung von Th. III. astronomisch auf 1504, 1490 oder (am wahrscheinlichsten) 1479 v. Chr. datiert wird.

[1] Th. I., Thronname *ʾ-ḫpr-kʾ-Rˁ*, dritter König der 18. Dyn., ca. 1496–1482 (nur drei Regierungsjahre sicher bezeugt). Th. unternahm Feldzüge nach Nubien und Syrien bis zum Euphrat, bei denen es zu ersten Auseinandersetzungen mit → Mittani kam. Er ließ als erster Pharao sein Grab im »Tal der Könige« anlegen.

[2] Th. II., Thronname *ʾ-ḫpr-n-Rˁ*, Sohn und Nachfolger Th.' [1] I., verheiratet (u. a.) mit seiner Halbschwester Hatschepsut, hat nur wenige Denkmäler hinterlassen und verm. nur 3 J. regiert (ca. 1482–1479). Unter ihm wurde ein nubischer Aufstand niedergeschlagen und ein Feldzug gegen die Schasu-Beduinen geführt.

[3] Th. III., Thronname *Mn-ḫpr-Rˁ*, ca. 1479–1425 (im 54. Regierungsjahr gestorben), Sohn und Nachfolger Th.' [2] II. Weil er bei seiner Thronbesteigung noch ein Kind war, regierte zunächst seine Tante Hatschepsut, die sich bald selbst offiziell als »König« bezeichnete, aber seine Rechte formal nicht beeinträchtigte. In den zwei Jahrzehnten nach ihrem Tod im 22. Regierungsjahr unternahm Th. fast jährlich Feldzüge nach Vorderasien, die im 33. Regierungsjahr bis zum Euphrat in das Gebiet von → Mittani führten. Feldzüge nach Nubien sind erst für die späten Jahre seiner Regierung bezeugt. Die Beute dieser Kriege kam v. a. dem → Amun-Tempel von Karnak zugute, der bedeutend erweitert wurde. Auch sonst ist Th. als Bauherr von mehr als 50 Tempeln bekannt. Während der letzten beiden Jahre war sein Sohn → Amenophis [2] II. Koregent.

[4] Th. IV., *Mn-ḫprw-Rˁ*, achter König der 18. Dyn., Sohn → Amenophis' [2] II., ca. 1402–1393, nach eigener Schilderung von der → Sphinx von al-Ǧīza (dem Gott Harmachis [1]) im Traum zum König bestimmt. Die Außenbeziehungen waren in seiner Zeit überwiegend friedlich, Th. heiratete eine Tochter des Königs Artatama von → Mittani.

TH. SCHNEIDER, s. v. Th., in: Ders., Lex. der Pharaonen, ²1996, 452–466.   K. J.-W.

Thyamia (Θυαμία). Festung von → Sikyon an der Grenze zu → Phleius über dem h. Stimanga, 367 v. Chr. von Sikyon an Phleius verloren, im folgenden Friedensvertrag zurückgewonnen (Xen. hell. 7,2,1; 7,4,1).

A. GRIFFIN, Sikyon, 1982, 27; 73 f. • N. FARAKLAS, Ancient Greek Cities 8, 1971, Anh. 2, 4; 17 • PRITCHETT 2, 107.

                                  KL. T.

Thyamis (Θύαμις). Fluß, auch h. Th. (ehemals Kalamas), bzw. Vorgebirge, h. Akra Kalamas, in → Epeiros. Der Th. mündet in zwei Armen gegenüber von Korkyra [1] in den Ionios Kolpos und bildet die Grenze zw. der Thesprotia (→ Thesprotoi) im Süden und der → Kestrine im Norden (Thuk. 1,46,4; Strab. 7,7,5; Plin. nat. 4,4). Pomponius [I 5] Atticus besaß am Th. ein Landgut (Cic. Att. 7,2,3; Cic. leg. 2,7).

N. G. L. HAMMOND, Epirus, 1967, 186 f.; 669 f. • PHILIPPSON/KIRSTEN 2, 38 f.; 87–90; 93–99.   D.S.

Thyateira (Θυάτειρα, h. Akhisar). Stadt der nördl. Lydia (→ Lydoi) im Tal des mittleren Lykos [18] an der Straße von → Sardeis nach → Pergamon, 57 km nö von Magnesia [3]. Th. wurde 281 v. Chr. von Seleukos [2] I. mit maked. Militärkolonisten belegt, 216 wohl durch Attalos [4] I. besetzt (Pol. 5,77,7), 201 von Philippos [7] V. bedroht (Pol. 16,1,7), verm. 198 von Antiochos [5] III. und 190 von Eumenes [3] II. zurückgewonnen (Liv. 37,8,7 f.; 37,21,5; 37,38,1; 37,44,4; App. Syr. 150; [1. 273 f.]); die Stadt fiel 188 endgültig an Pergamon. 133/2 war Th. Stützpunkt des Eumenes III. (→ Aristonikos [4]; Strab. 14,1,38; [2]). 129 kam Th. zur röm. Prov. Asia [2]. Im J. 85 wurde Flavius [I 6] Fimbria bei Th. von Cornelius [I 90] Sulla belagert (Plut. Sulla 25,1). In der röm. Kaiserzeit war Th. dank der Textilindustrie [3. 619 f.⁴³] – neben dem benachbarten Wollzentrum Laodikeia [4] – eine blühende Stadt. Erdbebenschäden 25 v. Chr. wurden durch Augustus gelindert (Suet. Tib. 8). 123 n. Chr. besuchte Kaiser Hadrianus, 214 Caracalla die Stadt; Th., bislang zum *conventus* von Pergamon gehörig (Plin. nat. 5,126), wurde jetzt Vorort eines eigenen *conventus*. Seit 297 n. Chr. gehörte Th. zur Prov. Lydia, in byz. Zeit zum → Thema Thrakesion. In Th. gab es im 1. Jh. n. Chr. eine jüdische Gemeinde (Apg 16,4) und eine der sieben ältesten christl. Gemeinden in Kleinasien (Apk 1,11; 2,18; 2,24). Aus Th. stammte der Grammatiker Nikandros [5]. Arch. Reste: Stoa, Tempel, Kirche.

1 H. H. SCHMITT, Unt. zur Gesch. Antiochos' d. Gr., 1964
2 M. KAMPMANN, Aristonicos à Thyatire, in: RN 20, 1978, 38–42 3 ROSTOVTZEFF, Roman Empire.

MAGIE, 972 f.; 977 f. • ROBERT, Villes, 39 f., 269 und passim.

                                  H. KA.

Thybris (Θύβρις). Gebirge auf → Sicilia im NW von → Syrakusai (Theokr. 1,118), h. Climiti. Bei Eust. zu Dion. Per. 350; schol. Theokr. 1,118a (Θύμβρις/ *Thýmbris*) wird so ein Fluß auf Sicilia genannt, dessen Lokalisierung nicht möglich ist. Nach Serv. Aen. 3,500 nannte man so außerdem einen E. des 5. Jh. v. Chr. von den att. Kriegsgefangenen gebauten (→ Peloponnesischer Krieg), h. noch in Resten erh. Wasserkanal, der vom gleichnamigen Gebirge her die Wasserversorgung von Syrakusai sichern sollte.

K. MEISTER, s. v. Thy(m)bris, KlP 5,804.   K. MEI. u. E. O.

Thyestes (Θυέστης; etym. von *thýein*, »opfern«, *thyeía*, »Mörser« bzw. *to thýos*, »Räucherwerk«, abgeleitet). Sohn des → Pelops [1], Bruder des → Atreus, Vater der → Pelopeia [2] und des mit ihr gezeugten → Aigisthos. In der peloponnesischen Sage töten Th. und Atreus den Stiefbruder → Chrysippos [1] (auf Anstiften ihrer Mutter → Hippodameia [1], Hellanikos FGrH 4 F 157; Hyg. fab. 85). Von Pelops vertrieben, kommen die beiden nach → Mykenai (Strab. 8,6,19; Apollod. epit. 2,10). Der Streit um die dortige Herrschaft führt dazu, daß Th. sich des goldwolligen Widders als Herrschaftssymbol bemächtigt (Alkmaionis EpGF 5), mit Hilfe von Atreus' Gattin → Aërope, die er zuvor verführt hat (Soph. Ai. 1295ff.). Th. wird jedoch aufgrund eines von Zeus bewirkten Zeichens entdeckt (Eur. El. 699–746) und verbannt. In der Verbannung kommt es zum Inzest mit Pelopeia, die, als sie ihn erkennt, Selbstmord begeht (Hyg. fab. 88; 243). Th.' Rückkehr nach Mykenai wird in der Trag. unterschiedlich dargestellt: Th. sendet aus der Verbannung Atreus' Sohn → Pleisthenes [1], der seinen Vater tötet (Hyg. fab. 86), oder Th. kehrt als Hilfeflehender zurück (Aischyl. Ag. 1587; Enn. Thyestes; Acc. Atreus) bzw. wird durch Atreus' Versprechungen herbeigelockt (Hyg. fab. 88; Sen. Thy. 296–304). Beim »Mahl des Th.«, das Atreus dem Bruder aus Rache bereitet, ißt Th. seine eigenen Kinder; nur Aigisthos entkommt (Aischyl. Ag. 1096f.; 1220ff.; 1242f.; 1501ff.; 1593; Eur. El. 699ff.; Eur. Iph. T. 193ff.; 812f.; Eur. Or. 11ff.; 812ff.; 995ff.; Ov. Pont. 4,6,47; Soph. Ai. 1291ff.). Daraufhin flieht Th. und verflucht Atreus (Aischyl. Ag. 1601f.; Cic. Pis. 43). Die Rache des Th. wurde von → Sophokles [1] (›Th. auf Sikyon‹, TrGF 4 F 247–269) und → Accius (*Pelopidae*) geschildert. Th.' Grab lokalisierte man in der Ant. an der Straße von Mykenai nach Argos [II 1], bekrönt von einer Widderskulptur (Paus. 2,18,1), was als Legitimation seiner Herrschaft angesehen werden könnte. In hell. Zeit wurde das Thema mehrfach von Dichtern aufgegriffen, die die Vorlage für den ›Th.‹ des → Seneca [2] bildeten.

Deutung der Greueltaten: (1) Die Zerstückelung ist, wie in den Mythen von Harpagos (Hdt. 1,73; 108–119), → Lykaon, → Medeia, → Osiris, Pelops und → Tantalos, auf ein kannibalisches Mahl zurückzuführen (vgl. → Kannibalismus). Der »Esser« hat größere Schuld auf sich geladen als der Töter und muß endgültig auf seinen Herrschaftsanspruch verzichten. (2) Der Mythos erzählt ein Opferritual in allen Einzelheiten (Sen. Thy. 641ff.; vgl. Aischyl. Ag. 1592). (3) Th. ist nur ein »unheiliger« Zwischenkönig wie später Aigisthos. Der Ehebruch mit Aërope: Das Spucken der Erinyen (Aischyl. Ag. 1192) wird mit ehebrecherischer Ejakulation des Th. gleichgesetzt und belastet die Dyn. weiter. Der Inzest mit der Tochter wird als sozial standardisiertes rituelles Verbrechen verstanden, das zu einer gewünschten Schwangerschaft führt. Bildliche Darstellung: Es sind nur zwei unterital. Vasen (3. Viertel des 4. Jh. v. Chr.) des → Darius-Malers erh., die die Th. zeigen; sie orientieren sich an dramat. Vorlagen.

ALBRECHT, 927, Anm. 2; 929 mit Anm. 3; 934 • W. BURKERT, Homo necans (RGVV 32), 1972, 104, Anm. 29; 119–125; 244, Anm. 23 • G. DEVEREUX, Träume in der griech. Trag., 1982, 106, Anm. 61; 176f. mit Anm. 113f.; 316, Anm. 42; 317; 321 mit Anm. 57; 323, Anm. 61; 363 mit Anm. 8; 501, Anm. 42 • R. MUTH, Einführung in die griech. und röm. Rel., ²1998, 40ff., Anm. 61; 96f., Anm. 214f.; 339f. • NILSSON, GGR 1, 21; 24; 30 • M. PIPILI, s. v. Th., LIMC 7.1, 20ff.   W.-A.M.

Thyia, Thyiaden (Θυία/Θυῖα, Θυίη, Pl. Θυῖαι; Θυ(ι)άς, Pl. Θυ(ι)άδες, »die Stürmende«).
[1] Eponyme Nymphe eines kleinen delphischen Heiligtums (Hdt. 7,178), die als erste Priesterin des → Dionysos in Delphoi gilt (Paus. 10,6,4).
[2] V. a. im Plur. Bezeichnung für Verehrerinnen des → Dionysos, in der Dichtung meist syn. zu → Mänaden oder Bakche (z. B. Soph. Ant. 1151; Apoll. Rhod. 1,636; vgl. Hesych. s. v. Th.; Hor. carm. 3,15,10; Verg. Aen. 4,302; Ov. fast. 6,514), myth. zurückgeführt auf Th. [1]. Daneben auch Bezeichnung von Teilnehmerinnen am histor. Dionysoskult, namentlich in Delphoi (Plut. Is. 35,364d-e), und bei zweijährlich stattfindenden Feiern att. und delph. Frauen auf dem → Parnassos (Paus. 10,4,3).

E. MARBACH, s. v. Thyias, RE 6 A, 691f. • K. PREISENDANZ, s. v. Th., RE 6 A, 679–684 • Ders., s. v. Thyiaden, RE 6 A, 684–691 • D. SKORDA, s. v. Th./Thyiades, LIMC 8.1, 22f. (Lit.).   NI.JO.

Thyillos (Θύιλλος). Epigrammatiker im Umkreis Ciceros (Cic. Att. 1,9,2; 1,16,15: 67 und 61 v. Chr., vgl. [1; 3]). Drei Gedichte sind erh.: die Beschreibung einer Quelle (Anth. Pal. 6,170), das Epitaphion (vielleicht für eine Inschr.) für eine Kybele-Priesterin (Anth. Pal. 7,223 = GVI 707, vgl. Philodemos ebd. 7,222), eine Variation über die Rückkehr des Frühlings (ebd. 10,5, vgl. Leonidas [3], ebd. 10,1 etc.).

1 J. GEFFCKEN, s. v. Th., RE 6 A, 692 2 FGE, 95–99 3 O. MASSON, À propos du dernier livre de D. L. Page, »FGE«, in: RPh 58, 1984, 98f.   M.G.A./Ü: L. FE.

Thymaitadai (Θυμαιτάδαι). Att. → Asty-Demos, Phyle → Hippothontis, zwei *buleutaí*, wohl nw des → Peiraieus (h. Piräus) an der Bucht von Keratsini, h. Hormos Herakleus. Th. bildete mit Peiraieus, → Phaleron und → Xypete den Kultverband der *tetrákōmoi* (Poll. 4,105; IG II² 3102f.) mit zentralem Herakles-Heiligtum (Steph. Byz. s. v. Ἐχελίδαι).

TRAILL, Attica 21, 52, 69, 112 Nr. 138, Tab. 8.   H.LO.

Thymaridas (Θυμαρίδας). Mathematiker von Paros, der von Iamblichos (v. P. 104) zu den frühen Pythagoreern (→ Pythagoreische Schule) gerechnet wird. Er definierte die »Einheit« (μονάς/*monás*; d. h. die Eins, die alle natürlichen Zahlen erzeugt) als περαίνουσα ποσότης (*peraínusa posótēs*, »begrenzende Quantität«; Iambl. in Nicomachi arithmeticam introductionem 11,2–5) und nannte die Primzahl εὐθυγραμμικός (*euthygrammikós*,

»geradlinig«; ebd. 27,4), weil sie sich nur eindimensional darstellen läßt. Mit dem Namen »Blume des Th.« (Θυμαρίδειον ἐπάνθημα, *Thymarídeion epánthēma*) bezeichnet Iambl. ebd. 62,18 ff. die Lösung eines Gleichungssystems mit *n* Gleichungen und *n* Unbekannten:

$$x + x_1 + \ldots x_{n-1} = s$$
$$x + x_1 = a_1$$
$$\ldots$$
$$x + x_{n-1} = a_{n-1}$$

Die Lösung ist
$$x = \frac{(a_1 + \ldots + a_{n-1}) - s}{n - 2}$$

T. L. HEATH, A History of Greek Mathematics, Bd. 1, 1921, 69, 72, 94.   M. F.

Thymbra (Θύμβρα). Ortschaft in der → Troas am rechten Ufer des → Thymbrios, wohl identisch mit dem Siedlungsplatz beim Hanaytepe südl. von Akçaköy (reiche Keramikfunde des 6. und 5. Jh. v. Chr.; Identifizierung und FO bei [1. 110–123]). Th. wird nur bei Steph. Byz. s. v. Θ. – wonach Thymbros, ein Freund des → Dardanos [1], Gründer war – als *pólis* bezeichnet, sonst als Ebene (*pedíon*) oder Ort (*tópos*) (Strab. 13,1,35; Suda s. v. Θ.; Hesych. s. v. Θ.; Hom. Il. 10,430). Berühmt war Th. wegen des (noch nicht lokalisierten) Thymbraion, eines Heiligtums des Apollon Thymbraios, wo Achilleus → Troilos [1], den Sohn des Priamos, getötet haben und auch selbst von → Paris oder → Apollon getötet worden sein soll.

1 J. M. COOK, The Troad, 1973.

W. LEAF, Strabo on the Troad, 1923, 177–180.   E. SCH.

Thymbrion (Θύμβριον). Stadt in Ost-Phrygien, gleichermaßen 10 Parasangen (→ *parasángēs*; 57 km) von Kaystru Pedion [2] im Westen und Tyriaeion im Osten entfernt, in der Gegend des h. Doğanhisar sö von Akşehir zu suchen (Xen. an. 1,2,13; Plin. nat. 5,95: Thymbriani in Lykaonia in der frühkaiserzeitlichen Prov. Asia; Hierokles, Synekdemos 673,9: Τιμβριάδων in der spätant. Prov. Pisidia).

MAGIE, 792 f.   E. O.

Thymbrios (Θύμβριος). Rechter Nebenfluß des → Skamandros, h. Kemer Suyu, nach dem die umgebende Ebene und evtl. auch die Stadt → Thymbra benannt sind.

W. LEAF, Strabo on the Troad, 1923, 177–180 · J. M. COOK, The Troad, 1973, 110–123.   E. SCH.

Thymelaia (θυμελαία oder χαμελαία/ *chamelaía*) ist der an trockenen Gebirgshängen Griechenlands und Norditaliens wachsende Südliche oder Gnidium-Seidelbast (→ Cneorum, → Daphnoides) aus der Familie der Thymelaeaceae. Die roten, im Rachen brennenden und daher u. a. in Brot eingenommenen Früchte (κόκκοι Κνίδιοι/*kókkoi Knídioi*, lat. *grana Cnidia*, Plin. nat. 13,114) bildeten ein hochwirksames Abführmittel (Theophr. h.

plant. 9,20,2; Dioskurides 4,172 WELLMANN = 4,170 BERENDES).

A. STEIER, s. v. Th., RE 6 A, 699 f.   C. HÜ.

Thymele (θυμέλη; Etym. bereits unter ant. Autoren umstritten; genannt werden Ableitungen von den Verben *thýein*, »opfern«, oder *títhēmi*, »stellen«). Th. (entsprechend das Adj. *thymelikós*) wird in der ant. Lit. in verschiedenen Bed. verwendet: als Feuer- und Opferstelle (Hesych. s. v. θ.; Eur. El. 713), Altar (Eur. Rhes. 234; Aischyl. Suppl. 675; IG II 2,161 A 95; Poll. 4,123), flaches Bretterpodium (Plut. Alexandros 67,2), »hl. Boden« im Sinne eines Tempels oder Schreins (Eur. Ion 46) und Opfer (Pherekrates 214). Bes. im Bereich des Theaters begegnet *th.* als Altar (Pratinas Lyricus 1,2) und Podium (*bêma*), Orchestra (Phryn. 142), Bühne (*skēnḗ*, Plut. Alexandros 67,2; Plut. Demetrios 12,9), Gesang (Anth. Pal. 7,21). Im Athener Dionysos-Theater ist *th.* der Altar auf der Bühne (genannt *Dionysiakḗ th.*) und später die ganze Orchestra als umfassender Begriff. Seit dem 4. Jh. v. Chr. werden die musischen Agone (Syll.[3] 457,1) in *skēnikoí* (»dramatische«; Plut. Cato minor 46) und andere musische, *thymelikoí* und *ētésioi* (Alki. 2,3; → Wettbewerbe, künstlerische), unterschieden.

F. ROBERT, Th., 1939 · C. FENSTERBUSCH, s. v. Th., RE 6 A, 700–704.   X. T.

Thymiaterion (θυμιατήριον).
I. KLASSISCHE ANTIKE   II. PHÖNIZIEN

I. KLASSISCHE ANTIKE

Räuchergerät zum Verbrennen von Duftstoffen (Weihrauch o. ä.) – in der altgriech. Kultur aus dem Orient übernommen – aus Br., Ton, Edelmetall, selten aus Stein, im Götter-, Herrscher- und Totenkult verwendet. Das Th. gehörte zum Hausinventar (Demosth. or. 24,183) und wurde bei feierlichen Anlässen im privaten Bereich (Hochzeit, Symposion) gebraucht. Bei festlichen Umzügen und Prozessionen wurden sie mitgetragen (Athen. 5,196 f).

Das Th. bestand aus einer Räucherkapsel mit durchlöchertem Deckel, in der der Duftstoff schwelte, und einem niedrigen, kandelaberförmigen oder konischen Schaft. Th. tauchen in den Inventarlisten der Heiligtümer auf, wo man kostbare Exemplare auch weihte (Hdt. 4,162; Thuk. 6,46,3; Athen. 5,202b). In der griech. Kunst ist das Th. seit dem beginnenden 6. Jh. v. Chr. zwar häufig dargestellt, doch selten wird der Moment gezeigt, in dem man das Räucherwerk in das Th. streut (vgl. Aristoph. Vesp. 96) oder gießt bzw. dieses im Th. schwelt; über das Aussehen der Th. und ihre künstlerische Gestaltung geben neben den erh. Expl. bes. Darstellungen der Vasenmalerei Auskunft. Zur typologischen Entwicklung des Gerätes, s. [1; 4]; zum Th. in Etrurien und Rom: → *turibulum*.

1 K. WIGAND, Thymiateria, in: BJ 122, 1912, 1–97
2 M. W. STOOP, Floral Figurines from South Italy. A Study of South Italian Terracotta Incense-Burners in the Shape of

Human Figures, Diss. Leiden 1960 **3** P. GERCKE, Th. Br 736. Ein ostgriech. Th., in: R. ROLLE, K. SCHMIDT (Hrsg.), Arch. Stud. in Kontaktzonen der ant. Welt. FS H. G. Niemeyer, 1998, 143–146 **4** C. ZACCAGNINO, Il Th. nel mondo greco. Analisi delle fonti, tipologia, impieghi, 1998 **5** A. FRANZ, Th. with Drooping Petal-Capitals. Distribution and Function of an Early Iron Age Class of Objects, in: Talanta 30/31, 1998/99, 73–114 **6** K. SCHAUENBURG, Stud. zur unterital. Vasenmalerei, Bd. 1, 1999, 28 f.   R. H.

II. PHÖNIZIEN

Thymiateria mit Blattüberfall sind bes. im 7./6. Jh. v. Chr. im gesamten Mittelmeerraum verbreitet. Dabei signalisieren die urspr. phöniz., meist aus Br. (selten Elfenbein) gefertigten Th. durch ihr Auftreten im fremden Kontext Handel und phöniz. Einflußnahme auf die jeweils lokale Kultur. Solche Th. sind bes. auf Samos und Zypern verbreitet. Charakteristisch sind ein bis drei Blattüberfälle, als Verbindungsglied unter der Räucherschale. Es gibt zwei Gruppen von phöniz. Th.: solche mit Voluten und zylindrischer Tülle zum Aufsatz auf einen Ständer und solche mit fester Räucherschale und konischem Fuß. Der Gebrauch von Th. v. a. in den Kulten von Aphrodite/Astarte und Baal Hammon ist gesichert. Oft dienten sie als Grabbeigabe.
→ Opfer

A. FRANZ, Thymiateria with Drooping Petal Capitals, in: Talanta 30/31, 1998/99, 73–114 · H. MATTHÄUS, Zu Thymiateria und Räucherritus als Zeugnissen des Orientalisierungsprozesses, in: Cahiers du Centre d'Études Chypriotes 29, 1999, 9–31.   A. FR. u. H. G. N.

Thymochares (Θυμοχάρης).

[1] Athener, *stratēgós* einer 411/10 v. Chr. von → Agesandridas bei Eretria [1] geschlagenen Flotte (Thuk. 8,95). Auch in einem zweiten Seegefecht unterlag Th. dem Agesandridas (Xen. hell. 1,1,1). TRAILL, PAA 518930.   W. S.

[2] Athener, Sohn des Phaidros [2] aus dem Demos Sphettos, ca. 360–300 v. Chr., Anhänger des → Lykurgos [9], 329/8 *epimelētḗs* der → Amphiaraos-Spiele von Oropos (IG VII 4254, 29 f. = [5. Nr. 50]), Stratege auf Zypern wohl 322/1 und noch unter Demetrios [4] von Phaleron aktiv (IG II² 682, 3–18).

1 DAVIES, 525 f. **2** PA 7412 = 7409 **3** TRAILL, PAA 519010 **4** T. L. SHEAR, Kallias of Sphettus and the Revolt of Athens in 286 B. C., 1978 **5** C. J. SCHWENK, Athens in the Age of Alexander, 1985, 245.   J. E.

Thymoites (Θυμοίτης).

[1] Sohn des Laomedon [1], Bruder des → Priamos, troian. *dēmogérōn* (»Volksältester«; Diod. 3,67,5). Rät bei Verg. Aen. 3,32 als erster, das hölzerne Pferd in die Stadt zu ziehen, nach Serv. ad loc. aus Rache dafür, daß Priamos seine Gattin und seinen Sohn, der am selben Tag wie → Paris geboren worden ist, aufgrund einer Unheilsprophezeihung hat töten lassen.

[2] Sohn des Oxyntes, der letzte Theside, König von Athen (Paus. 2,18,9). Th. wird König, nachdem er seinen älteren Halbbruder erschlagen hat; nachdem sich Th. im Krieg gegen die Boiotier nicht bewährt, wird → Melanthos [1] sein Nachfolger. Th. gilt als Ahnherr der Thymoitadai [1].

[3] Troianer, Gefährte des Aeneas (→ Aineias [1]; Verg. Aen. 10,123; 12,364).

1 J. TOEPFER, Attische Genealogie, 1889, 169.   T. GO.

Thymokles (Θυμοκλῆς).

Epigrammatiker aus dem »Kranz« des Meleagros [8]. Erh. ist ein einziges Gedicht (dem Stil nach wohl 3. Jh. v. Chr.), ohne ersichtlichen Grund dem der Knabenliebe gewidmeten Teil der *Anthologia Palatina* zugewiesen (Anth. Pal. 12,32): ein Vorwurf gegen die geliebte Person (sie sei einst zurückweisend gewesen, nunmehr aber der Blüte der Jugend beraubt).

GA I.1, 196; 2, 552.   M. G. A./Ü: L. FE.

Thymondas (Θυμώνδας).

Sohn des Mentor [3], Feldherr des → Dareios [3], dem er im Sommer 333 v. Chr. die Söldnerarmee seines verstorbenen Onkels Memnon [3] zuführte (Arr. an. 2,2,1; Curt. 3,3,1) Er nahm als Befehlshaber der griech. Söldner an der Schlacht bei Issos teil (Curt. 3,9,2) und kam vielleicht auf der Flucht der Söldner nach Ägypt. (Arr. an. 2,3,1–3) ums Leben.

J. E. ATKINSON, A Commentary on Q. Curtius Rufus Hist. Alexandri Magni, Bd. 1, 1980, 206 · BERVE, Nr. 380.   E. B.

Thymoteles (Θυμοτέλης).

Nur inschr. belegter athenischer Komödiendichter des späteren 2. Jh. v. Chr.; über seine Stücke ist nichts bekannt.

1 PCG 7, 1989, 753.   H.-G. NE.

Thynia (Θυνία).

Insel an der bithynischen SO-Küste des Schwarzen Meeres (→ Pontos Euxeinos; Strab. 12,3,7; Ptol. 5,1,15; Steph. Byz. s. v. Θυνιάς), h. Kefken Adası, ca. 40 km westl. der Mündung des → Sangarios. Hier befand sich ein Heiligtum des Apollon (schol. Apoll. Rhod. 2,684).   I. v. B.

Thynias (Θυνιάς).

Kap, ca. 36 km nördl. von → Salmydessos [2] (Arr. per. p. E. 37; Mela 2,23), h. Iğneada Burnu, bzw. Bucht (Strab. 7,6,1: *Th. chṓra* = »Landstrich«; Strab. 12,3,3: *Th. aktḗ* = »Küste«; Hekat. FGrH 1 F 166; Skymn. 728 f.; Ptol. 3,11,4) an der SW-Küste des Schwarzen Meeres (→ Pontos Euxeinos). Die im Territorium von Apollonia [2] liegende Bucht bot gute Ankerplätze (Skymn. 728).

D. MÜLLER, Top. Bildkomm. zu den Historien Herodots: Kleinasien, 1997, 922–924 · B. ISAAC, The Greek Settlements in Thrace until the Macedonian Conquest, 1986, 239.   I. v. B.

Thynnos s. Thunfisch

Thynoi (Θυνοί).

Thrakischer Stamm im SO der Thrake (→ Thrakes), nördl. von → Perinthos und → Selymbria am Oberlauf des Agrianes (h. Ergene; vgl. Xen. an.

7,2,22; 7,4,2) wohl bis zur Küste des Schwarzen Meeres (→ Pontos Euxeinos) nördl. von → Salmydessos [2]. Herodot nennt die Th. nicht unter den von Dareios [1] I. 513 v. Chr. unterworfenen Stämmen in Thrake, was vermuten läßt, daß sie sich erst nach dem Rückzug der → Achaimenidai [2] aus Europa dort konsolidierten. Eine »Ebene der Th.« (Xen. 7,5,1) lokalisiert man im Hügelland von Čatalka. Die Th. gehörten in der 2. H. des 5. Jh. v. Chr. zu einem von Maidosades als »Neben-könig« verwalteten (Xen. an. 7,2,32–34) Distrikt des Reichs der → Odrysai unter Seuthes [2] II. Dazu ge-hörten auch die → Melanditai und Tranipsai (Xen. an. 7,2,32) an der Küste des Schwarzen Meeres nördl. von Salmydessos. Die Namensähnlichkeit von Th. mit → Thynia, → Thynias und Bithynoi (→ Bithynia) hat schon in archa. Zeit zur Hypothese einer Wanderung der Th. nach Kleinasien geführt (Pherekydes FGrH 3 F 27; Hdt. 7,75; vgl. Plin. nat. 5,145), der auch die h. überwiegend Forsch. folgt [1; 2].

1 O. LENDLE, Komm. zu Xenophons Anabasis, 1995, 431–433; 447 2 T. SPIRIDONOV, Istoričeska geografija na trakijskite plemena, 1983, 108–111. I.v.B.

Thyone (Θυώνη). Name der → Semele nach ihrer Auf-nahme unter die Götter (Diod. 4,25,4; Apollod. 3,38). Früheste Zeugnisse finden sich bei Sappho (fr. 17,10 VOIGT) und Pindar (P. 3,98–99). Vereinzelt erscheint Th. auch als Amme des Dionysos (z.B. Panyassis fr. 5). Dieser erhält von ihr den Beinamen Thyonidas (He-sych. s.v.), lat. Thyoneus (z.B. Hor. carm. 1,17,23; Ov. met. 4,13 u.ö.).

A. KOSSATZ-DEISSMANN, s.v. Semele, LIMC 7.1, 718–726 · K. PREISENDANZ, s.v. Th., RE 6 A, 735–736 · J. SCHMIDT, s.v. Th., ROSCHER 5, 926–929. K. WA.

Thyreatis s. Kynuria [1]

Thyrgonidai (Θυργωνίδαι). → Kṓmē im Gebiet des »konstitutionellen« att. Demos → Aphidna, wechselte mit diesem 224/3 v. Chr. von der Phyle → Aiantis [1] in die → Ptolemaïs [10] (IG II² 2362, Z. 49; Harpokr. s.v. Θ.). Eigener Demos erst in röm. Zeit. Hesych. s.v. Θ.; Etym. m. s.v. Τιτακίδαι / Titakídai.

TRAILL, Attica 30, 88, 121 Nr. 41. H. LO.

Thyrrheion (Θύρρειον, Thyrion/Θύριον, Thurion/ Θούριον). Stadt in Nord-Akarnania, 5 km südl. des Golfs von → Ambrakia, 420 m hoch gelegen, h. Thy-rion. Im 4. Jh. v. Chr. noch eigenständig (Xen. hell. 6,2,37), war Th. spätestens im 3. Jh. Mitglied im Akar-nanischen → koinón (IG IX I², 1, 23), fiel bei der Teilung des koinón 269 v. Chr. an → Epeiros und wurde von 238–232 und nochmals um 211 v. Chr. aitolisch (→ Ai-toloi; der Bündnisvertrag zw. Rom und Aitolia wurde in Th. gefunden: StV 3, 536). Stets treuer Anhänger Roms [1], wurde Th. 167 v. Chr. Hauptort des Akar-nanischen Bundes und schloß 94 v. Chr. ein foedus mit Rom (IG IX I², 2, 242; ein Fr. unpubl.). Auch nach der Gründung von Nikopolis [3] 30 v. Chr. blieb Th. teil-weise besiedelt. Die ausgedehnte Stadtanlage mit 10 km langem Mauerring ist nicht erforscht.

Inschr.: IG IX I², 2, 241–366; 596–601; SEG 1, 222– 225; 17, 280–283; 23, 401–405; 25, 626–632; 27, 160– 167; 29, 478–481; 30, 515; 32, 565f.; 1685; 36, 331; 539; 39, 483; 40, 463f. Mz.: [2. 193; 3]. → Akarnanes (mit Karte)

1 P. FUNKE et al., Ein neues Proxeniedekret des Akarnanischen Bundes, in: Klio 75, 1993, 131–144 2 BMC, Gr (Thessalia-Aetolia) 3 K. LIAMPI, Ein neuer Mz.-Fund aus Th., in: P. BERKTOLD et al. (Hrsg.), Akarnanien, 1996, 173–182.

R. SCHEER, s.v. Th., LAUFFER, Griechenland, 684f. · PRITCHETT 8, 85–90 · D. STRAUCH, Röm. Politik und Griech. Trad., 1996, 369–373 · Ders., Der Ambrakische Golf, in: Orbis Terrarum 4, 1998, 5–26. D.S.

Thyrsos (θύρσος). Ein am Ende mit einer Krone aus → Efeu- oder Weinblättern versehener Stab aus Holz oder Rohr; anstelle der Blätterkrone zeigen Darstellun-gen (vgl. [1]) auch einen Pinienzapfen. Der th. ist v.a. in der attischen Vasenmalerei eines der Hauptattribute des → Dionysos, seines Gefolges (→ Mänaden und → Sa-tyrn) und der → Ariadne. Als realer Kultgegenstand wurde der th. von den Kultanhängern des Dionysos ge-tragen, aber auch von seinen Priestern (Ail. var. 13,2). Die Etym. des Wortes ist unsicher; der Stamm thyrs- ist in einigen Pflanzennamen enthalten. Im Sinne von th.-Stab wird zuweilen (z.B. Eur. Bacch. 188; 251) auch die hl. Pflanze des Dionysos verwendet (→ Narthex [1]).

1 F.-G. v. PAPEN, Der Th. in der griech. und röm. Lit. und Kunst, 1905. X.T.

Thyrsus. Ein Freigelassener des Octavianus; nach der Schlacht von Actium (→ Aktion) mit geheimen Auf-trägen zu Kleopatra [II 12] gesandt, aber von M. Anto-nius [I 9] wieder zurückgeschickt (Cass. Dio 51,8,6; 51,9,5f.). W.E.

Thysdros (Θύσδρος, lat. Thisdra). Stadt der Byzacena (→ Afrika [3]; Bell. Afr. 36,2; 76,1; 86,3; 93,1; Plin. nat. 5,30; Ptol. 4,3,39; Herodian. 7,6,1), 60 km südl. von → Hadrumetum, h. El Djem, mit bedeutenden ant. Resten (z.B. Amphitheater). Mitte des 1. Jh. v. Chr. ein unbedeutender Marktflecken (Bell. Afr. 97,4), in dem Caesar oder Augustus offenbar Veteranen ansiedelten (colonia Iulia Th. [1. 183]). Im 2. Jh. n. Chr. erlebte Th. v.a. infolge einer Intensivierung des Olivenanbaus ei-nen wirtschaftlichen Aufschwung. 238 revoltierten hier die beiden Gordiani (→ Gordianus [1–2]). Inschr.: CIL VIII 1, 49–56; 2, 10499–10502; Suppl. 1, 11097–11104; Suppl. 4, 22844f.; [2]; AE 1969–1970, 633; 1978, 890; 1979, 670; 1991, 1635; 1992, 1773; 1995, 1643; [3].

1 K. VÖSSING, Schule und Bildung im Nordafrika der röm. Kaiserzeit, Collection Latomus 238, 1997, 183–191
2 A. MERLIN (Hrsg.), Inscriptions latines de la Tunisie, 1944,

104–123 **3** J.-B. Chabot (Hrsg.), Recueil des inscriptions libyques, 1940, 57.

AATun 050, Bl. 81, Nr. 33 • E.Birley, One Th. or Two?, in: ZPE 84, 1990, 100–104 • C.Lepelley, Les cités de l'Afrique romaine, Bd. 2, 1981, 318–322. W.HU.

Thyssagetai (Θυσσαγέται). Stamm der Wolga-Finnen (ugurisch-finnische Stämme) im Gebiet der Handelsstraße vom → Tanais [1] (h. Don) zu den Agrippaioi, d.h. zum mittleren Ural, sieben Tagereisen nö der → Budinoi und in enger Nachbarschaft mit den → Iyrkai (Hdt. 4,22; Plin. nat. 6,19). Hier war das Quellgebiet der vier großen Ströme Lykos [16], Oaros (h. Kama), Tanais und Syrgis (Hdt. 4,123); es könnte daher das Gebiet der Mündung des Oaros in die Wolga gemeint sein; die Th. lassen sich in diesem Fall mit der Ananino-Kultur (spätbronzezeitliche Kulturgruppe im Kama-Bekken) verbinden. Die Th. lebten hauptsächlich von der Jagd (Hdt. 4,22f.; Mela 1,116f.; Plin. nat. 4,19; 4,88).

I. V. P'ankov, Put k argippejam (Drevnie puti na Ural), in: Vestnik novogorodskogo gosudarstvennogo universiteta 9, 1998, 1–7. I.v.B.

Thyssanus (Θυσσανοῦς). Hafenstadt in Süd-Karia (→ Kares; Mela 1,84; Plin. nat. 5,104) an der Westküste der Bozburun-Halbinsel an der Bucht von Syme (h. Sömbeki Körfezi) beim h. Ortaca. Th. gehörte zur rhodischen → Peraia, polit. als *dámos* (→ *dḗmos* [2] B.) zu → Kamiros, mit einem bis an die südl. und nördl. Teilbuchten reichenden Territorium (so mit den Resten einer Akropolis beim h. Cumhuriyet Mahallesi). Nach zeitweiliger Abtrennung erhielt Rhodos Th. verm. um 70 n. Chr. von den Römern zurück.

W. Blümel, Die Inschr. der rhodischen Peraia (IK 38), 1991, 47–61 • P.M.Fraser, G. E.Bean, The Rhodian Peraea and Islands, 1954, 59. H.KA.

Thyssos (Θυσσός). Stadt an der Westküste der Akte (→ Chalkidike); Überreste zw. den Klöstern Zographu und Konstamonitu. Sie erscheint in den Athener Tributquotenlisten mit einem Tribut zw. 4000 und 9000 Drachmen, blieb auch nach 432 v. Chr. im → Attisch-Delischen Seebund (vgl. ATL 1, 286f.), ging im Winter 424/3 zu → Brasidas über (Thuk. 4,109), scheint aber im folgenden J. durch → Kleon [1] zurückerobert worden zu sein. Im Sommer 421 fiel das bei Thuk. 5,35,1 als Bundesgenosse der Athener bezeichnete Th. an Dion [II 3] und wird danach nur noch in der geogr. Lit. genannt (vgl. Skyl. 66; Strab. 7 fr. 33; Plin. nat. 4,37).

M. Zahrnt, Olynth und die Chalkidier, 1971, 189–191. M.Z.

Tiāmat (akkadisch »Meer«). Aus dem babylonischen Weltschöpfungsmythos → *Enūma eliš* bekanntes, urzeitlich-primordiales weibliches göttliches Monster, von ihrem Sohn → Marduk in einer Theomachie (Matrizid) erschlagen und der Länge nach in zwei Hälften gespalten: Aus der unteren H. erschafft er die Erde, aus der oberen das Himmelsgewölbe. Bei → Bero(s)sos [1. 15] erscheint T. in korrupter Form als *thalath* (θάλασσα/ *thálassa*, »Meer«). T. wird in der biblischen Schöpfungs-Gesch. (Gn 1,2) als *tᵉhōm* (LXX: ἄβυσσος/*ábyssos*; wörtlich »unergründlich tief«; »urzeitliche Tiefe«) reflektiert.

1 S. M. Burstein, The Babyloniaca of Berossus, 1978 2 T.Jacobsen, The Treasures of Darkness, 1976 (Index s. v. T.). J.RE.

Tiara (τιάρα). Kopfbedeckung vorderasiatischer Völkerschaften (Armenier, Assyrer, Saker, insbes. Perser; Hdt. 3,12; 7,61; 7,64 u.ö), turbanähnlich; daneben eine hohe, mit Sternen verzierte und aufrecht stehender Spitze versehene T., die bei den Persern nur dem König, seinen Verwandten und hohen Würdenträgern zukam (Xen. an. 2,5,23; Xen. Kyr. 8,3,13). In griech. Quellen wird die T. auch *kurbasía* oder *kíd(t)aris* genannt (z.B. Aristoph. Av. 487). Die T. als Kopfbedeckung vornehmer Orientalen war auch in röm. Zeit üblich (Suet. Nero 13; Paus. 5,27,6). Eine weitere Art der T. ist die h. sog. phrygische Mütze mit der nach vorne gebogenen Spitze und enganliegenden Wangenlaschen, die in der griech.-röm. Kunst und im Mythos mit → Amazones, Troianern und anderen Orientalen, aber auch mit Heroen und Göttern wie → Attis, → Ganymedes [1] , → Mithras oder mit → Midas verbunden ist, der unter ihr seine Eselsohren verbirgt (Ov. met. 11,55–193). Andere Formen der T. tragen Dareios [3] III. und weitere pers. Große auf dem → Alexandermosaik (Neapel, NM). Ebenso tragen einige Helden des AT die T. (Ez 23,25; Dan 3,21) wie auch der Hohepriester (Ios. bell. Iud. 5,5,7). Nach Lukian. de Syria Dea 42 trägt der Oberpriester von Hierapolis eine goldene T.

H.Brandenburg, Studien zur Mitra, 1966 • G. Seiterle, Die Urform der phrygischen Mütze, in: Antike Welt 16 (H. 3), 1985, 2–13 • J.Tubach, Syr. Ḥaudā: Diadem oder Tiara, in: Syria 72, 1995, 381–385 • M.Pfrommer, Unt. zur Chronologie und Komposition des Alexandermosaiks auf antiquarischer Grundlage, 1998, 56–59. R.H.

Tiarantos (Τιαραντός). Linker Nebenfluß der Donau (→ Istros [2]), der im Land der → Skythen entspringt; kleiner und weiter westwärts gewandt als der → Pyretos (Hdt. 4,48,2f.), evt. mit dem h. Seret identifizierbar.

A. Herrmann, s. v. T., RE 6 A, 762 • A. Corcella, in: S. M. Medaglia (ed.), Erodoto, Le Storie, 4, 1993, hier 272 (mit Komm.). J.BU.

Tibarenoi (Τιβαρηνοί). Volksstamm (Hekat. FGrH 1 F 204; Xen. an. 5,5,2; Skymn. 914; Mela 1,106; Plin. nat. 6,11; schol. Apoll. Rhod. 124; Steph. Byz. s.v. Τιβαρηνία) skythischer Abstammung (schol. Apoll. Rhod. 159) an der Südküste des → Pontos Euxeinos, im Osten den → Mossynoikoi, im Westen und Süden den → Chalybes benachbart; in ihrem Bereich lag → Kotyora. Unter Dareios [1] I. und Xerxes gehörten die T. zur 19. Satrapie (Hdt. 3,94) und dienten 481/0 v.Chr. im Heer des Xerxes (Hdt. 7,78). Bewaffnet waren sie wie die → Moschoi mit hölzernen Helmen, kleinen Schilden und Lanzen mit kurzem Schaft, aber langer Spitze. E. des 5. Jh. v. Chr. waren sie unabhängig (Xen. an. 7,8,25; vgl. Diod. 14,30,7). Hypothetisch ist die Identifikation der T. mit den in Gn 10,2 und Ez 27,3 genannten Tubal.

MAGIE, 1069.   E. O.

Tiberianus. Verf. von zumindest drei kurzen Gedichten (evtl. auch eines vierten, fr. erh.). Weitere Fr. zitieren Servius [2] und Fulgentius [1] Mythographus im 5. Jh. n. Chr. Ob der Dichter mit dem Beamten C. Annius T. identisch ist, den Hier. chron. ab Abr. 2380 als *vir disertus* (»eloquent«) bezeichnet, oder mit dem röm. Stadtpraefekten Iunius [II 42] T. von 303/4, ist ungewiß; ungelöst ist auch die vieldiskutierte Frage, ob T. das → *Pervigilium Veneris* verfaßt habe. Vielleicht nimmt carm. 4 distanziert Bezug auf christologische Streitpunkte des Konzils von Nikaia [5] (325). Sämtliche Gedichte sind charakteristisch für die lat. spätant. Kleindichtung: die formalisierte → Ekphrasis eines *locus amoenus* in Trochäen (carm. 1), eine Goldverfluchung in Hexametern (carm. 2), ein moralisierendes Tierepigramm in Phaläzeen (→ Metrik VI. C. 5.) gegen den Hochmut (carm. 3) und ein hexametrischer Gebetshymnus an den platonischen All- und Schöpfergott (carm. 4). Bei den Gedichten 2 und 3 handelt es sich um Philosophen-Nachahmungen (Sokrates, Platon). Der Hymnus hat u. a. bei Boëthius (consolatio 3, carm. 9, 22) Spuren hinterlassen, die Goldverfluchung in dem frühma., Columbanus zugeschriebenen *Carmen Fidolio fratri suo.*

→ Pervigilium Veneris

ED./KOMM.: U. ZUCCARELLI, Tiberiano, 1987 · S. MATTIACCI, I carmi e i frammenti di Tiberiano, 1990. LIT.: T. AGOZZINO, Una preghiera gnostica pagana e lo stile lucreziano nel IV secolo, in: *Dignam dis* a G. Vallot, 1972, 169–210 · K. SMOLAK, ›Auri sacra fames‹ in dem Columbanus-Gedicht an Fidolius, in: Studi classici e orientali 30, 1980, 125–137 · PLRE 1, Tiberianus Nr. 1 oder 4.   K. SM.

Tiberias (Τιβηριάς, hebr. *tbry'*). Stadt in → Galilaea, am Westufer des Sees Genezareth gelegen. Von Herodes [4] Antipas, dem Tetrarchen von Galilaea und Peraia, um 20 n. Chr. als neue Hauptstadt anstelle von → Sepphoris gegründet. Die Namensgebung nach Kaiser Tiberius [1], die hell. Stadtverfassung und Planung mit der Einsetzung einer *bulé* sowie der Anlage von → Cardo, Bad und Stadion sind Ausdruck der engen Verbindung des Antipas zu Rom. T. wurde unter Zwangsmaßnahmen mit jüd. Bauern und Freigelassenen aus der Umgebung besiedelt. Griechen und hellenisierte Juden bildeten die Oberschicht. T. blieb unter dem Nachfolger des Antipas, → Herodes [8] Agrippa (37–44 n. Chr.), und danach unter der Verwaltung der Procuratoren von Iudaea Hauptstadt von Galilaea, bis Kaiser Nero im J. 61 (54 nach [1]) T. dem nördl. angrenzenden Reichs Agrip-

pas II. (→ Iulius [II 5]) zuschlug. Schatzkammer und Archive wurden wieder nach Sepphoris verlagert. Während des 1. Jüdischen Krieges brachen 67 die sozialen Spannungen in der Stadt auf; es kam zu einer Revolte der jüd. Unterschicht, die in der Zerstörung des Königspalastes gipfelte. Den anrückenden röm. Truppen des Vespasianus ergab sich T. kampflos. Nach dem Tod Agrippas II. (96 n. Chr.) kam T. unter direkte röm. Herrschaft. Kaiser Hadrianus ließ einen Tempel zu seinen Ehren errichten. Elagabalus [2] (218–222) verlieh der Stadt den Status einer röm. *colonia.* Die Vertreibung der Juden aus Iudaea infolge des Aufstandes des → Bar Kochba (132–135 n. Chr.) führte wie in Sepphoris zu einer verstärkten jüd. Ansiedlung. So wurde in der Mitte des 3. Jh. das Patriarchat mitsamt seiner Schule von Sepphoris nach T. verlagert. Bis weit über die arab. Eroberung 636 hinaus blieb T. ein Zentrum jüd. Gelehrsamkeit. Ein christl. Bischofssitz ist ab dem 5. Jh. belegt. → Galilaea; Juda und Israel; Palaestina

1 R. A. HORSLEY, Galilee. History, Politics, People, 1995
2 Y. HIRSCHFELD, s. v. T., The Oxford Encyclopedia of Archaeology in the Near East 5, 1997, 203–206.   J. P.

Tiberinus s. Flußgötter II.; Tiberis

Tiberios (Τιβέριος). Griech. Rhetor wohl des späten 3. oder 4. Jh. n. Chr., Verf. einer kleinen erh. Schrift zur Figurenlehre (Περὶ τῶν παρὰ Δημοσθένει σχημάτων, ›Die Redefiguren bei Demosthenes‹), in der als Hauptquelle → Apsines benutzt wird; dessen Lebenszeit (1. H. 3. Jh. n. Chr.) ist somit der einzige Anhaltspunkt für die zeitliche Einordnung des T. Die Schrift behandelt getrennt die Gedankenfiguren (1–22) und die Wortfiguren (23–42; → Figuren). Sie zählt diese zu Beginn der beiden Hauptteile zunächst auf und erläutert sie dann im einzelnen, wobei auf eine Definition meist mehrere Beispiele (überwiegend aus Demosthenes [2]) sowie manchmal eine kurze Beschreibung der Wirkung folgen. In den letzten Kap. (43–48) fügt T. sechs Figuren an, für die er Caecilius [III 5] als Gewährsmann nennt, da Apsines diese nicht nenne. Laut Suda (s. v. T.) verfaßte T. eine Reihe weiterer rhet. und literaturkritischer Schriften, von denen nichts erh. ist.

ED.: G. BALLAIRA, 1968 (überholt: WALZ 8, 527–577).
                                                              M. W.

Tiberis (Τίβερις, h. Tevere). Fluß in Mittel-It. (403 km lang, 17169 km² Einzugsgebiet). Weitere Namen: *Albula* (Serv. Aen. 8,332: von lat. *albus*, »weiß«; vgl. Liv. 1,3; Plin. nat. 3,53), *Rumon* (Serv. Aen. 8,63; 8,90), *Serra* (Serv. Aen. 8,63), *Thybris* (Verg. Aen. 2,782; 3,500); da er viel erodierte Erde mit sich führte: *flavus* (»gelb«) bei Verg. Aen. 7,31 genannt (zu Tiberinus, dem Gott des T., vgl. Varro ling. 5,71; Serv. Aen. 8,31). Er entspringt im → Appenninus am Monte Fumaiolo in 1268 m H, fließt in nordsüdl. Richtung und bildet die Grenze zw. Etruria auf der einen Seite (Verg. Aen. 8,473: *amnis Tuscus*) und Umbria, dem Gebiet der Sabini und Latium auf der anderen Seite. Am linken Ufer lagen die Städte → Tifernum Tiberinum, Arna, → Tuder, Ocriculum, → Cures, → Eretum und → Fidenae, am rechten → Perusia, → Horta und → Lucus Feroniae [1]. Der T. durchquert Rom und bildet unterhalb des Capitolium eine Insel (h. Isola Tiberina), die mit den beiden Flußufern durch zwei Brücken verbunden ist (*pons Fabricius* im Osten, errichtet 62 v. Chr.: ILS 5892; *pons Cestius* oder *Gratiani* im Westen, errichtet 46 v. Chr., restauriert 370 n. Chr.; ILS 771 f.; → Roma III. mit Karte), und mündete bei → Ostia etwa wie der h. Fiumara ins Tyrrhenische Meer (→ Mare Tyrrhenum). Die Ausschachtung der *fossa Traiani* (→ Kanal) ließ den rechten Flußarm entstehen, der mit dem *portus Traiani Felicis* bzw. dem *portus Augusti* (→ Portus [1]) verbunden ist (h. Fiumicino). In den T. münden von Osten her oberhalb von → Vettona das System der Flüsse Clasius (h. Chiascio), Tinea (h. Topino) und Clitumnus (h. Teverone), bei → Narnia der → Nar sowie bei Rom der → Anio, von Westen her das System der Flüsse → Pallia und → Clanis.

Auf dem T. wurde Holz aus dem Appenninus geflößt, mit kleinen Booten ließen sich auch andere landwirtschaftliche Erzeugnisse vom h. Magliano Sabino bis Rom (ca. 100 km) transportieren. Für größere Schiffe war der T. von Rom bis zur Mündung schiffbar (ca. 40 km; vgl. Strab. 5,2,5). Am T. gab es Flußhäfen an den Mündungen der größeren Flüsse, z. B. an der des Pallia. So versteht sich, daß der T. als *rerum in toto orbe nascentium mercator* (»Händler für Waren aus aller Welt«) galt (Plin. nat. 3,54). Auch lagen verschiedene Villen (→ *villa*) an den Ufern des T. Um eine Vereinnahmung des Ufergebiets durch Anlieger zu verhindern und die häufigen Überschwemmungen einzudämmen, wurde in Rom eine Sperrzone am Tiberufer (*terminatio riparum*) geschaffen; sie wurde in republikanischer Zeit von den → *censores* kontrolliert (CIL VI 31540), später von den *curatores alvei et riparum et cloacarum urbis* (CIL VI 31549); dieselbe Einrichtung gab es auch in Ostia (CIL I² 2516). Ein Projekt zur Trockenlegung der Ebene des Clanis zw. dem T. und → Arnus, im Senat unter → Tiberius [1] zur Sprache gebracht, wurde verhindert (Tac. ann. 1,79). Der T. war als Wasserweg für die Wirtschaft Roms und auch für den → Landtransport von großer Bed.: Im Tal des T. verliefen die Straße Tifernum-Perusia, die *via Amerina* von Perusia bis Tuder, ein Teilstück der → *via Flaminia*, die *via Tiberina* am rechten und die → *via Salaria* am linken Ufer; von Rom aus zum Meer die *via Ostiensis* auf der linken sowie die → *via Campana* und *via Portuensis* auf der rechten Seite.

J. LeGall, Le Tibre fleuve de Rome dans l'antiquité, 1952 · Ders., Recherches sur le culte du Tibre, 1953 · S. Quilici Gigli (Hrsg.), Il Tevere e le altre vie d'acqua del Lazio antico, 1986.   G. U./Ü: J. W. MA.

Tiberius. Das gängige lat. → Praenomen (griech. Τεβέριος), Siglen (republikanisch) *Ti.* und (kaiserzeitlich) *Tib.*, ist etym. zum Flußnamen → *Tiberis* zu stellen und darf deshalb als theophorer Name, der eine Beziehung zum Gott dieses Flusses ausdrückt, verstanden werden. Das vom Deminutiv abgeleitete Gent. *Tiberilius* begegnet selten. Aus dem vorgesch. Lat. (wegen *-f-*) oder aus dem → Faliskischen stammen die in etr. Inschr. bezeugten Namensformen (in chronologischer Abfolge) *Θihvarie-* > *Θefarie* > *Θefri/ Θepri(e)*.

Salomies, 55f.; 149 · D. H. Steinbauer, Neues Hdb. des Etr., 1999, 488.   D. ST.

[1] Imp. T. Caesar Augustus. Röm. Kaiser 14–37 n. Chr.
I. Laufbahn bis zum Kaisertum
II. Heer und Provinzialpolitik
III. Verhältnis zum Senat und dynastische Politik   IV. Würdigung

I. Laufbahn bis zum Kaisertum

T. wurde am 16. Nov. 42 v. Chr. in Rom als gleichnamiger Sohn von Ti. Claudius [I 19] Nero und → Livia [2] Drusilla geboren. Da sich sein Vater gegen Octavianus, den späteren → Augustus, gestellt hatte, floh die Familie 40 v. Chr. nach Sizilien. Nach Rückkehr und Heirat der Mutter mit Octavianus lebte er mit seinem Bruder Claudius [II 24] Drusus in dessen Haus; kurz vor seinem Tod bestellte der Vater Octavianus zum Vormund der Söhne (Cass. Dio 48,44,5); T. wurde früh mit Vipsania Agrippina [1], der Tochter Agrippas [1], verlobt.

Mit der faktischen Alleinherrschaft Octavians seit 31/30 v. Chr. gewann auch T. eine gleichaltrige Aristokraten überragende öffentliche Position, blieb aber bis 4 n. Chr. in der zweiten Reihe nach den Blutsverwandten des Augustus. T. nahm 29 am Triumph Octavians für den Sieg bei → Aktion/Actium teil, begleitete ihn 26/5 als Militärtribun in den Krieg gegen die → Cantabri und wurde – aufgrund eines Privilegs fünf J. vor dem üblichen Termin – 24/3 Quaestor. 20 v. Chr. führte er Tigranes [4] in sein armenisches Reich zurück; v. a. konnte er beim Partherkönig Phraates [4] die Rückgabe der 53 von Licinius [I 11] Crassus bei Carrhae verlorenen Feldzeichen durchsetzen, wofür er im J. darauf die → *ornamenta praetoria* erhielt. 16 war er Praetor, mit Augustus in Gallien, um die Neuordnung der Provinz vorzubereiten. 15 unterwarf er mit seinem Bruder die Alpenvölker (vgl. Hor. carm. 4,14,9–11). 13 erhielt er (im 30. Lebensjahr) den ordentlichen Konsulat, 12 trat er nach dem Tod Agrippas an dessen Stelle bei der Eroberung → Pannonias, die er bis 9 abschloß. Den vom Senat zuerkannten → Triumph ließ Augustus nicht zu, da T. noch kein unabhängiges → *imperium* hatte. Nach dem Tod seines Bruders 9 v. Chr. übernahm T. das Kommando in Germanien und befriedete es so weit, daß er im J. 7, in dem er auch *cos. II* wurde, einen Triumph feiern durfte.

Da er im nächsten J. die *tribunicia potestas* (→ *tribunus* [7] *plebis*) auf 5 J. erhielt, konnte er als polit. Erbe des → Princeps gelten, zumal er seit dem J. 11 mit → Iulia [6] verheiratet und so Augustus' Schwiegersohn war.

Die bald zerrüttete Ehe und die auffällige Förderung der von Augustus adoptierten Söhne Iulias, Gaius und Lucius (→ Iulius [II 32, 33]), ließen T. einen Sonderauftrag im Osten nutzen, um in Rhodos zu bleiben, wo er sieben J. anfangs freiwillig, dann gezwungen verbrachte, bis ihm Augustus 2 n. Chr. zwar die Rückkehr, aber keine öffentliche Funktion zugestand. Erst der Tod des Gaius Caesar 4 n. Chr. zwang Augustus, T. als seinen Nachfolger herauszustellen und ihn am 26. Juni 4 (Name nunmehr: T. Iulius Caesar) zu adoptieren; zuvor mußte T. den Sohn seines Bruders und Großneffen des Augustus, → Germanicus [2], adoptieren (zur öffentlichen Kundmachung dieses Aktes s. [1. 199–201]). T. erhielt die *tribunicia potestas* auf 10 J. und ein *imperium* als Proconsul. Von 4–6 leitete er Heer und Prov. in Germanien. Den im J. 6 eingeleiteten Krieg gegen → Marbod in Böhmen mußte T. wegen eines Aufstands in Pannonia abbrechen, den er 6–9 n. Chr. niederkämpfte; den dafür beschlossenen zweiten Triumph verschob er wegen der Niederlage des Quinctilius [II 7] Varus (auf das J. 12). 10–12 sicherte er erneut die Rheinfront, offenbar auch durch mil. Vorstöße über den Rhein. 13 erhielt T. erneut für 10 J. die *tribunicia potestas* und das nunmehr dem *imperium* des Augustus gleichgestellte *imperium* als Proconsul. Als dieser am 19. Aug. 14 starb, besaß T. bereits fast alle Rechte, auf denen der → Prinzipat beruhte, ausgenommen die Ausweitung des *imperium* auf Rom und Italien [2].

Nach Augustus' Tod konnte T. auf Grund seiner *tribunicia potestas* sofort handeln (Tac. ann. 1,10); er berief den Senat (→ *senatus*) ein und ließ über Leichenfeier und Divinisierung (→ *consecratio*) beschließen. Die volle Macht übernahm er erst auf ostentatives Drängen des Senats (Tac. ann. 1,6–7); den Titel → *pater patriae* lehnte er ab, den ihm testamentarisch vermachten Namen *Augustus* übernahm er (gegen Suet. Tib. 26,2; s. [1. 276]), *pontifex maximus* war er seit 10. März 15. Auf wessen Befehl der neben T. von Augustus adoptierte Agrippa [2] Postumus gleich zu Beginn der Herrschaft beseitigt wurde, ist ungeklärt.

II. HEER UND PROVINZIALPOLITIK

T. war auf Grund seiner mil. Erfolge beim Heer anerkannt; dennoch kam es sofort nach Augustus' Tod wegen des niedrigen Soldes und der langen Dienstzeit zu Meutereien in Dalmatien und Niedergermanien; verschärft wurde die Krise, da die am Niederrhein Revoltierenden dem dort anwesenden Germanicus die Herrschaft anboten, worauf dieser jedoch nicht einging. Die Feldzüge des Germanicus gegen die rechtsrheinischen Germanen ließ T. 16 wegen zu geringer Erfolge vorerst abbrechen und berief sich dabei auf den Rat des Augustus, das Reich innerhalb der erreichten Grenzen zu halten. Im Osten annektierte T. → Kappadokia im J. 17, nachdem dessen König in Rom gestorben war, und betraute Germanicus mit dem Einzug des Gebiets. Dieser erhielt dafür ein spezielles *imperium*, das über dem aller anderen Proconsuln, aber unter dem des T. stand [1. 159–161 zu Z. 33–37]. Während dieser Mission (17–

19) wurde in Armenien ein neuer König eingesetzt und Kommagene zur röm. Prov. gemacht. Weitere Aktivitäten scheint T. in der Provinzialpolitik nicht entwickelt zu haben. Er beließ viele Statthalter länger als damals üblich auf ihren Posten, auch die Proconsuln von Africa und Asia [3], vielleicht wegen seiner zunehmenden Scheu vor Entscheidungen. Obgleich er die Interessen der Untertanen ernst zu nehmen suchte (vgl. Suet. Tib. 29), kam es zu Aufständen in Gallien unter Iulius [II 126] Sacrovir im J. 21 (Tac. ann. 3,40–46) und in Africa unter → Tacfarinas von 17 bis 25 (Tac. ann. 2,52; 3,20f.; 4,13; 4,24–26).

III. VERHÄLTNIS ZUM SENAT UND DYNASTISCHE POLITIK

T. versuchte, den Senat als gleichberechtigten Partner zu aktivieren, und nutzte daher den Senatsausschuß, mit dem Augustus zuletzt nur noch verhandelt hatte, nicht mehr [4]. Der Versuch scheiterte am Ungleichgewicht der faktischen Macht und am Kampf verschiedener Gruppen um Einfluß, was sich teilweise mit der Nachfolgefrage vermischte (s. u.). Zunächst ließ T. Anklagen im Senat wegen Verletzung seiner → *maiestas* nicht zu (Tac. ann. 1,74); doch mit der Anklage gegen Scribonius [II 6] Libo wegen Verschwörung im J. 16 war eine neue Möglichkeit des polit. Kampfes eröffnet (Tac. ann. 2,27–31), da nun strafrechtliche Prozesse, die der Senat als Gerichtshof gegen seine eigenen Mitglieder führte, fast notwendig zur polit. Waffe wurden. Der Prozeß gegen → Calpurnius [II 16] Piso wegen der Ermordung des Germanicus richtete sich faktisch gegen T., der Piso fallen lassen mußte, um sich nicht dem Verdacht, gegen Germanicus zu handeln, auszusetzen (zu den Zielen der reichsweiten Publikation des polit. motivierten und grob einseitigen Senatsurteils s. [1. 289–303]).

In der Frage der Nachfolge ergaben sich nach Germanicus' Tod (19 n. Chr.) erhebliche Spannungen zw. T. und dessen Witwe → Agrippina [2], die ihren Söhnen die Nachfolge sichern wollte. Der Konflikt wuchs, als 23 Drusus [II 1], der Sohn des T., auf Anstiften von → Aelius [II 19] Seianus hin umkam. Nun agierte Seianus, dem T. voll vertraute, gegen Agrippina und ihre Söhne – durchaus nicht gegen die Interessen des T. Agrippina wurde zunächst verbannt; zwei ihrer Söhne, Nero Iulius [II 34] Caesar und Drusus [II 2], wurden aus dem Weg geräumt. Erst als Seianus auch den dritten Sohn, den späteren → Caligula, ausschalten und sich selbst als einzig möglichen Nachfolger positionieren wollte, ließ ihn T., der seit 26 Rom nicht mehr betreten hatte und zumeist auf Capri (→ Caprae) lebte, sehr plötzlich 31 vom Senat wegen *maiestas* verurteilen und hinrichten. Viele mit Seianus verbundene Senatoren und Ritter erlitten 31–37 nach Verfahren im Senat das gleiche Schicksal, wobei der neue Praetorianerpraefekt Naevius [II 3] Sutorius Macro eine entscheidende Rolle spielte.

Am 16. März 37 starb T. in Misenum, möglicherweise von Caligula erstickt. Seine Asche wurde im

→ Mausoleum Augusti beigesetzt, doch erfolgte keine Divinisierung.

IV. WÜRDIGUNG

T.' Persönlichkeit wurde v. a. durch seine Herkunft aus der traditionsreichen republikanischen Familie der Claudier, den Einfluß seiner Mutter Livia sowie der Nachfolgepolitik des Augustus geprägt, der ihn lange nur als Interimskandidat benutzt hatte. Das Scheitern seines Bemühens, mit dem Senat zusammenzuarbeiten, ließ seine Herrschaft für die röm. Historiographie, v. a. für → Tacitus [1] (bes. ann. B. 4), zum Prototyp des dem Prinzipat inhärenten willkürlichen Absolutismus werden. Eine gerechte Wertung seiner Persönlichkeit ist deshalb auf Grund der negativ gefärbten Quellen kaum möglich.

1 W. ECK, Das Senatus consultum de Cn. Pisone patre, 1996
2 H. M. COTTON, A. YAKOBSON, Arcanum imperii, in: G. CLARK, T. RAJAK (Hrsg.), Philosophy and Power in the Graeco-Roman World, FS M. Griffin, 2002 (im Druck)
3 VOGEL-WEIDEMANN, 530–550 4 P. BRUNT, The Role of the Senate in the Augustan Regime, in: CQ 34,2, 1984, 423–444.

Mz.: RIC I², 87–101.
PORTRÄTS: A.-K. MASSNER, Das röm. Herrscherbild, Bd. 4, 1982, 48–53; 77–86.
LIT.: D. HENNIG, L. Aelius Seianus, 1975 · KIENAST, 76–79 · B. LEVICK, T. the Politician, 1976 · B. SCHRÖMBGES, T. und die res publica Romana, 1986 · L. SCHUMACHER, Die imperatorischen Akklamationen der Triumvirn und die Auspicia des Augustus, in: Historia 34, 1985, 216–222 · SYME, RP, 937–952 · T. E. J. WIEDEMANN, T. to Nero, in: CAH 10, 1996, 198–255.
W. E.

[2] T. II. (Τιβέριος; auch als T. I. gezählt), oström. Kaiser (578–582 n. Chr.). Als comes excubitorum (565–574) unter Kaiser → Iustinus [4] II. siegte er 570 in Thrakien über die → Avares. 574 wurde er von Iustinus auf Betreiben von dessen Gattin Sophia adoptiert und erhielt den Ehrentitel Caesar sowie den Beinamen Constantinus bzw. Néos Konstantínos (»neuer Konstantin« [2]. Wegen fortschreitender Demenz des Kaisers übernahm er fortan zusammen mit Sophia die Regierung. Er führte weiter Krieg mit den Avares und auch den Persern, als er 578 Kaiser wurde, und wie sein Vorgänger erließ er einige Novellen [3] (→ novellae). 582 erhob er den General → Mauricius zum Caesar und Nachfolger und gab ihm seine Tochter Constantia zur Frau. PLRE 3, 1323–1326 (Nr. 1).

1 E. STEIN, Stud. zur Gesch. des byz. Reiches, 1919
2 M. WHITBY, Images for Emperors in Late Antiquity, in: P. MAGDALINO (Hrsg.), New Constantines, 1994, 83–93
3 S. PULIATTI, Tra diritto romano e diritto bizantino, in: Il diritto romano canonico (Utrumque ius 26), 1994, 317–351.

W. E. KAEGI, s. v. T. I., ODB 3, 2083 f.

[3] T. III. (auch als T. II. gezählt), mit dem Taufnamen Apsimaros, oström. Kaiser (698–705 n. Chr.), unter → Leontios [9] nach einem mißglückten Flottenunternehmen gegen die Araber von den Seesoldaten zum Kaiser ausgerufen. Unter seiner Regierung verteidigte sein Bruder Herakleios die Ostgrenze erfolgreich gegen die Araber. → Iustinianus [3] II., der 705 mit bulgarischer Hilfe Konstantinopolis zurückeroberte, nahm ihn gefangen und ließ ihn enthaupten.

P. A. HOLLINGWORTH, s. v. T. II., ODB 3, 2084 · R.-J. LILIE (Hrsg.), Prosopographie der mittelbyz. Zeit, Bd. 1.5, 2001, Nr. 8483.

[4] Jüngster Sohn → Constans' [2] II., wurde von diesem 659 n. Chr. zusammen mit seinem Bruder Herakleios zum Mitkaiser erhoben. Deren ältester Bruder → Constantinus [6] IV., der 668 Kaiser wurde, setzte beide, weil er ihre Konkurrenz fürchtete, 681 ab und ließ ihnen die Nasen abschneiden.

R.-J. LILIE, Prosopographie der mittelbyz. Zeit, Bd. 1.5, 2001, Nr. 8484.

[5] Sohn Kaiser → Iustinianus' [3] II. und der Chazarin Theodora, geb. ca. 705 n. Chr. und bald darauf zum Mitkaiser erhoben, wurde nach dem Sturz seines Vaters 711 ermordet.

R.-J. LILIE, Prosopographie der mittelbyz. Zeit, Bd. 1.5, 2001, Nr. 8490.
F. T.

Tibia s. Musikinstrumente VI.

Tibiscum (Τιβίσκον/ Tibískon). Röm. Stützpunkt in der Dacia Superior (→ Dakoi mit Karte) am oberen Tibiscus (bzw. Tibisia, h. Timiş), einem linken Nebenfluß der Donau (→ Istros [2]; vgl. Ptol. 3,8,10; 3,8,1; Iord. Get. 24,178; Geogr. Rav. 4,14; 4,18; Tab. Peut. 7,4), h. Jupa (Kreis Caraş-Severin, Rumänien); an der Straße → Viminacium–Lederata–→ Sarmizegetusa gelegen, von der in T. eine Straße nach → Dierna abzweigte. Im Lager von T. (320 × 170 m) waren Auxiliareinheiten stationiert (cohors I Vindelicorum, cohors I Sagittariorum, numerus Maurorum und numerus Palmyrenorum). → Municipium wohl seit severischer Zeit, bezeugt erst durch eine Ehren-Inschr. für → Salonina (CIL III 1550, zw. 254–268 n. Chr.). Als Magistrate sind decuriones, duumviri, flamen und pontifex bekannt. In T. gab es ein → collegium [1] fabrorum (CIL III 1553). Im rel. Leben von T. spielten orientalische Kulte eine wichtige Rolle (Sol invictus numen Mithras, Sol Ierhabol, Iuppiter Dolichenus, Deus Aeternus, Belus Palmyrenus, Malagbelus). Zahlreiche Funde von Inschr. (zwei Militärdiplome), Ziegel, Keramik, Baureste. In der Nähe von T. befanden sich reiche Eisen- und Goldbergwerke.

M. FLUSS, s. v. T., RE 6 A, 813–815 · TIR L 34 Budapest, 1968, 111 · I. I. RUSSU (ed.), Inscriptiile antice din Dacia si Sythia minor, Bd. 3.1, 1977, 145–234.
J. BU.

Tibullus, Albius (Praen. unbekannt). Der röm. Elegien-Dichter Tibull, 1. Jh. v. Chr.
I. BIOGRAPHIE II. GEDANKENWELT
III. LITERARISCHE FORM IV. NACHLEBEN

I. BIOGRAPHIE

Aus der Angabe in einem Epigramm des Domitius [III 2] Marsus, T. habe als *iuvenis* (→ Jugend, → Lebensalter) den Dichter Vergilius in die Unterwelt begleitet (FPL³ Fr. 7), ist T.' Geburtsdatum nur ungefähr erschließbar: zw. 60 und 50 v. Chr.; T. entstammte einer Ritterfamilie, deren Landbesitz sich verringert hatte (Tib. 1,1,19), vielleicht infolge der Landenteignungen der J. 41/0. Trotzdem kann Horatius [7] ihn als reich bezeichnen (Hor. epist. 1,4). T. gehörte dem Kreis um M. → Valerius [II 16] Messalla Corvinus (→ Zirkel, literarische) an, nahm an dessen Feldzügen in Aquitanien und Nordspanien teil (Tib. 1,7,7–12; wahrscheinlich 30 v. Chr.) und hätte ihn auch auf seiner Mission in den Osten des Reiches begleitet, wäre er nicht unterwegs schwer erkrankt (1,3; 28 v. Chr.). Als Todesjahr ist (bei wörtl. Auffassung des Marsus-Epigramms) 19, vielleicht aber auch 18 oder erst 17 v. Chr. anzunehmen [19. 188].

Von T. stammen nachweislich die ersten beiden B. des sog. *Corpus Tibullianum* (vgl. Ov. am. 3,9; Mart. 14,193); zu dessen anderen Teilen vgl. → Lygdamus, → *Panegyricus Messallae*, → Sulpicia [2]. Gegen die Annahme, er habe das 2. B. nicht mehr vollenden können, sprechen die genau kalkulierten Verszahlenverhältnisse ([8. 1966f.; 18]; problematisch: [29; 30]) sowie der verdeckt poetologische Charakter des Schlußgedichtes [27. 85].

II. GEDANKENWELT

Im Mittelpunkt von T.' Gedankenwelt steht die Liebe in ihrer für die röm. Liebeselegie (→ Elegie II.) charakteristischen Form einer die sozialen Rangverhältnisse umkehrenden sexuellen Hörigkeit (*servitium amoris*). T.' Sprecher ist nacheinander einer Delia, einem Knaben Marathus, einer Nemesis verfallen. Seine Liebe bringt ihn in Gegensatz zu den traditionellen Wert- und Pflichtvorstellungen seines Standes. Eindeutig abgelehnt wird das Kriegertum aus Habgier, in der Elegie 1,10 darüber hinaus sogar jede Form von Kriegertum – weil es ein absurdes »Herbeiholen« (*accersere*) des Todes sei. Gegenbild ist der Landmann, der – daheimbleibend und friedlicher Arbeit nachgehend – im Kreise seiner Familie in Ruhe alt wird. Die Habgier (*avaritia*) ist für T. das Grundübel seiner Zeit; sie hat auch die Liebe infiziert (2,3,71–74; 2,4,31–34). Diese Allherrschaft der Habsucht ist Ergebnis eines kulturhistor. Prozesses, den T. mehrfach darstellt (1,3; 2,3; 2,5). Er folgt dabei Lucretius [III 1] und Vergilius, ergänzt aber eine Kulturgesch. der Liebe.

Die Reaktion von T.' Sprecher auf die Zeitverhältnisse ist ein Ausweichen in eine Wunschwelt, entweder in eine bessere Vergangenheit oder aber (z. T. zugleich) in eine idyllisch gezeichnete ländliche Sphäre, in welcher er zusammen mit der Geliebten und mit Duldung durch den Patron Messalla ein anspruchslos-schlichtes Leben führen könnte (am ausführlichsten: 1,5,21–34).

Die Dichtung selbst wird bei T. – anders als bei Propertius [1] und Ovidius – nie für sich, sondern immer nur innerhalb der jeweils fingierten Situation und in ihrer Funktion für die Liebe ins Auge gefaßt: als eine dem Sprecher ausschließlich durch seine Liebe zuwachsende Fähigkeit (2,5,111 f.) bzw. als Mittel seiner Liebeswerbung (1,9,47–50; vgl. 1,4,59–70).

III. LITERARISCHE FORM

T. nennt keinen der Dichter, die ihm Vorbild sind oder von denen er sich absetzen möchte. Der Einfluß von → Vergilius' *Georgica*, → Lucretius' und allg. der → hellenistischen Dichtung ist aber unabweisbar: T.' Elegien sind blockhaft aufgebaut; der Textablauf suggeriert gelegentlich einen gleichzeitigen Geschehensablauf (1,8; 2,1 und 5); die sprachliche Form ist sorgfältig ausgearbeitet; ein hell. Zug ist auch T.' subtiler Humor [15. 287–303]. Andere Eigenheiten der hell. Dichtung werden jedoch gerade vermieden, z. B. auffällige stilistische Kühnheiten oder Anspielungen auf entlegene Mythen und gelehrtes Detailwissen (anders: [12]). T. erweist sich dadurch als typischer Vertreter des augusteischen → Klassizismus.

In einigen Gedichten (1,3; 7; 2,1; 5) wird eine einheitliche Sprechsituation suggeriert (z. B. der Liebende spricht zur Geliebten), andere faßt man am besten als Monologe auf, bei denen der Sprecher unter dem Einfluß seiner heftigen Emotionen sich in immer wieder andere, vorgestellte Situationen hineinversetzt und dabei abwesende Personen in vergegenwärtigender Anrede anredet.

IV. NACHLEBEN

T.' Nachwirkung ist bereits bei Ovidius zu fassen, der ihm einen poetischen Nachruf schrieb (Ov. am. 3,9). In der Ant. galt offenbar T., und nicht Propertius [1], als der Hauptvertreter der röm. Liebeselegie: Im 2. B. der *Tristia* Ovids sind ihm weit mehr Verse (447–464) als Cornelius [II 18] Gallus und Properz gewidmet; Quintilianus [1] weist ihm unter den vier Elegikern den ersten Platz zu (Quint. inst. 10,1,93); noch im 4. Jh. zitiert der Grammatiker Diomedes [4], als er die Gattung Elegie bespricht, ein Beispiel aus T. sowie aus der an T. gerichteten Horaz-Ode 1,33, während er Properz und Gallus nur beiläufig, Ovid gar nicht erwähnt (GL 1,484). Im MA läßt sich erst für das 8. Jh. wieder eine T.-Hs. nachweisen (in der Bibl. Karls des Großen), im 13. Jh. eine andere in Frankreich; T.-Zit. finden sich jedoch in zahlreichen, v. a. frz. Florilegien. Nach dem Erstdruck (Venedig 1472) setzte die philol. Bearbeitung ein – im 16. Jh. dominiert durch SCALIGER und MURETUS, im 18. Jh. durch HEYNE. 1829 brachte LACHMANN die erste textkritische Ausgabe heraus.

Für die lit. Nachwirkung T.' können als prominenteste Zeugen (wie für Properz) RONSARD, A. CHÉNIER und GOETHE (›Römische Elegien‹) genannt werden, außerdem E. MÖRIKE, der für seine Slg. ›Classische Blüthenlese‹ (1838–1840) ältere Übers. von 5 Elegien T.'

überarbeitete (1,1; 3; 4; 8; 10) und dabei zu seinem vier-
zeiligen Epigramm ›Tibull‹ (1837) angeregt wurde.
→ Elegie II.; Literatur V. F.; Lygdamus; Panegyricus
Messallae; Sulpicia [2]; ELEGIE

ED.: **1** F. W. LENZ, G. K. GALINSKY, ³1971 **2** G. LEE, ²1983
3 G. LUCK, 1988.
KOMM.: **4** K. F. SMITH, 1913 (Ndr. 1971) **5** M. C. M.
PUTNAM, 1973 **6** P. MURGATROYD, 1980 (B. 1), 1994 (B. 2)
7 J. M. FISHER, in: ANRW II 30.3, 1983, 1924–1961
8 H. DETTMER, in: ANRW II 30.3, 1983, 1962–1975
9 P. MURGATROYD, in: Echos du monde classique 31, 1987,
69–92.
LIT.: **10** B. RIPOSATI, Introduzione allo studio di Tibullo,
²1967 **11** D. F. BRIGHT, Haec mihi fingebam, 1978
12 F. CAIRNS, T., 1979 **13** F.-H. MUTSCHLER, Die poetische
Kunst Tibulls, 1985 **14** CH. NEUMEISTER, Tibull, 1986
15 Simposio Tibuliano (Murcia 1982), 1985 **16** Atti del
convegno internazionale di studie su Albio Tibullo, 1986
17 G. D'ANNA, Virgilio e Tibullo, in: M. GIGANTE (Hrsg.),
Virgilio e gli Augustei, 1990, 87–110 **18** H. DETTMER, The
Arrangement of T.' Books 1 and 2, in: Philologus 124, 1980,
68–82 **19** A. FOULON, Tibulle, II,5: Hellénisme et
Romanité, in: REL 61, 1983, 173–188 **20** Ders., L'art
poétique de Tibulle, in: REL 68, 1990, 66–70
21 J. H. GAISSER, Amor, rura and militia in Three Elegies of
T.: 1.1, 1.5 and 1.10, in: REL 42, 1983, 58–72
22 M. HENNIGES, Utopie und Ges.-Kritik bei Tibull, 1979
23 W. R. JOHNSON, Messalla's Birthday: the Politics of
Pastoral, in: Arethusa 23, 1990, 95–113 **24** L. LENZ, Tibull in
den Tristien, in: Gymnasium 104, 1997, 301–317
25 B. MOSSBRUCKER, Tibull und Messalla, 1983
26 F. SOLMSEN, T. as an Augustan Poet, in: Hermes 90, 1962,
295–325 **27** J. VEREMANS, Tibulle II,6: Forme et fond, in:
Latomus 46, 1987, 68–86 **28** M. WIFSTRAND SCHIEBE, Das
ideale Dasein bei Tibull und die Goldzeitkonzeption
Vergils, 1981 **29** W. WIMMEL, Der frühe Tibull, 1968
30 Ders., Tibull und Delia, 2 Bde., 1976–1983.

CH. N. u. K. NE.

Tibur (Τιβούρ, Τίβουρα). Stadt in Latium (Ptol. 3,1,58;
Pol. 6,14,8; App. civ. 1,65), h. Tivoli, etwa 27 km onö
von Rom am Zusammenfluß von Anio und Empiglio-
ne; Station der *via Valeria* (Strab. 5,3,11). Zahlreich sind
die Gründungslegenden, Synthesen von lokalen Trad.
und hell. Einflüssen. Ein Traditionszweig führt die Herkunft des Gründers → Catillus auf Arkadia zurück (Cato
orig. 56), ein anderer auf Argos (Sextius bei Solin. 2,7
und im Anschluß daran Verg. Aen. 7,670–674; Porph.
zu Hor. carm. 1,7,13; 1,18,2; 2,6,5; Serv. Aen. 7,670;
Plin. nat. 16,237). Weitere Varianten sehen in T. eine
sikulische Stadt (Dion. Hal. ant. 1,16,5), andere halten
Latinus [2] Silvius für den Gründer (Diod. 7,5,9; Origo
Gentis Romanae 17,6). Im wesentlichen erweist sich die
argivische Variante als die glaubwürdigste.
Anf. des 5. Jh. v. Chr. war T. Mitglied im → Latinischen Städtebund (Cato orig. 58), beteiligt an der
Schlacht beim → Lacus Regillus (vgl. Dion. Hal. ant.
5,61,3). Ein Sieg der Tiburtini über die → Volsci (wohl
eher Aequi) ist für das 5. Jh. bezeugt (Serv. Aen. 8,285).
Für das 4. Jh. v. Chr. sind Kämpfe der Tiburtini mit
Rom bis 338 überl. (361: Liv. 7,9,1 f.; 7,11,1–3; 360: Liv.

7,11,9–11; 7,12,1–4; 355: Liv. 7,18,2; 7,19,1 f.; 339/8:
Liv. 8,12,7; 8,13,6–9; 8,14,9). Mitte des 2. Jh. v. Chr.
kam es zu Unstimmigkeiten zw. T. und Rom (Ursachen unbekannt; ILS 19). Nach dem → Bundesgenossenkrieg [3] erhielt T. das röm. Bürgerrecht, und war
jetzt *municipium* der *tribus Camilia* (Plin. nat. 3,107; App.
civ. 1,65). Trotz des latinischen Ursprungs wurde T. im
Rahmen der augusteischen Gebietsreform der *regio IV*
(*Sabinum et Samnium*) zugeschlagen (Plin. nat. 3,12).
Hauptgottheit in T. war → Hercules Victor (Prop.
2,32,5; Mart. 4,57,9; 4,62,1; Suet. Cal. 8; Sil. 4,424),
ferner wurde → Iuppiter als *Praestes* (CIL XIV 3555) und
Territor (CIL XIV 3559; vgl. den *flamen Dialis Tiburs*: CIL
XIV 3586) verehrt. Daneben finden sich Iuno Curitis
(Serv. Aen. 1,17), Vesta, Diana, Mars, Neptunus und
Aesculapius. Eine einheimische Gottheit war Albunea,
deren Orakelsprüche Varro bezeugt (bei Lact. inst.
1,6,12; Serv. Aen. 7,83). Um Orakelsprüche wurde
auch Catillus angerufen (Heroenkult auf dem Gipfel des
Berges Catellus, h. monte Catillo: Serv. Aen. 7,672).
Auch Tiburnus wurde kultisch verehrt; ihm war ein
Hain geweiht (Hor. carm. 1,7,12; Ps.-Suet. vita Hora-
tii 8).
T. als Verbannungs- bzw. Internierungsort ist belegt
bei Pol. 6,14,8; Liv. 3,58,10; 30,45,4; 43,2,10; Ov. fast.
6,665; Ov. Pont. 1,3,82; Val. Max. 5,1,1; SHA trig. tyr.
26. T. war auch ein beliebter Ort für die Sommerfrische
der Römer mit zahlreichen Villen (die bekannteste
4 km außerhalb von T.: *Villa Hadriana*), von denen Reste erh. sind, darüber hinaus sind die Stadtmauer mit
verschiedenen Toren, Theater, Amphitheater sowie
mehrere öffentliche und private Häuser arch. bezeugt.
→ Crypta (mit Abb.); Garten [2];
Gewölbe- und Bogenbau; Grotte; Nymphäum (C.);
Palast (IV. E.); Porticus (II.); Villa

E. BOURNE, A Study of T., 1916 • G. CASCIOLI, Bibliografia
tiburtina, 1923 • M. SORDI, I rapporti fra Roma e T. nel IV
sec. a. C., in: Atti e memorie della Società Tiburtina 38,
1965, 1–8 • C. F. GIULIANI, Tibur (Forma Italiae 1.7),
1970 • Ders., s. v. T., EV 5, 1990, 202 f. • D. BRIQUEL, La
légende de fondation de T., in: Acta Classica Universitatis
scientiarum Debreceneniensis 33, 1997, 63–81 •
A. MEURANT, La valeur du thème gémellaire associé aux
origines de T., in: RBPh 76, 1998, 37–73.

G. VA./Ü: J. W. MA.

Ticida. Dichter von lat. Liebeslyrik, erwähnt bei Ovid
(trist. 2,433–436) in Begleitung von Memmius [I 3],
Helvius [I 3] Cinna, Anser [2], Cornificius [3] und Valerius [III 3] Cato. Die von ihm Perilla genannte Geliebte (oder Herrin?) war in Wirklichkeit eine Caecilia Me-
tella (Apul. apol. 10); andere Dichter rühmten sie unter
ihrem wirklichen Namen (Ov. trist. 2,437 f.). Zwei Fr.
von T.s Werk sind erh.: das eine von einem Hochzeits-
gesang in Glykoneen (Prisc. 1,189), das andere von einem elegischen Gedicht, das Valerius [III 3] Catos Lydia
preist (Suet. gramm. 11,2). Ein *eques Romanus* mit dem
Namen L. T., wahrscheinlich der Dichter, segelte 46
v. Chr. mit Verstärkung für Caesar von Sizilien nach

Afrika; sein Schiff wurde aber gekapert, als es infolge eines Sturms vom Kurs abkam (Bell. Afr. 44,1). Caecilius [I 32] Metellus Scipio ließ ihn offenbar hinrichten (ebd. 46,3).

N. SCIVOLETTO, T., poeta novus, in: Poesia latina in frammenti (Ist. di Filologia Classica di Genova), 1974, 201–211 • E. COURTNEY, The Fragmentary Latin Poets, 1993, 228f.   T. W./Ü: S. ZU.

Ticinum (h. Pavia). Siedlung der keltischen → Libici (Pol. 2,17,4–6; Liv. 5,32,2: *Laevi*) und Marici (Plin. nat. 3,124) in der zuvor von → Insubres besiedelten → Transpadana, wo der → Ticinus in den Padus (h. Po) mündet. Trotz der Begünstigung durch Augustus (Ehrenbogen: CIL V 6416) wurde das → *municipium* (*tribus Papiria*) vom benachbarten Mediolanum [1] an Bed. überflügelt. Wichtiger Verkehrsknotenpunkt [1; 2. 227] (Straßen: Tac. ann. 3,5,1; Amm. 15,8,18; Itin. Anton. 340,1; 347,1; 356,8; Tab. Peut. 4,1; Wasserwege: Strab. 5,1,11); arch. nachgewiesen sind zwei Zenturiationen (→ Feldmesser; [3]). 452 n. Chr. Plünderung durch die → Hunni (Iord. Get. 42). Von den → Ostgoten unter Theoderich [3] 489 besetzt (vgl. Prok. BG 2,12,31f.; Excerpta Valesiana 71); 540 in Nachfolge von → Ravenna gotische Königsstadt, unter Indulf im Herbst 552 von den Ostgoten wohl schließlich aufgegeben (Prok. BG 4,35,37); 572–774 unter der Herrschaft der → Langobardi (Paulus Diaconus, Historia Langobardorum 2,26f.). Späterer Name war *Papia* (Paulus Diaconus l.c. 2,15; Geogr. Rav 4,30; [5]).

1 E. GABBA, T., in: Storia di Pavia (Soc. Pavese di storia patria), Bd. 1, 1984, 205–248 2 MILLER 3 P. TOZZI, Il territorio di T. romana, in: s. [1], 151–181 4 L. CRACCO RUGGINI, T., in: s. [1], 271–312 5 E. GABBA, Il nome di Pavia, in: RIL 121, 1987, 37–51.

NISSEN, Bd. 2, 190.   A. SA./Ü: H. D.

Ticinus (Τικῖνος, h. Ticino). Linker Nebenfluß des → Padus (h. Po; Sil. 4,82; Plin. nat. 3,118), der in den → Alpes Graiae entspringt, den → Lacus Verban(n)us bildet (Strab. 4,6,12; Plin. nat. 2,224) und ca. 8 km unterhalb von → Ticinum in den Padus mündet (Strab. 5,1,11). Am T. siegte Hannibal [4] 218 v. Chr. über P. Cornelius [I 68] Scipio.

R. DE MARINIS, Liguri e Celto-liguri, in: G. PUGLIESE CARRATELLI (Hrsg.), Italia omnium terrarum alumna, 1988, 159–259 • A. COSTANZO, La romanizzazione nel bacino idrografico padano, 1975, 41.   A. SA./Ü: J. W. MA.

Tier s. Haustiere (Nachträge); Tier- und Pflanzenkunde; Tierepos; Tierfutter; Tiergarten, Tiergehege; Veterinärmedizin; Viehwirtschaft

Tier- und Pflanzenkunde I. MESOPOTAMIEN II. ÄGYPTEN III. KLASSISCHE ANTIKE

I. MESOPOTAMIEN

A. BEGRIFF UND QUELLEN   B. TIERKUNDE C. PFLANZENKUNDE

A. BEGRIFF UND QUELLEN

Es existiert weder eine botanische noch eine zoologische akkurate oder systematische Klassifikation der Tier- und Pflanzenwelt aus dem alten Orient. Hauptquelle ist einer der umfangreichsten mesopotamischen lexikalischen Texte mit 24 Kap., der nach seiner Anfangszeile als ḪAR-ra = ḫubullu (»Zinsen«) bezeichnet wird. Es handelt sich um einen Katalog von Objekten und Lebewesen, die nach semantischen Aspekten akrographisch (d. h. jeweils nach dem ersten Keilschriftzeichen) angeordnet sind (→ Wissenschaft). Dieses Prinzip stellte eine mnemotechnische Hilfe dar; der Text diente didaktischen Zwecken (→ Schreiber). Die urspr. einsprachige sumerische → Liste (Vorläufer seit ca. 3000 v. Chr. bezeugt) wurde (seit Mitte 2. Jt.) mit akkadischen Übersetzungen versehen [3; 4; 5; 6].

B. TIERKUNDE

Die Tafeln XIII, XIV und XVIII von ḪAR.ra = ḫubullu enthalten eine Aufzählung von Tieren. In Taf. XIII sind domestizierte Tiere (→ Schaf, → Ziege, → Rind und Esel) verzeichnet, wohl in Rangfolge ihrer Bed. im Alten Orient [3; 6]. Wilde Tiere (Schlange, Wildstier, Hund, → Löwe, Fuchs, → Schwein, Nager und Insekten) sind Gegenstand von Taf. XIV [2; 4; 9]; Taf. XVIII handelt von Fischen (→ Fischerei) und von Vögeln [4]. Aufgrund der stringent akrographischen Anordnung werden auch volkstümliche Pflanzennamen, die im wörtl. Sinn Tierbezeichnungen darstellen, unter den Tieren aufgeführt [4. 49–65]. Neben dieser lexikalischen → Liste ist ein kleines Fr. (Textkopie aus dem 7. Jh.) eines akkad. Handbuches über Schlangen zu erwähnen, das ihr Aussehen beschreibt (›Über die Natur der Schlange‹, ṣēru šikinšu) [8. Taf. 7 K.4206+ Rs.]. Weitere Informationen über Verhalten und Erscheinen domestizierter und wilder Tiere bietet ein divinatorisches Hdb. (šumma ālu, → Divination I.) [1].

C. PFLANZENKUNDE

In Taf. XVII von ḪAR.ra = ḫubullu werden Pflanzen angeführt; zunächst diejenigen, deren Namen mit sumer. ú (»Kraut«) anfangen, gefolgt von Termini, die mit dem Determinativ sumer. sar (»Pflanze«) enden [5]. Einen eher praktisch-pharmakologischen Zweck vermutet man hinter dem Hdb. Uruana = maštakal, einer listenförmig angelegten Schrift mit Äquivalenten von Pflanzennamen und gelegentlichen Angaben zur medizinischen Indikation (4 Tafeln), hinter dem sog. dreikolumnigen ›Vademecum eines Arztes‹, DUB.Ú.HI.A (wörtl. ›Tafel über Pflanzen‹), in welchem Pflanzenname, Indikation und Applikation erscheinen, und hinter ›Über die Natur der Pflanze‹ (šammu šikinšu), in dem botanische Eigenschaften und Applikationen von Pflanzen beschrieben werden (→ Pharmakologie III.) [7].

1 S. M. FRIEDMAN, If a City is Set on a Height, 1998
2 B. LANDSBERGER, Die Fauna des Alten Mesopotamien,
1934 3 Ders., The Fauna of Ancient Mesopotamia
(Materials for the Sumerian Lexicon [= MSL] 8.1), 1960
4 Ders., A. DRAFFKORN KILMER, MSL 8.2, 1962 5 Ders.,
E. REINER, The Series ḪAR.ra = ḫubullu Tablets XVI, XVII,
XIX, 1970 6 A. L. OPPENHEIM, L. F. HARTMANN, The
Domestic Animals of Ancient Mesopotamia, in: JNES 4,
1945, 152–177 7 E. REINER, Astral Magic in Babylonia,
1995 8 R. C. THOMPSON, Cuneiform Texts in the British
Museum, Bd. 14, 1902 9 P. C. WAPNISH, Animal Names
and Animal Classifications in Mesopotamia, Columbia
Univ., Diss. 1984.

B. J. COLLINS (Hrsg.), A History of the Animal World
in the Ancient Near East, 2002.   BA. BÖ.

II. ÄGYPTEN

Detailgetreue äg. Tierbilder (Reliefs, Wandgemälde) belegen seit dem frühen 3. Jt. v. Chr. sorgfältige Beobachtung der einheimischen Fauna. Im MR (ca. 1990–
1630 v. Chr.) traten auch Darstellungsserien (Wandgemälde) auf, in denen die Tiere nicht in einer Jagdszene
(o. ä.) gezeigt, sondern katalogartig zusammengestellt
wurden. Im NR (ca. 1550–1070 v. Chr.; bes. Reliefs des
»Botanischen Gartens« in Karnak) wurde auch die vorderasiatische Fauna und Flora erfaßt, wobei hier überhaupt erstmals Flora losgelöst von einem szenischen Zusammenhang dargestellt wurde.

Obwohl neben vielen speziellen Bezeichnungen nur
wenige übergeordnete Begriffe existierten, ergibt sich
die äg. Unterteilung der belebten Natur zum einen aus
der Verwendung der sog. Deutzeichen in der Schrift,
mit denen ein Wort in eine Kategorie (z. B. Felltier)
eingeordnet wird. Andere Deutzeichen (z. B. Löwe) lassen eine speziellere Klassifizierung erkennen [2]; für die
Pflanzenwelt ist sie allerdings schwächer ausgebildet.
Zum anderen sind Aufzählungen der erschaffenen Lebewesen in rel. Texten aufschlußreich. Insgesamt wird
eine (nie starre) Grobunterteilung v. a. nach Lebensräu-
men erkennbar [3. 69 f.]: So standen neben Göttern und
Menschen (und einigen Sonderfällen) Felltiere (Säuge-
tiere, z. T. Amphibien, Vögel (inkl. Fledermäusen und
Insekten), Fische (Wassertiere), kriechende Tiere (Rep-
tilien, Skorpione, Würmer, z. T. Amphibien), Bäume
und krautartige Pflanzen.

Zwei Textgattungen sind in allen Epochen für die äg.
T. und P. typisch: Onomastika und Monographien. In
ersteren [1] wurden verschiedene Tier- bzw. Pflanzen-
bezeichnungen aufgelistet; generell sind äg. Onomastika in inhaltlicher (absteigender) Reihenfolge geordnet.
Die sog. Monographien (die auch Teil größerer Sam-
melwerke sein konnten) zu Tieren [4. 121 ff.; 5. 51–53]
und Pflanzen [5. 54 f.; 93 f.] beinhalten zusätzlich zum
Namen z. B. eine durchlaufende Zählung, Beschreibung des Aussehens, Angaben zu Verbreitung, Lebensweise, (medizinischer) Wirkung, Nutzanwendung. Ein
wichtiger Text für die T. ist ferner der sog. veterinär-
medizinische Papyrus des MR [5. 76–78]. Als eigenes

Schulfach gab es die T. und P. in Äg. nicht. Je nach
Fragestellung waren sie Teil v. a. der Lexikographie,
→ Medizin (II.), Pharmakologie oder Theologie.

1 A. H. GARDINER, Ancient Egyptian Onomastica, 1947
2 O. GOLDWASSER, The Determinative System as a Mirror
of World Organization, in: Göttinger Miszellen 170, 1999,
49–68 3 E. HORNUNG, Die Bed. des Tieres im alten Äg., in:
Studium Generale 20, 1967, 69–84 4 J. OSING, Hieratische
Papyri aus Tebtunis, Bd. 1, 1998 5 W. WESTENDORF, Hdb.
der altäg. Medizin, 1999.

B. J. COLLINS (Hrsg.), A History of the Animal World in the
Ancient Near East, 2002.   FR. H.

III. KLASSISCHE ANTIKE
A. TIERKUNDE B. PFLANZENKUNDE

A. TIERKUNDE

Zur Tierkunde (= T.; τῶν ζῴων ἱστορία/ *tōn zṓiōn
historía*; lat. *historia animalium*) hat → Aristoteles [6] wie
zur Pflanzenkunde im 4. Jh. v. Chr. im Rahmen seiner
für unser heutiges Wissen grundlegenden Naturphilos.
als erster wichtige Beitr. geliefert. Dabei war er mehr an
der Fauna interessiert als an der Flora. Er verfaßte ein
Corpus dreier Schriften, die thematisch zusammenhängen und die in der von der arabischen Übertragung begründeten Trad. zu 19 B. zusammengefaßt wurden [1; 2;
3], was Michael Scotus in seiner Übers. ins Lat. (um
1210 n. Chr.) beibehalten hat [4] (in der Forsch. werden
die Titel der folgenden Werke traditionell lat. zit.):

(1) *De partibus animalium* (Περὶ ζῴων μορίων/ *Perí
zṓiōn moríōn*, ›Über die Glieder der Tiere‹: 4 B.; B. 1 zw.
334 und 322 v. Chr., B. 2–4 zw. 347 und 334 v. Chr.)
behandelt die Anatomie des tierischen und teilweise
auch des menschlichen Körpers und versucht jeweils
eine Kausalerklärung in Verbindung mit der Unt. der
Funktion der einzelnen Organe. (2) *De generatione animalium* (Περὶ ζῴων γενέσεως/ *Perí zṓiōn genéseōs*, ›Über
die Zeugung der Tiere‹: 5 B., zw. 334 und 322 v. Chr.)
hat die Zeugung und Fortpflanzung der Lebewesen
zum Gegenstand und bemüht sich auch um ein klären-
des Verständnis der unterschiedlichen Arten der Fortpflanzung.

(3) Die 10 B. *De historia animalium* (Περὶ ζῴων ἱστο-
ρίαι/ *Perí zṓiōn historíai*, ›Tierkunde‹) hat man lange als
frühes beschreibendes Grundwerk der T. interpretiert,
in dem Anatomie, Fortpflanzung und Verhalten der
Tiere vergleichend skizziert wurden. Zur verspro-
chenen Kausalerklärung (1,6,491a 7–14; vgl. [5. 507]) ist
Aristoteles aber überhaupt nicht gekommen, es sei
denn, die bereits genannten Spezialschriften hätten dieser Aufgabe zu dienen gehabt. Der überl. Text der T. ist
durchaus unfertig und nur notdürftig durch Umstellungen von Büchern abgeschlossen worden, wobei → Andronikos [4] etwa zw. 40 und 20 v. Chr. die Endredak-
tion vornahm [5. 40]. Die späteren Hrsg. haben das
überl. 7. B. mit dem 8., das 8. mit dem 9. und das 9. mit
dem 7. vertauscht. Die ursprüngliche Reihenfolge ist in
der von A. GOTTHELF vollendeten Ausgabe von D. M.

BALME wiederhergestellt worden [6]. Vor der ant. Redaktion hatte die peripatetische Schule (vgl. → Peripatos; → Aristotelismus) zahlreiche Erweiterungen vorgenommen.

Die einzelnen Tiere figurieren im allg. nur als Beispiele für bestimmte körperliche Strukturen und Verhaltensmuster, doch sind von 581 Tiernamen etwa 550 identifiziert worden [5. 525]. Die Namen für die großen Tiergruppen der (nie um ihrer selbst willen angesprochenen) Systematik − wie etwa die Vögel (ὄρνιθες/ órnithes) oder die Weichtiere (μαλάκια/ malákia) − hat Aristoteles selbst gebildet bzw. eingeführt. Da in der Natur seiner Meinung nach nicht nur Zweckmäßigkeit, sondern auch Ordnung herrscht, bemühte er sich darum, diese vielfältige und komplizierte Ordnung zu erforschen. Dabei kam er zu dem Schluß, daß alle Tiere in eine kontinuierliche, von der leblosen Materie bis zum Menschen, dem »bekanntesten Tier« (ebd. 1,6,491a 22), reichende hierarchische Stufenleiter eingefügt sind (ebd. 7(8),1,588b 4−12). Ihr Bauplan ist überall wunderbar, so daß man vor keinem Lebewesen Ekel empfinden müsse (Aristot. part. an. 1,5,645a 15−17). Insgesamt erweist sich das Tier-B. (Ed.: [6]; vgl. [7. 95]) nicht als Werk der mittleren Lebensperiode des Aristoteles [5. 51], sondern seiner letzten in Athen (334−322 v. Chr.). Dazu paßt, daß viele der verarbeiteten Beobachtungen sich auf Orte in Kleinasien beziehen, von denen Aristoteles erst während seines dortigen Exils in den J. 347−334 Kenntnis erhalten konnte und für deren Berücksichtigung er Zeit benötigte.

Die Übers. aus dem Griech. ins Lat. nahm erst 1260 Wilhelm von Moerbeke vor: Seine Ausgabe [8; 9] umfaßte 21 B., weil er die beiden aristotelischen Schriften zur tierischen Bewegungslehre hinzunahm: (4) De motu animalium (Περὶ ζῴων κινήσεως/ Perí zōíōn kinéseōs; zw. 334 und 322 v. Chr.) und (5) De incessu animalium (Περὶ πορείας ζῴων/ Perí poreías zōíōn; zw. 347 und 334).

B. PFLANZENKUNDE

1. REINE BOTANIK
2. LANDWIRTSCHAFTLICHE BOTANIK
3. MEDIZINISCH-PHARMAZEUTISCHE BOTANIK
4. ASTROLOGISCH-MAGISCHE BOTANIK

1. REINE BOTANIK

Das botanische (bot.) Werk des Aristoteles [6] gehört in die Periode seines Exils (347−334 v. Chr.) und muß der T. vorausgegangen sein, weil in dieser an neun Stellen [5. 514] darauf verwiesen wird. Das Werk selbst ist verloren, doch sind daraus insgesamt 147 Fr. gesichert. Was man für aristotelisch hielt, war eine kurze Abh. des → Nikolaos [3] von Damaskos in zwei unvollständigen B., die nicht nur in einer lat. Übers. des Alfredus Anglicus (= de Sareshel, um 1210) aus dem Arabischen im MA bekannt war [10], sondern u. a. auf Syrisch und Hebräisch erh. ist [11].

→ Theophrastos (372−285 v. Chr.) faßte seine wohl schon vor der Begegnung mit Aristoteles in Kleinasien

erworbenen bot. Kenntnisse in zwei Grundlagenwerken der reinen Botanik (= Bot.) zusammen. An der aristotelischen Philos. geschult, schrieb er als erster und einziger Grieche Lehrwerke: (1) die der aristotelischen T. entsprechende Pflanzenkunde (= P.) *Historia plantarum* (Περὶ φυτῶν ἱστορίας/ *Perí phytōn historías*) in 9 B. und (2) ›Über die Ursachen der Pflanzen‹ (Περὶ φυτῶν αἰτιῶν/ *Perí phytōn aitiōn, De causis plantarum*) − nach [12. 11] das Gegenstück zu *De generatione animalium* des Aristoteles; in 6 B. werden die Bewegungsursachen der pflanzlichen Vermehrung diskutiert [13]. Die Ansicht von [14], daß Theophrasts P. um 80 v. Chr. von Andronikos [4] aus etwa neun Einzelschriften zusammengefügt wurde, ist h. widerlegt; [12] hat im Gegenteil die überlegte Konzeption nachgewiesen.

Theophrast hat viele bot. Begriffe nicht nur wiss. definiert, sondern sogar erstmals aufgestellt [15]. Neu war auch die Diskussion über den Einfluß des Standorts einer Pflanze auf ihr Aussehen und ihre Eigenschaften sowie die Unterscheidung der vier wichtigsten Pflanzenformen (Baum: δένδρον/ *déndron*, Strauch: θάμνος/ *thámnos*, Halbstrauch: φρύγανον/ *phrýganon*, Kraut: πόα/ *póa*), deren vollkommenste der Baum darstellt. Nach Ber. von Teilnehmern am Alexanderzug nach Indien beschrieb Theophrast fremde Pflanzen [16] durch Vergleich mit wohlbekannten heimischen Gewächsen. Für die wirtschaftliche Nutzung der Pflanzen und ihrer Teile interessierte er sich ebenso wie für ihre medizinisch-pharmazeutische Verwendung. *De causis plantarum* zeigt gründliche Kenntnisse sowohl in der praktischen Bot. als auch in der Behandlung von Pflanzenkrankheiten. Nicht zuletzt erkannte Theophrast den Einfluß des Klimas auf pflanzengeogr. Besonderheiten, nicht jedoch − trotz seiner Kenntnis von der künstlichen Bestäubung der Eßfeige und Dattelpalme − die Notwendigkeit der Befruchtung auch bei den Pflanzen [17].

2. LANDWIRTSCHAFTLICHE BOTANIK

Im Vergleich zur Reinen Bot. haben wir von den Griechen keine Fachschriften über den Ackerbau. Die spätere griech. Fachliteratur (→ Agrarschriftsteller) bietet nur die Ökonomie als die Lehre von der sinnvollsten Organisation der bäuerlichen Arbeit. Als einziges griech. Werk über den Ackerbau ist der *Oikonomikós* des → Xenophon erh. [18], der die Form eines sokratischen Dialogs aufweist. Darin finden sich jedoch Hinweise auf die Praxis des Feld- und Obstbaues, die bot. Kenntnisse des Verf. verraten.

Bei den praktischeren Römern liegt in (1) *De agricultura* (›Über den Ackerbau‹) von Marcus Porcius → Cato [1] eine detaillierte Beschreibung der → Landwirtschaft mit zahlreichen Vorschriften für alle landwirtschaftlichen Arbeiten (einschließlich des Hausbaues) und für die Kultur der Pflanzen in Acker- und Gartenbau sowie für die Viehzucht (→ Viehwirtschaft) vor [19]. (2) Auch der röm. Dichter → Vergilius Maro schildert in den 4 B. seiner *Georgica* alle ihm geläufigen Verfahren des Ackerbaues und der Viehzucht einschließlich der Bienenhaltung (B. 4; [20]). Durch den philol.

Komm. des Servius [2], dem Isidorus [9] Hispalensis viel Material für seine *Origines* entnahm, wurde dieses ant. → Lehrgedicht für die Spätant. und das MA verständlicher [21]. (3) Im 1. Jh. n. Chr. bestätigte L. Iunius Moderatus → Columella in seinen 12 B. *De re rustica* (›Über die Landwirtschaft‹) [22] viele Angaben der (4) *Naturalis historia*, der naturkundlichen → Enzyklopädie des Plinius [1] d. Ä., welche die landwirtschaftliche Bot. mit den anderen Zweigen der P. eng verknüpft [23]. (5) Marcus Terentius → Varro [2] verrät in seinen 3 B. *De re rustica* gute Kenntnisse der röm. Landwirtschaft, einschließlich ihrer bot. Komponenten [24].

(6) Vom Anf. des 5. Jh. ist das *Opus agriculturae* des Palladius [1] Rutilius Taurus Aemilianus in 13 B. erh., welches nach dem einleitenden B. über den Bau des Bauernhauses mit den Ställen für Vieh, Bienen und Geflügel sowie deren Pflege die landwirtschaftliche Arbeit eines jeden Monats beschreibt [25]. Gerade dieses Werk, dem Erfahrungen auf den großen Landgütern Nordafrikas zugrundeliegen, wurde im MA viel benutzt; mehrere Hss. des 9. Jh. sind erh. (7) Kassianos Bassos Scholastikos stellte Mitte des 10. Jh. unter dem byz. Kaiser Konstantinos [1] VII. Porphyrogennetos eine unter dem Namen → *Geoponica* (griech. *Perí geōrgías eklogaí*) bekannte Exzerpten-Slg. aus landwirtschaftl. Werken zusammen, z. T. mit wichtigen Quellenangaben ([26], vgl. [27]).

3. MEDIZINISCH-PHARMAZEUTISCHE BOTANIK

Da die Pflanzen die meisten Medikamente lieferten (→ Pharmakologie), gab es in der Ant. eine entsprechende griech.-röm. → Fachliteratur, die sich aber kaum über das Niveau von Rezepten erhob. Soweit wir wissen, ist das Ῥιζοτομικόν/*Rhizotomikón* des Diokles [6] von Karystos das erste, in Zit. bei Theophrastos, Pedanios Dioskurides, Nikandros [4] und Plinius [1] noch kenntliche, griech. Werk der pharmakologischen Bot. ([28. 164, 181–185] vgl. [29]). Offenbar war Diokles ein ca. 340–260 v. Chr. lebender Peripatetiker. Um 100 v. Chr. wirkte am Hof des Mithradates [6] VI. der Kräuterbuchautor → Krateuas; in dem berühmten illuminierten griech. Dioskurides-Prachtkodex für die Kaisertochter Iulia Anicia vom J. 512 aus der Bibl. in Konstantinopel (h. in der Österreichischen Nationalbibl. in Wien) sind zehn Fr., wahrscheinlich aus dem wiss. *Rhizotomikón* des Krateuas, erh. [30. Bd. 3,144–146].

Der griech. Arzt → Pedanios Dioskurides lieferte im 1. Jh. n. Chr. in seinem Arzneimittelbuch *De materia medica* (Περὶ ὕλης ἰατρικῆς/*Perí hýlēs iatrikḗs*, ›Über Heilmittel‹) in 5 B. [30; 31] neben der Behandlung der Pflanzen als Drogen manche gute Pflanzenbeschreibung. In der lat. Bearbeitung wurde der *Dyascorides* Grundlage für den Unterricht in der Arzneimittellehre auf ma. Hochschulen. Das zweite Werk des Dioskurides, *De simplicibus medicamentis* (Περὶ ἁπλῶν φαρμάκων/*Perí haplṓn pharmákōn*, ›Über einfache Heilmittel‹), dessen Echtheit zweifelhaft ist, wirkte dagegen kaum nach.

4. ASTROLOGISCH-MAGISCHE BOTANIK

In byz. Zeit wurden manche Pflanzen, z. B. die sagenhafte Mandragora (→ Rauschmittel), magisch gedeutet und verwendet [30]. Magische Anwendung erfuhren ähnlich die auch ins Lat. übers. ›Koiraniden‹ [33; 34. 3–206] und das nur lat. erh. sog. *Compendium aureum* [34. 209–233].

→ Agrarschriftsteller; Aristoteles [6]; Cato [1]; Columella; Diokles [6]; Geoponika; Isidorus [9]; Krateuas; Landwirtschaft; Nikandros; Nikolaos [3]; Palladius [1]; Pedanios Dioskurides; Pharmakologie; Plinius [1]; Theophrastos; Varro [2]; Vergilius Maro; BOTANIK; ZOOLOGIE

1 A. BADAWI (ed.), Aristutalis Tiba al-hayawan, Kuwait 1977 2 R. KRUK (ed.), The Arabic Version of Aristotle's Parts of Animals, Books XI–XIV of the Kitab al-Hayawan, 1979 3 A. M. I. VAN OPPENRAAIJ (ed.), Aristotle, De animalibus. Michael Scot's Arabic-Latin Translation, Bd. 3 (Books XV–XIX: Generation of Animals), 1992 4 B. K. VOLLMANN (ed.) De animalibus libri XIX, B. I–XIV (Aristoteles Latinus), 1994 (als Ms. gedruckt) 5 I. DÜRING, Aristoteles. Darstellung und Interpretation seines Denkens, 1966 6 D. M. BALME (ed.), Aristotle, History of Animals, Book VII–X, 1991 7 CH. HÜNEMÖRDER, Aristoteles als Begründer der Zoologie, in: G. WÖHRLE (Hrsg.), Gesch. der Mathematik und der Naturwiss. in der Ant., Bd. 1: Biologie, 1999, 89–102 8 G. RUDBERG (ed.), Textstudien zur Tiergesch. des Aristoteles. Das erste B. der aristotelischen Tiergesch. nach der Übers. des Wilhelm von Moerbeka, 1908 9 H. J. DROSSAART LULOFS (ed.), De generatione animalium translatio Guillelmi de Moerbeka (Aristoteles Latinus 17.2.5), 1966 10 E. H. F. MEYER (ed.), Nicolai Damasceni de plantis libri duo Aristoteli vulgo adscripti. Ex Isaaci ben Honayn versione arabica Latine vertit Alfredus, 1841 11 H. J. DROSSAART LULOFS, E. L. J. POORTMAN (ed.), Aristoteles Semitico-Latinus. Nicolaus Damascenus, De plantis. Five Translations, 1989 12 G. WÖHRLE, Theophrasts Methode in seinen bot. Schriften, 1985 13 B. EINARSON, G. K. K. LINK (ed.), Theophrastus, De causis plantarum, 3 Bde., 1976–1990 14 G. SENN, Die P. des Theophrast von Eresos (ed. O. GIGON), 1956 15 R. STRÖMBERG, Theophrastea. Stud. zur bot. Begriffsbildung, 1937 16 H. BRETZL, Bot. Forsch. des Alexanderzuges, 1903 17 O. REGENBOGEN, Eine Forsch.-Methode ant. Naturwiss. (1930), in: Ders., KS (hrsg. von F. DIRLMEIER), 1961 18 K. MEYER, Xenophons »Oikonomikos« (Übers. und Komm.), Diss. Marburg 1975 19 A. MAZZARINO (ed.), M. Catonis de agricultura, 1962 20 R. A. B. MYNORS (ed.), P. Vergili Maronis Opera, 1969, 29–101 21 G. THILO (ed.), Servii Grammatici qui feruntur in Vergilii Bucolica et Georgica commentarii, 1887 22 W. RICHTER (ed.), L. I. M. Columella, Zwölf B. über Landwirtschaft, 3 Bde., 1981–1983 (mit dt. Übers.) 23 L. JAN C. MAYHOFF, C. Plini Secundi naturalis historiae libri 37, 5 Bde., 1892–1909 (Ndr. 1967, unübertroffene Ausgabe) 24 W. D. HOOPER, H. B. ASH (ed.), Marcus Porcius Cato On Agriculture, Marcus Terentius Varro On Agriculture, 1934 (Ndr. 1967; mit engl. Übers.) 25 R. H. RODGERS (ed.), Palladii Rutilii Tauri Aemiliani Opus agriculturae, De veterinaria medicina, De insitione, 1975 26 H. BECKH (ed.), Geoponica sive Cassiani Bassi Scholastici De re rustica eclogae, 1895 (Ndr. 1994) 27 W. GEMOLL, Unt. über die Quellen, den Verf. und

die Abfassungszeit der Geoponica (Berliner Stud. für class. Philol. und Arch. 1,1), 1883 (Ndr. 1972) **28** W. JAEGER, Diokles von Karystos, 1938, ²1963 **29** M. WELLMANN, Das älteste Kräuterbuch der Griechen, in: FS F. Susemihl, 1898, 2–23 **30** M. WELLMANN (ed.), Pedanii Dioscuridis Anazarbei De materia medica libri V, 3 Bde., 1906–1914 (Ndr. 1958) **31** J. BERENDES, Des Pedanios Dioskurides aus Anazarbos Arzneimittellehre in fünf B., übers. und mit Erklärungen versehen, 1902 (Ndr. 1970) **32** M. H. THOMSON (ed.), Textes grecs inedits relatifs aux plantes, 1955 **33** D. KAIMAKIS (ed.), Die Kyraniden, 1976 (Beitr. zur klass. Philol. 76) **34** L. DELATTE (ed.), Textes latins et vieux français relatifs aux Cyranides, (Bibl. de la Fac. de Philos. et Lettres de l'Univ. de Liège 93), 1942.   C.HÜ.

Tierepos. Eine epische Erzählung mit Tieren anstelle von Menschen als Protagonisten. Ob es ein T. als Gattung schon in der Ant. gegeben hat, ist allerdings ›durchaus fraglich‹ [1. 98]. Überl. sind die Titel einiger Werke, die man Homeros [1] zuschrieb (*Arachnomachía*/ ›Spinnenkrieg‹, *Psaromachía*/›Starenkrieg‹, *Geranomachía*/ ›Kranichkrieg‹), doch gesichert ist nichts; mit der *Geranomachía* dürfte allerdings der Kampf zw. Kranichen und → Pygmäen in der ›Ilias‹ (Hom. Il. 3,3–7) gemeint sein [1. 99]. Der einzige überl. Text der Ant., der als ein T. gelten kann, ist die späthell. → *Batrachomyomachía* (›Froschmäusekrieg‹), eine ca. 300 V. umfassende Epenparodie, evtl. in Abbildung der Rivalität zw. Ilias und Odyssee [2. 38 f.].

Thematisch steht dem T. die → Fabel am nächsten; so erzählte man Fabeln von Kriegen zw. Adlern und Hasen, Delphinen und Walen (Aisop. 256 PERRY = 169 HAUSRATH; 62 = 73), geflügelten Schlangen und Ibissen (Mela 3,82) u. a. Der *Batrachomyomachía* entspricht eine aisopische Fabel (384 P. = 302 H.), aus der sie verm. auch entwickelt worden ist [1. 91 f.]. Weiter entfernt stehen lit. gestaltete Auseinandersetzungen zw. Menschen und Tieren, z. B. die Schilderung des Kampfes zw. Greifen und dem Volk der → Arimaspoi im Epos des → Aristeas [1] oder der pseudo-vergilische → *Culex* (›Mücke‹).

Auch die nachant. Zeit kannte das T.: In hochbyz. Zeit verfaßte → Theodoros [37] Prodromos (1. H. 12. Jh.) eine *Katomyomachía* (›Katzenmäusekrieg‹) [3], und mit dem etwa zeitgleich entstandenen *Ysengrimus* nimmt das T. auch in der abendländischen Lit. seinen Platz ein [4. 90] (→ DEUTSCHLAND I.B.1.).
→ Epos; Fabel; Parodie; TIEREPOS

1 H. WÖLKE, Unt. zur Batrachomyomachie, 1978 **2** G. W. MOST, Die Batrachomyomachia als ernste Parodie, in: W. Ax, R. F. GLEI (Hrsg.), Lit.parodie in Ant. und MA, 1993, 27–40 **3** H. AHLBORN (ed.), Pseudo-Homer: Der Froschmäusekrieg, Theodoros Prodromos: Der Katzenmäusekrieg, 1968 (mit dt. Übers., Ndr. 1978 u.ö.) **4** F. P. KNAPP, Das lat. Tierepos, 1979.   R.DA.

Tierfutter. Ausmaß und Art der Viehhaltung in der ant. → Landwirtschaft wurden wesentlich durch die Verfügbarkeit von T. bestimmt, die wiederum von den jeweiligen geomorphologischen und klimatischen Bedingungen abhing. So wurde etwa Boiotien in homerischer Zeit wegen seiner an Grünfutter (ποίη/*poíē*) reichen Wiesen gerühmt (Hom. Il. 2,503; Hom. h. 3,243; 4,190); zusätzlich lieferten v. a. Brachäcker und Wälder T.; daneben existierte Weidegrund (λειμών/*leimṓn*; Hom. Il. 2,461–469). Speziell als T. werden bei Homer eine Kleeart (λωτός/→ *lōtós*) sowie wilder → Eppich (σέλινον/*sélinon*; Hom. Il. 2,776) genannt. → Schweine wurden in waldiger Gegend geweidet und darüber hinaus mit Eicheln und Kornelkirsche gefüttert (Hom. Od. 14,1 f.; 10,242 f.). Als Pferdefutter diente → Getreide (Hom. Il. 5,195 f.); auch Gänse wurden mit Weizen gefüttert (Hom. Od. 19,536 f.). Für Arbeitstiere empfiehlt bereits Hesiod die Bevorratung von Heu (Hes. erg. 606 f.).

Auch in klass. und hell. Zeit sowie in der röm. Welt blieb die Weide der bedeutendste Lieferant von T. Aufgrund der hydrologischen und klimatischen Gegebenheiten des Mittelmeerraums war im Sommer der im Tiefland zur Verfügung stehende Weidegrund knapp, da hierfür nur natürlich oder künstlich bewässerte Wiesen in Frage kamen. Häufiger wurde das Vieh dann auf Hochweiden gebracht (Soph. Oid. T. 1131–1139). Hinweise für die saisonale Wanderung von Herden (→ Transhumanz) finden sich außerdem für Kreta und später für It. (Varro rust. 2,2,9; 2,5,11; 2,10,3; Colum. 6,22,2). Ungeachtet der Bed. der Weidehaltung ist die Zufütterung für die hell. Zeit belegt: Insbes. das Schwein wurde für den Markt mit Gerste, Hirse, → Feigen, Eicheln, wilden Birnen und → Gurken gemästet, → Rinder erhielten als übliches Futter Getreide, Gras, → Gemüse, Wicken, zerriebene → Bohnen und Bohnenstroh und wurden darüber hinaus mit Gerste, Feigen, Trester und Ulmenblättern gemästet; → Pferde, → Maultiere und → Esel erhielten Gras, Getreide und → Klee, → Schafe Olivenzweige, Wicken und Kleie (Aristot. hist. an. 595a–596a).

Die röm. → Agrarschriftsteller geben detaillierte Vorschriften für die Fütterung der als Arbeitstiere verwendeten Ochsen, die in den Phasen ihres Arbeitseinsatzes im Stall gefüttert wurden und nur selten im freien Gelände weideten (Cato agr. 30; 54; Colum. 6,3,4–8; 11,2,99–101); erwähnt wird das T. ferner für Pferde (Colum. 6,27,8; 6,27,11), Esel (Colum. 6,37,9), Schafe (Cato agr. 30,2; Colum. 7,3,19–22; Pall. agric. 12,12, 1–3), Schweine (Colum. 7,9,5–9; Pall. agric. 3,26,3), → Hunde (Colum. 7,12,10), Geflügel (Colum. 8,4,1; 8,4,3: Hühner; 8,8,1 f.; 8,8,6; 8,9,2 f.: Tauben; 8,10,3–5: Drosseln; 8,11,1 f.; 8,11,6; 8,11,14 f.: Pfauen; 8,14,2; 8,14,10; 8,15,6: Enten und Gänse), → Fische (Colum. 8,17,12–15) sowie Tiere in Wildgehegen (Colum. 9,1,5–8). Viele Tiere, so etwa Pferde, Rinder, Schafe, Ziegen und Schweine wurden in Herden insbes. im Sommer fast ausschließlich im Freien, auf Weiden oder in Waldgebieten, ohne Zufütterung gehalten (Colum. 6,27,1 f.; Varro rust. 2,5,11; Colum. 7,2,3; 7,6,1; 7,9,6). Zusätzliches Futter, für den Winter gelagert, sollte Mangel an Grünfütter ausgleichen.

Futterpflanzen wurden auf großen Gütern angebaut (Cato agr. 27), teilweise auch als Mischsaat (*farrago*). Auffallend ist die Bed. der Gerste als T. (Plin. nat. 18,74). Da T. wie etwa Gerste und Lupine in Notzeiten der menschlichen Ernährung diente (Colum. 2,9,14; 2,10,1, 2,10,22), wurde bei Mißernten der Viehbestand häufig geschlachtet (Quint. decl. 12,6). Der Zugang zu T. war auch von bes. Relevanz für die Verwendung von Arbeitstieren: Rinder und Pferde waren für Kleinbauern auch wegen der hohen T.-Kosten nahezu unerschwinglich. Folgerichtig rühmt Columella den arkadischen Esel wegen seiner Genügsamkeit (Colum. 7,1).

Die Verfügbarkeit von T. war auch ein logistisches Problem bei mil. Operationen sowie bei der Versorgung des stehenden Heeres (→ Heeresversorgung) in der späten Republik und der Prinzipatszeit (Caes. Gall. 1,16,2; 2,2,2; 7,14,2; 7,16,3; vgl. Veg. mil. 3,1,5; 3,3). Die Notwendigkeit, dem Heer an den Grenzen T. zu liefern, hatte wichtige Implikationen für die landwirtschaftliche Erschließung der nw Provinzen.

→ Fleischkonsum; Stallviehhaltung; Tiergarten; Viehwirtschaft

1 A. CHANIOTIS, Milking the Mountains. Economic Activities on the Cretan Uplands in the Classical and Hellenistic Period, in: Ders. (Hrsg.), From Minoan Farmers to Roman Traders, 1999, 181–220 2 H.-J. DREXHAGE, Preise, Mieten/Pachten, Kosten und Löhne im röm. Äg. bis zum Regierungsantritt Diokletians, 1991, 313–326 3 ISAGER/SKYDSGAARD, 83–96 4 G. KRON, Roman Ley-Farming, in: Journal of Roman Archaeology 13, 2000, 277–287 5 W. RICHTER, Die Landwirtschaft im homerischen Zeitalter (ArchHom 2), 1968 6 J. P. ROTH, The Logistics of the Roman Army at War (264 B. C.-A.D. 235), 1999, 61–67; 125–130 7 M. SCHNEBEL, Die Landwirtschaft im hell. Äg., 1925, 342–352 8 O. STOLL, Terra pecorum fecunda, in: Ders., Röm. Heer und Ges., 2001, 421–451 9 WHITE, Farming, 199–223 10 WHITTAKER 11 L. WIERSCHOWSKI, Heer und Wirtschaft, 1984, 151–173.

K. RU.

Tiergarten, Tiergehege (παράδεισος/*parádeisos*, ζωγρεῖον/*zōgreíon*; lat. *vivarium*).
I. ALTER ORIENT   II. KLASSISCHE ANTIKE

I. ALTER ORIENT

T. sind v. a. aus dem Bereich neuassyrischer Palastanlagen (11.–7. Jh. v. Chr.) bekannt, sowohl im Sinne von mit Tieren aller Art bevölkerten Parks als auch von Gehegen, in denen Jagdtiere gehalten wurden (→ Paradeisos). Bekannt sind die Reliefs mit der Jagd auf Löwen, Onager etc. aus dem Palast → Assurbanipals in Ninive mit der Darstellung von Käfigen/Gehegen; Löwengehege sind bereits für den Anf. des 2. Jt. in Babylonien schriftlich bezeugt (Texte aus Drehem: 3. Dyn. von Ur; → Löwe).

R. D. BARNETT, Assyrische Palastreliefs, o. J., Taf. 81–104 · H. D. GALTER, Paradies und Palmentod, in: B. SCHOLZ, Der orientalische Mensch und seine Beziehungen zur Umwelt, 1989, 237–253.

H. J. N.

II. KLASSISCHE ANTIKE
A. GRIECHENLAND   B. ITALIEN UND ROM

A. GRIECHENLAND

Die Griechen lernten T. im 5./4. Jh. v. Chr. im Zuge der Perserkriege als Privileg asiatischer Herrscher kennen. Erstmals werden die pers. *parádeisoi* bei Xenophon erwähnt (z. B. Xen. hell. 4,1,15; Xen. an. 1,2,7; 1,4,10; Xen. Kyr. 1,4,11); nach Poll. 9,13 wurde das pers. Fremdwort als Fachausdruck ins Griech. übernommen. Diese künstlich angelegten T. waren von Mauern umgrenzt und dienten der königlichen → Jagd; neben Persien sind T. bezeugt in Indien (Curt. 8,9,28), in der Sogdiana (Curt. 8,1,11 f.), in Syrien (Lukian. de Syria Dea 41) und noch in der Spätant. in Babylon (Amm. 24,5,2). In der demokratisch ausgerichteten griech. → *pólis* gab es keine T., da diese aufwendige Form der Jagd als aristokratischer Luxus galt [1]. Erst hell. Herrscher richteten T. ein, die neben der Jagd auch der zoologischen Forsch. dienten: Strab. 12,3,30 bezeugt *zōgreía* in Pontos [2]. Von Ptolemaios [3] II. ist bekannt, daß er exotische Tiere fangen und beim großen Umzug der → Ptolemaia mitführen ließ (Athen. 5,197C und 200F; Diod. 3,36,3; 3,37,7–9; [2]); dies impliziert ebenso wie Zähmungsversuche längere Haltung und wohl auch Zurschaustellung der Tiere in Gehegen [3].

B. ITALIEN UND ROM

Erstmals soll es zur Zeit des jüngeren Scipio Africanus (Mitte des 2. Jh. v. Chr.) in Italien T. gegeben haben (Gell. 2,20). Aus diesen mit Eichenbrettern umzäunten *roboraria* oder *leporaria* (Varro rust. 3,3,2), in denen nur → Hasen gehalten wurden, entwickelten sich zu Beginn des 1. Jh. v. Chr. auf den Landgütern der Oberschicht umzäunte, z. T. mehr als 10 Hektar große T. Sie umfaßten Gehege (*leporaria*, *vivaria*; Varro rust. 3,12,1 f.; Plin. nat. 8,211) für Rot- und Schwarzwild, Wildziegen und -schafe, Volieren (*aviaria*) für → Pfauen, → Tauben und → Drosseln sowie Teiche (*piscinae*) für Süß- und Salzwasserfische (Gell. 2,20; Hinweise über die Anlage eines T. bei Colum. 9,1). Diese privaten T. dienten der Jagd und dem wirtschaftlichen Nutzen [4] (nach Varro rust. 3,6,1 verdiente M. Aufidius [1 6] Lurco im Jahr 60000 Sesterzen durch den Verkauf von Pfauen an reiche Feinschmecker), wichtigstes Motiv war jedoch die Befriedigung ästhetischer Bedürfnisse. Tiere bildeten die Staffage in einer idyllisch inszenierten Landschaft [5]: Varro (rust. 3,13,3) beschreibt einen T., in dem Tiere von einem als Orpheus verkleideten Sklaven durch Hornsignale angelockt werden. Daneben gab es öffentliche Tierschauen, die eng verbunden waren mit der Präsentation exotischer Exemplare in Tierhetzen im Amphitheater (→ *amphitheatrum*). M. Fulvius [I 15] Nobilior veranstaltete 186 v. Chr. die erste → *venatio*, bei der das Publikum Löwen und Leoparden sah (Liv. 39,22,1 f.) [6]. In der Kaiserzeit wurden Tiere geschmückt (Sen. epist. 41,6) und in Käfigen präsentiert (Plin. nat. 8,65; 36,40; Suet. Aug. 43,4); gezeigt wurden z. B. Löwen, Elefanten, Tiger, Panther, Giraffen, Nashörner, Flußpferde, Krokodile, Elche, Schlangen, Auerochsen, Eber, Bären [7]. Die größte Slg. wilder Tiere in Rom zeigte Gordianus III. während seiner Aedilität (SHA Gord. 3,6–8). Die letzten Tierschauen, von denen wir hören, sind die des Kaisers Probus im J. 281 n.Chr. (SHA Probus 19).

Diese Tierschauen waren keine festen Einrichtungen. Nur das kaiserliche Elefantengehege zw. Laurentum und Ardea (ILS 1578), in dem die bei Triumphzügen (→ Triumph) und Tierhetzen verwendeten Elefanten gehalten wurden, und Neros Privatzoo in seiner → domus aurea (Suet. Nero 31,1) hatten längeren Bestand. Der Gedanke der Arterhaltung war den Römern fremd, die ausgestellten Tiere waren überwiegend für das Amphitheater bestimmt. Sie wurden mit dem Anwachsen des Reiches immer exotischer, da die Römer darin einen Beweis für die Ausdehnung ihrer Herrschaft sahen. Die ungeheure Zahl der nach Rom eingeführten Tiere führte sogar zur Ausrottung bestimmter Tierarten [8]. Manche Kaiser, z.B. Commodus (Cass. Dio 72, 10,3), traten selbst in der Arena als Tiertöter auf, da die königliche Jagd zunehmend der monarchischen Repräsentation diente [9]. Speziell die Löwen- und Elefantenjagd war kaiserliches Privileg wie schon der Besitz von Elefanten (SHA Aurelian. 5,6). So entstanden nach dem Vorbild der persischen *parádeisoi* große T. in der Nähe kaiserlicher Jagdvillen.

→ Garten; Haustiere (s. Nachträge); Jagd; Paradeisos; Venatio; Villa

1 J. K. ANDERSON, Hunting in the Ancient World, 1985, 17–29 2 H. VOLKMANN, s.v. Ptolemaia, RE 23, 1582 3 C. SCHNEIDER, Kulturgesch. des Hell., Bd. 1, 1967, 535 4 H. DOHR, Die ital. Gutshöfe nach den Schriften Catos und Varros, 1965, 7 5 P. GRIMAL, Les jardins romains, 1969, 287–292 6 TOYNBEE, Tierwelt, 4 7 FRIEDLÄNDER, Bd. 4, 268–275 8 FRIEDLÄNDER, Bd. 2, 82 9 A. DEMANDT, Privatleben der röm. Kaiser, 1996, 147–156.

J. P. V. D. BALSDON, Life and Leisure in Ancient Rome, 1974, 302–313 · FRIEDLÄNDER, Bd. 2, 77–89 · G. LAFAYE, s.v. Vivarium, DS Bd. 5, 957–962 · U. DIERAUER, Tier und Mensch im Denken der Antike, 1977 · G. JENNISON, Animals for Shows and Pleasure in Ancient Rome, 1937 · TOYNBEE, Tierwelt, 2–23; 276 · K. W. WEEBER, Alltag im alten Rom, 1995, 418f. · K. ZIEGLER, s.v. Paradeisos, RE 18.3, 1131–1134. S.MÜ.

Tiergefäße s. Rhyton

Tierheilkunde s. Hippiatrika; Mulomedicina Chironis; Veterinärmedizin

Tierkreis (Zodiakos: ζῳδιακὸς κύκλος/*zōidiakós kýklos*, lat. *zodiacus* oder *signifer*, wörtl.: »Kreis von Lebewesen«). I. ASTRONOMIE II. GESCHICHTE III. ASTROLOGIE IV. IKONOGRAPHIE V. REZEPTION

I. ASTRONOMIE

Der T. ist einer der elf Himmelskreise (→ *kýkloi*); groß, schief und fest, konstituiert durch die Bahn von → Sonne, → Mond und → Planeten, wegen der dort stattfindenden → Finsternisse auch → Ekliptik genannt: ein schräges Band von ca. 12° Breite zw. den beiden Wendekreisen, das den Äquator im Frühlings- und Herbstpunkt schneidet. Die → Milchstraße schneidet den T. in den Zwillingen und dem Schützen; in den Zwillingen scheint sich die Sonne zudem in ihrem Apogäum am langsamsten, im Schützen in ihrem Perigäum am schnellsten zu bewegen. Der T. teilte den Himmel in einen nördlichen und einen südlichen Teil (anstelle des h. maßgebenden Himmelsäquators). Je nach Stellung zum Horizont gehen die T.-Z. (Z. = Zeichen) entweder schräg und schnell auf und steil und langsam unter (das Extrem beim Widder) oder umgekehrt (das Extrem bei der Waage).

Der Beginn des T. ist beliebig: → Eudoxos [1] und → Aratos [4] beginnen mit dem Krebs, dem ägypt. Kalender entsprechend, der im Sommer zur Zeit der Nilschwelle einsetzte; später ließ man den T. nach dem alten röm. → Kalender mit dem Widder anfangen. Dionysios [25] (3. Jh. v.Chr.) benannte seine Monate nach den T.-Z. Da sich der Aufenthalt der Sonne in den T.-Z. nicht mit den − regional sehr verschiedenen − kalendarischen Monaten deckte, schwanken die Parallelisierungen mit kalendarischen Monaten: Der Widder gehörte damals teilweise zum März, teilweise zum April. Spätere Reihen beginnen nach dem neuen röm. Kalender mit Steinbock oder Wassermann.

Die einzelnen Z. hießen ζῴδιον/*zōídion*, lat. *signum* (singulär *sigillum*). Die Ausdehnung ihrer Figuren ist variabel und schwankt zw. 20° (Krebs) und 44° (Jungfrau). Die Jahrpunkte wurden verschieden angenommen: bei 1° (für 0°, die Z.-Grenze), 8°, 10°, 12° oder 15°; Hipparchos [6] übernahm von den Babyloniern den Wert 8°, der von da an vorherrschte. Spätestens seit Geminos (1,3–5) unterschied man zw. den Figuren der Sternbilder (ζῴδια κατηστερισμένα/*zōídia katēsterisména*) und den abstrakten 30°-Abschnitten (δωδεκατημόρια/*dōdekatēmória*). Infolge der von Hipparchos entdeckten Präzession verschieben sich die Grenzen in ca. 71,6 J. um einen Grad von Westen nach Osten (die Ant. rechnete mit einer langsameren Bewegung von einem Grad in 100 J.). Ptolemaios zählt in seinem Sternkatalog der *Sýntaxis* (→ Ptolemaios [65], s. II.A.1. Almagest) 346 Sterne auf, darunter fünf erster und neun zweiter Größe. Der hellste ist Regulus, das »Herz« des Löwen. Bemerkenswert ist das gradmäßig genau gegenüberliegende Paar der beiden rötlichen Hauptsterne von Stier (Aldebaran) und Skorpion (Antares). W.H.

II. GESCHICHTE
A. BABYLONIEN B. KLASSISCHE ANTIKE

A. BABYLONIEN

Die als »Sterne im Weg des Mondes« bezeichneten 17 oder 18 Sternbilder im astronomischen Kompendium MUL.APIN (um 1000 v.Chr.) entsprechen den später zwölf T.-Bildern; ein Wort für den T. gab es in Baby-

Namen deutsch	Namen griechisch	Namen lateinisch	Melothesie	Zwölfgötter
Widder	*Kriós*	*Aries*	Kopf	Minerva
Stier	*Taúros*	*Taurus*	Hals	Venus
Zwillinge	*Dídymoi*	*Gemini*	Schultern, Arme	Apollo
Krebs	*Karkínos*	*Cancer*	Brust	Mercurius
Löwe	*Léōn*	*Leo*	Seiten	Iuppiter
Jungfrau	*Parthénos*	*Virgo*	Leib	Ceres
Waage	*Zygós (Chēlaí)*	*Libra*	Gesäß	Vulcanus
Skorpion	*Skorpíos*	*Scorpius (-io)*	Genitalien	Mars
Schütze	*Toxótēs*	*Sagittarius*	Oberschenkel	Diana
Steinbock	*Aigókerōs*	*Capricornus*	Knie	Vesta
Wassermann	*Hydrochóos*	*Aquarius*	Unterschenkel	Iuno
Fische	*Ichthýes*	*Pisces*	Füße	Neptunus

Die Zeichen des Tierkreises

lonien nicht. Die Bilder sind dieselben wie beim griech. T., außer Aries (babylon. »Mietarbeiter«), Virgo (»Saatfurche«) und Aquarius (»Großer«). Die T.-Zeichen von je 30° Länge wurden um 500 v. Chr. in Babylonien erfunden [1] und in mathematisch-astronomischen Texten verwendet. In der → Astrologie wurden die T.-Zeichen mit Monaten in Beziehung gesetzt [2]. Durch Teilung der einzelnen Zeichen in zwölf Abschnitte kann ein Mikro-T. konstruiert werden [3; 4].
→ Astronomie B.

1 O. NEUGEBAUER, A History of Ancient Mathematical Astronomy, 1975, 593 2 E. REINER, Astral Magic in Babylonia, 1995, 116f. 3 A. SACHS Babylonian Horoscopes, in: JCS 6, 1952, 71–73 4 E. WEIDNER, Gestirn-Darstellungen auf babylonischen Tontafeln, 1967, 13–28.

B. L. VAN DER WAERDEN, History of the Zodiac, in: AfO 16, 1952/53, 216–230.   H. HU.

B. KLASSISCHE ANTIKE

Wann der T. mit der Verlagerung des Hauptaugenmerks vom Mond auf die Sonne ein festes System geworden ist, ist ungewiß – die Griechen führten seine »Erfindung« auf → Kleostratos von Tenedos (um 520 v. Chr.) zurück. Den T. kennen bereits → Meton [2] am E. des 5. Jh. sowie → Kallippos [5] und → Eudoxos [1] im 4. Jh. v. Chr. Die Waage, die als Name bereits bei den Babyloniern begegnet, soll als letzte an die Stelle der übergroß ausladenden Scheren oder Zangen des Skorpions getreten sein, was Vergilius im Prooemium zu den *Georgica* für einen panegyrischen Appell ausnutzt [24]. Alexandros [4] d. Gr. soll ein Löwe gewesen sein, Augustus wählte nicht die von Vergil vorgeschlagene Waage, sondern den Steinbock als Gegenfigur zum Krokodil der Ägypter, einem → Paranatellon (extrazodiakalen Begleitsternbild) der Fische. Der Meridian auf dem Marsfeld ([9]; modifizierend [39]) enthielt die griech. Namen der T.-Z. in Abkürzung. Die h. gebräuchlichen Symbole sind erst ma. Ursprungs, ebenso die in griech. Hss. verwendeten Kürzel.

III. ASTROLOGIE

Das lange Zeit gültige astrologische System des T. stammt aus dem Hell. Ausführliche Beschreibungen der einzelnen Z. enthalten die Werke von → Manilius [III 1], → Dorotheos [5], → Vettius Valens, → Hephaistion [5], → Firmicus Maternus (verstümmelt), → Paulos [2] aus Alexandreia und → Rhetorios (der aus → Antiochos [23] schöpft wie dann im 12. Jh. Johannes Kamateros), nicht aber die *Apotelesmatiká* des Ptolemaios [65] (II.B.1.). Die T.-Z. wurden vielfältig klassifiziert: nach den Jahreszeiten, nach doppelten, ganzen und halben, menschen- und tiergestaltigen, sprachbegabten (weil vernunftbegabten), halb sprechenden und stimmlosen, männlichen und weiblichen, zum Tag und zur Nacht gehörenden, laufenden, stehenden, sitzenden und liegenden usw. [25]. Dabei versuchte man spekulativ, die Astrothesie (abgebildeten Konstellationen) mit Quadranten- oder Aspektsystemen in Einklang zu bringen [25. 430–463]. Man zwängte z. B. die menschengestaltigen Z. in das dritte Dreieck (s. Abb. 1) oder die doppelten und geflügelten Z. in das dritte Quadrat (s. Abb. 2). Aus diesem Grunde avancierte das einzige leblose Gerät, die Waage, zu einem menschlichen Zeichen, indem man sie einer Trägerfigur in die Hand gab. Dagegen besteht das vierte und letzte Dreieck aus menschenfernen Z., den Arthropoden Krebs und Skorpion sowie den Fischen.

Zu den günstigen (Dreiecken und Sechsecken) und den ungünstigen Aspekten (Quadraten und Oppositionen) kommen die Parallelverbindungen der einander sehenden, befehlenden und gehorchenden sowie der einander liebenden und hassenden Z. [25. 52–72, 509–514] (s. Abb. 9 zu → Planeten).

Umstritten war, ob die Planeten oder die T.-Z. für die Prognosen der menschlichen Schicksale wichtiger seien. Die Planeten haben im T. ihre Häuser [6. 182–192]: die Sonne den Löwen, der Mond den Krebs, danach die fünf echten Planeten aufsteigend auf der Sonnenseite je ein Tag- und auf der Mondseite je ein Nachthaus, ferner ihre Erhöhungen und Erniedrigun-

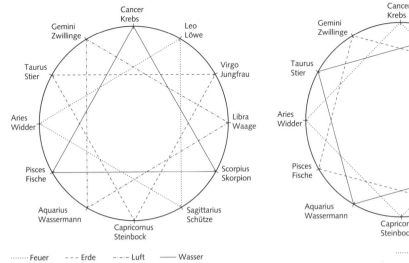

Abb. 1: Die vier Trigone

Abb. 2: Die drei Quadrate

gen [6. 192–199] sowie ihre Gradbezirke [6. 206–215; 29. Bd. 1, 178–220]. Sie bestimmen ferner die Qualitäten der hellen Fixsterne innerhalb und außerhalb des T. [29. Bd. 1, 221–251].

Der T. wurde in ein universales Netz kosmischer Bezüge integriert. Die Melothesie parallelisiert die zwölf Z. mit den Gliedern des menschlichen Körpers, wobei den Planeten die inneren Organe vorbehalten bleiben [23]. Eng verwandt ist damit das seltene System der → Zwölfgötter (Manil. 2,433–452, [3. 472–478]), die sich in sechs männlich-weiblichen Paaren gegenüberliegen [27. 237–242; 46. 825–827]. Die Verteilung der Z. auf die zwölf Länder der → Oikumene variiert erheblich, je nach zeitlichem und nationalem Bezugspunkt [11]. Gruppiert zu den vier Dreiecken (Trigona, Triplizitäten: vgl. Abb. 1) kombinierte man die T.-Z. in späterer Zeit mit den Elementen und deren Grundqualitäten (→ Elementenlehre), den Säften der Humoralpathologie (→ Säftelehre) und deren Geschmacksrichtungen und – bes. vielfältig – mit den vier Himmelsrichtungen [25. 261–274, 441–452], dann auch mit den Metallen, Pflanzen, Tieren (Vögeln), Edelsteinen und deren Farben sowie den Buchstaben des griech. Alphabets [3. 369–472; 12. 84 f.]. Nach dem System der Chronokratorie (»Zeitherrschaft«) regieren die Z. Zyklen von zwölf J. (Dodekaeteriden), Monaten (Menologien), Tagen und Stunden.

Parallel zum T. findet sich bei → Teukros [4] unter ägypt. Einfluß ein tatsächlich nur aus Tieren bestehender Zwölferkreis, die *dōdekaóros* (»Zwölfstundenkreis«), die sich am besten als Metastasen des Sonnengottes in den zwölf Doppelstunden erklären lassen [28] (mit Beginn beim Widder): Kater – Hund – Schlange – Käfer – Esel – Löwe – Bock – Stier – Sperber – Affe – Ibis – Krokodil. Diese Tiere werden auch zu den → Parana-

tellonten gerechnet [29. Bd. 1, 103 f.]. Verwandt ist damit die seit dem 1. Jh. n. Chr. bezeugte ostasiatische T. [3. 295–346; 4].

Die einzelnen T.-Z. weisen besondere, teilweise auch als »nebelartig« bezeichnete und daher Augenschäden verursachende Krisenstellen auf wie die → Plejaden im Stier, die Krippe im Krebs, die Mähne des Löwen, der Stachel am Ende des Skorpions, der der Pfeilspitze des Schützen entgegengerichtet ist, der Dorn (ἄκανθα/*ákantha*) des Steinbocks, der Guß des Wassermanns oder der Knoten im Band der Fische. Eine ungünstige Wirkung wurde bes. in den letzten Graden der T.-Z. angenommen. Die einzelnen Z. des T. wurden ferner eingeteilt: nach den 36 Dekanen zu 10° (einer ägypt. Sonderlehre [20]), nach Planetenbezirken (ὅρια/*hória*), die teilweise eigene Namen bekamen, nach Zwölfteln zu 2,5° der Z. des T. selbst (Manil. 2,738–787), in einem quincunx-artigen Fünferschema nach Wetterqualitäten (Ptol. apotelesmatika 2,12), nach hellen, schattigen, dunklen und leeren Graden [29. Bd. 1, Kap. 3] und schließlich nach Einzelgradbezirken (*monomoiríai*), die teilweise das Wetter bestimmen [29. Bd. 1, 172–177] und deren Variationsfülle ins Uferlose geht [29. Bd. 1, Kap. 2]. Modifiziert wurden die Wirkungen der T.-Z. durch gleichzeitig aufgehende helle Einzelsterne, denen im Anschluß an Ptol. apotelesmatika 1,9 bestimmte Planetenqualitäten zugewiesen wurden, sowie durch Paranatellonten, teilweise auch Partien der Z. selbst [3; 29. Bd. 1, Kap. 1]. Unter den Einzelsternen gehören die *stellae regiae* (wörtl. »königliche Sterne«; Firm. mathesis 6,2; 8,31) Aldebaran, Regulus und Antares zum »festen« Quadrat (s. Abb. 2), einen vierten markanten Stern suchte man in der Gegend des Wassermanns vergebens.

Die Wirkungen des T. listete man zeichenweise auf in »Zodiologien« (bisweilen par. zu den zwölf Monaten oder nach Junge oder Mädchen getrennt), ferner in Brontologien (Gewitterprognosen, vgl. → Tonitrualia, κεραυνολόγια/*keraunológia*), Seismologien (Erdbebenprognosen), Kometologien (Kometenprognosen), Kalandologien (kalendarische Prognosen), Ekliptologien (Finsternisprognosen), Menologien (Monatsprognosen) oder Hemerologien (Tagesprognosen).

IV. IKONOGRAPHIE

Babylonische Darstellungen der T.-Z. sind umstritten. Die frühesten griech. Beispiele von Abb. des T. stammen aus dem 2. Jh. v. Chr. [17; 18; 19]. Die ägypt. Darstellungen des T. sind eigenwillig, sie bilden den T. zusammen mit den Dekanen häufig auf der Innenseite von Sargdeckeln ab [35]. Der T. erscheint in der griech.-röm. Ant. als Band oder Ring, als Kreis (bisweilen mit der Sonne in der Mitte), als Serie einzelner Bilder (später auch auf Medaillons) auf Ton, Stein, Mosaiken, Metall (Mz.), auf Globen, → Parapegmen und später in ma. Hss. wieder als Ring oder Kreis oder innerhalb von Planisphären und Hemisphären (Slg. [18; 19]); bes. wertvoll für die ant. Ikonographie ist der Codex Leidensis Vossianus lat. 79 aus karolingischer Zeit). Den Höhepunkt bilden die Zeugnisse des 2. Jh. n. Chr., die teilweise zum Kult des → Mithras gehören. Danach verhinderte das erstarkende Christentum die weitere Verbreitung des T.

V. REZEPTION

Der T. wurde in himmelskundlichen Lehrgedichten besungen; Aratos [4] streift ihn nur kurz, während Manilius ihn stark aufwertet, weil er vieles rein zodiakal bestimmt, was andere Quellen planetar definieren [27]. Nonnos' *Dionysiaká* können als eine zodiakale teleologische Gesch.-Konstruktion in 48 B. (= 12 Zodia × 4 Jahreszeiten) betrachtet werden [41. 161–230]. Überl. sind etliche Kataloge der T.-Z. im Umfang von 13 Versen bis zu einem einzigen (Slg. [31. 373–377]). Der bekannteste, seit Johannes von Sacrobosco (Mitte 13. Jh.) belegte hexametrische Zweizeiler lautet: *Sunt Aries Taurus Gemini Cancer Leo Virgo / Libraque Scorpius Arcitenens Caper Amphora Pisces.* Der T. diente auch in der Mnemotechnik (→ *memoria*) als räumliches Raster.

Die Ägypter sahen in den T.-Z. Metastasen des Sonnengottes (vgl. Macr. Sat. 1,21,16–27), → Oinopides soll die Schiefe des T. auf Apollon Loxias bezogen haben (Macr. Sat. 1,17,31). Die Bed. des T. auf den Denkmälern des Mithraskultes ist umstritten (doch scheidet die Erklärung durch die Präzession des Frühlingspunktes vom Stier in den Widder aus [44]). Der Völkerkatalog des Paulus [2] (Apg 2,9–11) ist zodiakal gegliedert [48]. Im 2. Jh. n. Chr. bezog der Valentinianer → Theodotos [10] die leibliche Geburt der Menschen auf den T. und die geistige auf die zwölf Apostel; Priscillianus verband die Patriarchen (Jakobssöhne) mit der Melothesie des T. Nachdem schon der Syrakusaner Empedotimos (bei Varro Men. 560) im T. drei »Tore« vermutet hatte

(das Tor des Herakles beim Skorpion, zwei weitere auf den Grenzen zw. Löwe und Krebs bzw. zw. Wassermann und Fischen), lokalisierte der → Neuplatonismus Platons Mythos vom Ab- und Aufstieg der menschlichen Seelen (Plat. Phaidr. 246d–249d) auf dem T., so daß das Tor des Abstiegs (das Tor der Menschen) im Krebs und das Tor der Rückkehr (das Tor der Götter) im Steinbock lag (Porph. de antro nympharum 22). Aus neuplatonischem Geiste interpretierte der Bischof → Zeno von Verona (vor 380 n. Chr.) in einer Taufpredigt (Tractatus de duodecim signis 1,38) den T. christlich, wobei die beiden Fische am Ende Juden und »Heiden« sowie alle Getauften in all ihrer Vielfalt durch den heilsamen Guß des vorausgehenden »Wassermanns« Christus vereinen [22]. Diese lat. Predigt wurde im 9. Jh. von Pacificus von Verona versifiziert.

Die Juden bildeten den T. auf Fußböden ihrer Synagogen ab [13; 21; 42]; zu den vier bekannten Beispielen vom 4. bis zum 6. Jh. n. Chr. kam 1993 noch ein fünftes [49]; auch Eleasar Kalir (wohl im 6. oder 7. Jh.) und die Midraschim berücksichtigten den T. [26. 22–29]. Im 12. Jh. erweiterte der jüd. Gelehrte Abraham ibn Ezra das System und ordnete nach griech. Vorbild den T.-Z. die 22 Buchstaben des hebräischen Alphabets zu. Juden und Araber vermehrten die Sachnamen dadurch, daß sie den Schützen »Bogen« und den Wassermann »Eimer« nannten.

Die Inder teilten die 30°–Abschnitte in Neuntel zu 3° 20' ein; der T. hatte, ebenso wie bei Persern und Arabern, die Konkurrenz der Mondstationen in den → Lunaria (Selenodromien) auszuhalten. Unter den arab. Astrologen stützt sich bes. Abū Maʿšar auf den T., er beschreibt in seiner einflußreichen ›Großen Einleitung‹ die in der frühen Neuzeit gern in Lit. und bildliche Darstellungen übernommenen griech., indischen und persischen Dekan-Bilder. Kalendarische Zodiologien der christl. Ostkirche verbinden die Z. immer wieder anders mit ihren Heiligen sowie mit dem Kreuz (*staurós*) [26. 101–119, 148–193].

Das lat. MA parallelisierte biblische Gestalten und Situationen mit den T.-Z. [26. 69–85; 30] (→ Typologie). Auf dem Weg über die Araber kam das indische Konkurrenzsystem der 27–30 Mondstationen in den Westen, und so wurden die Mondstationen mit den zwölf Z. des T. kombiniert [14; 43]. Die T.-Z. erscheinen auf den Fassaden gotischer Kathedralen. Philipp von Thaun (ca. 1120) und Spätere ordneten nach dem Vorbild des als Sonne gedeuteten Herakles die Eigenschaften, Taten und Lebensstationen Christi, des *Sol iustitiae* (»Sonne der Gerechtigkeit«, Vulg. Mal 4,2), dem T. zu [26. 120–128]; später geschah dasselbe auch mit Thomas von Aquin und Don Juan (bei Leone Ebreo, ca. 1465–1525). Der T. wurde auch in der ma. und frühneuzeitlichen magischen Praxis eingesetzt. Arnaldus von Villanova (1235–1312) gab in seinem Werk *De sigillis* Anweisungen zur Verfertigung zodiakaler Amulette [26. 139–143], ein magischer Text aus dem 15. Jh. (Staatsbibl. München) schreibt den T.-Z. die lat. Initia (»Anfänge«)

in hebräischer Umschrift bei [36]. Der Kleriker Opicinus de Canistris variierte ca. 1330 den T. etwa 20mal in
spielerischer Unverbindlichkeit [37]. Bartholomeus von
Parma und der spanische jüdische Gelehrte Abravanel
(1437–1509) gliederten die Weltgesch. nach Konjunk-
tionen im T. [34. 233 f.], Robert Holcott (1349) ordnete
das Leben Christi in eine zodiakale Weltgesch. ein
[26. 128]. In der Renaissance verteilte man die zwölf Z.
auf den Wänden von Innenräumen, z. B. im Salone zu
Padua oder im Palazzo Schifanoia in Ferrara. In nicht
geosteten großen Kirchen wie S. Maria degli Angeli in
Rom oder S. Petronio in Bologna projizierten Öhrson-
nenuhren den T. auf den Boden. Die Dichter Basinio da
Parma, Bonincontrius, Pontano u. a. entdeckten auch
die Poetizität des T. wieder. Palingenius Stellatus gliederte seinen *Zodiacus vitae* (1531) ebenso nach dem T.
wie J. W. Pfaff sein B. ›Astrologie‹ (1816). Daß der T. in
der → Iatromathematik lange eine wichtige Rolle spielte, bezeugen die vielen Figuren für das Aderlassen, in
denen die Körperteile durch T.-Z. bezeichnet wurden
[25. 230–238].

Als die Gegenreformation daran ging, den ant. Stern-
himmel zu verchristlichen, wurden die T.-Z. zu den
zwölf Aposteln oder – im Zuge der sich stark entwik-
kelnden Emblematik – zu den Apostelsymbolen, mit einem entsprechenden dem ma. Merkvers nachempfun-
denen Zweizeiler [26. 50–54], oder im »heraldischen
Globus« des Erhard Weigel (1686) zu Landeswappen.
Man erfand auch zodiakale Kartenspiele. Noch im
17. Jh. diskutierte man die Zugehörigkeit einzelner Länder und Städte zu den T.-Z. Die seit 1781 neu entdeckten
Planeten wurden von den praktizierenden Astrologen
sukzessiv in das Häusersystem des T. eingegliedert.

Der Panbabylonismus belebte die Parallelisierungen
der T.-Z. mit den Patriarchen [26. 30–36], die bis in die
jüngste Zeit reichen, und mit den Aposteln [26. 54–56].
Man erfand neue Gleichsetzungen der T.-Z. mit den
Taten des Herakles oder den vorolympischen Göttern.
C. G. Jung sah in den T.-Z. Archetypen des kollektiven
Unbewußten [40] und beschäftigte sich bes. mit der
»Enantiodromie« (Gegenläufigkeit) der Fische. Obwohl
sich die mod. Astrologie der Tatsache bewußt ist, daß
sich die T.-Z. nicht mehr mit den 30°–Segmenten dek-
ken, benutzt sie weiter ihre Symbolik. Seitdem infolge
der Präzession der Frühlingspunkt den Wassermann erreicht hat, spricht man vom »Wassermannzeitalter«.

Literarisch erscheinen einzelne Z. in Th. Manns
Roman ›Joseph und seine Brüder‹ (1933–1943) und bei
F. Werfel, ›Jeremia‹ (1938). U. Eco, *Il nome della rosa*
(1980) parallelisiert auf neue Weise T. mit Buchstaben.
H. ist der T. gemeinhin bekannter als das Planetensy-
stem. Er ziert immer noch horizontale oder vertikale
Flächen von Sonnenuhren, die Medien und die Klein-
und Gebrauchskunst benutzen die T.-Z. als willkom-
mene Symbole, und die Geburts-Z. sind Gegenstand
geselliger Konversation.

→ Ekliptik; Finsternisse; Iatromathematik; Kalender;
Kykloi; Milchstraße; Mond; Paranatellonta; Planeten;
Pleiaden; Sonne; TIERKREIS

1 G. Aujac, Le zodiaque dans l'astronomie grecque, in:
Rev. d'histoire des sciences 33, 1980, 3–32
2 L. Aurigemma, Le signe zodiacal du Scorpion dans les
traditions occidentales, 1976 3 F. Boll, Sphaera, 1903
4 Ders., Der ostasiatische Tierzyklus im Hell., in: T'oung
Pao 13, 1912, 699–718 5 Ders., W. Gundel, s. v.
Sternbilder, Sternglaube, Roscher 6, 1924–1937, 867–1071
6 A. Bouché-Leclercq, L'astrologie grecque, 1899
7 L. Brack-Bernsen, Über den Ursprung des T., in: Ant.
Naturwiss. und ihre Rezeption 10, 2000, 7–11 8 Dies., The
Babylonian Zodiac, in: Centaurus 41, 1999, 280–292
9 E. Buchner, Die Sonnenuhr des Augustus, 1982
10 F. Cumont, s. v. Zodiacus, DS 5, 1919, 1046–1062
11 G. de Callataÿ, Οἰκουμένη ὑπουράνιος: réflexions sur
l'origine et le sens de la géographie astrologique
(Geographia antiqua 18/19), 1999/2000, 25–70
12 F. Dornseiff, Das Alphabet in Mystik und Magie, ²1925
13 G. Foerster, Representations of the Zodiac in Ancient
Synagogues and Their Iconographic Sources, in:
Eretz-Israel 18, 1985, 380–391 (hebräisch) 14 M. Förster,
Vom Fortleben ant. Sammellunare im Englischen und in
anderen Volkssprachen, in: Anglia 67/8, 1944, 1–171
15 R. Gleadow, The Origin of the Zodiac, 1968
16 F. Gössmann, Planetarium Babylonicum oder Die
umerisch-babylonischen Stern-Namen, 1950
17 H. G. Gundel, Imagines Zodiaci, in: M. B. de Boer
(Hrsg.), Hommages à M. J. Vermaseren, Bd. 1, 1978,
438–454 18 Ders., R. Böker, s. v. Zodiakos, RE 10 A,
461–709 19 Ders., Zodiakos, 1992 20 W. Gundel, Dekane
und Dekansternbilder, 1936 21 R. Hachlili, The Zodiac in
Ancient Jewish Art, Bulletin of the American Schools of
Oriental Research 228, 1977, 61–77 22 W. Hübner, Das
Horoskop der Christen, in: Vigiliae Christianae 29, 1975,
120–137 23 Ders., Eine unbeachtete zodiakale Melothesie
bei Vettius Valens, in: RhM N. F. 120, 1977, 247–254
24 Ders., Das Sternbild der Waage bei den röm. Dichtern,
in: A&A 23, 1977, 50–63 25 Ders., Die Eigenschaften der
T.-Z. in der Ant., 1982 26 Ders., Zodiacus Christianus,
1983 27 Ders., Manilius als Astrologe und Dichter, in:
ANRW II 32.1, 1984, 126–320 28 Ders., Zur
neuplatonischen Deutung und astrologischen Verwendung
der Dodekaoros, in: D. Harlfinger (Hrsg.),
Philophronema. FS M. Sicherl, 1990, 73–103 29 Ders.,
Grade und Gradbezirke der T.-Z., 2 Bde., 1995 30 Ders.,
Verse über den T. in einem Zodiologion aus Gerona, in:
Mittellat. Jb. 34, 1999, 77–99 31 Ders., Une glose à la *massa
Compoti* d'Alexandre de Villedieu contenant des vers sur le
zodiaque, in: L. Callebat (Hrsg.), Science antique –
Science médiévale (Colloque 1998), 2000, 373–389
32 P. Kunitzsch, s. v. Minṭakat al-Burūdj, EI 7, 1990, 81–88
33 Ders., s. v. T., LMA 8, 1997, 770–772 34 A. Merx, Die
Prophetie Joels und seine Ausleger von den ältesten Zeiten
bis zu den Reformatoren, 1879 35 O. Neugebauer,
R. A. Parker, Egyptian Astronomical Texts, 1969
36 M. Plessner, Verwendung d. Psalmen zu astrologischen
Zwecken im spanisch-jüdischen MA, in: Orientalische
Lit.-Ztg. 29, 1926, 788–791 37 R. Salomon, Opicinus de
Canistris. Weltbild und Bekenntnisse eines avignonesischen
Klerikers aus dem 14. Jh., 1936 38 J. H. Scharf, Die
Herkunft einiger T.-Z. und ihrer heutigen Benennung, in:
Die Sterne 62, 1986, 159–163 39 M. Schütz, Zur
Sonnenuhr des Augustus auf dem Marsfeld, in: Gymnasium
97, 1990, 432–457 40 J. Schwabe, Archetyp und T., 1951
41 V. Stegemann, Astrologie und Universalgesch., 1930

42 G. STEMBERGER, Die Bed. des T. auf Mosaikfußböden
spätant. Synagogen, in: Kairos N. F. 17, 1975, 23–56
43 E. SVENBERG, Lunaria et zodiologia latina, 1963
44 D. ULANSEY, The Origins of the Mithraic Mysteries,
²1990 (dt. mit Diskussion 1998) 45 B. L. VAN DER WAERDEN,
History of the Zodiac, in: AfO 16, 1952/3, 216–230
46 O. WEINREICH, s. v. Zwölfgötter, ROSCHER 6,
1924–1937, 764–848 48 ST. WEINSTOCK, The Geographical
Catalogue in Acts II,9–11, in: JRS 38, 1948, 43–46
49 Z. WEISS, E. NETZER, Promise and Redemption.
A Synagoge Mosaic from Sepphoris, 1996.   W. H.

Tiermumien s. Mumie

Tifata (τὰ Τιφατῖνα ὄρη/*ta Tiphatína órē*). Mit Eichen
dicht bewaldetes (Sil. 13,219; zur Bed. des Namens vgl.
Fest. 503: *T. iliceta*, »T. bedeutet Eichenwald«) Bergland
im Osten von Capua, h. Monti di Maddaloni mit der
höchsten Erhebung im h. Monte T. (604 m H). Am
Westhang, ca. 30 Stadien (ca. 5–6 km) von Capua entfernt, befand sich ein Tempel der Diana Tifatina (Paus.
5,12,3; Tab. Peut. 6,3; → Capua E.), am Osthang ein
Tempel des Iuppiter Tifatinus (Tab. Peut. 6,4; Fundamente unter der Ruine der Cappella di San Nicola).
Hier fanden immer wieder Räuberbanden Deckung
(Cass. Dio 42,25), → Hannibal [4] operierte von hier aus
längere Zeit (Liv. 23,36–43; 24,12,3 zum J. 215 v. Chr.),
hier erfocht → Cornelius [I 90] Sulla 83 v. Chr. einen
Sieg über den Consul Norbanus [I 1] (vgl. [1. 36, 243]).

1 M. FREDERIKSEN, Campania, 1984.

H. PHILIPP, s. v. T. (2), RE 6 A, 932 f.   V. S.

Tifatina s. Capua E.

Tifernum Tiberinum. Stadt in Umbria (→ Umbri;
Plin. nat. 3,114) im oberen Tal des → Tiberis, h. Città di
Castello; keine Überreste erh.; → *municipium* der *tribus
Clustumina* (CIL XI 5939; 5942). T. war über Straßen mit
→ Perusia und → Arretium verbunden. In der Nähe ein
Heiligtum im orientalisierenden Stil; Thermen bei Ri-
gnaldello. Nördl. von T. befand sich eine → *villa* des
Plinius [2] d. J. (Plin. epist. 4,1; 5,6; h. Colle Plinio bei
Lama, Selci).

R. MARGHERINI GRAZIANI, Storia di Città di Castello,
1890 · D. DIRINGER, Edizione Archeologica della Carta
d'Italia, fol. 115, 1930 · L. SENSI, Città di Castello, in:
C. RENZI (Hrsg.), L'Appennino, 1998, 63–82.
                                        G. U./Ü: J. W. MA.

Tifernus. Fluß in Samnium (→ Samnites; Plin. nat.
3,103; 3,106; Ptol. 3,1,18: Φιτέρνος/*Phitérnos*), h. Bifer-
no. Er entspringt am *T. mons* (h. Matese), bildet die
Grenze zu → Campania, fließt durch die Gebiete der
Pentri von → Bovianum und → Fagifulae, trennt die
→ Frentani von den Larinates (→ Larinum) und mündet
südl. von Buca (h. Termoli) in die Adria (→ Ionios Kolpos).

G. BARKER, A Mediterranean Valley, 1995 · S. P. OAKLEY,
The Hill-Forts of the Samnites, 1995, 107–120.
                                        G. U./Ü: J. W. MA.

Tigava

[1] Stadt der Mauretania Caesariensis (→ Afrika [3];
Ptol. 4,2,26; Amm. 29,5,20?) am rechten Ufer des Oued
Chéliff, h. El Kherba. Zunächst → *civitas* (Plin. nat.
5,21), dann → *municipium* (Itin. Anton. 38,1). Inschr.:
CIL VIII 2, 9648; 10946 f.; Suppl. 3, 21497 f.; 22569 f.;
22579; AE 1955, 149.

F. WINDBERG, s. v. T. (2), RE 6 A, 942 f.

[2] Kastell in der Mauretania Caesariensis (→ Afrika [3];
Itin. Anton. 38,3), am linken Ufer des Oued Chéliff zw.
Oppidum Novum (h. Ksar el Kebir) und → Tingis, h. El
Khadra.

R. BLOCH, Les T. castra, in: MEFRA 58 (1941–1946), 1947,
9–42, Taf. I f. · F. WINDBERG, s. v. T. (1), RE 6 A, 942.
                                        W. HU.

Tigellinus s. Ofonius

Tigellius. Seltener lat. Gentilname (ILS 1687; CIL VI
27412 f.; FiE III 8; AE 1975,788; SEG 29,1105 f.; 33,179).
Der Freigelassene [2. 269 f.] M. T. Hermogenes aus Sardinien (Cic. fam. 7,24) war ein für Reichtum und Verschwendung (Hor. sat. 1,3,1–19; 1,3,129 f.) berühmter
Musiker, Sänger und Mäzen. C. Licinius [I 31] Calvus
verhöhnte ihn; Cicero, der mit T. wegen dessen Onkel
(?) Phamea verfeindet war (Cic. Att. 13,49), fürchtete
seinen Einfluß bei Caesar (der bis zu Kleopatra [II 12]
VII. und Octavianus [1] reichte: Porph. in Hor. sat.
1,2,1; 1,3,4). T. – [1. 86²] u. a. unterscheiden zwei Personen – starb 40 v. Chr. oder kurz danach (Hor. sat.
1,2,1–4).

1 E. FRAENKEL, Horace, 1957 2 S. TREGGIARI, Roman
Freedmen during the Late Republic, 1969.   JÖ. F.

Tiger (Felis tigris L., griech. ὁ/ἡ τίγρις/*tígris*, lat. *tigris*),
die in Asien urspr. von Hyrkanien bis Indien (falsch bei
Ptol. 4,8,4: Aithiopien) verbreitete gestreifte (vgl. Plin.
nat. 8,62) Großkatze. Nach Varro ling. 5,100 und Strab.
11,14,8 (Bezeichnung τόξευμα/*tóxeuma*; vgl. Isid. orig.
12,2,7: *sagitta* bei Medern und Persern) ist der Name von
iran. *tigra* = »spitz«, »scharf« abgeleitet. Die Griechen
lernten das Tier erst durch den Alexanderzug kennen
(Curt. 9,30,1; Ps.-Kallisthenes 3,17,32; Arr. Ind. 15,1 f.).
Ktesias (FGrH 688 F 45,15) beschreibt nach ind. Quellen
das menschenfressende Ungeheuer μαρτιχόρας/*mar-
tichóras* (bei Aristot. hist. an. 2,1,501a 25–b 1 liegt eine
Ktesias zitierende Interpolation vor) so, daß Paus.
9,21,4 f. zu einer Identifizierung mit dem T. kommt.
Die Behauptung des Aristoteles (hist. an. 8(9),28,607a
3–8), der T. kreuze sich mit dem Hund, beruht auf einem Mißverständnis. Plin. nat. 8,66 und Opp. kyn.
3,340–363 heben u. a. die enorme Schnelligkeit seines
Sprunges auf die Beute hervor. Die große Wurfzahl
(Plin. nat. 8,66; Mela 3,43) ist Jägerlatein. Man fing in

Indien v.a. junge T. (Opp. kyn. 3,363; Mela 3,43; Amm. 23,6,50; Timotheus Gazaeus 9) als Geschenk für Fürsten und Könige (u.a. Ktesias l.c.; Ail. nat. 15,14). Das Muttertier pflegte den berittenen Jäger zu verfolgen und mußte von diesem durch einen abgeworfenen Spiegel ([1. Abb. 24] aus Piazza Armerina/Sizilien; Claud. rapt. Pros. 3,263–68) abgelenkt werden.

Seleukos [2] I. Nikator (312–281 v.Chr.) schenkte als erster den Athenern einen T. (Athen. 13,590a). Der erste T. in It. wurde Augustus 19 v.Chr. von ind. Gesandten übergeben (Cass. Dio 54,9,8). Zur Eröffnung des Marcellus-Theaters (→ theatrum Marcelli) im J. 11 v.Chr. wurde ein gezähmter T. vorgeführt (Plin. nat. 8,65; Suet. Aug. 43; vgl. Sen. epist. 85,41; Mart. 21,1; Plut. mor. 974c). Bei Jagden im Amphitheater und bei Gladiatorenspielen wurden bis zu 51 Tiere (bei Elagabals Hochzeit: Cass. Dio 79,9,2) gezeigt (→ munus, munera II.; → venatio). Auf Jagdmosaiken ist der T. öfters zu sehen [1. Abb. 22–23, vgl. Text 64–69].

In der Myth. ist der T. wie der → Luchs und der → Panther Begleiter des → Dionysos, v.a. auf dessen Indienzug. So erscheinen Fell und Gespann bei Vergil (Verg. ecl. 5,29; Verg. Aen. 6,805) und Horaz (carm. 3,3,14f.). Auch zu → Kybele (Ov. epist. 2,80), → Zephyros (Claud. rapt. Pros. 3,266; Opp. kyn. 3,354), → Priapos und → Eros (in arch. Quellen wie z.B. auf Gemmen [2. Taf. 15,6]) wird er in Beziehung gesetzt.

1 TOYNBEE, Tierwelt 2 F. IMHOOF-BLUMER, O. KELLER, Tier- und Pflanzenbilder auf Mz. und Gemmen des klass. Alt., 1889 (Ndr. 1972).

KELLER 1,61f. • A. STEIER, s.v. T., RE 8 A, 1662–1668.
C.HÜ.

Tigidius. Mächtiger → praefectus praetorio unter Kaiser → Commodus. Sex.(?) T. Perennis hatte wohl schon unter Marcus [2] Aurelius den hohen Rang eines → praefectus [4] annonae erreicht (sein Name eradiert in der → Tabula Banasitana; AE 1971, 534) und war dann neben Tarrutenius Paternus von Commodus zum praefectus praetorio ernannt worden (SHA Comm. 4,7; 14,8; ungenau Herodian. 1,8,1); mit ihm beseitigte er → Saoteros, dessen einflußreichen Kämmerer (SHA Comm. 4,5). Kurz darauf erreichte T. die Hinrichtung des Paternus (Cass. Dio 72,10,1; SHA Comm. 4,7f.). T. hielt den Kaiser durch zahlreiche Vergnügungen von den Regierungsgeschäften fern und plante, die Macht selbst an sich zu reißen (SHA Comm. 5,1–3; Cass. Dio 72,9,1f.; Herodian. 1,8,1f.). In dieser Position veranlaßte er zahlreiche Hinrichtungen und Verurteilungen, darunter die der Schwester des Kaisers, → Lucilla, und des Märtyrers → Apollonius. Sein Einfluß zwang auch den P. Helvius → Pertinax, den späteren Kaiser, zum zeitweiligen Rückzug ins Privatleben (Herodian. 1,8,8; Euseb. HE 5,21,2–5). Der Versuch, in Britannien Senatoren aus ihren Dienststellungen zu verdrängen, führte um 185/186 n.Chr. zu seinem Sturz (SHA Comm. 6,2). Nach Herodian. 1,9,1–6 und Cass. Dio 72,9,3 soll T. andererseits eine Verschwörung gegen Commodus an-

gezettelt haben, um seinem eigenen Sohn die Kaiserwürde zu verschaffen.
T.F.

Tigisis. Befestigte Stadt in Numidia (→ Numidae; Tab. Peut. 3,5) auf einem die Ebene Bahiret et-Touila beherrschenden Hügel sö von → Cirta, h. Aïn el-Bordj. Anfangs der colonia Cirta zugehörig, wurde T. später selbständig (curator, → ordo sind belegt). Bischöfe sind seit 305 bezeugt (Aug. epist. 43; Aug. contra Cresconium 3,27,30). Inschr.: CIL VIII 1, 4817–4819; 2, 10162f.; 10819–10826; Suppl. 2, 18764–18782; AE 1957, 175.

AAAlg, Bl.17, Nr.340 • F. WINDBERG, s.v. T. (1), RE 6 A, 957.
W.HU.

Tiglatpileser. In der Bibel (2 Kg 16,7; 1 Chr 5,6; 26; 2 Chr 28,20: Θαλγαθφελλασάρ, Θαλγαφελλάσαρ) und bei Iosephos (ant. Iud. 9,11,1: Θεγλαφαλασάρ) überl. Form des assyrischen Königsnamens Tukultī-apil-Ešarra (»Der Erbsohn des Ešarra-Tempels – d.h. der Gott → Ninurta – ist mein Beistand«). Von den drei assyr. Herrschern, die diesen Namen trugen, waren zwei von größerer Bed.:

[1] T. I. (1115–1076). Mit seinen weitausgreifenden Feldzügen, die u.a. gegen die → Aramäer und Muškū-Leute (→ Moschoi) an den Oberläufen von Euphrat und Tigris gerichtet waren (außerdem Zug in den Libanon und Krieg gegen Babylonien), war er machtpolit. zunächst sehr erfolgreich, doch mußten die Assyrer in den letzten Jahren seiner Herrschaft die von Westen herandrängenden Aramäer wieder erhebliche territoriale Verluste hinnehmen. T. veranlaßte in → Assur und Ninive (→ Ninos [2]) rege Bautätigkeit und verantwortete eine Reihe kultureller Innovationen (z.B. Einführung des babylonischen Standardkalenders), die den Übergang von der mittel- zur neuassyr. Zeit markieren. Neben seinen Inschr., die sich durch die Aufnahme annalenhafter Elemente auszeichnen [2], ist auch ein Preislied auf den König überl. [1].

[2] T. III., auch Pulu genannt (745–727). Nach Feldzügen gegen Nordbabylonien, die Zagros-Region und → Urartu wandte er, wovon auch die Bibel berichtet (Belege s.o.), sein polit. Interesse der »Pazifizierung« des Westens zu. Zunächst wurden die späthethitischen Kleinstaaten Nordsyriens und schließlich, zw. 734 und 732, Aram/→ Damaskos, Transjordanien und Nordisrael (→ Juda und Israel) bezwungen; auch anliegende Staaten wurden zu tributpflichtigen Vasallen der Assyrer, die erstmals bis an die äg. Grenzen vorstießen. Als Krönung seiner ebenso erfolgreichen wie grausamen Expansionspolitik, die von umfangreichen Deportationen (→ Verschleppung) und einer Neuordnung des assyr. Provinzsystems begleitet war, gelang es dem König, 729 den Thron Babyloniens (→ Babylon) zu besteigen. T.s Bautätigkeit konzentrierte sich auf die Residenzstadt → Kalhu, wo zahlreiche Orthostaten mit den umfangreichen, aber stark beschädigten Annalen des Königs gefunden wurden [3].
→ Mesopotamien

1 B. FOSTER, Before the Muses, 1993, 236–238
2 A. K. GRAYSON, Assyrian Rulers of the Early First
Millennium BC, Bd. 1, 1991, 5–84 3 H. TADMOR, The
Inscriptions of Tiglath-pileser III, 1994. E. FRA.

Tigranes (Τιγράνης).

[1] T. I., Vater von T. [2] (App. Syr. 48), König von
→ Armenia um 120–95 v. Chr.

[2] T. II., Sohn von T. [1], geb. um 140 v. Chr. Gegen
120 v. Chr., nach einem verlorenen Krieg gegen die
→ Parther, an diese übergeben, wurde er 95 nach Armenia entlassen. Für seine Freilassung hatte er ein 70
Täler umfassendes Gebiet abzutreten. Um 93 annektierte T. das sophenische Königreich des → Orontes [6] IV.
Spätestens nach dem Tod des Partherkönigs Mithradates [13] II. (88/87) eroberte er die 70 Täler zurück
und annektierte weitere unter parthischer Herrschaft
stehende Gebiete: Atropatene, Adiabene, Gordyaia,
Osroene und Obermesopotamien mit Nisibis. Um 83
wandte sich T. gegen das Reich der → Seleukiden und
eroberte Kommagene, Phönizien sowie Syrien mit Antiocheia [1].

Der Zusammenbruch dieses armenischen Großrei-
ches ist mit dem Scheitern des Mithradates [6] VI. von
Pontos verknüpft, dessen Schwiegersohn T. zu Anfang
seiner Regierung geworden war (→ Kleopatra [II 16])
und der 71 nach Armenia floh (→ Mithradatische Kriege). Da sich T. weigerte, ihn an die Römer auszuliefern,
weitete sich der Konflikt auf Armenia aus. Licinius
[I 26] Lucullus besiegte 69 ein armen. Heer bei Tigranokerta, eroberte die Stadt, siegte 68 am Arsanias erneut
und nahm im Winter 68/67 → Nisibis ein. Die endgül-
tige Unterwerfung des T. gelang erst Lucullus' Nachfolger Pompeius [I 3], und dies auch nur, weil sich ein
aufständischer Sohn des Königs, T. [3], zu ihm geflüchtet hatte. T. verhinderte jedoch eine Zusammenarbeit
der Römer mit seinem Sohn, indem er sich zu Pompeius begab und sich vor ihm theatralisch demütigte. Er
mußte auf alle Eroberungen verzichten, regierte aber als
amicus et socius des röm. Volkes noch bis ca. 55 v. Chr.

[3] Sohn von T. [2] und der → Kleopatra [II 16] (App.
Mithr. 104), erhob sich 66 v. Chr. gegen seinen Vater.
Von diesem trotz parthischer Hilfe besiegt, floh er zu
Pompeius [I 3] (Cass. Dio 36,51; Plut. Pompeius 33),
der die Kapitulation seines Vaters entgegennahm und
dem jungen T. zu dessen Enttäuschung nur Sophene
und Gordyaia zusprach (App. Mithr. 105). Bald darauf
fiel er bei Pompeius in Ungnade, wurde nach Rom
gebracht (Cass. Dio 36,53) und im Triumph mitgeführt
(Cass. Dio 37,6,2). Bei einem Versuch des P. Clodius
[I 4], ihn zu befreien, kam T. möglicherweise um (App. Mithr. 105).

[4] T. III., ein Sohn des → Artavasdes [2] II. und Enkel
des T. [2] II., wurde bei der Eroberung → Armenias
durch M. Antonius [I 9] (34 v. Chr.) gefangengenommen und nach Alexandreia [1], später nach Rom gebracht. Nach der Ermordung seines Bruders → Artaxias
[2] II. durch romfreundliche Armenier konnte Tiberius

T. 20 v. Chr. zum König proklamieren (R. Gest. div.
Aug. 27; Tac. ann. 2,3; Ios. ant. Iud. 15,4,3).

[5] T. IV., Sohn des T. [4] und Brudergemahl der Erato
[2], folgte spätestens 6 v. Chr. seinem Vater auf den
Thron. Da er den → Parthern zuneigte (vgl. Cass. Dio
55,10,20f.), nominierte Augustus (mit wenig Erfolg)
seinen Onkel → Artavasdes [3] III. gegen ihn. Um die
Zeitwende fiel er im Krieg gegen ein ›barbarisches‹ Volk
(Cass. Dio 55,10a,5).

[6] T. V., Enkel Herodes' [1] d. Gr. (Ios. ant. Iud. 18,
5,4), wohl entfernt mit dem seit T. [5] in der männlichen Linie ausgestorbenen armenischen Herrscherhaus verwandt. Nach der Ermordung des → Artavasdes
[4] IV. wurde er von Augustus zum König von → Armenia ernannt (R. Gest. div. Aug. 27), konnte sich jedoch nicht halten. Er lebte danach in Rom und wurde
36 wegen Majestätsverbrechens hingerichtet (Tac. ann.
6,40).

[7] T. VI., Neffe des T. [6]. Als es Domitius [II 11]
Corbulo im → Partherkrieg unter Nero vorübergehend
gelungen war, den Thronanwärter Tiridates [5] aus dem
Feld zu schlagen, wurde T. um 60 zum König ernannt
(Tac. ann. 14,26). Dabei war wohl nur an eine Interims-
lösung gedacht, denn im Jahr darauf wurde T. anscheinend von der röm. Regierung angewiesen, den Krieg
durch einen Angriff auf das parthische Unterkönigreich
Adiabene zu erneuern. T. konnte zwar noch einen parthischen Angriff auf Tigranokerta abwehren, wurde
aber bald darauf von Rom fallengelassen. Sein Sohn war
→ Iulius [II 6].

M.-L. CHAUMONT, s. v. Armenia and Iran II, EncIr 2,
418–438, bes. 420–424 · M. SCHOTTKY, Media-Atropatene
und Groß-Armenia, 1989 · Ders., Gibt es Münzen
atropatenischer Könige?, in: AMI 23, 1990, 211–227 ·
Ders., Parther, Meder und Hyrkanier, in: AMI 24, 1991,
61–134, bes. 70f.; 121. M. SCH.

Tigranokerta (Τιγρανόκερτα, lat. *Tigranocerta* und *–cer-
tae*, armenisch *T(i)granakert*; erwähnt bei Strab. 11,12,4;
16,1,23; Tac. ann. 15,4f.; Plin. nat. 6,9,26; App. Mithr.
10,67; Plut. Lucullus 11 f.; 26; 29; Tab. Peut. 11,3; Eutr.
6,9,1; Buzandaran Patmut'iwnk' (BP) 4,24; 5,27 [1]). In
der armen. Prov. Arzanene/Ałnik [2] von → Tigranes [2] II. (95–55 v. Chr.) nach 80 v. Chr. gegründete
neue Hauptstadt Armeniens (neben → Artaxata), wo
v. a. Einwohner des kappadokischen Mazaka (später
→ Kaisareia) zwangsangesiedelt wurden [3]. Bei der Eroberung durch Licinius [I 26] Lucullus 69 v. Chr. war T.
noch unfertig. Die hell. Gründung blieb bis in die Spätant. städtisches Zentrum im Westen Armeniens und
wurde nach 359 n. Chr. von Šāpūr II. (→ Sapor [2] II.)
besetzt; im 5. Jh. Sitz eines syrischen und eines armen.
Bischofs [2]. Früher wurde T. mit dem h. Silvan (Mar-
tyropolis/ arab. Miyāfārīqīn/armen. Nprkat) in Armenia identifiziert [3], bzw. mit Tall Arman sw von Mardin
[4]. Wegen der Verbindung mit Arzanene (bei BP 4,24
und Eutr. 6,9,1) plädieren [5], [2] und [6] für die Lokalisierung bei Arzan (Arzn, Erzen, nahe Ikiköprü) im

Osten des Tigrisbeckens, wo sich am Ostufer des Garzansuyu/Yanarsu (Nikephorios?) weite Reste einer bisher noch nicht näher untersuchten Stadt erstrecken.

1 N. GARSOÏAN, The Epic Histories Attributed to Píawstos Buzand, 1989, 157, 207 (engl. Übers. mit Komm.)
2 R. HEWSEN, The Geography of Ananias of Širak, 1992, 157–162 (engl. Übers. mit Komm.)
3 C. F. LEHMANN-HAUPT, s. v. T., RE 6 A, 981–1007
4 L. DILLEMAN, Haute Mesopotamie orientale et pays adjacents, 1962, 247–263 5 M.-L. CHAUMONT, T.: données du problème et état des recherches, in: Rev. armenienne 21, 1982, 89–110 6 T. S. SINCLAIR, The Site of T., in: Revue armenienne 25, 1994, 188 f.

R. SYME, T. A Problem Misconceived, in: S. MITCHELL (Hrsg.), Armies and Frontiers in Roman and Byzantine Anatolia, 1993, 61–70 • T. S. SINCLAIR, The Site of T., in: Revue armenienne 25, 1994/5, 183–254; 26, 1996/7, 51–118. A. P.-L.

Tigris (sumerisch Idigna, assyrisch-babylonisch *Idiqlat*, griech. Τίγρης (Hdt. 1,189; 1,193; 2,150; 5,52; 6,20), lat. *Tigris* (Plin. nat. 6,129 f. u.ö.), arabisch *Diǧla*, türkisch *Dicle*), mit ca. 1850 km zweitlängster Fluß Vorderasiens. → Euphrates [2] und T. umschließen das → Mesopotamien genannte Zweistromland. Im Alt. zirkulierten unklare Vorstellungen über die Quellen des T. Assyr. Inschr. an der Quellgrotte des Sebene Su lokalisieren dort seinen Ursprung. Plin. nat. 6,127 f., der die Etym. von iranisch *tigri-*, »Pfeil« anführt, nennt einen teilweise unterirdischen Verlauf in Armenien, verbindet den T. mit dem Van-See (→ Thospitis Limne) und meint, daß er parallel zum Arsanias (Murat Nehri) verlaufe. Die wichtigste Stadt am Oberen T., einer assyr. Grenzregion, war → Amida. Von dort aus verläuft der T. nach Osten, die Grenze zur → Sophene und → Gordyaia bildend, mit den Nebenflüssen Batman Suyu (→ Nymphaios) und Bohtan Suyu (→ Kentrites). Danach durchbricht er südwärts das Taurosgebirge und erreicht die nordmesopot. Ebene. Dieser Abschnitt war im 2./3. Jh. n. Chr. zeitweilig die Ostgrenze des röm. Reichs, vgl. auch Namen von Straßenstationen wie *Ad Tigrem* und *Ad flumen Tigrim* (→ Limes VI.). Weiter durchfließt er das assyr. Kernland mit den assyr. Residenzorten Ninive (→ Ninos [2]), → Kalḫu und → Aššur, später auch Teil der → Adiabene; östl. davon lag das sog. Osttigrisgebiet. Wichtigste Nebenflüsse sind dort der Große und Kleine Zāb (→ Kapros [2], → Lykos [14]). Bei Eintritt in die nordbabylon. Alluvialebene mäandriert der T. stark. Wegen der Überschwemmungsgefahr lagen dort vor der hell. Zeit unmittelbar am Ufer keine größeren Siedlungen. Flußschiffahrt war wegen starker Strömung bis auf wenige Abschnitte ohnehin nur flußabwärts mit Hilfe von Flößen möglich. Erst in hell. Zeit und mit der Gründung von → Seleukeia [1] nahm die Bed. der babylon. T.-Region zu. Die Nähe zum Euphrat erlaubte die Anlage von Kanälen (→ Naarmalcha) zw. den Flußsystemen. Wichtigster Nebenfluß im nördl. Babylonien war die Diyālā (→ Tornadotus). Der T. vereinigt sich

h. bei al-Qurna mit dem Euphrat zum Šaṭṭ al-ʿArab, urspr. flossen sie jedoch getrennt zum Golf. Zu seinem unklaren Verlauf nahe der Mündung vgl. Plin. nat. 6,129 f.; 138; 145–147. Der südlichste Abschnitt mit dem Nebenfluß Karhe bzw. Kārūn (→ Eulaios [1], Pasitigris, → Choaspes [1]) durchfließt – eine Insel bildend – die → Mesene bzw. → Charakene mit den Hafenorten → Charax Spasinu und Teredon.
→ Mesopotamien (mit Karte) K. KE.

Tigurini. Teilstamm der → Helvetii, der sich unter → Divico dem Beutezug der → Cimbri anschloß und 107 v. Chr. am (?) → Garumna (h. Garonne) das röm. Heer unter Cassius [I 11] vernichtend schlug. 58 v. Chr. sicherten T. den Übergang der Helvetii über den → Arar und wurden von Labienus [3] angegriffen. Caesar schrieb sich (Caes. Gall. 1,12) diesen Erfolg selbst zu (Plut. Caesar 18,1; dazu [2]), um als Rächer der *clades Cassiana* »Niederlage des Cassius« (vgl. [3]) zu gelten. Evtl. geht der ON Tigring (bei Klagenfurt) auf die T. zurück; vgl. auch die Inschr. [1].

1 J. ŠAŠEL, Huldigung norischer Stämme am Magdalensberg in Kärnten, in: Historia 16, 1967, 70–74 2 F. MÜNZER, s. v. Labienus (6), RE 12, 260–270, hier 261 3 G. WALSER, Bellum Helveticum (Historia ES 118), 1998, 58–59. G. W.

Til Barsip (arab. Tall al-Aḥmar) am Ostufer des Euphrat, ca. 20 km südl. von → Karkemiš. Reste der Obedzeit (5. Jt. v. Chr.), der Frühen, Mittleren und Späten Brz.; mehrere beschriftete Stelen aus der Zeit der luwischen Dyn. des Hapatilas (10./9. Jh. v. Chr.). Unter dem Namen T. B. Hauptort des aram. Kleinfürstentums Bīt-Adini, das der assyrische Herrscher → Salmanassar III. 856 v. Chr. nach mehreren Versuchen eroberte. In dem in Kār Šulmānu-ašarēd umbenannten Ort baute er einen Palast mit reichen Wandmalereien, der Sitz eines assyr. Gouverneurs wurde. Die Stadtmauer umfaßte im 8. und 7. Jh. v. Chr. ein Gebiet von maximal 55 ha. Unter dem Namen Bersiba (Βέρσιμα nach Ptol. 5,18,5) war der Ort in hell. bis spätröm. Zeit eine bedeutende Siedlung zw. Edessa und Bambyke/Hierapolis.
→ Mesopotamien III. (mit Karte)

G. BUNNENS, Orient Express, 2001, 65–68 (mit Bibliogr.) • P.-L. GATIER, T. SINCLAIR, Antiochia (Map 67), in: R. J. A. TALBERT (Hrsg.), The Barrington Atlas of the Greek and Roman World, 2000. AR. HA.

Tilataioi (Τιλαταῖοι). Von den → Odrysai unabhängiger thrakischer Stamm, der sich 429 v. Chr. → Sitalkes [1] auf dem Feldzug gegen den Makedonenkönig Perdikkas [2] II. anschloß (Thuk. 2,96, danach Steph. Byz. s. v. T.). Er ist zw. den → Triballoi und dem Reich der Odrysai am Oescus [1] (h. Iskăr), wohl in der Ebene um → Serdica (h. Sofia) zu lokalisieren.

T. SPIRIDONOV, Istoričeska geografija na thrakijskite plemena, 1983, 19, 58. I. v. B.

Tilena. Siedlung bzw. *statio* (CIL XIII 5621–5636) an der den gleichnamigen Nebenfluß (h. Tille) des Arar (h. Saône) begleitenden Via Agrippina, etwa 27 km nördl. von Divio (h. Dijon) und 45 km südl. von Andemantunnum (h. Langres), h. Thil-Chatel (Dép. Côte-d'Or). An der Einmündung der Militärstraße von Vesontio (h. Besançon) in die Via Agrippina war T. ein wirtschaftliches und rel. Zentrum. Erh. sind Spuren des befestigten Lagers; von der Zivilsiedlung ist wenig bekannt (Grabinschriften, vgl. CIL XIII 5626f. und 5633–5635; [2. 3608]; Überreste eines Heiligtums an der Straßenkreuzung, vgl. [1. 107]). Überl. sind ein keltischer Quellkult [2. 1311]; die Quelle ist h. der hl. Petronilla geweiht [1. 74, 161], sowie Kulte der → Matres (CIL XIII 5623) und der → Epona (CIL XIII 5622). Alle Weihinschr. stammen von Legionsangehörigen.

1 G. DRIOUX, Les cultes indigènes des Lingons, 1934
2 ESPÉRANDIEU, Rec. 4.

GRENIER 1, 241, 256; 2, 57, 179, 267.   CH. W.

Tiliaventum. Fluß in Venetia, h. Tagliamento (Geogr. Rav 4,36: Taliamentum). Er entspringt in den Alpes Carnicae, fließt durch → Iulium Carnicum, Osopus (h. Osoppo), Reunia (h. Ragogna), Apicilia (h. Latisanotta) und mündet zw. Concordia (h. Concordia Sagittaria) und Aquileia [1] in die Adria. Auf dem T. wurde Holz von den Bergen zum Meer geflößt (denkbar daher die Ableitung des Flußnamens von lat. *tilia*: »Linde«). Plin. nat. 3,126 unterscheidet den T. Maius und den T. Minus (h. Fella), dessen linken Nebenfluß.

V. VEDALDI IASBEZ, La Venetia orientale e l'Histria, 1994, 156–159 • G. CANTINO WATAGHIN, Antichità e altomedioevo tra Livenza e Tagliamento, 1999.
G. U./Ü: J. W. MA.

Tillius

[1] Bruder von T. [2], Senator, durch Caesar aus dem Senat ausgeschlossen und verbannt; ein Gnadengesuch für ihn war das Signal zur Ermordung des Dictators (Nikolaos von Damaskos, vita Caesaris 24,88; Plut. Caesar 66,5; Plut. Brutus 17,3 f.; App. civ. 2,490–493). Nach Horaz (sat. 1,6,24 f.; 107–111) kehrte T. kurz darauf zurück und wurde (als Volkstribun 43?) wieder Senator; angebliche Hoffnungen auf die Praetur erfüllten sich nicht (Tod T.' bei Philippoi 42?).

[2] **T. Cimber, L.** Anhänger und einer der Mörder Caesars, war 62 v. Chr. vielleicht in Delphoi (CIG I 1695). 46 setzte er sich für T. Ampius [2] Balbus ein (Cic. fam. 6,12,2). Trotz Gunstbeweisen wie einer Praetur (45?, MRR 2,307; 3,205) schloß sich T. den Verschwörern an, vielleicht aus Erbitterung über das Exil seines Bruders T. [1]. Am 15. März 44 v. Chr. näherte T. sich dem Dictator, bat erneut um Gnade und riß, als Caesar diese wie erwartet verweigerte, dessen Toga herunter – das Zeichen zum Mord. Noch Caesar hatte T. zum Statthalter von Bithynia et Pontus nominiert; in diesem Amt bestätigt, reiste er bald danach ab [1. 330–

345]. Auf Befehl von M. Iunius [I 10] Brutus und C. Cassius [I 10] Longinus rüstete T. in der ohne Truppen übernommenen Prov. forciert auf (App. civ. 3,4; 3,18) und griff 43 C. Cornelius [I 29] Dolabella in Syrien an, wo er Tarsos belagerte (Cass. Dio 47,31,1). 42 folgte er Cassius nach Makedonien, täuschte dort ein Landemanöver gegen die Caesarianer vor und nahm an der entscheidenden Doppelschlacht bei Philippoi teil (App. civ. 4,426; 429; 438), in der er gefallen sein dürfte. T.' Seitenwechsel galt je nach Position als Muster für republikanische Prinzipientreue (Cic. Phil. 2,27) oder Undank (Sen. de ira 3,30,4 f.).

1 W. STERNKOPF, Die Verteilung der röm. Prov. vor dem mutinensischen Kriege, in: Hermes 47, 1912, 321–401.
JÖ. F.

Tilmun s. Dilmun

Tilphossion (Τιλφώσ(σ)ιον, Τιλφούσιον/ *Tilphúsion*). Der Nordteil (bis über 1000 m H) des östl. Helikon [1] zw. → Haliartos und → Koroneia. Nordöstl. von Alalkomenai [1] an der Kuppe Petra (ant. T.) ein die wichtigste mittelgriech. West-Ost-Route kontrollierender Engpaß. Hier die Quelle → Tilphusa [1. Bd. 2, 222–224; Bd. 3, 60–62] und das Grab des → Teiresias (Athen. 2,41e; Apollod. 3,7,3) [1. Bd. 3, 38 f.], desgleichen ein im 3. → Heiligen Krieg umkämpftes Kastell (Demosth. or. 19,141; 19,148). Am T. Heiligtümer des Apollon Tilphossios [1. Bd. 1, 76 f.] und der *Praxidíkai* (→ Praxidike) [1. Bd.3, 5 f.]. Hom. h. ad Apollinem 244–276; 375–387; Paus. 9,33,1–3; Strab. 9,2,27; 9,2,36.

1 SCHACHTER.

J. M. FOSSEY, Tilphosaion?, in: Ders., Papers in Boiotian Topography and History, 1990, 169–184 • S. LAUFFER, s. v. T., in: LAUFFER, Griechenland, 685.
M. FE.

Tilphusa (Τιλφοῦσα, Τέλφουσα). Boiotische Quellnymphe, die dem → Apollon nicht erlaubt, an ihrer Quelle seinen Orakeltempel zu bauen, und ihn nach → Delphoi schickt, damit sie selbst ihren Einflußbereich bewahren kann. Apoll schüttet später ihre Quelle zu und baut an ihrer Stelle einen Altar für sich (Hom. h. 3,244–276; 3,375–387). Nach Apollod. 3,84 findet → Teiresias den Tod, nachdem er von ihrer Quelle getrunken hat; sein Grab wurde noch lange gezeigt (Strab. 9,2,27; 9,2,36). T. ist auch in Arkadien bekannt (Paus. 8,25,1–3).

E. WÜST, s. v. T., RE 6 A, 1045–1048.   R. HA.

Tilurium. Militärlager bzw. röm. Siedlung (Plin. nat. 3,142; Itin. Anton. 337,5: *Ponte Tiluri*; Tab. Peut. 6,3: *Tilurio*; Geogr. Rav. 4,16: *Tilurion*) im Hinterland von → Salona am Tilurius (h. Cetina; → Nestos [2]) in der Prov. Dalmatia, h. Gardun (Bosnien). Der nachmalige Augustus stationierte dort 33 v. Chr. die *legio VII*. Nach 45 n. Chr. beherbergte T. einzelne Detachements anderer Einheiten (v. a. der *legio XI* in → Burnum), ab der

2. H. des 1. Jh. Auxiliartruppen (*ala Frontoniana, cohors Aquitanorum, cohors I Belgarum*).

G. ALFÖLDY, s. v. T., RE Suppl. 11, 1259–1268.

PI.CA./Ü: E. N.

Timagenes (Τιμαγένης).

[1] T. von Alexandreia. Griech. Rhetor und Historiker. T. kam 55 v. Chr. als Kriegsgefangener des A. Gabinius [I 2] nach Rom und wurde von Cornelius [I 87] Faustus, dem Sohne Sullas, freigekauft (FGrH 88 T 1). Er wirkte dort als angesehener Rhetor, der in einem Zuge mit Caecilius [III 5] von Kale Akte und → Kraton genannt wird (T 1 und 2). Zunächst stand er bei Augustus in hoher Gunst, fiel aber später wegen allzu freimütiger Äußerungen beim Kaiser in Ungnade und lebte hinfort im Haus des Asinius [I 4] Pollio (T 2 und 3). Von den ›vielen Büchern‹, die T. schrieb (T 1), ist lediglich der Titel ›Über Könige‹ (*Perí basiléōn*) bekannt, eine universalhistor. ausgerichtete Darstellung, die von den Anfängen bis in die Zeit Caesars reichte. Die Tendenz war einerseits romfeindlich – *felicitati urbis inimicus* (Sen. epist. 91,13 = T 8) –, andererseits ›hellenozentrisch und barbarenfreundlich‹ [1].

1 M. SORDI, Timagene di Alessandria, uno storico ellenocentrico e filobarbaro, in: ANRW II 30,1, 1982, 775–797.

ED.: T. von Alexandria FGrH 88 (mit dem Komm. JACOBYS).
LIT.: G. W. BOWERSOCK, Augustus and the Greek World, 1965, 109f. • R. LAQUEUR, s. v. T., RE 6 A, 1063–1071 • J. MALITZ, Die Historien des Poseidonios, 1983, 52f. • A. MEHL, Röm. Geschichtsschreibung, 2001, 99.   K. MEI.

[2] Militärführer ägypt. Herkunft, unterwarf 269/270 n. Chr. im Auftrag der → Zenobia ganz Ägypt. Ihm gelang es, mit seinem Besatzungsheer den gegen ihn gesandten → *praefectus Aegypti* → Tenagino Probus in der Nähe von Memphis zurückzuschlagen (Zos. 1,44,2; anders SHA Claud. 11,1f.). Nach dem Ende des Sonderreiches von → Palmyra geriet er in die Gefangenschaft des Kaisers → Aurelianus [3].

PIR T 157 • PLRE 1, 913.   T. F.

Timagetos (Τιμάγητος).
Verf. einer in sieben Fr. erh. Schrift Περὶ λιμένων/*Perí liménōn* (›Über Häfen‹) von mindestens zwei B., wohl aus der 1. H. des 4. Jh. v. Chr. (FHG 4, 519f.): sechs Fr. in den Schol. zu Apoll. Rhod. 1,224–226a W. (anders FGrH 42, F 3); Apoll. Rhod. 2,1031b; 4,257–262b; 4,282–291b; 4,303–306b; 4,323–326a, ein Fr. bei Steph. Byz. s. v. Ἀκτή (dort überl. Name: Δημάγητος/*Dēmágētos*). In diesen Fr. ist kein Hafen erwähnt; fünf von ihnen bieten Sagengeschichtliches zur Fahrt der → *Argonaútai*. Die Fr. 1–3 (FHG) sind dem Verlauf der Donau (→ Istros [2]) gewidmet, wo T. (Fr. 2) allerdings anders als Apoll. Rhod. 4,284ff., dem die Schrift des T. sonst als Vorlage gedient haben dürfte, einen Nebenarm ins Tyrrhenische Meer (→ Mare Tyrrhenum) münden läßt. Die Schrift des T. mit ihren eigenwilligen Angaben wurde von der des → Timosthenes [2] verdrängt.

F. GISINGER, s. v. T., RE 6 A, 1071–1073.   H. A. G.

Timagoras (Τιμαγόρας).

[1] Griech. Maler und Dichter (?) der Klassik aus Chalkis; nur aus Plin. nat. 35,58 bekannt, der von einem von T. gewonnenen Malwettbewerb gegen → Panainos anläßlich der pythischen Spiele in Delphi (ca. 450–440 v. Chr.) berichtet. Ausmaß und Aussehen des Œuvres sind unbekannt.

N. J. KOCH, Techné und Erfindung in der klass. Malerei, 2000, 229 • G. LIPPOLD, s. v. T. (7), RE 6 A, 1074 • P. MORENO, s. v. T., EAA 7, 1966, 855.   N. H.

[2] Athener, wurde 367 v. Chr. nach Susa zu → Artaxerxes [2] II. gesandt, um gegenüber einer Gesandtschaft der Thebaner die athen. Interessen wahrzunehmen. Nach seiner Rückkehr wurde T. von seinem Mitgesandten → Leon [5] wegen Konspiration mit → Pelopidas, vielleicht auch wegen Bestechung mittels einer → *parapresbeías graphé* angeklagt und zum Tode verurteilt [1. 228f.; 2. 183f.].

1 S. PERLMAN, On Bribing Athenian Ambassadors, in: GRBS 17, 1976, 223–233 2 J. HOFSTETTER, Die Griechen in Persien, 1978.   W. S.

[3] Epikureer, s. Timasagoras

Timaia (Τίμαια).
Spartanerin, Frau des Agis [2] II., soll von → Alkibiades [3] 415 v. Chr. verführt worden sein und von ihm ihren Sohn → Leotychidas [3] empfangen haben, doch ist dies zweifelhaft [1. 67f.]. Agis erkannte Leotychidas erst auf dem Sterbebett als Sohn an, um ihm die Thronfolge zu ermöglichen. Lysandros [1] setzte aber die Wahl des Agesilaos [2] II. durch (Duris FGrH 76 F 69; Xen. hell. 3,3,1–4; Paus. 3,8,8–10; Plut. Agesilaos 3; Plut. Alkibiades 23,7–9; Plut. Lysandros 22,6–13; Plut. mor. 467f.).

1 W. M. ELLIS, Alcibiades, 1989.   K.-W. WEL.

Timaios (Τίμαιος).

[1] T. aus Lokroi [2] in Unteritalien (Τίμαιος Λοκρός), der Hauptunterredner in → Platons [1] ›Timaios‹, galt in der Ant. als Pythagoreer [1. 83–85]. Die Suda s. v. T. (IV S. 553,26f. ADLER) und die Schol. zu Plat. Tim. 20 A GREENE berichten, daß er sich schriftlich über mathematische Probleme, über die Natur und über das Leben des → Pythagoras [2] (μαθηματικά, περὶ φύσεως, περὶ τοῦ Πυθαγόρου βίου) äußerte [1. 85]. Unter seinem Namen ist uns eine in dor. Dialekt [2. 11–19] verfaßte Schrift mit dem Titel ›Über die Natur des Kosmos und der Seele‹ (Περὶ φύσιος καὶ κόσμω καὶ ψυχᾶς) erh., die vorgibt, die Vorlage für den Hauptteil des platonischen ›T.‹ gewesen zu sein. Obschon die Schrift in der Ant. gewöhnlich als echt angesehen wurde, haben Unt. sie als Fälschung des ausgehenden 1. Jh. v. Chr. erwiesen [2. 1–3, 20–26]. Sie gehört somit in den Zusammenhang der Plagiatvorwürfe, die Platon in der Ant. gerade im Hinblick auf den ›T.‹ gemacht wurden [2. 3; 4. 169–174]. Abgesehen von Kürzungen und einigen Umstellungen stimmt die kleine Schrift in Inhalt und Aufbau im wesentlichen mit dem platonischen Dialog überein. Wichtig ist sie nicht nur für die Gesch. des → Neupythagoreismus, sondern v. a. für die des Platonismus, finden sich doch in ihr Spuren voraufgehender Interpretationen des ganzen platonischen Dialogs, die die Lücke zw. den Exegeten der Alten Akademie (→ *Akadémeia*) und der frühen Kaiserzeit [2. 4–11, 20–26] schließen. In der Kaiserzeit galt die Schrift als ein Indiz dafür, daß Platon wesentliche Lehren aus dem Pythagoreismus übernommen hat. Erwähnt oder zitiert wird sie zuerst von Nikomachos [9] von Gerasa, dann von (Kalbenos) Tauros [1], Iamblichos [2], Syrianos, Proklos [2] und Simplikios [1. 87–113].

> ED. UND ÜBERS.: **1** W. MARG (ed.), Timaeus Locrus, De natura mundi et animae, 1972 (mit dt. Übers.).
> KOMM.: **2** M. BALTES, T. Lokros, Über die Natur des Kosmos und der Seele, 1972.
> LIT.: **3** J. DILLON, The Middle Platonists, ²1996, 118, 130f.
> **4** A. S. RIGINOS, Platonica. The Anecdotes Concerning the Life and Writings of Plato, 1976. M. BA.

[2] T. von Tauromenion (h. Taormina auf Sizilien), bedeutendster westgriechischer Historiker, ca. 350 – 260 v. Chr.
I. LEBEN II. WERKE
III. TENDENZ UND WIRKUNG

I. LEBEN
T. war Sohn des Andromachos, des Neugründers (358 v. Chr.) und Dynasten von → Tauromenion, der → Timoleon begeistert aufnahm (345) und tatkräftig unterstützte (FGrH 566 T 3). Um 315 wurde T., wohl anläßlich der Einnahme von Tauromenion durch Agathokles [2], wegen seiner Tyrannenfeindschaft verbannt (F 124) und verbrachte mindestens 50 J. seines Exils in Athen (F 34). Dort wurde er Schüler des Isokrateers Philiskos [3] (T 1) und verfaßte sein großes Geschichtswerk. Eine Rückkehr nach Sizilien um 265 ist nicht ausgeschlossen. T. starb im Alter von 96 J. (T 5), bald nach 264 (s.u.).
II. WERKE
1) Synchronistische Liste der → Olympioniken; spartanischen Könige und Ephoren; athenischen Archonten; der Herapriesterinnen von Argos (Pol. 12, 11,1 = T 10.; F 125–128). Damit verhalf T. der Olympiaden-Datier. (→ Zeitrechnung) in der Gesch.-Schreibung zum Durchbruch.
2) (*Sikelikaí*) *Historíai*, (Σικελικαὶ) Ἰστορίαι: ›(Sizilische) Gesch.‹ in 38 B. von den mythischen Anfängen bis zum Tod des Agathokles [2] 289/8 (T 6–8). Dazu kam eine ›gesonderte Darstellung‹ über die ›Kriege (sc. der Römer) gegen Pyrrhos‹ [3] und die weitere Entwicklung bis 264 (T 9). Mit diesem Datum beginnt das Geschichtswerk des → Polybios [2] (vgl. Pol. 1,5,1 bzw. 39,8,4 = T 6).

Der Aufbau der Historien ist nur in Grundzügen bekannt: Die Kenntnis des Werkes beruht auf 164 Fr., der ausgedehnten Benützung des T. durch → Diodoros [18] Siculus, B. 4–21 (soweit sie die sizil. Gesch. behandeln), [1] sowie der ausführlichen Kritik des Polybios an T. in dessen 12. B. [2]. Eine fünf B. umfassende Einleitung (*prokataskeué*) enthielt die Geographie und Ethnographie des Westens sowie Berichte über ›Kolonien, Städtegründungen und Verwandtschaften‹ (T 7). Die ältere Gesch. Siziliens bis zur Machtübernahme Dionysios' [1] I. 406/5 war in B. 6–15, die Zeit der Jüngeren Tyrannis (406/5–344/3) und die weitere Entwicklung bis Agathokles in B. 16–33 dargestellt. Die letzten 5 B. (34–38) enthielten die Gesch. des Agathokles (T 8).

T. beschränkte sich nicht auf die Gesch. Siziliens, sondern behandelte den gesamten Westen einschließlich Karthagos. Als erster griech. Historiker überhaupt gab er einen – wenn auch vielfach summarischen – Überblick über die röm. Gesch. bis 264 (T 9b). Daher spricht Gellius [6] (Gell. 11,1,1 = T 9c) mit gewissem Recht von den ›Historien, die T. in griech. Sprache über die Gesch. des röm. Volkes verfaßt hat.‹ Der Gesch.-Begriff des T. war äußerst umfassend: Mythisches, Geographisches, Ethnographisches, polit. und mil. Ereignisse, Kulturelles, Religiöses, Wunderbares und Paradoxa aller Art fanden Berücksichtigung.

III. TENDENZ UND WIRKUNG
In seinem sizil. Patriotismus beschönigte T. oftmals die Dinge zugunsten der Sikelioten (F 94). Ferner hob er stets den Anteil der Westgriechen am griech. Geistesleben hervor (z.B. Pythagoras: F 12; 131 f., Empedokles F 14,134, Gorgias: F 137). Der aristokratisch-konservativ eingestellte Historiker entwarf nicht nur von Agathokles ein Zerrbild (F 124), sondern gab auch von den übrigen Tyrannen, z.B. Hieron [1] I. und Dionysios [1] I. (F 29; 105), mit Ausnahme Gelons [1] eine höchst negative Darstellung. Auch die Karthager, Erbfeind der sizil. Griechen, erfuhren eine tendenziöse, ja haßerfüllte Beurteilung. Es finden sich gleichermaßen Elemente der rhet. (vgl. Pol. 12,25; F 22; 31), tragischen und pragmatischen → Geschichtsschreibung (II C; vgl. F 7; 151). Sein Werk bildete somit ein herausragendes Beispiel für die frühzeitige Vermischung verschiedener historiographischer Strömungen.

Ferner unterzog T. als erster griech. Historiker fast alle seine Vorläufer und andere lit. Persönlichkeiten scharfer Kritik. Daher rührt auch der geistreiche, auf Istros [4] zurückgehende Beiname *Epitímaios* (»Ehrabschneider«: T 1; T 11; T 16). Bes. vehement attackierte er → Philistos, seinen unmittelbaren Vorgänger auf dem Feld der sizil. Historiographie (F 38; T 18; F 154). T. seinerseits wurde von Polybios (B. 12) zahlreicher sachlicher Irrtümer, der maßlosen Kritik an den Vorgängern sowie der unzulänglichen histor. Methode beschuldigt, die durch bloße Buchgelehrsamkeit, Mangel an Autopsie und Fehlen jeglicher polit. und mil. Erfahrung charakterisiert sei.

Dennoch war T. ›der bedeutendste Historiker zw. Ephoros und Polybios‹, und er wurde zur ›Standardautorität der Gesch. des griech. Westens für fast fünf Jh.‹ [3]. Von den griech. Autoren benützten ihn z.B. Kallimachos [3], Lykophron [5], Eratosthenes [2], Agatharchides, Polybios [2], Poseidonios [3], Diodoros [18], Strabon und Plutarchos [2]; von den Römern u.a. Fabius [I 35] Pictor, der Ältere Cato [1], Cicero, Cornelius Nepos [2], Ovidius und Gellius [6]. Außerdem bezeugen die Gegenschriften des Istros (T 10) und Polemon [2] von Ilion (T 26) sowie die Kritik des Polybios (B. 12) die große Wirkung seines Werkes, welches (trotz [4]) dank der Weite des Geschichtsbegriffes, der Vermischung verschiedener historiographischer Genera, der Berücksichtigung der röm. Geschichte und nicht zuletzt der chronologischen Akribie in der griech. Geschichtsschreibung neue Akzente setzte.

1 K. MEISTER, Die sizilische Gesch. bei Diodor., Diss. München 1966 2 Ders., Histor. Kritik bei Polybios, 1975, 3–55 3 L. PEARSON, The Greek Historians of the West, 1987 4 O. LENDLE, Einführung in die griech. Geschichtsschreibung, 1992, 211–218.

ED.: FGrH 566 (mit dem Komm. JACOBYS).
LIT.: T. S. BROWN, Timaius of Tauromenium, 1958 · K. MEISTER, The Role of Timaeus in Greek Historiography, in: Scripta Classica Israelica 10, 1989/90, 55–65 · Ders., Die griech. Geschichtsschreibung, 1990, 131–137 · G. SCHEPENS, Politics and Belief in T. of Tauromenium, in: AncSoc 25, 1994, 249–278 · R. VATTUONE, Sapienza d'occidente. Il pensiero storico di Timeo di Tauromenio, 1991 · F. W. WALBANK, T. und die westgriech. Sicht der Vergangenheit (Xenia 29), 1992 · Ders., The Historians of Greek Sicily, in: Kokalos 14/5, 1968/9, 476–498 · I. WEILER, Autopsie und Geschichtserkenntnis bei Polybios und T., in: P. W. HAIDER (Hrsg.), Althistor. Stud., FS F. Hampl, 2001, 317–333. K. MEI.

[3] Stratēgós des aitolischen Bundes um 240 (vgl. Syll.³ 480; → Aitoloi B. 3.), fiel verm. 241 mit Charixenos [2] in die Peloponnesos ein, plünderte Tempel in Tainaron und Lusoi (Pol. 9,34,9) und griff das durch innere Unruhen geschwächte (→ Agis [4]) Sparta an, jedoch ohne Erfolg. Es gelang ihm, zahlreiche Bewohner Lakoniens als Sklaven zu erbeuten (50000: Plut. Agis/Kleomenes 39,3), darunter auch Perioiken (Pol. 4,34,9). Er ist wohl identisch mit dem inschriftlich belegten T. (Syll.³ 444 E (255/4); vgl. StV 3, 495 und 546). W. ED.

[4] Griech. Astrologe, wohl 1. Jh. v. Chr.; Vettius Valens nennt ihn unmittelbar nach → Kritodemos. Er wählte aus der Dodekat(r)opos die sieben einflußreichsten Orte aus (CCAG 8.3, 116). Plinius (nat. 5,55f.) erwähnt seine astrale Erklärung der Nilschwelle und (16,82) den Gifthauch des zodiakalen Skorpions, Vettius Valens zitiert (2,32) Περὶ γονέων ἐκ τῶν Τιμαίου (›Über Eltern aus den <Schriften> des T.‹), Abū Maʿšar (CCAG 1, 97–99, dazu 5.1, 29) Τιμαίου Πραξίδου (Πραξιδίκου KROLL) περὶ δραπετῶν καὶ κλεπτῶν (›Über entlaufene Sklaven und Diebe‹). Auch die in der Suda s. v. T. genannten Μαθηματικά/Mathēmatiká könnten sein Werk sein.

W. KROLL, s. v. T. (9), RE 6 A, 1228 · F. H. CRAMER, Astrology in Roman Law and Politics, 1954, 17 · W. und H. G. GUNDEL, Astrologumena, 1966, 111f. W. H.

[5] Griech. Lexikograph, bekannt durch ein kurzes, von Photios (bibl. cod. 151; 154) erwähntes und in einer einzigen Hs. direkt überliefertes (stark interpoliertes) Lex. zur Erklärung → Platons [1] aus der Zeit zw. dem 1. und dem 4. Jh. n. Chr. T. scheint ältere, nicht mehr erh. Platon-Komm. bearbeitet zu haben; sein Werk wurde von den späteren Platon-Scholiasten benutzt und fand über die Synagōgḗ léxeōn chrēsímōn in verschiedene byz. Lexika (→ Photios [2] und → Suda) Eingang.
→ Lexikographie

ED.: 1 F. DÜBNER, Glossarium Platonicum, in: I. G. BAITERUS et al., Platonis opera 1839, 969–1010 2 D. RUHNKEN, Timaei sophistae lexicon vocum Platonicarum, 1789.
LIT.: 3 K. VON FRITZ, s. v. T. (8), RE 6 A, 1226–1228 4 T. METTAUER, De Platonis scholiorum fontibus, Diss. Zürich 1880, 62–69. ST. MA.

Timandra (Τιμάνδρα).
[1] Tochter des → Tyndareos und der → Leda, Schwester der → Klytaimestra und der Helene [1], Gemahlin des Echemos [1] von Tegea (Apollod. 3,126; 3,129; Paus. 8,5,1), dem sie → Euandros [1] gebiert (Serv. Aen. 8,130). Aufgrund des Fluches der Aphrodite über die Tyndareostöchter (nach Stesich. im schol. Eur. Or. 249 weil Aphrodite beim Opfer von Tyndareos übergangen worden ist) verläßt T. Echemos und folgt dem → Phyleus, dem sie → Meges gebiert, nach Dulichion (Eust. 305,17). T. GO.
[2] Geliebte des → Alkibiades [3], aus vornehmer Familie der sizil. Stadt Hykkara (Plut. Alkibiades 39). Als Alkibiades 404 v. Chr. in Melissa [4] (Phrygien) ermordet wurde, war sie bei ihm und soll seinen Leichnam bestattet haben (Plut. Alkibiades 39; Nep. Alcibiades 11). Mutter der Lais [2].

W. M. ELLIS, Alcibiades, 1989, 97. ME. STR.

Timanthes (Τιμάνθης).
[1] Griech. Maler von der Kykladeninsel Kythnos, wirkte im späten 5. und frühen 4. Jh. v. Chr., Zeitgenosse von → Parrhasios und → Zeuxis, mit denen er, teilweise siegreich, Wettbewerbe bestritt (Plin. nat. 35,72). T. wird sowohl der sikyonischen als auch der attischen Malerschule zugeteilt. Die Schriftquellen [1] rühmen an seinen allesamt verlorenen Werken v. a. die schöpferischen Bilderfindungen (ingenium), weniger die Maltechniken. Die originelle Darstellungsweise galt auch als beispielhaft für die Redekunst. Bes. berühmt war eine »Opferung der → Iphigeneia«; dabei drückte T. die emotionale Erschütterung der Beteiligten durch unterschiedliche Mimik und Haltung aus, die er in der Figur des Agamemnon so steigerte, daß er ihn völlig in den Mantel einhüllte, weil seine → Trauer anders nicht darstellbar sei. Von diesem Bildelement gibt es verschiedene Kopien in Reliefs, Mosaiken und pompeianischer

→ Wandmalerei (Plin. nat. 35,73 f.; Cic. orat. 22,74; Cic. Brut. 18,70; Quint. inst. 2,13,13). Weitere Themen waren ein schlafender Kyklop, von Satyrn umgeben; ein Heros, dessen ideale Gestaltung (wohl ähnlich wie der Kanon des → Polykleitos [1]) vorbildhaft für andere Maler wurde, sowie die Niederlage des Aias [1] beim Waffengericht gegen Achilleus.

> 1 OVERBECK, Nr. 1734–1744 2 L. KAHIL, s. v. Iphigeneia, LIMC 5, 1990, 710, Nr. 4 3 N.J KOCH, Techné und Erfindung in der klass. Malerei, 2000, 201; 229 4 G. LIPPOLD, s. v. T. (1), RE 6 A, 1231 5 P. MORENO, s. v. T. (1), EAA 7, 1966, 855 6 J. J. POLLITT, The Ancient View of Greek Art, 1974, 456 (Index) 7 I. SCHEIBLER, Griech. Malerei der Ant., 1994, 221 (Index) 8 O. TOUCHEFEU, s. v. Aias, LIMC 1, 1981, 327, Nr. 87.

[2] Griech. Maler der 2. H. des 3. Jh. v. Chr., Freund und Kunstberater des → Aratos [2]. Überliefert ist ein Schlachtgemälde mit der Vertreibung der Aitoler aus → Pellene unter Führung des Herrschers (Plut. Aratos 12; 32). Über den Stil ist nichts bekannt.

> G. LIPPOLD, s. v. T. (2), RE 6 A, 1232 · P. MORENO, s. v. T. (2), EAA 7, 1966, 856. N. H.

Timarchides (Τιμαρχίδης).

[1] Mehrfach auftretender Name in einer attischen Bildhauerfamilie des 2. Jh. v. Chr. Ein T. schuf um 179 v. Chr. in Rom einen Apollon Kitharoidos, den in Kopien überl. ist. Nach 156 v. Chr. arbeiteten ein jüngerer T. und Timokles, Söhne des Polykles [3], in Elateia [1] die Kultbilder des Asklepios und der Athena, von der Frg. erh. sind, und in Olympia eine Siegerstatue. Nach 130 v. Chr. schuf derselbe T. zusammen mit Dionysios [48] in Delos eine erh. Porträtstatue des Ofellius Ferus. Im 1. Jh. v. Chr. ist ein weiterer Bildhauer T. der Jüngere (Neóteros) inschr. belegt.

> OVERBECK, Nr. 2207; 2211; 2213 · LOEWY, Nr. 242 · J. MARCADÉ, Recueil des signatures de sculpteurs grecs, Bd. 2, 1957, 131 f. · P. MORENO, s. v. T. (1), EAA 7, 1966, 856 f. · Ders., s. v. T. (1–2), EAA 2. Suppl. 5, 1997, 772–774 · A. STEWART, Greek Sculpture, 1990, 304 f. · F. QUEYREL, C. Ofellius Ferus, in: BCH 115, 1991, 389–464 · G. I. DESPINIS, Stud. zur hell. Plastik I, in: MDAI(A) 110, 1995, 339–372. R. N.

[2] Freigelassener und *accensus* (→ *accensi*) des C. → Verres, einer seiner engsten Helfer in Sizilien 73–71 v. Chr., wohlinformiert über die dortige Führungsschicht (Cic. Verr. 2,2,133–137; 2,3,154–157). T. kassierte Schutzgelder (ebd. 2,5,116; 2,5,120) und betätigte sich als Tempelräuber (ebd. 2,4,94). JÖ. F.

Timarchos (Τίμαρχος).

[1] Sohn des Arizelos aus dem Demos Sphettos, athenischer Politiker des 4. Jh. v. Chr. Er bekleidete seit 361/0 mehrere Ämter (Mitglied des Rates und der Rechnungsbehörde, Gesandter). Gegen T., den Parteigänger des Demosthenes [2] und Anhänger einer prononciert antimaked. Politik, war die Rede des etwa

gleichaltrigen → Aischines [2] gerichtet, mit der letzterer 345 eine von T. angestrengte Parapresbieklage (→ *parapresbeías graphé*) abwehrte. Die darin vorgebrachten Anschuldigungen gegen T. (passive Homosexualität, Verschwendung und leichtfertige Amtsführung) scheinen zum vorzeitigen Ende seiner polit. Karriere geführt zu haben.

→ Aischines

> N. FISHER, Aeschines: Against Timarchos, 2001 (Einl. Komm. und engl. Übers.) · PA 13636 · SCHÄFER 2, 334–343 HA. BE.

[2] Bildhauer des frühen 3. Jh. v. Chr. aus Athen, Sohn des → Praxiteles und Bruder des → Kephisodotos [5], mit dem er die meisten der inschr. oder lit. überl. Werke schuf. Einzig seine Sitzstatue des → Menandros [4] im Athener Dionysostheater ist in röm. Kopien überl.

> OVERBECK, Nr. 1331–1338 · LOEWY, Nr. 108–110; 491 · LIPPOLD, 299 f. · K. FITTSCHEN, Die Statue des Menander, in: MDAI(A) 106, 1991, 243–279 · P. MORENO, Scultura ellenistica, 1994, 175–177. R. N.

[3] Aitolischer Condottiere, der Samos besetzte (Frontin. strat. 3,2,11; s. zuletzt [1. 280 f.]), wohl nach Auseinandersetzung mit dem ptolem. Offizier Charmades (PP VI 15131). Von hier aus machte er sich mit Hilfe seiner Söldner zum Tyrann von Milet (Polyain. 5,25 mit [2]). Die kurze Zeit seiner Tyrannis wird dadurch ungefähr datierbar, daß er auf der Seite des revoltierenden Ptolemaios [4] stand (Pomp. Trog. prologi 26), dann 259/8 (?) von Antiochos [3] II. gestürzt wurde; letzterer erhielt daraufhin den Beinamen *Theós* (App. Syr. 65,344; cf. IMilet I 3, 123; IDidyma 358). Münzen des T. sind nicht bekannt.

> 1 K. HALLOF, CH. MILETA, Samos und Ptolemaios III., in: Chiron 27, 1997, 255–285 2 U. VON WILAMOWITZ-MOELLENDORFF, KS 5.1, 1937 (Ndr. 1971), 441 3 ROBERT, OMS 3, 1633 f.
>
> R. BAGNALL, The Administration of the Ptolemaic Possessions outside Egypt, 1976, 80 f. · W. HUSS, Äg. in hell. Zeit, 2001, 282 f. W. A.

[4] T. aus Miletos (Enkel von T. [3]?), Sohn des Herakleides, zusammen mit seinem Bruder Herakleides zunächst Page (?) am Hof von → Antiochos [6] IV., dessen Gesandter in Rom und dann Generalstatthalter der »Oberen Satrapien«, der seleukidischen Gebiete östl. des Euphrates. Der Heimatstadt stifteten er und sein Bruder in Antiochos' Regierungszeit das Buleuterion [1. 95–99]. T. erkannte 164 v. Chr. → Demetrios [7] I. nicht als Nachfolger des Antiochos an, verschaffte sich selbst die Anerkennung als König durch Rom (Münzlegende βασιλέως μεγάλου, *bailéōs megálu*: HN 764) und verbündete sich 162 mit → Artaxias [1] I. von Armenia, wurde aber 161/0 von Demetrios geschlagen und kam um (Diod. 31,27a; Pomp. Trog. prologi 34; App. Syr. 45,235; 47,242).

> 1 H. KNACKFUSS, Das Rathaus (Milet 1.2), 1908.

A. Kneppe, T., in: H.-J. Drexhage (Hrsg.), Migratio et commutatio. FS Th. Pekáry, 1989, 37–49 • Will 2, 367–369.
A. ME.

Timasagoras (Τιμασαγόρας). Epikureischer »Abweichler« (*sophistés*), lebte verm. im 2. Jh. v. Chr. auf Rhodos. T., der die philos. Ansichten des Nikasikrates, des Leiters der dortigen epikur. Schule, teilte, wurde mit diesem (v. a. von Philodemos) beschuldigt, sich die epikur. Lehren angeeignet und diese veruntreut zu haben, indem sie sich gegen die Gründer (*kathēgemónes*) stellten. T. beschäftigte sich mit der Wahrnehmungstheorie, bes. dem Sehen (PHercul. 19/698). T. und Nikasikrates meinten, daß der Zorn ein Affekt sei, den man in allen Erscheinungsformen vermeiden müsse. Philodemos, der mit Epikuros einen natürlichen Zorn (*physikḗ orgḗ*) akzeptierte, griff beide deshalb in seiner Schrift ›Über den Zorn‹ an.

F. Longo Auricchio, A. Tepedino Guerra, Chi è Timasagora?, in: Atti del Convegno: La regione sotterrata dal Vesuvio, Studi e prospettive (Napoli 1979), 1982, 405–413.
T. D./Ü: J. DE.

Timasion (Τιμασίων) aus Dardanos in der Troas. Nach der Schlacht von → Kunaxa 401 v. Chr. und der Ermordung des Klearchos [2] zu einem der Anführer der griech. Söldner im Heer des jüngeren Kyros [3] gewählt; Reiterführer beim Zug der Zehntausend gegen Artaxerxes [2] (Xen. an. 3,1,47 u. ö.).

O. Lendle, Kommentar zu Xen. An., 1995, 157f.
HA. BE.

Timasitheos (Τιμασίθεος). Bewirkte 393 v. Chr. als Oberbeamter von → Lipara die Freilassung einer zuvor mit ihrem Schiff eingebrachten röm. Gesandtschaft, die den Zehnten aus der Beute von → Veii als Weihegeschenke nach Delphoi bringen sollte. Diese Tat trug T. selbst die Ehrung als Gastfreund des röm. Volkes und seinen Nachfahren Vergünstigungen ein, als Lipara 252 v. Chr. unter röm. Herrschaft kam (Diod. 14,93,4f.; Liv. 5,28,3–5; Val. Max. 1,1 exteri 4; Plut. Camillus 8,3–8).
C. MÜ.

Timasius. Flavius T., unter Valens [2] Offizier, *cos.* 385 n. Chr., 386 → *comes et magister equitum*, 388–395 → *magister equitum et peditum*, führte 388 im Krieg gegen → Maximus [7] die Fußtruppen. Nahm an der Auseinandersetzung des → Theodosius [2] mit → Ambrosius um die Synagoge in Callinicum teil, die durch Christen zerstört worden war. 389 war T. *cos. II*. Als er 391 gotische Banden in Thrakien zu bekämpfen hatte, geriet er in Konflikt mit → Rufinus [3] und fiel kurz darauf in Ungnade. 394 war er aber wieder mit → Stilicho im Kampf gegen → Eugenius [1] Oberbefehlshaber. Unter → Arcadius blieb er zunächst Heermeister; → Eutropius [4] ließ ihn 396 wohl zu Unrecht als Hochverräter anzeigen und erreichte die Verbannung des als hochmütig, ehrgeizig und geldgierig geltenden T.; sein weiteres Schicksal bis zu seinem Tod

Anf. 400 ist unbekannt. Er hinterließ eine Ehefrau namens Pentadia. PLRE 1, 914f.
K. G.-A.

Timavus (Τίμαυον). Fluß im Grenzgebiet zw. → Histria und → Venetia. Er fließt durch karstiges Land, in dem er streckenweise versickert. Er versetzte die ant. Autoren mit seinen zahlreichen wasserreichen Quellen in Erstaunen (nach Verg. Aen. 1,245 neun, nach Pol. bei Strab. 5,1,8 sieben Quellen). Nach Plin. nat. 3,128 stand er mit dem Istros [2] (Donau) in Verbindung (vgl. die Rückkehr der → Argonautai, Mart. 4,25,5f.; 8,28,7f.). Von seiner Quelle am Fuß des Dletvo an heißt der Fluß h. Reka; bei Škocjanske Jame versickert er, und wo er bei S. Giovanni di Duino h. als Timavo wieder an die Oberfläche tritt, wurde er von den Einheimischen nach Pol. l. c. als »Ursprung und Mutter der Meere« bezeichnet. Hier liegt das Heiligtum Fons Timavi, in dem urspr. eine weibliche chthonische Gottheit (evtl. Reitia = Minerva), dann T. und Diomedes [1] kultisch verehrt wurden. T., eine vorkeltische Gottheit, ist aus verschiedenen Weihungen bekannt ([1]; ILS 3900).

1 M. Buora-Zaccaria, Una nuova aretta votiva al Timavo, in: Aquileia Nostra 60, 1989, 309–311.

M. Šašel Kos, Pre-Roman Divinities of the Eastern Alps and Adriatic, 1999, 18–20 • Dies., Sacred Places and Epichoric Gods, in: Ch. Delplace (Hrsg.), Les cultes polythéistes dans l'Adriatique romaine, 2000, 27–51 • L. Bosio, Le strade romane della Venetia e dell'Histria, 1991, 213–223, 254.
PI. CA./Ü: E. N.

Timbriada (Τιμβρίαδα, Τυμβρίαδα/ *Tymbríada*). Siedlung im NO → Pisidias beim h. Aksu (ehemals Mirahor) im Quellgebiet des Eurymedon [5], dem als Flußgott ein großes Höhlenheiligtum geweiht war [2]. In byz. Zeit Bischofssitz [3. 405]. Die Münzlegenden ausschließlich der röm. Kaiserzeit sichern den unterschiedlich geschriebenen ON [1. 49].

1 Aulock 2, 47–50 2 D. Kaya, S. Mitchell, The Sanctuary of the God Eurymedon at Tymbriada in Pisidia, in: AS 35, 1985, 39–55 3 Belke/Mersich, 405 f.

Zgusta, 639 f.
H. B.

Time (τιμή, wörtl. »Ehre, Wertschätzung«), wird im att. Recht unter zwei Gesichtspunkten verwendet:

(1) In archa. Zeit konnte der Täter das Racherecht der Verwandten eines Getöteten nach einem Sühnepakt (→ *aídesis*) durch Zahlung eines Wergeldes (*t.*, Bußsumme) abwenden. Allerdings blieb der in Abwehr oder Vergeltung einer Unrechtstat oder als Bannbrüchiger rechtmäßig Erschlagene »bußlos« (ἄτιμος/*átimos*) liegen, seine Verwandten durften keine *t.* verlangen [3. 101; 2. 99]. Bei der jüngeren Atimie (→ *atimía*), der »bürgerlichen Zurücksetzung«, ist der Gedanke der Bußzahlung von der Bed. *t.* = »Ehre« verdrängt [2. 192].

(2) Die Einteilung der athenischen Zensusklassen (τέλη/*télē*: → *pentakosiomédimnoi*, → *hippeís*, → *zeugítai*, → Theten) beruhte auf Schätzung (*t.*) des jährlichen

Durchschnittsertrags an Getreide, Öl und Wein von eigenem Grund. Danach richtete sich in der Verfassung der → timokratía die Teilnahme an bürgerlichen Rechten und Pflichten [1. 48f., 522f.].

Außerhalb Athens finden sich τιμοῦχοι/→ timúchoi (»Inhaber von Ehren«) als höchste Behörde der Polis, wobei t. die Bed. von »Amt« erhält: z.B. in Teos, Abdera, Naukratis [4. 62].

1 J. BLEICKEN, Die athenische Demokratie, ²1994
2 M.H. HANSEN, The Athenian Democracy in the Age of Demosthenes, 1991 3 J. VELISSAROPOULOS-KARAKOSTAS, Nepoinei tethnanai, in: M. GAGARIN (Hrsg.), Symposion 1990, 1991, 93–105 4 K.-W. WELWEI, Die griech. Polis, ²1998.
G.T.

Timesitheos
Timesitheos (Τιμησίθεος). In der Suda (τ 613) erwähnter, nicht datierbarer griech. Tragiker; nach Suda τ 613 Verf. von 11 Trag. (TrGF I 214).
B.Z.

Timesitheus
Timesitheus s. Furius [II 5]

Timetai dikai
Timetai dikai (τιμηταὶ δίκαι). Gerichtsprozesse, welche in Athen nach der Abstimmung über den Schuldspruch noch ein Schätzungsverfahren (→ timētós agṓn) zu durchlaufen hatten. Bei Privatprozessen um Geld (→ díkē [2]) war das die Regel, bei öffentlichen Prozessen (→ eisangelía, → graphḗ [1] = g.) eher die Ausnahme. Als t. d. sind überl.: die díkē (= d.) epitropḗs (→ epítropos [2]), d. klopḗs (→ klopḗ), → aikeías d., → exhairéseōs d., → pseudomartyriṓn d., → lipomartyríu d., → kakotechniṓn d., → biaíōn d., → exúlēs d., → blábēs d. (feste Bußsummen als Vorstufe nimmt [4. 98f.] an). Unschätzbar war z.B. die díkē → kakēgorías, ebenso die → diadikasía. Schätzbare graphaí waren: die g. asebeías (→ asébeia), → dṓrōn g., → dekasmú g., → paranómōn g., → parapresbeías g., → pseudokleteías g., hýbreōs g. (→ hýbris II.), klopḗs g. (→ klopḗ), sykophantías g. (→ sykophántēs); Details s. [1. 80–83; 2. 563, 683, 722f., 734f.].
→ Attisches Recht

1 A.R.W. HARRISON, The Law of Athens, Bd. 2, 1971
2 P.J. RHODES, A Commentary on the Aristotelian Athenaion Politeia, ²1993 3 O. SCHULTHESS, s.v. T. d., RE 6 A, 1251–1255 4 H.J. WOLFF, Die Dike Blabes in Dem. or. 55, in: Ders., Beitr. zur Rechtsgesch. Altgriechenlands und des hell.-röm. Äg., 1961, 91–101.
G.T.

Timetos agon
Timetos agon (τιμητὸς ἀγών, »Verfahren mit Schätzung«). In Athen war jeder von einem → dikastḗrion zu entscheidende Prozeß entweder »unschätzbar« oder »schätzbar«. Im ersten Fall (→ atímētos agṓn) war bereits durch Gesetz an den Schuldspruch eine bestimmte Sanktion geknüpft, etwa → Todesstrafe, Verbannung oder eine feste Geldstrafe; im zweiten Fall (→ timētaí díkai) hatten die Geschworenen nach der Abstimmung über die Schuldfrage bei deren Bejahung noch ein weiteres Mal, nämlich über das Ausmaß der Strafe oder über die Höhe der Urteilssumme abzustimmen. In ihrer »Schätzung« (τίμησις/tímēsis) konnten sich die Geschworenen nur einem der alternativen Parteianträge anschließen, entweder dem schon im → énklēma genannten τίμημα/tímēma des Klägers oder der → antitímēsis des Beklagten (vgl. Aristot. Ath. pol. 68,4; [3. 37]). Den Parteien stand zur Begründung ihrer Schätzanträge jeweils nur die Redezeit eines halben → chus [1] Wassers zu, 1–2 Minuten (ebd. 69,2; dazu [2. 734f.; 3. 48]). Auch der Zusatzantrag (προστίμημα/prostímēma), einen schuldig gesprochenen Dieb zur Entehrung in den Block zu spannen, ging wohl vom Kläger und nicht vom Gericht aus [1. 166f.].
→ Attisches Recht

1 A.R.W. HARRISON, The Law of Athens, Bd. 2, 1971
2 P.J. RHODES, A Commentary on the Aristotelian Athenaion Politeia, ²1993 3 G. THÜR, Das Gerichtswesen Athens im 4. Jh. v. Chr., in: L. BURCKHARDT, J. VON UNGERN-STERNBERG (Hrsg.), Große Prozesse im ant. Athen, 2000, 30–49.
G.T.

Timnaʿ
Timnaʿ. Rechtes Seitental des Wādī l-ʿAraba, ca. 30 km nördl. des Golfes von ʿAqaba. Hier fanden sich reiche Kupfervorkommen, die vom 4. Jt. v. Chr. bis in die islamische Zeit mit Hilfe von bis zu 35 m langen, in den Fels getriebenen Stollen ausgebeutet wurden. Schmelzplätze bezeugen *in situ*-Verhüttung. Bes. zu erwähnen ist ein äg. Tempel aus der Zeit Sethos' [1] I. (1290–1279) und Ramses [2] II. (1279–1213).

W.G. DEVER, s.v. Timnaʿ, The Oxford Encyclopedia of Archaeology in the Near East, Bd. 5, 1997, 217f. · B. ROTHENBERG, Timnaʿ: Valley of the Biblical Copper Mines, 1972 · Ders. (Hrsg.), The Ancient Metallurgy of Copper, 1990, passim.
H.J.N.

Timocharis
Timocharis (Τιμόχαρις). Griech. Astronom zur Zeit des → Ptolemaios [1] I. (um 300 v. Chr.), dessen Beobachtungen → Ptolemaios [65] in seiner *Sýntaxis* (7,2 p. 12,24) benutzt; von → Proklos [2] in seiner *Hypotýpōsis* sechsmal zitiert.

W. KROLL, s.v. T., RE 6 A, 1258f.
W.H.

Timokleia
Timokleia (Τιμόκλεια). Schwester des thebanischen Feldherrn Theagenes [3]. Sie wurde während der maked. Plünderung Thebens (335 v. Chr.) in ihrem Haus überfallen und vergewaltigt, konnte den Täter anschließend aber überlisten und tötete ihn. Von ihrer Courage, ihrer Würde und ihrem Stolz beeindruckt, sah Alexandros [4] d. Gr. von T.s Verurteilung ab (Plut. Alexandros 12; Plut. mor. 259d–260d; Polyain. 8,40).

BERVE 2, Nr. 751.
HA.BE.

Timokles
Timokles (Τιμοκλῆς).
[1] Bedeutender athenischer Komödiendichter der 2. H. des 4. Jh. v. Chr., dem in der Suda [1. test. 1] 20 Stücke zugeschrieben werden (dort auf zwei homonyme Dichter verteilt, die in Wahrheit identisch sind); überl. sind 28 Stücktitel (unsicher: Γεωργός/ *Geōrgós*, ›Der Bauer‹) und insgesamt 42 Fr. Nur ein Sieg ist auf der Lenäensiegerliste bezeugt [1. test. 3], zwei Stellen

vor Menandros [4]. T.' Schaffen erstreckt sich von den 340er J. (Anspielung auf die Halonnesos-Affäre von 342/41 in fr. 12 und vielleicht fr. 20,4 f.) bis wenigstens 317 (Anspielung auf das von Demetrios [4] von Phaleron geschaffene Amt des → *gynaikonómos* in fr. 34). An seinem Œuvre fallen im Vergleich zu anderen Komödiendichtern seiner Zeit die zahlreichen, oft bissigen Anspielungen auf Zeitgenossen auf: stadtbekannte Parasiten (fr. 9–11; 20 f.; eine bemerkenswerte Lobrede auf die vielfältigen Qualitäten eines Parasiten enthält fr. 8), Hetären (→ *hetaírai*; Pythionike und ihre Liebhaber in fr. 15 f., Phryne in fr. 25; der aus Ps.-Demosth. or. 59 bekannten Neaira [6] war verm. das gleichnamige Stück gewidmet), Päderasten (fr. 27 aus dem Ὀρεσταυτοκλείδης/*Orestautokleídēs* zeigt Autokleides umgeben von schlafenden Dirnen, wie zuvor Orestes in Aischylos' *Eumenídes* von schlafenden Erinnyen; den Misgolas verspottet fr. 32 aus der Σαπφώ/*Sapphṓ*), dann aber auch und v. a. Politiker (Telemachos von Acharnai: fr. 7; 18; 23; Kallimedon: fr. 29; Demosthenes [2]: fr. 4; 12; 41; Hypereides: fr. 4; 17). Manche von T.' Stücktiteln könnten noch aus der Alten Komödie stammen (Αἰγύπτιοι/*Aigýptioi*, ›Die Ägypter‹, mit Spott gegen die ägypt. Tiergötter in fr. 1; Δημοσάτυροι/*Dēmosátyroi*, ›Die Satyrn des Demos‹, wohl polit. Demagogen; Διονυσιάζουσαι/*Dionysiázusai*, ›Die Frauen am Dionysosfest‹; Ἥρωες/*Hḗrōes*, ›Die Heroen‹; Ἰκάριοι Σάτυροι/*Ikárioi Sátyroi*, ›Die Satyrn auf <der Insel> Ikaros‹; Μαραθώνιοι/*Marathṓnioi*, ›Die Männer von Marathon‹), andere dagegen deuten auf typische Stoffe der Neuen Komödie hin (Δακτύλιος/*Daktýlios*, ›Der Ring‹; Ἐπιχαιρέκακος/*Epichairékakos*, ›Der Schadenfrohe‹; Πολυπράγμων/*Polyprágmōn*, ›Der Geschäftige‹); so spiegelt T.' Werk insgesamt eine unruhig-bewegte Übergangszeit wider.
→ Komödie I. C.-H.

1 PCG VII, 1989, 754–781.   H.-G. NE.

[2] Laut Athen. 9,407d Verf. von Komödien und Tragödien (TrGF I 86), 340 v. Chr. in Athen an den → Dionysia mit einem Satyrspiel ›Lykurgos‹ erfolgreich (DID A 2a, 17); weitere Erfolge und Titel können entweder ihm oder → Philokles [6] zugewiesen werden.   B. Z.

Timokrates (Τιμοκράτης).

[1] Spartaner, einer der drei Berater des Nauarchen → Knemos, die nach der Niederlage vor der akarnanischen Küste 429 v. Chr. strategische und logistische Vorbereitungen für eine neue Seeschlacht treffen sollten (Thuk. 2,85,1). Nach der verheerenden Niederlage 429 gegen die athen. Flotte bei → Naupaktos beging T. Selbstmord (Thuk. 2,92,3).
→ Peloponnesischer Krieg

[2] Rhodier, unternahm im Winter des J. 396/5 v. Chr. im Auftrag des Satrapen Pharnabazos [2] (Polyain. 1,48,3) eine diplomatische Mission nach Griechenland, um dort einen Krieg gegen Sparta zu entfesseln, der Agesilaos [2] zum Rückzug aus Kleinasien zwingen soll-

te. Angesichts der starken anti-spartan. Ressentiments bes. in Theben, Argos, Korinth und Athen bestand der Erfolg seiner Gesandtschaft in einer raschen Bündelung dieser Tendenzen in der Korinthischen Allianz (StV 2, 225); die von T. verteilten 50 Talente waren folglich nicht als Bestechungsgelder gedacht (so aber Xen. hell. 3,5,1–2; Plut. Lysandros 27,1; Plut. Artaxerxes 20,4–5; Paus. 3,9,8), sondern sollten den Abschluß der bereits anvisierten anti-spartan. Koalition beschleunigen (Hell. Oxyrh. 7,2–3).

P. FUNKE, Homonoia und Arche, 1980, 55–57.

[3] Athener, Sohn des Antiphon. Er beantragte zugunsten des hochverschuldeten → Androtion ein Gesetz, nach dem die Haftstrafe für Schulden an die Polis durch Stellung von Bürgen abgewendet werden könne. Im Paranomieprozeß (→ *paranómōn graphḗ*) dagegen verfaßte Demosthenes [2] für den Hauptkläger Diodoros um das J. 354/53 v. Chr. die Rede ›Gegen Timokrates‹ (Demosth. or. 24).

PA 13772 · SCHÄFER, Bd. 1, 364–390.   HA. BE.

[4] Älterer Bruder des → Metrodoros [3], Anhänger und später scharfer Kritiker des → Epikuros, dessen Schüler er während dessen Aufenthaltes in Lampsakos 310/9 v. Chr. wurde. Als Epikuros und Metrodoros die Stadt 307 verließen, verbreitete T. dort die epikureische Lehre weiter. Zu einem unbekannten Zeitpunkt geriet T. in Gegensatz zu seinem Bruder wegen der Interpretation der epikureischen Lustlehre (ἡδονή, *hēdonḗ*; → Lust). Epikuros' Schlichtungsversuch durch Leonteus [2] scheiterte, und T. entfernte sich endgültig von der Schule. T. begann eine Diffamierungskampagne gegen Epikuros und Metrodoros unter Ausnutzung seiner Stellung als eines alten Schulmitglieds. Nicht vor 290 veröffentlichte T. seine Lehre in der Schrift Εὐφραντά (*Euphrantá*, ›Erheiterungen‹). Epikuros verfaßte gegen ihn die Schriften *T*. (3 B.) und Περὶ παθῶν δόξαι, πρὸς Τιμοκράτην (›Meinungen über Affekte, gegen T.‹); auch Metrodoros griff seinen Bruder in den Schriften *T*. und Πρὸς Τιμοκράτην (›An T.‹) an.

D. SEDLEY, Epicurus and His Professional Rivals, in: Cahiers de Philologie 1, 1976, 127–132, 151–154 · A. ANGELI, Frammenti di lettere di Epicuro nei papiri d'Ercolano, in: CE 23, 1993, 13–17.   T. D./Ü: J. DE.

[5] Lakedaimonischer Perioike (→ *períoikoi* II.) aus Pellana, 197–195 v. Chr. in dem von → Nabis okkupierten Argos [II 1] im Dienst des spartanischen Tyrannen (Pol. 18,17,1), wohl um dessen Programm einer Bodenreform zu realisieren; erhielt 195 v. Chr. das Kommando über die spartan. Besatzung in Argos und wurde nach Befreiung der Argiver durch T. Quinctius [I 14] Flamininus nicht zur Rechenschaft gezogen, weil er in seiner Funktion Milde geübt hatte (Liv. 34,29,14; 34,40,7).
K.-W. WEL.

Timokratia (τιμοκρατία). Der mod. Begriff »Timokratie« bezeichnet eine Verfassungsform, in der Ausübung und Ausmaß der polit. Rechte der Bevölkerung an die Höhe des Vermögens gebunden sind (vgl. τίμημα, *tímēma*, »Schatzung«), entspricht also etwa dem Begriff »Plutokratie«. Im ant. Griechenland wird eine Verfassung, die wesentlich auf diesem Prinzip beruht, in der Regel als → *oligarchía* bezeichnet, doch findet sich dafür auch *plutokratía* (Xen. mem. 4,6,12). Aristoteles nutzt in der ›Nikomachischen Ethik‹ (8,1160a-b) *t.* zur Bezeichnung der guten Form der → *dēmokratía*, die er sonst → *politeía* nennt; in seiner Aufzählung verschiedener Formen von *dēmokratía* und *oligarchía* (Aristot. pol. 4, 1291b–1293a) entsprechen deren jeweils gemäßigte Formen den mod. Kriterien einer »Timokratie«.

Platon verwendet in seiner *Politeía* (Plat. rep. 545c-550c) *t.* in anderer Bed.: *T.* steht an zweiter Stelle einer absteigenden Reihe von fünf Verfassungsformen, unterhalb der → *aristokratía*, die geprägt ist durch Siegeswillen und Ehrsucht; der *t.* folgt die *oligarchía*, gekennzeichnet durch die Liebe zum Geld.

→ Verfassung   P. J. R.

Timokreon (Τιμοκρέων). Lyriker und Elegiker aus Ialysos auf Rhodos, frühes 5. Jh. v. Chr., laut Suda auch Dichter der Alten Komödie (wofür jedoch kein Zeugnis überl. ist). Im mesopot. Susa unterhielt T. den Perserkönig als Fünfkämpfer und Spaßmacher (Athen. 415f–416a). Bekannt ist seine Fehde mit → Themistokles, den er wegen dessen Versäumnisses, ihn wieder nach Rhodos zurückzuführen, und dessen Mißerfolgs bei Isthmischen Spielen (fr. 727 PMG) attackiert. Dieses zwölfzeilige Gedicht ist evtl. vollständig erh.; es besteht entweder aus einer daktyloepitritischen Triade oder (mit einer Emendation in der Epode) aus drei gleich gebauten Strophen. Später verspottete T. Themistokles wegen dessen Parteinahme für die Meder (→ *mēdismós*) und wegen seines Exils (fr. 729 PMG); auch machte er sich über → Simonides [2] lustig (falls Anth. Pal. 13,31 mit 13,30 authentisch sind). Ein berühmtes, Simonides zugeschriebenes Epitaphion verunglimpft T. wegen seiner Gier und Gehässigkeit (Anth. Pal. 7,348); seine Echtheit ist fraglich: Es gehört wohl einer festen Trad. der T.-Anekdote und -Biographie an (fr. 252–253 FGE), doch ist die Abfassung zu Lebzeiten des T. denkbar. Die meisten Gedichte des T. (Fr. in zahlreichen Metren sind erh.: Iamben, Trochäen, Daktylen oder Daktyloepitriten und Ionier) wurden wohl beim Symposion vorgetragen (→ Symposion-Literatur). Nach Aussage des Scholiasten ahmt Aristophanes T. nach (Aristoph. Ach. 532 = T., Fr. 731 PMG, ein → *skólion*, und Aristoph. Vesp. 1060–1062 = T., Fr. 733 PMG). T.s Dichtung ist lebhaft und zeigt echtes Talent zur Parodie.

FGE · IEG · PMG · D. A. CAMPBELL, Greek Lyric, Bd. 4, 1992, 84–97.   E. R./Ü: RE. M.

Timolaos (Τιμόλαος).

[1] Führender Politiker Korinths. Zuerst spartan. Parteigänger, brachte er 411/10 v. Chr. Thasos zum Abfall von Athen [1. 216–231]. Aus persönlichen Motiven [2. 83 gegen 3. 73 f.] wechselte er später seinen Kurs: 395 trat er für ein Zusammengehen mit Argos ein und wurde aufgrund seines Sachverstandes [4. 411] zu einer treibenden Kraft in der Korinthischen Allianz (StV 2, 225), wofür er reichlich Gelder des Timokrates [2] eingestrichen haben soll (Hell. Oxyrh. 7,2 f.; Paus. 3,9,8; Xen. hell. 3,5,1; 4,2,11 f.). Sein Sohn war vielleicht der Tempelbaumeister Eupeithidas (Syll.³ 249B,75).

1 B. BLECKMANN, Athens Weg in die Niederlage, 1998 2 H.-J. GEHRKE, Stasis, 1985 3 G. A. LEHMANN, Spartas ἀρχή und die Vorphase des korinthischen Krieges in den Hell. Oxyrh. II, in: ZPE 30, 1978, 73 f. 4 J. B. SALMON, Wealthy Corinth, 1984.   HA. BE.

[2] T. aus Kyzikos. Philosoph des 4. Jh. v. Chr., Schüler Platons [1] (Diog. Laert. 3,46), einem nachträglichen Einschub bei Philod. Academicorum Index 6,12 zufolge auch von Speusippos im *Perídeipnon Plátōnos* (›Leichenmahl Platons‹) erwähnt. T. unternahm wohl 320/19 den erfolglosen Versuch, sich mit Hilfe des → Arridaios [5] zum Tyrannen über seine Vaterstadt zu machen (Athen. 11,509a, dort allerdings der Name Timaios). Danach verblieb T. in seiner Vaterstadt, wo er ohne Ansehen lebte.

K. TRAMPEDACH, Platon, die Akademie und die zeitgenössische Politik, 1994, 62–64.   K.-H. S.

[3] Griech. Rhetor aus Larisa [2] Kremastē (ca. 3. Jh. v. Chr.); Schüler des → Anaximenes [2] (Suda s. v. T.). Wie Idaios [4] von Rhodos die ›Odyssee‹, so erweiterte T. die ›Ilias‹ durch Einfügungen von Versen auf den doppelten Umfang und gab sie unter dem Titel *Trōiká* heraus (Eustathios 1379,50 ff.). Die ersten sechs V. sind erh. (FHG 4, 176,63). Aus einem Komm. zur ›Odyssee‹ werden zwei Stellen mit eigenwilligen myth. Varianten überl. (schol. Hom. Od. 3,267 und Eustathios 1697, 57 ff. zu Hom. Od. 11,521).

K. ZIEGLER, s. v. T. (6), RE 6 A, 1275 f.   M. B.

[4] Thebaner, schwerer Trinker (Athen. 10,436b; Ail. var. 2,41), spielte Philippos [4] II. durch Verrat seine Stadt in die Hände (Demosth. or. 18,295; Pol. 18,14,4). Angeblich soll er später von Philippos fallengelassen worden sein (Demosth. or. 18,48), weshalb er nicht mit dem beim Aufstand Thebens ermordeten Kommandanten der Kadmeia (Arr. an. 1,7,1) identisch sein kann. Die Verbindung nach Orchomenos (IG VII 3175,38, um 290 v. Chr.) ist dann rein spekulativ. Zu Deinarchos (Deinarch. 1,74), der ihn als Freund des Demosthenes [2] bezeichnet s. [1].

1 I. WORTHINGTON, A Historical Commentary on Dinarchus, 1992, 241.   HA. BE.

[5] Sohn des → Odaenathus [2] von → Palmyra und der → Zenobia (SHA Gall. 13,2), Bruder des → Herennianus. Zusammen mit diesem erhielt T. die *ornamenta imperatoria*. Nach dem Ende des Sonderreiches von Palmyra führte Kaiser → Aurelianus [3] T. und Herennianus im Triumphzug in Rom mit; sein Schicksal ist unbekannt (SHA trig. tyr. 24,4; 27,1 f.). Vielleicht auch Bruder des → Vaballathus (SHA Aurelian. 38,1).

PIR T 162 · PLRE I, 915.   T. F.

Timoleon (Τιμολέων). Feldherr und Machthaber auf Sizilien, urspr. Korinther, Sohn des Timodemos und der Demariste. T. billigte 365 v. Chr. die Ermordung seines Bruders → Timophanes, des Tyrannen von Korinth (Plut. T. 2 f.; Nep. T. 1; Diod. 16,65,2-9) und zog sich daraufhin fast 20 J. lang ins Privatleben zurück. Auf Ersuchen der Syrakusier, die von → Dionysios [2] II. und → Karthago bedroht waren, wurde er von den Korinthern 345 als Feldherr entsandt und landete mit 10 Schiffen und 700 Söldnern in → Tauromenion, dessen Herrscher Andromachos ihn begeistert aufnahm und tatkräftig unterstützte. T. besiegte bei Adranon den Tyrannen → Hiketas [1] von Leontinoi und gewann Mamerkos von Katane zum Verbündeten. Daraufhin übergab ihm Dionysios die Tyrannenburg auf Ortygia und ging ins Exil nach Korinth. T. eroberte auch den Stadtteil Achradina und zwang Hiketas, der das restliche → Syrakusai besetzt und die Karthager zu Hilfe gerufen hatte, zum Rückzug nach Leontinoi. So wurde Syrakus 343/2 vollends von der → Tyrannis befreit. In einem symbolischen Akt ließ T. die Tyrannenburg auf Ortygia schleifen und durch ein Gerichtsgebäude ersetzen (Plut. T. 16-18; Nep. T. 3,3; Diod. 15,66-68.).

Anschließend vereinigte er die Griechenstädte zu einer antikarthagischen Symmachie, an der sogar Hiketas teilnahm. Trotz großer numerischer Unterlegenheit besiegte er 342 in der Schlacht am → Krimisos (h. Belice) die Karthager entscheidend (Plut. T. 25-29.; Nep. T. 2,4; Diod. 16,79,2-6) und sandte wertvolle Beutestücke nach Korinth. (Plut. T. 29; [1]). Als die Karthager mit einem neuen Heer auf Sizilien landeten, wechselten zahlreiche Tyrannen, darunter Hiketas (von Leontinoi) und Mamerkos (von Katane), die sich durch T. bedroht sahen, auf deren Seite über. T. indessen erreichte die Auslieferung des Hiketas und ließ ihn ebenso wie kurze Zeit später Mamerkos hinrichten. Danach vertrieb er die Tyrannen Nikodemos von → Kentoripa und Apolloniades von → Agyrion. 340 kam es zum Friedensschluß mit den Karthagern: Darin wurde – wie erstmals ca. 374 unter Dionysios [1] I. – der Halykos (h. Platani) als Grenze zw. dem karthagischen Herrschaftsgebiet und dem griech. Machtbereich auf Sizilien festgelegt (Diod. 15,82,3; Plut. T. 34,2; Nep. T. 2,4, vgl. StV II Nr. 344). Da T. auf diese Weise im Osten freie Hand bekam, gliederte er zahlreiche Sikelerstädte, darunter Alaisa, Herbessos und Morgantina, der griech. Symmachie unter der Hegemonie von Syrakus ein (Diod. 15,82; Nep. T. 1,1; 3,2; StV II, Nr. 338; Mz.: Kopf der Sikelia, Legende: *Symmachikón* HN 16; 143; 157).

In der Folgezeit bewirkte T. durch zahlreiche Maßnahmen »the revival of Greek Sicily« [2]: Das entvölkerte Syrakus erhielt aus Hellas, It. und Sizilien 60000 Neusiedler (vgl. Athanis FGrH 562 F 2), und auch die Städte Akragas, Gela, Kamarina, Leontinoi, Kentoripa und andere erlebten eine neue Blüte, wie sowohl die lit. Quellen (Plut. T. 35; Diod. 16,82,2-7.; Nep. T. 3,1) erkennen lassen als auch der numismatische [2] und arch. Befund (vgl. dazu die Aufsätze in [3], welche die Renaissance der sizilischen Städte unter T. betreffen). In Syrakus schuf T. eine gemäßigte Demokratie und setzte den Priester (*amphípolos*) des Olympischen Zeus als obersten Beamten ein (Diod. 15,70,1-3). Fast erblindet, legte T. 337 nach acht J. die ihm übertragene bevollmächtigte Strategie (*stratēgós autokrátōr*, → *stratēgós* I.) freiwillig nieder. Bei seinem Tod erhielt er ein Staatsbegräbnis auf der Agora von Syrakus; dabei wurden ›zu seinen Ehren für alle Zeit musische, hippische und gymnische Agone angeordnet, weil er ... den Griechen Siziliens ihre Gesetze zurückgegeben hat‹ (Diod. 16, 90,1. Plut. T. 37,10; 39,5-7). T. erhielt als *oikistḗs* (»Staatsgründer«) heroische Ehren, über seinem Grab wurde das Timoleonteion, ein → *gymnásion*, errichtet.

Die Quellen zu T., vornehmlich Plutarchs *T.*, Diod. 16, 65-90 und Nepos (*T.*) beruhen allesamt auf der panegyrischen Darstellung des → Timaios [2] von Tauromenion und zeigen entsprechend eine geradezu ›empörende Voreingenommenheit zugunsten von T.‹ [4]. Aus diesem Grunde ist Vorsicht geboten: Beispielsweise läßt sich die grausame Behandlung der Tyrannen Hiketas und Mamerkos durch nichts rechtfertigen [5].

Die von [6] vertretene These, daß Platon gleichsam der ideologische Wegbereiter T.s gewesen ist und daß dieser nur die Ratschläge Platons im 7. und 8. Brief verwirklicht habe und in Syrakus eine oligarchische Verfassung eingeführt habe, ist abzulehnen (mit [7]).
→ Magna Graecia; Sicilia (mit Karte); Syrakusai

1 J. A. KENT, Excavations of Corinth 8,3, 1966, Nr. 23 2 R. J. A. TALBERT, T. and the Revival of Greek Sicily, 1974 3 Aufsätze in Kokalos 4, 1958 4 H. D. WESTLAKE, in: CAH 6, ²1994, 706-722 5 Ders., T. and His Relations with Tyrants, 1952 6 M. SORDI, Timoleonte, 1961 7 H. BERVE, Rez. zu [5], in: Gnomon 35, 1963, 375-383 8 Ders., Die griech. Tyrannis, 1967, Bd. 1, 276-282; Bd. 2, 663-666.

H.-J. GEHRKE, T., in: K. BRODERSEN (Hrsg.), Große Gestalten der griech. Ant., 1999, 354-360 · M. SORDI, Il IV e III secolo da Dionigi I a Timoleonte, in: E. GABBA, G. VALLET (Hrsg.), La Sicilia antica II. 1, 1979, 207-288. · M. R. MELITA PAPPALARDO, Caratteri della propaganda timoleontea, in: Kokalos 42, 1996, 263-273.   K. MEI.

Timomachos (Τιμόμαχος).

[1] Anführer der thebanischen → Aigeidai, soll mit diesen die Spartaner im Konflikt gegen → Amyklai [1] unterstützt und in der Kriegskunst unterwiesen haben. Sein Br.-Panzer wurde bei den Hyakinthia (→ Hyakinthos [1]) ausgestellt, T. selbst in Sparta stets hoch geehrt (Aristot. fr. 532 ROSE).

M. NAFISSI, La nascita del *kosmos*, 1991, 324-326.   M. MEI.

[2] Athen. Stratege aus Acharnai; ließ → Epameinondas 366 v. Chr. ungehindert das Oneion [1]-Gebirge passieren (Xen. hell. 7,1,41f.) [1. 187f.]. Im Herbst 361 befehligte er ein Geschwader vor der Chersonesos [1] (Aischin. Tim. 56) und holte seinen exilierten Schwager Kallistratos [2] aus Methone zur Hilfe [2. 71–74]. Nach der Einnahme von Sestos durch Kotys [I 1] wurde er 360 in einem Eisangelieprozeß (→ eisangelía; Demosth. or. 36,53 u.ö.; Hyp. 3,1) wegen angeblichen Verrats zum Tode verurteilt und floh aus Athen [3. 96f.]. PA 13797.

1 J. BUCKLER, The Theban Hegemony, 1980 2 J. HESKEL, The North Aegean Wars, 1997 3 M. H. HANSEN, Eisangelia, 1975. HA. BE.

[3] Griech. Historiker, Lebenszeit unbekannt. Nach Athen. 14, 638a Verf. einer Lokalgesch. von → Kypros (*Kypriaká*), in der er einen gewissen Stesandros aus Samos – nach WILAMOWITZ aus (dem kypr.) Salamis [2] – als ersten Kitharöden bezeichnete, der die homerischen Gedichte in → Delphoi rezitierte. Nach Vita Homeri 6 (p. 251 ALLEN) hielt er die Sporadeninsel Ios – nicht aber das kypr. Salamis wie Kallikles (FGrH 758 F 13)! – für die Heimat Homers. FHG 4,521f. K. MEI.

[4] Griech. Maler des späten Hell. aus Byzanz, wirkte wohl in der 1. H. des 1. Jh. v. Chr. (Plin. nat. 35,136). Auch der teure Kauf zweier Hauptwerke durch → Caesar (Plin. nat. 7,126; 35,26) sowie deren Erwähnung in zeitgenössischen Epigrammen (z. B. Anth. Pal. 4,136) stützen diese Datier. Die Tafelbilder der → Medeia vor der Kindestötung und des über seinen Wahn verzweifelnden → Aias [1] waren vor dem Tempel der Venus Genetrix in Rom (→ Forum [III 5] Iulium) aufgestellt. Pompeianische Fresken kopieren verschiedene Elemente eines Medeabildes; sie sind jedoch stilistisch eher mit einem spät-klass. oder einem Vorbild des frühen 3. Jh. zu verbinden. T. könnte aber in klassizistischer Manier gearbeitet haben. Ein anderes myth. Gemälde des T., möglicherweise ebenfalls von ant. Tragikern angeregt, zeigte → Orestes [1] und → Iphigeneia in Tauris. Weitere Sujets: ein Gymnastiklehrer, eine Adelsfamilie, zwei Bürger im Gespräch sowie eine → Gorgo [1]. Stil und Aussehen der sämtlich verlorenen Werke sind unbekannt.

B. GENTILI, F. PERUSINO, Medea nella letteratura e nell'arte, 2000 • G. LIPPOLD, s. v. T. (5), RE 6 A, 1292–1294 • M. SCHMIDT, s. v. Medea, LIMC 6, 1992, 388, Nr. 7 • O. TOUCHEFEU, s. v. Aias, LIMC 1, 1981, 328, Nr. 97. N. H.

Timon (Τίμων).

[1] T. von Athen. Der Inbegriff des Menschenfeindes. Sohn eines Echekratidas, aus dem Demos Kollytos, 5. Jh. v. Chr. T., dessen Historizität ungewiß ist, zog sich verm. nach erlebten Enttäuschungen aus der menschlichen Ges. zurück und starb, weil er keinen Arzt zuließ. Sein auf einem Küstenvorsprung gelegenes Grab soll vom Meer losgerissen worden sein (Phrynichos, *Monótropos*, fr. 18 CAF; Aristoph. Av. 1549; Aristoph. Lys. 805–815; Neanthes FGrH 84 F 35; u.a.: [1]).

Legendäre Ausgestaltung und Verwechslung mit dem Skeptiker → T. [2] in der ant. Überl. (v. a. Lukian. T.; Plut. Alkibiades 16,6; Plut. Antonius 69f.) prägten die neuzeitliche Rezeptionsgesch. (dazu [2]). SHAKESPEARE (*T. of Athens*) benutzte möglicherweise daneben Texte der Renaissance-Lit. als Quellen [3]. MOLIÈRE (*Le misanthrope*) verlegte die Handlung in die Zeit Ludwigs XIV. (→ KOMÖDIE C. 5 und 7). PA 13845.

1 A. M. ARMSTRONG, T. A Legendary Figure?, in: G&R 34, 1987, 7–11 2 J. IRMSCHER, T., der Menschenfeind, in: L. BELLONI et al. (Hrsg.), Studia Classica, FS G. Tarditi, 1995, 1029–1033 3 S. FIELITZ, T. Comoedia imitata, 1994, bes. 13–82. D. RO.

[2] Griech. Dichter und skeptischer Philosoph, ca. 320/315–230/225 v. Chr. Der Lebensbeschreibung bei Diog. Laert. 9,109 gemäß war er Chorsänger, bevor er sich philos. Interessen zuwandte, → Stilpon in Megara hörte, dann → Pyrrhon kennenlernte, sich diesem anschloß und sich in Elis niederließ. Ökonomische Zwänge trieben ihn als Sophisten bis in die Propontis; schließlich ließ er sich in Athen nieder, wo er in großer Rivalität zum Schulleiter der → Akadḗmeia Arkesilaos [5] stand. Als προφητὴς τῶν Πυρρωνείων λόγων (»Verkünder der Philos. Pyrrhons«, S. Emp. adv. math. 1,53) verbreitete und verteidigte er heftig polemisierend die Lehre des Begründers des → Skeptizismus.

Der Katalog seiner Schriften (Diog. Laert. 9,110–111) verzeichnet Epen, Trag. und Satyrspiele, *Sílloi* und obszöne Verse. Von der umfangreichen Dichtung ist nur wenig erh. (s. u.). Das Prosawerk soll 20000 Zeilen umfaßt haben; dazu zählten die Schriften Πρὸς τοὺς φυσικούς (*Pros tus physikús*, ›Gegen die Naturphilosophen‹, fr. 75f. DIELS), Περὶ αἰσθήσεων (*Perí aisthḗseōn*, ›Über Wahrnehmungen‹, fr. 74 D.), Ἀρκεσιλάου περίδειπνον (*Arkesiláu perídeipnon*, ›Totenmahl für Arkesilaos‹, fr. 73 D.: eine Wiederannäherung an den akademischen Philosophen zumindest nach dessen Tod) und v. a. der Πύθων (*Pýthōn*, fr. 77–81 D.), worin die Begegnung mit Pyrrhon beschrieben und die Grundzüge des Pyrrhonismus dargelegt wurden. In elegischen Distichen abgefaßt waren T.s Ἰνδαλμοί (*Indalmoí*, ›Erscheinungen‹ oder ›Bilder‹, fr. 67–70 D.) über die Beziehung von Erkenntnisprozeß und menschlichem Handeln.

Das berühmteste Werk des T. waren die Σίλλοι (*Sílloi*, ›Spötteleien‹, Spott- oder Hohngedichte: 68 bzw. 67 Fr. mit insgesamt knapp über 130 Hexametern erh.). Dieses Werk, verm. Mitte des 3. Jh. v. Chr. in der heftigsten Phase des Konflikts zwischen Pyrrhoneern und Akademikern verfaßt, bestand aus 3 B. (Apollonides [2] von Nikaia bei Diog. Laert. 9,111–112): B. 1 war eine monologische Darstellung in Ich-Form, B. 2–3 ein Dialog zw. T. und Xenophanes über ältere und neuere Philosophen; bei einer → katábasis des T. in den Hades diente ihm wohl Xenophanes als Führer. Die *Sílloi* zählten zur Gattung der → Parodie. Von Homeros [1], v. a. aus der ›Nekyia‹ (Hom. Od. 11), übernahm T. Konventionen, typische Szenen und epische Stilelemente, die er jedoch ins Burleske verkehrte, um die nicht-skeptischen Philosophen anzuprangern.

Die *Sílloi* waren ein originelles polemisches Manifest des Pyrrhonismus; von der eigenen skeptischen Perspektive aus unterzog T. die herausragenden alten und zeitgenössischen Denker einer kritischen Beurteilung gemäß ihrem Grad der Abweichung von den philos. Aussagen Pyrrhons: → Ironie, zuweilen mit Sarkasmus gemischt, herrschte gegenüber den → Vorsokratikern, z. B. Thales (fr. 23 Di Marco), Pythagoras [2] (fr. 57), Herakleitos [1] (fr. 43), Empedokles [1] (fr. 42), Anaxagoras [2] (fr. 24). Verschont oder höchstens mit einer gutmütigen → Satire belegt wurden diejenigen, bei denen T. partielle Vorwegnahmen des Skeptizismus erkennen konnte: Protagoras [1] (fr. 5), Parmenides (fr. 44), Demokritos [1] (fr. 46) und vor allem Xenophanes (fr. 59; 60). Kritisch, aber nicht ohne Anerkennung war auch das Urteil über herausragende Persönlichkeiten wie Sokrates [2] (fr. 25) und Platon [1] (fr. 19; 30; 54), während die Polemik gegen Begründer und Repräsentanten der mit dem Pyrrhonismus rivalisierenden Schulen wohl bes. hart und giftig war, vgl. die Fr. zu Zenon von Kition (fr. 13, 14, 38), Epikuros (fr. 7; 51), Kleanthes [2] (fr. 41), den Stoikern im allg. (fr. 65 und 66) und zu Arkesilaos [5] (fr. 31–34). Alle diese überragte die Figur des Pyrrhon, der Streitsucht dogmatischer Philosophen abhold und ein Vorbild vollkommener Weisheit (fr. 9; 48; 63; 64).

Als ein beißender Spötter, zugleich aber profund philos. gebildet zeigt sich der Dichter T. in der Lage, jede dargestellte Persönlichkeit in einer geschickten Mischung aus → Biographie und → Doxographie mit wenigen Strichen zu porträtieren. Seine an *hápax legómena* und witzigen Neubildungen reiche Sprache trägt zum dichten und und geistreichen Charakter seiner Satire bei.

→ Akademeia; Pyrrhon; Skeptizismus

Ed.: H. Diels, Poetarum philosophorum fragmenta, 1901, 173–206 • SH 775–848 • C. Wachsmuth, Corpusculum poesis epicae Graecae ludibundae, Bd. 2, 1885 (mit Komm.) • M. Di Marco, Timone di Fliunte. Silli, 1989 (it. Übers. und Komm.) • W. Nestle, Die Nachsokratiker, 1923, Bd. 1, 102–104; Bd. 2, 249–259, 374 (mit dt. Übers.). Lit.: A. A. Long, T. of Phlius: Pyrrhonist and Satirist, in: Proc. of the Cambridge Philological Soc. 24, 1978, 68–91 • W. Ax, T.s Gang in die Unterwelt, in: Hermes 119, 1991, 177–193.   M. D. MA./Ü: T. H.

Timonassa (Τιμώνασσα). Tochter eines Gorgilos von Argos. Erst Frau des → Kypseliden Archinos, Tyrann von Ambrakia. Später zweite Frau des → Peisistratos [4], mit dem sie die Söhne → Iophon [1] und → Hegesistratos [1] hatte (Aristot. Ath. pol. 17,3).

Davies 11793,VI, p. 449 • L. de Libero, Die archaische Tyrannis, 1996, 88.   K. KI.

Timonidas (Τιμωνίδας). Bedeutender, polychrom arbeitender Maler der → Korinthischen Vasenmalerei um 580 v. Chr., von dem eine Tonflasche und eine Tontafel erh. sind, beide mit in Korinth seltener Malersignatur, die Tontafel mit dem Vatersnamen Bias. Auf der Tonflasche lauert Achilleus dem Troilos auf; neben Polyxene und Priamos finden sich weitere Troianer mit Namensbeischriften (Athen, NM 277; aus Kleonai). Das Fr. der Tontafel zeigt auf einer Seite einen Jäger mit Hund, auf der anderen wohl Poseidon, dem sie nach einer eingeritzten Inschr. geweiht wurde (Berlin, SM, F 846; aus Penteskuphia).

Amyx, CVP, 201 • J. Boardman, Early Greek Vase Painting, 1998, 180; 185 • R. Wachter, Non-Attic Greek Vase Inscriptions, 2001, 55–57, 129 f.   M. ST.

Timonides (Τιμωνίδης) von Leukas, 4. Jh. v. Chr.; laut Plut. Dion 31,3 Freund und Mitstreiter → Dions [I 1] bei dessen Versuch, in Syrakus Dionysios [2] II. zu stürzen, um selbst die Macht zu ergreifen. Er wird von Plutarch namentlich unter denen genannt, die das mil. Unternehmen Dions aktiv unterstützten (Plut. Dion 22,5). T. berichtete nach Diog. Laert. 4,5 auch brieflich an → Speusippos über die Unternehmungen Dions in Syrakus. Dieses Schreiben, in dem T. Partei für die Sache Dions und für die Akademie ergriffen zu haben scheint, ohne dabei vor Verzerrungen zurückzuschrecken (zu Plut. Dion 32,2 vgl. etwa Diod. 16,6,4 f.), ist auch Quelle für die Darstellung der Ereignisse bei Plutarch (vgl. etwa Plut. Dion 31,3; 35,4), vgl. [1].

1 W. H. Porter (ed.), Plutarch: Life of Dion, 1952, XX–XXII.   K.-H. S.

Timophanes (Τιμοφάνης). Sohn des Timodemos und der Demarete bzw. Demariste, älterer Bruder des → Timoleon. Er erhob sich, gestützt auf ein Kommando über 400 Söldner und die städtische Bevölkerung, 366 v. Chr. zum Tyrannen von → Korinthos. Als seine Herrschaft in Willkür ausartete, versuchten Timoleon und andere aus dem Kreis seiner → *hetairía* [2] erfolglos, ihn zur Aufgabe seiner Machtstellung zu überreden. Mit Billigung Timoleons und der Oligarchen Korinths wurde T. von seinen Gefährten ermordet (Plut. Timoleon 4,5–8; Plut. mor. 808a; Timaios FGrH 566 F 116; Theopompos FGrH 115 F 334; Ephoros FGrH 70 F 221; Nep. Timoleon 1,4; Diod. 16,65,4 f.).

H. Berve, Die Tyrannis bei den Griechen, Bd. 1, 304 f.
                                                          B. P.

Timosthenes (Τιμοσθένης).

[1] Sohn des Demophanes aus Karystos [1] auf Euboia. Nach dem Beitritt seiner Heimat zur anti-maked. Allianz kämpfte er engagiert im → Lamischen Krieg. 306/5 v. Chr. wurde er in Athen für seine Verdienste geehrt (Syll.³ 327). Noch die Belobigung seines Enkels vom J. 229/28 erinnert an sein Engagement (Syll.³ 496,23–24).
                                                          HA. BE.

[2] T. aus Rhodos, Flottenkommandant Ptolemaios'
[3] II., Verfasser einer Schrift (wohl nach 270 v. Chr.)
Περὶ λιμένων/*Perí limḗnōn* (›Über Häfen‹) in 10 B., wovon ein Auszug (→ *epitomḗ*) existierte; einer Τῶν στα-
δίων ἐπιδρομή/ *Tōn stadíōn epidromḗ* (›Zusammenfassung
über Entfernungen‹; vgl. → *stadiasmós*); ferner eines
Ἐξηγητικόν/*Exēgētikón*, einer Art Deutung heiligen
Rechts [1. 1312] sowie eines Gedichts über Apollons
Drachenkampf. Erh. sind aus der Schrift über die Häfen
(→ *períplus*), die Eratosthenes [2] sehr schätzte, 42 fr. [6].
Sie sollte den Interessen des Lesepublikums entsprechend nicht nur unmittelbar dem Seefahrer mit nauti-
schen Angaben dienen, sondern auch zum einen allg.
Wissen über Gesch. und Kultur an den Küsten [1. 1319;
2. 204–210; 4], zum anderen einen Zugang zu einer Art
kartographischer Erfassung der → *oikumḗnē* vermitteln
[2. 210–213]; letzterem dient (fr. 8; [6]) die Zuordnung
von Randbezirken der Erde zu den von T. auf 12 ver-
vollständigten Windrichtungen [3], der sog. Windrose
des T.

→ Geographie; Kartographie

1 F. GISINGER, s. v. T., RE 6 A, 1310–1322 2 D. MEYER,
Hell. Geogr. zw. Wiss. und Lit. …, in: Scriptoralia 95,
R. A 22, 1998, 193–215 3 P. MORAUX, Anecdota Graeca
minora II, in: ZPE 41, 1981, 43–58 4 F. PRONTERA,
Sull'esegesi ellenistica della geografia omerica, in:
G. W. MOST u. a. (Hrsg.), Philanthropia kai Eusebeia, FS A.
Dihle, 1993, 387–397 5 C. WACHSMUTH, Das Hafenwerk
des Rhodiers T., in: RhM 59, 1904, 471–473
6 E. A. WAGNER, Die Erdbeschreibung des T. von Rhodos,
1888. H. A. G.

Timostratos (Τιμόστρατος).
[1] Griech. Tragiker, ca. 350 v. Chr. an den → Lenaia
erfolgreich (TrGF I 83). B. Z.
[2] Athenischer Komödiendichter, der an den Dionysien von 188 v. Chr. mit dem Λυτρούμενος (*Lytrú-
menos*, ›Der Losgekaufte‹) Sechster [1. test. 1] und an
denen von 183 mit dem Φιλοικεῖος (*Philoikeíos*, ›Der
seine Verwandten liebt‹) vierter wurde [1. test. 2]; unsicher ist ein dritter Platz von etwa 177 mit einem
Ἀντευεργετῶν (*Anteuergetōn*, ›Der Wohltaten Vergeltende‹) [1. test. *3]. Daneben sind noch fünf weitere Stücktitel überliefert (Ἄσωτος/*Ásōtos*, ›Der Zügellose‹; Δημο-
ποίητος/*Dēmopoíētos*, ›Der Neubürger‹; Πάν/*Pan*;
Παρακαταθήκη/*Parakatathḗkē*, ›Die Bürgschaft‹; Φιλο-
δέσποτος/*Philodéspotos*, ›Der seinen Herrn liebt‹), über
die die wenigen Fr. jedoch keine Aussagen zulassen.

1 PCG VII, 1989, 783–786. H.-G. NE.

[3] Oström. General und Provinzgouverneur an der
Ostgrenze des Reiches unter den Kaisern → Anastasios
[1] I. und → Iustinus [1] I., war im Krieg gegen die
Perser als *dux Osrhoenae* 503–506 n. Chr. erfolgreich,
aber glücklos als *dux Mesopotamiae* im J. seines Todes
527. PLRE 2, 1119f. F. T.

Timotheos (Τιμόθεος).
[1] T. von Metapontion. Griech. Arzt um 400 v. Chr.
Dem → *Anonymus Londiniensis* zufolge (8,8) hielt T.
Krankheiten für die Folge einer Verstopfung von
Durchgängen, durch die normalerweise Ablagerungen
ausgeschieden würden. Solche Überschüsse stiegen aus
dem gesamten Körper zum Kopf auf, blieben dort, solange sie keinen Ausweg fänden, bis sie zu salziger und
scharfer Flüssigkeit verwandelt seien. Dann brächen sie
durch und verursachten die unterschiedlichsten Krankheiten, je nach ihrer Abflußrichtung.
→ Säftelehre V. N./Ü: L. v. R.-B.
[2] Kitharode und Dichter aus Milet. Gemäß Marmor
Parium 76 starb T. zw. 366/5 und 357/6 v. Chr. und
wurde 90, laut Suda s. v. T 97 J. alt. Diod. 14,46,6 gibt als
seine Hauptschaffenszeit das J. 398 an. T. brüstet sich
des Sieges über den älteren Zeitgenossen → Phrynis –
verm. bei einem Kitharoden-Wettbewerb in Athen
(PMG 802; vgl. Aristot. metaph. 2,1,993b 15f.), wohl
ein Ausdruck der Genugtuung über den Erfolg des eigenen, moderneren Schreibstils. T. wurde von Euripides gefördert, der das *prooímion* zu dessen ›Persern‹ dichtete (Satyros, Vita Euripidis POxy. 1176 fr. 39 col. 22);
T. (oder aber Thukydides) wird ein schönes Grabepigramm für Euripides (Anth. Pal. 7,45) zugeschrieben. T.
verbrachte einige Zeit in Makedonien (PMG 801), wo er
auch starb (Steph. Byz. s. v. Μίλητος).

Gedichte diverser Gattungen schreibt ihm die Suda
zu: v. a. → *nómos* [3], → *prooímion*, → *hýmnos* und → *dithýrambos*. T. galt – obgleich die überl. Titel keine sichere Gattungszuordnung erlauben – vorrangig als
Dichter von Dithyramben; dazu zählten verm. ›Der ra-
sende Aias‹ (Αἴας ἐμμανής; laut Lukian erst nach T.' Tod
in Athen aufgeführt, PMG 777), ›Elpenor‹ (siegreich
aufgeführt 320/19, d. h. ebenfalls postum: PMG 779),
›Nauplios‹ (?) (mit dem später verspotteten Versuch, auf
der Flöte ein Unwetter wiederzugeben, PMG 785), ›Semeles Wehen‹ (Σεμέλης ᾠδίς; mit lächerlicher Imitation
der Schreie Semeles, PMG 792) und ›Skylla‹ (mit einem
von Aristoteles kritisierten Klagegesang des Odysseus,
PMG 793). Weitere bezeugte Titel: ›Artemis‹, ›Der Kyklop‹, ›Laertes‹ und ›Die Söhne des Phineus‹ (Φινείδαι).
Der Einsatz von Sologesang im Dithyrambos bei T.
wich von der älteren att. Trad. ab. T. soll auch als erster
nómoi für den Chor gedichtet haben (Clem. Al. strom.
1,78,5); die Gattungsgrenzen wurden offensichtlich in
der »Neuen Musik« aufgehoben: *nómoi* des T. dithyram-
bischen Stils erwähnt Plut. de musica 4,1132e.

Erh. sind nur 240 V. des kitharodischen *nómos* ›Die
Perser‹ auf einem (1902 gefundenen [4]) Pap. in sechs
Kolumnen (1–2 stark beschädigt). Er schildert die
Schlacht von Salamis aus persischer Perspektive mit
lebhaften Einzelszenen (z. B. Überlebenskampf eines
schiffbrüchigen Persers; Appell eines Phrygers in ge-
brochenem Griech., mit Anklängen an die Phryger-
Arie Eur. Or. 1369–1502). Im Schlußteil (der → *sphragís*)
brüstet sich T., auf einer elfsaitigen Leier zu spielen (laut
Suda seine Erfindung), verteidigt sich gegen spartani-

sche Kritik und bittet um Segen für die Stadt, in der die Aufführung stattfand (Milet oder Athen?). Das Werk ist astrophisch und überwiegend aus iambisch-trochäischen und aiol. *kốla* (→ *kōlon*) [1] aufgebaut; gewählte Sprache und Verrätselungen nehmen Züge der hell. Dichtung vorweg. In → Pherekrates' ›Cheiron‹ polemisiert die personifizierte Musik gegen T. als ihren Zerstörer (PCG VII 155, 19 ff.).

ED.: 1 PMG 2 D. A. CAMPBELL, Greek Lyric, Bd. 5, 1993, 70–121 (mit engl. Übers.) 3 J. HORDERN, The Fragments of Timotheus of Miletus, 2002 (im Druck). LIT.: 4 U. VON WILAMOWITZ-MOELLENDORFF, T. Die Perser, 1903 5 D. F. SUTTON, Dithyrambographi Graeci, 1989 6 B. ZIMMERMANN, Dithyrambos (Hypomnemata 98), 1992 7 M. L. WEST, Ancient Greek Music, 1992.

E. R./Ü: B. ST.

[3] Ca. 380 v. Chr. mit einem ›Alkmeon‹ und einer ›Alphesiboia‹ erfolgreicher Tragiker (oder evtl. Regisseur, *chorodidáskalos*; DID B 5, 6 = TrGF I 56). B. Z.

[4] Bedeutender athenischer Feldherr und Politiker im 4. Jh. v. Chr., Sohn des → Konon [1] und Freund des → Isokrates. Als → *stratēgós* bewirkte T. 375 v. Chr. den Beitritt von Korkyra und (nach einem Sieg gegen die spartan. Flotte bei Alyzeia) von Akarnania, Kephallenia und anderen Städten zum Zweiten → Attischen Seebund (Xen. hell. 5,4,63–66; Diod. 15,36,5f.; vgl. IG II/III² 43B; 96 f.). Ein kurzzeitiger Friede wurde, weil T. proathenische Kräfte in Zakynthos unterstützt hatte, von Sparta für gebrochen erklärt (Xen. hell. 6,2,2 f.; Diod. 15,45). 373 wurde T. beauftragt, dem von Sparta belagerten Korkyra zu Hilfe zu kommen, wandte sich aber wegen Finanzierungsproblemen zunächst nach Thrakien, wo er weitere Städte für den Seebund gewann. Angesichts der akuten Bedrohung Korkyras wurde T. abberufen, seines Amtes enthoben, angeklagt, jedoch freigesprochen (Xen. hell. 6,2,11–13; Diod. 15,47,2; [Demosth.] or. 49,9f. und 22). T. verließ Athen, kehrte aber später zurück. Erneut zum *stratēgós* Athens gewählt, gelang ihm 365 nach zehnmonatiger Belagerung die Eroberung von Samos. Anschließend gewann er Sestos, Krithote, Poteidaia, Torone und andere Städte für Athen; Angriffe auf Amphipolis und Olynthos blieben hingegen erfolglos. Um 362 wurde T. wegen nicht zurückgezahlter Darlehen angeklagt ([Demosth.] or. 49). 357 setzte sich T. dafür ein, Euboia gegen Theben zu sichern. Während des → Bundesgenossenkriegs [1] wurden die *stratēgoí* T. und → Iphikrates wegen Bestechung oder Verrats angeklagt, da sie sich wegen Sturms geweigert hatten, Chares [1] in der Seeschlacht bei Embata zu unterstützen. T. wurde zu einer hohen Geldstrafe verurteilt, was ihn zur Flucht nach Chalkis zwang, wo er 355/4 starb (Deinarch. or. 1,14; 3,17; Diod. 16,21; [Plut.] vitae X orat. 3 = Plut. mor. 836d).

374 war T. eine Ehrenstatue auf der athen. Agora aufgestellt worden. Eine überschwengliche Würdigung des T. als eines bedeutenden *stratēgós* findet sich bei Isokr. or. 15,101–139. Von Tricks zur Finanzierung sei-

ner Feldzüge berichtet [Aristot.] oec. 2,2,23, 1350a 23–b15; seine mil. Fähigkeiten rühmt Polyain. 3,9 f. Nepos widmete ihm eine Biographie.

K.-W. WELWEI, Das klass. Athen, 1999, 283–290; 293–298.

W. S.

[5] Griech. Bildhauer, tätig ca. 380–350 v. Chr. Die erh. Bauabrechnungen zum Asklepiostempel in → Epidauros (IG IV² 1, 102; 375–370 v. Chr.) führen T. als Hersteller von τύποι/*týpoi* (»Reliefs«) und → Akroteren an. Von den erh. Skulpturen wird T. meist ein Nike-Akroter zugewiesen, außerdem der Gesamtentwurf der Tempelplastik, indem der Begriff *týpoi* als »Modelle« verstanden wird. Die Skulpturen der Südseite des → Maussolleions von Halikarnassos (um 350 v. Chr.) seien von T. gewesen (Plin. nat. 36,31–33), ebenso der Akrolith eines Ares auf der Akropolis der Stadt; beide Zuweisungen waren bereits in der Ant. unsicher (Vitr. 2,8,11; 7 praef. 12). Eine Artemis des T., die unter Augustus in den Tempel des Apollo Palatinus in Rom gelangte, und ein Asklepios in Troizen sind nicht in röm. Kopien zu identifizieren. Der persönliche Stil des T. bleibt uns unbekannt.

OVERBECK, Nr. 1160; 1177f.; 1307; 1328–1330 · LIPPOLD, 219–222; 255f. · G. ROUX, L'architecture de l'Argolide aux IVᵉ et IIIᵉ siècle avant J. C., 1961, 84–108 · L. VLAD BORRELLI, s. v. T. (1), EAA 7, 1966, 862–865 · A. STEWART, Greek Sculpture, 1990, 273 f.; 180–182 · N. YALOURIS, Die Skulpturen des Asklepiostempels in Epidauros, 1992 · G. B. WAYWELL, The Sculptors of the Mausoleum at Halicarnassus, in: Ders., I. JENKINS (Hrsg.), Sculptors and Sculpture of Caria and the Dodecanese, 1997, 60–67 · B. S. RIDGWAY, Fourth-Century Styles in Greek Sculpture, 1997, 36f.; 244–248.

R. N.

[6] Dichter der att. Mittleren → Komödie, dem die Suda [1. test. 1] vier Stücktitel zuweist. Zu lediglich einem davon (Κυνάριον/*Kynárion*, ›Das Hündchen‹) ist ein Fr. erh., das auf den bekannten Parasiten Chairephon anspielt.

1 PCG VII, 1989, 787f.

H.-G. NE.

[7] Rel. Spezialist aus Athen, den → Ptolemaios [1] I. Soter (= Ptol.) im Zusammenhang mit der Einführung des → Serapis-Kultes beschäftigte (Tac. hist. 4,83; Plut. Is. 28,362a). Tacitus bezeichnet T. als Eumolpiden (→ Eumolpos), den Ptol. »als Ausleger der Rituale« aus Eleusis herbeigerufen habe, Plutarch nennt ihn *exēgētḗs*. Möglicherweise war T. also einer der eleusinischen → *exēgētaí Eumolpidôn* [1. 9, 92]. T. wird von beiden Quellen im Zusammenhang mit dem Traum erwähnt, aufgrund dessen Ptol. eine Kolossalstatue aus Sinope herbeibringen ließ, die als Bild des Serapis gedeutet wurde. Plutarch bringt T. auch mit dem äg. Priester → Manethon [1] in Verbindung. Die Schaffung oder Ausgestaltung einer graeco-äg. Gottheit wie Serapis wurde verm. durch den vereinten Sachverstand beider Männer deutlich erleichtert. Unabhängig davon, ob tatsächlich eine Statue aus Sinope geholt wurde, ist wohl

Ptol.' Bedarf an kreativer Theologie der histor. Hintergrund der Erzählung. Dies, nicht die Einrichtung einer angeblichen Filiale der eleusinischen → Mysterien, wird also der Zweck der Berufung des T. gewesen sein [2. 200 f.].

Die längste überl. Version des Agdistis/→ Attis-Mythos nennt als Quelle einen T., der als → *theologus* bezeichnet wird (Arnob. 5,5). Er wird meist mit dem *exēgētḗs* aus Eleusis identifiziert [2. 279; 3. 72 f.]; falls zu Recht, war dieser also auch schriftstellerisch tätig. Er hatte verm. einen beträchtlichen Einfluß auf die Vereinheitlichung und Modernisierung rel. Traditionen (u.U. auch auf diejenigen des Isis-Kultes) zu Beginn des Hell. [4. 38–41; 5. 79 f.].

1 K. CLINTON, The Sacred Officials of the Eleusinian Mysteries, 1974 2 P. M. FRASER, Ptolemaic Alexandria, 1972 3 P. BORGEAUD, La mère des dieux, 1996 4 A. D. NOCK, Conversion, 1933 5 W. OTTO, H. BENGTSON, Zur Gesch. des Niederganges des Ptolemäerreiches (ABAW 17), 1938.
R. PA./Ü: S. KR.

[8] Als Sohn und Nachfolger des ermordeten Tyrannen → Klearchos [3] Dynast (Isokr. epist. 7,1) von → Herakleia [7] am Pontos 352–337 v. Chr. (Diod. 16,36,3). Minderjährig standen er und sein jüngerer Bruder → Dionysios [5] bis 345 unter der Vormundschaft ihres Onkels Satyros. → Isokrates richtete 345 einen Brief an T. (Isokr. epist. 7) und ermahnte ihn, Wohltäter und Retter der Stadt zu sein. → Memnon [5] aus Herakleia (FGrH 434 F 1,2 f.) setzte sein Wirken in Krieg und Frieden positiv von dem seines Vaters ab. Nach seinem Tod wurde T. durch Agone geehrt. Dionysios, seit ca. 345 Mitregent (HN 515), folgte ihm nach (Diod. 16,88,5).

H. BERVE, Die Tyrannis bei den Griechen, 1967, 319 f.; 348; 681.
J. CO.

[9] Attischer Komödiendichter, der an den Dionysien von etwa 192 v. Chr. Zweiter wurde [1. test. 1]; ob er an denen von etwa 177 mit einem Ἀντευεργετῶν (*Anteuergetṓn*, ›Der Wohltaten Vergeltende‹) den dritten Platz errang [1. test. *2], ist unsicher, ebenso, ob ihn die Dionysiensiegerliste mit einem Sieg verzeichnet [1. test. *3].

1 PCG VII, 1989, 789.
H.-G. NE.

[10] Seleukidischer Militärbefehlshaber; er erlitt 164 v. Chr. in der Ammonitis und Gaulanitis (Ostjordanland) mehrere Niederlagen gegen Judas [1] Makkabaios (1 Makk 5,6 f.; 29–44 = Ios. ant. Iud. 12,329 f.; 337–343; Parallelüberl.: 2 Makk 12,10–31). Weitere Nachrichten (2 Makk 8,30–33; 10,24–38) sind trotz [1. 508–515] weder chronologisch noch sachlich mit den oben genannten Berichten vereinbar (s. dazu [2. 54 f.]). Ob sich die Widersprüche durch die Annahme von zwei gleichnamigen Personen auflösen lassen, bleibt fraglich.

1 B. BAR-KOCHVA, Judas Maccabaeus, 1989 2 K. BRINGMANN, Hell. Reformen und Religionsverfolgung in Judäa, 1983.
K. BR.

[11] Offensichtlich wurde T. durch → Paulus [2] bekehrt (›mein geliebtes und treues Kind‹; 1 Kor 4,17; vgl. 1 Tim 1,2.18). Nach Apg 16,1–3 stammt T. aus Kleinasien, Sohn eines Griechen und einer Jüdin; Paulus bestimmt ihn nach seiner Trennung von Barnabas zum Begleiter und läßt ihn aus Rücksicht auf die Juden beschneiden. Sowohl in den Paulusbriefen als auch in der Apg erscheint T. als engster Mitarbeiter, Sonderbeauftragter und Missionspartner des Paulus. Dieser nennt ihn »Bruder« (2 Kor 1,1; 1 Thess 3,2), »Mitarbeiter« (Röm 16,21) und »Knecht« Jesu Christi (Phil 1,1). Er ist Mitabsender und z. T. Mitautor (Wir-Form) mehrerer Briefe (2 Kor; Phil; Kol; 1/2 Thess; Phm). Paulus vergleicht die Tätigkeit des T. mit seiner eigenen (2 Kor 1,19; 1 Kor 16,10; Phil 2,19–22). Er sendet ihn gerne mit Spezialaufträgen als Stellvertreter zu seinen Gemeinden (1 Kor 4,17; Phil 2,19; 1 Thess 3,2 und 6; Apg 17,14 f.; 18,5; 19,22) und verteidigt ihn gegenüber Zweifeln der Korinther an dessen Autorität (2 Kor 8,18; 8,22). Den Aussagen der Apg zu T. wird meist hohe Glaubwürdigkeit zugebilligt [2. 21], die der biographischen Hinweise der Pastoralbriefe (→ Pseudepigraphie II.) ist umstritten: T. als Empfänger dieser Briefe; die Namen seiner christl. Mutter und Großmutter (2 Tim 1,5); seine frühe Unterweisung als Kind (2 Tim 3,15); Einsetzung in seinen Dienst unter Handauflegung des Paulus (2 Tim 1,6). Hebr 13,23 enthält einen Hinweis auf eine Gefangenschaft des T. Der christl. Trad. gilt er als Bischof von Ephesos (Eus. HE 3,4,5).
→ Titos [1]

1 W.-H. OLLROG, Paulus und seine Mitarbeiter, 1979 2 J. ROLOFF, Der erste Brief an T. (Evangelisch-katholischer Komm. zum NT 15), 1988.
P. WI.

[12] T. II. Ailuros (T. Αἴλουρος). Patriarch von Alexandreia [1] 457–460 und 475–477 n. Chr., † 31. Juli 477 (?). Sein Name ist untrennbar mit den heftigen Abwehrreaktionen der oriental.-monophysitischen Kirchen (→ Monophysitismus) gegen die Beschlüsse des Konzils von Kalchedon (451, → *sýnodos* II. D.) verbunden. Eine objektive Beurteilung von Person und Werk fällt schwer, da die histor. Quellen größtenteils die Sichtweise der kaiserlichen Position wiedergeben. In den Bereich der Legenden dürfte sein durch Kyrillos [2] erzwungener Eintritt in den Klerus sowie die griech.-volksetym. Deutung seines Beinamens (»Katze«) gehören; nach der syrischen Hauptquelle über sein Leben, der Chronik des → Zacharias Scholastikos von Mitylene, auch als (syr.) Titel im Sinne von »der von Gott Bestätigte« wiedergegeben. Nach dem Tod des Kaisers Marcianus [6] wurde T. im März 457 unter fragwürdigen Umständen gegen seinen Vorgänger, den eher »kalchedonischen« Proterios, in sein Amt eingesetzt (der danach von der Bevölkerung Alexandreias getötet worden sein soll). Als strenger Monophysit erwies sich T. gegenüber dem Kaiserhof in Konstantinopolis als kompromißlos, weswegen er auf Veranlassung Kaiser Leo(n)s [4] I. im J. 460 abgesetzt und nach Gangra bzw.

Chersonesos verbannt wurde. Nach dem Tod Leons gelang ihm die Rückkehr nach Alexandreia, wo offenbar nur sein Ableben die neuerliche Demission verhinderte. Sein lit. Werk (CPG 5475–5491), das größtenteils frg. und in syr. bzw. armenischen Versionen erh. ist, gibt seine dogmatischen Standpunkte wieder. Vgl. [1; 3; 5].

[13] T. IV. oder III. (je nach Zählung). Patriarch von Alexandreia [1] 517–535, † 2. oder 7. Feb. 535 n.Chr. Histor. ist er dem Umfeld der Kaiserin → Theodora [2] zuzuordnen, seiner wichtigsten Gönnerin. Im Gegensatz zu seinen Vorgängern wurde er von seiten der Zentralregierung nicht offen angegriffen, zumal Kaiser → Iustinianus [1] und seine Frau gemeinsam Orthodoxie und → Monophysitismus an der Spitze des Staates repräsentierten. Außerdem hatte sich zwischenzeitlich Antiocheia [1] als neues Zentrum der monophysitischen Theologie etabliert. Erh. sind von T. ein längeres sowie eine Reihe von kurzen Predigt-Fr. (CPG 7090–7100), die in der theolog. Trad. des Severos [3] von Antiocheia stehen. Unklar ist, ob das unter seinem Namen überl. Meßformular (CPG 7098; → Liturgie II.C.) tatsächlich von T. stammt. Vgl. [2; 4].

1 CH. FRAISSE-COUÉ, in: J.-M. MAYEUR et al. (Hrsg.), Die Gesch. des Christentums, Bd. 3, 2001, 161–180
2 L. GARLAND, Byzantine Empresses, 1999, 23–29
3 A. GRILLMEIER, Jesus der Christus im Glauben der Kirche, Bd. 2.1, ²1991, 131–266 4 Ders., TH. HAINTHALER, Jesus der Christus im Glauben der Kirche, Bd. 2.4, 1990, 42–46
5 B. PHANURGAKE, Ο κυρίλλειος χαρακτήρας, in: Γρηγόριος ο Παλαμάς 74, 1991, 541–668. L.H.

[14] T. von Gaza. Byz. Grammatiker und Populärwissenschaftler um 500 n.Chr. (Suda τ 621 s.v. T.). Verf. der Κανόνες καθολικοὶ περὶ συντάξεως (›Allg. Orthographieregeln‹, ed. [1]) und von Περὶ ὀρθογραφίας (›Über Orthographie‹, nicht erh.; vgl. [6. 369; 7]), ferner einer urspr. in Versen abgefaßten Schrift Περὶ ζώων (›Über Tiere‹, 4 B.: eine Slg. von zoologischen Kuriosa [2; 3]) und einer nicht weiter bekannten Klagerede an Kaiser → Anastasios [1] I. zur Gewerbesteuer.

ED.: 1 J.A. CRAMER, Anecdota Graeca..., 1841, Bd. 4, 239–244 2 M. HAUPT, Excerpta ex Timothei Gazaei libris de animalibus, in: Hermes 3, 1869, 1–30
3 F.S. BODENHEIMER, A. RABINOWITZ, T. of Gaza on Animals (Περὶ ζώων), 1949 (engl. Übers.).
LIT.: 4 P. EGENOLFF, Die orthographischen Stücke der byz. Litt., 1888, 6–8 5 HUNGER, Literatur, Bd. 2, 13, 18–19, 265 f.
6 R.A. KASTER, Guardians of Language, 1988, 368–370 (Nr. 156) 7 J. SCHNEIDER, Les traités orthographiques grecs antiques et byzantins, 1999, 15–71 8 A. STEIER, s.v. T. (18), RE 6 A, 1339–1341 9 M. WELLMANN, T. von Gaza, in: Hermes 62, 1927, 179–204. ST.MA.

Timoxena (Τιμοξένα). Ehefrau des Plutarchos [2], Tochter des Alexion (Plut. mor. 701d), wohl selbst schriftstellerisch tätig (eine Schrift über Putzsucht erwähnt Plutarch mor. 145a). Aus der Ehe stammten eine gleichnamige Tochter, die jedoch als Zweijährige starb (Trostschrift an T.: Plut. mor. 608a–612b), und vier Söhne; zwei starben ebenfalls früh. W.ED.

Timoxenos (Τιμόξενος).
[1] Achaier, polit. Freund des → Aratos [2], mehrfach *stratēgós* des Achaiischen Bundes (→ Achaioi): 225/4 v.Chr. und/oder 224/3 (Pol. 2,53,2; Plut. Kleomenes 20,8; Plut. Aratos 38,3; vgl. [1. 254 f.; 2. 149]), 221/0 (Pol. 4,6,4; Plut. Aratos 47,3) und 216/5 (Pol. 5,106,1).

1 F.W. WALBANK, A Historical Commentary on Polybius, Bd. 1, 1970 2 R. URBAN, Wachstum und Krise des Achäischen Bundes von 280 bis 222 v.Chr., 1979. L.-M.G.

[2] Athenischer Komödiendichter, der an den Dionysien von 154 v.Chr. mit dem Συγκρύπτων (*Synkrýptōn*, ›Der mit anderen etwas verbirgt‹) vierter wurde; ob er an denen von etwa 177 mit einem Ἀντευεργετῶν (*Anteuergetōn*, ›Der Wohltaten Vergeltende‹) den dritten Platz errang [1. test. *3], ist unsicher.

1 PCG VII, 1989, 790. H.-G.NE.

Timuchos (τιμοῦχος). Inhaber einer Ehre(nstellung) bzw. eines Amtes (gebildet aus τιμὴν ἔχειν, *timén échein*); zuerst belegt in der Form τιμάοχος als Epitheton für Gottheiten im 7. Jh. v.Chr. (Hom. Hymnos an Demeter 268 f.; Hom. Hymnos an Aphrodite 31 f.); als Amtsinhaber sind *timúchoi* fast nur in Gemeinwesen der ionischen Dialektgruppen belegt, z.B. im frühen 5. Jh. in Teos (Syll.³ 37/8; ML 30), wo sie an den → Anthesteria und an den Festen für Herakles und Zeus Fluchformeln gegen Polisfeinde aussprechen, *stratēgoí* und Bürger vereidigen und für Ehrenbeschlüsse sorgen mußten [1. 9]. Sie wurden dort wohl schon in archa. Zeit eingesetzt, verloren aber später infolge der Einrichtung neuer Ämter an Bed. In Abdera [1] wurde das Amt verm. von der *metrópolis* [1] Teos übernommen [2. 100–107]. Einfluß aus Teos und anderen ion. Poleis ist auch auf das Amt der *t.* in → Naukratis anzunehmen (Athen. 149 d-f). In → Phokaia waren die *t.* eine alte Behörde, da in der von Phokaia um 600 v.Chr. gegründeten → *apoikía* → Massalia die drei Oberbeamten sowie alle 600 Mitglieder des beschließenden Organs (*synhédrion*) und dessen geschäftsführender Ausschuß (15 Mitglieder) als *t.* bezeichnet wurden (Strab. 4,1,5). Verm. bestand das Amt auch in Miletos [2] und den milesischen Kolonien Olbia [1] und → Sinope, da hier τιμουχίαι (*timuchíai*) Oberbegriff für »Behörden« war. Ferner fungierten *t.* in Priene, Lebedos, Thasos und Methymna, wo sie aber in hell. Zeit generell geringere Bed. hatten. Ausnahme war Massalia.

1 P. HERRMANN, Teos und Abdera im 5. Jh. v.Chr., in: Chiron 11, 1981, 1–30 2 J. BOUSQUET, Inscriptions de Delphes II, in: BCH 64–65, 1940/1, 76–120.

G. GOTTLIEB, Timuchen (SHAW 1967.3). K.-W. WEL.

Timycha (Τιμύχα). Spartanerin, 4. oder Ende 6. Jh. v.Chr., Gattin des → Myllias in der von Neanthes (FGrH 84 F 31) berichteten Gruselgesch. T. wird in dem (vielleicht von → Philochoros abhängigen? [1]) Katalog der ›bedeutendsten Pythagoreerinnen‹ bei Iambl. v.P. 267 an erster Stelle genannt.

→ Philosophinnen; Pythagoras [2]; Pythagoreische Schule

1 W. BURKERT, Lore and Science in Ancient Pythagoreanism, 1972, 105⁴⁰.   C.RI.

Tinca. Cicero (Brut. 46,172) erwähnt einen T. aus Placentia, der durch seinen Witz seinen Freund Q. Granius [I 2] zu übertrumpfen versuchte. Das Cogn. ist wohl aus dem Keltischen entlehnt [1].

1 HOLDER, Bd. 2, 1851 f.   W.SP.

Tinde (Τίνδη). Die Stadt, wohl im Landesinneren gelegen, aber nicht genauer lokalisiert, gehörte nach Ausweis der Athener Tributquotenlisten (ATL 1, 424 f.) zu den Städten der → Krusis, die 434/3 v. Chr. zum Eintritt in den → Attisch-Delischen Seebund gezwungen wurden und 432 abfielen. T. war Mitglied im Chalkidischen Bund spätestens vor der Mitte des 4. Jh. v. Chr. (Steph. Byz. s. v. Τίνδιον).

M. ZAHRNT, Olynth und die Chalkidier, 1971, 247.   M.Z.

Tineius

[1] Q. T. Clemens. Senator; *cos. ord.* 195 n. Chr.; Sohn von T. [6]. Zur Familie der Tineii s. [1].

1 O. SALOMIES, Die Herkunft der senator. T., in: ZPE 60, 1985, 199–202.

[2] Q. T. Demetrius. → *Praefectus Aegypti* 189/190 n. Chr., [1. 489; 2. 511; 3. 138, 143].

1 P. BURETH, Le préfet d'Egypte (30 av. J. C. – 297 ap. J. C.), in: ANRW II 10.1, 1988, 472–502 2 G. BASTIANINI, Il prefetto d'Egitto, in: ANRW II 10.1, 1988, 503–517 3 F. GODDIO et al., L'épigraphie sous-marine dans le port oriental d'Alexandrie, in: ZPE 121, 1998, 131–143.

[3] Q. T. Rufus. Praetorischer Statthalter von → Thracia 124 n. Chr. (CIL III 14207,35); *cos. suff.* Mai 127 (FO² 49); als 132 der → Bar Kochba-Aufstand in Iudaea ausbrach, war er consularer Statthalter (spätestens seit 130 [1. 215 ff.]). Es gelang ihm nicht, die Revolte niederzuschlagen; in der jüd. Überl. gilt er aber als derjenige, der v. a. gegen das jüd. Volk vorging [2. 518, 547–549]. Seine Frau und seine Tochter wurden in Skythopolis geehrt (unpubl. Inschr.). Ob er in der Prov. starb oder nur abgelöst wurde, ist nicht bezeugt [3]. Er ist kaum für die anfänglichen Niederlagen Roms gegen Bar Kochba verantwortlich, da seine Nachkommen zu höchsten Ämtern gelangten (PIR T 168).

1 H. M. COTTON, W. ECK, Governors and Their Personnel on Latin Inscr. from Caesarea Maritima, in: The Israel Acad. of Sciences and Humanities, Proc. 7.7, 2001 2 SCHÜRER I, 514–557 3 W. ECK, The Bar Kokhba Revolt: the Roman Point of View, in: JRS 89, 1999, 76–89.

[4] Q. T. Rufus. Patrizier; Sohn von T. [6]; *cos. ord.* 182 n. Chr. (DEGRASSI, FC 50); *pontifex*; [1. Nr. 61].

1 J. NOLLÉ, Side im Alt., 1992.

[5] Q. T. Sacerdos. Patrizier. Sohn von T. [6]. *Cos. suff.* im J. 192 n. Chr.; consularer Legat in Pontus-Bithynia 198/9 [1. 249]; *procos.* von Asia 209/10 oder 210/1 (AE 1985, 804; vgl. [2. 795 f.]). *Cos. ord.* II 219 zusammen mit → Elagabal [2] [3. 136].

1 THOMASSON 1, 249 2 G. PETZL, Rez. zu T. RITTI, Hierapolis 1, in: BJ 187, 1987, 792–798 3 LEUNISSEN.

[6] Q. T. Sacerdos Clemens. Sohn von T. [3]. *Cos. ord.* 158 n. Chr.; *pontifex*; von → Antoninus [1] Pius in den Patriziat aufgenommen (IGR III 808; [1. 341–343, Nr. 60, 61]).

1 J. NOLLÉ, Side im Altertum, 1992, Nr. 60, 61.

[7] Q. T. Severus Petronianus. → *Curator rei publicae* wohl von Nikaia [5] im J. 244 n. Chr.; vielleicht Senator (AE 1993, 1442).   W.E.

Tingis (pun. *Tng*). Berberische Stadt mit günstigem Naturhafen (Strab. 3,1,8; Mela 1,26; Plin. nat. 5,2; Plut. Sertorius 9,5; Ptol. 4,1,5; Cass. Dio 48,45,2; 60,9,5), seit 40 n. Chr. Hauptort der → Mauretania Tingitana, h. Tanger (Marokko). Die ant. Stadt ist völlig mod. überbaut. Spätestens seit dem 8. Jh. v. Chr. besuchten phoinikische Händler (→ Phönizier) die Stadt, die wohl seit dem 6. Jh. von → Karthago abhängig war. Unter den mauretanischen Königen (→ Mauretania) war T. Residenzstadt. 38 v. Chr. durch den nachmaligen Augustus *colonia Iulia* latinischen Rechts, seit → Claudius [III 1] *colonia Claudia* mit röm. Bürgerrecht. Noch in röm. Zeit bediente man sich hier der (neu-)punischen Sprache. Inschr.: CIL VI 4, 31870; CIL VIII 2, 9988–9990; 10985 f.; Suppl. 3, 21812–17; AE 1935, 63; 1942–1943, 43 f.; 1955, 45; 265; [1; 2].

1 L. CHATELAIN (Hrsg.), Inscriptions Latines de Maroc, 1942, 1–25 2 J. GASCON (Hrsg.), Inscriptions antiques du Maroc 2, 1982, 1–50.

M. PONSICH, Tanger antique, in: ANRW II 10.2, 787–816 · F. WINDBERG, s. v. T., RE 6 A, 2517–2520.   W.HU.

Tinia. Gott im Mittelpunkt der etruskischen Götterwelt [1. 294 f.]. Der Name (mehrere Varianten bezeugt) wird von der idg. Wurzel *diie-* (»heller Tag«) abgeleitet [2. 216 f.]. Die Gleichsetzung mit griech. → Zeus ist inschr. belegt. Attribute T.s sind wie bei Zeus/→ Iuppiter Blitz und Zepter [3. 66, 82]. In Szenen aus dem griech. Mythos wird die griech. Ikonographie des Zeus als älterer, bärtiger Gott beibehalten [1. 294 f.]; daneben findet sich eine bis in das 1. Jh. v. Chr. erh., bei Italikern und Westgriechen bekannte Ikonographie des T. bzw. des Zeus [4. 233] als jugendlicher und bartloser Gott [1. 295 Abb. 1].

T. als Adressat öffentlicher Kulte ist erst auf der Tontafel von Capua (Anf. 5. Jh. v. Chr.: ET TC 19) genannt. Vulca aus Veii soll die Kultstatue für den Iuppiter-Tempel in Rom (E. 6. Jh. v. Chr.) geschaffen haben (Plin. nat. 35,12,45). Religionsgesch. tritt T. aus einer animistischen Stufe als Gewittergott hervor und entwickelt sich zu einem Hochgott: Konnte er im 5. Jh. v. Chr. seine teils friedlichen, teils gefährlichen oder verheerenden Blitze zum Zweck der Zukunftsankündigung schleudern (Sen. nat. 2,41,1), so tritt er bei → Caecina [I 4] (Sen. nat. 2,45,1–3) als Hochgott mit Herrschaftsprädikaten auf, zu denen Gerechtigkeit und Ordnung gehören.

→ Etrusci, Etruria (III.)

1 I. KRAUSKOPF, s. v. T., in: M. CRISTOFANI (Hrsg.), Dizionario illustrato della civiltà etrusca, 1985, 294 f.
2 H. RIX, Teonimi etruschi e teonimi italici, in: Annali della fondazione per il Museo Claudio Faina 5, 1998, 207–229
3 E. GERHARD, G. KÖRTE, Etr. Spiegel, 1884–1897
4 PFIFFIG.

G. CAMPOREALE, s. v. T., LIMC 8.1, 400–421.   L. A.-F.

Tinnit. Die seit dem 5./4. Jh. v. Chr. v. a. in → Karthago verehrte phöniz. Göttin T. entstammt dem phöniz. Mutterland; Erwähnungen auf Stelenfunden des 9.–6. Jh. bei Tyros [7. 113; 8. 54], auf einer Inschr. des 7. Jh. v. Chr. in Sarepta (vgl. [3]), die Wendung *tnt blbnn*, »T. im/vom Libanon« (KAI 81,1), Personen(namen)befunde, rezente libanesische Ortsnamen und diverse Kleinfunde liefern dafür Hinweise, die umgekehrt eine nordafrikanische (numidische) Ableitung ausschließen. Die Aussprache »T.« statt des früher üblichen *tanit* ist durch die Schreibungen *tynt* (KAI 164,1 u.ö.), *tnjt* und *tnnt*, statt des geläufigen *tnt*, durch griech. Transkriptionen wie ΘΙΝΙΘ (KAI 175,2), ΘΕΝΝΕΙΘ (KAI 176,1 f.), den latinisierten Ortsnamen *Thinissut* (= Bīr Bou-Rekba, h. Tunesien) u. ä. gesichert. Etym. und Bed. des Namens sind nicht zu ermitteln.

T. scheint, wie aus der Namenkombination *tnt t-ˤštrt* auf der Sarepta-Inschr. [3] hervorgeht, eine Abspaltung der syr. → Astarte zu sein (→ Salambo); so erscheint Astarte in der Inschr. von Burg Ǧadīd (Karthago; KAI 81,1) neben der »T. im/vom Libanon«. Das fast immer mit dem Namen T. verbundene punische Epitheton *pn bˤl*, »Angesicht Baˤls« (vgl. ΦΑΝΕ ΒΑΛ: KAI 175,2 u. ä., ΦΑΝΗΒΑΛΟΣ auf Mz. aus Askalon um 150 n. Chr.) läßt wie bei Astarte an eine enge Beziehung zu dem bekannten syr. Fruchtbarkeitsgott denken, ohne daß die Funktion des Epithets klar wäre. Die nur halbseitig erh. Inschr. KAI 81 bezeugt Heiligtümer für Astarte und *tnt blbnn* in Karthago (zu benachbarten Tempeln für T. und Ešmun-Asklepios auf der karthagischen → Byrsa vgl. KAI Bd. 2, 90). Von Karthago strahlte die Verehrung der T. vor allem nach Malta, Sizilien, Sardinien, Spanien und Ibiza aus.

Die in Karthago (anders als weithin in der übrigen Mittelmeerwelt) an erster Stelle vor Baˤl Ḥammōn genannte T. empfing wie dieser *m(o)lk*-Opfer, die dem hebr. *molek*-Opfer (fälschlich »Moloch«-) entsprechen und bei dem zumindest urspr. Kinder dargebracht wurden (vgl. Gn 22). Im Unterschied zu Baˤl Ḥammōn, der *ʾdn*, »Herr«, genannt wird, heißt sie *rbt*, etwa in *rb(b)tn*, »Notre Dame«. Sie gilt als »Mutter« sowie durch Identifikationen als → *kurotróphos* (»Jungmännererernährerin«), *Nutrix Saturni* (= Baˤl Ḥammōn?), als Urania, Dea oder Virgo Caelestis mit lunarem und/oder solarem Attribut und wird mit Iuno Caelestis identifiziert. Die Wiedergabe des phöniz. Personennamens ˤ*bdtnt*, »Diener der T.«, durch griech. *Artemídōros* (KAI 53) läßt an eine Identifikation mit der jungfräulichen Artemis denken.

Das stark variable »T.«-Zeichen [4. 536–538; 9; 11; 12. 210] kann als stilisierter Baitylos (→ Baitylia) oder Altartisch, als *anḫ*-Hieroglyphe, aber auch als abstrakt-anthropomorphe Figur mit – segnend oder adorierend – erhobenen Armen gedeutet bzw. als »Flasche« mit Sonnenscheibe und nach unten gekehrter Mondsichel bezeichnet werden. [4. 537] sieht in ihm eine ›memoria des‹ durch das *m(o)lk*-Opfer ›heroisierten Kindes‹.

→ Artemis; Astarte; Baal; Menschenopfer; Phönizier, Punier

1 F. O. HVIDBERG-HANSEN, La déesse TNT, 2 Bde., 1979 (ältere Lit.: Bd. 2, 173–197) 2 S. MOSCATI, Un bilancio per TNT, in: Oriens Antiquus 20, 1981, 107–117
3 J. B. PRITCHARD, The Tanit Inscription from Sarepta, in: H. G. NIEMEYER (Hrsg.), Phönizier im Westen, 1982, 83–92
4 W. HUSS, Gesch. der Karthager, 1985, 513–517, 536–540
5 P. BORDREUIL, Tanit du Liban, in: E. LIPIŃSKI (Hrsg.), Phoenicia and the East Mediterranean in the 1st Millenium B. C., 1987, 79–86 6 E. LIPIŃSKI, Tannit et Baˤal Ḥamon, in: Hamburger Beitr. zur Arch. 15–17, 1988–90, 209–249
7 H. SADER, Phoenician Stelae from Tyre, in: Berytos 39, 1991, 101–126 8 DIES., Phoenician Stelae from Tyre, in: Studi epigrafici e linguistici sul vicino oriente antico 9, 1992, 53–79 9 F. BERTRANDY, s. v. Signe de Tanit, DCPP, 416–418
10 E. LIPIŃSKI, s. v. Tanit, DCPP, 438 f. 11 F. BERTRANDY, Les représentations du »signe de Tanit« sur les stèles de Constantine, in: Rivista di studi fenici 21, 1993, 3–28
12 E. LIPIŃSKI, Dieux et déesses de l'univers phénicien et punique, 1995, 199–215.   H.-P. M.

Tintagel. Die Landspitze an der Nordküste Cornwalls wurde lange Zeit mit König → Arthur und seinem Hof in Verbindung gebracht. Begrenzter Besiedlung in spätröm. Zeit folgte intensivere vom späten 5. Jh. n. Chr. an mit vielen Importen aus dem östl. Mittelmeerraum, bes. Amphoren und feine Keramik. Damals war T. offenbar die Residenz der Könige der → Dumnonii.

C. THOMAS, The Book of T.: Arthur and Archaelogoy, 1993.   M. TO./Ü: I. S.

Tinte. In der Ant. wurde T. nach ihrer Farbe benannt: μέλαν (*mélan*, wörtl. »schwarz«), lat. *atramentum* (von *ater*, »schwarz«). In der spätant. lat. und später der byz. Epoche verbreiteten sich die Begriffe *énkauston* bzw. lat. *encaustum* (»eingebrannt«); erst im MA erscheint der lat.

Begriff *tincta* (»benetzt«, »eingetaucht«) [1. 23 ff.]. Erwähnungen der T. und ihrer Herstellung finden sich bei Vitr. 7,10; Dioskurides 5,162 WELLMANN; Plin. nat. 35,41. Auf dieser Grundlage entwickelte sich im MA eine lat. Fach.-Lit. zur T.-Herstellung [1. 31 ff.] und Abh. wie die *Schedula diversarum artium* des Theophilus Presbyter (11./12. Jh.), in der Regel anon. [1. 144 ff.]. Es gibt seit dem MA T. aus Ruß (gemischt mit einem beliebigen Bindemittel sowie einer Zusatzkomponente, z. B. Wein, und Wasser) und aus Gallium (aus Gerbsäuren, denen Kupfer- oder Eisensulfat, Wasser und ein Bindemittel beigegeben wurde). Erst jüngst wurden die Bestandteile der ma. T. genauen Labor-Unt. unterzogen [2; 3; 4]. Gewöhnlich schrieb man Titel und *incipit* in roter T. (→ Rubrizierung) aus bearbeitetem Zinnober oder Mennige (ihrerseits Quecksilber- und Blei-Derivate). Die Unterschrift (→ *subscriptio*) des byz. Kaisers auf Dokumenten erfolgte in purpurfarbener T. aus Schneckensekreten (Cod. Iust. 1,23,6; → Purpur) [5]. Der Text der Purpur-Codices wurde seit der Ant. in goldener oder silberner T. ausgeführt [6; 7].

→ Buch; Codex; Schreibmaterial

1 M. ZERDOUN BAT-YEHOUDA, Les encres noires au moyen âge, 1983 2 P. CANART et al., Recherches sur la composition des encres ... au XIᵉ siècle, in: M. MANIACI, P. F. MUNAFÒ (Hrsg.), Ancient and Medieval Book Materials and Techniques, Bd. 2, 1993, 29–56 3 P. DEL CARMINE et al., Particle-Induced X-Ray-Emission with an External Beam, in: s. [2], 7–27 4 M. BICCHIERI et al., Raman and Pixe Analysis of Salerno Exultet, in: Quinio 2, 2000, 233–240 5 O. LONGO (Hrsg.), La porpora. Realtà e immaginario di un colore simbolico, 1998 6 D. V. THOMPSON, The Materials and Techniques of Medieval Painting, 1956 7 V. TROST, Gold- und Silbertinten, 1991.   S. MA./Ü: K. L.

Tintenfische. Die Cephalopoda (»Kopffüßer«) genannte Klasse der T. gehört zu den im Meer lebenden (vgl. Plin. nat. 32,149) μαλάκια/*malákia*, lat. *mollia*, h. Mollusca (»Weichtieren«), und zwar zum Unterstamm Concifera. Die heutige Systematik unterscheidet die beiden Ordnungen der Zehnarmigen (Decabrachia) und Achtarmigen (Octobrachia).

I. DECABRACHIA

Von den Decabrachia, die zusätzlich zu den acht am Kopf sitzenden Fangarmen (πλεκτάναι/*plektánai*: Aristot. hist. an. 4,1,524a 3 f.) zwei längere, einziehbare Fangtentakel (προβοσκίδες/*proboskídes*: ebd. 523b 29–33) besitzen, beschreibt Aristoteles: (1.) den eigentlichen T. (Sepia officinalis L.), griech. σηπία/*sēpía*, lat. *sepia* oder *sepiola*. Die daraus gewonnene Farbe nutzte man in der Ant. als wenig geschätzte → Tinte (Plin. nat. 35,43; vgl. Pers. 3,12 f.; Auson. epist. 4,76 und 7,54). Aristot. ebd. 524b 15–17 erwähnt den am Enddarm sitzenden Tintenbeutel (θολός/*tholós*), dessen Inhalt das erschreckte Tier (vgl. Plin. nat. 9,84) durch den Mund ausstößt. Der sich im Meerwasser verteilende Farbstoff macht es seinen Feinden unsichtbar. Die Fortpflanzung geschieht mit Hilfe eines bes. spitzen Armes des Männchens, des Hectocotylus (Aristot. ebd. 524a 5–9), der die Samenträger einführt. Der charakteristische, unter der Rückenhaut liegende, kalkige Schulp (σήπιον/*sépion* oder ξίφος/*xíphos*; »Schwert«) ist beim (2.) schlankeren Kalmar dünner und knorpeliger (Aristot. ebd. 524b 22–27); dieser kommt in zwei Arten vor, dem kleineren τευθίς/*teuthís* (Loligo vulgaris; z. B. Aristot. ebd. 5,18, 550b 12–19) und dem τεῦθος/*teúthos* (Pfeilkalmar, Loligo = Todarodes sagittatus; z. B. Aristot. ebd. 4,1,524a 25–33). Wie die fliegenden Fische oder Kammuscheln (*pectunculi*) können beide Arten von *lolligines* nach Plin. nat. 9,84 (vgl. 18,361 und 32,14 als Sturmzeichen) über die Wasseroberfläche hinausschießen (*volitare*, »fliegen«; vgl. [1. 155 f.]).

II. OCTOBRACHIA

Zu den Octobrachia gehören (1.) die Moschuskrake (Eledone moschata), ἐλεδώνη/*heledónē*, wahrscheinlich identisch mit βολίταινα/*bolítaina*, ὄζολις/*ózolis* (Aristot. ebd. 525a 16–20; Athen. 7,318e) und ὀσμύλος/*osmýlos* (Athen. l.c.), die durch ihren Moschusgeruch (Plin. nat. 9,89: *ozaena* [1. 187]) und die Einreihigkeit der Saugnäpfe an den Tentakeln auffällt; (2.) der Gemeine Polyp oder die Krake (Octopus vulgaris), πολύπους/*polýpus*. Der Fang mit dem Dreizack, der Angel oder dem Netz zur Verwendung in der Küche war nicht einfach, weil diese Tiere sich mit ihren Fangarmen an Steinen festhalten (Opp. hal. 2,232–236) und Angelhaken ausspukken können. Nach Verlust einzelner (später nachwachsender) Fangarme – man deutete das fälschlich als Selbstverstümmelung aus Hunger (Ail. nat. 1,27 und 14,26; Opp. hal. 2,243–245; Athen. 7,316e-f), was Aristot. hist. an. 7(8),2,591a 4; Plin. nat. 9,87 und Plut. de sollertia animalium 27 (= mor. 978f) zurückweisen – sind die T. weiter lebensfähig, kurzzeitig auch an Land (Aristot. ebd. 8(9),37,622a 31–33; Plin. nat. 9,71 und 9,92 über ein Riesenexemplar). Die an das → Chamaeleon erinnernden Farbänderungen wurden unterschiedlich gedeutet (Plut. l.c.: aus Vorsicht; Theophr. fr. 172 und 188: aus Feigheit). Wahrscheinlich ist mit dem knochenlosen Tier (ἀνόστεος/*anósteos*) bei Hes. erg. 524 der Polyp gemeint. (3.) Vom sog. Papierboot (Argonauta argo), griech. ναυτίλος/*nautílos* oder ποντίλος/*pontílos* (bei Plin. nat. 9,88 fälschlich *pompilus*) lebt nur das Weibchen in einer papierdünnen bis 20 cm langen Schale. Aristoteles beschreibt die Art sehr genau (hist. an. 4,1,525a 20–29), jedoch mit fabulösen Zügen (ebd. 8(9),37,622b 5–18 = Plin. nat. 9,88).

Der Gemeine Polyp begegnet auf vielen Mz. [2. Taf. 8,3, 8,15–22, 13,1] von meernahen griech. Städten wie Tarent und Syrakus und auf Gemmen [2. Taf. 24,44–46], die Sepia auf Mz. [2. Taf. 8,23–25] und Gemmen [2. Taf. 23,13, 23,37, 24,32, 24,47].

1 LEITNER 2 F. IMHOOF-BLUMER, O. KELLER, Tier- und Pflanzenbilder auf Mz. und Gemmen des klass. Alt., 1889, Ndr. 1972.

H. AUBERT, Die Kephalopoden des Aristoteles, 1862 · KELLER 2, 507–518 · A. STEIER, s. v. T., RE 6 A, 1393–1406.
                                                                C. HÜ.

Tintinnabulum (lat.; »Klingel, Schelle«). Vollplastische Glöckchen aus Metall, zumeist ohne ihre Schlegel erh., fanden sich an vielen Orten der ant. Welt. Im Kult orientalischer Gottheiten vertrieb das Lärmen der T. → Dämonen. *Tintinnabula* gaben Öffnungszeiten an (Markt, Thermen), halfen als Amulette gegen den bösen Blick und bei Gefahr in der Schlacht. Oft hängen T. mittels dünner Ketten an geflügeltem → Phallos, Mensch oder Tier. Da solche phantastischen Kombinationen aus Br. (z.Z. ca. 30 Expl. aus röm. Zeit nachweisbar) außer ihrem dominanten Phalloscorpus wenigstens eine weitere Phallosnachbildung enthalten, sind die auffälligen Stücke zur Sondergruppe der phallischen T. zu zählen. Auch die Darstellung bzw. Nachformung des männlichen Gliedes hielt nach ant. Verständnis Böses fern. Privathaus, Laden, Gastgewerbe und Bordellbetrieb nutzten phallische T. als Signal und Talisman. Fundumstände phallischer T. ermöglichen zwar keine Rückschlüsse auf den sozialen Stand ihrer Besitzer, aber die kostspielige Sonderanfertigung der Glücksbringer läßt gut situierte Käufer annehmen.
→ Amulett; Erotik II.; Phallos; Phylakterion

1 E. ESPÉRANDIEU, s. v. T., DS 5, 341–344 2 A. DIERICHS, Klingendes Kleinod. Ein unbekanntes T. in Dänemark, in: Ant. Welt 30, 1999, 145–149 3 G. HERZOG-HAUSER, s. v. T., RE 6 A, 1406–1410.   AN. DI.

Tinurtium. Kastell bzw. Siedlung in der Gallia → Lugdunensis an der Via Agrippina (Itin. Anton. 359,5), h. Tournus (Dép. Saône-et-Loire). Es existierten zwei Siedlungen: *T. vetus,* der urspr. keltische Ort und spätere röm. *vicus* auf dem h. Muret de la Mousse, einer Insel im Arar (Saône); *T. novum,* h. Tournus, die Neugründung auf dem rechten Ufer des Arar zw. Cabilonnum (h. Chalon-sur-Saône) und Matisco (h. Mâcon; Itin. Anton. 359,5). *T. novum* erhielt in der späten Kaiserzeit ein *castellum,* von dem Reste erh. sind. Die urspr. Straßenstation mit Proviantmagazinen entwickelte sich zur Siedlung. Dort wurde Clodius [II 1] Albinus von Septimius [II 7] Severus im J. 197 n. Chr. geschlagen (SHA Sept. Sev. 11). Es gibt wegen der starken Überbauung nur wenige Funde.

ESPÉRANDIEU, Rec. 10, 7082 · A. REBOURG, Carte archéologique de la Gaule 71, 1993, 537.   CH. W.

Tios (Τίος; urspr. ON Τιεῖον/ *Tieíon*). Stadt an der Südküste des Schwarzen Meeres (→ Pontos Euxeinos) im Gebiet der → Kaukones [2] (Strab. 12,3,5), östl. vom h. Hisarönü, westl. der Mündung des → Billaios (der Flußgott auf den Mz. von T.), wurde im 7. Jh. v. Chr. aus Miletos [2] aus gegr. T. geriet unter die Herrschaft von Herakleia [7], ging ca. 300 v. Chr. im → *synoikismós* von Amastris [4] auf, um von Lysimachos [2] herausgelöst und Eumenes, dem älteren Bruder des Philetairos [2], der aus T. stammte, anvertraut zu werden (→ Attalos mit Stemma). Nach 281 bemächtigte sich → Zipoites von Bithynia des Gebiets, aber T. wurde von Herakleia zurückgekauft und schließlich von Prusias [1] I. in Besitz

genommen. Im Rahmen der Neuordnung des → Pompeius [I 3] wurde T. der röm. Teilprov. Pontus zugeschlagen [1. 21, 35 f.]. Kult des Zeus Syrgastes ist für T. bezeugt. Erh. sind Inschr. und Mz. der röm. Kaiserzeit, Gebäuderuinen, Theatersubstruktionen und Molenreste, landeinwärts ein Aquädukt.

1 C. MAREK, Stadt, Ära und Territorium, 1993, 13–36.

L. ROBERT, Études anatoliennes, 1937, 266–291 · N. EHRHARDT, Milet und seine Kolonien, 1983, 52. C. MA.

Tipasa (Τίπασα).
[1] Stadt in der → Mauretania Caesariensis (Plin. nat. 5,20; Ptol. 4,2,5; Amm. 29,5,17), ca. 30 km östl. von Caesarea [1], h. T. oder arab. Tefased, mit beachtlichen ant. Überresten (u. a. zwei Thermen, Theater, zwei Tempel, Nymphäum, zwei Basiliken). Evtl. phoinikischer, jedenfalls punischer Handelshafen (seit dem 6. Jh. v. Chr. nachweisbar; evtl. Kult des Baal Hammon); nach dem 2. → Punischen Krieg numidisch bzw. mauretanisch, seit 42 n. Chr. röm., seit 46 n. Chr. → *municipium,* seit → Antoninus [1] Pius *colonia Aelia Augusta.* Punische Trad. blieben lange erh. Inschr.: CIL II 2210; CIL VIII 2, 9288–9314 a; Suppl. 3, 20856–20931 a; AE 1951, 265; 1955, 48; 130; 201; 1958, 134; 1966, 600; 1967, 646; 1971, 527; 531; 1989, 885; 886(?); 1994, 1900; [1. 335–339; 2].

1 J. CARCOPINO, Mélanges d'épigraphie algérienne, in: Revue Africaine 58, 1914, 330–361 2 J.-B. CHABOT (ed.), Recueil des inscriptions libyques, 1940, 867.

S. LANCEL, T. de Maurétanie, in: ANRW II 10.2, 739–786 · C. LEPELLEY, Les cités de l'Afrique romaine, Bd. 2, 1981, 543–546 · M. M. MORCIANO, T. d'Algeria: un esempio di pianificazione antica, in: A. MASTINO, P. RUGGERI (Hrsg.), L'Africa romana. Atti del 10 convegno di studio 1, 1994, 403–418 · F. WINDBERG, s. v. T. (1), RE 6 A, 1413–1423.

[2] Urspr. berberische Stadt in Numidia (→ Numidae; Itin. Anton. 41,7; Tab. Peut. 4,3; Geogr. Rav. 39,19), sö von → Thubursicum [2] Numidarum, h. Tifech, mit wenigen ant. Resten (auf der Akropolis, Thermen in der Stadt). Geringe punische Spuren. Inschr.: CIL VIII 1, 4846–4873 a; 2, 10832; Suppl. 1, 17141–17149; 2, 18068; [1. 613–618].

1 J.-B. CHABOT (ed.), Recueil des inscriptions libyques, 1940, 613–618.

F. WINDBERG, s. v. T. (2), RE 6 A, 1423–1425.   W. HU.

Tiphys (Τῖφυς). Sohn des → Hagnias, aus Siphai, dem Hafen von Thespiai, → Argonaut und Steuermann der → Argo (Apollod. 1,111; Apoll. Rhod. 1,105–110 und 1,401 f.; Val. Fl. 1,481–483; Orph. Arg. 122–126). T. leitet den Stapellauf (Apoll. Rhod. 1,381–393), mahnt zur Abfahrt (ebd. 1,522 f.), lenkt sicher aus dem Hafen (ebd. 1,559–562) und heil in den → Bosporos [1] (ebd. 2,169–176) und durch die → Symplegades (ebd. 2,573–606). Nach seinem Tod durch Krankheit bei den

→ Mariandynoi wird Ankaios [2] (Apollod. 1,126; Apoll. Rhod. 2,854–898; Val. Fl. 5,13–62) bzw. → Erginos sein Nachfolger (Val. Fl. 5,13–66; Herodoros FGrH 31 F 55, bei dem F 54 T. erst auf der Rückreise stirbt). In der röm. Dichtung ist T. Muster des umsichtigen Steuermanns (Verg. ecl. 4,34; Ov. epist. 6,48).

1 E. WÜST, s. v. T., RE 6 A, 1426–1429 2 L. RADERMACHER, Mythos und Sage bei den Griechen, ³1968, 194–196; 313–315 3 R. BLATTER, s. v. Argonautai, LIMC 2.1, 591–598 (5, 8, 10). P. D.

Tiribazos (Τιρίβαζος), achäm. → Satrap in Armenien, rettete → Artaxerxes [2] II. bei → Kunaxa (401 v. Chr.) und gewährte den griech. Söldnern freien Durchzug (Xen. an. 4,4,4 f.; 18; Plut. Artaxerxes 7 und 10; Diod. 14,27,7). Als *káranos* (Generalstatthalter der westl. Satrapien) in Kleinasien (und wohl auch Satrap in Sardeis) verwies er 392 athenische und spartanische Gesandte an den Großkönig, verhalf → Antalkidas zum Flottenbau und verhaftete → Konon [1] (Xen. hell. 4,8,12 ff.; Diod. 14,85,4). Vorübergehend abberufen, kam er 388 nach Lydien zurück, brachte Antalkidas zu Artaxerxes und verlas 386 in seiner Residenz den griech. Gesandten den »Königsfrieden« (Xen. hell. 5,1,25 ff.). Nachdem er zusammen mit → Glos den Euagoras [1] bei Kition besiegt hatte, verhandelte er mit dem König von Salamis und wurde deswegen von → Orontes [2] angeklagt (Diod. 15,8; vgl. Polyain. 7,14,1); 384 rettete T. den pers. Großkönig im Kadusierkrieg (→ Kadusioi), wurde freigesprochen und hoch geehrt. An einer Verschwörung des Dareios [5] gegen Artaxerxes beteiligt, fand er den Tod (Diod. 15,8 ff.; Plut. Artaxerxes 24; 27 f.).

BRIANT, Index, s. v. T. · O. CASABONNE (Hrsg.), Mécanismes et innovations monétaires dans l'Anatolie achéménide, 2000, s. v. T. J. W. u. H. VO.

Tiridates (Τιριδάτης).
[1] Eunuch Artaxerxes' [2] II. (Ail. var. 12,1).
[2] Achäm. Kommandant und »Schatzwart« von → Persepolis, von → Alexandros [4] d. Gr. nach Übergabe von »Burg« und Schätzen im Amt belassen (Diod. 17,69,1; Curt. 5,5,2; 6,11). Ab 330/29 v. Chr. war T. Stratege der → Ariaspai und Gedrosier (→ Gedrosia) (Diod. 17,81,2). Besitzungen eines T. schenkte Alexandros 328/7 dem Pagen Eurylochos für die Aufdeckung einer Verschwörung (Curt. 8,6,26).

1 BRIANT, s. v. T. (zu T. [1]) 2 J. WIESEHÖFER, Die »dunklen Jh.« der Persis, 1994, s. v. T. 3 BERVE 2, 374 f. (zu T. [2]). J. W.

[3] Parthischer Usurpator mit unbekanntem familiärem Hintergrund; erhob sich 32/1 v. Chr. gegen → Phraates [4] IV., den dessen Sieg über M. Antonius [I 9] 36 v. Chr. für seine Untertanen zur Belastung hatte werden lassen. Phraates floh, kehrte aber mit skythischen Hilfstruppen zurück und begann einen mehrere Jahre dauernden Kampf um den Thron. Das schwankende Kriegsglück (vgl. Isidoros [2] von Charax 1; Hor. carm. 1,26,5) läßt

sich an den wechselnden Münzherren der datierten → Tetradrachmen von Seleukeia [1] ablesen: Nachdem T. letztmalig im März 25 geprägt hatte, setzte sich Phraates im Mai endgültig durch und zwang T. zur Flucht auf röm. Gebiet. Daß er → Augustus bis nach Spanien nachgereist sei (Iust. 42,5,6), ist wohl ein Mißverständnis. T. bat Augustus, ihm bei der Rückeroberung des Throns zu helfen, während Phraates die Rückgabe eines Sohnes forderte, den T. in seine Gewalt gebracht hatte. Der Princeps sandte den Sohn an Phraates zurück und unterstützte T. nur insofern, als er ihn auf seine Kosten in Rom leben ließ (Cass. Dio 51,18; 53,33; 55,10a,5; Iust. 42,5).

M. KARRAS-KLAPPROTH, Prosopographische Stud. zur Gesch. des Partherreiches, 1988.

[4] Ein Sohn eines der vier Arsakiden-Prinzen, die ihr Vater → Phraates [4] IV. 10 v. Chr. in röm. Obhut gegeben hatte. 36 n. Chr. wurde der in Rom lebende T. von oppositionellen Kreisen um → Abdagaeses und seinen Sohn → Sinnaces als Gegenkönig gegen → Artabanos [5] II. nominiert und von L. Vitellius ins Partherreich geführt. Artabanos floh zunächst nach Hyrkania, kehrte aber mit skythischen Hilfstruppen zurück, so daß sich T. ins röm. Syrien zurückziehen mußte (Tac. ann. 6,32–37; 6,41–44; Cass. Dio 58,26, 2–3).

M. SCHOTTKY, Parther, Meder und Hyrkanier, in: AMI 24, 1991, 61–134, bes. 82 f.

[5] T. I. Der jüngere eheliche Sohn des → Vonones II. (bei Ios. ant. Iud. 20,3,4 irrtümlich als Sohn des Artabanos [5] II. bezeichnet) wurde 52 oder 53 n. Chr. von seinem Halbbruder → Vologaises I. zum König des röm. Klientelstaates → Armenia bestimmt (Tac. ann. 12,50, vgl. 15,2) und vertrieb im J. 54 endgültig den bisherigen Throninhaber → Radamistus (Tac. ann. 12,51). In den folgenden Jahren bemühte sich T., sich in Armenia durchzusetzen und gleichzeitig die Anerkennung der röm. Schutzmacht zu erreichen (Tac. ann. 13,34–41; 14,23–26; 15,1–17 und 24–31). Nach vielerlei mil. und polit. Aktionen, bei denen die Beauftragten der röm. Regierung teilweise nicht allzu geschickt handelten (vgl. → Parther- und Perserkriege; → Tigranes [7]; → Vasaces), legte T. 63 bei Rhandeia vor dem Bild Neros sein Diadem nieder (Cass. Dio 62,23,2–4) und versprach, es in Rom aus den Händen des Kaisers wieder in Empfang zu nehmen. Seine Romreise mit hochrangigem Hofstaat fand dann erst 66 statt (Cass. Dio 63,1,2). Die Berichte über die Krönung (kurz bei Suet. Nero 13) zeigen T., jetzt röm. Klientelkönig, als einen seiner Würde bewußten Mann (Cass. Dio 63,2,1–4, vgl. seine Huldigungsansprache 63,5,2), der eine gewisse Verachtung gegenüber dem Verhalten Neros durchscheinen ließ (Cass. Dio 63,6,3–6) und schließlich reich beschenkt heimkehrte (Suet. Nero 30,2). Seine Bezeichnung als »Magier« weist ihn wohl als zarathustrischen Priester aus (Plin. nat. 30,6; vgl. Tac. ann. 15,24; → Zoroastrismus).

Um 72 wurde sein Land von den → Alanoi heimgesucht, denen Radamistus' Vater → Pharasmanes [1] I.
den Paß von Derbend geöffnet hatte. Im Unterschied
zu seinem Bruder → Pakoros [2] von Atropatene, der in
Panik geriet, trat T. den wilden Horden entgegen, jedoch ohne viel Erfolg (Ios. bell. Iud. 7,7,4). Die armen.
Heldensage, die sogar die Erinnerung an seine medische
Herkunft bewahrt, ändert seinen Namen in Artashês
(= griech. → Artaxias [1]), läßt ihn die Alanoi besiegen
und 41 J. regieren (Moses [2] von Choren 1,37–60),
doch dürfte seit etwa 75 → Sanatrukes [2] geherrscht
haben.

M. SCHOTTKY, Media Atropatene und Groß-Armenien,
1989, Index s. v. T. · Ders., Parther, Meder und Hyrkanier,
in: AMI 24, 1991, 61–134; 113–122; Stammtafel VII · Ders.,
Dunkle Punkte in der armenischen Königsliste, in: AMI 27,
1994, 223–235, bes. 223–225 · Ders., Quellen zur Gesch.
von Media Atropatene und Hyrkanien in parthischer Zeit,
in: J. WIESEHÖFER (Hrsg.), Das Partherreich und seine
Zeugnisse, 1998, 435–472, bes. 446–449; 454 f.

[6] **T. II.** Der Sohn des → Chosroes [2] I., wurde 217
n. Chr. von → Macrinus als König von → Armenia anerkannt (Cass. Dio 79,27,4). Der Versuch → Ardaschirs
[1] I., das Land zu erobern, konnte 227 abgewehrt werden (Cass. Dio 80,3,3, ohne namentliche Erwähnung).
→ Sapor [1] I. konnte T. um 252 vertreiben, während
dessen Söhne zu den Persern übergingen (Zon. 12,21,
dort Τηριδάτης).

M. SCHOTTKY, Dunkle Punkte in der armenischen
Königsliste, in: AMI 27, 1994, 223–235, bes. 225–232.

[7] **T. (III.?).** Nach der Flucht des T. [6] wurde → Armenia einige Jahrzehnte von sāsānidischen Prinzstatt-
haltern regiert (→ Hormisdas [1]; → Narses [1]). Es ist
daher unklar, wer der in der 293 oder 294 n. Chr. gesetzten Inschrift von Paikuli [1] ohne Angabe eines
Herrschaftsgebiets genannte König *tyldt* (Tirdád) war.
Vielleicht handelte es sich um einen der auf die persische
Seite übergetretenen Söhne von T. [6], der mit Einwil-
ligung des späteren Großkönigs Narses, der als Herr von
Armenia bereits einen Königstitel führte, mindere
Herrschaftsfunktionen wahrnahm.

1 H. HUMBACH, P. O. SKJAERVO (ed.), The Sassanian
Inscription of Paikuli, Bd. 3, 1978–1983.

[8] **T. (IV.?), »der Große«.** Der erste christl. König
von → Armenia, ist der Held der armen. Überl., die nur
mit Vorsicht ausgewertet werden kann (offensichtlich
legendär ist Moses [2] von Choren 2,79–92). Sicher
scheint zu sein, daß nach dem röm. Sieg von 298 n. Chr.
über → Narses [1] ein Arsakide T. als röm. Klientelkönig von Armenia installiert wurde, vielleicht ein Neffe
des T. [7] und Enkel des T. [6]. Nachdem er zunächst
die christenfeindliche röm. Religionspolitik mitgetragen zu haben scheint, trat er 313 oder 314 zum Christentum über (Soz. 2,8,1) und regierte noch bis um 330.
Sein Nachfolger war → Chosroes [3].

R. H. HEWSEN, In Search of T. the Great, in: Journ. of the
Soc. for Armenian Stud. 2, 1985/6, 11–49 ·
E. KETTENHOFEN, Tirdád und die Inschr. von Paikuli,
1995 · Ders., Die Arsakiden in den armenischen Quellen,
in: J. WIESEHÖFER (Hrsg.), Das Partherreich und seine
Zeugnisse, 1998, 325–353.   M. SCH.

Tirizis (Τίριζις ἄκρα/ *Tírizis ákra*; lat. *Tiristis promuntu-
rium*). »Kap« bzw. Festung an der Westküste des Schwarzen Meeres (→ Pontos Euxeinos; Strab. 7,6,1; vgl. Mela
2,22), an der Küstenstraße zw. → Kallatis im Norden
und → Dionysopolis im Westen, h. Kaliakra (Ptol.
3,10,8: *Tiristría ē Tiristrís ákra*; Arr. per. p. E. 35). Die
natürliche Sicherheit von T. an der Steilküste leistete
schon den thrakischen Terizoi nützliche Dienste. Lysimachos [2] verbarg hier E. des 4. Jh. v. Chr. seine Schätze vor den angreifenden → Thrakes unter Seuthes [4]
III. (Strab. 7,6,1). Hier verschanzte sich 514 n. Chr. der
comes foederatorum → Vitalianus gegen die kaiserlichen
Truppen unter → Hypatios [4] (Iohannes Antiochenus
fr. 214).

A. BALKANSKA, Tirizis-Tirisa-Akra, Die thrakische und
röm.-byz. Stadt am Kap Kaliacra, in: Klio 62, 1980, 27–46.
                                                      I. v. B.

Tiro

[1] **T., M. Tullius.** In → Ciceros (= Cic.) großväterli-
chem Haus in → Arpinum als Sohn eines Kriegsgefangenen und somit als Sklave um 103 v. Chr. geb. (nach [3]
um 80 v. Chr.), erlangte T. von seinem nur wenige Jahre
älteren Lehrmeister Cic. erst im J. 53 die Freilassung
(vgl. Cic. fam. 16,16,1). Seinem Herrn leistete er in viel-
fältigster Weise wertvolle Hilfe, wie dieser mehrfach
betont (etwa in Cic. fam. 16,4,3 um 50 v. Chr.). Er begleitete Cic. im J. 51 nach Kilikien, traf 46, von diesem
beauftragt, mit dessen aus Africa zurückkehrendem
Schwiegersohn Cornelius [I 29] Dolabella zusammen
und vertrat nach Caesars Ermordung dessen Interessen in Rom. Trotz jahrelanger großer Gesundheitspro-
bleme, v. a. wegen einer Malariainfektion (Cic. fam.
16,10,1; 11,1; 17,2; 22,1 u. a.), wurde T. an die 100 J. alt,
wie aus Hier. chron. a. Abr. 2013 (4 v. Chr.) hervorgeht.
Auf dem im Herbst 44 erworbenen Landgut bei Puteoli
lebte er seit Cic.s → Proskription, die ihn selbst nicht
berührte. T. ist bis h. bekannt als Erfinder einer auf
einem raffinierten System aufbauenden Kurzschrift (an
einfache, aus den Anfangsbuchstaben gebildete Wort-
siglen wurden in verschiedener Stellung Zeichen zur
Angabe der Endungen angefügt); laufend weiterentwickelt, wurden die *Notae Tironianae* bis ins Hoch-MA
verwendet und verwilderten vielfach (vgl. → Tachygra-
phie).

Hochgebildet, hatte T. wesentlichen Anteil an der
Slg. der Briefe Cic.s: Der Plan ihrer Publikation dürfte
von ihm ausgegangen sein (s. Cic. fam. 16,17,1; Cic.
Att. 16,5,5; das letzte B. der *Epistulae ad familiares* enthält
deswegen auch Cic.s Briefe an ihn). Nach Gell. 1,7,1
gab es eine von T. nach Cic.s Tod besorgte Ed. der
›Reden gegen Verres‹. Außerdem veröffentlichte T.

eine Slg. witziger Aussprüche Cic.s (*De iocis*) und verfaßte zur Rechtfertigung seines Herrn eine Biographie (*Vita Ciceronis*) in mehreren B., von der nichts erh. ist außer wenigen Hinweisen und Zit. bei Gellius (4,10,5), Plutarch (Plut. Cicero 41,4; 49,4), Tacitus (dial. 17) und Asconius (in Cic. Mil. 38). Auch von seinen übrigen Werken ist nichts bewahrt; bezeugt sind durch Gellius (6,3,10; 10,1,7; 13,9,2, dazu vgl. Plin. nat. 2,106) eine Abh. über das Lat. *De usu et ratione linguae latinae*, eine Slg. von Briefen und ein Werk über allerlei Wissenswertes mit dem Titel *Pandéktai*; diese Miscellanea, aus denen bei Gellius ein Zit. aus dem Abschnitt über die Sterne vorliegt, verwendete auch Plinius [1] d. Ä. (Plin. nat. 2 ind. führt Tullius T. an). Nach Cic. fam. 16,18,3 war T. auch mit der Abfassung einer Trag. beschäftigt.

1 G. CALBOLI, Cicerone, Catone e i neoatticisti, in: A. MICHEL (Hrsg.), Ciceroniana. FS K. Kumaniecki, 1975, 51–103 (84–101 zu T. bei Gellius) 2 P. GROEBE, s. v. Tullius (52), RE 7 A, 1319–1325 3 W. C. M. McDERMOTT, Cicero and T., in: Historia 21, 1972, 259–286 4 SCHANZ/HOSIUS 1,547 f. 5 J. E. G. ZETZEL, Emendavi ad Tironem, in: HSPh 77, 1973, 227–245.   M. ZE.

[2] Bezeichnung für den röm. Rekruten, der mit ca. 16–20 J. (CIL V 8278 = ILS 2333; CIL XIII 11853) zum Dienst in der Legion (→ *legio*) ausgehoben wurde und eine umfassende Ausbildung erhielt. Körpertraining und mentale Disposition prägten als entscheidende Komponenten der → *disciplina militaris* den Soldaten schon in der Rekrutenzeit (*tirocinium*). Soweit wie möglich erfolgte die praktische Ausbildung durch → *centuriones* vor dem Feldzug (Pol. 3,106,4 f.; Liv. 23,35,6–9; 34,13,3; 40,35,11 f.), zumindest aber im Vorfeld der Schlacht (App. Ib. 65). Abgesehen von taktischen Modifizierungen folgte das institutionalisierte Reglement der Kaiserzeit (Cass. Dio 69,9,4–6) den bewährten Prinzipien: Körpertraining, Marschübungen, Waffenausbildung, Schanzen, Lagerbau und Exerzieren bildeten den Kanon des *tirocinium*; für Reitersoldaten waren spezielle Übungen vorgesehen (Veg. mil. 1,9–27). Inschr. und Pap. bezeugen Aushebungen (CIL V 7889; XI 7554), Einzelpersonen (CIL V 4958; POxy. 1022; BGU 696) und den *praefectus tironum* (CIL XI 6011 = ILS 2691).
→ Rekrutenausbildung; Truppenrekrutierung (II.)

1 G. HORSMANN, Unt. zur mil. Ausbildung im republikanischen und kaiserzeitlichen Rom, 1991.
                                                        LE. SCH.

Tirocinium fori (»forensische Rekrutenzeit« im Unterschied zur mil.; → *tiro* [2]) bezeichnet sowohl die öffentliche Präsentation eines jungen Mannes aus der Oberschicht auf dem Forum nach dem Anlegen der → *toga virilis* (*deductio in forum*: Suet. Aug. 26,2; Suet. Tib. 54,1; Suet. Nero 7,2) als auch die damit beginnende etwa einjährige Ausbildungszeit bei bekannten Politikern, Rednern und Juristen (Cic. Lael. 1,1: vgl. Cic. Brut. 89,306). Die Unterweisung erfolgte nicht systematisch, sondern durch ständige Begleitung und Beob-

achtung des »Lehrers« bei dessen praktischer Tätigkeit, die sich häufig auf dem Forum vollzog (Cic. de orat. 3,33,133 f.; Quint. inst. 12,6,7; Tac. dial. 34; → Rechtsschulen II.). Das *t. f.* bildete somit das polit. Pendant zur mil. Ausbildung im Feld als *contubernalis* (→ *contubernium*) eines erfahrenen Kommandeurs.

E. EYBEN, Restless Youth in Ancient Rome, ²1993, 128–145 • M. GELZER, Die Nobilität der röm. Republik, ²1983, 66; 85 f. • WIEACKER, RRG, 563–565.   W. ED.

Tiryns (Τίρυνς). Bedeutende brz. Siedlung auf und um einen steilen Felshügel am Ostufer des argivischen Golfes. Schon im Spätneolithikum besiedelt, entwickelte sich T. bereits im 3. Jt. v. Chr. zu einem Zentrum der frühbrz. Kultur mit dichter Bebauung auf dem ganzen Hügel, u. a. Apsishäusern auf der Unterburg im Norden und einem einzigartigen Rundbau mit 28 m Durchmesser auf dem höheren Südhügel, der Oberburg. In der mittleren Brz. war nur diese und die Ebene im SO bewohnt. Im 15. Jh. v. Chr. wurde mit dem Bau eines Palastes begonnen, dessen Außenmauern zur Vergrößerung der bebaubaren Fläche des Repräsentationsbaus dienten. In den folgenden Bauphasen (Erweiterungen des Palastbereiches) stand aber der Schutzcharakter der Außenmauern immer mehr im Vordergrund. Schon in der zweiten Phase gab es eine eigene Mauer um die Unterburg. Deutlich wird die Dominanz der Mauern in der dritten Phase, in der nach einem einheitlichen Konzept der Palast auf der Oberburg und Bereiche der Eliten auf der Unterburg durch eine bis zu 11 m hohe und 6–8 m breite Mauer umgeben wurden. In dieses gedankliche Umfeld passen auch die beiden Brunnenstollen (s. Abb. Nr. 17) im NW der Unterburg. Seit den Ausgrabungen von H. SCHLIEMANN und W. DÖRPFELD ab 1885 gilt T. als das am besten erhaltene Beispiel eines myk. Burgpalastes (vgl. Lageplan; → Palast IV. B.). Über zwingerartige Gänge, Tore und Vorplätze (Plan Nr. 2; 3; 4; 6; 7; 9) wird der säulenumrahmte Innenhof (Nr. 10) erreicht. Auf ihn öffnet sich der große → Megaron-Bau (Nr. 11) mit Vorhalle, Vorraum und Hauptraum. Dort stehen eine runde Herdstelle und der Thron im Mittelpunkt. Über Korridore und kleine freie Plätze sind das in seiner Bed. unklare »Kleine Megaron« (Nr. 13), andere Wohneinheiten, das »Badezimmer« (Nr. 12) – sicher ein Kultraum – und Magazine zu erreichen.

Fresken und buntbemalte Fußböden hoben die Bed. der Räume, das Gebäude war mindestens zweistöckig. Der Brand des Palastes um 1200 v. Chr. und die frühe Ausgrabung (SCHLIEMANN hielt die Brandschicht für → *opus caementicium*) machen die genaue Funktionsbestimmung aller Räume unmöglich. Der Palast von T. ist mit seinen Säulen- und Pfeilerhallen (Nr. 4; 10) sicher der modernste aller myk. Paläste, mit der Kammertechnik der Unterburgmauern (Nr. 18), der vorgeplanten Regenwasserableitung und den Substruktionen in Ost- und Südgalerie (Nr. 5; 8) auch der technisch fortgeschrittenste.

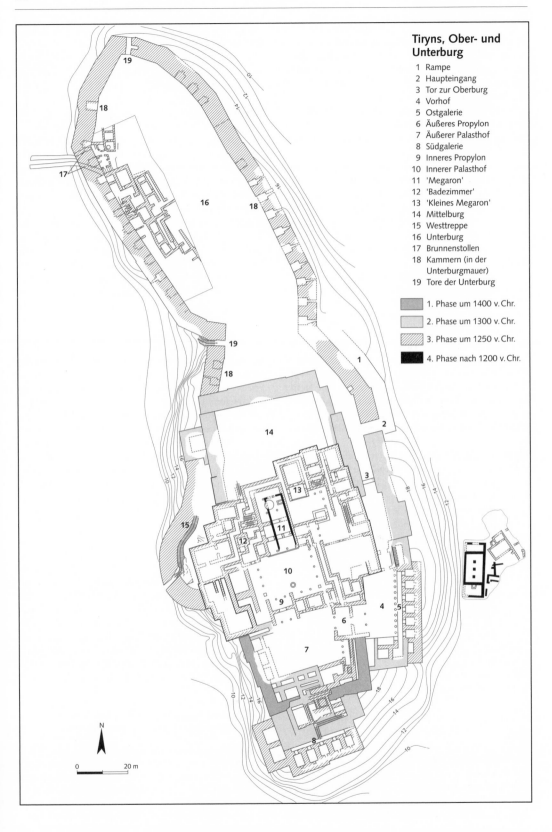

Tiryns, Ober- und Unterburg

1 Rampe
2 Haupteingang
3 Tor zur Oberburg
4 Vorhof
5 Ostgalerie
6 Äußeres Propylon
7 Äußerer Palasthof
8 Südgalerie
9 Inneres Propylon
10 Innerer Palasthof
11 'Megaron'
12 'Badezimmer'
13 'Kleines Megaron'
14 Mittelburg
15 Westtreppe
16 Unterburg
17 Brunnenstollen
18 Kammern (in der
   Unterburgmauer)
19 Tore der Unterburg

1. Phase um 1400 v. Chr.

2. Phase um 1300 v. Chr.

3. Phase um 1250 v. Chr.

4. Phase nach 1200 v. Chr.

N

0   20 m

Spuren handwerklicher Tätigkeiten gibt es auf der Mittelburg (Nr. 14); eine Stadtsiedlung ist rund um den Burghügel, auf der meerabgewandten Seite noch 200 m von ihm entfernt, nachgewiesen und teilweise ergraben.

Mit dem Brand des Palastes endete das Leben in T. nicht. Es verlagerte sich in die Stadt, wie das große Megaronhaus unterhalb der Ostgalerie vermuten läßt. Die Neubauten auf der Unterburg mit eher dörflichem Charakter und der schmälere Einbau des großen Megaronhauses (Nr. 11) datieren ins 12. Jh. v. Chr. Später stand hier der Tempel der Hera mit einem Altar um die myk. Opferstelle im Vorhof. Von der Architektur des Tempels ist ein dorisches Kapitellfragment (um 600 v. Chr.) erhalten. Davor belegen protogeom. und geom. Gräber im Stadtgebiet (westl. der Burg) die Existenz einer Siedlung, nach der Keramik wohl schon im Einflußbereich von → Argos [II 1] nach dem myth. → Synoikismos des Pheidon [3]. Homeros (Il. 2,559) nennt T. nach Argos in der Städteaufzählung des Herrschaftsbereiches des Diomedes [1]. Dennoch sind die Tirynthier als Mitkämpfer in der Schlacht von → Plataiai (479 v. Chr.) genannt (Hdt. 9,28,31; Paus 5,23,2) und auf der Siegerliste der Schlangensäule von Delphoi inschr. bezeugt. Auseinandersetzungen mit Argos führten schließlich zur Umsiedlung der Bevölkerung nach → Halieis, dort wurden noch am Anf. des 3. Jh. Mz. mit Beischrift Τιρύνθιοι/Tirýnthioi geprägt. Pausanias fand T. verlassen und berichtete über die aus T. in argivische Heiligtümer verbrachten Kultbilder (Paus. 2,17,5; 8,46,2–3).

Die Antagonie der myk. Herrschaftssitze in der → Argolis spiegelt sich auch im griech. Mythos wider. Im Brennpunkt stehen die Söhne des Abas [1], → Proitos und → Akrisios für T. und Argos. Proitos flieht nach Lykien und bringt bei seiner Rückkehr u. a. → Kyklopen mit, die ihm die Burg von T. bauen. Proitos schreibt auch die sémata lygrá (wörtl. »übelbringende Zeichen« für Bellerophontes an den lykischen König → Iobates. Danach ist Perseus [1] König im Palast von T., zuletzt wird sein Urenkel Herakles [1] und dessen Auseinandersetzung mit → Eurystheus mit T. verbunden.

G. HIESEL, Späthelladische Hausarchitektur, 1989 · U. JANTZEN (Hrsg.), Führer durch T., 1975 · Ders. et al. (Hrsg.), T. (Reihe), Bd. 1, 1912 ff., Ndr. 1976 · K. KILIAN, Grabungsberichte, in: AA 1976 ff. · J. MARAN, Das Megaron im Megaron. Zur Datier. und Funktion des Antenhauses im myk. Palast von T., in: AA 2000, 1–16 · A. PAPADEMITRIOU, T. Histor. und arch. Führer, 2001 · H. SCHLIEMANN, W. DÖRPFELD, T., der prähistor. Palast der Könige von T., 1886 · H. STÜLPNAGEL, Myk. Keramik der Oberburg von T., Diss. Freiburg 2000. G. H.

Tisaion (Τίσαιον). Berg im Süden von → Magnesia [1] (h. Bardzochia, 644 m H); h. heißt der gesamte von Ost nach West verlaufende Teil der Halbinsel T. An diesem Berg fuhren die → Argonautai vorbei (Apoll. Rhod. 1,568 ff.). Es gab dort einen Tempel der Diana Tisaea

(Val. Fl. 2,7) und eine Station für Feuersignale nach Demetrias [1] (Pol. 10,42,7; Liv. 28,5,17).

F. STÄHLIN, s. v. T., RE 6 A, 1467. HE. KR.

Tisamenos s. Teisamenos

Tisch (lat. mensa, auch cartibum, cartibulum; griech. τράπεζα/trápeza, τρίπους/trípus oder τετράπους/tetrápus). Die griech. und röm. Ant. überl. drei T.-Formen: rechteckig mit drei oder vier Beinen, rund mit einer zentralen Stütze oder drei Beinen und langrechteckig mit zwei an den Enden des Rechtecks befindlichen Stützen; letztere Variante wurde v. a. in Gartenanlagen aufgestellt und war aus Marmor, wobei die Außenseiten der Stützen vielfach mit Reliefs versehen wurden. Die übrigen T.-Formen waren meist aus Holz gefertigt, wobei die Füße aus kostbareren Materialien (z. B. Elfenbein, Athen. 2,49a) sein konnten; oft hatten sie die Form von Tierfüßen (Löwe, Reh). Seit hell. Zeit sind auch T. aus Gold oder Silber (Athen. 5,197b) bekannt, aus röm. Zeit zudem aus kostbaren Hölzern (z. B. Citrusholz, Plin. nat. 13,91–94) und aus Bronze, bes. aus den Vesuvstädten. Berühmt waren zumindest in griech. Zeit die syrakusanischen T. (Plat. rep. 3,404d), jedoch ist unbekannt, ob dies auf eine besondere Ausfertigung oder eine besondere Form zurückzuführen ist. In der griech. Ges. dienten die T. zum Opfern, als Untersatz für Spielbretter, Standplatz für Statuen usw. Bei Beginn der Mahlzeiten stellte man die T. vor jeden Teilnehmer des Essens und plazierte auf ihnen Speisen und Getränke; nach dem Essen, zum Symposion (vgl. → Gastmahl; → Mahlzeiten), räumte man sie wieder fort (z. B. Xen. an. 7,3,21 f.). Da die T. zumeist niedrig waren, konnte man sie unter die → klíne schieben oder auch für tänzerische oder akrobatische Schaustellungen nutzen. Die Speisen wurden in der Küche auf dem ἐλεός/eleós genannten T. (z. B. Hom. Il. 9,215) zubereitet.

Die etr. T. unterschieden sich im Prinzip nicht von den griech. Allerdings weisen die etr. des öfteren eine zweite Platte unter der eigentlichen T.-Platte auf, die zum Geschirrabstellen genutzt wurde. Als eine neue Variante taucht ein rechteckiger T. mit gekurvten, sich kreuzenden Beinen auf. In röm. Zeit lebten die bekannten Formen weiter (vgl. z. B. Varro ling. 5,25,118). In der Kaiserzeit wurde dann auch der Klapp-T. (z. B. im Hildesheimer → Silberfund) beliebt. Ebenso bevorzugte man figürlich geformte T.-Füße (→ Monopodium). → Delphica; Hausrat; Möbel; Tafelausstattung

H. S. BAKER, Furniture in the Ancient World. Origins and Evolution 3100–475 B. C., 1966 · G. M. A. RICHTER, The Furniture of the Greeks, Etruscans and Romans, 1966, 63–72; 93–95; 110–113 · R. COHON, Greek and Roman Stone Table Supports with Decorative Reliefs, 1984 · C. F. MOSS, Roman Marble Tables, 1989 · S. KÜNZL, Das Tafelgeschirr, in: E. KÜNZL (Hrsg.), Die Alamannenbeute aus dem Rhein bei Neupotz. Plünderungsgut aus dem röm. Gallien, 1993, 218–227 · B. A. OHNESORG, Ein Heiligtum auf dem Kounadosberg von Paros, in: AA 1994, 327–334 ·

A. Schäfer, Unterhaltung beim griech. Symposion, 1997 (Darstellungen von T. archa. und klass. Zeit).   R. H.

Tischsitten s. Cena; Eßbesteck; Eßgeschirr; Gastmahl; Tafelausstattung

Tisia (*Tiza, Pathissus, Parthiscus*; Τίσσος/*Tíssos*, Τήσα/ *Tḗsa*, Τίτζα/*Títza*; h. Theiß). Der größte Nebenfluß der Donau (→ Istros [2]), der aus den → Karpaten westl. von → Singidunum linksseits in die Donau mündet (vgl. auch → Pathissus); urspr. Name wohl Parthisos (Strab. 7,5,2). Herodot (4,100) und Strabon (7,3,4) setzen den Unterlauf der T. mit der Maris (h. Marosch) gleich. Die Ebene der T. (h. Banat) war fruchtbar und dicht besiedelt: → Agathyrsoi (Hdt. 4,78), → Dakoi, Boii, Taurisci, → Iazyges (Plin. nat. 4,80). Augustus eroberte dieses Gebiet erst nach mehreren erfolglosen Versuchen (R. Gest. div. Aug. 5,47), ohne aber die T. zu erreichen. Nach Abschluß des 2. Dakerkriegs 106 n. Chr. (→ Dakoi B.) gehörte die Ebene zur Prov. Moesia Superior (→ Moesi), während am Oberlauf das Siedlungsgebiet der → Sarmatai frei blieb. Z. Z. des Marcus [2] Aurelius drangen vom Oberlauf der T. → Marcomanni und Iazyges in die röm. Prov. ein, um 280 → Vandali (Cass. Dio 72,2,3). Constantius [2] II. schlug die Sarmatai 358 n. Chr. zw. T. und Donau. Seit dem 5. Jh. v. Chr. sind Verkehr und Handel an der T. belegt. In röm. Zeit verbanden mehrere Straßen entlang der T. → Pannonia mit Dacia; die wichtigste führte durch das Maris-Tal zur Donau bei → Lugio.

E. Istvánovits, Some Data on the Ethnical and Chronological Determination of the Roman Age Population of the Upper Tisza Region, in: N. Gudea (Hrsg.), Römer und Barbaren an den Grenzen des röm. Dakien, 1997, 717–724.   I. v. B.

Tisidium. Stadt der Africa Proconsularis (→ Afrika [3]; Tab. Peut. 5,4; das *oppidum Thisiduense* in CIL VIII Suppl. 1, 13188?), h. Krich el-Oued (Tunesien). Im Iugurthinischen Krieg (→ Iugurtha) brach Q. Caecilius [I 30] Metellus von T. aus auf, um die Stadt → Vaga für ihren Verrat zu bestrafen (Sall. Iug. 62,8; 68,2f.). Im 2. Jh. n. Chr. → *municipium*. Inschr.: CIL VIII 1, 1267–1271; Suppl. 1, 14763–14765.

AATun 050, Bl. 27, Nr. 28 · F. Windberg, s. v. T. (1), RE 6 A, 1478f.   W. HU.

Tisiduo (Τισιδουω: inschr.). Stadt sö von → Karthago, von Caesar im röm. Bürgerkrieg 46 v. Chr. zerstört (Strab. 17,3,12), nicht lokalisierbar; unwahrscheinlich ist die Identifikation mit → Tisidium [1. 1436].

1 I. Schmidt, Komm. zu CIL VIII Suppl. 1.

F. Windberg, s. v. Tisidium (2), RE 6 A, 1479f.   W. HU.

Tisiphone s. Teisiphone

Tissa (Τίσσα). Stadt im Innern von → Sicilia, Lage unbekannt (Philistos FGrH 556 F 37; Ptol. 3,4,12). Als *civitas decumana* war T. an der Klageerhebung gegen → Verres 71/0 v. Chr. beteiligt (Cic. Verr. 2,3,86 f.: *Tissenses*).

E. Manni, Geografia fisica e politica della Sicilia antica, 1981, 236 f.   K. MEI. u. GI. F.

Tissaphernes (Τισσαφέρνης). Sohn des Hydarnes [4], Enkel des Hydarnes [1]. Nach Beseitigung des aufständischen Satrapen → Pissuthnes wurde T. 413 v. Chr. → Satrap in Sardeis und *káranos* (Thuk. 8,5,4: στρατηγὸς τῶν κάτω/*stratēgós tōn kátō*) in Westkleinasien. Als solcher schloß er 412 einen Subsidienvertrag mit Sparta gegen Athen; im Gegenzug überantwortete Sparta dem Großkönig die westkleinasiatischen Griechen (Thuk. 1,115,4; 8,5,4 f.; 8,17 f.; 8,43; 8,52 und 8,58; Erneuerung des Vertrages 411 nach Differenzen über Höhe der Unterstützungen: Thuk. 8,29 und 8,36 f.). Nie eindeutig prospartanisch (erfolglose Verhandlungen mit Athen; dritter »Vertrag« mit Sparta: Thuk. 8,56,4 f.; 8,57; 8,58; Weigerung, Sparta die phöniz. Flotte zur Verfügung zu stellen) wurde T. 407 durch → Kyros [3] d. J. ersetzt und auf Karien beschränkt (Thuk. 8,87,4; Xen. hell. 1,4,3). Als dieser einen Streit mit T. um → Miletos zum Vorwand für die Aufrüstung gegen seinen Bruder Artaxerxes [2] II. nahm (Xen. an. 1,1,7), warnte T. den Großkönig (401). Er entschied die Schlacht bei → Kunaxa mit der Reiterei [4], ließ die griech. Söldnerführer töten und verfolgte die Zehntausend (Xen. an. 1,7,12; 1,8,9; 1,10,7; 2,3,17–20). Artaxerxes gab ihm 400 eine Tochter zur Frau und setzte ihn wieder in seine alte Stellung ein (Diod. 14,26,4). Nach der spartan. Intervention 400/399 verlor T. – vielleicht schon vor seiner Niederlage am → Paktolos 395 gegen → Agesilaos [2] II. – wegen seiner Taktik, dem Feinde auszuweichen und die Spartaner gegen → Pharnabazos [2] zu lenken, das Vertrauen des Großkönigs. Von → Ariaios nach Phrygien eingeladen, wurde er in → Kolossai festgesetzt und in → Kelainai hingerichtet (Xen. hell. 3,4,24 f.; Diod. 14,80; Polyain. 7,61,1).

1 A. Andrewes, The Spartan Resurgence, in: CAH 5, ²1992, 464–498 2 Briant, s. v. T. 3 O. Casabonne (Hrsg.), Mécanismes et innovations monétaires dans l'Anatolie achéménide, 2000, Index s. v. T. 4 C. Ehrhardt, Two Notes on Xenophon, Anabasis, in: Ancient History Bulletin 8.1, 1994, 1–4 5 S. Hornblower, Persia, in: CAH 6, ²1994, 45–96 6 D. M. Lewis, Sparta and Persia, 1977, Index s. v. T. 7 H. C. Melchert, A New Interpretation of Lines C 3–9 of the Xanthos Stele, in: J. Borchhardt, G. Dobesch (Hrsg.), Akten des 2. Internationalen Lykien-Symposions, 1993, 31–34 8 H. D. Westlake, Stud. in Thucydides and Greek History, 1989, Index s. v. T.   J. W.

Titakidai (Τιτακίδαι). → *Kṓmē* im Gebiet des »konstitutionellen« att. Demos → Aphidna, wechselte mit diesem 224/3 v. Chr. von der Phyle → Aiantis [1] (Harpokr. s. v. T.; Etym. m. s. v. T.; Steph. Byz. s. v. T.: Antiochis) in die → Ptolemaïs [10] (IG II² 2050 Z. 74; 2067

Z. 63; [1. 50 Nr. 18]). Ein eigener Demos war T. erst in röm. Zeit.

1 J. H. OLIVER, Greek Inscriptions, in: Hesperia 11, 1942, 29–103.

TRAILL, Attica, 30, 88, 122 Nr. 42 · WHITEHEAD, 24 Anm. 83; 329.   H. LO.

Titane (Τιτάνη). Ort im Gebiet von → Sikyon auf der Peloponnesos, abseits der Straße nach → Phleius am westl. Ufer des Asopos [3] beim h. T., mit Heiligtümern der Athena, des Asklepios und der Hygieia (Paus. 2,11,3–12,1). Abgesehen von der hell. Festung sind Reste des Asklepieions (Inschr. IG IV 436) bei der Kirche Hagios Tryphon zu sehen.

A. GRIFFIN, Sikyon, 1982, 25 f. · N. FARAKLAS, Ancient Greek Cities 8, 1971, Anh. 2, 15 · G. ROUX, Pausanias en Corinthe, 1958, 158 f.   KL. T.

Titanen (Τιτάν, Pl. Τιτάνες; lat. *Titan(us)*, Pl. *Titanes*; Name ist vielleicht nordsyr. Ursprungs [1. 204²⁸]). Für die Griechen die »alten Götter« par excellence, die nach ihrem Aufstand gegen → Zeus in den → Tartaros verbannt werden (vgl. neuerdings die »unterirdischen T.« in einer sizilischen → *defixio*: SEG 47, 1442). Früheste Quellen: Hom. Il. 5,898; 8,478 f. u. a., Hes. theog. 617–719 und die verlorene → ›Titanomachie‹ [2]. Hesiod (theog. 133–137) und Akusilaos (FGrH 2 F 7) verzeichnen als männliche T. → Okeanos, → Koios, → Hyperion, Kreios/→ Krios [1], → Iapetos und → Kronos; als T.innen → Tethys, → Rhea, → Themis, → Mnemosyne, → Phoibe [1], → Dione und → Theia [1] (Hes. theog. 135 f., ohne Dione). Die spätere Trad. erwähnt gelegentlich auch andere T. wie → Prometheus, Sykeus, Pallas [1] oder → Atlas [2], die aber offenkundig nicht zum urspr. T.-Kreis gehören [3. 1506–1508].

Die meisten T. bleiben im dunkeln: über Kreios ist nichts weiter bekannt; → Phorkys [2] heißt ein phrygischer König in der Ilias (Hom. Il. 2,862), bei Hes. theog. 237 ist er ein Sohn des Pontos [1]; Hyperion der Vater der Sonne (ebd. 374; 1011). Der Name Koios (Vater der → Leto, ebd. 404) weist auf eine Verbindung mit der Insel Kos hin, wo das frühe Epos *Meropís* (SH 903A) mehrere Riesen ansiedelte; in der lat. Dichtung wird an seine Feindschaft gegen Zeus erinnert. Die wichtigsten T. sind Iapetos und Kronos, die bei Homer (Il. 8,479) als einzige namentlich erwähnt werden. Nur für Kronos, den wichtigsten T., gab es Kulte und Feste. Der nach seinem Fest *Krónia* benannte Monat *Kroníōn* war urspr. auf ein kleines Gebiet beschränkt (Samos und seine Kolonie Perinthos, Amorgos, Naxos, Notion/Kolophon und Magnesia am Maiandros).

Der Ursprung von Kronos (und den T.) ist offensichtlich in dieser Region zu suchen, von der aus sich sein Mythos und Ritus – mit Rollentausch von Herr und Sklave – ab dem 8. (?) Jh. v. Chr. in der griech. Welt verbreiteten; wie die 1983 gefundene hurritisch-hethitische → Bilingue (ca. 1400 v. Chr.) des ›Epos der Frei-

lassung‹ zeigt [4; 5], ist der Ursprung des Ritus in Nordsyrien zu lokalisieren; von hier aus fand er bei den Hethitern und schließlich in Ionien Eingang [6].

Die T. wurden in Griechenland frühzeitig mit der → Anthropogonie in Verbindung gebracht. Hes. theog. 507–511 erwähnt Iapetos als Vater von Prometheus und Epimetheus; der Dichter des Homerischen Apollon-Hymnos (6. Jh. v. Chr.) ruft neben Uranos und Gaia die ›göttlichen T., die unter der Erde irgendwo im großen Tartaros leben, aus denen die Menschen und die Götter sind‹, an (Hom. h. 3,334–336). Dazu tritt die Anrufung der T. als ›glänzende Kinder von Gaia und Uranos, Vorfahren unserer Väter‹ in einem Orphischen Hymnus (Orph. h. 37,1 f.; 1. Jh. n. Chr., auf ältere orphische Trad. zurückgehend). Neben einer knappen Anspielung auf die Entstehung der Menschheit aus den T. bei Prokl. in Plat. rep. 2,338,10 KROLL = OF 224 findet sich der Mythos in seiner detailliertesten Fassung nur bei Olympiodoros [4] (in Plat. Phaid. 3,6–14 = OF 220), einem Philosophen des 6. Jh. n. Chr.: → Dionysos ist Zeus' Thronfolger, wird aber von den T. zerrissen und aufgegessen. Als → Zeus sie mit dem Blitz erschlägt, entsteht die Menschheit aus dem Ruß, der sich vom Rauch der T. abgelagert hat; daher darf der Mensch nicht Suizid begehen, denn sein Körper ist ein Teil von Dionysos. Dieser Mythos geht mit großer Sicherheit auf das 5. Jh. v. Chr. zurück; bereits Pindar (fr. 133), Platon (Men. 81bc; leg. 3,701bc; 854b), ein neuerdings entdecktes »orphisches« Goldband aus Pherai (SEG 45, 646; → Orphicae Lamellae) sowie Xenokrates (fr. 20 HEINZE = 219 ISNARDI PARENTE) spielen auf ihn an. Als jüdische Autoren in den letzten Jh. v. Chr. ihre Kultur mit der griech. zu vergleichen und die biblische mit griech. Myth. zu verbinden begannen, eigneten sie sich auch den T.-Mythos an. Beiläufige Hinweise auf die T. begegnen in verschiedenen griech. Übers. hebräischer Texte, aber auch im euhemeristischen dritten ›Sibyllinischen Orakel‹ (105–158; [7]).

→ Kronos; Titanomachie

1 W. BURKERT, The Orientalising Revolution, 1992 (dt. 1984) 2 M. L. WEST, Eumelus: A Corinthian Epic Cycle, in: JHS 122, 2002 (im Druck) 3 E. WÜST, s. v. T., RE 6 A, 1491–1508 4 E. NEU, Das hurritische Epos der Freilassung, Bd. 1, 1996 5 S. DE MARTINO, Il canto della liberazione, in: PdP 55, 2000, 269–320 6 W. BURKERT, Kronia-Feste und ihr altorientl. Hintergrund, in: S. DÖPP (Hrsg.), Karnevaleske Phänomene in ant. und nachant. Kulturen und Literaturen, 1993, 11–30 7 G. MUSSIES, s. v. Titans, in: K. VAN DER TOORN et al. (Hrsg.), Dictionary of Deities and Demons in the Bible, ²1999, 872–874.

K. BAPP, s. v. T., ROSCHER 5, 987–1004 · U. VON WILAMOWITZ-MOELLENDORFF, KS 5.2, 1937, 157–183 · E. SCHUBERT, Die Entwicklung der T.-Vorstellung von Homer bis Aischylos, 1967 · J. BAŽANT, s. v. T., LIMC 8.1, 31 f.   J. B./Ü: B. ST.

Titanomachie (Τιτανομαχία). Langjähriger Kampf der Olympischen Götter unter → Zeus gegen die → Titanen um die Weltherrschaft. Der kosmologisch-theologische Sinn der Erfindung ist die revolutionäre Ablösung eines von (»titanischen«) Naturmächten geprägten Urzustands durch eine geregelte (»zivilisierte«) Weltordnung (s. dagegen → Gigantomachie). Das wohl uralte, zunächst nur mündlich tradierte Sujet wurde in Lit. und Kunst wegen seines (undifferenziert verallgemeinerten) Symbolgehalts (Ordnung gegen Regellosigkeit) gern bearbeitet, häufig in Vermengung mit der ›Gigantomachie‹. Von den zahlreichen lit. Bearbeitungen (u. a. durch → Musaios [1], Epimenides, Hyg. fab. 150) scheinen die bekanntesten gewesen zu sein:

(1) Die noch erh. Gestaltung durch → Hesiodos (Hes. theog. 617–735): Kampf im Gebiet zw. → Olympos [1] (Zeus-Partei) und → Othrys (Titanen); durch das Eingreifen der nach 10 J. von Zeus zu Hilfe gerufenen Hunderthänder (→ Hekatoncheires) auf den ganzen Kosmos (Himmel, Erde, Meer, Unterwelt) ausgedehnt; endend mit dem Sieg der Zeus-Partei durch Überschüttung der – unsterblichen – Titanen mit einer Steinschicht und ihre anschließende Verbringung in den → Tartaros, wo sie seither, gefesselt und mit einer erzenen Mauer umgeben, von den Hunderthändern bewacht werden (also als latente Drohung nach wie vor präsent sind).

(2) Die »kyklische« T. in wohl mindestens zwei B. (T 2 PEG), das Eingangswerk des → Epischen Zyklus. Von dieser Version sind (bei [1]) neben drei Testimonien noch 11 Fr. (davon vier wörtl. mit insges. 5 vollständigen und 21 verstümmelten Hexametern: fr. 5) erh., die über Stil und Struktur kaum Aufschluß geben; erkennbar ist nur, daß die Hunderthänder hier vermutlich auf seiten der Titanen standen (fr. 3) und daß unter den Titanen neben → Kronos und → Okeanos (fr. 10) → Helios eine prominente Rolle spielte (fr. 7; 8), während sich auf Zeus' Seite Apollon hervortat (fr. 5; 6), der beim abschließenden Siegestanz der Olympier um Zeus herum verm. die musikalische Begleitung lieferte (fr. 6; vgl. dazu [7. 4f.]); eine Sonderfunktion hatte wohl → Chiron, der als zw. Göttern und Menschen vermittelnder Zivilisator der Menschheit erscheint (fr. 11; dazu [7]). Der Verf. war schon in der Ant. unbekannt: achtmal wird das Werk anon. zitiert (›der Verf. der T.‹), gelegentl. (zweifelnd) dem → Eumelos [5], zweimal dem → Arktinos zugeschrieben. Entstehungszeit: eher das 6. [6] als das 7. Jh. [7]; Hauptvorlage: wohl Hesiodos [7].

Die T. war ein beliebtes (oft in der polit. Propaganda genutztes) Motiv der Kunst, bes. des Tempelschmucks (meist mit der Gigantomachie zusammengeworfen, s. [8]), und der Dichtung, bes. der lat. (z.B. Hor. carm. 3,4,42ff.; Tib. 2,5,9f.; Sen. Ag. 338–341).

ED.: 1 PEG 2 EpGF.
LIT.: 3 M. L. WEST, Hesiod. Theogony, 1966, 336–356
4 A. RZACH, s. v. Kyklos, RE 11, 2347–2435, bes. 2354–2356
5 E. WÜST, s. v. Titanes, RE 6 A, 1491–1508 6 M. DAVIES, The Date of the Epic Cycle, in: Glotta 67, 1989, 89–100
7 A. LEBEDEV, The Justice of Chiron..., in: Philologus 142, 1998, 3–10 8 LIMC, Indices 2, 1999, s. v. T.
Vgl. auch die Lit. zu → Epischer Zyklus.   J. L.

Titaros (Τίταρος). Diese Bergkette (Eust. in Hom. Il. 1,192,20; Strab. 7a,1,14f.; 9,5,20: Τιτάριον; h. Sapkas, bis 1890 m H) zw. Olympos [1] im Osten und den Kambunia im Westen ist die natürliche Grenze zw. Makedonia und Thessalia. Der T. war die Nordgrenze der perrhaibischen Tripolis [1] und namengebend für einen Hauptfluß der Kleinlandschaft, Titaresios (Hom. Il. 2,751–755; Lokalisierung nicht sicher); der Name gilt h. offiziell für den gesamten Fluß (ant. auch Europos/Xerias) bis zum Peneios.

F. STÄHLIN, Das hellenische Thessalien, 1924, 15–18 · TIB 1, 276.   HE. KR.

Titel s. Codex; Hoftitel; Imperator; Rolle; Rubrizierung; Verwaltung; Zeremoniell

Titelberg. Keltisches → oppidum im westl. Teil des Gebiets der → Treveri bei Pétange (Luxemburg) an der Südkante des Ardennenmassivs, etwa 100 m über dem Tal der Chiers, eines Nebenflusses der Maas, auf einem Felssporn, der als Siedlungsareal diente (43 ha). Seit der 1. H. des 1. Jh. v. Chr. war dieser an den Abfallkanten mit einer Befestigungsmauer (2700 m) und an der engsten Verbindungsstelle zum dahinterliegenden Plateau mit einem Sperriegel in Form eines → murus Gallicus, später durch eine Mauer »belgischen Typs« gesichert. Zwei durch eine »Hauptstraße« verbundene Tore zeugen von präziser Planung der Infrastruktur und fortgeschrittener kommunaler Organisation. Die an der ins Tal hinabführenden Straße liegende Nekropole von Lamadelaine, die das gesamte 1. Jh. v. Chr. genutzt wurde, ist das einzige bisher eingehend untersuchte Gräberfeld eines bedeutenden kelt. oppidum [1]. Ausbeutung der Erzlager und die verkehrsgeogr. Situation machten den T. zum Hauptproduktions- und Verteilungszentrum in NO-Gallien; hier teilte sich die alte vorröm. Fernverbindung aus Südgallien in Richtung Rheintal und Champagne, hier wurde der Großteil des treverischen Geldes emittiert. Der arch. Befund (Heiligtum mit öffentlichem Platz) spricht aber für eine nicht nur wirtschaftliche, sondern auch polit.-rel. Metropole der Treveri. Caesars Gallischer Krieg beeinträchtigte das oppidum nicht, sondern förderte vielmehr in der Folgezeit seine Prosperität.

Der Aufstand der Treveri 29 v. Chr. (Cass. Dio 51,20,5) sowie die für dieselbe Zeit auf dem T. nachgewiesene Brandschicht, Spuren augusteischen Militärs, aber auch das Verschwinden traditioneller Formen bei Fibeln und Keramik sowie das E. treverischer Münzprägungen (um 10 v. Chr.) sind Reflexe einer stärkeren Vereinnahmung durch die röm. Verwaltung. Der Bau neuer Straßen veränderte auch die wirtschaftliche Geogr. Galliens und setzte den T. ins Abseits. Der aus dem oppidum hervorgegangene, nur noch 10–15 ha große gallo-röm. vicus mit Thermen und einem Heiligtum konzentrierte sich im östl. Teil der Anlage und um die ehemalige »Hauptstraße«. Nach der Zerstörung durch german. Invasoren in der 2. H. des 3. Jh. n. Chr. wurde der Ort im 4. Jh. teilweise wiederaufgebaut. Die Besiedlung des T. endete E. 4./Anf. 5. Jh.

1 N. und J. METZLER-ZENS, P. MÉNIEL, Lamadelaine, 1999.

J. METZLER, Das treverische Oppidum auf dem T., 2 Bde., 1995 · R. WEILLER, J. METZLER, Der Schatzfund vom T., 1999. F. SCH.

Tithonos (Τιθωνός). Angehöriger der troianischen Königsfamilie, Enkel des → Ilos [1], Sohn des → Laomedon [1] und somit einer von → Priamos' Brüdern. → Eos, die Göttin der Morgenröte, entführt den äußerst attraktiven T. und macht ihn zu ihrem Liebhaber (vgl. → Kephalos [1], → Kleitos [1], → Orion [1]). Nach der homerischen Formel bringt Eos das Morgenlicht, indem sie sich ›vom Lager des T. erhebt‹ (Hom. Il. 11,1 u. ö.). Aus der Verbindung geht der Aithiopenkönig → Memnon [1] hervor. Eos erbittet von → Zeus Unsterblichkeit für T., versäumt es aber, auch um ewige Jugend zu bitten. Das Unvermeidliche geschieht: Mit fortschreitendem Alter schrumpft T. mehr und mehr zusammen, bis fast nur noch seine zirpende Stimme zu hören ist (einigen zufolge verwandelt er sich in eine Zikade: Hellanikos FGrH 4 F 142). Eos verliert darauf das Interesse an T. und sperrt ihn in einen Raum, wo er fortan sozusagen als zirpende Stimme lebt (Hom. h. 5,218–238). Für viele ant. Autoren repräsentiert T. einfach den Typus des uralten, gebrechlichen Greises (Mimn. fr. 4 W.; Aristoph. Ach. 688; Plaut. Men. 854 u. ö.). Auf den Bilddarstellungen überwiegt das Motiv der Entführung, wobei nicht in allen Fällen gesichert werden kann, ob es sich um die des T. handelt.

J. SCHMIDT, s. v. T., ROSCHER 5, 1021–1029 · A. KOSSATZ-DEISSMANN, s. v. T., LIMC 8.1, 34–36. RE. N.

Tithraustes (Τιθραύστης, »der Beste von Herkunft«). [1] Chiliarch (medisch *hazarapati*, »Herr über Tausend«) des → Artaxerxes [2] II., besiegte 395 v. Chr. in Kolossai → Tissaphernes und bot dann dem Sieger von Sardeis, → Agesilaos [2], im Namen des Großkönigs die Autonomie der ionischen Städte an, falls die Spartaner Kleinasien räumten und die Ionier wieder Tribut an den Großkönig entrichteten (Xen. hell. 3,4,25 f.; Plut. Agesilaos 10,6–8; Diod. 14,80,7 f.). 389–387 und 377 war T. mit der Rückeroberung Ägyptens befaßt (Hell. Oxyrh. 14,1–3; Isokr. or. 4,140 f.; Nep. Datames 3,5).
[2] Persischer Satrap von Großphrygien unter → Artaxerxes [3] III. Ochos, bekämpfte in dessen Auftrag 355 den in die Satrapenaufstände verwickelten → Artabazos [4] im hellespontischen Phrygien und den Athener → Chares [1] am Hellespont (Diod. 16,22). PE. HÖ.

Tithymal(l)os (τιθύμαλ(λ)ος, lat. *herba lactaria*). Die durch ihren Milchsaft charakteristische Gattung Euphorbia (Wolfsmilch) mit vielen in der Ant. sehr gut beschriebenen Arten (z. B. drei Arten bei Theophr. h. plant. 9,11,7–9; sieben Arten bei Dioskurides 4,164 WELLMANN = 4,162 BERENDES und Plin. nat. 26,62–71).

Sie diente trotz der leichten Giftigkeit auf unterschiedliche Art zum Purgieren und als Brechmittel [1. 122, Abb. 228 und 233].

1 H. BAUMANN, Die griech. Pflanzenwelt, 1982.

A. STEIER, s. v. T., RE 6 A, 1524–1531. C. HÜ.

Titianus
[1] Iulius T. Der wohl im späten 2. Jh. n. Chr. als Prinzenerzieher und später in Vesontio (h. Besançon) und Lugdunum (h. Lyon) als Rhet.-Lehrer tätige T. war Verf. zahlreicher (nicht erh.) Schriften. Berühmt war er wegen seiner nach dem Vorbild der *Heroides* des → Ovidius in Prosa verfaßten ›Briefe berühmter Frauen‹ (zur Wahl der Briefe Ciceros als stilistisches Vorbild: Sidon. epist. 1,1,2). Bezeugt sind weiterhin eine Zusammenstellung von *themata* aus Vergil für den Rhet.-Unterricht, eine Prosaparaphrase aisopischer → Fabeln und eine *chorographia* (Ortsbeschreibung) in mehreren B. (Auson. gratiarum actio 7,31; epist. 10 praef.; 10,74–81; Serv. Aen. 4,42; 10,18; Greg. Tur. de cursu stellarum 13). Die Scheidung in zwei Personen mit der Bezeichnung des Sohnes als Erziehers des Kaisers Maximinus ist wohl eine Erfindung der *Historia Augusta* (SHA Maximini duo 27,5) [1].

1 K. THRAEDE, Zu Ausonius Ep. 16,2 (Sch.), in: Hermes 96, 1968, 608–628 2 I. IJSEWIJN, Avianus Titiani fabulas num retractaverit?, in: Latinitas 29, 1981, 42 f. 3 K. SALLMANN, in: HLL 4, § 458.1. M. ZE.

[2] s. → Postumius [II 5]
[3] Fabius T. (voller Name: C. Maesius Aquillius F. T.), zunächst Provinzstatthalter (*corrector Flaminiae et Piceni, consularis Siciliae, procos. Asiae*). 337 n. Chr. wurde er Consul. 339–341 war er *praef. urbis Romae*, 341–349 *praef. praet. Galliarum* (vgl. Cod. Theod. 12,1,36; 7,1,3) und 350–351 (unter → Magnentius) nochmals Stadtpraefekt. Als Gesandter des Magnentius forderte er Constantius [2] II. 351 erfolglos zur Abdankung auf (Zos. 2,49,1 f.). Seine Laufbahn ist v. a. durch Inschr. bekannt (z. B. CIL VI 1717 = ILS 1227; CIL III 12330 = ILS 8944). PLRE 1, 918 f. Nr. 6. W. P.

Tities s. Ramnes

Titii sodales s. Sodales

Titinius
[1] Röm. Komödiendichter, nach allg. Forsch.-Meinung Zeitgenosse des → Plautus (2. H. 3./Anf. 2. Jh. v. Chr.), nach [7] hingegen aus dem späten 2. Jh. v. Chr. In diesem Falle wäre nicht T., sondern Afranius [4] der Archeget der röm. Nationalkomödie (*fabula* → *togata*); T. hätte sie zur Blüte gebracht. In seinen 15 nachgewiesenen Stücken zeichnete er sich laut Varro [2] (bei Char. 315,3 ff.) neben Terentius [III 1] und Quinctius [I 4] Atta zumal durch die Charakterzeichnung aus. Die etwa 190 erh. V. erlauben die Feststellung, daß T. – trotz der

Berücksichtigung ital., bes. volskischer Elemente – stadtröm. Alltagston auf die Bühne brachte [8]. Im Falle einer Spätdatier. wären die Anklänge an Plautus wie auch die ausgeprägte Polymetrie (→ *canticum*) als archaisierend zu deuten (vgl. [7. 16f.]). Die Fr. stammen überwiegend aus der *Compendiosa doctrina* des Nonius [III 1] (um 400), der demnach noch in der Spätant. ein vollständiges Exemplar des Dichters lesen konnte.

Fr.: 1 CRF, ²1873, 133–159; ³1898, 157–188
2 A. Daviault, Comoedia togata, 1981, 31–47, 91–140, 267–270, 281–288 3 A. López López, Fabularum togatarum fragmenta, 1983, 22ff., 63–89, 223–235 4 T. Guardì, Fabula togata, 1985, 18f., 29–87, 103–172.
Lit.: 5 E. Vereecke, T. témoin de son époque, in: M. Hofinger (Hrsg.), Recherches de philol. et de linguistique, Bd. 2, 1968, 63–92 6 Ders., T., Plaute et les origines de la »fabula togata«, in: AC 40, 1971, 156–185 7 M. Martina, Sulla cronologia di Titinio, in: Quaderni di filologia classica dell'Università di Trieste 1, 1978, 5–25 8 T. Guardì, Note sulla lingua di Titinio, in: Pan 7, 1981, 145–165 9 E. Cadoni, Citazioni »doppie« e »multiple« da Titinio in Nonio, in: Studi Noniani 13, 1990, 87–120.
P. L. S.

[2] T. Curvus, M. Verschiedene Nachr. werden oft auf mind. 2 Personen bezogen [1], lassen sich aber vereinen. Es ist möglich, daß derselbe Mann erst mit einem unbekannten C. T. als Volkstribun 193 oder 192 v. Chr. amtierte, wobei sie einen Triumph des L. Cornelius [I 60] Merula verhindert haben sollen (Liv. 35,8,9). 178 war er *praetor urbanus* (Liv. 40,59,5). Zunächst in Rom (Liv. 41,5,7–8; 41,6,4), ging er am Ende des Amtsjahres in die eben befriedete Prov. Hispania citerior (Liv. 41,9,3; 41,15,11; 41,26,1), über die er 175 gleichwohl einen Sieg feierte (InscrIt 13,1,80f.; 338f.; 555). Eine Anklage im ersten Repetundenprozeß (→ *repetundarum crimen*) Roms überhaupt konnte 171 abgeschmettert werden (Liv. 43,2). Der aus Kupferprägungen bekannte Münzmeister desselben Namens gehört in die nächste Generation (RRC 150).

1 Münzer, 218.   TA. S.

Titius. Röm. Familienname, weitergebildet aus dem Praen. → *Titus*, erst im 1. Jh. v. Chr. bezeugt; die Träger sind in der Regel nicht miteinander verwandt.   K.-L. E.

I. REPUBLIKANISCHE ZEIT

[I 1] T., C. Röm. Ritter der 2. H. des 2. Jh. v. Chr., Redner (Cic. Brut. 167) und Dichter (Fronto p. 15,13 ff. v. D. Hout). Obwohl T. theoretische Ausbildung und häufige Redepraxis abgingen, zeichneten sich seine Reden doch durch einen natürlichen Witz aus; aus einer Rede für ein Luxusgesetz sind zwei drastische Pointen in die *facetiae*, die lat. Scherz-Lit., gelangt (Macr. Sat. 3,13,13; 16,14ff.). In seinen Trag. (Novius fr. 67f. CRF) empfand man solche Glanzlichter als unpassend; bezeichnend ist auch, daß → Afranius [4] sich T. zum Vorbild nehmen konnte.

Lit.: 1 ORF³, 201–203 2 R. Till, C. T., in: H. Sedlmayr (Hrsg.), FS K. Oettinger, 1967, 45–52.   P. L. S.

[I 2] T. (Hispanus?), L.(?). Von Caesar in den Senatorenstand erhobener Spanier (?), Vater zweier Militärtribunen, die 46 v. Chr. in die Hände der Pompeianer fielen, einen Seitenwechsel ablehnten und getötet wurden (Bell. Afr. 28,2–4; nur ein T. bei Val. Max. 2,8,7); einer dürfte der in Bell. Alex. 57,1 erwähnte L. T. sein. Ciceros Trostbrief (Cic. fam. 5,16) könnte sich an T. richten (anders [3. 152]).

[I 3] T., L. Vielleicht aus Auximum ([4. 267], vgl. CIL IX 5853); verheiratet mit Munatia, der Schwester des L. Munatius [I 4] Plancus, und Vater von T. [I 4] (Vell. 2,83,2; vgl. Cic. fam. 10,21,3). E. 43 floh er vor den → Proskriptionen nach Sizilien zu S. Pompeius [I 5] (Cass. Dio 48,30,5f.).

[I 4] T., M. *Cos. suff.* 31 v. Chr., plünderte 43 nach seiner Ächtung in den → Proskriptionen mit einer Piratenflotte die etrurische Küste. 40 nahm ihn Menodoros [1] gefangen, doch übte S. Pompeius [I 5], der Gastgeber von T. [I 3], Milde. 39 kehrte T. nach Rom zurück und schloß sich (wie sein Onkel Munatius [I 4] Plancus) bald M. Antonius [I 9] an, in dessen Partherkrieg er 36 als Quaestor diente. Bereits ca. 35/4 wurde er Proconsul von Asia, verfolgte den fliehenden S. Pompeius, nahm ihn gefangen und richtete ihn hin. Die zornige Plebs jagte den Undankbaren später aus dem Pompeius-Theater (Vell. 2,79,5; Cass. Dio 48,30,5). Kleopatra [II 12] VII. ehrte ihn offenbar durch die Gründung von Titiupolis in Kilikien [4. 281]. In der Krise von 32 lief T., nun Admiral, mit Plancus zu Octavianus (→ Augustus) über. Als Consul (InscrIt 13,1,171) befehligte er 31 bei → Aktion/Actium mit T. Statilius [II 11] Taurus die Landarmee Octavians. Seine Ehe mit Fabia Paullina, Tochter des Q. Fabius [I 22] Maximus (SEG 1,383), blieb wohl ohne Erben. Etwa 13/2 (für eine frühere zweite Amtszeit [5], dagegen [1. 315] u. a.) übernahm T. die Prov. Syria von Agrippa [1], wo er ca. 10 v. Chr. parthische Geiseln empfing und sich mit Archelaos [7] von Kappadokien stritt (Strab. 16,1,28; Ios. ant. Iud. 16,270). Eventuell initiierte T. eine Handelsreise, die auf der → Seidenstraße bis zum »Steinernen Turm« (h. in Tadschikistan, damals wohl Teil des → Kuschan-Reichs) führte [2].

[I 5] T., P. Caesarianer, Volkstribun 43 v. Chr. T. vereitelte einen Ehrenantrag Ciceros für L. Munatius [I 4] Plancus (Cic. fam. 10,12,3) und ließ im August seinen geflohenen Kollegen P. Servilius [I 16] Casca von der Plebs absetzen; T.' Tod noch im J. 43 galt als göttliche Rache hierfür (Cass. Dio 46,49,1f. mit »Präzedenzfällen«). Seine *lex Titia* war die Rechtsgrundlage des → Triumvirats vom 27.11.43 (App. civ. 4,27).

1 K. M. T. Atkinson, The Governors of the Province of Asia in the Reign of Augustus, in: Historia 7, 1958, 300–330 2 M. Cary, Maes, qui et Titianus, in: CQ 50, 1956, 130–134 3 D. R. Shackleton Bailey, Onomasticon to Cicero's Letters, 1995 4 Syme, RR 5 L. R. Taylor, M. T. and the Syrian Command, in: JRS 26, 1936, 161–173.   Jö. F.

[I 6] T., Sex. Volkstribun 99 v. Chr., als Anhänger des L. Appuleius [I 11] Saturninus Urheber eines Ackergesetzes, das aber nicht durchkam (Cic. leg. 2,14; 2,31). 98 wurde er in einem Majestätsprozeß (→ *maiestas* C.) v. a. deshalb verurteilt, weil er ein Bild des Saturninus besaß, und ging ins Exil (Cic. de orat. 2,48; 2,265; Cic. Rab. perd. 24–25).

ALEXANDER, 42.   K.-L. E.

II. KAISERZEIT

[II 1] L. Epidius T. Aquilinus. *Cos. ord.* im J. 125 n. Chr. (DEGRASSI, FC, 36).   W. E.

[II 2] T. Aristo. Röm. Jurist um 100 n. Chr., Schüler des → Cassius [II 14] Longinus [1] (Dig. 4,8,40; 17,2,29,2). T. war Respondent und Rechtsanwalt (Plin. epist. 1,22,6) sowie vermutlich Consiliar des → Traianus [1] (Dig. 37,12,5). T. annotierte außer den Werken seines Lehrers die des → Antistius [II 3] Labeo und des → Sabinus [II 5]. Vielleicht waren die *Notae* (›Anmerkungen‹) in seinen → *Digesta* (mindestens 5 B.) enthalten, die erst von → Pomponius [III 3] herausgegeben wurden (Dig. 24,3,44 pr.). Unsicher ist auch, ob seine nur in Dig. 29,2,99 zitierten *Decreta Fronti(ni)ana* eine Slg. von Senatsurteilen oder ein Werk über die Senatsbeschlüsse waren [2. 220f.]. Der von den Prinzipatsjuristen oft erwähnte T. (77 Zitate: [1]) trug zur Entwicklung der Innominatkontrakte (Dig. 2,14,7,2, s. → *condictio* C.) und des Immissionsschutzes bei (Dig. 8,5,8,5; [3. 71 ff.; 4. 458–461]).

1 O. LENEL, Palingenesia Iuris Civilis, Bd. 1, 1889, 59–70 2 R. A. BAUMAN, Lawyers and Politics in the Early Roman Empire, 1889, 213–227 3 A. MANTELLO, I dubbi di Aristone, 1990 4 C. A. CANNATA, Lo splendido autunno delle due scuole, in: A. DUFOUR (Hrsg.), Mélanges B. Schmidlin, 1998, 441–462.   T. G.

[II 3] T. Homullus. Senator, der im J. 100/1 n. Chr. Iulius [II 28] Bassus im Senat verteidigte (Plin. epist. 4,9,15; 5,20,6; 6,19,3). Zur Identifikation [1. 92f.]

1 A. R. BIRLEY, Onomasticon to the Younger Pliny, 2000.

[II 4] T. Sabinus. Ritter, gehörte zur Anhängerschaft von Germanicus [2] und Agrippina [2]; deshalb Konflikte mit Tiberius und Aelius [II 19] Seianus. Im J. 28 wegen Beleidigung des Tiberius [1] getötet (Tac. ann. 4,18,1; 68–70; Cass. Dio 58,1–3; Plin. nat. 8,145).

[II 5] T. Saturnius. Ritter, der zw. 268 und 270 als Statthalter von *Moesia inferior* amtierte (AE 1993, 1377).   W. E.

Titos (Τίτος).

[1] Wichtiger »Mitarbeiter« und »Gefährte« des → Paulus [2] (2 Kor 8,23), unbekannter Herkunft, wurde als »Heidenchrist« von diesem zum Apostelkonvent in Jerusalem mitgenommen und mußte sich dort entgegen der Forderung der Judaisten nicht beschneiden lassen (Gal 2,1–3). Paulus sandte T. mehrmals als Vermittler

nach Korinth (2 Kor 7,6f.; 7,13 f.; er trat auch als eigenständiger Mitorganisator der Kollekte auf: 8,6; 8,16f.) Laut den Pastoralbriefen (→ Pseudepigraphie II.) wurde T. durch Paulus bekehrt und mit der Organisation der kretischen Kirche beauftragt (Tit 1,4f.; 3,12). Nach 2 Tim 4,10 reiste er nach Dalmatien weiter (histor. umstritten). Nach Eus. HE 3,4,5 war T. erster Bischof von Kreta (vgl. Titoskirche in → Gortyn).

1 W.-H. OLLROG, Paulus und seine Mitarbeiter, 1979 2 J. ROLOFF, Der erste Brief an Timotheus (Evangelisch-katholischer Komm. zum NT 15), 1988.   P. WI.

[2] Bischof von → Bostra in Syrien († vor 378). In einem Brief an die Einwohner Bostras (Iul. epist. 52) gab Kaiser Iulianus [11] 362 T. die Schuld für örtliche rel. motivierte Gewaltausbrüche und forderte seine Ausweisung. E. 363 unterzeichnete T. das Synodalschreiben von Antiocheia [1] an Kaiser Iovianus. Er verfaßte eine vielfach rezipierte Schrift *Contra Manichaeos* (CPG 3575) in vier B. (griech. erh. bis B. 3,29: [1; 2]; syr. vollständig überl.: [1]), die wertvolle Zit. bzw. Paraphrasen aus manichäischen Schriften und dem → *Diatessárōn* (→ Tatianos) enthält. Von dem an der antiochenischen Exegese orientierten T. sind ein theologisch bedeutsamer Komm. zu Lk [3], Fr. einer Auslegung zu Dan (CPG 3577) sowie eine Predigt zum Epiphaniefest (CPG 3578) erhalten.

ED.: 1 P. DE LAGARDE, 2 Bde., 1859 (griech. und syr. Text) 2 P. NAGEL, Neues griech. Material zu T., in: Studia Byzantina 2, 1973, 285–350 3 J. SICKENBERGER, T. (TU 21.1), 1901, 140–245.
LIT.: 4 A. SOLIGNAC, s. v. T. de Bostra, Dictionnaire de Spiritualité 15, 1991, 999–1006.   J. RI.

Titulus s. Rolle

Titurius. Ital. Gentilname, v. a. inschriftlich belegt (vgl. [1. 274f.]; AE 1986,262; 1996,532). Prominent nur Q. T. Sabinus, Sohn eines Münzmeisters ca. 88 v. Chr. (MRR 2,454), der Cn. Pompeius [I 3] in Spanien diente (Sall. hist. 2,94 M.) und Legat Caesars in Gallien war. 57 v. Chr. bekämpfte T. die Belgae, 56 die Veneti und sehr erfolgreich die Venelli unter Viridovix (Caes. Gall. 3,17,1–19,6), 55 in Caesars Abwesenheit mit fünf Legionen die Morini und Menapii. Die Katastrophe im Winterlager bei Aduatuca 54/3, in der T. und L. Aurunculeius [3] Cotta mit 15 Kohorten untergingen, erklärte Caesar, um Vorwürfe abzuwehren, mit T.' (plötzlicher!) Naivität, Panik und eklatantem Versagen im Kampf gegen → Ambiorix (Caes. Gall. 5,26–37).

1 SCHULZE.   JÖ. F.

Titus. Häufiges lat. → Praenomen (ohne sichere Etym., aber nicht etr.), griech. Τίτος, Sigle *T.*, begegnet ebenso wie das abgeleitete Gent. *Titio-* (lat. *Titius*) in oskoumbrischen Sprachen. Seit dem 7. Jh. v. Chr. ist das lat. fem. Praen. *Tita* belegt. Die Zugehörigkeit der Tribusbezeichnung *Tities* und des Gent. *Titīnius* ist wahrscheinlich, aber morphologisch unklar. Zahlreich sind nach ins Etr. erfolgten Entlehnungen (*Tite, Tita,* Deminutive *Tit(u)le, Tite/ula*) daraus gebildete gentilizische Ableitungen: *Titena, Titalu-* u. a.

M. KAJAVA, Roman Female Praenomina, 1994, 83 · SALOMIES, 57 · D. H. STEINBAUER, Neues Hdb. des Etr., 1999, 479 · WALDE/HOFMANN 2, 686.   D. ST.

[1] s. Tatius, T.

[2] (Apostel) s. Titos [1]

[3] Imperator Caesar T. Vespasianus Augustus.
Röm. Kaiser 79–81. Geb. 30. Dez. 39 in Rom als gleichnamiger Sohn des T. Flavius → Vespasianus und der Flavia [1] Domitilla. Zunächst in für ein senatorisches Haus bescheidenen Verhältnissen aufgewachsen, kam er später als Altersgenosse von → Britannicus, dem Sohn des Claudius [III 1], an den kaiserlichen Hof. Seine Herkunft führte ihn zu einer senator. Laufbahn. Er leistete Dienst als Militärtribun in Britannia und Germania (Suet. Tit. 4,1; Tac. hist. 2,77,1); in Germanien könnte er Plinius [1] d. Ä. kennengelernt haben. Früh verheiratet mit der Tochter des Arrecinus [1] Clemens, Arrecina Tertulla (gest. vor 65); von seiner zweiten Frau Marcia [9] Furnilla, der Tochter des Marcius [II 3] Barea, welche die Tochter Iulia gebar, trennte er sich wohl aus polit. Gründen.

T. wurde Quaestor um 65. Als sein Vater 67 von → Nero den Auftrag erhielt, den jüdischen Aufstand niederzuschlagen, begleitete ihn T.; sein Kommando über die *legio XV Apollinaris* ist wegen seines nur quaestorischen Ranges und zudem unter dem Befehl seines Vater überraschend – vielleicht war dies nur ein informeller Auftrag seines Vaters. Von seinen mil. Erfolgen berichtet Iosephus (Ios. bell. Iud. B. 3 und 4), der als Kriegsgefangener in T.' Hände fiel. Die Reise zu → Galba [2], dem er die Loyalitätserklärung der in Iudaea kämpfenden Truppen überbringen sollte, brach er ab, als er von dessen Ermordung erfuhr; er kehrte zurück und vermittelte zw. seinem Vater und Licinius [II 14] Mucianus, dem Statthalter von Syrien, bei Verhandlungen über eine Revolte gegen → Vitellius. Nach der Proklamation Vespasians zum Imperator (1.7.69) erhielt T. den Namen Titus Caesar Vespasianus, der zu Imp. T. Caesar Vespasianus geändert wurde, als er von den Truppen in Iudaea ebenfalls zum Imperator akklamiert wurde. Er erhielt den Oberbefehl über die Truppen in Iudaea, belagerte 70 → Jerusalem und eroberte es im Sept., wobei er angeblich die Zerstörung des → Tempels (III.) zu verhindern suchte (Ios. bell. Iud. 6,236), was histor. ganz unwahrscheinlich ist. Im Frühjahr 71 besuchte er Ägypten; im Juni 71 feierte er mit dem Vater einen Triumph über die Juden in Rom; für T. wurde ein Triumphbogen im Circus Maximus errichtet (ILS 264; zum erst nach seinem Tod 81 errichteten sog. Titusbogen vgl. → Triumph- und Ehrenbogen); das *amphitheatrum Flavium* (→ Kolosseum) wurde wohl aus der jüd. Beute als Siegesmonument erbaut (CIL VI 40454a mit Komm.).

Vespasian stellte T. sogleich deutlich als seinen Nachfolger heraus: T. erhielt die *tribunicia potestas* und das *imperium* eines Proconsuls; mit diesen Gewalten versehen wurde er zusammen mit dem Vater bis zu dessen Tod (79) vierzehn Mal als Imperator akklamiert. Von 70–79 war er sieben Mal Consul, 73 Censor mit dem Vater; er wurde in alle Priesterkollegien kooptiert. Zudem amtierte er (ab 71) als → *praefectus praetorio*, was ihm die unmittelbare mil. Gewalt in Rom verschaffte. Sein autokratisches Verhalten – er beseitigte wegen angeblichen Hochverrats einige hochangesehene Senatoren – ließ Schlimmes erwarten, doch konnte er beim Tod Vespasians (23.6.79) die Macht ohne Probleme übernehmen.

Der nunmehr Titus Caesar Vespasianus Augustus genannte neue Kaiser veränderte sein Verhalten wesentlich: Völlig unerwartet schwor er, niemals einen Senator zu töten, womit er den Senat (→ *senatus*) für sich gewann. Er beugte sich auch der öffentl. Meinung, als er Berenike, die Schwester des jüd. Königs Iulius [II 5] Agrippa, mit der er lange auch in Rom gelebt hatte, in ihre Heimat zurücksandte. Als Beweis für sein äußerst humanes Wesen dient der ant. Ausspruch, er habe einen Tag verloren, weil er niemandem Gutes erwiesen habe (Suet. Tit. 8). Seine nur wenig mehr als zwei J. während Herrschaft läßt keine Züge eigenständiger Politik erkennen. Das bemerkenswerteste Ereignis ist der Ausbruch des → Vesuvius (August 79); die daraus resultierenden Schäden in Campania suchte er durch finanzielle Mittel zu heilen [1. 691–704]. Im nächsten Jahr verheerte ein Brand die Stadt Rom und den Kapitolstempel, der sofort neu erbaut und noch im J. 80 wie auch das Kolosseum eröffnet wurde.

Am 13.9.81 starb T.; Gerüchte, sein Bruder → Domitianus [1] habe ihn vergiften lassen, sind spätere Konstruktion. Vom Senat wurde er konsekriert (→ *consecratio* 3.). Die röm. Überl., die ausnahmslos aus der Zeit nach der Ermordung seines Bruders stammt, stellt T. als humanen Herrscher hin, der als ›Liebling des Menschengeschlechts‹ bezeichnet wurde (*amor ac deliciae generis humani*: Suet. Tit. 1,1). Doch ist bei der Beurteilung nicht zu übersehen, daß er dabei auch als Gegenbild seines Bruders diente. Zu Vertonungen (bes. MOZARTS *La clemenza di Tito*) s. [2].

1 G. PACI, Tito a Salerno, in: Epigrafia. Actes du colloque en mémoire de A. Degrassi, 1991, 691–704 **2** H. LÜHNING, T.-Vertonungen im 18. Jh., 1983.

MZ.: RIC II 113–148.
PORTRÄTS: G. DALPOT et al., Die Flavier (Das röm. Herrscherbild 2,1), 1966, 18–29 · FITTSCHEN/ZANKER 1,33 f. Nr. 28–30.
LIT.: PIR² F 416 · B. W. JONES, The Emperor T., 1984.
          W. E.

Tityos (Τιτυός). Sohn des Zeus und der Elara, der Tochter des Orchomenos. Zeus verbirgt die schwangere Elara aus Furcht vor Hera unter der Erde, die dann den T. »gebiert«, so daß dieser auch wegen seiner riesigen

Größe »Erdsohn« (Hom. Od. 7,324; 11,576), d.h. *Gēgenḗs* (vgl. → *Gēgeneís*; Pherekydes FGrH 3 F 55), oder → Gigant [1. 184f.], genannt werden konnte. Da T. sich an → Leto vergreifen will, als diese durch → Panopeus nach Pytho (= Delphoi [2. 30²]) geht, wird er von Artemis (Pind. P. 4,90–92) und Apollon (Apoll. Rhod. 1,759–762) erschossen. Im → Hades, wo er zu den ewigen Büßern gehört (Verg. Aen. 6,595–600), liegt er ausgestreckt über neun Plethren (→ *pléthron*; von Paus. 10,4,5 als Lokalname für das Grab des T. bei Panopeus aufgefaßt); zwei Geier hacken an Leber oder Herz (Apollod. 1,23) des T., ohne daß er sie abwehren kann (Hom. Od. 11,576–581; Apollod. 1,23). Nach Hom. Od. 7,323f. wird T. mit Schiffen der → Phaiakes von → Rhadamanthys auf Euboia besucht, wo es nach Strab. 9,3,14 eine nach Elara benannte Höhle und ein Heroon für T. gab. Pindar (P. 4,46) macht den *Gēgenḗs* T. zum Vater der → Europe [2], der neuen Namensgeberin des Erdteils, von dem aus Libyen besiedelt wird [1. 184f., 240f.]. Zu T. in der Kunst: [3. 1598–1609; 4].

1 P. DRÄGER, Argo pasimelousa 1, 1993 2 WILAMOWITZ 2 3 K. SCHERLING, s. v. T., RE 6 A, 1593–1609 4 R. VOLLKOMMER, s. v. T., LIMC 8.1, 37–41. P.D.

Tityos-Maler. Etr. sf. Vasenmaler, der im 3. Viertel des 6. Jh. v. Chr. über 40 Amphoren, Kannen, Kyathoi, Schalen und Teller bemalt hat, häufig ausschließlich mit Tierfriesen. Der T.-M. ist nach einer Amphora mit der Tötung des → Tityos durch Apollon und Artemis benannt (Paris, CM 171), seine ausgesprochene Vorliebe gilt aber den Taten des → Herakles [1]. Mit seinen sehr farbenreichen Bildern und den meist in Bewegung gezeigten Figuren ist der T.-M. nach dem ihn stark beeinflussenden → Paris-Maler der wohl wichtigste Vertreter der → Pontischen Vasenmalerei.

L. HANNESTAD, The Followers of the Paris Painter, 1976, 17–31; 56–60 · M. A. RIZZO, in: M. MARTELLI (Hrsg.), La ceramica degli Etruschi, 1987, 299f., Nr. 101,5; 101,6; 101,8; 303f., Nr. 108f. M.ST.

Tityros (Τίτυρος). Langgestrecktes Vorgebirge im NW von Kreta auf der Halbinsel Rodopou, ca. 16 km lang und 6 km breit, mit Heiligtum der → Diktynna im äußersten Norden (Strab. 10,4,12).

M. GUARDUCCI (Hrsg.), Inscriptiones Creticae Bd. 2, 1939, 129f. · D. GONDICAS, Recherches sur la Crète occidentale, 1988, 286. H.SO.

Tlepolemos (Τληπόλεμος, dor. Τλαπόλεμος).
[1] Sohn des → Herakles [1] und der Astyocheia. Nach dem Rückzug der → Herakleidai aus der Peloponnes siedelt T. mit → Likymnios [1] in Argos, wo er diesen im Streit tötet (Diod. 4,58,5–8; in Tiryns: Pind. O. 7,20–38; unabsichtlich: Zenon von Rhodos FGrH 523 F 1). Daher flieht T. nach → Rhodos, wo er dorischer Trad. gemäß ›dreifach nach Phylen siedelt‹ (Hom. Il. 2,668), d. h. die präexistenten, nach den Söhnen des → Kerkaphos benannten Städte Lindos, Ialysos und Kamiros po-

lit. neu gründet und das Land aufteilt. Die Erzählung soll die dor. → Kolonisation der Insel durch eine Analogie von Mordkathartik und Kolonisation legitimieren, in der kathartischen und archegetischen Funktion → Apollons begründet ist ([2; 3. 31–44, 70–72, 120–125]; zur evtl. Konkurrenz der → Althaimenes-Erzählung [1]). Die *Ilias* verzeichnet T. als Führer des rhodischen Kontingents (2,653–670) und erzählt, wie er durch → Sarpedon [1] fällt (5,628–662; vgl. schol. bT Hom. Il. 5,639). Die Gattin → Polyxo [3] rächt seinen Tod an → Helene [1] (Paus. 3,19,9–10: Aition der Helena Dendritis). Die Überl. kennt Heiligtum, Grab und Spiele (*Tlapolémeia*: Pind. O. 7,77–80 mit schol. 36c, 141c, 145–147; bezeugt durch Syll.³ 1067,8, in Ialysos?). → Herakleidai

1 A. BRESSON, Deux légendes rhodiennes, in: Les grandes figures religieuses (Annales littéraires de l'Univ. de Besançon 329), 1986, 411–421 2 C. DOUGHERTY, It's Murder to Found a Colony, in: Dies., L. KURKE (Hrsg.), Cultural Poetics in Archaic Greece, 1993, 178–198 3 Dies., The Poetics of Colonization, 1993 4 I. MALKIN, Myth and Territory in the Spartan Mediterranean, 1994, 36–38; 172 5 E. VISSER, Homers Katalog der Schiffe, 1997. T.H.

[2] Sohn des Pythophanes (Arr. an. 3,22,1), → *hetaíros* des → Alexandros [4] d.Gr.; von diesem 330 v. Chr. dem parthischen Satrapen von Parthia-Hyrkania zur Überwachung beigeordnet, 325 als Satrap von Karmania eingesetzt (Arr. an. 6,27,1) und von → Perdikkas [4] und → Antipatros [1] nach Alexandros' Tod bestätigt (Diod. 18,3,3; 18,39,6). Obgleich er sich → Eumenes [1] angeschlossen hatte (Diod. 19,14,6; 19,28,3), wurde er von → Antigonos [1] im Amt gelassen, da er bei den Untertanen und Soldaten beliebt war (Diod. 19,48,1). E.B.
[3] Sohn des Artapates (PP VIII 234?; eine Weihung von ihm i. J. 279 v. Chr. in IG XI 2, 161 B 72; IDélos 1441 A I 18), aus Xanthos. Der Vatersname deutet auf iranische Abstammung oder Verwandtschaft. Er errang 256 v. Chr. einen olympischen Sieg im Fohlenreiten (Paus. 5,8,11); übermittelte einen Befehl des Königs an Zenon (PSI V 513; cf. auch P CZ 59283) und war eponymer Alexanderpriester, 247/6 und 246/5. Während des 3. → Syrischen Krieges war T. als hoher ptolem. Beamter in Karien tätig (SEG 42, 994).

CH. HABICHT, Pausanias und seine Beschreibung Griechenlands, 1985, 86f.

[4] Sohn des Artapates, wohl Enkel von T. [3]; verheiratet mit der Tochter der Demeter-Priesterin (?) Danaë (Pol. 15,27,2); Truppenführer Ptolemaios' [7] IV., nach dessen Tod Stratege von Pelusion (Pol. 15,25,26); verursachte 203 n. Chr. den Aufstand in Alexandreia [1], der zum Tod des Agathokles [6] führte und ihn mit Sosibios [2] zum → *epítropos* [2] Ptolemaios' [8] V. machte. Nach Ausschaltung des Sosibios führte er die Regierung im Frühjahr oder Sommer 202 allein (als *dioikḗtēs*? PP I 50 nach Pol. 16,21,6); eine Bitte um polit. Schutz in Rom wurde nicht erhört (Iust. 30,2,8). In T.' Zeit als *epítropos*

gehört wohl die vor 197 erfolgte Stiftung für das Öl während der Agone im delphischen Gymnasium (SEG 27,123,54f.), wofür er in Delphoi geehrt wurde. T. wurde bald (201?) durch Aristomenes [2] ersetzt, angeblich wegen erwiesener Unfähigkeit (Charakterstudie: Pol. 16,21f.). Danach kehrte er verm. nach Xanthos zurück, wo er unter ptolem. und seleukidischer Herrschaft als Priester *pro póleōs* (d.h. im Letoon) genannt wird (206/5: SEG 38,1476; 202/1: SEG 36,1220; 197/6: SEG 33,1184). Ein Artapates in diesem Amt (167: SEG 44, 1218) ist zumindest ein Verwandter, wenn nicht Sohn T.'; ein weiterer Nachkomme in IK 34, 361.

> H. SCHMITT, Unt. zur Gesch. Antiochos' d. Gr., 1964, 231–237 · J. und L. ROBERT, Fouilles d'Amyzon 1, 1983, 168–171 · W. HUSS, Ägypt. in hell. Zeit, 2001, 479–486; 502f.

[5] Wohl ein Verwandter von T. [3] und [4], ging mit Ptolemaios [33] im Spätsommer 169 als Gesandter Ptolemaios' [9] VI. zu Antiochos [6] IV. (Pol. 28,19,6).

> E. OLSHAUSEN, Prosopographie der hell. Königsgesandten 1, 1974, 78f. Nr. 56. W.A.

Tleson s. Kleinmeister-Schalen

Tlos (Τλῶς, lykisch *tlawa*).

Lyk. Ortschaft im oberen → Xanthos-Tal am Übergang nach → Kibyra [1] (Strab. 14,3,3) auf einem Ausläufer des Massikytos (h. Ak Dağ) beim h. Düver, eine der sechs größten Städte im → Lykischen Bund mit drei Stimmen (Artem. bei Strab. 14,3,3). Schon in der Brz. besiedelt, könnte der Ort mit dem hethit. Dalawa identisch sein. Überreste aus klass. bis byz. Zeit (Akropolis, Hanghäuser, SW-Tor, Siedlungsmauer, Theater, Therme, Felsgräber, Sarkophage, Inschr.).

> W. WURSTER, Ant. Siedlungen in Lykien ..., in: AA, 1976, 23–49 · M. J. MELLINK, Homer, Lycia, and Lucca, in: J. B. CARTER, E. TOWNSEND VERMEULE (Hrsg.), The Ages of Homer, 1995, 35–43. U. HA.

Tmesis (von τμῆσις, »Abtrennung, Zerschneidung«).

Der sprachgesch. Realität kaum gerecht werdender ant. t.t. für die Erscheinung, daß eine zusammengerückte, d.h. durch Univerbierung entstandene und von den ant. → Grammatikern als Norm angesehene Wortform (v.a. Verbalkompos.) durch einen Einschub oder Umstellung der Konstituenten aufgelöst ist: vgl. Serv. Aen. 1,412 *Figura tmesis est, quae fit, cum secto uno sermone aliquid interponimus.* Entsprechungen u.a. im Indoiranischen und Germanischen zeigen, daß die T. sprachhistor. ihren Ursprung in einem früheren idg. Zustand hat, als solche Zusammenrückungen noch nicht fest waren. Im Griech. begegnet die T. von Anfang an in der (epischen) Dichtung, aber auch in der Prosa (Herodot) bis in klass. Zeit, im Lat. in der Sakralsprache (*ob vos sacro*) sowie seit Ennius und Plautus in der Poesie bis ans E. der republikanischen Zeit (Lukrez, Vergil). Beispiele: Hom. Il. 1,25 ἐπὶ μῦθον ἔτελλε; Hdt. 2,181,3 κατά με ἐφάρμαξας;

Plaut. Trin. 833 distraxissent *disque tulissent*; vgl. auch Psalm 23,4 ›Ob ich *schon* wanderte im finstern Tal‹ (LUTHER). Im heutigen Dt. ist die T. gramm. Norm bei Präverbien, die aus (jüngeren) Lokalpartikeln hervorgingen, z.B. »aufnehmen« – »er nimmt auf« (aber »entnehmen« – »er entnimmt«).

→ Homerische Sprache; Indogermanische Sprachen

> J. WACKERNAGEL, Vorlesungen über Syntax, Bd. 2, 1928, 171–177 · SCHWYZER, Gramm., s.v. T. (Sachreg.) · LEUMANN, s.v. T. (Sachreg.) · E. BERNARD, Die T. der Präposition in lat. Verbalkompos., 1960 · Y. DUHOUX, Autour de la tmèse grecque, in: L. ISEBAERT, R. LEBRUN (Hrsg.), Quaestiones Homericae, 1998, 71–80. R.P.

Tmolos (Τμῶλος).

[1] Gebirgszug (bis 2157 m H) in → Lydia, winters schneebedeckt (Hom. Il. 2,866; 20,385), h. Bozdağ. Am T. entspringt der im Alt. Goldsand führende → Paktolos, an dessen Ufern → Sardeis lag (Plin. nat. 5,110). Am T. wurde Wein angebaut (Strab. 14,1,15; Plin. nat. 14,74; Vitr. 8,3,12), er war bekannt für Safranfelder (Verg. georg. 1,56; 4,380; Solin. 40,10). Der T. war Sitz der »Tmolischen Göttin« → Kybele und des Zeus-Dionysos-Sabazios (→ Sabazios) sowie Kultbereich des → Bakchos (Ov. met. 11,86; Anth. Pal. 9,645), personifiziert als König und Gatte der → Omphale (Nik. Ther. 633; Apollod. 2,31).

> C. FOSS, Explorations in Mount Tmolus, in: California Stud. in Classical Antiquity 11, 1978, 21–60 · D. MÜLLER, Top. Bildkomm. zu den Historien Herodots: Kleinasien, 1997, 744–747. H. KA.

[2] Stadt in Lydia (→ Lydoi) am Fuß des gleichnamigen Gebirgszuges T. [1], wohl 14 km westl. von → Sardeis beim h. Gökkaya. T. war eine der 12 Städte der Prov. Asia [2], denen nach dem Erdbeben 17 n. Chr. Tiberius befristeten Steuernachlaß gewährte (Tac. ann. 2,47; Vell. 2,126,4; Plin. nat. 2,200; ILS 156; IGR 4, 1503). Zu Ehren des Kaisers Marcus [2] Aurelius »Aureliopolis« zubenannt – so noch als spätant. ON: Hierokles, Synekdemos 670,4. T. war Suffraganbistum von Sardeis.

> MAGIE, 1358f. · ROBERT, Villes, 277 Anm. 4 · L. ROBERT, Monnaies grecques, 1967, 77f. · C. FOSS, A Neighbor of Sardis, The City of T. (1982), in: Ders., History and Archaeology of Byzantine Asia Minor, 1990, 178–201. H. KA.

Tobiaden (vom hebr. EN *ṭōviyyáh*, Neh 2,10; Τωβιας/ *Tōbias*, LXX, vgl. υἱοὶ Τωβια/*hyioí Tōbia*, 2 Esr 17,62).

Die Familie der T. spielte z.Z. des Zweiten → Tempels (III.) eine führende ökonomische und polit. Rolle in Iudaea (→ Juda und Israel). Arch. nachgewiesen ist die wohl auf den Ruinen des Stammsitzes der T. im h. → ʿIrāq al-Amīr (Transjordanien) errichtete Festung Tyros des Hyrkanos [1]. Ihr erster histor. faßbarer Vertreter ist der aus dem bibl. Buch → Nehemia bekannte persische Verwaltungsbeamte ammonitischer Herkunft Tobias (E. 5. Jh. v. Chr.). Im 3. Jh. v. Chr. ist in den

→ Zenon-Papyri Tobias, Befehlshaber einer ptolem. Kleruchie (→ *klerúchoi*) in der Ammanitis, genannt, der durch Heirat der Schwester des Onias [2] II. mit dem Jerusalemer Priesteradel verwandt war. Sein Sohn Joseph errang in Auseinandersetzung mit dem eine proseleukidische Haltung einnehmenden Hohenpriester das Amt der *prostasía* und wurde unter Ptolemaios [6] III. Euergetes Steuerpächter (240–218 v. Chr.) für → Palaestina. Dieses Amt übernahm der jüngste Sohn des Joseph, Hyrkanos [1] (2 Makk 3,11), der als einziger in den ptolem.-seleukidischen Auseinandersetzungen auf seiten der → Ptolemaier blieb, während seine Brüder gemeinsam mit der Partei des Hohenpriesters Simon [5] II. eine proseleukidische Politik verfolgten. Polit. erfolglos beging Hyrkanos ca. 175 v. Chr. in Tyros Selbstmord. Während der religionspolit. Auseinandersetzungen unter Antiochos [6] IV. Epiphanes vertraten die T. auf seiten des Hohenpriesters Menelaos [5] eine dem Hell. freundliche Position (Ios. ant. Iud. 12,239). Wichtigste histor. Quelle ist die Schilderung des → Iosephos [4] Flavios (ant. Iud. 12), der ein hell. Roman (möglicherweise eine Familienchronik) über die T. zugrunde liegt. Iosephos' Datierungen sind z. T. umstritten [2; 5].

1 M. HENGEL, Judentum und Hellenismus, ³1988, 51–55, 486–495 2 J. A. GOLDSTEIN, The Tales of the Tobiads, in: J. NEUSNER (Hrsg.), Christianity, Judaism and Other Greco-Roman Cults. FS Morton Smith, Bd. 3, 1975, 85–123 3 CH. C. JI, A New Look at the Tobiads in Iraq al-Amir, in: Liber Annuus 48, 1998, 417–440 4 E. NETZER, Tyros, the »Floating Palace«, in: S. G. WILSON, M. DESJARDINS (Hrsg.), Text and Artifact in the Religions of Mediterranean Antiquity, 2000, 340–353 5 D. SCHWARTZ, Josephus' Tobiads: Back to the Second Century?, in: M. GOODMAN (Hrsg.), Jews in a Graeco-Roman World, 1998, 47–61 6 V. A. TCHERIKOVER, A. FUKS, Corpus Papyrorum Iudaicarum, Bd. 1, 1957, 115–130.   I. WA.

Tocharisch. Eigener idg. Sprachzweig, eine → Kentumsprache, die in buddhistischen Übers.-Texten aus dem 6.–8. Jh. n. Chr. überl. ist. Diese sind in einer vokalhaltigen indischen Schrift geschrieben und wurden in verschütteten Klöstern der nw-chinesischen Prov. Xinjiang gefunden. Dial. A wurde nur in Turfan geschrieben, Dial. B auch westl. davon in Kučā. Den Namen T. gab die moderne Forsch. der Sprache, vielleicht zu Unrecht, nach dem ant. Volk der → Tocharoi in Baktrien. Aus dem Wortschatz vgl. T. B *pācer* = lat. *pater*, und mit nur griech. Entsprechung T. B *soy* »Sohn« = griech. υἱός (υἱύς), T. AB *pont-* »all, ganz« = griech. παντ-. Nähere Verwandtschaft mit dem Griech. ist möglich.
→ Indogermanische Sprachen

W. KRAUSE, W. THOMAS, T. Elementarbuch, Bd. 1, 1960; Bd. 2, 1964 · J. P. MALLORY, D. Q. ADAMS (Hrsg.), Encyclopedia of Indo-European Culture, 1997, 590–594 · D. R. RINGE, Evidence for the Position of Tocharian in the Indo-European Family, in: Die Sprache 34, 1990, 59–123 · W. THOMAS; Die Erforschung des T. (1960–1984), 1985, 15–17 (zum Namen T.).   N. O.

Tocharoi (Τόχαροι Strab. 11,8,2; lat. *Tochari*: Iust. 42,2,2; *Thocari*: Plin. nat. 6,55; Τάχοροι: Ptol. 6,16,4; *Athagurae*: Amm. 23,6,66; Θαγούροι: Ptol. 6,16,2). Innerasiatische Stammesgruppe, nach der eine idg. Sprache als → Tocharisch benannt ist. Sie wird im Kontext der Westwanderung der Yüezhi nach der Niederlage 176 oder 174 v. Chr. gegen die Hiung-nu (verm. zentralasiat. Vorgänger der → Hunni) genannt. Nach der Geogr. des Ptolemaios [65], bei Strabon und Iustinus (s. o.) in Kan-su, → Sogdiana und → Baktria lokalisiert. Die chinesischen und griech.-lat. Quellen verwenden den Namen für Volksgruppen in verschiedenen Regionen und verm. auch mit verschiedenen Sprachen. Die T. gehören zu den Stämmen, die im 1. Jh. v. Chr. den Griechenstaat in Baktrien (→ Graeco-Baktrien) zerschlugen. Andere Gruppen blieben in Oasen des Tarimbeckens (→ Turfan).
→ Seidenstraße

F. ALTHEIM, Weltgesch. Asiens im griech. Zeitalter, 1947/48, bes. 11 f. · W. W. TARN, The Greeks in Baktria and India, ²1966, bes. 175; 177.   H. J. N.

Tod
I. ALTER ORIENT UND ÄGYPTEN
II. KLASSISCHE ANTIKE

I. ALTER ORIENT UND ÄGYPTEN

Vielfältige arch. und textliche Quellen aus unterschiedlichen Lebensbereichen sind beredtes Zeugnis für die Intensität der Auseinandersetzung mit dem T. in den altoriental. Kulturen (→ Bestattungs- und Trauerrituale und der sich daran anschließende → Totenkult), die sich in → Grabbauten/-formen, Grabbeigaben wie auch in der reichhaltigen → Totenliteratur manifestiert. Wie aus Textquellen hervorgeht, nahm diese Auseinandersetzung auch im Alltag der Menschen einen breiten Raum ein [5]. Kennzeichnend für die äg., mesopot. und hethitische Trad. ist zum einen der Glaube an die Weiterexistenz des Menschen nach dem T. Körper und Seele – im diesseitigen Leben miteinander verbunden – werden physisch voneinander gelöst. Die sterblichen Überreste werden in einem Grab deponiert, die Seele des Toten begibt sich in die → Unterwelt. Die Abhängigkeit der Seele des Toten von (s)einem Körper zeigt sich in der rituellen Bestattung (z. B. äg. Mumifizierung, hethit. Salbung der Gebeine). Auch der → Totenkult trägt dieser Körperlichkeit mit der Spende von Speis und Trank Rechnung. Daneben stehen andere Formen der Kommunikation von Lebenden und Toten, wie die Evokation von Totengeistern (vgl. → Gilgamesch-Epos, Taf. 12) usw. zeigen.

Zum anderen war in den Kulturen des Alten Orients der T. ein soziales Ereignis, das nicht nur den Sterbenden und dessen Familie, sondern sein gesamtes soziales Umfeld betraf [3]. Der T. außerhalb der eigenen Umgebung, der eigenen Kultur war gefürchtet, wie z. B. der äg. Roman um → Sinuhe oder das sumerische Lugalbanda-Epos zeigen [4]. Der T. eines → Herrschers konnte die Ordnung der Ges., des Kosmos insgesamt gefährden: Der Beginn des hethit. königlichen Totenrituals lautet ›Wenn in Ḫattusa eine große Störung geschieht, indem König oder Königin Gott wird‹. Die oben erwähnte Vielfalt ist charakteristisch für den Umgang mit dem T. So gestaltet sich nach mesopot. Auffassung der Weg in die → Unterwelt unterschiedlich (Überquerung des Unterweltsflusses, Zurücklegen des Weges zu Fuß). Unterschiedliche regionale, ges. oder kulturelle Trad. können sich in den lit. Texten, der Totenlit. und den arch. Zeugnissen widerspiegeln. Die bes. für Äg. und Mesopot. typische detaillierte Beschreibung des Jenseits ist Ausdruck des Versuches, einen den Menschen eigentlich nicht zugänglichen Bereich des Lebens erfahrbar zu machen und ihm so den Schrecken des Unbekannten zu nehmen (vgl. die äg. Jenseitsführer mit Maßangaben zur Länge einzelner Streckenabschnitte). Allen Vorstellungen ist gemein, daß der Tote einen Weg zurückzulegen hat, um zu seinem Bestimmungsort zu gelangen. Äg. und mesopot. Vorstellungen sehen den Toten als aktiv Handelnden, die hethit. dagegen weitestgehend als passiv, abhängig von Löseopfern an die Sonnengöttin der Unterwelt (→ Sonnengott III.), die ihn ziehen lassen soll (Bestattungsritual: [6. 42]).

Es finden sich auch Texte, die den Glauben an ein (gutes) Leben nach dem Tode nicht teilen: Die Harfnerlieder Äg.s wie auch das Gilgamesch-Epos rufen die Menschen zum Genuß des Lebens auf [1. 195–204], da sie danach nur Trostlosigkeit und Vergessen erwarte – der T. als Ende des selbstbestimmten Lebens und als Beginn eines Schattendaseins, dem mit aufwendigen Grabbauten und Beigaben nicht beizukommen ist: ›Gilgameš, wohin läufst Du? Das Leben, das Du suchst, wirst Du nicht finden! Als die Götter die Menschen erschufen, teilten sie den Tod der Menschheit zu ... Feiere jeden Tag ein Freudenfest, tanze und spiele bei Tag und Nacht! ... Solcher Art ist das Werk der Menschen!‹ (Gilgamesch-Epos, Taf. 10). Könnte der Gegensatz beider Auffassungen angesichts des (gerade in Äg.) so großen (materiellen) Aufwandes für ein Leben nach dem T. größer nicht sein, verfolgen sie dennoch dasselbe Ziel – das Überleben im Gedächtnis der Nachwelt durch Taten und Lit.: ›Der Mensch vergeht, sein Leib zerfällt zu Staub. Doch ein Buch gibt die Erinnerung an ihn in den Mund des Vorlesers ...‹ (Liste altäg. Schriftsteller); ›Sie sind dahingegangen, ihre Namen wären vergessen – aber das Buch ist es, das die Erinnerung an sie wachhält!‹ [2. 225–226].

→ Bestattung; Grabbauten; Totenliteratur; Totenkult; Unterwelt

1 J. ASSMANN, T. und Jenseits im Alten Äg., 2001
2 H. BRUNNER, Die Weisheitsbücher der Ägypter, ²1991
3 V. HAAS, Hethit. Bestattungsbräuche, in: Altoriental. Forsch. 27, 2000, 52–67 4 S. LUNDSTRÖM, Zur Aussagekraft lit. Texte hinsichtlich mesopot. Jenseitsvorstellungen, in: Altoriental. Forsch. 29, 2002 (im Druck) 5 G. J. SELZ, Was bleibt?, in: s. [4] (im Druck) 6 T. P. J. VAN DEN HOUT, Death as a Privilege. The Hittite Royal Funerary Ritual: in

J. M. BREMER u. a. (Hrsg.), Hidden Futures. Death and Immortality in Ancient Egypt, Anatolia, the Classical, Biblical and Arabic Islamic World, 1994, 37–75.

S. LU. u. B. CH.

II. KLASSISCHE ANTIKE
(griech. θάνατος/thánatos; lat. mors, letum).
A. VORBEMERKUNG
B. GENERELLE EINSCHÄTZUNG
C. TODESKRITERIEN
D. MORD UND SELBSTTÖTUNG
E. PHILOSOPHIE   F. RELIGION UND MYTHOLOGIE
G. LITERATUR   H. HERRSCHERTOD

A. VORBEMERKUNG

Der T. ist wie → Geburt und → Sexualität eine der Konstanten der condicio humana [1], deren kulturübergreifende Unt. zu trennscharfen Erkenntnissen über die kulturellen Werte von Gesellschaften führt. Die Vielzahl der einschlägigen ant. Quellen aus Lit., Medizin, Philos., Epigraphik, Ikonographie, Gesetzgebung, Testamenten u. a. machen den T. auch in der Altertumsforsch. zu einem kulturwiss. Thema par excellence.

B. GENERELLE EINSCHÄTZUNG

Der T. galt, da als das absolut Unausweichliche dem menschlichen Leben Konturen verleihend, als Indiz dafür, daß selbst der mächtigste Mensch das Weltengeschick nie vollständig beherrschen wird [10. 13–27; 28]. Das γνῶθι σαυτόν/gnṓthi sautón (›Erkenne Dich selbst‹) des delphischen → Apollon fordert Erkenntnis der eigenen Sterblichkeit und der aus ihr resultierenden Ohnmacht. Ähnlich ist das memento te hominem esse (›Gedenke, daß du ein Mensch bist‹) zu deuten, das ein Sklave dem röm. Triumphator während des Triumphzugs zuflüsterte (→ Triumph). Der T. als Naturgesetz wurde analog zu Phänomenen der belebten und unbelebten Natur (Arist. spir. 17,478b 22ff.), z. B. zum Jahreszeitenwechsel und zu Zerstörungen von Städten durch menschliche Gewalt gesehen (→ Konsolationsliteratur) In individueller Abwandlung wurde auch der T. geliebter → Haustiere (s. Nachträge) betrauert [15]. In der Regel wurde der T. in der Ant. eher als Übergang und Wechsel in eine andere Existenzform denn als das absolute Ende aufgefaßt (Cic. Tusc. 1,12) [14]. Gängige Metaphern für den T. sind deshalb Wandlung, Reise, Abschiednehmen, Schlaf [3; 18]. Da eine kausale Verbindung zw. Leben und postmortaler Existenz angenommen wurde, schlägt sich die Einschätzung des T. als eines willkommenen, gefürchteten oder gleichgültig hingenommenen Ereignisses auch in entsprechenden Lebensentwürfen nieder.

Daß der T. ähnlich wie die Sexualität stark tabuisiert war [1. 774ff.], zeigt das hohe Maß an kultureller Arbeit, das gerade in den griech., etr. und röm. Kulturen den Umgang mit dem Leichnam und die den T. begleitenden Emotionen regelte (vgl. dazu → Bestattung; → Trauer; → Totenkult; → laudatio funebris; → nenia A.; → thrḗnos; → ekphorá). Bei relativ homogener Auffassung von Wesen und Natur des T. eröffnet sich im

Mittelmeerraum eine reiche Kultur des T. Für Griechenland sind seit den frühesten Zeugnissen komplexe Bestattungsriten zentral [4; 25]. Bei den Etruskern manifestiert sich die T.-Kultur etwa in einer reichen, den T. ästhetisierenden Grabkultur (→ Etrusci II. C. und III. C.; → Grabmalerei; → Sarkophag), die ebenso Totengedenken wie Ausdruck einer tiefen Sinnenfreude und Jenseitserwartung ist. Markant für Rom ist eine weitere Institutionalisierung der Bestattungsriten und eine kulturell hoch fortgeschrittene Form des Totengedenkens (vgl. → laudatio funebris, → Manes, → imagines maiorum, → Lemures, → Parentalia), die im Christentum in einer interpretatio christiana eine fast bruchlose Fortsetzung findet [26; 27]. Auch wenn der T. zweifellos – im Gegensatz zur h. europäischen Kultur, in der er gleichsam »ausgebürgert« ist [1] – stärker sichtbar im öffentlichen Bewußtsein war, gab es bestimmte Tabus (z. B. das Zurschaustellen des »häßlichen« T. durch Krankheit).

C. TODESKRITERIEN

Schon in der Ant. gab es bes. in Medizin und Philos. eine lebhafte Kontroverse darüber, aufgrund welcher Kriterien ein Mensch als tot gelten bzw. wie der T. zuverlässig festgestellt werden kann (σημεῖα θανάτου/ sēmeía thanátu; lat. signa mortis) [17]. Selbst die Ärzte, die dem Gehirn eine wesentliche Rolle bei den Körperfunktionen zumaßen (→ Hippokrates [6], → Galenos u. a.), gingen mit Aristoteles [6] (part. an. 3,4 667a-b) davon aus, daß Ursache des T. der Herzstillstand sei, auch wenn dieser von verschiedenen Organen ausgehen könne. Doch da ihnen Zustände wie → Hysterie, Asphyxie und Koma, bei denen Atem und Herzschlag aussetzen können, durchaus bekannt waren [17], konzedierten sie, daß eine Feststellung des T. anhand dieser Kriterien schwierig sei (vgl. Plin. nat. 7,37,124; 26,8,15; das Feststellen des T. fiel, anders als h., nicht in die Kompetenz der Ärzte, sondern war schon Teil des Bestattungsrituals, vgl. → conclamatio).

In der Philos. gab es verschiedene Ansichten darüber, was T. bedeutet (Synopse der Meinungen bei Cic. Tusc. 1,8). In der Regel wurde der T. als Trennung von Körper und Seele gesehen, woraus sich verschiedene Optionen ergeben (→ Seelenlehre): Wird der Seele eine unabhängige Existenz vom Körper abgesprochen, stirbt der ganze Mensch (→ Epikuros, → Epikureische Schule); hält man eine körperlose Seele für möglich (wobei es unterschiedliche Einschätzungen der Zeitdauer gibt: ewig für Platon, vgl. dessen Phaídōn, sowie für → Pythagoras [2] und die → Pythagoreische Schule; begrenzt für den → Stoizismus), ist der T. auf den Körper beschränkt, der gleichsam als Metonymie des Menschen aufgefaßt wird. Der Leichnam galt jedoch prinzipiell als sakrosankt, und seine Verletzung oder Obduktion war deshalb verboten (ebenso maschalismós, »Verstümmelung«). Die Gesetzgebung in Griechenland und Rom (→ Testament) zeigt, daß der Tote weiterhin als Rechtsperson mit der entsprechenden ges. Position aufgefaßt wurde.

D. MORD UND SELBSTTÖTUNG

Auch wenn die bewußte Tötung eines anderen Menschen geahndet wurde (Ausnahme: → Kindesaussetzung und -tötung), war die Einschätzung der → Todesstrafe (vgl. → munus III.) und des → Suizids von der Bewertung des T. an sich abhängig. Anders als etwa im Christentum galt das Leben nicht prinzipiell als bewahrenswert. Vgl. auch → Mord; → Tötungsdelikte.

E. PHILOSOPHIE

Das Bonmot des → Epicharmos ›Sterben möchte ich nicht, aber tot sein macht mir nichts aus‹ (Cic. Tusc. 1,8) faßt im Kern den um eine rationale Aufhellung bemühten Diskurs der Philos. Dieser geht der Frage nach, ob der T. ein Übel sei, um die Todesangst als große Antagonistin eines im prägnanten Sinne guten Lebens zu entschärfen. Seit → Platon [1] und bes. im → Stoizismus wurde der individuelle Tod bagatellisiert (was das MA mit Emphase aufnahm) und eine ars moriendi (»Sterbekunst«) der Schlüssel zu einem echten Menschsein: Gut leben heißt gut sterben. Im Umfeld dieser Diskussion ist auch die → Konsolationsliteratur verschiedener Couleur zu sehen. Wichtige ant. philos. Referenztexte zum T. sind: Plat. Phaid., Cic. Tusc. 1, Lucr. 3 und 4; Sen. dial. 10, Sen. epist.; zu Aspekten der Seele s.o. II. C.; vgl. generell [2; 5; 16; 18].

F. RELIGION UND MYTHOLOGIE

Die → Jenseitsvorstellungen entspringen einer Auseinandersetzung mit der unheimlichen Auslöschung des Menschen durch den T., der etwa in der Vorstellung der → Vergöttlichung (s.u. H.) oder der Metempsychose (→ Seelenwanderung) die Spitze genommen ist. Im Christentum ist der Todestag prägnant der »Geburtstag« der Ewigkeit (ἡμέρα γενέθλιος/hēméra genéthlios, Martyrium Polycarpi 18,2; lat. meist dies natalis; vgl. → Totenkult VI.). Die rel. Riten, die häufig eine Gegenbewegung zu den Geburtsriten bilden [12; 14], spiegeln in der Regel die Vorstellung des T. als eines Wandels und Übergangs in eine andere Existenz wider und sollen nicht zuletzt eine Vermischung der Existenzformen verhindern. Wenn der Tote nicht mit aller Sorgfalt bestattet worden ist (z.B. Prop. 4,7), bewirkt dies sein unheimliches Weiterleben als Wiedergänger oder Untoter [19] (→ Totenkult). In den Initiationsriten der Mysterienkulte (→ Mysterien) wird der T. symbolisch durchlebt [14. 218 ff.].

Die den T. repräsentierenden myth. Gestalten bezeichnen in Griechenland und Rom eher das grausame Moment des T. (→ Ker): Der schöne Jüngling → Thanatos ist zwar nicht der Schnitter, aber gleichwohl erbarmungslos (Hes. theog. 756–766; [14. 208 f.]). Die etr. Kultur hingegen kennt eine Vielzahl von Todesdämonen [20].

G. LITERATUR

Schon in den Homerischen Epen (→ Homeros [1]), werden die Unwiederbringlichkeit des Lebens, der T. auf dem Schlachtfeld (›Ilias‹) und der ruhmlose T. fern der Heimat (›Odyssee‹) thematisiert. Im → Epos bleibt der Heldentod als scheinbar sinnerfüllterer – da für die

Gemeinschaft gestorbener – T. ein dissonant diskutierter Gegenstand, dessen Sinnhaftigkeit spätestens bei → Lucanus [1] in dem fast schon makabren Todesreigen der Seeschlacht bei Massilia (Lucan. 3,567–751) ad absurdum geführt wird. Der aus einer Fragmentierung des Körpers resultierende T. übt bes. Faszination auf die Dichter aus (z. B. → Hippolytos [1] bei Sen. Phaedr. 1085–1114) [22]. Obwohl die durch die Medizin nur hinlänglich gemilderte → Krankheit ständige Begleiterin des ant. Menschen war, wird der T. durch normalen Alterungsprozeß oder durch Krankheit in der ant. Dichtung kaum, in der Prosa selten (Plin. epist. 1,22; 5,16 u. ö. [11]; Fronto p. 232 Naber) beschrieben. Eine bemerkenswerte Ausnahme stellt der T. des alten ›Oidipus auf Kolonos‹ in der Tragödie des → Sophokles [1] dar.

In den lit. Kleinformen zeigt sich die sich wandelnde Einstellung zum Heldentod im Krieg pointierter, wie etwa eine Gegenüberstellung von → Tyrtaios (fr. 6 Diehl, Mitte 7. Jh. v. Chr.) und → Horatius [7] (Hor. carm. 3,2; 1. Jh. v. Chr.) zeigt [8; 23]. *Ex negativo* thematisiert wird der T. in der vielstimmigen Aufforderung, aus dem flüchtigen Leben das Beste zu machen (Materialsammlung: [7]). Ein individuelles Alternativmodell zum Helden-T. bietet auch die bes. vom röm. Elegiker → Propertius [1] beschworene gemeinsame T. von Liebenden als Krönung einer großen Liebe [24]. Die Leichenpoesie der Grabsteine, v. a. die *Carmina Latina Epigraphica* (CLE), bieten einen faszinierenden Querschnitt der Trauertopoi, der Jenseitsvorstellungen und der rückhaltlosen Lebensbejahung [21].

→ Bestattung; Charonsgeld; Epitaphios; Eschatologie; Funus imaginarium; Funus publicum; Grabbauten; Grabinschriften; Jenseitsvorstellungen; Märtyrer; Mors; Nekropolen; Rogus; Seelenlehre; Seelenwägung; Sterblichkeit; Suizid; Testament; Thanatos; Todesstrafe; Totenkult; Trauer; Unterwelt; Vergöttlichung

1 Ph. Ariès, Gesch. des T., 1980 u. ö. (frz. 1978)
2 M. Baltes, Die Todesproblematik in der griech. Philos., in: Gymnasium 95, 1988, 97–128 3 C. von Barloewen (Hrsg.), Der T. in den Weltkulturen und Weltrel., 1996
4 G. Baudy, Exkommunikation und Reintegration. Zur Genese und Kulturfunktion frühgriech. Einstellungen zum T., 1980 5 E. Benz, Das Todesproblem in der stoischen Philos., 1929 6 G. Binder, B. Effe (Hrsg.), T. und Jenseits im Alt., 1991 7 G. Binder, Pallida Mors, in: [6], 203–247 8 Ders., Kriegsdienst und Friedensdienst, in: Acta Antiqua Academiae Scientiarum Hungaricae 39, 1999, 53–72 9 J. Bowker, Die menschliche Vorstellung vom T., in: [3], 406–431 10 J. Choron, Der T. im abendländischen Denken, 1967 11 M. Ducos, La vie et la mort dans la correspondance de Pline le Jeune, in: [27], 93–108 12 E. P. Fischer (Hrsg.), Geburt und T., 1999 13 G. Gnoli, J.-P. Vernant (Hrsg.), La mort, les morts dans les soc. anciennes, 1982 14 F. Graf, »Allen Lebewesen gemeinsam«: Geburt und T. in der Ant., in: [12], 205–238 15 G. Herrlinger, Totenklage um Tiere in der ant. Dichtung, 1930 16 A. Hügli, Zur Gesch. der Todesdeutung, in: Studia Philosophica 32, 1972, 1–28 17 Ders., s. v. Todeskriterien, HWdPh 10, 1245–1249 18 Ders., s. v. T., HWdPh 10, 1237–1242 19 S. I. Johnston, Restless Dead. Encounters between the Living and the Dead in Ancient Greece, 1999 20 I. Krauskopf, Todesdämonen und Totengötter im vorhell. Etrurien, 1987 21 R. Lattimore, Themes in Greek and Latin Epitaphs, 1942 22 G. Most, Disiecti membra poetae: The Rhetoric of Dismemberment in Neronian Poetry, in: R. Hexter, D. Selden (Hrsg.), Innovations in Antiquity, 1992, 391–419 23 C. W. Müller, Der schöne T. des Polisbürgers oder »Ehrenvoll ist es für das Vaterland zu sterben«, in: Gymnasium 96, 1989, 317–340 24 T. D. Papanghelis, Propertius. A Hellenistic Poet on Death and Love, 1987 25 C. Sourvinou-Inwood, »Reading« Greek Death, 1996 26 J. M. C. Toynbee, Death and Burial in the Roman World, 1971 27 La vie et la mort dans l'Antiquité (Actes du colloque; Association G. Budé), 1990 28 H. Wankel, Alle Menschen müssen sterben, in: Hermes 11, 1983, 129–154.
C. W.

H. Herrschertod

1. Griechenland 2. Rom 3. Byzanz
4. Einzelaspekte

1. Griechenland

Aus der myk. Epoche mit ihrer »stadtstaatlichen Palastkultur« (Blütezeit 14./13. Jh. v. Chr.) ist über die Herrscher (*wanakes*, → *wanax*) wenig, über deren T. so gut wie nichts bekannt [1] (→ Bestattung C.; reiche Ausstattung der → Grabbauten III. B.); dasselbe gilt für die → Dunklen Jahrhunderte (ca. 1200–800 v. Chr.). In den Homerischen Epen finden sich eindrucksvolle Schilderungen des gewaltsamen Herrschertods (= H.; z. B. → Agamemnon, Hom. Od. 1,29–43; 3,248–312; 4,519–537); umfassend dargestellt ist → Hektors T. und die damit verbundenen Zeremonien (Hom. Il. 22–24). Einzelheiten des Leichenzeremoniells und der Trauerriten dürften histor. Verhältnisse des frühen Königtums spiegeln [2]. Über Begräbnissitten des spartanischen Doppelkönigtums (9.–6. Jh.) berichtet Hdt. 6,58 (Bekanntmachung des H., Trauerklage, Teilnahme an der Bestattung, Trauerzeit). Über den H. einiger der sog. Älteren Tyrannen gibt es einige Informationen, z. B. über den natürlichen T. des → Kypselos [2] von Korinth, seines Sohnes → Periandros oder des → Peisistratos [4] von Athen [3]. Über die Ermordung (→ Tyrannenmord) und Kreuzigung des → Polykrates [1] von Samos durch den Perser Oroites berichtet Herodot mit dem Hinweis, dieses Ende sei ›weder des Herrschers selbst noch seiner hohen Gesinnung würdig‹ gewesen (3,120–125) [4. 120–125; 5. 36–42]. Auch aus der → Tyrannis der klass. Zeit (ca. 500–336 v. Chr.) sind Fälle von gewaltsamem H. bekannt: → Euagoras [1] I. und → Nikokles [1] von Zypern oder → Iason [2] von Pherai in Thessalien, dessen Mörder gefeiert wurden (Xen. hell. 6,4,31 f.; Diod. 15,60,5). Der Makedonenkönig Philippos [4] II., Vater Alexandros' [4] d. Gr., fiel 336 einem Mordanschlag zum Opfer (Diod. 16,93 f.; [6]).

Mit Alexandros [4] beginnt auch für die Verehrung des → Herrschers eine neue Epoche: H. tritt in enge Verbindung zu → Heroenkult, Herrscherkult und → Vergöttlichung. Schon vor seinem T. (323) wurde

Alexandros vereinzelt göttlich verehrt; danach galt er als Schutzgottheit für seine Nachfolger, die ihrerseits z. T. schon zu Lebzeiten kultische Verehrung genossen ([7. 1054–1058] mit Lit.). Herausragendes Beispiel für H. ist der doppelte Suizid der Ägypterin → Kleopatra [II 12] VII. und des Römers M. → Antonius [I 9] 30 v.Chr. beim Anrücken Octavians auf Alexandreia [1] [8. 151–173; 9. 184–203].

2. ROM

Die früheste lit. Darstellung von H. findet sich fr. im Epos *Annales* des → Ennius [1] (1. Drittel des 2. Jh. v.Chr.); sie bezieht sich auf T. und Apotheose des sagenhaften Stadtgründers → Romulus [1] nach hell. Vorbild (Enn. ann. fr. 105–110 SKUTSCH), aufgenommen von Cicero (bes. Cic. rep. 1,64: Romulus als Hüter des Volkes, Vater, Erzeuger; Sehnsucht und Klage des verwaisten Volkes; vgl. Liv. 1,16); sie darf als Modell für H. und Vergöttlichung (s. auch → *consecratio*, die später Teil des Bestattungsritus wurde) seit Caesars Tod gesehen werden. Letzterer war faktisch der erste H. in Roms Gesch. und wurde einschließlich der nachfolgenden Feierlichkeiten in histor. und biographischer Lit. ausführlich beschrieben (vgl. bes. Plut. Caesar 64–69; Suet. Iul. 81–85 mit Zusammenstellung der den H. ankündigenden Prodigien und Träume sowie Einzelheiten der Leichenfeier; dazu [4. 108–110] mit Quellen). Zum natürlichen T. des → Augustus vgl. Suet. Aug. 97,1f. (Vorzeichen über T. und Apotheose) und 99f., zum Leichenbegängnis am ausführlichsten Cass. Dio 56,34–42, [10. 69–72]; die Beisetzung der Urne erfolgte im → *Mausoleum Augusti*, wo zwei Taf. mit seinen *Res gestae* angebracht waren. In ähnlicher Weise ließen nachfolgende Kaiser Familiengrabstätten und Monumente errichten, die gleichzeitig ihren Nachruhm sichern sollten [11].

Eindrucksvolle Darstellungen des H. finden sich in den Werken des Tacitus, z.B. Tac. ann. 12,66–69; 13,1–3: → Claudius [III 1] (dessen H., Bestattungsritual und Konsekration in der *Apocolocyntosis* Seneca satirisch überzeichnet [12]); Tac. hist. 3,84,4–85: → Vitellius ([13. 227–229, 219–231]: weitere lit. Sterbeszenen); der T. des Agricola (Tac. Agr. 43) ist zweifellos als H. stilisiert, Tacitus macht seinen Schwiegervater in der Polarisierung zu Kaiser Domitianus »unsterblich« [14; 15]. Aus epischer Lit. seien Vergils → Dido-Drama (Verg. Aen. 4; [16]) und die buchübergreifende Darstellung der Ermordung, Apotheose und Totenehrung des → Pompeius [I 3] bei Lucanus (8,611–9,217; [17]) genannt.

3. BYZANZ

Der byz. Kaiser führte seit 629 (→ Herakleios [7]) auch offiziell den seit Constantinus [1] I. in Alltagssprache und Lit. üblichen Titel → *basileús* (II.) und wurde in einer feierlichen Zeremonie durch seinen Vorgänger im Beisein des Patriarchen gekrönt, unter Beteiligung von Senat, Volk und Armee ([18. 10–30] mit Quellen); oft erfolgte die Herrschaftsübergabe am Totenbett mit anschließender Teilnahme des Erben an den Bestattungsfeierlichkeiten und seiner öffentlichen Akklamation, wodurch die Kontinuität zwischen Verstorbenem und Nachfolger dokumentiert werden sollte ([19. 1158f.] mit Belegen, auch zu dem aus dem Kaiserkult umgeformten christl. Begräbnisritual des Constantinus).

4. EINZELASPEKTE

In histor. und biographischer Lit. werden häufig die Vorzeichen genannt, in denen sich bevorstehender H. ankündigt (s.o. H.2. zu Caesar und Augustus). Beliebt ist auch die Wiedergabe der → *ultima verba* des Sterbenden, um in ihnen dessen Charakter und Herrscherqualität zu dokumentieren. Nicht selten werden dabei verschiedene Versionen mitgeteilt; bekannt ist z.B. die widersprüchliche Überl. der letzten Worte Caesars ([4. 108–110]; zu den *ultimae voces* vgl. auch [13. 220, 227–229]).
→ Herrscher; Herrschergeburt; Kaiserkult; Vergöttlichung

1 R. HÄGG, G. C. NORDQUIST (Hrsg.), Celebrations of Death and Divinity in the Bronze Age Argolid, 1990 2 M. ANDRONIKOS, Totenkult (ArchHom Bd. 3 Kap. W), 1968 3 H. BERVE, Die Tyrannis bei den Griechen, 1967 4 W. H. FRIEDRICH, Der T. des Tyrannen, in: A&A 18, 1973, 97–129 5 A. ABRAMENKO, Polykrates' Außenpolitik und Ende, in: Klio 77, 1995, 35–54 6 E. BADIAN, The Death of Philipp II, in: Phoenix 17, 1963, 244–250 7 J. R. FEARS, s. v. Herrscherkult, RAC 14, 1047–1093 8 I. BECHER, Das Bild der Kleopatra in der griech. und lat. Lit., 1966 9 H. VOLKMANN, Kleopatra. Politik und Propaganda, 1953 10 H. CHANTRAINE, Der tote Herrscher in der röm. Kaiserzeit, in: Gesch. in Wissenschaft und Unterricht 39, 1988, 67–80 11 P. J. E. DAVIES, Death and the Emperor, 2000 12 G. BINDER (ed.), L. Annaeus Seneca. Apokolokyntosis, 1999 (mit dt. Übers.) 13 Ders., Pallida Mors, in: Ders., B. EFFE (Hrsg.), T. und Jenseits im Alt., 1991, 203–247 14 K. BÜCHNER, Die Darstellung des T. des Agricola durch Tacitus, in: Studii Clasice 13, 1971, 127–137 15 P. SCHUNK, Stud. zur Darstellung des Endes von Galba, Otho und Vitellius in den Historien des Tacitus, in: Symbolae Osloenses 39, 1964, 38–82 16 G. BINDER (Hrsg.), Vergils Dido-Drama und Aspekte seiner Rezeption, 2000 17 W. RUTZ, Lucans Pompeius, in: Der altsprachliche Unterricht, R.11, H.1, 1968, 5–22 18 R.-J. LILIE, Byzanz. Kaiser und Reich, 1994 19 M. WHITBY, s. v. Kaiserzeremoniell, RAC 19, 1135–1177.

E. BALTRUSCH, Sparta, 1998 · P. BARCELÓ, Basileia, Monarchia, Tyrannis, 1993 · H.-J. GEHRKE, H. SCHNEIDER (Hrsg.), Gesch. der Ant., 2000 · CH. HABICHT, Gottmenschentum und griech. Städte, ²1970 · M. HERFORD-KOCH, T., Totenfürsorge und Jenseitsvorstellungen in der griech. Ant. Eine Bibliographie, 1992 · F. HINARD (Hrsg.), La mort, les morts et l'au-delà dans le monde romain, 1987 · L. DE LIBERO, Die archa. Tyrannis, 1996 · G. OSTROGORSKY, Gesch. des byz. Staates, ³1963 · A. RONCONI, s. v. Exitus illustrium virorum, RAC 6, 1258–1268 · J. M. C. TOYNBEE, Death and Burial in the Roman World, 1971. CL. E. u. G. BI.

Todesengel (hebr. *Malakh ha-mawet*). Gestalt der rabbinischen Angelologie, kann mit → Sammael oder → Satan identifiziert werden (z.B. bBB 16a). Der T., von Gott über Leben und Tod eingesetzt, steht bei einem Sterbenden. Öffnet dieser vor Schreck den Mund, so läßt er aus seinem Schwert einen Tropfen Galle in dessen Mund fallen, woraufhin der Tod eintritt (bAZ 20b). Bis zur Sünde des Goldenen Kalbs (Ex 32,1–24) war der T. nur für die Völker der Welt bestimmt, denn die Annahme durch die Tora bedeutete die Freiheit vom Tode. Ausführlich beschreibt die → Rabbinische Literatur, wie es → Mose gelingt, sich der Macht des T. zu widersetzen (SiphDt § 305, p. 326f.; entsprechende Vorstellungen begegnen auch in der pseudepigraphischen Lit., vgl. SyrBar 21,23). Michael [1], Gabriel [1], Uriel, Rafael u. a. Engel ›sind über das Ende gesetzt‹ und versuchen, Esras Seele ›herauszubringen‹ (ApkEsr 6,1 ff.). Im Zusammenhang mit dem Tod des Menschen erscheinen Engel zudem als Seelenführer (vgl. u. a. TestAsser 6,4 ff.) und können beim Endgericht zugegen sein (TestAbr 12–12.; 1 Hen 55,3; 62,11; 2 Hen 10,2).

J. MICHL, s. v. Engel (jüd.), RAC 5, 1962, 60–97, bes. 76f. · P. SCHÄFER, Rivalität zw. Engeln und Menschen. Unt. zur rabbinischen Engelvorstellung, 1975, Index s. v. T. · H. L. STRACK, P. BILLERBECK, Komm. zum NT aus Talmud und Midrasch, Bd. 1, ⁹1986, 145–149.   B. E.

Todesstrafe   I. ALTER ORIENT
II. GRIECHISCH-RÖMISCH

I. ALTER ORIENT

T. als Sanktion für Kapitaldelikte im alten Vorderasien ist als Androhung in unterschiedlicher Häufigkeit in den jeweiligen Gesetzes-Slgg. und (seltener) als Urteil in → Urkunden des → Prozeßrechts seit dem ausgehenden 3. Jt. v. Chr. bezeugt. Kapitaldelikte waren bes. Mord/Tötung (→ Tötungsdelikte), → Raub, Entführung, Ehebruch, verschiedene Fälle von Sodomie und Inzest sowie andere, vornehmlich die polit.-soziale Ordnung bedrohende Tatbestände. Die T. konnte darüber hinaus ersatzweise (etwa bei Diebstahl und Veruntreuung) für den Fall der Unfähigkeit des Täters zur Bußgeldzahlung angedroht werden und findet sich auch als Strafandrohung in Verträgen. In bestimmten Fällen ist damit zu rechnen, daß die (der Abschreckung dienende) T. durch monetäre und andere (Kompensations-/Straf-)Leistungen ersetzt wurde. Die Unt. von Kapitaldelikten (und damit die Verhängung der T.) unterlag in der Regel der königlichen Gerichtsbarkeit bzw. wurde vom → Herrscher an andere gerichtliche Institutionen delegiert. In welchem Rahmen (öffentlich oder privat) die T. im konkreten Fall vollstreckt wurde, ist unklar und strittig. Als Vollstreckungsarten sind in Mesopot. und Äg. v. a. Pfählen, Verbrennen, Ertränken und Köpfen bezeugt.
→ Strafe, Strafrecht

W. BOOCHS, s. v. Strafen, LÄ 6, 68–72 · S. LAFONT, Femmes, droit et justice dans l'antiquité orientale, 1999 · G. RIES, s. v. Kapitaldelikte, RLA 5, 391–399 · C. WILCKE, Diebe, Räuber und Mörder, in: Xenia 32, 1992, 53–78.   H. N.

II. GRIECHISCH-RÖMISCH

Weder in Griechenland noch in Rom wurde die T. allg. begrifflich erfaßt. Man sprach stattdessen von den einzelnen Arten ihrer Vollstreckung (s. u.). Die T. war in einer frühen Entwicklungsphase jeweils Ausdruck der rechtlich nicht oder kaum kanalisierten privaten → Rache (vgl. auch → Blutrache). In Rom hatten zudem der Familienvater (→ pater familias) und der Sklavenhalter (→ dominus) lange Zeit das Recht zur Verhängung und Vollstreckung der T. gegenüber Ehefrau, Kindern und Sklaven (wohl seit dem 5. Jh. v. Chr.), gemildert durch das Erfordernis, ein Hausgericht unter seinem Vorsitz entscheiden zu lassen. Bei → Sklavenaufständen oder bei der Mitwirkung von Sklaven am Bürgerkrieg wurden die Sklaven (→ Sklaverei IV. B.) teils ihren domini zur Bestrafung zurückgegeben, teils unmittelbar von der siegreichen Partei ans Kreuz geschlagen (→ crux; in Griechenland anaskolópisis und anastaúrōsis). Diese Art der T. v. a. an Sklaven wurde in Rom wohl seit ca. 200 v. Chr. vollzogen. In Athen zogen nicht nur vorsätzliche Tötung (→ phónos) sowie Hoch- und Landesverrat (→ katálysis tu dḗmu, → prodosía) die T. nach sich, sondern auch rel. Delikte wie Tempelschändung (→ hierosylía) und (vgl. bes. den Prozeß gegen → Sokrates [2], 399 v. Chr.) öffentlich gelehrte Gottlosigkeit (→ asébeia). In ähnlicher Weise war die staatliche T. für Hoch- und Landesverrat (→ perduellio) in Rom vorgesehen, durch Enthauptung (→ decollatio, in Griechenland apokephalízein) mit dem Beil, später dem Schwert. Diese war in der röm. Kaiserzeit die typische T. für → honestiores, nun aber auch etwa bei → Mord. Eine weitere Vollstreckungsart war der Feuertod (→ crematio), zunächst vielleicht die »private« Strafe für Brandstiftung nach den 12 Tafeln (→ tabulae duodecim; tab. 8,10, ca. 450 v. Chr.), in der Kaiserzeit neben Kreuzigung und Enthauptung eine der drei schwersten Strafen (summa supplicia) für öffentlich verfolgte Verbrechen.

Schon der Blutrache, dann aber in der Regel der öffentlichen T. konnte man sich in Athen wie in Rom durch das Exil (→ phygḗ; → exilium) entziehen, woraus sich die alternative Strafe der → Verbannung (auf Zeit oder lebenslänglich) entwickelte. Bei den »gewöhnlichen« Kriminellen hatte die Verwendung als → gladiator eine ähnliche Bed. (→ munus III.).

→ Capitale; Strafe, Strafrecht; Supplicium; Tötungsdelikte; STRAFRECHT

E. CANTARELLA, I supplizi capitali in Grecia e a Roma, 1991 · G. THÜR, Die T. im Blutprozess Athens, in: Journal of Juristic Papyrology 20, 1990, 143–156.   G. S.

Töpfer
I. EINLEITUNG, QUELLEN, SOZIALE STELLUNG
II. ARCHAISCHE UND KLASSISCHE ZEIT
III. HELLENISMUS UND KAISERZEIT

I. EINLEITUNG, QUELLEN, SOZIALE STELLUNG
Gestalterische Arbeit leistete der T. (κεραμεύς/kerameús, lat. figulus) an der → Drehscheibe bzw. im Her-

stellen von Tonpatrizen, Modeln und plastischem Dekor, doch umfaßte der Beruf auch Arbeitsgänge wie
Tonabbau und -aufbereitung, Bemalung, Töpferbrand
und Vertrieb der Ware.

Trotz zeitweise guter ökonomischer Bedingungen
blieb die soziale Stellung des T. bescheiden; in Athen
gehörte er dem → Theten-, Zeugiten- oder Metöken-
stand (→ *zeugítai*; → *métoikos*) an. Offenbar rangierte an
letzter Stelle der Lampentöpfer (Philetairos [1], vgl.
[1. 20,4]). Andererseits zeugen um 500 v.Chr. zahlreiche erh. T.-Votive auf der Akropolis vom wirtschaftlichen Aufschwung des Töpfergewerbes in Athen. Außergewöhnlich ist auch das Prestige, das im 4. Jh. v.Chr.
die attischen Töpfer Bakchios und Kittos erlangten, deren Werkstatt im Auftrag der Stadt Athen → panathenäische Preisamphoren fertigte [2].

II. ARCHAISCHE UND KLASSISCHE ZEIT

Die Signaturen beginnen im 7. Jh. v.Chr., verbunden gewöhnlich mit dem Verb ἐποίησεν/*epoíēsen* (»hat
gemacht«), in der Frühzeit auch mit *m'epoíēsen* (»hat
mich gemacht«). Die ältesten griech. Beispiele konzentrieren sich auf Euboia [1] und den Westen (vgl. [3]).
Etwas später fällt die Häufung von T.-Signaturen auf
ostgriech. Gefäßen auf. Im frühen 6. Jh. bietet eine
Gruppe fein gearbeiteter boiotischer → Figurengefäße
zahlreiche T.-Signaturen [4]. Während die korinthischen T. trotz beträchtlicher merkantiler Erfolge ihre
Ware selten signierten, nahmen im Lauf des 6. Jh. in
Athen mit steigender Beliebtheit der att. Vasen die
Signaturen rasch zu: → Sophilos [2], → Nearchos [1],
→ Exekias, → Nikosthenes, Amasis (→ Amasis-Maler),
→ Andokides [2].

Seit 530 v.Chr. beschäftigte der T. als Meister einer
Werkstatt oft mehrere → Vasenmaler; umgekehrt konnten nach Auskunft der Signaturen die Maler aber auch
den T. wechseln. Trinkschalen gehörten schon im 6. Jh.
zu den begehrtesten Artikeln der Töpferei, sie waren
bevorzugtes Exportgut und sind bes. häufig signiert
(→ Kleinmeister-Schalen). Auf Schalen des jüngeren
Typus (→ Gefäße Abb. D 2–3) firmierten als offenbar
erfolgreiche T. Kachrylion, Euergides, Hischylos, Pamphaios [5]. Diese Trad. setzte sich im 5. Jh. fort, neben
→ Euphronios [2] betrieben Brygos (→ Brygos-Maler),
Python (vgl. auch → Duris [2]) oder Hieron (vgl.
→ Makron) florierende Schalentöpfereien. Die meisten
Gefäße blieben jedoch unsigniert; nur wenige T. machten sich das Signieren zur Regel, das oft als Stolz auf die
eigene Leistung zu verstehen ist. Nicht zufällig tragen
z.B. die qualitätvollen Figurengefäße des Charinos oder
des Sotades (vgl. → Sotades-Maler) regelmäßig gut
sichtbare Signaturen.

Insgesamt stehen auf att. Vasen den rd. 100 überl.
T.-Namen nur rd. 40 Namen von Vasenmalern gegenüber, ein Hinweis auf den Vorrang, der dem T. im Arbeitsprozeß zukam [6]. Andererseits ist das unsignierte
Œuvre führender att. T. noch kaum zusammengestellt,
da Merkmale individueller Formgebung an Scheibenware nur begrenzt faßbar sind [7].

III. HELLENISMUS UND KAISERZEIT

In hell. Zeit stellte die Matrizentechnik bzw. die
Herstellung von Tongefäßen aus Formschüsseln die
Töpferei arbeitsorganisatorisch auf eine neue Grundlage. Signaturen finden sich insbes. auf Matrizenware des
2. und 1. Jh. v.Chr. – auf Reliefbechern wie auf Ton-
lampen. In der Werkstatt des Atheners Ariston gab es
offenbar beide Produkte. Namen erscheinen jetzt häufig im Gen., zu ergänzen ist → *ergastḗrion* (»Werkstatt«):
Die Signatur wird zur Fabrikmarke, was sich zunehmend auch in Monogrammen äußert. Meist liegen Re-
liefsignaturen vor.

In der Kaiserzeit steigt die Zahl bekannter T.-Namen
erheblich an. Neuartig und an → Terra sigillata die Regel sind Firmenstempel unterschiedlichster Form. Der
Gen. des Namens bezieht sich hier gewöhnlich auf *of-
ficina* (»Werkstatt«) und kennzeichnet den Unterneh-
mer-T., während die vielfach griech. »Künstlersklaven«
im Nom. signierten. Erfolgreiche Fabrikanten waren in
Arretium u.a. Cn. Ateius, P. Cornelius und M. Peren-
nius. In den röm. Prov. zeugen lat. T.-Signaturen in
beträchtlicher Zahl von der Verzweigung des arretinischen T.-Gewerbes, doch arbeiteten zunehmend auch
einheimische T. mit, die sich in Gallien durch Namen
wie Contouca, Lepta, Urvoed oder Masclus belegen lassen.

→ Gefäße, Gefäßformen; Keramikherstellung;
Terra sigillata; Tongefäße; Vasenmaler

1 J.M.EDMONDS (ed.), Fragments of Attic Comedy, Bd. 2,
1959 2 M.BENTZ, Panathenäische Preisamphoren, 1998,
27–31 3 LSAG, 88, Nr. 22 (Pyrrhos); 234, Nr. 2
(Kallikrates); 241, Nr. 24 (Aristonothos) 4 I.K.RAUBITSCHEK, Early Boeotian Potters, in: Hesperia
35, 1966, 154–165 5 H.R.IMMERWAHR, The Signatures of
Pamphaios, in: AJA 88, 1984, 341–352 6 BEAZLEY, ABV,
847–851; ARV², 1553–1558 7 H.MOMMSEN, ΑΜΑΣΙΣ
ΜΕΠΟΙΕΣΕΝ. Beobachtungen zum Töpfer Amasis, in:
J.OAKLEY et al. (Hrsg.), Athenian Potters and Painters,
1997, 17–34.

J.C.HOPPIN, A Handbook of Greek Black-Figured Vases,
1924 · J.D.BEAZLEY, Potter and Painter in Ancient Athens,
(1944) ²1949 · A.OXÉ, H.COMFORT, Corpus Vasorum
Arretinorum, 1968 · G.SIEBERT, Signatures d'artistes,
d'artisans et de fabricants dans l'antiquité classique, in:
Ktema 3, 1978, 111–131 · D.P.S.PEACOCK, Pottery in the
Roman World. An Ethnoarchaeological Approach, 1982 ·
G.ZIMMER, Ant. Werkstattbilder, 1982 · B.COHEN, The
Literate Potter. A Trad. of Incised Signatures on Attic Vases,
in: Metropolitan Mus. Journ. 26, 1991, 49–95 ·
D.WILLIAMS, Potter, Painter and Purchaser, in:
A.VERBANCK-PIÉRARD, D.VIVIERS (Hrsg.), Culture et Cité,
1995, 139–160 · TH.SCHREIBER, Athenian Vase
Construction, 1999. I.S.

Töpferorakel. Orakel in Form einer Prophetie, fr.
überl. in drei griech. Papyri des 2. bzw. 3. Jh. n.Chr.
(Texte bei [1. 195–209]; teilweise übers. bei [4. 412–
415]; zum Interesse am T. in der röm. Kaiserzeit [3. 194–
199]). Ein von → Toth gesandter Töpfer entwickelt

auf der ›Insel der Sonne‹ vor einem (fiktiven) König
Amenophis (als Sprecher des Töpfergottes Chmun?
[1.184f.]) ein Schreckensgemälde vom physischen und
moralischen Untergang Ägyptens und seiner Bewohner
[2.168–170] in der Zeit einer Fremdherrschaft und prophezeit nach dem selbstzerstörerischen Untergang der
Fremden die Ankunft eines segenbringenden Königs.
Das T. ist ein Widerstandsorakel, sicher von äg. Priestern verfaßt und gegen die (Fremd-)Herrschaft der
→ Ptolemaier gerichtet. Die Entstehungszeit ist ungewiß, die erh. Fassung wurde wohl zw. 130 und 116
v. Chr., vielleicht von Priestern aus → Hermupolis
[2.177f.], revidiert. Darauf weisen Anspielungen auf
den 130 getöteten → Harsiesis (König, der 2 J. herrschte), auf den Bürgerkrieg zw. Ptolemaios [12] VIII. und
Kleopatra [II 5] II. sowie auf den Tod des Ptolemaios
VIII. (116 v. Chr.), der 54 J. geherrscht hatte (der erwartete Heilskönig sollte 55 J. regieren).

1 L. KOENEN, Die Prophezeiungen des »Töpfers«, in:
ZPE 2, 1968, 178–209 2 W. HUSS, Der maked. König und
die äg. Priester, 1994, 165–179 3 D. S. POTTER, Prophets and
Emperors, 1994, 184–199 4 J.-D. GAUGER (Hrsg.),
Sibyllinische Weissagungen, 1998, 404–415.   W. ED.

Töpferscheibe s. Drehscheibe

Tötungsdelikte I. ALTER ORIENT
II. GRIECHENLAND UND ROM

I. ALTER ORIENT

Bei der Bewertung und Ahndung von T. wurde im
alten Vorderasien nicht zw. → Mord und Totschlag unterschieden. Im Grundsatz galten die Tötung wie auch
die Anstiftung zur Tat und die Mitwisserschaft als Kapitaldelikte und wurden mit der → Todesstrafe geahndet. Zusätzlich konnten das Eigentum und die (ver-
sklavten) Familienmitglieder des Täters wie auch andere
Kompensationsleistungen an die Familie des Getöteten
übergeben werden. Nach Aussage der Rechts-Slgg.
konnten unterschiedliche Gründe der Herbeiführung
von Tötungen sowie der soziale Status, Alter und Geschlecht von Täter und Opfer auch zu abgestuften (häufig das T. spiegelnden) Strafandrohungen führen, insbes. im Rahmen des privaten Bußrechts. Inwieweit man
bei T. zw. Vorsatz und Fahrlässigkeit unterschieden hat,
ist umstritten. Belegt als zu ahndende T. sind Königs-
mord, Blutfehde sowie die Tötung von Kaufleuten und
Reisenden im überregionalen Verkehr. Durch zwischenstaatliche Vereinbarungen versuchte man, die
Ahndung von T. an den jeweils eigenen Kaufleuten im
Land des Vertragspartners zu erreichen.

B. ALSTER, s. v. Mord (in Mesopotamien), RLA 8, 377–382 ·
H. A. HOFFNER, On Homicide in Hittite Law, in:
G. D. YOUNG et al., Crossing Boundaries and Linking
Horizons. FS M. C. Astour, 1997, 293–314 · U. SICK, Die
Tötung eines Menschen in den keilschriftl. Rechts-
sammlungen unter Berücksichtigung rechtsvergleichender
Aspekte, Bd. 1–2, 1984 · C. WILCKE, Diebe, Räuber und
Mörder, in: Xenia 32, 1992, 53–78.   H. N.

II. GRIECHENLAND UND ROM

In Griechenland, insbes. in Athen, wurden die T.
unter der Kategorie des → phónos zusammengefaßt.
Darunter fielen vorsätzliche und unvorsätzliche, eigen-
händige und mittelbare Tötungen. In Rom wurde die
Tötung eines Sklaven weitgehend wie eine Sachbeschädigung behandelt und führte nach der lex Aquilia
nur zu Schadensersatz. Die T. an Freien werden in den
XII Tafeln (→ tabulae duodecim; ca. 450 v. Chr.) allein für
die Fälle fahrlässiger Begehung erwähnt: Die Sanktion
bestand darin, daß der Täter ein Sühneopfer erbringen
mußte. Die vorsätzliche Tötung wurde wohl in republikanischer Zeit als → parricidium (»Verwandtenmord«)
behandelt und mit dem Tode durch Einnähen in einen
Sack (→ culleus) und Ertränken bestraft. Der maßgebliche Begriff der Kaiserzeit für T. war → homicidium. Seit
dem 2. Jh. n. Chr. wurden durch Fortbildung der lex
Cornelia de sicariis et veneficis (81 v. Chr.) auch vorsätzliche
T. an Sklaven und fahrlässige T. unter diesem Begriff
erfaßt.

→ Mord; Todesstrafe; STRAFRECHT   G. S.

Toga. Die von den Etruskern übernommene t. war das
offizielle Gewand des röm. Bürgers, das er in der Öffentlichkeit trug und das Nicht-Römern verboten war
(Suet. Claud. 15,3; gens togata: Verg. Aen. 1,282). Die
wollene t. wurde urspr. auf dem unbekleideten Oberkörper und dem den Unterleib bedeckenden → subligaculum, später über der → tunica angelegt. Die gewöhnliche t. des einfachen röm. Bürgers war weiß (t. pura, t.
virilis). Daneben gab es die t. praetexta mit purpurfarbe-
nen Randstreifen (clavi; → Statussymbole), die von curulischen Beamten, den → Flamines Dialis und Martialis
(Iuppiter- und Mars-Priestern) getragen wurde, aber
auch von Knaben, die sie am Tage der Erlangung des
Bürgerrechts (→ civitas) und der Mannwerdung gegen
die t. virilis eintauschten.

Die kreissegmentförmige t. hatte einen geraden und
einen gerundeten Saum mit nur zwei Zipfeln. Der gerade Togasaum (balteus) lag so auf der linken Schulter,
daß etwa ein Drittel vorn herabhing und der Zipfel (la-
cinia) sich unterhalb des linken Knies befand; die übrigen zwei Drittel waren über den Rücken und unter der
rechten Achsel durch quer über die Brust zur linken
Schulter geführt, so daß der zweite Zipfel an der linken
Rückenseite herabhing. Dadurch wurde die linke Kör-
perseite nahezu vollständig eingehüllt. In republikanischer Zeit war die t. knapp geschnitten und eng um den
Körper geführt (t. exigua); zu Beginn der Kaiserzeit
nahm die Stoffülle und Länge der t. zu (zur modischen
Entwicklung der t. [1]).

In der Frühzeit gehörte die t. zur Kleidung beider
Geschlechter, doch wurde sie bei den Frauen in republikanischer Zeit durch die → stola ersetzt, während die
t. zur Tracht von Ehebrecherinnen und Prostituierten
degradiert wurde (Mart. 2,39; Iuv. 2,70; → Prostitution). Auch wenn die t. bis in die Spätant. das offizielle
Staatsgewand blieb, bevorzugte man aus Bequemlich-

keit seit der späten Republik ein leichteres Obergewand, wie z.B. das → *pallium* (vgl. Iuv. 3,171–172;
Mart. 4,66); man achtete offiziell darauf, daß zumindest
auf dem Forum und in dessen Nähe, die *t.* getragen
wurde (Suet. Aug. 40,5). Auch bei den öffentlichen
Spielen (Mart. 2,39; Iuv. 11,203–204), vor Gericht, bei
Opfer und der → *salutatio* (Iuv. 1,96) war die *t.* unum-
gänglich. Als Trauernder und Angeklagter kleidete man
sich in eine dunkle *t. palla* (→ Trauerkleidung). Hatte
man sich das Recht erworben, die *t. praetexta* zu tragen,
durfte sie auch dem Toten bei seiner Bestattung angelegt
werden (Liv. 34,7,3). Bewarb man sich um ein polit.
Amt, legte man die bes. weiße *t. candida* um (vgl. »Kandidat«). Zur *t.* des Triumphators → Triumph.
→ Clavus; Dienst- und Ehrentrachten; Kleidung (mit
Abb.); Laena; Trabea [1]; Tunica

1 H. R. GOETTE, Studien zu röm. T.darstellungen, 1990
(Rez. H. WREDE, in: Gnomon 67, 1995, 541–550)
2 U. SCHARF, Straßenkleidung der röm. Frau, 1994, 131–136
3 F. HAYE-NIKOLAUS, Unt. zu den kaiserzeitlichen
T.statuen griech. Provenienz, 1998 4 A. FILGES,
Himationträger, Palliaten und Togaten. Der männliche
Mantel-Normaltypus und seine regionalen Varianten in
Rundplastik und Relief, in: T. MATTERN (Hrsg.), Munus.
FS Hans Wiegartz, 2000, 95–109.   R.H.

Toga virilis s. Lebensalter

Togata. Typ der röm. → Komödie, der im Unterschied
zu der später → *palliata* genannten Variante nicht in
Athen, sondern im röm. Milieu angesiedelt war. Der t.t.
t. (= Spiel von röm. Privatpersonen in Ziviltracht;
→ *toga*) grenzt von der → *praetexta* (= Aktion von Personen in polit.-mil. Amtstracht) ab, vgl. Hor. ars 288;
weitgehend wirkungslos (vgl. aber Iuv. 1,3) bleibt seine
Erhebung zum Oberbegriff für alle Stücke im röm.
Milieu durch Varro [2], der zugleich *tabernaria* an die alte
Stelle von *t.* setzen wollte.

Waren in den Komödien des → Naevius [I 1] (und
des → Livius [III 1] Andronicus, vgl. Don. commentum
Terentii 1,23,12f. W.) röm. und griech. Elemente noch
relativ ungetrennt, so spezialisierten sich in den Generationen nach Plautus → Titinius [1] oder → Afranius
[4] (der bedeutendste Vertreter der *t.*) auf die *t.*; Nachzügler war → Quinctius [I 4] Atta (* 77 v. Chr.). Seit
dem frühen 1. Jh. v. Chr. nahm die → *Atellana fabula* die
Stelle der *t.* ein – nur die *palliata* (→ Fundanius [2],
→ Iuventius [I 2], → Quintipor Clodius) scheint noch
für eine Generation überlebt zu haben.

Während die Handlungsstruktur der *t.* weiterhin
griech. Vorbilder nutzt, muß ihre Übertragung in die
Sphäre des röm. Alltagslebens die andersartigen So-
zialstrukturen berücksichtigen (vgl. Don. in Ter. Eun.
57); insofern scheint die *t.* realistischer und seriöser als
die lat. *palliata* gewirkt zu haben (vgl. Sen. epist. 8,8);
präzisere Urteile verbietet der durchweg fr. Erhaltungs-
zustand.
→ Komödie; Palliata

FR. (MIT ÜBERS.): A. DAVIAULT, Comoedia t., 1981 (dazu
A. S. GRATWICK, in: Gnomon 52, 1982, 725–733) ·
A. LÓPEZ LÓPEZ, Fabularum togatarum fragmenta, 1983 ·
T. GUARDÌ, Fabula t., 1985.
FORSCH.-BER.: A. PASQUAZI BAGNOLINI, Sulla fabula t., in:
Cultura e Scuola 13 (52), 1974, 70–79 und 14 (56), 1975,
39–47 · R. TABACCO, Il problema della t. nella critica
moderna, in: Bollettino di studi latini 5, 1975, 33–57.
LIT.: A. MORESCHINI QUATTRODIO, Contributo all'analisi
linguistica della »fabula t.«, in: Studi e saggi lingustici 20,
1980, 192–242 · A. MINARINI, Il linguaggio della T., in:
Bollettino di studi latini 27, 1997, 34–55 · E. STÄRK, in:
HLL 1, § 132–134.   P. L. S.

Togisonus. Fluß in Venetia (Plin. nat. 3,121), wohl
durch Zusammenfluß von Retron (h. Retrone) und
Astagus (h. Astico) im Gebiet von → Vicetia (h. Vicenza) mit anderen Flüssen nördl. des → Atesis entstanden;
h. Bacchiglione.

G. B. CASTIGLIONI, Abbozzo di una carta dell'antica
idrografia nella pianura tra Vicenza e Padova, in:
P. INNOCENTI (Hrsg.), Scritti geografici. FS A. Sestini, Bd. 1,
1982, 183–197.   G. U./Ü: J. W. MA.

Toiletten s. Latrinen

Tolastochora (Τολαστοχόρα). Ort in → Galatia (Ptol.
5,4,7; Tab. Peut. 9,5) am Übergang über den ehemaligen südl. Hauptzufluß des → Sangarios aus dem Ak Göl
(Gökpınar Deresi) beim h. Gökpınar in der sw Grenzregion der → Tolistobogioi.

BELKE, 236.   K. ST.

Tolbiacum (h. Zülpich, Kreis Euskirchen/Nord-
rhein-Westfalen). Ort (*vicus*: CIL XIII 7920; Itin. Anton.
373,4: *vicus Sopenorum* – evtl. kelt. Stammesname), urspr.
im Siedlungsbereich der → Eburones, dann der → Ubii
(Tac. hist. 4,79,2). Verm. Sitz einer Station von → *beneficiarii*. Erh. sind Reste von Thermen und Grabmälern. Nach Zerstörungen bei Germaneneinfällen 275/6
n. Chr. wurde T. Anf. des 4. Jh. n. Chr. befestigt. Ro-
manische Besiedlung ist bis Mitte 5. Jh. nachweisbar.

H. VAN DER BROECK, 2000 Jahre Zülpich, 1968 ·
K. BÖHNER, Romanen und Franken, 1974, 114–129 ·
TH. GRÜNEWALD, Zur Gesch. Zülpichs in röm. Zeit, in:
D. GEUENICH (Hrsg.), Chlodwig und die »Schlacht bei
Zülpich«, 1996, 11–30 · H. G. HORN, Zülpich, in: Ders.
(Hrsg.), Die Römer in Nordrhein-Westfalen, 1987,
650–656.   RA. WI.

Toledot Jeschu (hebr. für ›Leben Jesu‹), eine jüd.
volkstümliche Pseudohistorie des Lebens → Jesu (A. I.),
das dessen Geburt, Leben und Tod in satirisch-polemi-
scher Art beschreibt. Die ma. Kompilation, die in zahlreichen unterschiedlichen Versionen in mehreren Sprachen (u. a. hebr., jiddisch, judeo-arab. und judeo-per-
sisch) im Umlauf war und deren Wurzeln wohl schon
auf talmudische Überl. zurückgehen (vgl. z. B. bSot 47a;
bSan 43a; 67a; 107b), erzählt u. a. von Jesu schmachvol-

ler Herkunft, da seine Mutter → Maria [II 1], von vornehmer Abstammung, vergewaltigt und dann verlassen worden sei. Jesus selbst erscheint als vorwitziger → Wundertäter, der keinerlei Respekt vor Autoritäten zeigt, sowie als Zauberer und Volksverführer. Seine Macht gründet im listigen Raub des wunderkräftigen Gottesnamens. Jesu Auferstehung wird damit erklärt, daß sein Leichnam aus dem Grab gestohlen und heimlich an anderer Stelle begraben worden sei. Berichte der Bischöfe Agobard und Amolo von Lugdunum (Lyon) belegen (PL 104, 87; 116, 167–170), daß dieses Volksbuch, das der jüd. Selbstbehauptung innerhalb einer christl. geprägten Umwelt diente, bereits im 9. Jh. im Umlauf war.

S. Krauss, Das Leben Jesu nach juedischen Quellen, 1902 (Ndr. 1977). • Ders., Neuere Ansichten über die ›Toldoth Jeschu‹, in: Monatsschrift für die Gesch. und Wiss. des Judentums 76, 1932, 586–603 (mit dt. Übers., Komm. und Lit.) • G. Schlichting, Ein jüd. Leben Jesu (WUNT 24), 1982.   B.E.

Tolenus. Mittelital. Fluß (Ov. fast. 6,565), h. Turano. Er entspringt in den *montes Simbruini* (h. Monti Simbruini), fließt durch das Gebiet der → Aequi von → Carsioli (im NO vom h. Cársoli), der → Sabini von Trebula Mutuesca (nahe Monteleone Sabino) und → Reate, wo er sich mit dem → Avens vereinigt und hier das Feuchtgebiet der → Rosea rura bildet.

A. R. Staffa, La viabilità romana della valle del Turano, in: Xenia 6, 1983, 37–44 • Ders., L'assetto territoriale, in: ArchCl 36, 1984, 231–265.   G. U./Ü: J. W. Ma.

Toleranz I. Begriff und Philosophie
II. Geschichte und Religion

I. Begriff und Philosophie
A. Moderner Begriff
B. Lateinisch tolerantia: Wort und Begriff
C. Toleranz zwischen Staat und
Religionsgemeinschaften

A. Moderner Begriff
Das Wort T. bezeichnet in der Neuzeit allg. die Bereitschaft von Individuen, Gruppen oder Staaten, die Meinungen, Lebensformen, philos. und rel. Überzeugungen anderer neben den eigenen »gelten« zu lassen. Die Bed. des Wortes reicht h. von »Duldung« (z. B. im staatsrechtlichen Sinne: Duldung von Immigranten, verschiedenen Konfessionen, Religionen) bis zu emphatischer Bejahung des »Anderen«. Eine sehr weit gefaßte Forderung nach T. kann in Konflikt zum geltenden Recht, auch zu den kodifizierten → Menschenrechten treten.

B. Lateinisch tolerantia: Wort und Begriff
Der Erstbeleg eines Substantivs zum lat. Verbum *tolerare* (tragen, ertragen) findet sich bei Cicero: *tolerantia rerum humanarum* (Cic. parad. 27; 46 v. Chr.); die im gleichen Sinne gebrauchte Form *toleratio* (*dolorum*: Cic.

fin. 2,94; 45 v. Chr.) hat sich nicht durchgesetzt. In beiden Fällen wird im Kontext der stoischen Ethik (→ Stoizismus; → Ethik) die Fähigkeit des Aushaltens, Ertragens, Erduldens der Wechselfälle im Menschenleben bezeichnet. *Tolerantia* ist ein Aspekt der Tapferkeit (*fortitudo*): *fortis tolerantia* steht neben *fortis patientia* (Sen. epist. 67,5–10).

In der Alten Stoa ist »Tapferkeit« (ἀνδρεία/*andreía*, eine Kardinal- → Tugend) das Wissen um die Dinge, die ausgehalten werden müssen (ὑπομένειν/*hypoménein*, SVF III fr. 280; 263; vgl. ἀνέχεσθαι/*anéchesthai*). Der Aspekt des Aushaltens im engeren Sinne heißt καρτερία (*kartería*, SVF III fr. 264; 265; 275). Er wird von Cicero (Cic. Tusc. 4,24,53) wiedergegeben mit *perferre* und *pati* (vgl. SVF III 285). Dementsprechend lautet seine Definition der *patientia* (Cic. inv. 2,163; ca. 80 v. Chr.): ›das freiwillige und beständige Aushalten von harten und schwierigen Dingen‹ (*rerum arduarum ac difficilium voluntaria ac diuturna perpessio*). Diese Bestimmung gehört zu einer knappen Darstellung der Kardinaltugenden im Rahmen der Lehre von dem Guten (*honestum*) und dem Naturrecht (*naturae ius*, Cic. inv. 2,161). Eine Definition von *intolerantia* bei Gellius (›Übel nicht ertragen (können), die ertragen werden müssen‹, 17,19,5) läßt, angesichts der nicht-philos. Verwendung des Wortes *intolerantia* als »Unerträglichkeit, Arroganz« (Cic. Cluent. 40,112), die Bemühung um konsistente philos. Terminologie erkennen. Äquivalente des neuzeitlichen T.-Begriffs, der auf eine (staatsrechtliche) »Duldung« oder ein »kulturelles Leitbild« [1] als Akzeptanz des Andersartigen abhebt, sind in anderen ant. Wort- und Begriffsfeldern aufzusuchen (z. B. Freiheit, Gastrecht etc.).

C. Toleranz zwischen Staat und
Religionsgemeinschaften
Die Dominanz des Verhältnisses von Staat und Rel. und von Religionen untereinander in der Entwicklung des Begriffs T. ist in der europäischen Gesch. der frühen Neuzeit und der Aufklärung begründet [2]. Die nachträglich sog. T.-Edikte der Kaiser Galerius [5] (311 n. Chr.), Licinius [II 4] und Constantinus [1] I. (313: »Edikt von Mailand«) gewähren nicht T. im Sinne des neuzeitlichen Begriffs noch gebrauchen sie das Wort *tolerantia*. Galerius gestattet in einem pragmatischen Kompromiß bedingt die Ausübung christl. Kulte (Lact. mort. pers. 34; vgl. Eus. HE 8,17,9); Licinius und Constantinus erklären Rel.-Freiheit (*libera potestas sequendi religionem quam quisque voluisset*, ›die freie Verfügungsgewalt, derjenigen Rel. sich anzuschließen, der ein jeglicher <sich anschließen> will‹; Lact. mort. pers. 48,2; vgl. Eus. HE 10,5,2–3; B. und II.E.). Bereits → Tertullianus hatte [2] *libertas religionis* (»Freiheit der Rel.«) gefordert (Tert. apol. 24,6), sie als »Menschenrecht« (*humanum ius*: Tert. ad Scapulam 2,6) bezeichnet. Er benutzt die Terminologie der stoischen Ethik und verweist so auf die ant. Wurzeln der → Menschenrechte. »Meinungsfreiheit« ist nicht auf Rel. beschränkt: ›Niemand wird bestraft für das, was er denkt‹ (*cogitationis poenam nemo patitur*, Ulpianus, gest. ca. 223 n. Chr., Dig. 48,

19,18). Die programmatischen Äußerungen waren (auch in der Ant.) der Praxis weit voraus. → Tacitus' Bericht über den Prozeß des → Tiberius [1] gegen den Historiker Aulus → Cremutius Cordus 25 n. Chr. ist die klass. Analyse von Überwachung und → Zensur [3]; ein Paradigma staatlicher Repression gegen eine rel. Bewegung ist der sog. Bacchanalienskandal (→ Bacchanalia) des J. 186 v. Chr. [4] (s. u. II. C.). Die Rel.-Freiheit endete mit dem Totalverbot der röm. Rel. 392 n. Chr. (Cod. Theod. 16,10,12).

→ Freiheit; Menschenrechte; Menschenwürde; MENSCHENRECHTE

1 A. WIERLACHER (Hrsg.), Kulturthema T., 1996 2 K. SCHREINER, G. BESIER, s. v. T., Gesch. Grundbegriffe 6, 1990, 445–605 3 H. CANCIK, H. CANCIK-LINDEMAIER, Zensur und Gedächtnis. Zu Tacitus, Annalen IV 32–38, in: A. und J. ASSMANN (Hrsg.), Kanon und Zensur, 1987, 169–189 4 H. CANCIK-LINDEMAIER, Der Diskurs Rel. im Senatsbeschluß über die Bacchanalia von 186 v. Chr. und bei Livius, in: H. CANCIK et al. (Hrsg.), Gesch. – Trad. – Reflexion, 1996, Bd. 2, 77–96. H. C.-L.

II. GESCHICHTE UND RELIGION

A. ALLGEMEIN B. GRIECHENLAND C. ROM
D. RÖMISCHER STAAT UND CHRISTLICHE RELIGION
E. SPÄTANTIKE/FRÜHES BYZANZ: CHRISTENTUM ALS ERLAUBTE RELIGION BZW. STAATSRELIGION
F. JUDENTUM G. FRÜHER ISLAM

A. ALLGEMEIN

Die Anwendung des Begriffs T. auf die griech.-röm. Ant. ist zu problematisieren, weil sich Begriff und Inhalt erst in der frühen Neuzeit herausgebildet haben, und zwar als Ordnungsbegriff anfangs für die rel., dann für die polit. Sphäre im Staat; T. ist somit ein Indikator für die zunehmende Trennung von Kirche und Staat bzw. von Rel. und Politik. Da diese Trennung in der Ant. nicht existierte, ist das Konzept von polit. T. für vorstaatliche Gesellschaften nur reflektiert verwendbar wie für die ant. Staatenwelt; denn die Einheit von Rel. und Politik im ant. Staat machte es zur Aufgabe der Politik, für die Verehrung der Götter zu sorgen, weil diese ihrerseits für das Wohl des Staates sorgten. Rel. Fehlverhalten einzelner oder von Gruppen konnte letztlich die Existenz des Staates gefährden und wurde dementsprechend häufig nicht toleriert. Die Ant. kannte weder eine Diskussion über polit.-rel. T. noch einen der mod. Bed. adaequaten Begriff (s. o. I.). Andererseits war es angesichts der komplexen Beziehungen innerhalb der entwickelten Staatlichkeit auch unumgehbar, Probleme des Zusammenlebens nach Prinzipien zu lösen, die auch mit dem mod. Begriff der T. verbunden sind.

B. GRIECHENLAND

In der archa. Zeit begannen sich Staats- und Weltordnung nebeneinander auszubilden. In dieser nach der Verdrängung monarchischer Strukturen polit. offenen Form der Ges. ohne festgefügte Standesgruppen war es möglich, einerseits Ursprung und Genealogie der Göt-

ter nach vorderasiatischen, nichtgriech. Vorbildern systematisch zu ordnen (→ Hesiodos, ›Theogonie‹) und mit den Menschen in Beziehung zu setzen (→ Homeros [1]) und andererseits den Kosmos als Weltordnung mit rationalen, naturwissenschaftlichen Kategorien zu erfassen, die der Götter als aktiver Schöpfer gar nicht bedürfen (→ Milesische Schule; → Thales). In der werdenden → pólis wurde die Verbindlichkeit der durch Gesetzgeber und Schlichter entworfenen und kollektiv vereinbarten Ordnungen (→ Solon [1]; → Lykurgos [4]; → Charondas) noch nicht durch die heimischen Götter gesichert, sondern von den Göttern der gemeingriech. Heiligtümer wie → Delphoi garantiert.

Erst mit der Festigung der *pólis* als Gemeinschaft der Bürger entwickelte sich auch eine gefestigte Beziehung zw. der *pólis* und ihren Göttern. Diese konnten dann als Instrument der Legitimation von Herrschaft in der *pólis* dienen (etwa wenn Peisistratos [4] seine Schutzgöttin Athene in Form einer stattlichen Frau in Athen einziehen ließ, Hdt. 1,60), wurden aber v. a. als Garanten der gesicherten Existenz des Staates betrachtet. Damit war selbst innerhalb einer prinzipiell polytheistischen Weltsicht der Kreis der polis-relevanten Götter geschlossen [3. 4], ihre Verehrung in rituell festgelegten Formen für den Bürger verpflichtend und das Problem des Dissenses in rel. Fragen zum polit. Problem, also zu einer Frage der T. geworden.

Am deutlichsten zeigen sich die Phänomene – und sicher nicht nur aufgrund der besseren Quellenlage – im demokratischen Athen des 5./4. Jh. v. Chr. Die Götter werden zu ›Einheimischen Göttern‹ oder ›Polisgöttern‹ (Aischyl. Sept. 14: ἐγχώριοι θεοί/*enchōrioi theoí;* 69: πολισσοῦχοι θεοί/*polissúchoi theoí*); die Götter der *pólis* hatte man anzuerkennen (Plat. apol. 24b: νομίζειν τοὺς θεούς, οὓς ἡ πόλις νομίζει/*nomízein tus theús, hus hē pólis nomízei*). In striktem Gegensatz zur demokratischen Redefreiheit (ἰσηγορία/*isēgoría;* παρρησία/*parrhēsía;* vgl. → Freiheit) und zur allg. Duldsamkeit gegenüber privaten Verhaltensformen (Thuk. 2,37,2) wurde folgerichtig die freie Rede über rel. Angelegenheiten in Athen durch das Gesetz des Diopeithes [2] Ende der 430er-Jahre v. Chr. beschränkt, indem es die fehlende Ehrfurcht vor den Göttern (ἀσέβεια/→ asébeia) gerichtlich verfolgbar machte. In der polit. Sphäre wurde diese Entwicklung zur Intoleranz von den Wirkungen des → ostrakismós begleitet, der faktisch den Wortführer der Opposition für 10 Jahre aus der Politik entfernte. Das Gesetz des Diopeithes richtete sich nicht gegen persönliche rel. Überzeugungen, sondern verfolgte den öffentlich geäußerten Zweifel oder die Kritik an den Göttern und die Entwürdigung traditioneller Kulte und Rituale (vgl. die ágraphoi nómoi bei Thuk. 2,37,3). Den drohenden Prozessen wichen 431 Anaxagoras, in den 420er-Jahren Protagoras [1], dessen Bücher verbrannt wurden, und kurz vor 414 Diagoras [2], auf den ein hohes Kopfgeld ausgesetzt war (Aristoph. Av. 1071), durch Flucht aus; → Sokrates [2], der sich weigerte, die Stadt zu verlassen, wurde 399 unter dem Vorwand der *asébeia* hingerichtet. Die Prozesse im Umfeld des → Hermokopidenfrevels 415 verliefen auf dem Hintergrund einer gewissen Hysterie, die dann im 4. Jh. abflaute (ein Asebieprozeß um 350 gegen die *hetaíra* → Phryne ist bekannt). Wieweit sich hinter diesen Prozessen polit. Absichten verbargen, ist bei der Frage nach der T. im klass. Athen unbedeutend; entscheidend ist die Bereitschaft, abweichende Meinungen als Anlaß oder Vorwand zu nehmen, um Andersdenkende nicht mehr in der *pólis* dulden zu müssen (vgl. Plut. Nikias 23,4). Am Ende des 4. Jh. häuften sich derartige Prozesse noch einmal [7. 379], bis sie mit dem Sinken der polit. Bed. der *pólis* im Hell. endgültig verschwanden.

Die hell. Ges. kennzeichnet eine außerordentliche Weite des rel. Horizonts, eine Vielzahl von Kulten und synkretistischen Strömungen, die nebeneinander existierten (→ Synkretismus). Einzig der letztlich erfolglose Versuch des Seleukiden Antiochos [6] IV., den Kult der Juden in einen Zeuskult umzuwandeln, führte seit 166 v. Chr. zu langwierigen Kämpfen (→ Judas [1] Makkabaios; → Judentum C.2.). Doch ist umstritten, ob der Konflikt primär als Ausdruck rel. Intoleranz des Antiochos zu werten ist oder eher als Versuch, sich die hellenisierten Gruppen unter den Juden geneigt zu machen.

C. ROM

In der röm. Trad. wurde, ähnlich wie in Griechenland, die Entstehung des Staates und die kultisch gestaltete Beziehung zu den Göttern als Einheit gesehen, wobei deutlicher als in Griechenland die Begründung des Kults (→ Numa Pompilius) der Staatsgründung (→ Romulus [1]) zeitlich nachgeordnet war. Aber im Unterschied zur griech. zeigte die röm. Gesellschaft in der polit. wie in der rel. Sphäre eine ungewöhnliche Offenheit: Der ständigen Erweiterung der Bürgerschaft durch freigelassene Sklaven sowie der Verleihung des Bürgerrechts (→ *civitas*) an einzelne und Gemeinden stand anscheinend auch eine prinzipielle Bereitschaft gegenüber, die rel. und kultische Basis des Staates zu erweitern [9. 11]. Man kannte nicht nur den Brauch, die Götter belagerter Städte nach Rom »zu rufen« (→ *evocatio*) oder sich deren Gunst zu »erbeten« (*exoratio*), sondern war auch geneigt, rel. Überzeugungen, Kulte und Götter der während der Eroberung des Mittelmeerraums eingegliederten Stämme und Völker in ihren angestammten Regionen anzuerkennen, sie teilweise sogar in Rom anzusiedeln. Seit archa. Zeit hatte → Hercules einen Altar (*Ara Maxima*) auf dem röm. Forum Boarium, 433 v. Chr. wurde anläßlich einer Seuche dem griech. → Apollon Medicus ein Tempel in Rom versprochen, der 431 geweiht wurde. 291 erhielt der epidaurische → Asklepios/Aesculapius einen Tempel auf der Tiberinsel. Noch im 3. Jh. v. Chr. folgte der nur Frauen der röm. Oberschicht zugängliche nächtliche Kult der Heilgöttin → Bona Dea, und zuletzt wurde 205 im Zweiten → Punischen Krieg die → Mater Magna mit ihrem orgiastischen Kult aus Kleinasien nach Rom geholt (dazu und zu weiteren Kulten: [5. 213–261]).

Damit aber endete die Reihe der in republikanischer Zeit offiziell in Rom aufgenommenen Götter. Es fällt auf, daß diese entweder nur zu geringer Bed. gelangten (Hercules, Apollon Medicus und Aesculapius), daß sie unter die polit. Kuratel eines Magistrats gestellt und nur einem kleinen Kreis zugänglich gemacht wurden (Bona Dea) oder daß durch Maßnahmen (wie z. B. das Verbot der Kastration von röm. Bürgern) eine aktive Beteiligung von Römern verhindert wurde (Mater Magna; [3. 6–8]). In dem Maße, wie die Neubürger durch Eingliederung in soziale Verbände (→ *cliens*) und v. a. in große Abstimmungseinheiten eingebunden wurden (→ Bürgerrecht), wurden auch neue Kulte dem röm. Religionsverständnis angeglichen, so daß sie »erträglich« waren, ohne deshalb eigentliche T. zu erfordern [3. 8]. Einerseits wollte man sich die Gunst der Götter sichern, da Entstehung und Bestand des röm. Reiches dem Wirken der Götter zugeschrieben wurden, andererseits wurde die Ausübung des Kults so gestaltet, daß daraus keine Gefahr für den Staat entstehen konnte.

Ein Beispiel dafür ist das Vorgehen gegen die → Bacchanalia 186 v. Chr. Dieser Kult wurde zwar nicht verboten – und die Gottheit somit nicht beleidigt –, seine Ausübung jedoch erschwert, so daß er als Keimzelle von Verbrechen und staatsgefährdenden Umtrieben nicht mehr genutzt werden konnte (das SC ist inschr. erhalten: CIL I² 581, Z. 10–22; [9]; vgl. Liv. 39,18,8f.). Das röm. Verständnis von T. erstreckte sich auf die Gottheit (Bacchus), nicht jedoch auf seine Anhänger. Dieses Motiv stand auch hinter der Vertreibung der Chaldaeer 139 v. Chr. (Val. Max. 1,3,3; [5. 275]) und der Anhänger des → Isis im 1. Jh. v. Chr. und später aus Rom [5. 282f.]. Etwa gleichzeitig mit dem Vorgehen gegen die Bacchanalia setzte auch die Wendung gegen den Einfluß der griech. Philosophie ein: 161 wurden griech. Rhetoren aus Rom vertrieben (Gell. 15,11,1) und 155 v. Chr. eine griech. Philosophengesandtschaft vorzeitig weggeschickt (Plut. Cato 22,5).

Den Juden im römischen Reich war die Ausübung ihrer Religion garantiert. In deren Anerkennung und Privilegierung zeigen sich Züge von T. Dies gilt trotz der verachtungsvollen antijüdischen Darstellung der jüdischen Religion durch Tacitus' (hist. 5,1–13). Doch waren die Privilegien prekär und mußten durch polit. Wohlverhalten erworben und gesichert werden. Auch spricht der Umstand, daß laut den Quellen Forderungen nach T. ausschließlich von Juden (später auch von Christen) ausgingen (vgl. Ios. ant. Iud. 16,31–57 und 174–178), eher gegen eine selbstverständliche Bereitschaft zur Duldung der jüdischen Rel. [3. 9–11 und 25].

→ Kult; Religion

1 M. ADRIANI, Tolleranza e intolleranza nelle Roma antica, in: Studi Romani 6.5, 1958, 507–519 2 K. J. DOVER, The Freedom of the Intellectual in Greek Society, in: Talanta 7, 1976, 24–48 3 P. GARNSEY, Religious Toleration in Classical Antiquity, in: W. J. SHEILS (Hrsg.), Persecution and Toleration, 1984, 1–27 4 B. KÖTTING, Religionsfreiheit und T. im Alt., 1977 5 LATTE 6 A. MOMIGLIANO, The Social

Structure of the Ancient City, in: S. C. HUMPHREYS (Hrsg.),
Anthropology and the Greeks, 1978, 179–193
7 W. NESTLE, s. v. Asebieprozesse, RAC 1, 735–740
8 K. L. NOETHLICHS, Das Judentum und der röm. Staat, 1996
9 P. J. A. NORTH, Religious Toleration in Republican
Rome, in: PCPhS 25, 1978, 85–103 **10** E. SANDVOSS, Asebie
und Atheismus im klass. Zeitalter der griech. Polis, in:
Saeculum 19, 1968, 312–329.   W. ED.

D. RÖMISCHER STAAT UND
CHRISTLICHE RELIGION

Der röm. Staat und die kaiserzeitliche Gesellschaft
begegneten dem → Christentum mit Nichtachtung,
Unverständnis und Ablehnung. Das Christentum
galt als »Aberglaube« (→ superstitio: Tac. ann. 15,44,3; Suet.
Nero 16,3) und »Irrsinn« (amentia: Plin. epist. 10,96).
Christen wurden toleriert, wo sie nicht denunziert wurden und man ihnen Gesetzesverstöße nachweisen
konnte (Plin. epist. 10,97; Eus. HE 4,9,3). Seit → Marcus
[2] Aurelius (F.) galten die Christen zunehmend als
Atheisten (Martyrium Polycarpi 9,2; Iust. Mart. apol.
1,6), die das Wohlwollen der Götter gefährdeten (Cypr.
ad Demetrianum 3). Verfolgungen wurden als lokale
Pogrome durchgeführt (Eus. HE 5,1,7); reichsweite
Verfolgungen fanden erst unter den Kaisern → Decius
[II 1] und → Diocletianus (C.) statt.

Prägend für die vorkonstantinische Zeit war aber
auch im 3. Jh. eine alltägliche, wenn auch von den o.g.
Faktoren geprägte, Koexistenz von Christen und Anhängern anderer Rel. Dabei ist nicht auszuschließen,
daß Christen → Synkretismen gegenüber offener waren, als das die christl. Quellen zugeben, die solches
nur den → Gnostikern nachsagen (Iren. adv. haereses
1,25,6). Christen besuchten auch Tempel und Synagogen (Constitutiones apostolicae 2,61; 8,47,71). Die Verfolgungen zeigen, daß das Christentum im 3. Jh. in den
städtischen Oberschichten verbreitet war und hier auch
eine gewisse praktische T. herrschte. → Tertullianus [2]
kennt Christen gewogene Beamte (Ad Scapulam 4,3).
Kaiser → Severus [2] Alexander wird die Verehrung einer Christusstatue neben anderen Götterbildern nach-
gesagt, dies aber nur in seiner privaten Religiosität (vita
cottidiana et domestica: SHA Alex. 29,1). → Origenes [2]
wurde als christl. Philosoph zu Vorlesungen nach Antiocheia [1] an den Kaiserhof eingeladen (Eus. HE 6,21,4).
→ Philippus [2] Arabs (244–249) wurde als geheimer
Christ angesehen (Eus. HE 6,34, wie zuvor ant. Philosophen als Beinahe-Christen galten, → Christentum
B.I.).

Die christl. → Apologien warben unter Berufung auf
die Loyalität zum Staat (Tert. de idololatria 15,3) um T.
Tertullianus forderte die gängige libertas religionis, »Freiheit der Rel.«, auch für die Christen (apol. 24,6); auch
andere christl. Autoren wandten sich gegen rel. Zwang
(religio cogi non potest: Lact. inst. 5,19,11), doch geriet
dieser Gedanke seit der Konstantinischen Wende (s. u.
II. E.) zunehmend wieder in Vergessenheit.

E. SPÄTANTIKE/FRÜHES BYZANZ: CHRISTENTUM
ALS ERLAUBTE RELIGION BZW. STAATSRELIGION

→ Galerius [5] gestattete 311 den Christen, obwohl
er sie für töricht hielt (stultitia), die freie Rel.-Ausübung
aus kaiserlicher Milde (→ clementia: Lact. mort. pers.
34,4). Diese Erlaubnis wurde von → Constantinus [1]
und → Licinius [II 4] 313 erneuert. Das sog. »Mailänder
Edikt« sicherte allen die freie Rel.-Ausübung zu (libera
potestas sequendi religionem quam quisque voluisset: Lact.
mort. pers. 48,2), damit der Staat das Wohlwollen der
höchsten Gottheit (summa divinitas) genieße. Die Ausübung nichtchristl. Kulte in der Öffentlichkeit – bei
gleichzeitigem Verbot privater Haruspicien (→ haruspices) – wurde 319 gestattet, doch galten diese nun als
Brauch der Vergangenheit (praeterita usurpatio: Cod.
Theod. 9,16,2). Auch nach seinem Sieg gegen Licinius
324 riet Constantinus zur T., nun aber schon gegenüber
den »irrenden Heiden«, die sich des allg. Friedens er-
freuen sollten (Eus. vita Const. 2,56). In welchem Maße
»antiheidnische« Erlasse durchgesetzt wurden, ist unklar. Kaiser → Iulianus [11] (D.) versuchte, 361–363 die
Rel.-Freiheit auch innerhalb der Kirche wieder herzustellen (Amm. 22,5). Nach einem 371 durch → Valentinianus [1] I. erlassenen Gesetz zur freien Kultausübung
(colendi libera facultas: Cod. Theod. 9,16,9; vgl. Amm.
30,9,5) wurde das Christentum 380 durch → Theodosius [2] I. endgültig zur staatlich verfügten und antiaria-
nisch (→ Arianismus) normierten Rel. (Cod. Theod.
16,1,2). Es blieb aber bei Rücksichtnahmen auf die pagane Elite und Bevölkerung; auf dem Land waren die
alten Kulte ohnehin tief verwurzelt (Sulp. Sev. vita
Martini). Von vergeblichem Widerstand auf Seiten der
»alten« Religionen zeugen die → Kontorniaten und der
Streit um den Altar der → Victoria: Der röm. Senator
→ Symmachus [4] ließ 384 die Göttin → Roma (IV.)
den Anspruch auf Freiheit und Frieden für die alten
Götter erheben (Symm. rel. 3,9f.); der Mailänder Bischof → Ambrosius intervenierte dagegen erfolgreich.
Im J. 392 erfolgte ein umfassendes Verbot der röm. Rel.
(Cod. Theod. 16,10,12).

Aufgrund der unterschiedlichen Interpretation der
→ Septuaginta (vgl. → Bibelübersetzungen I. B.2.) – im
christl. Sinne verstanden als »Altes« Testament – und der
Gestalt Jesu war zw. Juden (→ Judentum C.2.) und
Christen in theologischer Hinsicht keine T. möglich.
→ Clemens [3] von Alexandreia (strom. 6,5,41) konnte
nur anerkennen, daß Gott auch mit Juden (und Heiden)
einmal einen Bund geschlossen hatte. Für → Iustinos [6]
(dial. 96,2) waren die Juden »Brüder«, die gerade darum
aber endlich die Wahrheit erkennen sollten. Trotz der
antijüdischen Polemik blieben die Juden und ihre Synagogen nach der Konstantinischen Wende durch kaiserliche Gesetze gegen Übergriffe geschützt (Cod. Theod.
16,8,2; 16,8,9). Dennoch kam es gelegentlich zu Ausschreitungen (Rom; Kallinikon/→ Raqqa). Kontakte
im Alltag sind, auch aufgrund der Nähe von Kirche
und Synagoge (→ Dura-Europos) wahrscheinlich (vgl.
oben II.).

Innerhalb des Christentums konkurrierten anfangs mehrere Strömungen miteinander; erst seit dem 2. Jh. wurden Kategorien für Rechtgläubigkeit und Ketzerei entwickelt. Innerchristl. T. wurde nach der Konstantinischen Wende nur da praktiziert, wo Abweichler staatlicherseits toleriert wurden: In Nordafrika mußten Katholiken und Donatisten (→ Donatus [1]) zusammenleben. Für → Augustinus (B.3.) gab es gegenüber den Donatisten nur Zwang (*compelle intrare*, ›zwinge sie einzutreten‹, Aug. epist. 173,10) oder allenfalls die Sanftmut, die man genesenden Kranken gegenüber übt (Aug. serm. 357,4). Die Manichäer (→ Mani B.), die sich im Westen als Variante des Christentums darstellten, wurden radikal verfolgt. Nach dem Konzil von Chalkedon 451 (→ *sýnodos* II.D.) ermöglichte die byz. Politik zeitweise die Duldung des → Monophysitismus. Ein Bewußtsein für T. oder die Möglichkeit, es könne verschiedene christl. Konfessionen geben, war nirgendwo ausgeprägt.

→ Christentum; Häresie; Judentum

W. Bauer, Rechtgläubigkeit und Ketzerei im ältesten Christentum, ²1963 • H. Dörries, Wort und Stunde, Bd. 1, 1966, 1–117 • P. Guyot, R. Klein, Das frühe Christentum bis zum E. der Verfolgungen, ²1997 • R. Klein, Der Streit um den Victoriaaltar, 1972 • B. Kötting, Rel.-Freiheit und T. im Alt., in: Ders., Ecclesia peregrinans, Bd. 1, 1988, 158–187 • J. Lieu et al. (Hrsg.), The Jews among Pagans and Christians, 1994 • H. Schreckenberg, Die christl. Adversus-Judaeos-Texte, ⁴1999 • W. Speyer, T. und Intoleranz in der Alten Kirche, in: I. Broer, R. Schlüter (Hrsg.), Christentum und T., 1996, 83–106 • G. G. Stroumsa, Tertullian on Idolatry and the Limits of Tolerance, in: G. N. Stanton, G. G. Stroumsa (Hrsg.), Tolerance and Intolerance in Early Judaism and Christianity, 1998, 173–184 • J. Vogt, T. und Intoleranz im constantinischen Zeitalter, in: Saeculum 19, 1968, 344–361 • Ders., H. Last, s. v. Christenverfolgung, RAC 2, 1159–1228.   K. Fi.

F. Judentum

Der kontinuierliche Wandel gesellschaftlicher und staatlicher Rahmenbedingungen der jüd. Gemeinschaften führte zu unterschiedlichen Haltungen gegenüber Fremden, Angehörigen anderer Rel.-Gemeinschaften und Minderheiten innerhalb der eigenen Gemeinschaft, zumal spätestens nach dem Jahr 70 n. Chr. (Eroberung → Jerusalems durch die Römer) die Eigenstaatlichkeit verlorengegangen war. Das → Judentum war allerdings schon vorher in den verschiedenen Diasporagemeinden eine Minderheitskultur, die auf T. durch die Mehrheitskultur(en) angewiesen war (→ Diaspora).

Schon die biblische Gesetzgebung begründet die gebotene T. gegenüber dem einzelnen Fremden, der zw. Israeliten lebt, mit der Erfahrung der ägypt. Sklaverei und verbietet ausdrücklich die »Bedrückung« (Ex 22,20). Dennoch waren Fremde rechtlich benachteiligt, da sie kein Land besitzen konnten (Lv 25,23) und, z. B. als Sklaven, anderen Regelungen unterlagen (Lv 25,45–46). Sie werden allerdings ausdrücklich als Empfän-

ger der vorgeschriebenen Armenfürsorge genannt (Lv 19,10; 23,22; 25,6; Dt 14,29 u. a.). Das Verbot familiärer Beziehungen wurde mit Kultzugehörigkeit erklärt und teilweise gewaltsam durchgesetzt (z. B. Nm 25,1–8; Neh 13,23–30).

Zahlreiche prophetische Reden gegen »Götzendiener« innerhalb der israelitischen Gemeinschaft deuten auf de facto praktizierte Duldung verbotener »fremder« Praktiken (trotz Dt 7,1–5) in der Königszeit (9.–6. Jh. v. Chr.). In dieser Zeit hatten Nicht-Israeliten auch Positionen am Hof sowie im Militär und nahmen am Jerusalemer → Kult (IV.) teil (1 Sam 21,8; 2 Sam 11,11).

In der → rabbinischen Literatur wird die Realität des Zusammenlebens von Juden und Nichtjuden durch die Rechtsfiktion einer homogenen jüd. Ges. ergänzt und gegensätzliche Aussagen über T. gemacht. Dabei sind auch die jeweiligen demographischen und Macht-Verhältnisse zu berücksichtigen. Grundsätzlich ist T. (inkl. Fürsorge) denjenigen gegenüber geboten, die die sieben noachidischen Gebote (Verbot von Götzendienst, Gotteslästerung, Blutvergießen, Inzest, Diebstahl, Genuß von Teilen lebendiger Tiere, Gebot der Einrichtung eines Rechtssystems; bSanh 56a-b; → Noah) einhalten. Diese Regelung schließt Anhänger monotheistischer Rel. grundsätzlich ein (→ Monotheismus; s. u. G.). Juden sollen die Meinung von Nichtjuden über das Judentum positiv beeinflussen, indem sie soziale Verpflichtungen, die Juden gegenüber gelten, wie zinsfreie Darlehen, auch Nichtjuden gegenüber einhalten (bBM 70b). In sāsānidischer Zeit (3.–4. Jh. n. Chr.) sagte Mar Samuel: ›Vor dem Thron des Schöpfers waltet kein Unterschied zw. Juden und Nichtjuden, da es auch unter diesen edle und tugendhafte Männer gibt‹ (jRH 1,3,57a). Entsprechend hieß es auch: ›Ich rufe Himmel und Erde zum Zeugen an, egal ob Nichtjude oder Jude, [...] der Geist des Heiligen blickt auf jeden gemäß seiner Taten‹ (SER 10).

Gleichzeitig finden sich ausgrenzende Maßnahmen, die Nichtjuden sozial und finanziell benachteiligten. Dies wird einerseits mit der mangelnden Kultzugehörigkeit begründet, andererseits mit der Grausamkeit der Nichtjuden den Juden gegenüber (bBQ 117a) und mit ihrem angeblich unmoralischen Handeln (bAZ 17a-b). In Zeiten mit starkem Assimilationsdruck oder deutlich empfundener Fremdherrschaft war die Haltung Nichtjuden gegenüber extremer, bis zum ›Die Besten der Nichtjuden sollten getötet werden‹ des Simon bar Jochai (jQid 4,11, 66c; 2. H. 2. Jh. n. Chr.). Praktische Auswirkungen hatte diese Haltung aufgrund der polit. Verhältnisse nicht, wenn auch die rechtliche Benachteiligung der Nichtjuden in der rabbinischen Lit. diskutiert wurde.

Gegen Abtrünnige (z. B. *minim*) in der eigenen Gemeinschaft wandten sich liturgische Texte wie die 12. Benediktion des 18–Bitten-Gebets die Verwünschungen gegen Häretiker, Apostaten und Denunzianten, in einigen (wohl späteren) Textvarianten auch gegen Christen, enthält. Dennoch ist für die rabbinische Periode mit der Existenz verschiedener Richtungen zu rechnen, die erst spät im rabbinischen Judentum aufgingen und bis dahin de facto toleriert wurden; dies beweisen ma. Heiratsverträge, die innerjüdische rel. T. festschreiben. Gerade hier wird etwa mit Blick auf die → Karäer und die in Osteuropa neu zugänglichen Dokumente noch manche differenzierte Neubewertung bis in die islamische Epoche hinein zu erwarten sein.

→ Proselyten

L. HOFFMAN (Hrsg.), My People's Prayer Book, Bd. 2, 1998 · G. N. STANTON, G. G. STROUMSA (Hrsg.), Tolerance and Intolerance in Early Judaism and Christianity, 1998 · G. STEMBERGER, Juden und Christen im Heiligen Land, 1987. E. H.

G. FRÜHER ISLAM

Typisch für den → Islam ist der Kontrast zw. Intoleranz sowohl gegenüber Polytheisten als auch Apostaten, sowie der formellen und der gesetzlich verankerten T. gegenüber den Anhängern der älteren Offenbarungs-Rel. (Juden, Christen, auch Zoroastrier). Die soziale und rel. Praxis orientierte sich allerdings stark an pragmatischen Bedingungen und divergierte regional und diachron. Da → Mohammeds prophetisches Wirken in Mekka v. a. die Bekehrung der Anhänger der altarab. Polytheismen (ǧāhiliyya) im Blick hatte, richtet sich die Polemik des → Koran vorwiegend gegen diese. Gegenüber Polytheisten gab es auch später im streng monotheistischen Islam (→ Monotheismus VI.) keinerlei T., für sie galt das Gebot der (notfalls gewaltsamen) Bekehrung. Ebenso verhält es sich bei muslimischen »Ketzern« und Abweichlern, die als Apostaten nach islam. Gesetz den Tod verdienen. Die praktische Umsetzung hing aber davon ab, ob die polit. Macht eine Gefahr für sich erkannte (frühe Sekten wurden vorwiegend als polit. Oppositionsgruppen bekämpft).

Anders war die islamische T. gegenüber Juden und Christen. Während in den frühen, mekkanischen Suren zunächst einmal die Glaubensgemeinschaft mit den Besitzern der älteren Heiligen Schriften (Ahl al-Kitāb, zunächst Juden und Christen) und den Anhängern der neuen Offenbarung (den Muslimen) unterstrichen wird (29,47), bestimmt zunehmende Distanzierung (Vorwurf der Verfälschung der urspr. Botschaft: 4,46; 5,13–14) die medinensische Phase, wohl infolge der Ablehnung des Prophetentums Mohammeds durch die Juden von Medina. Dennoch bleiben Mitglieder der Buchreligionen grundsätzlich Gläubige, die nicht wie die Polytheisten dem Bekehrungszwang unterliegen und die Möglichkeit haben, in den Himmel zu kommen (2,62). Im Corpus islam. Rechts-Trad. (Hadīt), zeigt sich wiederum eine starke polemische Tendenz, welche die Identitätsfindungsprozesse der jungen Gemeinde widerspiegelt. Parallel zu diesen dogmatischen Entwicklungen etablierte sich schon zu Mohammeds Zeiten und später während der Eroberungen ein sehr pragmatischer Umgang mit Christen und Juden, der durch eine flexible Vertragspolitik gekennzeichnet war. Sie bekamen gegen die Zahlung eines Tributs den rechtlich gesicherten Status von Schutzbefohlenen (dimmī) der islam. Gemeinschaft. Im Zuge der Islamisierung weiter Bevölkerungsteile und v. a. infolge der Kreuzzüge nahm der diskrimatorische Impetus im Laufe der Zeit allerdings zu, so daß rechtliche Bestimmungen, die zunächst nur auf den Abgrenzungswillen der frühen Muslime weisen, zur Basis für soziale Stigmatisierung gemacht wurden. Ihre rechtlich gesicherte Position blieb aber in der Regel unangetastet und ermöglichte den jüdischen und christl. Gemeinschaften eine eigenständige Entwicklung im Rahmen der islam. Staaten.

C. CAHEN, s. v. Dhimma, EI², CD-ROM 1999 · J. VAN ESS, Theologie und Ges. im 2. und 3. Jh. Hidschra, 1991 f., Bd. 1, 416–418; Bd. 3, 20–22 · W. HEFFELING, s. v. Murtadd, EI², CD-ROM 1999 · A. TH. KHOURY, T. im Islam, 1998 · A. NOTH, Möglichkeiten und Grenzen islam. T., in: Saeculum 29, 1978, 190–204 · R. PARET, T. und Intoleranz im Islam, in: Saeculum 21, 1970, 344–365 · G. VAJDA, s. v. Ahl al-Kitāb, EI², CD-ROM 1999. I. T.-N.

Toletum (h. Toledo). Hauptort der → Carpetani (Plin. nat. 3,25; Ptol. 2,6,57: Τώλητον/Tólēton) auf steil abfallendem Granitfelsplateau am Nordufer des → Tagus, der die Stadt auf drei Seiten umfließt. Im Zuge der Eroberung der Iberischen Halbinsel durch die Römer kam es 193 v. Chr. zu heftigen Kämpfen mit → Vaccaei, → Vettones und → Celtiberi in der Umgebung der Stadt (Liv. 35,7,6–8), die 192 erobert wurde (Liv. 35,22,8). 185 v. Chr. erlitten zwei röm. Heere in der Nähe von T. eine schwere Niederlage im Kampf gegen die Celtiberi und ihre Verbündeten (Liv. 39,30,2). T. war als Teil der Prov. Hispania Ulterior (vgl. → Hispania mit Karte) → civitas stipendiaria des conventus von → Carthago Nova (Plin. nat. 3,25). Als Residenzstadt des → Westgoten-Reichs (580 n. Chr.) und Bischofssitz erlebte T. eine bes. Blütezeit. 589 kam auf dem Konzil von T. die Konversion der Westgoten vom → Arianismus zum katholischen Glauben zustande. T. war bekannt für seine Schmiedekunst (Schwertklingen).

A. GARCÍA Y BELLIDO, s. v. T., EAA 7, 895 f. · TOVAR 3, 229–232. R. ST.

Tolfa. Die Zone der T.-Berge liegt zw. den mod. Orten Civitavecchia und Bracciano, ca. 70 km nördl. von Rom. Eine erste Blütezeit ist in der End-Brz. (12.–10. Jh. v. Chr.) mit den reichen → Hortfunden von Coste del Marano und Monte Rovello sowie den Siedlungen von Luni sul Mignone, Monte Rovello und mehreren Nekropolen nachgewiesen. Erst in etr. Zeit (ab 7. Jh. v. Chr.) scheint dagegen eine weitere intensive Besiedlungsphase zu liegen (Nekropolen von Pian Conserva, Pian Cisterna oder Castellina del Ferrone). Anlaß dieser Besiedlung unter Vorherrschaft → Caeres waren verm. die Erzlager der T.-Berge: Eisen, Blei, Kupfer, v. a. auch Alaun. Ein kleines Heiligtum hell. Zeit wurde in der Grasceta dei Cavallari entdeckt. In röm. Zeit bestand ein dichtes Netz von Bauernhöfen, neben denen die Villa der Fontanaccia aufgrund ihrer Lage und prächtigen Ausstattung eine Sonderstellung einnimmt.

→ Etrusci, Etruria (mit Karte)

R. PERONI, Rispostigli del massiccio della T. (Inventaria Archaeologica 1) 1961 · A. NASO et al., Note sul popolamento e sull'economia etrusca (Kongreßakten Florenz 1985), 1989, 537–572 · A. MAFFEI, F. NASTASI (Hrsg.), Caere e il suo territorio, 1990, 57–135.   C. KO.

Tolistobogioi (Τολιστοβόγιοι). Keltischer Volksstamm (Syll.³ 591: *Tolistoágioi*), der 279/8 v. Chr. unter → Leonnorios mit den → Trokmoi durch Thrakia in das Gebiet von → Byzantion zog, wo ihn Nikomedes [2] als Bundesgenossen anwarb [1. 236–252]). Nach 275/4 nahmen die T. NW-Phrygia in Besitz. Bis 189 war → Gordion städtisches Zentrum der T., deren Territorium sich vom → Axylos im Süden bis zum Becken von Bolu, ostwärts über die Region Ankara-Haymana erstreckte (→ Galatia; [2]). Attalos [4] I. schlug nach 238 v. Chr. zu Beginn des Kampfes gegen Antiochos Hierax die T. an den → Kaïkos [1]-Quellen, gegen 230 die T., → Tectosages und Antiochos Hierax am Aphrodision [3. 86ff.]. Mit → Antiochos [5] III. gegen Pergamon und Rom waren nur drei der vier T.-Tetrarchien (»Vierfürstentümer«; vgl. → *tetrárchēs*) verbündet; diese schlug Cn. Manlius [I 24] Vulso 189 am Olympos [10]. Unter dem T.-*tetrárchēs* → Ortiagon unterlagen die Galatai 184/3 Eumenes [3] II.; 179 ging das Becken von Bolu an Bithynia verloren. Im späten 2. Jh. v. Chr. versuchte der T.-*tetrárchēs* Sinorix die Vorherrschaft zu erlangen (IG III² 3429; Plut. mor. 257f.; Residenz → Blukion); sein Sohn → Deiotaros war nach dem Massaker Mithradates' [6] VI. am Tetrarchenadel 86 v. Chr. alleiniger *tetrárchēs* der T. und herrschte schließlich auch über Trokmoi und Tectosages. Nach der Einrichtung der röm. Prov. Galatia kam das nordwestl. T.-Gebiet zu Bithynia, das Gebiet westl. des → Sangarios wurde großenteils Territorium der röm. Kolonie → Germa. Das nordöstl. T.-Gebiet kam 25/4 zur Metropolis → Ankyra, der Rest zur neu errichteten Polis → Pessinus, in der nun der Volksverband der T. organisiert war.

→ Kelten (III.) mit Karte

1 K. STROBEL, Die Galater, Bd. 1, 1996 2 Ders., Galatien und seine Grenzregionen, in: E. SCHWERTHEIM (Hrsg.), Forsch. in Galatien, 1994, 29–65 3 Ders., Keltensieg und Galatersieger, in: ebd., 67–96.

F. STÄHELIN, s. v. T., RE 6 A, 1673–1677 · K. STROBEL, Die Staatenbildung bei den kleinasiatischen Galatern, in: H. BLUM et al. (Hrsg.), Brückenland Anatolien?, 2002 (im Druck).   K. ST.

Tolma (Τόλμα, »Kühnheit, Wagnis«). Für die ant. Auffassung der T. als Gottheit sind die Notizen zwar spärlich und spät, doch unzweifelhaft [1. 1681]: Schol. Aischyl. Prom. 12c HARINGTON erwähnt ein (nicht nachgewiesenes) Heiligtum der T. und der → Anaideia für Athen; bei App. Lib. 21 betet Scipio (→ Cornelius

[I 71]) zu T. und → Phobos; Anth. Pal. 9,29,1–4 (Antiphilos [3] von Byzantion) redet T. als unheilbringende Erfinderin der Seefahrt an (ambivalent Anth. Pal. 7,529,1). Claudianus [2] läßt die lat. Entsprechung Audacia als Personifikation im Gefolge der Allecto (carm. 2,34) und als Seelenstimmung der → *nuptiae* (carm. 10,81) auftreten. Der pythagoreischen Zuordnung göttlicher numerischer Entitäten zufolge (→ Pythagoras [2]) entspricht die Eins Apollon, die Drei der Dike, während T. und Eris die Zwei verkörpern (Plut. de Iside 75,381f = Phot. 143a,39 HENRY).

→ Personifikation

1 K. ZIEGLER, s. v. T., RE 6 A, 1679–1681.   JO. S.

Tolmides (Τολμίδης). Sohn des Tolmaios, athenischer → *stratēgós* in den Jahren 457–455, 452, 451, 448 und 447 v. Chr. [1. 75ff.]. Nach der Ermordung des → Ephialtes [2] wurde T. in den fünfziger Jahren zum wichtigsten demokratischen Politiker und Vertreter einer aggressiven Seebundspolitik (→ Attisch-Delischer Seebund). Die häufig postulierte polit. Abhängigkeit des T. von → Perikles [1] ist ein Anachronismus (vgl. Plut. Perikles 16,3). T. kommandierte 456/5 ein erfolgreiches Flottenunternehmen gegen die Peloponnes (Thuk. 1,108), 447 siedelte er attische → *klērúchoi* auf Euboia, Naxos und wohl auch Andros an (Diod. 11,88,3; vgl. Plut. Perikles 11,5). Im selben Jahr fiel er als → *stratēgós* in der Schlacht von → Koroneia; Athen räumte Boiotia (Thuk. 1,113).

1 Develin.   W. W.

Tolophon (Τολοφών). Hafenstadt in West-Lokris (→ Lokroi [1]; Thuk. 3,101,3; Dionysios Kalliphontos 66f.) nahe dem h. Vidavi, wo in der Nähe von Galaxidi Stadtmauerreste sichtbar sind. Häufige Erwähnung der Einwohner von T. in Inschr. aus → Delphoi.

L. LÉRAT, Les Locriens de l'ouest, Bd. 1, 1952, 50f.; 138–145; Bd. 2, 1952, passim · PHILIPPSON/KIRSTEN, Bd. 1, 372, Anm. 2 · K. BRAUN, s. v. T., in: LAUFFER, Griechenland, 688 · G. J. SZEMLER, T., in: E. W. KASE u. a. (Hrsg.), The Great Isthmus Corridor Route, Bd. 1, 1991, 92f.   G. D. R./Ü: H. D.

Tolosa (Τολῶσσα). Hauptort der Volcae → Tectosages (Strab. 4,1,13; Plin. nat. 3,37; Ptol. 2,10,9; Cass. Dio 27,90) auf einer Terrasse am rechten Ufer des oberen → Garumna; h. Toulouse. Wohl seit 121 v. Chr. mit Rom verbündet, lehnte sich T. 106 v. Chr. gegen die Römer auf und wurde daraufhin vom Consul Servilius [I 12] Caepio erobert und geplündert (zur Affäre um den bei dieser Gelegenheit erbeuteten hl. Schatz, das *aurum Tolosanum*, »Gold von T.«, vgl. Cic. nat. deor. 3,74; Gell. 3,9,7; Strab. l.c.); seither war T. Teil der Prov. Gallia Narbonensis (Caes. Gall. 1,10,1). Seit Caesar mit dem *ius Latii* (→ Latinisches Recht) ausgestattet, wurde T. unter Kaiser Domitianus (81–96 n. Chr.) in den Rang einer röm. *colonia* erhoben [6]. Mit der Reichsreform des → Diocletianus (mit Karte) wurde T.

Teil der Prov. → Narbonensis Prima (Amm. 15,11,14). 417 n. Chr. eroberten die → Westgoten unter → Ataulfus die Stadt und erhoben sie zur Residenzstadt ihres »Tolosanischen Reiches«. Als wichtiges Handelszentrum war T. Umschlagplatz für Weine aus It., die von → Narbo über T. nach → Burdigala (Bordeaux) verfrachtet wurden. In der Stadt wirkten bedeutende Juristen und Rhetoren; sie war bekannt für ihre zahlreichen und qualifizierten Schulen (vgl. Mart. 9,99,3; Auson. urb. 15,5,11; 16,18,7; Sidon. carm. 7,4955). Saturninus, der erste Bischof in T., fiel um 250 n. Chr. auf den Stufen des Kapitols von T. der Christenverfolgung des Decius [II 1] zum Opfer.

In T. blühte das Backsteinhandwerk [3]; aus Backstein wurde großenteils auch die im Zuge der Neugestaltung der ganzen Stadtanlage [4; 5] erforderliche Stadtmauer (1. Jh. n. Chr.) errichtet [1]. Erh. sind Theater, Amphitheater, zwei Aquädukte. Um 275 wurde die Stadt erneut befestigt [2].

1 G. BACCRABERE, A. BADIE, L'enceinte du Bas-Empire à Toulouse, in: Aquitania 14, 1996, 125–130 2 R. DE FILIPPO, Nouvelle définition de l'enceinte romaine de Toulouse, in: Gallia 50, 1993, 181–204 3 Ders., CH. RICO, La forme et la marque: la brique à Toulouse . . . , in: Pallas 46, 1997, 67–86 4 M. LABROUSSE, Toulouse antique, 1968 5 C. E. STEVENS, s. v. T., RE 6 A, 1685–1693 6 J.-M. PAILLER, Domitien et la »cité de Pallas«, in: Pallas 34, 1988, 99–109.

A. L. F. RIVET, Gallia Narbonensis, 1988, 115–129.

J.-M. DE./Ü: E. N.

Tolumnius. Etr. Gentilname; bekanntester Träger: Lars T., der König von → Veii, der 437 v. Chr. die Ermordung röm. Gesandter durch die zu ihm abgefallenen Fidenaten (→ Fidenae) veranlaßte und in dem nachfolgenden Krieg von Cornelius [I 20] Cossus im Zweikampf getötet wurde (Liv. 4,17,1–5; 4,19,1–5); das J. des Zweikampfes war bereits in der ant. Überl. umstritten (Liv. 4,20,5–11; vgl. [1. 563 f.]. Die Rüstung des T. weihte Cossus als *spolia opima* (→ Kriegsbeute III.) dem Iuppiter → Feretrius (zu deren polit. Rolle unter Augustus vgl. → Licinius [I 13]). Der histor. Kern der Überl. ist durch die Existenz einer Gens Tulumnia in Veii und die Statuen der getöteten Gesandten auf den *rostra* bezeugt (u. a. in Cic. Phil. 4,4 f.).

1 R. M. OGILVIE, A Commentary on Livy, Books 1–5, 1965.

C. MÜ.

Tomaros (Τόμαρος), auch *Tmáros* (Τμάρος). Der hl. Berg (1972 m H) westl. von → Dodona (Strab. 7,7,11; Theop. FGrH 115 F 319; Plin. nat. 4,2), h. wieder T. (ehemals Olytsika). Von T. abgeleitet sind Τμάριος/ *Tmários*, Τομαριάς/ *Tomariás* und lat. *Tomarius* als Epitheta des Zeus und der hl. Eiche in Dodona, ebenso wohl die Bezeichnung der Orakelpriester als τομοῦροι/ *tomúroi* [1. 368 f.]

1 N. G. L. HAMMOND, Epirus, 1967.

PHILIPPSON/KIRSTEN, Bd. 2, 1, 86 f. D. S.

Tomi (Τόμοι/ *Tómoi*, Τόμις/ *Tómis*, Τῶμις/ *Tômis*; lat. *Tomi*). Kolonie von Miletos [2] (Ps.-Skymn. 765) an der Westküste des Schwarzen Meeres (→ Pontos Euxeinos), h. Constanța (Rumänien). T. wurde wohl im 6. Jh. v. Chr. gegr.; freilich gibt Hier. chron. 95b,4 als Gründungsdatum 657 v. Chr. an; bei Plinius [1] d. Ä. (nat. 4,44) wird T. *Eumenia* genannt (evtl. urspr. ein Außenquartier von T.). Errichtet wurde T. auf einer kleinen Halbinsel, auf der die Stadt v. a. den westl. Teil einnahm. T. lag an der Küstenstraße von → Istros [3] nach → Byzantion. In der frühesten Erwähnung bei Memnon (fr. 21, FHG 3,557), wird T. als *empórion* (»Handelshafen«) bezeichnet. Informationen vom 6. bis 4. Jh. v. Chr. sind sehr gering. Gegen Mitte des 3. Jh. v. Chr. führten Istros [3] und → Kallatis um T. einen Krieg, in den sich Byzantion einmischte. Seit dieser Zeit scheint T. eine selbständige → *pólis* mit intensiver Handelstätigkeit gewesen zu sein. Münzprägung ist bis 70 v. Chr. nachgewiesen. Im Hinterland wohnten → Scordisci, → Krobyzoi und Troglodytai (Strab. 7,5,12).

Da mit Mithradates [6] VI. verbündet, wurde T. von Licinius [I 27] Lucullus eingenommen (71/70 v. Chr.). Um 50 v. Chr. wurde auch T. durch die Expansionsbestrebungen des → Burebistas in Mitleidenschaft gezogen (Iord. Get. 221). Der 9 n. Chr. nach T. verbannte → Ovidius Naso liefert reiches Quellenmaterial zur Stadt, die er als multikulturell und primitiv beschreibt (Ov. trist. 1,10,41; Ov. Pont. 4,24,59). Unter röm. Herrschaft erlebte T. einen starken wirtschaftlichen (Getreidehandel) und kulturellen Aufschwung, sowohl wegen des Niedergangs von Kallatis als auch wegen der Verschlammung des Donaudeltas, weswegen Waren von der Donau (→ Istros [2]) über Axiupolis (h. Hinog) nach T. zur Ausfuhr gebracht werden mußten. Dem etwa 29 v. Chr. gegr. → *koinón* der westpontischen Städte (anfangs Pentapolis, später Hexapolis) stand T. als *métrópolis* [1] vor. T. wurde Hauptstadt und einziger Bischofssitz der Prov. Scythia (Anf. 6. Jh. n. Chr.; Hierokles, Synekdemos 637,1). 599 n. Chr. belagerten → Avares T. einen ganzen Winter lang, angesichts der starken Befestigungsanlagen (Prok. aed. 4,4) aber ohne Erfolg (Theophylaktos Simokattes 7,13,1). Nach einer quellenmäßig wenig ergiebigen Periode vom 6. bis zum 9. Jh. wird die Stadt unter dem ON Konstantia als Station der Rus auf ihrem Weg nach Konstantinopolis von Konstantinos [1] Porphyrogennetos (de administrando imperio 9,99) erwähnt; damals befand sie sich wohl in der Hand der Bulgaroi (→ Bulgarisches Reich B.).

Die ant. Stadt liegt vollständig unter der mod. Bebauung, weshalb konsequente Grabungen bisher nicht stattgefunden haben. Nachgewiesen sind die Befestigungsanlage des 2. Jh. n. Chr., erneuert im 6. Jh., eine große Villa mit Mosaiken, vier Basiliken des 4./5. Jh., Hafenanlagen.

→ Schwarzmeerarchäologie (mit Karte); Thrakes (mit Karte)

E. MEYER, s. v. T., RE Suppl. 9, 1397–1428 · I. STOIAN, Tomitana. Contribuții epigrafice la Istoria cetatii Tomis, 1961 · A. PODOSINOV, Proizvedenija Ovidija kak istočnik po istorii vostocnoj Evropy i Zakavkaz'ja, 1985 · G. STEFAN, Tomis et Tomea, in: Dacia 11, 1967, 233–258 · V. VELKOV, Cities in Thrace and Dacia on Late Antiquity, 1977, 107 · D. M. PIPPIDI, s. v. T., PE, 928 f.   I. v. B.

Tomos synkollesimos (τόμος συγκολλήσιμος, wörtl. »zusammengeklebtes Stück«). In der Ant. wurden zusammengehörige Berichte, Akten, Verträge und andere Unterlagen zusammengeklebt in Archiven oder im Büro von »Beamten« (*logistai*) aufbewahrt; Pap. aus solchen geklebten Slgg. sind z. B. POxy. 53 (316 n. Chr.) und 87 (342 n. Chr.). Von einem solchen Dokument selbst ist die Rede in POxy. 34 I 12 f. (127 n. Chr.: τὸν τόμον τῶν ... συγκολλησίμων, »den Band der zusammengeklebten Schriftstücke«) und wohl auch in dem älteren PGrenfell 2.41.18 f. (46 n. Chr.: τόμου συγκολλησίμου). Von ganz ähnlichen »zusammengeklebten kleinen Büchern« spricht POxy. 2131.4 (207 n. Chr.). Diese Akten-Slgg. können Numerierungen nach *tómos* (»Band«) und *kóllēma* (Klebung) zeigen und den erheblichen Umfang mehrerer hundert Blätter annehmen [1. 81²⁰]. Sie können ihrerseits zu größeren Dokumenten zusammengestellt werden, die *chártēs* heißen [2. 18], wie z. B. »die in vier Rollen geteilten Papyri« (χάρτας τετρατόμους) des PLond. inedita 2134 (2. Jh. n. Chr.).

1 N. LEWIS, Papyrus in Classical Antiquity, 1974
2 R. SEIDER, Paläographie der griech. Papyri, 3.1, 1990.
                                             GE. SCH.

Tomyris (Τόμυρις), »die Heldenhafte (?)«. Königin der Massageten, südöstl. des → Aralsees, um 530 v. Chr. Die ausschließlich griech. und lat. Berichte sind verm. legendär, wobei der älteste erh. von Herodotos [1] stammt, der zugleich am glaubwürdigsten ist (Hdt. 1,205–214). Um die Herrschaft über die Massageten zu gewinnen, warb → Kyros [2] um T., die aber ablehnte. Kyros entschloß sich zum Feldzug und erhielt am Grenzfluß → Araxes [2] eine Botschaft der T.: Entweder möge er drei Tagesmärsche weit in ihr Land eindringen, um dann zu kämpfen, oder ihr erlauben, ebensoweit in sein Land einzumarschieren. Gegen den Rat der persischen Adeligen folgte Kyros dem Plan des → Kroisos, rückte vor und konnte durch eine List den Sohn der T. fangen; der jedoch tötete sich. Ohne davon zu wissen, verlangte T. von Kyros, ihren Sohn herauszugeben und das Land zu verlassen, sonst werde sie ›den Unersättlichen mit Blut sättigen‹ (vgl. Hdt. 1,212). In der folgenden Schlacht fiel Kyros; T. tauchte dessen Kopf höhnisch in einen mit Menschenblut gefüllten Schlauch.

H. SANCISI-WEERDENBURG, The Death of Cyrus, in: FS M. Boyce, Bd. 2 (Acta Iranica 2), 1985, 459–471.   PE. HÖ.

Tongefäße   I. ALTER ORIENT
II. KLASSISCHE ANTIKE UND NACHBARKULTUREN

I. ALTER ORIENT

Bald nach dem Aufkommen der Verwendung von Ton als Werkstoff im Vorderen Orient am Ende des praekeramischen Neolithikums (PPNB, ca. 7. Jt. v. Chr.) setzte die Produktion von T. im keramischen Neolithikum (6. Jt. v. Chr.) ein. Zuvor wurden Gefäße ausschließlich aus organischem Materialien (z. B. Holz, Leder) und Stein gefertigt. Als Vorform der Keramik kann die sog. *white ware* angesehen werden, eine natürlich vorkommende Kalk/Mergelmischung, die von selbst aushärtet. T. wurden – zunächst ausschließlich und auch später noch teilweise – frei geformt. Die im 5./4. Jt. v. Chr. eingeführte Töpferscheibe (→ Drehscheibe) war die Voraussetzung für die Massenproduktion von T. vom E. des 4. Jt. an. Naturwiss. Analysen bestätigen eine Vielfalt von Tonmischungen, die in manchen Fällen an die Funktion der T. gebunden war, wie z. B. bei Kochtöpfen oder Wasserflaschen, bei denen eine gewisse Porosität für den Kühleffekt nötig ist. Eine Normierung schlägt sich in regelmäßig wiederkehrenden Formtypen nieder. Durch die leichte Formbarkeit des Tons und seine Verzierung durch Ritzung, farbige Überzüge oder Bemalung konnten sich Einzelne oder Gruppen von Beginn der Herstellung an identifizieren.

Gemeinsamkeiten in Form und Verzierung werden daher h. dazu genutzt, um v. a. schriftlose Kulturen voneinander abzugrenzen. Fundkontext und Unt. der Rückstände in T. lassen bisweilen Schlüsse auf den urspr. Zweck zu. T. fanden in allen Lebensbereichen Verwendung: Haushalt, Tempel, Bestattung, Ritual, Handel, Speicherung, als Rationengefäß usw. Hierzu trägt auch die altorientalische Textüberl. wertvolle Informationen bei, doch setzt diese den Hauptakzent auf die Benennung des Inhalts, nicht auf das eigentliche T. Auf Bildträgern lassen sich Behältnisse oft als T. identifizieren, dies in Zusammenhang mit ihrer Herstellung (?) sowie der Verarbeitung und Aufnahme von Nahrungsmitteln. Auf den archa. Tafeln von → Uruk (E. 4. Jt. v. Chr.) zeigen Keilschriftzeichen T., die dem arch. Befund exakt entsprechen. Die leichte Variierbarkeit in Formung und Verzierung begünstigte lokal und zeitlich unterscheidbare Veränderungen, deren Kenntnis die Datier. auch kleiner Tonscherben erlaubt. Die meist als Scherben, selten vollständig (v. a. in Gräbern) gefundenen T. sind damit ein wichtiges Datier.-Instrument der Arch., das bes. bei arch. Oberflächen-Unt. eingesetzt wird, um das Alter verschütteter Siedlungen zu bestimmen.

P. R. S. MOOREY, Ancient Mesopotamian Materials and Industries, 1994 · W. SALLABERGER, Der babylon. Töpfer und seine Gefäße, 1996 · P. M. RICE, Pottery Analysis. A Sourcebook, 1987 · S. E. VAN DER LEEUW, A. C. PRITCHARD (Hrsg.), The Many Dimensions of Pottery, 1984 · D. ARNOLD, s. v. Keramik, LÄ 3, 1980, 392–409.   AR. HA. u. H. J. N.

II. KLASSISCHE ANTIKE UND
NACHBARKULTUREN
A. FEINKERAMIK B. SCHWERKERAMIK

A. FEINKERAMIK
1. DEFINITION 2. ERFORSCHUNG
3. EPOCHEN UND GATTUNGEN 4. BILDDEKOR

1. DEFINITION

Die ant. Feinkeramik (= F.) zeichnet sich im Unterschied zur Schwerkeramik durch sorgfältige Töpfertechnik, feinste Tonmischungen und dichte, meist glänzende Überzüge aus (→ Keramikherstellung), oft auch durch reichen Dekor in Malerei oder Relief. Entsprechend vielfältig ist der überl. Bestand. Bemalte griech. Vasen waren ebenso wie einige hell. Gattungen oder die kaiserzeitliche → Terra sigillata in allen Teilen der Alten Welt begehrte Qualitätsprodukte. An Wert rangierten sie zwar nach Gefäßen aus Br. und Edelmetall, hatten aber diesen das breitere Angebot bzw. die größere Bildervielfalt voraus.

2. ERFORSCHUNG

Ant. F. ist in gewaltigen Mengen auf uns gekommen. Allein die erh. Bestände att. sf. und rf. F. werden auf 60000 Gefäße geschätzt. Der überwiegende Teil bemalter griech. Ware stammt aus Etruria, wo sie in geräumigen Kammergräbern unversehrt die Zeiten überdauerte. Mit einer systematischen Beschreibung und Klassifizierung griech.-röm. F. wurde um die Mitte des 19. Jh. begonnen. Bestimmungskriterien sind Gefäßform und -typus (→ Gefäße, Gefäßformen, mit Abb.), Zeitstellung, Herstellungsort und Werkstatt. Viele Gattungen definieren sich auch nach Dekortechniken und -motiven. Seit 1923 werden in dem internationalen Sammelwerk CVA alle Museumsbestände antik-mediterraner F. nach Gattungen geordnet, fortlaufend publiziert und dokumentiert. Die Datier. von F. ist aufgrund ihrer differenzierten Merkmale und eines raschen Formwandels weitgehend geklärt; stärkere Schwankungen bestehen, von der Frühzeit abgesehen, noch im 7. Jh. v. Chr. und in hell. Zeit [1]. Für die Lokalisierung keramischer Gattungen geben Funddichte und Werkstattfunde erste Hinweise. Die Herkunft einiger T. des 7.–6. Jh. v. Chr. läßt sich zusätzlich durch Vasen-Inschr. (Dialekte, Buchstabenformen) bestimmen. Die Unterscheidung regionaler Stile nach Gefäßformen und Bemalung ist h. für diese Zeit größtenteils gesichert (s.u. II. A.3.). Wesentlich genauer sind allerdings die Produktionsstätten der Terra sigillata aufgrund von Töpferschuttfunden und Fabrikmarken zu ermitteln. Ergänzend wendet die mod. Forsch. zur Lokalisierung von Keramik archäometrische Methoden der Tonanalyse an [2; 3]. Bei der Zuschreibung von T. an einzelne Werkstätten und Hersteller entwickelte sich als bes. differenzierte Methode die Sonderung von Individualstilen in der griech., insbes. att. Vasenmalerei (→ Vasenmaler).

Der außergewöhnliche Bilderreichtum der figürlich bemalten griech. Vasen macht außerdem spezielle ikonographische Forschungen notwendig (s.u. II. A.4.). Da große Mengen an T. zunächst in etr. → Nekropolen (VII.) gefunden wurden, bezog man ihre Bildthemen lange Zeit ausschließlich auf den → Totenkult [4]. In der neueren Forsch. wird dagegen die Polyvalenz der Bilder betont. Neben ikonographischen Einzelfragen interessieren ikonologische Aspekte der Semiotik, der Anthropologie [5] oder Soziologie [6]. Im übrigen wendet man sich, von einer laufenden Verfeinerung der Bestimmungsmethoden abgesehen, h. bevorzugt funktionalen Fragen und kulturhistor. Kontexten von Keramik zu. T. waren sowohl als Objekte der Fertigung und des Vertriebs wie erst recht durch verschiedene Verwendungsweisen stets in Lebenskontexte eingebunden, die es zu rekonstruieren gilt. Dies betrifft gleichermaßen Fundzusammenhänge in Nekropolen [7] wie solche in heiligen Bezirken [8], Siedlungsgebieten oder öffentlichen Gebäuden [9]. Auch als wirtschaftshistor. Quelle versucht man die T. h. erneut auszuwerten, erkennt aber umgekehrt auch, daß sich bestimmte Phänomene der Keramikgeschichte primär auf wirtschaftliche Vorgänge zurückführen lassen.

3. EPOCHEN UND GATTUNGEN
a) KRETISCH-MYKENISCHE KULTUR
b) GRIECHISCHE FRÜHZEIT (11.–7. JH. V. CHR.)
c) ARCHAIK (620–480 V. CHR.) d) KLASSIK
(5.–4. JH. V. CHR.) e) HELLENISMUS
f) RÖMISCHE KAISERZEIT g) PHÖNIZISCHER
BEREICH

a) KRETISCH-MYKENISCHE KULTUR

Seit dem frühen 2. Jt. v. Chr. nahm im ägäischen Raum feinere Drehscheibenware (→ Drehscheibe) rasch zu. Auf Kreta weisen zunächst die nach ihrem FO benannten Kamaresvasen bes. Qualität auf. Die dunkelwandigen, rot und weiß bemalten T. tragen als bevorzugte Ornamente Rosetten, Spiralen und Wellenlinien. Seit etwa 1700 v. Chr. entstand in der Zeit der Neuen Paläste größere, naturalistisch bemalte F., teils mit floralen Motiven wie Palmen, Lilien, Gräsern verziert, teils im »Meeresstil« mit Nautilus, Oktopus, Delphinen oder Korallen. Die Buntmalerei auf dunklem Überzug wich allmählich einer üppigen Firnismalerei auf Tongrund. Ihre Naturmotive werden im 15. Jh. v. Chr. in die strengeren Formen des »Palaststils« überführt und erstarren im spätminoischen Stil (→ Minoische Kultur und Archäologie).

Auf dem Festland unterscheidet sich im frühen 2. Jt. v. Chr. die mh Keramik von der gleichzeitigen mittelminoischen noch beträchtlich. Bezeichnend ist bes. die helltonige »minysche« Ware mit der Leitform des einhenkligen Kelches auf hohem Fuß. Erst seit ungefähr 1600 v. Chr. läuft die stilistische Entwicklung der min. parallel, wobei der sh Periode die Stilstufen min.-myk. I–III entsprechen. In spätmyk. Zeit (13.–12. Jh.

v. Chr.) werden einerseits herkömmliche Motive bis zur Unkenntlichkeit vereinfacht, es kommt aber andererseits auch, wie auf der Kriegervase von Mykenai, zu neuartiger erzählender Figurenmalerei. Die verarmende submyk. und submin. F. verrät einen allg. ökonomisch-kulturellen Tiefstand. Insgesamt hat die myk. Keramik einen weiteren Verbreitungsradius als die min. und übertrifft diese auch in ihrer technischen Qualität. (→ Mykenische Kultur und Archäologie; → Ägäische Koine mit Karten).

b) GRIECHISCHE FRÜHZEIT (11.–7. JH. V. CHR.)
Nach dem Niedergang der kretisch-myk. Kultur bezeugt um 1000 v. Chr. der protogeom. Stil einen Epochenwechsel. Neuartige Gefäßformen sind Amphora, Kanne und Lekythos, die in der Folgezeit als griech. Haupttypen fortbestehen. Um 900 v. Chr. setzt die → geometrische Vasenmalerei mit verdichteten Ornamentzonen (→ Ornament) ein; Hauptmotive sind → Mäander [2], Kreis, Rautenkette und Schachbrettmuster. Im 8. Jh. kommen figürliche Darstellungen in Bildfeld und Fries hinzu, die gegen 700 v. Chr. die alten Dekorsysteme sprengen. Gleichzeitig bahnt sich die → orientalisierende Vasenmalerei mit neuer Ornamentik an (Palmette, Lotos, Rosette, Flechtband). Der chiffrehafte geom. Figurenstil wandelt sich zu organischeren Formen und reicher Detailmalerei, die sich neuer Maltechniken bedient wie Umriß- und Ausspartechnik, → Polychromie und der mit Ritzung und Deckfarben arbeitenden sf. Technik (→ Protokorinthische Vasenmalerei). Lokalstile zeichnen sich schon in der geom. Keramik ab und reflektieren die allmähliche Konsolidierung der Polisstaaten [10]. Stärker prägen sie sich erst im 7. Jh. v. Chr. aus. Seehandel treibende Städte exportierten nun ihre Spitzenkeramik, insbes. allg. gebräuchliche Formen wie Kannen, Trink- und Salbgefäße, so die günstig gelegene Hafenstadt → Korinthos wie auch verschiedene ostgriech. Zentren (→ Ostgriechische Vasenmalerei). Dagegen deckten die Töpfer agrarisch autarker Gebiete wie Argos, Boiotia, Attika oder einige Kykladen (Paros, Naxos) und sizilische Kolonien (Megara [3] Hyblaia) mit großen Kultgefäßen vorwiegend einen lokalen Bedarf. Auch aufwendige Bestattungsriten bedingten hier zeitweise eine spezielle Gefäßproduktion [11].

c) ARCHAIK (620–480 V. CHR.)
Gegen 600 v. Chr. steigerten die korinthische Töpfereien nochmals ihre Kapazitäten (→ Korinthische Vasenmalerei). Bald folgte ihnen Athen, das sich spätestens mit den solonischen Wirtschaftsreformen (→ Solon [1]) dem Keramikexport zuwandte. Etrurien (vgl. → Etrusci II. C. 5.), im 7. Jh. nur ein sporadischer Abnehmer griech. Keramik, führte diese im 6. Jh. v. Chr. in ständig zunehmenden Mengen ein [12. 131–150]. Den neuen etr. Bedarf an Trinkschalen (→ Kylix) und → Amphoren [1] deckten nun vorwiegend att. Töpfereien. Die Brennqualität der T. wurde dort laufend verbessert, insbes. durch den 900° C erreichenden Dreistufenbrand (→ Keramikherstellung).

Als Maltechnik setzte sich die → schwarzfigurige Vasenmalerei mit ihren ausproportionierten, verfestigten Figuren und präzisen Ritzlinien durch. Im Gesamtdekor der Gefäße dominierte endgültig das erzählende Figurenbild (s. u. II. A. 4.), während die herkömmliche Ornamentik an Henkeln, Mündungsrändern und Rahmenleisten fortbestand. In den Werkstätten der Töpfer Amasis (→ Amasis-Maler), → Andokides [2] und → Nikosthenes wurde um 530 v. Chr. die → rotfigurige Vasenmalerei entwickelt. Dieser neue Stil forderte eine Reihe begabter Maler wie → Epiktetos [1], → Euphronios [2], → Euthymides u. a. zu außergewöhnlichen Leistungen heraus. Gelegenheit zu genauerem Studium der menschlichen Figur boten Palaistra-, Komos- und Symposionszenen. Neben dem rf. Stil behaupteten sich um 500 v. Chr. noch zahlreiche sf. arbeitende Werkstätten (vgl. z. B. → Antimenes-Maler, → Leagros-Gruppe). Nicht zuletzt kennzeichnen einige seltenere, wertsteigernde Techniken wie die → weißgrundige Vasenmalerei oder die sog. Six'sche Technik (Deckfarbenmalerei auf dunklem Grund), ferner Überzüge in korallenrotem Glanzton die damalige Hochblüte der att. Töpferei. Verschiedene nicht-att. Töpferzentren begannen im früheren 6. Jh. mit steigendem etr. Bedarf ebenfalls ihre Techniken zu verbessern und mit Schalen, Krateren und Amphoren einige Jahrzehnte lang die Märkte zu beliefern (→ Ostgriechische Vasenmalerei, → Lakonische Vasenmalerei, → Chalkidische Vasenmalerei). In Etrurien selbst zeichnet sich nur vereinzelt eine sf. Keramikproduktion ab (→ Pontische Vasenmalerei, → Caeretaner Hydrien; vgl. → Etrusci II. C. 5.), später auch eine rf.-gräzisierende. Einige apulische subgeom. Gattungen behielten dagegen ihren Stil bei (→ Daunische Vasen, mit Abb.; → Messapische Vasen mit Abb.).

d) KLASSIK (5.–4. JH. V. CHR.)
Die Erfindung der rf. Malweise und die gleichbleibende Qualität der att. F. sicherte Athen auch nach dem Persereinfall von 480 v. Chr. noch eine führende Stellung auf den Überseemärkten, während die rf. Technik in Korinth, Boiotia u. a. Gebieten nur schwache Nachahmer fand. Nach wie vor spezialisierten sich einige att. Töpfereien auf die Herstellung von Schalen und kleineren Trinkgefäßen, während andere in beträchtlichen Mengen Kratere, Stamnoi und Peliken (vgl. → Krater; → Stamnos; → Amphora [1]) produzierten. Immer noch war zunächst Etrurien ein Hauptabnehmer der T., doch seit der Mitte des 5. Jh. ging dieser Handel langsam zurück. Einen Ausgleich bot die gesteigerte Nachfrage in Athen selbst, wo die für Ritus und Grabkult bestimmten → Choenkannen, → Lutrophoren, Hochzeitslebeten (→ Lebes [2]) und v. a. die künstlerisch hochwertigen wgr. Lekythen (→ Lekythos [1]) deutlich zunahmen. Andere Töpfer wandten sich der Herstellung von → Schwarzfirnis-Keramik als neuem Tafelgeschirr zu. Eine dritte Gruppe wanderte nach Unteritalien aus, wo sie in den prosperierenden griech. Kolonien neue Märkte suchte. In ihrer Nachfolge ent-

standen in Großgriechenland und auf Sizilien neue Zentren der rf. Vasenkunst (→ Unteritalische Vasen-malerei, → Apulische Vasenmalerei, → Kampanische Vasenmalerei, → Lukanische Vasen, → Sizilische Va-sen), die in erster Linie für den einheimischen Grabkult arbeiteten. Bes. charakteristisch sind üppig bemalte Scheingefäße [13].

Athen exportierte im 4. Jh. v. Chr. immer noch Trinkschalen nach Etrurien, bes. aber diverse Formen nach Zypern, später v. a. auch in die Schwarzmeerko-lonien des Krimgebietes (→ Kertscher Vasen). Der er-zählende Figurenstil gelangte zu einer letzten Blüte, doch gibt es auch deutliche Anzeichen einer künstleri-schen Erschöpfung. Ferner dürften wirtschaftl. Gründe wie der Verlust der alten Märkte und ein sich wandeln-der Bedarf und Geschmack der Abnehmer zum Ende der rf. Keramik beigetragen haben.

e) HELLENISMUS

Zu Beginn dieser Epoche, gegen 300 v. Chr., waren noch spätklass. Gefäßtypen in Gebrauch, während an ihrem Ende, um 30 v. Chr, die ital. → Terra sigillata-Produktion einsetzte. Neue hell. Leitformen sind → Lagynos und die gedrungene Halsamphora (→ Ge-fäße, Abb. A 6; B 10), ferner die spindelförmigen Un-guentaria (Salbenfläschchen) und seit dem späten 3. Jh., in Anlehnung an Metallvorbilder, halbkugelförmige henkel- und fußlose Reliefbecher mit Ornamentdekor (»Megarische Becher«, vgl. → Reliefkeramik II.-III.). Gängige Formen der Scheibenware sind Teller, Näpfe, Skyphoi und Pyxiden (→ Skyphos; → Pyxis). Hell. F. ist nicht immer sicher lokalisierbar, da es viele Töpferzen-tren gab, die ähnliche Einheitsware herstellten [14]. Aufwendig bemalte, aber lokal begrenzte F.-Gattungen entstanden vereinzelt noch für den Grabkult (→ Ca-nosiner Vasen, → Centuripe-Gattung). Die in Deckfar-benmalerei auf dunklem Glanzton verzierten → Gna-thiavasen setzen eine spätklass. Technik fort. Verwandt in Dekormotiven und Technik ist die in Athen aufkom-mende, aber auch anderenorts imitierte → Westabhang-keramik. In diversen Gattungen hielt sich eine einfache dunkle Firnismalerei auf Tongrund (→ Hâdra-Vasen). Revolutionierend wirkte die Einführung von Form-schüsseln und Bildstempeln in der seriellen Herstellung von Reliefkeramik. Weniger weit verbreitet war die vorwiegend pergamenische Applikenware (vgl. → Re-liefkeramik) [15].

Die Überzüge hell. F. sind sehr verschiedenartig. Während im Westen bis ins 1. Jh. v. Chr. der dunkle Glanzton gebräuchlich blieb, dominierte im Osten seit dem 2. Jh. eine rote, zahlreich in Pergamon gefundene Keramik (→ *Samia vasa*). In Syrien und Äg. entstand u. a. eine gelblich glasierte Fayencekeramik (→ Fayence). Zuweilen hat man, wie maked. Funde zeigen, T. auch mit Silber oder Gold überzogen [16]. Generell verrät seit dem 2. Jh. ein auffallend leichter, klingender Scherben, daß man höhere Brenntemperaturen im Töpferbrand erreichte.

f) RÖMISCHE KAISERZEIT

Als beliebtestes Tafelgeschirr setzt sich in der Kaiser-zeit die → Terra sigillata durch. In den Töpfereien von → Arretium garantierten neuartige Brennöfen mit ein-gebauten Abzugsröhren, die störende Reduktionspro-zesse zu vermeiden halfen, erstmals eine gleichbleiben-de Farbqualität des roten Überzugs. Die an roter Ware üblichen Dekortechniken (Appliqué, Barbotine, Mo-del, Stempel, Punze) wurden allerdings auch an anders-farbiger Ware angewandt. Eine Gattung bunt glasierter Skyphoi der frühen Kaiserzeit steht noch ganz in hell. Tradition [17] (→ Glasur). Zu den Sonderformen früh-kaiserzeitlicher Reliefgefäße dürfen die nach ihrem Töpfer benannten ACO-Becher gerechnet werden. Die republikanisch-röm. *pocola*, schwarze Glanztonbecher mit heller Bemalung, fanden dagegen weitverbreitete Nachfolge in den Trierer Spruchbechern und verwand-ten dunkelwandigen Gefäßen [18]. Außergewöhnlich qualitätvoll, aber relativ kurzlebig war die um 100–150 n. Chr. im Rhein-Main-Gebiet produzierte sog. Wet-terauer Ware. Neben vielfältigen Dekormotiven weist sie geflammte und marmorierte Überzüge auf [19]. In der Spätant. dominierte die rote tunesische Keramik neben verschiedenen Varianten aus anderen Produkti-onszentren [20]. Gebietsweise lebte auch bunt glasierte Ware und einfachere Keramik mit Firnisbemalung nochmals auf. Während manche Gattungen einen be-trächtlichen Verbreitungsradius hatten, arbeiteten zu al-len Zeiten auch kleinere Töpfereien lediglich für be-grenzte lokale Märkte. I. S.

g) PHÖNIZISCHER BEREICH

Die phöniz. Feinkeramik (= F.) entwickelte sich aus dem syro-palaestinischen Formenspektrum in der frü-hen Eisenzeit (seit dem 11. Jh. v. Chr. mit eigenem Ge-präge) an der Levante-Küste zw. Nord-Galilaea und → Al-Mīnā, bes. deutlich in → Tyros; wechselseitige Beziehungen zu → Kypros/Zypern. Figürliche Be-malung fehlt (wenige Ausnahmen nach griech. Vor-bildern). Charakteristisch sind drei Varianten: die Bi-chrome Ware (zuerst konzentrische Kreisbemalung auf offenen wie geschlossenen Gefäßen, später nur auf ge-schlossenen Gefäßen Zonen- und Streifenbemalung auf tonfarbenem oder weißlichem Grund), die Rote Ware (Überzug mit *red slip*, oft poliert) und eine tongrundige, sorgfältig geglättete Ware.

Die wichtigsten Formen sind: 1) der Krug mit Hals-rippe und die im 8. Jh. daraus entwickelte Kanne mit pilzförmiger Mündung, eine Leitform der phöniz. F.; sie verschwindet im 6. Jh. und hat nur auf → Sardinia in einer hybriden Form ein längeres Nachleben; 2) die bir-nenförmige Kanne mit verengter, kleeblattförmiger Mündung, ein Gefäß der Roten Ware, das ebenfalls im 6. Jh. außer Gebrauch kommt (Nachleben auf Sardinia); 3) unter den Krügen, Flaschen, Kännchen bes. charak-teristisch sind kleine Salbölfläschchen fast ausnahmslos levantinischen Ursprungs; 4) Teller, im Osten oft mit tongrundiger Oberfläche, während die westl. zumeist einen Überzug aus *red slip* tragen. Als typische Variante

des Westens entwickelt sich ein Teller mit glattem, zunehmend breiterem Rand, dessen Randbreiten und
Gesamtproportionen für die Chronologie bedeutsam
sind; 5) Lampen, aus der Tellerform abgeleitet durch das
Eindrücken von einem und später zwei Schnäuzchen
zur Aufnahme des Dochts. Die zweischnäuzige Form,
vornehmlich tongrundig, aber auch in der Roten Ware,
ist die charakteristische Form der phöniz. Kolonien im
Westen; 6) Schalen.

Sehr qualitätvolle, dünnwandige Keramik mit hoch-
polierter *red slip* Oberfläche ist die sog. *Fine Ware* bzw.
Samaria Ware, die im Mutterland gegen E. des 9. Jh.
v. Chr. aufkam: Hauptformen sind die flache Schale mit
steiler, scharf umbrechender Wandung und die kalot-
tenförmige, becherartige Schale. Erstere sind zeitlich
gut einzugrenzen und, da sie vereinzelt als Importe mit
den frühesten Siedlern in den Westen gelangten, wichtiger chronologischer Indikator. Teller, Schalen, Lampen und Töpfe als F. gehörten zum Tafelgeschirr. Kannen finden sich relativ selten in den Siedlungen, dafür
seit dem 8. Jh. v. Chr. paarweise in Gräbern. Die zahlreichen Tellerfunde über den Bestattungen sprechen für
Speiseriten über dem Grab.

Vom 6. Jh. v. Chr. an bildeten sich in der phöniz. F.
Lokalstile, die stärker von der griech. Umgebung beeinflußt waren, seit dem 4. Jh. dominierte die
→ Schwarzfirnis-Keramik der hell. Welt, die z. B. in
Karthago nachgeahmt wurde. In künstlerischer Hinsicht war die phöniz. F., ihrerseits z. T. sehr charakteristisch und qualitätvoll, mit der griech. jedoch nicht vergleichbar.

→ Kition; Phönizier, Punier   G. M.-L.

4. BILDDEKOR

Das Bilderrepertoire der bemalten griech. Keramik
spiegelt die ant. Lebens- und Vorstellungswelt in beträchtlicher Komplexität, verhielt sich zur ant. Wirklichkeit aber eher selektiv, denn es tradierte vorwiegend
exemplarische Botschaften, die es h. im Sinne des ant.
Betrachters zu entschlüsseln gilt [21]. Trotz zunehmender Einbeziehung realistischer Züge bleiben die Bilder
chiffrehaft; die weite Verbreitung bemalter griech. Vasen in der Alten Welt weist auf die allg. Wirkungskraft
dieser Bilder. Die Tatsache der seriellen Herstellung von
F. sowie der niedrige Prozentsatz noch erh. Keramik
von schätzungsweise 1–3% der einstigen Produktion
erschweren Interpretation und Beurteilung der Darstellungen. Neben einigen sorgfältigen, seltenen Bildschöpfungen steht die große Menge routinehafter Wiederholungen und flüchtiger Varianten älterer Bildfas-
sungen, die darum jedoch nicht als sinnentleerter Dekor
abzuwerten sind; auch sie blieben Ausdruck kollektiver,
zeitgebundener Vorstellungen.

Bei der Themenwahl war oft die Gefäßfunktion
maßgebend (→ Gefäße, Gefäßformen, mit Abb.): Die
Bildthemen illustrieren oder kommentieren den Ver-
wendungszweck des Bildträgers, bes. facettenreich z. B.
auf Symposiongefäßen mit Gelage (→ Gastmahl), → kô-

mos oder dionysischen Szenen und auf Grabgefäßen mit
Darstellungen von → *próthesis*, → *ekphorá* und → Toten-
kult. Manche griech. Gefäße kultischer Verwendung
beschränken sich auf signifikante spezifische Bildthemen (→ Choenkannen, → Lebes [2], → Lekythos [1],
→ Lutrophoros); völlig stereotyp blieb allerdings nur die
Ikonographie der → Panathenäischen Preisamphoren.
Zugleich bietet der Bildervorrat der F. wichtiges kulturhistor. Quellenmaterial mit Darstellungen zum
Kriegswesen, zum sportlichen und musischen Agon, zu
Festen und Riten [22] oder zur Erziehung [23]. Grund-
situationen des Lebens wie Hochzeit, Kampf, Tod
konnten auch im mythischen Gleichnis angesprochen
werden.

Darüber hinaus spielen die Sagenbilder auf den
griech. Vasen eine bedeutende Rolle (vgl. die umfassende Ikonographie einzelner Sagengestalten in [24]). Für
den Mentalitätswandel der Epochen sind Auswahl und
Erzählweise von Sagenepisoden bes. bezeichnend, etwa
die Bevorzugung von Kämpfen gegen Monster wie
Gorgo, Hydra, Chimaira, und Polyphemos in der frühgriech. Kunst [25] oder die Zunahme troianischer Themen in der Vasenmalerei des 6. Jh. v. Chr. [26]. Göttermythen spiegeln den Wandel der rel. Phantasie, und bezeichnend für die Bewußtseinsstufe der Spätklassik ist
u. a. eine deutliche Zunahme von Begriffspersonifika-
tionen (→ Personifikation) [27]. In geringem Maß beeinflußten seit dem 5. Jh. auch Mythenversionen des
Dramas (→ Tragödie I.) die Vasenikonographie, v. a. die
der unterital. rf. F. [28]. Polit. Anspielungen blieben
selten bzw. wurden eher indirekt in myth. Gleichnissen
vorgebracht. Für die ant. gesellschaftlichen Verhältnisse
ist in der archa. Zeit generell ein Überwiegen männlich-
aristokratischer Thematik bezeichnend; unterrepräsen-
tiert sind dagegen Handwerk, Handel und Landwirtschaft. Die Frau wird auf älteren T. bevorzugt in öffentlichen Rollen anläßlich ritueller Ereignisse (z. B. Opfer,
Hochzeit) oder als Mitglied des → *oíkos* in Kriegerab-
schiedsszenen gezeigt. Erst im 5. Jh. gewähren die Maler
Einblicke in das häusliche Frauenleben [29].

Mit dem Ende der rf. V. erfolgte eine rasche Reduktion der Themenvielfalt. Auf hell. T. überleben dionysische und erotische Motive, ferner Sieges- und
Glückssymbole. Die troianische Sage erfuhr auf den
sog. Homerischen Bechern in reich beschrifteten Szenen eine kurze Renaissance (→ Reliefkeramik IV.). Die
eklektische Ikonographie der frühkaiserzeitlichen Terra
sigillata steht mit mythischen, rel., erotischen und bacchischen Szenen in klassizistischer und griech.-hell.
Trad.; dies gilt auch für ihre vielfältige, fein gearbeitete
Ornamentik. Auf den Bilderschüsseln der provinzial-
röm. Werkstätten ergänzte man das Repertoire, da hier
das Militär zu den Hauptabnehmern gehörte, durch
Kampfszenen, Gladiatoren, Tierhatz, Jagd und Landle-
ben. Elemente der ant. Sagenwelt finden sich ein letztes
Mal, noch gleichwertig neben frühchristl. Themen, auf
spätant. Reliefgefäßen der nordafrikanischen roten
Ware [30].

→ Fayence (mit Abb.); Gefäße, Gefäßformen
(mit Abb.); Glasur; Kermikhandel; Keramikherstellung
(mit Abb.); Ornament (mit Abb.); Rotfigurige
Vasenmalerei; Schwarzfigurige Vasenmalerei
(mit Abb.); Terra Sigillata; Töpfer; Vasenmaler; VASEN

1 S. ROTROFF, Athenian Hellenistic Pottery. Toward a
Firmer Chronology, in: 13. Internationaler Kongr. für
Klass. Arch. (Berlin 1988), 1990, 173–178 **2** G. R. JONES,
Greek and Cypriot Pottery. A Review of Scientific Studies,
1986 **3** G. SCHNEIDER, B. HOFFMANN, Chemische Unt. ital.
Sigillata, in: E. ETTLINGER et al., Conspectus formarum
terrae sigillatae, 1990, 27–38 **4** E. LANGLOTZ, Der Sinn att.
Vasenbilder, in: Wiss. Zschr. Rostock 1967, 473–480
5 H. HOFFMANN, Why Did the Greeks Need Imagery?
An Anthropological Approach to the Study of Greek Vase
Painting, in: Hephaistos 9, 1988, 143–162 **6** C. BÉRARD et al.
(Hrsg.), Images et Société en Grèce Ancienne, 1987
7 B. D'AGOSTINO, Tod und Grabritus, in:
A. H. BORBEIN et al. (Hrsg.), Klass. Arch., 2000, 313–331
8 R. HÄGG (Hrsg.), The Iconography of Greek Cult in the
Archaic and Classical Periods, 1992 **9** M. C. MONACO,
Syssitia, in: AION, N. S. 2, 1995, 133–140
10 J. N. COLDSTREAM, Geometric Greece, 1977
11 E. KISTLER, Die »Opferrinne-Zeremonie«.
Bankettideologie am Grab, 1998 **12** N. SPIVEY, Greek Vases
in Etruria, in: Ders., T. RASMUSSEN (Hrsg.), Looking at
Greek Vases, 1991, 131–150 **13** H. LOHMANN, Zu
technischen Besonderheiten apulischer Vasen, in: JDAI 97,
1982, 191–249 **14** J. W. HAYES, Fine Wares in the
Hellenistic World in: [12], 183–202 **15** G. HÜBNER, Die
Applikenkeramik von Pergamon, 1993 **16** S. DROUGOU
(Hrsg.), Hellenistic Pottery from Macedonia, 1991, 37–45
17 A. HOCHULI-GYSEL, Kleinasiatische glasierte
Reliefkeramik, 1977 **18** R. P. SYMONDS, Rhenish Wares.
Fine Dark Coloured Pottery from Gaul and Germany, 1992
19 V. RUPP, Wetterauer Ware, 1988 **20** J. W. HAYES, Late
Roman Pottery, 1972; Suppl. 1980 **21** H. HOFFMANN,
Knotenpunkte. Zur Bedeutungsstruktur griech.
Vasenbilder, in: Hephaistos 2, 1980, 127–154
22 H. LAXANDER, Individuum und Gemeinschaft im Fest,
2000 **23** F. A. G. BECK, Album of Greek Education, 1975
24 LIMC (passim) **25** K. SCHEFOLD, Götter- und
Heldensagen der Griechen in der früh- und hocharcha.
Kunst, 1993, 76–114 **26** Ders., Götter- und Heldensagen
der Griechen in der spätarcha. Kunst, 1978, 184–270
27 H. A. SHAPIRO, Personifications in Greek Art, 1993
28 A. KOSSATZ-DEISSMANN, Dramen des Aischylos auf
westgriech. Vasen, 1978 **29** H. KILLET, Zur Ikonographie
der Frau auf att. Vasen archa. und klass. Zeit, 1994
30 J. GARBSCH, B. OVERBECK, Spätant. zwischen Heidentum
und Christentum, 1989, 161–206.

R. M. COOK, Greek Painted Pottery, 1960, ²1972 ·
I. SCHEIBLER, s. v. Vasen, RE Suppl. 15, 663–700 · Dies.,
Griech. Töpferkunst. Herstellung, Handel und Gebrauch
der ant. T., 1983, ²1995 · B. A. SPARKES, Greek Pottery. An
Introduction, 1991 · K. GREENE, Roman Pottery, 1992 ·
B. A. SPARKES, The Red and the Black, 1996 · J. W. HAYES,
Handbook of Mediterranean Roman Pottery, 1997 ·
Céramique et peinture grecques. Modes d'emploi (Actes du
Colloque, École du Louvre 1995), 1999 · J. P. CRIELAARD et
al. (Hrsg.), The Complex Past of Pottery. Production,
Circulation and Consumption of Mycenaean and Greek
Pottery, 1999. I. S.

LIT. ZUM PHÖNIZISCHEN BEREICH: R. AMIRAN, Ancient
Pottery of the Holy Land, 1970 · W. P. ANDERSON,
A Stratigraphic and Ceramic Analysis ... at Sarepta, Bd. 1,
1988 · P. BIKAI, The Pottery of Tyre, 1978 · Dies., The
Phoenician Pottery of Cyprus, 1987 · P. BARTOLONI, Studi
sulla ceramica fenicia e punica di Sardegna, 1983 ·
CH. BRIESE, Früheisenzeitl. bemalte phöniz. Kannen von
Fundplätzen der Levanteküste, in: Hamburger Beitr. zur
Arch. 12, 1985, 7–118 · G. MAASS-LINDEMANN,
Orientalische Importe vom Morro de Mezquitilla, in:
MDAI(Madrid) 31, 1990, 169–177 · A. PESERICO, Le
brocche »a fungo« fenicie nel Mediterraneo, 1996 ·
H. SCHUBART, Westphöniz. Teller, in: Riv. di studi
fenici 4, 1976, 179–196 · M. VEGAS, Phöniko-punische
Keramik aus Karthago, in: F. RAKOB (Hrsg.), Die
dt. Ausgrabungen in Karthago, Bd. 3 (Karthago 3), 1999,
93–219. G. M.-L.

B. SCHWERKERAMIK

1. DEFINITION UND ABGRENZUNG
2. ERFORSCHUNG
3. EPOCHEN UND GATTUNGEN

1. DEFINITION UND ABGRENZUNG

Die keramischen Gefäße, die nicht zur Kategorie
Feinkeramik (s. o. II. A.) gehören, sind schwerer auf einen Nenner zu bringen. Ihre modernen Bezeichnungen richten sich nach technischen oder funktionalen
Kriterien (z. B. → Transportamphoren). Verbindendes
Hauptmerkmal ist das Fehlen einer dekorativen Ober-
flächengestaltung, was in der engl. Terminologie zur
Bezeichnung *plain ware* geführt hat (schlichte, rauhwan-
dige bzw. tongrundige Ware). Die sich auf die Ober-
flächenbehandlung stützende Typologie umfaßt aber
die verschiedensten Waren bzw. Ton- oder Produkti-
onsgruppen. Schwerkeramik (= Sch.) ist nur z. T. mit
→ Gebrauchskeramik identisch, denn in diese sind auch
die einfacheren Versionen der bemalten Keramik einbezogen. Gängiger arch. t. t. für den hier behandelten
Teil der T. ist auch Sch.: grobe Gefäßkeramik, die sich
subjektiv durch Größe und Gewicht von den leichteren
Gefäßen der Gebrauchskeramik unterscheidet. Sch.
fand in allen Bereichen der ant. Gesellschaft Verwendung: im Haus, in Landwirtschaft, Gewerbe, Handel,
in Grabritus und Kult. Sie konnte von Hand, aber auch
auf einer Töpferscheibe (→ Drehscheibe) gefertigt werden.

2. ERFORSCHUNG

Die methodischen Ansätze der Sch.-Forsch. laufen
im allg. parallel zu jenen der → Transportamphoren. Zu
den Sch.-Funden der meisten ant. Orte ist noch recht
wenig publiziert; ihre sehr geringe chronologische Aussagekraft verhilft ihr zu wenig Popularität. In der neueren Forsch. zeichnet sich eine zunehmende Beschäftigung mit Sch. in ihrem funktionellen Kontext ab [1].

3. Epochen und Gattungen
a) Minoisch-mykenische Kultur
b) Griechenland
c) Phönizisch-punische Kultur
d) Italischer Bereich   e) Rom und Byzanz

a) Minoisch-mykenische Kultur

Die meisten erh. T. der Sch. sind große Vorratsgefäße (vgl. → Pithos [2]). Auf dem myk. Festland betrug der Anteil der tongrundigen Gefäße durchschnittlich 75% der Keramikproduktion (in den Palästen weniger, in den Dörfern mehr; → Mykenische Kultur und Archäologie C.3.). Im myk. Palast von → Pylos [2] fanden sich in Vorratskammern über 7000 Haushaltsgefäße, vorwiegend tongrundige Ware, darunter über 2800 Kylikes (→ Kylix) [2]. In min.-myk. handwerklichen Kontexten fand sich Sch. für spezielle Zwecke, so z.B. zylindrische, durchlöcherte Gefäße, die als Blasebalgdüsen gedeutet werden [3].

b) Griechenland

Für einige griech. FO, z.B. Athen und Korinth [4; 5], gibt es Übersichten über die Sch.-Produktion. Gefäße der Sch. finden sich auch hier im Lagerungs- und Transportbereich (neben Transportamphoren bes. Pithoi). Zur griech. Sch. gehört auch die handgemachte sog. argivische monochrome Ware (u.a. aus Athen und Korinth). Die Aryballoi (→ Aryballos [2]) und Kännchen dieser früheisenzeitlichen Gattung waren wegen des Inhalts (vielleicht eine Art von Drogen) weit verbreitet: über die Ägäis und bis nach It. und Sizilien, wo die griech. findet sich bes. im Haushaltsbereich. Neben der Kolonien selbst die Produktion aufnahmen [6]. Sch. findet sich bes. im Haushaltsbereich. Neben der Produktion der üblichen → Gefäße spezialisierten sich einige Orte auf bestimmte Gefäßformen für den Export (→ Keramikhandel; → Keramikherstellung) [7]: Als korinthische Spezialität sind Becken mit einem Ausguß am Rande und Reibschüsseln (mortarium, → Mörser) [5] zum Mahlen von Getreide und zur Milchgerinnung [8] bekannt. Seit dem 3. Viertel des 7. Jh. v. Chr. kommen korinth. Luteria (→ Labrum) oder → Perirrhanteria vor, die als Waschbecken interpretiert werden und bis nach Athen, It., Sizilien und zum Schwarzmeergebiet verbreitet waren [9; 10]. Sie sind meist mit Reliefdekoration verziert (→ Reliefkeramik).

Eine eigenständige Gattung der Sch. bilden die Kohlebecken (→ Heizung A.) [12]; manche dieser Becken waren mit Reliefaufsätzen in Form von Männerköpfen (→ Silen oder → Hephaistos?) ausgestattet; daneben sind auch gestempelte Aufsätze mit griech. Inschr. bekannt. Sie wurden verm. an einem einzigen Ort im ägäischen Raum aus glimmerhaltigem Ton hergestellt und über weite Distanzen verbreitet (Athen, Ägäis, Kleinasien, Syrien, Äg., It., Sizilien, Karthago und Bengāzī/Berenike [8]). Als Herdständer oder Stützen für Kochtöpfe dienten wahrscheinlich rohrförmige Elemente (lásana), die früher als Stützen oder Blasebalgdüse im Ofen gedeutet wurden [13]. Von → Pithekussai sind tönerne Öfen aus dem 7. und 6. Jh. v. Chr. bekannt, die in der

→ Metallurgie verwendet wurden [14]. Auch Bienenkörbe wurden aus Ton hergestellt, galten aber als nicht ideal geeignet (→ Bienenzucht).

c) Phönizisch-punische Kultur

Zur Sch. der städtischen Kultur der Phönizier und Punier gibt es verhältnismäßig viele Publikationen [15; 16; 17; 18], darunter auch zur handgemachten Keramik [19]. Töpferwerkstätten in → Tyros (2. H. des 8. Jh. v. Chr.) und auf dem Cerro del Villar (→ Malaca/Málaga; frühes 6. Jh. v. Chr.) zeigen, daß das ganze Keramikrepertoire (phöniz. Feinkeramik, Sch. und Transportamphoren) auf der Scheibe getöpfert wurde [15; 20]. Auffälligerweise spielten große T. zur Lagerung kaum eine Rolle. Tongrundige Pithoi (→ Pithos [2]) sind kaum, → Transportamphoren hingegen sehr häufig zu finden. Einhenklige, »birnenförmige« Töpfe des 8. bis 5. Jh. v. Chr. dienten als Kochtöpfe und Transportgefäße [16] und kamen aus Karthago bis nach Spanien [21]. Typische Gefäßformen des 7. bis 6. Jh. v. Chr. sind Dreifußbecken, Ölfläschchen, ein-, zwei- oder dreischnäuzige Schalenlampen (→ Lampe) und die Herdständer oder Brotöfen, die als Tabouna bekannt sind. Letztere wurden in Karthago auch aus Metall gefertigt [22]. In hell. Zeit ist ein zunehmender Bezug auf griech. Formen und Motive in der Sch. unverkennbar (→ Phönizier, Punier IV. B.) [17; 23; 24].

d) Italischer Bereich

Im eisenzeitlichen It. bestanden Sch.-Gefäße vorwiegend aus der → Impasto- und → Bucchero-Ware. Bei der letzteren handelt es sich hauptsächlich um den gröberen sog. Bucchero pesante, denn der feinere Bucchero sottile besitzt die Qualität der Feinkeramik. An Lagerungs- und Transportgefäßen kannte Etrurien (→ Etrusci II. C.5.) dolia (→ dolium), bauchige zweihenklige Gefäße (→ olla) sowie Transportamphoren. Im Haushaltsbereich gab es Herdständer [25] und Kohlebecken (foculus), die zum Heizen und Kochen verwendet wurden. Mit der Einführung der Töpferscheibe (→ Drehscheibe) wurden auch T. aus gereinigtem Ton hergestellt [26].

e) Rom und Byzanz

Zur Sch. der röm. und byz. Welt vgl. [27; 28; 29; 30]. Wichtige Gattungen der Sch. in dieser Periode sind das → dolium [31] und in quantitativer Sicht bes. die → Transportamphoren. Bei manchen Regionen ist eine Spezialisierung der Produktion auf bestimmte Keramikgattungen erkennbar, so z.B. die Kochtöpfe (mit vulkanischem Magerungsmaterial), die auf der Insel Pantelleria (→ Cossura) hergestellt wurden und weit verbreitet waren [30]. Lokale Entwicklungen in Rom sind bis in früh-ma. Zeit nachweisbar [32].

→ Gebrauchskeramik; Gefäße, Gefäßformen (mit Abb.); Kylix; Pithos; Transportamphoren

1 A. S. Jamieson, Identifying Room Use and Vessel Function, in: G. Bunnens (Hrsg.), Essays on Syria in the Iron Age, 2000, 259–303 2 C. W. Blegen et al., The Palace of Nestor at Pylos in Western Messenia, Bd. 1, 1966 3 R. D. G. Evely, Note on the »Bellows' Nozzle«, in:

P. A. Mountjoy, Four Early Mycenaean Wells from the South Slope of the Acropolis at Athens (Miscellanea Graeca 4), 1981, 80–85 **4** B. A. Sparkes, L. Talcott, Black and Plain Pottery (Agora 12), 1970 **5** G. R. Edwards, Corinthian Hellenistic Pottery (Corinth 7,3), 1975, 109–111 **6** N. Kourou, Handmade Pottery and Trade: the Case of the »Argive Monochrome« Ware, in: J. Christiansen, T. Melander (Hrsg.), Proc. of the 3rd Symposium on Greek and Related Pottery (Copenhagen 1987), 1988, 314–324 **7** F. Blondé, J. Y. Perrault (Hrsg.), Les ateliers de potiers dans le monde grec (BCH Suppl. 23), 1992 **8** F. J. de Waele, The Sanctuary of Asklepios and Hygieia at Corinth, in: AJA 37, 1933, 447 **9** G. Kapitän, Louteria from the Sea, in: International Journ. of Nautical Archaeology 8, 1979, 97–120 **10** M. Iozzo, Corinthian Basins on High Stands, in: Hesperia 56, 1987, 355–416 **11** I. K. Whitbread, Greek Transport Amphorae. A Petrological and Archaeological Study, 1995, 299f. **12** A. Conze, Griech. Kohlenbecken, in: JDAI 5, 1890, 118–137 **13** J. K. Papadopoulos, Lásana, Tuyères and Kiln Firings Supports, in: Hesperia 61, 1992, 203–221 **14** C. Gialanella, Pithecusa: gli insediamenti di Punta Chiarito. Relazione preliminare, in: B. D'Agostino, D. Ridgway (Hrsg.), APOIKIA. FS G. Buchner, 1994, 192, Abb. 31,5–6 **15** P. M. Bikai, The Pottery of Tyre, 1978 **16** G. Maass-Lindemann, Toscanos. Die Westphönikische Niederlassung an der Mündung des Río de Vélez, 1982, 28 **17** M. Vegas, Phöniko-punische Keramik aus Karthago, in: F. Rakob (Hrsg.), Die dt. Ausgrabungen in Karthago, Bd. 3 (Karthago 3), 1999, 93–219 **18** G. Lehmann, Unt. zur späten Eisenzeit in Syrien und Libanon: Stratigraphie und Keramikformen zw. ca. 720 bis 300 v. Chr., 1996 **19** K. Mansel, Handgemachte Keramik der Siedlungsschichten des 8. und 7. Jh. v. Chr. aus Karthago, in: s. [17], 220–238 **20** J. A. Barceló et al., El área de producción alfarera del Cerro del Villar (Guadalhorce, Málaga), in: Riv. di Stud. Fenici 23, 1995, 147–181 **21** R. F. Docter, Karthagische Amphoren aus Toscanos, in: MDAI(Madrid) 35, 1994, 130–131 **22** S. Lancel (Hrsg.), Byrsa, Bd. 2: Rapports préliminaires sur les fouilles 1977–1978: niveaux et vestiges puniques, 1982, 217–260 **23** A. Rindelaub, Thymiateria in Form einer Frauenprotome im Rijksmuseum van Oudheden in Leiden, in: Oudheidkundige Mededelingen uit het Rijksmuseum van Oudheden te Leiden 75, 1995, 55–62 **24** S. Lancel (Hrsg.), Byrsa, Bd. 1: Rapports préliminaires des fouilles (1974–1976), 1979, 311–331 **25** C. Scheffer, Acquarossa, Bd. 2: The Cooking Stands, 1981 **26** A. J. Nijboer, From Household Production to Workshops, 1998, 73–195 **27** M. Vegas, Cerámica común romana del Mediterráneo occidental, 1973 **28** J. A. Riley, The Coarse Pottery from Berenice, in: J. A. Lloyd (Hrsg.), Excavations at Sidi Khrebish, Benghazi (Berenice) Bd. 2.5, 1979, 91–467 **29** M. Bats (Hrsg.), Les céramiques communes de Campanie et Narbonnaise (Iᵉʳ s. av. J.-C. – IIᵉ s. ap. J.-C.). La vaisselle de cuisine et de table, 1994 **30** M. G. Fulford, The Coarse (Kitchen and Domestic) and Painted Wares, in: Ders., D. P. S. Peacock (Hrsg.), Excavations at Carthage: The British Mission, Bd. 1.2, 1984, 155–231 **31** G. Devos et al., The »pithoi« from the Ancient Anatolian City of Pessinus, in: BABesch 74, 1999, 79–110 **32** J. M. Schuring, The Roman, Early Medieval and Medieval Coarse Kitchen Wares from the San Sisto Vecchio in Rome, in: BABesch 61, 1986, 158–207.   R.D.

Tonitrualia (griech. βροντολόγια/*brontológia*). Donnerbücher, gewöhnlich nach Tierkreiszeichen (→ Tierkreis) geordnet, die der Auslegung des Donners für die → Divination [3. 1162] dienten, z. B. für Ernte und Krieg. Die erh. T. sind entweder bei → Lydos [3], *De ostentis* [1. 105–113; 4] oder in astrologischen Hss. überl. und entfalteten im MA große Wirkung, v. a. im angelsächsischen Raum [5].

→ Clodius [III 4] Tuscus; Cornelius [II 19] Labeo; Fonteius [I 9]; Vicellius

1 M. Maas, John Lydus and the Roman Past, 1992 **2** E. Rawson, Intellectual Life in the Late Roman Republic, 1985, 305f. **3** W. Speyer, s. v. Gewitter, RAC 10, 1107–1172 **4** C. Wachsmuth (ed.), Ioannis Laurentii Lydi liber de ostentis et calendaria Graeca omnia ed., 1897 **5** C. Weisser, s. v. Donnerbücher, LMA 3, 1251.   M. SE.

Tontheorie I. Ursprünge   II. Nachleben
III. Semitische Tradierung

I. Ursprünge

Termini im Elementarbereich akustisch-musikalischen Geschehens sind ebenso schwierig in ant. wie in mod. europäischen Sprachen voneinander begrifflich abzugrenzen (vgl. »Klang« und »Ton«, [3. 130]). Auszumachen ist die Entwicklung einzelner Wörter des alltäglichen Sprachgebrauchs hin zu ihrer fachsprachlichen Ausprägung im Zuge der Entstehung der ant. Wissenschaften.

Das griech. Wortfeld solcher Termini umfaßt u. a. ψόφος/*psóphos*, φθόγγος/*phthóngos*, φωνή/*phōné* und τόνος/*tónos*. *Psóphos* meint allg. »Geräusch« als Begleiterscheinung eines Vorgangs (Xen. an. 4,2,4), vokalen Lärm (Soph. Ai. 1116–1117) und musikalischen Klang (Eur. Cycl. 443). Als Begriff wurde *psóphos* in der Naturphilos. (Grundkategorie des Hörbaren: Aristot. phys. 7,5,250a 20) und Lautlehre geprägt (Zischlaut: Plat. Tht. 203b). Aristoteles [6] unterscheidet *psóphos* (lat. *sonus*) und *phōné* (lat. *vox*) bei der Zurückführung akustischer Phänomene auf die Faktoren »Schlagen« (πληγή/*plēgé*) bzw. »Bewegung« (κίνησις/*kínēsis*) der Luft (Aristot. an. 2,8). Ob *psóphos* als musiktheoretischer Begriff aufgenommen wird, hängt davon ab, ob als Grundlage des Messens die Subkategorie der diskreten Quantität (πλῆθος/*pléthos* – dazu gehört auch die Zahl) gewählt wird (pythagoreische Richtung unter Verwendung von *psóphos*: Archyt. 47 B 1 DK; Nikom. harmonicum enchiridium 4: MSG 242,20–21; Ptol. harmonica 1,1: 3,2 Düring) oder eher jene der kontinuierlichen Quantität (*mégethos* [2. 51] – vgl. Aristox. harm. 2,44: 55,4–6 Da Rios; 2,32: 41,13–42,3 Da Rios. Aristoxenos verwendet *psóphos* nicht).

Phthóngos meint allg. »Geräusch« (Eur. Iph. A. 9–10) und ist in der Bed. »Diphthong« (Zwielaut) in die Gramm. eingegangen. Als musiktheoretischer Begriff bezeichnet er die durch relative Höhe (τάσις/*tásis*: Kleoneides 2: MSG 181,7) bestimmte Einzeltonstufe (Aristox. harm. 1,15: 20,15–17 Da Rios; vgl. Plat. Tim.

80a; Aristot. an. 2,8), z. B. in der aufsteigenden Begriffskette »*phthóngos* (Ton) − *diástēma* (Intervall) − *sýstēma* (System)« (Aristox. harm. 1,15−16: 20,15−21,7 Da Rios) oder absteigend »*mélos* (Lied) − *phthóngos* (Ton) − *phōnḗ* (Klang) − *psóphos* (Geräusch) − *pléxis aéros* (Luftstoß)« (Theon 50,4−7 Hiller). Für Nikomachos [9] ist *phthóngos* das unteilbare musikalische Atom, die gehörsmäßige Einheit (μονάς/*monás*, Harmonicum enchiridium 12: MSG 261,4−5; vgl. Iambl. *Ta theologoúmena tēs arithmētikḗs* 3,1−11; 6,5−9 De Falco).

Tónos stammt von *teínein*, »spannen« (wie die Saite eines Bogens: Hom. Il. 4,124), und kann das Gespannte (wie Bettgurte, Hdt. 9,118, oder Sehnen; lat. *nervi*), aber auch das Gespanntsein z. B. von Schiffstauen meinen (Hdt. 7,36), woher die musikbezogenen Anwendungen des Begriffs *tónos* in der Bed. von Einzeltonstufe (*phthóngos*), Intervall (*diástēma*, hier: Ganzton), »Ort« der Stimme (*tópos phōnḗs*; Tonart), Tonhöhe (*tásis*) kommen (Kleoneides 12: MSG 202,6−8). Als »Ort« der Stimme, auch *trópos* (lat. *modus*) genannt und oft mit »Transpositionsskala« übers., meint *tónos* die Intervallfolge des zweioktavigen »vollständigen Systems« (*sýstēma téleion*); Aristoxenos [1] transponierte diese Intervallfolge auf 13 Tonstufen, Alypios [3] transponierte sie auf 15, Ptolemaios [65] auf 7 und Boëthius auf 8. Als Konsonanzteil und melodiefähiges (*emmelés*) Intervall war *tónos* (arab. *tānīn*, pl. *tānīnāt*) tragendes Element ant. Musik, und seine Bestimmung und Zusammensetzung sind Kernfragen der Harmonik.

Allg. als Differenz zw. Quint und Quart betrachtet (Ptol. harmonica 1,5; Nikom. harmonicum enchiridium 5; Aristox. harm. 1,21: 27,14−16 Da Rios), wird der Ganzton (*tónos*) von Aristoxenos als Abstand zweier Punkte auf einem beliebig teilbaren linearen Tonkontinuum (harm. 1,15: 20,20−21,4 Da Rios; vgl. Ptol. harmonica 1,10), von Pythagoreern als → Proportion (9:8) definiert. Da 9:8 eine überteilige Proportion ist, kann der Ganzton nicht in gleiche Hälften (vgl. [4. 182−185; 2. 139]), dafür in den großen (λεῖμμα/*leímma*) und in den kleinen Halbton (ἀποτομή/*apotomḗ*) und deren Differenz, das Komma, geteilt werden. Die frühesten Zeugnisse musiktheoretischen Fachschrifttums (Fr. des Philolaos [2] und des Archytas [1] bei Boeth. 3,5−8 bzw. 3,11 Friedlein) befassen sich mit diesen bis in die Neuzeit aktuellen Fragen [4].

II. Nachleben

Im ant. und ma. lat. Musikschrifttum werden *psóphos* und *phthóngos* gelegentlich als Fremdwörter übernommen, werden ansonsten mit *sonus (musicus)* und *vox* wiedergegeben [5]; im MA erhält *phthongus* neue Bedeutungen wie »Tonart«, »Ganzton« usw. Als Schlüsselwort in der lat. Musiktheorie behält *tonus* seine griech. Konnotationen. Für die weitere Theorie entscheidend ist die auf Aristoteles [6] gestützte, seit ca. 1250 geläufige Herleitung des Faches »Musik« als *scientia media*, als »mittlere Disziplin« zw. Mathematik und Physik in den → *artes liberales* (→ Musik I.C.4.). Der physikalische Ton (*sonus*) wird als kontinuierlicher Strom von kleinsten Teilen

verstanden, die proportional faßlich sind. Damit entsteht nach der Modalnotation des 12./13. Jh. eine gedanklich in der ›Physik‹ von Aristoteles begründete rhythmische Notation (Mensuralnotation), die zwar immer wieder modifiziert wird, im Kern aber die h. übliche konservative Notation begründet.

III. Semitische Tradierung

In der an griech. Quellen orientierten arabischen Musiktheorie finden sich Entsprechungen zu den wichtigsten Aspekten von *psóphos* (*ṣaut*) und *phthóngos* (*naġm*, *naġam*, *naġma*). Im Bereich der Tonunterteilung wird mit Aristoteles der »kleinste« Ton in der (enharmonischen) δίεσις/*díhesis* gesehen (Aristot. sens. 6,445b 33− 446a 20), wobei die Theorie über diesen Viertelton weiterentwickelt wird [8]. Zudem geht al-Fārābī in seinem vor 950 entstandenen ›Großen Buch der Musik‹ (*Kitāb al-mūsīqī al-kabīr*) entscheidend über die griech. Vorlagen hinaus, indem er den physikalischen Ton als auf Jetzt-Punkten aufgebaut (vgl. Aristot. phys. 4,11,219b 11; νῦν/*nyn*, arab. *ān*, pl. *ānāt*) versteht [7. 335]. Dadurch erreicht er eine Basis, um jede beliebige Länge ausdrücken zu können, auch wenn er selbst dieses gedankliche Vorstadium zu den reellen Zahlen nicht ausnutzt.

Bestimmte Begriffe, die mit »Sprechen« oder mit »Ton« und »Laut« zusammengebracht werden − z. B. syr. *qālā* (*qōlō*), mgr. ἦχος/*échos* [10. 42−45] oder arab. *ṣaut* −, treten für Tonketten im Sinne von Modellmelodien ein (Modelle, die unterschiedlichen Texten durch Stauchen und Spreizen der Melodie angepaßt werden; vgl. → Psalmodie, Abb. 3). Daß dies auch im Byz. üblich war (*échos* als Tonart und als Melodiemodell), dürfte auf den semitischen Ursprung der byz. Hymnodie zurückgehen [1]. Woher sich solche Tonarten genetisch ableiten, ist nicht klar. Für das sog. Achttöne-Schema, Oktoëchos (von *oktṓ échoi*) genannte Gebilde, sind die frühesten Belege meist arab. [7. 376f.]. Zwar geht die Lit. von einem byz.-syr. Oktoëchos aus, doch fehlen dafür die syr. und mgr. Belege weitgehend. Zudem nutzt die byz. Hymnodik nicht nur diesen Oktoëchos, sondern kennt und gebraucht neben diesen acht Tonarten auch zwei sog. mediale Echoi (*échoi mésoi*; vgl. cod. P in: [6. 142]).
→ Musik; Psalmodie; Musik; Tonartenlehre

1 S. Brock, Syriac and Greek Hymnography: Problems of Origin, in: E. A. Livingstone (Hrsg.), Papers Presented to the Seventh International Conference on Patristic Stud. (Oxford 1975), Bd. 2, 1985, 77−81 (Studia Patristica 16.2) 2 O. Busch, Logos syntheseos. Die euklidische Sectio canonis, Aristoxenos, und die Rolle der Mathematik in der ant. Musiktheorie, 1998 (griech. und dt.) 3 J. Handschin, Der Toncharakter, 1948 4 F. Hentschel, Sinnlichkeit und Vernunft in der ma. Musiktheorie, 2000 5 Ders., s. v. Sonus, HmT 6 P. Maas, C. A. Trypanis (ed.), Sancti Romani Melodi Cantica: Cantica genuina, 1963 7 E. Neubauer, Arabische Musiktheorie von den Anf. bis zum 6./12. Jh., 1998 (mit dt./arabischen Texten) 8 B. Reinert, Das Problem des pythagoräischen Kommas in der arabischen Musiktheorie, in: Asiatische Stud. 33.2, 1979, 199−217 9 A. Riethmüller, s. v. Phthongos; s. v. Psophos, HmT

10 R. Schlötterer, Die kirchenmusikalische Terminologie der griech. Kirchenväter, Diss. München 1953 **11** B. L. van der Waerden, Erwachende Wissenschaft, 1966.   RO.HA.u.MA.HA.

Toparches (τοπάρχης). »Leiter (ἄρχειν/*árchein* = »herrschen«) eines Bezirks (*topos*)«; in hell. Zeit oberster ziviler Verwaltungsbeamter in einem → *tópos* (s. dort).
W.ED.

Topazos (Τόπαζος). Insel, über die nur Plin. ausführlicher berichtet, angeblich Herkunftsort der Edelsteinbezeichnung Topas. Nach Plin. nat. 37,24; 108 lag sie 300 Stadien von der arab. Küste entfernt im Roten Meer. In der Sprache der → Trogodytai bedeute T. »suchen«, da die nebelverhangene Insel oft von Seeleuten gesucht werden müsse. Als indische Insel erscheint sie bei Steph. Byz. s. v. *Topázios*.   K.KE.

Topik I. Begriff
II. Aristoteles: Argumentationsformen
III. Cicero: Gemeinplätze

I. Begriff
Mit dem allg. Begriff T. faßt man h. einige Aspekte der dialektischen und rhet. Argumentationslehre zusammen, wie sie Aristoteles [6] in den *Topiká* und der *Rhētorikḗ téchnē* systematisiert hat. Τόπος/*Tópos* (wörtl. »Ort«, dann »Gemeinplatz«) erscheint zwar schon früher als rhet. t.t. (Isokr. 12,111; 5,109; 10,4; 10,38; 1,25,76; Aristot. rhet. Alex. 1443b 31; lat. *locus*), doch erst seit Aristoteles wird den *tópoi* (Pl.; lat. *loci*) eine wesentliche Rolle zugedacht – nicht nur für das Erzielen rationaler Überzeugung, sondern auch für die Affekterregung (→ Affekte).

II. Aristoteles: Argumentationsformen
Stellt die Behandlung der *tópoi* das Gesamtprogramm der *Topiká* dar, so verwendet Aristoteles *tópos* in den ›Rhetorik‹ v.a. in bezug auf die deduktive Schlußfolgerung (Aristot. rhet. 1358a 11 ff.), an welche er auch seine einzige Definition des *t.t.* am E. des 2. B. knüpft (ebd. 1403a 18 ff.; vgl. 1396b 22). In diesem Kontext erhält *tópos* die Bed. eines allg. Grundsatzes, aufgrund dessen sich ein Argument bilden läßt. Cicero bezieht sich später auf diese Funktion, wenn er von den argumentativen *loci* eine Definition gibt, die deren heuristische Natur hervorhebt und zugleich den Unterschied zw. *locus* und *argumentum* verdeutlicht (Cic. de orat. 2,162). *Tópoi* dieses Typs sind rein formale Prinzipien, die somit für die Auffindung von Argumenten in jeder Disziplin gültig sind. Aristoteles (rhet. 1358a 12 ff.) spricht in diesem Zusammenhang von τόποι κοινοί/ *tópoi koinoí* (bzw. κοινῇ/*koinḗi*; »Allgemeinplätzen«) und nennt als Beispiel den *tópos* vom »Mehr und Minder«, der sich für die Argumentation mit Analogien anderer Größenordnungen im Recht, in der Physik, der Politik und anderen Disziplinen eignet. Er weist auf die Verwendbarkeit dieser »Allgemeinplätze« in sämtlichen Enthymemen hin (*kathólu perí hapántōn*; ebd. 1397a 1) und untersucht dann eingehend eine Liste von 28 solcher *tópoi* (ebd. 1397a 7–1400b 36). Zu dieser Klasse der formalen *tópoi* sind noch neun weitere zu zählen, die Aristoteles gesondert betrachtet, weil sich mit ihnen nur scheinbare Enthymeme bilden lassen (ebd. 1401a 1–1402a 28).

Von konkreterer Natur sind dagegen die *tópoi*, die spezifische, d. h. an eine bestimmte Disziplin gebundene Prämissen (προτάσεις/*protáseis*) liefern bzw. – innerhalb der Rhet. selbst – Prämissen, die in den Gegenstandsbereich einer der drei Gattungen (→ *genera causarum*) fallen. Diese gattungsspezifischen Prämissen unterscheidet Aristoteles durch die Bezeichnung εἴδη/*eídē* (ebd. 1358a 31 f.) ausdrücklich von den *tópoi koinoí*. Die diesen Prämissen zugrundeliegenden *tópoi* dienen dem jeweiligen »Ziel« (*télos*) der drei Gattungen, also dem *agathón* und *kakón* (»dem Guten«/»Schlechten«), dem *kalón* und *aischrón* (»dem Schönen«/»Häßlichen«), dem *díkaion* und *ádikon* (»Recht«/»Unrecht«; ebd. 1396b 27ff.). Nach aristotelischer Rhet.-Auffassung haben die *tópoi* auch außerhalb des logischen Schließens im strengen Sinn (*pístis diá tu lógu*) eine wesentliche heuristische Funktion. Sie fungieren z. B. als Stütze bei der Anwendung der *písteis átechnoi* (ebd. 1376a 31 f.: über die ethische Bewertung von Zeugen; zum Begriff s. → *argumentatio*); eine Reihe von spezifischen *tópoi* dient der Erzeugung bzw. Auflösung von willkürlichen Verdächtigungen (ebd. 1416a 4–b 16 *perí diabolḗs*); αὔξησις/*aúxēsis* und μείωσις/*meíōsis*, → *amplificatio* und *diminutio* sind allein das Ergebnis der Anwendung hierzu geeigneter *tópoi* (ebd. 1419b 23), und → Pathos und → Ethos gewinnen »technischen« Rang oder lassen sich selbst als *písteis éntechnoi* (→ *argumentatio*) betrachten, gerade weil sie dank der Kenntnis der notwendigen *tópoi* zustandekommen (ebd. 1396b 31 f., vgl. 1380b 30f. und 1419b 27).

III. Cicero: Gemeinplätze
Nirgends findet sich *tópos* bei Aristoteles in der Bed. eines vielfach verwendbaren fertigen Arguments, die konstitutiv ist für die *loci communes*, deren Behandlung Cicero (Cic. Brut. 46f.; vgl. Quint. inst. 3,1,1) bereits Protagoras [1] und Gorgias [2] zuschreibt. Die genaueste Beschreibung dieses Typs der »Allgemeinplätze« bieten Cic. inv. 2,48 ff. und de orat. 3,10f. In beiden Werken werden die *loci communes* in zwei Kategorien eingeteilt, deren erste dem Begriff des progymnasmatischen *koinós tópos* entspricht (→ *progymnásmata*), die zweite den beide Richtungen auslotenden Argumentationen der Philosophen. Im ersten Fall sind die *loci communes* die *amplificatio* (»Steigerung«) einer *res certa* (eines schon gesicherten Faktums); im zweiten Fall sind sie die *amplificatio* einer *res dubia* (eines ungewissen Sachverhaltes), stellen die beidseitige Diskussion einer Streitfrage dar und lassen sich sowohl von der Anklage als auch von der Verteidigung verwenden. In beiden Fällen muß es sich jedenfalls um einen generellen Sachverhalt handeln (Cic. de orat. 3,106; vgl. Hermog. 12,4f. Rabe). Da ohne jeden Bezug auf eine bestimmte Person (vgl. Grillius

40,15 ff. MARTIN; Emporius 567,11 ff. HALM), sind die *loci communes* in vielen ähnlichen Situationen anwendbar. Die argumentative Funktion dieser beiden Arten von *loci communes* ist sehr verschieden: Im ersten Fall dient die *amplificatio* der Schuld der Affekterregung, weswegen sie ihren Platz v. a. in der *peroratio* (→ *epilogus*) hat. Die *amplificatio* einer *res dubia* hingegen stellt ein sehr starkes Beweismittel dar, da hier die in Frage stehende *res* erst noch glaubhaft gemacht werden muß (vgl. Quint. inst. 5,12,3).

Heuristische Funktion erfüllen zum einen die *loci*, die Cicero als dem Streitgegenstand inhärent betrachtet und die er einteilt in die vier Kategorien *ex toto, ex partibus eius, ex nota* und *ex eis rebus quae quodam modo affectae sunt ad id de quo quaeritur* (»aus dem Ganzen, seinen Teilen, Bekanntem und Betroffenem«; Cic. top. 8 ff.; vgl. de orat. 2,163 ff.), zum anderen die *attributa personis* und die *attributa negotiis* (Cic. inv. 1,34 ff.; 2,28 ff.). In der rhet. Fach-Lit. ist die Behandlung der T. mit der Lehre von der Zugehörigkeit der einzelnen *quaestiones* zu verschiedenen → *status* [1] verbunden.

→ Rhetorik; RHETORIK

H. BLUM, Die ant. Mnemotechnik, 1969 · L. CALBOLI MONTEFUSCO, La dottrina degli »status« nella retorica greca e romana, 1986 · Dies., Die T. in der Argumentation, in: G. UEDING (Hrsg.), Rhet. zw. den Wissenschaften, 1991, 21–34 · Dies., La force probatoire des písteis átechnoi d'Aristote aux rhéteurs latins de la république et de l'empire, in: G. DAHAN, I. ROSIER (Hrsg.), La Rhétorique d'Aristote. Traditions et commentaires de l'antiquité au XVIIᵉ siècle, 1998, 13–35 · Dies., Die adtributa personis und die adtributa negotiis als loci der Argumentation, in: TH. SCHIRREN, G. UEDING (Hrsg.), T. und Rhet., 2000, 37–50 · TH. COLE, The Origins of Rhetoric in Ancient Greece, 1991 · B. EMRICH, T. und Topoi, in: M. L. BAEUMER (Hrsg.), Topos-Forsch., 1973, 210–251 · W. M. A. GRIMALDI, Stud. in the Philosophy of Aristotle's Rhetoric, 1972 · Ders., The Aristotelian Topics, in: K. V. ERIKSON (Hrsg.), Aristotle. The Classical Heritage of Rhetoric, 1974, 177–193 · G. KENNEDY, The Art of Persuasion in Greece, 1963 · Ders., A New History of Classical Rhetoric, 1994 · A. D. LEEMAN et al., M. Tullius Cicero, De oratore libri III, Bd. 3, 1989, 99–290 (Komm.) · M. LEFF, The Topics of Argumentative Invention in Latin Rhetorical Theory from Cicero to Boethius, in: Rhetorica 1, 1983, 23–44 · J. MARTIN, Ant. Rhet., Technik und Methode, 1974 · L. PERNOT, Lieu et lieu commun dans la rhétorique antique, in: Bulletin de l'Association Guillaume Budé, 1986, 253–284 · F. PIAZZA, Il corpo della persuasione. L'entimema nella retorica greca, 2000 · O. PRIMAVESI, Die aristotelische T., 1996 · P. SLOMKOWSKI, Aristotle's Topics, 1997 · F. SOLMSEN, Die Entwicklung der aristotelischen Logik und Rhet., 1929 · J. SPRUTE, Topos und Enthymem in der aristotelischen Rhet., in: Hermes 103, 1975, 68–90 · Ders., Die Enthymemtheorie der aristotelischen Rhet., 1982.

L. C. M./Ü: TH. ZI.

Topos (τόπος).

[1] Territoriale Untergliederung (»Bezirk«) eines → *nomós* [2], seit hell. Zeit in Äg. und in dessen Außenbesit-

zungen (Syrien, Palaestina, südl. Kleinasien) bezeugt; auch bei den → Seleukiden und Attaliden (→ Attalos, Stemma) als Verwaltungseinheit mit wohl ähnlicher Struktur vorhanden, im Detail jedoch nicht zu erfassen [1. 440]. In Äg. umfaßte ein *t.* mehrere Dörfer (→ *kṓmē* B.), bildete also eine mittlere Einheit, die anders als *nomós* und *kṓmē* keine pharaonischen Vorläufer hatte, sondern im 3. Jh. v. Chr. neu gebildet wurde [2. 146], um die Resourcen des Landes lückenlos erfassen zu können. An der Spitze stand der *topárchēs*, in der Regel ein Ägypter, der für die Einkünfte des Staates sorgen und dafür haften mußte [1. 276]. Er hatte auf der Ebene des *t.* gleichartige Aufgaben zu erfüllen wie der → *nomárchēs* oder → *kōmárchēs*. Ebenfalls im *t.* tätig war ein Leiter des Sekretariats, der *topogrammateús*, ein → *epistátēs* als Chef der »Bezirkspolizei« und ein *oikonómos* als Leiter der Steuerbehörde, doch überschnitten sich seit dem 2. Jh. v. Chr. häufig die tatsächlichen oder angemaßten Kompetenzen.

1 ROSTOVTZEFF, Hellenistic World 2 E. TURNER, Ptolemaic Egypt, in: CAH 7, ²1984, 118–175.   W. ED.

[2] s. Topik

Toprakkale s. Urarṭu

Tora s. Jüdisches Recht; Pentateuch

Toranius. Ital. Gentilname, v. a. in Latium (vgl. [2. 98]; AE 1980,588).

[1] T., C. 73 v. Chr. Quaestor des P. Varinius, wurde von → Spartacus besiegt (Sall. hist. 3,96 M.; Flor. epit. 2,8,5); ca. 64 *aed. pl.* mit C. Octavius [I 2] und 62 (oder 60–58: [1]) Praetor (anders MRR 3,63). Nach Octavius' Tod 59 wurde er Vormund des späteren → Augustus. Im Bürgerkrieg gemäßigter Pompeianer, wartete T. bis ca. 45 (auf Korkyra?: Cic. fam. 6,20 f.) auf die Begnadigung durch Caesar. Sein eigenes Mündel ließ ihn 43 proskribieren (Suet. Aug. 27,1; vertuscht bei Nikolaos von Damaskos, Vita Caesaris 2,3), doch überlebte T. vielleicht (der getötete Thuranios bei App. civ. 4,71 f. ist wohl C. Turranius, *praet.* 44).

1 F. X. RYAN, Four Republican Senators, in: CeM 47, 1996, 207–215 2 SCHULZE.   JÖ. F.

Toranlagen. Über rein mil. Aspekte hinausgehende Toranlagen (hierzu vgl. → Befestigungswesen) finden sich in der griech. Architektur seit dem 6. Jh. v. Chr. – zunächst als repräsentativ gestaltete Zugänge zu Heiligtümern, seit etwa 400 v. Chr. auch in profanen Kontexten (Zugänge zu → Agora, → Gymnasion, → Stadion oder → Versammlungsbauten, z. B. in Milet, Priene, Olympia).

Entwicklung und Ausbau des *própylon* als schmückendes Eingangstor zu einem → Heiligtum läßt sich beispielhaft an der Akropolis von Athen nachvollziehen (vgl. → Athenai II. mit Lageplan): Einhergehend mit dem Verlust der fortifikatorischen Funktionen des alten,

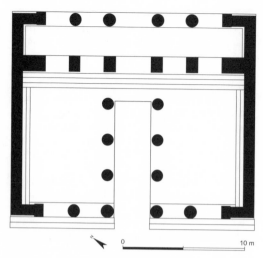

Athen, Akropolis; Propyläen. Um 530 v. Chr. (Rekonstruierter Grundriß).

myk. Burgtores entstand im 7. Jh. v. Chr. im Westen zunächst ein breiter, gepflasterter Hof, der in der 2. H. des 6. Jh. v. Chr. durch einen überdachten, im Grundriß nahezu quadratischen, tempelförmigen Torbau (mit sechs dorischen Frontsäulen) ersetzt wurde; für eine bessere optische Wirkung dieses frühesten griech. Monumentaltores wurde die Orientierung des Baukörpers gegenüber den Vorgängeranlagen durch Achsendrehung verändert. Eine neue Dimension erreichten die T. mit den Akropolis-Propyläen (*Propylaia*) des Architekten → Mnesikles [1] (erbaut 437–432/1 v. Chr.), einem vielteiligen, technisch aufgrund der zu überwindenden Niveauunterschiede und der Weite der zu überspannenden Säulenjoche hochkomplizierten, in seinem eigentlichen Tordurchgang tempelähnlichen Baukonglomerat mit sechs dorischen Frontsäulen und je vier ionischen Säulen im Durchgang; der nördliche Annexbau diente verm. als → Pinakothek.

Diese T. wurde zum vielzitierten, bisweilen kopierten Vorbild (z. B. in → Eleusis [1]) des repräsentativen Eingangstors zu einem Heiligtum. Nachklänge dieser Anlage finden sich noch in den Risalit-T. bzw. den Flügel-T. der Heiligtümer von Samothrake (185/180 v. Chr.) und in den Propyläen des Athena-Heiligtums von Lindos/Rhodos (3. Jh. v. Chr.). Der Torbau zum Athena-Heiligtum von Pergamon hingegen mit seiner zweigeschossigen Front (Übereinanderstaffelung von dorischen und ionischen Säulen) steht bereits in der Trad. des auf Fassadenwirkung bedachten hell. Geschoßbaus (ähnlich auch das Markttor von Milet, um 120 n. Chr.).

Nicht selten wiesen, bes. in den relativ sicheren Zeiten des 1. und 2. Jh. n. Chr., röm. Stadttore ein repräsentatives, die mil. Funktion überlagerndes Erscheinungsbild auf, z. B. die Porta Nigra in Trier (→ Augusta [6] Treverorum; → TRIER). Prunkvolle T. als Zugänge

zu öffentlichen Plätzen waren im Imperium Romanum allg. übliches Requisit des → Städtebaus (z. B. das Hadrians-Tor in Athen).

→ Tür; TORANLAGEN

R. CARPENTER, The Propylon in Greek and Hellenistic Architecture, 1970 • H. EITELJORG, The Entrance of the Athenian Acropolis before Mnesikles, 1995 • A. FRAZER, The Propylon (Samothrace, Bd. 10), 1990 • D. GIRAUD, The Greater Propylaia at Eleusis – a Copy of Mnesikles' Propylaia, in: S. WALKER (Hrsg.), The Greek Renaissance in the Roman Empire (Kongreß London 1986), 1989, 69–75 • H. LAUTER, Die Architektur des Hell., 1986, 201–205 • M. M. MILES, The Propylon to the Sanctuary of Demeter Malophoros at Selinous, in: AJA 102, 1998, 35–57 • W. MÜLLER-WIENER, Griech. Bauwesen in der Ant., 1988, 154 • A. POST, Zum Hadrianstor in Athen, in: Boreas 21/22, 1998/99, 171–183 • L. SCHNEIDER, CH. HÖCKER, Die Akropolis von Athen, 2001, 160–166 • V. M. STROCKA, Das Markttor von Milet, 1981 • H. THÜR, Ein dorischer Torbau am Staatsmarkt in Ephesos, in: F. BLAKOLMER et al. (Hrsg.), Fremde Zeiten. FS J. Borchhardt, 1996, 345–361 • R. F. TOWNSEND, The Roman Rebuilding of Philon's Porch and the Telesterion at Eleusis, in: Boreas 10, 1987, 97–106 • J. DE WAELE, The Propylaia of the Akropolis in Athens. The Project of Mnesikles, 1990.   C. HÖ.

Torcularium s. Pressen

Toreutik (τορευτικὴ τέχνη / *toreutiké téchnē*; lat. *caelatura*; wörtl. »Ziselierung« von τορεύς / *toreús*, lat. *caelum*, »Meißel«) bezeichnet das Ziselieren und die Treibarbeit dünner Bleche bzw. Werke, an denen Ziselur mit Treibarbeit zur Gestaltung eines Reliefs verbunden ist; Treibarbeit kann durch Guß ersetzt sein.

I. ALTER ORIENT UND ÄGYPTEN
II. PHÖNIZIEN   III. GRIECHENLAND UND ITALIEN

I. ALTER ORIENT UND ÄGYPTEN

Als T. bezeichnet man v. a. die Bearbeitungstechnik, bei der Metalle (Gold/Elektron, Silber, Kupfer/Br., Blei, Eisen) in kaltem Zustand gestaltet wurden, wobei die zumeist dünnwandigen Objekte (Blech) v. a. durch Bohren, Hämmern/Treiben, Gravieren oder Ziselieren/ Punzen geformt und verziert wurden (nachweisbar in Äg. und Vorderasien zumindest seit dem 4. Jt. v. Chr.). Zu den ältesten toreutischen Techniken dürfte das Auftiefen und Aufziehen gegossener Rohlinge zu Gefäßen zählen (Uruk-Zeit, E. 4. Jt. v. Chr.), außerdem Verbindungstechniken für einzeln gefertigte Teile (Nieten, Verzahnen, evtl. fixiert durch ein Bindemittel/Bitumen), das Abschroten (Ab- und Heraustrennen), das Verzieren mittels meißelartiger Punzen, das Plattieren, Falten sowie die Randverstärkung durch Umbördeln und mit Blech umhämmerten Draht. Das Hämmern von Kupferblech über einem (Holz-)Kern erforderte bei größeren Objekten weniger Material als bei Gußtechniken. Auf äg. Grabreliefs finden sich Darstellungen toreut. Tätigkeiten. Neben der Formgebung dienten Methoden der T. v. a. der Verzierung. (Spanabhebende) Gravierungen sind wohl erst später (z. B. in

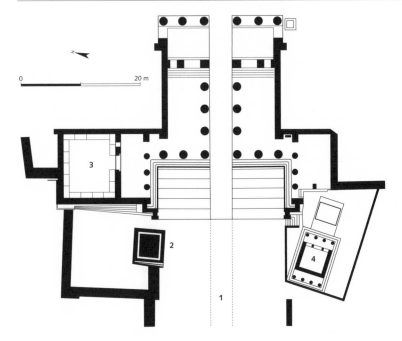

Athen, Akropolis; Propyläen.
437–432 v. Chr. (Grundriß).

1 Rampe
2 Agrippa-Pfeiler
3 Pinakothek
4 Tempel der Athena Nike

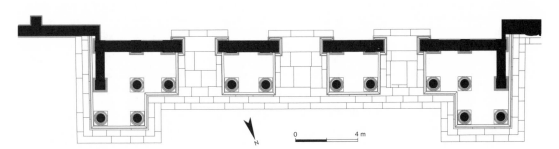

Milet, Markttor. Um 120 n. Chr. (Grundriß).

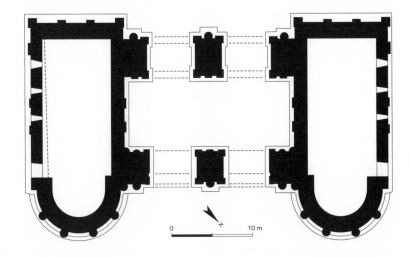

Augusta Treverorum (Trier),
Porta Nigra. 2. H. 2. Jh. n. Chr.
(Grundriß des Erdgeschosses).

Äg. seit der 18. Dyn., Mitte 2. Jt. v. Chr.) häufiger praktiziert worden; (materialverdrängende) Ziselierungen wurden mit Punzen von der Vs. über einer Treibfüllung (Bitumen) vorgenommen. Plastische Dekorationen entstanden meist durch Treiben von der Rs. des Bleches (*repoussé*) aus und durch Ziselieren der Vs. des Objektes. Höhepunkte der T. bezeugen die Metallfunde aus den Königsgräbern von → Ur/Irak (Mitte 3. Jt. v. Chr.) und aus dem Grab des → Tutanchamun (Mitte 14. Jh. v. Chr.: Goldmaske, Goldsärge, Grabmobiliar). Jüngere Objekte belegen kaum mehr als eine Ergänzung und Verfeinerung der Methoden.

→ Metallurgie; Technik, Technologie

> R. R. S. MOOREY, Ancient Mesopotamian Materials and Industries, 1994, bes. 216–301 • P. T. NICHOLSON, I. SHAW (Hrsg.), Ancient Egyptian Materials and Technology, 2000, 148–161.   R. W.

II. PHÖNIZIEN

Die phöniz. T. war seit der frühen Eisenzeit (ca. 11./10. Jh. v. Chr.) weit über die Levante hinaus berühmt; bekanntestes Zeugnis ist der in Hom. Il. 23,741–751 beschriebene silberne Mischkrug, den Achilleus [1] bei den Leichenspielen für Patroklos [1] als Preis für den Sieg im Wettlauf aussetzte. Entsprechend beliebt waren ihre Erzeugnisse bei der Aristokratie des Nahen Ostens und der mediterranen Hoch- und »Rand«-Kulturen. Im arch. Material des 10.–6. Jh. v. Chr. überwiegen zwei Gruppen: reliefverzierte Metallschalen sowie birnenförmige Kannen, zunächst aus Br., später aus Silber, oft zusätzlich teilweise vergoldet. Ihre Verbreitung reicht von den Palästen der neu-assyr. Könige (Nimrūd) über griech. Adelsgräber und Heiligtümer sowie die Fürstengräber in Etrurien und Latium bis nach → Tartessos in SW-Spanien. Werkstätten sind in den phöniz. Städten der Levante und auf Zypern, vereinzelt auch im Bereich der mediterranen Expansion (Etrurien, Tartessos?) anzunehmen.

→ Phönizier, Punier IV. A.4.b; Thymiaterion

> G. FALSONE, L'art. Arts des métaux, in: V. KRINGS (Hrsg.), La civilisation Phénicienne et Punique (HbdOr 1.20), 1995, 426–439 • G. MARKOE, Phoenician Br. and Silver Bowls, 1985 • Ders., Phoenicians, 2000, 148–150.   H. G. N.

III. GRIECHENLAND UND ITALIEN
A. BRONZEZEIT UND 1. HÄLFTE DES 1. JT. V. CHR.
B. GRIECHISCHE KLASSIK BIS HELLENISMUS
C. RÖMISCHE REPUBLIK BIS 3. JH. N. CHR.
D. SPÄTANTIKE

A. BRONZEZEIT UND 1. HÄLFTE DES 1. JT. V. CHR.

In der 1. H. des 1. Jt. v. Chr. wurde T. vorwiegend in Br. ausgeführt, dann in Silber, Gold, Eisen oder deren Kombinationen (Plin. nat. 33,15–157; Quint. inst. 2,21,9). Objekte der T. waren überwiegend Gefäße, auch Kästchen, Spiegel, Waffen und Geräte. An Statuen erscheint T. selten (→ Sphyrelaton; → Goldelfenbein

technik). Neben Originalen, die oft als Bestandteil von Schatzfunden (→ Silberfunde) oder Votivdepots erh. sind, stehen als indirekte Zeugnisse von T. deren Abdrücke in Gips oder Ton. T. wird inschr. in Votiv-Inventaren genannt (Delos, CIG XI) und lit. in der Kaiserzeit in Zusammenhang mit Sammlerinteressen beschrieben. T. war eine hochgeschätzte Kunstgattung (→ Korinthisches Erz), deren Meisterwerke oft Bildhauern der griech. Klassik zugeschrieben wurden (Plin. nat. 34,54). Die minoisch-myk. Kunst verwendete T. an Waffen, Gefäßen und goldenen Masken. Im geom.-archa. Griechenland wurde T. überwiegend in Br. gearbeitet – so die applizierten Protomen an den Greifenkesseln des 7. Jh. v. Chr. in Olympia, deren Vorbilder anfänglich assyrisch-phöniz. Importstücke waren. Aus derselben Zeit stammen die sog. Kretischen Schilde sowie figürliche Gefäße in Zypern und Phrygien. Korinth und Sparta waren im 6. Jh. berühmte Produktionsstätten von T., doch ist die Zuweisung der wenigen Gefäßfunde umstritten. Auch in Etrurien begann im 7. Jh. v. Chr. nach anfänglichen phöniz. Importen eine im 6. Jh. hochrangige Produktion von figürlich dekorierten Kandelabern und Gefäßen, Dreifüßen und Wagenteilen in Br. und Silber.

B. GRIECHISCHE KLASSIK BIS HELLENISMUS

Die klass. griech. T. ist v. a. in Kopien und Nachahmungen aus der Peripherie oder späteren Epochen erkennbar. Zentren waren weiterhin Korinth sowie Tarent, das die Trad. Spartas übernahm. Aus Athen sind Meisterwerke der T. wie die Lampe des → Kallimachos [2] im Erechtheion nur lit. überl. (Paus. 1,26,6; erh. sind Helmwangenklappen, Tonabdrücke und ab dem späten 5. Jh. v. Chr. Br.-Hydrien mit T.-Appliken, teilweise figürlich und in Silber. Im 4. Jh. v. Chr. beginnt eine Blütezeit von Reliefspiegeln und teils reliefierten, teils mit figürlichen getriebenen Appliken dekorierten Gefäßen. Die meisten Funde von klass. T. stammen aus Thrakien, Makedonien und Südrußland, wo sie im Lokalstil imitiert wurden. Den künstlerischen und kulturellen Höhepunkt erfuhr die T. an den hell. Fürstenhöfen als silbernes Tafelgeschirr bzw. dessen Weihung in Heiligtümern. Neben wenigen erh. Stükken informieren darüber lit. Quellen (Liv. 27,16,7; Athen. 5,199; 11,782b). V. a. die von achäm. T. beeinflußten halbkugelförmigen Becher mit vegetabilem oder myth. Dekor sowie figürliche Rhyta in Edelmetall waren beliebt. Die berühmte alexandrinische und die pergamenische T. sind allerdings nur durch Gipsabdrücke bekannt.

C. RÖMISCHE REPUBLIK BIS 3. JH. N. CHR.

In Rom gewann das Tafelsilber große Bed. für die Gelagekultur der ausgehenden Republik und frühen Kaiserzeit. Die Leidenschaft der Sammler für *argentum vetus* (»altes Silber«) beschreiben u. a. Plin. nat. 26,139, Sen. de tranquillitate animi 9, Martial [1. Nr. 2173–2176, 2181–2183] und Cic. Verr. 2,1–4. *Crustae* (»reliefierte Ummantelungen«) wurden von Gefäßen abgenommen, griech. Originale anhand von Gipsabdrücken kopiert oder gefälscht. Aus der frühen Kaiserzeit stammen die meisten erh. Stücke. Die Gefäße sind mit myth., seltener mit histor. oder erotischen Szenen dekoriert. Zeitgenössische Künstler wie → Zopyros und → Cheirisophos [2] orientierten sich thematisch und stilistisch an griech. T. Figürliche Dekoration findet sich bei röm. T. auch im Schaleninneren. Beliebt waren neben Kantharoi der Typus des Megarischen Bechers (→ Reliefkeramik) und Tassen mit myth. Medaillons (→ Silberfunde von Hildesheim und Boscoreale) nach hell. Vorbildern. Im 2.–3. Jh. n. Chr. traten gallische Werkstätten hervor (Schatz von Berthouville), in denen ein lokaler Stil deutlicher wird. Der T.-Stil der antoninischen Zeit neigt zudem zu Stilisierung und Schwarzweißeffekten mittels kräftiger Konturmeißelung.

D. Spätantike

Die spätant. T. ist durch eine Fülle reicher Schätze von hoher Qualität bezeugt (z. B. Kaiseraugst, um 350 n. Chr.), die teils auf Gastgeschenke (*apophórēta*; → Geschenke II.) aristokratischer Kreise, teils auf Kirchenausstattungen zurückgehen. Häufig sind Farbeffekte (durch Niello-Einlagen) und ornamentaler Dekor, während Figürliches weiterhin den klass. Stil imitierte und myth. Themen auch in christl. Ambiente auftraten (Esquilin-Schatz aus Rom, London, BM).

Ant. T. ist vom Austausch der Ikonographien und Stile über kulturelle Grenzen hinweg und von der Langlebigkeit klass. Formen und Bilder bestimmt. Die Erforschung der T. richtet sich daher gleichermaßen nach kunst- und kulturgesch. Fragen.

1 OVERBECK, Nr. 263–305; 2167–2205 (Schriftquellen).

E. SAGLIO, s. v. caelatura, DS 1.2, 1887, 778–810 · E. PERNICE, F. WINTER, Der Hildesheimer Silberfund, 1901 · E. BABELON, Le trésor d'argenterie di Berthouville, 1916 · P. WUILLEUMIER, Le trésor de Tarente, 1930 · A. MAIURI, La Casa del Menandro ed il suo tesoro di argenteria, 1932 · U. JANTZEN, Griech. Greifenkessel, 1955 · H. KÜTHMANN, Unt. zur T. des 2. und 1. Jh. v. Chr., 1959 · F. CANCIANI, I rilievi bronzei cretesi e il problema dell'arte orientalizzante, 1960 · D. E. STRONG, Greek and Roman Gold and Silver Plates, 1966 · E. SIMON, s. v. toreutica, EAA 7, 1966, 919–948 · I. CALABI LIMENTANI, s. v. toreutica, EAA Suppl., 1970, 854 · E. D. REEDER, Clay Impressions from Attic Metalwork, 1974 · R. LAFFINEUR, Les vases en métal précieux à l'époque mycénienne, 1977 · C. REINSBERG, Stud. zur hell. T. Die ant. Gipsabgüsse aus Memphis, 1980 · K. J. SHELTON, The Esquilin Treasure, 1981 · L. MUSSO, Manifattura suntuaria e committenza pagana nella Roma del IV sec., 1983 · F. BARRATTE, Röm. Silbergeschirr in den gallischen und germanischen Prov., 1984 · H. A. CAHN (Hrsg.), Der spätröm. Silberschatz von Kaiseraugst, 1984 · F. BARRATTE, Le trésor d'orfèvrerie romaine de Boscoreale, 1986 · M. PFROMMER, Stud. zu alexandrinischer und großgriech. T. frühhell. Zeit, 1987 · S. FAUST, Fulcra. Figürlicher und ornamentaler Schmuck an ant. Betten, 1989 · F. BARRATTE, La vaisselle d'argent en Gaule dans l'antiquité tardive, 1993 · H. MIELSCH, s. v. toreutica, EAA Secondo suppl. 5, 1997, 797–804 · H. MIELSCH, B. NIEMEYER, Röm. Silber aus Äg. in Berlin, in: BWPr, 2001, 139 f. R. N.

Torgerichtsbarkeit. Seit dem 3. Jt. v. Chr. konnten in Mesopotamien die Tore von → Tempeln, aber auch von Städten und anderen Örtlichkeiten (z. B. → Palast) als Stätten der Gerichtsbarkeit dienen [1. 140 f.; 2. 66 mit Anm. 6; 3. 321–325], dies gilt auch für Äg. [4. 782]. Dies hing mit der Rolle von Toren als Kristallisationspunkten des öffentlichen und wirtschaftlichen Lebens in den Städten zusammen und war im Falle der Tempeltore mit der Funktion des Tempels als Ort für die Leistung des Beweis- und Reinigungseides verbunden.
→ Tür

1 A. FALKENSTEIN (Hrsg.), Die Inschr. Gudeas von Lagaš, Bd. 1: Einleitung, 1966 2 Ders., Die neusumerischen Gerichtsurkunden, Bd. 1, 1956 3 E. DOMBRADI, Die Darstellung des Rechtsaustrags in den altbabylonischen Prozeßurkunden, Bd. 1, 1996 4 H. BRUNNER, s. v. Tür und Tor, LÄ 6, 778–787. H. N.

Torgottheiten. Die drei wichtigsten griech. T. (für Rom s. → Ianus, → Carna) waren → Hekate (und die eng mit ihr verbundene → Artemis), → Hermes sowie → Herakles. Hekataia (kleine Statuen oder Schreine der Hekate) fanden sich vor den Türen von Privathäusern und vor Stadttoren (Aischyl. TrGF 388; Aristoph. Vesp. 804, Hesych. s. v. προπύλαια). Dem entspricht die Assoziation der Hekate mit weiteren liminalen Orten, v. a. Dreiwegen (*tríhodoi*), was wiederum mit ihrer Funktion als Schützerin vor der Bedrohung durch Geister und → Dämonen zusammenhängt. Vor einer Haustür aufgestellt, sollten Hekate und ihre thrakische Entsprechung → Enodia bes. die Kinder im Haus schützen [1. 205–215]. Als *Propylaía* beschützte Artemis oft Stadttore (Paus. 1,38,6), ebenso als *Propýlaios* zuweilen ihr Bruder → Apollon [2. 173–176].

Hermes stand vor Türen privater und öffentlicher Gebäude (Theokr. 25,4; Aristoph. Plut. 1153; Paus. 1,22,8) und auf den Straßen der Stadt, und zwar in Form einer → Herme (eines Pfeilers, an dessen Spitze der Kopf des Gottes eingemeißelt war und der unten mit seinem Phallos geschmückt war). Wie wichtig für die Athener die schützende Macht der Hermen war, zeigt das Entsetzen, das ihre Entweihung am Vorabend der Sizilienexpedition hervorrief (Thuk. 6,27; [3]; → Hermokopidenfrevel). Hermen und Hekataia wurden in Neumondnächten bekränzt und gereinigt (Theopompos FGrH 115 F 344). Auch Herakles stand, etwa als *Kallínikos* (»Triumphator«) oder *Alexíkakos* (»Unheilabwehrer«) an Türen. Inschr. mit der Aussage, er wohne im Haus, waren jedoch üblicher als Statuen des Gottes [2. 173–176].

1 S. I. JOHNSTON, Restless Dead, 1999 2 GRAF 3 D. FURLEY, Andokides and the Herms, 1996. S. I. J./Ü: S. KR.

Tormenta
s. Katapult; Quaestio; Quaestio per tormentum

Tornadotus. Von Plin. nat. 6,132 erwähnter, im iranischen Hochland entspringender Nebenfluß des → Tigris, h. *Diyālā.* Sein Name ist ab dem 2. Jt. v. Chr. belegt, akkadisch *Turan/Turnat,* in ma. arabischen Quellen noch als *Tāmarrā.* Entlang des Unterlaufs des T. verlief der Hauptzugang nach Babylonien aus der Ost-tigrisregion und dem iran. Hochland. Vom unteren T. zweigten zahlreiche Kanäle in sö Richtung zum Tigris ab, welche mit in griech.-röm. Quellen genannten Flußbezeichnungen wie Physkos (Xen. an. 2,4,25) oder → Gyndes identisch sein könnten. Am oder nahe dem T. lagen wichtige altorientalische Städte und Festungen, wie Mê-Turran (h. Tall Ḥaddād/Baradān), Ešnunna und spätere griech. Zentren wie Apollonia und Artemita. Bei seiner Mündung ist → Opis [3] zu lokalisieren.

R. M. ADAMS, Land Behind Baghdad: A History of Settlements on the Diyala Plains, 1965 · C. SAPORETTI (Hrsg.), Siti storici nella valle della Diyālā. Passato e presente, 2000. K. KE.

Torone (Τορώνη). Die beim h. Dorf Toroni lokalisierte Stadt (Hdt. 7,122; Skyl. 66) beherrschte den gesamten Südteil der → Sithonia. Sie verdankte ihre Bed. im Alt. vornehmlich einer noch h. benutzten ausgezeichneten Hafenbucht an der SW-Seite der Halbinsel sowie der fruchtbaren Ebene an deren Ostseite. Die ältesten Quellen für die Gesch. von T. sind Mz. (Prägung seit dem 6. Jh. v. Chr.). Bis zum → Peloponnesischen Krieg war T. die wichtigste Stadt der Chalkideis (→ Chalkidike), der 479 v. Chr. die Verwaltung von → Olynthos nach dessen Einnahme durch die Perser übertragen wurde. In den Athener Tributquotenlisten (ATL 1, 426 f.) ist T. mit zumeist sechs Talenten verzeichnet, blieb im Gegensatz zu den übrigen chalkidischen Städten auch nach 432 v. Chr. Athen treu und fiel erst 423 auf Betreiben der Oligarchen zu → Brasidas ab, der einen spartan. Befehls-haber in der Stadt einsetzte (Thuk. 4,110–116; 4,132,3). Im Sommer 422 wurde T. von → Kleon [1] zurücker-obert und hart bestraft (Thuk. 5,2 f.), im Frieden des → Nikias [1] 421 v. Chr. den Athenern überlassen (Thuk. 5,18,8). Nach einigen J. der Unabhängigkeit war T. Mitglied des Chalkidischen Bundes, wurde 380 von → Agesipolis [1] eingenommen (Xen. hell. 5,3,18). Nach der vorläufigen Auflösung des Chalkid. Bundes war T. erneut unabhängig, wurde aber 364 v. Chr. von Timotheos [1] erobert (vgl. Isokr. or. 15,108; Diod. 15,81,6). Bald darauf kehrte T. zum Chalkid. Bund zu-rück und fiel 349 durch Verrat in die Hand Philippos' [4] II. (Diod. 16,53,2). Der Ort bestand weiter, wenn auch möglicherweise auf dem Territorium der Neugründung Kassandreia (→ Poteidaia). T. wird im Zusammenhang des 2. und 3. → Makedonischen Krieges als wichtiger Hafen erwähnt (Liv. 31,45,15; 44,12,7; 45,30,4). → Chalkidike

F. PAPAZOGLOU, Les villes de Macedoine à l'époque romaine, 1988, 429 f. · M. ZAHRNT, Olynth und die Chalkidier, 1971, 247–251. M. Z.

Torquatus. Röm. Cognomen (»mit einem → *torques* (I.) geschmückt«), prominent in der Familie der Manlii (vgl. → Manlius [I 12; 14–21]). Entstehungslegende bei Liv. 7,10,11.

KAJANTO, Cognomina, 346. K.-L. E.

Torques (lat. auch *torquis*; στρεπτόν/*streptón*).
I. KLASSISCHE ANTIKE
II. KELTISCH-GERMANISCHER BEREICH

I. KLASSISCHE ANTIKE

Spiralförmig gedrehter Halsreif aus Br., Gold oder Silber mit offenen, sich fast berührenden Enden, welche verdickt oder figürlich gestaltet und mitunter nach au-ßen umgebogen sein konnten. Der T. ist seit der Brz. bekannt und in zahlreichen Expl. überl. Die Griechen lernten den T. bei Medern und Persern kennen, bei denen hochgestellte Personen ihn trugen (Hdt. 8,113,1; 9,80,4; Xen. Kyr. 1,3,2–3; vgl. Curt. 3,3,13) – wie der Großkönig auf dem → Alexandermosaik – oder als Ge-schenk vom Großkönig überreicht bekamen (Hdt. 3,20). Bes. auch bei den Kelten (Galliern) war der T. beliebt; die gallischen Krieger trugen ihn, wenn sie in den Kampf zogen (Strab. 4,4,5; Plin. nat. 33,15; vgl. Pol. 2,31,4); Manlius [I 12] Torquatus erhielt seinen Bei-namen dadurch, daß er dem von ihm getöteten Gallier den T. abzog und selbst trug (Liv. 7,10,11; vgl. Prop. 4,10,44). Bei den Römern war der T. Teil der mil. Be-lobigung (→ *dona militaria*), wurde aber auch als Preis bei Spielen vergeben (SHA Alex. 3; bei Suet. Aug. 43,2 ist er ein »Trostpreis«). Etr. Frauen und Männer trugen ihn ab ca. 400 v. Chr.; selten war er bei röm. Frauen und Göt-tinnen.

CH. ELUÈRE, Das Gold der Kelten, 1987, 165–188 · Dies., Celtic Gold Torcs, in: Gold Bull. 20, 1987, 22–27 · M. J. GREEN, The Celtic World, 1994, bes. 102 f., 300 f. · J. RUMSCHEID, Kranz und Krone. Zu Insignien, Siegespreisen und Ehrenzeichen der röm. Kaiserzeit (IstForsch 43), 2000, 52. R. H.

II. KELTISCH-GERMANISCHER BEREICH

Als T. werden in der → Keltischen Archäologie Halsreifen meist aus → Gold (II. B.), Br., gelegentlich auch aus → Silber (II. C.) oder Eisen bezeichnet, die in ant. Quellen (s. o. I.) mehrfach als Abzeichen oder Sta-tussymbol der Kelten (Gallier) genannt werden. In den → Fürstengräbern der Kelten des 6./5. Jh. v. Chr. (z. B. → Glauberg; → Hochdorf) sind goldene T. ein kenn-zeichnendes Ausstattungselement des Kriegeradels, das auch auf den entsprechenden Kriegerstatuen (Stelen, z. B. → Glauberg, → Hirschlanden) dargestellt ist. Gol-dene T. kommen allerdings auch in adligen Frauen-gräbern dieser Zeit (z. B. → Waldalgesheim oder → Vix) vor. In den einfachen Gräbern (bes. Frauengräbern) des 5./4. Jh. v. Chr. sind brn. Halsreifen unterschiedlichster Form eine charakteristische Beigabe. In den Gräbern der Kelten des 3.–1. Jh. v. Chr. haben die T. offensichtlich keine bes. Bed., obwohl die Darstellung des »sterbenden Galliers« aus → Pergamon (IV. C.2.) für diese Zeit den T. als markantes Abzeichen abbildet. In dieser Epoche sind die T. häufiger Bestandteil in → Hortfunden. Im germanischen Bereich hat der T. offensichtlich keine entsprechende Bed., allerdings sind in den → Fürstengräbern des 3. Jh. n. Chr. öfters goldene Halsreifen beigegeben.

→ Germanische Archäologie

T. CAPELLE, s. v. Halsschmuck, RGA 13, 455–460 ·
R. CORDIE-HACKENBERG, Halsringe, in: H. BECK (Hrsg.),
Hundert Meisterwerke kelt. Kunst, 1992, 171–177 ·
CH. ELUÈRE, Das Gold der Kelten, 1987, 106–110 ·
R. HEYNOWSKI, Eisenzeitlicher Trachtschmuck der
Mittelgebirgszone zwischen Rhein und Thüringer Becken,
1992 · H. LORENZ, Totenbrauchtum und Tracht, in:
BRGK 59, 1978, 3–380.   V. P.

Torthyneion (Τορθύνειον). Zentralarkadischer Ort (Plin. nat. 4,22; Inschr. [2]), sö bzw. südl. an → Orchomenos [3] bzw. → Methydrion grenzend [1], neuerdings mit den Resten von Hagia Sotira nördl. von Kamenitsa identifiziert; in der Nähe auf dem Sakovuni eine prähistor. Siedlung (neolith. bis myk. Funde).

1 A. PLASSART, Inscriptions d'Orchomène d'Arcadie, in:
BCH 39, 1915, 58–60 2 S. DUSANIC, Notes épigraphiques
sur l'histoire arcadienne, in: BCH 102, 1978, 346–358.

R. HOPE SIMPSON, Mycenaean Greece, 1981, 88 ·
G. A. PIKOULAS, Tò T. τῆς Ἀρκαδίας, in: Horos 8–9,
1990–91, 135–152.   KL. T.

Torus. Lat. Terminus (griech. τύλη/*týlē*; τυλεῖον/ *tyleíon*) für alles erhaben oder wulstartig Gearbeitete wie z. B. die konvexen Rundglieder der ionischen Säulenbasis (→ Säule B. 3. mit Abb.; der Begriff ist in der bei Vitr. 3,5,2–3 gebräuchlichen gräzisierten Form (*t.*) in die nachant. Architekturterminologie eingegangen), die schwielige Haut im Nacken und auf den Schultern der Lastenträger (Aristoph. Ach. 860; 954: *týlē*) oder die Schwellung von Tiermuskeln (Plin. nat. 18,78: *t.*). *Týlē* nannte man ferner Kissen auf Klinen und Sitzmöbeln (Sappho fr. 46 LOBEL/PAGE; Diod. 13,84,5) und die ringförmigen Untersätze auf dem Kopf, um darauf etwas zu tragen (Diog. Laert. 9,53; Aristot. fr. 63: *týlē*).

E. MANAKIDOU, Athenerinnen in sf. Brunnenhausszenen,
in: Hephaistos 11/12, 1992/93, 55 mit Anm. 21 ·
B. WESENBERG, Kapitelle und Basen (32. Beih. BJ), 1971.
      R. H.

Torybeia (Τορύβεια, Τύρβειον/ *Týrbeion*). Stadt im Inneren von Akarnania (→ Akarnanes) oberhalb des h. Komboti, erwähnt nur in einigen Theorodokenlisten (vgl. IG IV² 1, 95, 18; FdD III 3, 203). Die Stadt wurde im 4. Jh. v. Chr. systematisch angelegt (orthogonale Straßen, *insulae*; → insula).

PRITCHETT 8, 104–108 · D. STRAUCH, Röm. Politik und
griech. Trad., 1996, 305 f.   D. S.

Toscanos (Μαινάκη/*Mainákē*?; lat. *Maenoba*?). Mod. Name der phöniz. Niederlassung westl. von Torre del Mar (Prov. Málaga/Spanien) an der Mündung des Río de Vélez, mit geschütztem Hafen; ein Paßweg führt in das Hochland und die Minengebiete um Jaen. Ausgrabungen (1964–1986) haben eine ca. 730 v. Chr. von Phöniziern gegr. Handelsfaktorei freigelegt. Die im 7. Jh. florierende Siedlung dehnte sich auf den westl. gelegenen Cerro del Peñón (94 m) aus, wo in mittlerer Höhe Werkstätten zur Eisenverarbeitung lagen. Bald darauf wurde der nördlich anschließende Cerro del Alarcón (80 m) okkupiert und um 600 v. Chr. eine bis zu ca. 3,5 m starke Verteidigungsmauer errichtet; im Siedlungskern entstanden aufwendige Bauten mit Bossenquadern. Nekropolen lagen auf beiden Seiten des Flusses (Einzelfunde, Fossa-, Steinkisten- und Sarkophaggräber). Der Siedlungskern, seit dem 5. Jh. v. Chr. Wüstung, wurde in der frühen röm. Kaiserzeit von einer Villa mit *garum*-Fabrik und Amphoren-Töpferei überbaut. Die Identifizierung des Platzes mit → Mainake ist erneut wahrscheinlich gemacht worden [1; 2]. Die von griech. Autoren vertretene Bezeichnung als westlichste Kolonie Phokaias diente offensichtlich prohellenischer Propaganda.

→ Kolonisation III.; Phönizier, Punier

1 B. SHEFTON, Massalia and Colonisation in the
North-Western Mediterranean, in: G. R. TSETSKHLADZE
(Hrsg.), The Archaeology of Greek Colonisation.
FS J. Boardman, 1994, 72 2 P. BARCELÓ, Die Phokäer im
Westen, in: R. ROLLE, K. SCHMIDT (Hrsg.), Arch. Stud. in
Kontaktzonen der ant. Welt. FS H. G. Niemeyer, 1998,
605–614 3 H. G. NIEMEYER, Die phöniz. Niederlassung T.:
eine Zwischenbilanz, in: Ders. (Hrsg.), Phönizier im
Westen (Madrider Beitr. 8), 1982, 185–206 4 Ders., Auf der
Suche nach Mainake, in: Historia 29, 1980, 165–189
5 Ders., Phoenician T. as a Settlement Model?, in:
B. CUNLIFFE, S. KEAY (Hrsg.), Social Complexity and the
Development of Towns in Iberia (Proc. of the British
Academy 86), 1995, 67–88.   H. G. N.

Totenbefragung. Technik der → Divination, Form der symbolischen Kommunikation mit Verstorbenen außerhalb des eigentlichen → Totenkults. Griech. νέκυια/*nékyia*, νεκυομαντεία/*nekyomanteía* (im Lat. entlehnt) bezeichnet das T.-Ritual und ist Titel lit. und bildlicher Darstellungen (Plin. nat. 35,132; Gell. 16,7,12; 20,6,6; Plut. mor. 740e-f; Lukian. Menippos). Es gibt Hinweise auf T.-Rituale in den sog. → Zauberpapyri (PGM VII 285; III 278; IV 222; 3. bzw. 4. Jh. n. Chr.). Die ausführlichsten Quellen aus dem ant. Griechenland und It. sind allerdings myth. Diskurse im Epos (Hom. Od. 11: Odysseus befragt → Teiresias; Verg. Aen. 6: Aeneas befragt → Anchises) und auf Bildern (bes. ›Odyssee‹-Szenen; Belege: [4. bes. 876f.]). Innerhalb des Epos nimmt die T. jeweils ein ganzes B. ein und ist kompositorische Mitte und narrativer Wendepunkt. In der ›Odyssee‹ wird die eigentliche Befragung durch rituelle Handlungen vorbereitet (→ Trankopfer/*choḗ* von Honiggemisch, Wein, Wasser: Opfer von Blut; Holokaust-Opfer); diese Schilderung enthält Bestandteile hethitischer sog. »Grubenrituale« ([5. 269–279]; zur T. im Alten Vorderen Orient s. [3; 7]); Wege, Mechanismen und Zeitpunkt der Tradierung sind ungeklärt (vgl. [6. 88]; → Ägäische Koine).

Der arch. Nachweis von T.-Stätten (griech. *nekyomanteíon*: vgl. Hdt. 5,92; Plut. Kimon 6,6; Paus. 9,39; bei Cic. Tusc. 1,16,37 entlehnt) ist problematisch: die vom Ausgräber vorgenommene Identifizierung der Strukturen von → Ephyra [3] in Thesprotien als Überreste einer T.-Stätte [2] ist nicht sicher [1]; ebensowenig sicher lokalisierbar ist die in der *Aeneis* geschilderte T.-Stätte ([5. 256–259]; → Kyme [2]).

→ Acheron [2]; Divination; Katabasis I.

1 D. BAATZ, Wehrhaftes Wohnen, in: Ant. Welt 30, 1999, 151–156 2 S. DAKARIS, The Nekyomanteion of the Acheron, ²1996 3 M. DIETRICH, O. LORETZ, Mantik in Ugarit, 1990 4 W. FELTEN, I. KRAUSKOPF, s. v. Nekyia, LIMC 8.1, 871–878 5 M. HAASE, Etr. Kultdarstellungen, Diss. Tübingen 2000 (Lit.) 6 S. I. JOHNSTON, Restless Dead, 1999 7 J. TROPPER, Nekromantie, 1989. M. HAA.

Totenklage

s. Bestattung (C.-D.); Nenia; Threnos; Tod; Totenkult; Trauer

Totenkult I. MESOPOTAMIEN II. ÄGYPTEN III. ETRURIEN IV. GRIECHENLAND V. ROM VI. CHRISTENTUM

I. MESOPOTAMIEN

Den T. in Mesopot. bezeugen schriftliche wie arch. Quellen. Für die (monatlich bzw. halbmonatlich) stattfindende Versorgung der Verstorbenen mit Speis und Trank findet sich in den Texten der Begriff *kispum*. Ein wesentlicher Bestandteil des Rituals war das »Rufen des Namens« [3. 163] – *kispum* diente also zur Sicherung der Existenz und der Identität des Toten in der → Unterwelt. Blieb der T. aus, wandelte sich die Unterwelt zu einem unwirtlichen dunklen Ort. Auch für die Lebenden war die Durchführung des T. wichtig, konnten die vernachlässigten Totengeister sie doch z. B. mit Krankheiten heimsuchen [2].

Arch. lassen sich Vorrichtungen nachweisen, die Libationen in die Erde bzw. in das Grab leiteten [3]. Das Ritual wurde zumeist in dem über dem Grab befindlichen Gebäude vollzogen (intramural unter einem Wohnhaus, extramural unter einer Grabkapelle), in dem Bildnisse (Statuen) der Verstorbenen aufgestellt werden konnten. Befunde einzelner Gräber deuten darauf hin, daß die Erinnerung an die Toten nicht sehr lange wachgehalten wurde (z. B. Störung alter Gräber durch Neuanlagen, Beseitigung älterer Gebeine) [1; 2].

→ Bestattung B.; Grabbauten II.; Tod I.

1 G. JONKER, Topography of Remembrance, 1995, 187–212 2 S. LUNDSTRÖM, *kimaḫḫu* und *qabru*, in: Altorientalische. Forsch. 27, 2000, 6–20 3 A. TSUKIMOTO, Unt. zur Totenpflege (*kispum*) im Alten Mesopot., 1985. S. LU.

II. ÄGYPTEN

Nach äg. Auffassung war für das Fortleben der Toten im Jenseits eine Versorgung mit Lebensmitteln erforderlich. Außer durch Beigaben und Grabdekor wurde diese v. a. durch Totenopfer sichergestellt, die am Grab von den Hinterbliebenen, idealerweise vom Sohn, dargebracht wurden. Dementsprechend folgenschwer konnte sich Kinderlosigkeit auswirken [4. 191–201]. Daher wurde durch »Anrufe an die Lebenden« auf Grabstelen u. ä. versucht, auch Fremde dazu zu bewegen, wenigstens ein Opfergebet zu sprechen [5; 4. 155–190]. Dieses konnte nicht nur materielle Opfer ersetzen, sondern diente auch dem »Aussprechen des Namens«, das ebenfalls Voraussetzung der jenseitigen Existenz war. Daneben hoffte man, an den → Opfern (II. B.) für die Götter partizipieren zu können. Beim sog. Opferumlauf wurden die Opfer zunächst den Göttern, dann den im Tempel aufgestellten Statuen der Verstorbenen dargebracht, bevor sie schließlich den Priestern zufielen. Zum selben Zweck wurden an heiligen Orten wie etwa Abydos von Pilgern Stelen errichtet. In Dair al-Madīnā sind überdies Opfer für Ahnenbüsten in den Wohnhäusern bezeugt.

Der königliche T. fand v. a. in den sog. Totentempeln statt, die jedoch nicht nur auf diese Funktion reduziert waren [2]. Privatleute erhielten dagegen nur in Ausnahmefällen spezielle, vom Grab unabhängige Kultkapellen. Meist endete der T. nach wenigen Generationen, in bes. Fällen konnte er jedoch in eine beginnende → Vergöttlichung übergehen. Im Zuge der Vorstellung von sterbenden Göttern konnten auch diese einen T. empfangen [3].

→ Bestattung B.; Grabbauten II.; Pyramide; Tod I.

1 R. J. DEMAREE, The ȝḥ iḳr n Rˁ-Stelae. On Ancestor Worship in Ancient Egypt, Diss. Amsterdam 1983 2 G. HAENY, New Kingdom »Mortuary Temples« and »Mansions of Millions of Years«, in: B. H. SHAFER (Hrsg.), Temples of Ancient Egypt, 1997, 86–126 3 F.-R. HERBIN, Une liturgie des rites décadaires de Djême, in: Rev. d'Égyptologie 35, 1984, 105–126 4 M. LICHTHEIM, Maat in Egyptian Autobiographies and Related Studies, 1992 5 J. SAINTE FARE GARNOT, L'appel aux vivants, 1938. A. v. L.

III. ETRURIEN

Da die Ritualvorschriften der *Etrusca disciplina* (→ Divination VII.) nicht überl. sind und auch Inschr. weitgehend fehlen [4. 30–54; 10], bilden Form und Ausstattung der Grabanlagen sowie bildliche Darstellungen die wichtigsten Quellen für den etr. T. Schon die reicheren Gräber der → Villanova-Kultur trennen zw. der Körper- bzw. Brandbestattung mit persönlichen Attributen (Fibeln, Waffen u. ä.) sowie Eß- und Trinkgeschirr für das »Totenmahl« des Verstorbenen [1. 30–33, Abb.; 9. 11–14]. Der Aschenbehälter (»Villanova-Urne«) konnte anthropomorphe Züge annehmen und bildete den Vorläufer für die in Etrurien seit dem 7. Jh. v. Chr. übliche Sitte der Grabplastik, die den Verstorbenen allein (Kanopen in Clusium/Chiusi; Statuen in

Clusium/Chiusi, Vetulonia, Volci/Vulci) oder im Verbund mit den Vorfahren abbildete (Caere/Cerveteri: [9. 81–115]). Letzteres Motiv trat im 4. Jh. v. Chr. auch in der Grabmalerei auf: Der Verstorbene wird von seinen Ahnen zum Mahl mit den Unterweltsgottheiten empfangen (Volsinii: [11. 287, Abb. 43; 44]).

Zu unterscheiden ist zw. Kulthandlungen während der Bestattungsphase, die sich aufgrund von Gefäß- oder Nahrungsbeigaben auf Bänken und auf Tischen, durch Altäre für Libationen und anhand von zerbrochenen Trinkschalen als Relikte von Trankspenden im Grabeingang erschließen lassen, sowie jenen Kulthandlungen, die außerhalb des (nach jedem Bestattungsvorgang wieder verschlossenen) Grabes stattfanden. Diesem Zweck der Gedächtnisfeiern dienten Rampen und Treppen zum Aufstieg auf die Kuppe der Grabanlage, wo sich Altäre oder Cippen (als Symbole der Verstorbenen; → *cippus*) befanden [9. 81–85]. Plattformen am Fuß des → Tumulus (Quintofiorentino, Cortona) waren evtl. für die Aufbahrung des Toten bestimmt (zu Prothesis-Darstellungen in der etr. Bildkunst vgl. [5. 368–373; 12. 131–132]). Nekropolen-Heiligtümer mit Tempeln, Wasserbecken, Votivdepots und mit achthonische Gottheiten gerichteten Inschr. sind in Volsinii und Capua bezeugt [2]. Eine theaterförmige Kultanlage mit monumentalem Rundaltar bei Viterbo (6. Jh. v. Chr.) läßt auf Tieropfer im Rahmen des T. vor größerem Publikum schließen [9. 82–84; 3]. Leichenspiele mit athletischen und musischen Wettkämpfen, darunter das blutige, als Vorläufer der Gladiatorenkämpfe angesehene »Phersu-Spiel« [6], sind charakteristische Bildmotive der frühetr. Sepulkralkunst, bes. in Tarquinii und Clusium/Chiusi [12; 14]. Im Zuge veränderter Bildthematik werden ab dem 4. Jh. v. Chr. u. a. Totenprozessionen dargestellt, an denen der Verstorbene in Begleitung von Magistraten, Hinterbliebenen und Todesdämonen aktiv teilnimmt [7].

→ Cippus; Grabbauten III. C.; Prozession; Tod II.; Tumulus IV.; Villanova-Kultur

1 G. BARTOLONI, La cultura villanoviana, 1989
2 G. COLONNA (Hrsg.), Santuari d'Etruria, 1985, 116–126
3 Ders., Strutture teatriformi in Etruria, in: [13], 321–347
4 J.-R. JANNOT, Devins, dieux et démons, 1998 **5** Ders., Les reliefs archaïques de Chiusi, 1988 **6** Ders., Phersu, Phersuna, Persona, in: [13], 281–320 **7** R. LAMBRECHTS, Essai sur les magistratures des républics étrusques, 1959
8 F. PRAYON, Die Anf. großformatiger Plastik in Etrurien, in: P. SCHAUER (Hrsg.), Arch. Unt. zu den Beziehungen zw. Altitalien und der Zone nordwärts der Alpen, 1998, 191–207
9 Ders., Frühetr. Grab- und Hausarchitektur, 1975
10 F. RONCALLI, Scrivere Etrusco, 1985, 65–73 (Tonziegel aus Capua) **11** S. STEINGRÄBER, Etr. Wandmalerei, 1985
12 J.-P. THUILLIER, Les jeux athlétiques dans la civilisation étrusque, 1985 **13** Ders. (Hrsg.), Spectacles sportifs et scéniques dans le monde étrusco-italique, 1993
14 M. TORELLI, Il rango, il rito e l'immagine, 1997, 122–151.
F. PR.

IV. GRIECHENLAND

Daß Toten die gebührenden Begräbnisriten zuteil wurden, dafür hatten Verwandte, v. a. die Kinder der Verstorbenen, zu sorgen; andernfalls galten sie als nicht »in vollem Maße« tot und ihre Seelen als dazu verurteilt, zw. Diesseits und Unterwelt zu wandern [1. bes. 9 f.]. Die Durchführung der Riten bestätigte auch die Verwandtschaft der Hinterbliebenen zum Verstorbenen und somit deren Recht auf Erbschaft [2. Kap. 7 und 11]. Details der »gebührenden Riten« variierten; die würdevolle → Bestattung des Leichnams durch Begräbnis und/oder Verbrennung, damit er nicht Vögeln, Hunden und Insekten zum Fraß wurde, bildete aber das notwendige Minimum. Wenn der Leichnam nicht verfügbar war, konnten die Riten auch *in absentia* ausgeführt und ein → *kenotáphion* errichtet werden (Hom. Od. 1,290–292; 4,583 f.; 9,65 f. mit Eust. zur Stelle; Eur. Hel. 1050–1068; 1239–1278; [1. 152, 155]).

Im Idealfall wuschen weibliche Verwandte den Leichnam möglichst bald nach dem Tod, bekleideten ihn und bahrten ihn auf (→ *próthesis*). Es folgte ein Tag der Totenklage; die informelle Klage der Familienmitglieder konnte dabei durch die angemieteter Klageweiber ergänzt werden (→ Trauer; → *thrênos*). Der Leichnam wurde am dritten Tag (nach inklusiver Zählung) aus dem Haus hinausgetragen (→ *ekphorá*) und begraben oder verbrannt (zum nach Ort und Zeit unterschiedlichen Verhältnis von Inhumation und Verbrennung s. [2. 96]). Dem Verstorbenen wurden Gaben mitgegeben: darunter immer Libationen (→ Trankopfer) von Honig, Milch, Wein, Wasser und/oder Öl, die regelmäßig wiederholt wurden, üblicherweise mindestens ein Jahr lang (Aischyl. Choeph. 84–164; Soph. El. 894 f.); aber auch kleinere Gebrauchsgegenstände des Verstorbenen (Spiegel und Schminkkästchen für Frauen, Waffen und Sportausrüstung für Männer, Spielzeug für Kinder [3. Kap. 7 und 11]) und eine Mahlzeit (*deípnon*; Aischyl. Choeph. 483; Aristoph. Lys. 599–601; Plut. Aristeides 21; [3. 76–79, 125 f.; 1. 41; 5]). Hinterbliebene schnitten manchmal auch ihr Haar ab und legten es auf das Grab; wer von ihnen bei der Bestattung abwesend war, konnte sein Haar zu einem späteren Zeitpunkt dem Toten weihen (Hom. Il. 23,135; Aischyl. Choeph. 7–9; Soph. El. 52, 449). Ein Grabmal (*sêma*; *stélê*) wurde aufgestellt und eventuell mit Bändern und Myrtenzweigen geschmückt [3. 84–90, 121–141; 218–246]. Weitere Rituale konnten je nach Wunsch des Verstorbenen und seiner Familie durchgeführt werden. So wurden verm. die → Orphicae Lamellae von Hinterbliebenen auf die Leichname gelegt. Immer wieder versuchten *póleis*, das Ausmaß von Grabmalen, Klage und Bestattungen einzuschränken [3. 200–203; 4. 74–190] (→ Bestattung C.).

Man nahm an, daß die Seelen der Menschen, die nicht die gebührenden Riten erhielten oder die früh bzw. unglücklich starben, zurückkehrten, um an den Verantwortlichen Rache zu nehmen bzw. denen, die sie beneideten, Leid zuzufügen. In solchen Fällen wurden weitere spezielle Rituale nötig, u. a. zusätzliche Libationen und die Anfertigung von Statuen der Toten. Die Statuen wurden bewirtet und/oder in unbewohnten Gegenden ausgesetzt [1. 46–63; 5]. Wenn eine Seele ruhelos war, konnten ganze Gruppen zu Schaden kommen und zur Durchführung von entsprechenden Ritualen gezwungen sein. Das Delphische Orakel teilte etwa Städten in Schwierigkeiten mit, daß sie durch die Bestattung oder andere Ehrungen für die Toten Erleichterung finden würden (Hdt. 1,67,2; 1,167,2). Einige Städte führten Rituale zur Besänftigung der Geister unverheiratet verstorbener Mädchen durch, um zu verhindern, daß sie Jungfrauen zum Suizid trieben [1. Kap. 6]. Bei den → Anthesteria wurden die Geister ins Diesseits zurückgerufen und drei Tage gut behandelt in der Hoffnung, sie würden, einmal zufriedengestellt, für den Rest des Jahres im → Hades bleiben. Selbst dabei waren Vorsichtsmaßnahmen wie das Aufsetzen apotropäischer Kränze aus dornigem *rhámnos* notwendig, damit sich die Geister nicht zu viele Freiheiten herausnahmen (Phot. s. v. ῥάμνος; vgl. s. v. μιαρὰ ἡμέρα). Eine spezielle Libation und eine rituelle Verkündung am Ende der Anthesteria sandten sie zurück in den Hades [1. 63–66]. Das Fest der → Genesia, bei dem man verstorbene Verwandte ehrte, wurde ebenfalls in vielen Teilen Griechenlands gefeiert (Hdt. 4,26; [6. 100f.; 7]).

Der → Heroenkult kann als Sonderform des T. angesehen werden. Es gab auch von Wanderpriestern angebotene Riten, die das Los der Toten im Jenseits verbessern sollten (Plat. rep. 354b 5–365a 3); ein öffentlich durchgeführtes Ritual in Selinus [4] im 5. Jh. v. Chr. hatte ein ähnliches Ziel [1. 49–58; 5].

→ Bestattung; Grabbauten; Jenseitsvorstellungen; Opfer III.; Tod; Trauer; Unterwelt

1 S. I. JOHNSTON, Restless Dead, 1999
2 C. SOURVINOU-INWOOD, »Reading« Greek Death, 1995
3 D. C. KURTZ, J. BOARDMAN, Greek Burial Customs, 1971
4 R. SEAFORD, Reciprocity and Ritual, 1994
5 M. H. JAMESON u. a., A »Lex Sacra« from Selinous, 1993
6 S. C. HUMPHREYS, Family Tombs and Tomb Cult in Ancient Athens: Tradition or Traditionalism?, in: JHS 100, 1980, 96–126 7 F. JACOBY, GENESIA, in: CQ 38, 1944, 65–75.   S. I. J./Ü: S. KR.

V. ROM

Für die Römer war die Welt der Toten düster und gefährlich, deshalb räumlich (→ Nekropolen (VIII.) lagen außerhalb der Stadtmauern entlang der Straßen) und durch das → Ritual sorgfältig von der Welt der Lebenden getrennt. Der Tod galt als Verunreinigung: Der *flamen Dialis* (→ *flamines*) durfte weder einen Toten berühren noch an einer Einäscherung teilnehmen (Gell. 10,15,24), von der die ganze Familie, in der er sich ereignete, betroffen war. Zuständig für die gesetzliche Regelung von Bestattungen waren die → Priester (Liv. 1,20,7), dennoch handelte es sich bei Bestattung und T. um private, vom → *pater familias* besorgte Rituale.

Bei Ankunft des Trauerzugs am Begräbnisort wurde der Leichnam beerdigt oder verbrannt (→ Bestattung D.). Laut Cicero (leg. 2,56) war die Bestattung auch im Fall der Verbrennung in dem Moment, in dem die Erde die Asche des Toten bedeckte, wirklich vollzogen; das Grab (*sepulcrum*) war aber erst errichtet und Gegenstand des Sakralrechts, wenn noch andere Zeremonien vollzogen waren: Die Funde aus den Nekropolen zeigen, daß man Parfüm, Wein, Öl verbrannte. Nach Cic. leg. 2,57 opferte man ein Schwein, der Tote nährte sich vom Geruch des Tieres; dies verdeutlichte, daß er bereits in die Kategorie der Di → Manes übergegangen war. Die Lebenden verzehrten, da es zw. Toten und Lebenden keine Nahrungsgemeinschaft geben durfte, kein Stück des Tieres, allenfalls ein weiteres den → Penates dargebrachtes Schwein. Nach Ablauf von acht Tagen (*dies denicales*) fand ein weiteres Opfer auf dem Hausaltar statt, wo man ›Widder für den Lar‹ schlachtete (Cic. leg. 2,55). Die Familie des Toten war damit von der Verunreinigung des Trauerfalls befreit.

Die Römer feierten zudem zwei Totenfeste: Die Feralia (Ov. fast. 2,533–570) fanden am 21. Februar statt, am Ende eines durch verschiedene Reinigungsriten vor dem Beginn des altröm. Jahres gekennzeichneten Monats. Dieser Tag bildete den Abschluß einer Periode von neun Tagen (13.–21. Februar), der *dies parentales* (→ Parentalia), die den Toten gewidmet waren (Varro ling. 6,13). Nach Ovid (l.c.) besuchten die Familien die Gräber und brachten den Di Manes Gaben, die bescheiden sein konnten: Auf einem mit Girlanden geschmückten Ziegel, der als Altar diente, bot man, rituelle Gebete aufsagend, Weizen- und Salzkörner, Weizenfladen und Veilchen dar; reichere Geschenke waren gleichwohl nicht verboten. Diese Zeremonie, durch welche die Lebenden ihre Pflichten gegenüber den Toten erfüllten, bestätigte den Platz beider: der einen in den Gräbern, der anderen in den Häusern, wo sich, nach einem Opfer für den Lar am darauffolgenden Tag (dem 22. Februar), die Hinterbliebenen einer Familie zum Mahl versammelten.

Das zweite Totenfest, die Lemuria, fand am 9., 11. und 13. Mai statt (Ov. fast. 5,419–661; → *lemures*). Den Monatsnamen (*Maius*) verbindet Ovid etym. mit *maiores* (»Vorfahren«); die Lemuria waren den *lemures* geweiht, den Seelen der Toten, die auch als nächtliche Gespenster galten und angeblich ihre ehemaligen Wohnstätten heimsuchten (Non. 197 L). Während dieser Tage brachte man Gaben (*inferiae*) zu den Gräbern. Nachts vollzog der *pater familias* in seinem Haus eine Beschwörung der *lemures*. Dieses bei Ovid beschriebene Ritual weist magische Elemente (Beschwörungsgeste der Finger; neunmal wiederholte Worte; der *pater familias* spricht die Gespenster mit abgewandtem Rücken an, um jeglichen Blickkontakt zu vermeiden) und apotropäische Aspekte auf: Die *lemures* entfernen sich nach der Speisung mit Bohnen, die den *pater familias* und die Seinen »loskaufen«; der Lärm von mit der Hand angeschlagenem Metall macht ihnen Angst. Es schließt sich aber auch an das traditionelle → Opfer (IV.) an: Man brachte den Schatten schwarze Bohnen dar, wie → »chthonischen« Göttern schwarze Opfertiere. Das einleitende Waschen der Hände des Ausführenden ist eine vor dem Opfer übliche Reinigungshandlung; dagegen zielt das zweite, die Zeremonie abschließende darauf ab, den Ausführenden von den Verunreinigungen, die er sich durch den Kontakt mit den Toten zugezogen hat, zu befreien, und betont die Trennung der Toten von den Lebenden.

Durch Grabungsfunde in röm. Nekropolen werden sich die Kenntnisse von den Beziehungen zw. Lebenden und Toten ebenso wie durch epigraphische Zeugnisse und Analysen der Gabenreste, bes. der an den Gräbern geopferten Tiere, weiter konkretisieren.

→ Bestattung; Grabbauten III.C.; Nekropolen VIII.; Opfer; Ritual; Tod II.; Unterwelt

F. BOEMER, Ahnenkult und Ahnenglaube im alten Rom, 1944 · F. CUMONT, Lux perpetua, 1949 · F. HINARD (Hrsg.), La mort au quotidien dans le monde romain, 1995 · I. MORRIS, Death-Ritual and Social Structure in Classical Antiquity, 1992 · J. SCHEID, Contraria facere: renversements et déplacements dans les rites funéraires, in: AION 6, 1984, 117–139.   A. DU./Ü: M. KRA.

VI. CHRISTENTUM

Die christl. Verehrung der Verstorbenen übernahm anfänglich fast alle traditionellen Formen des älteren, griech.-röm. T. [2. 46–53]. So wurden der 3., 7., 30. und 40. Tag nach dem Tode (Ambr. obit. Theod. 3) oder die Novemdialia (→ *novendiale sacrum*) und → Parentalia (Aug. quaestiones in Heptateuchum 1,172; Aug. conf. 6,2) gefeiert, v. a. aber der »Geburtstag« (*dies natalis*), worunter Christen den Todestag verstanden, bes. im Fall von → Märtyrern [11. 230–239; 2. 54–67; 12. 219f.]. Jedoch erst in der zweiten H. des 4. Jh. wurden in den schriftlichen Quellen die Todestage der Märtyrer und der Bischöfe angegeben (→ Chronograph vom J. 354), und seit Bischof → Damasus von Rom (366–384) gab es in röm. → Katakomben erste Einrichtungen, die den Märtyrerkult an den Gräbern [9. 275–302] belegen. Frühere und gleichzeitige Spuren des christl. T. am Grab zeigen die Formen des paganen T. in Salona, Tipasa, Sabratha, Cornus, Tarragona.

Im 3. und 4. Jh. überwog die populärste Form des T., das Totenmahl, das in Rom nicht unbedingt am Grab, sondern, je nach den Platzmöglichkeiten, in der → *schola* [4] *collegii* oder im Privathaus stattfand. An den Gräbern befanden sich Einrichtungen für Libationen (→ Trankopfer), für Lampen und Blumen [3. 31–37; 4. 211–243; 7. 179–193]. Bes. in Nordafrika bestand die Trad. des Mahles sowohl im Rahmen des privaten T. als auch an den Märtyrerfeiertagen. Beides ist durch die gemauerten halbrunden Liegeplätze (*stibadia*) an den Nekropolen von Tipasa und Sabratha belegt [3. 29f.; 12. 315f.]. Diese Sitte des Mahles an den Gräbern wurde von den Kirchenvätern negativ beurteilt [10. 50f., 100–102, 133–140; 12. 224–234]. In den Katakomben in Rom ist

sie durch Darstellungen des Totenmahles belegt, die auch die symbolische Bed. der → *agápē* und des Friedens beim Mahl zeigen [3. 31–35]. Hier finden sich auch andere Spuren des traditionellen T.: in den Tuff gehauene Sitze (*cathedrae*) [8. 98–115; 7. 148–153], Libationsgläser und andere Objekte an den Gräbern [4. 261–263], Tische (*mensae*) für Totenopfer [1]. Im Laufe des 4. Jh. entwickelte sich die alte konkrete Bed. des *refrigerium* (»Erfrischung«) am Grab hin zu einer mehr symbolischen: als Wunsch und Hoffnung auf Seligkeit und ewiges Leben im Paradies [5. 164–171].

Seit dem frühen 4. Jh. wurden zuerst die Exedrabasiliken in Rom [7. 153–164], dann auch andere Friedhofsbasiliken in den christl. Nekropolen verschiedener Städte im ganzen Imperium (bes. in Nordafrika) errichtet [10. 173–197]. In ihnen fanden die Bestattungen sowie die Begräbnis- und Eucharistiefeiern statt. Die Eucharistiefeier im Rahmen des christl. T. ist in schriftlichen Quellen (schon bei Tert. de corona 3,3 und Cypr. epist. 1,2,1) zu finden [10. 69–73, 102–104; 12. 222–224, 234f.]. Arch. sind die Eucharistiefeiern durch die Friedhofsbasiliken des 4. Jh. belegt. Die enge Verbindung von → Altar und Grab ist in den Quellen schon seit der Mitte des 4. Jh., arch. aber erst im 5. Jh. in Rom, in der Alexanderbasilika an der Via Nomentana [9. 284f.], belegt.

→ Basilika (B.); Heilige; Katakomben; Märtyrer; Paradies; Pilgerschaft (II.); Tod

1 E. CHALKIA, Le mense paleocristiane, 1991
2 F. W. DEICHMANN, Einführung in die christl. Arch., 1983
3 P.-A. FÉVRIER, À propos du repas funéraire: culte et sociabilité, in: Cahiers Archéologiques 26, 1977, 29–45
4 Ders., Le culte des morts dans les communautés chrétiennes durant le IIIe siècle, in: Atti del IX congresso internazionale di archeologia cristiana, Bd. 1, 1978, 211–273
5 Ders., La tombe chrétienne et l'au-delà, in: J.-M. LEROUX (Hrsg.), Le temps chrétien de la fin de l'Antiquité au Moyen Age, 1984, 163–183 6 E. JASTRZEBOWSKA, Les scènes de banquet en peinture et en sculpture chrétienne du IIIe et du IVe s., in: Recherches Augustiniennes 14, 1979, 3–90
7 Dies., Unt. zum christl. Totenmahl aufgrund der Monumente des 3. und 4 Jh. unter der Basilika des Hl. Sebastian in Rom, 1981 8 T. KLAUSER, Die Cathedra im Totenkult der heidnischen und christl. Ant., 1971
9 L. REEKMANS, Les cryptes des martyrs romains, in: Atti, s. [4], 275–302 10 V. SAXER, Morts, martyrs, reliques en Afrique chrétienne aux premiers siècles, 1980
11 A. STUIBER, s. v. Geburtstag, RAC 9, 217–243
12 W. SCHMIDT, Spätant. Gräberfelder in den Nordprov. des röm. Reiches und das Aufkommen christl. Bestattungsbrauchtums, Saalburg Jb. 50, 2000, 213–441.
E. JA.

Totenliteratur I. MESOPOTAMIEN II. HATTUSA III. ÄGYPTEN IV. KLASSISCHE ANTIKE

I. MESOPOTAMIEN

Nur selten ist T., die dem Toten zur Bewältigung der Reise und der Eingliederung in die Unterwelt dienen soll, in mesopot. Gräbern überl.: So ruft ein Toter in einem Gebet (gefunden in einem Grab aus mittelela-mischer Zeit, 2. H. 2. Jt. v. Chr. [1]) eine Gottheit an, die ihn in die → Unterwelt geleiten soll. Anders als im Falle der äg. Jenseitsbücher besitzen wir mesopot. Quellen, die ein solches Wissen in diesseitige Kontexte über-nehmen. Aus einem Text, der die Fahrt des → Urnamma in die Unterwelt beschreibt, geht hervor, daß man Kenntnis davon besaß, welche Geschenke den jeweili-gen Unterweltsgottheiten darzubringen sind [2]. Bei den übrigen, in funerären Zusammenhängen gefunde-nen Texten handelt es sich nicht um T. im oben be-nannten Sinne: Inschr. auf Teilen der Grabarchitektur oder auf Beigaben können biographische Angaben so-wie Fluch- und Segensformeln enthalten. Desweiteren finden sich Tontafeln ganz verschiedenen Inhaltes [1], die nur selten einen direkten Bezug zum Toten oder allg. zum → Tod erkennen lassen.

II. Ḫattusa

Textfunde aus Gräbern sind für das hethitische Reich bislang nicht bezeugt. Wie in Mesopot. haben den Übergang in die → Unterwelt thematisierende Texte ihren »Sitz im Leben« im Diesseits und sind nur für den höfischen Bereich belegt, z. B. verschiedene Bestat-tungsrituale, deren Traditionen zumindest bis in die mittelhethit. Zeit (14. Jh. v. Chr.) zurückreichen. Ein umfangreicher Text beschreibt das vierzehntägige Be-stattungsritual für Mitglieder der Königsfamilie, des-sen Ziel die Transformation des Toten in einen Gott (→ Vergöttlichung) war. Sichergestellt wird dabei auch seine materielle Existenz. Ein anderes Ritual beschreibt den Weg des Toten: Ein Dialog zw. Priestern und den Unterweltsgottheiten scheint die Reise des Toten zu begleiten, auf der er von seiner Mutter in die Unterwelt hinabgeführt wird. Opfer an die Sonnengöttin der Un-terwelt sollen den Toten den Aufstieg in den Himmel ermöglichen.

1 J. BOTTÉRO, Les inscriptions cunéiformes funéraires, in: G. GNOLI et al. (Hrsg.), La mort, les morts dans les sociétés anciennes, 1982, 373–406 2 S. LUNDSTRÖM, Wenn Du in die Unterwelt hinabsteigen willst..., in: TH. RICHTER et al. (Hrsg.), Kulturgeschichten. FS V. Haas, 2001, 245–253.

S. I. U. u. B. CH.

III. Ägypten
A. Einleitung und Quellen
B. Pyramidentexte   C. Sargtexte
D. Das Totenbuch
E. Kosmographische Texte   F. Sonstiges

A. Einleitung und Quellen

Im Verlauf der äg. Gesch. wurden immer wieder ein-zelne Texte oder Textcorpora – monumentalisiert oder auf Papyrus aufgezeichnet – den Toten mit ins Grab gegeben [13]. Die Ägyptologie spricht in solchen Fällen von T., was den falschen Eindruck erweckt, diese Texte seien nur zur funerären Nutzung verfaßt worden. In vielen Fällen ist aber aufgrund mehr oder weniger deut-

licher Indizien eine Herkunft aus der Welt des Tem-pelkultes mit nachträglicher funerärer Adaption anzu-setzen [17; 18]. Die wichtigsten Textcorpora sind die Pyramidentexte (= PT), die Sargtexte (»Coffin Texts« = CT), das Totenbuch (= Tb.), die Unterwelts- und Him-melsbücher, das ›Mundöffnungsritual‹ und die ›Bücher vom Atmen‹; hinzu kommen kleinere Kompositionen wie z. B. das ›Buch vom Durchwandeln der Ewigkeit‹ [9], *Que mon nom fleurisse* [16] u. ä. oder Texte wie das ›Buch von der Himmelskuh‹ [12]. Außerdem wurden bes. in der Spätzeit (ab 664 v. Chr.) gerne diverse osiria-nische Rituale als T. adaptiert, manchmal sogar durch nachträgliches Einfügen des Namens des Verstorbenen in ausgemusterte Original-Tempel-Hss. Aufgrund der bes. guten Erhaltungsbedingungen in Gräbern ist die T. überproportional gut bekannt und stellt eine der wich-tigsten Quellen zur äg. Rel. dar. Viele Texte der T. zeichnen sich durch Illustrationen aus, bei den kosmo-graphischen Texten sind diese sogar dominant.

B. Pyramidentexte

PT ist die mod. Bezeichnung für eine Slg. von weit über 700 Sprüchen [6. 21], die zum ersten Mal in der → Pyramide des Unas (5. Dyn., 2367–2347 v. Chr.) be-legt sind (keine Pyramide enthält alle Sprüche). In den Pyramiden des späten AR (ca. 2367–2190 v. Chr.) und der 1. Zwischenzeit (ca. 2190–1990 v. Chr.) finden sich die Texte in die Wände des Bestattungstraktes einge-meißelt; sie sind für Könige und Königinnen reserviert. Ab dem MR (ca. 1990–1630 v. Chr.) erscheinen sie auf Särgen von Privatleuten zusammen mit den CT, wobei das Verhältnis beider Textgruppen noch nicht endgültig geklärt ist. Die Königspyramiden waren im MR wieder undekoriert. Aus den folgenden Epochen bis zur Rö-merzeit sind PT immer wieder in Auszügen in Tempel-ritualen, privaten Funerärtexten etc. belegt [1]. Die De-koration der privaten Spätzeitgräber orientiert sich teils sehr exakt an den Pyramiden des AR. PT wurden in spätptol. Zeit sogar in demotische Schrift umgesetzt [22]. Sie sind die ältesten rel. Quellen Äg.s und gehören zu den Texten mit der längsten nachweislichen Trad. Sprachliche und inhaltliche Kriterien legen überdies eine Datier. des Archetyps vor der 5. Dyn., evtl. in die Frühzeit, nahe.

Inhaltlich sind die Texte sehr inhomogen, es finden sich z. B. Opferrituale neben Schutzsprüchen gegen Schlangen. Während einige Sprüche deutlich in einen gemeinsamen Kontext gehören und auch stets in der gleichen Spruchsequenz tradiert wurden [14], stammen andere aus völlig anderen Zusammenhängen. Ihr ge-meinsamer Zweck in der Pyramide war, den Himmels-aufstieg des toten Königs zu sichern. Inhaltlich sind die Sprüche fast ganz in der Götterwelt angesiedelt, doch scheinen Realia im Bereich des Bestattungswesens und der Opferriten durch. Anspielungen auf verschiedene Aspekte des → Osiris-Mythos spielen eine bedeutende Rolle. Bes. ausgeprägt ist der stellare Charakter der Rel. [15], namentlich Orion und → Sothis (Sirius) erschei-nen immer wieder. Demgegenüber ist der später so bedeutende Sonnenglaube noch merklich schwächer ausgeprägt.

C. Sargtexte

Die CT sind ein inhomogenes Corpus von 1185 Sprüchen, die sich vorwiegend auf (meist privaten) Särgen des MR finden [4; 5]. Die mod. Bezeichnung umfaßt alle diese Texte, jedoch unter Ausschluß der ebenfalls auf diesen Särgen befindlichen PT. Mindestens teilweise dürften die CT so alt sein wie die PT, nur die Auswahl ändert sich. In den CT tritt der Sonnenglaube gegenüber dem Sternenkult in den Vordergrund. Auch in den CT gibt es Spruchsequenzen, die sich teils in eigene »Bücher« (z. B. ›Zweiwegebuch‹ [10]) isolieren lassen. Eine beträchtliche Zahl von Sprüchen, verm. die etwas jüngeren, ist durch Vorläufer der PT inspiriert bzw. stellt redaktionelle Bearbeitungen der betreffenden Sprüche dar. Wie diese, so wurden auch die CT lange tradiert und erlebten v. a. in der 26. Dyn. eine Renaissance.

D. Das Totenbuch

Das sog. Tb. (äg. ›Sprüche für das Herauskommen bei Tag‹) entwickelte sich in der 2. Zwischenzeit (ca. 1630–1550 v. Chr.) [11; 19]. Zunächst ebenfalls eine lose Spruchsammlung, erhielt es in der Spätzeit eine kanonische Form und Anordnung [23]. Insgesamt sind über 190 Sprüche bekannt. Bei den meisten dieser Texte handelt es sich um Weiterentwicklungen von CT-Vorläufern, außerdem gehören traditionell einige Sonnenhymnen ins Programm. Der bekannteste Spruch ist Tb. 125, der das Totengericht thematisiert. Das Tb. fand Verwendung für Könige und v. a. Privatpersonen.

E. Kosmographische Texte

Die Unterwelts- und Himmelsbücher, ab dem NR (ca. 1550–1070 v. Chr.) vorwiegend in Königsgräbern, ab der 3. Zwischenzeit (ca. 1070–664 v. Chr.) verstärkt auch in priesterlichen Grabausrüstungen belegt, dürften erheblich älter sein als das NR und urspr. aus dem Sonnenkult stammen (kosmographische Texte [3]). Sie thematisieren die Fahrt der Sonne durch die Unterwelt bzw. die Himmelsgöttin → Nut, das ›Nutbuch‹ zusätzlich den Lauf der Sterne und des Mondes. Einige der Texte sind in Stundenabschnitte unterteilt. Die wichtigsten identifizierten Unterweltsbücher sind: *Adumat* (›Das, was in der Unterwelt ist‹), ›Pfortenbuch‹, ›Höhlenbuch‹, ›Buch von der Erde‹. Die Himmelsbücher sind: ›Buch vom Tag‹ und ›von der Nacht‹.

F. Sonstiges

Das ›Mundöffnungsritual‹ ([20], Originaltitel) war urspr. ein handwerkliches Ritual zur Statuenherstellung [7]. Seine belebende Funktion übte es jedoch auch und gerade für → Mumien und sogar für Kultgerät und Gebäude aus. Das 1. und 2. ›Buch vom Atmen‹ ([8], Originaltitel) ergänzten und ersetzten in der spätesten Phase der äg. Rel. zunehmend das Tb. Sie sollen von Göttern verfaßt worden sein, um dem Verstorbenen Atemluft zu verschaffen.

→ Bestattung (B.); Religion (III.).

1 T. G. Allen, Occurences of Pyramid Texts with Cross Indexes of These and Other Egyptian Mortuary Texts, 1950 2 H. Altenmüller, Texte zum Begräbnisritual in den Pyramiden des AR, 1972 3 J. Assmann, Der König als Sonnenpriester, 1970, 56f. 4 P. Barguet, Les textes des sarcophages égyptiens du Moyen Empire, 1986 5 A. de Buck (Hrsg.), The Egyptian CT, 1935–1961 6 R. O. Faulkner, The Ancient Egyptian Pyramid Texts, 1969 7 H.-W. Fischer-Elfert, Die Vision von der Statue im Stein, 1998 8 J.-C. Goyon, Rituels funéraires de l'ancienne Égypte, 1972, 183–317 9 F.-R. Herbin, Le livre de parcourir l'éternité, 1994 10 E. Hermsen, Die zwei Wege des Jenseits, 1992 11 E. Hornung, Das Tb. der Ägypter, 1979 12 Ders., Der äg. Mythos von der Himmelskuh, ²1991 13 Ders., Altäg. Jenseitsbücher, 1997 14 J. Kahl, Steh auf, gib Horus deine Hand, 1996 15 R. Krauss, Astronomische Konzepte und Jenseitsvorstellungen in den PT, 1997 16 J. Lieblein, Le livre égyptien Que mon nom fleurisse, 1895 17 A. von Lieven, Book of the Dead, Book of the Living, in: S. Seidlmayer (Hrsg.), Rel. in Context, 2002 18 Dies., Mysterien des Kosmos. Kosmographie und Priesterwissenschaft, in: J. Assmann et al. (Hrsg.), Äg. Mysterien? (im Druck) 19 E. Naville, Das äg. Todtenbuch der XVIII. bis XX. Dyn., 2 Bde., 1886 (Ndr. 1971) 20 E. Otto, Das äg. Mundöffnungsritual, 1960 21 K. Sethe (Hrsg.), Die altäg. PT, 4 Bde., 1908–1922 (Ndr. 1960–1987) 22 M. Smith, New Middle Egyptian Texts in the Demotic Script, in: Sesto Congresso Internazionale di Egittologia, Bd. 2, 1993, 492f. 23 U. Verhoeven, Das saitische Tb. der Iahtesnacht, 3 Bde., 1993.

A. v. L.

IV. Klassische Antike

s. Unterwelt; Totengespräch

Totenmahl s. Bestattung (C.-D.); Perideipnon; Totenkult (VII.).

Totenobol s. Charonsgeld

Totenopfer s. Trankopfer

Totenorakel s. Divination

Totenrede s. Epitaphios; Laudatio funebris; Tod

Totenspiele s. Agon (Nachträge); Ludi (I.); Munus, Munera (III. C. 1.)

Totes Meer (Textfunde). Als Textfunde vom T. M. (→ Asphaltitis limne) werden jene Hss. bezeichnet, die in den am T. M. gelegenen FO Ketef Jericho, → Qumrān (= Q), Ḥirbat al-Mird, Wādī n-Nār, Wādī l-Ǧuwair, Wādī l-Murabbaʿa (= WM), Wādī Sudair, Naḥal Ḥever (= NH), Naḥal Mišmár, Naḥal Seʾelim und der Masada (= M) sowie in dem zw. Samaria und Jericho gelegenen Wādī d-Dāliya (= WD) gefunden wurden. Eine vollständige Liste aller Texte (= T.) findet sich in [3. Bd. 39].

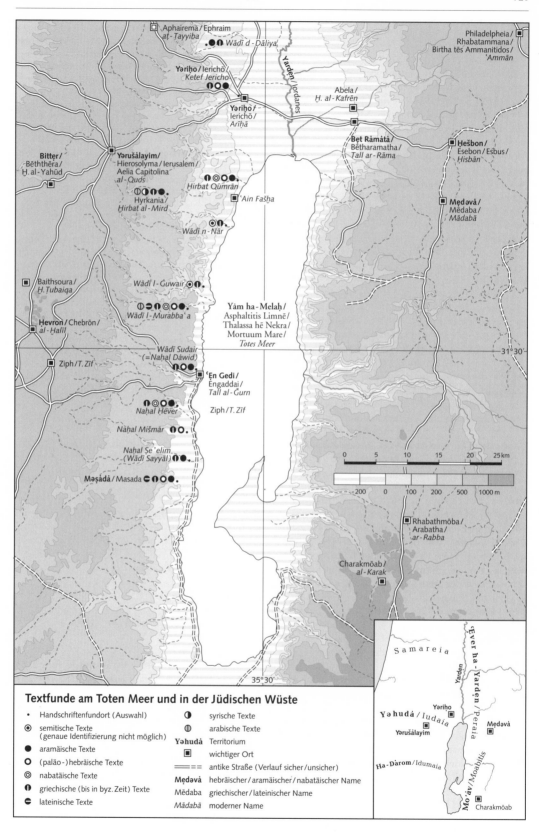

Textfunde am Toten Meer und in der Jüdischen Wüste

- • Handschriftenfundort (Auswahl)
- ◉ semitische Texte
  (genaue Identifizierung nicht möglich)
- ● aramäische Texte
- ○ (paläo-)hebräische Texte
- ◎ nabatäische Texte
- ◑ griechische (bis in byz. Zeit) Texte
- ◖ lateinische Texte

- ◐ syrische Texte
- ◑ arabische Texte
- **Yəhudā** Territorium
- ▣ wichtiger Ort
- === antike Straße (Verlauf sicher/unsicher)
- **Mẹdəvā** hebräischer/aramäischer/nabatäischer Name
- Mēdaba griechischer/lateinischer Name
- *Mādabā* moderner Name

I. Wādī d-Dāliya   II. Qumrān   III. Masada
IV. Nahal Hever, Wādī l-Murabbaʿa und
Ketef Jericho   V. Kleinere Fundorte
VI. Hirbat al-Mird

I. Wādī d-Dāliya

Die mit Ausnahme von WDSP 38 (griech.) in aram. Sprache verfaßten und stark beschädigten *Wadi ed-Daliyeh Samaritan Papyri* (= WDSP) wurden 1962–1964 in einer Höhle des WD gefunden. Die Dokumente (aus dem 4. Jh. v. Chr.) waren im Besitz von Teilen der samaritanischen Oberschicht, die vor den Armeen Alexandros' [4] flüchteten. Ein großer Teil der Dokumente behandelt u. a. Kauf und Ankauf von Sklaven. Wichtiger als die Dokumente selbst ist die Glyptik ihrer Siegelabdrücke. Sie belegt schon im 4. Jh. v. Chr. hell. Einfluß auf die Kultur und Rel. Samarias [3. Bd. 24; 51].

II. Qumrān

In 11 nahe Hirbat Q gelegenen Höhlen wurden in den Jahren 1947–1956 von Beduinen und Archäologen etwa 1000 hebräische, aram., griech. und nabatäische, meist stark beschädigte Hss. gefunden (→ Qumran), die paläographisch in die Zeit vom 3. Jh. v. Chr. bis in das 1. Jh. n. Chr. datiert werden. Neben biblischen T. bezeugen sie schon vor 1947 bekannte Apokryphen (→ Apokryphe Literatur A.) und → Pseudepigraphen sowie eine große Zahl vor 1947 unbekannter essenischer (= ess.; → Essener) T. Einige T. aus der letzten Gruppe (z. B. die Damaskusschrift und das *Aramaic Levi Document*) sind auch aus der → Geniza bekannt. So bietet die Bibl. von Q einen nicht repräsentativen Querschnitt durch die Lit. des ant. → Judentums der hell.-röm. Zeit. Von den ess. Bewohnern von Q verfaßte T. können nach folgenden Kriterien identifiziert werden: Verarbeiten oder Zitieren eines ess. T., die Verwendung einer typischen Terminologie (z. B. *anšy hyhd*, d. h. »Männer der Gemeinschaft«), radikale Tora-Observanz, kosmisch-ethischer Dualismus, in dem alles Nichtess. als frevelhaft ausgegrenzt wird, kritische Distanz zum Jerusalemer Tempel, Verwendung eines 364-Tage-Solarkalenders und Erwähnung von zentralen Figuren aus der Gesch. der ess. Gemeinschaft. Dagegen signalisieren die freie Verwendung des Tetragramms, ein 354-Tage-Lunarkalender und die Abfassung eines T. in einer anderen als der hebr. Sprache den nichtess. Ursprung.

A. Kanongeschichte und biblische Handschriften

Die Bibl. von Q zeigt, daß sich das ant. Judentum (= JT) in hell. Zeit an autoritativen Texten orientierte und seit der Zeit der hell. Rel.-Reformen 175–164 v. Chr. ein Schriftverständnis entwickelte. Jedoch kann für diese Zeit nicht mit einem abgeschlossenen Kanon gerechnet werden. Insgesamt fanden sich in Q ca. 200 Hss. von B. der späteren Hebr. Bibel: Die ältesten (4QSam[b]; 4QJer[a]) stammen aus der Mitte des 3. Jh. v. Chr. Ca. 35 % der at. Hss. aus Q bezeugen den Kon-

sonantenbestand des späteren masoretischen T.; 5 % bezeugen eine Form des Pentateuch, die später von den Samaritanern übernommen und umgearbeitet wurde; 5 % bezeugen die hebr. Vorlagen verschiedener B. der → Septuaginta; ca. 20 % verwenden eine in Q weitverbreitete Pleneorthographie; ca. 35 % belegen Texttypen, die sich keiner der bekannten Versionen zuordnen lassen. V. a. die T.-Zeugen der letzten Gruppe geben Einblick in das redaktionsgeschichtliche Werden at. B. und lassen, zumindest für einen Teil der Hebr. Bibel, das Postulat eines Ur-T. als fraglich erscheinen. Aram. und griech. Hss. zeigen, daß der Übers.-Prozeß ins Griech. und Aram. weit zurückreicht (→ Bibelübersetzungen). Soweit datierbar, stammen die nichtbiblischen T. aus Q aus der Zeit vom 4. Jh. bis ins 1. Jh. v. Chr. Sie lassen sich verschiedenen Gattungen zuordnen:

B. Parabiblische Literatur

Unter parabiblischen T. versteht man lit. Werke, die zu T., Themen oder Personen der späteren Hebr. Bibel in enger Verbindung stehen. Die parabiblische Lit. ist von dem Bemühen geprägt, durch die Auslegung autoritativer T. (z. B. der Tora) Aufschlüsse über die ergangene Offenbarung zu erlangen und in Form neuer T. zu formulieren. Mit Hilfe solcher *relecture*-Vorgänge wird versucht, Antworten auf Fragen der eigenen Gegenwart zu geben und sie in der vergangenen Offenbarung zu verankern. Die parabiblische Lit. aus Q beschäftigt sich mit T. und Personen, die in der Zeit von der Schöpfung bis zum Exil angesiedelt sind. Neben T. aus dem Bereich *Rewritten Bible* (z. B. das B. Noah, Jub, Mosesapokryphen) finden sich auch Erzählungen (Gigantenbuch), Testamente und Apokalypsen (s. u.).

C. Exegetische Literatur

V. a. durch die Bibl. von Q ist seit den hell. Rel.-Reformen (175–164 v. Chr.) im ant. JT exegetische Lit. im eigentlichen Sinn belegt. Daß diese erst jetzt erscheint, deutet auf einen Wandel im Umgang mit autoritativen T. hin. Erst in dieser Zeit hat das JT ein Schriftverständnis entwickelt. Die am weitesten verbreitete Gattung exegetischer Lit. sind die aus ess. Kreisen stammenden *Pescharim*. Ihnen ist gemeinsam, daß sie die Auslegung eines zitierten Lemmas mit einer im Wortlaut variablen Deuteformel einleiten, die das Wort *pešer* (»Deutung«) enthält. Es gibt thematische und fortlaufende *Pescharim*. Das Wort *pešer* und die von den *Pescharim* verwendeten Auslegungstechniken erinnern an ant. Traum- und Omendeutungen (→ Omen; → Traumdeutung). Die vom Pescharisten geleistete Auslegung wurde als ein dem Propheten-T. nachgeordneter zweiter Offenbarungsakt verstanden, der dem Interpreten die dem Propheten verborgene Bedeutung des T. erschloß.

D. Mit dem Religionsgesetz befaßte Literatur

Daß auch diese Lit. von den Essenern zum großen Teil als exegetisch verstanden wurde, zeigt die Bezeichnung zweier Gemeinderegeln als *midrāšîm*. Die Gemeinderegeln und ein großer Teil der → Halakha sind ess. Ursprungs. Ihr exegetischer Charakter dürfte mit dem Anspruch der ess. Gemeinschaft, ein bes. Wissen um Auslegung und Bed. der Gesetze zu haben, zusammenhängen. Generell läßt sich in der ess. Halakha eine Tendenz zu einer bes. strengen Interpretation der Rel.-Gesetze feststellen. Dies dürfte auf die priesterliche Herkunft dieser Gemeinschaft zurückgehen. Neben Reinheitsfragen sind z. B. Sabbatgesetzgebung und kalendarische Fragen von bes. Interesse. Gemeinderegeln wie Serekh ha-Yahad oder die Damaskusschrift regeln den Lebensvollzug in der ess. Gemeinschaft und erinnern mit ihren Vorschriften zu Teilen an die Struktur hell. Rel.-Gilden. Daß Fragen des Rel.-Gesetzes sich nicht auf die Gegenwart beschränken, zeigen die sog. Kriegsregel und die sich auf das Eschaton beziehende Gemeinschaftsregel.

E. KALENDARISCHE LITERATUR

Die hohe Zahl kalendarischer Hss. weist auf die große Bed. von Kalenderfragen für die Essener hin. Die Texte legen die Dienstzeiten der priesterlichen Dienstklassen fest und listen die Daten von Sabbaten und Kultfesten auf. Mischformen sind nicht ungewöhnlich. Mit Ausnahme von 4QZodiology and Brontology (360–Tage-Solarkalender) sind alle Texte einem 364–Tage-Solarkalender verpflichtet, wie er sich ähnlich auch in astrHen und Jub findet und wie er vor 150 v. Chr. zumindest den Kultbetrieb des Jerusalemer → Tempels bestimmte. In diesem Kalender haben Monate, Wochen und Tage keine Namen, sondern werden nur gezählt. Er wurde von der ess. Bewegung auch noch nach 152 v. Chr. angewendet, während am Tempel seit dieser Zeit der 354–Tage-Lunarkalender mit babylonischen Monatsnamen in Geltung war, der auch noch vom heutigen JT benutzt wird.

F. POETISCH-LITURGISCHE LITERATUR

Daß die poetisch-liturgische Lit. eine der umfangreichsten T.-Gruppen in der Bibl. von Q ausmacht, hängt mit der Bed. des Gotteslobs für die → Essener zusammen. Bedingt durch ihre Distanzierung vom Jerusalemer Tempel verstanden sie ihre Gemeinschaft als einen spirituellen Tempel (*mqdš adm*, »Tempel aus Menschen«), in dem das Gotteslob die Funktion des Opfers übernahm (s. 4QMidrEschat[a] III). Allg. kann gesagt werden, daß die poetischen Gattungen der Hebr. Bibel in den T. der Bibl. von Q miteinander verschmelzen. Zudem finden sich vermehrt anthologische Dichtungen (s. etwa die Hodayot). Die liturgische Dichtung umfaßt Slgg. sog. Täglicher Gebete (*Daily Prayers*), Lieder zum Sabbatopfer, mit einer Bundesfeier befaßte T., Reinigungsrituale und Exorzismen (s.u. K.). Die nichtliturgische Poesie besteht neben Pss-Slgg. im Stil des Psalters und Klageliedern im wesentlichen aus Hodayot (Preisliedern) und hodayotartigen Dichtungen.

G. WEISHEITSLITERATUR

Die Bibl. von Q enthielt eine überraschend große Zahl weisheitlicher T., die mit Ausnahme einer Lehrrede (4Q298) nichtess. Herkunft sind. Die hohe Zahl deutet auf eine ungeahnte Präsenz der Weisheitslit. im

ant. JT hin. Die dominierende weisheitliche Gattung ist die »Lehre« (*mūšar*). Solche Lehren verbinden Spruch-Slgg., traktatartige, hymnische und paränetische Passagen. Daneben finden sich noch eine wohl alte Spruch-Slg. und zwei weitere Lehrreden. Inhaltlich können die meisten Texte der Toraweisheit zugerechnet werden, wobei dualistisch-eschatologisches Gedankengut und ein kultisches Interesse nicht ungewöhnlich sind.

H. HISTORISCHE TEXTE UND ERZÄHLUNGEN

Narrative Texte sind außerhalb der parabiblischen Lit. in der Bibl. von Q sehr selten. Abgesehen vom wohl urspr. hebr. Tob (4Q196–200) finden sich nur zwei aram. Hofgesch. (Gebet des Nabonid: 4Q242; Proto-Esther: 4Q550–550e).

J. APOKALYPTISCHE UND ESCHATOLOGISCHE LITERATUR

Für keine der Apokalypsen aus der Bibl. von Q fand sich ein Hinweis auf ess. Verf. Viele Apokalypsen sind parabiblischer Natur und geben sich als Offenbarungen aus. Noch bis in die jüngere Zeit hinein hielt man eine symbolische Kodierung für ein Charakteristikum von apokalyptischer Offenbarung, und in der Bibl. von Q fanden sich mehrere solcher symbolischer Apokalypsen (B. der Träume: 1 Hen 83–90; 4Q204 etc.). Zusätzlich fanden sich Offenbarungs-T., deren Gedankengut den symbolischen Apokalypsen ähnelt, die jedoch auf eine symbolische Kodierung verzichten (so z. B. Historical Text A: 4Q248) und als nichtsymbolische Apokalypsen zu kategorisieren sind. Neben reinen Offenbarungs-T. begegnen auch Werke, die den Visionär in die Welt des Transzendenten entführen, sog. *Otherworldly Journeys* (Himmelsreisen; New Jerusalem: 1Q32 etc.). Ferner umfaßt die Bibl. von Q eine Vielzahl anderer eschatologischer T. (z. B. Kriegsregel oder Gemeinschaftsregel). Von ihnen dürften zumindest eine jüngere Form der Kriegsregel, die eschatologische Gemeinschaftsregel sowie evtl. die am aaronitischen Segen (Nm 6,24–26) orientierten Segenssprüche ess. Ursprungs sein.

K. MAGISCH-DIVINATORISCHE LITERATUR

Die magisch-divinatorische Lit. ist in Q nur spärlich vertreten und wohl durchgehend nichtess. Ursprungs. Neben einer physiognomisch-astrologischen Omenliste (4Q186, 4Q561) findet sich ein der Zodiakalastrologie anhängendes Brontologion (4Q318). Die erh. magischen Texte sind im wesentlichen exorzistisch (→ Exorzismus).

L. WEITERE TEXTE

Zusätzlich fanden sich in der Bibl. von Q eine kleinere Zahl von juridischen und rel. Dokumenten, welche die in 1Q–11Q gefundene Bibl. ohne Zweifel mit der Siedlung von Q verbinden (→ Essener; → Qumran). Ferner sind noch zwei Briefe (4Q342, aram.; 4Q343, nabatäisch) und vier Schreiberübungen sowie eine in Kupfer gravierte Schatzliste (3Q15) erhalten.

III. Masada

Die stark beschädigten Hss. von der M (zu Arch. und Fund-Gesch. → Masada) stammen zum größten Teil von deren zelotischen Bewohnern während des 1. → Jüdischen Krieges (s. Nachträge). Nur die biblischen Hss. MasDtn und MasEzek könnten aus der Zeit Herodes' [1] I. d. Gr. stammen. Die sieben biblischen Hss. bezeugen, soweit noch feststellbar, einen protomasoretischen Text [7. Bd. 6]. MasSir (Mas 1h) bietet eine von LXX und den Geniza-Hss. abweichende Textform. Neben biblischen und deuterokanonischen Hss. fanden sich auf der M eine Jub- bzw. psJub-Hs. (Mas 1j), zwei Hss. auch in Q belegter Texte, ein Genesis- bzw. Joseph-Apokryphon, eine paläohebr. Hs. (Mas 10 r), die *hrgrzym* (»Berg Garizim«) in einem Wort als Eigenname schreibt und samaritanischen Ursprungs sein könnte [7. Bd. 6, 142–147], ein aram. Fr. und zahlreiche Ostraka. Daß Mas 1k-l auch in Q belegt sind, muß nicht für eine ess. Präsenz auf M während des 1. Jüd. Krieges sprechen. In den röm. Belagerungsanlagen fanden sich Dokumente und Briefe, die Einblicke in das Leben der Legionen gegen E. des 1. Jh. n. Chr. geben. Bemerkenswert ist ein T.-Stück aus Verg. Aen. (Mas 721 r), das einen der ältesten Zeugen dieses Werkes darstellt.

IV. Naḥal Ḥever, Wādī l-Murabbaʿa und Ketef Jericho

Die durchgehend stark beschädigten hebr., aram., griech. und nabatäischen Hss. der drei FO wurden sowohl von Beduinen als auch bei systematischen Grabungen gefunden. Die Beduinen gaben als Herkunftsort der von ihnen in NḤ gefundenen Hss. Wādī Sayyāl und Q an, und erst die Arbeit an den Hss. selbst gab Aufschluß über ihre Herkunft [3. Bd. 27, 1–6; 3. Bd. 39]. In NḤ und WM wurden in Fluchthöhlen lit. T., Dokumente und Briefe aus dem 1./2. Jh. n. Chr. gefunden. Aus WM stammt der älteste noch bekannte nichtinschr. hebr. T., ein paläohebr. → Palimpsest aus dem 7. Jh. v. Chr. (der überschriebene T. ist eine Namensliste, der sekundäre T. ein Brief). In Ketef Jericho fanden sich zusätzlich zwei paläohebr. Hss. aus dem 4. Jh. v. Chr. (Jer 1; Jer 6,5). In WM fanden sich auch byz. und arab. Hss. Biblische Hss. sind lediglich aus NḤ und WM bekannt. Soweit lesbar, bezeugen sie einen protomasoretischen Text.

Bes. wichtig für die at. T.-Gesch. ist 8ḤevXII gr. Bei der Rolle handelt es sich um eine Rezension der griech. Übers. des 12-Propheten-Buches in Richtung auf den protomasoretischen Text, wie sie z. B. auch von → Theodotion oder der Klagelieder-LXX vertreten wird. Wegen der typischen Verwendung von καίγε wird diese Rezension heute *Kaige* genannt. Die paläographische Datier. von 8ḤevXII gr in das späte 1. Jh. v. Chr. [3. Bd. 8, 19–26] belegt einen viel früheren Beginn der Umarbeitung der LXX, als man urspr. annahm, und schließt die christl. Verwendung der LXX als Anstoß zu diesem Umarbeitungsprozeß aus. Die Ausbeute an nichtbiblischen lit. T. von den drei FO ist mager. Abge-

sehen von einigen Hss. aus der Zeit des 1. Jüd. Krieges (diese Dokumente gehörten einer Gruppe, die 71 n. Chr. oder später von M nach WM floh) und einigen Hss., die von der röm. Besatzung von WM nach dem 2. Jüd. Krieg stammen, waren die ca. 160 dokumentenartigen Hss. aus WM, NḤ und Ketef Jericho im Besitz von Flüchtlingen aus der letzten Phase des 2. Jüd. Krieges. Die in hebr., aram., griech. und nabatäischer Sprache verfaßten Urkunden geben Einblick in Rechtswesen, Sozial- und Wirtschafts-Gesch. dieser Zeit. Es handelt sich im wesentlichen um Kauf- und Pachtverträge, Warenlisten, Schuldscheine, Heiratsverträge und Scheidebriefe. Allg. kann ein Fortleben des vor dem 2. Jüd. Krieg gültigen Rechts auch nach 132 n. Chr. festgestellt werden. Neu ist dagegen die Verwendung des Hebr. in Rechtsurkunden. Ferner belegen die vor 132 n. Chr. entstandenen Urkunden eine Partizipation der jüd. Bevölkerung im Umkreis des T. M. am Rechtswesen des nichtjüdischen Umfeldes ihrer Zeit [12. 215]. Die Dokumenten-Archive zweier Frauen (Babatha: 5/6Ḥev 1–35; Salome Komaise: XḤev/Se 12, XḤev/Se 60–65) erlauben, die Rechtsgesch. zweier jüd. Familien im Detail nachzuvollziehen.

Aus NḤ und WM stammt eine große Zahl von Briefen, die zentrale Quellen für die Gesch. des 2. Jüd. Krieges sind. Viele dieser Briefe wurden von → Bar Kochba selbst verfaßt und geben u. a. Aufschluß über seinen wahren Namen (Shimʿon ben Kosiba); andere Briefe stammen aus seiner Administration. Daß nur zwei Briefe dieser Korrespondenz griech., die anderen hebr. oder aram. geschrieben sind, zeigt ein Bemühen, die hebr. Sprache zu revitalisieren.

V. Kleinere Fundorte

Kleinere Hss.-Funde wurden in Wādī n-Nār, Wādī l-Ġuwair, Wādī Sudair, Naḥal Mišmār und Naḥal Ṣeʾelim gemacht. Alle Hss. weisen starke Beschädigungen auf. In Wādī n-Nār wurden zwei griech., ein semitisches und zwei sprachlich nicht zu identifizierende Frg. gefunden. Es wird spekuliert, ob sie aus Ḥirbat al-Mird stammen. Bei der Anlage von Wādī l-Ġuwair könnte es sich um eine ess. Siedlung handeln. Der Anlage werden ein griech. Papyrus-Frg. und ein semitisches Papier-Frg. zugeschrieben. Nach Angaben von Beduinen wurden in Wādī Sudair (= Naḥal David) 1952 vier Hss. aus der Zeit des 2. Jüd. Krieges gefunden. Es handelt sich um eine protomasoretische Gn-Hs., einen aram. Schuldschein und zwei unidentifizierte griech. Dokumente. In Naḥal Mišmār fanden sich Reste von zwei hebr. und einem griech. Dokument sowie Teile von vier hebr. und einem griech. Ostrakon aus der Zeit des 2. Jüd. Krieges. Die wenigen sicher aus Naḥal Ṣeʾelim stammenden Hss. wurden 1960 während einer Grabungskampagne in Höhle 34 entdeckt. Es handelt sich um ein Phylakterium, eine Neh-Hs., einen aram. Vertrag, eine griech. Zensusliste und eine griech. Weizenliste.

VI. Ḥirbat al-Mird

Der Name bezeichnet das 492 n.Chr. in der Nähe des T.M. unweit von Ḥirbat Q auf den Ruinen des ant. Hyrkania errichtete byz. Kloster Kastellion. Seit 1873 wurden Surveys und Teilgrabungen durchgeführt. Die arab., griech. und syr. bzw. christl.-aram. Pap. von Ḥirbat al-Mird sind stark beschädigt. Sie wurden 1952 von Beduinen und 1953 bei Ausgrabungen gefunden und stammen aus byz. und arab. Zeit. Die 100 arab. Pap. lassen sich in Protokolle, Rechtsdokumente, Briefe, Wirtschaftstexte, lit. Texte, Varia und eine Zeichnung unterteilen. Von den syr. bzw. christl.-aram. Pap. wurden bislang ein Brief, ein magisches Amulett und eine Hs. der Apg veröffentlicht. Berichtet wurde ferner von Jos-, Mt-, Lk- und Kol-Hss. Von den griech. Papyri sind Mt-, Mk-, Jo- und Apg-Hss. sowie ein monastischer Brief publiziert.

Ed.: **1** N. Avigad, Y. Yadin, A Genesis Apocryphon, 1956 **2** J. H. Charlesworth (Hrsg.), The Princeton Theological Seminary Dead Sea Scrolls Project, 1991 ff. **3** Discoveries in the Judaean Desert (of Jordan), Bd. 1 ff., 1955 ff. **4** F. García Martínez, E. J. C. Tigchelaar (Hrsg.), The Dead Sea Scrolls Study Edition, Bd. 1–2, 1997–1998 **5** J. Maier et al., Die Qumran-Essener: Die Texte vom Toten Meer, 3 Bde., 1995–1996 **6** N. Lewis, Y. Yadin, J. C. Greenfield (Hrsg.), The Documents from the Bar Kokhba Period in the Cave of Letters (Judaean Desert Studies), 1989 **7** Masada. The Yigael Yadin Excavations 1963–1965, Final Reports, Bd. 1–6, 1989–1999 **8** Y. Yadin (Hrsg.), The Temple Scroll, Bd. 1–3, Jerusalem 1977–1983 **9** A. Yardeni, Textbook of Aramaic, Hebrew and Nabataean Documentary Texts from the Judaean Desert and Related Material, Bd. A-B, 2000.
Lit.: **10** D. Barthélemy, Les devanciers d'Aquila (VT, Suppl. 10), 1963 **11** J. M. Baumgarten, Studies in Qumran Law (Studies in Judaism in Late Antiquity 24), 1977 **12** L. H. Schiffman et al. (Hrsg.), Encyclopedia of the Dead Sea Scrolls, Bd. 1–2, 2000 **13** T. Herbert, E. Tov (Hrsg.), The Text of the Hebrew Bible in Light of the Discoveries of the Judaean Desert, 2001.
Karten-Lit.: D. Jericke, G. Schmitt, Palästina. Siedlungen in griech.-röm. Zeit (ca. 300 v.Chr.–300 n.Chr.; Nord- und Südteil), TAVO B V 18, 1992 • L. H. Schiffman, Reclaiming the Dead Sea Scrolls, 1984 • J. Wagner, Die röm. Prov. Palaestina und Arabia (70–305 n.Chr.), TAVO B V 17.2, 1988. AR.L.

Totila (Τωτίλας; anderer Name *Baduila*, z.B. Iord. de summa temporum vel origine actibusque gentis Romanorum 380; [1. 458]). Gotenkönig 541–552 n.Chr., Neffe Hildebalds (ostgot. König 540/41), Großneffe des westgot. Königs → Theudis. Kommandierte got. Truppen in Tarvisium, als sein Onkel ermordet wurde. Er entschloß sich trotz Verhandlungen mit den Byzantinern, dessen Nachfolge anzutreten, als → Erarichs Herrschaft Unzufriedenheit unter den Ostgoten auslöste (Prok. BG 3,2), und nahm 542 den Krieg gegen Byzanz während der Abwesenheit des → Belisarios wieder auf (ebd. 3,4), stieß gegen starken Widerstand weit nach Süditalien vor (ebd. 3,6,1 f.), konnte aber die Unter-

stützung des röm. Senats nicht gewinnen (ebd. 3,9,6–22). Trotz Belisarios' Rückkehr nahm T. Ende 546 Rom nach einjähriger Belagerung ein (Chron. min. 2,107 f.); er verbannte viele Senatoren nach Campania, ließ die Stadtmauer teilweise einreißen (Prok. BG 3,22,6 f. und 19 f.) und ergriff sozialrevolutionäre Maßnahmen, die jedoch eher taktisch als Mittel im Kampf gegen Grundbesitzer wie → Tullianus zu verstehen sind ([2. 382–386] mit älterer Lit.; [4. 355]). Im Frühjahr 547 verlor T. Rom an Belisarios unter großem Prestigeverlust bei den Goten (Prok. BG 3,24) und potentiellen Verbündeten (Zurückweisung von T.s Heiratsplänen durch einen Frankenkönig: ebd. 3,37,1 f.), gewann es aber im Januar 550 zurück (ebd. 3,36). Nun verhielt sich T. dem Senat gegenüber versöhnlich (ebd. 3,37,1–4), wohl wegen der einsetzenden byz. »amalisch-legitimistischen Propaganda« [4. 357] durch → Germanus [1], den Ehemann der → Matasuntha.

Neben einer Gesandtschaft an → Iustinianus [1] zu Friedensverhandlungen (Prok. BG 3,37,6 f.) führte er einen Feldzug nach Sizilien durch (ebd. 3,37,18–23; 39,1–5). 551 kam es zum Plünderungszug der got. Flotte nach Griechenland (ebd. 4,22,17–32), die danach jedoch bei Ancona entscheidend geschlagen wurde (ebd. 4,23). Wiederholte Friedensbemühungen T.s blieben erfolglos (ebd. 4,24,4 f.), E. 551 besetzte er Sardinien und Korsika (ebd. 4,24,31–39). 552 gelang → Narses [4] überraschend ein Vorstoß von Dalmatien nach Ravenna, an den zu seiner Abwehr aufgestellten got. Truppen (→ Theia [2]) vorbei (ebd. 4,26). Nach der verlorenen Entscheidungsschlacht bei den Busta Gallorum in Umbrien (wohl Juni 552; ebd. 4,29–31, vgl. [3]) kam T. auf der Flucht um (Prok. BG 4,31; Chron. min. 2,203; 236). Sein Nachfolger wurde Theia [2] (Teia). PLRE 3,1328–1332.

1 P. Amory, People and Identity in Ostrogothic Italy, 1997, bes. 175–192 **2** J. Moorhead, T. the Revolutionary, in: Historia 49, 2000, 382–386 **3** H. N. Roisl, s.v. T., RE Suppl. 14, 799–809 **4** H. Wolfram, Die Goten, ⁴2001.
WE.LÜ.

Tourismus s. Reisen II. E.

Toxandria. Landschaft (Amm. 17,8,3) in den h. Prov. Nordbrabant, Antwerpen, Limburg, im MA Grafschaft Teisterbant; die Bewohner (Texuandri: Plin. nat. 4,106; ILS 2556; CIL III, 6239; 14214) waren gemischte, z.T. aus german. Einwanderern bestehende Volksgruppen, die sich im ehemaligen Siedlungsgebiet der → Eburones formierten. Die → Salii [1], die sich in der Spätant. in T. niederließen, wurden 358 n.Chr. von Iulianus [11] besiegt, durften aber im Land bleiben und machten T. zum Ausgangspunkt ihrer Expansion im 4. und 5. Jh.

TIR M 31 Lutetia, 1975, 179. F.SCH.

Toxeus (Τοξεύς).

[1] Ein Sohn des → Eurytos [1], des Königs von Oichalia und berühmten Bogenschützens, und der Antiope. Nach Diod. 4,37 von Herakles [1], der die Stadt Oichalia erobert und zerstört, zusammen mit seinen Brüdern Molion und → Klytios [3] (nach Aristokrates im schol. Soph. Trach. 266: Klytios und Deinon) getötet.

[2] Sohn des Königs → Oineus von Kalydon und der → Althaia [1], einer Tochter des → Thestios (Apollod. 1,64).

[3] Nach Ov. met. 8,304; 8,434; 8,439 ff. Sohn des → Thestios, Bruder der Althaia [1]. Wird im Anschluß an die Kalydonische Jagd von seinem Neffen → Meleagros [1] im Streit getötet.   T.GO.

Toxon s. Pfeil und Bogen

Toxotai (τοξόται, »Bogenschützen«).
[1] → Pfeil und Bogen sind sehr alte Waffen; sie waren in Griechenland seit myk. Zeit verbreitet, waren aber nicht die normalen Waffen eines adligen Helden und galten weniger als etwa Schwert oder Lanze; Homer erwähnt t. und ihre Waffe mehrmals (z. B. Hom. Il. 4,93–126; 11,385–395; → Philoktetes auf Lemnos: Soph. Phil. 287–292; 707–711; 1146–1162). Gegen E. der archa. Zeit stützte Polykrates [1] von Samos sich auf → Söldner und t. (Hdt. 3,45,4), und spätestens im → Peloponnesischen Krieg verfügte Athen über eine Truppe von 1600 t. (Thuk. 2,13,8); an den athen. Feldzügen gegen Melos 416 v. Chr. und Sizilien 415 v. Chr. nahmen auch t. teil (Thuk. 5,84,1; 6,43). Sparta nahm nur in der schwierigen mil. Lage nach der Niederlage bei Pylos 424 v. Chr. t. in das Heer auf (Thuk. 4,55,2). Insgesamt hatten aber die t. in archa. und klass. Zeit eine geringere mil. Bedeutung als die Hopliten (→ hoplítai). Häufig waren die in griech. Heeren eingesetzten t. → Skythen (Xen. an. 3,4,15) oder Kreter (Thuk. 6,43,2). In den Armeen Alexandros' [4] und seiner Nachfolger wurden t. vermehrt als selbständige Einheiten eingesetzt. Bogenschützen kamen als »Plänkler« vor der Linie der → phálanx, in – und umgekehrt gegen – Verteidigungsstellungen oder von höherem Gelände aus bevorzugt zum Einsatz. Auch im röm. Heer gab es Einheiten von Bogenschützen, die sagittarii (→ Pfeil und Bogen).
→ Heerwesen (II.); Hippotoxotai

A. SNODGRASS, Arms and Armor of the Greeks, 1967, ²1999, 80–84.   LE.BU.

[2] Bezeichnung für die → Skythai [2], eine Gruppe von Bogenschützen, die im 5. und 4. Jh. v. Chr. in Athen als Ordnungskräfte verwendet wurden.   P.J.R.

Toÿgenoi (Τωΰγενοί). Teilstamm der → Helvetii, zusammen mit den → Cimbri auf der Westwanderung (Poseid. FGrH 87 F 31,2). Nach Strab. 4,1,8 kämpfte Marius [I 1] gegen T. und → Ambrones; da aber Plut. Marius 15,6 neben den Cimbri und Ambrones als Gegner des Marius bei Aquae [III 5] Sextiae 102 v. Chr. die → Teutoni nennt, könnte Strabon die T. mit den Teu-

toni verwechselt haben [1. 145–157]. Grundsätzlich aber ist die Gleichsetzung der T. mit den Teutoni [1; 3. 356 f.; 4. 300–309, 455–459] unwahrscheinlich [2; 5; 6. 208[10]].

1 F. STÄHELIN, Zur Gesch. der Helvetier, in: Zschr. für Schweizerische Gesch. 1, 1921, 129–157 2 T. STEVENS, s. v. T., RE 6 A, 1859f. 3 E. HOWALD, E. MEYER, Die röm. Schweiz, 1940 4 W. ALY, Strabonis Geographica, Bd. 4, 1957 5 K. KRAFT, Tougener und Teutonen, in: Hermes 85, 1957, 367–378 6 H.-W. GOETZ, K.-W. WELWEI, Altes Germanien, Bd. 1, 1995.   R.A.WI.

Trabea
[1] Röm. Kleidungsstück, festliche Form der → toga, die sich nur durch die Farbe von ihr unterschied. Sie war purpurrot gefärbt, mit scharlachroten oder weißen Streifen (clavi) besetzt und wurde bei offiziellen Anlässen von den Rittern und Saliern (→ Salii [2]) getragen. Ursprünglich war sie die Tracht der röm. Könige und wurde dann von den Consuln übernommen, die sie aber nur bei bes. Anlässen (z. B. Öffnung des Ianustempels) trugen. Weitere Träger der t. waren in der Frühzeit die Auguren, die Flamines Dialis und Martialis (»Iupiter-« und »Mars-Priester«), die dann seit dem 3. Jh. v. Chr. die toga praetexta trugen. Gesicherte Darstellungen der t. sind aufgrund des Fehlens von Farbe an Kunstdenkmälern kaum auszumachen.

H. GABELMANN, Die ritterliche T., in: JDAI 92, 1977, 322–372 • H. WREDE, Zur T., in: JDAI 103, 1988, 381–400 • A. POTTHOFF, Lat. Kleidungsbezeichnungen in synchroner und diachroner Sicht, 1992, 201–206.   R.H.

[2] Röm. Komödiendichter in der Gattung der → palliata, wohl aus der 1. H. des 2. Jh. v. Chr. Schon der Komikerkanon des → Volcacius Sedigitus nennt ihn unter zehn Namen erst an achter Stelle; auch die wenigen Fr. machen deutlich, daß er nur bis in die Generation Ciceros und Varros ein Publikum fand.

CRF ³1898, 36 f. • BARDON 1, 37 f.   P.L.S.

Trabeata s. Komödie II.D.; Melissus

Trachis (Τραχίς). Eine der ältesten Städte im Tal des → Spercheios, am Nordhang des Oite, am Ausgang der Schlucht des Asopos [1] bei den sog. »Trachinischen Felsen« (Τραχίνιαι πέτραι / Trachíniai pétrai, Hdt. 7,198). T. war Residenz des → Keyx. In der ›Ilias‹ gehört T. zum Gebiet des → Peleus (Hom. Il. 2,682). Im 5. Jh. v. Chr. war T. Hauptort der → Malieis (Hdt. 7,199). Gegen die von Süden vordringenden → Oitaioi gründete Sparta 426 v. Chr. nur 6 Stadien (ca. 1,2 km) entfernt Herakleia [1] Trachinia, dessen Unterstadt bald T. überlagerte (Thuk. 3,92; Diod. 12,59,3 ff.).

Y. BÉQUIGNON, La vallée du Spercheios, 1937, s. Index • F. STÄHLIN, Das hellenische Thessalien, 1924, 208 f. • PRITCHETT 1, 81 f.   HE.KR.

Tracht I. Alter Orient und Ägypten
II. Klassische Antike

I. Alter Orient und Ägypten

Zur altorientalischen T. gehörten Gewänder mit Accessoires, Kopfbedeckungen, Sandalen (ab Mitte des 3. Jt. v. Chr.) bzw. Schuhe (ab Mitte des 2. Jt. v. Chr.), Frisuren und Bartformen. Das Gewand war insgesamt oder in Teilen rechtlich bedeutsam (der Saumabdruck konnte das → Siegel (I. D.) ersetzen), also der wichtigste Teil der T. Grundformen für Männer und Frauen waren Wickelrock und -mantel. Abweichende Wickelung und engere oder weitere Schnitte markierten regionale Unterschiede. Genähte Hemdtrachten erschienen am Ende des 3. Jt., setzten sich aber erst zu Beginn des 1. Jt. durch. Hosen sind erst bei den → Achaimenidai, Strumpfhosen jedoch bereits in neuassyr. Soldaten-T. bezeugt. Glatte oder gemusterte Grundstoffe, unterschiedliche Farbgebung und reiche Applikationen bewirkten die Vielfalt der altoriental. T. Als Kopfbedeckung trug man meist Kappen. Männer- und Frauen-T. wichen anfangs in der Wickelung der Gewänder voneinander ab, waren aber später mit Aufkommen der Hemdtrachten gleich. In Texten sind häufig Unterkleider erwähnt.

Götter-T. standen über der Mode, waren meist traditionell und den Texten nach sehr kostbar. Götter konnten allerdings auch Menschen-T. tragen und vice versa. Nacktheit auf Abbildungen deutete in der Regel einen niedrigen oder erniedrigten Status an, z. B. bei Gefangenen oder Toten; im Gesetz war sie Strafe für bestimmte Vergehen. Bei nackten Helden, Wettergöttern und Frauen symbolisierte sie dagegen wohl übermenschliche Eigenschaften oder kultische Erfordernisse. Einige kultische und profane Anlässe verlangten bes. Kleidung. Fremde wurden in ihrer lokalen, als exotisch empfundenen T. abgebildet. Über T. als Kennzeichen sozialer Gruppen ist sonst wenig bekannt.

In hethitischen Texten erscheint eine Vielzahl von Gewändern, die aber nur selten näher bestimmbar sind. Männer trugen in der Regel lange bis halblange Hemden mit Gürtel; Frauen einen langen Mantel über einem leichten Unterkleid. Schuhe waren vorne aufgebogen.

In Äg. sind Männer- und Frauen-T. deutlich verschieden. Männer trugen Schurze, die man im Laufe der Zeit mit *Shawls* und Hemden kombinierte, Frauen Trägerkleider, manchmal ebenfalls mit *Shawls* und Hemden. Unterschiedliche Formen bestimmter T.-Elemente deuten den sozialen Status des Trägers an. Götter- und Menschen-T. sind nicht austauschbar. Original-T., z. B. aus Gräbern, decken sich nicht mit den in bildlichen Darstellungen auftretenden T.

P. Calmeyer, s. v. Hose, RLA 4, 472–476 • E. Strommenger, Mesopot. Gewandtypen von der frühsumerischen bis zur Larsa-Zeit, in: Acta praehistorica et archaeologica 2, 1971, 37–55 • H. Waetzoldt, E. Strommenger, s. v. Kleidung, RLA 6, 18–38 • E. Staehelin, s. v. T., LÄ 6, 726–737. G. CO.

II. Klassische Antike

s. Dienst- und Ehrentracht; Haartracht; Kleidung B.; Mode

Tractatores (griech. τρακτευταί/*trakteutaí*). Rechnungsbeamte, v. a. in der dem → *praefectus praetorio* unterstehenden Finanzverwaltung, zuerst in einem Gesetz des Kaisers Leo [4] I. aus dem J. 468 n. Chr. (Cod. Iust. 10,23,3,3) nachzuweisen. Sie waren in den Prov. für die jährliche Bekanntmachung des Steuerbetrages und seiner Verwendung verantwortlich, überwachten die Einbringung und Weiterleitung aller Steuerforderungen und sorgten für die Eintreibung fiskalischer Rückstände, wofür sie notfalls auch bewaffnete Hilfe erhielten. Ihre Auswahl erfolgte durch die Amtsvorstände. Versäumnisse der t. zogen harte Geldstrafen nach sich. *T.* gab es außerdem in der Finanzverwaltung der Statthalter, der *domus divina*, der *pagi* und der Dörfer.
→ Steuern

Stein, Spätröm. R. 1, 340. K. G.-A.

Traditio. Übergabe oder Verschaffung des Besitzes (→ *possessio*) im röm. Recht; entsprach im *ius gentium* (gemeinen Recht der Völker) den Übereignungsformen → *mancipatio* und → *in iure cessio* des → *ius* (D.) *civile* (Recht für röm. Bürger, Gai. inst. 2,65; Dig. 41,1,9,3), die für → *res mancipi* ausschließlich galten, während für *res nec mancipi* (z. B. Kleidung, Gold, Silber) die *t.* genügte. Sie bedurfte einer *iusta causa* (Rechtsgrund, wie z. B. Verkauf, Schenkung, Gai. inst. 2,19f.; Paul. Dig. 41,1,31 pr.). Wurde eine *res mancipi*, etwa ein ital. Grundstück, nur tradiert, erwarb der Empfänger kein ziviles Eigentum (→ *dominium*), jedoch Ersitzungsbesitz und dadurch eine dem zivilen Eigentümer gegenüber gesicherte Position (*in bonis habere*, ›bonitarisches Eigentum‹; Gai. inst. 2,40f.; Theophilos [7] 1,5,4). Waren sich die Beteiligten über die *iusta causa* nicht einig geworden (z. B. Schenkung oder Darlehen? Vermächtnis oder → *stipulatio*?), verneinte Ulpianus (Anf. 3. Jh. n. Chr., Dig. 12,1,18) den Eigentumsübergang, während ihn schon Iulianus [1] (1. H. 2. Jh. n. Chr., Dig. 41,1,36) bejaht hatte. Für die *t.* selbst genügte z. B. die Aushändigung des Schlüssels zum Speicher, in dem die verkauften Waren (Gai. Dig. 41,1,9,6; vgl. auch Papin. Dig. 18,1,74), oder zum Keller, in dem der zu übergebende Wein gelagert wurde (Paul. Dig. 41,2,1,21). Erforderlich war die Besitzerlangung durch tatsächliche Zugriffsmöglichkeit (*corpore*) mit entsprechendem Herrschaftswillen (*animo*, Paul. Dig. 41,2,3,1). Zum Besitzerwerb an einem Landgut bedurfte es der gemeinsamen Besichtigung der Grenzen von einem Turm aus (Cels. Dig. 41,2,18,2) oder des Betretens an irgendeiner Stelle, nicht der Umschreibung des ganzen Anwesens (*glebas circambulare*). Wurden Geld oder Sachen auf Geheiß des Käufers in dessen Haus abgelegt oder vor den Gläubiger hingelegt, galten sie als gewissermaßen von ›langer Hand‹ übergeben (*quodammodo manu longa tradita*, Iav. Dig. 46,3,79). Der Erwerber brauchte die Sache nicht

›körperlich und durch Berühren‹ (*corpore et tactu*) zu ergreifen, sondern lediglich ›mit den Augen und mit Willen‹ (*oculis et affectu*) zu erfassen (Paul. Dig. 41,2,1,21; schwankend noch Labeo/Iav. Dig. 41,2,51).

Im gemeinen Recht sprach man von ›Übergabe kurzer Hand‹ (*brevi manu t.*) hinsichtlich der bereits im röm. Recht erwähnten Fälle, daß z.B. der Verwahrer oder Entleiher (*detentor*) die Sache kaufte oder sich verpfänden ließ (Ulp. Dig. 6,2,9,1; anders noch Gai. Dig. 41,1,9,5). Auch der umgekehrte Fall kam vor, daß der bisherige (Voll-)Besitzer seine Stellung einem anderen überließ und selbst nur Verwahrer oder Entleiher wurde (Cels. Dig. 41,2,18 pr.; im gemeinem Recht *constitutum possessorium*). In der Spätant. wurde die *iusta causa* zum entscheidenden Merkmal der Übereignung, gegenüber der die *t.* an Bed. verlor, während *mancipatio* und *in iure cessio* ganz außer Gebrauch gerieten. Iustinianus [1] (6. Jh. n. Chr.) wertete die *t.* wieder auf, ließ aber *mancipatio* und *in iure cessio* im → *Corpus iuris* tilgen oder durch die *t.* ersetzen (z. B. Ulp. Dig. 41,1,20 pr.).

→ CAUSA; EIGENTUM/SACHENRECHT

HONSELL/MAYER-MALY/SELB, 137–140; 154–163 · KASER, RPR, Bd. 1, 203; 390–394; 403; 416–418; Bd. 2, 274–284 · M. KASER, Ius Gentium, 1993, 97–100 · D. LIEBS, Röm. Recht, ⁵1999, 163–169 · D. SCHANBACHER, Zur Bed. der Leistungszweckbestimmung bei der Übereignung, in: TRG 60, 1992, 1–27. D. SCH.

Tragasai (Τραγασαί). Siedlung in der südöstl. → Troas beim h. Tuzla, nördl. von Gülpınar. Benannt ist T. nach Tragasos, dessen Tochter Philonomia → Tennes [1], den Herrscher von → Tenedos, heiratete (Etym. m. 763,25). Bekannt für seine Salzquellen (Strab. 13,1,48), liegt T. inmitten der Ebene von Tuzla (in der Ant. Ἁλήσιον πεδίον/ *Halésion pedíon*, »Salz-Ebene«, Hellanikos FGrH 4 F 34; Plin. nat. 31,85). Die Quellen waren so ergiebig, daß Lysimachos [2] eine Steuer auf sie erhob (Athen. 3,73d).

W. LEAF, Strabo on the Troad, 1923, 247 f. · J. M. COOK, The Troad, 1973, 221–224. E. SCH.

Tragelaphos (τραγέλαφος). Ein der orientalischen Künstlerphantasie entsprungenes Mischwesen aus Bock (*trágos*) und Hirsch (*élaphos*; Plat. rep. 6,488a; Aristoph. Ran. 937), das offenbar von Griechen auch als Ornamentmotiv verwendet wurde (z.B. am Leichenwagen Alexandros' [4] d. Gr.: Diod. 18,26; vgl. Plut. Agesilaos 19). An seine Realität glaubte man erst nach Aristoteles (Diod. 2,51,2, dort auch andere *dímorpha zôia*, »zweigestaltige Wesen«). Plinius (nat. 8,120) beschreibt den *t.* in der Art des aristotelischen ἱππέλαφος/ *hippélaphos* (wörtl. »Pferdhirsch«; Aristot. hist. an. 2,498b 32–499a 9), jedoch mit abweichender geogr. Zuordnung. Der letztere ist wohl ein wirkliches Tier Asiens [1]; die Gleichsetzung beider geht vielleicht auf die nacharistotelischen *Zoiká* [2] zurück. Bei attischen Komikern war *t.* auch Bezeichnung eines Trinkgefäßes unbekannter Form (Athen. 11,500e).

1 A. STEIER, s. v. T., RE 6 A, 1894 f. 2 W. KROLL, Zur Gesch. der aristotelischen Zoologie (SAWW, Philos.- histor. Kl. 218.2), 1940, bes. 27. W. RI.

Tragödie I. GRIECHISCH II. RÖMISCH

I. GRIECHISCH
A. BEGRIFF, URSPRUNG, VORFORMEN
B. STRUKTUR UND BAUFORMEN
C. ORGANISATION VON AUFFÜHRUNGEN
D. MYTHOS UND TRAGÖDIE
E. POLIS UND TRAGÖDIE
F. WEITERENTWICKLUNG NACH 406 V. CHR.
G. REZEPTION

A. BEGRIFF, URSPRUNG, VORFORMEN
Genauso umstritten wie die Erklärung des Begriffs τραγῳδία (*tragōidía*) ist die Rekonstruktion der Entstehung der T. aus kultischen Handlungen über vorlit. Chordarbietungen zur → literarischen Gattung im 5. Jh. v. Chr. Ein Hauptproblem scheint darin zu bestehen, die knappe Gattungs-Gesch., die → Aristoteles [6] in der ›Poetik‹ (Aristot. poet. 4,1449a 9–31) gibt, mit rel.-wiss. und anthropologisch-ethnologischen Überlegungen in Übereinstimmung zu bringen. Aristoteles nimmt eine langsame Entwicklung der lit. Form aus kleinen Mythen (d. h. *plots*) und einer urspr. Lachen erweckenden Diktion (λέξις γελοία/*léxis geloía*) [17. 301 f.] an, die mit dem in der Frühzeit satyrhaften Charakter (σατυρικόν/ *satyrikón*, vgl. → Satyrspiel) der T. zusammenhänge: die zu der Gattung passende Würde (vgl. ἀπεσεμνύνθη/ *apesemnýnthē*) sei erst spät erreicht worden. Diese Genese spiegele sich auch im Wechsel des Metrums vom trochäischen Tetrameter, der eher zum tänzerischen und satyrhaften Wesen der frühen Entwicklungsstufe passe, zum iambischen Trimeter wider (→ Metrik). Ihren Ausgangspunkt hätten T. wie → Komödie (I.A.) in Improvisationen (ἀπ' ἀρχῆς αὐτοσχεδιαστικῆς/*ap' archês autoschediastikês*) [17. 296–298]. Die T. habe von denen aus ihren Anfang genommen, die den → *dithýrambos* (als Vorsänger, ἐξάρχοντες/*exárchontes*) anstimmten (so die gängige Erklärung der ›Poetik‹-Stelle, die [17] mit zutreffenden Argumenten gegen [14] verteidigt).

Die enge Zusammengehörigkeit, die Aristoteles für *dithýrambos*, satyr(spiel)hafte Züge und T. postuliert, führt in der Forsch.-Richtung, die sich ihm anschließt, zur Deutung des Begriffs T. als »Gesang der Böcke« (τράγος/*trágos*, »Bock«; ᾠδή/*ōidé*, »Gesang«) und zur Annahme eines »Satyrdithyrambos« mit mimetischen Elementen, dessen Erfindung → Arion zugeschrieben wird [15. 38–40; 31. 24–29]. Dazu könnte das in einem Komm. zu Hermogenes [7] des Iohannes Logothetes überl. Zeugnis passen, daß → Solon [1] in seinen Elegien Arion als Verf. des »ersten T.-Dramas« (τῆς τραγῳδίας πρῶτον δρᾶμα/*tēs tragōidías prôton dráma*) bezeichnet habe (T 5 Dithyrambographi Graeci ed. SUTTON). Falls dies tatsächlich ein Solon-Zitat ist, ist dies der erste Beleg für »T.« vor Aristoph. Ach. 464. Die von Herodotos

[1] (Hdt. 5,67) zur Zeit des Tyrannen → Kleisthenes [1] in → Sikyon (frühes 6. Jh. v. Chr.) lokalisierten trag. Chöre (τραγικοὶ χοροί / *tragikoí choroí*), die an einem Heroenfest zu Ehren des Gottes → Dionysos aufgeführt wurden und die die Leiden des Heros → Adrastos [1] bzw. → Melanippos [1] zum Inhalt hatten, könnten das Eindringen der Heroenmythen in die dem Gott Dionysos geweihten Chorlieder erklären. Das sprichwörtliche οὐδὲν πρὸς τὸν Διόνυσον (*udén pros ton Diónyson*, ›Das hat doch nichts mit Dionysos zu tun!‹, Testimonien bei [14. 68 f.; 15. 43]), mit dem die Bürger von Sikyon auf eine Aufführung des Epigenes reagiert haben sollen, stellt gleichsam eine → Aitiologie des undionysischen Inhalts der dionysischen Gattung dar.

Eine zweite Richtung, die auf W. BURKERT [7] zurückgeht, versteht T. als »Gesang anläßlich eines Bockopfers«, das von τραγῳδοί (*tragōidoí*), einer Gruppe von maskierten Sängern, dargebracht wurde. Sie sieht also den Ursprung der T. in Opferriten, auf die auch Relikte (→ Maske, Klage, Aufführung als Agon; Aulos als Begleitinstrument; → Chor) und bes. der inhaltliche Schwerpunkt vieler erh. T. zurückverweisen (›Mensch im Angesicht des Todes‹ [7. 26]).

Die ant. Testimonien [14. 64–72] verdeutlichen, daß eine einsträngige Rekonstruktion der Gattungs-Gesch. in die Irre führen muß, zumal die Zeugnisse Vorformen der T. an verschiedenen Orten außerhalb von Athen nahelegen (vgl. Them. or. 27,406: die Sikyonier als Erfinder und die Athener als Vollender der T.) [15. 45 f.; 21. 159–163; 22. 32–38]. Aus der Einbettung der T. in den Dionysoskult erklären sich bestimmte Elemente wie die Maske und die Aulos-Musik, aus der Nähe der T. zu dem dionysischen Kultlied Dithyrambos lassen sich die undionysischen Sujets der erh. T. erklären. Der wesentliche Schritt zur Ausbildung eines → Dramas im eigentlichen Sinne erfolgte zw. 535–531 v. Chr. in Athen durch → Thespis im Zusammenhang mit der von → Peisistratos [4] (wie von anderen Tyrannen des 6. Jh.: → Periandros von Korinth oder → Kleisthenes [1] von Sikyon) betriebenen dionysischen Rel.-Politik [31. 24–34]. Es ist durchaus denkbar, daß die frühen T.-Aufführungen im Zusammenhang mit Initiationsriten standen [29].

B. STRUKTUR UND BAUFORMEN

Zwar sind Informationen über die T. vor → Aischylos [1] äußerst spärlich, die Zeugnisse [15. 51–54] stützen jedoch die Annahme, die Thespis zugeschriebene Leistung der »Erfindung« der T. (→ *prṓtos heuretḗs*) in der Hinzufügung von gesprochenen Partien (von → Prolog/*prólogos* und → *rhḗsis*) zu einer reinen chorischen Vorform und damit in der Einführung des ersten Schauspielers (ὑποκριτής/→ *hypokritḗs*) zu sehen. Die Institution des Dramatikerwettbewerbs (ἀγών/*agṓn*) an den Großen → Dionysia (seit 535/4 oder erst ab 508 v. Chr.) trug wesentlich zur schnellen Entwicklung der T. bei. Aischylos [1] führte den zweiten Schauspieler (→ *deuteragōnistḗs*) ein und stärkte durch Reduzierung der Chorpartien die *rhḗsis*, → Sophokles [1] erweiterte

die Spielmöglichkeiten durch den dritten Schauspieler (*tritagōnistḗs*). Aus dem Zusammenwirken von Chor und Schauspieler und dem Wechsel von gesungenen und gesprochenen Partien ergibt sich die Struktur der T., die Aristoteles (poet. 12,1452b 14–27) beschreibt: Bei den Chorliedern unterscheidet er die → *párodos* von den *stásima* (→ *stásimon*), die eine T. in mehrere Blöcke untergliedern, den *prólogos*, die → *epeisódia* und die → *éxodos*. Durch → *amoibaía* bzw. → *kommoí*, lyr. Dialoge zw. Chor und Schauspielern, lockern die Dichter diese starre Gliederung auf.

Im letzten Viertel des 5. Jh. v. Chr. ist bei → Euripides [1] eine Verlagerung des lyr. Elements von der Orchestra auf die Bühne feststellbar. Die Zunahme von → Monodien (Arien) bei Euripides kann aus der Professionalisierung des Schauspielwesens und der Einführung eines Schauspieleragons (449) erklärt werden. Die damit verbundene Reduzierung der Funktion des Chores führte im Extremfall dazu, daß der Chor nur noch Intermezzi ohne Handlungsbezug (ἐμβόλιμα/*embólima*) sang, deren Einführung → Agathon [1] zugeschrieben wurde (Aristot. poet. 18,1456a 29 f.).

Unter den stereotypen Bauformen der att. T. erfreute sich vor allem der Botenbericht (→ Botenszenen; → *rhḗsis*) und unter dem Einfluß der sophistischen Rhet. (→ Sophistik) der Redewettstreit (ἀγὼν λόγων/*agṓn lógōn*), bestehend aus Rede, Gegenrede und einer → Stichomythie, großer Beliebtheit. Die Verbindung von → *anagnṓrisis* und → Intrige, die zum ersten Mal in Aischylos' ›Choephoren‹ greifbar ist, wird zur dominierenden Handlungsstruktur im Spätwerk des Euripides. Vgl. allg. [12].

C. ORGANISATION VON AUFFÜHRUNGEN

Die Organisation von T.-Aufführungen (vgl. dazu → Schauspiele (II. A.); [6; 19]) lag in der Hand der → *pólis*, vertreten durch den *árchōn epṓnymos* bei den Großen → Dionýsia und den *árchōn basileús* bei den → Lḗnaia, bei denen ein T.-Agon seit ca. 432 v. Chr. bestand (→ *árchontes* [1]). Die Archonten trafen die Auswahl der drei Dichter (t.t. χορὸν διδόναι/*chorón didónai*: »einen Chor, d. h. das Aufführungsrecht, verleihen«), legten die Reihenfolge der Dichter fest und bestimmten den Choregen, der die Aufführung zu finanzieren hatte (→ Choregie, → Choregos). An den Dionysien waren nach der Aufführung von 20 Dithyramben (1. Tag) und 5 (bzw. 3) Komödien (2. Tag) die letzten drei Tage der T. vorbehalten. Die Tragiker traten mit je einer → Tetralogie gegeneinander an. T. durften im 5. Jh. v. Chr. in Athen nur einmal aufgeführt werden; nur T. des Aischylos konnten nach dem Tod des Dichters erneut auf die Bühne gebracht werden. Ab 386 waren offiziell Wiederaufführungen alter Stücke in einem eigens dafür geschaffenen Agon erlaubt (TrGF I DID A 1, 201).

D. MYTHOS UND TRAGÖDIE

Aus ihren chorlyrischen Wurzeln ergibt sich als Stoff der griech. T. der → Mythos (V.). Zwar scheinen bereits in vorlit. Zeit dionysische Stoffe von anderen Mythen, bes. Themen des → Epischen Zyklus (vgl. Aristot. poet.

23,1459b 1–6) in den Hintergrund gedrängt worden zu
sein (s. I. A.), die mod. Forsch. weist allerdings auf dionysische Substrukturen und die »Dionysierung« der T.
durch den Kontext des → Festes hin [5; 9; 11]. Histor.
Stoffe finden sich im 1. Viertel des 5. Jh. v. Chr.
(→ Phrynichos [1], ›Einnahme Milets‹, ›Phönizierin-
nen‹; → Aischylos [1] (B.1), ›Perser‹) und in nachklass.
Zeit (s. u. I. F.). Aristoteles betont (poet. 13,1453a 17–
22), daß die Dichter anfangs beliebige myth. Stoffe verarbeitet, sich dann aber auf wenige zentrale beschränkt
hätten (vgl. auch → Antiphanes [1], fr. 189 PCG). Dies
rührt daher, daß die Tragiker nicht nur den unmittelbaren Wettstreit im alljährlichen Agon suchten, sondern
sich auch über Jahre hinweg mit ihren Rivalen maßen
(vgl. Orestes-Elektra-Thematik bei Aischyl. Choeph.;
Soph. El.; Eur. El., Or.; Schicksal der Kinder des Oidipus bei Aischyl. Sept.; Soph. Ant.; Eur. Phoen.). Bes.
Euripides [1] spielt mit dem durch die Gattungsnorm
verlangten myth. Inhalt, indem er die Handlung sich
von dem myth. vorgegebenen Ausgang entfernen läßt,
zu dem sie – häufig abrupt – nur ein Gott (→ deus ex
machina) zurückbringen kann.

Auch in der Funktion des Mythos berühren sich
Chorlyrik und T. Wie die Chorlyriker, von einem aktuellen Anlaß ausgehend, diesen in einer myth. Erzählung widerspiegeln, kann die dramatische Wiedergabe
eines Mythos im Theater einen Reflex eines aktuellen
polit. Ereignisses darstellen oder allg. Erklärungsmodelle
des Lebens in der demokratischen Polis (s. u. I. E.) bzw.
des Verhältnisses der Menschen zu den Göttern liefern
(»Theologie der T.«, vgl. → Aischylos [1] C., → Sophokles [1] C., → Euripides [1] C.). Dabei können in der T.
im Unterschied zur Chorlyrik verschiedene Diskurse,
vertreten durch die *dramatis personae* und den → Chor,
aufeinanderprallen.

E. Polis und Tragödie

Die Verankerung der T. im Hauptfest der Polis
Athen legt eine unmittelbar polit. Funktion der T. nahe, wie sie auch die beiden anderen dionysischen Gattungen, Komödie und Dithyrambos, aufweisen, wobei
»polit.« (πολιτικός/*politikós*) im weiteren Sinne zu verstehen ist als »das, was die Polis Athen in all ihren Bereichen betrifft«. In den erh. T. sind v. a. zwei dramatische Techniken feststellbar: Polit. Entscheidungen der
Aufführungszeit können einerseits in aitiologisierender
Art und Weise mythisiert und dadurch der aktuellen
Auseinandersetzung entzogen werden; Musterbeispiel
ist in den ›Eumeniden‹ des → Aischylos [1] (D.) die Einsetzung des Areopags (→ *Áreios págos*) durch die Stadtgöttin Pallas → Athene in der Funktion, die ihm nach
der Reform des → Ephialtes [2] im J. 462 noch blieb: der
Blutgerichtsbarkeit. Bei weitem häufiger anzutreffen ist
die Technik, die dramatische Handlung durch einge-
streute, der Aufführungsgegenwart entstammende Begriffe und Vorstellungen zu aktualisieren; Beispiele sind
der Begriff στάσις (→ *stásis*/»Bürgerkrieg«) in Aischylos’
›Eumeniden‹ (976–987) in Verbindung mit dem Auf-
ruf zur Eintracht im Innern des Stadt; der oligarchisch

gefärbte Ausdruck πειθαρχία (*peitharchía*, »Unterord-
nung«) in Sophokles’ [1] ›Antigone‹ (676, vgl. 669),
durch den die Auseinandersetzung zw. Kreon und Haimon (635 ff.) zur Konfrontation eines oligarchisch-ty-
rannischen und demokratischen Staatsverständnisses gerät, oder das polit. Schlagwort ἑταῖροι (→ *hetaîroi*) bzw.
ἑταιρία (→ *hetairía* [2], »polit. Club«), mit dem im ›Orestes‹ des Euripides (Eur. Or. 804, 1072, 1079; vgl. dazu Thuk. 3,82) Orestes, Pylades und Elektra ihre Verbindung zur Durchsetzung ihrer Pläne bezeichnen
[33. 130–135]. In diesen Fällen wird das myth. Geschehen in die Gegenwart hineingeholt und zu ihrer
Deutung eingesetzt (bes. bei Euripides oft in kritisch-
subversiver Weise).

F. Weiterentwicklung nach 406 v. Chr.

Die ›Frösche‹ des → Aristophanes [3] belegen, daß
bereits 405 – kaum ein Jahr nach dem Tod des Euripides
und Sophokles (406) – die Trias der drei großen Tragiker feststand, von der laut Aristophanes die übrigen
Dichter qualitativ weit abfielen (Aristoph. Ran. 71 f.,
96 f.). Die frühe Kanonbildung (→ Kanon) trug wesentlich dazu bei, daß nur von der Trias T. erh. sind – von
Aischylos und Sophokles je sieben und von Euripides
neunzehn T. [33. 57–64]. Bes. die euripideische T. beeinflußte nach der Zulassung von Wiederaufführungen
(386) die T.-Produktion des 4./3. Jh. v. Chr.: z. B. die
Bearbeitung des Medeia-Stoffes durch → Biotos (TrGF
I 205, Zeit unbekannt), → Karkinos [4] (TrGF I 70),
→ Dikaiogenes [2] (TrGF I 52), → Diogenes [14] aus
Sinope (TrGF I 88), → Theodorides (TrGF I 78 A),
Cn. Pompeius Macer (1. Jh. v. Chr., TrGF I 180 F 1);
Adespota (TrGF II F 644, in Anlehnung an Eur. Tro.
bzw. Hec.; F 663: an Eur. Iph. A.; F 665: an Eur.
Phoen.).

Die Fr. des 4.–1. Jh. v. Chr. und der wohl auch dem
4. Jh. v. Chr. entstammende, Euripides zugeschriebene
›Rhesos‹ lassen folgende Tendenzen der nachklass. T.
erkennen, die man in erster Linie als eine ständige Auseinandersetzung mit den drei kanonischen Tragikern des
5. Jh. v. Chr. verstehen kann, denen man in hell. Zeit mit
der → Pleias einen Kanon [1] zeitgenössischer Tragiker
an die Seite zu stellen versuchte [4. 441; 21. 196 f.]: Zu
dem Streben nach dramatischer Lebendigkeit und Bühnenwirksamkeit (›Rhesos‹) tritt das Bemühen um Ab-
wechslung (ποικιλία/*poikilía*; vgl. → Astydamas [2] TrGF
I 60 F 4). Zeitgenössische und histor. Themen werden
wieder wie im → Satyrspiel (D.) der Zeit dramatisiert:
Theodektes (bzw. Theodektas), ›Mausolos‹ (TrGF I 72 T
I [1. 291; 4. 442]); → Moschion [1], ›Die Männer von
Pherai‹ (*Phēraîoi*, TrGF I 97 F 3); → Lykophron [5], ›Die
Leute von Kassandra‹ (*Kassandreîs*, TrGF I 100 *F 1h);
→ Moschion [1], ›Themistokles‹ (TrGF I 97 F 1); → Ly-
kophron [5], ›Die Leute von Marathon‹ (*Marathônioi*,
TrGF I 100 *F 1k), eventuell das Gyges-Fr. (TrGF II F 664
nach Hdt. 1,10,2 ff.; Datier. umstritten, [1. 260–263]);
→ Ezechiel [2] (TrGF I 128).

Die Tatsache, daß T. seit hell. Zeit immer mehr gelesen (Plut. Alexandros 8,3,668d) und auch als Le-

sedramen abgefaßt wurden [4. 442], führte dazu, daß T. auch als Medium zur Vermittlung philos. Inhalte eingesetzt wurden (→ Diogenes' [14] kynische T., TrGF I 88). Durch die Professionalisierung des Schauspielwesens seit dem 4. Jh. v. Chr. und dem Zusammenschluß der Schauspieler in Gilden (sog. → technítai des Dionysos; → hypokrités IV.) strahlte die T. in den gesamten griech. Kulturraum aus. Mit der Zeit wurden jedoch in der Regel nicht mehr komplette Stücke, sondern nur noch Höhepunkte (bes. lyrische Partien) vorgetragen. Die T. wurde von dem ebenfalls histor. und myth. Sujets darstellenden → Pantomimos aus den Theatern in die Schule verdrängt. Seit dem Hell., v. a. jedoch in der röm. Kaiserzeit bis in die Spätant., wurden unter dem Einfluß der rhet. Ausbildung griech. T. als lit. Stilübungen verfaßt: → Asinius [I 4] Pollio (TrGF I 178), Cn. Pompeius Macer (TrGF I 180), Kaiser → Titus [3] (TrGF I 183), → Plinius [2] Secundus (TrGF I 184), → Synesios [1] von Kyrene (TrGF I 199), → Timotheos [14] von Gaza (der letzte datierbare griech. »Tragiker«, 6. Jh. n. Chr., TrGF I 200). Allg. vgl. [21. 185–201; 23; 30].

G. REZEPTION

Bei der Rezeption der griech. T. gilt es zu unterscheiden zw. der produktiven Rezeption der trag. Trias (→ Aischylos [1] F., → Euripides [1] D.2., → Sophokles [1] D.2.), die häufig durch Wiederaufführungen ihrer Stücke ausgelöst wurde (s. u. II., vgl. → GRIECHISCHE TRAGÖDIE), und der theoretischen, poetologischen Reflexion über die Gattung, die bereits im 5. Jh. v. Chr. in der T.-Parodie der Alten Komödie (sog. paratragōidía) [20] greifbar ist. Die Kombination von produktions- und wirkungsästhetischen Kriterien, die bereits in den ›Fröschen‹ des Aristophanes [3] vorliegt, bestimmte in unterschiedlicher Akzentuierung die weitere theoretische Beschäftigung mit der Gattung T. in Ant. und Moderne, häufig in direkter Auseinanderstzung mit der aristotelischen ›Poetik‹ [32]. Ins Zentrum des Interesses rückten seit dem 18. Jh. (F. SCHILLER) der Begriff des »Tragischen« [10; 27; 33. 170–178], die Frage nach den Wirkungsziel der T. (→ kátharsis) und der Funktion des Chores [33. 144–160]. Die Kategorie des »Dionysischen«, die F. NIETZSCHE in ›Die Geburt der T. aus dem Geiste der Musik‹ (1872) ins Spiel brachte (→ APOLLINISCH), lenkte den Blick auf die kultischen Ursprünge der Gattung und prägte in entscheidendem Maße sowohl die produktive Auseinandersetzung mit der T. bis hin zu H. NITSCHS ›Orgien Mysterien Theater‹ als auch die Forsch. von E. ROHDES ›Psyche‹ (²1898) bis in die Gegenwart hinein [7; 33. 179–187].

→ Aischylos [1]; Chor; Dithyrambos; Drama; Euripides [1]; Komödie; Satyrspiel; Sophokles [1]; GRIECHISCHE TRAGÖDIE; TRAGÖDIE

ED.: 1 B. GAULY u. a. (Hrsg.), Musa tragica, 1991 (Auswahl aus den Tragici minores, griech. mit dt. Übers.) 2 TrGF I 3 TrGF II.
LIT.: 4 G. AVEZZÙ, Il teatro tragico, in: I. LANA, E. V. MALTESE (Hrsg.), Storia della civiltà letteraria greca e latina, Bd. 1, 1998, 236–457 5 A. F. H. BIERL, Dionysos und die griech. T., 1991 6 H.-D. BLUME, Einführung in das ant. Theaterwesen, ³1991 7 W. BURKERT, Griech. T. und Opferritual, in: Ders., Wilder Ursprung. Opferritual und Mythos bei den Griechen, 1990, 13–39 (= Ders., Greek Tragedy and Sacrificial Ritual, in: GRBS 7, 1966, 87–121) 8 M. DI MARCO, La tragedia greca, 2000 9 P. E. EASTERLING, A Show for Dionysus, in: Dies. (Hrsg.), The Cambridge Companion to Greek Tragedy, 1997, 36–53 10 H. FLASHAR (Hrsg.), T. Idee und Transformation, 1997 11 A. HENRICHS, »Warum soll ich denn tanzen?«. Dionysisches im Chor der griech. T., 1996 12 W. JENS (Hrsg.), Die Bauformen der griech. T., 1971 13 J. LATACZ, Einführung in die griech. T., 1993 14 J. LEONHARDT, Phalloslied und Dithyrambos. Aristoteles über den Ursprung des griech. Dramas, 1991 15 A. LESKY, Die trag. Dichtung der Hellenen, ³1972 16 H. PATZER, Die Anfänge der griech. T., 1962 17 Ders., Rez. von [14], in: Gnomon 67, 1995, 289–310 18 PICKARD-CAMBRIDGE/WEBSTER 19 PICKARD-CAMBRIDGE/GOULD/LEWIS 20 P. RAU, Paratragodia. Unt. einer komischen Form des Aristophanes, 1967 21 G. A. SEECK, Gesch. der griech. T., in: Ders. (Hrsg.), Das griech. Drama, 1979, 155–203 22 Ders., Die griech. T., 2000 23 G. M. SIFAKIS, Studies in the History of Hellenistic Drama, 1967 24 M. S. SILK, Tragedy and the Tragic. Greek Theatre and Beyond, 1996 25 A. H. SOMMERSTEIN u. a. (Hrsg.), Tragedy, Comedy, and the Polis, 1993 26 B. SNELL, Szenen aus griech. Dramen, 1971 27 P. SZONDI, Versuch über das Tragische, in: Ders., Schriften, Bd. 1, 1978, 151–260 28 G. XANTHAKIS-KARAMANOS, Studies in Fourth-Century Tragedy, 1980 29 J. J. WINKLER, The Ephebes' Song: Tragodia and Polis, in: Ders., F. I. ZEITLIN, Nothing to Do with Dionysos? Athenian Drama in Its Social Context, 1990, 20–62 30 B. ZIMMERMANN, Die griech. T., ²1992 31 Ders., Dithyrambos. Gesch. einer Gattung, 1992 32 Ders. (Hrsg.), Ant. Dramentheorien und ihre Rezeption, 1992 33 Ders., Europa und die griech. T., 2000.   B. Z.

II. RÖMISCH

A. BEGRIFFE   B. URSPRUNG
C. REPUBLIKANISCHE ZEIT   D. KAISERZEIT
E. TYPOLOGIE

A. BEGRIFFE

Die röm. T. kennt zwei Untergattungen: die (fabula) crepidata (crepida = griech. Halbschuh), deren Stoffe dem griech. Mythos entstammen, sowie die (fabula) praetexta(-ta) (→ toga praetexta = mit Purpurstreifen besetztes röm. Obergewand), die im röm. Milieu spielt (Lyd. mag. 1,40). Da sich der Begriff crepidata nicht durchgesetzt hat, wird im folgenden von T. (nach griech. tragōidía) einerseits und → Praetexta andererseits gesprochen. Die tragi(co)comoedia ist eine Mischform; der Begriff geht auf eine wohl scherzhafte Prägung bei Plaut. Amph. 59 zurück. Im Griech. sind als Syn. die Begriffe hilarotragōidía oder kōmōidotragōidía geläufig. Möglicherweise hat → Plautus letzteren Terminus umgedreht, um eine witzige Wirkung zu erzielen [10. 22–24]. So ist auch dessen Amphitruo die einzige tragicomoedia im engeren Sinn. Es finden sich indes paratragische Elemente und sprachliche Anklänge an die T., oft in parodistischer Absicht, in zahlreichen röm. Komödien [23].

B. Ursprung

Während sich die griech. T. in einem fortgeschrittenen Stadium der kulturellen Entwicklung herausbildete, stand in Rom die T. am Beginn der Lit.: Im J. 240 v. Chr. beauftragten die Aedilen den aus dem griech. Sprachraum, wahrscheinlich aus Tarent (→ Taras [2]), stammenden → Livius [III 1] Andronicus, für die *ludi Romani* (→ *ludi* II. B. und III. G.) mit einer Dramenaufführung (Cassiod. chronica p. 120 M. zum J. 239 v. Chr.: *ludis Romanis primum tragoedia et comoedia*). Die röm. Bühnendichtung entstand also gleichsam »auf Bestellung« von Magistraten. Ihr eignet eine öffentliche, »polit.« Funktion. Die Einführung des Dramas in Rom ist v. a. ein institutionelles und religionsgesch. [5. 319], erst in zweiter Linie ein lit. Phänomen. Liv. 7,2 (vgl. den Parallel-Ber. bei Val. Max. 2,4,4) hebt in einem knappen Exkurs zur röm. Theatergesch. den administrativen und kultischen Aspekt hervor [22].

Die Öffnung für das griech. Theater war eine Folge des ersten → Punischen Krieges (264–241 v. Chr.), in dem röm. Soldaten auf Sizilien verstärkt mit dem griech. geprägten Kulturkreis in Kontakt kamen. Im übrigen dürfte das Verlangen erwacht sein, der gewachsenen mil.-polit. Bed. Roms auch auf kulturellem Gebiet zu entsprechen. Auf den Zusammenhang zwischen Kriegsende und Beginn des lit. Lebens verweist Hor. epist. 2,1,162ff. Der Beginn der röm. dramatischen Lit. war indes nur scheinbar abrupt/unvermittelt. Die Römer kannten vor Livius Andronicus Formen des Stegreifspiels (→ Komödie II.; Mimus, s. → *mímos*; → Atellana).

C. Republikanische Zeit
1. Tragödie 2. Praetexta

1. Tragödie

Hor. epist. 2,1,165 bescheinigt den Römern ein angeborenes Talent für die T. Ihr Archeget, → Livius [III 1] Andronicus, dichtete neben T. auch Komödien und schuf mit der Übertragung der ›Odyssee‹ ins Lat. das erste röm. Epos. Von seinem tragischen Werk sind 22 Fr. aus 10 Stücken überl. Die Hälfte der Titel weist auf den troianischen Sagenkreis (→ Troia III.). Diese thematische Präferenz erklärt sich durch die »troian.« Abstammung der Römer, die in den einschlägigen Mythen ihre »Gesch.« sahen [25]. Aitiologische Bezüge, wenngleich versteckt, sind auch in den übrigen Stücken nicht auszuschließen. *Danae* und *Perseus* etwa brachten die Römer mit der Stadt Ardea in Latium in Verbindung (Serv. Aen. 7,372) [12]. Titel ohne erkennbaren Rom-Bezug haben dazu verleitet, die röm. Ausrichtung des Livianischen Spielplans überhaupt in Zweifel zu ziehen [3. 152]. Es ist indes auffällig, daß sich Livius Andronicus auch bei der Stoffwahl des Epos von aitiologischen Gesichtspunkten leiten ließ: Die ›Odyssee‹ dürfte für die Römer interessant gewesen sein, weil ihr Titelheld auf seinen Irrfahrten It. besuchte und als Gründer ital. Städte galt.

Auch → Naevius [I 1] war in allen damals bekannten lit. Genera zu Hause. Im Bereich des Epos (*Bellum Poenicum*) setzte er die im Keim angelegte Entwicklung seines Vorgängers fort. Die T. tragen auf die myth. Vorzeit weisende Titel, könnten aber auf aktuelle Ereignisse gemünzt sein; so steht evtl. der *Lycurgus*, der den Widerstand des Thrakerkönigs → Lykurgos [1] gegen den Bacchuskult auf die Bühne brachte, mit dem → *senatus consultum de Bacchanalibus* in Zusammenhang [14. 166–168]. In der *Danae* könnte der ardeatische/rutulische Ursprung der Stadt → Saguntum (vgl. Sil. 1,658 ff.) eine Rolle gespielt haben. Das Stück ließe sich somit auf Roms Eingreifen zugunsten der saguntinischen Bundesgenossen im ersten → Punischen Krieg beziehen und nähme wie das *Bellum Poenicum* zur Kriegsschuldfrage Stellung [15].

Ein vielseitiger Dichter war → Ennius [1]. Von ihm sind mindestens 20 T.-Titel überl., deren Thematik wiederum dem troian. Sagenkreis entstammt oder aitiologisches Interesse erkennen läßt. Als Vorlagen nimmt man in den meisten Fällen → Euripides [1] oder die hell. T. an. Aus Ter. Andr. 15–21 geht hervor, daß Naevius und Ennius, ähnlich wie die Komödiendichter, mehrere griech. Stücke ineinanderarbeiteten (Kontamination). Ein längeres bei Gell. 19,10,12 überl. Fr. aus einem von Soldaten gesungenen Chorlied der *Iphigenia* dürfte von Ennius selbst geschaffen sein; es ersetzt einen Chor chalkidischer Frauen in dem entsprechenden Euripides-Stück [4]. Das Beispiel belegt die Romanisierungstendenzen des Dichters, schöpferisch-freie Adaptation von Vorlagen. Die Funktion des Chores in der röm. T. bleibt weitgehend unklar. Es ist aber anzunehmen, daß eine schon von Aristot. poet. 1456a 25 ff. notierte Tendenz, den → Chor aus der Rolle des Kommentators stärker in die des Akteurs zu drängen, sehr ausgeprägt war [6].

Ennius' Neffe → Pacuvius beschränkte sich in der Dichtung auf die T. Nach Cic. Lael. 24 (über den *Chryses*) wurde sein pathetischer Stil geschätzt. Die erh. Fr. zeigen eine bewußte Auseinandersetzung mit der griech. T. und eine Umwertung im Sinne röm. Wertvorstellungen. So bevorzugte Cicero Ulixes in den *Niptra* gegenüber Odysseus im Stück des → Sophokles [1], weil er ob seiner Verletzung nicht so unmännlich jammere (Cic. Tusc. 2,48–50). Anspielungen auf aktuelle Ereignisse scheinen bei Pacuvius gegenüber seinen Vorgängern zurückzutreten, der ethische Gehalt entsprach aber wohl dem Zeitgefühl [2. 296].

Von dem jüngsten vorklass. Tragiker, → Accius, sind die meisten Titel überl. — mehr als 40. Wie seine Vorgänger bearbeitete auch er griech. Dramen, wobei er, wie einzelne Fr. zeigen, auf eine geschliffene, pointierte Sprache Wert legte. Mit ihm erlosch die kontinuierliche T.-Produktion bis zum frühen Prinzipat.

Cicero belegt die Nachwirkung der frühen T. bis an das E. der Republik. Seine Äußerungen über das Verhältnis von griech. Originalen und lat. Bearbeitungen sind widersprüchlich und bis h. nicht hinreichend geklärt. In fin. 1,4 bezeichnet er die lat. Dramen als wörtlich aus dem Griech. übersetzt, in ac. 1,10 bescheinigt er den röm. Tragikern, sie hätten *non verba sed vim* (›nicht den Wortlaut, sondern die Kraft‹) der griech. Dichter zum Ausdruck gebracht [20. 29–30]. Letztere Formulierung dürfte auf inhaltstreues, nicht aber sklavisches Übersetzen deuten [16. 44–67, 305]. Allerdings wird sich Cicero damit lediglich auf einzelne Passagen oder allenfalls Szenen bezogen haben, nicht jedoch auf die Stücke als ganze. Aufgrund des trümmerhaften Erhaltungszustandes der republikanischen T. und des fehlenden Wissens über die Vorlagen, sofern sie der hell. T. entstammen, gelangt man in Fragen des Handlungsaufbaus und des Verhältnisses zu den Vorbildern über Vermutungen nicht hinaus.

2. PRAETEXTA

Mit Ausnahme des Livius [III 1] Andronicus verfaßten die o.g. republikanischen Tragiker alle auch Praetexten, in denen myth., histor. oder zeitgenössische Gestalten auf die Bühne gebracht wurden. Der Unterschied zur T. lag v. a. in der Wahl eines röm. Stoffes und dem Verzicht auf ein griech. Original. In dieser originär röm. Gattung waren die Dichter ganz auf ihr eigenes Ingenium gestellt. Das legt nahe, ihnen auch bei der Adaptation griech. Vorbilder große Selbständigkeit zuzutrauen. Gehalt und dichterische Absicht dürften dieselben gewesen sein wie in den T. Wenn Naevius im *Romulus* (Nebentitel *Lupus*) die Frühzeit Roms, im *Clastidium* den Sieg des M. Claudius [I 11] Marcellus über die Gallier (222), Ennius in der *Ambracia* Fulvius [I 15] Nobiliors Einnahme der gleichnamigen Stadt (189), Pacuvius im *Paullus* den Sieg des Titelhelden (Aemilius [I 32] Paullus) über Perseus [2] (168), Accius im *Brutus* die Befreiung Roms von den Tarquiniern (510; vgl. → Tarquinius [7]) oder in den *Aeneadae sive Decius* das Selbstopfer des Decius [I 2] Mus in der Schlacht von Sentinum (295 v.Chr.) pries, so wird deutlich, daß die Praetexta noch konsequenter als die T. eine auf die → *res publica* gerichtete, panegyrische Absicht verfolgte. Cic. Sest. 123 berichtet von einer Wiederaufführung des Accianischen *Brutus*, die zu einer polit. Manifestation geriet. An den *ludi Graeci* des J. 44 wurde dieses Stück zugunsten des *Tereus* desselben Dichters abgesetzt (Cic. Att. 16,5,1). Der Vorfall belegt die ungebrochene Brisanz der Praetexta, selbst in ihrem Nachleben.

D. KAISERZEIT

1. TRAGÖDIE 2. PRAETEXTA

1. TRAGÖDIE

Unter Augustus gab es nur einzelne Versuche auf dem Gebiet der T. Großen Erfolg hatte L. → Varius [I 2] Rufus mit dem *Thyestes*, der an den Spielen nach dem Sieg von Actium (29) aufgeführt wurde. Da das Stück einer dem Princeps so wichtigen Feier gewidmet war, kann man vermuten, daß es, der Trad. der republikanischen röm. T. gemäß, affirmativen Charakter hatte [7]. → Ovidius hatte eine von Quint. inst. 10,1,98 und Tac. dial. 12,6 überschwenglich gelobte (verlorene) Medea-T. verfaßt.

Erst → Seneca [2] führte die Gattung zu einer neuen Blüte. Die neun von ihm erh. T. gehen größtenteils auf → Euripides [1] zurück. Indem sie affektgeleitete Helden als Gegenbilder des stoischen Weisen zeigen (→ Stoizismus), sind sie einerseits philos. Lehrstücke. Andererseits spielen sie auf aktuelle, das Kaiserhaus betreffende Ereignisse an: Die *Phaedra* scheint den Inzest zu thematisieren, den man Nero [1] mit Agrippina [3] unterstellte [13], im *Oedipus* wird der Titelheld (→ Oidipus) auch als Mutter(!)-Mörder hingestellt, was auf Neros Anschlag auf Agrippinas Leben im Jahr 59 n.Chr. zurückweisen dürfte [11]. Suet. Nero 39,3 belegt, daß letzteres Ereignis im Theater durchaus thematisiert wurde. Insofern steht auch Seneca in der »polit.« Trad. der republikanischen T.

2. PRAETEXTA

Dem Stoff nach sind auch zwei Stücke des Curiatius Maternus Praetexten: *Cato* und *Domitius* (vgl. Tac. dial. 2,1; 3,4), außerdem die im Corpus der Seneca-T. überl. *Octavia* (s. → Octavia [4]). Letztere ist als einzige vollständig erh. Ihre Form entspricht ganz derjenigen der griech. T.

E. TYPOLOGIE

Die röm. T. ist in ihrem Gehalt »untragisch«. In ihrer frühen Form dient sie v. a. der histor. Argumentation, mit Pacuvius und Accius gewinnt sie stärker lit. Züge; stets bleibt jedoch die Beispielhaftigkeit der *virtus* (→ Tugend) – sei es einzelner Helden, sei es des gesamten *populus Romanus* – im Vordergrund. Nicht das Schicksal des Individuums, sondern der Anspruch der Allgemeinheit ist zentrales Anliegen. Die röm. Helden kennen keine tragische Entscheidung zw. gleichrangigen Pflichten, vielmehr hebt die Teleologie der röm. Gesch. jeden Konflikt auf. Unter Nero wird die T. zur Gattung der Opposition. Senecas Helden sind im Positiven stoische Weise, im Negativen monomane Verbrecher. Beide Typen sind auf ihre Weise autark: Sie kennen weder physischen Schmerz noch moralische Anfechtungen; sie sind nicht in die Ges. eingebunden, sondern genügen sich selbst. Als Ausweg bleibt ihnen stets der Tod [9].

→ Accius; Ennius [1]; Euripides [1]; Naevius [I 1]; Komödie II.; Literatur V.; Livius [III 1] Andronicus; Pacuvius; Plautus; Praetexta; Rhinthon; Seneca [2]; Varius [I 2] Rufus; LATEINISCHE TRAGÖDIE; TRAGÖDIE

1 TH. BAIER (Hrsg.), Stud. zu Plautus' *Amphitruo*, 1999 2 Ders., Pacuvius, *Niptra*, in: [17], 285–300 3 J. BLÄNSDORF, Livius Andronicus und die Anverwandlung des hell. Dramas in Rom, in: [17], 145–156 4 K. BÜCHNER, Der Soldatenchor in Ennius' Iphigenie, in: Grazer Beiträge 1, 1973, 51–67 (= Ders., Stud. zur röm. Lit., Bd. 10, 1979, 1–15) 5 H. CANCIK, Die republikanische T., in: [8], 308–347 6 M. HOSE, Anmerkungen zur Verwendung des Chores in der röm. T. der Republik, in: P. RIEMER, B. ZIMMERMANN (Hrsg.), Der Chor im ant. und mod. Drama, 1998, 113–138 7 E. LEFÈVRE, Der Thyestes des Lucius Varius Rufus (AAWM, 1976.9) 8 Ders. (Hrsg.), Das röm. Drama, 1978 9 Ders., Versuch einer Typologie des röm. Dramas, in:

[8], 1–90 **10** Ders., Maccus Vortit Barbare (AAWM, 1982.5)
11 Ders., Die polit. Bed. der röm. T. und Senecas 'Oedipus',
in: ANRW II 32.2, 1985, 1242–1262 **12** Ders., Die
polit.-aitiologische Ideologie der T. des Livius Andronicus,
in: Quaderni di Cultura e di Tradizione Classica 8, 1990,
9–20 **13** Ders., Die polit. Bed. von Senecas Phaedra, in: WS
103, 1990, 109–122 **14** Ders., Die Lit. der republikanischen
Zeit, in: F. GRAF (Hrsg.), Einl. in die lat. Philol., 1997,
165–191 **15** Ders., Aitiologisch-polit. Implikationen in
Naevius' Danae, in: [17], 175–184 **16** K. LENNARTZ, Non
verba sed vim. Kritisch-exegetische Unt. zu den Fr. archa.
röm. Tragiker, 1994 **17** G. MANUWALD (Hrsg.), Identität
und Alterität in der frühröm. T., 2000 **18** Dies., Fabulae
Praetextae. Spuren einer lit. Gattung der Römer, 2001
19 I. OPELT, Das Drama der Kaiserzeit, in: [8], 427–457
20 H. PRINZEN, Ennius im Urteil der Ant., 1998
21 O. RIBBECK, Die röm. T. im Zeitalter der Republik,
1875 (Ndr. 1968) **22** P. L. SCHMIDT, Postquam ludus in
artem paulatim verterat. Varro und die Frühgesch. des röm.
Theaters, in: G. VOGT-SPIRA (Hrsg.), Stud. zur vorlit.
Periode im frühen Rom, 1989, 77–134 **23** G. A. SHEETS,
Plautus and Early Roman Tragedy, in: Illinois Classical
Studies 8, 1983, 195–209 **24** W. SUERBAUM, Rel.
Identitäts- und Alteritätsangebote im Equos Troianus und im
Lycurgus des Naevius, in: [17], 185–198 **25** E. WEBER, Die
trojanische Abstammung der Römer als polit. Argument,
in: WS 86, N. F. 6, 1972, 213–225 (Nachtrag in:
E. OLSHAUSEN, H. BILLER (Hrsg.), Ant. Diplomatie, 1979,
239–255). T. B.

Tragurium (Τραγούριον/ *Tragúrion*, Trogir, Trau; auch
h. Trogir). Stadt auf einer kleinen Insel vor der illyrischen Küste nw von → Salona. Die arch. Funde (v. a.
Keramik) geben Zeugnis von einer illyr. Siedlung, bevor griech. Kolonisten aus → Issa sich um die Wende
3./2. Jh. v. Chr. in T. wie im östl. benachbarten → Epe-
tium niederließen (Strab. 7,5,5); die Beziehungen zw.
Issa und den beiden Tochterstädten waren sehr eng (Pol.
32,9,2). Um 158 v. Chr. erfolgten Angriffe der → Dal-
matae. 56 v. Chr. erkannte Caesar T. den Status einer
→ *civitas libera et foederata* (»freien und verbündeten
Stadt«) zu. In T. gab es viele Händler von der ital. Küste
(CIL III 2677; 9699; ital. Familien: Bennii, CIL III 268;
Fundanii, Pomponii, ebd. 13970; Rutilii, ebd. 9711;
Stallii, ebd. 9707; Statii, ebd. 2699).

J. J. WILKES, Dalmatia, 1969, 30, 38, 100, 123, 237 ·
N. CAMBI, Trogir in Antiquity, in: Mogu c nosti 10/11,
1980, 950–963. PI. CA./Ü: E. N.

Traianopolis (Τραιανόπολις).
[1] Von → Traianus [1] Anf. des 2. Jh. n. Chr. an der
Stelle von → Doriskos in der Ebene des unteren → Hebros an der Nordküste der Ägäis (→ Aigaion Pelagos) an
der → *via Egnatia* gegr. (Ptol. 3,11,13; Itin. Anton.
175,1–9), h. Lutros. Eigene Mz.-Prägung ist belegt.
Nach der Verwaltungsreform des → Diocletianus gehörte T. zu den wichtigsten Städten der Prov. Rhodope
(Hierokles, Synekdemos 634,4–635,2). In T. erfolgte
früh Verbreitung des Christentums; T. war auch Bischofssitz.

TIR K 35,1 Philippi, 1993, 59 · V. VELKOV, Cities of Thrace
and Dacia in Late Antiquity, 1977, 125 ·
E. SCHÖNERT-GEISS, Die Münzprägung von Augusta
Traiana und T., 1998. I. v. B.

[2] Stadt in der Mysia Megale (→ Mysia C.) der Prov.
→ Asia [2] (Ptol. 5,2,14 f.), eine Gründung der Zeit des
→ Traianus [1] auf dem → *territorium* von Grimenuthyrai
(vgl. [1. 21–23]), verm. beim h. Ortaköy, 12 km östl.
von Uşak. Anfangs bestanden die beiden Städte selbständig nebeneinander, bis T. Grimenuthyrai überflü-
gelte oder sogar eingemeindete (vgl. [2]).

1 H. VON AULOCK, Mz. und Städte Phrygiens, Bd. 2
(MDAI(Ist) Beih. 27), 1987 **2** F. IMHOOF-BLUMER, Die
Prägorte der Abbaïter, in: K. MASNER (Hrsg.),
FS O. Benndorf, 1898, 204–207.

W. RUGE, s. v. T. (2), RE 6 A, 2085–2087 ·
BELKE/MERSICH, 407. E. O.

[3] s. Selinus [5]

Traianssäule s. Forum [III 9] Traiani;
Säulenmonumente III.; Traianus [1]; TRAIANSSÄULE

Traianus
[1] Röm. Kaiser 98–117 n. Chr.

I. LAUFBAHN BIS ZUM KAISERTUM
II. VERHÄLTNIS ZUM SENAT UND INNENPOLITIK
III. AUSSENPOLITIK UND MILITÄRISCHE EXPANSION
IV. DYNASTISCHE POLITIK UND WÜRDIGUNG

I. LAUFBAHN BIS ZUM KAISERTUM

T. wurde wohl 53 als Sohn des gleichnamigen Consulars M. Ulpius [12] T. und verm. einer Marcia, vielleicht einer Tochter des Marcius [12] Barea [1], geboren;
die Familie stammte aus Italica in der Hispania Baetica.

Von T.' senatorischer Laufbahn ist wenig bekannt. Er
diente als → *tribunus* [4] *militum* unter seinem Vater in
Syrien (doch sicher nicht für zehn *stipendia*/»Feldzüge«,
wie Plin. paneg. 15,3 behauptet). Nach der Praetur (vor
84) wurde er, obwohl Patrizier, Legionslegat in Nordspanien bei der *legio VII Gemina*; in dieser Funktion be-
orderte ihn → Domitianus [1] im Winter 88/9 nach
Obergermanien zur Niederschlagung des Aufstandes
des Antonius [II 15] Saturninus; 91 wurde er für dieses
loyale Verhalten *cos. ord.*, relativ spät für einen Patrizier.
Erst → Nerva [2] gab ihm (97) wieder ein Amt: die kon-
sulare Statthalterschaft in Germania superior. Dies war
wohl schon Teil eines wohlüberlegten Plans, an dem
Iulius → Frontinus und → Iulius [II 140] Ursus beteiligt
waren: Um eine drohende Usurpation durch Cornelius
[II 36] Nigrinus zu verhindern, sollte Nerva, notfalls
widerwillig, im Okt. 97 T., der mit dem obergermani-
schen Heer sofort in It. eingreifen konnte, adoptieren
und ihm die rechtlichen Kompetenzen zur Herrschaft,
die *tribunicia potestas* und das → *imperium* eines Proconsuls, übertragen. T. verdankte seine Herrschaft dem-

nach nicht einer von Plinius [2] im *Panegyricus* stilisierten plötzlichen Entscheidung Nervas [2].

Die Nachricht vom Tod Nervas (28. Jan. 98; Beginn der Herrschaft des T.) erhielt T. in Köln, wohin er Teile der gegen Nerva revoltierenden → Praetorianer unter ihrem Kommandeur Casperius [2] Aelianus beordert hatte; der Praefekt wurde hingerichtet. Damals befehligte T. persönlich das Heer in Niedergermanien [3], wo er sich wohl noch bis Sommer 98 aufhielt. Erst dann zog er an die Donau und traf Vorbereitungen für den Dakerkrieg (→ Dakoi; u.a. Umgehungskanal am Eisernen Tor [4]), setzte also die Grenzpolitik des Domitianus fort, der den Schwerpunkt schon vom Rhein zur Donau verlegt hatte. Im Herbst 99 kehrte T. nach Rom zurück.

II. Verhältnis zum Senat und Innenpolitik

T. gab seiner Herrschaft bewußt den Anschein eines Gegenbildes zu Domitianus und vermied ein Verhalten, das von Senatoren als autokratisches Handeln gewertet und kaum akzeptiert wurde. Die beiden Blickweisen zeigt deutlich der *Panegyricus* des jüngeren Plinius. Er gab sich deshalb als *civilis princeps* (»umgänglicher Kaiser«), zeigte *moderatio* (»Mäßigung«), wenn er zunächst den Titel → *pater patriae* ablehnte (ihn aber E. 98 doch annahm), schwor öffentlich, keinen Senator zu töten (woran er sich offensichtlich auch hielt), baute durch den Umgang mit den Senatoren wie mit Gleichen Spannungen ab und vermied Verstimmungen, indem er hohe Positionen auch mit von Domitianus geförderten Senatoren und Rittern besetzte. Der Praxis der Flavier, fast ständig einen ordentlichen Konsulat zu bekleiden, folgte er nicht; in 19 J. als Kaiser führte er nur fünfmal die → *fasces* (»Rutenbündel« als Symbol consularischer Gewalt). Dabei wurde seine Dominanz auch gegenüber dem Senat (→ *senatus*) keineswegs gemindert; selbst Plinius erkennt: *Sunt quidem cuncta sub unius arbitrio*, »alles hänge vom Willen des Einen ab« (Plin. epist. 3,20,12); doch bejahte die Mehrheit des Senats dies offenbar. Schon seit 103 wird T. auf Münzen als *optimus princeps* betitelt; seit 114 gilt er als *Optimus* (»der Beste«) schlechthin. Dieses entspannte Verhältnis konnte sogar verhindern, daß sein Bild durch das katastrophale Ende des Partherkrieges verdüstert wurde. (→ Parther- und Perserkriege).

T.' Politik außerhalb der mil. Leistungen ist nur in knappen Ausschnitten bekannt. Erkennbar ist ein allgemein paternalistischer Zug. So ließ er in Rom 5000 Kinder in die Verteilung kostenlosen Getreides einbeziehen. Für It. schuf er, nach ersten Ansätzen unter Nerva, die Alimentarinstitution, die verm. mehreren Hunderttausend Jungen und Mädchen eine monatliche Unterstützung brachte. Die Mittel floßen stetig aus Zinsen für Darlehen, die T. Grundbesitzern gewährt hatte (vgl. CIL XI 1147; IX 1455). Die Wirtschaft It.s förderte er durch Straßenbauten und neue Häfen in → Centumcellae und → Ancona. Für die Soldaten erließ er Sonderregelungen für die Erstellung von Testamenten (Dig. 29,1,1 pr.); für → Veteranen gründete er Kolonien: Sar-

mizegetusa in Dakien, → Colonia Ulpia Traiana (s. Nachträge; Xanten) in Niedergermanien und Colonia Ulpia Thamugadi (Timgad) in Numidien. Am deutlichsten wird die an den Interessen des Reiches, aber auch der Bewohner der Prov. orientierte Politik in der Korrespondenz zw. dem Kaiser und → Plinius [2], seinem Sonderstatthalter in Bithynia et Pontus, greifbar (Plin. epist. B. 10), etwa in der pragmatischen Antwort auf eine Frage des Plinius über die Behandlung der Christen (epist. 10,96 f.).

III. Außenpolitik und militärische Expansion

Obwohl T. vor seiner Adoption nur wenig direkte Erfahrung mit dem Militär gesammelt hatte, wurde er zum letzten großen röm. Eroberer in drei Kriegen. Im Frühjahr 101 (*profectio* am 25./26. März) eröffnete er den Krieg gegen → Decebalus jenseits der Donau, um der seit längerem drohenden Gefahr durch die Daker (→ Dakoi) zu begegnen und kriegerischen Ruhm zu gewinnen. Das durch Einheiten aus allen Prov. verstärkte Heer überschritt die Donau auf einer Schiffsbrücke bei Lederata und erzwang trotz schwerer Verluste gegen die Daker im Herbst 102 einen Friedensvertrag, den T. vom Senat bestätigen ließ. Decebalus wurde von Rom abhängig, ein Teil seines Gebiets kam an das röm. Reich. Noch 102 nahm T. den Siegernamen → Dacicus an und feierte einen → Triumph. Doch bereits im Juni 105 wurde der Krieg fortgesetzt; er endete mit dem Selbstmord des Decebalus [5], der Vernichtung des größeren Teils der Daker und der Erbeutung des Königsschatzes. Das Land wurde als Provinz Dacia seit 106 einem Statthalter mit zwei Legionen unterstellt. Bereits 106/7 entstand die Colonia → Sarmizegetusa als Ersatz für die alte Königsstadt an der Stelle des Lagers der *legio IV Flavia*. Im Sommer 107 feierte T. einen zweiten Triumph über die Daker; das → *Forum* [III 9] *Traiani* wurde als Siegesmonument erbaut; die dort errichtete Säule dokumentierte in einer langen Bilderfolge T.' Erfolg (→ Säulenmonumente III.; → Traianssäule). Aus der Beute wurden langdauernde Festspiele in Rom finanziert, ebenso die Traiansthermen auf dem Oppius (→ Thermen), die *aqua Traiana* in Rom (→ Wasserleitungen) und die *via Traiana* von Beneventum nach Brundisium (FOst z. J. 107–112).

Noch während des 2. Dakerkrieges wurde 106 von Syrien aus das Reich der → Nabataioi als Prov. Arabia ohne größeren mil. Einsatz annektiert und einem Statthalter mit einer Legion unterstellt. Die Art der Beziehungen zum Partherreich in dieser Zeit ist unbekannt; jedenfalls nahm T. die Einsetzung eines Königs in → Armenia, das Rom als seine Interessensphäre betrachtete, durch den Partherkönig → Osroes [1] zum Anlaß, den Krieg gegen die Parther zu eröffnen (*profectio* 27. Okt. 113; → Parther- und Perserkriege). Durch Armenien und Mesopotamien, die schnell erobert und sofort als Prov. eingerichtet wurden, drang er bis zum persischen Golf vor. Dennoch mußte T., der sich seit Feb. 116 auch *Parthicus* nannte, die Eroberungen im J.

117 wieder weitgehend aufgeben, da die Parther in kurzer Zeit weite Gebiete zurückeroberten und ein ausgedehnter Aufstand der Juden in Mesopotamien, Syrien, Zypern, Iudaea, Äg. und der Cyrenaica große röm. Kontingente band. So endete der Krieg mit dem *status quo ante*, unter großen Verlusten auf röm. Seite.

T. betraute seinen engsten Verwandten Hadrianus mit dem Kommando in Syrien und damit auch mit dem Abschluß des parthischen Unternehmens und trat die Rückreise an. In Selinus [5] in Cilicia starb er am 7.(?) Aug. 117. Seine Asche wurde nach Rom gebracht und nach einem postumen Triumph im Sockel der Traianssäule beigesetzt. Der Senat beschloß die → *consecratio*; offiziell wurde er zum *divus T. Parthicus*.

IV. DYNASTISCHE POLITIK UND WÜRDIGUNG

T. war verheiratet mit Pompeia → Plotina, die spätestens um das J. 105 die Bezeichnung *Augusta* erhielt, ebenso wie seine Schwester Ulpia → Marciana, die T. nach ihrem Tod (112) zur *diva* erheben ließ. Marcianas Tochter Matidia [1] und deren Töchter → Sabina und Matidia [2] spielten eine erhebliche Rolle in T.' dynastischer Politik. So war es kein Zufall, daß → Hadrianus als sein nächster männlicher Verwandter und Ehemann der Sabina die Herrschaft übernahm (→ Adoptivkaiser).

T. galt über die Spätant. hinaus bis in das MA als idealer Kaiser: Nach einer Legende wurde der »Heide« T. von Papst Gregorius [3] d. Gr. aus der Hölle befreit, worauf auch DANTE in der *Divina Comedia* (purgatorio 10,73–78) hinwies.

→ TRAIANSSÄULE

1 D. BOSCHUNG, W. ECK, Ein Bildnis der Mutter Traians?, in: AA 3, 1998, 473–481 2 W. ECK, An Emperor Is Made: Senatorial Politics and Trajan's Adoption by Nerva in 97, in: G. CLARK, T. RAJAK (Hrsg.), FS M. Griffin, 2002 (im Druck) 3 J. K. HAALEBOS, Traian und die Auxilia am Niederrhein, in: E. SCHALLMAYER (Hrsg.), Traian in Germanien, Traian im Reich (Bericht des dritten Saalburgkolloquiums), 1999, 207–212 4 J. ŠAŠEL, Trajan's Canal and the Iron Gate, in: JRS 63, 1973, 80–85 5 M. P. SPEIDEL, The Captor of Decebalus, in: JRS 60, 1970, 142–153.

Mz.: RIC II 234–313.
PORTRÄTS: FITTSCHEN/ZANKER, Katalog 1 Nr. 39–45.
LIT.: A. CLARIDGE, Hadrian's Column of Trajan, in: Journ. of Roman Archaelogy 6, 1993, 5–22 · DUNCAN-JONES, Economy, ²1982, 290–296 · M. GRIFFIN, Trajan, in: CAH XI, 2000, 96–131 · F. A. LEPPER, Trajan's Parthian War, 1948 · A. NÜNNERICH-ASMUS (Hrsg.), Trajan. Ein Kaiser der Superlative am Beginn einer Umbruchzeit?, 2002 (mit zahlreichen Aufsätzen) · E. SCHALLMAYER (Hrsg.), s.o. [3] · K. STROBEL, Unt. zu den Dakerkriegen Traians, 1984 · R. SYME, Tacitus, 1958, Bd. 1, 1–18; 30–58; 217–235 · M. WILSON JONES, One Hundred Feet and a Spiral Stair: the Problem of Designing Trajan's Column, in: Journ. of Roman Archaelogy 6, 1993, 23–38 · P. ZANKER, Das Traiansforum in Rom, in: AA 85, 1970, 499–544.   W. E.

[2] 367–368 *dux Aegypti*. T. vertrieb Lucius, den Gegenspieler des → Athanasios (Historia acephala 5,11–13). 371–374 war er *comes rei militaris* im Osten, kämpfte gegen die Perser und ließ 374 den armenischen König → Papa töten (Amm. 29,1,2; 30,1,18–21). Valens [2] sandte ihn 377 als *magister peditum* gegen die Goten nach Thrakien (Amm. 31,7), der geringe Erfolg führte zum Streit mit Valens, der → Sebastianus [1] an seine Stelle setzte (Theod. hist. eccl. 4,33; Amm. 31,11,1). Doch kurz darauf (378) kämpfte T. als *mag. mil.* bei Hadrianopolis [3] und fiel in der Schlacht (Amm. 31,13,18). PLRE 1, 921 f. Nr. 2.   W. P.

[3] Als Offizier der Leibgarde des → Belisarios bezeugt, 537/8 n. Chr. bei der Verteidigung Roms gegen die gotischen Belagerer und 541 an der persischen Front. PLRE 3, 1333 f. Nr. 2.   F. T.

Tralleis

[1] (Τράλλεις, Τράλλοι). Stamm im südl. → Illyricum, der nach Hesych. s. v. Τραλλεῖς thrakischer, nach Steph. Byz. (s. v. Βῆγις; Βόλουρος; Τραλλία) und Liv. (27,32,4; 31,35,1: *Tralles*; 38,21,2: *Tralli*) illyrischer Herkunft war. Die T. waren bekannt als Söldner in hell. Heeren (Diod. 17,65,1; Liv. 37,19; Hesych. l.c.). In ihrem Gebiet lagen (nach Steph. Byz. l.c.) die Städte Begis und Buloros.
          I. v. B.

[2] (Τράλλεις, lat. *Trallis*). Stadt im Tal des mittleren Maiandros [2] am Südfuß der → Mes(s)ogis, im ionisch-lydisch-karischen Grenzgebiet, in befestigter Lage (Strab. 14,1,42) auf einem Hügel oberhalb des h. Aydın. T. wurde von Siedlern aus der → Argolis gegr.; Gründungslegenden (Plut. qu. Gr. 46) weisen auf hohes Alter. 401 v. Chr. war T. Internierungsort der Familien abtrünniger griech. Kommandanten aus dem Heer des Kyros [3] d. J. (Xen. an. 1,4,8), 397 Rückzugsquartier der Truppen des → Tissaphernes (Xen. hell. 3,2,19). T. unterwarf sich 334 v. Chr. d. Gr. (Arr. an. 1,18,1; 1,23,6) und wurde 313 von Antigonos [1] Monophthalmos erobert (Diod. 19,75,5). 301 fiel die Stadt mit Westkleinasien an Lysimachos [2], 281 an Seleukos [2] I. Im 3. Jh. v. Chr. wurde T. *Seleúkeia* benannt (Plin. nat. 5,109). 212/1 wurde ein Isopolitie-Vertrag (→ *isopoliteía*) mit Miletos [2] geschlossen (StV 3, 537; [2. 20]). Um 204 verfügte Antiochos [5] III. den Erlaß des Zehnten [1. 41; 2. 17]. 190 ergab sich T. den Römern (Liv. 37,45,1) und fiel 188 an → Pergamon (Pol. 21,46,10; Liv. 38,39,16). T. besaß griech. Polisverfassung (→ *pólis* II.) und (kommunale) Autonomie und war unter den Attaliden (→ Attalos, mit Stemma) eine der wichtigsten Mz.-Stätten. 133 v. Chr. kam T. an Rom. 88 unterwarf sich T. → Mithradates [6] VI. und ließ Massaker an Römern zu, die schon zahlreich in T. lebten (Cic. pro Flacco 57; 71); T. wurde damals kurzzeitig von Tyrannen beherrscht (Strab. 14,1,42; Cass. Dio 30–35,101,1). Nach schweren Erdbeben 25 v. Chr. sorgte Augustus für den Wiederaufbau (Strab. 12,7,18; Suet. Tib. 8; Agathias 2,17). Zum Dank verehrte T. den Kaiser als (Neu-)Gründer und nannte sich ein Jh. lang zusätzlich *Kaisáreia*. 129 n. Chr. besuchte Hadrianus T., der gleichfalls als Gründer der Stadt geehrt wurde.

Freundschaftliche Beziehungen unterhielt T. zu Ephesos, Pergamon, Smyrna (*homónoia*-Mz., 2.–3. Jh.). Die Rhet.-Schule von T. genoß unterschiedliche Wertschätzung (Cic. orat. 234; Strab. 12,7,18; Sen. contr. 10,5,21). T. war Heimat des Schriftstellers → Phlegon. T. exportierte Keramikwaren (Plin. nat. 35,161). Die Hauptgottheit war Zeus Larasios. In T. bestand eine jüd. Gemeinde (Ios. ant. Iud. 14,242) und früh eine Christengemeinde; Bischöfe von T. sind seit dem 2. Jh. n. Chr. bezeugt (Hierokles, Synekdemos 659,5; Not. episc. 1,95; 3,15; 7,85). Im Bergland hielten sich die alten Kulte bis ins 6. Jh. n. Chr. Arch.: wenige ant. Überreste.

1 WELLES 2 F. B. POLJAKOV, Die Inschr. von T. und Nysa, Bd. 1 (IK 36,1), 1989.

O. MØRKHOLM, Some Reflections on the Early Cistophoric Coinage, in: ANSMusN 24, 1979, 47–61 · W. KOENIGS, Westtürkei, 1991, 155 f. · F. PIEJKO, Letter of Eumenes II to Tralles, in: Chiron 18, 1988, 55–69 · E. AKURGAL, Griech. und röm. Kunst in der Türkei, 1987, 110; 116; 143 · MAGIE, 991 f.; 1004; 1331 f.; 1480 f. · W. RUGE, s. v. T., RE 6 A, 2093–2128.   H. KA.

Trambelos (Τράμβηλος). Sohn des → Telamon [1] (Lykophr. 467; Parthenios 26), der nach der Einnahme Troias als Beute die Theaneira erhält (Istros FHG 1,421). Von Telamon schwanger, flieht diese und wird von König Arion von Milet aufgenommen, der T. wie seinen eigenen Sohn aufzieht (schol. zu Lykophr. 467). Parthenios (l.c.) berichtet von der Liebe T.' zu Apriate von Lesbos. Diese verschmäht ihn jedoch und stürzt sich ins Meer, als T. Gewalt anwendet (bzw. wird von T. ins Meer gestürzt). Parthenios und schol. Lykophr. berichten vom Tod T.', wobei ersterer diesen als Rache der Götter für Apriates Tod deutet: Bei einem Streifzug von Troia aus tötet ihn → Achilleus im Zweikampf, bestattet ihn aber ehrenvoll, nachdem er T. als seinen Cousin erkannt hat.   SV. RA.

Trankopfer I. ALTER ORIENT UND ÄGYPTEN
II. KLASSISCHE ANTIKE

I. ALTER ORIENT UND ÄGYPTEN

Da → Opfer v. a. die tägliche Versorgung der Götter sicherstellen sollten, waren Getränke (in der Regel Wasser, Bier, Wein) neben Viktualien unverzichtbarer Bestandteil der regelmäßigen Opfer für die Götter, aber auch der Totenopfer. Sowohl in Äg. als auch in Mesopotamien stehen die Libation bzw. Termini für die Libation als *pars pro toto* für Opfer. Dies mag seinen urspr. Grund darin haben, daß für die auf Subsistenzniveau lebenden Menschen die Libation von Wasser die einzige Möglichkeit darstellte, ein Opfer darzubringen. Neben dem Opferaspekt hatte die Libation u. a. auch die Funktion von kultischer Reinigung etwa durch Ausgießen von Wasser.

1 J. F. BORGHOUTS, s. v. Libation, LÄ 3, 1013–1015
2 W. HEIMPEL et al., s. v. Opfer, RLA 7, 1–12.   J. RE.

II. KLASSISCHE ANTIKE

Griech. σπονδή/*spondế*, χοή/*choế*, λοιβή/*loibế* bzw. λίψ/*lips* (Inf. σπένδειν/*spéndein*, χεῖν/*chein*, λείβειν/*leíbein*); lat. libatio (Inf. *libare*; aber auch: [*vinum, libationem*] *fundere*); umbr. *vestikaom = libare* [6. 748 f.]; das rituelle Ausgießen von Flüssigkeiten (bes. → Wein, aber auch Honig, Milch, Öl, Wasser).

Der mod. metasprachliche Begriff »T.« ist in christl. Kontext ins Dt. gelangt; in der NT-Übers. LUTHERS (Erstdruck 1522) steht er für lat. *libatio/libamen* der Vulgata (statt »opffer« in den vorlutherischen Bibeln) [2]. Den objektsprachlichen Begriffen im Griech. und Lat. entspricht der Begriff »T.« insofern nicht, als diese nicht die Semantik des Trinkens enthalten, sondern versch. Arten des Gießens bezeichnen. Diese werden in der Forschungslit. unterschieden [1; 3; 4]: *spondế* ist der allgemeinste Begriff. Die Adressaten einer *choế* werden häufig mit der → Unterwelt in Verbindung gedacht, insbes. handelt es sich um Verstorbene (vgl. Hesych. s. v. χοάς· τὰς σπονδὰς τῶν νεκρῶν/*choás: tas spondás tõn nekrõn*, ›Choen: Spenden für die Toten‹; vgl. auch Aischyl. Choeph.; → Totenbefragung; → Totenkult); die Materie ist dabei häufig eine Honig-Mischung (griech. μελίκρατον/*melíkraton*; lat. *mulsum*: Apul. met. 3,18; Act. Arv. [7. Nr. 114 II 31]); der → Wein, sonst eine geläufige T.-Materie, kann von dieser Art Guß explizit ausgeschlossen sein (χοαί/θυσίαι ἄοινοι/*choaí/thysíai áoinoi*, Aischyl. Eum. 107; Poll. 6,26; → Nephalia). Durchbohrungen in Altären oder → Urnen bzw. → Sarkophagen sowie Leitungen aus wasserdichtem Material wie Blei (Bsp.: [5. 64, 75–80, 90; 8. 189 f.; 9. 51 f.]) dienten dazu, die Flüssigkeiten direkt in das Grab bzw. den Erdboden hinabzugießen (ὑπολείβειν/*hypoleíbein* in der *lex sacra* von Selinus [4], vgl. [3. 30 f., 70–73]). Das v. a. dichterische λοιβή/*loibế* enthält die Semantik des Tröpfelns; Kannen mit engem Hals (vgl. [8. 32–36]) dienten vielleicht für diese Art des T.; Wendungen wie σπονδὰς λείβειν/*spondás leíbein*; χοὰς σπένδειν/*choás spéndein* (z. B. Aischyl. Suppl. 981 f.; Eur. Or. 1322) zeigen allerdings, daß die semantische Abgrenzung grundsätzlich unscharf ist.

T. sind häufig und in verschiedenen Handlungskontexten wie (Tier-)→ Opfer, → Gastmahl, Abschluß von → Verträgen, Abschied und Ankunft von Personen belegt: Sie boten die Möglichkeit, zu beliebigen Zeitpunkten, ohne großen Aufwand an Spezialisten, Geräten oder Materien sowie nicht notwendig eingebettet in komplexe Handlungsabläufe einen Wunsch oder Dank auszudrücken. Griech. und röm. Darstellungen zeigen, wie der Inhalt einer Schale in das Altarfeuer (vgl. Act. Arv. [7. Nr. 55 I 19]) gegossen wird (vgl. z. B. [10. Abb. 147; 8. Taf. 3a]). Spezielle Kultgefäße und -geräte für das T. sind neben Kannen und Schalen oder Bechern auch Schöpfkellen, Siebe, Mischgefäße (→ Krater; → Phiale; vgl. → Opfer IV. mit Abb.: → Patera; → Simpuvium; [8. 31–95]). In komplexen Ritualabläufen sind T. und Gebet häufig komplementär (z. B. → Tabulae Iguvinae VIa 22; VIb 6 u.ö.); ebenfalls häufig ist die

Kombination mit bestimmten Materien wie → *mola salsa* oder → Weihrauch (Act. Arv.: *ture et vino facere* [7. Nr. 55 II 29; Nr. 100 b 9] u.ö.).

→ Opfer; Speiseopfer

1 J. CASABONA, Recherches sur le vocabulaire des sacrifices en grec, 1966, 231–297 **2** J. GRIMM, W. GRIMM, s. v. T., Dt. Wörterbuch 21, 1935, 1230f. **3** M. H. JAMESON et al., A lex sacra from Selinous, 1993, bes. 70–73 **4** I. MALKIN, s. v. Libations, OCD³, 854 (Lit.) **5** PFIFFIG **6** PROSDOCIMI **7** J. SCHEID (ed.), Commentarii Fratrum Arvalium qui supersunt, 1998 **8** A. V. SIEBERT, Instrumenta sacra, 1999 **9** J. M. C. TOYNBEE, Death and Burial in the Roman World, 1971 **10** F. T. VAN STRATEN, *Hierá kalá*, 1995.   M. HAA.

Tranquillitas. Die übliche Bed. »Ruhe, Unbewegtheit« (so noch bei Caes. Gall. 3,15,3) wird im 1. Jh. v. Chr. unter dem Einfluß des → Stoizismus und der Philos. des Epikuros (analog zum griech. γαλήνη/ *galḗnē*, »Meeresstille« = »Seelenfrieden«) zum lat. philos. Begriff für »Unbewegtheit des Gemüts« (*maris t.*: Cic. Tusc. 5,6,16; *t. animi*: Cic. fin. 5,8,23; vgl. Sen. dial. 9: *De tranquillitate animi*). In Verbindung mit »Sicherheit« und »Frieden« (vgl. Cic. leg. agr. 1,24; Cic. off. 1,20,69; Cic. de orat.1,1,2) erhält *t.* polit. Bed. als Ausdruck der gesicherten Ruhe des Staates (Val. Max. 8,13 praef.; Mz. des Constantinus [1] und seiner Söhne; RIC 7,110–115; 131–134; 190–195; 197–201). Da seit Hadrianus *t.* auch als → Personifikation auf Mz. erscheint (RIC 2,365; 3,37; 4.3,59; 4.3,69; 4.3,88; 5.1,342), liegt es nahe, in *t.* eine Gottheit zu sehen, zumal der Fund eines Altars für *t.* zusammen mit Altären anderer Gottheiten aus dem 1. Jh. n. Chr. (ILS 3277–3279) diese Vermutung bestärkt. Doch könnte es sich bei den Münzbildern ebensogut um polit. Personifikationen wie bei Abb. von Prov. handeln. Ab dem 4. Jh. n. Chr. findet sich *t. tua* bzw. *vestra* als Anrede des Kaisers (Eutr. praef. und 1,12,2; Cod. Iust. 12,53,1), vergleichbar mit dem neuzeitlichen »Serenissimus«.

R. VOLLKOMMER, s. v. T., LIMC 8.1, 1997, 50f. (Komm.); 8.2, 1997, Taf. 28f. (Abb.).   W. ED.

Transactio (von *transigere*, »nachgeben, sich vergleichen«). Bezeichnet eine außergerichtliche Vereinbarung zw. zwei Parteien, durch die strittige oder zweifelhafte Punkte eines röm. Rechtsverhältnisses ohne förmliches Verfahren verglichen wurden (vgl. Dig. 2,15; Cod. Iust. 2,4).

Hinsichtlich eines durch den Vergleich erledigten Streitpunktes konnte der Beklagte im klass. röm. Recht eine *exceptio pacti* (Einrede einer Vereinbarung; nach Papin. Dig. 2,15,17 eine *exceptio transacti negotii*, Einrede eines verglichenen Geschäftes) erheben. Die aus der *t.* resultierenden Verpflichtungen wurden meist in Form einer → *stipulatio* (förmliches mündliches Versprechen) klagbar gemacht.

Mit dem auf den republikan. Juristen C. Aquilius Gallus (1. Jh. v. Chr.) zurückgehenden Formular der *stipulatio Aquiliana* (Florent. Dig. 46,4,18,1; Inst. Iust.

3,29,2) wurde durch → *novatio* (Schulderneuerung) ein Generalvergleich über sämtliche Ansprüche zw. zwei Personen geschlossen und zugleich bestätigt, daß die noch offene Summe durch → *acceptilatio* (förmlicher Erlaß) getilgt wurde. Dabei blieben jedoch Rechtsverhältnisse, an die die Parteien nicht gedacht hatten, unberührt (Papin. Dig. 2,15,5).

→ Exceptio; Pactum

KASER, RPR, Bd. 1, 642; 649; Bd. 2, 445–447 · F. STURM, Stipulatio Aquiliana, 1972 · F. EBEL, Berichtung, t. und Vergleich, 1978, 50ff. · K. VISKY, Les règles du droit romain relatives aux transactions..., in: Index 12, 1983/4, 87–105.   F. ME.

Transaquincum. Kleines, wohl unter → Commodus entstandenes Kastell (Not. dign. occ. 33,65: Transiacinco) am linken Ufer der Donau (→ Istros [2]), durch eine Holzbrücke mit → Aquincum in der Prov. → Pannonia inferior verbunden, h. bei Budapest-Rákospatak. Erh. sind Gebäudereste, Victoriastatue, Inschr., Ziegel der *legio IV Flavia* und *legio II Adiutrix*. Im 4. Jh. n. Chr. Sitz eines *praef. legionis*.

TIR L 32 Budapest, 1968, 112f. · Z. VISY, Der pannonische Limes in Ungarn, 1988, 84f.   J. BU.

Transfuga. Im Unterschied zum bloßen → *desertor*, d. h. dem sich der Wehrpflicht entziehenden Bürger bzw. dem nicht beurlaubten Soldaten, dessen Fahnenflucht Rom hart bestrafte, war der *t.* ein Römer (bzw. Reichsangehöriger), der als Soldat oder Zivilist (Dig. 48,4,2,3) durch Überlaufen zum Feind (Erl. Dig. 49,15,5) Landesverrat (→ *perduellio*), also ein Verbrechen gegen das Gemeinwesen (*crimen publicum*) beging, das Rom nach → Kriegsrecht, durch magistratische → *coercitio* oder strafrechtlich als *crimen maiestatis* (→ *maiestas*) ahndete. Der *t.* galt *pro hoste* (→ *hostis*; Dig. 49,16,7), hatte wie der *defector* (»Abtrünniger« Dig. 4,5,5,1) das → *postliminium* verwirkt (Dig. 49,15,19,4; 8; [1]) und konnte nach Gefangennahme oder Auslieferung aufgrund schon stereotyper röm. Forderungen im Rahmen einer → *deditio*, → *pactio* oder des → *pax* [1] bewirkenden → Staatsvertrages [2] gekreuzigt oder verbrannt werden [3. 546f.⁵].

→ Kriegsdienstverweigerung

Ergänzend zur Lit. in den Verweisstichwörtern: **1** M. F. CURSI, La struttura del postliminium, 1996, 231–234 **2** P. KEHNE, Formen röm. Außenpolitik in der Kaiserzeit, 1989, 227–229 **3** MOMMSEN, Strafrecht, 27–34; 538–546; 560f.   P. KE.

Transhumanz s. Viehwirtschaft

Transitio ad plebem. Übertritt eines Patriziers (→ *patricii*) zur → *plebs*. Sofern es sich um einen von väterlicher Gewalt (→ *patria potestas*) freien Bürger handelte, erfolgte die *t.* mittels *arrogatio*, bei einem gewaltunterworfenen durch *adoptio* eines Plebeiers (→ Adoption; vgl. Gell. 5,19,1–9), der ihn aus seiner *patria potestas* entlassen konnte (→ *emancipatio*). Der bekannteste Fall einer *t.* (durch *arrogatio*) ist der des P. → Clodius [I 4] Pulcher, der 59 v. Chr. für das Volkstribunat kandidieren wollte (Cic. dom. 34–41; Cass. Dio 37,51,1 f.; 39,11,2) [1. 563 f.; 2]. Gesichert ist ferner der Übertritt des → Cornelius [I 29] Dolabella (Cass. Dio 42,29,1). Sehr wahrscheinlich liegt auch bei P. → Sulpicius [I 19] Rufus [2; 4. 136–138] und C. → Servilius [I 19] Geminus eine *t.* vor [3]. Unhistorisch sind dagegen die *t.* der röm. Frühzeit [5. 69–127].

→ Comitia; Deminutio capitis; Detestatio sacrorum

1 R. WITTMANN, W. KUNKEL, Staatsordnung und Staatspraxis (HdbA 10,3,2,2), 1995 2 M. J. SLAGTER, T., 1993 3 R. FEIG VISHNIA, The T. of »C. Servilius Geminus«, in: ZPE 114, 1996, 289–298 4 MOMMSEN, Staatsrecht 3, 1 5 TH. MOMMSEN, Röm. Forschungen, Bd. 1, 1864. L.d.L.

Translatio

[1] s. Status [1] A.

[2] *T. iuris* (»Übertragung des Rechts«) kommt in der berühmten Sentenz zum Ausdruck: ›Niemand kann mehr Recht auf einen anderen übertragen, als er selbst hat‹ (*nemo plus iuris transferre potest quam ipse habet*, Ulp. Dig. 50,17,54). Dieser »Merksatz« vom Anf. des 3. Jh. n. Chr. spiegelt die Vorstellung des klass. röm. Rechts wider, daß subjektive Rechte nicht – wie in der früheren Gedankenwelt – in der Person jedes Inhabers neu entstehen, sondern gleichsam bildhaft wie die Sache selbst übertragen werden können (vgl. → *traditio*). Die *t. legati* (»*t.* eines Vermächtnisses«) bezeichnet hingegen gerade keine Übertragung, sondern eine Änderung durch den Erblasser, daß ein Vermächtnis nicht (wie zunächst angeordnet) einem »Titius«, sondern einem »Seius« zukommen soll (Inst. Iust. 2,21,1). Darin lag ein modifizierter Legatswiderruf (→ *ademptio legati*). G.S.

Transmarisca (Τρασμαρίσκα/ *Trasmaríska*). Röm. Kastell in der Moesia Inferior (→ Moesi mit Karte) am rechten Ufer der unteren Donau (→ Istros [2]; Ptol. 3,10,11: Τρομαρίσκα/ *Tromaríska*; Prok. aed. 4,7,7; Geogr. Rav. 4,7,1: Stamarisca) zw. Sexaginta Prista (h. Rusé) und → Durostorum, h. Tutrakan (Kreis Silistra, Bulgarien). An Bed. gewann T. seit dem 2. Jh. n. Chr., als im Kastell vorübergehend die *cohors I Thracum* stationiert war. Zu E. des 3. Jh. wurden an der unteren Donau verstärkt Verteidigungsmaßnahmen getroffen (→ Limes V.), unter Constantinus [1] d. Gr. wurde gegenüber T. das Kastell Constantiniana Daphne errichtet. Im 4. Jh. war T. Sitz des *praef. ripae legionis XI Claudiae* (Not. dign. or. 40,34).

TIR L 35 Bukarest, 1969, 37; 75 · V. VELKOV, Roman Cities in Bulgaria, 1980, 49–54 · E. PETKOV, Le rôle de T. dans le limes de Bas-Danube, in: G. VON BÜLOW, A. MILČEVA (Hrsg.), Der Limes an der unteren Donau, 1999, 237–243. J.BU.

Transpadana. Allg. Bezeichnung des Gebiets nördl. des → Padus (h. Po; vgl. Cic. off. 3,22,88; Catull. 39,13: *Transpadanus*; [1. 274; 2. 149; 3. 28 f.; 4. 7 f.]), als Adj. nur mit *Italia* (Tac. hist. 2,32; CIL X 3870), nie mit *Gallia* verbunden. Die augusteische Gebietsreform kennt eine im Osten durch den → Ollius begrenzte *regio XI T.* (→ *regio* mit Karte; Plin. nat. 3,123; Tac. hist. 1,70; Plin. epist. 6,6). Gegen E. des 3. Jh. n. Chr. verstand man unter T. die gesamte Ebene am Padus südl. der → Alpes; im 4. Jh. in *Aemilia* und *Liguria* aufgegliedert [5. 236 f.; 6. 1 f.]. T. blieb reines Toponym.

1 MOMMSEN, Schriften 5 2 R. CHEVALLIER, La romanisation, 1980 3 R. SYME, T. Italia, in: Athenaeum 63, 1985, 28–36 4 V. VEDALDI IASBEZ, La problematica sulla romanizzazione della T., in: Quaderni Giuliani di Storia 6, 1985, 7–47 5 R. THOMSEN, The Italic Regions, 1947 6 L. RUGGINI, Economia e società nell'Italia annonaria, 1961. A.SA./Ü: H.D.

Transportamphoren

I. DEFINITION UND ANTIKE TERMINOLOGIE
II. BRONZEZEIT III. FORMEN UND VERWENDUNG
IV. FORSCHUNGSGESCHICHTE V. TYPOLOGIE

I. DEFINITION UND ANTIKE TERMINOLOGIE

T. sind zweihenkelige keramische Gefäße, die für den Transport und die Aufbewahrung von Nahrungsmitteln hergestellt wurden. Der lat. Begriff *amphora* entstammt griech. ἀμφορεύς/*amphoreús* nach dem älteren ἀμφιφορεύς/*amphiphoreús* (Hom. Il. 23,92; 23,170), worunter man auch die h. → Stamnos und Pelike (vgl. → Amphora [1]) genannten → Gefäße (mit Abb.) verstand. Für unbemalte T. wurden öfter die Bezeichnungen κέραμος/*kéramos* oder κεράμιον/*kerámion* (Hom. Il. 9,46; Hdt. 3,6) und ἀγγεῖον/*angeíon* (Ps.-Aristot. mir. 136) verwendet. Die griech. Bezeichnungen δίωτος/*díotos* (»zweihenkelig«, wörtl. »zweiohrig«) und κάδος/→ *kádos* wurden als *diota* bzw. *cadus* ins Lat. übernommen. *Kádos* leitet sich wahrscheinlich vom semitischen Subst. *kd* (»bauchiges Gefäß«) ab [1]. Im Hebräischen kommt Amphore erst spät als Lehnwort aus dem Griech. vor: *ʾmpwrh*.

II. BRONZEZEIT

T. sind eine Erfindung Nordsyriens und Kilikiens der Früh-Brz. II (2900–2600 v. Chr.) [2; 3; 4]. Noch während des 3. Jt. v. Chr. wurden diese T. geringfügig den Anforderungen des Schiffstransports angepaßt, indem sie eine geringere Wölbung und Kapazität erhielten. Auch wurden sie an das pharaonische Maßsystem angepaßt und seit der mittleren Brz. auf der → Drehscheibe hergestellt unter Hinzufügung von spitzeren Böden, wodurch sie sich besser zum Verstauen im Schiff eigneten. Seit der Mitte des 15. Jh. v. Chr. sind die spät-brz. Versionen in den Exportgebieten (Äg., Zypern und Griechenland) als kanaanäische T. bekannt [2; 3; 4]. Die Variante mit kurzem, geradem Hals, Schulterknick, konvexer Schulter- und Wandungspartie und spitzem Boden war bes. im 12. Jh. v. Chr. sehr weit verbreitet. Daraus entwickelte sich die phöniz. T. der Eisenzeit.

III. Formen und Verwendung

Die griech. T. besitzen eine Standfläche oder einen Standring und verraten dadurch ihre Ableitung von Vorratsgefäßen im Haushaltsbereich. Auch die Tonschlickerbemalung der griech. T. weist auf eine solche Verwandtschaft hin. Erst ab dem späten 6. Jh. v. Chr. entwickelte sich der Fuß der griech. T. zu einem massiven Knopf. Als fester Griff zum Entleeren der T. [5] wurde er später auch für punische T. übernommen. Bei nahezu allen mediterranen T.-Klassen ist vom 8. bis zum 1. Jh. v. Chr. eine Tendenz zu immer längeren und schmaleren Gefäßen zu erkennen, die wohl durch zeitgleiche Änderungen der Verstauungsmöglichkeiten an Bord und durch die Verbindung der einzelnen Regionen und Absatzmärkte zu erklären ist. Die in T. verschifften Produkte, v. a. → Wein, Olivenöl und *garum* (→ Fischspeisen), bilden nur einen Bruchteil der in der Ant. verhandelten Waren. Beim → Landtransport dürften feste Behältnisse gegenüber den zerbrechlicheren und schwereren T. bevorzugt worden sein. Bei den etwa 250000 in Elizavetovskoe (am unteren Don) gefundenen Amphoren wird vermutet, daß deren Inhalt für den weiteren Transport ins Landesinnere in Schläuche o. ä. umgepackt wurde [6; 7]. Obwohl T. nur einen kleinen Teil des ant. Handelsaufkommens umfaßten, bilden sie eines der wichtigsten arch. Zeugnisse für ant. Wirtschaftsstrukturen: als Indikatoren für Agrarproduktion und Konsum sowie für das Import- und Exportverhalten von Siedlungen und Regionen.

Bis in archa. Zeit wurden T. noch in Werkstätten produziert, die das ganze Keramikrepertoire töpferten, so z. B. in → Tyros in der 2. Hälfte des 8. Jh. v. Chr. [8] und im phöniz. Cerro del Villar (→ Malaca/Málaga) im frühen 6. Jh. v. Chr. [9]. In der griech. Welt wird ab dem 5. Jh. v. Chr. eine Spezialisierung der T.-Produktion in eigenen Werkstätten erkennbar [10]. Dieses Produktionsmodell setzte sich in röm. Zeit durch. Nach Athenaios (11,784c) soll der Bildhauer → Lysippos [2] bei der Gründung von Kassandreia (316 v. Chr.; → Poteidaia) das Modell der Amphore, die für den Export von (mendischem) Wein bestimmt war, entworfen haben: eine Frühform des industriellen Entwurfes.

Die luftdichte Abdichtung der T. erfolgte mit Korken, keramischen Scheiben, → Pech oder → Gips. Dazu gab es bes. bei T. für Wein häufig einen Anstrich an der Innenseite, der die Gefäßwandung gegen den Austritt von Flüssigkeit abdichtete [11; 12]. Der Inhalt der T. konnte nach Produkt, Herkunft, Jahrgang, Hersteller und/oder Händler durch Aufmalung (*tituli picti*), Einstempelung (→ Amphorenstempel) oder angehängtes Etikett gekennzeichnet sein. Erwähnungen auf Papyri ab dem 3. Jh. v. Chr. geben etwa 40 unterschiedliche geographische Gefäßbezeichnungen, manche davon T. [13]. Außer für Transport und Lagerung, z. T. in Zweitverwendung (Hdt. 3,6), wurden T. auch für andere Zwecke verwendet: als Kleinkindersärge (Enchytrismos-Gräber), gewichtsparende Elemente im röm. Gewölbebau (→ Gewölbe- und Bogenbau), als Floß oder Fallgrube (Hdt. 8,28).

IV. Forschungsgeschichte

Die methodischen Ansätze der T.-Forsch. wurden bes. für röm. T. erarbeitet [14], gelten aber gleichermaßen für griech., etr. und phöniz. T. Im 19. Jh. galt das Interesse v. a. epigraphischen Daten: → Amphorenstempel, *tituli picti* und Graffiti. Allmählich aber gewann das Interesse an den T. selbst und bes. an ihren unterschiedlichen Formen die Oberhand und begründete die Erforschung der Typologie und der Archetypen. Seit den 1970er Jahren bediente man sich dabei auch der Hilfe statistischer, mathematischer, technologischer [14; 15] und archäometrischer Analysemethoden. Sie gelten bes. Fragen der Tonzusammensetzung in Verbindung mit Herkunft und Typologie (Petrographie, XRD-, Mössbauer-, Neutronenaktivierungsanalysen) [16] und nach dem urspr. Inhalt (Gaschromatographie). Aktuell wird versucht, die Verbindung dieser Forsch.-Ansätze zur Produktion in bestimmten Städten und Regionen herzustellen, z. B. → Chersonesos [3] und → Pompeii [10. 13–19; 17]. Als Grundlage der wirtschaftlichen Aussagekraft wurde in einigen Arbeiten auch das Fassungsvermögen der Gefäße untersucht [18; 19]. Die »Amphorologie« hat sich zwar zu einem eigenen Fachgebiet mit spezifischer Terminologie entwickelt, doch werden dabei die traditionellen, kulturbedingten Fachgrenzen weitgehend respektiert.

V. Typologie

Bei den griech. T. kommen anfangs tongrundige und bemalte Produktionen vor [10]. Die att. mit Tonschlicker überzogenen T. vom Typus »SOS« und »à-la-brosse« waren vom 8. bis zum 6. Jh. v. Chr. weit verbreitet und wurden auch auf → Euboia [1] hergestellt [20]. Von den gleichzeitigen korinthischen T. ist der ältere Typus A meist handgemacht; er wurde auch in der Gegend von → Korkyra [1] und → Buthroton gefertigt. Aus dieser Region stammen auch die meisten T. vom Typus B (ab dem späten 6. Jh. v. Chr.), dessen frühe Versionen vorwiegend in der → Magna Graecia hergestellt wurden [21; 22]. Eine verwandte T.-Form wurde in → Massalia entwickelt [22; 23]. Von den ostgriech. T. waren v. a. die samischen, chiotischen, lesbischen, milesischen T. weit verbreitet [24]. Im Hell. waren v. a. die T. von Rhodos, Kos, Knidos, Thasos und Sinope bedeutend [10; 25]. Im griech. Westen stellen die sog. graeco-ital. Amphoren die wichtigste Gruppe dar; sie entwickelte sich im 4. Jh. und wurde bis in das 2. Jh. v. Chr. in der → Magna Graecia und auf → Sicilia produziert [26; 27].

Die phöniz. Niederlassungen im Westen entwickelten im 8. Jh. v. Chr. zwei Formen von T., wobei sie den östl. Vorbildern folgten. Auf der Iberischen Halbinsel finden sich T. mit Schulterknick und in den zentralmediterranen Siedlungen eiförmige T. [28; 29]. Aus diesen entwickelten sich bis ins 1. Jh. n. Chr. verschiedene punische T. [15]. Bereits in der 2. H. des 8. Jh. v. Chr. standen diese eiförmigen T. Modell für T. in der etr. und der nuraghischen Kultur [30]. Die etr. T. nahmen eine eigenständige Entwicklung und stellten bes.

von der 2. H. des 7. bis ins 5. Jh. im Westen eine wichtige Klasse dar [31; 32].

Die erste Typologie der röm. T. stützt sich auf die von H. DRESSEL 1899 für den Band CIL XV 1 zusammengestellte Amphorenformtafel [14; 16; 33]. Für einzelne Formen und Produktionsgebiete wurde diese Typologie ständig erweitert bzw. verfeinert [33; 34; 35; 36; 37]. Die daraus resultierenden Klassifizierungen umfassen die Produktionen des ganzen Mittelmeerraums von der röm. bis in byz. Zeit. Einzelne FO, wie der Monte Testaccio (→ Mons Testaceus), ein etwa 35 m hoher künstlicher Hügel am Tiberufer Roms, der nur aus ausgedienten T. besteht [38], zeugen vom Umfang der Produktion und des Konsums bis zum 3. Jh. n. Chr.
→ Amphora [1]; Amphorenstempel; Gefäßformen; Handel; Hohlmaß; Import-Export; Keramikhandel; Keramikherstellung; Schiffahrt; Tongefäße

1 O. SZEMERÉNYI, The Origins of the Greek Lexicon. Ex Oriente Lux, in: JHS 94, 1974, 148 2 V. R. GRACE, The Canaanite Jar, in: S. S. WEINBERG (Hrsg.), The Aegean and the Near East. FS H. Goldman, 1956, 80–109 3 A. RABAN, The Commercial Jar in the Ancient Near East, 1980, Kap. 3 4 A. G. SAGONA, Levantine Storage Jars of the 13th to 4th Century B. C., in: OpAth 14, 1982, 73–110 5 C. G. KOEHLER, Handling of Transport Amphoras, in: s. [25], 66 6 I. B. BRASHINSKY, Les importations céramiques greques sur le Don Inférieur du Ve au IIIe siècle avant notre ère, 1980 7 Y. GARLAN, De l'usage par les historiens du matériel amphorique grec, in: DHA 11, 1985, 239–255 8 P. M. BIKAI, The Pottery of Tyre, 1978, 1–13 9 J. A. BARCELÓ et al., El área de producción alfarera del Cerro del Villar (Guadalhorce, Málaga), in: Riv. di Studi Fenici 23, 1995, 147–181 10 I. K. WHITBREAD, Greek Transport Amphorae. A Petrological and Archaeological Study, 1995, 9–19 11 A. RABAN, The Phoenician Jars from the Wrecked Ship off Philadelphia Village, in: Sefunim 5, 1976, 50–55 12 A. ZEMER, Storage Jars in Ancient Sea Trade, 1978, 14 13 N. KRUIT, K. WORP, Geographical Jar Names. Towards a Multidisciplinary Approach, in: APF 46, 2000, 65–146 14 J. M. SCHURING, Studies on Roman Amphorae I-II, in: BABesch 59, 1984, 137–147 15 J. H. VAN DER WERFF, Amphores de tradition punique à Uzita, in: BABesch 52/53, 1977/78, 171–200 16 D. P. S. PEACOCK, D. F. WILLIAMS, Amphorae and the Roman Economy. An Introductory Guide, 1986 17 W. JONGMAN, The Economy and Society of Pompeii, 1988 18 F. DURANDO, Indagini metrologiche sulle anfore commerciali arcaiche della necropoli di Pithekoussai, in: AION 11, 1989, 55–93 19 R. F. DOCTER, Amphora Capacities and Archaic Levantine Trade, in: Hamburger Beitr. zur Arch. 15–17, 1988–1990, 143–188 20 A. W. JOHNSTON, R. E. JONES, The »SOS« Amphora, in: ABSA 73, 1978, 103–141 21 C. G. KOEHLER, Corinthian A and B Transport Amphoras, 1979 22 V. GASSNER, Produktionsstätten westmediterraner Amphoren im 6. und 5. Jh. v. Chr., in: Laverna 11, 2000, 106–137 23 M. BATS (Hrsg.), Les amphores de Marseille grecque, 1990 24 R. M. COOK, P. DUPONT, East Greek Pottery, 1998, 142–180 25 J.-Y. EMPEREUR, Y. GARLAN (Hrsg.), Recherches sur les amphores grecques (BCH Suppl. 13), 1986 26 E. L. WILL, Greco-Italic Amphoras, in: Hesperia 51, 1982, 338–356 27 C. VANDERMERSCH, Vins et amphores de Grande Grèce et

de Sicile IVe-IIIe s. avant J.-C., 1994 28 J. RAMÓN, Las ánforas fenicio-púnicas del Mediterráneo central y occidental, 1995 29 R. F. DOCTER, Archa. Amphoren aus Karthago und Toscanos, 1997 30 Ders., Die sog. ZitA-Amphoren: nuraghisch und zentralitalisch, in: R. ROLLE et al. (Hrsg.), Arch. Stud. in Kontaktzonen der ant. Welt, 1998, 359–373 31 F. UND M. PY, Les amphores étrusques de Vaunage et de Villevieille (Gard), in: MEFRA 86, 1974, 141–254 32 M. GRAS, Trafics Tyrrhéniens archaïques, 1985, 325–366 33 M. BELTRÁN, Las ánforas romanas en España, 1970 34 C. PANELLA, Appunti su un gruppo di anfore della prima, media e tarda età imperiale, in: Ostia 3, 1973, 460–633 35 D. MANACORDA, Anfore, in: Ostia 4, 1977, 117–254 36 G. KUZMANOV, Tipologiya i kronologiya na rannovizantiyskite amfori (IV-VI), in: Archeologija (Sofija) 15, 1973, 14–21 37 S. J. KEAY, Late Roman Amphorae in the Western Mediterranean. The Catalan Evidence, 1984 38 E. RODRIGUEZ ALMEIDA, Il Monte Testaccio: ambiente, storia, materiali, 1984. R. D.

Transportwesen s. Kamel; Landtransport; Schiffahrt; Wagen

Transvectio equitum. Parade der *iuventus* der römischen Ritter am 15. Juli. Ihr Verlauf führte vom Mars-Tempel über die Porta Capena, den Castor- und Pollux-Tempel hinauf zum Tempel des Iuppiter Optimus Maximus auf das → Capitolium (Quellen: Liv. 9,46,15; Vir. ill. 32,2). Von der Entstehung dieser Veranstaltung, deren Anfänge in das 4. Jh. v. Chr. zurückzuverfolgen sind, gibt es eine myth.-sakrale und eine staatsrechtliche Version. Die erste steht im Zusammenhang mit der Hilfe der → Dioskuroi bei der Schlacht zw. Römern und Latinern am → Lacus Regillus (396 v. Chr.; Liv. 2,9 ff.; Dion. Hal. ant. 6,3; Cic. nat. 2,6); das Datum der Parade wurde daher mit dem *dies natalis* des Castor-Tempels am 15. Juli in Beziehung gesetzt. Die *equites* ritten in Vertretung von Castor und Pollux nach Rom hinein. Die zweite Erklärung bezieht sich auf den Censor Q. Fabius [I 28] Maximus Rullianus, der 304 v. Chr. eine berittene Truppenparade ins Leben rief. Zweck war wohl die Musterung bzw. der → *census* der *equites* (nach Abstammung, Vermögen) und die Eignungsprüfung der für die berittenen Truppen benötigten Pferde. Mitglieder dieser Truppen waren wohl ab dem 2. Jh. v. Chr. in erster Linie die Söhne der Adelsfamilien. Der Titel ihrer Anführer lautete → *princeps iuventutis*; Ehrenzeichen waren Schild und Speer (die Bewaffnung der Reiterei und zugleich Attribute der Dioskuroi).

Im Rahmen der auch den Ritterstand stärkenden Neuordnungen unter Augustus erfuhr die *t. e.* eine Wiederbelebung (bis ins 4. Jh. n. Chr. belegt). Der Anführertitel wandelte sich zum Ehrentitel für die Thronfolger des röm. Kaiserhauses (vgl. C. → Iulius [II 32] und L. → Iulius [II 33] Caesar als dessen erste Träger; vgl. Münzprägung des Augustus, 2/1 v. Chr.: BMCRE 1, Taf. 14,7).

→ Equites Romani

S. Weinstock, s. v. T.e., RE 6 A, 2178–2187 · Ders., Röm. Reiterparade, in: Studi e materiali di storia delle religioni 13, 1937, 10–24 · Latte, 175 · W.D. Lebeck, Das SC der tabula Larinas: Rittermusterung und andere Probleme, in: ZPE 85, 1991, 41–70 · P. Wiseman, The God of the Lupercal, in: JRS 85, 1995, 1–22, bes. 10–13.   A.V.S.

Transzendenz. Philos. Konzeption eines letzten Ursprungs, der von den Dingen, die er »verursacht«, aus sich »entläßt« oder ins Sein treten läßt, durch eine ontologische Kluft getrennt ist. Gegenbegriff ist der Begriff »Immanenz«: der gründende Ursprung ist nicht getrennt von der Welt, sondern in ihr enthalten und präsent. Lat. *transcendere, transcendens* (als Äquivalent von ὑπερβάλλειν, ὑπερέχειν, ὑπερβολή, ἀνάβασις, ἐπέκεινα u. a.) ist seit → Augustinus belegt (zur griech. und lat. Terminologie s. [5; 6]).

Das Denken der → Vorsokratiker ist immanentistisch (wie auch später das der hell. Philos.). Als ein Ansatz zum T.-Gedanken ließe sich jedoch das völlige Getrenntsein des *nus* (→ Intellekt) von allen Dingen bei → Anaxagoras verstehen (59 B 12 DK).

Voll entfaltet ist der T.-Gedanke bei → Platon [2] in zwei Stufen: (a) die Seelen treten aus dem Kosmos heraus (ἔξω πορευθεῖσαι) zur Betrachtung des über-himmlischen Ortes (des ὑπερ-ουράνιος τόπος), d.h. sie transzendieren die Sinnenwelt in der Ideenschau (Plat. Phaidr. 247bc); (b) in der hierarchisch geordneten Ideenwelt (→ Ideenlehre) findet ein Aufstieg in Stufen zum voraussetzungslosen »Prinzip (*arché*) von allem« statt, d. h. zur Idee des Guten, die sich von den anderen Ideen dadurch unterscheidet, daß sie nicht mehr οὐσία (*usía*, »Sein«) ist, ›sondern noch jenseits von Sein an Rang und Macht hinausragt‹ (Plat. rep. 517b 4–5: ἀνάβασις, ἄνοδος; 511b 6–7: μέχρι τοῦ ἀνυποθέτου ἐπὶ τὴν τοῦ παντὸς ἀρχὴν ἰών; 509b 9–10 vom Guten ἀλλ' ἔτι ἐπέκεινα τῆς οὐσίας πρεσβείᾳ καὶ δυνάμει ὑπερέχοντος). Alle Versuche, die ontologische Aussage dieses »jenseits« (ἐπέκεινα) durch eine minimalistische Auslegung zu unterlaufen, scheitern am Text, der das »Übertreffen« (ὑπερβολή, *hyperbolé*) der anderen Ideen durch die Idee des Guten in immer neuen sprachlichen Wendungen betont (Plat. rep. 508e 6–509c 2, Steigerung u. a. durch dreimal ἔτι/»noch«, dreimal ὑπέρ/»über«).

Da das erste ontologische Merkmal der Ideen ihre Einheit ist (im Gegensatz zur Vielheit der Sinnendinge, ebd. 476a 5; 596a 6), ist es nur konsequent, wenn das, worauf das Transzendieren der Ideen selbst führt, der Grund ihrer Einheit ist, das »Eine selbst« (αὐτὸ τὸ ἕν), das nach Aristoteles für Platon identisch ist mit dem »Guten selbst« (Aristot. metaph. 14,4,1091b 14, vgl. 1,6,987b 21; 988a 7–15). Aristoteles übernimmt zwar (nach Plat. rep. 509b 9) die Formulierung δυνάμει καὶ τιμιότητι πολὺ μᾶλλον ὑπερέχει (›ragt an Macht und Rang weit hinaus‹, Aristot. eth. Nic. 1178a 1–2), wendet sie jedoch auf den *nus* an, der für ihn nicht »jenseits« von *usía* ist. In *Perí euchês* fr. 1 Rose hatte er jedoch erwogen, ob Gott nicht ›etwas jenseits des *nus* ist‹.

→ Neupythagoreismus und → Gnosis, beide letztlich von Platon inspiriert, hielten die Vorstellung eines »jenseitigen« → Prinzips lebendig [1]. Eine konsequente Philos. der T. kennzeichnet den → Neuplatonismus. Bei → Plotinos transzendiert die Seele die Sinnenwelt zum *nus* hin, im Transzendieren des *nus* selbst ist das Eine als Ursprung von Sein, Leben und Denken erfahrbar [2; 3]. Diese Erfahrung des Absoluten ist Überwindung der Zweiheit von Denkendem und Gedachtem und zugleich Aufhebung der Grenzen des Selbst [4]. Mit äußerster Klarheit unterscheidet → Proklos zw. der relativen T. der höheren → Hypostasen gegenüber den niedrigeren und der absoluten T. des Einen (ὑφειμένη versus ἐξῃρημένη ὑπεροχή; Prokl. Theologia Platonica 2,5, p. 39,6–26 Saffrey-Westerink). Für das christl. MA war der von Proklos beeinflußte Ps.-Dionysios [54] Areopagita der wichtigste Gewährsmann des T.-Gedankens.

→ Ideenlehre; Metaphysik; Neuplatonismus; Ontologie; Platon [1]; Prinzip; Seele

1 C. Colpe, s. v. Gnosis II, RAC 11, 1981, 581–585 2 Th.A. Szlezák, Platon und Aristoteles in der Nuslehre Plotins, 1979 3 J. Halfwassen, Der Aufstieg zum Einen, 1992 4 W. Beierwaltes, Selbsterkenntnis und Erfahrung der Einheit, 1991 5 A. P. Bos, s. v. Immanenz und T., RAC 17, 1996, 1042–1046 6 J. Halfwassen, s. v. T., HWdPh 10, 1998, 1442 f.   T.A.S.

Trapetum s. Pressen

Trapeza

s. Delphica; Möbel III. B.; Monopodium; Tisch

Trapezites (τραπεζίτης). In Ägypten Leiter der staatlichen Bank (ptolem.: *basiliké trápeza*, »königliche Bank«; röm. Zeit: *dēmosía trápeza*, »öffentliche Bank«) in den → *mētropóleis* der → *nomoí* [2], aber auch in kleineren Orten. Er wechselte Geld, nahm Steuern und andere an die staatliche Kasse gerichteten Gelder ein und leitete sie an das *basilikón* (»königliche Kasse«) weiter. Seine Funktion ist mit der des *sitólogos* (»Getreidebeauftragter«) und *kollybistés* (»Geldwechsler«) zu vergleichen. Unter den Ptolemaiern hatte ein *t.* diese Stellung meist gepachtet; ab 107 (?) n. Chr. gehörte er zu einem Dreierkollegium, das für drei J. diese Leistung als → Liturgie (I. C.) erbrachte. Die Steuern wurden von den → *práktores* (II.) eingenommen, die sie aber in der öffentlichen Bank abzuliefern hatten.

→ Banken

R. Bogaert, Trapezitica Aegyptiaca, 1994, 153–203; 253–279.   W.A.

Trapezophoron s. Tafelausstattung

Trapezopolis (Τραπεζόπολις). Stadt in Karia (Ptol. 5,2,18; → Kares) am Nordhang des zum Salbakos-Gebirge (h. Akdağ) gehörenden Kadmos (h. Baba Dağ); dürftige Reste der Stadt liegen bei Bolu westl. von Denizli. Außer in Inschr. und Mz. (1.–3. Jh.) ist T. bes. in spätant. lit. Quellen bezeugt. T. zählte zum *conventus* von → Alabanda (Plin. nat. 5,109). Engere Beziehungen unterhielt T. zur Nachbarstadt Attuda (h. Hasköy; vgl. die *homónoia*-Mz. unter Antoninus [1] Pius). T. gehörte im 4. Jh. n. Chr. zur Phrygia Pakatiane. T. ist als Bischofssitz bezeugt (Sokr. 7,36,19; Hierokles, Synekdemos 665,5; Not. episc. 1,369; 3,306; 8,420; 9,330; 10,419; 13,269). Inschr.: MAMA 6, 22 f.; 143. Mz.: BMC, Gr, Caria, LXXVIIIf., 177–179.

> J. und L. ROBERT, La Carie, Bd. 2, 1954, 154 ff.   H. KA.

Trapezunt s. Trapezus

Trapezus (Τραπεζοῦς; lat. *Trapezus*; h. Trabzon, Türkei).
I. GEOGRAPHISCHE LAGE   II. STATIONEN DER GESCHICHTE   III. BYZANTINISCHE ZEIT

I. GEOGRAPHISCHE LAGE

Griech. Stadt im Gebiet der Kolchoi/→ Kolchis (Xen. an. 4,8,22; 5,3,2) an der SO-Küste des Schwarzen Meeres (→ Pontos Euxeinos) in günstiger Siedlungslage mit sicherer Akropolis. T. wurde evtl. schon 756 v. Chr. (vgl. Eus. chron. 1,80e SCHOENE) von → Sinope als Umschlagplatz für Waren aus → Urartu in die griech. Welt zum ersten Mal gegr., die zweite Gründung nach Zerstörung durch → Kimmerioi nach 630 v. Chr. wird aber allg. als die einzige angesehen (vgl. [1]). Da bei T. der Höhenzug des → Paryadres dicht an die Küste herantritt (Plin. nat. 11,2), stand wenig bebaubares Land zur Verfügung. T. verfügte über den einzigen Hafen an der Südküste des Pontos Euxeinos östl. von → Amisos; der Hafen war wegen der häufigen NW/NNW-Stürme nur im Sommer nutzbar. Erst unter Kaiser Hadrianus (117–138 n. Chr.) wurde er ausgebaut; von dieser Zeit an war er winterfest (Arr. per. p. E. 24). T. hatte östl. von Amisos die einzige im Sommer begehbare Landverbindung von der Küste ins Hinterland.

Groß war der natürliche Gewinn, den T. aus seinem Territorium zog: Am Nordhang des Paryadres gab es viel Wald (Kiefern), der Holz, Teer und Pech für die Schiffswerften in T. und für den Export lieferte. Die → Chalybes im Paryadres, Nachbarn der Stadt, waren berühmt für ihre Fertigkeit, das Erz dieses Gebirges abzubauen und zu verarbeiten – die Chancen des Kontakts mit den Hütten der Chalybes konnte sich T. zunutze machen. T. war die erste Stadt dieser Küste, wo man die vom Kimmerischen Bosporos [2] an der Mündung des Phasis [1] vorbei in Schwärmen küstennah westwärts wandernden → Thunfische (die hier inzwischen groß genug waren) fangen und in Pökelanlagen für den Export verarbeiten konnte. Guter Wein wuchs an den unteren Hängen des Paryadres; Bienenzucht war einträglich. Die exklusive Lage der Stadt war wohl sicherheitspolit. ein Vorteil, dem Handel aber abträglich: Nur von See her war T. gut zugänglich. Bis in röm. Zeit verbanden nur schmale Wege T. mit den westl. und östl. Kü-

stenorten (vgl. Xen. an. 5,1,13 f.; 5,3,2), nach Süden führte erst erst nach dem Ausbau unter Vespasianus (69–79 n. Chr.) eine winterfeste Straße. Was für den Pflanzenwuchs förderlich war, war den Bewohnern von T. keine reine Freude; die extrem hohe Luftfeuchtigkeit bestimmte auch in ant. Zeit das Klima der Stadt. T. war in vieler Hinsicht eine Grenzstadt: Die Randlage zw. der griech. Welt und dem »Barbaricum« wirkte sich auf das kulturelle Niveau der Ges. in T. aus (fehlerhaftes Griech. in Inschr. bezeugt Arr. per. p. E. 2; ferner mindere Qualität der Mz. von T.); die Randlage bedingte aber auch eine direkte Abschirmung gegen Aggressoren (wie z. B. Alexandros [4] d. Gr., Timur Lenk); sie förderte polit. Sonderentwicklungen (→ Satrapenaufstand im Perserreich 367–362 v. Chr., das Pontische Königreich 301–63 v. Chr., das Kaiserreich von T. 1204–1461).

II. STATIONEN DER GESCHICHTE

Überl. Stationen der Gesch. von T.: 400 v. Chr. zog → Xenophon mit dem Rest der »Zehntausend« auf dem Weg in die griech. Heimat durch T. (Xen. an. 5,5,10). Um 368/7 v. Chr. siedelten sich Bürger aus T. in Arkadia (beim h. Mavria), die mit dem → *synoikismós* von → Megale Polis nicht einverstanden waren (Paus. 8,27,6), in T. an. Seit Mithradates [6] VI. gehörte T. zum Pontischen Reich (→ Pontos [2] II.). 63 v. Chr. löste Pompeius [I 3] dieses auf und wies es → Deiotaros zu. Nach dessen Tod kam T. über Dareios, einen Sohn Pharnakes' II., 38 v. Chr. an das Pontische Reich unter Polemon [5]. 64 n. Chr. wurde T. mit der Prov. Pontus Polemoniacus ins röm. Reich eingegliedert (Münz-Ära von T.). T. war jetzt Station der von Polemon II. übernommenen pontischen Reichsflotte; der röm. Grenzverteidigung auf der Linie vom Rhenus [2] (Rhein) zum Euphrates diente T. als wichtiger Truppen-Umschlaghafen. 69 n. Chr. erfolgte ein Aufstand des Anicetus [2], der T. besetzte, dann aber von röm. Truppen geschlagen wurde. Hadrianus besuchte T. 131 n. Chr., Arrianos [2], Statthalter der Prov. → Cappadocia 131–137 n. Chr., ebenfalls. Die → Goti überfielen T. 257 n. Chr. Unter Iustinianus [1] I. kam es zu einer städtebaulichen Neugestaltung der Stadt. Arch.: Reste der hell. Stadtmauer, Hafenanlagen.

1 F. MILTNER, Die erste Milesische Kolonisation im Südpontus, in: W. M. CALDER, J. KEIL (Hrsg.), Anatolian Studies Presented to W. H. Buckler, 1939, 191–195.

W. RUGE, s. v. T. (2), RE 6 A, 2214–2221 · E. OLSHAUSEN, s. v. Pontos (2), RE Suppl. 15, 396–442 · Ders., Pontos und Rom, in: ANRW II 7.2, 1980, 903–912 · Ders., Elemente einer Grenzstadt-Typologie am Beispiel von T., in: Ders., H. SONNABEND (Hrsg.), Stuttgarter Kolloquium zur Histor. Geogr. des Alt. 4 (1990), 1994, 407–422 · A. BRYER, D. WINFIELD, The Byzantine Monuments and Topography of the Pontos, Bd. 1, 1985, 178–250.   E. O.

III. Byzantinische Zeit

T. gewann im 6. Jh. n. Chr. als Handels- und Militärhafen an Bed. und war seit 824 Hauptstadt des byz. → Themas Chaldia. Seine christl. Wurzeln reichen bis zum Apostel Andreas; das Christentum etablierte sich hier gegen den Mithraskult unter → Gregorios [1] Thaumaturgos. Domnos war der erste nachgewiesene Bischof von T. auf der Synode von Nikaia [5] (325).

A. Bryer, D. Winfield, The Byzantine Monumenta and Topography of Pontus, 2 Bde., 1985.   K. SA.

Trapheia (Τράφεια). Polis in → Boiotia (Nik. Ther. 887–889), für ihr Zuchtvieh bekannt (Steph. Byz. s. v. T.), entweder an der Mündung der vereinigten Flüsse → Ismenos und Thespios in die SO-Bucht der → Hylike, wo es eine ausgedehnte Siedlung gab [1. 244–246], oder auf dem jenseitigen Ufer beim Kastron des h. Hylike [2. 2222].

1 Fossey 2 E. Kirsten, s. v. T., RE 6 A, 2221–2223.   M. FE.

Trauer I. Literarische Quellen
II. Bildliche Darstellungen
III. Trauerzeiten

I. Literarische Quellen

In Griechenland und Rom zeigte man T. (πένθος/ *pénthos*; lat. *luctus*) bei Unglücks- oder Todesfällen sowie bei geschäftlichem oder finanziellem Verlust sowie mil. Niederlage. Neben dem Anlegen der charakteristischen → Trauerkleidung äußerte sich T. bei Frauen durch Verzicht auf Goldschmuck (Dion. Hal. ant. 5,48,4; Liv. 34,7,10), durch Schlagen auf die mitunter entblößte Brust (Prop. 2,13,27; Petron. 111,2), Auflösen der Frisur und Raufen der Haare (Catull. 64,348–351; Tib. 1,1,67 f.; Liv. 1,26,2), Weinen und Wehklagen (Plut. Timoleon 39,1 f.), Zerreißen des Gewandes (Verg. Aen. 12,609; Iuv. 13,132 f.) und Zerkratzen der Wangen trotz der Verbote Solons [1] und des Zwölftafelgesetzes (Plut. Solon 21,4 f.; Cic. leg. 2,59; Plin. nat. 11,157; Eur. Hec. 655; Tib. 1,1,68). Bei den Männern war das Stehenlassen des Barts (Trauerbart) üblich bzw. seine Rasur in Zeiten, als Barttragen Mode war, ebenso eine Vernachlässigung der Haartracht und Kleidung bzw. das Schlagen auf die Brust (Hom. Od. 20,17; Aischyl. Pers. 1046; Iuv. 13,127; Mart. 2,11,5) und Weinen. Man verzichtete auf das Tragen von Rangabzeichen und goldenen Ringen (Liv. 9,7,8; Suet. Aug. 100,2). Zusätzlich schnitten Männer und Frauen sich die Haare ab, die man zusammen mit Blumen und anderen Zeichen der Zuneigung zum Toten auf sein Grab legte (Eur. Alc. 98–104; Soph. El. 51; 448–450; 900 f.; Ov. fast. 3,561 f.; Hdt. 1,82,7; Plut. Pelopidas 33; Prop. 1,17,21; Dion. Hal. ant. 11,39,6; → Totenkult); letzteres taten nur hinterbliebene Familienmitglieder, Freunde und Verwandte (Eur. Or. 106; 112; Aischyl. Choeph. 197).

II. Bildliche Darstellungen

In der griech. und röm. Sepulkralkunst (→ Sarkophag, → Relief) sind Trauernde mit bes. Klagegesten dargestellt. Die frühgriech. Kunst zeigt Frauen, die beide Hände auf den Kopf legen oder mit verschränkten Fingern über ihn halten. Männer nehmen eine ähnliche Haltung ein oder führen nur die linke Hand auf den Kopf, während die rechte zur Hüfte geht. In der archa. Zeit legen die trauernden Frauen eine Hand flach auf den Kopf oder an die Wange bei Senken bzw. Neigen des Kopfes, wobei der andere Arm ausgestreckt und die Hand geöffnet ist. Auch ist des öfteren ihre Frisur aufgelöst. Die Männer strecken beide Hände geöffnet in Richtung des Toten; dieser Gestus ist in der griech. Literatur mit der Anrufung des Verstorbenen verbunden (Eur. Suppl. 772 f.; Aischyl. Choeph. 8 f.). In anderen Darstellungen (Vasen, Grabreliefs) sind beide Hände gesenkt, oder eine Hand liegt auf dem Kopf und die zweite ist erhoben. Bei Männern, die in Gruppen auf entsprechenden Denkmälern der archa. Zeit erscheinen, sind mitunter die Münder geöffnet, was vielleicht das Singen des Klageliedes (θρῆνος/→ *thrénos*) anzeigt, da vor den Mündern Buchstaben aufgetragen sind [1. 19, Beilage C]. Das Schlagen auf die Brust und Zerreißen der Gewänder ist bildlich nicht überliefert, nur in Darstellungen des 7. Jh. v. Chr. findet sich vereinzelt das Zerkratzen der Wangen bei Frauen; das Fehlen dieser Geste in der Kunst ist vielleicht auf das Verbot Solons zurückzuführen (Plut. Solon 21,4 f.).

In klassischer und hell. Zeit wurde das übersteigerte T.-Gebaren der archa. Zeit aufgegeben. Grabreliefs zeigen Hinterbliebene, die sich mit Handschlag von den Verstorbenen verabschieden oder in nachdenklicher Pose neben ihnen stehen (→ Gebärden). Frauen sitzen oft auf den Steinen des Grabmals und stützen den geneigten Kopf mit der Hand ab, oder sie stehen, den Kopf geneigt, und führen eine Hand an das Kinn, an die Wange oder vor die Augen; letzeres kommt auch bei Darstellungen von Männern vor. Auf den athenischen weißgrundigen *lékythoi* (→ Lekythos [1]) erscheinen trauernde Frauen weiterhin mit aufgelöstem Haar.

Die röm. Kunst (Sarkophage) stellt die Trauernden sitzend oder stehend ebenfalls in nachdenklicher Pose dar. Hinzu kommt das Verhüllen des Hauptes und das Ummänteln des Trauernden in Verbindung mit gebückter Körperhaltung. Auch ist das Schlagen auf die Brust bei Männern und Frauen, ebenso das Raufen der Haare bei Frauen abgebildet [2. Abb. 1 und 2] (vgl. → Bestattung D.).

III. Trauerzeiten

Die T.-Zeiten wurden in Griechenland offenbar unterschiedlich angesetzt. Aus den wenigen lit. Quellen folgt, daß man in Athen, ebenso auch in Argos, dreißig Tage offiziell trauerte (Lys. de caede Eratosthenis 14; Plut. qu. Gr. 286f–297a), in Sparta dagegen nur elf, wobei am zwölften Tag abschließende Opfer folgten (Plut. Lycurgus 27,2); in → Gambreion (Mysien) trauerten Frauen fünf Monate, Männer dagegen nur vier (Syll.[3] 3, 1219, Z. 10–12).

In Rom gab es nach Plut. Numa 12,2 für ein Kind unter drei J. keine T.-Zeit, bei älteren maximal zehn

Monate; dies war auch die T.-Zeit für → Witwen. Anders jedoch bestimmt Paul. sent. 1,21,13 diese Zeiten: Danach wurden Erwachsene und Kinder über sechs J. ein Jahr betrauert, jüngere Kinder einen Monat, Gatten zehn Monate und nähere Verwandte acht Monate. Zur Zeit Ovids lag die T.-Zeit von Witwen bei zehn Monaten (Ov. fast. 1,35f.; 3,134; Cass. Dio 56,43,1); Männern war dagegen keine T.-Zeit vorgeschrieben. Die zehnmonatige T.-Zeit ergab sich aus dem zehnmonatigen altröm. Jahreszyklus; seit 381 n.Chr. erhöhte sie sich dem → Kalender entsprechend auf zwölf Monate (Cod. Theod. 3,8,1).

→ Bestattung; Epitaphios; Grabbauten; Grabinschriften; Grabmalerei; Konsolationsliteratur; Laudatio Funebris; Mors; Morta; Nekropolen; Thanatos; Tod; Totenkult; Trauerkleidung

1 H. MOMMSEN, Exekias, Bd. 1: Die Grabtafeln, 1997
2 W. KIERDORF, Totenehrung im republikanischen Rom, in: G. BINDER, B. EFFE (Hrsg.), Tod und Jenseits im Altertum, 1991, 71–87.

C. SITTL, Die Gebärden der Griechen und Römer, 1890, 65–78 • H. KENNER, Weinen und Lachen in der griech. Kunst (234. SB Wien), 1960 • M. ALEXIOU, The Ritual Lament in Greek Trad., 1974 • R. FLEISCHER, Der Klagefrauensarkophag aus Sidon (IstForsch 34), 1983 • H. A. SHAPIRO, The Iconography of Mourning in Athenian Art, in: AJA 95, 1991, 629–656 • E. D'AMBRA, Mourning and the Making of Ancestors in the Testamentum Relief, in: AJA 99, 1995, 667–681 • W. CAVANAGH, C. MEE, Mourning before and after the Dark Age, in: CH. MORRIS (Hrsg.), Klados. FS J. N. Coldstream, 1995, 45–61 • I. HUBER, Die Ikonographie der T. in der griech. Kunst, (Peleus 10), 2001.   R.H.

Trauerkleidung. T. gehörte zuerst in den persönlichen Bereich von Familie und Freundeskreis, doch konnte sie auch öffentliche Trauer begleiten. Bei Homer tragen nur die trauernden Göttinnen einen dunklen Schleier (Hom. Il. 24,93f.; Hom. h. 2,42). Die von Homer beschriebene Ges. begnügte sich damit, Kleidung mit Staub und Asche zu beschmutzen oder zu zerreißen (Hom. Il. 18,22f.; 23,40f.; 24,640; 28,25). Diese Verhaltensformen wurden in histor. Zeit von Griechen und Römern beibehalten (z. B. Plut. Solon 21; Eur. El. 501; Iuv. 10,245; Tib. 1,1,68; Catull. 64,350f.). Gewöhnlich aber legten Griechen und Römer in Zeiten der Trauer eine dunkle, graue oder meist schwarze Tracht an, die sich von der Alltagskleidung nur durch die Farbe unterschied (μέλαν ἱμάτιον/ *mélan himátion;* lat. *nigra vestis, toga pulla,* z. B. Eur. Hel. 1088; Eur. Iph. A. 1438; Eur. Alc. 217f.; Iuv. 10,245; Tib. 3,2,18; vgl. Plut. Theseus 22; Philogelos 39). Eine Ausnahme bildeten offenbar die Bewohner von Argos, die weiße T. trugen (Plut. qu. R. 270f.); graue Farbe der T. scheint in anderen Orten Sitte gewesen zu sein (Athen. 3,78a). Die röm. Ges. verzichtete zudem bei der T. auf allen zusätzlichen Prunk (Liv. 9,7,8; 34,7,10; Prop. 4,7,28; Suet. Aug. 100,2). Zur Dauer des Tragens von T. vgl. → Trauer.

A. PEKRIDOU-GORECKI, Mode im ant. Griechenland, 1989, 123–125 • H. MOMMSEN, Exekias, Bd. 1: Die Grabtafeln, 1997, 34 • H. GABELMANN, Röm. Kinder in der toga praetexta, in: JDAI 100, 1985, bes. 498 Anm. 13 • I. HUBER, Die Ikonographie der Trauer in der griech. Kunst (Peleus 10), 2001 (Index).   R.H.

Traulus Montanus. Sex. T.M. Junger röm. Ritter, der von Messalina [2] für eine Nacht zu ihrem Gespielen gemacht wurde. Nach ihrem Tod (48 n. Chr.) wurde er hingerichtet (Tac. ann. 11,36,3; Sen. apocol. 13,4).
                                        W.E.

Traum, Traumdeutung
I. ALTER ORIENT   II. KLASSISCHE ANTIKE

I. ALTER ORIENT

Träume (= T.) und deren Interpretation waren seit dem 22. Jh. v. Chr. ein gängiges Thema der schriftlichen Überl. des Alten Orients und Ägyptens. Sowohl spontan erlebte T. als auch Inkubations-T. sind belegt. Die überl. T. vermitteln göttliche Botschaften (oft in Form von Theophanien); sie sind meist in lit. Texten [3; 5. 746; 6], aber auch in Briefen enthalten [1]. T. enthalten auch Maximen von Ethik und Lebensweisheit und reflektieren das persönliche Erleben und Befinden von Menschen. Im sog. ›Assyrischen Traumbuch‹ (7. Jh. v. Chr., mit altbabylonischen Vorläufern aus dem 18. Jh. v. Chr.) sind als typisch erachtete T.-Bilder wie Omina (→ Divination) zusammengestellt und in einer beigefügten Apodosis (»Nachsatz«, enthält die Deutung eines Omens) interpretiert. Diese T.-Bilder psychoanalytisch zu deuten ist bisher nicht gelungen. Ein äg. T.-Buch ist aus der Ramessidenzeit überl. (13. Jh. v. Chr.) und zeigt verm. babylon. Einflüsse zeigen [5. 747]. T.-Gesichte dienten ebenso wie → Gebete in lit. Werken als Gestaltungsmittel, um Gedanken, Befindlichkeiten oder Ängste der Protagonisten darzustellen.

T.-Deutung (= TD) war Aufgabe von Experten, über deren »Ausbildung« allerdings nichts bekannt ist. Der akkadische Terminus *šā'ilu,* »Frager«, gibt einen Hinweis auf die TD-Praxis, zu der das Erzählen des T., das Befragen dessen, der geträumt hat, und die durch beides erfolgende »Lösung«, d. h. Deutung gehören [4. 217f.]. Bei der TD spielen u. a. Symbole, Assonanz, Paronomasie, Wortspiel und Assoziation eine Rolle. Den bösen Folgen eines T. begegnete man mit Lösungsritualen. Die aus den Briefen aus → Mari (18. Jh. v. Chr.) überl. T. und ihre Interpretation durch professionelle T.-Deuter zeigen große strukturelle und typologische Nähe zu den T.-Visionen der at. → Propheten.
→ Divination

1 S. BUTLER, Mesopotamian Conceptions of Dreams and Dream Rituals, 1998 2 A. KAMMENHUBER, Orakelpraxis. T.e und Vorzeichenschau bei den Hethitern, 1976
3 A. L. OPPENHEIM, The Interpretation of Dreams in the Ancient Near East, 1956 4 J. RENGER, Unt. zum Priestertum in der altbabylon. Zeit II, in: ZA 59, 1969, 104–230
5 P. VERNUS, s. v. T., LÄ 6, 745–749 6 A. ZGOLL, T. und T.-Erleben im ant. Mesopot. – Beitr. zu einer Kulturgesch. des T., 2002.   J.RE.

II. Klassische Antike
A. Allgemeines
B. Schlaf- und Traumentstehungstheorien
C. Traumdeutungsdiskurse
D. Technik der Traumdeutung
E. Mythologie und Dichtung

A. Allgemeines

Der Umgang mit Traum (= T.) und Traumdeutung (= TD) schlägt sich in der griech.-röm. Ant. in Diskursen der Philos., Medizin, Rel. und Mantik, Magie, im Alltagsverständnis und in der Dichtung [20. 24] nieder, die Aufschluß über Mentalität und Selbstverständnis der T. und Deuter geben [5; 13; 20; 21]. Zur ant. Begrifflichkeit s.u. II. C. und D.

Trotz des durch Empirie gewonnenen Wissens, daß alle höheren Lebewesen träumen (Lucr. 4,985–1036; Plin. nat. 10,209 ff.), galt in der Ant. das Träumen als menschliches Spezifikum. Man notierte mit Grauen und Erstaunen, wenn Menschen (angeblich) nicht träumten (Suet. Nero 46; Plin. nat. 5,8,44 f.: Atlanten). Ferner wurde die Unterscheidung zw. T. und Wachen als Unterpfand der menschlichen → Rationalität gesehen, was auch die konkurrierenden Mythen über die Entstehung der TD thematisieren: Als ihre mythischen »ersten Erfinder« (→ *prôtos heuretês*) gelten → Apollon (Eur. Iph. T., bes. 1234–1275) und → Prometheus (Aischyl. Prom. 467 ff.). In beiden Mythen dienen Verschlüsselung und Deutungsbedürftigkeit der T.-Bilder den Göttern zur Sicherung ihres Herrschaftswissens. Vor diesem Hintergrund stellt sich die TD durch die Sterblichen als subversiver Akt der Aufklärung dar.

B. Schlaf- und Traumentstehungstheorien

Im Gegensatz zu etwa der psychoanalytischen T.-Theorie Freuds wurde in der Ant. ein prinzipieller Zusammenhang zw. Schlaf und bestimmten T.-Typen hergestellt [11; 14. 16–21]. Im Prinzip ist Erfahrungswissen in dieser Hinsicht implizit oder explizit hinter jeder Form von Deutung oder Nutzung der T. zu erkennen. (Dies gilt auch für magische Praktiken, die durch Erzeugung von T. Menschen manipulieren sollten [6], oder für die den Inkubationsschlaf (→ Inkubation) begleitenden Riten). Trotzdem waren bestimmte physiologische und materialistische Theorien Antagonisten einer mantischen TD, weil sie T. nicht als an den Menschen herangetragene Botschaften (durch Götter: Plat. symp. 203a; durch → Dämonen: Pythagoreer, Diog. Laert. 8,32) werten.

Eine funktionelle biologisch-physiologische Erklärung von T. und Schlaf, der auch die ant. Medizin verpflichtet war, gab zuerst Aristoteles [6] (Aristot. somn.; Aristot. an. 2; 3,1), auch wenn er zukunftkündende T. nicht prinzipiell ausschließen wollte (sie aber eher mit zufälliger Koinzidenz erklärte): Das als funktionierender Organismus aufgefaßte Subjekt erleide im Schlaf durch aus dem Magen aufsteigende Dämpfe eine Privation der Sinneswahrnehmung, wodurch auch die Fähigkeit der Seele zur Gemeinschaft mit anderen Menschen ausge-

schaltet sei (vgl. Herakleitos' Vorstellung vom *ídios kósmos*, der »eigenen Welt« des Schlafenden: Herakl. 22 B 89 DK). In anderer Hinsicht ist der Schlafzustand positiv konnotiert, weil er z.B. die Verdauung gewährleiste und als lebensnotwendig für Erholung und Erhaltung aller Lebewesen angesehen wird. Die T.-Bilder sind demnach teils Tagesreste, teils Indikatoren des psychophysischen Zustandes. Der Zusammenhang von T. und (üppiger) Nahrungsaufnahme bzw. Gemütsverfassungen wie Verliebtheit, sexueller Begierde [15] oder Trauer war in der Ant. ein Erfahrungswissen (z.B. Ps.-Theokr. 21). Platon [1] (rep. 571c–572b) und Jh. später frühe christl. Schriftsteller postulierten einen engen Zusammenhang zw. sittlicher Haltung und Inhalt der T.-Bilder (der Mensch ist, was er träumt) [22].

Eine monistische materialistische Erklärung gaben → Atomismus und → Epikureische Schule (→ Epikuros; faßbar in Lucr. 4,452–468; 757–826; 906–1036): Zwar seien die Sinnesorgane im Schlaf weiterhin demselben Atombombardement ausgesetzt wie im Wachen, doch sei die Fähigkeit zum rationalen Denken gemindert, weshalb die durch Zusammensetzung von Atomen entstehenden, mehr oder minder sinnlosen T.-Bilder der unmittelbaren Realitätsprüfung entzogen seien. Unaufgeklärte Menschen mißinterpretierten sie deshalb als Beweis für die Existenz von Fabelwesen und der Unterwelt oder als Blick in die Zukunft. Konsequenterweise wird im Programm der Epikureer, das Götterfurcht und Todesangst mildern sollte, jede Form von TD zu Zwecken der Mantik abgelehnt. Überblick: Tert. de anima 41,1–9; vgl. → Seelenlehre.

C. Traumdeutungsdiskurse

Ant. Begriffe für TD: ὀνειροκρισία/*oneirokrisía*, lat. *coniectura*, *interpretatio*; für T.-Deuter: ὀνειροκρίτης/*oneirokrítēs*, lat. *interpres*, *coniector*.

Als Deuteziel und Referenzrahmen der ant. Traumnutzungs- und Traumdeutungsdiskurse kristallisierten sich zwei Bereiche heraus: (1) T. und Körper; (2) T. und Zukunft (Mantik). Der philos. Diskurs hingegen befaßte sich primär mit den theoretischen Grundlagen und Möglichkeiten einer TD sowie mit der Funktion des T. im menschlichen Denken [16]. In manchen Phasen des → Stoizismus spielt eine auf das Erkennen des → *lógos* gerichtete TD im Zusammenhang mit dem *sympátheia*-Gedanken eine prominente Rolle (Cic. div. 1,6; → Chrysippos [2], → Poseidonios [3] D.). Im → Neuplatonismus wurde die Traumdivination für theurgische Operationen nutzbar gemacht (vgl. → Divination; → Theurgie). Im Christentum erfolgte eine Abwertung des T. zugunsten der Visionen, doch wurden T. z.B. als Gradmesser der Glaubenstiefe gewertet [10; 22].

Die medizinische TD, die aus dem T.-Erleben Hinweise auf Funktion oder Dysfunktion des Körpers bzw. der Seele schließt, wurde als Teil einer ganzheitlichen Diagnostik v.a. in Zusammenhang mit der Vier-Säfte-Lehre schon seit → Hippokrates [6] praktiziert (Referenztexte: Hippokr. regimen 4; Gal. de dignotione ex insomniis; vgl. [18. 280–306]; vgl. → Inkubation).

Die TD galt prinzipiell als demokratischste Art der Mantik, da jeder Mensch träumt und T. ohne Hilfsmittel und Kostenaufwand gedeutet werden können. Die Usurpation des T. durch verschiedenste Bevölkerungs- und Bildungsschichten, die von einer schwer faßbaren Alltagspraxis über die Inkubation zur säkularisierten TD eines → Artemidoros [6] reichte, ist nicht auf die Formel »Laien versus professionelle TD« zu bringen, weil alle Gruppierungen (Privatleute, Semiprofessionelle, wiss. orientierte Deuter [3]) sich in jeweils ihren Bedürfnissen angemessener Form mit dem T. befaßten und selbst die »Laien« durch Intuition und Empirie zu achtbaren Ergebnissen kamen (vgl. Artem. 1 Prooimion).

Eine Gesch. der sich ant. weitgehend als griech.-oriental. Kunst darstellenden TD läßt sich aufgrund des Überl.-Zustandes nicht schreiben. Schon in den Homerischen Epen werden zwar T.-Deuter (verm. Priester/Orakeldeuter mit Sonderkompetenzen) erwähnt (Hom. Il. 1,62), auch wenn die T. in ›Ilias‹ und ›Odyssee‹ gerade nicht professionell ausgelegt werden. Überhaupt blieb der T.-Deuter auch in späteren Zeiten eine nur marginale lit. Figur (Ausnahmen: Ov. am. 3,5; Lukian. somnus). Angehörige bestimmter Volksstämme (z. B. der Hyblaier und Telmesser: Clem. Al. strom. 1,16,74; Tert. de anima 46,39) galten als von Natur aus begabte T.-Deuter.

Voraussetzung einer systematischen, tradierbaren Unt. des Verhältnisses von Wachwelt und T.-Erleben in Gestalt von Katalogisierungen von T.-Bildern und ihren Erfüllungen, mithin der TD als einer lernbaren »Existenztechnik« (FOUCAULT), ist die → Schriftlichkeit. Ungefähr ab dem 5. Jh. v. Chr. sind zahlreiche griech. Abh. über methodische Grundlegungen oder Einzelprobleme (Bilder, T.-Sorten) bezeugt [20. 127–143]; erh. sind jedoch lediglich Artemidoros' [6] Oneirokritiká (2. Jh. n. Chr.).

Umstritten ist die Existenz einer genuin etr. TD; das Auftreten von coniectores am Hofe des Tarquinius [12] Superbus in Accius' Brutus (2. Jh. v. Chr.) ist verm. eher auf Gattungsgepflogenheiten der Tragödie als auf etr. Lokalkolorit zurückzuführen [9]. In Rom hatte die als griech. → téchnē eingebürgerte TD prinzipiell geringere Bed. als andere Divinationsarten (vgl. Cic. div. 1,58; 1,132; [4]). Wie alle Formen der Mantik wurde die TD im röm. Reich Mitte des 4. Jh. n. Chr. offiziell verboten, erfreute sich aber, wie christl. gefärbte T.-Bücher (z. B. Somnium Danielis) zeigen, weiterhin inoffiziell einer großen Popularität [2].

D. TECHNIK DER TRAUMDEUTUNG

Hauptkennzeichen der mantischen TD ist die Unterscheidung von für die Zukunftsschau (→ Divination) bedeutungsvollen und bedeutungslosen T.-Typen. Häufig liegt eine als provisorisch zu verstehende Fünfteilung in drei bedeutungsvolle (ὄνειρος/óneiros, lat. somnium; ὄραμα/hórama, lat. visio; χρηματισμός/chrēmatismós, lat. oraculum) und in zwei bedeutungslose (ἐνύπνιον/enhýpnion, lat. insomnium; φάντασμα/phántasma, lat. visum) T.-Typen vor [12]. In diesem Zusammenhang kommen bei dem für die professionelle TD repräsentativen Artemidoros [6] verschiedene Raster und Typologien zur Anwendung, die (1) den manifesten Gehalt des T. und dessen Diskrepanz zu den Erscheinungen des Wachlebens klassifizieren und je nach verm. Verschlüsselungsgrad einen Rückschluß auf den vorliegenden T.-Typus zulassen; (2) die konkrete Bed. eines Bildes bestimmen, indem auf dem Hintergrund der lebensgesch. Situation der Träumenden (Status, Alter, Beruf, Familien-Gesch., Charakter etc.) das determinierende Element des Bildes ansatzweise bestimmt und – davon ausgehend – der T. (oft unter Bemühung von Analogien, Artem. 2,25) einer der Textinterpretation und bestimmten rhet. Praktiken vergleichbaren Auslegung unterzogen wird. Umgekehrt versucht → Macrobius [1] (Commentarii in Somnium Scipionis), die Kriterien der TD für die Interpretation eines lit. Textes fruchtbar zu machen [19. 457–465].

Bemerkenswert ist, daß, anders als in der psychoanalytischen TD, prinzipiell eine wechselseitige Repräsentanz der Dinge angenommen wurde und z. B. sexuelle T. auch als Ausdruck anderer Sachverhalte gedeutet werden konnten. Durch den starken Einbezug auch der sozialen Position der Träumer in den Deutungsprozeß und durch die Annahme, daß T. hochstehender Persönlichkeiten eine für das Gemeinwohl wichtige Bed. haben, hatte die ant. TD eine deutliche gesellschaftliche Dimension. Vgl. generell zur Technik [20. 171–222].

E. MYTHOLOGIE UND DICHTUNG

Während das regelmäßig wiederkehrende Phänomen Schlaf (griech. hýpnos, lat. somnus) in Rel. und Myth. als Gott (→ Somnus) personifiziert wurde, gibt es keine (konstante) personifizierte Entsprechung für den T., sondern, der individuellen Natur des T. entsprechend, temporäre Botenfiguren (z. B. Hom. Il. 2,1–49) oder Scharen von T. (→ Morpheus).

Mit den homerischen Epen wird ein lit. Diskurs [19] eröffnet, der nicht auf die außerlit. Deutediskurse reduziert werden kann, aber in der vielfältigen Funktionalisierung des T.-Motivs im lit. Kunstwerk gleichwohl eine tiefe psychologische Einsicht in das T.-Phänomen zeigt (Beispiele für bes. dichte T.-Darstellungen: Aischyl. Choeph. passim; Eur. Iph. T. 52 ff.; Prop. 1,26A; 4,7; Verg. Aen. 1,353–360; 2,268–302 u.ö.; Lucan. 3,1–40; 7,1–44; zu anderen Gattungen (Kleinformen, Roman, Gesch.-Schreibung) vgl. [7; 21].

→ Divination; Inkubation; Somnus; TRAUMDEUTUNG

1 G. BENEDETTI, T. WAGNER-SIMON (Hrsg.), T. und Träumen. T.-Analysen in Wiss., Rel. und Kunst, 1984 2 K. BRACKERTZ, Die Volks-Traumbücher des byz. MA, 1993 3 D. DEL CORNO (ed.), Graecorum de re oneirocritica scriptorum reliquiae, 1969 4 H. CANCIK, Idolum and Imago, in: D. SHULMAN, G. STROUMSA (Hrsg.), Dream Cultures, 1999, 169–178 5 P. COX MILLER, Dreams in Late Antiquity, 1994 6 S. EITREM, Dreams and Divination in Magical Ritual, in: C. A. FARAONE, D. OBBINK (Hrsg.), Magica Hiera, 1991, 175–187 7 P. FRISCH, Die T. bei

Herodot, 1968 **8** G. GUIDORIZZI (Hrsg.), Il sogno in Grecia, 1988 **9** CH. GUITTARD, Le Songe de Tarquin …, in: La divination dans le monde etrusco-italique (Caesarodunum Suppl. 54), 1986, 47–67 **10** J. S. HANSON, Dreams and Visions in the Graeco-Roman World and Early Christianity, in: ANRW II 23.2, 1980, 1395–1427 **11** H. HOMANN, s. v. Schlaf, HWdPh 8, 1296–1299 **12** A. H. M. KESSELS, Ancient Systems of Dream Classifications, in: Mnemosyne 22, 1969, 389–425 **13** A. KROVOZA, Nachwort, in: [20], 223–233 **14** P. LAVIE, Die wundersame Welt des Schlafs, 1999 **15** J. PIGEAUD, Il sogno erotico nell'antichità: l'oneirogmos, in: [8], 137–146 **16** S. ROTONDARO, Il sogno in Platone, 1998 **17** R. G. A. VAN LIESHOUT, Greeks on Dreams, 1980 **18** O. VEDFELT, Dimensionen der T., 1999 **19** C. WALDE, Die T.darstellungen in der griech.-röm. Dichtung, 2001 **20** Dies., Ant. TD und mod. T.forsch., 2001 **21** G. WEBER, Kaiser, T. und Visionen in Prinzipat und Spätant., 2000 **22** M. WEIDHORN, Dreams and Guilt, in: Harvard Theological Review 58, 1965, 69–90. C. W.

Trausoi (Τραυσοί, lat. *Trausi*). Thrakischer Stamm, der im südwestl. Teil des → Rhodope-Gebirges zu lokalisieren ist; seine Gebräuche sollen sich von denen der übrigen → Thrakes unterschieden haben (Hdt. 5,3 f.). Nach Liv. 38,41,5 lebten die T. vom Raub; er erwähnt sie in Verbindung mit der Niederlage des Manlius [I 24] Vulso bei → Tempyra. Nach Steph. Byz. s. v. T. nannten die Griechen die T. → Agathyrsoi.

A. FOL, Politiceska istorija na trakite, 1972, 58. I. v. B.

Trayamar. Mod. Landgut (*Finca*) westl. der Mündung des Río Algarrobo, ca. 4 km östl. von Torre del Mar (Prov. Málaga/Spanien), FO mehrerer phöniz. Kammergräber (*tombeaux batîs*). Die Nekropole gehört zur Siedlung auf dem Morro de Mezquitilla (gegenüberliegende Flußseite). Charakteristika der Gräber sind die Errichtung aus behauenen, innen sorgfältig geglätteten Quadern, die Orientierung nach Osten (zur Siedlung hin) und der Zugang über einen rampenförmigen »Dromos«. Die Kammern der Gräber 1 (ca. 1,9 × 2,6 m) und 4 (2,9 × 3,8 m) haben klare Proportionen (3:4), die Dachkonstruktion und ein doppelter Rahmen im Gewände sind aus Holz. Die aus der Brz. tradierte (vgl. z. B. → Ugarit) »gemischte« Bautechnik läßt sich auch an der Levanteküste in der Eisenzeit vielfach nachweisen (z. B. Samaria, Rāmat Rāḥel) und ist für den unter Leitung eines Baumeisters Hiram aus Tyros errichteten Palast und Tempel des Salomon in Jerusalem lit. bezeugt (1 Kg 6,36, vgl. 1 Kg 7,12).

G. MAASS-LINDEMANN, Zur Gründungsphase der phönik. Niederlassung auf dem Morro de Mezquitilla, in: MDAI(Madrid) 36, 1995, 241–245 · H. G. NIEMEYER, H. SCHUBART, T. Die phöniz. Kammergräber und die Niederlassung an der Algarrobo-Mündung (Madrider Beitr. 4), 1975 · H. SCHUBART, El asentamiento fenicio del s. VIII a.C. en el Morro de Mezquitilla, in: Aula Orientalis 3, 1985, 59–78. H. G. N.

Trdat s. Tiridates [6–8]

Treba. Stadt der → Aequi in den *colles Simbruini* (h. monti Simbruini) im oberen Tal des → Anio; h. Trevini nel Lazio, 821 m H; → *municipium* der → *regio I* (Plin. nat. 3,64), *tribus Aniensis*; Ethnikon *Trebani* (ILS 6264; vgl. Ptol. 3,1,62; Frontin. aqu. 93,3: T. Augusta).

S. QUILICI GIGLI, Appunti di topografia per la storia di Trevi nel Lazio, in: MEFRA 99, 1987, 129–69. G. U./Ü: J. W. MA.

Trebatius. Röm. Familienname, wohl abgeleitet von einem Ortsnamen (→ Treba, Trebula), kaiserzeitlich sehr häufig.

SCHULZE, 375.

[1] Führer (*praetor*) der Samniten im → Bundesgenossenkrieg [3], wurde 89 v. Chr. von C. Cosconius [I 1] am Aufidus geschlagen und entkam nach Canusium (App. civ. 1,228). K.-L. E.

[2] **T. Testa, C.** Röm. Jurist (um 84 v. Chr. bis nach 4 n. Chr.), Schüler des Q. Cornelius Maximus (Dig. 1,2,2,45) und Lehrer des → Antistius [II 3] Labeo (Dig. 1,2,2,47). Er war Freund Caesars (Cic. fam. 7,14: *familiaris*) und genoß bei Augustus das höchste Ansehen (Inst. Iust. 2,25 pr.: *maxima auctoritas*), ohne jemals ein Amt zu bekleiden. Auch wenn → Cicero ihm die rechtsmethodische Schrift *Topica* widmete, war T. ein eher erfahrener als gelehrter (Dig. 1,2,2,45) Kautelarjurist und Respondent [2. 198–203; 3]. Er begutachtete die Schenkung des Maecenas [2] an → Terentia [2] (Dig. 24,1,64) und beriet → Augustus bei der Sanktionierung der → *codicilli* (»Schreibtäfelchen« als formlose Testamente, Inst. Iust. 2,25 pr.; dazu [1. 133 f.]). T. schrieb ›Über Religionssachen‹ (*De religionibus*, 9 oder 11 B.; dazu [4]) und einige zivilrechtliche, im frühen Prinzipat noch lebhaft diskutierte, doch in der Antoninenzeit wenig benutzte Werke (Dig. 1,2,2,45).

1 BAUMAN, LRTP, 123–136 2 M. TALAMANCA, Trebazio Testa, in: G. G. ARCHI (Hrsg.), Questioni di giurisprudenza tardo-repubblicana, 1985, 29–204 3 WIEACKER, RRG, 612 f. 4 M. D'ORTA, La giurisprudenza tra Repubblica e Principato, 1990, 37 ff. T. G.

Trebellenus. T. T. Rufus. Senator aus Concordia in Ober-It., wo ihm u. a. eine Reiterstatue errichtet wurde (ILS 931; vgl. 931a). Nach Quaestur und Volkstribunat wurde er *legatus Augusti* bei einer Legion. Als Praetorier erhielt er 18 n. Chr. den Auftrag, als Tutor für die Kinder des thrakischen Königs Kotys [I 9] zu sorgen; der Auftrag, bei dem er auch in kriegerische Auseinandersetzungen verwickelt wurde, dauerte mindestens bis 21 (Tac. ann. 2,67,2; 3,38,3 f.). Als er 35 wegen → *maiestas* angeklagt wurde, tötete er sich selbst (Tac. ann. 6,39,1).

G. ALFÖLDY, Städte, Eliten und Ges. in der Gallia Cisalpina, 1999, 91; 290. W. E.

Trebellius

I. REPUBLIKANISCHE ZEIT

[I 1] **T., L.** 67 v. Chr. Volkstribun, interzedierte wie L. Roscius [I 5] Otho gegen die *lex Gabinia* im Interesse des

Senats (und des M. Licinius [I 11] Crassus?). A. Gabinius [I 2] leitete im → *concilium plebis* T.' Absetzung ein; T. gab nach, als Gabinius nur noch die Stimme einer → *tribus* zur Mehrheit fehlte. Vielleicht aus Latium, Vater von T. [I 2] ([1. 267]).

[I 2] T. (Fides), L. Volkstribun 47, der sich ein programmatisches Cogn. gab (Cic. Phil. 6,11 u.ö. – oder Spott Ciceros?). Mit C. Asinius [I 4] Pollio bekämpfte T. den Antrag seines Kollegen P. Cornelius [I 29] Dolabella auf allg. Schuldenerlaß. In den folgenden Straßenkämpfen führte T. erst gegen den Willen, später mit Duldung oder Billigung von M. Antonius [I 9] bewaffnete Banden (Cass. Dio 42,29,1–33,3), ehe Antonius die Unruhen blutig bekämpfte. Caesar, mit dessen Rückkehr im Herbst 47 Ruhe eintrat, setzte T. – der beim Triumph von 46 bejubelt wurde – hinter den begnadigten Dolabella zurück: 44 wurde T. nur *aed. cur.* (ILS 6075; Cic. Phil. 13,26). Nach dem 15.3.44 hielt er (Cic. Phil. 6,10 f. u.ö.: wegen hoher Schulden) zu Antonius; auf dem Marsch nach Gallien 43 führte er offenbar die Kavallerie (Cic. fam. 11,13,4).

[I 3] T. Calca. Gab sich (ca. 35–25 v.Chr.?) als der 52 ermordete P. Clodius [I 4] aus und forderte vor den → *centumviri* dessen Erbe (Val. Max. 9,15,4).

1 T.P. WISEMAN, New Men in the Roman Senate, 139 B.C.-A.D. 14, 1971. JÖ.F.

II. KAISERZEIT

[II 1] M.T. Legionslegat in Syrien, den L. Vitellius, der dortige Statthalter, 36 n.Chr. mit Legionstruppen und Auxilien gegen das Volk der Cietae in Cilicia sandte; der Zug endete mit der Unterwerfung des Stammes (Tac. ann. 6,41). T. ist wohl mit dem gleichnamigen *amicus* des → Columella identisch [1. 284f.] und vielleicht auch mit T. [II 2]; dieser könnte aber auch sein Sohn sein.

1 TH. FRANKE, Die Legionslegaten der röm. Armee in der Zeit von Augustus bis Traian, 1991.

[II 2] M.T. Maximus. Senator, vielleicht Sohn von T. [II 1], oder auch mit diesem identisch. 41 n.Chr. im Senat anwesend (Ios. ant. Iud. 19,185). Suffektconsul zusammen mit Seneca [2], wohl 55, (Dig. 36,1,1; [1. 201 ff.]). 61 nach Gallien zu einem *census* mit zwei anderen Consularen gesandt, die ihn wegen seiner nicht sehr vornehmen Herkunft verachteten; da diese sich nicht einigen konnten, wurde seine Stellung bei diesem Auftrag gestärkt (Tac. ann. 14,46). 63 Nachfolger des Petronius [16] Turpilianus als Statthalter in Britannien, wo er nach Tac. Agr. 16,3 f. keine kriegerischen Unternehmungen durchführte, da Nero gegen mehrere Armeekommandeure vorging. Beim Ausbruch des Bürgerkrieges im Januar 69 war er den Truppen so verhaßt, daß sie sich gegen ihn wandten, worauf er die Prov. verließ und sich → Vitellius anschloß (Tac. hist. 1,60; 2,65,2). Er überlebte den Bürgerkrieg, da er 72 als Magister der → *Arvales fratres* bezeugt ist; allerdings war er bei den Feiern nicht anwesend (CIL VI 2053). Ob er in

diesem Jahr ein weiteres Amt außerhalb Roms erhalten hatte, muß offen bleiben [2. 59–62].

1 G. CAMODECA, I consoli del 55–56, in: ZPE 63, 1986
2 BIRLEY. W.E.

Trebendai (Τρεβένδαι). Stadt in Lykien (→ Lykioi; IGR 3,704); die lange polit. Selbständigkeit von T. spricht für eine Lokalisierung beim h. Muskar, wo sich eine ant. Siedlung befand (Überreste von klass. Zeit bis in die röm. Kaiserzeit). T. prägte wohl in hell. Zeit Mz. des → Lykischen Bundes. In der röm. Kaiserzeit ging T. wie Tyberissos eine → *sympoliteía* mit → Myra ein (Syll.³ 1234).

W. RUGE, s.v. T., RE 6 A, 2267f. MA.ZI.

Trebenna (Τρεβέννα). Stadt in Ost-Lykien (→ Lykioi), sw vom h. Antalya bei Çağlarca. Das Alter der Siedlung reicht verm. bis in klass. Zeit. Evtl. seit hell. Zeit Mitglied des → Lykischen Bundes. Arch. Forsch. an den kaiserzeitlichen Bauten (u.a. Stoa, Therme, Ekklesiasterion) sind im Gange. T. prägte Mz. bis unter Gordianus [3] III. Zum Gebiet von T. gehörte der wohl durch → *sympoliteía* eingemeindete Ort Onobara (SEG 6, 622; beim h. Gederler). Zu E. des 3. Jh. n.Chr. war T. röm. Kolonie (AE 1915, 53), im 5. Jh. Bischofssitz.

W. RUGE, s.v. T., RE 6 A, 2267f. MA.ZI.

Trebia. Rechter Nebenfluß des → Padus (h. Po), in den er bei → Placentia mündet (Plin. nat. 3,118), h. Trebbia; entspringt im ligurischen → Appenninus. Am T. fand 218 v.Chr. das erste Gefecht zw. den Römern und Hannibal [4] statt (Pol. 3,66–74; Liv. 21,52–56). In seinem Tal liegen das *sacrarium Minervae Medicae Cabardiacensis* und das 612 vom Hl. Columban gegr. Kloster Bobbio.

G. MARCHETTI, P. DALL'AGLIO, La battaglia del Trebbia, in: Atti dell' istituto de geologia dell' università di Pavia 30, 1982, 142–160. G.U./Ü: J.W.MA.

Trebiae. Umbrische Siedlung (412 m H) am Oberlauf des → Clitumnus, später → *municipium* oberhalb der → *via Flaminia*, → *regio VI*, Ethnikon *Trebiates* (Plin. nat. 3,114), h. Trevi mit Resten der Stadtmauer.

L. SENSI, T., in: Quaderni Istituto Topografia Antica 6, 1974, 183–190. G.U./Ü: J.W.MA.

Trebius. Oskisch-ital. Praenomen (Abkürzung in lat. Inschr. gewöhnlich *Tr.*), später auch röm. Gentilname, seit dem 1. Jh. v.Chr. bezeugt.

1 SALOMIES, 94 2 SCHULZE, 469. K.-L.E.

[1] T., Statius. Soll Hannibal [4] 216 v.Chr. seine Heimatstadt → Compsa ausgeliefert haben (Liv. 23,1,1–3; Zon. 9,2,7).
→ Punische Kriege (II.)

J. VON UNGERN-STERNBERG, Capua im Zweiten Punischen Krieg, 1975, 69. TA.S.

[2] T. Gallus, M. Röm. Ritter, Praefekt oder Tribun Caesars in Gallien, forderte 57/6 v. Chr. von den Coriosolites (h. Bretagne) Getreide und wurde gefangengenommen, was Caesar (Gall. 3,7,3–10,2; 3,16,4) als Kriegsgrund nahm.   JÖ. F.

Trebonianus Gallus. Imp. Caes. C. Vibius T. Gallus Augustus (CIL XI 1927), röm. Kaiser Juni 251 bis August(?) 253 n. Chr. Geb. um 206 in → Perusia, aus vornehmer Familie (Aur. Vict. epit. Caes. 31,1), Senator, *cos. suff.* ca. 245 n. Chr. (Dexippos FGrH 100 F 22), Statthalter der Prov. *Moesia inferior* 250/1 n. Chr. [1. 103 f.]. Bei Novae [1] stellte er sich den Goten (→ Goti) unter ihrem König Kniva erfolgreich entgegen (Iord. Get. 101 f.). Zu ihm rettete sich Kaiser → Decius [II 1] nach seiner Niederlage bei Beroia [2] gegen die Goten. Beide zusammen wollten im nächsten J. den Germanen den Rückweg über die Donau abschneiden, doch fiel Decius in der Schlacht bei → Abrit(t)os (Dexippos FGrH 100 F 22; Zos. 1,23,3; Zon. 12,20 D.). T. wurde zusammen mit seinem Sohn → Volusianus zum → *imperator* ausgerufen (Eutr. 9,5), Volusianus zum Caesar erhoben; T. schloß als Augustus mit den Goten einen Kompromißfrieden (Iord. Get. 106). Nach dem Einzug in Rom adoptierte er den Sohn des Decius, → Hostilianus, und erhob ihn (noch vor seinem eigenen Sohn) zum Augustus (Zos. 1,25,1). Auf dem Zug gegen den Usurpator Aemilius → Aemilianus [1] wurde T. von den Soldaten im August(?) 253 in Interamna [1] oder Forum Flaminii ermordet. Sein Name verfiel der → *damnatio memoriae*; er wurde aber wahrscheinlich unter → Valerianus [2] konsekriert (Iord. Get. 105).

1 A. STEIN, Die Legaten von Moesien, 1940.

KIENAST[2], 209 f. • M. PEACHIN, Roman Imperial Titulature and Chronology, A. D. 235–284, 1990, 35; 69–74; 270–291 • PIR V 403 • RIC IV,3, 151–173.   T. F.

Trebonius. Name einer plebeiischen röm. Familie, der erst seit dem 1. Jh. v. Chr. sicher bezeugt ist (T. [I 2] ist möglicherweise unhistorisch).   K.-L. E.

I. REPUBLIKANISCHE ZEIT

[I 1] T., C. Sohn eines verrufenen (Cic. Phil. 13,23; derselbe wie Hor. sat. 1,4,114?) röm. Ritters. T. wirkte als *quaestor urbanus* 58 v. Chr. [1] gegen P. Clodius' [I 4] Wechsel zur → *plebs*. Als Volkstribun 55 brachte er Gesetze ein, die M. Licinius [I 11] Crassus und Cn. Pompeius [I 3] Prov. auf fünf Jahre gaben, Caesars Amt in Gallien ebenso lang fortschrieben (Plut. Pompeius 52,4; Cass. Dio 39,33,2; 39,34,3). 54–49 war er dort Legat Caesars. Im Bürgerkrieg leitete T. 49 die lange Belagerung von Massalia (Caes. civ. 2,1–16). 48 störte er als *praetor urbanus* die Intrigen des M. Caelius [I 4] Rufus. Die Garnison der ihm zugewiesenen Prov. Hispania ulterior verjagte ihn im Sommer 46. Schon E. 46 kehrte T. in Caesars Heer zurück. Sein Freund Cicero fand bei T. Unterstützung im Stilstreit mit den extremen Attizisten

(Cic. fam. 15,21,4). Später behauptete M. Antonius [I 9], T. habe ihm ein Komplott gegen Caesar angeboten (Cic. Phil. 2,34). Die Gunst des Dictators – Amt des *cos. suff.* E. 45 (InscrIt 13,1,500), Designation zum *procos. Asiae* für 43 – hinderte T. nicht daran, 44 zu den Verschwörern zu stoßen und Antonius am 15. März von → Caesar zu trennen, worauf er sehr stolz war (Cic. fam. 12,16,4). Aus Asia schickte T. Hilfe für M. Iunius [I 10] Brutus und C. Cassius [I 10], konnte P. Cornelius [I 29] Dolabella aber nicht aufhalten. In Smyrna überfiel und tötete Dolabella ihn Mitte Januar 43, laut Cicero unter Foltern (Cic. Phil. 11,1–9). Der rasche Tod eines Caesarmörders (im weiteren Sinn) galt als göttliche Rache. Das Archiv der Sulpicii in Pompeii enthält einen Schuldvertrag mit einem C. T. (AE 1982,194; Datum problematisch).

1 F. X. RYAN, The Quaestorship of T., in: RhM 140, 1997, 414–416.   JÖ. F.

[I 2] T. Asper, L. Nach Livius (3,65,1–4) brachte T. als *tr. pl.* 448 v. Chr. ein Gesetz ein, das Kooptation von Volkstribunen verbot bzw. vorschrieb, daß alle 10 Mitglieder des Kollegiums zu wählen seien (zur Kritik am Ber. des Livius [1. 227 f.]).

1 D. FLACH, Die Gesetze der frühen röm. Republik, 1994.   C. MÜ.

[I 3] T., P. Tötete 104 v. Chr. im Krieg gegen die → Cimbri den Neffen des C. Marius [I 1] wegen sexueller Belästigung, wurde aber von Marius freigesprochen (Plut. Marius 14,4–9; Scholia Bobiensia 114 St.; Val. Max. 6,1,12).   K.-L. E.

II. KAISERZEIT

[II 1] P. T. Suffektconsul im Oktober 53 n. Chr. (AE 1977,18; FO[2] 43; 71 f.).

[II 2] T. Fortunatus. Praetorischer Statthalter von Arabia unter → Elagabalus [2], vielleicht 222 n. Chr. (AE 1991,1589; 1590).

S. AUGUSTA-BOULAROT, Un »nouveau« gouverneur d'Arabie sur un milliaire inédit de la voie Gerasa/Adraa, in: MEFRA 110, 1998, 243–260, bes. 256 ff. • TH. BAUZOU, La voie romaine, in: Khirbet es-Samra 1, 1998, 197 f.

[II 3] T. Garutianus. Kaiserlicher Procurator in der Prov. Africa, der 68 n. Chr. auf Befehl → Galbas [2] den Clodius [II 7] Macer tötete (Tac. hist. 1,7,1; Plut. Galba 15).

[II 4] M. T. Valens. Ritter. *Praef. Berenicidis* in Äg. 84 n. Chr. (AE 1956,57).   W. E.

Trebula (Τρήβουλα).

[1] Stadt der → Sabini (Strab. 5,3,1; Plin. nat. 3,107; ILS 442: Mutuesca; Obseq. 41–43: Mutusca), ca. 65 km nö von Rom an einer Seitenstraße der → *via Salaria*, ca. 1 km östl. von Monteleone Sabino (Rieti). 290 v. Chr. wohl wie die übrigen Sabini von den Römern unterworfen (vgl. Flor. epit. 1,10; Oros. 3,22,11); 149 v. Chr.

noch → *vicus* (ILS 21a), nach Aufhebung der Praefekturen → *municipium*, *tribus Sergia*, mit → *octoviri* (vgl. ILS 6554). Kulte der → Angitia und der → Feronia (vgl. ILS 3478 f.). Die Oliven von T. waren berühmt (Verg. Aen. 7,711). Erh. sind Stadtmauern in *opus polygonale* (→ Mauerwerk), Forum (Colle Foro), Tempel aus dem 3. Jh. v. Chr., Amphitheater, Thermen (Colle Castellano).

> E. MARTINORI, Via Salaria, 1931, 72 · F. ZEVI, s. v. T. Mutuesca, PE, 932 f.

[2] T. Suffenas. Stadt der → Sabini im Tal des Himella (h. Salto), *regio IV* (Plin. nat. 3,107; ILS 1938; Dion. Hal. ant. 1,4: Τριβόλα/ *Tribóla*), h. Passo della Fortuna bei Ciciliano (Roma).

> M. GR. GRANINO CECERE, T. S., in: Supplementa Italica 4, 1988, 116–240.   G. U./Ü: J. W. MA.

[3] T. Balli(ni)ensium. Ortschaft der → Samnites in Campania, *regio IV* (vgl. Plin. nat. 3,64; Ptol. 3,1,68: Τρήβουλα). Im 2. → Punischen Krieg zu Hannibal [4] abgefallen und 215 v. Chr. von den Römern zurückerobert (Liv. 23,39,6). Erh. sind im h. Treglia Reste der Stadtmauer, des Theaters, des Forums, eines Aquädukts. Berühmt war der Wein von T. (Plin. 14,69).

> H. SOLIN (Hrsg.), Le iscrizioni antiche di Trebula, Caiatia e Cubulteria, 1993.   M. G./Ü: H. D.

[4] Ortschaft der → Caudini in → Campania zw. → Saticula und → Suessula (Liv. 23,14,13) bei den Caudinischen Pässen (*Furculae Caudinae*, beim h. Forchia?) an der → *via Appia*; nicht näher lokalisierbar. Ciceros Freund Pontius [I 3] besaß hier eine *villa* (Cic. Att. 5,2,1).

> NISSEN 2, 810.   G. U./Ü: J. W. MA.

Trema s. Lesezeichen I. C. 7.

Tremelius. Röm. Gentilname (hsl. sehr häufig *Tremellius*), seit dem 2. Jh. v. Chr. bezeugt. Die sechs Generationen praetorischer Vorfahren, deren T. [3] sich rühmt (Varro rust. 2,4,2), sind durchaus glaubhaft.

> SCHULZE, 374 f.   K.-L. E.

[1] T., Cn. Interzedierte als Volkstribun 168 v. Chr. erfolgreich gegen eine Verlängerung der Amtszeit der Censoren (Liv. 45,15,9), die ihn bei der → *lectio senatus* übergangen hatten. 159 v. Chr. wurde er als Praetor vom → *pontifex maximus* wegen dessen Beleidigung mit einer Strafe (→ *multa*) belegt. Ein Volksgericht bestätigte die Kompetenz dafür mit Hinweis auf die höhere Geltung des Sakralrechts (Liv. per. 47 mit [1]).

> 1 J. BLEICKEN, Gesammelte Schriften 1, 1998, 438 f.

[2] T. Flaccus, Cn. Gehörte als Quaestorier zur Delegation, die 205 v. Chr. die → Mater Magna nach Rom holte (Liv. 29,11,3). 203 war er plebeiischer Aedil, 202 Praetor (Sizilien; Liv. 30,26,11; 30,27,8; 30,41,2).

> TA. S.

[3] T. Scrofa, Cn. Dialogpartner bei Varro (rust. 1–2), der wie auch spätere Autoren (Colum. 1,1,12; Plin. nat. 17,199) sein profundes Agrarwissen rühmt und T. v. a. die Schweinezucht (*scrofa*, »Sau«) abhandeln läßt (Varro rust. 2,1,2; 2,1,11). Seit 59 v. Chr. zählte er zu den → *viginitiviri* für die Aufteilung des *ager Campanus* (ebd. 1,2,10; 2,4,1 f.). Unklar ist sein angeblicher Vorstoß zum (oder »Richtung«?) Rhein (ebd. 1,7,8: als Statthalter der Prov. Gallia Transalpina nach ca. 77 [1] oder als Legat Caesars?). Von T. zu trennen ist (ein Neffe oder Vetter?) Cn. T., 71 Quaestor des M. Licinius [I 11] Crassus im Sklavenkrieg (Plut. Crassus 11,6), 70 Richter im Verres-Prozeß, für 69 zum Volkstribun gewählt (Cic. Verr. 1,30; vom Quaestor trennt ihn [1]), ca. 51–50 Proconsul von *Creta et Cyrene* (MRR 3,207 f.; dagegen [1]).

[4] T. Scrofa, L. Sohn von T. [1], besiegte als Quaestor in Macedonia 143/2 v. Chr einen vorgeblichen Sohn des Perseus [2] (Liv. per. 53), wurde wohl vor 135 Praetor (MRR 1,436) und erscheint im SC für Priene (SHERK, Nr. 10B, Z. 3). Er soll das Cogn. *Scrofa* (wörtl. »Sau«) als Spitznamen erworben haben (Varro rust. 2,4,1 f.; Gegenversion Macr. Sat. 1,6,30).

> 1 G. PERL, Cn. Tremelius Scrofa in Gallia Transalpina, in: AJAH 5, 1980, 97–109.   JÖ. F.

Tremissis (aus *tres* und *as*). Spätant. Goldmz., seit 313 n. Chr. (RIC VII Trier Nr. 38) unter Constantinus [1] d. Gr. als ⅜ (9 → *siliquae*; Normgewicht 1,71 g), ab 383 als ⅓ (8 *siliquae*, Normgewicht 1,51 g) des → *solidus*. Anfangs selten, wurden *tremisses* vom E. des 4. bis zum 7. Jh. sehr häufig geprägt, die letzten im 9. Jh. Rv.-Bild war Victoria, ab ca. 610 das Kreuz. Der *t.* wurde das Vorbild für die Masse der Gold-Mz. der Germanen der Völkerwanderungszeit (Franken, Vandalen, Ost- und Westgoten, Burgunder, Langobarden). Die *t.* der Westgoten, groß und dünn, sind bes. stark barbarisiert. Die *t.* der Franken, meist aus dem 7. Jh., wurden von Geistlichkeit, Städten, Bankiers und privaten Goldschmieden in über 800 Münzstätten geprägt. Sie wurden fortwährend verschlechtert und von den Karolingern aufgegeben. Die Bezeichnung *t.* hat zuerst SHA Claud. 14,3; 17,7; SHA Alex. 39,6 anachronistisch aus der Zeit des Verf. übertragen. In der mod. Numismatik wird der *t.* auch als → *triens* bezeichnet.

> 1 H. CHANTRAINE, s. v. Quinarius, RE 24, 879–894
> 2 F. VITTINGHOFF, s. v. Triens, RE 7 A, 105 f.   DI. K.

Tremulus. Röm. Cognomen (»zitternd, nervös«); Q. → Marcius [I 28] T.   K.-L. E.

Treppen, Treppenanlagen

(κλίμαξ/*klímax*, lat. *scalae*, Pl.).
I. ALTER ORIENT UND ÄGYPTEN
II. GRIECHISCH-RÖMISCHE ANTIKE

I. ALTER ORIENT UND ÄGYPTEN

Treppen (= T.) wurden zur Überwindung von Höhenunterschieden angelegt, schufen in Form monumentaler Anlagen aber auch eine Distanz zw. Bauwerk und Mensch. Die aus dem Alten Orient bezeugten T. reichen von wenigen Stufen zw. Straßen- und Hausebene und internen Haus- oder Palast-T. über monumentale T. bei → Tempeln und Palästen (→ Palast) bis zu T. von Grabbauten. Als Materialien wurden Lehmziegel, Backsteine, Stein und Holz verwendet. Eine Weiterentwicklung der zu Tempelterrassen führenden T. (z. B. Tempelovale von Ḥafāǧa und Tall al-ʿUbaid: Mitte 3. Jt. v. Chr.) stellen die dreiläufigen T. dar, die in Mesopotamien Teil der kanonischen Form der → Ziqqurrat sind. Innerbauliche T., die geradläufig oder gewendelt den Zugang zum oberen Stock oder zum Dach (→ Überdachung) ermöglichen, finden sich bereits in den Großbauten → Uruks des ausgehenden 4. Jt. v. Chr. und in Wohnhäusern aller Perioden und Regionen. In neuassyrischen Palastanlagen (9.–7. Jh. v. Chr.) bildete ein T.-Haus am dem Thron entgegengesetzten Ende des Thronsaals ein konstitutives Element des Zentralbereiches. Außergewöhnlich sind die T.-Tunnel, die bei den hochgelegenen urartäischen Festungen (→ Urartu) den Zugang zum Wasser erlaubten. Bauteile von bes. Bed. sind die monumentalen T. von → Persepolis, allen voran die doppelläufige T., die zur Palastterrasse und zum »Tor der Länder« führt.

In Äg. sind v. a. die geradläufigen oder abgewinkelten T. in den → Pyramiden und Pylonen, sowie breite Frei-T. an Palästen und Tempelanlagen oder vor der Sphinx von → Giza erwähnenswert.

→ Architektur; Grabbauten; Palast; Tempel

J.-C. MARGUERON, Recherches sur les palais mésopotamiennes de l'âge du bronze, 1982 · P. A. MIGLUS, Städtische Wohnarchitektur in Babylonien und Assyrien, 1999, 21 · H. G. SCHMID, Etemenanki, 1994 · R.-B. WARTKE, Urartu. Das Reich am Ararat, 1993 · W. HELCK, s. v. T., LÄ 6, 757 f.   AR. HA. u. H. J. N.

II. GRIECHISCH-RÖMISCHE ANTIKE

A. TREPPEN IM GESCHOSSBAU
B. SCHAU- UND FREITREPPEN

A. TREPPEN IM GESCHOSSBAU

Mehrstöckigkeit in der ant. Architektur, die überhaupt erst die Voraussetzung für die Existenz von T. bildet, findet sich bereits in kretisch-minoischen und myk. Palästen (→ Palast IV.); die Treppen (= T.) sind hier als mehrläufige Podest-T., also unter Ausnutzung einer internen Erschließung der Bauten, in monumentalen T.-Häusern angesiedelt (Knossos; Phaistos; Mykene). T. in baulich separierten T.-Häusern (externe Erschließung: von außen angesetzte Punktverbindung von Geschossen ohne inneren Durchbruch) verbinden hingegen die beiden Geschosse einer zweistöckigen → Stoa [1] (z. B. die Attalos-Stoa in Athen). Geknickte oder gewendelte Spindel-T. als Zugänge zum Dach finden sich seit dem 6. Jh. v. Chr. häufig im Tempelbau, bes. in Westgriechenland (Tempel von Paestum, Selinunt und Akragas); über einen möglichen rituell-kulti-

schen Sinn dieser nicht selten aus technisch-funktionaler Sicht für einen bloßen Zugang zum Dach unnötig große und repräsentative T.-Anlage ist verschiedentlich spekuliert worden.

Das Obergeschoß des griech. Wohnhauses (vgl. → Haus II.) war über eine schmale, einläufige Holz-T., die nicht selten eher den Charakter einer Leiter aufwies, zugänglich (Häuser von Ammotopos, Olynth und Delos); im röm. Haus führte die im Vergleich hierzu relativ breite, beinahe schon monumentale T. meist vom → Atrium aus in das Obergeschoß (zahlreiche Beispiele aus den Vesuv-Städten, bes. die z. T. gut erh. T. in Häusern von Herculaneum). Bei mehrgeschossigen Mietshäusern (Rom, Ostia) waren die T. aus Stein; die T.-Häuser bildeten hier den strukturellen Kern des Bauwerks und besaßen über die reine Zugangsfunktion hinaus den Charakter von Knotenpunkten der sozialen Interaktion der Hausbewohner.

Röm. → Amphitheater und → Theater zeichnet ein höchst durchdachtes System von T. aus, bei dem viele kleine, voneinander getrennte Segmente der Cavea bzw. der Ränge über voneinander ebenso strikt getrennte Zuwege erreicht wurden; bes. beim Amphitheater war der schnelle und störungsfreie Zugang größerer Publikumsmengen (und die Möglichkeit zur raschen Räumung bei Unruhen und Ausschreitungen) von erheblicher Bedeutung.

B. SCHAU- UND FREITREPPEN

Die Idee, ein umfassend terrassiertes, damit künstlich gestaltetes Terrain über ein System von akkurat-symmetrisch angelegten T. zu erschließen und das Hinaufschreiten eines derartigen Komplexes mit Bed. (etwa im Sinne einer »Erhöhung«) zu belegen, war dem griech. Verständnis zunächst fremd und ein Phänomen der östlichen Hochkulturen (bes. → Persepolis); höhergelegene, dabei durchaus schon früh mittels Terrassierung ausgestaltete Bereiche (z. B. Akropolen) waren bis ins 4. Jh. v. Chr. durchweg über eher unscheinbare, unregelmäßig gewundene Rampen zugänglich (Akropolis von Athen). Erstmalig wurde im Bereich der griech. Kultur unter dem karischen Satrapen → Maussolos (377–353 v. Chr.), also wohl nicht zufällig unter östlichem Einfluß, im Zeus-Heiligtum von → Labraunda ein terrassiertes Gelände durch breite Freitreppen gezielt erschlossen, die zum typologischen Vorbild für die großen griech. Terassenheiligtümer von → Lindos (3. Jh. v. Chr.) und → Kos (2. Jh. v. Chr.) wurden. Röm.-ital. Terrassenheiligtümer (Praeneste, Gabii, Tibur, Terracina) stehen in dieser hell. Trad.

Die Freitreppe als Zugang zu einem Einzelgebäude ist indessen älter. Bereits an Tempeln des 6. Jh. v. Chr. (Selinunt) findet sich eine die Front betonende T., ebenso an monumentalen Altären (Samos, Monodendri, später Pergamon, wobei hier das an sich östl.-persische Motiv des »feierlich-zeremoniellen Heraufsteigens« unzweifelhaft Bestandteil des Baukonzepts war). Von bes. öffentlicher Bed. war die Frei-T. des röm. Podiumtempels, die nicht selten zu einer → Rednerbühne führte, welche auf dem Tempelpodium eingerichtet war (→ Tempel V. C.).

B. FEHR, Plattform und Blickbasis, in: MarbWPr 1969, 31–67 · W. HOEPFNER, E. L. SCHWANDNER, Haus und Stadt im klass. Griechenland, ²1994, 356 (Index s. v. T.) · F. MIELKE, T. in Herculaneum, in: Ant. Welt 8, 1977, 41–46 · Ders., Beitr. zur Entstehung der Wendeltreppe, in: Ber. über die 31. Tagung für Ausgrabungswissenschaften und Bauforschung (Kongr. Osnabrück 1980), 1982, 78–82 · E. THOMAS, Zu den Schautreppen in griech. Städten auf Kreta und ihren Vorbildern, in: Riv. di Archeologia 8, 1984, 37–42 · W. MÜLLER-WIENER, Griech. Bauwesen in der Ant., 1988, 155–157. C. HÖ.

Treres (Τρῆρες, Τρᾶρες/ *Tráres*). Thrakischer Stamm, der in der Ebene von → Serdica (h. Sofia) nördl. des → Skombros-Gebirges (h. Vitoša) und westl. des Flusses Oescus [1] (h. Iskǎr) lokalisiert wird. Im Reich der → Odrysai gehörten sie zu den nordwestl. Grenzstämmen. Benachbart waren sie den → Triballoi und → Tilataioi (Thuk. 2,96,6; Strab. 1,3,18; Plin. nat. 4,35). Nach Strab. (1,3,21; 13,1,8; 14,1,40) sollen sie ein Teil der → Kimmerioi gewesen sein, die nach Kleinasien zogen. Altorient. Quellen erwähnen sie allerdings nicht.

G. WIRTH, Der Volksstamm der Treren, in: Klio 49, 1967, 47–52 · B. GEROV, Proučvanija vǎrhu zapadnotrakiskite zemi prez rimsko vreme, in: Annales de l'Université de Sofia, faculté des lettres 61.1, 1959, 17–19. I. v. B.

Tres militiae. Im röm. Heer bildete sich seit der frühen Kaiserzeit eine Avancement-Regelung für Ritter (→ *equites Romani*) als Kommandeure in Auxiliareinheiten und Legionen heraus, die in vielen Fällen drei Stufen umfaßte. Während → Claudius [III 1] die Abfolge: *praefectus cohortis – praefaectus alae – tribunus militum* festgelegt hatte (Suet. Claud. 25,1), wurde die normale Reihenfolge seit dem Ende der julisch-claudischen Dyn.: *praefectus cohortis* (Kommandeur einer Kohorte von 500 Mann; → *praefectus*), – → *tribunus* [4] *militum* bei einer Legion (oder einer → *cohors civium Romanorum*) und schließlich *praefectus alae* (Kommandeur einer 500 Mann starken Reitereinheit) [3]. Da diese Folge schnell zur Regel wurde, bezeichnete man die drei Stufen als *militia prima, secunda, tertia*, faßte sie bald auch im Begriff *t. m.* zusammen und charakterisierte damit (unterschiedlich formuliert) einzelne Personen in Inschr.: *omnibus equestribus militiis functis, a tribus militiis* oder nur *a militiis* (»die dreistufige mil. Laufbahn (eines Ritters) absolviert«) [4]. Eine weitere Stufe ab traianisch-hadrianischer Zeit, die des *praefectus alae milliariae*, wurde als *quarta militia* bezeichnet, was in Analogie auch den Begriff *quattuor militiae* erbrachte.

1 E. BIRLEY, The Equestrian Officers of the Roman Army, in: Ders., The Roman Army Papers 1929–1986, 1988, 147–164 2 H. DEVIJVER, The Equestrian Officers of the Roman Imperial Army, 1989 3 Ders., Suétone, Claude, 25 et les milices équestres, in: [2], 16–28 4 Ders., Some Observations on Greek Terminology for the militiae equestres, in: [2], 56–72 5 B. DOBSON, The »Rangordnung« of the Roman Army, in: D. J. BREEZE, B. DOBSON (Hrsg), Roman Officers and Frontiers, 1993, 129–142. W. E.

Tres Tabernae

[1] Ortschaft zw. → Aricia und Forum Appii (h. Faiti) an der → *via Appia* (Cic. Att. 1,13; 2,10; 2,12; Itin. Anton. 107,3; Tab. Peut. 6,1), wo die Straße → Antium – → Satricum – Norba [1] kreuzt, sö vom h. Cisterna zu suchen. In T. T. begegneten Mitglieder der röm. Christengemeinde Paulus [2] auf seiner Reise nach Rom (Apg 28,15). G. U./Ü: J. W. MA.

[2] Ort der → Mediomatrici im Rang eines → *vicus* (CIL XIII 11648), h. Saverne (Dep. Bas Rhin) am Col de Saverne; auf der Paßhöhe befindet sich ein kelt. → *oppidum* mit Hauptwall und Befestigung der Abbruchkante (ca. 170 ha), in der 2. H. des 1. Jh. v. Chr. aufgegeben [1]; dafür bestand von Anf. des 1. Jh. n. Chr. bis Anf. des 3. Jh. die gallo-röm. *statio* von »Usspann« [2]. Am Fuß des Col de Saverne entwickelte sich im 1. Jh. n. Chr. eine Siedlung. Die Anf. des eigentlichen *vicus* oberhalb auf einem Bergrücken sind nicht vor das 2. Jh. n. Chr. zu datieren (vgl. Itin. Anton. 224; Tab. Peut. 6,1; Geogr. Rav. 4,26). Nach einer ersten Stadtbefestigung (Holz-Erde-Bauweise, 3. Jh. n. Chr.) wurde Anf. des 4. Jh. die Siedlung auf 7,5 ha reduziert und mit einer mächtigen Mauer (*castrum* mit 37 Türmen) gesichert. In diese wurden zahlreiche Göttersteine, Weihungen und Grabstelen (CIL XIII 6000 f.; 6003 f.; 11647–11678; ESPÉRANDIEU, Rec. 7, 225–259 passim; [3. 439–452]) verbaut. Das kelt. Element dominierte im *vicus* (Onomastik, Hütten- oder Hausgrabsteine). Nach Eroberung durch die → Alamanni wurde T. T. 357 n. Chr. von Iulianus [11] wiederhergestellt und zu einem Versorgungsstützpunkt ausgebaut (Amm. 16,11,11; 17,1,1). T. T. wurde 377 endgültig aufgegeben.

1 S. FICHTL, Quelques éléments de datation …, in: Cahiers Alsaciens d'archéologie, d'art et d'histoire 42, 1999, 31–44 2 A-M. ADAM, X. LAFON, Une occupation militaire au Col de Saverne?, in: Cahiers Alsaciens d'archéologie, d'art et d'histoire 36, 1993, 115–125 3 P. WUILLEUMIER (ed.), Inscriptions latines des Trois Gaules (Gallia Suppl. 17), ²1984.

S. FICHTL u. a., Le Bas Rhin, in: M. PROVOST (Hrsg.), Carte archéologique de la Gaule 67.1, 2000, 132, 551–579 (Nr. 437 Saverne) · X. LAFON, Saverne-Usspann, in: J.-P. PETIT, M. MANGIN (Hrsg.), Atlas des agglomérations secondaires, 1994, 155 f. (Nr. 160). F. SCH.

Tresantes (Τρέσαντες, »Zitterer«). Spartiaten, die im Kampf versagt und ihre *aretḗ* (→ Tugend) verloren hatten (Tyrtaios fr. 8,14 GENTILI/PRATO), so daß sie sozial verachtet waren (Plut. Lykurgos 21,2). Sie durften ihren Bart nur zur Hälfte scheren, konnten keine Ämter bekleiden, waren von Gymnastik, Spielen und Zeltgemeinschaften sowie von Kaufgeschäften ausgeschlossen (Xen. Lak. pol. 9,4–6), durften angeblich auch geschlagen werden und mußten schmutzige Kleidung

tragen. Es galt als Schande, ihnen eine Tochter zur Frau
zu geben oder eine ihrer Töchter zu heiraten. Diese
Bestimmungen, die Agesilaos [2] II. nach der spartanischen Niederlage bei Leuktra 371 v.Chr. ›einen Tag‹
außer Kraft setzte, um die Zahl der *t.* nicht erheblich zu
erhöhen (Plut. Agesilaos 30,3–6), wurden später allg.
großzügiger ausgelegt.   K.-W. WEL.

Tressis. Röm. Mz. im Wert von 3 → *as* (aus *tres* und *as*:
Varro ling. 5,169); als Gußmz. mit Wertzeichen III in der
libralen Roma-Rad-Serie des → *aes grave* (Mitte 3. Jh.
v.Chr. [2. Nr. 24/1]) und der post-semilibralen Ianus-
Prora-Serie (ca. 215–212 v.Chr. [2. Nr. 41/3a]); 36–35
v.Chr. als geprägte Mz. mit Wertzeichen Γ in den Emis-
sionen der Flottenpräfekten des Marcus Antonius [I 9]
aus Sizilien (→ *sestertius*) und meist ohne Wertzeichen als
Triassarion der kaizerzeitl. Lokalprägungen im östlichen
Reichsteil (→ *as*). Die früher als *t.* gedeuteten Mz. von
Vienna, Lugdunum und Nemausus mit III oder Γ sind
Asse [1].

1 H. CHANTRAINE, Die ant. Fundmz. der Ausgrabungen in
Neuss (Limesforschungen 8), 1968, 11 f. 2 M. CRAWFORD,
Roman Republican Coinage, 1974 3 F. VITTINGHOFF,
s. v. T., RE 6 A, 2297–2299.   DI. K.

Tresviri. Dreimännercollegium von röm. Magistraten
mit begrenztem Aufgabenbereich. Es wird unterschieden zw. ordentlichen Jahresbeamten, die als Ordnungs-
organe zu der Gruppe der → *viginti(sex)viri* zählten, und
den außerordentlichen *t.*, die zuweilen große Machtfülle auf sich vereinigen konnten.

[1] T. capitales. Um 290 v.Chr. geschaffen, gehörte
ihr Amt zur untersten Stufe der republikanischen Ämterlaufbahn (→ *cursus honorum*; Liv. per. 11). Zunächst
wurden sie vom → *praetor* eingesetzt, nach 242 v.Chr.
erfolgte ihre Wahl in den → *comitia tributa* (Fest. 468 L).
Ihnen oblag der Ordnungs- und Sicherheitsdienst in
Rom, sie führten die Aufsicht über das Staatsgefängnis
(→ *carcer*) und überwachten den Vollzug der Todesstrafe. Im Bereich der Strafrechtspflege übten sie gegen
Sklaven und Freie aus den unteren Schichten richterliche Funktionen aus; sie waren keine bloßen Hilfsorgane
des Praetors. In der Kaiserzeit traten die *t. c.* auch bei der
Verbrennung verbotener Bücher auf (Tac. Agr. 2). Das
Collegium ist bis in das 3. Jh. n. Chr. inschriftlich bezeugt [1. 533–536; 2. 35–47].

[2] T. agris dandis adsignandis und **T. coloniae deducendae.** Siedlungskommission, die aufgrund eines
Senatsbeschlusses und/oder Gesetzes Land für eine Ein-
zelassignation (*viritim*; vgl. → *adsignatio*) oder eine Kolonie (→ *coloniae*) anwies. Ihre Tätigkeit war auf das jeweils zugewiesene Gebiet begrenzt und endete mit der
Erledigung der Aufgabe. Die gracchischen *t.* nannten
sich dagegen *t. agris iudicandis adsignandis* (CIL I² 639–644;
I² 3,2932 f.). Da nach den *leges Semproniae* seit 133 v.Chr.
landlose Kleinbauern auf Staatsland angesiedelt werden
sollten, waren diese *t.* mit richterlichen Kompetenzen
ausgestattet, um bei der Bodenverteilung über die

Grenzen zw. Staats- und Privatland zu befinden (Liv.
per. 58). Durch die *lex Thoria* 119/8 v.Chr. wurde ihre
umstrittene Arbeit beendet [3. 29–81; 4].

[3] T. (bzw. **Triumviri) rei publicae constituendae,**
griech. οἱ τρεῖς ἄνδρες ἐπὶ καταστάσει τῶν δημοσίων
πραγμάτων (*hoi treis ándres epí katastásei tōn dēmosíōn prag-
mátōn*; z. B. SHERK 58,9 f.); nichttitular auch *triumviratus
(rei publicae constituendae)* für das Amt (Vell. 2,86,2; Liv.
per. 129; Suet. Aug. 27), Dreimännercollegium zur
»Konsolidierung des Staatswesens«. M. → Aemilius
[I 12] Lepidus, M. → Antonius [I 9] und Octavianus/
→ Augustus erhielten durch die *lex Titia* für fünf J.
(27.11.43 bis 31.12.38 v.Chr.) mit anschließender Verlängerung (bis 31.12.33 v.Chr.) eine Sondergewalt, die
mit keiner anderen republikanischen Magistratur vergleichbar war: ein Prokonsulat mit spezifischen, dem
Konsulat gleichrangigen Kompetenzen, das jedem einzelnen der drei Machthaber verliehen wurde. Der Charakter dieser *triumviralis potestas* (Sen. dial. 11,16,1) war
also in dem unter den dreien aufgeteilten Provinzialgebiet prokonsularisch (*imperium proconsulare*) und in
Rom konsularisch (*consularis potestas*), wobei letztere
Amtsgewalt formal neben derjenigen der Consuln angesiedelt war, somit eine *par potestas* (»ebenbürtige
Amtsgewalt«) darstellte. Im Provinzialgebiet herrschte
eine klare rechtliche Überordnung der *t.r.p.c.*, die eine
konkurrierende Promagistratur neben sich duldete.
Diese Neukonstruktion war keine Notstandsmagistra-
tur, sondern diente den Potentaten zur rechtlichen Absicherung ihrer – auf mil. Gewalt gestützten – Machtposition [5. 27–51]. Die *t.r.p.c.* waren formalrechtlich
Kollegen, tatsächlich aber Rivalen, die sich gegenseitig –
auch mittels polit. Agitation – auszuschalten suchten [6].
Der Senat (→ *senatus*) spielte in diesem Kräfteverhältnis
keine polit. Rolle, sondern konnte lediglich die Maßnahmen der drei im nachhinein billigen oder im voraus
bestätigen [5. 60f., 85].

1 W. KUNKEL, Staatsordnung und Staatspraxis (HdbA
10.3,2,2), 1995 2 W. NIPPEL, Aufruhr und Polizei in der
röm. Republik, 1988 3 D. FLACH, Röm. Agrargesch., 1990
4 R. BAUMANN, The Gracchan Agrarian Commission, in:
Historia 28, 1979, 385–408 (Lit.) 5 J. BLEICKEN, Zw.
Republik und Prinzipat, 1990 6 P. WALLMANN, Triumviri
rei publicae constituendae, 1989.   L. d. L.

[4] T. monetales (vollständig *t. aere argento auro flando
feriundo,* sog. Münzmeister). Drei mit der → Münzprägung (I.D.) beauftragte röm. Jahresbeamte, zu den *vi-
gintisexviri* (später → *vigintiviri*) gehörende *magistratus
minores* (Cic. leg. 3,6), mit denen ein junger Mann aus
dem Senatorenstand seine Ämterlaufbahn begann
(→ *cursus honorum*). Die Einführung des Amtes erwähnt
Pomponius [III 3] (Dig. 1,2,2,30), doch ist daraus kein
Schluß auf den Zeitpunkt möglich [1]. Vorläufer waren
vielleicht die *tresviri mensiarii* (für die Geldbeschaffung,
Liv. 23,21 zum J. 216 v.Chr., [4. 50–52]); das Amt der
t.m. dürfte erst mit der Zentralisierung der Münzprägung
in Rom in der Zeit nach dem 2. → Punischen

Krieg eingerichtet worden sein. Zu fassen sind die *t.m.* erst auf den auf die sog. anonymen folgenden Mz., die ab ca. 200 v. Chr. mit Symbolen, Buchstaben und Monogrammen, dann mit Namenskürzeln und schließlich mit dem vollständigen Namen der *t.m.* gekennzeichnet sind. Nach der Mitte des 2. Jh. begannen die *t.m.*, die Bilder der Denare zu variieren und dann vermehrt neue individuelle Bilder einzuführen, um so die Mz. als Instrument der aktuellen Propaganda für ihr Geschlecht (→ *gens*) und ihre polit. Faktion und damit zur Unterstützung ihrer weiteren Karriere zu gebrauchen. Nach den durch Mz. belegten Namen der *t.m.* zu schließen, wurde in einem Jahr nur mit dem Namen eines der *t.m.* geprägt, in vielen Jahren muß die Prägung ganz geruht haben (dazu auch [3. 113]). Der Titel der *t.m.* erscheint inschr. erstmals 92 v. Chr. (InscrIt 13,3,70), auf den Mz. zw. 71 und 45 v. Chr. zwölfmal. Caesar erhöhte die Zahl der *t.m.* auf vier (Suet. Iul. 41; Mz. von 44–40 v. Chr.), Augustus verringerte sie wieder auf drei. Die nach der Wiedereröffnung der Münzstätte in Rom unter Augustus dort geprägten Denare und Bronze-Mz. tragen von 19 bis 4 v. Chr. Namen und Titel der *t.m.*, danach entfallen diese wieder (→ *senatus consultum* [2]). Das Amt bestand in der Kaiserzeit bis ins 3. Jh. weiter, wie zahlreiche Inschr. [2. 599¹; 4. 8] und Cassius Dio (54,26,6) belegen.

→ Münzprägung

1 M. AMANDRY, Le témoignage de Pomponius et la date de création des triumviri monetales, in: RBN 1976, 59–63 2 M. CRAWFORD, Roman Republican Coinage, 1974 3 K. PINK, Die Triumviri Monetales unter Augustus, in: NZ 1946, 113–125 4 Ders., The Triumviri Monetales and the Structure of the Coinage of the Roman Republic, 1952.

DI. K.

Treveri I. GEOGRAPHIE II. FRÜHGESCHICHTE III. ROM IV. WIRTSCHAFT UND GESELLSCHAFT V. RELIGION

I. GEOGRAPHIE

Volk in der Gallia Belgica zw. Maas im Westen und dem Mittelrhein im Osten, dessen Gebiet im Norden durch die Ardennen, den luxemburgischen Eisling und die Mittlere Eifel begrenzt wurde; die südl. Grenze verlief am Südrand von Belgisch-Lothringen und Luxemburg, durch das nördl. Saarland und der Nahe entlang. Zw. den gebirgigen, waldreichen, eher siedlungsfeindlichen Grenzzonen im Norden und Süden (Hunsrück) lagen fruchtbare Hügellandschaften, Flußtäler und Buchten mit idealen Siedlungsvoraussetzungen.

II. FRÜHGESCHICHTE

Bereits in der späten Hallstattzeit (→ Hallstatt-Kultur; 600–475 v. Chr.: Hallstatt D) und der frühen Latènezeit (→ Latène-Kultur: 475–250/220 v. Chr.: Latène A-B/C) bildete sich in dem Raum eine vom übrigen Umland abgesetzte → Hunsrück-Eifel-Kultur. Der Übergang zur Zeit der T. (250/220–25/20 v. Chr.) erfolgte ohne bes. ethnische Umbrüche. Während in der

Mittellatènezeit v. a. die mittleren und kleineren Höhenbefestigungen florierten, gewannen in der Spätlatènezeit die größeren Oppida wie der → Titelberg und der Martberg an Bed. [1; 2; 3]. Es herrschten enge wirtschaftl. und polit. Kontakte zur mediterranen Welt, ethnisch fühlten sich die T. aber den → Germani zugehörig (Caes. Gall. 2,4; Tac. Germ. 28). Ihre nördl. Nachbarn, die → Segni und → Condrusi, waren ihre Clienten (Caes. Gall. 4,6,4), im Süden grenzten sie an die → Mediomatrici, → Triboci und → Vangiones (Caes. Gall. 4,10,3; Strab. 4,3,4), im Westen an die → Remi (Caes. Gall. 5,3,4; 5,24,2; 6,29,4; Strab. 4,3,5).

III. ROM

Im Gallischen Krieg (→ Caesar I. C.) spielten die in allen Büchern der *Commentarii de Bello Gallico* Caesars erwähnten T. eine wichtige, sehr zwiespältige Rolle. Aufgrund ihrer traditionell guten Kontakte zu Rom informierten sie Caesar zu Anf. des Krieges 58 v. Chr. von der Ankunft der Suebi (Caes. Gall. 1,37,3) und stellten ihm ihre schlagkräftige Reiterei zur Verfügung, distanzierten sich jedoch bei der Schlacht gegen die → Nervii 57 wieder von ihm (Caes. Gall. 2,24,4). Jetzt war die Politik Caesars gegenüber den T. darauf ausgerichtet, bei den internen Auseinandersetzungen des Stammes gegen den romfeindlichen Flügel um → Indutiomarus zugunsten des romfreundlichen → Cingetorix [1] zu intervenieren. Es ist auffallend, daß die T. während des gesamten Krieges kein Bündnis mit keltischen oder belgischen Stämmen eingingen, jedoch mit den rechtsrheinischen Germani sympathisierten (vgl. Caes. Gall. 3,11,1; 5,2,4; 6,2,1; 6,3,4) [4].

In nachcaesarischer Zeit beteiligten die T. sich möglicherweise an den allgemeinen gall. Unruhen während der Statthalterschaft des Agrippa [1] 39–37 v. Chr. (Cass. Dio 48,49,3). 29 v. Chr. erhoben sie sich zusammen mit den → Morini und wurden von Nonius [II 14] Gallus geschlagen (Cass. Dio 51,20,5). Durch die Neueinteilung von Gallia unter Augustus kamen die T. zur Prov. → Belgica, ein Landstreifen entlang des Rhenus [2] wurde jedoch direkt unter röm. Militärverwaltung gestellt (Mela 3,20). Der Aufstand des → Iulius [II 58] Florus 21 n. Chr. hatte wohl soziale Ursachen (Tac. ann. 3,40–42).

Bei den röm. Thronstreitigkeiten 68/9 n. Chr. (→ Vierkaiserjahr) und im folgenden J. traten die T. zum letztenmal als eine eigene polit. Kraft in Erscheinung. Dem Aufstand der gall. Stämme unter Iulius [II 150] Vindex 68 n. Chr. hielten sie sich fern (Tac. hist. 4,69). Für ihr Verhalten, bes. aber für die zögerliche Anerkennung des → Galba [2] als neuen Princeps mußten sie Nachteile in Kauf nehmen. 69 n. Chr. schlossen sie sich dem Aufstand der Legionen unter → Vitellius an (Tac. hist. 1,57,63). Wenn man sie 70 n. Chr. unter der Führung des Alenkommandanten Iulius [II 44] Classicus, des Rheinuferpräfekten Iulius [II 139] Tutor und des Iulius [II 143] Valentinus an der Seite der aufständischen → Batavi (→ Bataveraufstand) unter Iulius [II 43] Civilis findet, waren ihre polit. Ziele weniger Separation und die Errichtung eines »Gallischen Reiches«, sondern – aus Ablehnung des → Vespasianus – die Wahrung der Interessen eines möglichen Prätendenten in der Nachfolge des ermordeten Vitellius. Valentinus wurde an der Nahemündung geschlagen (Tac. hist. 4,69–71); Classicus und Tutor unterlagen bei Augusta [6] Treverorum dem obergerman. Statthalter Petillius [II 1] Cerialis. Nur wegen des rechtzeitigen Einlenkens der *civitas* wurde die Stadt geschont (Tac. hist. 4,72 ff.). Zusammen mit Classicus und Tutor flohen 113 *senatores Treverorum* zu den Batavi und setzten sich verm. ins »freie« Germanien ab (Tac. hist. 5,19,4). Die Folge war eine komplette Neuordnung der Stammesaristokratie [5].

Neben den unter einheimischer Führung stehenden Reitereinheiten, der *ala Indiana*, der *ala Treverorum* des Iulius Classicus, den *numeri Treverorum* unter Hadrianus, die Caracalla in die *cohors I* bzw. *II Antoniniana Treverorum equitata* aufgliederte, waren treverische Soldaten in den verschiedenen Truppenteilen des Reiches stark vertreten [6]. Das mil. Engagement Roms gegen die Germani bescherte dem Gebiet der T. eine neue Infrastruktur. Im Drehkreuz der bereits unter Agrippa [1] (39–37 oder 19 v. Chr.) angelegten Fernverbindungen von Lugdunum (Lyon)-Divodurum (Metz) im Süden und Colonia Agrippinensis (Köln) im Norden und von Durocortorum (Reims) im Westen und Mogontiacum (Mainz) im Osten entstand der neue *civitas*-Hauptort → Augusta [6] Treverorum (Trier); entlang dieser Straßen entwickelten sich die *vici* Andethanna (Niederanwen, Luxemburg), Ausava (Oos bei Gerolstein), → Beda (Bitburg), → Belgium, → Contionacum, Epossium (Ivoy), Icorgium (Jünkerath), Mamer, Noviomagus [7] (Neumagen), → Orolaunum, Ricciacus (→ Dalheim), Stabulum (Etalle), vicus Volcannionum (bei Trier). Abseits der Hauptverkehrsachsen lagen Titelberg und Vertunum. Die uns bekannten *pagi* (Pagus AC[---] oder AG[---], Carucum, Teucorias, Vilicias, Aresaces, Talliates, Devas, Genius Vosugenum) gehen verm. auf vorröm. Zeit zurück. Der v. a. im 2. Jh. n. Chr. erreichte Wohlstand zeigt sich auch auf dem Land in den teilweise verschwenderisch ausgestalteten *villae* (z. B. Fließem-Otrang, Welschbillig, Oberweis).

IV. Wirtschaft und Gesellschaft

Die ökonomische Grundlage bildete die Landwirtschaft, bes. der Anbau von Getreide (v. a. Weizen und Gerste) und seit dem 1. Jh. n. Chr. der Weinbau (Mosel, Saar, Ruwer) sowie die Pferde- und Schafzucht. Der sog. »Langmauerbezirk«, ein eingeschlossenes Gelände von ca. 220 km² bei Augusta Treverorum, wird als eine Art kaiserliches Gestüt oder »Wildpark« gedeutet. Die Wollproduktion brachte Textilherstellung und Tuchhandel (*vestarii*) mit sich. T. als Geschäftsleute waren im ganzen Imperium anzutreffen [6]. Im Lande selbst produzierte man Keramik (sog. »belgische« Ware, »Trierer Sigillatatafeln«), brach Steine (Kordel, Ferschweiler, Mamer) und verarbeitete Metalle (Kupferstollen bei Kordel und Wallerfangen).

Die Sozial- und Wirtschaftsstruktur der T. spiegelt sich in den Grabformen und bes. in den Grabmonumenten mit Darstellungen aus dem Alltag wider [7]. Sie geben Aufschluß über die ges. und berufliche Position des Verstorbenen und seine Einbindung in röm. oder einheimische Trad. [8]. Zur monumentalen Grabarchitektur gehören aufwendige Säulen in Pfeilerform wie die sog. »Igeler-Säule« (vgl. → Säulenmonumente), Grabstelen mit Relief, lat. Inschr. und Architekturdekor sowie Grabaltäre mit Nischen für Aschegefäße. Typisch für die T. sind halbzylindrische Steine über den Grablegen. Als ein Fortleben kelt. Sitten gelten die Grabsteine in Gestalt kleiner Häuser (vorwiegend im westl. Teil der *civitas*) sowie die Hügelgräber im östl. Hunsrück-Eifel-Gebiet und im Sauertal; andere Tumuli (→ Tumulus), wie der bei der *villa* von Nennig, weisen dagegen ital. Einflüsse auf.

V. Religion

Neben dem Kaiserkult und der Verehrung der röm. Trias (Iuppiter, Iuno, Minerva) läßt sich bei den T. ein sehr intensives Fortleben einheimischer Gottheiten beobachten, die teils allein mit ihren röm., teils mit ihren gallischen Namen oder aber mit einem gallo-röm. Doppelnamen bezeichnet wurden. Es sind sowohl ortsbezogene als auch über den gesamten gall. Bereich verbreitete Götter (z. B. → Epona, → Rosmerta) vertreten [9]. Die großen Kultbezirke der Hauptstadt Augusta [6] Treverorum lagen im SO, im Altbachtal, und auf dem linken Moselufer am »Irminenwingert«, wo sich verm. das Stammesheiligtum befand und als Hauptgott der T. Lenus Mars verehrt wurde – freilich nicht als röm. Kriegsgott, sondern als mit Heilwassern in Verbindung stehende Gottheit [10]. Aus dem ländlichen Bereich kennen wir Quell- und Pilgerheiligtümer (Hochscheid, Heckenmünster, Möhn, Judenkirchhof bei Pelm), Heiligtümer bei *vici* (Belginum, Tawern), Tempelanlagen bei Villen (Newell, Otrang-Fließem) und Bergheiligtümer (Burgkopf bei Fell) [11]. Eine bes. Verbindung gall. und röm. Elemente zeigt sich in der Gestalt der Iuppitergigantensäulen (→ Säulenmonumente).

→ Augusta [6] Treverorum (mit Plan); Gallia (mit Karte); Keltisch-Germanische Archäologie; Trier

1 S. Fichtl, Les Gaulois du nord de la Gaule, 1994, 83–96 2 J. Metzler, Das trever. Oppidum auf dem Titelberg, 1995, 573–624 3 D. Krausse, Zum vorröm.-kelt., galloröm. und german. Siedlungswesen, in: A. Haffner, S. von Schnurbein (Hrsg.), Kelten, Germanen, Römer im Mittelgebirgsraum, 2000, 1–6 4 R. Urban, Die Treverer in Caesars »bellum Gallicum«, in: H. Herzig (Hrsg.), Labor omnibus unus, 1989, 244–256 5 Ders., Der Bataveraufstand und die Erhebung des Iulius Classicus, 1985 6 J. Krier, Die Treverer außerhalb ihrer Civitas, 1981 7 Espérandieu, Rec. 5 und 6, passim (Nachträge 9 und 10) 8 M. Baltzer, Die Alltagsdarstellungen der trever. Grabdenkmäler, in: TZ 56, 1993, 7–190 9 C. M. Ternes, Non-Roman Gods in the Civitas Treverorum, in: Bulletin des Antiquités Luxembourgeoises 22, 1993, 137–167 10 H. Merten, Der Kult des Mars im Trevererraum, in: TZ 48, 1985, 7–113 11 H.-P. Kuhnen (Hrsg.), Religio Romana, 1996.

H. Heinen, Trier und das Trevererland in röm. Zeit, 1985 ·
P. Rau, s. v. T., RE 6 A, 2301–2353 · C.-M. Ternes, Die
römerzeitliche Civitas Treverorum im Bilde der
Nachkriegsforsch., in: ANRW II 4, 1975, 320–424 ·
E. M. Wightman, Roman Trier and the T., 1970.   F. SCH.

Triakonta (οἱ τριάκοντα, »die Dreißig«). Bezeichnung
des oligarchischen Gremiums von dreißig Männern, die
404/3 v. Chr. nach dem → Peloponnesischen Krieg in
Athen regierten (→ oligarchía). Sie waren auf Drängen
des Spartaners → Lysandros [1] mit dem doppelten Auftrag eingesetzt worden, Vorschläge für eine Verfas-
sungsreform vorzulegen und den Staat bis zur deren
Vollendung zu führen. Sie nahmen eine Überprüfung
der Gesetze in Angriff, um die Auswüchse der → dēmokratía zu beseitigen ([Aristot.] Ath. pol. 35,2–3), doch
bald begannen sie unter dem Schutz einer Garnison aus
Sparta ein despotisches Regiment, indem sie 3000 Männer benannten, die gewisse Bürgerrechte genießen sollten, und alle übrigen aus der Stadt jagten. → Theramenes, der eine bedeutende Rolle bei der Errichtung des
Regimes gespielt hatte, aber das Ergebnis nicht billigte,
wurde von den Radikalen, angeführt von → Kritias, einem Verwandten Platons [1], zum Tode verurteilt.

Die vertriebenen Demokraten führten den Kampf
gegen die t. unter der Führung des → Thrasybulos [3]
zuerst von → Phyle [2], wo ein Versuch der t., sie zu
vertreiben, scheiterte, und dann vom → Peiraieus aus
(die Langen Mauern von Athen waren nach dem Krieg
geschleift worden). Nach einer Schlacht, in der die
Oligarchen unterlagen und Kritias fiel, wurden die t.
abgesetzt und durch das »Kollegium der Zehn« ersetzt
(→ déka), denen Sparta Truppen zu Hilfe sandte. Doch
nach einer Machtdemonstration sorgte der spartan. König Pausanias [2] für eine Versöhnung der Bürgerkriegsparteien und die Wiederherstellung der dēmokratía. Die
abgesetzten t. flohen nach → Eleusis [1], das anfangs im
Rahmen des Ausgleichs als halb-unabhängiger Oligar-
chenstaat anerkannt, aber 401/0 wieder in das athen.
Gebiet eingegliedert wurde (Xen. hell. 2,3,11–4,43;
Diod. 14,3–6; 14,32f.; Iust. 5,8–10; [Aristot.] Ath. pol.
34,2–40; Lys. or. 12; or. 13).

Xenophon (hell. 2,4,1) gebraucht im Zusammenhang mit den t. das Verb tyranneín (»tyrannisch herrschen«). Die Bezeichnung als »Dreißig Tyrannen« (triákonta týrannoi) findet sich zuerst bei Diodor (14,3,7), der
vielleicht → Ephoros folgt. Wohl in Anlehnung daran
nennt in röm. Zeit der Autor der → Historia Augusta eine
Gruppe von Usurpatoren des 3. Jh. n. Chr. → triginta
tyranni.

C. Hignett, A History of the Athenian Constitution, 1951,
285–298; 378–389 · P. Krentz, The Thirty at Athens,
1982 · G. A. Lehmann, Oligarchische Herrschaft im klass.
Athen, 1997, 27–29; 48–54 · Rhodes, 415–480.   P. J. R.

Triakosioi (οἱ τριακόσιοι, »die Dreihundert«). Kollek-
tivname im ant. Athen für eine Gruppe von 300 Männern mit unterschiedlichen Funktionen:

[1] Im 4. Jh. v. Chr. Gruppe der 300 reichsten Bürger in
Athen, die sich aus den drei reichsten der hundert Steu-
ergruppen (→ symmoría) zusammensetzte, die für die
Erhebung der → eisphorá gebildet wurden. Diese hatten
die → Liturgie (I.) der → proeisphorá zu übernehmen,
also die von der gesamten Steuergruppe geschuldete
Summe im voraus auszulegen und dann den jeweiligen
Anteil von den anderen Mitgliedern einzuziehen. Die t.
werden erstmals für das J. 364/3 v. Chr. erwähnt (Isaios
or. 6,60) und könnten kurz davor eingesetzt worden
sein [1; 2; 3]. Demosthenes belastete 340 die t. im Zusammenhang mit der → Trierarchie besonders schwer
(Aischin. Ctes. 222; Hyp. fr. 134 Jensen = Kenyon;
Deinarch. or. 1,42; vgl. [4]; [5]).

[2] Ein Gremium von 300 Mann, gebildet aus Parteigängern des → Isagoras [1]. Als der spartan. König Kleomenes [3] 508/7 v. Chr. in Athen intervenierte, um diesen gegen Kleisthenes [2] zu unterstützen, versuchte er
den Rat (verm. den solonischen Rat der 400; → tetrakósioi) aufzulösen und dessen Macht den t. zu übertragen (Hdt. 5,72,1; [Aristot.] Ath. pol. 20,3).

1 P. Brun, IG II² 1609 et le versement en nature de
l'eisphora, in: REA 87, 1985, 307–317 2 Ders., Eisphora –
Syntaxis – Stratiotika, 1983, 33–48 3 G. E. M. de Ste
Croix, Demosthenes' τίμημα and the Athenian εἰσφορά in
the 4th Century, in: CeM 14, 1953, 30–70
4 V. Gabrielsen, The Number of Athenian Triearchs after
ca. 340 B. C., in: CeM 40, 1989, 145–159 5 Ders., Financing
the Athenian Fleet, 1994, 207–213.   P. J. R.

Triarius

[1] Soldat des röm. Manipularheeres im dritten Treffen
der zur Schlacht formierten Legion (Pol. 6,21,7–10).
Die triarii waren mit gladius (→ Schwert), scutum
(→ Schild) und → hasta [1] bewaffnet (Pol. 6,23,16). Die
Integration der t. aus der Phalangen- in die Manipular-
taktik erfolgte zur Stabilisierung der Kampfkraft; seither
bestimmte sich die Qualifikation nicht mehr aus dem
→ census, sondern aus Alter und Kampferfahrung (Liv.
8,8,3–13). Die Abteilungen wurden als »Pfeiler« (pili)
bezeichnet, die t. insgesamt auch als pilani (Varro ling.
5,89). Ihre Funktion als »Bollwerk« der Schlachtordnung gab die sprichwörtliche Wendung res ad triarios redit
wieder (Liv. 8,8,11). Im Lager waren sie vom Arbeits-
dienst befreit, zum Wachdienst aber verpflichtet (Pol.
6,33,10–12). Mit der Centurienordnung (→ centuria B.)
verloren die t. ihre Funktion, lediglich in der Rangordnung der centuriones erhielt sich der Titel pilus prior/ post-
erior (ILS 2361; AE 1968,106); die ranghöchsten centuriones der zehn Kohorten einer Legion hießen → primipilus.
→ Centurio; Legio; Manipulus

1 L. Keppie, The Making of the Roman Army, 1984, 33–36;
63–67 2 E. Rawson, The Literary Sources for the
Pre-Marian Army, in: PBSR 39, 1971, 13–31
3 M. Stemmler, Die röm. Manipularordnung und der
Funktionswandel der Centurien, in: Klio 82, 2000, 107–125.
LE. SCH.

[2] Von → Seneca [1] d. Ä. sehr häufig zit. lat. Declamator z. Z. des Augustus (z. B. Sen. contr. 7,1,25; 7,4,10: Konflikt mit → Porcius [II 3] Latro; 7,5,1–2; 9,2, 20–21; 9,6,8–9; 9,11; 10,4,4; Sen. suas. 2,3), dessen sprachlich-intellektuelle Brillanz zuweilen in unfreiwillige Komik abglitt.   C. W.

[3] T. Maternus Lascivius. *Cos. ord.* 185 n. Chr.; 193 wollten ihn (nach HA Pertinax 6,4 f.) die Praetorianer zum Kaiser ausrufen, doch entzog er sich dem durch Flucht aus Rom. Üblicherweise wird er mit dem *iuridicus Asturiae et Callaciae* von CIL II 2415 identifiziert [1. 87 f.].

   1 G. ALFÖLDY, Fasti Hispanienses, 1969.

[4] A. T. Rufinus s. Asinius [II 16] Sabinianus.   W. E.

Trias (griech.-sikulisch τριᾶς, »Drittel«). Entspricht 4 → *unciae* und damit dem → *triens*. Als Bronze-Mz. mit dem Wertzeichen vier Kugeln wurde der *t.* in Akragas (5. Jh. v. Chr.: SNG Kopenhagen 61), Himera (vor ca. 413 v. Chr.: HN, 146) und Segesta (vor ca. 409 v. Chr.: BMC, Gr, 49), mit dem Wertzeichen IIII in Rhegion (5./4. Jh. v. Chr.: BMC, Gr, 102–112) geprägt. Die früher als Trianten bezeichneten Stücke sind Tetranten (→ *tetrás*) [1].

   1 H. CHANTRAINE, Bemerkungen zum ältesten sizil. und
   röm. Münzwesen, in: JNG 12, 1962, 51–58.   GE. S.

Triballoi (Τριβαλλοί). Illyrischer (App. Ill. 2 f.; Steph. Byz. s. v. T.) bzw. thrakischer (Strab. 7,3,13; 7,5,6) Volksstamm zw. dem Unterlauf des Margus und dem h. Iskar, beides rechte Nebenflüsse des Istros [2] (Donau). Im 5. Jh. v. Chr. erscheinen T. in den athen. Quellen, die v. a. als Sklaven von → Odrysai nach Attika verkauft worden waren (Hdt. 4,49; Thuk. 2,96); Aristoph. Av. 1529–1565 unterstreicht ihre Wildheit (vgl. auch später Isokr. or. 8,50). → Isokrates (or. 12,227 f.) betont seinerseits ihre Einigkeit, die wesentlich zu ihren mil. Erfolgen beigetragen habe. Als der Thraker Sitalkes [1] 429 v. Chr. gegen die Makedones zu Feld zog, waren die T. unabhängig (Thuk. 2,96,4). 424 v. Chr. führte Sitalkes auch gegen die T. Krieg und erlitt dabei eine Niederlage, in der er selbst umkam (Thuk. 4,101,5). Betroffen von einer Hungersnot, plünderten die T. 376/5 v. Chr. das Gebiet von Abdera [1] (Diod. 15,36; Ain. Takt. 15,8–10). Als Philippos [4] II. 358 v. Chr. die Siedlungsgebiete der → Paiones besetzten, wurden die T. Nachbarn des maked. Königreichs. Wohl 336 v. Chr. unterwarf Philippos auch die T. (Demosth. or. 18,44). Nach seinem Tod erhoben sich die T., wurden aber von Alexandros [4] d. Gr. erneut besiegt (Arr. an. 1,1,4); damals führte mit ihm Syrmos, der König der T., Verhandlungen (Strab. 7,3,8). 280/79 v. Chr. zog die Invasion der → Kelten (III. A.) auch die T. in Mitleidenschaft (Paus. 10,19,7). T. kämpften dann in dem Keltenheer, das 277 v. Chr. von Antigonos [2] Gonatas bei Lysimacheia geschlagen wurde (Pomp. Trog. 25,1–3; Iust. 25,1,2 f.). Die schwersten Auseinandersetzungen hatten die T.

aber mit den → Scordisci im Westen zu bestehen; in diesen Kämpfen rieb sich der Stamm schließlich im 2. Jh. v. Chr. ganz auf (App. Ill. 4 f.).

   F. PAPAZOGLOU, The Central Balkan Tribes in Pre-Roman
   Times, 1978, 9–86.   PI. CA./Ü: E. N.

Tribigild (lat. Tarbigilus). Gote, verwandt mit → Gainas, → *comes* im Ostreich. Wohl mit → Eutropius [4] verfeindet (Claud. in Eutropium 2,176–180). Er rebellierte 399 n. Chr. (mit Wissen des Gainas?) mit seinen Foederatentruppen in Phrygien gegen → Arcadius (Zos. 5,13,2–4), besiegte zunächst die gegen ihn gesandten kaiserlichen Truppen und unterlag ihnen dann bei Selge (Zos. 5,16,1–5), zog aber nach der Vereinigung seiner Truppen mit Gainas nach Konstantinopolis (Zos. 5,18,4–9). Bei Kämpfen in Thrakien kam T. um (Philostorgios 11,8; [2. 151]).

   1 W. LIEBESCHUETZ, Barbarians and Bishops, 1990, 100–103
   2 F. PASCHOUD (ed,), Zosime 3.1, 1986, 122–136; 147–151
   3 PLRE 2,1125 f.   WE. LÜ.

Triboci. Volk im Unterelsaß, das mit → Ariovistus 58 v. Chr. nach Gallia kam und sich bei den → Mediomatrici um Brocomagus (h. Brumath) und Haguenau niederließ [1]. Nachbarn im Norden waren → Nemetes, im Westen Mediomatrici, im Süden bzw. SW → Rauraci und → Leuci. Wann die T. seßhaft wurden, ist unklar. Die Darstellungen bei Caes. Gall. 4,10 und Strab. 4,3,4 (Τρίβοκχοι/ *Tríbokchoi*) entsprechen wohl nur den Verhältnissen um die Mitte des 1. Jh. v. Chr. ([2. 27–30]; später: [3]). 70 n. Chr. beteiligten sich die T. am Aufstand der → Treveri und Leuci (Tac. hist. 4,70). Zum polit. und mil. Zentrum der Region entwickelte sich → Argentorate (Straßburg), wodurch die Entwicklung der T. beeinträchtigt wurde. T. waren im 2./3. Jh. als *exploratores* (»Kundschafter«) rechts des Rheins im Einsatz (CIL XIII 6448; [4]). Aufgrund ihrer german. Prägung finden sich bei den T. Unterschiede zur galloröm. Kultur der Nachbarn. So wurden Apollo und → Epona kaum verehrt, Denkmäler für die → Matres und Quellkulte sind selten. Die typisch kelt. »Hausgrabsteine« fehlen; unverkennbar german. sind die Waffenbeigaben in Gräbern.

   1 J.-J. HATT, Triboques où êtes-vous?, in: E. SCHMID
   (Hrsg.), Provincialia. FS R. Laur-Belart, 1968, 360–364
   2 S. FICHTL, Le Rhin supérieur et moyen …, in: Germania
   78, 2000, 20–38 3 F. FISCHER, Rheinquellen und
   Rheinanlieger bei Caesar und Strabon, in: Germania 75,
   1997, 597–606 4 R. WIEGELS, Numerus exploratorum
   Tribocorum et Boiorum, in: Epigraphische Stud. 12, 1981,
   309–331.

   P. FLOTTE, M. FUCHS, in: M. PROVOST, Carte archéologique
   de la Gaule, Le Bas-Rhin 67/1, 2000, 116–145.   F. SCH.

Tribon (τρίβων, τριβώνιον). Ein Mantel (*himátion*, vgl. → *pallium*) aus »kratzigem« Wollstoff, den Kreter (Strab. 10,4,20) und Spartaner (Plut. Lykurgos 30; Plut. Agesilaos 30; Ail. var. 7,13) trugen; später auch in Athen üblich (Thuk. 1,6,3). Er gehörte zur Tracht der einfachen Leute (Aristoph. Eccl. 850; Aristoph. Vesp. 1131), Bauern (Aristoph. Ach. 184; 343) und der sog. *lakōnizóntes* (»Nachahmer spartanischer Sitten«, Demosth. or. 54,34). Seit Sokrates (Plat. symp. 219b; Plat. Prot. 335d; Xen. mem. 1,6,2) war der T. auch der typische Mantel der kynischen und stoischen Philosophen (Plut. mor. 52c; 332a; Dion Chrys. 2,382; Alki. 3,55,9), die so ihre Bedürfnislosigkeit zeigten (→ Kynismus).

R.H.

Tribonianus. Von 529 bis 532 n.Chr. »Justizminister« unter Iustinianus [1] I. (*qu. sacri palatii*), von 533 bis 535 Vorsteher der Kaiserkanzleien (*magister officiorum*) und danach bis zu seinem Tod (verm. 542 n.Chr.) erneut *qu.* [1. 40–69]. Als Kenner und Bewunderer des röm. Rechts und der Jurisprudenz der Prinzipatszeit war T. federführend bei der Ausarbeitung aller Teile der iustinianischen Kompilation: des alten → *codex* (II.C.; Const. Haec 1; Summa 2), der → *Digesta* (Deo auctore 3; Tanta pr.), der → *Institutiones* (*Imperatoriam* 3; *Tanta* 11) und des neuen *codex* (*Cordi* 2). Ob er persönlich Iustinianus' → *Novellae* verfaßte, ist unsicher [4. 400–403]. Als Leiter der Kommission für die *Digesta* konnte T. seine Mitarbeiter sowie die exzerpierten Werke, die er selbst zur Verfügung stellte (*Tanta* § 17), auswählen [3. 173–176]. Schon von der humanistischen Jurisprudenz wurde er der Verunstaltung der Juristentexte durch → Interpolationen (*emblemata Triboniani*) beschuldigt [1. 247f.]. Deren Aufdeckung auf Grund von Sprachmerkmalen ist jedoch schwierig, weil T. viele Wörter und Wendungen der röm. Juristen wiederaufnahm [2. 237–239].

1 A.M.HONORÉ, Tribonian, 1978 2 W.WALDSTEIN, T., in: ZRG 97, 1980, 232–255 3 D.PUGSLEY, On Tribonian and his Latin Style, in: R.RUEDIN (Hrsg.), Mélanges C.A.Cannata, 1999, 171–177 4 Ders., On Compiling Justinian's Digest, in: J.-F. GERKENS (Hrsg.), Mélanges F.Sturm, Bd. 1, 1999, 395–405.   T.G.

Tribuli. Als *t.* bezeichnete man metallene Stacheln mit vier Spitzen, die so angeordnet waren, daß immer eine von ihnen nach oben gerichtet war (Veg. mil. 3,24,4); sie stellten ein sehr gefährliches Hindernis für Fußtruppen und → Reiterei dar. Sie gehen auf die τριβόλοι/*tribóloi* der Griechen zurück, die sie möglicherweise von den Persern übernommen hatten (Polyain. 4,17: Dareios [3]); auch den Kelten waren sie nicht unbekannt. Die Römer, die *t.* bereits in → Sentinum 295 v.Chr. verwendet haben sollen (Dion. Hal. ant. 20,1), setzten sie in den Kriegen gegen Antiochos [5] III. und Mithradates [6] VI. systematisch gegen die Sichelwagen (→ Streitwagen II.) dieser Gegner ein (Veg. mil. 3,24,1–4). Ausgrabungen bezeugen, daß sie in der Schlacht von Alesia 52 v.Chr. (vgl. auch die *taleae* Caesars: Caes. Gall. 7,73,9) und in der Prinzipatszeit in Britannien sowie in Germanien Verwendung fanden. Lit. ist die Verwendung der *t.* gegen eine feindliche Reiterei für die Kämpfe des → Macrinus gegen die Parther 217 n.Chr. belegt (Herodian. 4,15,2).

1 M.REDDÉ, S. VON SCHNURBEIN, Fouilles et recherches nouvelles sur les travaux du siège d'Alésia, in: CRAI 1993, 281–312, bes. 302f.   Y.L.B./Ü: C.SK.

Tribunal s. Rednerbühne

Tribunus (gebildet aus dem Wort *tribus* mit dem Suffix *-unus*, das eine übergeordnete Person bezeichnet) hieß der administrative und/oder mil. Führer einer → *tribus*; Pl.: *tribuni*.

[1] T. aerarius. Urspr. wohl zum Hilfspersonal der röm. Magistrate gehörend, das im Dienst der Staatskasse (→ *aerarium*) den Soldaten ihrer → *tribus* den → Sold auszahlte. Vielleicht waren *tribuni aerarii* auch Vorsteher der *tribus*. Sie dürften bis in das 1. Jh. v.Chr. im Finanzbereich tätig gewesen sein und waren der Pfändung (→ *pignus*) unterworfen, was ein gewisses Vermögen voraussetzt. In ciceronischer Zeit scheinen *t. aerarii* zu den Rittern (→ *equites Romani*) gezählt worden zu sein. Nach der *lex Aurelia iudiciaria* (70 v.Chr.) stellten sie neben Senatoren und Rittern ein Drittel der Geschworenenrichter. Caesar schloß die *t.* 46 v.Chr. wieder vom Richterdienst aus.

J.BLEICKEN, Cicero und die Ritter, 1995, 12–14; 38.

L.d.L.

[2] T. cohortis. Befehlshaber einer → *cohors*. Seit Augustus kommandierte der *t.c.* eine der neun, später zehn → Praetorianer-Kohorten unter dem Oberbefehl des → *praefectus praetorio* (CIL VI 1599), ebenso eine der drei, später vier → *urbanae cohortes* sowie der sieben *cohortes vigilum* (→ *vigiles*). Auch die Kommandeure der *cohortes voluntariorum civium Romanorum* und der Auxiliarkohorten trugen den Titel *t.c.* (CIL VI 32929; X 4579; XIII 6449; 6530; 7743). Seit → Gallienus war der Titel *t.c.* allg. üblich. In der → *Notitia dignitatum* (5. Jh.) bezeichnet der *t.c.* ausschließlich den Befehlshaber einer Kohorte.

T.F.

[3] T. et notarius. Röm. Beamter; das Amt ging aus dem der *notarii* (→ Notar) hervor und wurde in der constantinischen *schola notariorum* direkt nach dem höchsten *notarius*, dem → *primicerius*, eingestuft. Der *t. et n.* wurde außerdem als Offizier, Diplomat, Jurist in kaiserlichem Sonderauftrag und als Verwaltungsbeamter (→ *scrinium* III.) eingesetzt.

K.G.-A.

[4] T. militum. Offizier im Stab einer Legion (→ *legio*). Den Begriff *t.* leitet Varro (ling. 5,81 und 89) aus seiner ursprünglichen Aufgabe ab, die Aufgebote der drei ältesten röm. → *tribus* (→ *Ramnes*, *Tities*, *Luceres*) zu führen. Am E. des 3. Jh. v.Chr. verfügte jede der ersten vier Legionen des röm. Heeres über sechs vom Volk gewählte *t.m.*; für die weiteren ausgehobenen Legionen konnte der Consul die *t.m.* selbst ernennen (Liv. 26,36,14). Die *t.m.* dienten als Stabsoffiziere, kommandierten die Legion jeweils zu zweit im Rotationsverfahren für zwei Monate und mußten bereits über mil. Erfahrung verfügen (im 2. Jh. v.Chr. die Absolvierung von zehn bzw. fünf Feldzügen: Pol. 6,19,1). Voraussetzung war die Zugehörigkeit zum Rang der → *equites Romani* (Caes. Gall. 3,7,3 f.), doch schon in republikanischer Zeit wurde eine Stelle im Stab der Legion an senatorische Bewerber vergeben. Diese trugen wegen ihres breiten Purpurstreifens (→ *clavus*) an der Tunica die Bezeichnung *t. m. laticlavius* im Gegensatz zum *t. m. angusticlavius* aus dem Ritterstand mit schmalem Streifen (Suet. Aug. 38; Suet. Dom. 10).

In der Prinzipatszeit war das Amt vornehmen jungen Männern vorbehalten, die vielfach durch Protektion ihrer Verwandten im Alter von 19 oder 20 J. ein oder eineinhalb Jahre in der Legion dienten, bevor sie ihren → *cursus honorum* antraten. Der *t. m. laticlavius* war trotz seiner Jugend der Stellvertreter des kommandierenden → *legatus* [5] *legionis* [1. 395] und befehligte auch gelegentlich selbständige Truppenteile (CIL XIV 3602; 3612; → *vexillatio*). *T. m.* konnten nun auch die hauptstädtischen *cohortes praetoriae* (→ Praetorianer), → *urbanae cohortes* und *vigilum cohortes* (→ *vigiles*) oder eine *cohors* (vgl. *t.* [2] *cohortis*) der röm. Bürgertruppen bzw. der → *auxilia* befehligen; das Amt war Bestandteil des ritterlichen *cursus* der → *tres militiae*, zumeist an zweiter Stelle.

Seit Constantinus [1] I. kommandierten die *t. m.* die Garden (→ *scholae palatinae*), Legionen, Vexillationen (→ *vexillatio*) und *auxilia* des Feldheeres, aber auch die *cohortes* der → *limitanei*, Einheiten der Flotte, die Milizaufgebote der nichtröm. Stämme, oder sie dienten als Militärgouverneure von Städten. Auch Beamte der kaiserlichen Verwaltung führten nun den Titel *t. m.*

1 TH. FRANKE, Die Legionslegaten der röm. Armee, 1991.

H. DEVIJVER, The Equestrian Officers of the Roman Imperial Army, 2 Bde., 1989–1992 · W. PEETERS, Het militaire tribunaat der laticlavii in het Vroeg-Romeinse Keizerrijk (27 v. Chr. – 268 n. Chr.), 2 Bde., 1984 · J. SUOLAHTI, The Junior Officers of the Roman Army in the Republic Period, 1955.   T. F.

[5] T. militum consulari potestate. Gemäß röm. Trad. ein außerordentlicher Magistrat mit promagistratischer Gewalt, der zw. 444 und 367/6 v. Chr. anstelle der Consuln als provisorischer Oberbeamter fungiert haben soll. Bezeichnung, Charakter und Funktion dieses einem drei- bis sechsköpfigen Collegium angehörenden *t.* sind in der Forsch. aufgrund der problematischen Überl. umstritten. Die traditionelle Richtung sieht in dem *t. m. c. p* eine zeitweilige Alternative zum Konsulat. Aus innenpolit. Gründen (→ Ständekampf) oder angesichts mil. Erfordernisse sei ein mehrstelliges Oberamt geschaffen worden. Da der *t.*, meist Patrizier, nur über die consularische Amtsgewalt (→ *potestas*) verfügt habe, seien ihm die consularischen Ehrenrechte nach Ablauf der Amtszeit und das Recht auf einen → Triumph verwehrt gewesen. Das Militärtribunat sei schließlich wieder durch das Konsulat ersetzt worden (z. B. [2. 52–93]). Neuerdings wird hingegen die These vertreten, daß die ordentlichen Oberbeamten, nämlich die drei → Praetoren, weiterhin existiert hätten [1; 3]. Ihnen seien drei Legionsoffiziere (vgl. *t.* [4] *militum*), die

dem Collegium den Namen gegeben hätten, hinzugefügt worden [1]. Alle diese Theorien stellen jedoch nur Hypothesen dar.

1 R. BUNSE, Das röm. Oberamt in der frühen Republik, 1998 2 R. STEWART, Public Office in Early Rome, 1998 3 D. SOHLBERG, Militärtribunen, in: Historia 40, 1991, 257–274 4 R. RIDLEY, »Consular Tribunate«, in: Klio 68, 1986, 444–465.   L. d. L.

[6] T. numeri. Kommandeur eines → *numerus*.

[7] T. plebis, der röm. »Volkstribun«; auch *t. plebei* (CIL I² 583,81; Varro ling. 5,81); griech. δήμαρχος/*démarchos* (Syll.³ 601,1; Diod. 11,68,8); transkribiert τριβοῦνος (IG VII 1866). Anführer der → *plebs* im → Ständekampf (5. bis 3. Jh. v. Chr.), nach 287 v. Chr. plebeiischer Amtsträger ohne konkrete Amtsaufgaben. Aufgrund der problematischen Überl. sind Ursprung, frühe Entwicklung und Zahl der *tribuni plebis* unklar und umstritten [1; 2; 3]. Die ant. Trad. stellt die Entstehung des Amtes in den Zusammenhang mit der ersten → *secessio plebis* (tradiert 494 v. Chr.), in deren Verlauf zwei *t. p.* von der *plebs* gewählt worden seien (Liv. 2,33,2; 2,58,1; Dion. Hal. ant. 6,90,2). 457 v. Chr. soll endlich die aus späterer Zeit sicher verbürgte Zehnzahl eingerichtet worden sein (Liv. 3,30,5; Dion. Hal. ant. 10,30,6; Diod. 12,25,2).

In den Auseinandersetzungen mit den Patriziern (→ *patricii*) war es Aufgabe der *t. p.*, die polit., sozialen und wirtschaftlichen Interessen und Forderungen der *plebs* zu vertreten und durchzusetzen. Als Werkzeug für den innenpolit. Kampf geschaffen, war das Volkstribunat in dieser Zeit kein Amt der öffentlichen Ordnung. Um den Aktionen der *t. p.* Nachdruck zu verleihen, verpflichtete sich die *plebs* eidlich, für ihre Unverletzlichkeit einzustehen (→ *sacrosanctus*). Da die *t. p.* den Magistraten (→ *magistratus*) nicht befehlen konnten, war es ihre primäre Pflicht, den von Patriziern bedrängten Plebeiern zu Hilfe zu kommen (*auxilii latio*) und unerwünschte magistratische Akte mit ihrem Einspruch (→ *intercessio*, »Dazwischentreten«) zu verhindern [1]. Ihre Wohnung hatte daher auch nachts offen zu sein, und sie durften in der Regel nur einen Tag von Rom abwesend sein (Gell. 3,2,11; 13,12,9). Die *t. p.* riefen das → *concilium plebis* zusammen, leiteten die Versammlungen, stellten Anträge und führten ein → *plebiscitum* herbei, das jedoch erst 287 v. Chr. durch die *lex Hortensia* für das röm. Gesamtvolk verbindlich wurde (Gell. 15,27,4 u. a.).

Mit dem Ende der Ständekämpfe wurde das Volkstribunat ordentliches Amt (→ *cursus honorum*). Es wurde in der Regel nach der Quaestur übernommen und setzte plebeiische Herkunft voraus. *T. p.* wurden im *concilium plebis* für jeweils ein Jahr (Amtsantritt: 10. Dez.) gewählt und hatten Zugang zum Senat (→ *senatus*; Val. Max. 2,2,7), den sie bereits gegen E. des 3. Jh. v. Chr. versammeln (*ius senatus habendi*) und vor dem sie referieren durften [1]. Sie saßen nicht auf einem Amtsstuhl (→ *sella curulis*), sondern auf einer Bank (→ *subsellium*). Ihnen standen → *apparitores* zur Seite. Ihr Amtsbereich beschränkte sich auf das Stadtgebiet Roms (*domi*) bis zum → *pomerium*. Sie besaßen kein → *imperium*, konnten aber Maßnahmen von Imperiumsträgern (→ *consul*, → *praetor*) verhindern. Mit Hilfe ihres *ius intercessionis* waren *t.p.* in der Lage, gegen Senatsbeschlüsse und Gesetzesanträge ihr Veto einzulegen (vgl. [1. 594–607; 5. 74–94; 6. 207–222; 7. 29–49]).

Ein *t.p.* konnte formal nur von seinen Kollegen an seinen Aktionen gehindert werden; gegen eine Interzession war ein kollegialer Einspruch aber unzulässig. Das *ius intercessionis* wurde trotz spektakulärer Ausnahmefälle bis zum E. der Republik respektiert [7. 29–49]. Gleich dem magistratischen Recht der → *coercitio* und → *iurisdictio* nutzten die *t.p.* ihre *vis tribunicia* (»tribunizische Gewalt«); sie umfaßte Verhaftung (*prensio*), Einkerkerung (Beugehaft), Geldbuße (→ *multa*), Pfändung (*pignoris capio*, → *pignus*), Konfiskation (→ *consecratio*) und Tötung (Sturz vom Tarpeiischen Felsen) [1. 571]. Bei Nichtbeachtung der tribunizischen Gewalt (*in ordinem coactio*) und anderer Vergehen (z. B. → *perduellio*) konnte der *t.p.* auch gerichtlich vorgehen: Tribunizische Multprozesse fanden vor den → *comitia tributa* statt, Kapitalprozesse vor den *comitia centuriata* (Cic. leg. 3,44) [1. 630–637].

Das Volkstribunat war kein Verfassungswächteramt, sondern half der Senatsmehrheit, etwa als Instrument zur Kontrolle der Standesgenossen [2]. Mit Ti. und C. → *Sempronius* [I 16 bzw. I 11] Gracchus entwickelte sich das Amt zu einer zweiten Entscheidungsinstanz neben dem Senat und diente popularen Politikern zur Durchsetzung von Einzelinteressen (→ *populares*). In der Kaiserzeit war die *tribunicia* → *potestas* die rechtliche Basis für die Aktivitäten des → *princeps* in Rom, während das Amt selbst, das noch im 5. Jh. n. Chr. erwähnt wird (Cod. Theod. 1,6,11; 2,1,12), unter kaiserlicher Kontrolle stand und bedeutungslos wurde (Plin. epist. 1,23,1) [8].

→ Intercessio; Magistratus; Plebs; Ständekampf

1 R. WITTMANN, Das Volkstribunat, in: W. KUNKEL (Hrsg.), Staatsordnung und Staatspraxis (HbdA 10.3,2,2), 1995, 552–664 2 J. BLEICKEN, Das röm. Volkstribunat, in: Chiron 11, 1981, 87–108 3 W. EDER, Zw. Monarchie und Republik. Das Volkstribunat in der frühen röm. Republik, in: Bilancio critico su Roma arcaica, 1993, 97–127 4 J. M. RAINER, Einführung in das röm. Staatsrecht, 1997 5 J. BLEICKEN, Das Volkstribunat der klass. Republik, ²1968 6 L. THOMMEN, Das Volkstribunat, 1989 7 L. DE LIBERO, Obstruktion, 1992 8 MARTINO, SCR 4, ²1974, 626–629.

L. d. L.

Tribus. Untereinheit des röm. Gesamtvolks (→ *populus*), spätestens seit republikanischer Zeit ausschließlich auf lokaler Grudlage, nach dem Wohnsitz.

I. WORTBEDEUTUNG UND ÄLTESTE FORM
II. ENTSTEHUNG UND ENTWICKLUNG
III. POLITISCHE BEDEUTUNG

I. WORTBEDEUTUNG UND ÄLTESTE FORM

Die Etymologie ergab sich schon für die Römer aus dem Anklang von *t.* an *tres* (»drei«) und dieser Zahl der ältesten *t.* Nach Varro (ling. 5,55) war das röm. Gebiet zuerst in drei Teile gegliedert, wovon sich die Bezeichnung *t.* für die Titi(ens)es, → Ramnes und Luceres ableitete (*ager Romanus primum divisus in partes tres a quo tribus appellata Titiensium, Ramnium, Lucerum*). Diese Herleitung wird häufig akzeptiert (vgl. Belege bei [9. 764 f.]), obwohl diese Bed. in Italien einzigartig ist; denn zumindest die umbrischen Parallelen legen eine Bed. nahe, die nicht auf Teile, sondern auf das Ganze eines Volkes o.ä. weisen. So werden etwa *totar tarsinater trifor tarsinater* [10], wohl Angehörige der Stadt (*touta?*) und des Distriktes, verflucht. Auch die Bezeichnung des umbrischen Gaus im oberen Saviotal als *t. Sapinia* scheint auf eine Einheit zu weisen, ebenso wie die, aus dem Oskischen ins Lat. übersetzte, *pars Peltuinatium* in Mittel-It. (vgl. [6. 171]). Deshalb liegt der Verdacht nahe, die Ableitung von *tres* beruhe auf antiquarischer Spekulation.

Die Aufgaben dieser drei ältesten röm. *t.* sind kaum bekannt. Nach späterer Meinung umfaßte jede *t.* zehn *curiae*, die frühen gentilizischen Stimmkörper; aus den *t.* rekrutierten sich die sechs vornehmsten Stimm- und Kavallerieeinheiten (*sex suffragia*) und aus diesen die ersten sechs → Vestalinnen (Fest. p. 468). Ob die Bezeichnung »Tribunen« von den drei *t.*-Regimentern des frühen königlichen Heeres abzuleiten ist, bleibt fraglich.

II. ENTSTEHUNG UND ENTWICKLUNG

Die nach dem Wohnsitzprinzip gebildeten *t.* sollen nach der Überl. (Liv. 1,42,4; vgl. Dion. Hal. ant. 4,14 mit der Unterscheidung von »Abstammungs-*t.*«, *phylaí genikaí*, und »Territorial-*t.*«, *phylaí topikaí*; → *phylé* [1]) auf König Servius → Tullius [I 4] (6. Jh. v. Chr.) zurückgehen. Beide *t.*-Formen bildeten territoriale Einheiten, unterschieden sich aber in der Benennung nach *gentes* (→ *gens*) bzw. Lokalitäten. Zu den ältesten, nach Lokalitäten benannten *t.* gehörten sicher die vier städtischen *t. Palatina, Esquilina, Collina* und *Suburana* (s. Karten unten). Neue *t.* werden erst 495 genannt, als nach Liv. 2,21,7 in Rom 21 *t.* geschaffen wurden (*Romae tribus una et viginti factae*; die Zahl *una et triginta* = 31 in einigen Hss. ist irrig; dies ist wohl so zu verstehen, daß 495 mit der Gründung der *t. Claudia* (für die ca. 504 zugewanderte *gens Claudia*) und der *t. Clustumina* (Crustumerium war 499 erobert worden) die Zahl 21 erreicht wurde (vgl. Liste unten). Die älteren Land-*t.* zogen sich nach der h. allgemein akzeptierten Rekonstruktion von [4. 35–45] in einem 5–10 km breiten Streifen um die Stadt; ihre ausschließliche Benennung nach *gentes* wird vielfach angezweifelt (vgl. [3. 2498]), einige sollen wie die städtischen *t.* nach geogr. Bezeichnungen benannt sein. Seit der Gründung der *t. Clustumina* wurden neue *t.* ausschließlich nach Örtlichkeiten benannt.

In der Folgezeit waren Neugründungen von *t.* und Ansiedlung auf neu gewonnenem → *ager publicus* eng verbunden (erhielten Bürger einer eroberten Stadt das Bürgerrecht, wurden sie in die nächstgelegene *t.* eingeschrieben wie noch → Tusculum um 380 in die *t. Papiria*; vgl. Karte unten). Weitere vier *t.* wurden erst nach einer langen Pause, die das Fehlen von Eroberungen im 5. Jh. widerspiegelt, im J. 387 auf dem Territorium des eroberten → Veii errichtet (*t. Stellatina, Sabatina, Arnensis* und *Tromentina*). Mit ihnen beginnt die Reihe der regelmäßig (Ausnahme: die *t. Clustumina*) nach geogr. Bezeichnungen benannten *t.*, die bis zum E. des Jh. mit der *t. Falerna* bis vor die Tore Capuas reichten (vgl. auch die Karte bei [4. 47]). Nach weiteren 60 J. kam es 241 zu den letzten *t.*-Gründungen (*t. Quirina* und *Velina*) auf dem zw. 290 und 283 eroberten Gebiet der Sabiner und an der Adria (→ Curius [4] Dentatus).

III. POLITISCHE BEDEUTUNG

Spätestens ab 387 wurden Neugründungen immer in Paaren (zwei oder vier) errichtet, sichtlich um die ungerade Zahl, die bei Abstimmungen immer eine Mehrheit garantierte, zu bewahren; offensichtlich fungierten die *t.*, die ursprünglich als Bürgereinheiten beim → *census*, bei der Rekrutierung und der Steuererhebung gedient hatten, inzwischen als Stimmkörper in den → *comitia tributa* und im → *concilium plebis*. Deshalb lag die Entscheidung über Neugründungen von *t.* auch bei der Volksversammlung. Da die *t.* unterschiedlich groß waren, aber in den Komitien je eine Stimme besaßen, war bei Änderung oder Neugründung immer auch die polit. »Arithmetik« zu berücksichtigen, ebenso im Verhältnis der volkreichen, aber eher armen Stadt-*t.* zu dünn besiedelten, aber reicheren Land-*t.* Versetzung in eine »schlechtere« oder Ausschluß aus jeder *t.* (*tribu movere*) war deshalb eine censorische Strafe.

Verm. wegen der wohl 241 im Zusammenhang mit den letzten *t.*-Gründungen durchgeführten Verknüpfung von *t.*- und Zenturienordnung, deren Stimmenverhältnis man nicht ändern wollte, wurden danach keine weiteren *t.* mehr gegründet: Die 35 *t.* und ihre offizielle Ordnung (*ordo tribuum* bei Cic. leg. agr. 2,79) blieben bis in die Kaiserzeit bestehen (vgl. Liste). Nach 241 v. Chr. wurden hinzukommende Städte und Neubürger in schon vorhandene *t.* eingeschrieben, so auch nach dem Ende des → Bundesgenossenkrieges [3] (87 v. Chr.), als man zuletzt über die Gründung neuer *t.* nachdachte. Auch bei den umfangreichen Verleihungen von Bürgerrecht und latinischem Recht unter Caesar und in der Kaiserzeit wurden Neubürger in eine bestimmte, oft von Provinz zu Provinz verschiedene *t.* versetzt. So war unter Augustus für Bürger der latinischen Kolonien in der → Narbonensis die *t. Voltinia*, für solche aus den spanischen Prov. die *t. Galeria* charakteristisch. Die Gründe für diese Verteilung sind unbekannt.

Für röm. Bürger außerhalb Roms verlor »ihre« *t.* sehr schnell jede polit. Bed.; die in der Republik vorhandene soziale Zusammengehörigkeit der Angehörigen einer *t.* (*tribules*) schwand (Ter. Ad. 439–442; Varro rust. 3,2,1); nun wurde sie nur noch – konventionell mit den drei ersten Buchstaben abgekürzt – als Etikett des Bürgers im Namen getragen. In Rom hingegen blieben die 35 *t.* rechtsfähige Körperschaften, die erben konnten (Suet. Aug. 101: Augustus vermachte den 35 *t.* je 1 Mio. HS),

eigene Sitze im Circus (vgl. ILS 286) und eigene Bestattungsareale besaßen. Vor allem aber bildeten die *t.* (wohl ohne Senatoren und Ritter) die »städtische *plebs* der 35 *t.*« (ILS 168: *plebs urbana quinque et triginta tribuum*), also die Gemeinschaft derer, die Anrecht auf Versorgung durch die staatliche *annona* hatten (→ *cura annonae*). Vorsteher der *t.* waren nun die *curatores* der *t.*, eine Art lokales Bindeglied zw. Magistraten und Volk; wieweit diese Aufgaben schon die republikanischen *tribuni* [1] *aerarii* besaßen, ist unklar.

Im Gegensatz zu den Kurien und Zenturien wurden die *t.* außerhalb Roms sehr selten als Unterabteilung der Bürgerschaft verwendet, so z.B. in → Lilybaion (ILS 6770b; vgl. auch ILS 6127, Fundort leider nicht bekannt: republikanische Weihung *pro trebibos*). Dies mag damit zusammenhängen, daß die *t.* immer noch plakativ den *civis Romanus* kennzeichnete und sich deshalb für andere Städte im Reich nicht eignete.

→ Gens; Plebs

1 MOMMSEN, Staatsrecht 3, 161–198 2 W. KUBITSCHEK, Imperium Romanum tributim discriptum, 1889 3 Ders., s. v. t., RE 6A, 2492–2518 4 L. ROSS TAYLOR, The Voting Districts of the Roman Republic, 1960 5 CL. NICOLET, The World of the Roman Citizen, 1980 6 C. AMPOLO, in: A. MOMIGLIANO (Hrsg.), Storia di Roma, Bd. 1, 1988, 169–172; 229f. 7 T. J. CORNELL, The Beginnings of Rome, 1995 8 B. LINKE, Von der Verwandtschaft zum Staat, 1995, 117–120 9 J. UNTERMANN, WB des Oskisch-Umbrischen, 2000 10 G. DEVOTO, Tabulae Iguvinae, ³1962, VIb54.

H. GALSTERER, Herrschaft und Verwaltung im republikanischen It., 1976, bes. 25–40. H.GA.

Tributkomitien s. Comitia

Tributlisten s. Phoros

Tributum s. Steuern

Tricasses. Völkerschaft im NO → Gallias am oberen → Sequana und der h. Aube in der → Lugdunensis, den Senones [2], → Parisii, → Meldi, → Remi und → Lingones benachbart (Plin. nat. 4,107). Bis ins 1. Jh. v. Chr. zählten sie wohl zu den Senones. Augustus organisierte sie als selbständige *civitas* mit Augustobona Tricassium (h. Troyes) als Verwaltungssitz. In der Spätant. gehörten die T. zur Lugdunensis II (Amm. 15,10,11 f.), die Notitia Galliarum 588 rechnet sie zur später eingerichteten Lugdunensis IV (Senonia).

L. PIETRI, Troyes, in: N. GAUTHIER, J.-CH. PICARD (Hrsg.), Top. chrétienne des Cités de la Gaule, Bd. 8, 1992, 67–80 · R. BEDON, Les villes des trois Gaules, 1999, 94f. · TIR M 31, 180f. MI.PO.

Tricastini. Keltische Völkerschaft in der röm. Prov. → Narbonensis auf dem westl. Ufer des → Rhodanus (h. Rhône) im Bergland zw. Cavari, → Vocontii und → Segovellauni (Liv. 5,34,5; 21,31,9; Sil. 3,466; Amm. 15,10,11). Als Vorort ihrer *civitas* nennt Ptol. 2,10,13 No-

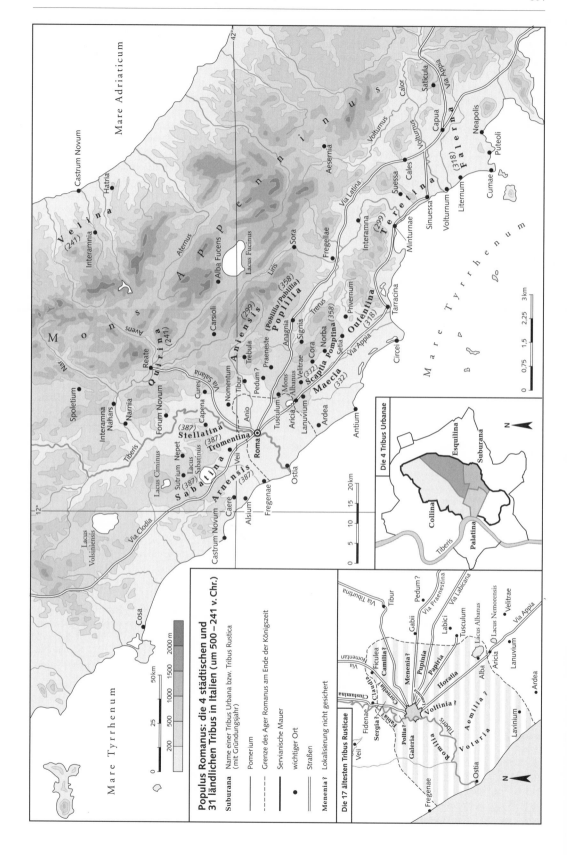

Populus Romanus: die 4 städtischen und 31 ländlichen Tribus in Italien (um 500–241 v. Chr.)

Suburana Name einer Tribus Urbana bzw. Tribus Rustica (mit Gründungsjahr)

Pomerium

Grenze des Ager Romanus am Ende der Königszeit

Servianische Mauer

● wichtiger Ort

Straßen

Menenia ? Lokalisierung nicht gesichert

Die 4 Tribus Urbanae

Die 17 ältesten Tribus Rusticae

Liste der römischen Tribus

Name häufigste Abkürzung in Inschriften (in Klammern)	Gründungsdatum ant = antiquissima (die 17 ältesten tribus rusticae; vor 365 v. Chr. eingerichtet)	r = tribus rustica u = tribus urbana Stand 495 v. Chr.: 21 Tribus (17 r, 4 u) Stand 241 v. Chr.: 35 Tribus (31 r, 4 u)
Aemilia (AEM)	ant	r
Aniensis (ANI)	299	r
Arniensis/Arnensis (ARN)	387	r
Camilia (CAM)	ant	r
Claudia (CLA)	ant (504–495: Liv. 2,16,2; Dion. Hal. ant. 5,40,5)	r
Clustumina (CLV)	ant (495?: Liv. 2,19,2; 2,21,7)	r
Collina (COL)	6. Jh.? (Liv. 1,43,13)	u
Cornelia (COR)	ant	r
Esquilina (ESQ)	6. Jh.? (Liv. 1,43,13)	u
Fabia (FAB)	ant	r
Falerna (FAL)	318	r
Galeria (GAL)	ant	r
Horatia (HOR)	ant	r
Lemonia (LEM)	ant	r
Maecia (MAE)	332	r
Menenia (MEN)	ant	r
Oufentina (OVF)	318	r
Palatina (PAL)	6. Jh.? (Liv. 1,43,13)	u
Papiria (PAP)	ant	r
Pollia (POL)	ant	r
Pomptina (POMP)	358	r
Poplilia/Poblilia/Publilia (POP/POB/PVB)	358	r
Pupinia (PVP)	ant	r
Quirina (QVI)	241	r
Romilia/Romulia (ROM)	ant	r
Sabatina (SAB)	387	r
Scaptia (SCAP)	332	r
Sergia (SER)	ant	r
Stellatina (STE)	387	r
Sucusana/Suburana (SVC/SVB)	6. Jh.? (Liv. 1,43,13)	u
Teretina (TERET)	299	r
Tromentina (TROM)	387	r
Velina (VEL)	241	r
Voltinia (VOL)	ant	r
Voturia/Veturia (VOT/VET)	ant	r

viomagus [2]. Die Identifizierung mit dem h. St. Paul-Trois-Châteaux ist wahrscheinlich; in augusteischer Zeit Augusta Tricastinorum, von Plin. nat. 3,36 unter den *oppida Latina* der Narbonensis erwähnt; in flavischer Zeit *Colonia Flavia Tricastinorum* (AE 1962, 143).

G. BARRUOL, Les peuples préromains du Sud-Est de la Gaule (Revue Archéologique de Narbonnaise, Suppl. 1), 1969, 247–267.   MI.PO.

Tricciana. Röm. Kastell (→ *beneficiarii*-Station?, ca. 296 × 268 m) in der → Pannonia Inferior, Station der Straße → Sirmium – → Carnuntum (Itin. Ant. 267,7), h. Ságvár (Kreis Somogy, Ungarn). Funde von → Terra sigillata, Gräberfeld (auch mit christl. Bestattungen). T. war noch im 4. Jh. n. Chr. von Bed.

TIR L 34 Budapest, 1968, 113 · A. Mócsy, Pannonia and Upper Moesia, 1974, 305 f.   J.BU.

Trichalkon (τρίχαλκον). Mz. zu 3 *chalkoí* (→ *chalkús*), seit Theophrastos (char. 10,6; 371–287 v. Chr.) belegt. T. ist wohl die Bronze-Mz. des 4. Jh. v. Chr. von Phokis mit Wertzeichen T und erscheint als Wertangabe auf kaiserzeitl. Bronze-Mz. von Chios (= ½ → *as* ?).   DI.K.

Trichon(e)ion (Τριχόνειον, lit. Τριχώνιον). Aitolische Stadt (→ Aitoloi) südl. des Trichonis-Sees (h. Limni Trichonida) am Nordhang des Arakynthos-Gebirges (h. Zygos) beim h. Gavalu. T. war die bedeutendste Stadt von Zentral-Aitolia, stellte die meisten Strategen (vgl. → *stratēgós*) des Aitolischen Bundes, wird aber in der historiographischen Lit. nur im Zusammenhang mit dem Zug Philippos' [7] V. nach Thermos 218 v. Chr. erwähnt (Pol. 5,7,6ff.). Gelobt wurde die Fruchtbarkeit des Bodens von T. (Strab. 10,2,3). T. war offensichtlich in der röm. Kaiserzeit noch besiedelt (Belege: [1]). Arch. erforscht wurden Grabhügel mit reichen Beigaben (3. Jh. v. Chr.).

Inschr.: IG IX 1², 1, 117–127; SEG 17, 268; 25, 620; 34, 472; [2. 7 Z. 12; 3. 715f.; 4. 386f.; 5. 208]; längere Freilassungsurkunden sind unpubliziert.

1 D. STRAUCH, Röm. Politik und griech. Trad., 1996, 283 f. 2 E. SCHWEIGERT, Greek Inscriptions, in: Hesperia 8, 1939, 5–12 3 G. KLAFFENBACH, Ber. über eine epigraphische Reise, in: SPrAW 1935, 691–726 4 Ders., Neue Inschr. aus Aitolien, in: SPrAW 1936, 358–388 5 I. A. PAPAPOSTOLOU, in: AD 34 B, 1979.

C. ANTONETTI, Les Étoliens, 1990, 238–240 · R. SCHEER, s. v. T., LAUFFER, Griechenland, 690 · PRITCHETT 6, 132 f.
D. S.

Trichryson (τρίχρυσον). Dreifacher *chrysús* (Goldmünze, vorzugsweise der Goldstater), wird in einem Pap. (P CZ 59021,13; 59022,6–16, 3. Jh. v. Chr.) die mod. als → *pentádrachmon* bezeichnete Mz. genannt, eine frühptolem. Gold-Mz. von ca. 17,8 g im Wert von zunächst 60 phönizisch-ptolem. Silberdrachmen, was einem anfänglichen Wertverhältnis Gold-Silber von 12:1 entspricht. Nach dem Pap. wurde das *t.* aber mit einem Agio von 6⅔ Silberdrachmen gehandelt, das Verhältnis Gold-Silber war also auf 13⅓:1 gestiegen [1. 70–73]. Vielleicht ist mit dem *Trinummus* des Plautus das *t.* gemeint.

1 W. SCHUBART, Die ptolem. Reichsmz., in: ZfN 33, 1922, 68–82.
DI. K.

Tricipitinus. Röm. Cognomen, abgeleitet von einem unbekannten Ortsnamen, nur in der Familie der Lucretii in republikanischer Zeit vorkommend (→ Lucretius [I 7; 9–12]).

KAJANTO, Cognomina, 210.
K.-L. E.

Triclinium (τρικλίν[ι]ον). Röm. Speiseraum, im engeren Sinn eine Gruppe von drei Liegen (lat. *lectus*; → *klínē*), auf denen je drei Gäste Platz nehmen konnten. Ihre Anordnung um einen zentralen runden oder rechteckigen Tisch war die typisch röm. Einrichtung des Speiseraums (vgl. Abb.). Die Liegen konnten aus Stein gemauert sein, so daß ihr Standort innerhalb des Hausgrundrisses kenntlich ist; häufig waren sie allerdings beweglich. Matratzen, Kissen und Decken sorgten für die nötige Bequemlichkeit. Wo keine gemauerten Unterbauten vorhanden sind, ist ein *t.* am Dekor des Zimmers auszumachen: Durch Wandmalereien und Fußböden läßt sich erkennen, wo die Liegen standen und wo bedient wurde. Die Größe eines solchen Raumes betrug normalerweise 6×4 m. Ein *t.* pro Haus war in republikanischer Zeit sowie in der frühen und mittleren Kaiserzeit die Regel, wie die in → Pompeii gefundenen Beispiele zeigen; in reichen Häusern konnte es mehrere *triclinia* geben, die je nach Anlaß und Jahreszeit genutzt wurden. Für sommerliche Gastmähler standen *t.* in Gärten zur Verfügung, die entweder auf Terrassen, unter dem → Peristylion oder im → Garten unter einer Pergola errichtet waren. Sie gehörten zu Privathäusern, aber auch zu öffentlichen oder

Liegeposition der Gäste in einem Triclinium (schematische Darstellung).

halb-öffentlichen Örtlichkeiten wie z. B. Heiligtümern oder Grabmälern. Auch aus dem Ende der Kaiserzeit gibt es Funde von *t.* in Privathäusern, allerdings waren sie größer als in der Republik üblich (sechs oder mehr Gäste pro Liege). Die meisten erh. *t.* stammen aus Antiocheia [1] und Nordafrika.

Aufgrund der Mosaikböden lassen sich zwei Arten der Einrichtung des Speiseraumes unterscheiden: eine U-Form, wobei eine Fläche in der Mitte an drei Seiten von Liegen umgeben war [1. Abb. 14], oder die Form von T+U, wobei der zentralen Fläche eine horizontale angegliedert war, um mehr Raum z. B. für Personal zu gewinnen [1. 125f. mit Abb. 13 und 17]. Beim → Gastmahl (II. B.) war eine bestimmte Sitzordnung vorgesehen (vgl. Abb.). Der *imus lectus* (wörtl. »unterste Liege«) war der Gastfamilie vorbehalten; der *medius lectus* (»mittlere Liege«) bes. geehrten Gästen. Der Gastgeber lag *summus in imo*, der Ehrengast direkt neben ihm *imus in medio* (auf dem sog. *locus praetorius* oder *locus consularis*) [2. 304; 3].

Aus der frühen und mittleren Kaiserzeit sind nur wenige gemauerte Liegen belegt. Im 4. und 5. Jh. n. Chr. wurde das *t.* durch das → *sigma* abgelöst. Gegen Ende der Ant. kam die Gewohnheit auf, im Sitzen zu essen, wobei die Bänke an den Längsseiten rechteckiger Tische aufgestellt waren [1. Abb. 36].
→ Cena; Gastmahl; Kline; Sigma; Tafelausstattung

1 K. M. D. DUNBABIN, T. and Stibadium, in: W. J. SLATER (Hrsg.), Dining in a Classical Context, 1991, 121–148, Abb. 1–36 2 J. MARQUARDT, Privatleben der Römer, Bd. 1, ²1886 (Ndr. 1964), 304f. 3 A. MAU, s. v. Convivium, RE 4, 1205 f.

G. GERLACH, Zu Tisch bei den alten Römern, 2001 · A. HUG, s. v. T., RE 7 A, 92–101 · F. POLAND, s. v. Stibadeion, Stibas, RE 3 A, 2481–2484 · G. RODENWALDT, s. v. Sigma, RE 2 A, 2323 f.
P. S.-P./Ü: S. U.

Tricorii (Τρικόριοι). Kelt. Alpenvolk der Gallia → Narbonensis (Plin. nat. 3,34) im Tal des Drac (Strab. 4,1,11; 4,6,5). 218 v. Chr. zog → Hannibal [4] durch ihr Gebiet (Liv. 21,31,9; Amm. 15,10,11). 58 v. Chr. schlossen sie sich dem Zug der → Helvetii an (vgl. App. Celt. 1,8: Τρίκουροι).

G. BARRUOL, Les peuples préromains du sud-est de la Gaule, 1969, 325–330.　　　　　　　　　　H. GR.

Tricostus. Röm. Cognomen, → Verginius

Tridentum (h. Trento). Raetisches → oppidum am → Atesis (Plin. nat. 3,130; nach Iust. 20,5,8 keltisch). Das municipium Iulia Tridentina im Gebiet der → Alpes Tridentinae (Plin. nat. 3,121; Flor. epit. 1,38,11; Cass. Dio 54,22,1 und 3) wurde unter Caesar als Zentrum der Tridentini (Strab. 4,6,6) gegr., unter Augustus der → regio X zugeteilt (tribus Papiria). Die Stadtmauern aus augusteischer Zeit zeugen vom städtischen Ausbau, der im 1. Jh. n. Chr. zur größten Blüte führte. E. 2. Jh. n. Chr. war T. colonia (ILS 5016), wurde im 3. Jh. von → Alamanni geplündert, erholte sich aber im 4. Jh. kurzfristig durch die Stationierung röm. Truppen. Seit dem 4. Jh. war T. Bischofssitz, im 5. Jh. wurde es aufgegeben.

TIR L 32, Mediolanum, 1966, 134 • A. BUONOPANE, T., in: Suppl. Italica N. S. 6, 1990, 111–182.　　　　H. GR.

Tridrachmon (τρίδραχμον). Mz. von 3 → Drachmen [1], genannt bei Pollux (9,60). Die trídrachma Maronitiká in attischen Inschr. sind wohl die → Tetradrachmen von Maroneia [1] nach dem »phönizischen« → Münzfuß, die später wegen ihrer Gewichtsverminderung nur 3 attische Drachmen wert waren. Als geprägte Mz. sind t. sehr selten: frühe »äginetische« T. von Delphoi; die Mz. der ionischen → symmachía von 394–387 waren zugleich äginetische → Didrachmen und rhodische t. (→ Herakliskos-Prägung). Weitere mögliche t. sind Mz. von Kyme [3] (Aiolis) und Alabanda (Karien).

1 W. SCHWABACHER, s. v. T., RE 7 A, 104.　　　DI. K.

Trieb (ὁρμή/ hormé; lat. appetitus, impetus). Hormé (= h.), was zunächst soviel wie »rasche Bewegung, Aufbruch, Angriff« oder »Neuanfang« bedeutet (vgl. Hom. Il. 4, 466; Hdt. 1,11,23; Plat. Tim. 27c 2), steht für psychische Antriebe, Wünsche, Impulse oder Tendenzen. Diese werden nicht vom Menschen gesteuert oder beeinflußt, können sich dennoch auf rationale und irrationale Ziele gleichermaßen richten. So verwendet → Platon [1] h. wiederholt für vernünftige Neigungen (z. B. Plat. Phil. 57d 1; Plat. rep. 611e 4; vgl. Plat. epist. 7,325e 1), darunter auch für den »göttlicheren Impuls« hin zur Philos. (h. theiotéra: Plat. Phaidr. 279a 9; vgl. Plat. Parm. 130b 1; 135d 2 f.). In Platons Theorie der → Lust bezeichnet h. dagegen ein irrationales Verlangen (Plat. Phil. 35c-d). Aristoteles versteht unter h. einen Naturimpuls, dessen Unterbindung Gewalteinwirkung sei (Aristot. an. post. 95a 1; Aristot. metaph. 1015a 27ff.; 1023a 9ff.; 1072b 12). Er spricht daher von einem »natürlichen Impuls«

(physiké h.; Aristot. m. mor. 1,34,24; vgl. 2,3,12 f.) zur → Tugend und ebenso von einer allg. Neigung zur staatlichen Gemeinschaft (Aristot. pol. 1253a 29).

Bei → Epikuros hat h. den technischen Sinn von »Bewegungsimpuls« (Diog. Laert. 10,115,3 und 6). Einen Überblick über die komplexe Theorie der Antriebe im → Stoizismus gibt Areios [1] Didymos (bei Stob. 9–9a,86f. WACHSMUTH); danach sollen die Stoiker fünf Arten von (teils rationalen, teils irrationalen) hormaí und zwei Arten von aphormaí unterschieden haben (zur Interpretation vgl. [3. 224ff.]). Seit Chrysippos [2] versuchten die Stoiker zu zeigen, daß sich der »erste Antrieb« (prṓtē h.) – d. h. der biographisch früheste Impuls – auf die Selbsterhaltung richtet (57a-f LONG-SEDLEY). Beim Menschen jedoch wirke zusätzlich die Vernunft als »Gestalterin des Antriebs« (technítēs hormḗs, Diog. Laert. 7,86). Bereits seit Zenon von Kition wird der T.-Begriff auch zur Definition des → Affekts verwendet (als eines »übermäßigen Impulses«, h. pleonázusa, SVF I 205–207; vgl. III 378; 389).

Cicero übersetzt h. mit appetitio animi (Cic. fin. 3,23; 5,17); Augustinus verwendet impetus und appetitus actionis (Aug. civ. 19,4; CCL 48, p. 665, 56–61) und wirft in seiner anti-stoischen Argumentation die Frage auf, ob es angemessen sei, den T. zu den natürlichen Primärgütern (prima naturae bona) zu zählen, wenn dieser doch z. B. auch die elenden Bewegungen und Handlungen eines Verrückten hervorbrächte. Im MA wird die Vorstellung eines positiven Naturinstinkts im Rahmen der Naturrechts-Trad. weitergeführt (vgl. [2]).

→ Begehren; Lust; Oikeiosis

1 G. BERTRAM, s. v. ὁρμή etc.: ThWB 5, 1954, 468–475 2 R. A. GREENE, Instinct of Nature: Natural Law, Synderesis, and the Moral Sense, in: Journ. of the History of Ideas 58, 1997, 173–198 3 B. INWOOD, Ethics and Human Action in Early Stoicism, 1985 4 A. PREUS, Intention and Impulse in Aristotle and the Stoics, in: Apeiron 15, 1981, 48–58.　　　　　　　　　　C. HO.

Triens. Lat., »Drittel« des → as und damit jedes zwölfteiligen Ganzen, 4 → unciae (→ triás), im röm. Münzwesen seit dem ältesten → aes grave belegt; in der Janus/Prora-Serie mit Av. Minervakopf, Wertzeichen vier Punkte. Die t. wurden erst gegossen, dann geprägt, zuletzt unter Cornelius [I 90] Sulla. Auch im übrigen ital. aes grave erscheint der t., in den dezimal geteilten ost-ital. Serien besser → quadrunx zu nennen. Geprägt kommt er in der röm.-kampanischen Mz.-Reihe (Av. Iunokopf, Rv. Herakles mit Kentaur), in den meisten Städten in Kampanien, Kalabrien, Apulien, Lukanien sowie in Vibo-Valentia vor, nur z. T. mit Wertzeichen. In der ital.-sizilischen Mz.-Reihe entspricht der t. dem → tetrás. Zum t. als spätant. Goldmz. vgl. → tremissis.

F. VITTINGHOFF, s. v. T., RE 7 A, 105 f.　　　DI. K.

Trier s. Augusta [6] Treverorum; TRIER

Trierarchie (τριηραρχία). Verpflichtung, eine → Triere ein Jahr lang auszurüsten und die Mannschaft (ca. 200

Mann) zu befehligen; eingeführt 483/2 v. Chr. als mil. *leiturgía* (→ Liturgie I.) anstelle der → *naukraríai*, die nach dem Flottenbauprogramm des → Themistokles nicht mehr genügten; später auch als *t.t.* für die Führung anderer Kriegsschiffe. Wegen starker finanzieller Belastung wurde das System ab 410 v. Chr. modifiziert durch die Syntriearchie (zwei *triérarchoi* pro Schiff); weitere Verteilung der Lasten erfolgte 357 v. Chr. oder kurz zuvor durch Einführung der → *symmoría* für Aufwendungen für T. durch Gesetz eines Periandros. Demosthenes [2] setzte 340 v. Chr. durch, daß die Lasten nach dem Vermögen der zur T. Verpflichteten verteilt wurden, so daß v. a. 300 Personen in Frage kamen [1. 89 f.; 2. 566 f.].

1 J. ENGELS, Studien zur polit. Biographie des Hypereides, 1989, 89 f. 2 H. LEPPIN, Die Verwaltung öffentlicher Gelder im Athen des 4. Jh. v. Chr., in: EDER, Demokratie, 557–571.

K.-W. WEL.

Triere (τριήρης; lat. *trieris, triremis*).

I. DIE GESCHICHTE DER TRIERE
II. ZUR REKONSTRUKTION DER TRIERE

I. DIE GESCHICHTE DER TRIERE

Die T. der klass. Zeit war von der Schlacht bei Salamis [1] (480 v. Chr.) bis zur hell. Epoche das kampfstärkste Kriegsschiff im östl. Mittelmeerraum; sie stellte eine Fortentwicklung der langgestreckten Boote der archa. Zeit dar, die ein oder zwei Ruderreihen an jeder Bordseite besaßen und im → Seekrieg eingesetzt wurden. Ziel der Taktik in der Seeschlacht war es, feindliche Schiffe durch Rammen mit dem Rammsporn zu versenken oder so zu beschädigen, daß sie nicht mehr einsatzfähig waren. Diese Taktik, die zuerst für die Seeschlacht von Alalia/→ Aleria (um 540 v. Chr.) belegt ist (Hdt. 1,166,2), erforderte Schiffe, die äußerst gut zu manövrieren waren und auf kurzen Strecken eine erhebliche Geschwindigkeit und Stoßkraft entwickeln konnten. Es war nicht möglich, die Schiffe beliebig zu verlängern, um die Zahl der Ruderer zu erhöhen, da zu lange Schiffe nicht mehr ausreichend manövrierfähig waren. Deshalb wurde den beiden Ruderreihen eine dritte Reihe an jeder Bordseite hinzugefügt; zu den beiden unteren Reihen gehörten im 5. Jh. v. Chr. 27 Mann, zur obersten Reihe 31 Mann (*thranítai*); insgesamt war die Rudermannschaft damit 170 Mann stark.

T. konnten durchaus hohe Fahrtgeschwindigkeiten erreichen (Xen. an. 6,4,2; Thuk. 3,49,2 ff.); bei günstigen Windverhältnissen konnten sie auch gesegelt werden. Sie verfügten zu diesem Zweck über einen Mast und ein großes Rahsegel; wenn keine längeren Fahrten geplant waren, wurden die Segel der T. an Land aufbewahrt (Thuk. 7,24,2; Xen. hell. 2,1,29). Bei taktischen Manövern und in der Seeschlacht selbst wurden die T. stets gerudert; um die Beweglichkeit der Schiffe nicht zu behindern, hatte die T. neben den Ruderern nur wenige Soldaten an Bord (ἐπιβάται/*epibátai*). Unter diesen Voraussetzungen bestanden größere Flottenver-

bände normalerweise neben den T. auch aus weiteren Kriegsschiffen, Truppentransportern und Versorgungsschiffen (Sizilische Expedition 415 v. Chr.: Thuk. 6,30 ff.; 6,43 f.; → Peloponnesischer Krieg).

In Griechenland sollen T. zuerst von den Korinthern gebaut worden sein (Thuk. 1,13,2). Der Ursprung der T. ist aber nicht geklärt; nach Herodotos [1] setzte bereits der äg. Pharao Necho [2] (610–595 v. Chr.) T. ein (Hdt. 2,159,1). Die Perser konnten unmittelbar vor dem → Ionischen Aufstand 200 T. für einen Kriegszug gegen Naxos bereitstellen (Hdt. 5,32). Daher wurde eine Herkunft der T. aus dem östlichen Mittelmeerraum, aus Phönizien oder Äg., angenommen. Seit dem späten 6. Jh. v. Chr. wurde der ältere Schiffstyp, die Pentekontere (πεντηκόντερος), in Griechenland zunehmend durch die T. verdrängt; Polykrates [1], der zunächst über eine Flotte von 100 Pentekonteren verfügt hatte, konnte 525 v. Chr. ein Kontingent von 40 T. für den Äg.-Feldzug des Kambyses [2] II. entsenden (Hdt. 3,39,3; 3,44,2). In Athen setzte → Themistokles erst 483/2 v. Chr. den Bau von T. durch, die gegen Aigina eingesetzt werden sollten (Hdt. 7,144; Thuk. 1,14). Zu Beginn des → Peloponnesischen Krieges hatte Athen eine Kriegsflotte von 300 T. (Thuk. 2,13); während der Sizilischen Expedition bestand das athen. Flottenaufgebot aus 100 T. (Thuk. 6,43).

A. F. T./Ü: A. H.

II. ZUR REKONSTRUKTION DER TRIERE

In der Forsch. war die Rekonstruktion der T. lange Zeit umstritten. Es war unklar, wie die Bezeichnung T. auf die Ruderreihen zu beziehen sei und wie die Ruderer im Schiff angeordnet waren. Dabei ist von folgenden Tatbeständen auszugehen: Die Vasenbilder des späten 6. und frühen 5. Jh. v. Chr. zeigen unzweifelhaft Schiffe mit zwei versetzt angeordneten Ruderreihen; das Grundprinzip der T., die Ruderer in mehreren Reihen anzuordnen, ist demnach bestens bezeugt. Ferner geht aus einer Bemerkung des Thukydides hervor, daß jeder Ruderer einen Riemen führte (Thuk. 2,93,2). Von Bed. für die Frage ist auch die Bezeichnung δίκροτοι/*díkrotoi* und μονόκροτοι/*monókrotoi* (mit zwei oder einer Ruderreihe) für nicht vollständig bemannte Schiffe (Xen. hell. 2,1,28).

Allg. hat sich jetzt die Auffassung durchgesetzt, daß man an jeder Bordseite der T. drei Ruderreihen übereinander anzunehmen hat; 1986 wurde ein Schiff dieses Typs gebaut und mit Erfolg praktisch erprobt. Die Ruderer der oberen Reihe wurden θρανῖται/*thranítai*, die der mittleren Reihe ζύγιοι/→ *zýgioi* und die der unteren Reihe θαλάμιοι/*thalamioí* genannt; die Riemen waren für alle Ruderer etwa gleich lang, die der *thranítai* lagen auf Auslegern auf. Am anstrengendsten war das Rudern sicherlich für die *thranítai*, die 415 v. Chr. von den Trierarchen eine Zusatzbesoldung erhielten (Thuk. 6,31,3). Um eine T. effizient einsetzen zu können, mußte die Rudermannschaft intensiv trainiert werden (Hdt. 6,11 f.; Thuk. 1,142,5–9; 2,89,2–9; 3,115,4; vgl. Plut. Perikles 11,4).

→ Epibatai; Flottenwesen; Rudern; Seekrieg; Trierarchie

1 L. Casson, Ships and Seamanship in the Ancient World, 1971 **2** C. M. Harrison, Triremes at Rest, in: JHS 119, 1999, 168–171 **3** O. Höckmann, Ant. Seefahrt, 1985 **4** J. S. Morrison, J. F. Coates, The Athenian Trireme, 1986 **5** J. S. Morrison, R. T. Williams, Greek Oared Ships 900–322 B. C., 1968 **6** A. F. Tilley, Three Men to a Room, in: Antiquity 66, 1992, 599–610 **7** H. T. Wallinga, Ships and Seapower before the Great Persian War, 1993.

H. SCHN.

Trieteris (τριετηρίς, *trietērís*, Adj. fem.). Wörtl. »dritt-jährig«, d. h. in jedem dritten Jahr eintretend, nach mod. Zählweise »alle zwei Jahre«.
[1] *t. períodos* (τ. περίοδος, »Schaltzyklus«) → Zeitrechnung.
[2] *t. heortḗ*, (τ. ἑορτή). Ein alle zwei J. stattfindendes Fest mit Spielen, z. B. die → Isthmia, → Nemea [3], → Eleusinia oder die Nikephoria für Athena in → Pergamon.

K. Hanell, s. v. T. (1), RE 7 A, 122–124. K. Z. u. G. Bl.

Trifanum. Ort im Gebiet der Aurunci (→ Ausones) an der tyrrhenischen Küste zw. → Minturnae und → Sinuessa, wo der Consul Manlius [I 12] 340 v. Chr. die → Latini entscheidend schlug (Liv. 8,11,11; Diod. 16,90,2), zu suchen auf dem *ager Vescinus* (vgl. Liv. 10,21,7; 10,31,2; Cic. leg. agr. 2,66).

F. Coarelli, Vescia, in: Ders. (Hrsg.), Minturnae, 1989, 29–33, hier 33. G. U. / Ü: J. W. MA.

Triga (lat. aus *triiuga*; griech. τρίπωλος / *trípōlos*; »Drei-gespann«). In ihrer Bed. als Renn-, Jagd- oder Streitwagen tritt die T. weit hinter den → Bigae oder der → Quadriga zurück. Bei Homer werden nur Beipferde von Zweigespannen genannt (vgl. Hom. Il. 8,80–86; 16,152–154 und 467–476) und einmal ein Geschenk von drei Pferden erwähnt (Hom. Od. 4,590); auch sonst sind die lit. Quellen zur T. eher rar (z. B. Dion. Hal. ant. 7,73). Entsprechendes gilt auch für ihre Darstellung in der Kunst; hier sind in erster Linie assyrische Reliefs des 9. Jh. v. Chr. mit Kampf- und Jagdszenen zu nennen. In der griech. Kunst sind relativ wenige Denkmäler aus spätgeom. und archa. Zeit sowie rf. attische oder unterital. Vasen der klass. Zeit und Frg. von Friesplatten des 4. Jh. v. Chr. in Lecce und Tarent mit Eroten auf Löwen-T. zu nennen. In der etr. Kunst erfreute sich das Motiv größerer Beliebtheit; auf etr. Denkmälern ist die T. v. a. bei Wagenrennen dargestellt. In dieser Funktion wurde sie auch von den Römern übernommen (*Ludi Romani*; → *ludi* II. B.; Dion. Hal. ant. 7,73). In Rom erhielt der Übungsplatz für Rennpferde, das *trigarium* (nw Teil des Marsfeldes; → Campus Martius), seinen Namen von der T. Nach Plin. nat. 28,238 fuhr auch Kaiser → Nero Rennen in der T.; ein erfolgreicher Rennfahrer war Diocles, der viermal im T.-Gespann siegte (CIL VI 10048; → Circus II. E.). In der Spätant. stellte man sich vor, die T. sei den Unterweltsgöttern vorbehalten (Tert. de spectaculis 9; Isid. orig. 18,26,1). In der röm. Kunst wird die T. vereinzelt dargestellt; zu griech. und röm. Darstellungen zusammenfassend [4].

→ Bigae; Quadriga; Streitwagen; Wagen

1 J. Wiesner, Fahren und Reiten (ArchHom F), 1968, 2–24; 66 **2** M. A. Littauer, J. H. Crouwel, Assyrian Trigas and Russian Dvoikas, in: Iraq 53, 1991, 97–99 **3** L. Pedoni, La t. su denari repubblicani e i ludi di Rex, in: Bollettino di Numismatica 20, 1993, 103–109 **4** K. Schauenburg, Zirkusrennen und verwandte Darstellungen, in: Die stadtröm. Erotensarkophage (ASR 5.2.3), 1995, 23 f. R. H.

Trigaboli. Ort beim h. Ferrara, wo sich der → Padus (h. Po) in die Flußarme → Olana (Ὄλανα) und Padoa (Παδόα) teilte (Pol. 2,16,11: Τριγάβολοι / *Trigáboloi*).

G. Uggeri, La romanizzazione dell'antico Delta Padano, 1975, 46 f. G. U. / Ü: J. W. MA.

Trigeminus. Röm. Cognomen (»Drilling«), → Curiatius.

Kajanto, Cognomina, 295. K.-L. E.

Triginta Tyranni. Unter der Bezeichnung *t. t.* nennt der fiktive Autor Trebellius Pollio in der → *Historia Augusta* 32 Usurpatoren aus allen Reichsteilen angeblich in der Zeit der Kaiser → Valerianus [2] und → Gallienus (253–268), um deren Regierung als bes. schwach und schlecht zu erweisen. Die anfangs geplante Zahl von 20 (SHA Gall. 21,1) erhöht er in Anspielung auf die athen. Dreißig Tyrannen (→ *triákonta*) auf 30 (SHA trig. tyr. 2–31), darunter besonders höhnisch (31,7) zwei Frauen, → Zenobia aus Palmyra (30) und Victoria in Gallien (31), die er im Schlußteil (32–33) durch zwei Männer ersetzt. Um diese Zahl zu erreichen, erfindet der Autor Personen (fiktiv: Postumus d. J., Victorinus d. J., Saturninus, Trebellianus, Celsus, Titus und Censorinus; wohl fiktiv: Piso und Maeonius) oder zieht Personen heran, die nicht zur Zeit der geschmähten Herrscher lebten (oder beides). Als histor. gesicherte Usurpatoren aus der genannten Zeit bleiben → Aemilianus [2] (22), → Aureolus (11), → Ingenuus [1] (9), → Laelianus (5), → Macrianus [2] (12), → Postumus [3] (3), → Regalianus (10), → Valens [1] (19) und die Söhne des → Ballista, → Macrianus (13) und → Quietus (14); der Maure → Memor aus der Zeit des Gallienus dagegen fehlt. Die ungewöhnlich hohe Anzahl von immerhin elf Usurpatoren weist auf den krisenhaften Zustand des röm. Reiches in der Mitte des 3. Jh. hin (→ Soldatenkaiser).

A. Rösger, Usurpatorenviten in der HA, in: FS J. Straub (BJ, Beih. 39), 1977, 359–393. T. F.

Triglyphos (τρίγλυφος, fem.). Die Dreischlitz-Platte am → Fries der dorischen Bauordnung (vgl. → Dorischer Eckkonflikt, mit Abb.; → Säule II. B.). Gemäß der von Vitruv (4,2,2) überl. Annahme, nach der sich die Grundformen der dor. Bauordnung aus der Übertragung eines Holz- in einen Steinbau herleiten, markiert das T. die gekerbte Stirnseite der auf dem Architrav aufliegenden waagerechten Deckenbalken. Die Einkerbung ihrer Stirnseite hat im Holzbau nicht bzw. nicht in erster Linie dekorative, sondern technische Gründe; sie sollte, gemeinsam mit dem Dachüberstand und den *mutuli* (→ *mutulus*) der schrägen Dachsparren, Schutz für die empfindlichen Schnittflächen gegen Nässe bieten. Die → *guttae*, die sich unterhalb des T. finden und die im Steinbau – anders als bei Holzbaustruktur – als ein Teil des Architravs ausgebildet sind (→ Epistylion), sollten die Verdübelung der Deckenbalken mit dem Architrav nachahmen. Im Steinbau entwickelte sich das T., zusammen mit der → Metope [1], zu einem zunehmend fest proportionierten, gestalterisch bedeutenden Element im Erscheinungsbild der dorischen Ordnung.

EBERT, 29 (Terminologie) · CH. HÖCKER, Architektur als Metapher. Überlegungen zur Bed. des dorischen Ringhallentempels, in: Hephaistos 14, 1996, 53–55 mit Anm. 31 · T. N. HOWE, The Invention of the Doric Order, 1985 · D. MERTENS, Der Tempel von Segesta und die dorische Tempelbaukunst des griech. Westens in klass. Zeit, 1984 (Index s. v. T.) · W. MÜLLER-WIENER, Griech. Bauwesen in der Ant., 1988, 218 s. v. Triglyphe.   C. HÖ.

Trigon. Röm. Ballspiel, für die Kaiserzeit belegt; man spielte es auf dem Marsfeld (Hor. sat. 1,6,126) und in den Bädern (Petron. 27,1–3). Zum T. waren drei Spieler (Mart. 7,72,9) nötig, die sich zu einem Dreieck aufstellten und einander einen oder mehrere kleine Bälle zuspielten, die entweder gefangen (Mart. 12,82,4) oder mit beiden Händen geschlagen wurden, so daß sie zum Werfer zurück bzw. zum dritten Mitspieler weitergeleitet wurden (Mart. 14,46,1), z. T. so heftig, daß hiervon die Handflächen warm wurden (Mart. 4,19,5; 12,82,3). Eine Beschreibung des T. in satirischer Übertreibung liegt bei Petron. 27,3 vor.

J. VÄTERLEIN, Roma Ludens. Kinder und Erwachsene beim Spiel im ant. Rom (Heuremata 5), 1976, 40 f.   R. H.

Trihemiobolion (τριημιωβόλιον). Griech. Mz. zu 1 ½ Obolen (→ *obolós*) = ¼ → Drachme [1] (vgl. Aristoph. fr. 48), in Athen im 5. Jh. v. Chr. Mz. zu 1,08 g mit zwei Eulen, dazwischen Ölzweig, oder Eule frontal mit geöffneten Flügeln. *Trihēmiōbólia* mit Wertangabe TPIH in Korinth und Leukas, TPI in Kranioi, T in Sikyon (alle 5. Jh. v. Chr.), drei E (für 3 (H)emibolia) in Heraia und Tegea (spätes 5.–4. Jh. v. Chr). Goldene *t.* von 0,45–0,60 g prägte Korinth um 406 v. Chr.

W. SCHWABACHER, s. v. T., RE 7 A, 142 f.   DI. K.

Trikaranon (Τρικάρανον). Bergzug auf der nordöstl. → Peloponnesos (Xen. hell. 7,2,1; 7,2,5 f.; 7,2,11 ff.; 7,4,11; Steph. Byz. s. v. T.), h. Koutsi, östl. von → Phleius (höchste Erhebung Hagios Elias: 730 m).

E. MEYER, s. v. T., RE 6 A, 144 f. · PRITCHETT 2, 103–105.   E. MEY.

Trikka (Τρίκκα). Hauptort der westthessalischen Hestiaiotis, an dem aus dem Chasia-Gebirge kommenden Lethaios (h. Trikkalinos) gelegen. T. wird in der *Ilias* als Ursprungsort des → Asklepios-Kults genannt (Hom. Il. 2,729–733). Bereits in klass. Zeit prägte T. eigene Mz. (HN 310). T. wurde nach 352 v. Chr. maked. (Diod. 18,56,5; → Pelinna), war E. des 3. Jh. zeitweise aitolisch

und wurde 186/5 v. Chr. von Thessalia zurückgewonnen (Liv. 39,25 f.). Erst in der Spätant. erreichte T. wieder größere Bed. (Prok. aed. 4,3,5: Erneuerung der Befestigung durch Iustinianus [1] I.) als Bischofssitz unter dem h. Namen Trik(k)ala. Ergraben wurden ant. Spuren verm. des Asklepeions.

E. KIRSTEN, s. v. T., RE 7 A, 146–149 · H. KRAMOLISCH, s. v. T., in: LAUFFER, Griechenland, 690 · F. STÄHLIN, Das hellenische Thessalien, 1924, 118–121 · TIB 1, 227 · E. VISCHER, Homers Katalog der Schiffe, 1997, 692 f.
          HE. KR.

Triklinios s. Demetrios [43]

Trikory(n)thos (Τρικόρυ(ν)θος). Att. → Paralia-Demos, Phyle Aiantis, ab 126/7 n. Chr. Hadrianis, drei (sechs) *buleutaí*, am sumpfigen Nordrand der Ebene von → Marathon beim h. Kato Souli; Demotikon Τρικορύσιος. T. bildete mit Marathon, → Oinoe [5] und → Probalinthos den Kultverband der → Tetrapolis (Strab. 8,7,1), deren Kultkalender (IG II² 1358 Z. 55) Hera-Kult für T. bezeugt. Nach Diod. 4,57,4; 58,4 siedelten die → Herakleidai in T., hier war das Haupt des → Eurystheus bestattet (Strab. 8,6,19). Ein Ringwall oberhalb von Kato Souli ist nachantik (anders [2]), seine Mauern enthalten brz. Keramik. Im ehemaligen Sumpf unterhalb des Ortes sind bedeutende, frühbrz. Siedlungsreste erh. [1; 3].

1 E. MASTROKOSTAS, Μαραθώνιαι μελέται, in: Ἀρχαιολογικὰ Ἀνάλεκτα ἐξ Ἀθηνῶν 7, 1974, 1–7 2 J. R. McCREDIE, Fortified Military Camps in Attica (Hesperia Suppl. 11), 1966, 37–41 Abb. 7 3 TRAVLOS, Attika, 216, 220, Abb. 271.

TRAILL, Attica, 12, 22, 53, 62, 68, 112 Nr. 139, Tab. 9, 15 · WHITEHEAD, Index s. v. T.   H. LO.

Trilingue I. ALLGEMEINES II. TRILINGUEN MIT GRIECHISCHEM UND LATEINISCHEM TEXT III. ANDERE TRILINGUEN

I. ALLGEMEINES

Inschr. in drei Sprachen, die auf demselben Objekt angebracht sind und sich auf den gleichen Sachverhalt beziehen, gibt es in der Ant. – wenn auch insgesamt nicht häufig – sowohl von offiziellen wie privaten Auftraggebern. Meist sind ihre einzelnen Versionen auf die kulturellen Voraussetzungen und Interessen der jeweiligen Lesergruppen zugeschnitten, so daß sie in Aussagen (und Umfang) nicht völlig übereinstimmen (vgl. [4]). Die meisten T. stammen aus dem Osten. Sie reflektieren die Mehrsprachigkeit der einzelnen Regionen, bes. die Rolle achäm., griech.-hell. bzw. röm. Herrschaftsstrukturen in diesen Gebieten.

II. TRILINGUEN MIT GRIECHISCHEM UND LATEINISCHEM TEXT

Beispiele (chronologisch): a) Lykisch-griech.-aram. (vgl. [7]): Die Stele, 358 oder 337 v. Chr. aufgestellt, stand im Heiligtum der Leto in Lykien (südlich von → Xanthos). Sie verzeichnet den Beschluß der Bürger und Perioiken von Xanthos (lyk. *Arñna*), für zwei Götter, den ›König von Kaunos‹ und für Arkesimas (lyk. *Arᴹᴹazuma*), einen Kult einzurichten. Die lyk. Version hat wohl die Vorlage für die griech. gebildet, die ihr gegenüber aber leicht verkürzt ist. Der in der achäm. Verkehrssprache → Aramäisch abgefaßte kürzere Text enthält die Zustimmung des → Satrapen.

b) Lat.-griech.-punisch auf Sardinien beim Ort Santuiaci (CIL X 7856, 1. Jh. v. Chr.). Der *salariorum* (»Salzfisch-Händler«) *soc(iorum) s(ervus)* Kleon stiftet dem → Asklepios (pun. *Ešmun*) einen Altar. Die pun. Version gibt als einzige den Grund der Stiftung und das Jahresdatum nach → Sufeten an [3]. Die lat. Version repräsentiert die Sprache der polit. Macht, die griech. eine Verkehrssprache.

c) Ägypt.-lat.-griech. beim Isis-Tempel auf der Insel → Philai (vgl. [1] und [6. bes. 131–142]; CIL III 14147⁵, 29 v. Chr.). C. → Cornelius [II 18] Gallus, der erste *praefectus Aegypti*, dankt in der griech. und lat. Version dem Gott Nilus für einen Sieg in Obernubien. Mehrere histor. Einzelheiten werden aufgeführt, z. B. die eroberten Städte namentlich genannt. Der griech. Text benutzt die Sprache der ptolem. Kanzlei, der stark zerstörte hieroglyphische lehnt sich stilistisch an traditionelle ägypt. Formeln an. Er nennt Gallus nicht, sondern rühmt den *Caesar* (Octavian). Die lat. Version hat hier die sonst in Ägypten übliche demotische verdrängt (→ Demotisch).

d) Hebräisch-griech.-lat., nur lit. überl. (Jo 19,19 f.): Ἰησοῦς ὁ Ναζωραῖος ὁ βασιλεὺς τῶν Ἰουδαίων.

e) Lat.-griech.- → palmyrenisch, auf einem Familiengrabdenkmal (1. Jh. n. Chr. in Palmyra, vgl. [2; 8]). Der knappe, an erster Stelle plazierte lat. Text ist wohl dadurch veranlaßt, daß Rom seit Beginn des 1. Jh. unmittelbar Macht über → Palmyra gewonnen hatte. Am ausführlichsten ist der Text in der semitischen Stadtsprache.

f) Pahlavi (= mittelpersisch)-parthisch-griechisch in → Naqš-e Rostam: Sieg des Partherkönigs → Sapor [1] I. im Jahr 253 n. Chr. über den röm. Kaiser P. Licinius → Valerianus [2] in Barbalissos (vgl. [5; 10. 206; 311 f.]).

Keine echte T. ist die Inschr. auf dem → Stein von Rosette (196 v. Chr.): ägypt. Hieroglyphen – ägypt. demot. Schrift – griech. (da das → Demotische die späte Sprachform des Ägypt. ist).   G.N.

III. Andere Trilinguen

Die frühesten dreisprachigen Texte aus dem Alten Orient stammen aus den Archiven von → Ḥattusa (15.–13. Jh. v. Chr.; sumerisch-akkadisch-hethitische Vokabulare) und → Ugarit (14.–13. Jh. v. Chr.; sumer.-akkad.-ugaritisch-hurritisches Vokabular). In beiden Fällen entstammen sie der Gelehrten- und Schreibersphäre (→ Schreiber). Eine bedeutende Rolle bei der Entzifferung der → Keilschrift und der ägypt. → Hieroglyphen spielten die T. von → Bisutūn/Iran (eine akkad.-elam.-altpersische Monumental-Inschrift legitimatorischen Charakters, 6. Jh. v. Chr., → Dareios [1] I.; vgl. außerdem [9. 24 f.] zu Hdt. 4,87,1: Suezkanal- und Bos-

porusstele, akkad.-elam.-altpersisch-äg. bzw. griech.; TUAT 1,609–619 und [9. 30] zu Besitzer-Inschr. Dareios' [1] I., Xerxes' I. und Artaxerxes' [1] I. auf Metallgefäßen) sowie der → Stein von Rosette (s. o.).

→ Liste; Übersetzung; Entzifferungen   J.RE.

1 E. Bernand (ed.), Les inscriptions grecques et latines de Philae, Bd. 2, 1969, 35–47, Nr. 128 2 J. Cantineau, Tadmorea, in: Syria 14, 1933, 174–176 (mit Zeichnung) 3 E. Culasso Gastaldi, L'iscrizione trilingua del Museo d'Antichità di Torino, in: Epigraphica 62, 2000, 11–28 4 J. Horn, s. v. Bilingue, T., LÄ 7, 1992, 2–8 (Entwurf einer Typologie) 5 Ph. Huyse, Die dreisprachige Inschr. Šābuhrs I. an der Kaʿba-i Zardušt (ŠKZ), 1999 6 L. Koenen, D. B. Thompson, Gallus as Triptolemos on the Tazza Farnese, in: The Bull. of the American Soc. of Papyrologists 21, 1984, 111–156 7 H. Metzger et al., La stèle trilingue du Létôon (Fouilles de Xanthos 6), 1979 8 M. Rodinson, Une inscription trilingue de Palmyre, in: Syria 27, 1950, 137–142 9 R. Schmitt, Assyria grammata und ähnliche: Was wußten die Griechen von Keilschrift?, in: C. W. Müller (Hrsg.), Zum Umgang mit fremden Sprachen in der griech.-röm. Ant. (1989), 1992, 21–35 10 J. Wiesehöfer, Das ant. Persien, 1993.   G.N. u.J.RE.

Trilogie (ἡ τριλογία). Seit der hell. Philologie Bezeichnung von drei anläßlich der Großen → Dionysia in Athen aufgeführten Tragödien ohne das abschließende → Satyrspiel (vgl. schol. Aristoph. Ran. 1124) [1. 80]. → Tetralogie; Tragödie I.

1 Pickard-Cambridge/Gould/Lewis.   B.Z.

Trimalchio s. Petronius [5]

Trinak(r)ia s. Thrinakie

Trinemeia (Τρινέμεια). Att. → Mesogeia-Demos, Phyle → Kekropis, zwei *buleutaí*, an der Quelle des Kephissos [2] (Strab. 9,1,24) nö vom h. Kifissia im Tal vom h. Kokkinaras. Ein Ephebe (→ *ephēbeía*) aus T. (IG II² 1028 col. III Z. 143) ist Addendum zur Liste der Kekropis, bezeugt aber kein zweites T.

Traill, Attica 51, 69, 85, 112 Nr. 140, 122, Tab. 7.   H.LO.

Trinität I. Definition   II. Triadische Strukturen in antiker Religiosität III. Ausbildung einer christlichen Trinitätslehre

I. Definition

Als Übers. von τριάς/ *triás* ist *trinitas* (»Dreiheit«) eine neue Wortbildung der christl. Latinität (erster Beleg: Tert. adversus Praxean 2,4) und definiert den monotheistischen Glauben an den einen Gott in drei Personen als identitätsbildenden Grundbestand christl. Selbstverständnisses und christl. Lehrbildung. Als Grundlage christl. Identität war die T. nicht nur Gegenstand intellektueller Debatte und Lehrbildung, sondern gehörte v. a. auch in den Bereich von Frömmigkeit und liturgischer Praxis, aus der erst die Notwendigkeit zu Lehrbildung entstand. Eine dem Urchristentum noch fehlende T.-Lehre entwickelte sich im Zusammenhang christl. Theoriebildung zw. dem 2. und 4. Jh. aus älteren Ansätzen in Auseinandersetzung mit dem monotheist. Anspruch des → Judentums und der kaiserzeitlichen und spätant. religiös-philos. Debatte. Ihre bes. Signatur bekamen die innerchristl. Auseinandersetzungen um eine T.-Lehre durch den Prozeß der Verchristlichung des Imperium Romanum und die dadurch gegebene Rolle der Kaiser in der → Kirche. Die von der religionsgesch. Forsch. zu Beginn des 20. Jh. postulierte enge Verbindung mit triadischen Strukturen in der ant. Religiosität und Kultpraxis [6; 8] wird inzwischen zurückhaltender beurteilt; der Zusammenhang mit der kaiserzeitlichen philos. Debatte dagegen ist offensichtlich (s. u. III.), weshalb die Ausbildung einer T.-Lehre verschiedentlich dem Prozeß einer als Depravation christl. Glaubens angesehenen → Hellenisierung des Christentums zugerechnet wurde.

II. TRIADISCHE STRUKTUREN IN ANTIKER RELIGIOSITÄT

Für die ant. → Kosmologie galt die Zahl Drei als Umschreibung der Ganzheit des Kosmos (Aristot. cael. 1,268a 12), woraus sich ein dreifacher Machtbereich der Götter ergibt. Das führte auch dazu, die Vielzahl von Göttern mit ihren verschiedenen Funktionen triadisch zu strukturieren (z. B. hierarchische oder verwandtschaftliche Verhältnisse), wie aus Hom. Il. 15,187–195 (Zeus, Poseidon und Pluto als Söhne von Kronos und Rheia) ersichtlich ist. Von daher ist in der ant. Religiosität eine gewisse Tendenz zu Bildungen göttlicher Triaden zu beobachten, bei Hesiod deutlich als Ergebnis einer bewußten Systematisierung (→ Horai: Hes. theog. 901; → Moira B.: ebd. 905). Auch im Kult begegnet die gemeinsame Verehrung göttlicher Triaden, am bedeutendsten für Rom die Capitolinische Trias Iuppiter-Iuno-Minerva (Liv. 7,3,5), die von Rom auf die Prov. ausstrahlte, in der Trias Zeus-Hera-Athene ihre Entsprechung hatte und ebenfalls die Ganzheit der kosmischen Götterherrschaft betont. Als Beispiel einer polit. Konstruktion einer göttlichen Trias muß die von den → Ptolemaiern geschaffene »göttliche Familie« Serapis-Isis-Horus gelten. Die für den Bel-Tempel von → Palmyra bezeugte Göttertriade ist der capitolinischen strukturell ähnlich. Im Zuge monotheistischer Tendenzen kaiserzeitlicher Religiösität und Philos. und in der Folge der Weiterentwicklung triadischer Auffassungen des Seins im → Mittelplatonismus und v. a. dann im → Neuplatonismus (Plot. enneades 5,1), die bei → Proklos [2] ihren u. U. christl. beeinflußten Höhepunkt findet, wird die Einheit göttlicher Triaden stärker betont. Der strenge → Monotheismus des Judentums kennt keine Triaden, kann aber Dreierschemata benutzen, um Gott als den Herrn des gesamten Kosmos zu zeigen (Gn 18,2: Theophanie in drei Personen vor Abraham; dreifache Segensform: Nm 6,24–27; das Trishagion: Jes 6,3), die im Christentum trinitarisch interpretiert wurden.

III. AUSBILDUNG EINER CHRISTLICHEN TRINITÄTSLEHRE
A. URCHRISTENTUM B. TRINITARISCHE MODELLE DES 2. UND 3. JH. C. DER ARIANISCHE STREIT

A. URCHRISTENTUM

Die Vorstellung der T. und die Entfaltung einer T.-Lehre setzen einen strikt monotheistischen Ansatz voraus. Das Urchristentum kennt verschiedene Versuche, eine Einheit Gottes mit Jesus bei grundsätzlicher Betonung des Monotheismus (Gal 3,20; 1 Kor 8,4–6) auszusagen, ohne daß es dabei zu systematischen Verhältnisbestimmungen kam (Mk 1,9–11). Triadische Formulierungen finden sich zuerst in doxologischem (2 Kor 13,13) und kultischem Kontext (die triadische Taufformel Mt 28,19; vgl. Didache 7,3).

B. TRINITARISCHE MODELLE DES 2. UND 3. JH.

Die ältere dogmengeschichtliche Forsch. ging von der nicht haltbaren Konstruktion eines → Monarchianismus als Beginn trinitar. Theoriebildung aus. Besser sollte man von unterschiedlichen Modellen der Wahrung des Monotheismus sprechen. Im Judenchristentum war Jesus in at. Trad. als → Prophet oder Auserwählter Gottes gesehen worden (»Ps.-clementinische« Homilien 3,21,1; vgl. → Clemens [1]); in nicht mehr judenchristl. Kontext des 2. Jh. wurde dieser Ansatz von Theodotos »dem Schuster« neu formuliert (sog. adoptianischer oder dynamistischer → Monarchianismus). Verbreiteter muß der sog. modalistische Monarchianismus (→ Modalismus) eines → Praxeas oder → Sabellius gewesen sein, der Gott und Jesus miteinander identifizierte (Identifikationstheologie; von → Tertullianus [2] *monarchiani* genannt). Logische Folge war ein mit dem Apathieaxiom (Axiom von der Affektlosigkeit) ant. Gotteslehre unvereinbarer Patripassianismus (*pater passus est*, »der Vater hat gelitten«).

Die Auseinandersetzung mit dem Judentum um den Monotheismus und dessen radikale Infragestellung durch gnostische Kreise (→ Gnosis) und → Markion bewirkte Zusammenfassungen des christl. Glaubens an Gott Vater, Sohn und Geist in dreigliedrigen, als apostolisch geltenden *regulae fidei* (»Glaubensregeln«; Iren. adversus haereses 1,10). Seit Mitte des 2. Jh. wurde der Logosbegriff (→ *lógos* [1]) des kaiserzeitlichen philos. Diskurses (→ Philon [12]) zur Formulierung einer systematisch ausformulierten Präexistenz- und T.-Lehre mit der Konsequenz eines Subordinatianismus (Christus als zweiter Gott) benutzt (→ Iustinos [6]). Gegen Praxeas formulierte so Tertullianus die Einheit von Vater, Sohn und Geist als eine Substanz in drei einander subordinierten Personen.

Für den Osten entwarf → Origenes [2] unter Nutzung der mittelplatonischen Hypostasenspekulation (vgl. → Hypostase [2]) eine die Zukunft prägende T.-Lehre. Durch den Begriff der »ewigen Zeugung« des Logos durch Gott wollte Origenes die sich aus der Logoslehre ergebende Subordination mildern, die er aber durch die Benutzung des aus der mittelplatonischen → Kosmologie entnommenen Hypostasenschemas nicht überwinden konnte. So konnte Origenes sowohl die strikte Eigenexistenz der drei göttlichen Hypostasen wie auch ihre Einheit betonen. Diese Unklarheiten führten letztlich zum arianischen Streit (→ Arianismus). In der Origenesrezeption bis zum Beginn des 4. Jh. überwiegen die subordinatianischen Tendenzen (→ Dionysios [52] von Alexandreia). Die Auseinandersetzungen um den antiochenischen Bischof → Paulos [1] von Samosata müssen als Auseinandersetzung zw. der Logostheologie und einer theologischen Option ohne Präexistenz und Göttlichkeit Jesu begriffen werden.

C. Der arianische Streit

Der sog. arianische (trinitarische) Streit war definiert a) durch eine Radikalisierung der Debatte um die Subordination des Logos/Christus unter Gott innerhalb der origenistischen Trad.; b) durch starke Beteiligung christl. Massen, die sich in volkstümlichen Liedern, der Ausgestaltung der → Liturgie etc. niederschlug; c) durch das aktive Eingreifen der sich als christl. verstehenden Kaiser seit → Constantinus [1] im Rahmen ihrer religionspolit. Verantwortung als → *pontifices maximi*. Auslöser dieser zunächst die griech., dann die ganze Kirche erfassenden Auseinandersetzung war in Alexandreia [1] im 2. Jahrzehnt des 4. Jh. die Kontroverse zw. dem Presbyter Areios [3] und Bischof Alexandros um die Subordination, wobei Areios gegen Identifikationstheologen (und Manichäer, → Mani) radikal die Transzendenz Gottes betonte und den Sohn/*lógos* als Geschöpf definierte. Areios fand im Osten auch bei Vertretern deutlich milderer Subordinationsvorstellungen Unterstützung. Das Eingreifen Kaiser Constantinus' mit Hilfe der 1. ökumenischen (reichsweiten) Synode von → Nikaia [5] (→ *sýnodos* II.D.; → Nicaenum) führte zu einem Bruch mit der subordinatianischen Logostheologie und zum Sieg einer Theologie der einen, sich zur Dreiheit ausdehnenden göttlichen Hypostase (ὁμοούσιος/*homoúsios*), die so die subordinatianischen Folgen der Logostheologie vermied (→ Markellos [4] von Ankyra; → Eustathios [5] von Antiocheia). Für die Folgezeit muß → Athanasios von Alexandreia als Hauptvertreter dieser Theologie gelten, die aber im Osten nicht mehrheitsfähig war.

Nach Nikaia ging die Auseinandersetzung nicht mehr in erster Linie um die Theologie des Areios, sondern um eine grundsätzliche Auseinandersetzung zw. Ein- und Dreihypostasentheologie. Eine zweite Synode (327) markierte einen Kurswechsel des Kaisers zugunsten der im Osten die Mehrheit bildenden Vertreter einer subordinierenden Dreihypostasentheologie. Durch die östlichen Exulanten Athanasios und Markellos wurde seit den 340er Jahren das Abendland in die Auseinandersetzung involviert und interpretierte den auf Tertullianus [2] zurückgehenden Begriff *una substantia* im Sinne der östl. Einhypostasentheologie. Im Osten erfuhr die Auseinandersetzung durch die Radikalisierung der Position des Areios bei Aëtios und → Eunomios im Sinne einer völligen Trennung der göttlichen Hypo-

stasen auf der einen, und der Markellos' durch Photios im Sinne der Identifikationstheologie des 3. Jh. auf der anderen Seite eine erneute Verschärfung, in deren Folge sich die bisher östliche Mehrheitsposition in verschiedene theologisch-kirchenpolitische Gruppen (Homöusianer, Homöer) differenzierte, welche seit den 360er Jahren zu einem theologischen Ausgleich zw. der nicänischen Betonung der Einheit Gottes und einer Dreihypostasentheologie führte (Synode von Alexandreia 362).

Durch die Differenzierung der bisher als synonym geltenden Begriffe οὐσία/*usía* und ὑπόστασις/*hypóstasis* – wobei die Einheit Gottes durch *usía*, die Dreiheit durch *hypóstasis* ausgedrückt (μία οὐσία – τρεῖς ὑποστάσεις: »eine *usía* – drei Hypostasen«) und so die Subordination der göttlichen Hypostasen vermieden wurde – formulierten die kappadokischen Theologen → Basileios [1] von Kaisareia, → Gregorios [2] von Nyssa und → Gregorios [3] von Nazianzos die sog. neunicänische T.-Lehre (von → Ambrosius für den Westen eigenständig aufgenommen), die 381 und 382 auf den Synoden von Konstantinopolis und Aquileia als orthodoxe Lehre definiert und von Kaiser → Theodosius [2] bestätigt (Cod. Theod. 16,1,3) wurde. Vertreter subordinatianischer Theologie wie die christl. Germanen galten seither als Häretiker (germanischer Arianismus). In Weiterführung der Ansätze des Ambrosius hat → Augustinus, der die göttlichen Hypostasen/Personen als Relationen bestimmte, der T.-Lehre die für das lat. Abendland gültige Fassung gegeben.

→ Arianismus; Christentum (mit Karte); Häresie; Hypostase [2]; Kirche; Monarchianismus; Monotheismus; Polytheismus; Theologie; Theologie und Kirche

1 H. Beck, Triadische Götter-Ordnungen: klassisch ant. und neuplatonischer Ansatz, in: Theologie und Philos. 67, 1992, 230–245 2 F. Courth, T. (Hdb. der Dogmengeschichte) II 1a, 1988 3 F. P. Hager, s. v. Trias; Triaden, HWdPh 10, 1998, 1479 f. 4 C. Markschies, Alta Trinità Beata, 2000 5 R. Mehrlein, s. v. Drei, RAC 4, 269–310 6 E. Norden, Agnostos Theos, 1913 (Ndr. 1996) 7 C. Andresen u. a., Die Lehrentwicklung im Rahmen der Katholizität, (Hdb. der Dogmen- und Theologiegeschichte 1), ²1999 8 H. Usener, Dreiheit, in: RhM N. F. 58, 1903, 1–47; 161–208; 321–364.   H. BR.

Trinkhorn, Trinkschale s. Gefäße, Gefäßformen

Trinovantes. Kelt. Volksstamm, der in der späten Eisenzeit im Gebiet des h. Essex siedelte. Sie standen Mitte des 1. Jh. v. Chr. unter dem Druck der benachbarten → Catuvellauni (Caes. Gall. 5,20) und waren einige Zeit von diesen abhängig. Unter ihrem König → Cunobellinus (ca. 10–40 n. Chr.) waren sie wieder unabhängig und bestimmend in Süd-Britannia. Ihr größtes *oppidum* war → Camulodunum.

→ Britannia (mit Karte)

R. Dunnett, The T., 1975 · S. S. Frere, Britannia, ³1987.
M. TO./Ü: I. S.

Trio. Röm. Cognomen, das Sternbild des Großen und Kleinen Bären bezeichnend. Einziger bekannter Träger ist der → *triumvir* [4] *monetalis* 136 v. Chr. Q. Lucretius T. (RRC 239).

KAJANTO, Cognomina, 338. K.-L.E.

Triobolon (τριώβολον; Poll. 9,62). Mz. zu 3 Obolen (→ *obolós*) = ½ → *drachmé* [1] = ¼ → *statér*, in fast allen griech. Mz.-Systemen üblich. In Silber in Athen ca. 2,18 g, dort Tagegeld für den Besuch der Volksversammlung und Richtersold (Aristoph. Eccl. 293; 308; Aristoph. Equ. 51; 800), im → Peloponnesischen Krieg Tagessold der Matrosen (Thuk. 8,45,2; Xen. hell. 1,5,7). *Trióbola* mit Wertzeichen: 3 Eicheln in Mantineia, T in Sikyon. Goldene *t.* werden erwähnt in den Tempelinventaren von Eleusis (329/8 v. Chr.; IG II² 1672 Z. 300) und geprägt im 3. Jh. v. Chr. in Karthago und im Ptolemaierreich. Brn. *t.* mit Wertangabe prägte Samothrake im 3. Jh. v. Chr. DI.K.

Triokala (τὰ Τρίοκαλα, lat. *Triocala*). Sikanische (→ Sikanoi) Binnenstadt (Philistos FGrH 556 F 66: Τρίκαλον/ *Tríkalon* bzw. Τρίκαλα/ *Tríkala*; Ptol. 3,4,14: Τρίοκλα/ *Tríokla*) bzw. strategisch günstig gelegene Festung (Diod. 36,7,3 mit etym. Ableitung des ON) im Westen von → Sicilia (Cic. Verr. 2,5,10), verm. beim h. Caltabellotta (949 m H; arch. Funde aus verschiedensten Zeiten, kaum erforscht). Im 2. → Punischen Krieg war die Stadt mit → Karthago verbündet (Sil. 14,270, anders [1. 167]) und wurde im zweiten Sklavenaufstand (→ Sklavenaufstände), nachdem sie der Sklavenführer Salvius → Tryphon [2] 104 v. Chr. zur Festung ausgebaut hatte (Stadtmauer, Agora, Palast: Diod. l.c.), ein wichtiger Stützpunkt der Sklavenbewegung (vgl. Cic. Verr. 2,5,10). T. wurde 103 v. Chr. vom Propraetor L. Licinius [I 25] Lucullus vergeblich belagert (Diod. 36,8,5); auch dessen Nachfolger C. Servilius [I 2] konnte T. nicht erobern (Diod. 36,8,5; 36,9,1). Die Festung dürfte erst 101/0 v. Chr. im Kampf gegen den Consul bzw. Proconsul M.' Aquillius [I 4] gefallen sein (Diod. 36,10,1); sie wurde zerstört (Sil. l.c.). Das Gebiet von T. zählte in der röm. Prov. zur untersten Klasse der Gemeinwesen (unter den *stipendiarii* bei Plin. nat. 3,91; → Sicilia VI. E.). In der Spätant. gelangte die Stadt wieder zu einiger Bed. und wurde Bischofssitz (vgl. Greg. M. epist. 5,12 vom Nov. 594 n. Chr.).

1 K. ZIEGLER, s. v. T., RE 7 A, 166–168.

E. MANNI, Geografia fisica e politica della Sicilia antica, 1981, 238f. · V. GIUSTOLISI, Camico, Triocala, Caltabellotta, 1981 · BTCGI 4, 269f. V.S.u.E.O.

Triopas (Τριόπας, auch Τρίοψ/ *Tríops*). Myth. Gestalt ohne deutliches Eigenprofil; erscheint in mehreren Genealogien und mehreren Landschaften, die schon Diod. 5,61,3 nicht mehr in Übereinstimmung bringen konnte. Bei Apollod. 1,53 z.B. sind seine Eltern Poseidon und → Kanake (thessalischer Sagenkreis). Als Eltern werden auch Phorbas und Euboia genannt, und T. somit nach Argos lokalisiert (schol. Eur. Or. 932; vgl. Aug. civ. 18,8). Außerdem erscheint er als Sohn von Helios oder Rhodos, der Eponyme der Insel (Diod. 5,56,5; schol. Pind. O. 7,131). Des weiteren ist er Eponym des Vorgebirges → Triopion in Karien. Kultisch steht er in enger Verbindung zu Demeter, Kallimachos [3] nennt ihn als deren Liebling (h. 6,31). SV.RA.

Triopion (Τριόπιον). Vorgebirge an der SW-Spitze Kleinasiens (Hdt. 4,38; 7,153; Skyl. 99; Plin. nat. 5,104), das West-Kap (h. Deveboynu) und in weiterem Sinne die Halbinsel von Knidos (h. Reşadiye Yarımadası). Der ON, vom eponymen Gründer → Triopas abgeleitet (Diod. 5,57,6; 5,61,2), ist eher aus der geogr. Gestalt und Lage (»drei Gesichter«) zu erklären. Das Kap T. gewann oftmals Bed. für die Seekriegsstrategie in der Ägäis (Plut. Kimon 12,2; Thuk. 8,35; 8,60; Arr. an. 2,5,7). Nach der Örtlichkeit wurde als »T.« auch das Triopische Bundesheiligtum der dorischen Pentapolis auf dem Territorium von Knidos (Hdt. 1,174) bezeichnet. Dieses T., Austragungsort des Agons für Apollon Triopios (Hdt. 1,144; Dion. Hal. ant. 4,25,4), dürfte nicht beim Apollon-Karneios-Tempel in (Neu-)Knidos (h. Tekir) oder in der Ruinenstätte Kumyer oberhalb der Palamutbükü-Bucht westl. von (Alt-)Knidos (Datça-Burgaz), sondern 12 km östl. bei Emecik zu suchen sein. Verm. zu einem Vorgänger des dortigen Apollon-Heiligtums (dor. Peripteros, 1. H. 3. Jh. v. Chr.) gehören figürliche Votive (7.–6. Jh. v. Chr.). Der Agon, inschr. *Doríeia* genannt (Syll.³ 1065; 1067), erhielt Zuwendungen noch von Ptolemaios [3] II. (Theokr. 17,68f. schol.).

D. BERGES, N. TUNA, Ein Heiligtum bei Alt-Knidos, in: AA 1990, 19–35 · Dies., Kult-, Wettkampf- und polit. Versammlungsstätte. Das T.-Bundesheiligtum der dorischen Pentapolis, in: Ant. Welt 32, 2001, 155–166 · D. BERGES, Alt-Knidos und Neu-Knidos, in: MDAI(Ist) 44, 1994, 5–16, bes. 12, Anm. 24 · D. MÜLLER, Topographischer Bildkomm. zu den Historien Herodots: Kleinasien, 1997, 390–395. H.KA.

Triparadeisos (Τριπαράδεισος τῆς ἄνω Συρίας/ *T. tés áno Syrías*, wörtl. »in Ober-Syrien«, Diod. 18,39,1; 19,12,2). Ant. Stadt in Nordsyrien; ihre Identifikation ist bisher nicht eindeutig gelungen. Vermutet wird die Gleichsetzung mit Paradeisos am Oberlauf des → Orontes [7] (Jusiye? vgl. [1. 112]). In T. einigten sich nach dem Tode des → Perdikkas [4] im J. 321 v. Chr. die → Diadochen auf eine Neuverteilung des Alexanderreiches.

1 R. DUSSAUD, Top. historique de la Syrie antique et médiévale (Bibliothèque Archéologique et Historique 4), 1927. E.O.

Triphiodoros (Τριφιόδωρος, vom Theonym Triphys, gräzisiert T.; Hss. und byz. Zeugnisse: *Tryphiódoros*). Griech. Epiker, 2. H. 3. Jh. n. Chr. (einziges biographisches Zeugnis: Suda s.v. T.), dem Namen nach Ägypter, verm. aus Panopolis [1. 4–7]. Verf. u.a. (vgl. [1.15]) des Epos Μαραθωνιακά (›Marathonische Geschichten‹ [1. 11f.]), des myth. Epos *Hippodámeia* sowie einer leipogrammatischen (d.h. ausgewählte Buchstaben regelmäßig nicht verwendenden) ›Odyssee‹ (Ὀδύσσεια λειπογράμματος; vgl. → Nestor [3] aus Laranda). T. ist identisch mit dem Grammatiker T., dem die Suda eine ›Paraphrase der homerischen Vergleiche‹ zuschreibt.

Erh. ist nur das Kurzepos ›Die Einnahme Ilions‹ (Ἰλίου ἅλωσις, 691 V.). T. ist nicht Nachahmer, sondern Vorlage für → Nonnos (vgl. POxy 2946 mit V. 391–402; 3. oder frühes 4. Jh. n.Chr.). Das Gedicht ist (im Gegensatz zu → Quintus [3] von Smyrnas *Posthomerica*) keine Fortsetzung Homers. Nach dem Prolog (V. 1–56) folgt eine → *ékphrasis* [16] des hölzernen Pferdes. Das Gedicht schildert dann den Verlauf der letzten drei Tage der Stadt Troia. 1. Tag (V. 108–234): die Entscheidung, das Pferd in die Stadt zu holen; 2. Tag (V. 235–505): sein Einzug in die Stadt, die Prophezeiung der Kassandra, das abschließende Fest. In der Nacht (V. 506–663) werden die Troianer niedergemetzelt. 3. Tag (V. 668–691): Epilog zum langen Krieg: Brand der Stadt und Abfahrt der Achaier. Das Feuer ist ein wiederkehrendes Bild: vom Brand des griech. Lagers (V. 230–234) über das von Kassandra prophetisch gesehene Feuer (V. 443) usw. bis zur abschließenden Feuersbrunst, die alles zerstört (V. 680ff.).

Das Thema des Werks ist in der griech.-röm. Lit. so weit verbreitet (z.B. → Epischer Zyklus, Arktinos, Lesches, → Stesichoros, → Peisandros [10]), daß man keine bestimmte Quelle des T. erkennen kann. T. nimmt Anleihen bei den Tragikern, bei Kallimachos [3], Lykophron, Apollonios [2] Rhodios und der *Anthologia Palatina*. Die Benutzung von Vergils *Aeneis* (B. 2 und 6) ist höchst umstritten (Abhängigkeit: [7; 10; 11], dagegen: [3; 13]; ausgewogene Bilanz [9]). T. kannte Vergil mit Sicherheit (vgl. [8; 9]), überträgt jedoch Aeneas' Erzählung gemäß traditioneller epischer Technik in die dritte Person und vertritt einen gegenüber Vergil pro-griech. Standpunkt. Strukturelle Vorlagen des Werks waren wohl auch die rhet. Übungen zum Thema der »Einnahme« von Städten (z.B. Theon, Progymnasmata 62–63,1–10). Die Rhet. hat jedenfalls Einfluß auf den Stil des T. (Kataloge, Beschreibungen, Spiel mit Etym.), der im ganzen »barock« ist (vgl. [9]), Kontraste und starke Akzente bevorzugt und in seiner Sprache reich ist an pathetischen Details und lautlichen Effekten (Homoioteleuta, Alliterationen).

ED.: **1** U.DUBIELZIG, 1996 (grundlegend; mit Komm. und dt. Übers.) **2** B.GERLAUD, 1982 (mit frz. Übers.) **3** F.J.CUARTERO, 1988 (mit katalanischer Übers.; Rez.: U.DUBIELZIG, in: Gnomon 64, 1992, 493–499) **4** E.LIVREA, 1982 **5** A.W.MAIR, 1928 (mit Oppianos, Kolluthos). LIT.: **6** A.CAMERON, Claudian. Poetry and Propaganda at the Court of Honorius, 1970, 478–482 **7** E.CESAREO, Trifiodoro e l'Iliupersis di Vergilio, in: SIFC N.F. 6, 1928, 231–300 **8** G.D'IPPOLITO, Trifiodoro e Virgilio, 1976 **9** Ders., s.v. Trifiodoro, EV 5, 1990, 268–271 (mit Lit.) **10** G.FUNAIOLI, Virgilio e Trifiodoro, in: RhM 88, 1939, 1–7 (= Ders., Studi di letteratura antica, Bd. 2, 1947, 193–200) **11** R.KEYDELL, s.v. T., RE 7 A, 178–181 **12** S.KOSTER, Ant. Epostheorien, 1970, 156–158 **13** P.LEONE, La »Presa di Troia« di Trifiodoro, in: Vichiana 5, 1968, 59–108. S.FO./Ü: T.H.

Triphylia (Τριφυλία). Landschaft im Westen der Peloponnesos, nördl. des Alpheios [1]; südl. von der → Neda, östl. vom Bergland von Arkadia (→ Arkades) begrenzt. Das fruchtbare, von Flüssen durchzogene Hügelland, dessen Küste flach und buchtenlos ist, wird durch den sich west-östl. erstreckenden, h. wieder Lapithos genannten Gebirgszug geteilt. Der südl. Teil mit der Minthe [1] ist durch ausgedehnte Sanddünen an der Küste gekennzeichnet (vgl. das »sandige Pylos« bei Hom. Il. 2,77), während sich im nördl. Küstenabschnitt zahlreiche Lagunen befinden. Der Name T. (»drei Stämme«), für den es keine schlüssige ant. Erklärung gibt, stammt wohl aus einer Zeit, in der noch Stammesgemeinden und nicht autonome Städte das polit. Bild der Landschaft prägten. T. war bereits seit dem FH (bes. an der Küste) dicht besiedelt und besaß beim h. Kakovatos einen myk. Fürstensitz (»Palast«, drei Kuppelgräber; → Pylos). In T. lebten drei Bevölkerungsgruppen: die vielleicht vorgriech. → Kaukones [1] (Strab. 8,3,3; 8,3,30) im Gebiet von → Lepreon, die arkadischen Paroreatai (Strab. 8,3,18) bei → Samikon und die wohl ionischen → Minyer (Hdt. 1,146,4), die die meisten triphylischen Städte gründeten und im Poseidonheiligtum von Samikon ihren Stammeskult hatten, den urspr. → Makiston ausrichtete (Strab. 8,3,13). In histor. Zeit bildete dieses Heiligtum das Zentrum einer Amphiktyonie (→ *amphiktyonía*) von anfangs sechs Städten, später aller Triphylioi. Während von den bei Hom. Il. 2,591ff. genannten Orten nur Pylos [1], Aipy und Arene in T. zu suchen sind, sind aus histor. Zeit die triphyl. Städte Lepreon, Pyrgoi [2], Makiston, Epitalion, → Phrixa, Epion, Bolax, Nudion, Stylangion, → Skillus, → Typaneai und Hypana sowie Samikon bekannt (Hdt. 4,148; Pol. 4,77,9; 4,80,13; Strab. 8,3,11–16); unter diesen Orten nahm Lepreon aufgrund seiner Größe eine polit. Sonderstellung ein.

Um 570 v.Chr. wurde der Norden von T. von → Elis [2] annektiert (Paus. 5,6,11; 6,22,4), während im Süden → Lepreon nach 459 sein Gebiet mit elischer und spartanischer Hilfe ausdehnte und in Konflikt mit den Arkades geriet (Thuk. 5,31,2). Generell bildete T. in dieser Zeit polit. keine Einheit; so sollen Makiston und Lepreon im 2. → Messenischen Krieg auf verschiedenen Seiten gestanden haben (Paus. 4,15,7f.; Antiochos FGrH 555 F 9), und Lepreon stellte als einziger Ort von T. in der Schlacht von → Plataiai (→ Perserkriege) Truppen (Hdt. 9,28). Nachdem Lepreon sein Bündnis mit Sparta gelöst und sich im spartan.-elischen Krieg (402–400) Elis angeschlossen hatte, verlor Lepreon seine Gebiete. Die

Politik von T. war allg. von der Feindschaft gegen Elis und der Verbundenheit mit Sparta bestimmt, auf dessen Seite T. 394 an der Schlacht an der → Nemea [2] (1) (Xen. hell. 4,2,16) und (zumindest Lepreon) 370 am Feldzug des Agesilaos [2] gegen → Mantineia (Xen. hell. 6,5,11) teilnahm. Erst 369 schloß sich T. (mit Lepreon als Vorort) dem arkadischen Bund (→ Arkades) an (Xen. hell. 7,1,26; Paus. 5,5,3; 10,9,5). Um 245 eroberte Elis mit aitolischer Hilfe T. und baute Samikon zur Festung aus (Pol. 4,77,7ff.; Paus. 5,6,1). Mit dem Winterfeldzug → Philippos' [7] V. kam T. 219/8 unter maked. Herrschaft und wurde 146 von den Römern auf Dauer mit Elis vereinigt (Strab. 8,3,11–29).

→ Peloponnesos

T.H. NIELSEN, T., in: Copenhagen Polis Centre Papers 4, 1997, 129–162 · K. TAUSEND, Amphiktyonie und Symmachie, 1992, 19–21 · F. KIECHLE, Pylos und der pylische Raum in der ant. Trad., in: Historia 9, 1960, 21–45.
KL. T.

Tripodiskos (Τριποδίσκος). Eines von fünf Dörfern, aus denen Megara [2] hervorging; als Gründer von T. galt Koroibos [1] (Paus. 1,43,8 mit einer Erklärung des ON; vgl. Kall. fr. 31; Plut. mor. 295b; Steph. Byz. s.v. T.). Zu suchen ist T. an den Ausläufern der → Geraneia und an einem strategisch wichtigen Weg nach → Delphoi (Thuk. 4,70,1f.), ca. 7 km nw von Megara. In T. wurde Apollon verehrt, zu dessen Ehren wohl ein Fest in Megara veranstaltet wurde. Aus T. stammte der Komödiendichter → Susarion (Susarion, Fr. 2).

K. J. RIGSBY, Megara and Tripodiscus, in: GRBS 28, 1987, 93–102.
K. F.

Tripolis (Τρίπολις; wörtl. »Dreistadt«).
[1] Als »perrhaibische T.« wurden die drei Städte → Azoros, → Doliche und → Pythion [2] in dem kleinen Becken südl. des Titaros und westl. des Olympos [1] bezeichnet. Die Ortslagen sind arch. und z. T. inschr. gesichert. Die T. gehörte bis in 3. Jh. v. Chr. zur maked. Elimiotis, danach zum Bund der → Perrhaiboi und damit zu Thessalia. Lit. ist T. nur für den 3. Maked. Krieg 171 v. Chr. bezeugt (Liv. 42,53,6; 42,67,7).

G. LUCAS, La T. de Perrhébie et ses confins, in: I. BLUM u. a. (Hrsg.), Topographie antique et géographie historique en pays grec, 1992, 63–137 · E. KIRSTEN, s. v. T. (8), RE 7 A, 207–209.
HE. KR.

[2] Gruppe dreier Orte in Messana [2]; nur bei Steph. Byz. s. v. T., evtl. Verwechslung mit drei dort nicht genannten Gemeinden der → Lakonike.

I. PIKOULAS, Ἡ νοτια Μεγαλοπολιτικη χωρα, 1988, 240.

[3] Name dreier Orte in Arkadia (→ Arkades) wohl am oberen Ladon [2]: Nonakris, Dipoina und Kallia (Paus. 8,27,4). Da Paus. l.c. sie nach → Teuthis, → Methydrion und → Theisoa [1] nennt, sucht man sie nördl. von diesen in den ant. Anlagen von Visiki (Galatás), Valtesiniko und Kerpini im Bergland des h. Langadia südl. des La-

don (vgl. auch das Heiligtum von Amigdalia westl. von Kerpini).

N. PAPACHATZIS, Παυσανίου Ἑλλάδος Περιήγησις, Bd. 4, 1980, 292 · F. FELTEN, Arkadien, in: Ant. Welt, Sonder-Nr. 1987, 27f.
KL. T.

[4] Stadt im Grenzbereich der sö → Lydia zu Karia (→ Kares; Ptol. 5,2,18; Steph. Byz. s. v. T.) im Tal des oberen Maiandros [2] in felsiger Lage (or. Sib. 5,321), beim h. Yenice (östl. von Buldan). T. gehörte in röm. Zeit zum conventus von → Sardeis (Plin. nat. 5,111), dann zur spätant. Prov. Lydia (Hierokles, Synekdemos 669,4). Den Mz. zufolge hieß die Stadt evtl. erst seit augusteischer Zeit T., zuvor Apollōnía; ob T. eine pergamenische, seleukidische oder alte ionische Kolonie war, ist daher wie bei Apollonia [6] umstritten. Die Stadt erlebte ihre Blüte in der Kaiserzeit (Mz.). Hauptgottheit war → Leto.

C. FOSS, Byzantine and Turkish Sardis, 1976, 80f. · CH. HABICHT, New Evidence on the Province of Asia, in: JRS 65, 1975, 83f. · L. ROBERT, La ville d'Apollonia et Mardonios (1983), in: Ders., Documents d'Asie Mineure, 1987, 342–345.
H. KA.

[5] Stadt an der phöniz. Küste ca. 65 km nördl. von Beirut, h. al-Mīnā, Vorort von Ṭarābulus aš-Šām. Der phöniz. Name ṭarpol, »Neuland«, wurde volksetym. in »Dreistadt« umgedeutet: angebliche Gründung durch → Tyros, → Sidon, → Arados [1]; Trennung in drei befestigte Teile (Diod. 16,41,1; Strab. 16,2,13–16 usw.). Nach Skyl. 104 und Diod. diente T. als Sammelplatz der phöniz. Flotte; hier wurde 351 der Aufstand gegen → Artaxerxes [3] Ochos beschlossen. Nach der Schlacht von → Issos flohen 4000 Griechen aus Dareios' [3] Heer über T. nach Zypern und Äg. (Arr. an. 2,13,2; Curt. 4,1,27; Diod. 17,48,2). In T. befand sich ein Tempel der Isis Myrionymos als (Artemis) Orthosia. Nach einem Niedergang erlangte T. erst wieder im MA Bed. (Kreuzfahrerburg).

N. JIDEJIAN, Tripoli through the Ages, 1980 · J. ELAYI, T. et Sarepta à l'époque perse, in: Transeuphratène 2, 1990, 59–71.
W. R.

Tripolitana s. Afrika [3]

Tripontium. Station an der → via Appia, wo eine Straße nach → Setia abzweigt, ca. 58 km von Rom entfernt in den Pomptinae paludes (→ Ager Pomptinus) vor Forum Appii (h. Faiti), h. Torre Tre Ponti. Hier führt noch h. die röm. Brücke auf drei Bögen über den Nymphaeus (h. Ninfa); hier begann das → Decennovium nach → Tarracina.

V. GALLIAZZO, I ponti romani, 1994, 86, Nr. 131.
G. U./Ü: J. W. MA.

Triptolemos (Τριπτόλεμος). Myth. Vertreter von → Eleusis [1] par excellence. Die Etym. des Namens ist zweifelhaft [1]. T.' Genealogie ist in unterschiedlichen

Varianten überl., was darauf hinweisen könnte, daß es sich nicht um eine altetablierte Gestalt handelt. Alt ist möglicherweise seine Verbindung zur eleusinischen königlichen Familie (Apollod. 1,29 f.), nach der Mitte des 5. Jh. v. Chr. wurde er allerdings von → Argos [II 1] in Anspruch genommen (Paus. 1,14,2; [2. 158 f.]). Um 530 v. Chr. zeigen ihn athen. Vasen als bärtige Gestalt auf einem ländlichen Karren, geschmückt mit Ährenkranz und Ährenbündel – möglicherweise eine Verbindung zur Förderung des Getreideanbaus durch Peisistratos [4]. Wenig später wurde er als Jüngling dargestellt und erhielt einen geflügelten Wagen mit Schlangen [3. 30–66]. Im frühen 5. Jh. war T. bereits als Begründer der Landwirtschaft außerhalb Attikas berühmt (Soph. Triptolemos F 596–617a), seine Aussendung war ein populäres, die polit. Ansprüche Athens unterstützendes Thema auf attischen Vasen [4; 5]. T.' Verbindung zum Getreide erklärt wohl seine Popularität im getreideproduzierenden Sizilien (Firm. de errore 7,4; [5. Nr. 18 f.]). Später, vielleicht in orphischen Kreisen (→ Orphik), wurde er als Sohn von Gē (→ Gaia) und → Uranos in der Myth. weiter zurückversetzt (Pherekydes FGrH 3 F 53). Nach Sophokles, aber vor Aristophanes' ›Fröschen‹ revidierte jedenfalls ein orphisches Gedicht mit deutlich sophistischem Einfluß den eleusinischen Mythos dahingehend, daß nun → Demeter der Menschheit das Getreide durch T. und seinen Bruder → Eubuleus (vgl. [2]) gab – eine Akzentuierung der eleusinischen und athenischen Position. Eine andere Folge dieses orphischen Einflusses ist, daß T. im 4. Jh. zu einem der Richter der → Unterwelt wurde (Plat. apol. 41a; [2. 122 f.; 5. Nr. 71 f.]).

Diese Beziehung des T. zum Getreide ersetzte weitgehend seine Verbindung zu den Mysterien (→ mystḗria), die deutlich älter ist: T. ist der erste der eleusinischen Adligen, die Demeter nach Hom. h. 2,153–156 und 473–479 ihre Mysterien lehrte; außerdem galt er als derjenige, der → Herakles [1] und die → Dioskuroi in diese initiiert habe (Xen. hell. 6,3,6; vgl. [5. Nr. 51, 136, 139]).

T. blieb in hell. und röm. Zeit populär. Er wurde mit → Osiris verbunden (Diod. 1,18) und diente auf Kameen von Claudius [III 1] (vgl. [5. Nr. 39 f.]) und Br.-Medaillons von Antoninus [1] Pius und Faustina [2] (vgl. [5. Nr. 7, 25, 45, 70]) als Sinnbild für das Goldene Zeitalter, das unter ihrer Herrschaft zu erwarten war.

1 M. PETERS, λῆνος aus…, in: Die Sprache 33, 1987, 114 f. 2 F. GRAF, Eleusis und die orphische Dichtung Athens in vorhell. Zeit, 1974 3 T. HAYASHI, Bed. und Wandel des T.-Bildes vom 6.–4. Jh. v. Chr., 1992 4 A. RAUBITSCHEK, The School of Hellas, 1991, 229–238 5 G. SCHWARZ, s. v. T., LIMC 8.1, 56–68.

G. SCHWARZ, T., 1987 • B. SMARCZYK, Unt. zur Religionspolitik und polit. Propaganda Athens im Delisch-Attischen Seebund, 1990, 167–298 • K. CLINTON, Myth and Cult, 1992, 40–47.   J. B./Ü: SU. FI.

Triptolemos-Maler. Att.-rf. Vasenmaler, um 490–470 v. Chr. tätig. Er bemalte die unterschiedlichsten Gefäßformen. Er begann neben → Duris [2] in der Werkstatt des → Euphronios [2]. Später arbeitete er mit Brygos (→ Brygos-Maler) und Hieron, aber auch mit Python (→ Töpfer), dem Schalentöpfer des Duris. Auf einem Rhyton arbeitete er mit dem Töpfer Charinos zusammen (Richmond, Virginia Mus.) [1]. Seine Stilentwicklung durchlief eine archaisierende Phase und endete in zweitrangigen Schalenbildern. Reich ist seine Bildsprache: in der Apaturien-Prozession (Paris, LV G 138) wie in der namengebenden »Ausfahrt des Triptolemos« (Paris, LV G 187) oder den thebanischen Szenen des Berliner Skyphos (Berlin, SM 1970.9) [2]. Daneben gibt es einfach-anrührende Bilder.

1 J. R. GUY, A Ram's-head Rhyton Find by Charinos, in: Arts in Virginia 21, 1981, 2–15 2 E. R. KNAUER, Ein Skyphos des T. (125. BWPr), 1973.

BEAZLEY, ARV², 360–367; 1648; 1708 • BEAZLEY, Paralipomena, 364 f.; 512 • BEAZLEY, Addenda², 222 f. • E. R. KNAUER, Two Cups by the T., in: AA 1996, 221–246 • R. T. NEER, CVA Getty Mus. 7, 1997 (mit älterer Lit.).   A. L.-H.

Tripudium. Bei den *auspicia ex tripudiis* wurde aus dem Freßverhalten von Hühnern gedeutet (Cic. div. 1,27; 1,77; 2,71–73). Fiel beim Fressen Futter zu Boden, war dies als positives, zögerten, schrien oder liefen die Tiere vor dem Futter davon, als negatives Vorzeichen zu deuten.
→ Augures; Divination

J. LINDERSKI, The Augural Law, in: ANRW II 16.3, 1986, 2146–2312, bes. 2174.   A. V. S.

Tripus (τρίπους, »Dreifuß«). Der ant. Begriff für Dreifuß (= D.) umfaßte im Laufe von zwei Jt. verschiedene Funktionen und Bed.: Haushaltsgeräte, Grabbeigaben, bescheidene oder prächtige Göttervotive, prunkvolle Denkmäler von kriegerischen, sportlichen oder musischen Siegen und das hl. Symbol der Kundgabe göttlichen Wissens und Willens (D. von → Delphoi). Der vorherrschende ant. Wortsinn von t. bezeichnet die h. sog. D.-Kessel, die durch Nieten fest mit den Standbeinen verbunden sind, im Gegensatz zu lose auf Ständer gesetzten sog. Stab-D. [1; 2; 3; 4].

Als praktische Verwendungen geben die Schriftquellen an: Kochen, Warmwasserbereitung zum Baden (Hom. Il. 18,344) [5] und Getränkemischen beim Gelage (Athen. 2,37e). Die Unterscheidung in t. *ápyros* (»nicht befeuert«) und t. *empyribḗtēs* (»für das Feuer bestimmt«) hat allein praktische Bed.; schenken oder weihen konnte man beide. Bei Homer galten D.-Kessel als Symbole der Heroenzeit, Gegenstände fürstlichen Besitzerstolzes und Prestigegeschenke, wie sie auch aus kretischen und myk. Gräbern des 15.–13. Jh. v. Chr., aus dem Badebereich der damaligen Paläste und von Inventaraufzeichnungen auf Tontäfelchen (→ Linear B) bekannt sind [6; 7; 8]. In geom. Zeit seit dem 9. Jh. v. Chr. werden D. zum Inbegriff des Weihgeschenkes, mit dem jeder in jeder Form und Größe seine Frömmigkeit in Heiligtümern vieler Gottheiten zeigen konnte (vgl. Theopompos über Delphoi: FGrH II B 115 F 193; → Weihung). An Fundorten sind neben Olympia und Delphoi hervorzuheben: Dodona, das Ptoon bei Theben, Athen, Sunion, Kalapodi in Phokis, Ithaka, Isthmia, Bassai, Amyklaion, Ithome, kretische Heiligtümer, Delos und Samos. Kleinasien und Westgriechenland haben nichts Vergleichbares geliefert.

Die Funktionen des *t.* reichen von anspruchsloser Zweckmäßigkeit bis zum unbenutzbaren Schaustück. Der Begriff *t.* galt darüber hinaus (im eigentlichen und im übertragenen, zuweilen scherzhaften Sinn) für Geräte und Figuren, die auf drei Füßen standen. Die Ausführungen reichen vom Miniaturdreifuß bis zum monumentalen Denkmal. Die bescheidensten D. bestehen aus münzgroßen, kunstlos ausgeschnittenen und zusammengebogenen Blechstücken, die größten sind bis zu doppelt mannshohe, auf die verschiedensten Arten verzierte und in verschiedensten Techniken hergestellte Konstruktionen, denen man den Charakter von Metallarchitektur zusprechen möchte. Zur Herstellung diente je nach Zweck oder Größe vorzugsweise Br., für Kochgerät und Votive auch Terrakotta oder Eisen. Selbst Holz ist aus den Schriftquellen (z. B. Athen. 5,210c) bezeugt und aus Resten von Blechverkleidungen zu erschließen.

Seit etwa 700 v. Chr. traten die D. in der Ausstattung der Heiligtümer zurück, doch spielten sie später noch eine bedeutende Rolle (vgl. Bakchyl. 3,17ff. zu den Sieges-D. seiner Epoche am Tempelvorplatz in Delphoi [9; 10]). Etwa ebenso alt wie die Funktion als Votiv ist die Rolle des D. als Siegespreis für sportliche oder musische Wettkampfsiege bei heroischen Totenfeiern (Hom. Il. 23,702) oder in Heiligtümern, denen gewöhnlich die Aufstellung in einem Heiligtum folgte. Die Vasenmaler bildeten die Wettkämpfe in Verbindung mit diesen Preisen ab [11] (→ Sportfeste; → Wettbewerbe). In der Legende ist der Wettstreit zw. Homer und Hesiod mit einem solchen Siegespreis verbunden. Im Stadtbild Athens waren die Sieges-D. von den musischen Wettkämpfen, die an der Tripodenstraße um die Akropolis prunkvoll aufgestellt waren [12], prominent.

Besondere Bed. hatte der D. als Sitz der weissagenden → Pythia [1] in Delphoi, als Symbol göttlicher Eingebung; er war der Ort, von dem der Gott (→ Apollon) die Pythia gleichsam *ex cathedra* sprechen ließ. Warum aus einem Gefäß ein Sitz für Pythia wurde, ist nicht geklärt [13].

In der griech. Bildkunst ist der Zwist, in dem Herakles [1] seinem göttlichen Halbbruder Apollon den Besitz des D. streitig machen will, häufig dargestellt. In der röm. Kunst spielte der D. als Symbol speziell des Apollokultes oder als Chiffre, die hl. Orte im Sinn einer Griechenlandromantik kennzeichnet, eine wichtige Rolle. Polit. Bed. erhielt er als Symbol des Staatsgottes,

der dem Kaiserhaus bes. nahe stand, nämlich des Apollo vom Palatin [14].

→ Delphoi; Olympia; Orakel; Pythia [1]; Sportfeste; Weihung; Wettbewerbe

1 H. MATTHÄUS, Metallgefäße und Gefäßuntersätze der Brz., der geom. und archa. Periode auf Cypern, 1985, 299–340, Nr. 507; 677–704, Taf. 62 f.; 91–100 2 Ders., Brn. Stabdreifüße in Cypern und Griechenland, 1987 3 H.-V. HERRMANN, Die Kessel der orientalisierenden Zeit, Bd. 2: Kesselprotomen und Stabdreifüße (OlF 11), 1979 4 F. JURGEIT, Die etr. und ital. Bronzen ... im Badischen Landesmus. Karlsruhe, 1999, Nr. 416 5 K. MAVRIGIANNAKI, Οἱ πινακίδες τῆς σειρᾶς τα τοῦ ἀνακτόρου τῆς Πύλου καὶ τὸ πρόβλημα τῶν τριποδικῶν λεβητῶν, in: Πεπραγμένα τοῦ Δ' διεθνοῦς Κρητολογικοῦ συνεδρίου, 1976, Bd. 1, 1980, 320–340 6 F. VANDENABEELE, J. P. OLIVIER, Les idéogrammes archéologiques du lineaire B, 1979, 225–232, Taf. 121 7 H. MATTHÄUS, Die Br.gefäße der kretisch-myk. Kultur, 1980, 100–118, Nr. 35–37; 41–101, Taf. 6–12 8 A. A. ONASSOGLOU, Ἡ οἰκεία τοῦ τάφου τῶν τριπόδων στὶς Μυκήνης, 1995 9 P. AMANDRY, Trépieds du Delphes et du Péloponnèse, in: BCH 111, 1987, 79–131 10 M. MAASS, Das ant. Delphi, 1993, 191 11 A. SAKOWSKI, Darstellungen von Dreifußkesseln in der griech. Kunst bis zum Beginn der klass. Zeit, 1997 12 P. AMANDRY, Trépieds d'Athènes, in: BCH 100, 1976, 15–93 13 Ders., Sièges mycéniens tripodes et trépied pythique, in: Φίλια Ἔπη. FS G. E. Mylonas, Bd. 1, 1986, 167–184 14 P. ZANKER, Augustus und die Macht der Bilder, 1987, Abb. 69; 70; 99b; 193.

K. SCHWENDEMANN, Der Dreifuß, in: JDAI 36, 1921, 98–185 · E. REISCH, s. v. Dreifuß, RE 5, 1569–1696 · C. ROLLEY, Les trépieds à cuve clouée (FdD 5), 1977 · M. MAASS, Die geom. Dreifüße in Olympia (OlF 10), 1978 · Ders., Die geom. Dreifüße von Olympia, in: AK 24, 1981, 6–20, Taf. 1–3.   MI. MA.

Trismegistos s. Hermes; Thot

Tritagonistes (τριταγωνιστής). Der dritte Schauspieler in einer trag. → Tetralogie, von Sophokles [1] eingeführt. Am Wettstreit um den besten Darsteller (an den → Dionysia seit 449 v. Chr.) nahm nur der → *prōtagōnistés* teil. Dieser beanspruchte die Hauptrolle und evtl. noch wirkungsvolle Einzelszenen, die zwei nachgeordneten Spieler (bes. der *t.*) bewältigten eine Fülle verschiedener Männer- und Frauenrollen, was vielfältigen sprachlichen und darstellerischen Ausdruck erforderte. In Soph. Oid. K. bleiben zwei Darsteller (→ Oidipus und → Antigone [3]) dauernd auf der Bühne; alle Hinzutretenden mußte der *t.* darstellen. Der Terminus *t.* begegnet oft bei Demosthenes [2] (or. 18,129 und 267; 19,247), der ihn stets abwertend (›drittklassig‹) für Aischines [2] verwendet. Dieser trat in seiner Jugend als *t.* auf, u. a. im Gefolge des → Theodoros [7].

→ Deuteragonistes; Hypokrites; Protagonistes; Tragödie

PICKARD-CAMBRIDGE/GOULD/LEWIS, 132–135 · H. WANKEL, Demosthenes. Rede für Ktesiphon über den Kranz (Komm.), 1976, 699 f.; 891 f.   H.-D. B.

Tritaia (Τριταία, lit. auch Τρίτεια/*Tríteia*). Stadt in West-Achaia (→ Achaioi, mit Karte; Paus. 6,12,8f.; 7,22,6–9; Plin. nat. 4,22; Cic. Att. 6,2,3) gegenüber den NW-Hängen des Erymanthos [1] auf der im Osten und Westen von zwei Zuflüssen des → Peiros begrenzten Vunduchla-Ebene [1. 9f.] beim h. Hagia Marina, mit zahlreichen ant. Überresten (Strab. 8,3,10; 8,7,4). T. gehörte zu den zwölf alten Städten von Achaia ([2. 129–134]; Hdt. 1,145; Pol. 2,41,8 und 2,41,12) und erlitt im → Bundesgenossenkrieg [2] Plünderungszüge der → Aitoloi (Pol. 4,6,9; 4,59,1ff.; 4,60,4ff.; 5,95,6). Die Stadt stellte 192 v.Chr. ein Truppenkontingent für Rom (MORETTI Nr. 60). In der röm. Kaiserzeit gehörte T. zum Gebiet der röm. Kolonie → Patrai (Paus. 7,22,6).

1 P. NERANTZULES, Ἀχαιῶν Δωδεκαπόλεως ἐρείπια καὶ μνημεῖα, Bd. 1, 1938 2 A.D. RIZAKIS, La politeia dans les cités de la confédération achéenne, in: Tyche 5, 1990, 109–134.   Y.L.

Tritea (Τριτέα; Τρίτεια/*Tríteia*). Ort im Osten von West-Lokris (→ Lokroi [1]; Thuk. 3,101,2; Steph. Byz. s.v. Τρίτεια; SEG 25, 590), wohl beim h. Pendeoria nahe Galaxidi, mit Mauerringresten. Nach T. wurde eine Jagdhundrasse benannt (Hesych. s.v. Τριτῆς γενῄεν). Häufige Erwähnungen der Bewohner von T. in den Inschr. von → Delphoi.

L. LÉRAT, Les Locriens de l'ouest, Bd. 1, 1952, 51f., 145–149, 211; Bd. 2, 1952, passim · J. BOUSQUET, C. VATIN, La Convention Chaleion-T., in: BCH 92, 1968, 29–36 · G. SZEMLER, in: E.W. KASE u.a. (Hrsg.), The Great Isthmus Corridor Route, Bd. 1, 1991, 92f.   G.D.R./Ü: J.W.MA.

Tritetartemorion (τριτεταρτημόριον, auch *tritartēmórion, tritēmórion*). Silbermz. im Wert von 3 *tetartēmória*, ¾ → *obolós* (Poll. 9,65), in Athen im 4. Jh. v.Chr. mit 3 Mondsicheln, in Thurioi, Delphoi, Argos, Elis, Mantineia, Kranion, Pale mit 3 T versehen.   DI.K.

Triton (Τρίτων, lat. *Triton*).

[1] Meeresgottheit mit menschlichem Oberkörper und Fischschwanz, z.T. auch als Ichthyokentauros mit Pferdevorderbeinen (Tzetz. Lykophr. 34; 886), Sohn von → Poseidon und → Amphitrite (Hes. theog. 930–933), der die Fluten mit dem Muschelhorn aufwühlt und wieder besänftigt (Verg. Aen. 10,209–212; Ov. met. 1,330–342). Wie die verwandten Meeresgötter → Glaukos [1], → Halios geron, → Nereus, → Phorkys [1] und → Proteus ist T. insbes. eine Figur der Lit. und bildenden Kunst; kultische Funktion ist nur für → Tanagra (Paus. 9,20,4) und Libyen (Hdt. 4,188) bezeugt. Im Mythos der → Argonautai tritt T. als Herr des Tritonischen Sees in Libyen auf, zeigt ihnen den Ausweg und schenkt in Gestalt des → Eurypylos [4] dem → Euphemos eine Erdscholle, aus der → Thera, die Mutterinsel Kyrenes, entsteht (Hdt. 4,179; Pind. P. 4,13–56; Apoll. Rhod. 4,1537–1622; 1731–1764; Lykophr. 886–894; euhemeristische Deutung bei Diod. 4,56,6). → Misenos [1] for-

dert T. zum musikalischen Wettstreit heraus und wird von ihm ins Meer gestürzt (Verg. Aen. 6,162–174). Nur ikonographisch belegt ist T. statt Nereus als Gegner des → Herakles [1] im Ringkampf und als Geleiter des → Theseus zum Meeresgrund. Im Meeres-Thiasos im Gefolge von Poseidon oder Aphrodite bilden die in Mehrzahl auftretenden T. ein beliebtes Element als Reittiere der → Nereiden (lit. zuerst Mosch. 2,122–124; vgl. die Gruppe des Skopas bei Plin. nat. 36,26); sogar T.innen als weibliche Gegenstücke kommen vor. Das Motiv der T. wird in der barocken Brunnenarchitektur wieder aufgenommen (BERNINIS T.-Brunnen auf der Piazza Barberini in Rom).

N. ICARD-GIANOLIO, s.v. T., LIMC 8.1, 68–73; s.v. Tritones, 73–85 · G. CAMPOREALE, s.v. Tritones (in Etruria), ebd., 85–90.   A.A.

[2] Verschiedene Seen in Nordafrika tragen diesen verm. auf kyrenaiische Griechen zurückgehenden Namen: (1) Apoll. Rhod. 4,1391 nennt einen See der → Kyrenaia Τριτωνὶς λίμνη/*Tritōnís límnē*; (2) Strab. 17,3,20 lokalisiert die Stadt Berenike [8] (Kyrenaia) in der Nähe einer λίμνη τις Τριτωνιάς/*límnē tis Tritōniás*; (3) die Tab. Peut. 8,4 läßt den Fluß Lethon (h. Bu Shatin) unweit von Berenike [8] in einen T.-See münden [1. 386–389]; (4) Mela 1,36 sucht die *ingens palus* (»ungeheuren Sumpfsee«) namens Tritonis *super* (»oberhalb«) der Kleinen Syrte (→ Syrtis). Ähnlich äußert sich Plin. nat. 5,28: jenseits der Arae [2] Philaenorum und diesseits der Kleinen Syrte; (5) Herodotos kennt keinen See dieses Namens in der Kyrenaia, doch erwähnt er (4,178–187) den großen Tritonis-See, in dessen Mitte die Insel Phla liege: vielleicht die Kleine Syrte und die Insel Djerba [2. 448f.]; (6) Ps.-Skyl. 110 und Ptol. 4,3,19 setzen den T.-See nach Südtunesien und sehen in ihm anscheinend den Schott Djerid; (7) Diod. 3,53,4 läßt den See nach Westafrika wandern, in die Nähe des → Okeanos; (8) die Tab. Peut. 8,4–9,1 schließlich läßt den → Nil – entsprechend der alten Vorstellung von seinem Ursprung in Westafrika – dem *lacus Tritonum* entströmen und in östl. Richtung nach Äg. fließen.

1 A. LARONDE, Cyrène et la Libye hellénistique, 1987
2 S. GSELL, Histoire ancienne de l'Afrique du Nord, Bd. 1, ⁴1924.

J. DESANGES (ed.), Pline l'Ancien. Histoire Naturelle (Livre 5, 1–46), 1980, 270–272 (mit frz. Übers. und Komm.) · F. WINDBERG, s.v. T. (5), RE 7 A, 305–323.   W.HU.

Tritopatores (Τριτοπάτορες, auch Τριτοπατρεῖς/*Tritopatreís*). Die – für gewöhnlich im Kollektiv, aber auch im Sing. (Τριτοπάτωρ/*Tritopátōr*: IDélos 1,66) – kultisch verehrten Vorfahren einer bestimmten sozialen Gruppe. Der Kult der T. einer → *pólis*, von Demen (→ *dễmos* [2]), → Phratrien oder *génē* (→ Familie IV.A.3.) ist belegt in Attika und dem attisch geprägten → Delos, Selinus [4], → Troizen sowie in → Kyrene. Über ihren kultischen Status geben mehrere lokale inschr. Texte, darunter v.a. eine *lex sacra* aus Selinus, Aufschluß. Philochoros (FGrH

328 F 182) deutet die T. als die »Erstgeborenen« und die – nach Gē (→ Gaia) und Helios – dritten πάτερες (»Väter«) der Menschen. Andere lit. Quellen betonen ihre Rolle für die Fortpflanzung sowie den Bestand der sie verehrenden Sozialverbände (Phanodemos FGrH 325 F 6; vgl. Demon 327 F 2; Orph. fr. 318).

→ Theoi patrioi

M. H. JAMESON u. a., A *Lex Sacra* from Selinous, 1993, 29–37; 107–114 (Lit.) • S. I. JOHNSTON, Restless Dead, 1999, 50–58.   A. BEN.

Trittyes (τριττύες, Sing. τριττύς/*trittýs*, »Drittel«). In Athen Bezeichnung der Untergliederungen sowohl der vier alten Phylen (→ *phylé* [1]) als auch der zehn neuen Phylen des Kleisthenes [2]. Über die alten zwölf *t.* ist wenig bekannt. Eine ant. Gleichsetzung mit den Phratrien (→ Phratrie; [Aristot.] Ath. pol. Fr. 3 KENYON = Fr. 2 CHAMBERS) scheint nicht zuzutreffen; möglicherweise umfaßten die *t.* je vier *naukraríai* (→ *naukraría*), doch läßt sich dies nicht belegen; eine der *t.* hieß *Leukotaínioi* (»mit weißen Bändern«).

In der von Kleisthenes [2] geschaffenen territorialen Organisation Attikas setzten sich die zehn Phylen (vgl. → Attika, mit Karte »Attische Phylen«) jeweils aus einer *t.* aus den drei Regionen → *ásty* (»Stadt«), → *paralía* (»Küste«) und *mesógeios* (»Binnenland«) zusammen (vgl. [Aristot.] Ath. pol. 21,3 f.). Jede der insgesamt 30 *t.* enthielt einen oder mehrere *démoi* (→ *démos* [2]), die nicht immer benachbart waren. Da die Phylengliederung die Grundlage für einen Großteil der staatlichen Organisation bildete, müssen die Phylen zur Zeit ihrer Einführung bei ungleicher Anzahl der *démoi* doch annähernd gleiche Bevölkerungszahlen gehabt haben. Die Zahl der Mitglieder einer *t.* müßte dagegen ungleich gewesen sein, wenn man – wie der Großteil der Forsch. – der aristotelischen *Athēnaíōn politeía* folgend annimmt, daß jede *t.* vollständig in einer der drei Regionen zu lokalisieren ist. Jedoch bot die Anordnung der *t.* auf Listen des 4. Jh. einigen Forschern Argumente, den gleichen Umfang der *t.* anzunehmen; dann aber können sich die *t.* nicht zur Gänze in einer Region befunden haben (vgl. [2–7]).

Die *t.* hatten in erster Linie die Funktion, *démoi* aus verschiedenen Teilen Attikas in den einzelnen Phylen vereinen zu können; das Fehlen von einschlägigen Informationen in der Überl. läßt darauf schließen, daß die *t.* nicht im selben Umfang wie Phylen und *démoi* zu handlungsfähigen Einheiten wurden; sie hatten jedoch einigen Anteil an der Organisation der Flotte (vgl. Demosth. or. 14,22 f.) und vielleicht auch des Heeres. Im 5. Jh. v. Chr. war wohl jeder der urspr. 30 *dikastaì katà démus* (»Demenrichter«, [Aristot.] Ath. pol. 26,3; → *tettarákonta*) einer *t.* zugewiesen; Gremien mit 30 Mitgliedern, wie den → *logistaí* des 5. Jh. (vgl. ML 58 = IG I³ 52 A 8), dürften jeweils ein Mitglied aus einer *t.* gehabt haben. An der Spitze der *t.* standen *trittyárchoi*, die sich – nachweislich für den Beginn des 3. Jh. v. Chr. (vgl. IG II² 641,31 f.) – an den Kosten für die Inschr. auf *stélai* (→ Stele III.) beteiligten.

Auch bei der Arbeitsorganisation der → *bulé* könnten die *t.* eine Rolle gespielt haben: Der täglich wechselnde, Tag und Nacht tätige Vorsitzende der → Prytanen tat seinen Dienst zusammen mit einer von ihm bestimmten *tríttys tōn prytáneōn* ([Aristot.] Ath. pol. 44,1); dies könnte (etwa) ein Drittel der 50 Prytanen gewesen sein oder auch die Prytanen meinen, die zur gleichen *tríttys* gehörten (selbst wenn die *t.* nicht von gleicher Größe waren).

Außerhalb Athens sind *t.* im bundesstaatlich organisierten Keos und auf Delos bezeugt (vgl. [8. 203 f.; 211 f.]); für Korinth deuten in Inschr. gebräuchliche Abkürzungen auf *t.* einer Phyle hin, doch kann deren spezielle Benennung nicht nachgewiesen werden (vgl. [8. 98–110; 9. 413–419; 10]).

→ Attika (mit Karte); Demos [2]; Kleisthenes [2]; Mesogeia; Phyle [1]

1 W. S. FERGUSON, The Athenian Law Code and the Old Attic T., in: Classical Studies Presented to E. Capps, 1937, 144–158 2 M. H. HANSEN, Asty, Mesogeios and Paralia: In Defence of Ath. Pol. 21,4, in: CeM 41, 1990, 51–54 3 D. M. LEWIS, Rez. zu [4], in: Gnomon 55, 1983, 431–436 4 P. SIEWERT, Die Trittyen Attikas und die Heeresreform des Kleisthenes, 1982 5 G. R. STANTON, The T. of Kleisthenes, in: Chiron 24, 1994, 161–207 6 TRAILL, Attica 7 J. S. TRAILL, Demos and Trittys, 1986 8 N. F. JONES, Public Organization in Ancient Greece, 1987 9 B. SALMON, Wealthy Corinth, 1984 10 R. S. STROUD, Tribal Boundary Markers from Corinth, in: Californian Stud. in Classical Antiquity 1, 1968, 233–242 11 H. LOHMANN, Atene, 1993.
                                                              P. J. R.

Triturrita. Spätröm. → *villa* (Rut. Nam. 1,531; → Portus [7] Pisanus) an der Küste des Mare Tyrrhenum beim h. Livorno.   G. U./Ü: J. W. MA.

Triumph, Triumphzug. Ritual der Kriegsbeendigung in Rom, zugleich Einzugsritus des Heeres in die Stadt und höchste erreichbare Ehrung für den Feldherrn.

I. NAME UND ENTSTEHUNG   II. TRIUMPHZUG
III. ENTWICKLUNG

I. NAME UND ENTSTEHUNG

Der lat. Begriff *triumphus* leitet sich vom Festruf *io triump(h)e* ab, der aus dem griech. Ruf θριάμβε/*thriámbe* im Kult des → Dionysos (Varro ling. 6,68; Serv. Aen. 10,775) gebildet und ursprünglich eine Bitte um Erscheinen des Gottes war, vergleichbar mit dem 5fachen *triumpe* im Kultlied der → *Arvales fratres* [8. 38–55; 7. 223]. Die Herkunft des T. aus einem Neujahrs- und Inthronisationsfest, das mit den Etruskern (→ Etrusci) aus Kleinasien nach It. kam, dort in ein Neujahrsfest und ein Siegesritual aufgespalten und so nach Rom übertragen wurde [8. 284–303], hat durch zunehmende Zweifel an der östl. Herkunft der Etrusker an Plausibilität verloren. Zudem führt die röm. Tradition nicht das gesamte Ritual auf die Etrusker zurück, sondern nur Einzelheiten des Ornats und der Ausstattung des Triumphators (Purpurkleider, T.-Wagen, Goldkrone: *corona etrusca*, Elfenbeinszepter; Quellen bei [8. 58–62, 72–84]). Verm. liegt der Ursprung des röm. T. in einem alten latinischen Ritual [1. bes. 58–62], das den mil. Sieger (zu Fuß) zum → Capitolium führte (vgl. den T. des Romulus: Plut. Romulus 16,5–8) und das im 6. Jh. v. Chr. parallel zur Verdichtung der Macht etr. Könige zunehmend mit etr. Insignien versehen wurde (Servius → Tullius [I 4]; → Tarquinius [12] Superbus; → *rex* [1]).

Der Großtempel für → Iuppiter Optimus Maximus (auf dem Capitolium), in dem die T.-Insignien aufbewahrt wurden, und die Visualisierung des Gottes in einer Statue stellen den Endpunkt auch der Entwicklung des T. dar: Die wechselseitige Angleichung von Königs-, Triumphal- und Iuppiterornat spiegelt die Wechselbeziehung zwischen göttlicher und menschl. Sphäre, die von den etr. Königen zur Stabilisierung der Herrschaft genutzt wurde [6. 124–131]. Das an Iuppiter gebundene T.-Ritual bestand nach Vertreibung der Könige weiter, wurde durch die Bindung an einen Senatsbeschluß polit. entschärft, blieb aber ein rel./polit. Problem (Liv. 5,23,5; Plut. Camillus 7).

II. TRIUMPHZUG

Voraussetzung für den T. waren der Sieg in einem *bellum iustum* (»gerechten Krieg«, Liv. 38,47,5; Gell. 5,6,21; Siege in Sklaven- oder Bürgerkriegen zählten nicht dazu), der Besitz des vollen → *imperium* (in der Regel von Dictator, Consul und Praetor, nicht jedoch Unterführern; s. auch → *tribunus* [5] *mil. cons. pot.*), eine bestimmte Anzahl getöteter Feinde (nach Val. Max. 2,8,1: 5000; bloße → Vertreibung genügte nicht) und die Genehmigung des Senats; dieser verhandelte außerhalb des → *pomerium* mit dem Feldherrn (→ *imperator*; im Tempel des Apollo oder der Bellona, vgl. Karte Nr. 5 und 6), der mit Betreten der Stadt sein *imperium* verloren hätte. Mit der Zustimmung gewährte der Senat (→ *senatus*) auch die Mittel für den T.; lehnte er ab oder wollte er nur eine → *ovatio* genehmigen, konnte der Feldherr auf eigene Kosten einen gleichwertigen T. auf dem Albanerberg (*in monte Albano*; seit 231 v. Chr. belegt: Liv. 42,21,6f.; vgl. Plut. Marcellus 22,1–4) durchführen, selten auch in Rom (Liv. 10,37,6–12; Val. Max. 5,4,6).

Die Nacht vor dem T. verbrachten Feldherr und Heer auf dem Marsfeld (→ Campus Martius; anfangs wurde dazu das ganze Heer vom Schlachtfeld zurückgeführt, seit der Expansion Roms nur noch Teile [7. 225f.]). Am Morgen formierte sich dort der Zug (*pompa triumphalis*): zuerst Wagen und Traggestelle (*fercula*) mit → Kriegsbeute (zu Kunstwerken [4. 109–118]), Kriegsgefangenen und bildlichen Darstellungen von Kriegstaten (→ Triumphalgemälde); dann Magistrate und Senat mit dem Triumphator, der im iuppiterähnlichen Ornat mit Lorbeerkranz auf dem hochrädigen *currus triumphalis* (»T.-Wagen«) stand und dem ein Staatssklave, der eine goldene Eichenlaubkrone über ihn hielt, ständig sagte, auch er sei nur ein Mensch: *memento te hominem esse* (Tert. Apol. 33,4); am Schluß lorbeergeschmückte Soldaten, die Spottlieder auf den Feld-

herrn mit häufig obszönem Inhalt sangen (→ *Fescennini versus*; ein spezielles *carmen triumphale* vermutet [7. 231]). Der ca. 4 km lange Weg führte durch die → Porta triumphalis (Lage dicht beim Tempel der Mater Matuta und Fortuna: Mart. 8,65–77, [2. 363–414]; zur rel. Bed. des Durchzugs [7. 228f.]) über das Forum Boarium (Karte Nr. 17) zum (aus etr. Zeit stammenden) → Circus Maximus (Karte Nr. 25), dann entlang des Palatinus zum → Forum [III 8] Romanum. Nach der Tötung der mitgeführten feindlichen Führer (→ Iugurtha; → Vercingetorix) im → Tullianum (Karte D) endete der T. mit der Rückgabe des Kranzes an Iuppiter, Opfer und Gastmahl für hochrangige Römer (ausführlichste Beschreibung bei Ios. bell. Iud. 7,3–7; zu den organisatorischen Problemen [4. 65–84]). Zur Feier des T. gehörten auch Geldspenden an die Soldaten und z. T. mehrtägige Festspiele für die stadtröm. Bevölkerung.

III. ENTWICKLUNG

Seit dem 2. Jh. v. Chr. trat der rel. Charakter hinter den polit. zurück (vgl. etwa Liv. 34,52,2–12; Diod. 31,7,9–12). → Pompeius [I 3] erstritt sich einen T. (Plut. Pompeius 14), ohne ein volles *imperium* besessen zu haben, → Caesar ließ T. nur unter seiner Ägide zu (*sub auspiciis suis*: [3. 63–67]), seit → Augustus wurde der T. Monopol des Kaisers oder seiner Familie (→ Tiberius [1], → Germanicus [2], → Titus [3]), in der Spätant. triumphierte man (in gewandelter Form) auch nach Bürgerkriegen (312: → Constantinus [1]; 357: → Constantius [2] II.; 389: → Theodosius [2] I.). Der letzte T. eines röm. Feldherrn (→ Cornelius [I 7] Balbus) fand 19 v. Chr. statt. Damit endete auch die Liste der (teils fiktiven) T. seit Romulus (*fasti triumphales*; CIL I² 43–50; → Fasti D.; [4. 55–61]); die Tracht lebte im Ornat des spielegebenden Magistrats (→ *ludi* II. B.; [8. 94–115, 255–270]) und im Kaiserornat weiter. Zur Triumphalsymbolik in MA und Neuzeit s. [4. 134–140].

→ Imperator; Prozession; Roma III. (mit Karten); Triumph- und Ehrenbogen; Triumphalgemälde; TRIUMPHBOGEN

1 L. BONFANTE WARREN, Roman Triumphs and Etruscan Kings: The Changing Face of the T., in: JRS 60, 1970, 49–96 2 F. COARELLI, Il Foro Boario, 1988 3 M. JEHNE, Der Staat des Dictators Caesar, 1987 4 E. KÜNZL, Der röm. T., 1988 5 M. LEMOSSE, Les éléments techniques de l'ancien triomphe romain et le problème de son origine, in: ANRW I 2, 1972, 442–453 6 B. LINKE, Von der Verwandtschaft zum Staat, 1995, 124–135 7 J. RÜPKE, Domi militiae, 1990, 223–234 8 H. S. VERSNEL, Triumphus, 1970.   W. ED.

Triumph- und Ehrenbogen

I. NOMENKLATUR UND DEFINITION
II. FUNKTION UND STANDORT
III. TYPOLOGIE UND KONSTRUKTION

I. NOMENKLATUR UND DEFINITION

Der röm. T. als freistehendes Monument hieß urspr. → *fornix*, seit der Zeitenwende hingegen neben *ianus* zunehmend regelmäßig *arcus*, ab dem 3. Jh. n. Chr. auch

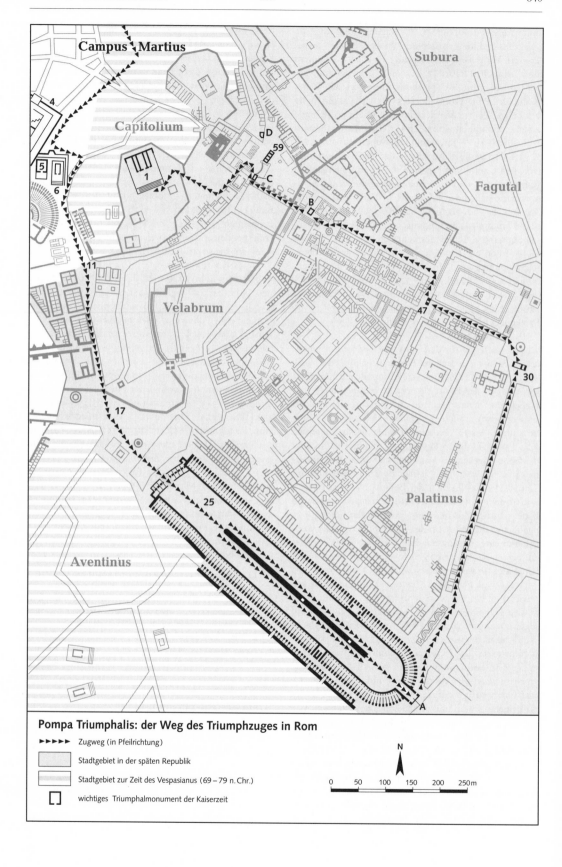

Pompa Triumphalis: der Weg des Triumphzuges in Rom

▶▶▶▶▶ Zugweg (in Pfeilrichtung)

Stadtgebiet in der späten Republik

Stadtgebiet zur Zeit des Vespasianus (69–79 n.Chr.)

☐ wichtiges Triumphalmonument der Kaiserzeit

N

0 50 100 150 200 250m

Ablauf des Triumphes:	
Übernachtung des Feldherrn / der Soldaten:	Villa Publica (im südöstlichen Campus Martius), Lokalisierung nicht gesichert / Campus Martius (nördlich des Kartenausschnittes)
Versammlung der Teilnehmer:	Campus Martius
Verhandlungen mit dem Senat:	Templum Apollinis Sosiani (5), später Templum Bellonae (6)
	Porticus Octaviae (4) (beim Triumph des Vespasianus und Titus 71 n. Chr.)
Verlauf der Pompa Triumphalis:	Porta Triumphalis (nicht lokalisierbar)
	Forum Holitorium (11)
	Forum Boarium (17)
	Circus Maximus (25)
	Tullianum (D): Staatsgefängnis oberhalb des Forum Romanum, Teil des Carcer Mamertinus
	Capitolium: Aedes Iovis Optimi Maximi (1)
Wichtige Triumphalmonumente der Kaiserzeit:	Porta Triumphalis (nicht lokalisierbar)
	Arcus Augusti (B) (29 v. Chr., nicht sicher lokalisiert)
	Arcus Tiberii (C) (16 n. Chr.)
	Arcus Titi im Circus Maximus (A) (81 n. Chr.)
	Arcus Titi (47) (nach 81 n. Chr.)
	Arcus Septimii Severi (59) (204 n. Chr.)
	Arcus Constantini (30) (315/316 n. Chr.)

Die Numerierung wurde übernommen aus der Karte: 2. Roma. Antikes Stadtzentrum (DNP 10, 1093 f.).
Die mit Großbuchstaben bezeichneten Bauwerke und Monumente sind dort nicht aufgeführt.

arcus triumphalis, was im frühen 19. Jh. zur sachlich problematischen mod. Benennung »Triumphbogen« führte. Verstanden wird hierunter ein meist freistehender, repräsentativer Bogenbau, bisweilen aber auch ein straßenüberspannender Bogen, der sich zw. zwei diesem nicht urspr. zugehörigen Bauten erstreckte (z. B. der als Annex des Divus Iulius-Tempels konstruierte Augustus-Bogen auf dem → Forum [III 8] Romanum oder die Bögen auf dem Forum von → Pompeii). Der T. verkörpert in vielleicht eindrucksvollster Weise den Typus der ant. Denkmalarchitektur, einer dem Betrachter zugewandten, in ihrem baulichen Gehalt hingegen irrelevanten Schau-Architektur, die dementsprechend umfassend als Bild- und damit auch als Ideologieträger verwendet wurde. Der Typus findet sich in der ant. griech. Architektur nicht.

II. FUNKTION UND STANDORT

Die Grund-Idee des T. geht auf die Porta Triumphalis auf dem südl. Marsfeld (→ Campus Martius) in Rom zurück, ein Bogentor aus republikanischer Zeit, durch das siegreiche und vom Senat (→ *senatus*) mit der Ehrung des → Triumphes bedachte Feldherren (→ *imperator*) in die Stadt einzogen. Das Motiv des triumphalen Durchschreitens des Bogens findet sich bei den T. jedoch nur ausnahmsweise wieder; von allen erh. freistehenden T. wurde wohl lediglich der Titus-Bogen auf dem Forum Romanum in diesem Sinne genutzt. Die Mehrzahl der T. stellte vielmehr Ehrenmonumente dar, die den Geehrten denkmalhaft herausheben und verewigen sollten; das Moment des Triumphes fand sich *sui generis* allenfalls bei stadtröm. Bögen wieder (allein hier wurde ein Triumph begangen), zudem noch in der Funktion des T. als Bildträger, da er nicht selten den Sockel einer auf dem First angebrachten Feldherren-

statue (meist der Kaiser in einer → Quadriga) bildete (vgl. Plin. nat. 34,27). Inwieweit das Motiv des Tores bzw. der Bogenöffnung (*lustrum*) sakrale und rel. Momente aufweist (Beziehung zum → Totenkult; metaphorischer Durchgang im Sinne einer Apotheose des sterblichen Geehrten, → Vergöttlichung), wird kontrovers diskutiert.

Der kaiserzeitliche T. war außerhalb Roms stets ein Ehrenmonument, auf Beschluß des Senates, in den Prov.-Städten des Imperium Romanum seit der Zeitenwende auch auf Beschluß der örtlichen Verwaltung auf deren Kosten erbaut und dem Kaiser übereignet, der eine Errichtung im übrigen durchaus initiieren konnte. Dieser Umstand wurde zumindest in den frühen T. bis zum E. des 1. Jh. n. Chr. regelmäßig auch mittels einer großen, weithin sichtbaren Inschr. (z. B. Titus-Bogen in Rom) dokumentiert. Demgegenüber waren die wenigen, meist relativ kleinen und ausnahmslos lit. überl. T. der röm. Republik Weihungen erfolgreicher Feldherren, auf deren Kosten und Veranlassung errichtet. Mil. Erfolge waren nur eines unter mehreren Motiven, die zur Ehrung des Kaisers durch einen T. führen konnten; besondere Wohltaten eines Regenten konnten ebenso Anlaß sein (Traians-Bogen in → Beneventum, errichtet im Kontext einer Straßenbaumaßnahme) wie die ehrenvolle Amtsübernahme oder der Tod des Regenten. In der röm. Kaiserzeit war die postume kommunale Ehrung hoher Beamter oder wohlhabender Mitbürger durch einen T. eine seltene, gleichwohl aber nicht völlig ungewöhnliche Ausnahme (Ephesos, Patara, Pola, Verona).

Die Standorte der T. innerhalb der Städte waren durchweg prominent und auf Sichtbarkeit angelegt. In Rom waren die Nähe der Hauptstraßen bzw. der gro-

Rom, Forum Romanum: Titusbogen (nach 81 n.Chr.; Aufriß).

0   2 m

ßen Fora und Plätze (Marsfeld), aber auch die Zugangsbereiche zu Heiligtümern bevorzugt, in Prov.-Städten meist Standorte innerhalb der Stadtzentren oder an den Haupt- und Durchgangsstraßen. In der Spätant. konnten T. auch unmittelbar auf Geheiß des Kaisers selbst entstehen und Bestandteil der privaten, gleichwohl öffentlich adressierten Repräsentation werden (z.B. der nach 293 n.Chr. erbaute Galerius-Bogen in → Thessalonike als Teil einer umfassenden Palastanlage).

III. Typologie und Konstruktion

In seiner Grundform besteht der im Grundriß rechteckige T. aus zwei tonnenüberwölbten Mauerpfeilern mit Durchgang in der Querachse, über denen sich im Sinne einer Statuenbasis eine Attika (erhöhter Aufbau über dem Gesims) erhebt – ein zunächst eklektisches Formenkonglomerat, das bei frühen Beispielen (→ Ariminum/Rimini) in seiner Heterogenität noch deutlich wird, später dann durch eine das Bauganze überziehende, architektonisch vorgeblendete Fassadengestaltung mehr und mehr verschmolzen und vereinheitlicht wird; auf diese Weise entstehen zugleich ein reliefiertes Architekturgerüst und hiervon gerahmte bzw. ausgesparte Flächen als Anbringungsorte für Bildschmuck.

Im wesentlichen finden sich im Repertoire der T. zwei Grundmuster: der eintorige (z.B. Rom: Titusbogen) und der dreitorige Bogen (z.B. Rom: Septimius-

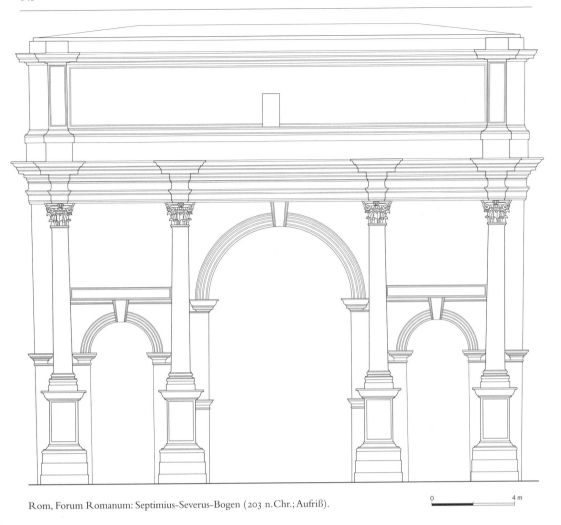

Rom, Forum Romanum: Septimius-Severus-Bogen (203 n.Chr.; Aufriß).

0   4 m

Severus-Bogen; Constantinsbogen), wobei der architektonisch eher unaufwendige eintorige Bogen insgesamt überwiegt. Beide Baumuster können um einen zusätzlichen Durchgang durch die Längsachse erweitert werden; der eintorige Bogen basiert dann auf vier, der dreitorige auf acht Pfeilern. T. bestanden in ihrem Kern üblicherweise aus Gußmauerwerk, Travertin oder einer Ziegelstruktur, die durch repräsentative Materialien (in der Regel → Marmor) verblendet wurden; bildliche und architektonische Reliefs sind mit Dübeln u.ä. an diesem Kern fixiert. Die zunächst spärliche, weitgehend auf den Bogendurchgang beschränkte Anbringung von Bildreliefs (Titusbogen in Rom) steigert sich ab dem frühen 2. Jh. n. Chr. zu ganzen Bilderzyklen mit Programmcharakter, die den Bogen an allen betrachtbaren Seiten überziehen (→ Beneventum, Traiansbogen; Rom, Constantinsbogen, unter Einbeziehung von → Spolien).

→ Herrscher; Propaganda; Relief; Toranlagen; Triumph; TRIUMPHBOGEN

G. BRANDS, H. HEINRICH, Der Bogen von Aquinum, in: AA 1991, 561–609 • R. BRILLIANT, The Arch of Septimius Severus in the Roman Forum, 1967 • H. KÄHLER, s. v. Thriumphbogen, RE 7 A, 373–493 (grundlegend) • I. KADER, Propylon und Bogentor, 1996 • F. S. KLEINER, The Study of Roman Triumphal and Honorary Arches 50 Years after Kähler, in: Journal of Roman Archaeology 2, 1985, 195–206 • Ders., The Arch of Nero in Rome, 1985 • E. KÜNZL, Der röm. Triumph, 1988 • A. KÜPPER-BÖHM, Die röm. Bogenmonumente der Gallia Narbonensis in ihrem urbanen Kontext, 1996 • H. P. LAUBSCHER, Der Reliefschmuck des Galeriusbogens in Thessaloniki, 1975 • G. A. MANSUELLI, Fornix e Arcus. Note di terminologia, in: Ders. (Hrsg.), Studi sull'Arco Onorario Romano, 1979, 15–19 • S. DE MARIA, Gli archi onorari di Roma e dell'Italia romana, 1988 • M. PALLOTTINO, s. v. arco onorario e trionfale, EAA 1, 1958, 588–599 (Ndr. 1965) • P. PENSABENE et al., Arco di Constantino, 1999 • H. PETRIKOVITS, Die Porta Triumphalis, in: Österreichische Jahreshefte 28, 1933, 187–195 • M. PFANNER, Der Titusbogen, 1983 • M. ROEHMER, Der Bogen als Staatsmonument, 1997 • G. WESTFEHLING, Triumphbogen im 19. und 20. Jh., 1977.

C.HÖ.

Triumphalgemälde. Eine typisch röm. Gattung, seit der Mitte des 3. Jh. v. Chr. bis in die Kaiserzeit gebräuchlich, h. sämtlich verloren und nur in Schriftquellen belegt. Während des Triumphzuges (→ Triumph) eines siegreichen Feldherrn wurden Tafelbilder oder Leinwandbanner am Publikum vorbeigetragen und danach öffentlich ausgestellt (z. B. Plin. nat. 35,22–28; Pol. 6,15,8; Ios. bell. Iud. 7,3–7; weitere Quellen bei [4]). Inhalt, Aussehen und beabsichtigte Wirkung solcher Bilder lassen sich aus den lit. Quellen und röm. historischen → Reliefs ansatzweise rekonstruieren. Demnach handelte es sich in republikanischer Zeit wohl um vedutenähnliche Darstellungen, die kriegsentscheidende Schlachten und Aktionen in einem landschaftlichen Ambiente, die Eroberung gegnerischer Ansiedlungen oder Übergabeverhandlungen zeigten. Die siegreichen Protagonisten, top. und geogr. Details sowie Besonderheiten von Flora und Fauna waren verm. durch Beischriften verdeutlicht. Zuweilen werden die Fresken aus dem Grab des Q. Fabius vom Esquilin (Rom, KM) mit T. in Verbindung gebracht. Die möglichst authentische und zugleich propagandawirksame Schilderung der Gesch. sollte den Betrachter beeindrucken, den individuellen Ruhm des Triumphators steigern und damit letztlich auch den Triumphzug rechtfertigen.

Über die künstlerische Qualität der T. läßt sich keine Aussage machen, doch waren die röm. Maler bereits mit den Errungenschaften griech. → Malerei, in diesem Fall auch hell. Schlachtenbildern oder top. Sujets (→ Demetrios [46]), die z. T. als Beute nach Rom gekommen waren, vertraut. Eine Besonderheit der Gattung war verm. die Mischung verschiedener Blickwinkel (→ Perspektive): Einzelne Bildelemente wurden entweder aus der Vogelperspektive (Landschaft, Bauwerke) oder in »normaler« Augenhöhe (Figuren) dargestellt (vgl. Fresko mit dem Aufruhr im Theater Pompeiis: Neapel, NM). Manchmal konnte man griech. Künstler für die Ausführung gewinnen, wie anläßlich des Triumphs von → Aemilius [I 32] Paullus berichtet wird (vgl. Plin. nat. 35,135: Metrodoros). Mit der Übernahme einer in hell. Traditionen stehenden Bildersprache erklärt sich auch der den Quellen zu entnehmende Wandel hin zu gesteigertem Pathos, etwa durch die psychologisierende Schilderung des Schicksals der Besiegten, die v. a. auf Emotionen des Betrachters zielte (z. B. App. Mithr. 117; App. civ. 2,101; Cass. Dio 51,21,8). Mit dem Wechsel zum Prinzipat änderte sich jedoch die Darstellungsweise der T.: Nicht mehr die individuell geschilderte Leistung einzelner oder das Leid des Feindes standen im Vordergrund, vielmehr mußten für abstrakte und übergeordnete Werte neue allgemeingültige Bildformeln gefunden werden, die der polit. Propaganda genügten.

Nachklänge der T. finden sich in den neuzeitlichen Adaptionen des um 1486 begonnenen, sehr detailreichen und antiquarisch genauen Zyklus aus neun Leinwandbildern A. MANTEGNAS (1431–1506) mit dem Titel ›Der Triumph Caesars‹ in Hampton Court.

→ Historienmalerei; Malerei; Propaganda; Triumph

1 F. G. ANDERSEN, Roman Figural Painting in the Hellenistic Age, in: Acta Hyperborea 5, 1993, 179–190 2 T. HÖLSCHER, Röm. Bildsprache als semantisches System, in: AHAW 12, 1987, bes. 29–33, passim 3 P. J. HOLIDAY, Roman Triumphal Paintings, in: The Art Bull. 79, 1997, 130–147 4 E. KÜNZL, Der röm. Triumph, 1988 5 R. LING, Roman Painting, 1991, 10f. N. H.

Triumphornat s. Triumph; Ornamenta

Triumvirat (lat. *triumviratus*, wörtlich »Dreimännerbund«). Nichttitulare Bezeichnung (z. B. bei Suet. Aug. 27,1; Vell. 2,86,2) für die Sondergewalt, die → Aemilius [I 12] Lepidus, → Antonius [I 9] und → Octavianus bei Bononia für sich vereinbarten und die ihnen im Nov. 43 v. Chr. durch Volksgesetz (*lex Titia*) für vorerst fünf J. verliehen wurde (s. → *tresviri* [3]).

Im Anklang daran wird in der mod. Forschung auch der formlose, jeder gesetzlichen Grundlage entbehrende »Dreibund« von → Caesar, → Pompeius [I 3] und → Licinius [I 11] Crassus (E. 60 v. Chr.) T. genannt (sog. erstes T.; bei Suet. Caes. 19,2: *societas*, »Gesellschaft«; bei App. civ. 2,33: *trikáranos* = »dreiköpfiges Ungeheuer«; vgl. Cic. Att. 2,9,2). Die Vereinbarung, nichts im Staat geschehen zu lassen, ›was einem der drei mißfallen würde‹ (Suet. Caes. 19,2), gefestigt durch die Ehe von Pompeius und Caesars Tochter Iulia [5], zeigte ihre Wirkung in Caesars Konsulat (59), das alle polit. und wirtschaftlichen Interessen des Dreibunds erfüllte. Das reine Zweckbündnis lockerte sich bald, konnte durch Caesar 56 zwar noch gefestigt werden (»Konferenz von Luca«: Suet. Caes. 24,1; Plut. Caes. 21,5; vgl. aber Cic. fam. 1,9,9), zerfiel jedoch nach dem Tod der Iulia (54) und des Crassus (53).

M. GELZER, Pompeius, ²1959 (Ndr. 1984), 114–130 · G. R. STANTON, B. A. MARSHALL, The Coalition between Pompeius and Crassus, in: Historia 25, 1975, 205–219. W. ED.

Trivia s. Biviae; Hekate

Trivialliteratur s. Unterhaltungsliteratur

Trivicum. Aus drei *vici* hervorgegangene Ortschaft (vgl. ON) der → Hirpini in Apulia (→ Apuli), evtl. das h. Trevico (ehemals Vico) oder das 7 km östl. von diesem entfernte h. La Civita. Eine T. benachbarte → *villa* (evtl. beim h. Scampitella) diente → Horatius [7] 37 v. Chr. auf seiner Reise nach Brundisium als → *mansio* (Hor. sat. 1,5,79 f.).

G. COLUCCI PESCATORI, Evidenze archeologiche in Irpinia, in: G. d'HENRY u. a., La Romanisation du Samnium (Colloque Neapel 1988), 1991, 85–122, hier 105 f. · A. RUSSI, s. v. Apulia, Enciclopedia Oraziana 1, 1996, 398–402. G. U./Ü: J. W. MA.

Troas (Τρῳάς), Landschaft im NW von Kleinasien. Sie umfaßt das Gebiet der h. Halbinsel von Biga (Biga Yarımadası). In der Ant. wurde sie unterschiedlich begrenzt und benannt. Die verworrenen ant. Angaben zu den Grenzen sind gut zusammengestellt bei [1. 526–531]. Allg. wird v. a. Strabon (12,4,6; 13,1,1–4) zugrundegelegt, der sich im wesentlichen auf Homeros [1] beruft: im Norden, Westen und Süden grenze die T. ans Meer, im Osten an den → Aisepos und den Golf von → Adramyttion. Nach Steph. Byz. s. v. T. nannte man die T. auch Teukris, Dardania und Xanthe. Der Name T. ist von den homerischen Troes abgeleitet, den Bewohnern von Ilion und Umgebung (→ Troia). Diese scheinen thrakischen und phrygischen Ursprungs gewesen zu sein [2. 6ff.]. Reste einer eigenen Sprache der Troes sind nicht erh. Beherrscht wird die T. vom Ida [2], dessen höchste Erhebung von fast jedem Punkt der T. aus zu sehen ist. Alle größeren Flüsse (→ Skamandros, Aisepos, → Granikos, → Satnioeis, → Simoeis) entspringen in diesem Gebirge.

Die Besiedlung der T. reicht bis in neolithische Zeit zurück. Nicht nur die Ebene des unteren Skamandros mit → Troia, sondern auch das Tal des oberen Skamandros zeigen deutliche Siedlungsspuren der frühen Brz. [3. 358ff.]. Nach Strab. 13,1,40ff. siedelten und herrschten in der T. wohl → Leleges und Kares, aber auch → Phryges, → Thrakes, Lydoi und Mysoi (→ Mysia). Ab des 2. H. des 2. Jt. v. Chr. läßt sich hethitischen Einfluß in der T. in Verbindung mit den luwischen Staaten Westkleinasiens nachweisen ([4. 178–183]; vgl. → Hattusa II., → Kleinasien III. C.1.d), bevor die Griechen (→ Achaioi) allmählich die Vorherrschaft v. a. in den Küstenstädten übernahmen. Lydische Herrschaft in der T. ist bezeugt bis 547 v. Chr., als der Perser Kyros [2] Kroisos besiegte. Damals wurde die T. der 3. persischen Satrapie (→ Satrap) zugeordnet (Hdt. 3,90), der auch Adramyttion und die Ebene von Thebe [2] angehörten. Vom Anf. der griech. Besiedlung sind mehr als 90 Ortschaften namentlich bekannt [1. 528–530], aber kaum die Hälfte davon ist sicher lokalisiert. Die Gesch. der nachbrz. Ant. wie auch die Forsch.-Gesch. sind wesentlich geprägt durch Homer und die Erinnerung an Troia bzw. Ilion.

Die Gräzisierung der T. läßt sich schon zu E. des 8. Jh. v. Chr. nicht nur in Küstenstädten wie Troia, sondern auch in Binnensiedlungen nachweisen. Dabei spielt die aiolische, von → Lesbos aus gesteuerte Siedlungspolitik, aber auch die milesische Kolonisierung eine Rolle (→ Kolonisation, mit Übersichten). Die Athener setzten sich schon unter lydischer Herrschaft mit den Tyrannen Peisistratos [4] und Hippias [1] in → Sigeion fest (Thuk. 6,59; [5. 187f.].). Die Auseinandersetzungen der sich in den Küstenstädten und im Tal des Skamandros niederlassenden Griechen mit den Persern bestimmten die Gesch. der T. in den folgenden Jahrhunderten.

Die meisten Städte gehörten dem → Attisch-Delischen Seebund an (Aufzählung: [1. 537f.]). Nach dem → Peloponnesischen Krieg kam es zu Konflikten zw. Persern und einheimischen, von den Spartanern eingesetzten bzw. geduldeten Dynasten, die erst durch Alex-

andros [4] d.Gr. beendet wurden (Wichtiges dazu bei [6. 125ff.]). In hell. Zeit herrschten → Seleukiden und Attaliden (→ Attalos, mit Stemma) über weite Teile der T.; 188 v. Chr., nach dem Frieden von Apameia [2] (→ Antiochos [5]), war die T. nominell in drei Gebiete geteilt: Alexandreia [2] Troas, Ilion und die pergamenischen Besitzungen (→ Pergamon) – eine Organisationsform, die in Grundzügen auch in der Zeit nach der pergamenischen Schenkung 133 v. Chr. beibehalten wurde. Die T. wurde 129 v. Chr. Teil der röm. Prov. → Asia [2]. Spätestens seit der Gründung der röm. Kolonien in → Parion und Alexandreia Troas durch die Iulii war bis in die Spätant. hinein die T. neben Byzantion/Konstantinopolis wichtigstes Tor Europas zum Vorderen Orient. Unter → Diocletianus wurde die T. Teil der Diözese Asiana, aufgegliedert in die Prov. Hellespontus im Norden unter einem *praes* und den Bereich südl. des Ida [2], der in der Prov. Asia unter einem *proconsul* verblieb.

1 W. RUGE, s. v. T., RE 7 A, 525–584   2 E. MEYER, Gesch. der T., 1877   3 J. M. COOK, The Troad, 1973   4 A. GOETZE, Kleinasien (Kultur-Gesch. des Alten Orients, HdbA 3,1), 1957   5 W. LEAF, Strabo on the Troad, 1923   6 B. TENGER, Die T. zw. Königsfrieden und Ankunft Alexanders (Asia Minor Stud. 22), 1996.   E. SCH.

Trochilos (τροχίλος). Hohlkehle, die als konkav eingewölbtes Element an der klass. attisch-ionischen Säulenbasis den oberen vom unteren konvex ausgeformten → Torus trennt; auch in der archa.-ionischen Architektur als ein Gestaltungselement repräsentativer Säulenbasen geläufig (→ Säule II. B.3. mit Abb.). Berühmt sind die auf einer Drehbank erzeugten, äußerst variantenreich gestalteten T.-Profilierungen der Säulenbasen des archa. Heratempels von → Samos [3].

EBERT, 26 (Terminologie und Etymologie) · CH. HÖCKER, Sekos, Dipteros, Hypaithros, in: R. ROLLE, K. SCHMIDT (Hrsg.), Arch. Stud. in Kontaktzonen der ant. Welt. FS H. G. Niemeyer, 1998, 147–163 · B. WESENBERG, Kapitelle und Basen (32. Beih. BJ), 1971.   C. HÖ.

Trocmi s. Trokmoi

Troesmis (Τροσμής/ *Trosmḗs*). Röm. Legionslager und Zivilstadt (Ov. Pont. 4,9,79; Tab. Peut. 8,3; Not. dign. or. 39,23; 39,31; Geogr. Rav. 4,5,19; Prok. aed. 4,11) in der Moesia Inferior (Scythia Minor; → Moesi), h. Iglița (Gemeinde Turcoaia, Kreis Tulcea, Rumänien). Am Ort siedelten urspr. → Getai; die Römer drangen 29/27 v. Chr. in das Gebiet vor und festigten ihre Stellungen um 15 n. Chr. Vor 112 n. Chr. übernahm die von → Oescus [2] verlegte *legio V Macedonica* den mil. Schutz von T. und Umgebung. Nach 180 n. Chr. waren in T. die *legio I Italica* und *XI Claudia* stationiert. In der Spätant. werden als Besatzung die *milites Secundi Constantini* und *legio II Herculia* genannt. Das Bestehen der *canabae* (→ Heeresversorgung III.) und des später daraus hervorgegangenen → *municipium* beweisen Zeugnisse von Magistraten (*ordo municipii, decuriones, duoviri, aediles, quaestores, augures, sacerdotes provinciae*). Im 4. Jh. und unter Iustinianus [1] I. mußten neue Befestigungsarbeiten durchgeführt werden. Erh. sind Gebäudereste, Wasserleitung, Stadtmauer, christl. Basilika, Keramik, Ziegel, Inschr., Mz. sowie *villae* in der Umgebung.

A. BETZ, s. v. T., in: RE 7 A, 591–596 · TIR L 35 Bukarest, 1969, 73 f. · A. DORUŢIU-BOILĂ (Hrsg.), Inscriptiones Scythiae Minoris 5, 1980, 154–236 · I. MICLEA, R. FLORESCU, Daco-romanii, Bd. 2, 1986, 141 f. (mit Plan) · A. SUCEVEANU, A. BARNEA, La Dobroudja romaine, 1991, 49–51; 94; 123; 184 f. · M. ZAHARIADE, Moesia Secunda, Scythia şi Notitia dignitatum, 1988, 61–64; 128–131 (Luftaufnahme). J. BU.

Trogilion (Τρωγίλιον). Ein ca. 5 km langer, zerklüfteter Küstenvorsprung, westl. Ausläufer der → Mykale gegenüber von → Samos [3], h. Dip Burun (Ptol. 5,2,8: Τρωγγύλιον ἄκρον; Strab. 14,1,12: Τρωγίλιος ἄκρα; Steph. Byz. s. v. Τρώγιλος: Τρωγίλιον; Plin. nat. 5,113: *ora Trogilia*) mit den vorgelagerten Inseln *Trogiliae* (ebd. 5,135): Psilion, Argennon, Sandalion (h. Sandal adası).

TH. WIEGAND, Priene, 1904, 20. W. BL. u. E. O.

Trogilos (Τρώγιλος). Küstenstreifen bei → Syrakusai (Thuk. 6,99,1; 7,2,4; Liv. 25,23,10: *portus Trogilorum*; Sil. 14,259), identisch entweder mit (1) dem am östl. Rand von Epipolai gelegenen, 1 km langen, grottenreichen Kap Mazzarona (zw. der Küste von Cappuccini und dem Scoglio Due Fratelli [1. 827]) oder mit (2) der Küste am nö Rand von Epipolai (beim Kap Santa Panagia [2. 28 f.; 3. 61 f.]).

1 H. P. DRÖGEMÜLLER, s. v. Syrakusai, RE Suppl. 13, 815–836 2 L. POLACCO, R. MIRISOLA, Tucidide: la spedizione ateniese contro Siracusa, 1998 3 E. MANNI, Geografia fisica e politica della Sicilia antica, 1981. GI. F. u. E. O.

Trogodytai (Τρωγοδύται). Hdt. stellt 4,183 als *T. Aithíopes* ein Volk im Süden Libyens vor. Die unkorrekte Form *Trōglodýtai* entstand aus *trōglē* (»Höhle«) und *dýnai* (»eintauchen«); schon Aristoteles (hist. an. 597a 9) beschreibt die → Pygmäen als »Höhlenbewohner« mit dem Ausdruck *trōglodýtai*. Die richtige, etym. noch ungeklärte Form T. findet sich wieder bei Plin. nat. 37,107. Dennoch wird T. weiterhin zumeist auf Höhlenbewohner bezogen, sei es in Moesien, im Kaukasos (Strab. 7,5,12 bzw. 11,5,7) oder anderswo. Die »ursprünglichen«, von Herodot vorgestellten aithiopischen T. (von [1] als Stamm der »Tibboos« identifiziert) werden ausführlicher von Artemidoros als Nomaden mit Frauen- und Kindergemeinschaft beschrieben (bei Strab. 16,4,17).

1 W. W. HOW, J. WELLS, A Commentary on Herodotus, Bd. 1, 1912, 362. SV. RA.

Troia I. GESCHICHTE II. ARCHÄOLOGIE III. MYTHOLOGIE: DER TROIANISCHE SAGENKREIS

I. GESCHICHTE
A. NAME B. HOMERISCHE TRADITION UND GESCHICHTE DER LOKALISIERUNG C. DAS HISTORISCHE ILION

A. NAME

Bei Homer (→ Homeros [1]) erscheinen nebeneinander die Formen ἡ Τροίη / *Troíē* und ἡ Ἴλιος / *Ílios* (zu Ilion s. u. I. C.). Man hat daher von einem »doppelten Namen« der Siedlung gesprochen, für die die beiden Bezeichnungen πόλις (→ *pólis*) und ἄστυ (→ *ásty*) gebraucht werden. Semasiologische Unt. haben nun erwiesen, daß *pólis* und *ásty* im Epos als »befestigter Burgberg« und »zivile Unterstadt« unterschieden werden, eine Differenzierung, die bis in die jüngere Brz. zurückgehen kann [1]. Wenn man dennoch die Tendenz zu einem »synonymen« Sprachgebrauch festzustellen glaubt, so verkennt man, daß es Synonyma im eigentlichen Sinne (als verschiedene »Namen« für dieselbe »Sache«) grundsätzlich nicht gibt; die Wortfelder verwandter Begriffe können sich partiell überschneiden, nicht aber decken [2].

In den in der ›Ilias‹ 49mal (*Troíē* bzw. 106mal (*Ílios*) belegten ON sieht [3. 127 f., 318 mit Anm. 156] ›Benennungsvarianten für dieselbe Sache ... ohne sachlichen Unterschied‹, die nur aus metr. Gründen nebeneinander gebraucht würden. [4. 83–94] geht von dieser onomasiologischen Prämisse zu einer semasiologischen Unt. der jeweiligen Epitheta über und erkennt ›ganz verschiedene Aspekte von T. bzw. Ilios‹, die aber nur selten kontextspezifisch verwendet werden. Er unterscheidet v. a. die metr., nicht die inhaltliche Qualität der Beiwörter, obwohl sich hier eine klar erkennbare unterschiedliche Physiognomie abzeichnet: T. ist u. a. »großschollig«, »weiträumig«, Ilios u. a. »heilig«, »windig«, »steil«, wird als *pólis* bzw. *ptolíethron* bezeichnet, wie *Troíēs hierón ptolíethron* (Hom. Od. 1,2). Auch das Beiwort »wohlummauert« (*euteícheos*) erscheint mit beiden Namensformen; es kennzeichnet den Bereich, in dem sich die Vorstellungen überschneiden. Die Bewohner heißen ausschließlich Τρῶες / *Trões*, nie *Ilieís*; die Wendungen *pólis Tróōn* mit den jeweiligen Attributen wie *pólis euryágyia* (»breitstraßige Stadt«) oder *Tróes hippódamoi* (»rossebändigende Troer«) spezialisieren die weitere Bed. von *Troíē* als »Landschaft, Reich der Troianer« zu »Hauptstadt der Troianer«, wobei sie sich mit der von *Ílios* teilweise überschneiden kann. Eine sorgfältige Wortfeld-Unt. darf sich also nicht nur auf die Attribute konzentrieren. Der spezifische Gebrauch von Präpositionen kann die unterschiedliche Kernphysiognomie beider Namensformen verdeutlichen: → Thersites, der häßlichste Mann, der ›unter (die Mauern von) Ilios‹ (ὑπὸ Ἴλιον) kam, beschimpft Agamemnon, er giere nur nach dem Gold, das ihm ein Troer ›aus Ilios‹ (ἐξ Ἰλίου) bringen soll, deshalb solle ihn das Heer doch ›in Troia‹ (ἐνὶ

Τροίη) allein lassen (Hom. Il. 2,216–237). Der Charakter von *Ílios* als der belagerten Stadt in der Landschaft »Troie« wird hier deutlich.

Die von [5. 809] aus der Wortbildung abgeleitete Folgerung, T. bedeute ›bei Homer bes. das Land T.‹ sollte daher auch aus semasiologischer Sicht nicht aufgegeben werden. Die Ἴλιος ἱρή/*Ílios hiré* (die »heilige Ilios«) als befestigtes, städtisches Kultzentrum erscheint hingegen schon bei Hom. Il. 20,216f. als gezielte Neugründung in der Ebene, und auch der namengebende Gründerheros Ilos [1] ist sowohl im Stammbaum der Troianischen Könige als auch als Volksältester (*dēmogérōn*) und Inhaber des Ilos-Grabes vor der Stadt bekannt. Zumindest für die Griechen des 8. Jh. v. Chr. bestand also ein organisches Nebeneinander von T. als Land und Siedlungszentrum der Troianer und Ilios als städtischer Mitte, vergleichbar dem Verhältnis von Lakedaimon/Lakedaimonioi und → Sparta.

Ob sich hinter den Namenskernen brz. oder auch vorgriech. Trad. verbergen, die man einer mythischen Harmonisierung, Systematisierung und Ausschmückung unterzog (Nacheinander und Nebeneinander von *Dárdanos/Dardaníē, Trōs/Trṓes/Troía, Ílos/Ílios*), bleibt mit der Frage der Gesch. des → Epos verbunden. Entgegen der bei [5. 810] vertretenen Skepsis gegenüber der Annahme einer gesicherten älteren und unabhängigen Neben-Überl. für homerische Namen haben in den letzten J. Neufunde und Neuinterpretationen von myk. → Linear-B-Schriftdenkmälern und hethitischen Texten (→ Hethitisch) die Diskussion wieder eröffnet. Bei *Ílios* und mit geringerer Sicherheit auch für *T.* hält [3. 95–128], fußend auf den Arbeiten von [6], die Gleichsetzung mit den (geogr. unterschiedenen) Herrschaftsgebieten → »Wilusa« und »Taruwisa« der hethit. Quellen trotz sprachgesetzlicher Unstimmigkeiten für erwiesen. Auf den nach wie vor spekulativen Charakter dieser Kombinationen und die neueren Gegenstimmen verweist [7. 658]. Auch gegenüber den aktuellen Ansätzen, aus der homer. Sprache und Metrik vorhomer. Namen, Wendungen und Verse zu rekonstruieren [8. 230], dürfte vorerst noch Zurückhaltung angebracht sein: Ob die uns überl. Textform auf diese Weise zu der hinführen kann, ›die Homer an diesen Stellen sprach und schrieb, ist ungewiß‹ [3. 365, Anm. 159]. Dies gilt auch für die Frage nach dem Zeitpunkt des Verschwindens des alten W-Lauts Ϝ (→ Digamma) aus Sprache und Schrift, der im Anlaut von *Ílios* vorauszusetzen ist: Eine ›Wilias antehomerica‹, eine (›vorhomerische Ilias‹) ist aus den Namensformen allein sicher nicht zu erschließen, obwohl diese zweifellos vorhomerischer und vorgriech. Herkunft sein können [9].

B. Homerische Tradition und Geschichte der Lokalisierung

Die T.-Forsch. war von jeher in der Gefahr, einer Identifikationseuphorie zu verfallen: Ort, Name, Ereignis haben unterschiedliche Qualitäten im Verhältnis zur Historizität. Zurecht weist [3. 117f.] unter Berufung auf [10] ›auf die Differenz von Realität des Ortes‹ und ›Realität der Handlung‹ hin; doch selbst wenn man mit ihm die Identifikation von homer. »Wilios« und hethit. → »Wilusa« akzeptiert, haben wir mit dem türkischen Hisarlık noch keinen »realen histor. Ort« oder gar »Schauplatz«: Namen und Ereignisse können in histor. oder myth. Trad. transloziert und zeitlich transferiert werden. Der Ort als solcher ist nur geogr., seine Benennung in einer bestimmten Zeit kann eine histor. sein, und im Idealfall können mit dieser Benennung handelnde Personen und Ereignisse histor. verbunden werden. Selbst bei gesicherter Identität müssen arch. und histor. Realität nicht übereinstimmen: Dies hat bereits Thukydides (1,10,2) gesehen, wenn er darauf hinweist, daß die Ruinen von Sparta und Athen für künftige Geschlechter ein falsches Bild von der einstigen realen Bed. beider Städte hervorrufen würden.

In der vielbehandelten Frage nach der Geschichtlichkeit des Troianischen Kriegs wird die Skepsis der 1960er J. (vgl. neben [10] v. a. [11]) derzeit unter dem Eindruck der neuen Ausgrabungen in Verbindung mit den außerhomerischen Schriftquellen von einer gewissen Zuversicht abgelöst: ›Die Wahrscheinlichkeit, daß hinter der T./Wilios-Gesch. ... ein histor. Ereignis stehen könne ..., ist immer stärker gewachsen. Die Fülle der Indizien ... ist h. beinahe schon erdrückend‹ [3. 341]. Diese aus Verweisstellen von ›Ilias‹ und ›Odyssee‹ sowie späteren Quellen rekonstruierte »T.-Gesch.« und die darin enthaltenen Informationen sind demnach nicht Homers eigene Erfindung, sondern stammen aus der Zeit selbst, als T. »lebte« [3. 297]. Die im 13. Jh. v. Chr. »erdachte Gesch.« wurde dann durch das Medium der hexametrischen Sängerdichtung (→ Aoiden, → Rhapsoden) durch die → Dunklen Jahrhunderte [1] bis Homer tradiert. Was dabei »Dichtung«, was »Gesch.« ist (etwa in dem durch einen ausführlichen → Musenruf als bes. authentisch ausgegebenen Schiffskatalog der ›Ilias‹, 2,484–785), bleibt jedoch – wie auch die Datier. selbst – nach wie vor umstritten [7. 662f.]. V. a. die Frage nach der polit.-wirtschaftlichen Bed. und dem Umfang und städtischen Charakter eines histor. T. hat Diskussionen hervorgerufen [12]. Auch hier gilt, daß die harmonisierende Identifikation von Grabungsbefunden, homer. Angaben und vorderasiatischen Stadtmodellen Gefahren birgt, weil sie dem individuellen Charakter dieser Siedlung an der Kontaktstelle zw. Orient und Okzident nicht gerecht wird [13].

Was zunächst die Voraussetzung aller arch. Erforschung, die genaue Lokalisierung, betrifft, so liefert Homer für die weitere Landschaft zw. Olympos [13] und Ida [2] genügend reale Details (vgl. [14; 15]). Die Top. der Stadt selbst und der sie umgebenden Ebene wird jedoch so stark durch das epische Geschehen aufbereitet [16], daß sich hier seit der Ant. immer wieder der Streit entzünden konnte um die Frage, *ubi T. fuit* (»wo T. gewesen sei«; vgl. Verg. Aen. 3,11): Für die Bewohner des histor. Ilion seit dem 8. Jh. war es eine feststehende Tatsache, daß sie die epische Trad. weiterführten, nicht zuletzt im Kult der → Athena Ilias, dem alle Besucher seit Xerxes und Alexandros [4] Reverenz erwiesen. Gelehrte Bewohner konkurrierender Nachbarstädte (wie Hestiaia aus Alexandreia [2] Troas und Demetrios [34] aus Skepsis) bestritten die Identität des »jetzigen Ilion« mit dem T. der Heroenzeit, und diese bei Strab. 13,1,24–27 [17. 136–144] überl. hell. Theorien haben noch d. mod. Forsch. beeinflußt. Schon in röm. Zeit (vgl. Verg. Aen. 10,60ff. und Lucan. 9,961 ff.) erscheinen unpräzise top. Angaben, und in MA und früher Neuzeit bleibt es oft fraglich, ob nicht T. mit den Ruinen von Alexandreia Troas oder Kyzikos identifiziert wurde.

Wiss. exakt in Hisarlık lokalisiert wurde die Stadt Ilion erst E. des 18. Jh. mit Hilfe von Inschr.- und Münzfunden [18. 92–94]; der ON *Novum Ilium* ist nicht ant., sondern Neuschöpfung der Gelehrten, die im Anschluß an Strabon das praehistor. T. an anderer Stelle, z.B. auf dem Ballı Dağı, suchten. F. CALVERT begann 1865 mit seinen Grabungen in dem von ihm erworbenen Ostteil von Hisarlık, doch erst H. SCHLIEMANNS Tiefgrabungen von 1871–73 haben die Identität und Kontinuität von brz. Festung und griech. Stadt und damit die Berechtigung des Anspruchs der Ilieis erwiesen.

C. DAS HISTORISCHE ILION

Der möglicherweise praehistor., ansonsten immer weibliche Name Ἴλιος/*Ílios* erscheint bei Homer nur einmal erkennbar in der neutralen Form *Ílion*: [τὸ] Ἴλιον αἰπύ (Hom. Il. 15,71), die dann in späterer griech. und röm. Zeit (lat. *Ilium*) ausschließlich gebraucht wird. Die schriftlichen Nachr. über die Frühzeit der griech. Siedlung reichen bis ins 8. Jh. v.Chr., also in homer. Zeit zurück und beziehen sich auf den Kult der Athena Ilias. Dieser Hauptgöttin der Landschaft wurden offensichtlich schon vor 700 v.Chr. adlige Mädchen aus Lokris [1] als Tempelsklavinnen übersandt [19]. Ein durch Inschr. und Münzbilder [20. Nr. 32, Z. 28f.; 21. T 81, T 198] belegter althergebrachter Opferbrauch, wonach ein an einen Baum oder Pfeiler aufgehängtes Rind geschächtet wird, scheint bis ins 2. Jt. zurückzureichen [19. 563–566]. Die zwiespältige Rolle der → Athena in der ›Ilias‹, die auf dem Schlachtfeld als Gegnerin, in der Stadt T. jedoch als Schutzgöttin erscheint, deutet auf einen nicht widerspruchsfreien Synkretismus einer einheimischen, anatolischen Burg- mit einer griech. Kriegsgöttin hin, der dann auch zu den verschiedenen Mythen vom Raub des → Palladion führte [22]. Die Landschaft heißt bei Herodot *Trōiás* (→ Troas) oder *Iliás*, ist jedoch in von Aioleis bewohnte Einzelstädte aufgeteilt (Hdt. 5,26; 5,94) – wohl schon seit dem 8. Jh. [19. 567–569] –, und die neuen Grabungen in T., bei denen u. a. ein »aiolisches Kapitell« gefunden wurde, bezeugen auch stärkere rel. Aktivität in archa. Zeit, obgleich die im Hell. abgetragenen zentralen Bauten der Burg uns unbekannt bleiben.

480 v.Chr. besuchte Xerxes die ›Pergamos des Priamos‹ (Hdt. 7,43), 411 opferte der Spartaner Mindaros (Xen. hell. 1,4) und 334 v.Chr. Alexandros [4] d.Gr. der Athena Ilias (Arr. an. 1,11,7–12,1). In der Ausführung von Alexandros' Plänen begann Lysimachos [2] den Neubau von Tempel und Stadt, die als Zentrum der Kultgemeinschaft (*panḗgyris*) der Ilischen Athena neue Bed. gewann. Für die Geschäfte jedes Reisenden war es wichtig, sich die Gottheit des Landes günstig zu stimmen, für den Feldherrn eines Feldzugs war es entscheidend, ihre Unterstützung zu gewinnen: Dieses Rezept befolgte Antiochos [5] d.Gr. 192 v. Chr. vor Beginn des Kriegs gegen Rom (Liv. 35,43). Auch die Römer erwiesen der Göttin Reverenz, so 190 der Praetor C. Livius [I 11] Salinator und 189 v.Chr. der Consul L. Cornelius [I 72] Scipio mit seinem ganzen Heer (Liv. 37,9,37 und 38,39). Die Niederlage des Antiochos bei Magnesia [3] 190 v.Chr. brachte Ilion als mythischer Urheimat der Römer (vgl. → Aineias/Aeneas, → Iulus) neuen Auftrieb. Dies zeigte sich im Neubau zweier Tempel (Reste im Heiligtum der Unterstadt) sowie in der Ausgabe einer prunkvollen Großsilberprägung [21. T 36–T 102].

Nach der Zerstörung T.s durch Flavius [I 6] Fimbria 85 v.Chr. (Aug. civ. 3,7) brachte erst die Gunst der Iulii → Caesar und → Augustus, die ihre Abstammung auf Aeneas zurückführten, den aufwendigen Wiederaufbau der Stadt. 324 n.Chr. hatte sie unter Constantinus [1] d.Gr. die Chance, zur Reichshauptstadt aufzusteigen, doch nach der Entscheidung für Konstantinopolis fiel sie in den Rang einer bescheidenen Prov.- und Bischofsstadt zurück, die von ihrem alten mythischen Ruhm zehrte [23].

→ Asty; Epos; Homerische Sprache; Homeros [1]; Polis; Stadt

1 J. WEILHARTNER, Ober- und Unterstadt von T. im arch. Befund und in den homer. Epen, in: Studia Troica 10, 2000, 199–210 2 D. MANNSPERGER, Physis bei Platon, 1969, 24–27 3 J. LATACZ, T. und Homer, 2001 4 E. VISSER, Homers Katalog der Schiffe, 1997 5 E. MEIER, s. v. T., RE Suppl. 14, 809–817 6 F. STARKE, T. im Kontext des histor.-polit. und sprachlichen Umfeldes Kleinasiens im 2. Jt., in: Studia Troica 7, 1997, 447–487 7 W. KULLMANN, Rezension zu [3], in: Gnomon 73, 2001, 648–663 8 M. WEST, The East Face of Helicon …, 1997 9 H. VON KAMPTZ, Homerische PN, 1982 10 F. HAMPL, Die Ilias ist kein Geschichtsbuch, in: Serta Philologica Oenipontana 7/8, 1962, 37–63 11 R. HACHMANN, Hissarlık und das T. Homers, in: K. BITTEL u.a. (Hrsg.), Vorderasiatische Arch. FS A. Moortgat, 1964, 95–112 12 F. KOLB, Ein neuer T.-Mythos? Traum und Wirklichkeit auf dem Grabungshügel von Hisarlık, in: H.-J. BEHR u.a. (Hrsg.), T. – Traum und Wirklichkeit. Ein Mythos in Gesch. und Rezeption (Tagungs-Bd., Symposion im Braunschweigischen Landes-Mus., 8./9. Juni 2001), 2002, 8–40 13 D. MANNSPERGER, Das Gold T.s und die griech. Goldprägung im Bereich der Meerengen, in: I. GAMER-WALLERT (Hrsg.), T., 1992, 124–151 14 J. V. LUCE, Die Landschaften Homers, 2000 15 B. MANNSPERGER, Landschaft, Tier- und Pflanzenwelt in der Ilias, in: T. Traum und Wirklichkeit (Begleit-Bd. zur Ausstellung Stuttgart usw. 2001/2), 2001, 319–322 16 Dies., Das Stadtbild von T. in der Ilias …, in: s. [15], 81–87 17 W. LEAF, Strabo on the Troad, 1923

18 J. M. Cook, The Troad …, 1973 19 A. Brückner, Gesch. von Troja und Ilion, in: W. Dörpfeld (Hrsg.), Troja und Ilion, 1902, 549–593 20 P. Frisch, Die Inschr. von Ilion, 1975 21 A. Bellinger, Troy. The Coins (Troy, Suppl. 2), 1961 22 N. Marinatos, The Palladion across a Culture Barrier? Mycenaean and Greek, in: S. Böhm, K.-V. von Eickstedt (Hrsg.), ΙΘΑΚΗ, FS J. Schäfer, 2001, 107–113 23 D. Mannsperger, Mythen, Machtpolitik und Münzpropaganda …, in: s. [15], 103–107.   D. MAN.

II. Archäologie

A. Grabungsgeschichte   B. Troia I-III
C. Troia IV-V   D. Troia VI-VIIb
E. Griechische, römische und byzantinische
Zeit (Troia VIII-X)

A. Grabungsgeschichte

Der 15 m hohe Siedlungshügel Hisarlık liegt an der SW-Einfahrt in den Hellespontos. Diese strategisch günstige Lage war der Grund für die dauerhafte Besiedlung des Platzes. Der Hügel wird in die Perioden Troia I-X unterteilt. Die prähistor. Schichten lassen sich zu sieben »Siedlungskomplexen« mit über 50 Bauphasen zusammenfassen (Troia I-VII = Frühe Brz. bis Frühe Eisenzeit). Darüber liegt die Stadt Ilion der griech. (Troia VIII) und röm. Ant. (Troia IX) und schließlich die Siedlung der byz. Epoche (Troia X).

Nach Vorarbeiten von F. Calvert führte H. Schliemann zw. 1871 und 1890 sieben Grabungskampagnen durch. Er hielt Troia II für das T. der ›Ilias‹ und fand in der Schicht dieser Periode den legendären »Schatz des → Priamos«. W. Dörpfeld führte nach dem Tod Schliemanns die Grabungen 1893/94 fort und entdeckte die imposante Befestigungsmauer von Troia VI. Er sprach nun diese Periode als »homerisches T.« an. 1932–1938 grub ein Team der Universität Cincinnati (USA) unter C. W. Blegen und unterteilte die Abfolge in 46 Bauphasen. Blegen hielt Troia VIIa für die Stadt des Troian. Krieges. 1988, nach fünfzigjähriger Pause, wurden unter M. Korfmann die Grabungen in T. wieder aufgenommen.

B. Troia I-III

Troia I-III wird als Maritime T.-Kultur bezeichnet (ca. 3000–2100 v. Chr.). Troia I (ca. 2920–2350 v. Chr., Frühe Brz. II) umfaßt insgesamt 14 Bauphasen und hat trotz der dörflichen Struktur bereits eine mehrfach erneuerte und verstärkte Umfassungsmauer aus Bruchsteinen. Im »Schliemann-Graben« wurden aneinandergereihte Langhäuser gefunden, wovon eines (Nr. 102) aufgrund von Größe und Bauform bereits als frühes → Megaron bezeichnet werden kann. Die braunschwarze, teilweise mit weiß inkrustierter Ritzverzierung dekorierte Keramik ist ausschließlich handgemacht. Troia II (ca. 2550–2250 v. Chr. = Frühe Brz. II; s. Plan unten) bezeichnet die Burganlage offenbar einer Herrscherschicht mit überregionalen Kontakten. Die ca. 330 m lange Verteidigungsmauer aus einem teilweise 6 m hohen, geböschten Steinunterbau mit aufliegenden Lehmziegeln umfaßt die knapp 9000 m² große Burg.

Eindrucksvolle Megarongebäude innerhalb der Burg dienten wohl als Kult- und Versammlungshäuser. Drei große Brandkatastrophen (einschließlich »Schatzfunden«) sind im Verlauf der etwa acht Bauphasen nachgewiesen. Die Gegenstände bezeugen Handelsbeziehungen in alle Welt. Das in T. reichlich verwendete → Zinn muß von weither importiert worden sein (Zentralasien?). In dieser Zeit wurde in T. die Töpferscheibe (meist gelb-rötliche Keramik) eingeführt. Südlich der Burg schloß sich eine auf 90 000 m² geschätzte Unterstadt an, die von einem monumentalen hölzernen Bollwerk (s. »Palisade«, Plan unten) umgeben war. Troia III (ca. 2250–2100 v. Chr. = Frühe Brz. II): Im Innenbereich der Burg wurde die Bebauung enger und kleinteiliger. Eine rasche Abfolge aus mindestens vier Bauphasen, wovon eine durch eine große Brandkatastrophe ihr Ende fand, läßt auf zunehmend schwierige Lebensverhältnisse schließen. Das Fundrepertoire unterscheidet sich nur wenig von demjenigen aus Troia II.

C. Troia IV-V

Troia IV und V, Anatolische T.-Kultur (ca. 2100–1700 v. Chr. = Frühe Brz. III/Anf. der Mittleren Brz.): Die Siedlung im Innern des Burgbergs dehnte sich allmählich bis auf etwa 18 000 m² aus. Für Troia IV konnten sieben Brandphasen nacheinander festgestellt werden, und auch Troia V läßt sich in mehrere Phasen unterteilen. Mit Troia IV verändern sich die ökonomischen Bedingungen, und die materielle Kultur zeigt verstärkt Einflüsse aus Inneranatolien: Innerhalb von aneinandergebauten Häusern (Anatolisches Siedlungsschema) befinden sich nun Kuppelöfen, die veränderte Gar- und damit auch Eßgewohnheiten signalisieren.

D. Troia VI-VIIb

»Troianische Hochkultur« (ca. 1700–1200 v. Chr.; s. beide Pläne): Troia VI (ca. 1700–1300 v. Chr. = Mittlere/ Späte Brz., angeblich Homers T. oder (W)Ilios bzw. Taruwisa oder Wilusa): T. kann nun als Residenz- und Handelsstadt bezeichnet werden. Auf dem Siedlungshügel wurde ohne Rücksicht auf ältere Strukturen eine mächtige Burganlage errichtet. Eine mit Türmen und Bastionen versehene geböschte Steinmauer mit senkrechtem Lehmziegeloberbau von über 10 m H umschließt ein Gebiet von etwa 200×300 m. Zusammen mit der Unterstadt, der ein kleiner, gegen Streitwagenangriffe in den Felsen geschlagener Verteidigungsgraben vorgelagert ist, umfaßt das abgesicherte Gebiet ca. 270 000 m². Spätestens im 3. Viertel des 3. Jh. v. Chr. wurde das Hügelzentrum von Troia VI durch den Bau des hell.-röm. Athena-Tempels komplett zerstört, so daß der an dieser Stelle vermutete Palast nicht faßbar ist. Das nw Viertel der Unterstadt wurde großflächig ausgegraben und auch anderswo wurden hinreichend Gebäudeteile dieser Periode gefunden, so daß generell mit einer relativ dichten Bebauung zu rechnen ist. Reste der Friedhöfe mit Kremationen und Skelettbestattungen fanden sich außerhalb des Streitwagengrabens. Ein ähnlicher Friedhof in der Besikbucht (ca. 8 km sw von Hisarlık) wurde gegen Ende von Troia VI offenbar nach

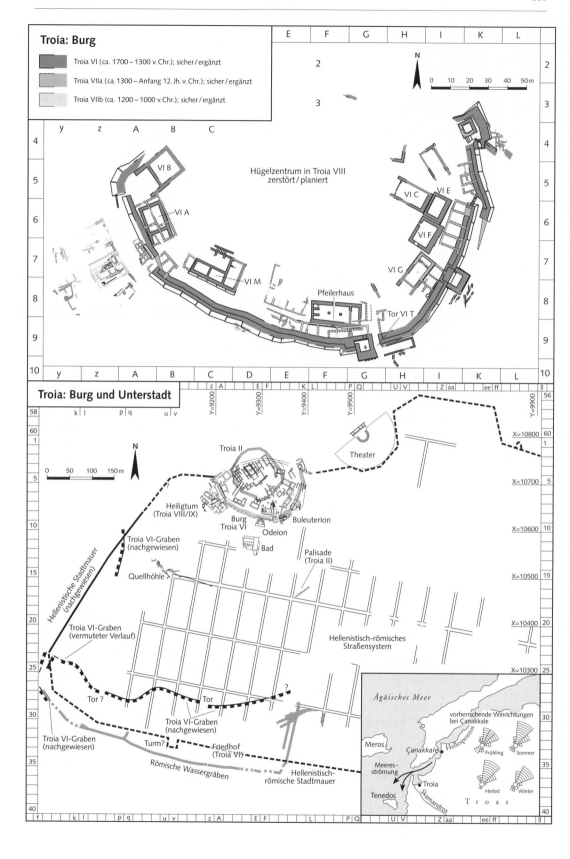

Troia: Burg

Troia VI (ca. 1700 – 1300 v.Chr.); sicher / ergänzt

Troia VIIa (ca. 1300 – Anfang 12. Jh. v.Chr.); sicher / ergänzt

Troia VIIb (ca. 1200 – 1000 v.Chr.); sicher / ergänzt

N

0 10 20 30 40 50m

Hügelzentrum in Troia VIII
zerstört / planiert

VI B

VI A

VI C

VI E

VI F

VI M

VI G

Pfeilerhaus

Tor VI T

Troia: Burg und Unterstadt

N

0 50 100 150m

Troia II

Theater

Heiligtum
(Troia VIII/IX)

Burg
Troia VI

Buleuterion

Odeion

Bad

Palisade
(Troia II)

Troia VI-Graben
(nachgewiesen)

Quellhöhle

Troia VI-Graben
(vermuteter Verlauf)

Hellenistisch-römisches
Straßensystem

Tor ?

Tor

?

Troia VI-Graben
(nachgewiesen)

Turm?

Troia VI-Graben
(nachgewiesen)

Friedhof
(Troia VI)

Römische Wassergräben

Hellenistisch-
römische Stadtmauer

Hellenistische Stadtmauer
(nachgewiesen)

Ägäisches Meer

vorherrschende Winrichtungen
bei Çanakkale

Meros

Çanakkale

Hellespontos

Frühling

Sommer

Meeres-
strömung

Troia

Herbst

Winter

Tenedos

Skamandros

T r o a s

einer Erdbebenkatastrophe aufgelassen. Eine seit dem 3. Jt. v. Chr. genutzte künstliche Quellhöhle wurde weiterhin genutzt. Sie und andere Grabungsergebnisse widersprechen nicht der Gleichsetzung des Ortes mit der hethit. Vasallenstadt Wilusa. Deshalb ist der Begriff »Hochkultur« zumindest diskutabel. Troia VIIa (ca. 1300 bis Anf. 12. Jh. v. Chr. = Späte Brz., angeblich Homers T. oder (W)Ilios bzw. Taruwisa oder Wilusa): Die stark zerstörte Stadt wurde offenbar von der alten Bevölkerungsgruppe wiederaufgebaut, das ehemalige Burgareal dicht besiedelt. Die alten Gebäudereste und bes. die Befestigungsanlage wurden weiterhin genutzt. Die Bebauung verdichtete sich im Innern wie außerhalb der Burg. Nach etwa 100 J. wurde die Stadt erneut zerstört, diesmal jedoch in einem offenbar verlorenen Krieg.

T.-Kultur mit Prägung durch den Balkan, Troia VIIb (ca. 1200 bis ca. 1000 v. Chr. = Frühe Eisenzeit): In den Phasen von Troia VIIb (1–3) wurden alte Trad. fortgeführt und neue Elemente eingeführt. Neben der Drehscheibenkeramik taucht wieder handgefertigte Tonware in bemerkenswerten Mengen auf, die in gleicher Art aus dem Balkanraum bekannt ist. Die kleinteilige Bebauung konzentriert sich auf den Bereich innerhalb und direkt außerhalb der Burg. In Troia VIIb2 wurden die unteren Mauerteile durch senkrechte, unregelmäßige Steinplatten verkleidet (Orthostaten). Reste von mindestens einer weiteren Phase (VIIb3) konnten nachgewiesen werden. Darauf folgte eine Periode stark eingeschränkter Besiedlung mit nur sehr geringer Bautätigkeit. Evtl. gab es Aktivitäten nur in Verbindung mit einem Heiligtum.

E. GRIECHISCHE, RÖMISCHE UND
BYZANTINISCHE ZEIT (TROIA VIII–X)

Das griech. Ilion, Troia VIII (ca. 700–85 v. Chr. = Archa. Zeit bis Hell.; s. Plan unten): Die ältesten Gebäude eines Heiligtums entstanden erst nach 700 v. Chr., doch durch Votivgaben ist belegt, daß der Ort auch schon einige Jahrzehnte vorher als heilig galt. Nach einer Phase der Armut in klass. Zeit (5./4. Jh.) erfolgte im 3. Jh. v. Chr. die spezifische Verehrung der »hl. Stadt Ilion« als (angeblicher) Schauplatz des Troianischen Krieges mit einem Athena-Tempel auf dem Burgberg und einem weiteren Heiligtum samt Tempeln. Ilion wurde innerhalb eines Städtebundes zum rel. und polit. Zentrum der Region. Im ausgehenden 3. Jh. v. Chr. wurde um die mit rechtwinkligen Straßenzügen planmäßig angelegte Unterstadt eine ca. 3,5 km lange Stadtmauer errichtet. 85 v. Chr. zerstörte Flavius [16] Fimbria die hl. Stadt.

Das röm. Ilion/Ilium, Troia IX (85 v. Chr. bis ca. 500 n. Chr.): Unter Augustus wurden der Athena-Tempel wiederaufgebaut und weitere Reparaturarbeiten in der Stadt durchgeführt. Ein neues Odeion wurde errichtet und unter Hadrianus und Caracalla umgebaut. Bis ins 3. Jh. n. Chr. wurde Ilion in dieser Art mäzenatenhaft gefördert. Im Burgbereich entstanden repräsentative öffentliche Bauten. Die Unterstadt mit ihrem überkommenen Insula-System wurde erneuert. Die ohne-

hin immer bedeutungslosere städtische Besiedlung fand um 500 n. Chr. durch mindestens zwei Erdbeben ihr Ende.

Das byzantinische Ilion, Troia X (v. a. 13. und 14. Jh. n. Chr.): Bereits ab Mitte des 4. Jh. n. Chr. war Ilion Bischofssitz. Nach der Erdbebenzerstörung um 500 n. Chr. wurde hier erst wieder in der Zeit ab ca. 1300 n. Chr. neu gesiedelt, und zwar bes. im Bereich des griech.-röm. Heiligtums; die Intensität der Bewohnung läßt sich indirekt durch zahlreiche Gräber an verschiedenen Stellen des ehemaligen Stadtgebiets nachweisen. E. des 14. Jh. n. Chr. kam die Besiedlung des Platzes schließlich ganz zum Erliegen. Ein Teilbereich der → Troas wurde 1996 zum histor. Nationalpark erklärt, die Ruinen von T. wurden 1998 in die Liste des Weltkulturerbes der Vereinten Nationen aufgenommen.

→ Troas; Wilusa; TROJA

H. SCHLIEMANN, Trojanische Alterthümer. Ber. über die Ausgrabungen in Troja, 1874 · Ders., Ber. über die Ausgrabungen in Troja in den J. 1871 bis 1873, 1990 · Ders., Ilios. Stadt und Land der Trojaner. Forsch. und Entdeckungen in der Troas und bes. auf der Baustelle von Troja, 1881 · Ders., Troja. Ergebnisse meiner neuesten Ausgrabungen auf der Baustelle von Troja, in den Heldengräbern, Bunarbaschi und anderen Orten der Troas im J. 1882, 1884 · Ders., Ber. über die Ausgrabungen in Troja im J. 1890, 1891 · W. DÖRPFELD, Troja 1893. Ber. über die im J. 1893 in Troja veranstalteten Grabungen, 1894 · Ders., Die Ausgrabungen in Troja 1894, in: Athener Mitt. 19, 1894, 380–394 · Ders., Troja und Ilion. Ergebnisse der Ausgrabungen in den vorhistor. und histor. Schichten von Ilion 1870–1894, 1902 · C. W. BLEGEN u. a., Troy I. General Introduction. The First and Second Settlements, 1950 · Ders. u. a., Troy II. The Third, Fourth and Fifth Settlements, 1951 · Ders. u. a., Troy III. The Sixth Settlement, 1953 · Ders. u. a., Troy IV. Settlements VIIa, VIIb and VIII, 1958 · J. LAWRENCE ANGEL, Troy. The Human Remains (Troy Suppl. 1), 1951 · A. BELLINGER, Troy. The Coins (Troy Suppl. 2), 1961 · D. BURR THOMPSON, Troy. The Terracotta Figurines of the Hellenistic Period (Troy Suppl. 3), 1963 · G. RAPP JR., J. A. GIFFORD, Troy. The Archaeological Geology (Troy Suppl. 4), 1982 · F. W. GOETHERT, H. SCHLEIF, Der Athenatempel von Ilion, 1962 · Grabungs- und Forsch.-Ber. zu der neuen internationalen T.-Grabung (ab 1988) alljährlich in der Reihe der Studia Troica, bisher Bd. 1, 1991 bis Bd. 11, 2001; dazu: »Studia Troica-Monographien« · T.: Traum und Wirklichkeit (Begleit-Bd. zur Ausstellung Stuttgart usw., 2001/2), 2001.
M. KO.

III. MYTHOLOGIE:
DER TROIANISCHE SAGENKREIS
A. MYTHOS B. CHRONOLOGIE
C. DIE TROIA-SAGE IN LITERATUR UND
GESCHICHTE

A. MYTHOS

Der Troianische Sagenkreis (= T. S.) umfaßt die Ereignisse von der Geburt der → Helene [1] über den

Troianischen Krieg (= T.K.; Hauptquelle: Homers ›Ilias‹) bis zur Rückkehr des → Odysseus nach Ithaka (Hauptquelle: Homers ›Odyssee‹), also einen Zeitraum von rund 40 Jahren. Bei der Hochzeit des → Peleus mit → Thetis kommt es zum Schönheitswettstreit zwischen → Hera, → Athena und → Aphrodite, den → Paris, der Sohn des troian. Königs → Priamos, zugunsten Aphrodites entscheidet, da sie ihm die Ehe mit Helene verspricht. Paris begibt sich nach Sparta und entführt Helene, die dort als Gattin des → Menelaos [1] lebt. Da diplomatische Versuche, Helene zurückzuerhalten, scheitern, sammelt → Agamemnon, der Bruder des Menelaos, ein riesiges Truppenaufgebot für eine Belagerung T.s. An der mil. Unternehmung beteiligen sich mit eigenen Flottenkontingenten u. a. → Achilleus [1], → Aias [1], → Diomedes [1], → Nestor [1] und Odysseus. Erst nach einigen Verzögerungen (vgl. → Iphigeneia) können die Griechen vor T. landen.

Nun beginnt eine Belagerung, die sich über mehrere Jahre hinzieht, da es den Griechen nicht gelingt, die Stadt von ihren kleinasiatischen Verbündeten abzuschneiden. Außerdem verhindert die Uneinigkeit der Götter schnellen Erfolg. Als sich Achilleus aus Zorn darüber, daß er → Briseis an Agamemnon abtreten muß, aus dem Kampf zurückzieht, geraten die Griechen in starke Bedrängnis. Erst sein erneutes Eingreifen nach dem Tod des → Patroklos [1] führt die entscheidende Wende herbei. Im Zweikampf tötet er den Anführer der Troianer, → Hektor. Dann kommen die Amazonen unter → Penthesileia und der Aithiopenkönig → Memnon [1] den Troianern zu Hilfe, die jedoch beide von Achilleus geschlagen werden. Erst Apollon vermag – durch den Bogenschützen Paris – Achilleus zu töten. Bevor sie die Stadt einnehmen können, müssen die Griechen → Neoptolemos [1] aus Skyros und → Philoktetes mit dem Bogen des Herakles [1] aus Lemnos herbeiholen sowie das → Palladion aus T. rauben. Schließlich gelingt ihnen nach zehnjähriger Belagerung die Einnahme T.s durch die List des von → Epeios [1] erbauten hölzernen Pferdes. Nachdem sie die Stadt brutal zerstört haben, machen sich die Griechen auf den Weg in die Heimat, die als letzter → Odysseus nach langer Irrfahrt erreicht.

Ausgelöst wird der Krieg durch den Plan des Zeus, die Erde von Überbevölkerung zu befreien und die Menschen für ihre mangelnde Frömmigkeit zu bestrafen (Kypria F 1 EpGF). Dadurch und durch den Krieg um → Thebai [2] wird letztlich in der Abfolge der Weltalter das Ende der Heroenzeit, der vierten Epoche, herbeigeführt (Hes. erg. 156–173; → Zeitalter).

Als erster König in der → Troas gilt in der Myth. → Teukros [1], der seine Tochter mit Dardanos [1] verheiratet, der so zum Stammvater des troian. Königsgeschlechtes wird (zur Genealogie → Dardanidai). Die Gründung der Stadt Ilion/T. geht auf den Sohn des Tros, → Ilos [1], zurück. Für dessen Sohn → Laomedon [1] errichten → Poseidon und → Apollon (später auch → Aiakos) die Stadtmauern T.s. Da ihnen der Lohn vorenthalten wird, schickt Poseidon ein Ungeheuer, das

Herakles [1] im Auftrag Laomedons bezwingt. Als Laomedon auch ihn um den vereinbarten Lohn prellt, zerstört Herakles T. Die Herrschaft geht auf Laomedons Sohn Priamos über, der die Stadt wieder aufbaut.

B. CHRONOLOGIE

Über einige Teilnehmer des eigentlichen, d. h. zweiten Zuges gegen T. lassen sich die Ereignisse des T.S. zeitlich relativ zu anderen Sagen einordnen: → Tlepolemos [1] ist der Sohn des Herakles [1]; Diomedes und → Sthenelos [4] gehören zu den Epigonen, die zuvor Thebai [2] eingenommen haben (vgl. → *Epigonoi* [2]; Hom. Il. 4,372–410); → Peleus, der Vater des Achilleus, war an der Argonautenfahrt (→ Argonautai) beteiligt. So fehlte es auch im Alt. nicht an Versuchen, mit Hilfe von Heroen- und Herrscher-Genealogien den Zeitpunkt des T.K., dessen Historizität man nicht bezweifelte, zu bestimmen (vgl. Hekat. FGrH 1 F 1–35; Hdt. 7,171,1). Immer wieder bemühte man sich, indem man von herausragenden histor. Ereignissen zurückrechnete, zu einer präzisen Datier. der Zerstörung T.s zu gelangen. Herodot setzte sie etwa 800 J. vor seiner eigenen Zeit, also um 1250 v. Chr., an (Hdt. 2,145). Das → *Marmor Parium* ging vom J. 1209/8 aus, während sich allmählich die Datier. auf 1184/3 durchsetzte (Eratosth. FGrH 241 F 1; Apollod. FGrH 244 F 61; [3]).

C. DIE TROIA-SAGE IN LITERATUR UND GESCHICHTE

Der T.S. oder einzelne seiner Episoden wurden in der griech. Lit. immer wieder in allen Gattungen verarbeitet. Herausragend sind die beiden Epen ›Ilias‹ und ›Odyssee‹, die jeweils nur einem Ausschnitt des T.S. gewidmet sind (→ Homeros [1]). Das übrige Geschehen bis zum Tod des Odysseus wurde später in anderen (großteils verlorenen) Epen auch in mythen-chronologischer Reihenfolge dargestellt (→ Epischer Zyklus). Sie dienten wiederum als Stoff-Slg. für attische Tragödien, die Einzelepisoden auf die Bühne brachten (z. B. Aischyl. Achilleus- und Aias-Trilogie; Aischyl. Philoktetes; Soph. Ai.; Soph. Phil.; Eur. Hec.; Eur. Hel.; Eur. Tro.). Auch die Chorlyrik griff den T.S. auf (Stesich. Iliupersis, Nostoi, Helena). Ab dem 5. Jh. v. Chr. verstand man den T.K., die erste gemeinsame Unternehmung der Griechen, auch als histor. Paradigma für den Konflikt zw. Asien und Europa bzw. Persern und Griechen (Eur. Iph. A. 1368–1401; Hdt. 1,3–5; Thuk. 1,3; Isokr. or. 12,42; 80). Auch für Xerxes und Alexandros [4] d. Gr. markierte der T.K. einen wichtigen Einschnitt in der griech. Gesch., weshalb sie T. auf ihren Feldzügen besuchten (Hdt. 7,43; Arr. an. 1,11,3–1,12,2).

In Rom entfaltete der T.S. eine bedeutende lit. Wirkung, die von der *Odyssia* des Livius [III 1] Andronicus und der republikanischen Trag. (z. B. Naevius: *Equos Troianus*; Accius: *Achilles*, *Armorum iudicium*) bis zu Dares [3] und Dracontius [3] reicht. Darüber hinaus war der T.S. für die röm. Gesch.-Philos. von erheblicher Bed.: Rom galt als das nach göttlichem Plan wiedererstandene T., dessen Gründung durch die Landung der von

→ Aineias [1]/Aeneas geführten Troianer in Latium ermöglicht worden war. Führende Familien Roms verstanden sich als Nachkommen von Troianern, die *gens Iulia* beanspruchte Aeneas als Ahnherrn. Ihre wirkungsmächtige Form fanden diese Vorstellungen in der *Aeneis* des → Vergilius. Auch im MA und bis in die Neuzeit hinein leiteten sich Adelsgeschlechter und Städte, aber auch ganze Völker wie die Franken oder Türken von Aeneas und anderen Troianern ab [1]. Dementsprechend lebte der T.S. in der volkssprachlichen ma. Lit. prominent fort (z.B. Benoît de St. Maure, Roman de Troie, um 1165; Herbort von Fritzlar, Liet von Troye, um 1195; Konrad von Würzburg, Trojanerkrieg, um 1285; [2]).

→ Dares [3]; Dictys Cretensis; Epischer Zyklus; Homeros [1]; Ilia Mikra; Ilias Latina; Iliupersis; Troiaroman

1 M. BORGOLTE, Europas Gesch. und T. Der Mythos im MA, in: [6], 190–203 2 H. BRUNNER (Hrsg.), Die dt. T.-Lit. des MA und der Frühen Neuzeit, 1990 3 H. CANCIK, Der T.K. Seine Bed. für das Gesch.bild der Griechen und Römer, in: [6], 174–179 4 D. HERTEL, T., 2001 5 J. LATACZ, T. und Homer, 2001 6 T. Traum und Wirklichkeit (Begleit-Bd. zur Ausstellung, Stuttgart usw., 2001/2), 2001.

E. BETHE, Der troische Epenkreis, ²1929 (Ndr. 1966) · M. DAVIES, The Epic Cycle, 1989 · PRELLER/ROBERT, Bd. 3.2. J. STE.

Troiae lusus (sog. »Troiaspiel«; auch *lusus puerorum equestris, Troicus lusus, Troiae decursio* oder einfach nur *Troia*). Ein alt-ital. Kampfspiel von Knaben und Jugendlichen zu Pferde. Etym. abgeleitet von lat. *amptruare* oder *truare* (»tanzend hüpfen«, vgl. [1] s.v. *amtruo*).

Über die Genese des *T.l.* ist die Forsch. geteilter Meinung. Hauptquelle für den myth. Ursprung ist Verg. Aen. 5,548–603 in Verbindung mit der Gründungsgeschichte Roms, was angesichts der Erneuerung des *T.l.* bes. unter → Augustus als nicht haltbar bezeichnet werden kann. Am ital. Ursprung besteht wohl kein Zweifel, wenn auch die Interpretation der Darstellung von Reitern und einer labyrinthartigen Zeichnung (mit der Beischrift *truia*) auf einer ital. Vase vom Fundort Tragliatella (bei Fumincino; 8. Jh. v. Chr.) als Hinweis auf den myth. Ursprung der Spiele in → Troia überstrapaziert sein dürfte [2].

Das früheste schriftl. Zeugnis stammt aus sullanischer Zeit. Unter Augustus erfuhren die Spiele eine starke Belebung, fanden allerdings aufgrund eines Unfalls um 2 v. Chr. zum letzten Mal statt; Caligula führte sie wieder ein; dann sind sie bis E. des 2. Jh. n. Chr. belegt. Urspr. besaß der *T.l.* sakrale Bed., gewann aber seit augusteischer Zeit größere polit. Bed. im Zusammenhang mit den u.a. den Ritterstand stärkenden Neuordnungen. Teilnehmer waren die Söhne adeliger, angesehener Familien zw. dem 6. und 17. Lebensjahr, ebenso alle iulisch-claudischen Prinzen.

Der Ablauf der Spiele ist nach Verg. l.c. rekonstruierbar: Die → *turmae* ritten paarweise voran. Auf das Kommando des Anführers (*magister*) hin schwenkten sie nach rechts und links auseinander und preschten mit zum Angriff ausgelegten Lanzen aufeinander los. Dies wurde mehrfach wiederholt; diverse Formationen wurden geritten, bis die Reiter wieder paarweise nebeneinander Aufstellung fanden. Zunächst wohl an einem bestimmten Tage, fand der *T. l.* später zu unterschiedlichen Anlässen statt: bei den großen Spielen (→ *ludi*), → Triumphen oder Tempeleinweihungen.

1 WALDE-HOFMANN, Bd. 3 2 LATTE, 116 mit Anm. 1.

E. NORDEN, KS, 1966, 373 f. (mit Quellenbelegen) · H. FUCHS, Lusus Troiae, Diss. Köln 1990. A. V. S.

Troianischer Krieg s. Troia III.

Troiaroman

I. BEGRIFF UND EIGENART II. ANTIKE WERKE III. REZEPTION IN MITTELALTER UND NEUZEIT

I. BEGRIFF UND EIGENART

Unter dem Begriff T. faßt man eine Reihe von ant. Prosatexten zusammen, die der Troia-Epik des MA vorausgehen, bes. die spätant. Erzählungen des → Dictys Cretensis und des → Dares [3] Phrygius. Diese und ähnliche Werke wollen freilich nichts weniger sein als »Romane« (→ Roman); sie erheben vielmehr – spielerisch oder ernsthaft – den Anspruch, die Wahrheit über den Troianischen Krieg zu vermitteln. Dabei können sie in scharfen Gegensatz zu den Dichtern treten, namentlich zu → Homeros [1]; von Fall zu Fall können sie diese aber auch gleichsam beglaubigen. So wird etwa an den Namen und Zahlen des sog. »Schiffskatalogs« (im 2. Gesang der ›Ilias‹) festgehalten; wo die späteren Autoren abzuweichen scheinen, handelt es sich gewöhnlich um Textverderbnis. Kennzeichnend für solche quasi-histor. Texte ist ihre »Vernunft«, die keine Ungereimtheiten und v. a. nichts Übernatürliches hinnimmt. Aus den alten Geschichten wird v. a. das persönliche Eingreifen der Götter eliminiert.

Daß die poetischen Ber. über Troia korrigiert wurden – sei es durch bloßes Nachdenken und eigene Erfindung, sei es durch den Ausgleich mit anderen Überl. –, läßt sich zuerst bei Herodot beobachten, der z.B. zu dem Schluß gelangt (2,113–120), daß Helena (→ Helene [1]) nie in Troia gewesen sei, sondern sich während des Krieges in Ägypten aufgehalten habe. Der korrigierenden Willkür sind prinzipiell keine Grenzen gesetzt. Sie kann so weit gehen, daß sie den Troianischen Krieg ohne Eroberung Troias mit einem Friedensschluß enden läßt (Dion Chrys. or. 11). Gewöhnlich beschränkte man sich jedoch darauf, andere Akzente zu setzen und neue Motive einzuführen. So gewinnt z. B. → Palamedes [1] (bes. bei Dares [3]), über den ›Ilias‹ und ›Odyssee‹ sich ausschweigen, seine alte – etwa in den → *Kýpria* und der Trag. erkennbare – Rolle zurück und noch an Bed. dazu. Der einst als Krieger kaum wichtige Troïlos [1] wird zu einem großen Helden der Troianer. Mit dem Motiv des in Polyxene verliebten Achilleus gelingt einem – für uns anon. – Autor eine Erfindung, der ein reiches Nachleben beschieden war.

II. ANTIKE WERKE

Die Reihe zusammenhängender Darstellungen scheint im 3. Jh. v. Chr. mit der nur als Buchtitel überl. ›Troianischen Geschichte‹ (*Trōïká*) des → Dionysios [13] Skytobrachion zu beginnen. Etwas klarer sieht man bei → Hegesianax aus Alexandreia (Troas), der unter dem Namen Kephalion (oder Kephalon) aus Gergis im 2. Jh. v. Chr. ebenfalls *Trōïká* veröffentlichte, die 100 J. später wie eine seriöse Gesch.-Quelle zit. werden (Athen. 9,593d–e; Dion. Hal. ant. 1,49,1 und 1,72,1). Mit der o.g. ›Troianischen Rede‹ (*Trōïkós lógos*) des Dion [I 3] Chrysostomos (or. 11) setzen die erh. Werke zum Thema ein. Durch Exzerpte kenntlich ist uns aus dieser Zeit auch die ›Neue Geschichte‹ (*Kainḗ historía*) des → Ptolemaios [64] Chennos; der Antipatros aus Akanthos (FGrH 56), auf den er sich beruft, ist verm. von ihm selbst erfunden. Antipatros soll einen vorhomerischen Dares bezeugt haben: Diesen → Dares [3] hatte wohl der spätant. Autor im Sinn, der den Ber. des »Phrygers Dares« fingierte (FGrH 51). Vielleicht in 2. Jh. anzusiedeln ist das griech. Original des → Dictys Cretensis. Zu Beginn des 3. Jh. schrieb → Philostratos [5] seinen Dialog *Hērōïkós*, der Geschehnisse des Troian. Krieges durch den als Heros verehrten → Protesilaos bezeugen läßt. Das Werk eines – wohl späten – Sisyphos aus Kos (FGrH 50) wird von → Iohannes [18] Malalas als eine Quelle seiner *Chronographía* genannt. Dieser Sisyphos soll als Begleiter des Teukros [2] am Troian. Krieg teilgenommen haben. Die Suda informiert s. v. Korinnos über einen Troianer dieses Namens, der als erster den Kampf um Ilion dargestellt habe.

III. REZEPTION IN MITTELALTER UND NEUZEIT

Der ant. »T.«, v. a. Dares, ging in die lat. und volkssprachliche Gesch.-Schreibung und Poesie des MA ein. Das große Interesse am Troiastoff erklärt sich nicht zuletzt aus dem Bedürfnis nach dynastischer und ethnischer Selbstvergewisserung: Man konnte sich, wie die Römer, von troian. Einwanderern herleiten – so namentlich die Franken, wofür die → Fredegar-Chronik (7. Jh.) die frühesten Belege bietet. Die lit. Höhepunkte sind mit den Namen Benoît de Sainte-Maure (*Roman de Troie*, um 1160) und Ioseph Iscanus (*Daretis Frigii Ylias*, 1190) bezeichnet. Breit rezipiert wurde aber nur das Epos Benoîts, so durch Herbort von Fritzlar (›Liet von Troye‹, um 1195), Albert von Stade (›Troilus‹, 1249), Konrad von Würzburg (›Trojanerkrieg‹, 1281–1287), Guido de Columnis (*Historia destructionis Troiae*, 1287), BOCCACCIO (*Il Filostrato*, um 1335), CHAUCER (*Troilus and Criseyde*, um 1385). Einzelne Motive aus Dictys und Dares hielten sich in Dichtung und Mythographie bis ins 19. Jh.; Beispiele sind SCHILLERS Ballade ›Kassandra‹

(1802) und Gustav SCHWABS ›Schönste Sagen des klassischen Altertums‹ (1838–1840).

→ Roman; Troia III.

K. ALFEN et al., Entstehungssituation und Publikum der dt. Trojalit. des 12. bis 16. Jh., in: H. BRUNNER, N. R. WOLF (Hrsg.), Wissenslit. im MA und in der frühen Neuzeit, 1993, 177–208 · A. BESCHORNER, Helden und Heroen, Homer und Caracalla. Übers., Komm. und Interpretationen zum *Heroikos* des Flavios Philostratos, 1999 · H. BRUNNER (Hrsg.), Die dt. Trojalit. des MA und der Frühen Neuzeit, 1990 · PH. CONTAMINE, s. v. Trojanerabstammung (der Franken), LMA 8, 1997, 1041 · U. DUBIELZIG et al., s. v. Trojadichtung, LMA 8, 1997, 1034–1041 · TH. GÄRTNER, Klass. Vorbilder ma. Trojaepen, 1999 · N. HOLZBERG, Der ant. Roman, ²2001 · M.-R. JUNG, La légende de Troie en France au moyen âge, 1996 · K. C. KING, Achilles Amator, in: Viator 16, 1985, 21–64 · S. MERKLE, Die Ephemeris belli Troiani des Diktys von Kreta, 1989 · F. PATZIG, Das Trojabuch des Sisyphos von Kos, in: ByzZ 12, 1903, 231–257 · J. STOHLMANN (ed.), Anonymi Historia Troyana Daretis Frigii, 1968 · K. USENER, Dictys und Dares über den Troischen Krieg, in: Eranos 92, 1994, 102–120.   J.D.

Troilos (Τρωίλος, lat. *Troilus*).

[1] Sohn des → Priamos (oder → Apollon) und der → Hekabe (Hom. Il. 24,257; Apollod. 3,151). Aus den wenigen frühen Textzeugnissen geht lediglich der Tod des mit dem Epitheton *hippochármēs* (»Pferdekämpfer« oder »Wagenkämpfer«, dazu [1. 292]) bezeichneten T. (Hom. Il. 24,257) durch → Achilleus [1] hervor, wie nach Proklos (45 KULLMANN, [1. 291–293]) bereits in den → *Kýpria* dargestellt. Die zahlreichen bildlichen Darstellungen aus archa. Zeit sprechen für eine frühe Bekanntheit und Verbreitung der T.-Gesch. [2. 94]: T. begleitet seine Schwester → Polyxene (die sich als Figur im T.-Mythos nur in der Bildkunst, nicht in den lit. Quellen findet [3. 73]) zum Wasserholen; auf dem Gang aus der Stadt gerät er in einen Hinterhalt des Achilleus, der den zum Heiligtum des thymbraeischen Apollon Fliehenden nachsetzt und ihn am Altar des Tempels tötet (Apollod. epit. 3,32; schol. Lykophr. 307). Der nicht erh. *Trōílos* des Sophokles [1] soll Hinterhalt und Tod des T. durch Achill thematisiert haben (schol. Hom. 24,257a ERBSE; TrGF 4 F 618–635). Auch das erotische Motiv der Liebe Achills zu T. findet sich in den lit. Quellen (schol. Lykophr. 307; Serv. Aen. 1,474). Nach anderer Version wird T. als Krieger (und sein Tod in der Schlacht) dargestellt (Verg. Aen. 1,474–478). Bei Plaut. Bacch. 953–955 wird der Tod des T. als einer der drei Gründe für den Fall → Troias genannt. Die J. CHAUCERS ›Troilus und Criseyde‹ und in W. SHAKESPEARES ›Troilus und Cressida‹ beschriebene Liebe zw. T. und Chryseis ist eine ma. Erfindung.

1 W. KULLMANN, Die Quellen der Ilias, 1960, 291–293
2 A. KOSSATZ-DEICHMANN, s. v. T., LIMC 8.1, 91–94
3 Dies., s. v. Achilleus, LIMC 1.1, bes. 72–95.

A. LESKY, s. v. T. (2), RE 7 A, 602–615.   SU. EI.

[2] T. aus Side. Sophist des 4.–5. Jh. n. Chr. (Biographisches bei Sokr. 7,1,3; 7,27,1). Leiter einer Rhet.-Schule in Konstantinopolis (Schüler: Ablabios, Silvanus, Eusebios Scholastikos; vgl. Sokr. 7,12,10; 37,1; 6,6,36; vielleicht auch Sokrates [9] selbst); Freund und Berater des → Anthemius [1] (408–414), Briefpartner des → Synesios [1] von Kyrene. Laut Suda s. v. T. verfaßte er ›Polit. Diskussionen‹ (λόγοι πολιτικοί) und eine Brief-Slg. (7 B.). Unter seinem Namen ist eine ›Einführung in die Rhet.‹ für den höheren Unterricht überl.: sie verwendet rhet. Kategorien und Definitionen verschiedener Philosophenschulen und enthält einen Abriß der Rhet.-Gesch.

1 H. RABE (ed.), Prolegomenon sylloge, 1931, 44–58; XXXIX-XLIII 2 W. ENSSLITT, W. KROLL, s. v. T. (3), RE 7 A, 615 f. S. FO./Ü: I. BA.

Troizen (Τροιζήν erst seit dem 2. Jh. v. Chr. und lit.; urspr. Τροζάν/ *Trozán*, ion. Τροζήν/ *Trozén*; lat. *Troezen, Troezene, Troezena*).
I. LAGE UND GESCHICHTE II. BAUBESTAND

I. LAGE UND GESCHICHTE

Stadt an der Nordküste der → Argolis beim h. T. (ehemals Damala) auf dem Nordhang des Anderes-(h. Phorbantion)-Gebirges. Das Gebiet von T. umfaßte die ganze Ostspitze der Halbinsel. Im 6. Jh. gehörte auch die Insel → Hydrea zu T., ebenso bis zum 4. Jh. und dann wieder in der röm. Kaiserzeit → Kalaureia. Siedlungsspuren setzen in der Stadt in geom. Zeit, auf ihrem Territorium in fh Zeit ein [1. 29 f.; 2. 45, 67, 74]. Kult. Beziehungen verbanden T. mit Boiotia und bes. mit Attika. T. galt als Geburtsort des → Theseus. T. wurde von → Dorieis wohl aus → Argos [II 1] gegr. (vgl. den Schiffskatalog, Hom. Il. 2,561). Als Kolonien von T. galten → Halikarnassos und Sybaris [4] (Aristot. pol. 1303a 29). Die Stadt beteiligte sich am Kampf gegen die Perser (→ Perserkriege [1]) 480 v. Chr. beim Artemision [1], bei → Plataiai und bei → Mykale (Hdt. 8,1,2; 8,43; 9,28,4; 9,31,3; 9,102,3; 9,105) und nahm die aus Athen evakuierten Frauen und Kinder auf (Hdt. 8,41,1; Plut. Themistokles 10,3; Paus. 2,31,7; vgl. die Erwähnung von T. auf der Schlangensäule in Delphoi: Syll.³ 31). Seit Mitte des 4. Jh. v. Chr. unter den Gegnern Athens, war T. sogar von diesem besetzt (Thuk. 1,115,1; 4,21,3; And. 3,3); seit 445 v. Chr. war T. spartanisch, auch noch nach der Schlacht bei → Leuktra 371 v. Chr. Nach der Schlacht bei → Chaironeia 338 v. Chr. errichtete Athenogenes eine *tyrannís* (Hyp. or. 5; [9. 308]). T. war am → Lamischen Krieg gegen Antipatros [1] beteiligt (Paus. 1,25,4; Diod. 18,11,2). Seit 303 v. Chr. stand T. unter der Herrschaft des Demetrios [2] und des Antigonos [2], nach 243 war die Stadt im Achaiischen Bund (→ Achaioi) mit vorübergehendem Anschluß an → Kleomenes [6] III. Um 196 v. Chr. schloß T. ein Bündnis mit Rom (IG IV 791). In der Kaiserzeit erreichte die Stadt bedeutenden Wohlstand (Strab. 8,6,3; 8,6,14; Paus. 2,30,5–34,6; 6. 207–241]; IG IV 796; 798).

II. BAUBESTAND

Erh. ist die hell. Stadtmauer (Trennung von Akropolis und Unterstadt); etwa 600 m westl. von T. sind arch. erforscht: der heilige Bezirk des Hippolytos [1] (vgl. [3; 4. 287–302; 5]) mit einem Tempel von 32 × 17,5 m (wohl vom E. des 4. Jh.), das Asklepieion mit einem kleinen Tempel von 6 × 9 m und mehreren Nebengebäuden, v. a. einem Peristylbau von 31 × 31 m Fläche, h. eher als ein weitläufiges *hestiatórion* (Empfangsraum für Festgesandte und Wettkampfsieger) und nicht als Inkubationshaus (→ Inkubation) interpretiert. Die frühesten Zeugnisse für den Kult an dieser Stelle reichen bis in geom. Zeit zurück, der Ausbau des Asklepieions erfolgte im 4. Jh. v. Chr. Außerdem sind eine hell. Nekropole und Gräber aus christl. Zeit im NO der ant. Stadt erh.; Mz.-Prägung ist bis Philippus [2] Arabs (Mitte 3. Jh. n. Chr.) bezeugt. Inschr.: IG IV 748–838; 1610; [7]. Mz.: HN 443 f.
→ Troizen-Inschrift

1 R. HOPE SIMPSON, Mycenaean Greece, 1981 2 A. FOLEY, The Argolid 800–600 B. C., 1988 3 P. E. LEGRAND, Fouilles de Trézène, in: BCH 21, 1897, 543–551 4 DERS., Antiquités de Trézène, in: BCH 29, 1905, 269–315 5 H. KNELL, T., Tempel des Hippolytos (?), in: AA 1978, 397–406; 675 f. 6 C. CALAME, Poétique des mythes dans la Grèce antique, 2000 7 P. E. LEGRAND, Inscriptions de Trézène, in: BCH 17, 1893, 84–121 8 N. ROBERTSON, The Decree of Themistocles in Its Contemporary Setting, in: Phoenix 36, 1982, 1–44 9 H. BERVE, Die Tyrannis bei den Griechen, Bd. 1, 1967.

M. H. JAMESON u. a., A Greek Countryside, 1994 · KIRSTEN/KRAIKER, 308–312 · D. HENNIG, s. v. T., LAUFFER, Griechenland, 693 f. · G. NAPOLITANO, s. v. Trezene, EAA² (1997), 847 f. · N. PHARAKLAS, Τροιζηνία, Καλαύρεια, Μέθανα (Ancient Greek Cities 10), 1972 · G. WELTER, T. und Kalaureia, 1941. Y. L.

Troizen-Inschrift. In → Troizen 1959 aufgefundene Inschr. ([1; 2]; Übers. in [3. 20 f.]) mit dem Text eines von → Themistokles beantragten athen. Volksbeschlusses, der 480 v. Chr. vor der Seeschlacht am Kap Artemision (→ Perserkriege) die Evakuierung der Bewohner Attikas nach Salamis und die Rückführung der Verbannten anordnete (sog. »Themistokles-Dekret«); die vorliegende Form ist in das 3. Jh. v. Chr. zu datieren [4. 2; 2. 48]. Die Echtheit wurde bald angezweifelt und die T. von [4] als Abschrift einer auf Herodotos basierenden Rekonstruktion aus dem 4. Jh. ohne urkundlichen Wert gesehen, wobei zahlreiche Parallelen mit »Dokumenten« aus vorperikleischer Zeit, die aus polit. Gründen nach der Mitte des 4. Jh. erfunden wurden, diesen Schluß sehr plausibel machen [4. 20–26]. Neuere Publikationen neigen wieder dazu, die T. als im Kern authentisches Dekret zu betrachten (z. B. [5. 541 f., 558; 6. 57]), ohne zu berücksichtigen, daß der in der T. verwendete Begriff der polit. Freiheit (Z. 15: ἐλευθερία, *eleuthería*) erst nach den Perserkriegen entstanden sein dürfte (→ Freiheit I. A.).

1 M. H. JAMESON, A Decree of Themistokles from Troizen, in: Hesperia 29, 1960, 198–223 **2** ML Nr. 23 (mit Komm.) **3** K. BRODERSEN et al., Historische griech. Inschr. in Übers., Bd. 1, 1992 **4** CH. HABICHT, Falsche Urkunden zur Gesch. Athens im Zeitalter der Perserkriege, in: Hermes 89, 1961, 1–35 **5** N. G. L. HAMMOND, in: CAH 4, ²1988, 518–590 **6** K.-W. WELWEI, Das klass. Athen, 1999. W. ED.

Trokmoi (Τρόκμοι, lat. *Trocmi*). Keltischer Stamm, der 279/8 v. Chr. unter → Lutarios mit den → Tolistobogioi durch Thrakia (→ Thrakes) ins Gebiet von → Byzantion zog und von → Nikomedes [2] I. als Bundesgenosse angeworben wurde [1. 236–264]. Das für die Unterstützung der pontischen Könige (wohl 274/3 v. Chr.) gewonnene ostgalatische Gebiet um den mittleren und unteren → Kappadox wurde Siedlungsraum der T., gegliedert in vier Stammesfürstentümer (Tetrarchien mit Herrschaftsmittelpunkten in → Tavium, → Podanala, Eckobriga, Ceritkale). 189 v. Chr. wurden die T. zusammen mit den → Tectosages und weiteren Verbündeten → Antiochos' [5] III. am Berg Magaba von Cn. Manlius [I 24] Vulso geschlagen. Nach dem Massaker Mithradates' [6] VI. am Tetrarchenadel 86 v. Chr. wurden die T. nurmehr von einem einzigen Tetrarchen (→ *tetrárchēs* III.) geführt. Als solcher wurde → Brogitarus 65/4 von Pompeius [I 3] bestätigt und erhielt das pontische Grenzgebiet (Becken von Alaca) mit der Festung → Mithridation (Strab. 12,5,2). 58 v. Chr. ließ Clodius [I 4] als Volkstribun durch ein Gesetz gegen große Geldzahlungen Brogitarus Königstitel und Herrschaft im Priesterstaat von → Pessinus übertragen, von wo dieser 56 von → Deiotaros vertrieben wurde (Cic. dom. 129; Cic. Sest. 56; har. resp. 28f.). Nach Anf. 55 v. Chr. (Cic. ad Q. fr. 2,9) verschwand Brogitarus; Deiotaros übernahm die Herrschaft über die T., die er 47 auf Befehl Caesars → Mithradates [8] von Pergamon überlassen mußte (Bell. Alex. 78,3), nach Caesars Tod aber wieder an sich riß. Nach Umwandlung des Reiches des Amyntas [9], des letzten Tetrarchen aller Galatai, in die röm. Prov. Galatia (25/4) wurde das Territorium der T. 21/0 als autonome Polis Tavium organisiert.
→ Galatia; Kelten III. (mit Karte)

1 K. STROBEL, Die Galater, Bd. 1, 1996.

W. RUGE, s. v. T., RE 13 A, 655–658 • K. STROBEL, Tavium, in: MDAI(Ist) 50, 2000, 215–265 • Ders., Galatica I, in: Orbis Terrarum 3, 1997, 131–153 • Ders., Die Staatenbildung bei den kleinasiatischen Galatern, in: H. BLUM et al. (Hrsg.), Brückenland Anatolien, 2002 (im Druck). K. ST.

Tropa (τρόπα). Griechisches Kinderspiel mit Astragalen (→ Astragal [2]), Nüssen u. a. (Poll. 9,103; schol. Plat. Lys. 206e); es kam darauf an, den eigenen Astragal (oder die Nuß usw.) so zu werfen, daß dieser den Astragal des Gegenspielers von der Stelle bewegte. Bei einer Variante des Spiels mußte man versuchen, einen Astragal in eine kleine Grube im Boden zu versenken; T. wurde wohl auch von jungen Römern gespielt (Mart. 4,14,9). Mit dem T.-Spiel wird eine nur lit. überl. Gruppe des

→ Polykleitos [1], die sog. Knöchelwerfer (Plin. nat. 34,55), in Verbindung gebracht. In der griech. Kunst ist das T.-Spiel nur selten dargestellt.
→ Geschicklichkeitsspiele

K. BERGER, Griech. und ital. Antiken der Slg. Niessen, in: Kölner Jb. der Vor- und Frühgesch. 28, 1995, 30f., Nr. 24. R. H.

Tropaea Augusti (*Tropaeum Alpium*). Großes Siegesdenkmal des → Augustus für die Unterwerfung der gesamten Alpen, im h. La Turbie auf 486 m hohem beherrschenden Vorsprung über Monte Carlo an der röm. Küstenstraße nach Gallien an der Grenze It. (CIL V 2,7817; Ptol. 3,1,2). Auf einem hohen quadratischen Sockel von ca. 32,5 m Seitenlänge erhebt sich ein ringsum von Säulen mit Triglyphenfries umgebener Rundbau, der von einem treppenförmig abgestuften Kegeldach gekrönt wird mit einer Statue des Augustus auf bes. Sockel als Abschluß. Im ganzen ist das Monument 49,5 m hoch; im MA zur Festung umgebaut, h. großenteils restauriert (mit Museum). Am Sockel befindet sich die von zwei *tropaea* (→ *trópaion*) flankierte Weihinschr. des Senats aus dem J. 7/6 v. Chr. mit Aufzählung aller in Kriegen unterworfenen Alpenstämme von Osten nach Westen. Text der Inschr.: Plin. nat. 3,136ff. (mit Umstellung zweier Namen); erh. sind fast 170 kleine und kleinste Bruchstücke, die am Denkmal größtenteils eingesetzt sind.

H. PHILIPP, s. v. T. A., RE 7 A, 661f. • E. MEYER, s. v. T. A., RE Suppl. 11, 1269 • TH. CASIMIR, Le Trophée d'Auguste à La Turbie, 1932 • A. BLANCHET, Carte archéologique de la Gaule Romaine, Bd. 1, 1931, 4ff., Nr. 14 • J. FORMIGÉ, Le Trophée des Alpes (Gallia Suppl. 2), 1949 • N. LAMBOGLIA, Le trophée d'Auguste à la Turbie, ⁴1976 • L. MANINO, Elementi italici nell'architettura del trofeo di Augusto alla Turbie, in: Riv. di Studi Liguri 49, 1983, 28–36.
ZUR INSCHR.: E. HOWALD, E. MEYER, Die röm. Schweiz, 1940, 70f.; 80ff. • J. FORMIGÉ, Documents commentés, in: Gallia 13, 1955, 101–108. E. MEY.

Tropaion (τρόπαιον; lat. *tropaeum*) war urspr. das Zeichen, das vom Sieger an der Stelle auf dem Schlachtfeld errichtet wurde, an der sich der Gegner zur Flucht wandte (von griech. τρέπειν/*trépein*, »wenden«), im späteren ant. Sprachgebrauch allg. das Siegesmal, so z. B. → *Tropaea Augusti* (vgl. z. B. Tac. ann. 15,18). Der Begriff *t.* ist seit dem 5. Jh. v. Chr. üblich (Batr. 159; Aischyl. Sept. 277).

Das *t.* bestand aus einem Baumstumpf oder Pfahl, mitunter mit Querholz (vgl. Diod. 13,24,5), an dem die vom Feind erbeuteten Waffen (Helm, Schild, Panzer, Schwert) aufgehängt wurden, und einer Inschr., die den Anlaß für die Aufstellung erzählte (z. B. Paus. 5,27,11). Der Platz, an dem es errichtet wurde, war heilig, den Kriegsgöttern geweiht und galt als unantastbar; auch fanden dort Opfer statt. Nach Seeschlachten wurden die *trópaia* möglichst nahe am Ort der Schlacht an Land (Thuk. 2,92) aus den erbeuteten Schiffsteilen aufgebaut. Als ältestes *t.* galt das nach der Schlacht von → Marathon errichtete (Plat. Mx. 240d). Neben den hölzernen *t.* gab es auch dauerhafte aus Stein oder Erz (Paus. 5,27,11 und 8,10,5; Strab. 4,1,11). Darstellungen in der griech. Kunst finden sich z. B. am Fries des Nike-Tempels (→ Athenai [1] II.1.) und am Heroon von Gölbaşı-Trysa (Wien, KM.). Das Motiv der → Nike (II.) mit *t.* wurde in der griech. Kunst zu einem beliebten Thema (z. B. Mz., Vasenmalerei); sie trägt es oder richtet es auf (z. B. Nikebalustrade der Athener Akropolis). *T.* konnten gelegentlich in Heiligtümern (Paus. 5,27,7) oder Städten (Cass. Dio 52,35,6) ihren Platz finden.

Von den Griechen übernahmen Perser, Kelten (Ail. var. 12,23) und Römer die Sitte, *t.* zu errichten, letztere erstmalig 121 v. Chr. in Gallien (Strab. 4,1,11); in der röm. Kunst wird das Motiv des Baumstumpfes mit Waffen gerne um kriegsgefangene Frauen und Männer, die zu Füßen des *t.* hocken, knien oder neben ihm stehen, erweitert. *T.* wurden beim → Triumph auf der Trage (*ferculum*) mitgeführt. Bevorzugter Ort der Darstellung sind die historischen Reliefs der röm. Siegesdenkmäler (→ Adamclisi), der Triumph- und Ehrenbögen (z. B. → Glanum, Carpentras, Severus- und Constantinsbogen in Rom), aber auch die Werke der Hofkunst (*Gemma Augustea*). Eine Sonderform des Waffendenkmals sind die eroberten Schiffsschnäbel (*rostra*) an der → Rednerbühne auf dem → Forum [III 8].

K. WOELCKE, Beitr. zur Gesch. des T., in: BJ 120, 1911, 127–235 · CH. PICARD, Les trophées romains, 1957 · H. V. HERRMANN, Olympia. Heiligtum und Wettkampfstätte, 1972, 107–112 · E. KÜNZL, Der röm. Triumph, 1988, 76; 123; 128; 132 · A. BALÍL, Trophaeum navale. Observaciones sobre un mosaico de la Vega Baja de Toledo, in: Toledo y Carpetania en la edad antigua (Simposio 1986), 1990, 191–200.   R. H.

Troparion (τροπάριον, von τρόπος/*trópos* in der Bed. »Tonart, Ton«). Urspr. eine kurze Strophe in freier rhythmischer byz. Prosa mit Bittcharakter, in seiner Melodie der → Psalmodie ähnelnd. Das *t.* stand am Anfang der byz. Hymnographie (→ Hymnos IV.) und wurde zunächst zu jedem Psalmvers antiphonisch gesungen. Ab dem 5. Jh. wurde es erweitert und in den Schluß des Psalms (zw. die 3–6 letzten Verse) integriert. Es fand auch Eingang in → kontákion und → kanốn [2]. Meist anon. überl., erfährt das *t.* erst ab dem 11./12. Jh. (→ Sophronios von Jerusalem) eine einheitliche liturgische Überl.: das *t.* wird v. a. in der Weihnachtszeit (mit Epiphanie) und in der Karwoche verwendet.

E. WELLESZ, A History of Byzantine Music and Hymnography, ²1961, 171–197 · O. STRUNK, Tropus and T., 1977, 268–276.   K. SA.

Tropen (τρόποι/*trópoi*; Sing. τρόπος, rhet. t.t., wörtlich »Wendung«, von τρέπεσθαι/*trépesthai*, »sich drehen, wenden«; ursprünglicher t.t. war das später prägnant verwendete *metaphorá*: Aristot. poet. 21,7,1457b; lat. *verbum translatum*: Quint. inst. 8,3,24, *translatio* oder *tropus*; dt. Sg. ein Tropus/die Trope; [1. 205–208]).

Die T. haben im rhet. System (→ Rhetorik) ihren Ort in der Kategorie → *elocutio*/→ *ornatus in verbis singulis*: Im Gegensatz zu den → Figuren, die ihre Wirkung an der Oberfläche des Textes, etwa in der Wortstellung, entfalten, sind T. Wendungen, die im uneigentlichen, »übertragenen« Sinne verwendet werden. Die Abgrenzung zu den Gedanken-Figuren (→ Figuren D. II.) ist jedoch, etwa im Falle der → Ironie, schwierig und umstritten. Auch wenn die T. mit der *immutatio* (»Austausch«, »Ersatz«; Cic. Brut. 17,69) in Verbindung gebracht werden, sind sie nicht einfach Ersatz eines bestimmten Wortes, es geht vielmehr um ein bestimmtes ›Verhältnis zwischen ersetzendem und ersetztem Wort‹ [1. 209]. Denn das »ersetzte« Wort (*verbum propium*, das allen Wortarten entstammen kann) verschwindet nicht völlig, sondern bleibt im Tropus als Grund-Bed. erhalten. Durch diese Abweichung von der Standard-Bed. eines Wortes, die nur kontextabhängig faßbar ist, wird eine Bed.-Erweiterung bewirkt (Quint. inst. 8,6,1). T. sind Bestandteil aller Sprachtypen und -schichten, auch der Umgangssprache.

Nach der einflußreichen Diskussion bei Aristoteles (poet. 1457b) wurde den T. in der Rhet. wie Philos. großer Raum gewidmet. Die Stoiker wirkten in der Aufstellung von drei Formen der Bezugnahme der T. auf das *verbum proprium* (*similitudo*, »Ähnlichkeit«; *vicinitas*, »Nachbarschaft«; *contrarium*, »Gegenteil«) Trad.-bildend. In allen systematischen Rhetoriken (Quint. inst. 8) und Spezialstudien werden in Katalogisierungen der T. die unterschiedlichen Entfernungen vom in sprachlicher Kreativität abgewandelten *proprium* [2. 47] markiert. Schon Quintilian (inst. 8,6,1) weist jedoch darauf hin, daß Anzahl und Natur der T. unter Grammatikern wie Philosophen umstritten sind (Tryphon, Perí trópōn 191 ff. nennt 14, Isid. orig. 1,37,1 hingegen 13). Genannt werden meist Metonymie, Synekdoche, Antonomasie, Emphase, Katachrese, Litotes, → Ironie, Euphemismus, Hyperbel, Adynaton, wobei der → Metapher als T. *par excellence* die größte Aufmerksamkeit zuteil wird.

Primäre Funktionen der T. sind Erkenntniserhellung, Verfremdung, Poetisierung und sprachliche Variation, die Langeweile des Publikums verhindern sollen (Isid. orig. 1,37,1–2). Ihre Rolle in der Erweiterung sprachlichen und intellektuellen Ausdrucks- und Denkvermögens ist nicht zu unterschätzen. So können T. aus »Bezeichungsnotwendigkeit« [4. § 553] sogar zum *verbum proprium* werden (Katachrese). Da die T. eine intensive geistige Mitarbeit des Publikums einfordern, verlangen sie umgekehrt vom Textproduzenten eine sorgfältige Einschätzung des Rezipientenhorizontes. Andernfalls wird die Wirkung der T. durch → *obscuritas* oder gar Lächerlichkeit verfehlt.

→ Metapher; Rhetorik

1 W. GRODDECK, Reden über Rhet., 1995, 205–283 2 K.-H. GÖTTERT, Einführung in die Rhet., ²1994 3 M. LANDFESTER, Einf. in die Stilistik der griech. und lat. Lit.-Sprachen, 1997, 88–96 4 LAUSBERG, §§ 552–598.   C. W.

Trophonios (Τροφώνιος, auch Τρεφώνιος/ *Trephónios*). Heros des boiotischen → Lebadeia, Stiefsohn oder Bruder des Agamedes (Paus. 9,37,5; schol. Aristoph. Nub. 508); als Eltern werden genannt: Apollon und Epikaste (Paus. l.c.; schol. Aristoph. l.c.); Zeus und → Iokaste (schol. Aristoph. l.c.); Valens/→ Ischys und → Koronis [1] (Cic. nat. deor. 3,56); Erigonos (Hom. h. 3,296 f.; Paus. 9,37,4 f. etc.). Kinder: → Alkandros [1] und Herkyra.

Der Mythos kennt T. und Agamedes als berühmte Baumeister, und zwar des ersten Apollontempels von Delphoi (Hom. h. 3,295–297; Pind. fr. 2 f. u. a.), des Tempels des Poseidon Hippios in Mantineia (Paus. 8,10,2), des Thalamos der → Alkmene in Thebai [2] (Paus. 9,11,1) sowie der Schatzhäuser des → Hyrieus in Hyria (Paus. 9,37,5) und des → Augeias in Elis. Hier bauen sie einen Stein so ins Schatzhaus ein, daß sie ihn später heimlich herausnehmen und Schätze stehlen können. Als Agamedes dabei in eine von Augeias gestellte Falle gerät, tötet ihn T., schlägt ihm den Kopf ab und nimmt diesen mit, um selbst als Komplize des Gefangenen nicht entlarvt zu werden. Er flieht, bis er schließlich bei Lebadeia von der Erde verschlungen wird (Paus. 8,37,4–7; vgl. schol. Aristoph. l.c.; die Gesch. ist offensichtlich eine Dublette zu der Novelle vom Schatz des → Rhampsinitos bei Hdt. 2,121 f.). Dort, am Eingang in die Unterwelt (Lukian. Necyomantia 22), gab es seitdem ein Orakel (Aitiologie: Paus. 9,40,1 f.).

Histor. ist dieses → Orakel (III.) des T. seit dem 6. Jh. v. Chr. bezeugt (Kroisos: Hdt. 1,46), später soll es u. a. von Epameinondas, Philippos [4] II., Aemilius [I 32] Paullus (Liv. 45,27,8) befragt worden sein und existierte bis in christl. Zeit (IG VII 3426; [1; 2]). Wer es konsultieren wollte, mußte sich einer komplizierten Abfolge von Riten unterziehen, bevor er zum Abstieg (→ *katábasis*) und zur Weihe (→ *mýēsis*) zugelassen wurde. Schließlich erfolgte die Deutung im Sinne der gestellten Frage (vgl. Eur. Ion 300; 394; Paus. 9,39,5–14; Kratinos PCG 4 fr. 233–245; Men. PCG 6.2 fr. 351–354; Max. Tyr. 8,2; Strab. 9,2,38 u. a.). In der griech. Komödie wird das T.-Orakel wegen der Schwelgerei der Priester und der komplizierten Riten verspottet (Kratinos; Men. l.c.; Alexis PCG 2 fr. 238–240; [3]; Kaphisodoros PCG 4 fr. 3–6; Aristoph. Nub. 507–509). Dikaiarchos behandelte das T.-Orakel in einer Schrift (fr. 13–22 WEHRLI).

T. ist als der »Nährende« (griech. Τροφ-/Τρεφ-) offensichtlich eine → chthonische Gottheit. Seine urspr. Identität mit → Asklepios wird vielfach behauptet (so z. B. Cic. nat. deor. 3,22,56), ist aber kaum wahrscheinlich [4].
→ Orakel

1 MÜLLER, 520–523 2 SCHACHTER 3, 66–89; 109–119 3 W. G. ARNOTT (ed.), Alexis: The Fragments. A Commentary, 1996, 669–676 4 FARNELL, GHC, 245 f.

H. D. BETZ, The Problem of Apocalyptic Genre in Greek and Hellenistic Literature. The Case of the Oracle of Trophonius, in: Apocalypticism in the Mediterranean World and the Near East (Proc. of the International Colloquium on Apocalypticism), 1979, 577–597 · P. UND M. BONNECHÈRE, T. à Lébadé. Histoire d'un oracle, in: Les études classiques 57, 1989, 289–302 · P. BONNECHÈRE, La scène d'imitation des Nuées d'Aristophane et T. in: REG 111, 1998, 436–480 · R. J. CLARK, T. The Manner of His Relevation, in: TAPhA 99, 1968, 63–75 · NILSSON, GGR 2, 450 · G. RADKE, s. v. T., RE 7 A, 678–695 · A. SCHACHTER, A Consultation of T. (IG VII 4136), in: AJPh 105, 1984, 258–270 · F. WIESELER, Das Orakel des T. (Programm des Arch. Inst. Göttingen), 1848. L.K.

Tropos, Tropus s. Figuren; Stil, Stilfiguren; Tropen; FIGURENLEHRE

Tros (Τρώς).
[1] Eponymer König der Troer; Enkel des → Dardanos [1], Urgroßvater des → Priamos und des → Anchises (Stammbaum: Hom. Il. 20,215–240; Apollod. 3,138–153; → Dardanidai). Besitzer von Wunderpferden, die Zeus ihm als Entschädigung für seinen entführten Sohn → Ganymedes [1] gab (Hom. Il. 5,265–267).
[2] Troer, Sohn des → Alastor, bittet Achilleus vergeblich um Schonung seines Lebens (Hom. Il. 20,463–472).

P. WATHELET, Dictionnaire des Troyens de l'Iliade, 1988, Nr. 320 f. MA. ST.

Trostschrift s. Konsolationsliteratur

Trotilon (Τρώτιλον). Griech. Kolonie an der Ostküste von → Sicilia (Thuk. 6,4,1), wohl im h. Brúcoli ca. 6 km nördl. vom h. Augusta zu lokalisieren. Von → Lamis aus Megara gegr., bald aber aufgegeben zugunsten von → Leontinoi bzw. → Thapsos [1].

BTCGI 4, 200–204 · U. SPIGO, Ricerche e ritrovamenti a Brúcoli, in: Kokalos 30–31, 1984–85, 866–868. K. MEI. u. E. O.

Troucillus. C. Valerius T. war ein angesehener Mann aus der gallischen Prov., der das Vertrauen Caesars besaß und von diesem 58 v. Chr. als Dolmetscher zu → Diviciacus [2] gesandt wurde (Caes. Gall. 1,19,3). Seine Identität mit C. Valerius Procillus, Sohn des Helvierhäuptlings C. Valerius Caburus und Bruder des Donnotaurus, ist umstritten. Letzterer wurde zusammen mit M. Mettius [I 1] als Unterhändler Caesars in das Lager des → Ariovistus gesandt, von diesem aber gefangengenommen und von Caesar eigenhändig befreit (Caes. Gall. 1,47,4; 1,53,5).
→ Helvii

EVANS, 380–382. W. SP.

Trozella s. Nestoris

Trüffel s. Pilze

Truentum. Hafenort der → Praetuttii im Picenum (→ Picentes) rechts der Mündung des → Truentus in die Adria (→ Ionios Kolpos; Plin. nat. 3,110; Cic. Att. 8,12b,1: *Castrum Truentinum*; vgl. Ptol. 3,1,21) südl. vom h. San Benedetto del Tronto. Bei T. vereinigte sich die → *via Salaria* mit der adriatischen Küstenstraße [1]. Arch. Reste: 3. Jh. v. Chr. – 7. Jh. n. Chr.

1 MILLER, 215.

V. GALIÈ, Castrum Truentum e Turris ad Truntum, 1984 ·
A. R. STAFFA, Città romane dell'Abruzzo adriatico, in:
Journal of Ancient Topography 8, 1998, 33–42.
G. U./Ü: J. W. MA.

Truentus (Truentinus). Fluß im Picenum (→ Picentes), h. Tronto. Er entspringt im → Appenninus (am *mons Fiscellus*, h. Gran Sasso), fließt parallel zur → *via Salaria* an Badies (nicht lokalisiert), ad Martis (nicht lokalisiert), Surpicanum (nicht lokalisiert), ad Centesimum (h. Centesimo), ad Aquas (h. Acquasanta Terme) und → Asculum (h. Ascoli) vorbei und mündet, nur in diesem Bereich schiffbar, bei → Truentum südl. vom h. San Benedetto ins Meer.
G. U./Ü: J. W. MA.

Truhe (ζύγαστρον/*zýgastron*, κιβωτός/*kibōtós*, κιβώτιον/*kibótion*, λάρναξ/*lárnax*, χηλός/*chēlós*; lat. *arca*, *cista*). Die T. aus Holz, Br. oder anderen Materialien diente im Haushalt zum Verwahren oder Transportieren von Kleidern, Hausrat, Buchrollen (→ *scrinium*), Geräten, Vorräten usw. T. konnten einfach und schmucklos gestaltet oder aber an Wandungen mit ornamental oder figürlich gestalteten Reliefs (→ Praenestische Cisten) verziert sein. T. aus Holz wiesen oftmals Metallbeschläge zur Festigung der Kanten und Ecken auf, die ebenfalls verziert wurden. Neben rechteckigen T. gab es auch zylindrische oder vieleckige (sog. Musen-Kasten aus dem Schatz vom Esquilin [1. 75–78 Taf. 12–16]); sie konnten auf Füßen oder flach auf dem Boden stehen.

Die T. spielte bei → Kindesaussetzungsmythen (vgl. z. B. → Danae, → Dionysos, → Telephos [1], → Rhoio, → Tennes [1], → Thoas [1]) und Rettung (z. B. → Deukalion [2]) eine bedeutsame Rolle. Ferner wurden T. in Heiligtümer geweiht, von denen die → Kypseloslade in Olympia die bekannteste ist [2]. Aus Ton- oder Steinnachbildungen, durch Darstellungen in der Vasenmalerei und anderen Kunstgattungen sind Aussehen und technische Ausgestaltung der ant. T. bekannt; seit der myk. Zeit haben sich Reste von T., aber auch vollständige, vornehmlich aus Br. oder Edelmetall gearbeitete Expl. erh. (z. B. der Proiecta-Kasten aus dem Schatz vom Esquilin [1. 72–75 Taf. 1–6]).
→ Arca; Cista; Möbel (mit. Abb.)

1 K. SHELTON, The Esquiline Treasure, 1981 2 R. SPLITTER,
Die »Kypseloslade« in Olympia. Form, Funktion und
Bildschmuck: eine arch. Rekonstruktion, 2000.

RICHTER, Furniture, 71–78; 95 f.; 114 · E. BRÜMMER,
Griech. T.behälter, in: JDAI 100, 1985, 1–168 ·
L. A. SCHNEIDER, Die Domäne als Weltbild, 1983, 4–38 ·

M. KEMKES, Brn. T.beschläge aus der röm. Villa von
Eckartsbrunn, in: Fundber. aus Baden-Württemberg 16,
1991, 299–387.
R. H.

Trump(i)lini. Alpenvolk in der h. Val Trompia (Landschaftsname *Trumplia*: CIL III 7452); 16 v. Chr. von P. Silius [II 7] unterworfen (Plin. nat. 3,136) und dem *municipium* → Brixia zugeteilt. Die T. sind am Sebasteion in Aphrodisias [1] inschr. genannt (AE 1982, 892 0). Ein *princeps* und *praefectus cohortis Trumplinorum* (CIL V 4910) bezeugt die Rekrutierung des Stammes für das röm. Heer.
H. GR.

Truppenrekrutierung
I. GRIECHENLAND II. ROM

I. GRIECHENLAND

Im geom. und früh-archa. Griechenland nahmen v. a. Adlige und ihre Gefolgsleute an Kriegen teil. Mit dem Aufkommen der → *phálanx* im 7. Jh. v. Chr. rekrutierten die griech. Gemeinwesen auch freie Bauern, die ihre Waffen selbst stellen konnten. Einzelheiten zur Aushebung sind aber erst aus klass. Zeit, bes. aus Athen und Sparta, bekannt. In Athen waren alle Bürger – die → Theten bis Mitte des 4. Jh. v. Chr. wohl ausgenommen – zw. dem 18. und 59. Lebensjahr militärdienstpflichtig, wovon die ersten beiden Jahrgänge vielleicht schon seit dem 5. Jh. v. Chr. die Ephebie (→ *ephēbeía*) absolvierten. Nach einem Kriegsbeschluß der Volksversammlung war der von ihr bezeichnete Stratege (→ *stratēgós*) für die Aushebung verantwortlich, durch die alle Wehrpflichtigen entweder nach Jahrgängen (Aristot. Ath. pol. 53,4; 53,7) oder ἐν τοῖς μέρεσιν/*en tois méresin*, wohl nach Phylen (Aischin. leg. 168; → *phylḗ* [1]) erfaßt wurden. Ein zentral geführtes Register (κατάλογος/→ *katálogos*) erlaubte die Übersicht und ein ausgewogenes (freilich nicht immer gesichertes) Aufgebot (Aristoph. Equ. 1369ff.; Aristoph. Pax 1179ff.; Aristoph. Lys. 9).

Die größeren Mächte (Athen, Boiotien) verfügten über ein Potential von jeweils etwa 10000 Hopliten (→ *hoplítai*). Das Aufgebot Athens bestand 431 v. Chr. aus 13000 Mann (Thuk. 2,31,2); der Boiotische Bund konnte im frühen 4. Jh. v. Chr. 11000 Hopliten und 1100 Reiter rekrutieren (Hell. Oxyrh. 16,3 f.); an der Schlacht bei Leuktra nahmen 371 v. Chr. allerdings nur 6000 boiot. Soldaten teil (Diod. 15,52,2). In Notlagen wurden in Athen neben den Bürgern auch Metoiken zum Militärdienst herangezogen (Thuk. 2,13,7; 2,31; vgl. Xen. vect. 2,2–5; → *métoikos*); die Flotte (vgl. → Flottenwesen) wurde hauptsächlich von besoldeten Theten auf freiwilliger Basis, dazu von Bündnern und seit dem → Peloponnesischen Krieg auch von Fremdruderern bemannt. Die athenische → Reiterei, die seit Mitte des 5. Jh. v. Chr. aus 1000 bzw. mit den → *hippotoxótai* aus 1200 Reitern bestand, wurde von den Begüterten gestellt (Thuk. 2,13,8; zur Aufstellung der Liste der Reiter vgl. Lys. 14–15). → Söldner wurden bes. seit dem späten 5. Jh. v. Chr. eingesetzt (Thuk. 7,27,1 f.; 7,29,1).

→ Sparta führte in der Schlacht von Plataiai (479 v. Chr.) je 5000 Hopliten aus der Schicht der Spartiaten (→ *Spartiátai*) und der Perioiken (→ *períoikoi*) ins Feld (Hdt. 9,10f.; 9,28). Bis zur Schlacht bei Leuktra, an der nur noch 700 Spartiaten teilnahmen (Xen. hell. 6,4,15), nahm deren Zahl kontinuierlich ab; Sparta mußte daher seine Kriegführung immer stärker auf soziale Gruppen mit einem niedrigen Rechtsstatus wie etwa Perioiken, → Heloten oder Neodamoden (→ *neodamódeis*) sowie schließlich auf Söldner stützen. Nach dem Kriegsbeschluß der Volksversammlung waren die Ephoren (→ *éphoroi*) für die Aushebung zuständig (Thuk. 1,87f.; Xen. hell. 6,4,17), rekrutiert wurde nach Altersklassen (Xen. Lak. pol. 11,2); Dienstpflicht bestand 40 J. lang ἀφ' ἥβης/*aph' hếbēs* (Xen. hell. 5,4,13), somit konnten die Spartiaten nach Beginn ihres Militärdienstes im Alter von ungefähr 20 J. wahrscheinlich 40 J. lang rekrutiert werden. Spartas Bundesgenossen stellten ihre Kontingente üblicherweise nach Aufforderung durch die Ephoren, die ebenfalls die Truppenkommandanten bestimmten.

Philippos [4] II. und Alexandros [4] d. Gr. von Makedonien führten nach Territorien und Waffengattungen gegliederte Heere, in denen das schwere Fußvolk und ein Teil der Reiterei in Makedonien rekrutiert wurden, während die übrigen Truppen sich aus Verbündeten oder Söldnern zusammensetzten. Diese Könige waren wie ihre hell. Nachfolger sowohl für den Kriegsbeschluß als auch für die T. zuständig. Unter Alexandros und den → Diadochen erreichten die Armeestärken der griech. Gesch. einen Höhepunkt: Alexanders Armee bestand bei Gaugamela (331 v. Chr.) aus 40000 Mann schwer- und leichtbewaffneten Fußvolks und 7000 Reitern (Arr. an. 3,12,5); Antigonos [1] Monophtalmos und Demetrios [2] Poliorketes verfügten 301 v. Chr. bei Ipsos über 70000 Mann Fußvolk, 10000 Reiter und 75 → Elefanten, ihre Gegner über 64000 Mann Fußsoldaten, 10500 Reiter, 420 Elefanten und 120 → Streitwagen (Plut. Demetrios 28). Die seleukidische Armee hatte 217 v. Chr. bei → Raphia eine Stärke von 62000 Fußsoldaten und 6000 Reitern; Ptolemaios [7] IV. bot für diese Schlacht 70000 Mann zu Fuß, 5000 Reiter und 73 Elefanten auf (Pol. 5,79). Die hell. Könige stützten sich auf oft in eigentlichen Militärkolonien angesiedelte griech. oder maked. Einwanderer und Veteranen und deren Nachkommen, daneben mobilisierten sie immer mehr Einheimische; ferner warben sie Söldner an, die außerhalb des eigenen Herrschaftsgebietes durch Agenten rekrutiert wurden (vgl. Diod. 18,61,4f.; 19,60,1).

→ Bewaffnung (I.); Heerwesen (II.); Hopliti; Söldner

1 B. BAR-KOCHVA, The Seleucid Army, 1976
2 L. BURCKHARDT, Bürger und Soldaten, 1996
3 G. T. GRIFFITH, The Mercenaries of the Hellenistic World, 1935 4 D. HAMEL, Athenian Generals, 1998 5 HM, Bd. 3 6 M. H. HANSEN, Democracy and Demography, 1986

7 KROMAYER/VEITH 8 M. LAUNEY, Recherches sur les armées hellénistiques, 1949/50 9 J. F. LAZENBY, The Spartan Army, 1985 10 H. W. PARKE, Greek Mercenary Soldiers, 1933 11 F. PROST (Hrsg.), Armées et sociétés de la Grèce classique, 1999 13 M. SAGE, Warfare in Ancient Greece, 1996 14 D. WHITEHEAD, The Ideology of the Athenian Metic, 1977, 82–86. LE.BU.

II. ROM

Obgleich seit der Frühzeit Roms alle Bürger verpflichtet waren, als Soldaten zu dienen, stellte der röm. Militärdienst ein Privileg dar. Wahrscheinlich bestand die frühe Legion (→ *legio*) aus 1000 Soldaten, die von den drei → *tribus* ausgehoben wurden; die → Reiterei (*equites*) wurde von den → *patricii* gestellt. Nach Auffassung der ant. Historiker soll Servius Tullius [I 4] den ersten → *census* röm. Bürger durchgeführt und diese ihrem Besitz entsprechend in *classes* eingeteilt haben. Diese Einteilung diente insofern auch mil. Zwecken, als mit der Zugehörigkeit zu einer *classis* jeweils auch der Dienst in einem bestimmten Truppenteil verbunden war. Außerhalb der *classes* standen die → *capite censi*, die über keinen größeren Besitz verfügten und zum bewaffneten Militärdienst nicht zugelassen waren (Liv. 1,42,4–43,8). In der Phase der ital. Expansion verpflichtete Rom seine Verbündeten (→ *socii*), Soldaten für die röm. Armee zu stellen; wie aus der Liste der röm. und ital. Truppen, die 225 v. Chr. gegen die Kelten kämpften, hervorgeht, stellten die Verbündeten bereits im 3. Jh. v. Chr. erheblich mehr Soldaten als Rom (Pol. 2,24). Im 2. → Punischen Krieg wurden zw. 214 und 203 v. Chr. mehr als 20 röm. Legionen eingesetzt. Nach der Niederlage von Cannae 216 v. Chr. wurden selbst *capite censi* und sogar Sklaven zum Militärdienst eingezogen, um so die Verluste auszugleichen (Liv. 22,57, 7–12; 23,14,2–4; 24,14,3; 24,16,9; zur Flotte vgl. Liv. 24,11,7–9; 26,35,5).

Polybios beschreibt in seiner Darstellung der röm. Armee für die Zeit um 216 v. Chr. ausführlich die Aushebung (*dilectus*; Pol. 6,19–21), wobei allerdings unklar bleibt, welche Informationen er für diesen Abschnitt auswertete: Im *dilectus* wurden die Männer wehrpflichtigen Alters von ihren Wohnorten nach Rom einberufen und dort den Legionen zugewiesen; danach wurden Zeitpunkt und Ort der Aufstellung der Legionen bestimmt. Dieses System beruhte deutlich auf Dienstpflicht und Rekrutierung, obwohl auch *voluntarii* (Freiwillige) in die Legionen aufgenommen wurden. Dienstbefreiungen waren möglich, aber schwere Strafen trafen diejenigen, die sich dem Militärdienst zu entziehen suchten; die → *iuniores* waren in Listen (*tabulae*) erfaßt (Liv. 24,18,7–9).

Nach Polybios hatten die Reiter eine Dienstpflicht von zehn Feldzügen, die Fußsoldaten von sechzehn. Urspr. dauerten die Feldzüge wohl höchstens sechs Monate, die gesamte Dienstzeit insgesamt sieben oder acht Jahre. Die Kriege außerhalb It.s hatten jedoch eine Verlängerung des Militärdienstes zur Folge; so erwähnt Livius einen → *centurio*, der im frühen 2. Jh. v. Chr. 22

Jahre als Soldat gedient hatte (Liv. 42,34). Die Situation verschärfte sich bes. während der Kriege in Spanien; aus diesem Grund wuchs seit der Mitte des 2. Jh. v. Chr. der Widerstand gegen die Aushebungen (Pol. 35,4; Liv. per. 48; 55; App. Ib. 49; 65). Gleichzeitig wurde die Vermögensqualifikation für Soldaten reduziert, um die Zahl der Rekruten zu erhöhen (vgl. Liv. 1,43,8; Pol. 6,19,2; Cic. rep. 2,40); damit begann die schrittweise Verarmung der röm. Soldaten.

Unter diesen Bedingungen war die Aufnahme von *voluntarii* aus der Schicht der *capite censi* in die Legionen des → Marius [I 1] keine revolutionäre Neuerung (Sall. Iug. 86,2–4); die Rekrutierung blieb auch nach Marius die wichtigste Methode, um die Stärke der Legionen aufrechtzuerhalten. Obwohl Aushebungen üblicherweise die Aufgabe lokaler Amtsträger waren, konnten röm. Magistrate zur T. auch *conquisitores* entsenden. Die Soldaten kamen weiterhin aus ländlichen Regionen und waren meist Kleinbauern mit niedrigem sozialen Status; der Eintritt in die Armee bot ihnen die Chance, ihre soziale Situation durch eine mil. Karriere zu verbessern. In dieser Zeit ging man dazu über, auch Soldaten, die nicht röm. Bürger waren, aufzunehmen; so war die *legio V Alaudae* von Caesar im transalpinen Gallien ausgehoben worden (Suet. Iul. 24,2; vgl. Caes. Gall. 7,65,1; Gallia cisalpina: Caes. Gall. 2,2,1). Spezielle Hilfstruppen (→ *auxilia*) wie Reiter und Bogenschützen kamen aus Regionen außerhalb It.s (Reiterei: Sall. Iug. 7,2; Bogenschützen: Caes. Gall. 2,7,1). In der späten Republik versprachen die Feldherren den *voluntarii* oft → Kriegsbeute und Belohnungen (Sall. Iug. 84,4 f.; 87,1; 91,6 f.; 92,2; vgl. Plut. Lucullus 17; Plut. Pompeius 45; Plut. Caesar 17; vgl. Caes. Gall. 6,3,2). Während der Bürgerkriege kämpften die nicht mehr regulär rekrutierten Soldaten weniger für ihre Heimat oder für die Republik als vielmehr für ihre Feldherren (App. civ. 5,17).

→ Augustus schuf ein stehendes Berufsheer mit langen Dienstzeiten (schließlich 25 J.). In It. fanden T. abgesehen von den Krisenjahren 6 und 9 n. Chr. nicht mehr statt, aber in den Prov. konnten röm. Bürger weiterhin eingezogen werden. Augustus integrierte geschlossene Einheiten von Völkern an der Peripherie des Imperiums als → *auxilia* in die Armee. Im frühen Prinzipat wurden Soldaten für die Legionen bes. in Spanien und in der Gallia Narbonensis im Westen und in den stärker hellenisierten Regionen Syriens und Kleinasiens im Osten und in Africa ausgehoben; gleichzeitig ging die Zahl der Soldaten aus It. in den Legionen stark zurück. Seit Hadrianus wurden nur noch die → Praetorianer in It. rekrutiert. Überdies bestand eine Tendenz, Söhne von Soldaten durch das Angebot des röm. Bürgerrechts (→ *civitas*) zum Eintritt in die Legionen zu bewegen. Während der gesamten Prinzipatszeit kamen die röm. Soldaten hauptsächlich aus ländlichen Regionen und niedrigen sozialen Schichten; der Militärdienst bot den Provinzialen die Chance, bei der Entlassung aus dem Militärdienst das röm. Bürgerrecht zu erhalten.

Im 3. Jh. ging Diocletianus (284–305) nach einer Phase von Bürgerkriegen und feindlichen Invasionen wiederum zur T. über; außerdem wurde verlangt, daß die Söhne von → Veteranen Soldaten wurden (Cod. Theod. 7,22,1 f.; 7,22,4; 7,22,7–10). Die Städte und die Großgrundbesitzer hatten nun jedes Jahr entsprechend der Größe ihres Territoriums oder ihrer Ländereien Rekruten zu stellen. Diese Form der T. war so unbeliebt, daß die Stellung von Rekruten zunehmend durch Geldzahlungen ersetzt wurde. Im J. 375 regelte ein kaiserliches Edikt die Stellung der Rekruten (Cod. Theod. 7,13,7); einzelne Bestimmungen betrafen Alter und Körpergröße (Cod. Theod. 7,13,1; 7,13,3). Wie mehrere Edikte zeigen, versuchten viele junge Männer, dem Militärdienst durch Selbstverstümmelung zu entgehen; durch Androhung schwerer Strafen sollte diese Form des Widerstandes gebrochen werden (Cod. Theod. 7,13,4 f.; 7,13,10). Längere Ausführungen zur T. und zur Auswahl geeigneter Rekruten finden sich bei → Vegetius (Veg. mil. 1,2–8). Seit dem späten 4. Jh. wurden zunehmend auch Angehörige fremder Völker in die Legionen aufgenommen; das Heer des Iulianus [11] bestand zum Teil aus Barbaren, die als Freiwillige dienten (Amm. 20,4,4); der Anteil der Soldaten germanischer Herkunft scheint bes. nach der Schlacht von Hadrianopolis [3] 378 signifikant angestiegen zu sein.

→ Auxilia; Heerwesen (III.); Legio; Kriegsdienstverweigerung; Söldner; Veteranen

1 P. A. BRUNT, The Army and the Land in the Roman Revolution, in: Ders., The Fall of the Roman Republic, 1988, 240–280 2 Ders., Conscription and Volunteering in the Roman Imperial Army, in: Ders., Roman Imperial Themes, 1990, 188–214 3 BRUNT, 391–415; 625–638 4 H. ELTON, Warfare in Roman Europe AD 350–425, 1996, 128–154 5 E. GABBA, Republican Rome. The Army and the Allies, 1976, 1–19 6 JONES, LRE, 614–623 7 L. KEPPIE, The Making of the Roman Army, ²1998 8 E. RAWSON, The Literary Sources for the Pre-Marian Army, in: PBSR 39, 1971, 13–31. J. CA.

Truppenübungen. Das Exerzieren (*exercitium, exercitatio militaris, decursio*) – lange Zeit von den Historikern wenig erforscht – trug erheblich zu den mil. Erfolgen des röm. Heeres bei und scheint schon früh auf dem Marsfeld (→ Campus Martius) praktiziert worden zu sein; seit dem späten 3. Jh. v. Chr. wurden die mil. Übungen sowohl in der Praxis als auch in der Theorie weiterentwickelt. Cornelius [I 71] Scipio Africanus organisierte die T. systematisch 210 v. Chr. in Spanien (Pol. 10,20; Liv. 26,51,3–7) und anschließend in Sizilien (Diod. 27,4,6; Zon. 9,11,7). Während der ältere Cato [1] eher ein Theoretiker des Militärwesens war, stand bei Feldherren wie P. Cornelius [I 70] Scipio Aemilianus oder C. Marius [I 1] die Praxis im Vordergrund: Scipio Aemilianus erhöhte die Kampfkraft seiner Truppen vor → Numantia durch harte mil. Übungen (App. Ib. 86), und Marius bereitete in ähnlicher Weise seine Soldaten auf die Kämpfe gegen → Cimbri und → Teutones vor (Plut. Marius 13,1; 14,1–3; 16,3; Frontin. strat.

4,1,7). → Augustus, → Traianus [1] und → Hadrianus formulierten und erweiterten schließlich als *principes* den Katalog der Vorschriften, die für das Militärwesen Gültigkeit hatten (Veg. mil. 1,8,11; vgl. Suet. Aug. 24; Plin. paneg. 18; SHA Hadr. 10); die Bed. der *exercitatio* wurde allg. anerkannt: Flavios Iosephos [4] hielt die ständigen Waffenübungen, die teilweise unter Kriegsbedingungen durchgeführt wurden, für eine wesentliche Ursache der mil. Stärke der röm. Armee (Ios. bell. Iud. 3,72–75). Traianus kümmerte sich während seiner Militärlaufbahn intensiv um die Übungen seiner Soldaten (Plin. paneg. 13,1–3), und Hadrianus lobte bei dem Besuch der *legio III Augusta* in Lambaesis in einer Ansprache die mehrere Tage lang ausgeführten *exercitationes* (CIL VIII 2532; 18042 = ILS 2487; 9133–9135).

In jedem Feldlager gab es einen Exerzierplatz oder *campus* (AE 1931,113; 1933,214; 1972,636), ferner eine Ausbildungshalle oder *basilica exercitoria* ([4. Nr. 978, 1091]; AE 1971,364); für die → Reiterei wurde eine Reitbahn eingerichtet. Die Organisation der T. wurde Soldaten der unteren Dienstgrade übertragen, etwa den *discentes* (→ *discens*; ILS 2393; 9070), dem *campidoctor* (ILS 2088; 2416; 2803), *doctor cohortis* (ILS 2088), *optio campi*, *armatura* (ILS 2362; 2363; 4729), *exercitator* (ILS 2182; 2187; 2453) und dem *magister campi*, unterstand aber gewöhnlich der Verantwortung der höheren Dienstgrade, der → *centuriones*, *tribuni* und *legati*. Das Militärwesen wurde als eine *disciplina* angesehen, die Regeln besaß und erlernt werden konnte (Liv. 9,17,10); auf Übungsplätzen wurden der → Personifikation dieser *disciplina* Altäre errichtet (ILS 3809; 3810).

In der Spätant. zählte Vegetius die *armorum exercitio* neben *disciplina castrorum* und *usus militiae* zu den wichtigsten Voraussetzungen der mil. Erfolge der Römer (Veg. mil. 1,1; vgl. 2,23).
→ Disciplina militaris; Heerwesen;
Rekrutenausbildung

1 LE BOHEC, 111–125 2 Y. LE BOHEC, Les discentes de la IIIe légion Auguste, in: L'Africa romana 4, 1987, 235–252 3 Ders., Le pseudo camp des auxiliaires à Lambèse, in: Cahiers du groupe de recherches sur l'armée romaine et les provinces 1, 1977, 71–85 4 R. G. COLLINGWOOD, R. P. WRIGHT, The Roman Inscriptions of Britain, 2 Bde., 1965–1990 5 G. HORSMANN, Unt. zur mil. Ausbildung im republikanischen und kaiserzeitlichen Rom, 1991.

Y. L. B./Ü: S. EX.

Trutina s. Waage

Truttedius Clemens. Sex. T. C. Ritter; Tribun der 2. Kohorte der → *vigiles* in Rom; später *procurator* von Asturia et Gallaecia, dann von Dalmatia et Histria; vielleicht in der 1. H. 2. Jh. n. Chr. (CIL II 2643; VI 2968; AE 1985, 374); vgl. [1. 64].

1 G. ALFÖLDY, Prov. Hispania superior (AHAW 19), 2000.

W. E.

Trygon (Τρυγών, »Turteltaube«). Amme des → Asklepios. Ihr Grab befand sich nach Paus. 8,25,11 an dessen Heiligtum im arkadischen Thelphusa. Nach arkad. Legende soll Antolaos, Sohn des Arkas, T. den ausgesetzten Asklepios übergeben haben. Der Name deutet auf Ernährung des Asklepios durch eine Taube hin; nach anderer Sagenversion wird Asklepios von einer Ziege gesäugt und von einem Hund bewacht.

U. VON WILAMOWITZ-MOELLENDORF, Isyllos von Epidauros, in: PhU 9, 1886, 87.   T. GO.

Tryphe (τρυφή). Spezifisch ptolem. Herrscherideal (vgl. die Beinamen *Trýphōn*, *Trýphaina*), entstanden aus dem Kult des sieghaften → Dionysos und seinen Festen. T. bedeutete Prunk und Glanz, Reichtum und Glück spendende Herrschaft. Da darin auch die Fruchtbarkeit des Landes eingeschlossen war, konnte an die Vorstellungen vom Wirken des → Pharao angeknüpft werden. T. wurde andererseits als griech. Begriff für → *luxus* in negativer Konnotation, u. a. unter dem Einfluß des → Stoizismus, mit (bes. »orientalischer«) Verweichlichung und Verweiblichung in Zusammenhang gebracht (lat. *luxuria*, *effeminatio*).

A. PASSERINI, La τ. nella storiografia ellenistica, in: SIFC 11, 1934, 34–56 · J. TONDRIAU, La t., philosophie royale ptolémaïque, in: REA 50, 1948, 49–54 · H. HEINEN, Die T. des Ptolemaios VIII. Euergetes II., in: Ders. (Hrsg.), Althistor. Stud., FS H. Bengtson, 1983, 116–130.   W. A.

Tryphiodoros s. Triphiodoros

Tryphon (Τρύφων).

[1] Angenommener Name des Usurpators Diodotos aus Kasiane bei Apameia [3] (Strab. 16,2,10). D./T. ging als Stratege des → Demetrios [7] I. zu dem Thronprätendenten → Alexandros [13] Balas über, verriet Antiocheia [1] am Orontes an → Ptolemaios [9] VI., besetzte Apameia [3] und Chalkis, wechselte aber dann nicht zu Demetrios [8] II. über, sondern erhob 145 v. Chr. Alexandros' [13] Sohn als → Antiochos [8] VI. zum König, siegte über Demetrios und verbündete sich mit dem → Hasmonäer Jonathan, ließ diesen 143 jedoch ermorden. Er eroberte phoinikische Städte (aber nicht Sidon und Tyros), gelangte in den Besitz Syriens (ohne Iudaea), beseitigte 142 oder 139 Antiochos VI. und ließ sich selbst vom Heer zum König ausrufen (*basileús autokrátōr* mit eigener Jahrzählung unabhängig von der Ära der → Seleukiden und mit weiteren Besonderheiten: HN 767), wurde aber von Rom nicht anerkannt. Von → Antiochos [9] VII. 138 oder 136/35 besiegt, nahm T. sich in Apameia das Leben (1 Makk 11,39–15,37; Diod. 32,9c; 33,4a; 28; 28a; Liv. epit. 55; Ios. ant. Iud. 13,131–134).

H. R. BALDUS, Der Helm des T., in: JNG 20, 1970, 217–239 · TH. FISCHER, Zu T., in: Chiron 2, 1972, 201–213 · WILL 2, 404–407; 410f.   A. ME.

[2] Angenommener Name des Sklaven Salvius [I 1] als König und Führer im 2. → Sklavenaufstand auf Sizilien 104 v.Chr. Er leitete die Erhebung im Zentrum der Insel und belagerte erfolglos Morgantina. Darauf nahm er nach hell. Vorbild den Königsnamen T. an. Nachdem der Führer der Aufständischen im Westen der Insel, Athenion [2], sich ihm unterstellt hatte, eroberten beide Triokala, das T. aufwendig zu seiner Residenz ausbaute und wo er eine Regierung unter Übernahme röm. Vorbilder einrichtete. 103 wurden beide vom Propraetor L. Licinius [I 25] Lucullus bei Skirthaia geschlagen, ohne daß dieser den Sieg mil. ausnutzte. Nach dem natürlichen Tod des T. 102 wurde Athenion Führer der Revolte (Diod. 36,4,4–9,1).

Lit.: → Athenion [2].   K.-L.E.

[3] Bedeutender griech. Grammatiker, 2. H. des 1. Jh. v.Chr. (Suda s.v. T., τ 1115); Sohn des → Ammonios [3] aus Alexandreia und Lehrer des → Habron. T. gilt als Begründer der Dialektologie und der sprachlichen Pathologie [1. 22–32; 2. 150f.] sowie als strikter Vertreter der → Analogie [3. 743]. Auf seine Schriften zur Sprachrichtigkeit, d.h. zur → Orthographie und zum *Hellēnismós*, dürfte der viergliedrige Kriterienkanon der Sprachlehre (*analogía, diálektos, etymología, historía*) zurückgehen [2. 159–163]. T. markiert neben weiteren Grammatikern des 1. Jh.v.Chr. [2. 27] den Beginn der normativen Gramm. [4. 281; 5. 32]. T. stand in direkter Auseinandersetzung mit seinem Zeitgenossen Didymos [1] [6. 87, 92]; seine Werke wurden v.a. von Dionysios [19], Apollonios [11] Dyskolos, Herodianos [1] und Ailios Dionysios [21] rezipiert. Das äußerst frg. erh. Werk umfaßte neben einem → Onomastikon mehr als 30 Schriften zur Orthographie, → Prosodie und Aussprache sowie zu den Wortarten und Dialekten [3. 727–743]; zu sechs Titeln finden sich längere, teilweise jedoch unechte Exzerpte:

1) Περὶ παθῶν τῆς λέξεως (›Über Abwandlungen im Sprachgebrauch‹) gilt als frühester Versuch, Laut- und Wortveränderungen sowie sprachliche Unregelmäßigkeiten der Dialektformen zu erklären [7. 25f.; 8. 219–221]. Dabei arbeitet T. mit der urspr. Verbindung von Pathologie und Dialektologie [2. 150f.]. Einzelne Erklärungen beruhen auf spekulativen Etym. [7. 25f.]. Die Schrift erweist T. als die gramm. Quelle des *sympátheia*-Prinzips [9. 26–33].

(2) Περὶ πνευμάτων (›Über die Aspiration‹) wurde in zahlreichen pneumatologischen Traktaten und im *Etymologicum Magnum* verwendet [10. 249f.]. (3) Περὶ τρόπων (›Über rhet. Figuren‹, sicher echt [11]) ist eine Zusammenstellung von 26 → Tropen, die kurz definiert und anhand weniger Beispiele vorgestellt werden.

(4–6) Als unecht gelten ein unter T.s Namen überl. Exzerpt einer Τέχνη γραμματική [12. 191–196; 13. 90–92]) sowie die beiden Traktate Περὶ μέτρων (›Über die Metrik‹) und Περὶ τοῦ ὥς (›Über die Partikel ὥς‹) [3. 730f.].

→ Analogie; Grammatiker (II.)

ED.: R. SCHNEIDER, Excerpta Περὶ παθῶν, 1895 (*Perí pathōn*) · L.C. VALCKENAER, Ammonius, De differentia adfinium vocabulorum, 1739 (Ndr. 1822; *Perí pneumátōn*) · SPENGEL 3, 189–206 (*Perí trópōn*) · M.L. WEST, T. De Tropis, in: CQ 15, 1965, 230–248.
FR.: A. VON VELSEN, Tryphonis Grammatici Alexandrini Fragmenta, 1853 (Ndr. 1965).
LIT.: 1 J. WACKERNAGEL, De pathologiae veterum initiis, Diss. Basel 1876 2 E. SIEBENBORN, Die Lehre von der Sprachrichtigkeit und ihren Kriterien, 1976 3 C. WENDEL, s.v. T. (25), RE 7 A, 726–744 4 D.M. SCHENKEVELD, Scholarship and Grammar, in: Entretiens 40, 1994, 263–306 5 V. DI BENEDETTO, At the Origins of Greek Grammar, in: Glotta 68, 1990, 19–39 6 R. REITZENSTEIN, M. Terentius Varro und Johannes Mauropus von Euchaita, 1901 7 W. AX, Quadripertita Ratio, in: D.J. TAYLOR (Hrsg.), The History of Linguistics in the Classical Period, 1987, 17–40 8 W. PFAFFEL, Wie modern war die varronische Etym.?, in: s. [7], 207–228 9 I. SLUITER, Ancient Grammar in Context, 1990 10 R. REITZENSTEIN, Gesch. der griech. Etymologika, 1897 11 M.L. WEST, T., De tropis, in: CQ 15, 1965, 230–248 12 V. DI BENEDETTO, Dionysio Trace e la techne a lui attribuita, in: ASNP 27, 1958, 169–210 13 A. WOUTERS, The Grammatical Papyri from Graeco-Roman Egypt, 1979.   M.B.

[4] Name zweier Ärzte, Vater und Sohn, Chirurgen (Cels. 7, praef. 3; Scribonius Largus, Compositiones, index, 201 und 210; Kap. 201, 203, 205, 240), ca. 10 n.Chr. nach Rom gekommen. Unter ihrem Namen erscheinen Medikamente bei Celsus [7] (6,5,3), Scribonius [II 3] Largus (Compositiones, Kap. 175, 201, 203, 205, 210, 231, 240, 241) und Galenos (12,843 und 13,745), von denen die von Celsus und Galenos angeführten dem Vater zugewiesen werden. Scribonius erwähnt einen T. als seinen Lehrer (Compositiones 175), wahrscheinlich den Vater. Diese Verbindung mit Scribonius wurde zur Begründung einer Beziehung zum Hof des Augustus oder des Tiberius herangezogen, ebenso die Nachricht, daß Iulia Augusta (→ Livia [2]) ein Pflaster benutzt habe, dessen Formel Scribonius von T. erhielt (Compositiones 175); zu verifizieren ist dies jedoch nicht.

H. DILLER, s.v. T. (28), RE 7 A, 745.   A.TO./Ü: T.H.

[5] Sonst unbekannter Epigrammatiker verm. zw. spätem Hell. und Anf. der Kaiserzeit; die Identifizierung mit dem Grammatiker T. [3] ist unwahrscheinlich (vgl. [1; 2]) Das einzige erh. Gedicht erzählt den bizarren Tod des Terpes (Terpandros?), der an einer Feige erstickte, die ihm beim Singen in den Mund fiel, verm. bei den → Karneia in Sparta (Anth. Pal. 9,488).

1 C. WENDEL, s.v. T. (22), RE 7 A, 726 2 FGE 99–101.   M.G.A./Ü: L.FE.

[6] Jude, s. Iustinos [6] Martys
[7] Griech. Grammatiker unbestimmter Zeit. T.s Vatername ist uneinheitlich überl. (Etym. gen. cod. A s.v. δάνειον; Etym. Gud. 134,28 = 334,15f. DE STEFANI; Etym. m. 247,54). Trotz möglicher Namensform *Harpokratíōn* bleibt jegliche Beziehung des T. zum Lexiko-

graphen → Harpokration [2] unklar; eine Gleichsetzung des T. mit → T. [3] aus Alexandreia ist nicht möglich.

1 F. SUSEMIHL, Gesch. der griech. Litt. in der Alexandrinerzeit, Bd. 2, 1892, 210³⁴⁷ 2 A. VON VELSEN (ed.), Tryphonis Grammatici Alexandrini Fragmenta, 1853 (Ndr. 1965), 3 3 C. WENDEL, s. v. T. (27), RE 7 A 1, 744 f.

ST. MA.

Tryphoninus. Der röm. Jurist Claudius T. (um 200 n. Chr.), verm. östlicher Herkunft [3], Schüler des Cervidius → Scaevola [1] (Dig. 49,17,19 pr.) und Konsiliar des Septimius [II 7] Severus (Dig. 49,14,50), schrieb Erörterungen strittiger Rechtsfälle (*Disputationes*, 21 B.) und *Notae* (›Anmerkungen‹) zu den *Digesta* und *Responsa* seines Lehrers [1; 2].

1 H. T. KLAMI, Entscheidung und Begründung in den Kommentaren Tryphonins zu Scaevolas Responsen, 1975 2 M. SIXTO, Las anotaciones de Trifonino, Bd. 1, 1989; Bd. 2, 1991 3 D. LIEBS, Jurisprudenz, in: HLL 4, 1997, 125 f.

T. G.

Trysa (Τρῦσα). Stadt in Zentral-Lykia (→ Lykioi) beim h. Gölbaşı; seit archa. Zeit Dynastensitz. Die kleine Siedlung wurde um 400 v. Chr. um repräsentative Bauten erweitert, u. a. um ein bedeutendes Heroon (Reliefs in Wien, KM); bis in spätant. Zeit bewohnt. T. gehörte seit frühhell. Zeit als → *dḗmos* [2] (B.) zu Kyaneai [2] und besaß eine gewisse Selbständigkeit.

W. OBERLEITNER, Das Heroon von T., 1994 · M. ZIMMERMANN, Unt. zur histor. Landeskunde Zentrallykiens, 1992, 85–92 · T. MARKSTEINER, T., 2002 (im Druck).

MA. ZI.

Tsakonisch. Ein in wenigen Dörfern im östlichen Parnon an der Ostküste der Peloponnes gesprochener ngr. Dialekt. Er gilt als einziger der ngr. Dial. unbestritten in sehr weiten Teilen als direkter Nachfahre eines altgriech. Dialekts (unbeschadet gewisser Koineisierungen), des dorischen Lakonischen. Das Ts. ordnet sich schlecht in die sonstige ngr. Dialektlandschaft ein (Trennung in Ost- bzw. West-Dialekte nach Erhalt/Schwund des auslautenden -n; Trennung in Nord- bzw. Süd-Dialekte nach Behandlung nachtoniger Vokale); die isolierte geographische Lage macht einen Erhalt alter Sprachzustände a priori wahrscheinlicher als für andere Gegenden. Archaismen sind Erhalt des /u/ (*kúne*, »Hund«) und Erhalt des /w/ (*davelé*, vgl. Hesych. s. v. δαβελός für δαλός, »Feuerbrand«), ferner Bewahrung altertümlichen Wortschatzes (*ánte*, »Brot« < ἄρτος, gemein-ngr. ψωμί). Spezifisch → Dorisch ist der Erhalt des langen /a/ (*améra*, »Tag«); ferner bewahrt das Ts. einige Züge, die sich schon im Junglakonischen (2. Jh. n. Chr.) nachweisen lassen wie etwa /s/ für /θ/ (*séri*, »Sommer« zu θέρος), der Rhotazismus (*tar amér* für τῆς ἡμέρας) und die Assimilation von /s/ an folgende Tenuis (*akkó*, »Schlauch«, für ἀσκός, vgl. Hesych. s. v. ἀκκόρ). Neuere Kennzeichen des Ts. sind Schwund des intervokalischen /l/ (*ga*, »Milch«, für γάλα), Wandel des /ç/ zu /š/ (wie

z. B. im Zyprischen) oder der Aufbau einer periphrastischen Konjugation im Präsens.

R. BROWNING, Medieval and Modern Greek, ²1983, 119–137 · A. CHARALAMBOPOULOS, Φωνολογικὴ ἀνάλυση τῆς τσακωνικῆς διαλέκτου, 1980 · A. DEBRUNNER, A. SCHERER, Gesch. der griech. Sprache, Bd. 2, 1969, 46–48 · A. T. KOSTAKIS, Σύντομη γραμματικὴ τῆς τσακωνικῆς διαλέκτου, 1951 · Ders., Δείγματα τσακωνικῆς διαλέκτου, 1980 · M. LEKOS, Περὶ τσακωνῶν καὶ τῆς τσακωνικῆς διαλέκτου, 1920 · H. PERNOT, Introduction à l'étude du dialecte tsakonien, 1934.

V. BI.

Tschandragupta s. Sandrakottos

Tubantes. German. Stamm westl. der oberen Amisia [1] (h. Ems). Germanicus [2] wurde 14 n. Chr. von den T. angegriffen (Tac. ann. 1,51,2); T. dürften dann auch im Triumphzug des Germanicus mitgeführt worden sein (Strab. 7,1,4: Σουβάττιοι). Nach den → Chamavi und vor den → Usipetes siedelten sie vorübergehend zw. Vecht und Ijssel (Tac. ann. 13,55,2). Dann zogen sie mit den Usipetes, die 69 n. Chr. → Mogontiacum belagerten, südwärts (Tac. hist. 4,37,3). Nach Ptol. 2,11,23 (Τούβαντοι) waren sie Nachbarn der → Chatti. Unter → Gallienus gingen rechtsrhein. *civitates*, darunter auch die der T., dem röm. Reich verloren (Laterculus Veronensis 14). 321 n. Chr. siegte Constantinus [1] I. über die T. (Paneg. 4,18). Wohl schon damals wurden T. als röm. Hilfstruppen rekrutiert (Not. dign. or. 6,10; Not. dign. occ. 5,28; 7,123: *auxilia palatina Tubantium*). Dann gingen die T. in den → Franci (Ripuarii) auf.

K. SCHERLING, s. v. T., RE 7 A, 752–754.

RA. WI.

Tubero. Röm. Cognomen (von *tuber*, »Geschwür«), → Aelius [I 12–18].

KAJANTO, Cognomina, 119; 246.

K.-L. E.

Tubertus. Röm. Cognomen (in Verbindung mit *tuber*, »Geschwür«), → Postumius [I 17].

KAJANTO, Cognomina, 246.

K.-L. E.

Tubicen (Pl. *tubicines*). Röm. Blechbläser, der im kultischen und mil. Bereich (Varro ling. 5,117; Liv. 1,43,7; Veg. mil. 2,7,8; 3,5,6) seine Fanfare (*tuba*) ertönen ließ. In Legionen und → *auxilia* zählte er mit den → *cornicines* und → *bucinatores* zu den *immunes* (Dig. 50,6,7). Gesicherte Darstellungen der *tuba* bieten Grabstelen für den *t.* (CIL III 782 = ILS 2352; CIL X 7884). Hingegen hält Sibbaeus als *t.* (CIL XIII 7042) offenbar eine Doppelflöte (*tibiae*), während das Instrument des *bucinator* Aurelius Surus (AE 1976,642) wohl als *tuba* zu werten ist; ein Kölner Grabstein (CIL XIII 8275 = ILS 2351) zeigt den *t.* mit dem Stab eines »Tambourmajors«.

→ Musikinstrumente (VI. mit Abb.); Signale

1 R. MEUCCI, Lo strumento del bucinator A. Surus e il cod. Pal. Lat. 909 di Vegezio, in: BJ 187, 1987, 259–272 2 M. P. SPEIDEL, Roman Army Studies, Bd. 1, 1984, 123–163.

LE. SCH.

Tubilustrium. Stadtröm. Fest der »Reinigung der Trompeten« (*tubi* bzw. *tubae*), das am 23. März und 23. Mai begangen wurde. Der Märztermin galt als → *feriae* (Feiertag) für Mars (InscrIt 13,2,104; 123), der Maitermin als *feriae* für Volcanus (InscrIt 13,2, 57 und 187). Die Verdoppelung des T. im Mai liegt noch im Unklaren (s. aber [1. 219–221]). Während dieser Tage wurden die Trompeten im sog. Atrium Sutorium gereinigt und dann für kultische Handlungen eingesetzt (*sacra*: Varro ling. 6,14; vgl. InscrIt 13,2, 123; Fest. 480 u.ö.) – nach mod. Deutung zur Einberufung der Heeresversammlung ([2] zum 23. März) oder im Zusammenhang mit kalendarischen Riten [1. 214–219].

→ Kalender; Mars; Volcanus

> 1 J. Rüpke, Kalender und Öffentlichkeit, 1995
> 2 Scullard.   A. V. S.

Tubusuctu. Stadt der → Mauretania Sitifensis (Plin. nat. 5,21; Ptol. 4,2,31; 8,13,12; Amm. 29,5,11), etwa 30 km sw von → Saldae im Tal des Oued Soummam, h. Tiklat. Gegr. als *colonia* vom nachmaligen Augustus für Veteranen der *legio VII*, nahm T. aber (neu-)punische Trad. der Umgebung auf. In spätröm. Zeit Zentrum eines mil. Bezirks (Not. dign. occ. 25,27; [1. 52]). Im Gebiet von T. gab es bedeutende Olivenkulturen. Inschr.: CIL VIII 2, 8834–8921; Suppl. 3, 20648–20679; CIL XV 2,1, 2634 f.; AE 1975, 865; 1987, 468; [2; 3. 568; 4. 109].

> 1 C. Lepelley, Les cités de l'Afrique romaine, Bd. 1, 1979
> 2 J. Marcillet-Jaubert, Inscriptions de T., in: Bull. d'Archéologie Algerienne 1, 1962–1965, 163–170
> 3 S. Gsell, Inscriptions inédites de l'Algérie, in: Bull. archéologique du Comité des travaux historiques et scientifiques, 1897, 1898, 556–773
> 4 H. de Villefosse, Quelques inscriptions d'Algérie, in: s. [3], 1901, 106–109; 1938, 93–105.

> AAAlg, Bl. 7, Nr. 27 • M. Leglay, Saturne africain (Monuments 2), 1966, 299 f. • G. Mercier, Notes sur les ruines et les voies antiques de l'Algérie, in: Bull. archéologique du Comité des travaux historiques (1886), 1887, 466–481, hier 473–477.   W. Hu.

Tucca. Röm. Cognomen etr. Herkunft, → Plotius [I 2].

> Kajanto, Cognomina, 106.   K.-L. E.

Tucci. Stadt der → Turdetani, steuerfreie *colonia Augusta Gemella* im *conventus* von → Astigis (Plin. nat. 3,12; irrtümlich als Stadt der Turduloi bei Ptol. 2,4,11: Τοῦκκι; h. Martos, Prov. Jaén). Im Zusammenhang mit den Kämpfen der → Lusitani unter → Viriatus gegen Rom 144 v. Chr. erwähnt (Diod. 33,7,5; App. Ib. 290).

> A. Schulten, s. v. T. (1), RE 7 A, 765 • Tovar 1, 119 f.; 131; 167.   J. J. F. M.

Tuccius

[1] T., M. Führte als curulischer Aedil 192 v. Chr. viele Prozesse gegen Wucherer und verwendete die Strafgel-

der für aufwendigen öffentlichen Bauschmuck (Liv. 35,41,9–10). Als Praetor 190 wurde ihm der Aufgabenbereich Apulia et Bruttii zugelost und das Amt zweimal verlängert (Liv. 37,2,1; 37,50,13; 38,36,1). 186 war er einer der → *tresviri* zur Erneuerung der Kolonien Sipontum und Buxentum (Liv. 39,23,3–4).

[2] T. Cerialis s. M. Tullius [II 1] Cerialis.   TA. S.

Tuder (Τοῦδερ; h. Todi). Stadt in Umbria (→ Umbri) auf steiler Höhe (411 m) am linken Ufer des → Tiberis zw. Umbria und Etruria (Strab. 5,2,10; Ptol. 3,1,54; Plut. Crassus 6,6: Τουδερτία/*Tudertía*). Mit dem Flußhafen sowie der Lage an der *via Amerina* und beim *vicus Martis Tudertium* (h. Santa Maria in Pantano; ad → Martis [3] auf den Silberbechern von Vicarello 102 Miller; Tab. Peut. 5,1), der an der → *via Flaminia* lag und zum Gebiet von T. gehörte, war T. ein wichtiger Verkehrsknotenpunkt und wirtschaftlich bedeutend. T. prägte im 4./3. Jh. v. Chr. Mz. Seit 89 v. Chr. in der *tribus Clustumina* (Sisenna HRR 1, Fr. 119; CIL XI 678). Nach 42 v. Chr. mußte T. eine Kolonie röm. → Veteranen aufnehmen (*colonia Iulia Fida T.*: CIL XI 4646; 4659); unter Augustus war T. der → *regio VI* zugewiesen (Plin. nat. 3,113). Als Festung der → Ostgoten wurde T. 538 n. Chr. von → Belisarios erobert (Prok. BG 2,11,1; 2,13,2–4). Antike Überreste: Stadtmauern (3./2. Jh. v. Chr.); das Forum mit Gebäuderesten über großen, von unterirdischen Stollen gespeisten Zisternen; ein Theater (Mitte des 1. Jh. v. Chr.); außerhalb von T. ein Amphitheater und verschiedene Kultstätten (Marsstatue, spätes 5. Jh. v. Chr., gefunden auf dem Hügel Montesanto, gestiftet von dem Kelten Ahal Trutitis); des weiteren eine Nekropole bei Peschiera (E. 6. bis Mitte 3. Jh. v. Chr.) mit Grabbeigaben, zwei archa. Fürstengräber und röm. Nekropolen an den Ausfallstraßen und bei Pontecuti sowie verschiedene *villae*. Bekannt war der Wein von T. (Plin. nat. 14,36).

> M. Tascio, Todi, 1989 • P. Bruschetti, A. Feruglio, Todi-Orvieto, 1998.   M. M. Mo./Ü: H. D.

Tuditanus. Röm. Cognomen (von *tudites*, »die Hämmer«), in republikanischer Zeit prominent in der Familie der Sempronii (→ Sempronius [I 22–24]).

> Kajanto, Cognomina, 22; 91; 108 f.; 343.   K.-L. E.

Tür I. Alter Orient und Ägypten
II. Griechisch-römische Antike

I. Alter Orient und Ägypten

Neben ihrer architektonischen Funktion als Übergang zw. dem Innen und dem Außen oder zw. räumlichen Einheiten von Gebäuden besaß die T. im Alten Orient und in Äg. symbolisch-magische Bed. So sind in neuassyrischer Zeit (9.–7. Jh. v. Chr.) T. und Durchgänge öffentlicher Gebäude von apotropäischen Mischwesen flankiert.

Im Alten Orient bestanden T. meist aus einem hölzernen Pfosten, der fest mit einem Flügel aus Holz oder Schilf verbunden war; der oben verankerte Pfosten drehte sich unten in einem T.-Angelstein, der meist aus Stein (aber auch z. B. Metall) gefertigt war und in öffentlichen Gebäuden in einer Inschr. den Namen des Erbauers und/oder den Zweck des Gebäudes nannte. Reich mit Reliefs verzierte Beschläge aus Metall von zweiflügeligen Tempel-T. sind aus → Balāwāt (9. Jh. v. Chr.) bekannt. (Kalk-)Stein-T. fanden gelegentlich in Grabanlagen Verwendung. Gemäß der bildlichen Überl., die zumeist Tempel-T. darstellt, war der Großteil der T. mit einem flachen Sturz versehen.

In der äg. Steinarchitektur bestehen Schwelle, Gewände und Sturz gleichfalls aus Stein, häufig auch bei Ziegelarchitektur. Das Türblatt ist aus hölzernen Planken zusammengefügt mit angearbeiteten Zapfen, die sich in einer oberen Verankerung und (metallbeschlagen) in einer unteren Pfanne drehen. Die Ränder oder das ganze Türblatt wichtiger Bauten konnten mit Metall beschlagen sein. Dem Verschließen dienten hölzerne oder brn. Schieberiegel.

→ Architektur

M. S. DAMERJI, Die T. nach Darstellungen in der altmesopot. Bildkunst von der 'Ubaid- bis zur Akkad-Zeit, in: BaM 22, 1991, 231–311 • H. BRUNNER, s. v. Tür und Tor, LÄ 6, 778–787. AR. HA. u. H. J. N.

II. GRIECHISCH-RÖMISCHE ANTIKE

(θύρα/ thýra; lat. fores; ianua; valvae). Bereits in der frühgriech. Architektur (8./7. Jh. v. Chr.) gehört neben dem → Fenster die T. zu den wichtigsten Ausbauteilen; ihre Form und Ausstattung deutet den Rang eines Bauwerks oder den Status des Besitzers zuverlässig an. Sie untergliedert sich in den fest in die Architektur integrierten Türrahmen, den Verschlußmechanismus (metallene Zapfen, Pfannen bzw. Zargen und Schloß, Schwelle; Scharniere waren demgegenüber selten) und die eingesetzten ein oder zwei Türflügel. Letztere waren meist aus Holz und mehr oder weniger reich und über das konstruktiv Notwendige hinaus mit Metall beschlagen, bisweilen auch mit Elfenbein, Ebenholz und anderen wertvollen Materialien dekoriert. T.-Flügel sind bei der Hausarchitektur, wie auch Dachziegel und Fensterläden, meist Bestandteil des → Hausrates (und nicht im eigentlichen Sinne der Architektur zugehörig).

In der griech. Architektur bildeten sich für repräsentative Bauten zwei Tür-Typen aus, wobei die Art des Rahmens, nicht jedoch die der Flügel entscheidend war: ionische T. mit reichem Rahmendekor und einem bisweilen konsolenartigen *hyperthyron* als oberem Rahmenabschluß; dorische T. mit eher einfachem Rahmendekor. Eine detaillierte Beschreibung der jeweiligen Bauproportionen und ihrer Unterscheidungsmerkmale liefert Vitr. 4,6 (zur Nomenklatur der Details an der griech. Tempel-T. [1. 19–22]). Hinzu trat die »attische T.«, eine bei Vitruv 4,6,1–6 beschriebene Sonderform. Diese Formkonzepte wurden in der röm. Ant.

weitgehend wiederholt, wobei der Prunk der ionischen T. deutlich bevorzugt wurde.

Holz-T. haben sich nur vereinzelt (meist in Gräbern) erh.; zahlreiche Marmor- oder dekorierte Stein-T. (z. B. Mausoleum von Belevi, maked. Kammergräber) bilden jedoch diese mit Applikationen versehenen T. nach; ebenso lassen auch ergänzend die Abb. von T. in der Malerei Rückschlüsse auf das urspr. Aussehen von T. zu. Einen guten Eindruck vom materiellen und gestalterischen Aufwand ant. T. geben die im Original erhaltenen Br.-T. des → Pantheon [2] und des Romulustempels sowie die umfassend mit Schnitz-Dekor überzogene Holztür von Santa Sabina (alle in Rom). Zu den rel. Aspekten vgl. → Torgottheiten.

1 EBERT.

A. BÜSING-KOLBE, Frühe griech. T., in: JDAI 93, 1978, 66–174 • G. UND D. GRUBEN, Die T. des Pantheon, in: MDAI(R) 104, 1997, 3–74 • W. HOEPFNER, E. L. SCHWANDER, Haus und Stadt im klass. Griechenland, ²1994, 356 (s. v. T.) • G. JEREMIAS, Die Holzt. der Basilika S. Sabina in Rom, 1980 • H. KLENK, Die ant. T., 1924 • CH. LÖHR, Griech. Häuser: Hof, Fenster, T., in: W. D. HEILMEYER (Hrsg.), Licht und Architektur, 1990, 10–17 • A. OLIVER JR., Ivory Temple Doors, in: J. L. FITTON (Hrsg.), Ivory in Greece and the Eastern Mediterranean Period (Kongr. London 1990), 1992, 227–231 • W. MÜLLER-WIENER, Griech. Bauwesen in der Ant., 1988, 104–107. C. HÖ.

Türken. In der mod. Forsch. Bezeichnung aller Angehörigen der türkischen Sprachfamilie. Die Bezeichnung »T.« (griech. byz. Τοῦρκοι/ Túrkoi, lat. Turci bei Fredegard) ist nicht vor dem 6. Jh. n. Chr. nachgewiesen, die ältesten Texte in türk. Sprache datieren in die 1. H. des 8. Jh. n. Chr. Für die Zeit vor dem 6. Jh. ist (auch wegen der unklaren Terminologie) nach wie vor ungelöst, welche der in chinesischen, tibetischen, iranischen und griech.-lat. Quellen genannten Völker mit den Vorläufern der T. zu verbinden sind. Wahrscheinlich ist ein (ungeklärt bleibender) Zusammenhang der T. mit den Xiung-nu (»östl. → Hunni«) der vorchristl. Zeit; Gleiches gilt für die hunnischen Chioniten (z. B. bei → Ammianus Marcellinus 17,5,1; 19,1,10f.), die im 4. Jh. n. Chr. an der sāsānidischen Ostgrenze erschienen, die ebenfalls hunnischen → Hephthalitai (z. B. bei → Prokopios BP 1,3) und andere zentralasiatische Nomadenvölker des 5. Jh. n. Chr. sowie für die europäischen Hunnen des 4.–5. Jh. Möglicherweise ebenfalls zu den T. gehörten die → Avares (6.–9. Jh. in → Pannonia III.) sowie → Chazaren, deren Reich vom 6.–10. Jh. (mit Zentrum an der unteren Wolga) teilweise enge Kontakte zu Byzanz unterhielt (vgl. Theophanes, Chronographica 1, p. 409f. DE BOOR; Konstantinos [1] Porphyrogennetos, *De administrando imperio*, Kap. 10 und 12).

Ab dem 5. Jh. n. Chr. erschienen die aus Sibirien kommenden Bulgartürken (→ Bulgaroi) unter den Namen Oguren, Kutriguren, Sabiren, Bulgaren etc. im östl. Europa und auf dem Balkan, wo sie Staaten gründeten und in Beziehungen zu Byzanz traten. Die im Osten verbliebenen T. gründeten ca. 550 ein erstes Reich von China bis zum Schwarzen Meer. 568 erschien eine erste türk. Gesandtschaft in Byzanz, die durch die Gesandtschaft des Zemarchos (dokumentiert bei Menandros [13] Protektor, *Historíai*), danach durch die des Valentinos zwecks eines Bündnisses gegen die → Sāsāniden beantwortet wurde. Nach baldigem Zerfall konnte sich der östl. Teil des T.-Reiches ca. 682 wieder von chinesischem Einfluß befreien, wurde aber um Mitte des 8. Jh. von den Uiguren zerstört. Schon im 8. Jh. gelangten T. nach Mittelasien. Im 10. Jh. drangen auch neue türk. Völker nach Osteuropa und bis auf den Balkan vor, wo sie als → Petschenegen und Usen erscheinen. Im 11. Jh. wanderten unter Führung der Herrscherfamilie der Seldschuken (nach der später die gesamte Gruppe benannt wurde) die westogusischen T. in den Vorderen Orient und Osteuropa ein. Nach der Einnahme Bagdads 1055 schlugen die sog. Groß-Seldschuken 1071 bei Mantzikert (Ostanatolien) das byz. Heer des Kaisers → Romanos [5] IV. Diogenes: dies öffnete Anatolien dem Zustrom seldschukisch-türkischer Gruppen (→ Kleinasien III. J.). Diese gründeten dort das Sultanat von Konya (→ Ikonion), das von den Mongolen im 13. Jh. unterworfen wurde und sich 1308 endgültig in einzelne Fürstentümer (*beylikler*) auflöste; deren kleinstes war dasjenige Osmans in → Bithynia, aus dem das Osmanische Reich erwachsen sollte, dem im Laufe des 15. Jh. alle verbliebenen byz. Rest-Staaten zum Opfer fielen (1453 Konstantinopolis); nach seinem Zusammenbruch im ersten Weltkrieg entstand daraus die Türk. Republik.

Der mongolische Vorstoß brachte auch die meisten anderen mod. Türkvölker in ihre heutigen Wohngebiete und war verantwortlich für den Zustrom der kiptschakischen → Kumanen auf den Balkan und nach Ungarn.

Vor der Seldschukenzeit waren die Kulturkontakte mit der griech.-röm.-byz. Welt zumeist mil. oder diplomatischen Charakters (doch vgl. → Chazaren). Die Turkisierung Kleinasiens seit dem 11. Jh. führte dann aber zu einem regen Kulturaustausch; zu einer Rezeption der klass. Antike kam es hauptsächlich erst im 19. Jh. unter europ. Einfluß.

Vor der Islamisierung ab dem 10. Jh. dominierten neben dem Animismus noch das Nestorianische Christentum (→ Nestorios, Nestorianismus D.), der Manichäismus (→ Mani) und der Buddhismus. Heute gehören die T. dem sunnitisch-islamischen Kulturkreis an (→ Islam); neben (meist orthodoxen) christl. Gruppen finden sich noch Buddhisten, Animisten und karäische Juden (→ Karäer).
→ Türkei

J. Deny et al. (Hrsg.), Philologiae Turcicae Fundamenta, Bd. 1–2, 1959, 1964 · H. Göckenjan, s. v. T., LMA 8, 1103–1106 · P. B. Golden, An Introduction to the History of the Turkic Peoples (Turcologica 9), 1992 · L. Johanson, É. Csató (Hrsg.), The Turkic Languages, 1998 ·

W. Radloff, Versuch eines Wb. der Türk-Dialekte, Bd. 1–4, 1893, 1899, 1905, 1911.   CL. SCH.

Tufa (Name evtl. röm.) war 489–493 n. Chr. *magister militum* → Odoacers, ging schon im Sept. 489 zu → Theoderich [3] d. Gr. über, kehrte aber ins Lager Odoacers zurück (Anon. Vales. 11,51–52). Ab 490 hielt er sich mit dem Rugierkönig → Fredericus [2] in Nord-It. auf; 493 kam es zu einer Schlacht zw. beiden, in der T. unterlag und getötet wurde (Chron. min. 1).

P. Amory, People and Identity in Ostrogothic Italy, 1997, 424 · PLRE 2, 1131.   WE. LÜ.

Tuficum. Stadt in Umbria (→ Umbri) am oberen → Aesis, → *municipium* der *tribus Oufentina* [1] (Plin. nat. 3,114; Ptol. 3,1,53; CIL XI 5711; 5718), h. Borgo Tufico (ehemals Ficano) bei Albacina (Macerata). T. lag an einer Nebenstraße der → *via Flaminia*, die bei Helvillum (h. Fossato di Vico?) abzweigte und nach Aesis (h. Iesi) an der Adria (→ Ionios Kolpos) führte.

1 L. R. Taylor, The Voting Districts of the Roman Republic, 1960, 273.

Nissen 2, 386.   G. U. / Ü: J. W. MA.

Tugend (ἀρετή/*areté*; »Gutsein, Tüchtigkeit«, lat. *virtus*).
A. Archaische Zeit
B. Sokrates, Platon, Aristoteles
C. Hellenistische und römische Philosophie
D. Christentum

A. Archaische Zeit

Der Begriff T. hat vorphilos. und philos. Bedeutungen. Vorphilos. Vorstellungen (z. B. im griech. Epos und der archaischen Elegie, der Historiographie und den att. Rednern) entsprechen einer heroischen und polit. Güterethik, deren Hauptcharakteristika praktische Klugheit, Tapferkeit sowie Meiden von Scham und Streben nach Ruhm sind. Andererseits fordern die Delphischen Sprüche, die z. T. den sogenannten → Sieben Weisen zugeschrieben werden, ›Erkenne Dich selbst‹ und ›Nichts im Übermaß‹.

Die Transformation zur philos. Reflexion im 6. und 5. Jh. war durch zunehmende gesellschaftliche Komplexität bedingt. Ansonsten unlösbare Konflikte konnten durch überpersönliche Normen (z. B. → Solons [1] *eunomía*) gelöst werden; andererseits führte die Entwicklung des Seelen-Begriffs (*psyché*; → Seelenlehre) als eigentliches Subjekt der Verantwortung zu einer Verinnerlichung der Moral (d. h. zur Bewertung nicht mehr des Ergebnisses, sondern der Absicht). Die grundsätzliche Unterscheidung zw. äußeren und inneren Gütern wird erstmals bei Herakleitos [1] (22 B 119 DK) und Demokritos [1] (68 B 171 DK) thematisiert. Manche Sophisten (→ Sophistik) griffen die herkömmliche Moral als bloße Konvention (*nómos*) an; sie machten die natürliche, uneingeschränkte Erfüllung des Begehrens (ἐπιθυμία/*epithymía* und πλεονεξία/*pleonexía*) zum Maßstab des → Glücks (*eudaimonía*; z.B. Antiphon, Thrasymachos; Plat. Gorg. 482e–483e; Thuk. 5,105,2).

B. SOKRATES, PLATON, ARISTOTELES

Die sokratische Frage, wie man leben soll, führt zu weiterer Selbstbesinnung: Statt um Geld, Ansehen oder sonstige äußere Güter solle man primär um die Vervollkommnung der eigenen Seele bemüht sein (*epimeleísthai tēs psychḗs*, Plat. apol. 29d-e; 36c). Im Gespräch mit seinen Mitmenschen suchte → Sokrates [2] zu erfahren, was die T. sei, was für ein Wissen sie sei und ob sie lehrbar sei. Das sokratische Fragen nach der T. enthält bereits eine → Ethik des Gesprächs.

Mit → Platon [1] findet eine Intellektualisierung und »Moralisierung« des T.-Begriffs statt. Er entwickelte zudem das wirkungsreiche Schema der vier Kardinal-T.: Klugheit (σοφία/*sophía* oder φρόνησις/*phrónēsis*), Tapferkeit (ἀνδρεία/*andreía*), Selbstbeherrschung (σωφροσύνη/*sōphrosýnē*), Gerechtigkeit (δικαιοσύνη/*dikaiosýnē*, rep. 427eff.; 442b-d), bei Cicero lat. *sapientia* oder *prudentia*, *fortitudo*, *temperantia* und *iustitia*. Bei Platon und später klarer im → Mittelplatonismus und → Neuplatonismus koinzidieren das menschliche und das göttliche Gute (τὸ ἀγαθόν/*to agathón*, Plat. rep. 505d-e): Ziel ist es, die geistige Natur des Menschen zu realisieren und dem Göttlichen gleich zu werden (Plat. Tht. 176a-b; Plotinos 1,2,7).

Bei → Aristoteles [6] wird zw. den ethischen (ἠθική/*ēthikḗ*) und den intellektuellen (διανοητική/*dianoētikḗ*) T. unterschieden (Aristot. eth. Nic. 6). Erstere beschränken sich nicht auf die vier kardinalen T., sondern schließen etwa Großzügigkeit (ἐλευθεριότης (*eleutheriótēs*), Hochsinnigkeit (μεγαλοψυχία/*megalopsychía*) und Wahrhaftigkeit (vgl. ἀληθευτικός, *alētheutikós*) ein (Aristot. eth. Nic. 3,6–9; 4). Die ethischen T. werden als Mitte (*mesótēs*) zw. Übermaß und Mangel aufgefaßt. Aristoteles nimmt eine partielle Rückkehr zur alten Güterethik und deren praktischer Lebensweisheit vor: Komponenten des Glücks sind nicht nur die seelischen, auch die leiblichen und die äußeren Güter. Die T. wird nicht primär durch Einsicht, sondern durch Gewöhnung (*éthos*) erworben (Aristot. eth. Nic. 1103a-b).

C. HELLENISTISCHE UND RÖMISCHE PHILOSOPHIE

Auch die hell. Philosophenschulen debattierten die Frage, ob die T. allein zum Glück ausreiche oder ob andere Güter dazu erforderlich seien. Im → Stoizismus konstituierte ausschließlich die T. das Glück: tugendhaftes Leben ist natur- und vernunftgemäß (*kat' empeirían tōn phýsei symbainóntōn zēn*, Diog. Laert. 7,87). Bei → Epikuros war das höchste Gut nicht mehr die T., sondern die → Lust (*hēdonḗ*). T. wird also zum Instrument zur Erlangung des Glücks, nicht konstitutiv für Glück. Der → Epikureismus strebte demnach v. a. nach Freiheit von Angst und Schuld.

Der röm. T.-Begriff vereinte traditionelle röm. Moral und griech. philos. Konzeptionen. Abgeleitet von *vir* (»Mann«) bedeutet *virtus* zuerst »Mannhaftigkeit, Tap-

ferkeit« (*fortitudo*: Cic. Tusc. 2,18). Das »vorphilos.« Streben der röm. Elite nach Ruhm traf auf den durch → Panaitios [4] vermittelten stoischen T.-Begriff. Cicero entwickelte diese Verschmelzung weiter, etwa mit den T. der Zuverlässigkeit (*fides*) und der Frömmigkeit gegen Eltern und Familie (→ *pietas*); er verstand die röm. T. grundsätzlich polit. (Cic. off. 1,153; rep. 1,22). Insbes. bei → Seneca [2], → Epiktetos [2], → Plutarchos [2] und Marcus [2] Aurelius wurde die sokratische Selbstprüfung durch neue, raffiniertere Mittel der Selbstbildung bereichert und als → Popularphilosophie gelehrt.

D. CHRISTENTUM

Die vier Kardinal-T. wurden ins Christentum aufgenommen, aber zugleich durch die spezifisch christl. T. Glaube (πίστις, → *pístis*, lat. *fides*), Hoffnung (ἐλπίς/*elpís*, lat. *spes*) und Liebe (ἀγάπη/→ *agápē*, lat. *caritas*) ergänzt und umgewandelt (1 Kor 13). Zur T. zählten nunmehr wesentlich Gehorsam (LXX: ἐπακρόασις/*epakróasis*, Vulg.: *oboedientia*), Demut (ταπεινοφροσύνη/*tapeinophrosýnē*, lat. *humilitas*) und Buße (μετάνοια/*metánoia*, lat. *paenitentia*). Die Kirchenväter rezipierten v. a. den Stoizismus, vermittelt durch Cicero und Seneca, neu. Bedeutsam war insbes. der Einfluß von Ciceros *De officiis* auf → Ambrosius. → Augustinus nahm die Kardinal-T. als Formen der Liebe gegen Gott auf. Die in der Ant. minoritäre Vorstellung, T. werde nicht vom Menschen selbst erworben, sondern von Gott geschenkt, fand in der christl. Theologie – hinsichtlich der spezifisch christl. T. – eine neue Bed. und Rechtfertigung.

→ Ethik; Gewissen; Glück; Politische Philosophie; Praktische Philosophie; Seelenlehre; PRAKTISCHE PHILOSOPHIE; STOIZISMUS

A. W. H. ADKINS, Merit and Responsibility, 1960 · F. ALESSE, La Stoa e la tradizione socratica, 2000 · J. ANNAS, The Morality of Happiness, 1993 · F. BOURRIOT, Kalos Kagathos – Kalokagathia, 1995 · M. CANTO-SPERBER, Éthiques grecques, 2001 · K. J. DOVER, Greek Popular Morality in the Time of Plato and Aristotle, ²1994 · S. EVERSON (Hrsg.), Companions to Ancient Thought, Bd. 4, 1998 · C. GILL, Personality in Greek Epic, Tragedy and Philosophy, 1996 · P. HADOT, Exercises spirituels et philosophie antique, ³1993, 13–75 (dt. Übers. 1991) · CH. HORN, Ant. Lebenskunst, 1998, 113–145 · D. S. HUTCHINSON, The Virtues of Aristotle, 1986 · B. INWOOD, Ethics and Human Action in Early Stoicism, 1985 · T. IRWIN, Plato's Ethics, 1995 · W. A. MEEK, The Origins of Christian Ethics, 1993 · P. MITSI, Epicurus' Ethical Theory, 1988 · M. NILL, Morality and Self-Interest in Protagoras, Antiphon and Democritus, 1995 · R. SORABJI, Emotion and Peace of Mind: From Stoic Agitation to Christian Temptation, 2000 · P. STEMMER, s. v. T. (I.), HWdPh 10, 1998, 1532–1548 · G. STRIKER, Essays in Hellenistic Epistemology and Ethics, 1996 · M. VEGETTI, L'etica e la filosofia antica, 1989.   F. R.

Tugurium (lat.). Primitive Hütte aus vergänglichen Baustoffen; in der Regel eine Holz-Lehm-Konstruktion, überdacht mit Schilf, Baumrinde oder Grassoden (→ Haus), in der röm. Lit. urspr. als ärmliche Behausung beschrieben (Varro rust. 3,1,3; Verg. ecl. 1,68; Plin. nat. 16,35) und überwiegend primitiven Völkern zugeordnet (vgl. die Hütten der Daker und Marcomannen auf den Reliefs der Traians- und Marcus-Aurelius-Säule in Rom). Das schon bei Vitruv (2,1,5) ausführlich beschriebene und idealisierte Prinzip des »Naturhauses« gewann im architekturtheoretischen Diskurs des 18. Jh. als »Urhütte« herausragende und verklärende Bed., so bei Marc-Antoine LAUGIER, dessen *Essai sur l'Architecture* von ²1755 der berühmt gewordene Stich von Ch. EISEN der »Vitruvianischen Urhütte« beigegeben war.

W. HERRMANN (Hrsg.), Marc-Antoine Laugier: Das Manifest des Klassizismus, 1989.   C.HÖ.

Tukultī-Ninurta (wörtl. »Ninurta ist mein Beistand«). Name zweier assyrischer Könige:
[1] T.-N. I. (1244–1207). Neben seiner kriegerischen Auseinandersetzung mit den Hethitern (→ Ḫattusa II.) ist v.a. sein 1228 durchgeführter Feldzug gegen Babylonien von Bed., von dem nicht nur Königs-Inschr. berichten [1], sondern auch, in hochpoetischer Sprache, das sog. T.-N.-Epos [2]. T.-N. war der erste assyr. Herrscher, der die Residenz aus der altangestammten Hauptstadt → Assur abzog, indem er sich im nahegelegenen, von ihm neubegründeten Kār-T.-N. niederließ. Späteren Quellen zufolge wurde er von einem seiner Söhne ermordet.
[2] T.-N. II. (891–884). Unter ihm nahm der auf eine längere Krisenzeit folgende machtpolit. Wiederaufstieg Assyriens weiter Form an. Die Feldzüge des Herrschers führten nach Südostanatolien, in das Gebiet des Ḫābūr-Dreiecks und nach Nordbabylonien.

1 A.K. GRAYSON, Assyrian Rulers of the Third and Second Mill. BC, 1987, 231–299   2 B. FOSTER, Before the Muses, 1993, 209–229   3 A.K. GRAYSON, Assyrian Rulers of the Early First Mill. BC, Bd. 1, 1991, 163–188.   E.FRA.

Tulingi. Nachbarstamm der → Rauraci und → Latobrigi, welchen die → Helveti zur Teilnahme an ihrem Auszug bewogen (Caes. Gall. 1,5,4; 1,25,6: T. bilden die Nachhut des helvetischen Heereszuges; 1,28,3: nach der Schlacht bei → Bibracte 58 v. Chr. von → Caesar in ihre Heimat zurückgeschickt; 1,29,2: Zahl der Ausziehenden 36000). Die Rolle der T. in der Schlacht bei Bibracte läßt auf ein erfahrenes Söldnerkorps schließen (so schon [1. 788]). Über die Heimat der T. und ihre ethnische Herkunft (Kelten oder Germanen) sagt Caesar nichts.

1 P. GOESSLER, s.v. T., RE 7 A, 788–793.   G.W.

Tullia
[1] Tochter des röm. Königs Servius → Tullius [I 4], des Schwiegersohns des → Tarquinius [11] Priscus, verheiratet mit ihrem Onkel Arruns. Nach vergeblichen Versuchen, Arruns zur Übernahme der Herrschaft zu überreden, wandte sich T. dessen Bruder Tarquinius (dem späteren → Tarquinius [12] Superbus) zu, dem Ehemann ihrer gleichnamigen Schwester. Nach dem Tod

des Arruns und ihrer Schwester (durch Mord?; Liv. 1,46,9; Dion. Hal. ant. 4,30,1) heiratete T. Tarquinius und veranlaßte ihn, Servius Tullius ermorden zu lassen. T. soll in der danach benannten »Verbrechensgasse« in Rom (*vicus sceleratus*) im Wagen über ihren toten Vater hinweggefahren sein (Liv. 1,48,7; Dion. Hal. ant. 4,39,4f.). Die breit ausgesponnene Erzählung (Liv. 1,46,4–48,8; Dion. Hal. ant. 4,28–39) soll die Überschreitung der Rolle einer Frau im polit. Raum brandmarken (bes. Liv. 1,48,5) und sie für das tyrannische Regime des letzten röm. Königs mitverantwortlich machen (vgl. Liv. 1,59,13). Zudem zeigt diese Überl. Spuren des histor. Wissens vom Wandel der Herrschaftslegitimation im Vergleich zum älteren »latinischen« Königtum (→ *rex*): An die Stelle der Zustimmung von Senat, Volk und Göttern tritt in der etr. Phase die Herrschaft einer Familie (Servius Tullius wie Tarquinius Superbus sind Schwiegersöhne der Vorgänger), deren im röm. Verständnis negative Konnotation durch die aktive Beteiligung von Frauen (→ Tanaquil und T.) noch verstärkt wird.   W.ED.

[2] Tochter des M. Tullius → Cicero und der → Terentia [1], zw. 79 und 76 v. Chr. geboren [1. 140], im J. 63 in erster Ehe mit C. Calpurnius [I 20] Piso bis zu dessen Tod 57 verheiratet (Cic. Att. 1,3,3; 3,19,2; zu den Schwierigkeiten, die sich aus dem Exil Ciceros für das Paar ergaben, auch Cic. p. red. in sen. 17; Cic. Sest. 54). Zw. 56 und 51 war T. mit Furius [I 16] Crassipes verheiratet. Die dritte Ehe mit P. Cornelius [I 29] Dolabella wurde ein Jahr später in Abwesenheit Ciceros auf Betreiben seiner Frau geschlossen (Cic. Att. 6,6,1, vgl. Komm. SHACKLETON BAILEY z. St.). Als Dolabella sich zu Caesar begab, reisten T. und ihre Mutter zunächst auf das Formianum, dann auf das Cumanum, wo T. im Mai 49 einen Sohn gebar (Cic. Att. 10,18,1), der kurz darauf starb. Cicero, der 48 nach Griechenland reiste, bat Pomponius [I 5] Atticus, die Familie finanziell zu unterstützen (Cic. Att. 11,2,2, vgl. Komm. SHACKLETON BAILEY z. St.; 11,6,4; 11,9,3; 11,23,3). Schon 48 war Cicero gegen die Ehe, wagte aber wegen der Stellung Dolabellas noch nicht, die Scheidung zu veranlassen (Cic. Att. 11,25,3). 47 traf T. ihren Vater in Brundisium (Cic. Att. 11,21,2; 11,24,1) und lebte nach seiner Begnadigung durch Caesar in seinem Haus in Rom. Im Nov. 46 wurde die Ehe mit Dolabella gelöst [2. 94f.]. Im Feb. 45 starb T. an den Folgen einer Geburt, kurz darauf starb auch ihr Sohn. Cicero, der um seine geliebte, ihm sehr ähnliche Tochter trauerte (Cic. Att. 10,8,9; Cic. fam. 4,6,1–3; 14,11), plante eine Art Heiligtum für sie (Cic. Att. 12,36,1), das aber nicht gebaut wurde, und verfaßte eine nicht erh. Trostschrift (*Consolatio*, Cic. Att. 12,14,3; Cic. Tusc. 3,76 u.ö.).

1 J.P. HALLETT, Fathers and Daughters in Roman Society, 1984, 91; 133f.   2 K.R. BRADLEY, Remarriage and Structure of Upper Class Roman Family, in: B. RAWSON (Hrsg.), Marriage, Divorce and Children in Ancient Rome, 1991, 79–98.

S. Dixon, Family Finances: Terentia and T., in: B. Rawson (Hrsg.), The Family in Ancient Rome, 1986, 97–118 ·
E. Rawson, Cicero, 1975, s. v. T.   ME. STR.

Tullianum.
Teil des röm. Staatsgefängnisses (→ *carcer*), in dem zum Tode Verurteilte festgehalten und durch Erdrosseln hingerichtet wurden, u. a. die Mitverschwörer des → Catilina und die im Triumphzug gezeigten Führer besiegter Völker (→ Triumph, mit Karte). Der Name T. ließ ant. Autoren an Tull(i)us Hostilius [4] bzw. Servius Tullius [I 4] als Erbauer denken (Varro ling. 5,151; Fest. 490), mod. Forscher an ein ursprüngliches Quellhaus (nach Fest. 492: *Tullios* = »Quellströme«); der *carcer* selbst wird von Liv. 1,33,8 dem Ancus Marcius [I 3] zugeschrieben. Sallust (Catil. 55,3–6) beschreibt das T. als dunkel und übelriechend, allseits ummauert und überwölbt. Ant. Angaben zur Lage führten zur Identifikation [1. 65 f.] mit einem noch h. (unter der Kirche S. Giuseppe dei Falegnami) sichtbaren Gewölbe dicht am → Forum [III 8] Romanum, in der Nähe der Columna [2] Maenia und der Scala Gemonia (»Seufzertreppe«), auf die Hingerichtete geworfen wurden. Das Alter des T. ist nicht zu erschließen; der darüberliegende Raum, durch ein Loch im Fußboden mit dem T. verbunden, wurde im 2. Jh. v. Chr. erbaut.

1 F. de Ficoroni, Vestigia e rarità di Roma antica, 1744
2 Nash 1, 1961, 206 f. (mit ausführlicher Lit.).   W. ED.

Tullianus.
Röm. Landbesitzer in Bruttium und Lucania; er unterstützte 546 n. Chr. die Byzantiner bei der Wiedergewinnung dieser Region (Prok. BG 3,18,20–23). Seine Streitmacht aus Bauern, die das Vorrücken des → Totila nach Süden verhindern sollte, lief aber unter dessen Einfluß auseinander (Prok. BG 3,22,1–5). PLRE 3,1344.   WE. LÜ.

Tullius.
Röm. Familienname, vom Praen. → Tullus abgeleitet; ältester überl. Namensträger ist der fünfte König Roms, Servius T. [I 4], bis in die Zeit → Ciceros und seiner Familie sind weitere Träger nur selten bezeugt.   K.-L. E.

I. REPUBLIKANISCHE ZEIT

[I 1] T., Attius. Die Überl. verbindet ihn als den ›damals bei weitem ersten Mann der Volsker‹ (→ Volsci; Liv. 2,35,7) mit der Erzählung über → Coriolanus, indem T. diesen aus altem Haß gegen die Römer bei seinen Plänen unterstützt (Liv. 2,37,1–8; 2,38,1–5; 2,39,1; 2,40,12). Sein Name hat z. T. zu Verwirrungen bei griech. Autoren geführt (z. B. Dion. Hal. ant. 8,1,4: Tullus als Praen., Attius als *nomen gentile*), doch ist Att(i)us (wohl aus Appius) ohne Zweifel als T.’ Praen. anzusehen (vgl. [1. 21, 68]). Genealogische Konstruktion macht T. z. T. zum Ahnherrn → Ciceros (Plut. Cicero 1,1; Vir. ill. 81,1).

1 Salomies.   C. MÜ.

[I 2] T., M. Wurde 71 v. Chr. als Kläger gegen P. Fadius von → Cicero in einem Verfahren wegen Sachbeschädigung vertreten (Rede *Pro Tullio*, unvollständig erh.).   K.-L. E.

[I 3] T., M. Schreiber (*scriba quaestorius*? [1. 96]) und enger Vertrauter Ciceros 51–50 v. Chr. in Kilikien; brachte 49 und 45 wichtige Botschaften (Cic. Att. 8,11B,4; 13,22,4).

1 D. R. Shackleton Bailey (ed.), Cicero's Letters to Atticus 3, 1968.

[I 4] T., Ser. Laut Trad. sechster König Roms 578–534 v. Chr., der die Linie der Tarquinii unterbrach (→ Tarquinius [11–12]) und durch zahlreiche Reformen als zweiter Gründer Roms erscheint. T.’ Herkunft war mythisch-obskur (→ Ocrisia): Er galt als Kind eines Unbekannten oder eines Gottes. Königin → Tanaquil förderte T. wegen früher Zeichen von Auserwähltheit (später soll er Geliebter der → Fortuna gewesen sein), so daß er zum Erben des Tarquinius [11] Priscus aufstieg. Als dieser ermordet wurde, gelang T. in einer Art Staatsstreich die Thronfolge. Er galt später als volksfreundlich in Opposition zum Patriziat, wurde zur Zeit des Fortuna-Verehrers L. Cornelius [I 90] Sulla aber auch konservativ gedeutet. Den Tod brachte ihm die Ehe seiner »bösen« Tochter Tullia [1] mit dem machtgierigen Tarquinius [12] Superbus, der T. vom Thron stieß und ermorden ließ; Tullias Wagen überfuhr die Leiche, die unbestattet liegenblieb (Hauptquellen: Cic. rep. 2,37–40; Dion. Hal. ant. 4,1–40; Liv. 1,39–48; zur ant. T.-Trad. [7]).

Der Detailfülle der Überl. zu T. steht größte Unsicherheit über deren histor. Aussagewert gegenüber. Alle Kernpunkte sind umstritten, so die Identifikation des Usurpators T. – der seinen Vorgänger vielleicht selbst tötete (oder in die sakrale Sphäre verdrängte: [1. 235 f.], vgl. [5]; → *rex sacrorum*) – mit dem etr. Abenteurer → Mastarna (dafür: [8], dagegen: [1. 134–141; 6]), der auch in die Zeit nach 509 gehören könnte. T. selbst ist ca. 550–520 anzusetzen; er erscheint als Traditionsbrecher, vielleicht gar als Begründer einer neuen Herrschaftsform (Tyrann oder höchster Beamter auf Lebenszeit? [1. 120]).

T.’ außenpolitisch als ruhig dargestellter Herrschaft wird die territoriale Gliederung Roms nach → *tribus* zugeschrieben (Liv. 43,13; Dion. Hal. ant. 4,14,1 f.; 4,15,1–3), weiter die timokratisch gegliederten → *comitia centuriata* als Versammlung der Hoplitenarmee (Liv. 1,42,5–43,12; Cic. rep. 2,22,39 f.; Dion. Hal. ant. 4,16,1–19,4; [1. 179–197; 4. 122 f.]); dies schuf ein Gegengewicht zu den die *comitia curiata* prägenden adligen *gentes* (→ *gens*) und bezog die wehrfähigen Bürger stärker auf den König (dessen Machtbasis die Armee war) und die Stadt als Ganzes. Neuere Forsch. sehen in der neuen Form der Bürgereinteilung durch Tribusreform und Einführung eines → *census* eine umfassende Veränderung der gesellschaftlichen Organisationsformen und den Beginn eines von der Gentilorganisation unabhängigen röm. Bürgerbewußtseins, mithin die Schaffung des → *populus* (etr. *puple*, »waffenfähige Jugend«; [1. 173–197; 4. 120–124]). Ungeachtet der legendären Überwucherung sei die diesbezügliche Überl. im Kern zuverlässig, da sich sonst das selbstbewußte Verhalten der → *plebs* im → Ständekampf nicht erklären lasse [3]. Die (Neu?–)Festlegung des → *pomerium* unter Einbezug der Hügel Quirinalis, Viminalis und Esquilinus ins stark gewachsene Rom und dessen partielle Befestigung sind denkbar [1. 198–203], die angebliche erste Ummauerung ganz Roms ist arch. ohne Rückhalt (die »Servianische Mauer« ist jünger als 387). Fiktiv ist die erste Münzprägung (→ Geld III.). Weithin akzeptiert wird T.' Stiftung eines Heiligtums der → Diana auf dem Aventinus für die Mitglieder des Latinischen Bundes (→ Latini) zur Stärkung der Vormachtrolle Roms (Liv. 1,45,2 f.). Dem Favoriten der → Fortuna schrieb man deren röm. Kulte und Tempel zu (Liv. 10,46,14; Dion. Hal. ant. 4,27,7; Ov. fast. 6,569–575; [1. 146–148]), ebenso Riten und Feste, an denen Sklaven teilnehmen durften (z. B. → Compitalia, Paganalia). Klar unhistor. sind eine Schuldbefreiung (das Muster ist Solon [1]), Gerichtsreformen, die Verteilung Freigelassener auf alle *tribus* (Problem erst der späten Republik), wohl auch Getreidespenden und die Verteilung des → *ager publicus* (vgl. Dion. Hal. ant. 4,9,6–10,3).

1 T. P. CORNELL, The Beginnings of Rome, 1995
2 M. CRISTOFANI (Hrsg.), La grande Roma dei Tarquini, 1990 3 W. EDER, Political Self-Confidence and Resistance, in: T. YUGE, M. DOI (Hrsg.), Forms of Control and Subordination in Antiquity, 1988, 465–475 4 B. LINKE, Von der Verwandtschaft zum Staat, 1995 5 S. MAZZARINO, Dalla monarchia allo stato della repubblica, 1945 6 R. M. OGILVIE, A Commentary on Livy, Books 1–5, 1965 7 R. T. RIDLEY, The Enigma of S. T., in: Klio 57, 1975, 147–177 8 R. THOMSEN, King S. T. A Historical Synthesis, 1980.   JÖ. F.

TULLII CICERONES

Die Familie gehörte zur lokalen Oberschicht von → Arpinum (und stand so mit der Familie des C. Marius [I 1] in verwandtschaftlicher Beziehung). Wohl seit der Mitte des 2. Jh. v. Chr. führte sie das erbliche Cogn. *Cicero*, das die ant. Quellen auf *cicer*, »Kichererbse« (erbsenförmige Nasenwarze?), zurückführten (Plin. nat. 18,10; Plut. Cicero 1,3 f.; vgl. Cass. Dio 46,18,1). Silius Italicus (8,404–407; 12,175) konstruiert eine direkte Verwandtschaft → Ciceros mit einem Teilnehmer des 2. Punischen Krieges.   K.-L. E.

[I 5] T. Cicero, L. Bruder von [I 8], Onkel → Ciceros, griech. gebildet, Freund des L. Licinius [I 10] Crassus, war 102–100 v. Chr. (dank M. Gratidius [2]?) ganz jung *praef.* des M. Antonius [I 7] im Piratenkrieg (Cic. de orat. 1,5,1; [1]). Seine Tochter heiratete L. Aelius [I 14] Tubero. T. starb bald nach der Geburt seines Sohnes T. [I 6].

1 K. CLINTON, Initiates in the Samothracian Mysteries, September 4, 100 B. C., in: Chiron 31, 2001, 27–35.

[I 6] T. Cicero, L. Geb. ca. 98 v. Chr., studierte 79 in Athen zusammen mit seinen Vettern → Cicero und T. [I 11] sowie T. Pomponius [I 5] Atticus. 70 half er Cicero, der ihn sehr schätzte (Cic. fin. 5,1; Cic. Verr. 2,3,170), bei dessen Ermittlungen gegen C. → Verres; im Dezember 68 (Cic. Att. 1,5,1) erlag er wohl einer Epidemie [2. 22[61]].

[I 7] T. Cicero, M. Ca. 150–80? v. Chr., Grundbesitzer in Arpinum, Großvater → Ciceros. Mit Gratidia hatte er die Söhne T. [I 5] und [I 8]. Gegen den Schwager M. Gratidius [2] bezog T. (ca. 119? 115?) eine lokalpolit. konservative Position [1]. Cicero (leg. 2,3; 3,36) beschreibt T. als genügsam und bildungsskeptisch (Cic. de orat. 2,265; ein Topos).

[I 8] T. Cicero, M. Vater → Ciceros, Sohn von T. [I 7], röm. Ritter (so Cic. Mur. 17). Feinde Ciceros nannten ihn »Walker«, was den Besitz einer Wäscherei o.ä. anzeigt (Plut. Cicero 1,1 f.; Cass. Dio 46,4,2). T.' romfernes Leben in Arpinum erklärte Cicero (leg. 2,3) mit schwacher Gesundheit; dennoch unterhielt T. ein Haus in Rom (Plut. Cicero 8,3), war in polit. Anekdoten bewandert (Cic. off. 3,77) und hatte Kontakt zu M. Porcius [I 5] Cato, L. Licinius [I 10] Crassus und C. Iulius [I 11] Caesar Strabo (Cic. fam. 15,4,13; Cic. de orat. 2,1 f.; 2,265). Den Söhnen aus seiner Ehe mit Helvia [1], Cicero und Q. T. [I 11], verschaffte er eine umfassende Bildung und förderte ihre Karriere; auch führte er Cicero 90 bei Q. Mucius [I 8] Scaevola ein. T. starb am 27.11.68 (Cic. Att. 1,6,2; wohl irrig Ascon. 82 CLARK: 64, während Ciceros Bewerbung ums Konsulat).

1 C. NICOLET, Arpinum, Aemilius Scaurus et les Tullii Cicerones, in: REL 45, 1967, 276–304 2 SYME, AA.

[I 9] T. Cicero, M. Der Politiker und Autor, s. Cicero
[I 10] T. Cicero, M. Sohn von → Cicero und Terentia [1], geb. nach 17.7.65 v. Chr. (Cic. Att. 1,2,1), 58–57 vom verbannten Vater getrennt. Ab ca. 56 wurden T. und sein Vetter Q. T. [I 12] von Hausklaven unterrichtet; Cicero, der T. zeitlebens auf Kosten von Q. T. lobte, schrieb dafür vielleicht die *Partitiones oratoriae* (54?). Als Schüler des reizbaren M. Pomponius [I 6] Dionysius (Cic. Att. 6,1,12) folgten die beiden Jungen Cicero nach Kilikien; den Sommer 51 verbrachten sie bei König → Deiotaros von Galatien (ebd. 5,17,3). Im Bürgerkrieg ging T. im März 49 (wie Vater, Onkel und Vetter im Juni 49) nach Griechenland. 49–48 führte er eine Kavallerieeinheit (Cic. off. 2,45); nach Pharsalos wartete er mit Cicero in Brundisium bis E. 47 auf Caesars Pardon. Zur Niederlage kam die Scheidung seiner Eltern und der Tod der Schwester Tullia [2] 45; T. wollte nun (wie Q. T.) in Spanien für Caesar kämpfen, was sein entsetzter Vater unterband (Cic. Att. 12,7,1). Noch 45 ging T. nach Athen, wo er bei Kratippos [2] studieren sollte, sich aber lieber amüsierte. T. Pomponius [I 5] Atticus rügte T.' Verschwenderei (Cic. Att. 12,32; 13,1,1), Cicero gab dem Mentor Gorgias [4] die Hauptschuld und wies T. an Herodes [15]. Von 44 bis Mitte 43 war er unter M. Iunius [I 10] Brutus erneut Offizier in Makedonien. Aus

Rom, wo T. als *pontifex* kandidierte (Cic. ad Brut. 1,14,1 f.), floh er vor den → Proskriptionen E. 43 zu Brutus; nach Philippoi suchte er 42 Schutz bei S. Pompeius [I 5] auf Sizilien. Die Amnestie von 39 führte ihn heim, wo Octavianus [1] ihn förderte. T. wurde nun *pontifex*, war E. 30 *cos. suff.* (InscrIt 13,1,171) und brachte Anträge gegen das Andenken von Ciceros Todfeind M. Antonius [I 9] ein (Plut. Cicero 49,3 f.); ca. 27–25 war er *legatus Augusti pro praetore* von Syria, ca. 24/3 *procos. Asiae* (App. civ. 4,221). Dort ließ er aus Wut über dessen Pamphlete den Cicerokritiker Cestius [II 4] geißeln; ein andermal warf er Agrippa [1] einen Becher an den Kopf (Sen. suas. 7,13 f.; Plin. nat. 14,147). T. starb kinderlos; der Nachwelt galt er als »Null«.

[I 11] T. Cicero, Q. 102(?)–43 v. Chr., jüngerer Bruder → Ciceros (= Cic.). Beide erhielten dieselbe Erziehung, T. jedoch ohne Rhetorikausbildung, und studierten 79–78 zusammen. Cic. vermittelte T. die unglückliche Ehe mit Pomponia, der Schwester des T. Pomponius [I 5] Atticus; schon 68 (Cic. Att. 1,5,2) gab es Spannungen. Ca. 74–69 war T. Quaestor, 65 *aed. pl.*; verm. konzentrierte er sich auf das Vorankommen Cic.s, der dann als Consul T.' Wahl zum Praetor für 62 (wie Caesar) betrieb [4]. Ein Indiz ist das (h. als echt anerkannte: [4]) *Commentariolum petitionis* von 64, ein (stilisiertes) Memorandum für Cic.s Bewerbung um das Konsulat von 63 aus T.' Feder [3]. Auch längerer Militärdienst vor 62 ist plausibel [5]. In der Dezemberkrise des J. 63 stimmte T. mit → Caesar gegen den Tod der Catilinarier (→ Catilina), deren Reste er 62 in Bruttium verfolgte. Unüblich lang verwaltete T. 61–59 Asia als Propraetor mit den Legaten L. Aelius [I 14] Tubero und A. → Allienus; im Bemühen, die Provinzialen zu schonen (Dank-Inschr.: SEG 1,381; 37,958; BE 1958,390), wurde er häufig Opfer seines Jähzorns (Cic. ad Q. fr. 1,1,37–40; 1,2,5–9). 58 eilte T. nach Rom. Als eine Repetundenklage ausblieb, warb er für die Rückkehr des verbannten Bruders; man warf ihn 57 von der Rednerbühne und zündete sein Haus an. E. 57 ging T. als Legat des *curator annonae* Cn. Pompeius [I 3] nach Sardinien, wo er bis Juni 56 blieb – laut Pompeius auch als Pfand für Cic.s Verhalten (Cic. fam. 1,9,9 f.; 1,9,12).

Danach (Cic. widmete ihm damals *Orator* und *De re publica*) näherte T. sich Caesar, als dessen Legat 54–52 er sich im Brückenschlag zu Cic. (Cic. Rab. Post. 41–44; Cic. ad Q. fr. 2,10–3,9) wie auch mil. in Britannien und gegen die → Nervii bewährte. 53 verlor er jedoch zwei Kohorten gegen → Ambiorix, wofür ihn Caesar (milder Caes. Gall. 5,38,1–53,1) gegenüber Cic. tadelte (Char. p. 160,17–19; mitunter auf Q. → Titurius Sabinus bezogen). T. brach 51 nach kurzem Aufenthalt in Rom (hoffte er auf ein Konsulat?) als Cic.s Legat mit ihm und seinem Sohn Q. T. [I 12] (= Q.) nach Kilikien auf und eroberte für Cic. Pindenissus (Cic. Att. 5,20,1–5; Cic. fam. 15,4,8; 15,4,10). Gegen Pläne, ihm im Sommer 50 die Prov. zu übergeben, sträubte er sich; die Brüder kehrten zusammen heim. Zögernd trat T., der sich als Ex-Legat und Schuldner Caesars besonderem Zorn aus-

setzte (Cic. Att. 9,1,4), gegen den Rat Q.' (ebd. 10,4,6) auf die Seite des → Pompeius [I 3], ging wie Cic. nach Griechenland, nahm aber kein Kommando an (Cic. div. 2,53).

Nach Pharsalos gaben T. wie Q. die Schuld an ihrer Lage Cic., von dem sie E. 48 im Zorn schieden (Cic. Att. 11,5,4); T.' Werben um Caesars Verzeihung setzte – laut Cic.s Quellen – auf Verleumdungen gegen den Bruder (ebd. 11,9,2; 10,1; 16,4), wovon sich beider vormals innige Beziehung (Cic. ad Q. fr. 2,3,7; Cic. Att. 3,10,2) nie ganz erholte. 47 lenkte T. ein (ebd. 11,23,2), bald erlaubte Caesars von Q. erreichter Pardon (ebd. 11,20,1) ihm die Heimkehr. In den nächsten Jahren verbrachte T. wieder mehr Zeit mit Cic. (vgl. die Widmung von Cic. fin. und Cic. div. an T.; seinen Auftritt in Cic. leg.). Als seine Ehe 45–44 vollends zerfiel, kam es zum Streit mit Q. (Cic. Att. 13,38,1; 13,39,1), der T. neue Heiratspläne aus Geldgründen vorwarf (ebd. 14,13,5). In die Ereignisse ab 44 griff T. nicht ein, hielt aber Distanz zu den Caesarianern (ebd. 14,17,3) und wurde E. 43 proskribiert; auf der Flucht trennte er sich aus Geldnot bei Formiae von Cic., wurde von Sklaven verraten und zusammen mit Q. getötet (Plut. Cicero 47,1–3).

Die Forsch. sieht T. meist als minderbegabten »Anhang« Cic.s, der in ihm eigene Fehler wie Unausgeglichenheit (Cic. Att. 10,11,1) und blinde Liebe zu Q. erkennt. Umgekehrt ist T.' Einfluß auf Cic. schwer einzuschätzen. Der kultivierte T. war Geschichtsliebhaber (Cic. ad Q. fr. 3,5,7; Cic. leg. 1,8) und ist als Herausgeber des Lucretius [III 1] in Betracht gezogen worden. Er schrieb Lyrik (Fr.: [1. 179–181]), Dramen und plante ein Epos; die Pendants zu Ciceros Briefen an T. (Ausgabe: [2]) sind verloren.

1 COURTNEY 2 D. R. SHACKLETON BAILEY (ed.), M. T. Cicero, Epistulae ad Quintum fratrem et M. Brutum, 1980 3 G. LASER (ed.), Q. T. Cicero, Commentariolum petitionis, 2001 (mit Übers. und Komm.) 4 J.-M. DAVID et al., Le »Commentariolum Petitionis« de Quintus Cicéron, in: ANRW I 3, 1973, 239–277 5 W. C. McDERMOTT, Q. Cicero, in: Historia 20, 1971, 702–717.

[I 12] T. Cicero, Q. 67/6–43 v.Chr., Sohn von T. [I 11] und Pomponia (Cic. Att. 1,10,5), wuchs mit seinem jüngeren Vetter M. T. [I 10] (= M.) auf und litt zeitlebens am Zerwürfnis seiner Eltern, die um seine Liebe wetteiferten. Sein Onkel → Cicero (= Cic.) befand, ihm fehle Härte, und schildert T. (im Kontrast zu M.) als ›verfressen‹ (Cic. Att. 6,2,2; 13,31,4). 51–50 ging T. wie M. mit nach Kilikien. Am 17.3.50 verlieh Cic. ihm in Laodikeia die *toga virilis* (ungern: Cic. Att. 6,6,4). Im Bürgerkrieg neigte T. 49 zu → Caesar, den er sogar besuchte (ebd. 10,4,5 f.; 10,4,11). Dennoch folgte er dem Vater; unter Pompeius [I 3] ist aber kein Posten für ihn bekannt. Nach 48 warb T. von Ephesos aus um Gnade und erwirkte sie E. 47 in Antiocheia [1] bei Caesar (ebd. 11,20,1); Cic. griff er dabei noch härter an als sein Vater. Wie M. wurde T. 46 Aedil in Arpinum (Cic.

fam. 13,11,3), dazu *lupercus* in Rom (Cic. Att. 12,5,1; → *lupercalia*). Als T. 46–45 an Caesars Spanienkrieg teilnahm, säte Cic. Zwietracht zw. ihm und M. (ebd. 12,7,1). Es folgte Streit mit dem Vater wegen dessen Scheidung. Cic. tobte, als T. im März 44 erst zu M. Antonius [I 9] hielt (ebd. 13,9,1), dann zu den Caesarmördern überging (ebd. 16,1,6; 16,3,3) – für den Onkel aus Moral- und Geldmangel. Als ihn E. 43 die → Proskription traf, war T. wohl Quaestor (MRR 3,209); an der Seite seines Vaters wurde er getötet.   JÖ.F.

[I 13] T. Decula, M. Praetor spätestens 84 v. Chr., unter der Herrschaft des P. Cornelius [I 90] Sulla 81 v. Chr. Consul (MRR 2,74).   K.-L.E.

[I 14] s. Laureas

[I 15] T. Sabinus s. Sabinos [3]

[I 16] T. Tiro, M. Der Sekretär Ciceros, s. Tiro [1]

II. Kaiserzeit

[II 1] M. Tullius Cerialis. Als *cos. suff.* im J. 90 n. Chr. durch die Fasti Potentini bezeugt (AE 1949,23). Weithin mit dem bei Plinius [2] i. J. 99 als Konsular genannten Tuccius Cerialis identifiziert, der aber auch mit dem letzten Suffektconsul des J. 93, von dessen Cogn. in den Fasti Ostienses nur [---]lis erh. ist, identisch sein könnte. Die Frage muß offen bleiben; FO² 44 (zum J. 93); 85.

[II 2] T. Crispinus. *Praefectus praetorio* unter Kaiser → Didius [II 6] Iulianus im April/Mai 193. Den Auftrag, die Flotte von Ravenna gegen → Septimius [II 7] Severus zu mobilisieren, konnte er nicht erfüllen. Von Didius Iulianus sodann als Unterhändler zu Septimius Severus gesandt, der ihn jedoch unter dem Einfluß des → Iulius [II 79] Laetus töten ließ (HA Did. 3,1; 6,4; 7,4–6; 8,1).

[II 3] C. Terentius T. Geminus (das Hauptgentile ist Terentius). Suffektconsul von Okt. bis Ende Dez. 46 (CIL VI 36850; InscrIt XIII 1, p. 264 f.). Konsularer Legat von *Moesia* in den letzten Jahren des Claudius [III 1], ca. 50–53; [1. 124; 2. Nr. 24]. Er ist vielleicht mit dem T. Geminus identisch, der nach Tac. ann. 14,50,1 → Fabricius [II 2] Veiento im Senat zu Fall brachte; vgl. aber [3. 537¹⁰⁷].

1 THOMASSON 1   2 B. E. THOMASSON, Zur Laufbahn einiger Statthalter des Prinzipats, in: OpRom 15, 1985   3 SYME, RP 7.

[II 4] T. Geminus s. Geminos [2]

[II 5] P. T. Marsus. Suffektconsul im Nov. 206 [1].

1 W. ECK, H. LIEB, Ein Diplom für die classis Ravennas vom 22. November 206, in: ZPE 96, 1993, 75–88 (= RMD 3, 189).

[II 6] Q. T. Maximus. Senator aus Africa. Legat der *legio VII Gemina* im Norden Spaniens, praetorischer Legat in Thracia, *cos. suff.* um 168.

M. CORBIER, in: EOS 2, 685–754, hier 745 · THOMASSON 1, 166.

[II 7] T. Menophilus. Konsular, der vom Senat 238 n. Chr. zusammen mit anderen (*vigintiviri*) beauftragt wurde, Aquileia gegen → Maximinus [2] Thrax zu verteidigen. Unter Gordianus [3] III. Statthalter in Moesia inferior, wo er kriegerisch und diplomatisch mit mehreren Germanenstämmen zu tun hatte. Seine Ablösung in der Prov. war wohl mit einer persönlichen Katastrophe verbunden; jedenfalls wurde dort sein Name auf Inschr. eradiert.

K. DIETZ, Senatus contra principem, 1980, 233–245.

[II 8] P. T. Varro. Senator aus Tarquinii in Etrurien. Nach CIL XI 3004 = ILS 1002 durchlief er unter Nero und → Vespasianus einen *cursus honorum* bis zum Prokonsulat von Macedonia. Vorfahre von T. [II 9].

[II 9] P. T. Varro. Senator, der am ehesten Enkel von T. [II 8] ist. Der Vater wäre dann der in ILS 1002 als Dedikant genannte P. T. Varro. Zur weiteren Verwandtschaft [1. 521–523]. Die Laufbahn ist aus CIL XI 3364 = ILS 1047 bekannt. Nach den unteren senatorischen Ämtern Legat der *legio XII Fulminata* und der *legio VI Victrix*; *proconsul* der Baetica, *praefectus aerarii Saturni*, Suffektconsul im J. 127 (FO² 49; 116 f.). *Curator alvei Tiberis* in Rom, konsularer Statthalter in Moesia superior und um 142 *proconsul* von Africa (THOMASSON, Fasti Africani 61).

1 SYME, RP 5.   W. E.

Tullum (Τούλλιον). *Civitas*-Hauptort der → Leuci in der → Gallia Belgica am linken Moselufer (→ Mosella) auf einer von dem sich teilenden Ingressin-Bach umschlossenen Erhebung, vor dessen Mündung in die Mosel; h. Toul (Dep. Meurthe et Moselle). Wichtiger Wasser- und Landstraßenknotenpunkt (Itin. Anton. 365,4; 385,10; AE 1975, 634). Trotz guter verkehrsgeogr. Voraussetzungen stand T. im Schatten anderer Städte und *civitas*-Hauptorte. Erst im 5. Jh. von bes. Bed. (Notitia Galliarum 5,4; Geogr. Rav. 4,26). Bis auf den → *cardo* (→ Städtebau IV C.) ist die Top. von T. unbekannt. E. 3./Anf. 4. Jh. wurde T. mit einer Ringmauer umgeben (10–11 ha umschlossene Fläche) [1]. Einige Inschr. und Bildwerke sind erh. (CIL XIII 4671–4677; ESPÉRANDIEU, Rec. 4707–4714).

1 B. HUMBERT, L'enceinte gallo-romaine de Toul, in: Act. du 95ᵉ Congr. National des Soc. Savantes (Reims 1970), 1974, 93–100.

N. GAUTHIER, Toul, in: Ders., Top. chrétienne des cités de la Gaule, Bd. 1, 1986, 55–60 · J.-L. MASSY, Les agglomérations de Lorraine, 1990, 20–23.   F. SCH.

Tullus. Seltenes lat. → Praenomen, das noch vor der Einführung von Siglen unüblich wurde. Eine gesicherte Etym. liegt nicht vor. Bekanntester Träger ist im 7. Jh. v. Chr. der dritte König Roms, Tullus → Hostilius [4]. Das davon abgeleitete Gent. *Tullius* begegnet zuerst beim sechsten König Servius → Tullius [I 4]. Von den späteren Namensträgern ist der bekannteste M. Tullius → Cicero.

SALOMIES, 58 f.; 186 · WALDE/HOFMANN 2, 714.   D. ST.

Tumultus. Vom Senat konstatierte mil. Notsituation, v. a. der drohende Angriff eines äußeren Feindes (*t. Gallicus, t. Italicus*; Cic. Phil. 8,3). Auch bei Aufruhr und bei drohendem Bürgerkrieg konnte ein *t.* dekretiert werden [1]. Die Obermagistrate waren befugt, ohne förmliche Anweisung (*dilectus*) ad hoc Aushebungen vorzunehmen (→ *evocatio*). Auf Vereidigung (→ *sacramentum*) oder Dienstbefreiung (→ *vacatio*) wurde keine Rücksicht genommen. Dem *t.*-Dekret folgte in der Regel ein → *iustitium* und das Anlegen des Kriegskleides (→ *sagum*; Cic. Phil. 5,31). *T.* galt im röm. Zivilrecht als *vis maior* (»höhere Gewalt«) und war daher haftungsbefreiend (z. B. Dig. 16,3,1,1; 50,17,23).

1 W. KUNKEL, Staatsordnung und Staatspraxis (HdbA 10.3,2,2), 1995, 228 f. 2 G. OSTHOFF, Tumultus – Seditio, Diss. Köln 1953. L. d. L.

Tumulus (lat. »Hügel«, »Grabhügel«, Pl. *tumuli*; griech. τύμβος/*tymbos*, σῆμα/*sḗma*; χῶμα/*chṓma*).

I. DEFINITION, VERBREITUNG, FUNKTION
II. GRIECHENLAND III. KLEINASIEN
IV. VORRÖMISCHES ITALIEN V. NORDAFRIKA
VI. KELTISCH-GERMANISCHE KULTUREN

I. DEFINITION, VERBREITUNG, FUNKTION
A. DEFINITION B. VERBREITUNG, FORMEN
C. FUNKTION, GESELLSCHAFTLICHE BEDEUTUNG, ALLGEMEINE ENTWICKLUNG

A. DEFINITION

T. ist Sammelbegriff für die in aller Regel künstlich aufgeschütteten Hügel meist runden oder ovalen Grundrisses, die in Zusammenhang mit einer Bestattung stehen (»Grabhügel«, im Unterschied etwa zu prähistor. Siedlungshügeln). *T.*-Grab (Hügelgrab) bezeichnet alle jene Gräber, über denen ein Hügel aufgeschüttet ist. Als arch. t. t. wird *T.* auch für außereuropäische Grabhügel verwendet. Speziell für südrussische und sibirische *T.* ist der Begriff »Kurgan« (→ Skythen I.) gebräuchlich.

B. VERBREITUNG, FORMEN

Die Sitte der Errichtung von *T.* tritt in nahezu der gesamten Alten Welt auf. Ihr enormes Verbreitungsgebiet reicht zu verschiedenen Zeiten von Skandinavien bis nach Südeuropa, zur Iberischen Halbinsel und nach Nordafrika sowie von den Britischen Inseln bis nach Kleinasien, in den Vorderen Orient und Ostasien. In Mittel- und Nordeuropa erscheinen *T.* in der entwickelten Jungsteinzeit in Verbindung mit Großsteingräbern (Megalithgräbern, Dolmen). Im Laufe der Brz. werden sie in Südeuropa weitverbreitet. Die Größe und Ausgestaltung der *T.* ist sehr unterschiedlich: Sie reicht von kleinen, das Grab in seinem eigentlichen Umfang markierenden Aufschüttungen bis hin zu monumentalen Anlagen (z. B. der Čertomlyk-Kurgan bei Nikopol/ Südukraine: Dm ca. 100 m, H ca. 20 m; *T.* des Alyattes bei → Sardeis: Dm über 350 m, H über 60 m). Neben reinen Erd-, Schotter- oder Sandaufschüttungen (kleine

Erdhügel etwa über submyk. Steinplattengräbern des Athener → Kerameikos [4. 16]) kommen bes. bei größeren *T.* auch gemischte Bauweisen mit Innenstrukturen (etwa ringförmigen Steinsetzungen, Steinpackungen oder Holzeinbauten) zur Ausführung. Teilweise treten flankierende Steinkreise oder Kreisgräben auf (→ Glauberg). Eine typologische Weiterentwicklung stellen *T.* mit aufgemauerter, zylindrischer bis kegelstumpfförmiger Steinbasis dar (»Tambour«, → Krepis [1]) [1. 38], welche von einer Erdaufschüttung bekrönt oder auch mit einer flachen Steinabdeckung versehen wird (z. B. das Menekrates-Monument auf Kerkyra vom E. 7. Jh. v. Chr. [2. 149 mit Taf. 66,2]). Ein um 550/540 v. Chr. entstandener Rundbau auf dem Kerameikos stellt mit der dorischen Gliederung seines Unterbaus vielleicht ein typologisches Bindeglied zur Architektur der → Tholos dar [5. 3].

C. FUNKTION, GESELLSCHAFTLICHE BEDEUTUNG, ALLGEMEINE ENTWICKLUNG

In seiner Funktion ist der *T.* zunächst eine Markierung der Grabstelle und ein Schutz der darunterliegenden → Bestattung(en) bzw. deren Beigaben. Die Gestaltung des eigentlichen Grabes kann – zeitlich, landschaftlich und kulturell bestimmt sowie dem Status des Bestatteten entsprechend – starke Unterschiede aufweisen. Das Grab kann sich oberhalb wie auch unterhalb der urspr. Erdoberfläche befinden. Möglich sind Brand- wie auch Körperbestattungen; das Spektrum reicht von einfachsten Formen der Beisetzungen bis zu aufwendigen Grabkammereinbauten (z. B. megalithische Grabkammern in Mittel- und Nordeuropa, Holzkammereinbau von → Hochdorf), Kuppelgräbern (vgl. → Grabbauten III. B. 1.), in den Fels gehauenen Grabkammern (z. T. mit Nebenkammern, z. B. Etrurien) oder etwa auch gemauerten Grabhäusern mit reich gestalteten Innenräumen und Fassaden (z. B. maked. Gräber, → Grabbauten III. B. 3.). Um von vornherein die mehrfache Belegung der Grabkammern zu ermöglichen, kommen bisweilen im Hügelinnern verlaufende oder in die Hügelflanke eingeschnittene Zugänge (»Dromoi«) vor (z. B. in Etrurien). Auch Kenotaphe (→ Kenotaphion) sind möglich (Hdt. 1,45; 1,93; Kenotaph des → Claudius [II 24] Drusus Maior bei Mainz: Suet. Claud. 1,5; [1. 26 f.]). Teilweise erscheinen *T.*-Bekrönungen etwa in Form von steinernen, teils figürlichen Stelen (→ Stele; → Grabbauten III. G.; → Hirschlanden, → Glauberg) oder Grabreliefs (→ Grabbauten III. B. 3.).

Die Errichtung v. a. großformatiger *T.* wird in der Forsch. aufgrund des erforderlichen, z. T. immensen Material- und Arbeitsaufwandes wohl zu Recht mit bes. wirtschaftlichen Möglichkeiten und damit einer herausragenden sozialen Stellung der Auftraggeber in Verbindung gebracht (→ Fürstengrab). Im Athener Kerameikos etwa ist die nachträgliche Unkenntlichmachung zweier großer *T.* durch Überschüttung (im Zusammenhang mit den Reformen des → Kleisthenes [2] zur *isonomía* E. 6. Jh. v. Chr.?) wohl ein Zeichen dafür, wie sehr diese als sichtbarer Ausdruck von Standesunterschieden verstanden wurden [4. 102]; die Größe von T. wurde in Athen auch gesetzlich geregelt [2. 146 mit Anm. 520] (Plat. leg. 12,9). Das mit einer T.-Bestattung verbundene Prestige scheint daneben zu allen Zeiten auch ein wichtiges Motiv für die sehr häufig vorkommende Einbringung von Nachbestattungen in die Hügelflanken oder -kuppe gewesen zu sein: Diese kann selbst noch Hunderte von Jahren nach der urspr. Bestattung oder auch (bei mehrfachen Nachbestattungen) über ebensolange Zeiträume hinweg erfolgen und sogar mit einer Erhöhung des urspr. Hügels einhergehen (etwa am Hügelgrab von Eldersberga/Schweden).

Im Mittelmeerraum ist ab archa. Zeit die Errichtung aufwendiger, großformatiger T. größtenteils auf aristokratische oder monarchische, sozial stark differenzierte Ges. beschränkt (z.B. Lyder, Thraker, Skythen, Makedonen). Das Menekrates-Monument von Kerkyra (s.o. I.B.) markiert einen (inschr. belegten: IG IX 1, 867) Bedeutungswandel des T. hin zum durch den → Demos [2] oder die → Polis errichteten Ehrengrab verdienter Bürger, der möglicherweise auf seiner als »altehrwürdig« empfundenen Form beruht. Im griech. Mutterland entspricht diesem Entwicklungsschritt z.B. die Errichtung eines T. als Massengrab für die bei → Marathon gefallenen Griechen (490 v. Chr.; → Perserkriege).

In Rom und It. wurden T. ab dem 1. Jh. v. Chr. – vielleicht nach hell. Vorbildern v.a. aus Kleinasien, aber auch der etr. → Nekropolen – als zunächst aristokratische Grabformen neu errichtet, nun regelmäßig mit steinernem Unterbau und innenliegender Grabkammer, in höchster Steigerung an den Mausoleen des Augustus [3. 99] und des Hadrian [3. 108] (→ Mausoleum Augusti, → Mausoleum Hadriani, beide mit Abb.). Ab der frühen Kaiserzeit wurden die T. in It. kleiner und gleichzeitig zahlreicher (→ Grabbauten III.C.2.1.). T. mit gemauertem Unterbau nach röm. Vorbildern finden sich in Spanien und Nordafrika, daneben auch in den Rhein- und Donau-Prov. sowie in Britannien [1; 3. 107; 111]. Nördl. der Alpen werden daneben auch weiterhin reine Erdhügel errichtet, die wohl einheimischen Trad. folgen.

Nachantik lebt die Errichtung von T. stellenweise weiter, so bes. während der Völkerwanderungs- und Merowingerzeit sowie in Nordeuropa in der Wikingerkultur. Als Beispiele mod. Rezeptionen unter Rückgriff auf ant. Vorbilder sind etwa das als Kenotaph ausgeführte, dem T. von Marathon nachgestaltete Ehrenmal für die Gefallenen des griech. Freiheitskampfes (1821–1828) in Mesolongion zu nennen sowie die im Schloßpark von Branitz (Brandenburg) inmitten eines Sees gelegene Grabstätte des Fürsten Pückler (gest. 1871) und seiner Ehefrau in Form einer Erdpyramide. → Bestattung; Fürstengräber; Grabbauten; Kerameikos; Krepis; Nekropole; Pyramide; Tholos; Totenkult; Mausoleum

1 J.-N. ANDRIKOPOULOU-STRACK, Grabbauten des 1. Jh. n. Chr. im Rheingebiet, 1986 2 A. ECKERT, Ein Grab für Könige und Bürger. Stud. zum monumentalen Tumulusgrab als Mittel der Selbstdarstellung mittelmeerischer Eliten vom 8. bis zum 6. Jh. v. Chr., Diss. Hamburg, 1998 3 H. VON HESBERG, Röm. Grabbauten, 1992 4 U. KNIGGE, Der Kerameikos von Athen, 1988 5 W. KOENIGS, Ein archa. Rundbau, in: Ders., Rundbauten im Kerameikos (Kerameikos 12), 1980, 1–55.

M. ALMAGRO GORBEA, Los campos de tumulos de Pajaroncillo (Cuena), 1973 · H. v. HESBERG, Das Mausoleum des Augustus, 1994 · F. HORST, H. KEILING, Bestattungswesen und Totenkult in ur- und frühgesch. Zeit, 1991 · O. PELON, Tholoi, Tumuli et cercles funéraires, 1976 · I. SUDHOFF, Kreisgräben, Grabhügel und verwandte Sonderformen von Grabanlagen im Merowingerreich, Diss. Bonn 1999 · CH. TILLEY, The Dolmens and Passage Graves of Sweden, 1999 · D. ZIERMANN, Baustoffe und Konstruktionsformen neolithisch-frühbrz. Grabarchitektur Westeuropas, 1991. CH.ST.

II. GRIECHENLAND

A. ÄGÄISCHE FRÜHZEIT

B. SPÄTBRONZEZEIT, EISENZEIT

A. ÄGÄISCHE FRÜHZEIT

Im ägäischen Raum treten T.-Gräber erst am E. der frühen Brz. (E. des 3. Jt. v. Chr.) vereinzelt auf; sie sind typisch für die mittlere Brz. (1. H. 2. Jt. v. Chr.) und werden gelegentlich noch in myk. Zeit benutzt (z.B. Marathon/Vrana I, innen ein mh Steinkistengrab mit kleinem Hügel, darum ein Steinkreis mit 17 m Dm mit sieben mh und myk. Gräbern). In der Diskussion sind die T. seit W. DÖRPFELDS Grabungen der Nekropole Steno auf → Leukas, deren »Rundgräber« mit dem Schachtgräberring A in → Mykenai in Verbindung gebracht wurden.

Aus der Häufung der T. an den Küsten (bes. Messenien, Argolis, Attika) und ähnlichen T. im Norden (Epiros, Albanien und Makedonien), meinte man, die Einwanderung der Griechen nachweisen zu können und schloß eine Verbindung zur Kurgankultur des Schwarzmeergebiets nicht aus. Es ist jedoch problematisch, die in verschiedenen Zeiten und Räumen häufig gewählte Grabform mit nur einem Modell erklären zu wollen; den T. über dem »House of the Tiles« in Lerna könnte man als Kenotaph bezeichnen. In diesem Sinn ist die These von [4] zu berücksichtigen, der in einigen spät-mh T. und ihren Umbauten den Weg zum frühen myk. Tholos-Grab vorgezeichnet sieht.

1 W. DÖRPFELD, Alt-Ithaka, 1927 2 N.G.L. HAMMOND, T.-Burial in Albania, the Grave Circles of Mycene and the Indo-Europeans, in: ABSA 62, 1967, 77–105 3 Ders., Migrations and Invasions in Greece and Adjacent Areas, 1976 4 G.S. KORRES, Ἀνασκαφαὶ ἀνὰ τὴν Πυλίαν, in: Praktika 1980, 129–173 5 S. MARINATOS, Further News from Marathon, in: AAA 3, 1970, 153–166 6 Ders., Ἀνασκαφαὶ Μαραθῶνος, in: Praktika 1970, 5–28. G.H.

B. Spätbronzezeit, Eisenzeit

T. bedeckten die myk. und die früheisenzeitlichen Tholosgräber (→ Tholos) Thessaliens sowie die hell., sog. maked. Gräber (→ Makedonia VI., mit Karte). Die urspr. Existenz je eines T. wird auch über den Gräberrunden A und B von → Mykenai vermutet. In Griechenland waren T. z.Z. des Übergangs von der Mittel- zur Spät-Brz. (sog. Schachtgräberzeit) bes. auf der Peloponnes und in Attika verbreitet. Danach wurden sie in diesen Regionen kaum noch errichtet. In → Epeiros und manchen Gegenden Makedoniens (→ Makedonia) kamen T. mit mehreren Bestattungen gegen E. des 2. Jt. v. Chr. auf und waren bes. für die 1. H. des 1. Jt. typisch (s. die Nekropole von Vergina, → Aigai [1]).

In den homerischen Epen ist die Aufschüttung von T. gängige Bestattungspraxis, meist verbunden mit dem Aufstellen einer Stele (z. B. Hom. Il. 7,430–436; 12,10–15; 23,163–256). Aspekte mancher früheisenzeitlicher Nekropolen bieten Parallelen zur homer. Überl. einschließlich der Opferungen, so z. B. in → Lefkandi auf Euboia [1] und in → Eleutherna auf Kreta. Bes. im 7. Jh. v. Chr. wurden in Attika größere T. über einzelnen, aber auch mehreren Gräbern aufgetürmt, die meist einen runden Grundriß mit bis zu 10 m Dm haben. Daneben kommen aber auch rechteckige Erdaufschüttungen vor, im 6. Jh. zunehmend baulich ausgestaltet (→ Kerameikos). Noch in klass. Zeit errichtete man in Attika neben anderen Grabmonumenten einfache runde oder rechteckige T.

In Thrakien (→ Thrakes) war in der Spätbrz. eine Vielfalt von Bestattungsarten üblich, zu denen neben Flachgräberfeldern auch Nekropolen von T. gehörten, die regional unterschiedliche Grabkonstruktionen auf-

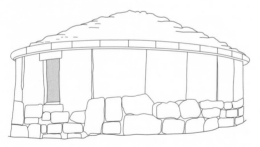

Phellos (Lykien). Tumulus, sog. Typ B; 9./8.-6. Jh. v. Chr. (Rekonstruktion).

weisen. Diese Vielfalt setzte sich in der Eisenzeit fort (mit Brand- wie auch Skelettbestattungen), bis man schließlich in klass. Zeit ganz zur Bestattung in T. überging (vgl. Hdt. 5,8,1).

M. Andronikos, Totenkult (ArchHom 3, Kap. W), 1968 · D. Gergova, Thracian Burial Rites of Late Bronze Age and Early Iron Age, in: J. Best, N. de Vries (Hrsg.), Thracians and Mycenaeans, 1989, 231–240 · D. C. Kurtz, J. Boardman, Greek Burial Customs, 1971 · D. Mitrevski, Proto-Historical Communities in Macedonia through Burials and Burial Manifestations, 1997 · S. Muller, Les tumuli helladiques: Où? Quand? Comment?, in: BCH 113, 1989, 1–42 · N. Ch. Stampolidis, Eleutherna, 1996 · T. Stoyanov, »Sboryanovo«. Early Iron Age Tumular Necropolis, 1997.

R. J.

III. Kleinasien

T. finden sich bes. aus der 1. H. des 1. Jt. v. Chr. in nahezu allen kleinasiatischen Landschaften. Relativ gut erforscht sind sie in Phrygien (Gordion, Ankara) [1; 2] und Lydien (Sardeis, Bintepe, Uşak-Güre-Region) [3; 4; 5]. Daneben kennt man T. in Karien (Bodrum-Halbinsel) [6; 7], Ionien (Klazomenai, Smyrna, Belevi) [8], der Aiolis (Larisa [6]; s. Abb.), der Troas (Dardanos, Beşiktepe, Kızöldün, Dedetepe) [9], Bithynien, Paphlagonien [10], der Kommagene (→ Nemrud Daği, Karakuş) [11] und dank jüngerer Forsch. in Lykien (Phellos; s. Abb., Elmalı-Ebene, Yavu-Bergland) [12; 13; 14].

Das phrygische → Gordion weist über 80 T. in seinem Umfeld auf, der größte mit der Bezeichnung MM (*Midas Mound*) wird König → Midas oder einem seiner Vorfahren zugeschrieben. Die Zeitspanne ihrer Nutzung reicht vom mittleren 8. bis zum ausgehenden 6. Jh. v. Chr. Typisch für die phryg. T. ist eine aus Holz gebaute, flach gedeckte Grabkammer sowie das Fehlen eines Dromos oder anderweitigen Zugangs. Im 6. Jh. v. Chr. waren T. in ganz Lydien verbreitet, wobei sich kein einheitlicher Bautyp bestimmen läßt. Charakteristisch sind im Unterschied zu den phryg. T. Dromoi und vielfach Giebeldachkonstruktionen aus Steinbalken; ferner treten gehäuft Mehrfachbestattungen auf. In Ionien datieren die T.-Bestattungen ebenfalls in die archa. Zeit und scheinen mit den lydischen in Zusammenhang zu stehen.

Während in den bisher erwähnten Gebieten die Hügel in der Regel aus Erde aufgeschüttet sind, bestehen

Larisa [6] am Hermos. Tumulus-Nekropole; 6. Jh. v. Chr. (Rekonstruktion).

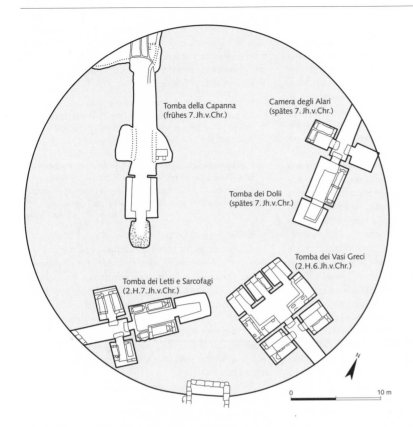

Caere (Cerveteri), Banditaccia-Nekropole: Großer Tumulus II; frühes 7. Jh.- E. 6. Jh. v. Chr. (Grundriß).

die karischen bzw. lelegischen T. (→ Leleges) nahezu vollständig aus Steinen. Ihre Kammern weisen zumeist ein Kragsteingewölbe in Pyramidenform auf. Sie gehören in der Mehrzahl in die spätgeom. und archa. Zeit. Etwa gleichzeitig entstand vom Aufbau her ähnliche T. in Lykien, die bis in die Frühklassik reichen. In der Elmalı-Ebene (Nordlykien) wurden in den Kammern einiger T. (Karaburun, Kızılbel) [13] auch Wandmalereien entdeckt, die in enger stilistischer Beziehung zum ionischen Raum stehen und Parallelen zur etr. → Grabmalerei aufweisen.

Im 5. und 4. Jh. v. Chr. scheint der T. von anderen Grabformen (→ Grabbauten) in den Hintergrund gedrängt worden zu sein. Erst in hell. und röm. Zeit wurden ältere T. nicht nur für Nachbestattungen genutzt, sondern auch wieder häufiger neue errichtet. Beispiele finden sich in der Umgebung von → Pergamon [15], in der Troas, in der Kommagene oder in der Nekropole von Hierapolis [1] (vgl. [16]). Vereinzelt treten T. auch noch in byz. Zeit auf, wie etwa Beispiele aus dem kappadokischen Mokisos [17] zeigen.

→ Ankyra; Gordion (mit Karte); Sardeis (mit Plan und Karte)

1 R. S. YOUNG, Three Great Early T., 1981 2 E. L. KOHLER, The Lesser Phrygian T., Bd. 1: The Inhumations, 1995 3 A. RAMAGE, N. HIRSCHLAND RAMAGE, The Siting of Lydian Burial Mounds, in: D. G. MITTEN et al. (Hrsg.), FS G. M. A. Hanfmann, 1971, 143–160 4 B. K. McLAUCHLIN, Lydian Graves and Burial Customs, Diss. Berkeley 1985 5 I. ÖZGEN, J. ÖZTÜRK, Heritage Recovered. The Lydian Treasure, 1996 6 W. RADT, Siedlungen und Bauten auf der Halbinsel von Halikarnassos (MDAI(Ist) 3. Beih.), 1970 7 A. M. CARSTENS, Death Matters. Funerary Architecture on the Halikarnassos Peninsula, Diss. Kopenhagen 1999 8 S. KASPER, Der T. von Belevi (Grabungsber.), in: JÖAI 51, 1976/1977, Beiblatt, 127–180 9 N. SEVINÇ et al., The Dedetepe T., in: Studia Troica 8, 1998, 305–327 10 W. HOEPFNER, Ein Kammergrab im bithynisch-paphlagonischen Grenzgebiet, in: MDAI(A) 86, 1971, 125–139 11 J. WAGNER (Hrsg.), Gottkönige am Euphrat. Neue Ausgrabungen und Forsch. in Kommagene, 2000 12 J. ZAHLE, Archaic T. Tombs in Central Lykia (Phellos), in: AArch 46, 1975, 77–94 13 M. J. MELLINK, Kızılbel: An Archaic Painted Tomb Chamber in Northern Lycia, 1998 14 O. HÜLDEN, Gräber und Grabtypen auf dem Territorium der Polis Kyaneai im Bergland von Yavu (Zentrallykien), Diss. Tübingen, im Druck 15 W. RADT, Pergamon. Gesch. und Bauten einer ant. Metropole, 1999, 268–270 16 E. SCHNEIDER EQUINI, La necropoli di Hierapolis di Frigia, in: Monumenti antichi 48, 1971–1973, 95–138 17 A. BERGER, Viranşehir (Mokisos), eine byz. Stadt in Kappadokien, in: MDAI(Ist) 48, 1998, 349–429.   O. HÜ.

IV. Vorrömisches Italien

Schon seit der Brz. (2. Jt. v. Chr.) sind in zahlreichen Regionen der it. Halbinsel Körper-Bestattungen mit aufgeschütteten kleineren Hügeln in Rundform vertreten, die das Grab schützten und nach außen markierten. Die Gräber, selten mit Kollektivbestattungen (z. B. Santa Sabina in Apulien), meist mit Einzelbestattung (z. B. Crostoletto di Lamone in Süd-Etrurien), sind Indizien für die Ausbildung lokaler Eliten. Im Verlauf der Eisenzeit (1. Jt. v. Chr.) vervielfältigte sich die Gräberlandschaft analog zu den jetzt faßbaren verschiedenen Völkerschaften, bes. in Mittel-It. In der → Villanova-Kultur bedeckten kleinere Erdhügel Brandbestattungen (*a pozzo*) oder Körperbestattungen (*a fossa*) und in → Populonia vereinzelt auch kleine Kammergräber in Tholosform (→ Tholos), wobei der T. von einem Steinkreis eingefaßt wird. Etwas jünger (1. H. 7. Jh. v. Chr.) sind »Circoli-Gräber« mit größeren T. und Steinkreisen über reich ausgestatteten Einzelgräbern (→ Vetulonia). T. mit Kreisen aus unbearbeiteten Kalksteinplatten sind seit dem 8. Jh. im zentralen Mittel-It. üblich (Sabina und Samnium); exzeptionell ist der monumentale T. von Corvaro di Borgorose (Rieti) mit über 200 männlichen Fossa-Bestattungen aus dem 9./8. und 3./2. Jh. v. Chr. Bei den von Steinplatten eingefaßten T.-Gräbern (mit Einzelbestattungen von Kriegern) der früheisenzeitlichen Nekropole von Fossa (L'Aquila) führen je sechs bis acht menhirförmige, linear gereihte und sich kontinuierlich nach außen verkleinernde Kalksteinplatten vom Grab weg. Fossabestattungen unter Erdhügeln, umgeben von einem Graben, sind in der 1. H. 6. Jh. v. Chr. für mehrere mittelit. Regionen charakteristisch (z. B. Marken und Campania).

Die orientalisierende Epoche des 7. Jh. v. Chr. bedeutete die Blütezeit der T. in ihrer Monumentalität und Verbreitung. In der dominierenden Kulturlandschaft Etrurien hatten die T. eine steinerne Einfassung (→ Krepis [1]), die je nach geologischen Bedingungen aus dem Tuff gehöhlt oder aus Quadern erbaut war. Vom Umfeld blieb der T. durch einen breiten Graben getrennt, der mittels einer mit der T.-Krepis verbundenen Rampe (z. B. in → Caere, s. Abb.) überbrückt sein konnte, die zum Aufstieg auf den aus Erde aufgeschütteten T. und für Kulthandlungen auf der T.-Kuppe diente. Große, z. T. ornamental und figürlich geschmückte Podien im Verbund mit der T.-Krepis (Comeana; Cortona II, Melone del Sodo) sind in ihrer Funktion (→ Prothesis des Verstorbenen?) umstritten. Die zw. 10 und teilweise über 60 m großen T. waren Familiengrüfte mit einer, bisweilen aber auch mehreren Grabanlagen im Inneren, die zeitgleich (Castellina in Chianti) oder über mehrere Generationen hin (z. B. Caere: T. degli Scudi e delle Sedie) angelegt waren. Mit der Übernahme des orthogonalen Straßennetzes aus der Wohnsiedlung in die Nekropole (Volsinii, Caere) verlor das runde T.-Grab ab der Mitte des 6. Jh. v. Chr. in Etrurien an Bed.; in der Folgezeit dominierten auf die Straße ausgerichtete geradlinige Grabformen (Würfel-,

Fassadengräber). Vereinzelte Nachzügler sind die sog. Tanelle im nördl. Inneretrurien oder der T. Torlonia in Caere, der um 300 v. Chr. lokale archa. und zeitgenössische Formen verband. Zum röm. Italien s. o. (I. C.). → Etrusci II. C.; Nekropolen

P. Bruschetti, P. Zamarchi Grassi, Cortona etrusca. Esempi di architettura funeraria, 1999 • A. Zifferero (Hrsg.), L'architettura funeraria a Populonia tra IX e VI sec. a.C. (Atti del convegno, Firenze 1997), 2000 • S. Cosentino et al., La necropoli di Fossa, Bd. 1: Le testimonianze più antiche, 2001 • F. Prayon, Frühetr. Grab- und Hausarchitektur, 1975 • Tumuli. Sepolture monumentali nella protostoria europea (Atti del convegno internazionale di studi, Celano 2000), im Druck.

A. Na. u. F. Pr.

V. Nordafrika

Anders als in Äg., wo für monumentale Gräber u. a. die → Pyramide verbindlich wurde (→ Grabbauten II. A.), finden sich im westl. Nordafrika bis in histor. Zeit T. als Grabform. Sie erscheinen hier gegen E. des 3. Jt. v. Chr. Der v. a. im südl. Maghreb vorkommende prähistor. Typus der sog. Bazina ist in der Regel aus Steinen gefügt und kann sowohl einen zylindrischen Unterbau als auch einen gemauerten Gang aufweisen, durch welchen, stets von Osten her, die Grabkammer zugänglich ist.

Monumentale Form erreichte erstmals der Medracen genannte Groß-T. am Nordrand des Aurès-Gebirges (Algerien), der wohl in der 1. H. 2. Jh. v. Chr. und verm. als Grabmal der numidischen Dyn. der → Massyli (→ Massinissa) errichtet wurde. Eine ähnliche Form, aber gestrecktere Proportionen besitzt der Rundbau Kbour-er-Roumia in der Nähe von Tipasa (Algerien). Der unweit der Königsstadt Iol/→ Caesarea [1] gelegene Bau entstand verm. in der 1. H. des 1. Jh. v. Chr. als Grabmal des älteren oder jüngeren → Bocchus [1]. Beide genannten Anlagen besitzen vor den Zugängen zu den Grabkammern Reste kleiner Kultbauten, die möglicherweise dem Herrscher- oder Totenkult dienten [1. 134, 142].

In röm. Zeit wurden, etwa ab der Mitte des 1. Jh. n. Chr., u. a. in städtischen Nekropolen kleinere T. mit hohem Podium auf quadratischer Basis errichtet, welche unmittelbar auf röm.-ital. Grabtypen zurückgehen.

In nachröm. Zeit entstand im Westen des h. Algerien, wohl vor dem Hintergrund der Herausbildung der Berberfürstentümer, eine als Djedars bezeichnete Gruppe von 13 Mausoleen (spätes 5.–7. Jh. n. Chr.), deren Ausmaße z. T. beinahe die der T. des vorröm. Numidiens erreichen. Sie besitzen nun aber stets quadratischen oder rechteckigen Grundriß, einen niedrigen, ungegliederten Unterbau und einen pyramidenförmigen Oberbau. Am sog. Djedar A (Grabbau eines verm. lat.-sprechenden, christlichen Herrschers vom Anf. des 5. Jh. n. Chr.: [2. 263–279, 282f.]) ist durch die Freilegung eines östl. des Grabkammerzugangs gelegenen kleinen Inkubationsraumes (→ Inkubation) die Ausübung von Totenkult nach berberischer Trad. noch in christl. Zeit belegt. Bemerkenswerte Gemeinsamkeiten, die bei originär nordafrikan. T. aller Altersstufen (Bazina, numidischer Groß-T., Djedars) festzustellen sind, sind der Zugang von Osten her, die Systeme konzentrisch angelegter Gänge sowie Kultbauten jeweils östl. außerhalb des T.-Eingangs.

Den Typus des Rundhügelgrabes der Spätzeit vertritt das sog. Fürstengrab (7. Jh. n. Chr.) bei Souk el Gour (Marokko, zw. Meknes und Fes).

→ Afrika (mit Karten)

1 F. RAKOB, Numidische Königsarchitektur in Nordafrika, in: H. G. HORN, CH. B. RÜGER (Hrsg.), Die Numider. Reiter und Könige nördl. der Sahara (Ausst.-Kat. Bonn) 1979, 119–171, bes. 132–145 2 F. KADRA, Der Djedar A von Djebel Lakhdar, ein spätes Berbermonument, in: s. [1]; 263–284.   CH. ST.

VI. KELTISCH-GERMANISCHE KULTUREN
A. ALLGEMEINES B. VORKELTISCHE ZEIT (NEOLITHIKUM, BRONZEZEIT)
C. KELTISCHE ZEIT D. GERMANEN

A. ALLGEMEINES
T. haben als → Grabbauten (III. G.) im germanisch-keltischen Mittel- und Nordeuropa eine lange Trad. Die verschiedenartigen Bestattungen (Brand- oder Körpergräber, Kollektiv- oder Einzelbestattungen) wurden meist mit Erdhügeln überdeckt, sei es zur Demonstration von Bed. und Rang des Toten, sei es zu dessen Schutz oder dem der Lebenden vor dem Toten. Die T. wurden oft mit Umrandungen (Kreisgräben, Pfostenringen oder Steinkränzen) umgeben bzw. eingefaßt und haben überwiegend Kreisform, (konnten aber auch oval, trapezförmig oder rechteckig sein). Vielfach waren die T. als monumentale Einzelhügel Ausdruck der bes. Stellung des/der Toten (→ Fürstengrab), sie bilden aber auch größere T.-Gruppen (→ Nekropolen IX.), die äußerlich keine Differenzierung der Bestatteten erkennen lassen. T. als Grabmonumente sind weder auf bestimmte Räume (zeitlich durchlaufend), noch auf einzelne Epochen konzentriert, was dafür spricht, daß diese Art der Grabanlage Ausdruck bes. Vorstellungen um den Tod ist. Der urspr. Bestand an T. ist kaum abschätzbar, da sie immer wieder eingeebnet, zerstört und überbaut wurden.

B. VORKELTISCHE ZEIT (NEOLITHIKUM, BRONZEZEIT)
Bereits die neolithischen (5.–4. Jt. v. Chr.) nord- und westeuropäischen Megalithgrabanlagen wurden mit Erd- oder Stein-T. überdeckt und von verschieden geformten Steinkränzen eingefaßt (Kreis, Trapez, Rechteck); überwiegend handelte es sich um durch den T. zugängliche Grabkammern, in denen immer wieder nachbestattet werden konnte – die T. waren also eher Monumente denn Schutzüberdeckungen. In der Brz. Mittel- und Nordeuropas (Anf. bis 2. H. 2. Jt. v. Chr.) wurden vielfach T. (in Schutz- und Monumentfunktion) aus Erde über Einzelgräbern errichtet. Die Toten

ruhten in Holzkammern, Baumsärgen oder Steinpakkungen. In Mitteleuropa wird die Zeit vom 15. bis 13. Jh. nach den typischen T. als »Hügelgräber-Brz.« bezeichnet; mit der → Urnenfelder-Kultur (ab dem 12. Jh.) verlor der T. dort an Bed.

C. KELTISCHE ZEIT
Im keltischen Bestattungswesen des 7.–4. Jh. spielte der T. neben dem Flachgrab eine wichtige Rolle; danach verlor er an Bed. (→ Hunsrück-Eifel-Kultur; → Hallstatt-Kultur). Bei den riesigen und reich ausgestatteten T. der späten Hallstattzeit (6./5. Jh.), wie z. B. → Hochdorf oder → Vix, wurden die großen Holzkammern der Bestattung zusätzlich durch mächtige Steinhügel geschützt, über die dann der monumentale Erdhügel von über 50 m Dm aufgeschüttet wurde. Zahlreiche Innenkonstruktionen (Stein und Holz) deuten auf vielfältige Riten und Bauabschnitte beim Errichten des T. hin. Holz- oder Steinstelen (→ Hirschlanden) bekrönten ihn urspr., Nachbestattungen sind belegt. Der Fürsten-T. vom → Glauberg der Frühlatènezeit (2. H. 5. Jh. v. Chr.; → Latène-Kultur) erwies sich als Teil eines riesigen Kultbezirks mit »Prozessionsstraßen« und Einfassungen (Gräben und Erdwälle). T. aus dem 3.–1. Jh. sind T. selten und nur gelegentlich in Peripherzonen der keltischen Welt erh. (→ Arras-Kultur, → Aylesford) bzw. aus kleineren »Grabeinhegungen« indirekt erschließbar.

D. GERMANEN
Bei den germanischen Stämmen der röm. Kaiser- und der Völkerwanderungszeit wurden nur in Ausnahmefällen für Adlige oder Könige große T. errichtet, wie z. B. im 5. Jh. n. Chr. für → Childerich I. In Nordeuropa sind T. bes. für die Heerführer der Wikinger (8.–10. Jh.) charakteristisch.

→ Germanische Archäologie; Keltische Archäologie

T. CAPELLE, s. v. Hügelgrab, RGA 15, 179–181 • O.-H. FREY, Zu T.-Bestattungen von der Urnenfelderzeit bis zur Frühlatènezeit, in: S. HANSEN, V. PINGEL (Hrsg.), Arch. in Hessen. FS F.-R. Herrmann, 2001, 127–129 • H. LORENZ, Totenbrauchtum und Tracht, in: BRGK 59, 1978, 3–380 • S. RIECKHOFF, J. BIEL, Die Kelten in Deutschland, 2001, bes. 168–196.   V. P.

Tunes (Τύνης).
I. LAGE, PUNISCHE BIS RÖMISCHE ZEIT
II. BYZANTINISCH-ARABISCHE ZEIT

I. LAGE, PUNISCHE BIS RÖMISCHE ZEIT
Libysche Stadt der Africa Proconsularis (→ Afrika [3]; Strab. 17,3,16; Tab. Peut. 5,5), 15 km sw von → Karthago; h. Tunis. Erstmals erwähnt im Zusammenhang mit dem Aufstand verbündeter Truppen gegen Karthago 396 v. Chr. (Diod. 14,77,3). 310 v. Chr. diente T. Agathokles [2] als Stützpunkt für seinen Angriff auf Karthago [1. 190–193], wie im 1. → Punischen Krieg 256 v. Chr. dem röm. Consul Atilius [I 21] Regulus [1. 235–237]. Im → Söldnerkrieg war T. evtl. seit 241 v. Chr. Operationsbasis der libyschen Rebellen, im 2.

Punischen Krieg verlegte Cornelius [I 71] Scipio 203 v. Chr. sein Hauptquartier nach T. [1. 412–421]. Mit Karthago im 2. Punischen Krieg ständig verbündet, wurde T. 146 v. Chr. von den Römern zerstört. Unter Caesar oder Augustus erfolgte die Neugründung der Stadt (Strab. 17,3,16) als Teil der Prov. Africa Vetus bzw. Proconsularis. Bischofssitz war T. spätestens seit 411. Wenige Reste aus pun. und röm. Zeit haben sich erh. (z. T. im Bardo-Museum). Inschriften: CIL VIII 1, 1127–1139; CIL Suppl. 1, 14270 f.; Suppl. 3, 21987–21990; 4, 25362 f.; 25363 a; [2. 1153–1157]; AE 1955, 55.

1 Huss 2 A. Merlin (Hrsg.), Inscriptions latines de la Tunisie, 1944.

AATun 050, Bl. 20, Nr. 16 • M. H. Fantar, La tombe de la Rabta, in: Latomus 31, 1972, 349–367 • F. Windberg, s. v. Tunis, RE 7 A, 1359 f.   W. HU.

II. Byzantinisch-arabische Zeit

T. fiel gleichzeitig mit → Karthago (I. B.) unter vandalische Herrschaft (434), kam 532 zurück an die Byzantiner unter Iustinianus [1] I. und ist für 411 und 553 als Bischofssitz bezeugt [1. 164, 165]; arch. Überreste aus spätant. Zeit finden sich jedoch kaum. Nach ersten Überfällen und der endgültigen Zerstörung Karthagos (698) etablierten sich die Araber im nahen T., das nun als kleine, befestigte Garnisonsstadt zwar lange im Schatten der Gouverneursstadt Qayrawān stand, aber strategisch und siedlungsgesch. die Nachfolge Karthagos antrat. 1054 von arab. Beduinen geplündert, wurde es dann bis 1160 Zentrum eines kleinen selbständigen Fürstentums.

1 J. Mesnage, L'Afrique chrétienne, 1912 2 P. Sebag, Tunis, Histoire d'une ville, 1998 3 J. S. Woodford, The City of Tunis, 1988   I. T.-N.

Tungri (Τοῦγγροι). Volk in Gallia → Belgica (Itin. Anton. 358,15; Ptol. 2,9,9], das bei der Eroberung Galliens durch → Caesar noch nicht in Erscheinung getreten war. Zw. Scaldis (Schelde) und Rhenus [2] (Rhein) siedelten damals die Germani [2] Cisrhenani unter der Hegemonie der → Eburones. Nach deren Aufreibung durch Caesar (Caes. Gall. 6,5; 6,29–34; 8,24 f.) war es röm. Politik, das gesamte staatliche Gebilde der Germani Cisrhenani aufzulösen. In augusteischer Zeit wurde im Westen des Landes der Eburones die *civitas* der T. mit Hauptort Atuatuca (h. Tongeren; → Aduatuci) aus Resten der alten Bevölkerung und rechtsrheinischen Einwanderern gegründet. Das ausgedehnte, um den weiten Bogen der Mosa [1] (Maas) vor ihrer Mündung zentrierte Territorium der T. besitzt keine geomorphologische Einheit [1. 50–59; 2. 128 f.]. Die T. siedelten zw. *civitates* »gallischen« Typs, die einer einzigen dominierenden Ethnie angehörten (→ Treveri im SO, → Remi im Süden, → Nervii und → Menapii im Westen) und german. Völkern am Rheinlimes (→ Ubii, Cugernes, → Batavi, Frisavones). Obwohl die schriftliche Überl. eher dafür spricht, daß die T. bei der Konstituierung der Prov. Germania Superior (→ Germani

[1] II. C.) bei der Belgica verblieben (Ptol. 2,9,9; Plin. nat. 4,106; AE 1946, 95; 1962, 183), wird die aus einem neuen Inschr.-Fund (AE 1994,1279) abgeleitete Tatsache, daß die Metropole Atuatuca → *municipium* war, als Argument für die Zugehörigkeit zur german. Prov. gewertet (vgl. Hyginus [1], De condicionibus agrorum 86; [3; 4; 5]). Nach der Prov.-Reform des → Diocletianus gehörten die T. zur Germania Secunda (Amm. 15,117; Not. dign. occ. 42,43).

Die *civitas* der T. war Bindeglied zw. der *pax Romana* in Gallia und der mil. Welt am Rhein, Transitland für die strategische Verbindung nach Britannia, Rekrutierungsbasis, aber auch Kolonisierungsland für Soldaten der Rhein-Legionen. Die Verehrung röm. Götter und → Synkretismus (I.) mit vorröm. Kulten sind ebenso vertreten wie nicht romanisierte Gottheiten. Die zerstreute Lage lokaler Kulte vorwiegend an den Rändern der *civitas* sowie das Fehlen eines eigentlichen rel. Zentrums sind Folgeerscheinungen ethnischer Vermengung und geringer Urbanisierung [2].

1 M.-T. Raepsaet-Charlier, La cité des Tongres sous le Haut-Empire, in: BJ 194, 1994, 43–59 2 J. Loicq, Les Cultes de la »Civitas Tungrorum«, in: Bull. des Antiquités Luxembourgoises 15, 1984, 127–173 3 M.-Th. Raepsaet-Charlier, Municipium Tungrorum, in: Latomus 54, 1995, 361–369 4 Dies., Cité et municipe chez les Tongres, les Bataves et les Canninéfates, in: Ktema 21, 1996, 251–269 5 R. Nouwen, Atuatuca Tungrorum . . ., in: ZPE 115, 1997, 278–280 6 Ders., Tongeren en het land van de T., 1997.
                        F. SCH.

Tunica. Das aus zwei Teilen geschnittene und vernähte, meist weiße Woll- oder Leinenhemd wurde von röm. Männern und Frauen der Oberschicht als Untergewand (Suet. Aug. 94,10) unter der → *toga*, von den unteren Schichten als einzige Bekleidung getragen. Frauen scheinen häufiger zwei *tunicae* übereinander getragen zu haben; dann nannte man die untere *t. subucula* (Varro ling. 5,131) und die obere *supparus*. Bei Kälte und schlechter Witterung zogen auch Männer mehrere *t.* an (Suet. Aug. 82,1). Urspr. war die *t.* eng und ärmellos, doch mit dem ausgehenden 1. Jh. v. Chr. wurde die weiter geschnittene Form mit kurzen Ärmeln Mode. Eine *t.* zu tragen, deren Ärmel bis zu den Handwurzeln reichten, galt als unangebracht (Gell. 6,12; Cic. Catil. 2,22), doch setzte sich seit dem 3. Jh. n. Chr. diese langärmelige Version (*t. manicata*) durch, aus der sich dann die *t.* → *dalmatica* entwickelte. Bei den Männern reichte die *t.* bis an die Knie, bei den Frauen war sie länger (vgl. Plaut. Poen. 1298 f.; Quint. inst. 11,3,138). Mit dem Aufkommen der langärmeligen T. wurde diese auch länger und reichte bis zu den Knöcheln (*t. talaris*). In der Öffentlichkeit trug man die *t.* gegürtet, ungegürtet im Haus, bei Begräbnissen und rel. Zeremonien. Purpurne, vertikal angebrachte Streifen (*clavi*) dienten zur Kennzeichnung des Ritter- und Senatorenstandes, wobei den Rittern ein schmaler (*clavus angustus*) und den Senatoren ein breiter Streifen (*clavus latus*) zustand (Varro ling. 9,79, vgl. Quint. inst. 11,3,138; → Statussymbole). Zur

t. oder *palmata* als Teil des Triumphalgewandes vgl.
→ Triumph.

→ Clavus; Kleidung; Recta; MODE

H. R. GOETTE, Stud. zu röm. Togadarstellungen, 1990,
8–10 · B. I. SCHOLZ, Unt. zur Tracht der röm. Matrona,
1992, 93–100 · M. PAUSCH, Die röm. Tunika. Ein Beitr.
zur Peregrinisierung der ant. Kleidung, 2001.   R. H.

Turan

[1] Wichtige weibl. Gottheit der Etrusker, deren ab
dem 7. Jh. v. Chr. inschr. belegter Name (ET Bd. 1, 179)
original etr. ist und auf ein hohes Alter schließen läßt. T.
erscheint in zahlreichen Darstellungen spätetr. Zeit vor
allem als Göttin der Liebe, Fruchtbarkeit, Schönheit. Sie
wird mit der griech. → Aphrodite und der röm. → Venus gleichgesetzt [1]; ihr urspr. Wirkungskreis dürfte
jedoch weiter gewesen sein (vgl. → Uni). T. war eine
der Kultgöttinnen im archa. Hafen-Heiligtum von
→ Graviscae, wie etr. und griech. Weihinschriften belegen (Tempelprostitution?). Chthonischer Charakter
zeigt sich in ihrem kleinen Heiligtum in der Cannicella-
Nekropole von Orvieto (archa. Kultstatue einer nackten Göttin aus griech. Marmor) [2].
→ Etrusci III.

1 R. BLOCH, s. v. Aphrodite/T., LIMC 2.1, 169–176
2 Santuario e culto nella necropoli di Cannicella (Annali
della Fondazione per il Museo Claudio Faina 3), 1987.

PFIFFIG, 260–263.   P. AM.

[2] In der legendären iranischen Trad. östl. Teil des
urspr. Weltreiches des Frēdōn, den dieser seinem Sohn
Tūr überantwortete. In der Folge wurden die Turanier
zu den Feinden der Iranier *par excellence* [4]. Später wurden die seit dem 6. Jh. n. Chr. nach Iran einbrechenden
Turkvölker (fälschlicherweise) mit den Turaniern identifiziert. Der Landesname T. erscheint in sāsānidischen
Inschr. des 3./4. Jh. n. Chr. (zusammen mit Sagestān
(→ Drangiana und → Arachosia) und Hindestān (Sind)
in der Titulatur von Prinzen des Königshauses als Teil
dessen Herrschaftsgebiets [1. 29–31]. In manichäischen
Texten wird von der Bekehrung der buddhistischen
Tūrānšahs durch → Mānī während seiner Indienreise
berichtet [2. 88f., 102–105; 3. 371–377].

1 PH. HUYSE, Die dreisprachige Inschr. Šābuhrs I. an der
Kaʿba-i Zardušt (ŠKZ), 1999 2 W. SUNDERMANN, Zur
frühen missionarischen Wirksamkeit Manis, in: Acta
Antiqua 24, 1971, 79–125 3 Ders., Weiteres zur frühen
missionarischen Wirksamkeit Manis, in: s. [2], 371–379
4 E. YARSHATER, Iranian National History, in: The
Cambridge History of Iran, Bd. 3.1, 1983, 359–477. J. W.

Turbo

[1] s. Kreisel
[2] Röm. Cognomen (»Wirbelwind«), urspr. vielleicht
Individualbezeichunung, nur in der Kaiserzeit bezeugt:
→ Marcius [II 14].

KAJANTO, Cognomina, 339 · DEGRASSI, FCIR, 271.
    K.-L. E.

Turdetani

Turdetani. Iberischer Volksstamm am unteren → Baetis (h. Guadalquivir), dessen Existenz zu E. des 6. Jh.
v. Chr. erstmals arch. nachweisbar ist, gleichzeitig mit
dem Niedergang der Kultur von → Tartessos, die sie
beerbten. Schon in der Ant. wurde diskutiert, ob T. und
Turduli derselbe iberische Volksstamm am Baetis seien;
während Strab. 3,1,6 keinen Unterschied zw. ihnen
macht, betrachten Polybios und Plin. nat. 3,13 die Turduli als nördliche, Ptol. 2,4,5 als südliche Nachbarn
der T. Die als friedliebend charakterisierten T. (Liv.
34,17,2) galten als die zivilisiertesten aller iber. Volksstämme (bei Strab. l.c.; 3,2,15), sie hatten schriftliche
Überl. ihrer Gesch., eigene Dichtung und Gesetze in
Versform. Für die röm. Kultur waren sie bes. empfäng-
lich. Im unteren Tal des Baetis betrieben die T. blühende Landwirtschaft, auch Fischfang, und es gab reiche
Metallvorkommen (Strab. 3,2,6f.; 3,2,8).

TOVAR 1, 18–23; 2, 201 · TIR J 29 Lisboa, 1995, 158.
    R. ST.

Turfan

Turfan. Ort und Oasengebiet (»T.-Becken«) im östl.
Xinjian/China, südl. des Tien-Schan-Gebirges, am nö
Rand der Taklamakan-Wüste, wichtige Station an der
→ Seidenstraße. Dort finden sich zahlreiche histor. und
arch. bedeutsame Orte: 10 km westl. des h. T. liegt die
chinesische Festung Jiao-he, die vom 2. Jh. v. bis 5. Jh.
n. Chr. Hauptstadt des Königreiches Chesti war. 30 km
östl. von T. entstand um 100 v. Chr. Gao-chang, später
Kutscha genannt, seit 640 von einer lokalen chines.
Dyn. beherrscht, Hauptsprache → Tocharisch. Nördl.
Gao-chang fand sich bei Astana eine Nekropole mit
Tausenden von Gräbern (265 bis 850 n. Chr.). Im ariden
Klima erhielten sich selbst Papier, → Seide, viele Stein-
plastiken und Gemälde (buddhist. Wandgemälde). Im
8. und frühen 9. Jh. beherrschten die Tibeter T. Da-
nach wurde Kutscha Hauptstadt eines Uigurenstaates
(850–1250). Zum Buddhismus trat der Manichäismus
(→ Mani) und das nestorianische Christentum (→ Nestorios). Zu der Oase zählen die »Tausend-Buddha-
Höhlen« von Bäzäklik sowie weitere buddh. Tempel-
höhlen mit reichem Bildschmuck. In den Gräbern,
Höhlen und Ruinen fanden sich zahlreiche Hss. mit
Texten in 16 verschiedenen Sprachen und 24 Schrift-
formen aus Europa, Indien, China und Vorderasien:
Griech. Fabeln und medizinische Trad. stehen neben
manichäischen, sogdischen, jüd., syrischen, chines. und
anderen Texten. Das älteste Ms. aus T. ist auf 344 v. Chr.
datiert.

H. G. FRANZ (Hrsg.), Kunst und Kultur entlang der
Seidenstraße, 1986 · L. MAU-TSAI, Kutscha und seine
Beziehungen zu China vom 2. Jh. v. bis zum 6. Jh. n. Chr.,
1969 · W. SUNDERMANN, Gesch., Stand und Aufgaben der
T.-Forsch., in: Akademie-Journ. (Mainz) 2, 2000, 12–18.
    H. J. N.

Turia

[1] Gattin des Senators Q. Lucretius [II 5] Vespillo, rettete ihren Mann in einem Versteck vor den → Proskriptionen des J. 43 v. Chr. (Val. Max. 6,7,2; App. civ. 4,189–

192). Die lange übliche Identifizierung mit der Verstorbenen einer inschr. erh. stadtröm. Grabrede (der sog. → *Laudatio Turiae*) ist unsicher, aber nicht ausgeschlossen (vgl. [1. 10f.], skeptischer [2. 1–8]). T. wäre dann spätestens 9 v. Chr. nach 41jähriger Ehe gestorben.

1 A. E. GORDON, Who's Who in the Laudatio Turiae, in: Epigraphica 39, 1977, 7–12   2 D. FLACH, Die sog. Laudatio Turiae, 1991.   W. K.

[2] (auch Turium; h. Turia, arab. Guadalaviar). Fluß im Gebiet der → Edetani. Er entspringt in der Sierra de Albarracín, fließt nördl. an Valentia [1] vorbei, um östl. der Stadt ins Meer zu münden. Früheste Erwähnung in der verm. griech. Vorlage von Avien. 428 (*Tyrius*; vgl. Mela 2,92; Plin. nat. 3,20: *Turium*; Ptol. 2,6,15: Του-ρούλιος ἐκβολαί/*Turúlios ekbolaí*: »T.-Mündungen«). Am T. siegte im Krieg gegen → Sertorius Pompeius [I 3] über Perperna [5] (Frühjahr 75 v. Chr.; Sall. hist. 2,54).

SCHULTEN, Landeskunde, Bd. 2, 38 · TOVAR 3, 282.
                                                        J. J. F. M.

Turibulum (von *tus*, »Weihrauch«, auch *thymiaterium*). Tragbares röm. Räuchergerät aus Metall, auf dem Weihrauchkörner beim röm. Opfer verbrannt wurden. Für das reine Weihrauch- oder Rauchopfer gibt es einen kleinen tragbaren Räucheraltar, der *acerra* oder auch *ara turicrema* genannt wird. *Acerra* scheint auch (Val. Max. 3,3,3) syn. für das *t.* verwendet worden zu sein.
→ Opfer; Thymiaterion

A. V. SIEBERT, Instrumenta sacra, 1999, 93–98; 256f. (Lit.).
                                                        A. V. S.

Turicum. Die ältesten Siedlungsspuren auf dem Moränenhügel des Lindenhofes in Zürich werden nicht keltischer Bevölkerung zugeschrieben, sondern der röm. Besetzung im Alpenkrieg des → Augustus (15 v. Chr.). Der röm. Militärposten wurde zum Kastell ausgebaut, um welches sich ein → *vicus* bildete. Über das weitere Wachstum der Siedlung orientieren Inschr., deren wichtigste auch den ON des *vicus* verrät: eine Grabinschrift für das Kind eines röm. Zollbeamten, des *praepositus stationis Turicensis* (CIL XIII 5244).

W. DRACK, R. FELLMANN, Die Römer in der Schweiz, 1988, 571–574 · G. WALSER, Röm. Inschr. in der Schweiz, Bd. 2, 1980, 168–172.   G. W.

Turm. Außer bei Wehr- und Verteidigungsanlagen (→ Befestigungswesen) sowie → Grabbauten finden sich T. in der griech.-röm. Architektur v. a. im Hausbau, bes. im ländlichen Bereich. Sie dienten hier einerseits als Repräsentationsbauten, aber auch als sichere Rückzugsorte in Krisenzeiten und zudem als gut zu belüftende und für Schädlinge schwer erreichbare Lagerstätten für landwirtschaftliche Erzeugnisse. Der Typus des »griech. Turmgehöftes« als Form der ländlichen Ansiedlung wurde von der arch. Forsch. im Kontext umfangreicher Surveys erst in jüngster Zeit in seiner Bed. erkannt. In einigen Teilen Griechenlands hat sich die

Struktur des Turmgehöftes bis in die Neuzeit tradiert (z. B. Mani). Vereinzelt spielten T. auch eine (im Detail unklare) Rolle im ant. → Bergbau, so z. B. im attischen Silberbergbaurevier von Laureion. Verschiedentlich finden sich T. in röm. Villenanlagen (→ Villa).

A. KONECNY, Hell. Turmgehöfte in Zentral- und Ostlykien, 1997 · H. LOHMANN, Atene, 1993, 136–148 · Ders., Ein Turmgehöft klass. Zeit in Thimari (Attika), in: MDAI(A) 108, 1993, 101–149 · M. NOWICKA, Les maisons à tour dans le monde grec, 1975.   C. HÖ.

Turm zu Babel s. TURM ZU BABEL

Turma. Nach Varro eine taktische Einheit der röm. Legionsreiterei von 30 *equites* (→ Reiterei) und drei → *decuriones* [4], von denen einer die *t.* befehligte (Varro ling. 5,91; Pol. 6,20,9; 6,25,1 f.; Veg. mil. 2,14,1 f.). Spätestens seit dem 3. Jh. v. Chr. überwogen die berittenen Kontingente der → *socii* (225 v. Chr.: Pol. 2,24,3–16; FGrH 809 F 16), deren *turmae* zuweilen eine Herkunftsbezeichnung trugen (*t. Lucana*: Liv. 22,42,4; *t. Fregellana*: Liv. 37,34,6) und im Verbund mit den Legionen auf den Flügeln (*alae*) kämpften (Pol. 6,26,7–9; Liv. 31,21,7). Während sich die Legionsreiterei der Kaiserzeit in Centurien (→ *centuria* B.) gliederte, blieb die Organisation der berittenen Auxiliareinheiten – *alae*/*cohortes equitatae* – in *t.* erh.: Die normale → *ala* [2] (*quingenaria*) zählte 16 *t.* à 32 Reiter (Arr. takt. 18), die *milliaria* 24 *t.* à 42 Mann ([Hyg.] De munitionibus castrorum 16). Die Reiter einer → *cohors equitata* gliederten sich verm. in drei *t.*, die einer *milliaria* in die doppelte Zahl (BGU 696; [Hyg.] ebd. 27). In der Spätant. bezeichnete *t.* eine Reitereinheit schlechthin (Amm. 18,8,2; Cod. Theod. 7,13,8). Paramil. organisiert war der *ordo equester* in sechs *t.* unter Führung von *seviri equitum Romanorum* (Suet. Aug. 38,3; Dion. Hal. ant. 6,13,4; AE 1934,182). Die drei *t.* der ritterlichen *iuventus* beim → *Troiae lusus* zählten je zwölf Knaben (Suet. Aug. 43,2; Verg. Aen. 5,560f.; Varro bei Serv. auct. Aen. 11,503).
→ Ala [2]; Equites romani; Reiterei (III.)

1 D. BREEZE, The Organization of the Legion, in: JRS 59, 1969, 50–55   2 S. DEMOUGIN, L'ordre équestre sous les Julio-Claudiens, 1988, 217–260   3 K. R. DIXON, P. SOUTHERN, The Roman Cavalry, 1992, 23–32   4 A. K. GOLDSWORTHY, The Roman Army at War, 1996   5 J. B. McCALL, The Cavalry of the Roman Republic, 2002   6 E. RAWSON, The Literary Sources for the Pre-Marian Army, in: PBSR 39, 1971, 13–31.   LE. SCH.

Turms. Etr. Gottheit, welche weitgehend dem griech. → Hermes bzw. dem röm. → Mercurius entspricht. Ausgestattet mit → *pétasos*, Heroldstab (*kērýkeion*, lat. *caduceus*), später auch Flügelschuhen und Flügelkappe, z. T. bärtig dargestellt. Funktion als Herold, Heroenbegleiter und im Totenreich als T. Aitas (vgl. griech. Hermes Psychopompos/»Seelenführer«); als Gottheit des Handwerks für den etr. Bereich nicht belegt. Bildliche Darstellungen v. a. auf Vasen und Spiegeln vom 6.

bis 3. Jh. v. Chr. Älteste Darstellung auf den Tonplatten von → Murlo Anf. 6. Jh. v. Chr.; Statuenfrg. aus → Veii (Portonaccio-Tempel, vgl. Plan) um 500 v. Chr. Spärliche epigraphische Überl. in Spiegelinschr. Kein Kult außerhalb des funerären Kontexts nachweisbar.

M. HARARI, s. v. T., LIMC 8, 1997, 98–111 • I. KRAUSKOPF, s. v. T., in: M. CRISTOFANI (Hrsg.), Dizionario della civiltà etrusca, 1985, 305–306.   KA. GE.

Turnacum, h. Tournai (Belgien, Prov. du Hainaut). Gallo-röm. → *vicus* beiderseits des → Scaldis (Schelde) im Grenzbereich zw. → Menapii und → Nervii, ein Knotenpunkt auf der Route von → Gesoriacum nach → Bagacum (Tab. Peut. 2,3; Itin. Anton. 367,7), von dem Straßen nach Castellum (h. Cassel; Itin. Anton. 377,5) und → Tervanna (ebd. 378,11) abgingen. Siedlungsspuren sind bis in die Eisenzeit nachgewiesen, die gallo-röm. Präsenz in augusteischer Zeit ist unzusammenhängend; der eigentliche Aufstieg des Ortes begann unter Claudius [III 1]. Ein temporäres Militärlager ist im Zusammenhang mit der Bereitstellung von Truppen für den Feldzug nach Britannia zu sehen. E. des 1. Jh. n. Chr. wurde die Siedlung auf der linken Flußseite orthogonal ausgerichtet. Die Blütezeit dauerte bis E. des 2. Jh. n. Chr. (mit städtischem Wasser- und Kanalisationsnetz, öffentlichen Gebäuden, → Thermen, Hafeneinrichtungen; am rechten Ufer ein → Tumulus). Die Stadt profitierte v. a. von Steinbrüchen, war aber auch Handelszentrum für die umliegende Agrarregion. Von → Chauci 172–174 n. Chr. geplündert, erreichte T. nicht mehr den alten Glanz; Mitte des 3. Jh. wurde T. erneut zerstört. Nach der Provinzialreform des → Diocletianus *civitas*-Hauptort der Menapii (Notitia Galliarum 6,8), und E. des 3. Jh. auf ca. ein Viertel reduziert, wurde die Siedlung zum → *castellum* [I 1] umgebaut, in dem german. → *laeti* stationiert waren [1]. 407 wurde T. von → Vandali verheert, dann von salischen Franci (→ Salii [1]) wiederhergestellt und zur Residenzstadt erhoben (Hier. epist. ad Geruchiam aus dem J. 409). Das sehr reich ausgestattete Grab des 482 verstorbenen Königs → Childerich I. ist erh. [2]. Als unter seinem Sohn → Chlodovechus die Franci expandierten, wurde die Residenz nach Paris verlegt.

1 R. BRULET, P.-M. VÊCHE, Les origines de la fortification urbaine à Tournai (Publication extraordinaire de la Soc. royal d'Histoire et d'Archéologie de Tournai 2) 1985, 29–40 2 R. BRULET, Les fouilles du quartier Saint-Brice à Tournai, 2. Bde., 1990/1992.

M. AMAND, I. EYKENS-DIERICKX, Tournai Romain, 1960 • R. BRULET, Tournai, in: J.-P. PETIT, M. MANGIN, Atlas des agglomérations secondaires de la Gaule Belgique et des Germanies, 1994, 252f. (Nr. 315) • Ders., Le développement topographique et chronologique de Tournai, in: Revue Archéologique de Picardie 1984, 271–282 • S. J. DE LAET, s. v. T., PE, 940f.   F. SCH.

Turnus

[1] Myth. König der → Rutuli, Sohn des → Daunos [2] und der Venilia, Bruder der → Iuturna, aus der Stadt → Ardea; regiert zu der Zeit, als Aeneas/→ Aineias [1] nach It. kommt. Nach einer (wohl älteren) Trad. kämpft er zusammen mit → Latinus [1] gegen den Eindringling Aeneas. Als Latinus fällt, flieht er zu → Mezentius, mit dem zusammen er den Kampf wieder aufnimmt, bei dem schließlich er selbst und Aeneas fallen (Cato HRR fr. 9–10). In einer anderen Variante kämpft er gegen Latinus und Aeneas, weil Latinus seine Tochter → Lavinia [2] urspr. dem T. versprochen, dann aber dem Aeneas zur Frau gegeben hat (ebd. fr. 11). Zahlreiche Darstellungen in der röm. Lit. zeugen von der Wichtigkeit des Stoffes: Verg. Aen. B. 7–12 passim; Liv. 1,2,1–6; Dion. Hal. ant. 1,59,2; 1,64,2–4; Ov. met. 445–608; Strab. 5,3,2 etc. Die Darstellung bei Vergil wird zur kanonischen Fassung: Hier ist T. als *perfidus* (»Schurke«) zum Gegenspieler des *pius* Aeneas stilisiert (Verg. Aen. 10,231): Die Etym. des Namens T. ist unklar, die Ableitung von etr. *tursna* (»Tyrrhener«, d. h. Etrusker) gilt nach wie vor als die wahrscheinlichste [1. 147].

1 F. BÖMER, P. Ovidius Naso, Metamorphosen, B. 14–15, 1986 (Komm.).

P. SCHENK, Die Gestalt des T. in Vergils Aeneis, 1984.   L. K.

[2] Bekannter röm. Satiriker aus der Zeit des Domitianus [1] (Mart. 7,97,8), Bruder des Tragikers Scaevus Memor (Mart. 11,10); seine Gedichte profitierten von der spätant. Popularität des Iuvenalis, sind h. jedoch bis auf zwei Fr. verloren.

FPL • BLÄNSDORF, 335f. • COURTNEY, 362f. • B. BALDWIN, Stud. on Greek and Roman History and Literature, 1985, 199–202 • V. TANDOI, I due frammenti di Turno, in: Studi di poesia latina. FS A. Traglia, Bd. 2, 1979, 801–831 • M. COFFEY, T. und Juvenal, in: BICS 26, 1979, 88–94.   P. L. S.

Turoni (Τούρωνοι). Keltischer Volksstamm am mittleren Liger (h. Loire; Ptol. 2,11,22), den Cenomanni [2] im Norden, Andegavi und → Pictones im Westen, → Bituriges und → Carnutes im Osten benachbart. Die T. waren unter den ersten, die 52 v. Chr. → Vercingetorix und 21 n. Chr. → Iulius [II 126] Sacrovir unterstützten (Tac. ann. 3,41; 3,46). Wohl seit Augustus waren die T. *civitas* der Prov. Gallia → Lugdunensis (CIL XIII 3076f., Mitte 1. Jh. n. Chr.: *civitas libera et immunis*) mit dem unter Augustus neu gebildeten Hauptort Caesarodunum an der Mündung des Cares (h. Cher) in den Liger. E. des 3. Jh. n. Chr. erfolgte die Eingliederung in die Prov. Lugdunensis III. Viele Eisenwerkstätten geben Zeugnis über metallurgische Aktivitäten der T., die aber auch Tuffsteinbrüche ausbeuteten. Ortschaften im Gebiet der T. waren Ambiacum (h. Amboise, handwerkliches Zentrum mit Keramik, Bronze, Weberei, Tischlerei), Caino (h. Chinon, *vicus*, Kalksteinbrüche [1]), Mediconnum (h. Mougon, Keramikherstellung

[6]) und Caesarodunum (h. Tours, älteste Reste der Wohnbebauung frühestens aus der Zeit des Tiberius [2; 3. 95; 4], Thermen, Aquädukt, Amphitheater und Wehranlage mit 25 Türmen, um 370/380 fertiggestellt; [5. 93–97]).

1 R.BEDON, Les carrières antiques de Chinon, in: Caesarodunum 6, 1971, 198–207 **2** Ders., Tours, Caesarodunum, in: Ders. (Hrsg.), Les villes de la Gaule lyonnaise (Caesarodunum 30), 1996, 279–303 **3** H. GALINIE, R. RANDOIN, Les archives du sol à Tours, 1979 **4** L. PIETRI, La ville de Tours du IVᵉ au VIᵉ siècle, 1983 **5** M.PROVOST, Carte archéologique de la Gaule. L'Indre-et-Loire 37, 1988 **6** M. VIEILLARD-TROIEKOUROFF, Les monuments religieux de la Gaule, 1976, 169.

P. GOESSLER, s. v. T., RE 7 A, 1416–1426.   J.-M.DE./Ü: E.N.

Turpilius

[1] Röm. Komödiendichter in der Gattung der → palliata, jüngerer Zeitgenosse des Terentius [III 1], nach Hier. chron. p. 148 HELM gest. 104 v. Chr. Erh. sind Fr. aus 13 Stücken mit durchweg griech. Titeln; Hauptvorlage war → Menandros [4]. Mit Caecilius [III 6] und Terenz, dem er auch dramaturgisch nahesteht, repräsentiert T. die zunehmend hellenisierende und klassizistische Entwicklung der palliata, während ihn metr. Vielfalt und sprachliche Farbigkeit von der Spruchreinheit des Terenz trennen und eher mit → Plautus verbinden. Der Komikerkanon des → Volcacius Sedigitus nennt ihn erst an siebter Stelle, doch wurden seine Stücke noch zu Ciceros Zeit gespielt; der spätant. Grammatiker → Nonius [III 1], dem wir die Mehrzahl der Fr. verdanken, konnte noch eine Ausgabe der 13 Stücke exzerpieren.

FR.: L. RYCHLEWSKA, 1962 (dazu W. G. ARNOTT, in: Gnomon 40, 1968, 31–35) und 1971 · A. TRAINA, Comoedia, ³1969, 155–161.
LIT.: BARDON 1, 135–138.   P.L.S.

[2] **T. Silanus, T.** Röm. Bürger aus Collatia [1. 10–16]. Im Krieg gegen → Iugurtha 109/8 v. Chr praef. fabrum und röm. Kommandant der Stadt → Vaga. Als diese zu Iugurtha abfiel, wurde T. als einziger Römer verschont, nach der Rückeroberung jedoch auf Betreiben des C. Marius [I 1] hingerichtet (Sall. Iug. 66–69; Plut. Marius 8,1–5; App. Num. fr. 3).

1 E.BADIAN, Notes on a Recent List of Praefecti Fabrum under the Republic, in: Chiron 27, 1997, 1–19.   K.-L.E.

Turpitudo. Verstoß gegen die röm. guten Sitten (boni mores, → mos maiorum) bzw. unsittliche Lebensführung, z. B. → Prostitution. Die Ahndung gehörte in der Republik zur cura morum (»Sittenpolizei«) der → censores; auch der → praetor konnte wegen t. Beschränkungen verhängen (z. B. Verbot, andere vor Gerichten zu vertreten, → postulatio; Ulp. Dig. 3,1,1,5). Wenngleich Sittenwidrigkeit nicht mit Rechtswidrigkeit gleichgesetzt wurde (Paul. Dig. 50,17,144), konnte sittenwidrigen Rechtsgeschäften die Durchsetzung verweigert wer-

den: Bei Formalgeschäften verweigerte der praetor eine Klage (Pomp. Dig. 45,1,27 pr.) oder gewährte eine → exceptio doli (Arglisteinrede, vgl. Paul. Dig. 45,1,134 pr.); im bonae fidei iudicium (Gerichtsverfahren wegen Schuldverhältnissen nach Treu und Glauben) führte ein sittenwidriger Geschäftsinhalt zur Nichtigkeit (Papin. Dig. 22,1,5).

Leistungen zu sittenwidrigen Zwecken waren bei t. des Empfängers grundsätzlich rückforderbar (→ condictio ob turpem causam). Ausgeschlossen war dies, wenn die t. beim Leistenden allein (z. B. Zahlung an eine Prostituierte, Ulp. Dig. 12,5,4,3) oder bei beiden Beteiligten vorlag (in pari turpitudine melior est causa possidentis, ›bei gleicher Verwerflichkeit ist die Lage des Besitzenden günstiger‹, vgl. Ulp. Dig. 3,6,5,1).

→ Censores; Condictio; Dolus; Infamia; Iudicium; Stipulatio

B. BALTRUSCH, Regimen morum, 1989 · KASER, RPR 1, 250f. · F. STURM, Quod meretrici datur repeti non potest, in: H.-P. BENÖHR et al. (Hrsg.), Iuris Professio, FS M. Kaser, 1986, 281–288 · R. ZIMMERMANN, The Law of Obligations, 1990, 844–847.   R.GA.

Turranius. Röm. Gentile (SCHULZE, 429), manchmal mit T(h)oranius verwechselt.
[1] **T., C.** Praetor 44 v. Chr. (Cic. Phil. 3,25). Verm. wurde er auf Veranlassung seines Sohnes proskribiert und getötet (Val. Max. 9,11,5; App. civ. 4,71). Nicht identisch mit dem ebenfalls geächteten (Suet. Aug. 27; App. civ. 4,47) Vormund des Augustus, C. → Toranius.   J.BA.

[2] **C. T. Gracilis.** Ritter, der aus → Gades (h. Cádiz) stammte (Plin. nat. 3,3). Er hatte Augustus' Vertrauen gefunden, der ihn zum praef. Aegypti machte, bezeugt zw. 7 und 4 v. Chr. [1. 475]. 14 n. Chr., zum Zeitpunkt von Augustus' Tod, war er praef. annonae; verm. amtierte er in dieser Funktion seit 8 n. Chr. Noch 48 war er im Amt (Tac. ann. 11,31,1). Er ist wohl auch mit dem bei Seneca [2] (Sen. dial. 10,20,3) genannten T. identisch; er müßte also 48 bereits über 90 J. alt gewesen sein.

1 P. BURETH, Le préfet d' Égypte, in: ANRW II 10.1, 1988, 472–502 **2** H. PAVIS D'ESCURAC, La préfecture de l' annone, 1976, 317–319.   W.E.

[3] **T. Niger.** Viehzüchter aus der Gegend von Mutina. 37 v. Chr. widmete → Varro [2] ihm das zweite Buch seiner Res rusticae (Varr. rust. 2, praef. 6; 2,11,12).   J.BA.

Turrinus. Röm. Cognomen (von einem unbekannten Ortsnamen Turris abgeleitet); vgl. → Horatius [3] und → Mamilius [5].

KAJANTO, Cognomina, 113; 184.   K.-L.E.

Turrita. Station an der via Aemilia Scauri in Etruria (→ Etrusci) zw. Vada Volaterrana (h. Vada) und → Pisae; h. Torretta.

E. REPETTI, Dizionario geografico fisico storico della Toscana, Bd. 5, 1843, 543.   G.U./Ü: J.W.MA.

Turullius (T., D. nach den Münzlegenden; T., P. nach Cass. Dio 51,8,2). Quaestor 44 v. Chr. und einer der Caesarmörder. Er ging dann mit L. Tillius [2] Cimber nach Bithynia und unterstützte ihn bei Flottenrüstungen. Nach der Schlacht von Philippoi 42 blieb er bei der noch ungeschlagenen Flotte, trat dann auf die Seite des M. Antonius [I 9]. Für dessen Flottenbau ließ er (wohl im Rang eines *praef.*) einen Teil der Bäume des Asklepioshaines auf Kos abholzen und prägte 31 für ihn Mz. (RRC 545). Nach der Niederlage des Antonius 30 wurde er an Octavianus ausgeliefert und auf Kos auch wegen des Religionsfrevels hingerichtet (Val. Max. 1,1,19; Cass. Dio 51,8,2f.; Lact. inst. 2,7,17).

SYME, RP 2, 602 f.   K.-L. E.

Tuscana (Τυρρηνία/ *Tyrrhēnía*, Τυρρηνή/ *Tyrrhēnḗ*; h. Tuscania). Etr. Stadt am rechten Ufer des Marta (Plin. nat. 3,52; Steph. Byz. s. v. Τυρρηνία), wo die → *via Claudia* den Fluß überquert (Tab. Peut. 5,1; Geogr. Rav. 4,36; 6,2379a; 5,49). Nach dem → Bundesgenossenkrieg [3] → *municipium, tribus Stellatina*; verschiedene Magistrate sind inschr. bekannt: z. B. *decurio Tuscaniensium, quattuorvir, decurialis haruspex* (CIL XI 2955–2959; 2970). Die Akropolis lag auf dem Hügel San Pietro. Die Stadt war terrassenartig angelegt und wurde durch ein Zisternen- und Wasserleitungssystem versorgt. In der Umgebung finden sich Nekropolen bei Ara del Tufo, Pian di Mola, Madonna dell'Olivo (Kammergräber, Grabbeigaben und Sarkophage, auch von Adelsgeschlechtern).

S. QUILICI GIGLI, T. (Forma Italiae, Regio VII, Bd. 2), 1970 · G. COLONNA (Hrsg.), T., 1990 · M. QUERCIOLI, T., 1999.   M. M. MO./Ü: H. D.

Tusci s. Etrusci

Tuscia (Τουσκία). Landschaft bzw. spätant. Organisationseinheit in Mittelitalien Varro (ling. 5,32; 1. Jh. v. Chr.) bezeichnet mit *Tusci* die Einwohner von Etruria (→ Etrusci); Scribonius [II 3] Largus (Compositiones 146,3; 1. H. des 1. Jh. n. Chr.) kennt T. als Landschaftsbezeichnung wie sein Zeitgenosse Florus (epit. 1,1). Den Landschaftsbegriff unterscheiden spätere Autoren (vgl. Serv. Aen. 1,67; 2,146; 7,715) vom administrativen Begriff T., der seit der Reichsreform des → Diocletianus (C.) im Namen der Prov. *T. et Umbria* begegnet, die zur Dioecesis Italia Annonaria gehörte (Serv. Aen. 2,146; 12,753; 4./5. Jh.; vgl. Prok. BG 1,3,4); aber auch der Begriff T. allein bezeichnete die gesamte Prov. Diese erfaßte jedoch die beiden Landschaften, bes. Umbria (→ Umbri), nicht in ihrem vollen Umfang.   V. S. u. E. O.

Tuscianus. Nach Dig. 1,2,2,53 war T. neben → Fulvius [II 2] Aburnius Valens Anf. des 2. Jh. n. Chr. Nachfolger des → Iavolenus [2] und Vorgänger des → Iulianus [1] in der Führung der sabinianischen → Rechtsschule. Eine Verwechslung mit Iavolenus, der das Cogn. Tossianus trug, ist unwahrscheinlich.

D. LIEBS, Nicht-lit. röm. Juristen der Kaiserzeit, in: K. LUIG, D. LIEBS (Hrsg.), Das Profil des Juristen in der europäischen Trad. Symposion F. Wieacker, 1980, 149–153 · R. A. BAUMAN, Lawyers and Politics in the Early Roman Empire, 1989, 231–234.   T. G.

Tusculum (h. Tusculo). Stadt am → *mons Albanus* in Latium (→ Latini mit Karte; Cic. leg. agr. 2,96; Liv. 2,15,7; Strab. 5,3,9: Τούσκλον/ *Túsklon*; Diod. 11,40,5; Dion. Hal. ant. 5,76; Cass. Dio 79,21; Ptol. 3,1,61: Τούσκουλον/ *Túskulon*; Steph. Byz. s. v. Τύσκλος). Gründungssagen nennen → Telegonos (Liv. 1,49; Dion. Hal. ant. 4,45, vgl. aber ebd. 1,72) oder Latinus [2] Silvius als Gründer (Diod. 7, fr. 4). Als Mitglied im → Latinischen Städtebund unterlag auch T. den Römern in der Schlacht am → *lacus Regillus* (Liv. 2,19–20; Dion. Hal. ant. 6,2–14). 381 v. Chr. erhielt T. als wohl erstes → *municipium* (Cic. Planc. 19) das röm. Bürgerrecht (*tribus Papiria*; Cic. Balb. 31; Liv. 6,26,8; 8,37,12). An der Spitze der Magistratur von T. stand in republikanischer Zeit ein *dictator* (Liv. 3,18,2; 6,26,4), später zwei *aediles* (CIL XIV 2579; 2590; 2621), im 3. Jh. n. Chr. ein *curator rei publicae* (CIL III 1178). Cornelius [I 90] Sulla ließ als Strafmaßnahme für die oppositionellen Tusculani eine Veteranenkolonie in die Stadt legen (Gromatici Veteres 1,238,10f.; hier T. irrtümlich nach Campania verlegt).

T. galt als klass. »Sommerfrische« für die röm. Oberschicht (vgl. Strab. 5,3,12). Zahlreich waren die Villen (→ *villa*) reicher Familien (Mamilii, Porcii, Fulvii, Fonteii, Coruncanii) und Personen wie Cato [1], → Cicero (der seinen Dialog *Tusculanae disputationes* hier ansiedelt), Asinius [I 4] Pollio, Matidia [1] Salonia und Tiberius [1] (Cic. Planc. 19; Cic. Font. 41; Nep. Cato 1,1; Val. Max. 3,4,6).

Das Gebiet von T. war von der Brz. bis ins MA kontinuierlich besiedelt. Es finden sich Reste von Befestigungsanlagen [1], unterirdische Gänge und Zisternen sowie eine Brunnenanlage (»cisterna arcaica«) aus der Zeit um 500 v. Chr. Das Forum von T. (arch. Grabungen seit 1994) hatte einen unregelmäßigen Grundriß, in dessen Bereich zahlreiche Statuen gefunden wurden [4]; im Westen mehrere kleine *sacella* [3]; im Süden ein Gebäude mit Porticus (Mitte des 3. Jh. v. Chr.; Basilika?); im Osten das Theater (*cavea* vom Anf. des 1. Jh. v. Chr., Bühnenhaus vom Anf. des 1. Jh. n. Chr.); außerdem ein Amphitheater aus der Mitte des 2. Jh. n. Chr. [5]. Am Westhang der Stadt sind Reste eines extraurbanen Heiligtums erh. (»Villa di Tiberio«, wohl den Dioskuren geweiht: Cic. div. 1,43,98; vgl. CIL XIV 2576; 2620; 2637; Bauphasen nachweisbar ab dem 2. Jh. v. Chr.; [6]). Der lit. und inschr. bezeugte Iuppitertempel (Liv. 27,4,11; Macr. Sat. 1,12,17; CIL XIV 2579) konnte arch. noch nicht nachgewiesen werden. Reste von Villen wurden entlang der extraurbanen Straßen gefunden, während die Nekropolen in dem im Süden außerhalb des Stadtbezirkes gelegenen Bergland lokalisiert wurden.

1 L. QUILICI, S. QUILICI GIGLI, Sulle fortificazioni di T., in: Archeologia Laziale 11 (Quaderni di Archeologia Etrusco-Italica 21), 1993, 245–269 **2** L. CANINA, Descrizione dell'antico T., 1841 **3** J. NÚÑEZ, X. DUPRÉ, Un nuevo testimonio de la decuma Herculis procedente de T., in: Chiron 30, 2000, 333–352 **4** F. SALCEDO GARCÉS, Propaganda e programma iconografici della città di T., in: R. F. DOCTER, E. M. MOORMANN (Hrsg.), Proceedings of the XVth International Congress of Classical Archaeology (Amsterdam 1998), 1999, 344–347 **5** L. QUILICI, S. QUILICI GIGLI, Monumenti di T.: l'anfiteatro, in: B. MAGNUSSON (Hrsg.), Ultra terminum vagari. FS C. Nylander, 1997, 241–251 **6** Dies., Un grande santuario fuori la porta occidentale di T., in: Archeologia Laziale 12.2 (Quaderni di Archeologia Etrusco-Italica 23), 1995, 509–534.

G. E. MCCRACKEN, A History of Ancient T., 1939 · M. BORDA, Monumenti archeologici tuscolani nel Castello di Agliè, 1943 · L. QUILICI, S. QUILICI GIGLI, Ricerca topografica a T., in: Archeologia Laziale 10 (Quaderni di Archeologia Etrusco-Italica 19), 1990, 205–228 · Dies., T. ed il parco archeologico, 1991 · X. DUPRÉ RAVENTOS, La investigación científica y la revalorización de una ciudad de Lacio, in: A. NAVAREÑO MATEOS (Hrsg.), Actas del congreso Ciudades Históricas Viva (Mérida 1997), 1998, 25 ff. · Ders., Scavi archeologici di T. (Rapporti preliminari delle campagne 1994–1999), 2000.   M. M. MO. u. J. W. MA.

Tuscus. Röm. Cognomen (»Etrusker«) zur Bezeichnung der Herkunft. In republikan. Zeit bei Aquillius [I 2], Siccius, in der Kaiserzeit bei Dasumius [4], Nummius [5], Tullius.

DEGRASSI, FCap., 149 · Ders., FCIR, 271 · KAJANTO, Cognomina, 51; 188.   K.-L. E.

Tusidius Campester. L. (?) T. Campester. Röm. Senator; Suffektconsul unter → Antoninus [1] Pius im Sept./Okt. 142 n. Chr. zusammen mit Q. Cornelius [II 54] Senecio Annianus (s. dazu RMD 106, fr. 37 der *Fasti Ostienses* = FO², Fr. S und ein neues Diplom-Fr. in [1]). Er ist zweifellos mit dem Sohn des Procurators M. Maenius [II 1] Agrippa L. Tusidius Campester identisch (CIL XI 5632 = ILS 2735), dessen Laufbahn in die Zeit des Hadrianus gehört.

1 W. ECK, P. WEISS, T. C., in: ZPE 134, 2001, 251–260.   W. E.

Tutanchamun. Drittletzter äg. König der 18. Dyn., ca. 1333–1323 v. Chr., äg. *Twt-ꜥnh-Jmn* (»lebendes Bild des Amun«), Thronname *Nb-hprw-Rꜥ*, der schon als Kind den Thron bestieg. T. war Sohn eines Königs (verm. → Amenophis [4] IV. = Amenhotep IV., dessen Tochter mit → Nofretete er heiratete). Unter ihm wurde die von seinem Vorgänger Semenchkare begonnene Restauration der alten Kulte (v. a. des → Amun) fortgesetzt und die Religionspolitik Amenophis' [4] IV. endgültig aufgegeben. In den ersten beiden Regierungsjahren wurde die Residenz von → Amarna nach → Memphis verlegt, und der urspr. Name Tutanchaton in T. geändert. Er starb verm. bereits im Alter von 18 J., die Todesursache ist unbekannt. Sein Nachruhm beruht v. a. auf seinem

1922 im »Tal der Könige« unversehrt aufgefundenen Grab mit reicher Ausstattung.

1 M. EATON-KRAUSS, s. v. T., LÄ 6, 812–816 **2** TH. SCHNEIDER, s. v. T., in: Ders., Lex. der Pharaonen, ²1996, 471–474.   K. J.-W.

Tutela

[1] (lat. »Vormundschaft«, von *tueri*, »schützen«).
I. BEGRÜNDUNG UND ARTEN DER VORMUNDSCHAFT
II. VORMUNDSCHAFT ÜBER MINDERJÄHRIGE
III. GESCHLECHTSVORMUNDSCHAFT
IV. ALLGEMEINE BEDEUTUNG

I. BEGRÜNDUNG UND ARTEN DER VORMUNDSCHAFT

Die *t.* kam im röm. Recht als *t.* über Unmündige (*impuberes*) und über Frauen (*t. mulierum*) vor und betraf Personen, die nicht der persönlichen Herrschaft des Familienvaters (→ *pater familias*) oder Ehemannes (→ *manus*) unterworfen und daher »eigenen Rechts« (*sui iuris*) waren. Als *tutor legitimus* (»gesetzlicher Vormund«) waren nach den XII Tafeln (→ *tabulae duodecim*; tab. 5,6, ca. 450 v. Chr.) die nächsten männlichen agnatischen Verwandten (Brüder, Onkel von Vaterseite, → *agnatio*) berufen. Diese Begründung der *t.* war aber wohl schon damals subsidiär: In erster Linie war es Sache des *pater familias*, in seinem → Testament den Vormund zu bestimmen (tab. 5,3). Nach einer *lex Atilia* (wohl 210 v. Chr.) wurde für solche Schutzbedürftige, die weder einen *tutor legitimus* noch einen *tutor testamentarius* hatten, ein *tutor* durch den Praetor (seit dem 2. Jh. n. Chr. einen *praetor tutelarius*) gemeinsam mit den Volkstribunen, später (seit dem 1. Jh. v. Chr.) auch durch die Provinzstatthalter, seit dem 1. Jh. n. Chr. ferner durch die Consuln bestellt.

Diese *t.* wurde von Anf. an v. a. als Pflicht des Vormundes empfunden. Deshalb konnte man die Übernahme ablehnen, wenn man einen bes. Entschuldigungsgrund (→ *excusatio*) hatte, z. B. Krankheit, Alter, Militärdienst, öffentliche Ämter (Dig. 27,1; Inst. Iust. 1,25). Das Erfordernis solcher Ablehnungsgründe wurde wohl im 1. Jh. n. Chr. auf die *t. testamentaria*, die nunmehr einer *confirmatio* (amtlichen Bestätigung) bedurfte, übertragen. Die Übernahme der *t. testamentaria* hatte man bis dahin frei ablehnen können (*abdicare*). Ob die Möglichkeit der begründeten Ablehnung danach (wie für die Spätantike gesichert) auch bei der *t. legitima* galt, ist ungewiß. Bei der Geschlechtsvormundschaft jedenfalls konnte der gesetzlich bestimmte *tutor* sein Amt auf einen anderen übertragen (Gai. inst. 1,168).

II. VORMUNDSCHAFT ÜBER MINDERJÄHRIGE

Die *t.* war zunächst ein subjektives Recht des Vormunds: *vis ac potestas* (»Gewalt und Macht«, Dig. 26,1,1 pr.). Darin kommt der Herrschaftsgesichtspunkt – ähnlich wie bei der → *patria potestas* (väterliche Gewalt) –, v. a. aber auch das eigene Interesse des Vormunds an dem Vermögen des Mündels (*pupillus*) zum Ausdruck. Deshalb waren bei der *t. legitima* die nächsten Erben zum *tutor* berufen. Jedenfalls mit der Einführung der amtlich bestimmten *t.* trat stattdessen die Sorge für Unterhalt und Erziehung des Mündels und für die treuhänderische Vewaltung seines Vermögens in den Vordergrund. Daher war spätestens seit ca. 100 v. Chr. eine Klage des (ehemaligen) Mündels aus dem Gedanken von Treu und Glauben (*bonae fidei iudicium*, → *fides* II.) anerkannt. Diese *actio tutelae* umfaßte die Rechnungslegung, die Herausgabe und auch Schadensersatz bei pflichtwidriger Verwaltung durch den *tutor*. Passend hierzu wurde der *tutor* nicht (mehr) als Eigentümer des Mündelgutes betrachtet, sondern als berechtigter Besitzer (*possessor*) mit der Befugnis zur Veräußerung und Prozeßführung. Seit Septimius [II 7] Severus (195 n. Chr.) war dem *tutor* jedoch die Veräußerung oder Belastung von ländlichen Grundstücken (vgl. Dig. 27,9,1,2), seit Constantinus [1] (326 n. Chr.) ebenso von anderen wertvollen Vermögensgegenständen und auch die Bestellung einer Mitgift (→ *dos*) verboten (Cod. Iust. 5,37,22). Von diesen Beschränkungen war freilich eine gerichtliche Befreiung möglich.

Minderjährige (→ *minores*) über sieben Jahre (*impuberes infantia maiores*) benötigten für Geschäfte, die ihnen rechtliche Nachteile brachten, die Zustimmung ihres Vormundes (→ *auctoritas* III. *tutoris*). Dies galt auch für die Annahme von Leistungen. War das Mündel dadurch bereichert, stand der Klage auf Leistung aber die → *exceptio doli* (Einrede der Arglist) entgegen. Seit einem → *rescriptum* des Antoninus Pius (2. Jh. n. Chr.) konnte umgekehrt der Schuldner in solchen Fällen seine Leistung mit einer analogen Klage (→ *actio* [2 B.] *utilis*) herausverlangen (Ulp. Dig. 26,8,1 pr.; 26,8,5 pr. und 1). Zur Sicherung des Treuhandcharakters der *t.* sahen bereits die XII Tafeln (→ *tabulae duodecim*) Sanktionen gegen Mißbrauch der *t.* durch den *tutor* vor: Mit einer »Klage auf Prüfung der Rechnungen« (*actio rationibus distrahendis*) konnte das Mündel für vom *tutor* unterschlagene Gegenstände eine Buße in Höhe des doppelten Wertes verlangen (tab. 8,20b, vgl. Tryphoninus Dig. 26,7,55,1; Ulp. Dig. 27,3,1,24). Gegen den testamentarisch eingesetzten *tutor* war eine »Anklage gegen den (sc. der Untreue) verdächtigen Vormund« (*accusatio suspecti tutoris*) vorgesehen (tab. 8,20a). Die Strafe bestand allerdings jedenfalls im 2./3. Jh. n. Chr. nur in der Entfernung des *tutor* aus dem Amt (*remotio*). Zu dieser Zeit galten aber Buße und Amtsenthebung für den Mißbrauch bei allen Arten der *t.* (Ulp. Dig. 26,10,1,5; 27,3,1,19). Außer durch diese Sanktionen wurde das Interesse des Mündels durch laufende staatliche Aufsicht gewahrt, die bis zur Spätant. immer mehr ausgebaut wurde. Zudem konnte der Magistrat vom *tutor* die Übernahme einer selbständigen Verpflichtung zur ordnungsgemäßen Verwaltung des Mündelvermögens verlangen: → *cautio* oder → *satisdatio rem pupilli salvam fore* (Sicherheitsversprechen oder -leistung dafür, daß die Angelegenheiten des Mündels ohne Schaden bleiben werden).

III. GESCHLECHTSVORMUNDSCHAFT

Die *t.* über volljährige → Frauen dürfte zunächst denselben Regeln gefolgt sein wie die anderen Vormundschaften. Auch bei ihr gab es die gesetzliche, testamentarische und vom Magistrat bestimmte *t.* Aber die gesetzliche *t.* wurde unter Claudius [III 1] (1. Jh. n. Chr.) abgeschafft; die Auswahl des *tutor testamentarius* wurde nun wohl meist der Frau selbst überlassen (mit dem Recht, den *tutor* auszuwechseln; daher *tutor optivus*, »ausgewählter Vormund«, Gai. inst. 1,150–154). Der Magistrat schließlich bestellte im 2. Jh. n. Chr. einen *tutor* nur noch auf eigenen Antrag der Frau (Gai. inst. 1,195). Die Funktion der *t.* beschränkte sich in dieser Zeit auf die Erteilung der *auctoritas* für bes. wichtige Geschäfte. Jedoch konnte die Frau das Zustimmungsrecht des *tutor* durch Antrag beim Praetor überwinden (Gai. inst. 1,190; 1,192).

Als bemerkenswerten Schritt zum Abbau der *t. mulierum* entwickelten die Rechtsberater schon im 2. Jh. v. Chr. den Wechsel des Vormunds auf Wunsch der Frau durch eine → *coemptio fiduciaria* (den »treuhänderischen Brautkauf«): Die Frau schloß mit einem Treuhänder zum Schein die Ehe; der »Ehemann« übertrug die »Herrschaft« (→ *mancipium*) über die Frau auf den gewünschten Vormund, und dieser wiederum ließ sie aus dem *mancipium* frei. Dadurch wurde der (Schein-)Gewalthaber Quasi-Patron (→ *patronus* B.) und als solcher gesetzlicher *tutor* (vgl. Gai. inst. 1,166). Ein noch wichtigerer Durchbruch zur vormundschaftsfreien Rechtsstellung der Frau war das → *ius* (E.2.) *liberorum* (Berechtigung sc. durch die Geburt von Kindern) nach den Ehegesetzen des Augustus (E. 1. Jh. v. Chr.): Seitdem waren freigeborene Frauen nach drei, freigelassene nach vier ehelichen Geburten von der *t.* befreit.

IV. ALLGEMEINE BEDEUTUNG

Insgesamt hatte die *t.* im röm. Recht auch nach dem fast völligen Absterben der *t. mulierum* weit größere Bed. als die mod. Vormundschaft: Das Alter, bis zu dem eine *t.* erforderlich war, lag mit 14 J. zwar niedriger als heute. Dafür ist mit deutlich höherer → Sterblichkeit des röm. Gewalthabers im Vergleich zu den sorgeberechtigten Eltern des mod. Rechts zu rechnen. Die Mütter hatten ohnehin kein Sorgerecht. Unmündige → Freigelassene und Kinder von Freigelassenen standen unter der *t.* ihres Patrons (→ *patronus* B.). Möglich war auch die Bestellung eines Vormunds aus bes. Anlaß (z. B. bei Verhinderung des »eigentlichen« *tutor*) oder von mehreren Vormündern (z. B. aufgrund testamtentarischen Anordnung). Andererseits kannte das röm. Recht den bes. Haftungsgrund einer angemaßten *t.* (*actio protutelae*). Für seine Aufwendungen erhielt der Vormund Ersatz durch eine »Gegenklage« (*actio tutelae contraria*). Dies alles zeigt, daß sich die röm. Juristen bes. intensiv mit der *t.* beschäftigten. Daher dürfte es kein Zufall sein, daß eines der wenigen überl. Beispiele für die Methode des Q. → Mucius [I 9], den Rechtsstoff nach *genera* (Gattungen) zu ordnen, fünf Arten der *t.* sind (vgl. Gai. inst. 1,188).

→ Munus, Munera (II.)

L. Desanti, De confirmando tutore vel curatore, 1995 ·
Honsell/Mayer-Maly/Selb, 419–430 · Kaser, RPR,
Bd. 1, 85–90; 352–369; Bd. 2, 222–234; 589–591.   G. S.

[2] Schutzgöttin, insbes. der röm. Kaiserzeit, die sich aus
der Vorstellung göttlich geschützter Orte entwickelte
(inschr. Belege: [3]) und mit dem → Genius und der
→ Fortuna zusammen verehrt wurde, wie auch die
Mz.-Bilder andeuten [1; 4]. Ihr Kult in Rom ist durch
eine *aedicula* bezeugt [2]. In Spanien gab es T. einzelner
Städte [5].

> 1 P. Calabria, Una personificazione femminile romana,
> T., in: Riv. Italiana di Numismatica e Scienze affini 88,
> 1986, 77–88 **2** L. Chioffi, s. v. T., LTUR 5, 93 **3** W. Ehlers,
> s. v. T. (4), RE 7 A, 1599 f. **4** T. Ganschow, s. v. T.,
> LIMC 8.1, 112 f. **5** F. Heichelheim, s. v. T. (5), RE 7 A,
> 1600–1603.

[3] T. navis. Kultbild der Gottheit, der man jeweils den
»Schutz eines Schiffes« anvertraute. Dieses wurde im
Achterschiff aufgestellt (Val. Fl. 8,202 f.), war reich verziert (Verg. Aen. 10,171; Sen. epist. 76,13), und ihm
wurde dort geopfert (in satirischer Verzerrung Petron.
105,3 f.; weitere Belege: [2]). Das Schiffsrelief der Villa
Torlonia zeigt eine T. in Gestalt einer geflügelten Gottheit mit Kranz sowie einen Altar [1. 62–65, 158].
→ Meergottheiten; Schiffahrt

> 1 O. Höckmann, Ant. Seefahrt, 1985 **2** F. Miltner, s. v. T.
> (10), RE 7 A, 2556 f.   M. SE.

Tuticanus. Ein Jugendfreund des → Ovidius, der T.'
Namen (– ⏑ – ⏑) in dem an ihn gerichteten Brief nur
durch spielerischen Umgang mit den eigentlichen Sil-
benquantitäten einsetzen kann (Ov. Pont. 4,12,10 f.,
vgl. 4,14,1 f.). Er scheint die Phaiaken-Episode der
Odyssee ins Lat. übers. zu haben (ebd. 4,16,27 mit
4,12,27).   ED. C./Ü: U. R.

Tutola (Τουτόλα) bzw. Tutula (Τουτούλα), auch Phi-
lotis (Φιλῶτις, Φιλωτίς); lat. Tutela. Legendäre Magd zur
Zeit der Latinerkriege, nach deren Plan die Römer der
Forderung der → Latini nach röm. Frauen scheinbar
nachgeben, jedoch T. und Sklavinnen in der Kleidung
röm. Matronen in das latinische Lager senden; nach erfolgreicher Täuschung gibt T. den Römern das Zeichen
zum Angriff auf die abgelenkten Feinde (Plut. Romulus
29,7; Plut. Camillus 33,4 f.; Polyain. 8,30; Macr. Sat.
1,11,38). Das Fest der → Capratinae Nonae soll durch
rituellen Kleidertausch an diese Begebenheit erinnern.

> E. Peterich, P. Grimal, Götter und Helden, 1971, 160 f.
>   SU. EI.

Tutulus (urspr. »Haube«). Röm. Kopfzier in Form eines abgerundeten Kegels (*meta*). T. ist als Haartracht der
→ *mater familias* und der *flaminica* bekannt und so in seiner Funktion vergleichbar dem *galerus* bzw. dem *pileus*
der → *pontifices* und → *flamines* [1]. T. gilt auch als Bezeichnung für eine Hochfrisur mit roten Bändern, die

kegelförmig, oben auf dem Kopf aus dem zusammengefaßten Haarschopf aufgetürmt wird (Fest. 484 L.). Als
einfache Frisur der etr. Frau [2. 75] ist der *t.* in Etrurien
bereits im 6./5. Jh. v. Chr. bekannt.

> 1 A. V. Siebert, Quellenanalytische Bemerkungen zu
> Haartracht und Kopfschmuck röm. Priesterinnen, in:
> Boreas 18, 1995, 78–83 (Lit.) **2** L. Bonfante Warren,
> Etruscan Dress, 1975.   A. V. S.

Tyana (Τύανα; luw. *Tuwana*). Altanatolische Stadt,
Hauptort von Süd- → Kappadokia, an der Straße zu den
Kilikischen Toren [1], h. Kemerhisar (Siedlungshügel,
Aquaedukt, Quellfassung). Sitz eines sog. späthethitischen Königtums, das im späteren 8. Jh. v. Chr. wohl
unter die Vorherrschaft des phrygischen Reiches geriet
(→ Phryges). In hell. Zeit als »Eusebeia am Tauros«
(Εὐσέβεια ἡ πρὸς τῷ Ταύρῳ: Strab. 12,2,7) neben Mazaka (→ Kaisareia) zweite bedeutende Stadt in Kappadokia; bei der Teilung der röm. Prov. 372 n. Chr.
Hauptstadt der → Cappadocia II. Als Bistum, dann Me-
tropolitensitz seit 325 bis ins 14. Jh. bezeugt. Von den
arabischen Eroberungen des 8. und 9. Jh. schwer betroffen, verlor T. den Vorrang an → Nakida. Aus T.
stammte der Philosoph Apollonios [14].
→ Kleinasien (III. C. I. und III. D.) mit Karten

> Hild/Restle, 298 f. · W. Ruge, s. v. T., RE 7 A,
> 1630–1642 · D. Berges, Neue Forsch. in T., in:
> Veröffentlichungen der Joachim-Jungius-Gesellschaft der
> Wiss. 87, 1998, 179–204 · Ders., C. Börker, T. 1996–1997,
> in: Araştirma Sonuçları Toplantısı 16.1, 1999, 315–327.
>   K. ST.

Tyche (Τύχη, Τύχα).
[1] Griech. Schicksalsgöttin, → Personifikation des abstrakten Begriffes *t.* (»Schicksal, Zufall; Glück; Unglück«), der etym. mit dem Verb τυγχάνειν/*tynchánein*
(»treffen, zuteil werden, sich zufällig ereignen«) zusammenhängt. Die enge Verbindung beider Aspekte durch
ein »Person-Bereichdenken« macht eine klare Unterscheidung von Gottheit und Abstraktum in der griech.
Lit. oft unmöglich [3. 35–36].

Zur personifizierten Gestalt der T. existiert kein ei-
gener Mythos. Zwar nennt Hes. theog. 360 sie als eine
Tochter des → Okeanos und der → Tethys, und nach
Pind. O. 12,1–2 ist sie eine Tochter des → Zeus, für die
Bed. der T. spielen solche Genealogien jedoch kaum
eine Rolle. T. wird zudem öfter mit wesensverwandten
Mächten wie → Moira (Archil. IEG fr. 16; Pind. fr. 41),
Daimon (→ Dämonen V.; Eur. Iph. A. 1136; Lys. 13,63)
oder → Kairos (Plat. leg. 709b) in Verbindung gebracht.
In den homerischen Epen noch nicht genannt, gewinnt
T. in der nachfolgenden Lit. zunehmend an Bed.
[1. 1650–1673]. Dabei sind zwei Entwicklungen festzustellen: T. ist anfangs überwiegend eine den Göttern
zugeordnete Macht (z. B. Pind. N. 6,24; Soph. Phil.
1326; Plat. leg. 759c), deren Wirken häufig positiv dargestellt wird (PMG fr. adesp. 101; Aischyl. Ag. 664),
später erscheint sie verschiedentlich als neben den Göttern waltend (z. B. Eur. Phoen. 1202; Demosth. or.

4,45). Zugleich tritt die irrationale Wandelbarkeit ihres Wirkens, bald zum Guten, bald zum Schlechten (z. B. Soph. Ant. 1158; Eur. Ion 1512–1514; vgl. Plat. def. 411b), stärker hervor. Seit hell. Zeit erscheint T. schließlich oft sogar negativ als launische, blinde, ungerechte Zufallsmacht, z. B. in der Neuen → Komödie (vgl. Men. fr. 296; 463 f.; 630). In dieser Zeit gewinnt der Glaube an eine Allmacht der T., begünstigt durch die veränderten gesellschaftlichen und polit. Verhältnisse, neben dem allmählich an Inhalt verlierenden Glauben an die Olympischen Götter im griech. Raum große Bed. (Demosth. or. 18,194; Aischin. leg. 131; Chairemon TrGF 71 F 19; Paus. 4,30,4 f.).

Neben der Vorstellung von T. als Beschützerin von Städten (schon Pind. fr. 39 bezeichnet sie als *pherépolis* – »die Stadt tragend«; vgl. IG II² 3607; Dion Chrys. 63,3) wird auch jedem Menschen eine »persönliche« T. zugeschrieben, die ihn sein Leben lang begleitet (Philemon CAF fr. 10; vgl. Aischin. Ctes. 157). Ein Kult der T. ist seit dem 4. Jh. v. Chr. an vielen Orten Griechenlands faßbar, z. B. in Athen, Theben, Megara, Korinth. Sie wurde in erster Linie als positive Glücksgöttin (*Agathế T.*) verehrt, z. T. in Kultgemeinschaft mit Agathos Daimon (Paus. 9,39,5), → Nemesis u. a., und im Zuge des → Synkretismus mit Gottheiten wie → Isis, → Artemis-Hekate, → Kybele gleichgesetzt. Die Ant. kannte eine Vielzahl bildlicher Darstellungen der T. [1. 1682–1689; 2]; zu ihren Attributen gehören z. B. → *plútos* (»Reichtum«, Paus. 9,16,1 f.), Füllhorn, Schale, Steuerruder, Mauerkrone (als Stadtgöttin). T. entspricht weitgehend der röm. → Fortuna.

→ Fortuna; Personifikation

1 G. HERZOG-HAUSER, s. v. T., RE 7 A, 1643–1689
2 L. VILLARD, s. v. T., LIMC 8.1, 115–125; 8.2, 85–89
3 G. VOGT-SPIRA, Dramaturgie des Zufalls. T. und Handeln in der Komödie Menanders, 1992.

NILSSON, GGR 2, 200–210 • P. PROTTUNG, Darstellungen der hell. Stadt-T., 1995 • G. SFAMENI GASPARRO, Daimon and T. in the Hellenistic Religious Experience, in: P. BILDE et al. (Hrsg.), Conventional Values of the Hellenistic Greeks, 1997, 67–109.   NI.JO.

[2] Nördl. Vorort von → Syrakusai (Cic. Verr. 2,4,119), benannt nach einem dort gelegenen Heiligtum der T. [1] (Cic. Verr. 2,4,119) am südöstl. Abfall des Plateaus von Epipolai, zw. den Steinbrüchen des Cozzo Romito und Giardino Spagna-Ospedale Civile. T. wurde im Zuge der ab 484/3 v. Chr. von Gelon [1] vorgenommenen Umsiedlungspolitik (vgl. Diod. 11,68,4; 11,68,1 und 3; 11,73,2 mit Ephoros FGrH 70 F 66) oder unter Dionysios [1] I. gegr. Durch die Belagerung von Syrakusai 212 v. Chr. war auch T. betroffen (Liv. 24,21,7; 25,25,4 ff.; Plut. Marcellus 18,6). An der Nordgrenze entwickelte sich vom 3. Jh. v. Chr. an die Nekropole am Rande der h. Latomia Casale [1. 835; 2].

1 H. P. DRÖGEMÜLLER, s. v. Syrakusai, RE Suppl. 13, 815–836 2 G. V. GENTILI, s. v. Siracusa, EAA 7, 1966, 331.
                                                            GI. F. u. E. O.

Tychon (Τύχων).

[1] Ithyphallischer Gott (Strab. 13,1,12), mit → Priapos (Diod. 4,6,4), v. a. aber mit → Hermes (Clem. Al. Protreptikos 102,1; Theognostos, Anecdota Oxoniensia 2, p. 33,31 CRAMER) verbunden, so im einzigen inschr. Beleg aus Magnesia [2] am Maiandros [2] [2. 136 Nr. 203]; daneben auch mit → Aphrodite (Herodian. 1,37,15 LENTZ; Hesych. s. v. T.; vgl. Apollophanes PCG 2 fr. 6). Seine Wirkmacht galt als gering (Anth. Pal. 9,334,1), doch verehrte → Alexandros [15] von Pherai die Lanze, mit der er seinen Oheim Polyphron tötete, als T. (Plut. Pelopidas 29, 293e) in etym. Spiel mit τυχεῖν/ *tychein*, »treffen«.

1 H. HERTER, s. v. T., RE 7 A, 1698–1701 2 O. KERN, Die Inschr. von Magnesia am Mäander, 1900 3 W.-R. MEGOW, s. v. T., LIMC 8.1, 141 f.   JO. S.

[2] T. Thaumaturgos (T. Θαυματουργός), T. »der Wundertäter«, byz. Heiliger. Die rekonstruierten Lebensdaten (340–403 n. Chr.) bleiben vage; nach Zeugnis der Synaxarien (→ *Synaxárion*) wurde T. durch → Epiphanios [1] von Salamis zum Bischof von Amathus (Zypern) geweiht. Seit dem 6. Jh. ist seine Grabeskirche bezeugt. Gemäß seiner Vita (Verf.: → Iohannes [32] Eleemon) ging T. gegen den Kult der → Aphrodite vor und wirkte u. a. ein Weinwunder: Heranreifen der Trauben am Festtag (16. Juni) des T. Er gilt als Patron des Weinbaus auf Zypern; sein Festtag setzt evtl. einen des Kultes des → Dionysos fort [3]. Die These [2], daß T. auf einen gleichnamigen Fruchtbarkeitsgott zurückgehe, ist unhaltbar.

1 H. DELEHAYE (ed.), Synaxarium Ecclesiae Constantinopolitanae, 1902, 751–754 2 H. USENER, Der heilige T., 1907 3 R. KANY, Dionysos Protrygaios, in: JbAC 1988, 5–23.   K. SA.

Tyconius. Lebte etwa 330–390 n. Chr. in Afrika (Gennadius vir. ill. 18). Sein um 383 entstandener, fast vollständig erh. lat. *Liber Regularum* (›Regelbuch‹) stellt die erste erh. christl. → Hermeneutik dar. Nach T. müssen bei der Bibelauslegung sieben Kernsachverhalte beachtet werden: 1) der Herr und sein Leib, d. h. die Kirche; 2) der in Gut und Böse zweigeteilte Leib des Herrn; 3) die Verheißungen und das Gesetz; 4) der spezielle Unterpunkt und allg. die Textgattung; 5) symbolische Zeitangaben; 6) Wiederholungsstrukturen und 7) der zweigeteilte Leib des Teufels. Ziel der Hermeneutik, welche theologische und gramm.-rhet. Elemente verbindet, ist die Harmonisierung widersprüchlicher Bibelstellen und die Klärung doppeldeutiger Passagen. Über → Augustinus (de doctrina christiana 3) wirkte dieser Entwurf bis weit in das MA hinein. Nur sehr fr. erh. ist der Komm. zur Johannes-Apokalypse, in welchem T. seine hermeneutische Theorie in exegetische Praxis umsetzt: Er will unter Verzicht auf eine chiliastische Interpretation die zeitlose Gültigkeit der Apk in der Gesch. herausarbeiten, worauf sich später u. a. Primasius, Beda und Beatus von Liebana bezogen. Von sei-

TYCONIUS 939 940

nen innerdonatistischen Schriften *De bello intestino* und *Expositiones diversarum causarum*, die er vor der Abkehr vom Donatismus (→ Donatus [1]) verfaßte, kennen wir nur die Titel.
→ Exegese; Hermeneutik

> ED.: **1** F.C. BURKITT, The Book of Rules of T., 1894 (*Liber regularum*) **2** F.LoBUE, The Turin Fragments of T.' Commentary on Revelation, 1963 (*Apk*).
> LIT.: R. GRYSON, Fragments inédits du commentaire de T. sur l'Apocalypse, in: Revue Bénédictine 107, 1997, 189–226 · K.POLLMANN, Doctrina Christiana, 1996.   K.P.

Tydeus (Τυδεύς).

[1] Sohn des → Oineus und der → Periboia [6]. Weil er einen Verwandten totgeschlagen hat, muß T. seine Heimat verlassen (Motiv: [1. 175]). In Argos gibt ihm → Adrastos [1] seine Tochter → Deïpyle zur Frau. Ihr gemeinsamer Sohn → Diomedes [1] ist vor Troia eifrig darum bemüht, den Leistungen des Vaters in nichts nachzustehen. Als einer der → Sieben gegen Theben besiegt T. zunächst als Einzelgesandter die Thebaner in einer Reihe von Wettkämpfen. Auf dem Rückweg entgeht er einem Hinterhalt, indem er alle 50 Gegner bis auf einen tötet (Hom. Il. 4,384–397). Im eigentlichen Kampf um Theben tut er sich als tapferer, ja blutrünstiger (Aischyl. Sept. 377–393) Kämpfer hervor, der nicht davor zurückschreckt, die Oidipustochter → Ismene [1] zu töten (Mimn. fr. 21 W.). Mehr noch: Als er von → Amphiaraos den Kopf des → Melanippos [1], der ihn zuvor verletzt hat, erhält, wird T. zum Kannibalen. Seine Schutzgöttin → Athena, die ihm gerade die Unsterblichkeit bringen wollte, wendet sich entsetzt ab und kehrt auf den Olymp zurück (Thebais fr. 9 BERNABÉ; Eur. fr. 537 NAUCK²). Während Homer (Il. 14,114) T. in Theben begraben sein läßt, ist in der attischen Trad. von Eleusis die Rede, wo mittelhelladische Kistengräber in spätgeom. Zeit offenbar als Heiligtum der Sieben verehrt wurden [2. 351].
→ Thebai [2] II.

> **1** N. J.RICHARDSON, The Iliad: A Commentary, Books 21–24, 1993 **2** J. N.COLDSTREAM, Geometric Greece, 1977.
> J.SCHMIDT, s. v. T., ROSCHER 5, 1388–1404 · E.SIMON, S.LORENZ, s.v. T., LIMC 8.1, 142–145.   RE.N.

[2] Athener aus Oe, Sohn des 414 v.Chr. auf Sizilien gefallenen Strategen → Lamachos (IG II/III² 1556) und 413 wohl selbst dort Kommandeur einer Truppe ([Lys.] or. 20,26). T. war dann Stratege bei Athens finaler Seeniederlage von → Aigos potamos 405 (Xen. hell. 2,1,16; 26). Vielleicht entging er der Hinrichtung durch die Sieger, da er nach Paus. 10,9,11 von → Lysandros [1] bestochen worden war.

> DEVELIN, 180.   K.KI.

Tydeus-Maler. Bedeutender Maler der → Korinthischen Vasenmalerei, der um 560 v.Chr. v.a. Amphoren und Kratere sowie Lekythen und Oinochoen gestaltete; die Abgrenzung zu stilistisch verwandten Malern ist noch nicht vollständig gelungen. Die wichtigsten Werke des T.-M. finden sich auf rotgrundigen Halsamphoren, so die namengebende Tötung der Ismene durch → Tydeus [1] (Paris, LV E 640). Außer einem Kampf des → Theseus mit Minotauros (Amphora Paris, LV E 651) zeigt der T.-M. v.a. Kämpfe, Reiter oder Komasten sowie Tiere und Fabelwesen. Seine Werke zeichnen sich durch die reiche Verwendung von Rot und Weiß sowie zahlreiche Namensbeischriften aus.

> AMYX, CVP, 269–272 · AMYX, Addenda, 79 · E.SIMON, Die griech. Vasen, ²1981, 53f.   M.ST.

Tyle (Τύλη).

[1] Hauptstadt des keltischen Königreichs in Thrake (→ Thrakes), unter Komontorios 278 v.Chr. gegr., 212 v.Chr. nach dem Sieg der Thrakes über den Keltenkönig → Kavaros verlassen (Pol. 4,46). Aufgrund von Steph. Byz. s.v. Τύλις sucht man T. in der Nähe des → Haimos und lokalisiert die Stadt allg. im Gebiet des h. Tulovo (Bezirk Kazanlǎk, Bulgarien). Eine Textvariante bei Steph. Byz. l.c. macht allerdings eine Lokalisierung in der spätant. Prov. Haimimontos im SO von Thrake wahrscheinlich, wo sich auch ein Kastell Τουλεοῦς/ *Tuleús* (Prok. aed. 4,11,20) befand.
→ Kelten (III. A.)

> M.DOMARADSKI, Keltite na Balkanslija poluostrov, 1984.
>   I.v.B.

[2] s. Torus

Tylissos (Τυλισσός).

Stadt in Mittel-Kreta, 13 km sw von → Herakleion [1] beim h. T.; Besiedlung von offenbar beachtlichem Ausmaß seit frühminoischer Zeit. Aus der spätminoischen Phase stammen drei reich ausgestattete, mindestens zweigeschossige Häuser, die einen guten Eindruck von gehobenem Wohnkomfort vermitteln. Siedlungskontinuität ist auch für die myk. Zeit nachgewiesen. In archa. Zeit entstand über der min. Anlage ein Heiligtum der Hera. Die dorische Siedlung (mit spärlichen Resten) lag oberhalb des h. T. Die ant. Gesch. von T. ist nur durch Inschr. und Mz. bekannt. Polit. war T. in klass. und hell. Zeit eng mit → Knosos verbunden, gelegentlich wohl auch von Knosos abhängig, und hatte enge Kontakte zu → Argos [II]. Auf dessen Vermittlung schloß T. Mitte des 5. Jh. v.Chr. einen Vertrag mit Knosos (StV 2, 148). Verm. auf E. des 3. Jh. v.Chr. ist ein Isopolitie-Vertrag (→ *isopolitéia*) mit → Oaxos zu datieren [1. Nr. 15]. Über die röm. und byz. Zeit (mit ebenfalls spärlich erh. Resten) bewahrte T. dank seiner strategisch günstigen Lage im Hinterland von Herakleion und der Fruchtbarkeit seines Gebiets eine bis h. reichende Siedlungskontinuität.

> **1** A.CHANIOTIS, Die Verträge zw. kret. Poleis in der hell. Zeit, 1996.
> H.BEISTER, s. v. T., in: LAUFFER, Griechenland, 695f. · J.HAZZIDAKIS, T. à l'époque minoenne, 1921 · J.W.MYERS u.a., Aerial Atlas of Ancient Crete, 1992, 272–275 · I.F.SANDERS, Roman Crete, 1982, 154.   H.SO.

Tylos s. Dilmun

Tymnes (Τύμνης). Epigrammatiker karischen Namens aus dem »Kranz« des Meleagros [8] (Anth. Pal. 4,1,19), vielleicht 3. oder 2. Jh. v. Chr. Erh. sind sieben Gedichte, bestehend aus je zwei Distichen; mit Ausnahme des epideiktischen Sechszeilers Anth. Pal. 7,433 über die »spartanische Mutter« (nachgeahmt von → Erykios, Anth. Pal. 7,230 und → Antipatros [9], Anth. Pal. 7,531). Zwei von vier Epitaphien gelten Tieren, vgl. → Anyte (Anth. Pal. 7,199,211). Das priapische Gedicht Anth. Pal. 16,237 ahmt → Leonidas [3] von Tarent (16,236) nach; die Weihung ebd. 6,151 wird von → Archias [9], Anth. Pal. 6,195 imitiert.

> GA I.1, 196–198; 2, 553–557 · G. GIANGRANDE, An Epigram of T., in: Emerita 49, 1981, 71–74 · K. J. GUTZWILLER, Poetic Garlands, 1998, 37 · R. B. EGAN, Archias, Meleager, T.: Dead Birds in Context, in: RhM 141, 1998, 24–30.   M. G. A./Ü: L. FE.

Tymnos (Τύμνος). Hafenstadt in Karia (Steph. Byz. s. v. T.; → Kares) an der Westküste der Bozburun-Halbinsel, h. Bozburun. T. gehörte zur rhodischen → Peraia. Erh. sind Inschr., darunter solche sakralrechtlichen Inhalts [1. Nr. 201] sowie einige Ruinen.

> 1 W. BLÜMEL, Die Inschr. der rhodischen Peraia (IK 38), 1991, 63–74.

> P. M. FRASER, G. E. BEAN, The Rhodian Peraea and Islands, 1954, 61 f. · W. RUGE, s. v. T., RE 7 A, 1748 f. · ZGUSTA, Nr. 1384, Nr. 4.   H. KA.

Tympanon, Tympanum
s. Giebel; Musikinstrumente V. D. (mit Abb.)

Tymphaia (Τυμφαία). Landschaft in → Epeiros, östl. des Berges Tymphe (2497 m H, h. Mavrovuni) im Pindos [1]. T. dehnte sich im NO von den Quellflüssen des Venetikos in die Beckenlandschaft des oberen → Haliakmon bis zum h. Grevená aus, im Süden bis in das Quellgebiet des → Peneios um das h. Kalabáka. Die Tymphaioi wurden urspr. den Epeirotai zugerechnet (Arr. an. 1,7,5; Strab. 7,7,8 f.; Plin. nat. 4,6), gehörten seit Philippos [4] II. (vgl. [1]) zu → Makedonia. T. wurde nach 167 v. Chr. von den Römern der Macedonia IV zugeteilt (Liv. 45,30,7), die als frei galt (Strab. 7,7,7 f.). Die T. wurde wegen ihrer Gipsvorkommen erwähnt (Theophr. de lapidibus 64; Plin. nat. 35,198: *Tymphaicum gypsum*).

> 1 P. CABANES, L'Épire, 1976, 88 f., 114, 132 f.

> N. G. L. HAMMOND, Epirus, 1967, 680 f. · Ders., A History of Macedonia, Bd. 1, 1972, 115–118; Bd. 2, 1979, 20 f., 650 f.; Bd. 3, 1988, 267–269, 565.   D. S.

Tyndareos (Τυνδάρεως). Myth. König von Sparta, Sohn des → Oibalos [1] und der Naiade Bateia (Hes. fr. 199) oder des → Perieres [1] und der → Gorgophone [3] (Stesich. PMGF fr. 227). Nach dem Tod seines Vaters von seinem (Halb-?)Bruder → Hippokoon aus Sparta vertrieben (Apollod. 3,124; Strab. 10,2,24), sucht T. in Messenien (Paus. 3,1,4) oder Aitolien bei König → Thestios Zuflucht, wo er dessen Tochter → Leda zur Frau erhält (Hom. Od. 2,298). Später tötet Herakles [1] Hippokoon samt seinen zwölf Söhnen und stellt damit T.' Herrschaft über Sparta wieder her (Alkm. fr. 23; Ibykos fr. 41; Apollod. 2,143–145; 3,125). Die Zeugung einiger seiner zahlreichen Nachkommen wird Zeus zugeschrieben, so die der → Helene [1], der → Dioskuroi Kastor und Polydeukes; als eigene Kinder gelten Phylonoe [2], → Timandra [1], → Klytaimestra und Phoibe (Apollod. 3,126). T. verpflichtet die zahlreichen Freier der Helene zu dem Schwur, ihrem Auserwählten jederzeit zur Seite zu stehen und in Notzeiten zu Hilfe zu kommen (Stesich. PMGF fr. 190; Eur. Iph. A. 49–71; Paus. 3,20,9), nach Apollod. 3,129–132 auf Anraten des → Odysseus. T. verheiratet Helene mit Agamemnons Bruder → Menelaos [1], dem er nach dem Tod seiner Söhne im Troianischen Krieg sein Königreich vermacht (Apollod. 3,137; Paus. 3,1,5). Ihre Tochter → Hermione verheiratet er mit → Orestes [1], den er später wegen der Ermordung seiner Mutter Klytaimestra vor dem Areopag anklagt (Eur. Or. 470–629; Apollod. epit. 6,25). An seinem Grab beim Tempel des Zeus Kosmetas in Sparta wurde er göttlich verehrt (Paus. 3,17,4) und nach Panyassis (fr. 19) von → Asklepios von den Toten wieder auferweckt.   S. ZIM.

Tyndariden s. Dioskuroi

Tyndarion (Τυνδάριον). Tyrann von → Tauromenion, bat zusammen mit anderen sizilischen Griechen 279 v. Chr. → Pyrrhos [3], gegen die Machtbestrebungen der Karthager auf der Insel einzugreifen. Er nahm 278 Pyrrhos bei dessen Landung in Tauromenion bereitwillig auf und wurde als dessen Bundesgenosse in seiner Macht bestätigt (Diod. 22,2,1; Plut. Pyrrhos 22; Paus. 1,12,5; Iust. 18,2,11).

> H. BERVE, Die Tyrannis bei den Griechen, Bd. 1, 1967, 459; 461; 732.   B. P.

Tyndaris (Τυνδαρίς). Griech. Stadt an der Nordküste von → Sicilia zw. Mylai [2] und → Agathyrnon, h. Tíndari. T. wurde 396 v. Chr. von → Dionysios [1] I. zum Schutz der Griechen gegen → Karthago gegr. Siedler waren hauptsächlich Messenioi – die nach dem → Peloponnesischen Krieg aus → Naupaktos und → Zakynthos vertrieben – in die Dienste des Tyrannen getreten waren und die Stadt nach den Tyndaridai, einer messenischen Ausformung der → Dioskuroi benannten (Diod. 14,78,6; vgl. die Mz.: HN 189 f.); bald zählte die Stadt mehr als 5000 Bürger. 344 v. Chr. unterstützte T. → Timoleon (Diod. 16,69,3), ebenso 270 v. Chr. → Hieron [2] II. im Kampf gegen die → Mamertini in → Messana [1] (Diod. 22,13,2). 264 v. Chr., zu Beginn des 1. → Punischen Krieges, war T. im Besitz der Karthager. 254 wechselte T. auf die röm. Seite über (Diod. 23,18,5). Bei aller Treue zu Rom im 2. und 3. Punischen Krieg und trotz aller Elogen auf die Stadt römischerseits (vgl. Cic. Verr. 2,3,103; 2,4,84; 2,5,124) wurde T. als Teil der röm. Prov. nur in den minderen Rang einer *civitas decumana* (Cic. Verr. 2,3,13; → Sicilia VI. E.) eingestuft. T. beteiligte sich 71/70 v. Chr. an der Klage gegen → Verres (Cic. Verr. 2,3,103; 2,4,29; 2,4,48). Im J. 40 v. Chr. nahm Sex. Pompeius [I 5] T. kampflos ein (Cass. Dio 48,17,4), 36 v. Chr. wurde die Stadt von Agrippa [1] erobert (App. civ. 5,433; 450; 481; 483; Cass. Dio 49,7,4). Augustus entsandte eine röm. Kolonie nach T. (CIL X 7474–7480; Plin. nat. 3,90). In der Spätant. war T. Bischofssitz.

Von einem Bergrutsch, der T. zu unbestimmtem Zeitpunkt in der Kaiserzeit traf, berichtet Plin. nat. 2,206. Erh. haben sich Reste der Ringmauer (3. Jh. v. Chr.), des Theaters (E. 4. Jh. erbaut, in der röm. Kaiserzeit umgestaltet), einer sog. Basilika (Propylon aus der Kaiserzeit) sowie von Wohnhäusern; nachgewiesen sind ferner zahlreiche Straßenzüge (→ *decumanus*, → *cardo*; → Städtebau C.).

→ Sicilia (mit Karte)

E. MANNI, Geografia fisica e politica della Sicilia antica, 1981, 240 · M. SPADARO (Hrsg.), Tindari, ²1996.   E.O.

Tynnichos (Τύννιχος) aus Chalkis (Euboia). Chorlyriker des 7. Jh. v. Chr. (?), Komponist eines in Delphi vielgesungenen → Paians (Plat. Ion 534d), den laut einer Anekdote sogar Aischylos allem, was er selbst hätte dichten können, voranstellte (Porph. de abstinentia animalium 2,18 p. 148 NAUCK).

L. KÄPPEL, Paian, 1992, 359 · I. RUTHERFORD, Pindar's Paeans, 2001, 28.   L.K.

Typaneai (Τυπανέαι). Stadt und Festung in → Triphylia (Pol. 4,77,9–79,4; Strab. 8,3,15; Ptol. 3,16,18: Τυμπανέαι/*Tympanéai*) auf einem Felskamm des Lapithos südl. des h. Platiana: eine langgestreckte Anlage (hell. Mauern, Theater), deren westl. Teil die Burg bildete. T. kontrollierte den Paßübergang der Straße von → Megale Polis nach → Olympia. Im Winter 218/7 v. Chr. wurde T. von den → Aitoloi besetzt und von → Philippos [7] V. erobert.

N. PAPACHATZIS, Παυσανίου Ἑλλάδος Περιήγησις 3, 1979, 211; 221.   KL. T.

Typhoeus, Typhon (Τυφωεύς, Τυφών; auch Τυφάων/*Typháōn*, Τυφώς/*Typhṓs*). Riesiges myth. Ungeheuer, nach Hesiod Abkomme des → Tartaros und der → Gaia, mit hundert Drachenköpfen (die Feuer speien) und Schlangenfüßen (zu bildl. Darstellungen: [1]), von Gaia nach dem Untergang der → Titanen als Gegenherrscher zu → Zeus eingesetzt, jedoch von diesem besiegt und in den Tartaros gestürzt; seitdem wirkt er in Stürmen und Vulkanausbrüchen (Hes. theog. 820–880). Mit → Echidna zeugt er weitere Ungeheuer als Nachkommen: → Orthos, → Kerberos, → Hydra [1], → Chimaira

u. a. (ebd. 306–332). Die entsprechende Erzählung im Hom. h. 3,305–355 behandelt nur T.' Geburt und Kindheit: Dort gebiert → Hera T. ohne Vater aus Kränkung darüber, daß Zeus → Athena aus seinem Haupt ohne Mutter geboren hatte. Sie bringt T. nach Delphoi und läßt ihn dort vom Drachen → Python [1] aufziehen, den → Apollon mit seinen Pfeilen erlegt. Auf der Linie dieser Version liegt auch Stesichoros (PMGF 239), der ebenfalls Hera als Mutter des T. angibt, Epimenides (3 B 8 DK) berichtet von T.' Versuch, Zeus zu stürzen, Pindar bringt T. in Zusammenhang mit dem Aetna/ → Aitne [1], unter dem Zeus ihn begraben habe (Pind. O. 4,6–7; Pind. P. 1,15–28: zwar im Tartaros begraben, aber ausgestreckt zw. Aitnai und Kyme [2], d. h. zw. Aetna und Vesuv; Pind. fr. 92; 93; 91; vgl. Pind. P. 8,16f. zur Aufzucht in Kilikien; vgl. auch Aischyl. Prom. 351– 372; Pherekydes FGrH 3 F 54; Akusilaos FGrH 2 F 13 f.). Als → Titanen bzw. → Giganten bezeichnen abweichend von der griech. Trad. die röm. Dichter den T. (Verg. Aen. 8,298; 9,716; Hor. carm. 3,4,53 u. a.).

Spätere Quellen berichten eine weitere Version: Nach dieser seien die Götter aus Angst vor T. nach Äg. geflohen und hätten sich in Tiere verwandelt: Apollon in einen Falken, Hermes in einen Ibis usw., Zeus habe T. aber verbrannt, ins Meer getrieben und schließlich den Aetna auf ihn getürmt (Nikandros bei Antoninus Liberalis 28; vgl. Ov. met. 5,319–331; Hyg. fab. 152; ausführlich Apollod. 1,39–44). Die Gesch. von der Götterverwandlung wurde schon von Lukian. de sacrificiis 14 als (griech.) Versuch gedeutet, die Tiergestaltigkeit der äg. Götterwelt zu erklären. T. selbst wird schon von Pherekydes von Syros (3 F 4 DK) implizit mit dem äg. → Seth gleichgesetzt, explizit dann bei Plut. Is. 2,351 u. ö. Vor diesem Hintergrund wird deutlich, wieso T. als (böser) vulkanischer Dämon (etym. von τῦφος/*týphos*, Rauch, Qualm?) schließlich auch als »Typhon Seth« in den griech.-äg. → Zauberpapyri häufig vorkommt (PGM 7,964; 12,138; 68,1 u. ö.; [2; 3]). Weil die Figur des Seth mit Eselskopf gedacht wurde, bedeutet T. im PGM 4,3250; 12,97 u. ö. wahrscheinlich »Esel« (PMGTr, 339). Insgesamt scheint die Gestalt des T. stark im orientalischen Bereich vorgeprägt zu sein [3].

1 O. TOUCHEFEU-MEYNIER, I. KRAUSKOPF, s. v. T., LIMC 8.1, 147–152 2 TH. HOPFNER (ed.), Plutarch über Isis und Osiris, Bd. 2: Die Deutungen der Sage, 1941, 55 f. 3 G. SEIPPEL, Der T.-Mythos, Diss. Greifswald, 1939.

T. GANTZ, Early Greek Myth 1, 1993, 48–51 · PRELLER/ROBERT 1, 63–66.   L.K.

Typologie. Erst im 18. Jh. geprägter t.t., der die vornehmlich jüd.-christl. Interpretationsmethode einer als kohärent und zielgerichtet verstandenen Heils-Gesch. bezeichnet (davon zu trennen ist T. im Sinne von Einteilung von Individuen in Typen bzw. T. als Methode der relativen Altersbestimmung in der Urgesch.- Forsch.). T. ist zurückführbar auf die Begriffe τύπος/ *týpos* (»Bild«) bzw. τυπικός/*typikós* (Röm 5,14; 1 Kor 10,6; 11) und ἀντίτυπον/*antítypon* (Ebenbild; 1 Petr

3,21). In der T. werden Ereignisse, Einrichtungen oder Personen der Vergangenheit − als Verheißung (Präfiguration, Typos) − auf spätere, u.U. erst in der Zukunft erwartete Ereignisse − als Erfüllung (Antitypos) − bezogen. Bereits die orientalische [2. 144−152] und jüd. Trad. (z.B. Deuterojesaja) sowie die griech.-röm. Ant. ([6]; Claud. in Rufinum 1 praef. 15: Python/Rufinus) kannten typologische Denkfiguren. Die frühesten Belege für christozentrische typologische Deutungen des AT finden sich im NT, z.B. 1 Kor 10,4 (Fels/Christus); Mt 12,40 (Jonas im Bauch des Wals/dreitägiger Aufenthalt Jesu bei den Toten). Dieses Verständnis von gesch. Realität wurde dann generell als Interpretationsmethode auf die in der Bibel vertexteten Ereignisse angewandt (Typologese), wobei als theoretische Rechtfertigung Mt 5,17 diente (Jesus wollte das Gesetz nicht auflösen, sondern erfüllen). Bei den Kirchenschriftstellern war die T. für apologetische wie erbauliche Zwecke ab Origenes [2] sehr beliebt, als Bezeichnung finden sich z.B. *allegoria, figura*. Bis ins MA wird T. terminologisch oft nicht von → Allegorie/→ Allegorese unterschieden, worunter im mod. Sinn eine Interpretationsmethode von Texten unter Neutralisierung der histor. Dimension verstanden wird [1. §§ 900f.]. Die Schulen von Antiocheia [1] und Alexandreia [1] gebrauchten T. und Allegorie nebeneinander. Im 12./13. Jh. erlebte die T. in Lit. und darstellender Kunst [5] eine Hochblüte, wobei die typologischen Entsprechungen auch außerbiblisch erweitert werden konnten, z.B. Odysseus/Christus oder Salomo/Constantinus [1] d. Gr. [3. 327−330, 366−375]. LUTHER gab die Praxis der Allegorese auf, hielt aber an der T. fest, welche in der Theologie des 20. Jh. wiederentdeckt wurde [4. 16−56].

→ Allegorie; Eschatologie; Exegese; Hermeneutik

1 LAUSBERG 2 A.D. NOCK, Essays on Rel. and the Ancient World, 1972 3 F. OHLY, Schriften zur ma. Bed.-Forsch., ²1983 4 H. GRAF REVENTLOW, Hauptprobleme der Biblischen Theologie im 20. Jh., 1983 5 S. SCHRENK, Typos und Antitypos in der frühchristl. Kunst, 1995 6 D. THOMPSON, Allegory and Typology in the Aeneid, in: Arethusa 3, 1970, 147−153.   K.P.

Tyraion (Τυραῖον). Stadt an der → Königsstraße von → Sardeis nach → Susa nahe → Philomelion (Xen. an. 1,2,14; Artem. bei Strab. 14,2,29: Τυριαῖον; Plin. nat. 5,95: *Tyrienses*; Anna Komnene, Alexias 3,211 f.) in der Gegend des h. Ilgın. Auf dem Marsch gegen seinen Bruder Artaxerxes [2] II. zog 401 v. Chr. Kyros [3] d. J. auch durch T.

W. RUGE, s. v. T. (1), RE 7 A, 1800−1802 · BELKE/MERSICH, 409 f.   E.O.

Tyrakinai (Τυρακῖναι). Stadt auf → Sicilia (Steph. Byz. s. v. T.), verm. beim h. Cittadella a Vindicari nahe Marzamemi [1] oder Módica [2] zu lokalisieren (Cic. Verr. 2,3,129: *Tyracinus* als PN; Plin. nat. 3,91: *Tyracinenses*; Diod. 12,29,2: Τρινακίη). Der ON erscheint in der Liste der *thearodókoi* aus Delphoi zw. Heloros [3] und Kama-

rina, nach [3. 433 f.; 4. 132 mit Anm. 22] ein Hinweis auf die Lokalisierung.

1 E. PAIS, Alcune osservazioni sulla storia e sull'amministrazione della Sicilia, in: Archivio Storico Siciliano 13, 1888, 162 2 A. MESSINA, Tyrakinai »città di Sicilia, piccola ma florida«, in: Riv. Topografia Antica 1, 1991, 166−168 3 G. MANGANARO, Città Sicilia, in: Historia 13, 1964, 414−439 4 Ders., Alla Ricerca di Poleis Mikrai, in: Orbis Terrarum 2, 1996, 129−144.   AL.MES./Ü: H.D.

Tyrannenmord (τυραννοκτονία/*tyrannoktonía*; lat. *tyrannicidium*). Begriffsprägung der hell. und röm. Rhet., Gesch.-Schreibung und Gesetzgebung (zuerst griech. Diod. 16,14,1, lat. Sen. contr. 4,7). Der Begriff geht auf die öffentl. Verehrung der Tyrannenmörder in Athen zurück (→ Harmodios [1], → Aristogeiton [1]). Deren Tat wurde schnell zum demokratischen Topos (Thuk. 1,20; 6,53,3−6,54,1). Ungerechtigkeit, Gesetzlosigkeit und Gewaltherrschaft (Plat. polit. 291e; Plat. rep. 9,571−586) rechtfertigen den T. (Plat. Prot. 322d) und die Ehrung der Mörder als Norm der Polis (SEG 12, 87; Isokr. or. 8,143; Xen. Hier. 4,5; Aristot. pol. 2,1267a 15). Nach systematischen Darstellungen der Motive für den T. (Aristot. pol. 5,1311a 30−1312b 35; Phainias, *Tyránnōn anhaíresis ek timōrías* [1]) wurden in hell. und röm. Zeit Verteidigung, Ehrung und Belohnung des T. zu rhet. Übungsthemen (Tac. dial. 35,5; Quint. inst. 9,2,67; Lukian. *Tyrannoktónos*).

Die Gesch.-Schreibung spricht zunächst vom gerechten Tod des Unrechtsherrschers (Hdt. 4,164; 4,205; indirekt: 3,125), fordert später Bestrafung durch grausame Hinrichtung (Pol. 2,60,2; vgl. das Motiv göttlicher Gerechtigkeit gegen den Unrechtsherrscher in der jüdischen Gesch.-Schreibung, etwa Dan 3,31−4). Ausführlich bemüht wird der Topos in der Überl. des Mordes an → Caesar (Suet. Iul. 76−82; Plut. Brutus 7−18; Cass. Dio 47,20,4; Cic. off. 3,32). Aus kirchlicher Überl. wirkten der Begriff der Unrechtsherrschaft (Aug. civ. 2,21,3−4) und die ant. Exempla (→ Nimrod, Tarquinius [12] Superbus, Caesar, Nero, Domitianus) auf die Reflexionen über T. und Widerstandsrecht in der europäischen Trad. nach.

1 WEHRLI, Schule, Bd. 9.

H. BERVE, Die Tyrannis bei den Griechen, Bd. 1, 359f.; 484−486; 499; 502−504; 701; 742; 753 · W. H. FRIEDRICH, Der Tod des Tyrannen, in: A&A 18, 1973, 97−129 · J. MIETHKE, s. v. Tyrann, T., LMA 8, 1997, 1135−1138 · Z. PETRE, L'uso politico e retorico del tema del tirannicido, in: S. SETTIS (Hrsg.), I Greci 2.2, 1997, 1207−1226 · TH. LENSCHAU, s. v. τυραννίδος γραφή, RE 7 A, 1804−1811.   B.P.

Tyrannidos graphe (τυραννίδος γραφή). Popularklage wegen → Tyrannis. Für Athen ist → *atimía* (vgl. auch → *timḗ* 1.) wegen Tyrannis schon vor Solon [1] durch Plutarchs Ber. über dessen Amnestiegesetz überl. (Plut. Solon 19); verm. waren die nach dem Umsturzversuch in die Verbannung geflohenen Anhänger → Kylons [1] von der Amnestie ausgenommen (für deren Verurteilung durch den → *Áreios págos* [4. 1806]). Solon sanktionierte den Versuch, eine Tyrannis zu errichten, mit vererblicher *atimía* (Aristot. Ath. pol. 16,10; [5. fr. 37a]). Vermögensverfall ist erst für → Hippias [1] belegt (Thuk. 6,55,1). Von *t. g.* betroffen waren: → Damasias, → Peisistratos [4], und → Miltiades [2]; vgl. auch And. 1,97 und IG I³ 14,33 (453–445 v. Chr.; [2. 61–85]). Abgelöst wurde die *t. g.* vom → *ostrakismós* und den Popularanklagen wegen Hochverrats (→ *katálysis*). Außerhalb Athens ist die *t. g.* belegt in: Eresos (TOD 191; nach 332 v. Chr.) und Ilion (IK 3,25; 3. Jh. v. Chr. = OGIS 8; 218, dazu [3]).

1 H. BERVE, Die Tyrannis bei den Griechen, 1967
2 CH. KOCH, Volksbeschlüsse in Seebundangelegenheiten, 1991 3 Ders., Die Wiederherstellung der Demokratie in Ilion, in: ZRG 113, 1996, 32–63 4 TH. LENSCHAU, s. v. T. g., RE 7 A, 1804–1811 5 E. RUSCHENBUSCH (ed.), Σόλωνος νόμοι, 1966 (Historia ES 9). G.T.

Tyrannion (Τυραννίων).

[1] T. aus Amisos, griech. Grammatiker des 1. Jh. v. Chr. (gest. ca. 25); nach seiner Ausbildung bei Hestiaios und Dionysios [17] Thrax wohl seit 68 v. Chr. in Rom tätig [1. 29], wo er u. a. in Kontakt mit Caesar, Atticus und Cicero stand [2. 94]. Zu seinen Schülern gehörte → Strabon. T. markiert mit anderen Grammatikern (z. B. → Tryphon [3]) den Beginn der normativen Grammatik [3. 27]; zu seiner Rolle bei der Etablierung des gramm. Vierermodells s. [4. 31–32]. Von 68 Titeln (Suda, s. v. T.) sind Fr. der prosodischen Schriften, der Komm. zu Nikandros und Alkman sowie einer Orthographie erh. Bes. Verdienst erwarb sich T. bei der Wiederentdeckung der Schriften des Aristoteles [6] und Theophrastos [2. 94–95].

ED.: W. HAAS, (s. [2]), 101–177.
LIT.: 1 J. CHRISTES, Sklaven und Freigelassene als Grammatiker und Philologen im ant. Rom, 1979, 27–38 2 W. HAAS, Die Fr. der Grammatiker T. und Diokles, in: SGLG 3, 1977, 79–184 3 E. SIEBENBORN, Die Lehre von der Sprachrichtigkeit und ihren Kriterien, 1976 4 W. AX, Quadripertita ratio, in: D. TAYLOR (Hrsg.), The History of Linguistics in the Classical Period, 1987, 17–40.

[2] T. der Jüngere (T. ὁ νεώτερος). Griech. Grammatiker (1. Jh. v. Chr.), verm. identisch mit → Diokles [11] [1. 97]. T. schrieb einen Komm. zur Abh. seines Lehrers T. [1] über die Redeteile (Ἐξήγησις τοῦ Τυραννίωνος μερισμοῦ) und einen Homer-Kommentar (Διόρθωσις Ὁμηρική). Die Zuschreibung weiterer Werke ist unsicher [1. 98].

1 W. HAAS, Die Fr. der Grammatiker T. und Diokles, in: SGLG 3, 1977, 79–184 (Fr.: 177–181). M.B.

Tyrannis, Tyrannos (τυραννίς, archa. auch τυραννίη; τύραννος; lat. *tyrannus*).
I. BEGRIFF UND BEDEUTUNGSWANDEL
II. TYRANNIS ALS HISTORISCHE ERSCHEINUNG

I. BEGRIFF UND BEDEUTUNGSWANDEL

Týrannos (nichtgriech. Lw., vielleicht von lydisch *tūran*/»Herr«) ist etwa Mitte des 7. Jh. v. Chr. erstmals belegt als Bezeichnung für den Lyderkönig → Gyges [1] (Archil. 22,3 DIEHL; fr. 19 WEST). Die griech. archa. Lyrik verwendet *tyrannís* (= *t.*) synonym mit → *monarchía*, doch ist *týrannos* (= *tyr.*) nie Selbstbezeichnung oder Titel, sondern Kampfbegriff der Aristokraten gegen einen Standesgenossen. Dies zeigt sich in der Polemik des Alkaios [4] gegen → Pittakos, den ein Volkslied zugleich »König« (→ *basileús*) nennt. *T.* assoziiert Macht und Reichtum, so daß der *tyr.* beneidenswert erscheint, aber auch moralischer Kritik ausgesetzt ist; seine Selbstüberhebung (→ *hýbris*) sprengt die Gemeinschaft, er ›verknechtet‹ die Stadt (Solon fr. 10 DIEHL).

In der athen. Demokratie verband sich nach den → Perserkriegen der Gegensatz Herr/Sklave mit der Erfahrung des Gegensatzes zw. drohender Unterwerfung durch den als überheblich gezeichneten Perserkönig (Aischyl. Pers. 739–826) einerseits und geretteter polit. → Freiheit andererseits zum Bild des Tyrannen, der die Freiheit der Bürger bedroht (Aischyl. Choeph. 808 von 458 v. Chr.; IG I³ 14,33 von 453?) und den → Tyrannenmord rechtfertigt. Die griech. Tyrannen im Sizilien des 5. Jh. wurden dagegen positiv gezeichnet (Pind. O. 1 auf → Hieron [1]), und mythische Könige heißen noch in der lat. Dichtung ohne negativen Unterton *tyranni*.

Um 430 zeichnete sich in der Verfassungsdebatte bei → Herodotos [1] (3,80–82) die spätere Topik des Tyrannenbildes ab: Die *t.* gewährt anders als die Demokratie (→ *dēmokratía*) weder Gleichheit und polit. Mitwirkung noch legt sie Rechenschaft ab. Der *tyr.* ist gewalttätig, zugänglich für Schmeichler, ruhmsüchtig, habgierig und überheblich. In dieser Form konnte *t.* dann auch für die Herrschaft des Volkes (Aristoph. Equ. 1114) oder der Polis (Thuk. 1,122) verwendet werden. Im 4. Jh. v. Chr. wich das ambivalente Tyrannenbild von Platon [1] (vgl. z. B. Plat. rep. 502a mit 564a), Isokrates (vgl. Nikokles 3,14–16) oder Xenophon (›Hieron‹) dem fortan kanonischen Schema des Aristoteles (→ Verfassung). Die *t.* galt nun als negatives Gegenstück zur Monarchie, unterschieden danach, ob die Herrschaft gesetzlich sei, Zustimmung finde und sich am Glück der Beherrschten ausrichte oder nicht (Aristot. pol. 1279a 17–b 10; vgl. 1313a 34–1314b 29). Im → Hellenismus diente *t.* als Gegenbegriff zum guten Herrscher (→ Fürstenspiegel).

Im röm. Umfeld steht → *rex* [1] der Bed. *t.* nahe (→ Tarquinius [12] Superbus: *rex iniustus*, Liv. 1,53,1); Cicero folgt der Typologie des Aristoteles bei der Teilung in gute und schlechte Monarchie: Der *rex*, der sich dem Unrecht zuwendet, wird zum *tyrannus* (Cic. rep. 26,48 f.; vgl. 1,28,44). In MA und Neuzeit wird die

»Tyrannis« durch die Rezeption von Cicero, Platon und Aristoteles zum gängigen Begriff für despotische Herrschaft, »Absolutie«, im 20. Jh. aber durch »Diktatur« verdrängt.

II. TYRANNIS ALS HISTORISCHE ERSCHEINUNG

Die mod. Forsch. sieht entgegen der einheitlichen Definition des Aristoteles in der T. eine Vielzahl von Formen der Konzentration von Herrschaft mit unterschiedlichen Ausprägungen. Die seit Mitte des 19. Jh.s übliche Gliederung [1] in eine »Ältere T.« der archa. Zeit und eine »Jüngere T.« seit E. des 5. Jh. v. Chr. ist inzwischen um die Periode der hell. T. erweitert und stärker differenziert worden.

Die Ältere T. (Mitte 7. bis E. 6. Jh. v. Chr.) entwickelte sich zwar durchweg aus aristokratischen Strukturen, bot aber im griech. Mutterland und in der Ägais (vgl. → Kypseliden; → Orthagoras [1]; → Peisistratidai; → Pittakos; → Polykrates [1]) ein anderes Bild als die T. in den unter persischer Oberhoheit stehenden Städten Kleinasiens (→ Aristagoras [3]). Davon wiederum hebt sich die erst Mitte 6. Jh. einsetzende, aber bis weit ins 5. Jh. reichende T. im Westen ab, insbes. der → Deinomeniden auf Sizilien, und zwar durch anfängliche Beteiligung der Aristokratie an der Herrschaft (→ Gelon [1]), Konflikte mit der Großmacht Karthago und die Ausbildung territorial geschlossener »Reiche«.

Die Jüngere T. des ausgehenden 5. und des 4. Jh. zeigt sich in den »Randlagen« der griech. Welt. Sie war geprägt durch Territorialherrschaften auf Sizilien (→ Dionysios [1] und [2] von Syrakus; → Agathokles [2]) und in Thessalien (→ Iason [2]) sowie einzelne »Tyrannenhöfe« in Kleinasien und Zypern (→ Hermias [1]; → Euagoras [1]; → Nikokles [1]).

Eine angemessene Beurteilung insbes. der archa. T. ist v. a. dadurch erschwert, daß in den Quellen die Perspektive der athen. Demokratie, die Erfahrung der Jüngeren T. und die Schematik des Aristoteles zusammenfließen, so daß die histor. Analyse mit Polemik verwoben ist. Zudem ist das Profil der t. höchst unscharf: *týrannoi* können zu den → Sieben Weisen zählen oder als geschätzte Schlichter (→ *aisymnétēs*) gelten; zu den *tyr.* des 4. Jh. gehörten Schüler von Isokrates und Platon (→ Klearchos [3]; Hermias [1]; Dion [I 1]); die »Reiche« des Agathokles oder Hieron [2] glichen hell. Monarchien; ihre Höfe und die anderer *tyr.* (→ Polykrates [1]; → Peisistratos [4] u. a.) zogen Dichter, Künstler und Gelehrte an. Damit wird auch die Abwertung der T. durch Aristoteles als einer ›Unverfassung‹ (Aristot. pol. 1279b 1) problematisch.

Die Bed. bes. der archa. T. für die polit., soziale und ökonomische Entwicklung ist unumstritten, doch werden die Schwerpunkte unterschiedlich gesetzt. Bereits für Thukydides (1,13) bildete die archa. T. neben dem Aufkommen von Flotten den entscheidenden Indikator struktureller Differenzierung der sich entwickelnden Poliswelt. Die mod. Forsch. sah wechselweise Händler, Gewerbetreibende, Hoplitenbauern oder verarmte Bauern als Bündner und Nutznießer der T. Der aktuelle Trend der Forsch. geht von der T. als einer unter veränderten ökonomischen und sozialen Wettbewerbsbedingungen auf die Spitze getriebenen Aristokratie aus, die als Katalysator der ges. Entwicklung wirkte, indem sie zur Schwächung der Aristokratie führte; die häufig zwei Generationen dauernde T. ließ neue soziale Strukturen entstehen, die eine Brücke zw. Aristokratie und demokratisch/oligarchischen Verhältnissen bildeten. Offen bleibt, wieweit diese Entwicklung gleichsam »hinter dem Rücken« der T. geschah.

→ Aristokratia; Demokratia; Freiheit; Füstenspiegel; Herrschaft; Herrscher; Rex [1]; Staat; Tyrannenmord; Verfassung; TYRANNIS

1 H. G. PLASS, Die T. in ihren beiden Perioden bei den alten Griechen, 1852.

A. ANDREWES, The Greek Tyrants, 1956 • P. BARCELÓ, Basileia, Monarchia, T., 1993 • H. BERVE, Die T. bei den Griechen, 1967 • J. COBET, König, Anführer, Herr, Monarch, Tyrann, in: E. WELSKOPF (Hrsg.), Soziale Typenbegriffe 3, 1981, 11–66 • A. HEUSS, Aristoteles als Theoretiker des Totalitarismus, in: A&A 17, 1971, 1–44 • K. H. KINZL, Betrachtungen zur älteren T., in: Ders. (Hrsg.), Die ältere T., 1979, 298–332 • L. DE LIBERO, Die archa. T., 1996 • N. LURAGHI, Tirannidi arcaiche in Sicilia e Magna Grecia, 1994 • H. MANDT, s. v. T., Despotie, in: O. BRUNNER (Hrsg.), Gesch. Grundbegriffe 6, 1974, 651–705 • T. MORAWETZ, Der Demos als Tyrann und Banause, 2000 • C. MOSSÉ, La tyrannie dans la Grèce antique, 1969 • V. PARKER, Τύραννος. The Semantics of a Political Concept from Archilochos to Aristotle, in: Hermes 126, 1998, 145–172 • H. W. PLEKET, The Archaic T., in: Talanta 1, 1969, 19–61 • K. RAAFLAUB, Die Entdeckung der Freiheit, 1985 • M. STAHL, Aristokraten und Tyrannen im archa. Athen, 1987 • E. STEIN-HÖLKESKAMP, Tirannidi e ricerca dell' »eunomia«, in: S. SETTIS (Hrsg.), I Greci, Bd. 2,1, 1996, 653–679. J.CO.

Tyrannos (Τύραννος). Griech. Rhetor des 4. oder 5. Jh. n. Chr. (jedenfalls vor dem um 500 schreibenden Georgios Monos, der T. benutzt hat); aus zwei seiner Schriften sind Fr. erh., fünf aus Περὶ στάσεων/*Perí stáseōn* (›Fallkategorien‹, einer systematischen Schrift über die Stasislehre; vgl. → *status* [1]), sieben aus Περὶ διαιρέσεως λόγου/*Perí dihairéseōs lógu*, einem Werk, in dem ähnlich wie in der *Dihaíresis zētēmátōn* des → Sopatros [1] Vorschriften und Beispiele für die Ausarbeitung von Reden zu fiktiven, nach Kategorien geordneten Streitfällen gegeben wurden. T. schließt sich meist der Lehrmeinung des → Hermogenes [7] an, kritisiert ihn aber auch mitunter.

W. STEGEMANN, s. v. T., RE 7 A, 1843–1847 (mit den Fr.). M. W.

Tyras (Τύρας). Kolonie von Miletos [2] an der NW-Küste des Schwarzen Meeres (→ Pontos Euxeinos), h. Bjelgorod Dnestrovski, an der Mündung des gleichnamigen Flusses, h. Dnjestr (Ps.-Skymn. 7,98; 7,802 f.; Plin. nat. 4,82). Der ion. Charakter der Polis wird durch Inschr. (IOSPE I² 2–19), den Kalender und den Kult des

Apollon Ietros bestätigt. Das Gründungsdatum ist unbekannt; die früheste ostion. Keramik stammt aus dem 6. Jh. v. Chr. Seit dem 4. Jh. v. Chr. Münzprägung. 48 v. Chr. wurde T. von → Burebistas eingenommen. 56/7 n. Chr. wurde dort eine röm. Garnison stationiert (*legio I Italica, legio V Macedonica, legio XI Claudia*). Unter der starken ma. Schuttschicht wurden Häuserfundamente (ab 4. Jh. v. Chr.) ausgegraben, auch Teile der Wehranlagen.

CH. DANOV, s. v. Pontos Euxeinos, RE Suppl. 9, 866–1175, hier 1091 f. · N. EHRHARDT, Milet und seine Kolonien, 1983, 72 f. · A. ZOGRAPH, Monety Tiury, 1957.   I. v. B.

Tyrmeidai

Tyrmeidai (Τυρμεῖδαι). Kleiner att. → Mesogeia(?)-Demos der → Oineis, ab 200/199 v. Chr. der Attalis (→ Attalos [4] I.), ein (zwei) *buleutaí.* 360/59 und 335/4 v. Chr. stellte T. kein Ratsmitglied. Seine genaue Lage ist unbekannt.

TRAILL, Attica 9, 19, 49, 70, 78, 112 Nr. 141 Tab. 6, 14 · J. S. TRAILL, Demos and Trittys, 1986, 15, 134, 143 f., 149.
H. LO.

Tyro

Tyro (Τυρώ). Tochter des → Salmoneus und der Alkidike, ausgezeichnet durch ungewöhnlich weiße Haut (von *tyrós*, »Käse«) und Lockenpracht (vgl. Hom. Od. 2,119 f.; Hes. cat. 30,25; Pind. P. 4,136, vgl. 109; Soph. fr. 648; Diod. 6 fr. 6,5; 7,2). Nach Tötung ihrer Eltern durch Zeus wird T., die sich dem Frevel ihres Vaters widersetzt hatte, zu ihrem Onkel → Kretheus und dessen Frau → Sidero nach Thessalien gebracht. Hier zeugt der Flußgott Enipeus in Gestalt Poseidons mit ihr die Zwillinge → Neleus [1] und → Pelias, was T. auf Geheiß des Gottes verschweigt; sie setzt die Kinder aus. Nach der Rettung und Wiedererkennung befreien sie ihre Mutter von der Peinigung (Haareabschneiden, Schläge) durch Sidero, die von Pelias auf einem Altar der Hera getötet wird. T. heiratet Kretheus und gebiert ihm → Aison [1], Pheres und → Amythaon (Hom. Od. 11,235–259; Hes. cat. 30–33; Apollod. 1,90–96; [1. 70–99, 162–202]). Die trag. Ausgestaltung (Soph. Tyro) unterscheidet sich dadurch, daß Sidero die zweite Frau des Salmoneus ist, die als Stiefmutter zusammen mit diesem T. quält; den Schauplatz bildet nun Salmone [2] am elischen Enipeus [1] (Soph. fr. 648–669a; Diod. 4,68 [1. 79 f., 166]). Nach einer weiteren Version wird T. von ihrem Onkel → Sisyphos vergewaltigt, weil gemäß einem Orakel die Kinder diesen an Salmoneus rächen werden; T. tötet sie nach Kenntnis des Orakels, um ihren Vater zu retten (Hyg. fab. 60). Zu T. in der Kunst [2. 1874 f.; 3].

1 P. DRÄGER, Argo pasimelousa, Bd. 1, 1993 **2** G. RADKE, s. v. T., RE 7 A, 1869–1875 **3** E. SIMON, s. v. T., LIMC 8.1, 153 f.
P. D.

Tyros

Tyros (phönizisch, ugaritisch *ṣr*; äg. *Ḏwr, Dr*; akkadisch *Ṣurru*; hebräisch *Ṣor*; griech. ἡ Τύρος; lat. *Tyrus*, fem.; arabisch *Ṣūr*) war eine phöniz. Inselstadt, die mit dem Festland verbunden wurde, als Alexandros [4] d. Gr. für

ihre Eroberung 332 v. Chr. einen Damm aufschütten ließ (Arr. an. 2,18,3–6 u. a.). Als Felseninsel (semitisch *ṣr*, »Felsen«) war der Ort mit zwei Häfen als Handelsbasis geeignet, jedoch mußten Wasser und Lebensmittel vom Festland, von Alt-T. (Ios. ant. Iud. 9,285: ἡ πάλαι T./ *pálai* T., »das alte T.«, später auch *Palaítyros*; akkad. *Ušū* vgl. TUAT 1,388, h. *Tall ar-Rušaidīya*), beschafft werden.

In Texten des 2. Jt. v. Chr. wird T. oft erwähnt. Dort stand nach dem ugaritischen → Keret-Epos ein Heiligtum der Aširat [4. 19 f.]. Der König von → Ugarit war bes. am Textilhandel mit T. interessiert, der v. a. auf der → Purpur-Industrie basierte, die nach ant. Überl. auf Herakles [1] (Nonn. Dion. 40,300–580) zurückging. Nach Ausweis der → Amarna-Briefe erbat der tyrische Herrscher Abimilki von den Ägyptern u. a. gegen Zimrida von Sidon mil. Hilfe. Äg. Ortsnamenlisten, die seit → Sethos [1] I. (1290–1279 v. Chr.) T. erwähnen, und in T. gefundene hieroglyphische Stelen-Inschr. mit den Namen von Sethos [1] I. und → Ramses [2] II. deuten auf Abhängigkeit des Ortes von Äg. hin. Ein »Postregister« aus der Zeit Merenptahs (1224–1204 v. Chr.) nennt einen *B'ltrmg* von T. gerichteten Brief (ANET 258); im Reisebericht des Wenamun vom Ende des 2. Jt. v. Chr. ist der Hafen von T. erwähnt (ANET 26).

Anf. des 1. Jt. wurde T. anstelle von → Sidon zur wirtschaftspolit. mächtigsten phöniz. Stadt. Zweifelhaft ist, ob schon zur Zeit → Hirams I. im 10. Jh. v. Chr. Handelsbeziehungen zw. T. und israelitischen Königen bestanden (so 2 Sam 5,11; 24,5–7; 1 Kg 5,15–26; 9,10–14). Kulturelle und ökonomische Verbindungen werden nach dem arch. Befund erst für das 9. Jh. deutlicher. Auf sie weist auch die Hochzeit Ahabs von Israel (→ Juda und Israel) mit Isebel, der Tochter Itto-Baals von Sidon (1 Kg 16,31) – nicht von T., wie Iosephos [4] (Ios. c. Ap. 1,123d, vgl. Ios. ant. Iud. 8,317; 9,138) nach Menandros von Ephesos meint. Die Texte über T. im AT (bes. Jes 23 und Ez 26–28, vgl. auch Am 1,9 f.) aus dem 7. und 6. Jh. v. Chr. sind mit der phöniz. Handelsmacht und ihren maritimen Aktivitäten vertraut (Ez 27,12–24; 27,3–10). Am Seehandel war die Stadt T., von der aus nach ant. Überl. 814/813 v. Chr. → Karthago gegr. wurde [4. 120], entscheidend beteiligt. In der 1. H. des 1. Jt. v. Chr. breiteten sich Handelskontore, von Zypern ausgehend [1. 66, 74], auf Mittelmeerinseln, in Nordafrika und Spanien aus (→ Kolonisation III.; → Phönizier, Punier). Überall wurde der solare und chthonische Gott → Melqart (**mlk qrt*, »König der Stadt/Unterwelt«, vgl. Ios. ant. Iud. 8,146), der Hauptgott von T., verehrt, der später mit → Herakles [1] identifiziert wurde.

Die befestigte Stadt (vgl. die Reliefs auf den brn. Palasttüren → Salmanassars III. in → Balāwāt [2. 38]) blieb aufgrund ihrer handelspolit. Bed. für die Großreiche bis Alexandros [4] d. Gr. vor größeren Zerstörungen verschont, wurde allerdings den Assyrern seit der Zeit Salmanassars III. (858–824 v. Chr.) tributpflichtig (zur tyr. Königsliste Ios. c. Ap. 1,121–125 [4. 349]). Die Ausmaße des phöniz. Machtverlustes, der auch den Seehan-

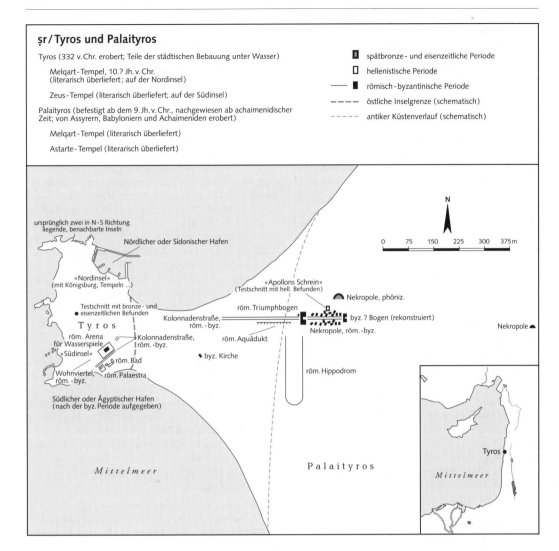

ṣr / Tyros und Palaityros

Tyros (332 v. Chr. erobert; Teile der städtischen Bebauung unter Wasser)

Melqart-Tempel, 10.? Jh. v. Chr.
(literarisch überliefert; auf der Nordinsel)

Zeus-Tempel (literarisch überliefert; auf der Südinsel)

Palaityros (befestigt ab dem 9. Jh. v. Chr., nachgewiesen ab achaimenidischer
Zeit; von Assyrern, Babyloniern und Achaimeniden erobert)

Melqart-Tempel (literarisch überliefert)

Astarte-Tempel (literarisch überliefert)

■ spätbronze- und eisenzeitliche Periode

□ hellenistische Periode

— ■ römisch-byzantinische Periode

--- östliche Inselgrenze (schematisch)

----- antiker Küstenverlauf (schematisch)

del betraf, zeigt der Vertrag, der zw. Asarhaddon (681–
669 v. Chr.) und Baal von T. geschlossen wurde (TUAT
1,158 f.) und als tyr. Gottheiten Melqart, → Astarte,
→ Bethel [2], Anatbethel, → Baal-Zaphon und → Eš-
mūn nennt. Der Babylonier Nebukadnezar [2] II. (604–
562 v. Chr.) soll T. 13 J. lang erfolglos belagert haben
(Ios. c. Ap. 1,156; Ios. ant. Iud. 10,228; vgl. Ez 29,17f.,
aber auch Jer 27,2–6). Erst Alexandros [4] d. Gr. eroberte
es nach einer siebenmonatigen Belagerung.

Unter den → Ptolemaiern prosperierte T. durch lu-
krativen → Sklavenhandel (vgl. 2 Makk 8,11), aber erst
in röm. Zeit, als die Stadt den autonomen Status einer
→ *mētrópolis* erhielt, kam es zum ökonomischen und
kulturellen Aufschwung. Als Bauherr trat bes. Herodes
[1] d. Gr. heraus (Ios. bell. Iud. 1,422), der enge Beziehungen zu T. unterhielt (ebd. 1,232; 1,238; 1,275;
1,563). 198 n. Chr. wurde T. Hauptstadt der röm. Prov.
Syria Phoenice.

Arch. nachgewiesen ist auf dem Festland in erster
Linie die röm. Zeit [2. 102–113], so u. a. ein Hippodrom, ein etwa 60000 Menschen fassendes Theater,
eine Badeanlage, eine mit Prunkbogen versehene Säu-
lenstraße, eine große Nekropole sowie Reste von Mu-
rex-Purpurfärbereien, die für den Handel der Stadt
grundlegend waren [2. 108, 143–159] (→ Purpur). Daß
Sondagen eine Besiedlung seit etwa 2700 v. Chr. nachgewiesen haben, deckt sich mit der Angabe bei Hdt.
2,44 zum Alter von T. Bei illegalen Grabungen wurden
Anf. der 1990er Jahre in einer spät-brz. und eisenzeitlichen Nekropole Urnen, Schmuck und an Funde in der
Tochterstadt Karthago erinnernde Stelen mit Symbolen
und kurzen Inschr. entdeckt [6. 39–82].

→ Phönizier, Punier; Syrien (mit Karte); Purpur

1 P. BIKAI, Pottery of Tyre, 1978 2 N. JIDEJIAN, Tyre
through the Ages, 1969 3 M. S. JOUKOWSKY (Hrsg.), The
Heritage of Tyre, 1992 4 H. J. KATZENSTEIN, The History of
Tyre, 1973 5 W. L. MORAN, The Amarna Letters, 1992

6 H. SEEDEN, A Tophet in Tyre?, in: Berytus Archaeological Stud. 39, 1991, 39–82. R.L.

KARTEN-LIT.: Liban, l'autre rive, Kat. Libanonausstellung Paris, Institut du monde arabe, 27. Okt. 1998–2. Mai 1999, 1998, 139. H.SAD.

Tyrrhenische Amphoren.

Einheitliche Gruppe attischer sf. Amphoren, die zw. 570 und 545 v. Chr. speziell für den Export hergestellt wurden. Die Benennung bezieht sich auf die vorwiegend etr. Fundorte (→ Tyrrhenoi), unter denen Volci/Vulci und Caere hervortreten. Die im Tierfriesstil bemalten Halsamphoren mit eiförmigem Gefäßkörper dominieren zu 90% die Gruppe, von der inzwischen 260 Gefäße und Frg. bekannt sind, die sich auf acht Meister (Töpfer-Maler) verteilen lassen. Ihre Standarddekoration besteht aus dem durch die Henkel geteilten Schulterfries mit erzählenden Bildern, darunter folgen zwei bis drei umlaufende Tierfriese, in denen die Fabeltiere bevorzugte Plätze einnehmen; am Hals findet sich meist ein Lotos-Palmetten-Band oder -Kreuz. Daneben gibt es Varianten mit zusätzlichen Friesen, Ornamentbändern oder einer schwarzen unteren Gefäßhälfte. Von Interesse ist die breitgefächerte Thematik der erzählenden Bilder: Beliebt waren neben Götter- und Heldensagen (v. a. Herakles [1]; Troia) auch Szenen aus dem Leben der Menschen (v. a. Pferderennen, → Komos-Bilder). Nicht selten sind auch lesbare wie sinnlose Beischriften. Die Drastik und Unbefangenheit der kunstlosen Darstellungen, die großzügig mit roter und weißer Farbe belebt sind, muß den Käufern gefallen haben, was zur Stagnation und fortschreitenden Nachlässigkeit in der Ausführung beitrug. Die Entstehung der Gruppe in Athen wurde daher mehrfach in Frage gestellt, gilt aber heute als gesichert. Die Form und Dekoration der T. A. haben ihre Vorbilder bei → Sophilos [1] und seinen Zeitgenossen. Ihre Verbreitung dokumentiert den Aufschwung des attischen Handels im 2. Viertel des 6. Jh. → Schwarzfigurige Vasenmalerei

H. THIERSCH, »T.« Vasen, 1899 • S. MAYER-EMMERLING, Erzählende Darstellungen auf »t.« A., 1982 • J. KLUIVER, The »Tyrrhenian« Group of Black-Figure Vases, 2002. H.M.

Tyrrhenoi

(Τυρρηνοί, ion. und altattische Τυρσηνοί/ *Tyrsēnoí* vgl. lat. *Tyrrheni*). Griech. Bezeichnung der → Etrusci; nicht nur für diese in It. gebräuchlich, sondern auch für im Osten ansässige Völker, gelegentlich auch mit den → Pelasgoi identifiziert (vgl. Hes. theog. 1011–1016; Hekat. FGrH I F 59; Hom. h. 7,8; Soph. fr. 270 RADT; Hellanikos FGrH 4 F 4; Thuk. 4,109,4; Philochoros FGrH 328 F 100).

Loci classici für die Frage nach der Herkunft der Etrusci sind Hdt. 1,57; 1,94 und Dion. Hal. ant. 1,25–30. Herodotos hält die ersten Etrusci für aus Lydia stammende Kolonisten, die unter der Führung des Tyrsenos (→ Tyrrhenos), von dem ihr Name abgeleitet sein soll, eingewandert waren. Dionysios [18] von Halikarnassos

dagegen vericht die These von der Autochthonie der T. Im dieser Frage gewidmeten Exkurs bestreitet er sowohl die lydische als auch die pelasgische Herkunft der T. Hellanikos [1] irre, wenn er behaupte, die T. oder Etrusci seien die ital. Pelasgoi, Kolonisten aus Kroton (Κρότων), da man aus Herodot (1,57) folgern könne, daß die Κροτωνιᾶται/*Krotōniátai* oder die Pelasgoi des umbrischen Cortona nicht etr. sprachen (Dion. Hal. ant. 1,29,3). Die Passage ist textkritisch problematisch: Offenbar las Dionysios in der Hs. des Herodot – wenn man nicht eine tendenziöse Erfindung seinerseits annimmt – *Krotōniátai* (nicht Κρηστωνιῆται/*Krēstōniếtai*, was Codd. übereinstimmend überliefern). Obwohl der Kontext letztere Lesart zu favorisieren scheint, darf die Variante des Dionysios nicht außer acht gelassen werden. Allerdings erhält h. die These von der Autochthonie immer mehr Befürworter, welche die linguistischen Daten aus Lemnos (→ Lemnisch) sowie die auf einem pyramidenförmigen Webgewicht eingeritzte, im Kabeirion von Lemnos gefundene Inschr. mit einer onomastischen Formel wahrscheinlich etr. Herkunft (La Tita) als Hinweise für eine Zuwanderung der T. nach Lemnos nicht aus Kleinasien, sondern aus Etruria deuten.

Dion. Hal. ant. 1,26,2 liefert darüber hinaus eine interessante Etym. des Ethnikons T., angelehnt an das Substantiv τύρσεις/*týrseis* (»Türme«), das offenbar sowohl im Etr. als auch im Griech. vorkam. Tatsächlich ist auch nach jüngsten Erkenntnissen nicht auszuschließen, daß T. aus der Wurzel *turs*- gebildet wurde, woher das lat. → *Tuscus* (wohl von *Tuscus* abgeleitet) und die umbrische Form *Turskum ... numem* (= *Tuscum nomen*) der → Tabulae Iguvinae (Ib,17) stammen. → Etrusci, Etruria

D. BRIQUEL, Les Tyrrhènes, peuple de tours, 1993 • C. DE SIMONE, I Tirreni a Lemnos, 1996 • E. GABBA, Mirsilo di Metimna, Dionigi e i Tirreni, in: Ders., Roma arcaica, 2000, 199–215. GI.MAR./Ü: H.D.

Tyrrhenos

(Τυρρηνός, auch Τυρσηνός/*Tyrsēnós*, lat. *Turrenus*). Sagenhafter Sohn des Lyderkönigs → Atys [1] (Hdt. 1,94; Dion. Hal. ant. 1,27,2; Strab. 5,2,2), des → Telephos [1] (Dion. Hal. ant. 1,28,1; Serv. Aen. 8,479) oder des → Herakles [1] (Dion. Hal. ant. 1,28,1; Paus. 2,21,3). Infolge einer Hungersnot führte T. angeblich die Hälfte des lyd. Volkes nach It.: Hier nannten sich die Neuankömmlinge nach seinem Namen »Tyrrhener« (Hdt. 1,94: Τυρρηνοί/*Tyrsēnoí*).

Die Gestalt des T. dürfte im griech.-kleinasiatischen Kulturbereich entstanden sein, da Tyrrhener in der Ägäis wohnten [1; 2]. Zu dieser Überl. gesellt sich die in It. ausgearbeitete Trad. des T. als Kulturheros (Paus. 2,21,3), als Gründer der staatlichen Organisation der Etrusker (Serv. Aen. 8,479) sowie als Vater (Cato fr. 45 PETER) oder Bruder → Tarchons (Lykophr. 1248; Serv. Aen. 10,198). Nach einer anderen ital. Überl. kämpfte T. (Dion. Hal. ant. 1,64,2), und nicht → Turnus, als Anführer der Rutuler gegen → Latinus [1]: Dies verrät antiquar. Bemühungen um die Einfügung des T. in die Frühgesch. Latiums.

→ Etrusci, Etruria (III.); Tyrrhenoi

1 D. BRIQUEL, Les Tyrrhènes, peuple de tours, 1993
2 H. RIX, L'etrusco tra l'Italia e il mondo mediterraneo, in: A. LANDI (Hrsg.), L'Italia e il Mediterraneo antico, 1995, 119–130.   L. A.-F.

Tyrsenos s. Tyrrhenos

Tyrtaios (Τυρταῖος). Spartanischer Elegiker und Aulet, um 640 v. Chr. (Suda s. v. T., 1205; vgl. T.' Datier. des → Theopompos [1] auf zwei Generationen vor seiner Zeit, 5 W). Die (verm. hell.) Ausgabe seiner Gedichte in 5 B. (Suda l.c.) enthielt (1) Elegien, die zum Kampf auffordern, (2) die *Eunomía* und (3) Kriegslieder.

(1) Die Kampfparänesen (ὑποθῆκαι, Suda l.c.) ermuntern die Spartaner (immer im Pl.) zum tapferen Vorgehen gegen die Feinde (Messenier: 23 W., Arkader und Argiver: 23a W.); Ehre durch Sieg oder Tod sei Niederlage und Scham vorzuziehen. Details setzen Hoplitenbewaffnung und -taktik voraus (bes. 11,29–34 W.; → hoplítai). Homerische Phrasen sowie Ähnlichkeiten von Sprache [7] und Argumentation mit → Kallinos (1 W.) zeigen T.' Elegien als eine Gattung aus Ionien. Eine elegante Priamel und zahlreiche myth. Anspielungen (12 W.) zeigen T. als differenzierten und kultivierten Dichter; darauf gründete sich wohl die Behauptung, T. sei ein Athener gewesen (Plat. leg. 629a-b; Lykurg. or. in Leokratem 106).

Die Elegien wurden vermutlich eher auf Symposien (auch auf Feldzügen, vgl. Philochoros FGrH 328 F 216 und [6]) als bei Kampfhandlungen vorgetragen, was voraussetzt, daß auch andere zeitgenössische Spartaner solche Lieder komponierten oder sangen (vielleicht ebenfalls elegische); zu fragen wäre, ob die Zuschreibung mancher oder aller Elegien an T. falsch ist (so bezweifelt [9] 12 W.; für [10] sind alle Elegien des »T.« im Athen des 5. Jh. entstanden). Symposien innerhalb wie außerhalb Lakoniens förderten verm. die Verbreitung der Elegien; möglicherweise gelangten durch eine Text-Slg. für (attische?) Symposien Exzerpte von T. in die dem → Theognis [1] zugeschriebene Slg. (z. B. Thgn. 1003–1006 = T. fr. 12, Z. 13–16 W., vgl. Thgn. 935–938, evtl. auch 879–884). Mit Sicherheit kannten Platon (l.c.), Lykurgos (l.c.) und Philochoros (l.c.), der Dichter eines akarnanischen Epitaphions des 3. Jh. v. Chr. (GVI 749) sowie Chrysippos [2] (SVF II 255,16–25) die Elegien des T.; des weiteren Philod. de musica 17, Plut. de Stoicorum repugnantiis 14, 1039e; Dion. Chrys. 36, 10; Gal. de placitis Hippocratis et Platonis 3,309f.; Max. Tyr. 37,5; und Leser im Ägypten des 3. Jh. v. Chr. (18–23 W.) und n. Chr. (23a W.). Die zwei längsten Fr. (11 W.: 38 Z.; 12 W.: 44 Z., vielleicht vollständig) sind bei Stobaios überliefert.

Die ebenfalls im elegischen Versmaß verfaßte ›Gute Verfassung‹ (Εὐνομία; *Eunomía* so bei Aristot. pol. 1306b 36; Strab. 8,4,9–11; vielleicht die in der Suda l.c. erwähnte *Politeía*/›Verfassung‹) erzählte die Unterwerfung Messeniens durch → Theopompos [1] (5–9 W.) und seine Befragung des Delphischen Orakels (mit Polydoros; 4 W.); sie wird gewöhnlich (vgl. Plut. Lykurgos 6) als ein Gedicht über die Verfassung → Spartas verstanden (auch über dessen frühe Gesch.; 1 W.); ihre Länge ist unbekannt (eine Buchrolle?). Die Aufforderung ›Laßt uns gehorchen‹ (2,10 W.) erweckt Zweifel an ihrer Verwandtschaft mit elegischen Erzählungen wie → Mimnermos' *Smyrnēís*. Sie wurde von Aristot. l.c., Strabon l.c., Plut. l.c., Diod. excerptum 7,12,6, Paus. 4,6,5 und 4,14,4–5 zitiert und im äg. → Oxyrhynchos des 1./2. Jh. n. Chr. gelesen (2 W.).

(3) Die nicht erh. Kriegslieder (μέλη πολεμιστήρια, Suda l.c.) begleiteten vielleicht Marsch (Athen. 14,630f) oder Tanz (Poll. 4,107; vgl. aber Plut. Lykurgos 21,3); die Anapäste bei Dion. Chrys. 2,59 (= PMG 856, vgl. 857) stammen wohl kaum (wie der Scholiast behauptet) von T.

→ Elegie

ED.: 1 IEG ed. M. WEST 2 GENTILI/PRATO 3 D. E. GERBER, Greek Elegiac Poetry, 1999 (mit engl. Übers.) 4 C. PRATO, Tirteo, 1968 (mit Komm.).
BIBLIOGR.: 5 D. E. GERBER, Early Greek Elegy and Iambus. X. Tyrtaeus, in: Lustrum 33, 1991, 138–152.
LIT.: 6 E. L. BOWIE, Miles Ludens?, in: O. MURRAY (Hrsg.), Sympotica, 1990, 221–229 7 K. J. DOVER, The Poetry of Archilochus, in: Archiloque (Entretiens Hardt 10), 1964, 190–194 8 D. E. GERBER, Tyrtaeus, in: Ders. (Hrsg.), A Companion to the Greek Lyric Poets, 1997, 102–107 9 H. FRÄNKEL, Dichtung und Philos. des frühen Griechentums, ³1969, 384–386 10 E. SCHWARTZ, Tyrtaeus, in: Hermes 34, 1899, 428–468.   E. BO./Ü: RE.M.

Tzetzes (Τζέτζης).

[1] Isaak T. (Ἰσαὰκ T.). Byz. Gelehrter (*grammatikós*, ca. 1110–1138), älterer Bruder des Iohannes T. [2]: schrieb einen Traktat zur pindarischen Metrik (Pind. O. 1–14, Pind. P. 1; der Titel Περὶ τῶν πινδαρικῶν μέτρων/*Perí tōn pindarikōn métrōn* ist nicht authentisch und erscheint nur in einer jüngeren Hs.). Das Werk ist (bis auf 10 einführende Zwölfsilber) in sog. »polit.« Versen (d. h. Fünfzehnsilbern) abgefaßt. Nach einer allg. Einleitung in die Metrik (11–28 DRACHMANN), die auf → Hephaistion [4] und seinen Kommentatoren beruht, behandelt T. ausführlich die von → Pindaros [2] benutzten Metren (28–125 D.), hauptsächlich auf der Grundlage der ant. metrischen Scholien. Nur für Pind. O. 1 lag ihm kein Scholion vor; T. muß sich hier einer Pindar-Ed. bedient haben, die der sog. verkürzten vatikanischen Rezension nahesteht, T. nahm einige überzeugende Emendationen vor und beeinflußte nachhaltig die metrischen Studien späterer Jh. in Byzanz, v. a. Demetrios [43] Triklinios (14. Jh.). Ein (erh.) Komm. zu → Lykophrons [4] ›Alexandra‹, den die gesamte Hss.-Überl. unter seinem Namen führt, ist nach Stil und Arbeitsmethode eher Iohannes T. [2] zuzuschreiben.

HUNGER, Literatur 2, 53 f., 62 f. • J. IRIGOIN, Les scholies métriques de Pindare, 1958, 58–72 • C. WENDEL, s. v. T. (2), RE 7 A, 2010 f.   P. E.

[2] Iohannes T. Byz. Gelehrter und Verf. eines umfangreichen Œuvres, ca. 1110–1185. Väterlicherseits stammte er aus Konstantinopolis, seine Mutter kam aus Iberien (Georgien; Tzetz. chiliades 5,585–630) [8]. T. wohnte nur kurze Zeit in Beroia [1]; in Konstantinopolis arbeitete er als Lehrer (*grammatikós*) und Sekretär (*grammateús*). Wie viele Gelehrte seiner Zeit war er auf die Gunst hochgestellter Persönlichkeiten angewiesen; er fand sie bei der Kaiserin Eirene (Gattin des Andronikos I. Komnenos), und bei den Familien der Kamateroi und Kotertzai. T.' Aufgabe war es, Kaiser Manuels I. Komnenos' erste Gemahlin Eirene (die ehemals dt. Gräfin Berta von Sulzbach) mit der altgriech. Lit. und v. a. mit Homer vertraut zu machen [10; 17]. T.' umfangreiches Œuvre ist großenteils in Zwölfsilbern bzw. Fünfzehnsilbern [13] verfaßt und gibt detaillierte Auskünfte über das Leben des Verf. sowie die polit. Gesch. und das Alltagsleben in Byzanz. In dieser Hinsicht ist sein Briefcorpus bes. aufschlußreich [9; 16], zu dem er selbst einen Komm. (›Historien‹ bzw. ›Chiliaden‹) in polit. Versen (→ Metrik VII.) verfaßte.

Im Mittelpunkt seiner philol. Tätigkeit stehen ant. Autoren, z. B. Homeros [1], Pindaros [2], Aischylos [1], Euripides [1], Aristophanes [3], Thukydides (vgl. [7; 15]), Lykophron [4], Oppianos [1], Nikandros [4]. Zu Homer schrieb T. eine Ilias-Exegese sowie Allegorien zur Ilias (6632 Verse) und zur Odyssee (3109 Verse; vgl. [11; 12]). Mythographische Themen behandelte er in den *Carmina Iliaca* (Τὰ πρὸ Ὁμήρου καὶ τὰ Ὁμήρου καὶ τὰ μεθ' Ὅμηρον, ›Die vorhomerischen und die homerischen und die nachhomerischen‹), in der ›Theogonie‹ und in der Epitome der ›Bibliothek‹ des Apollodoros [7]. Seine nur unvollständig erh. Verschronik (in akzentuierenden iambischen Zwölfsilbern) behandelt die Kosmogonie in allegorisierender Darstellung. Außerdem verfaßte T. Abh. über dramatische und bukolische Dichtung, über Rhet. und Metrik, sowie einen Komm. zum anon. ›Leben der Hl. Lucia‹ (Bibliotheca Hagiographica Graeca 996) [14]. Weiterhin sind unter seinem Namen Trauergedichte (auf Theodoros Kamateros, auf Kaiser Manuel), Spottverse, Versspielereien und andere Gelegenheitsgedichte überliefert.

ED.: 1 P. A. M. LEONE, Ioannis Tzetzae epistulae, 1972 2 Ders., Ioannis Tzetzae Historiae, 1968 3 P. MATRANGA, Anecdota Graeca . . . , 2 Bde., 1850 (Ndr. 1971) 4 F. JAKOBS, Ioannis Tzetzae Antehomerica, Homerica et Posthomerica, 1793 (Ndr. 1972) 5 A. LOLOS, Der unbekannte Teil der Ilias-Exegese des I. T. (A 97–609), 1981 6 L. MASSA POSITANO et al., I. Tzetzae Commentarii in Aristophanem, 3 Bde., 1960–1962, Index, 1964 (vgl. [11; 12]).
LIT.: 7 B. BALDWIN, T. on Thucydides, in: ByzZ 75, 1982, 313–316 8 P. GAUTIER, La curieuse Ascendance de Jean Tzetzès, in: REByz 28, 1970, 207–220 9 M. GRÜNBART, Prosopographische Beiträge zum Briefcorpus des Ioannes T., in: Jb. der öst. Byzantinistik 46, 1996, 175–226 10 HUNGER, Literatur (bes. Bd. 2, 59–63) 11 Ders., Johannes T. Allegorien zur Odyssee, Buch 1–12, in: ByzZ 49, 1956, 253–304 12 Ders., Johannes T. Allegorien zur Odyssee, Buch 13–24, in: ByzZ 48, 1955, 13–38 13 M. J. JEFFREYS, The Nature and Origins of the Political Verse, in: Dumbarton Oaks Papers 28, 1974, 141–195 (bes. 148 ff.) 14 P. L. M. LEONE, Sull' Hypomnema in S. Luciam di Giovanni T., in: Rivista di Bizantinistica 1/2, 1991, 17–21 15 M. J. LUZZATTO, T. lettore di Tucidide, 1999 16 J. SHEPARD, T.' Letters to Leo at Dristra, in: ByzF 6, 1979, 191–239 17 C. WENDEL, s. v. T. (1), RE 7 A, 1959–2010.
                    G. KA.

U

U (sprachwissenschaftlich). Der Buchstabe bezeichnet im Lat. den hohen, hinteren, gerundeten Vokal /u/. Im Griech. gilt diese Aussprache in histor. Zeit für das Boiot., Lakon., Arkado-Kypr. und Pamphyl. (boiot. τούχαν ~ att. τύχην), im Att. und (Ost-)Ion. seit frühester Zeit /ü/ [1. 181–183]. Uridg. *u*, *ū* (*uₔ*) ist im Griech. als υ, ῡ, im Lat. als *u*, *ū* vertreten (griech. ζυγόν, lat. *iugum* »Joch«, griech. θῡμός »Mut«, lat. *fūmus* »Rauch« < uridg. *ĝugó-*, *dʰuₐ₂mó-*). Neues /ū/ (orthographisch ου) entsteht im Griech. durch Monophthongierung (σπουδή »Eifer« < *spoudaₐ₂-*), Kontraktion (νόος »Sinn« ~ νοῦς) oder Ersatzdehnung (att. τούς ~ kret. τόνς) [2. 48, 53, 67], im Lat. aus *oi̯*, *ou̯* (*ūnus* »einer« < uridg. *ₐ₁óino-*; *lūcus* < altlat. *loucos*), /u/ im Lat. etwa durch Vokalschwächung aus *o* (s. o. *iugum, fūmus,*

jeweils in der Endsilbe) [3. 60 f., 94]. In alten Lw. erscheint griech. υ im Lat. als *u* (*burrus* »feuerrot« < griech. πυρρός), seit der Zeit Ciceros enthält das lat. Alphabet Y zur Wiedergabe von griech. υ [3. 9, 52].

1 SCHWYZER, Gramm. 2 RIX, HGG 3 LEUMANN.   GE. ME.

Uberi. Teilstamm der → Lepontii im Quellgebiet des Rhodanus (h. Rhône) im oberen Wallis (Plin. nat. 3,135), von Augustus unterworfen (Plin. nat. 3,137).

G. BARRUOL, Les peuples préromains du sud-est de la Gaule, 1969, 311.   H. GR.

Ubertas. → Personifikation der Fruchtbarkeit und Fülle; erst seit 249 n. Chr. bezeugt (auf Mz. als *Uberitas*). In Gestalt einer stehenden Frau mit Geldbeutel und Füllhorn verkörpert sie die Erwartung ökonomischer Vorteile, die der Kaiser (bis zu Constantinus [2] II., 337–340 n. Chr.) als Mz.-Herr garantierte. Ein Kult der U. ist im Gegensatz zur → Felicitas nicht bezeugt.

→ Copia

A. ARNALDI, Il motivo dell'Uberitas (U.) Augusti nella monetazione tardo-imperiale, in: Riv. Italiana di Numismatica e Scienze affini 81, 1979, 115–126 · R. VOLLKOMMER, s. v. U., LIMC 8.1, 157 f. · S. WEINSTOCK, s. v. U., RE 8 A, 530 f.   M. SE.

Ubii. German. Volk (Caes. Gall. 4,3,3; Tac. Germ. 28,4; Tac. hist. 4,28,1; 4,64), z. Z. Caesars rechts des → Rhenus [2] (h. Rhein) zw. unterer → La(u)gona (h. Lahn) und Taunus siedelnd. Von den → Suebi bedrängt, verbündeten sich die U. 55 v. Chr. mit → Caesar (Caes. Gall. 4,8,3; 16,5–8). Caesars Rheinübergänge 55 und 53 v. Chr. erfolgten verm. vom Neuwieder Becken im Gebiet der U. aus. Umstritten sind Verlauf und Zeitpunkt ihrer durch die Römer veranlaßten Umsiedlung aufs linke Ufer des Rhenus in der 2. H. des 1. Jh. v. Chr. (Strab. 4,3,4; Tac. Germ. 28,4; Tac. ann. 12,27,1; vgl. [1. 533 f.; 2. 132–134; 3. 147–149]). Das Land östl. des Rhenus wurde anfangs von den U. nicht völlig aufgegeben, später aber von den Römern den → Chatti zur Besiedlung überlassen (Cass. Dio 54,36,3). Eingerichtet wurde eine *civitas* mit dem *oppidum Ubiorum* (→ Colonia Agrippinensis, h. Köln) als Hauptort. Im Norden reichte ihr Gebiet etwa bis → Gelduba, im Süden an den Vinxtbach, im Westen etwa bis an die Rur und zu den Sunuci. Als Zentralort entwickelte sich das *oppidum Ubiorum* ab den ersten beiden Jahrzehnten v. Chr. rasch; 50 n. Chr. wurde das *oppidum* zur *Colonia Claudia Ara Agrippinensium* erhoben und u. a. mit röm. Veteranen besiedelt. 58 n. Chr. wurden große Teile der *civitas* durch einen Flächenbrand zerstört (Tac. ann. 13,57,3). Während des → Bataveraufstands dienten Kontingente der U. im röm. Heer (Tac. hist. 4,28,1 f.). Als sich rechtsrhein. Stämme der Erhebung anschlossen, wollten die U. – die »verhaßte civitas« (Tac. hist. 4,63,2: *Transrhenanis gentibus invisa civitas*) – der Plünderung preisgeben und völlig zerstreuen. Ein Bündnis des *concilium Agrippinensium*, das wohl auch die *civitas* der U. vertrat, mit den aufständischen → Iulius [II 43] Civilis hatte nur kurzen Bestand (Tac. hist. 4,64–4,66,1). Nach der Niederlage des Iulius Civilis bei → Augusta [6] Treverorum (h. Trier) wechselten die U. wieder auf röm. Seite. Kohorten der U. werden erstmals zu den Ereignissen 69/70 n. Chr. erwähnt (Tac. hist. 4,18,21) und sind im 2. Jh. inschr. (vgl. CIL X 4862; 6015) an der Donaufront nachgewiesen. U. waren auch als *corporis custodes* (»Leibwache«) am kaiserlichen Hof in Rom tätig (ILS 1726).

1 H. SCHMITZ, s. v. U., RE 8 A, 532–545 2 D. TIMPE, Zur Gesch. der Rheingrenze, in: E. LEFÈVRE (Hrsg.), Monumentum Chiloniense. FS E. Burck, 1975, 124–147 3 R. WOLTERS, Röm. Eroberung und Herrschaftsorganisation in Gallien und Germanien, 1990.

L. WEISGERBER, Die Namen der Ubier, 1969 · H. VON PETRIKOVITS, Rheinische Gesch. I 1, ²1980 · J. KUNOW, Die Militärgesch. Niedergermaniens, in: H.-G. HORN (Hrsg.), Die Römer in Nordrhein-Westfalen, 1987, 27–109 · S. NEU, Zur Funktion des Kölner »Ubiermonuments«, in: Thetis 4, 1997, 135–145 · J. HEINRICHS, Civitas Ubiorum, 2000.   RA. WI.

Ucenni. Alpenvolk im Tal der Romanche bei L'Oisans (Strab. 4,1,11; 4,6,5: Ἰκόνιοι/*Ikónioi*), von Augustus unterworfen (Plin. nat. 3,137).

G. BARRUOL, Les peuples préromains du sud-est de la Gaule, 1969, 318.   H. GR.

Ucetia. Stadt im Gebiet der → Volcae Arecomici (Prov. Gallia Narbonensis), h. Uzès (Dép. Gard). Das → *oppidum* auf dem Territorium von Nemausus (h. Nîmes; Strab. 4,1,12; Plin. nat. 3,37; Notitia Galliarum 15,9: *castrum Uceciense*) war ein wichtiger Straßenknotenpunkt [1. 406 f.]. U. war 442 n. Chr. Sitz eines Bischofs [2. 94 f., 107 f.]. Weihungen an Mars, Iuppiter und die nur hier genannte gallische Gottheit Segomanna sind bezeugt (CIL XII 2925–2961; 5886; [3. 393; 4. 88 f.]).

1 GRENIER 6 2 CCL 148, 1963 3 ESPÉRANDIEU, Inscr., Bd. 1 4 P. FINOCCHI, Dizionario delle Divinità indigene della Gallia Narbonense, 1994.

RIVET, 170 f. · P.-A. FÉVRIER, Uzès, in: Top. chrétienne des cités de la Gaule, 1989, 69–72.   CH. W.

Uchi Maius. Ortschaft der Africa Proconsularis (→ Afrika [3]) 12 km westl. von → Thugga, h. Henchir Douemis. Marius [I 1] siedelte hier gaetulische Veteranen an [1. 10], die keine *colonia* bildeten, sondern nur einen *conventus* von → Karthago (CIL VIII Suppl. 4, 26250; 26252; 26276). Unter → Septimius [II 7] Severus war U. M. *res publica* (CIL VIII Suppl. 4, 26255), 230 n. Chr. *colonia* (CIL VIII Suppl. 1, 15447; 15450; Suppl. 4, 26270; vgl. CIL VIII Suppl. 1, 15446–15467; Suppl. 4, 26239–26415; [2. 1370–1372]). Nicht lokalisiert ist U. Minor (Plin. nat. 5,29), wie U. M. eines der 15 *oppida civium Romanorum* im Landesinneren der Provinz.

1 S. GSELL, Histoire ancienne de l'Afrique du Nord, Bd. 7, ²1930 2 A. MERLIN (Hrsg.), Inscriptions latines de la Tunisie, 1944.

AATun 050, Bl. 32, Nr. 62 · M. KHANOUSSI, A. MASTINO (Hrsg.), U. M., Bd. 1, 1997 · C. LEPELLEY, Les cités de l'Afrique romaine, Bd. 2, 1981, 233–235.   W. HU.

Uchoreus (Οὐχορεύς). Nach Diod. 1,50 achter Nachkomme des Osymandias (→ Ramses [2] II.) und Gründer von → Memphis, das er mit einem Damm und einem großen See zu einer starken Festung gemacht haben soll. Er wird in der Forsch. gerne mit dem im Sothisbuch bei Synkellos (FGrH III F 28,110,9) erwähnten Ὀχυράς/*Ochyrás* identifiziert. Üblicherweise wird der Name als Korruption für ὀχρεύς (»der Dauernde«) er-

UCHOREUS 963

klärt und für eine Übersetzung des äg. *mn* (→ Menes [1])
gehalten.

K. SETHE, Beitr. zur ältesten Gesch. Äg.s, 1905, 121 f.

JO. QU.

Überdachung   I. ALTER ORIENT UND ÄGYPTEN
II. GRIECHISCH-RÖMISCHE ANTIKE

I. ALTER ORIENT UND ÄGYPTEN

Wegen des Erhaltungszustandes der Bauwerke sind
im alten Vorderen Orient Formen der Ü. meist nur
über bildliche Darstellungen zu erschließen. Abbildungen auf Rollsiegeln und Balkenreste (»Tempel C« in
→ Uruk; E. 4. Jt. v. Chr.) sind frühe Zeugnisse für
Flachdächer als Normalform der Ü. für öffentliche und
private Bauten für das südl. Mesopotamien und weite
Teile des Vorderen Orients. Für die bergigen Teile des
Vorderen Orients wird die Existenz von First-Ü. nicht
ausgeschlossen. Der Grundriß des sog. Hallenbaus aus
Uruk (E. 4. Jt. v. Chr.) deutet als einziger auf ein Ton-
nengewölbe als Ü. bei einem freistehenden Bau; sonst
sind (echte und Krag-)Gewölbe (→ Gewölbe- und Bogenbau) v. a. bei unterirdischen Bauten bezeugt, z. B.
bei den (Königs-)Gräbern von Assur, Nimrud und Ur.
Runde Schilf-Ü. sind seit dem 4. Jt. aus Darstellungen bekannt. Stein-Ü. von Rundgebäuden werden als
spitz zulaufend rekonstruiert; vorstellbar ist aber auch
eine Kombination verschiedener Materialien. Flachdächer bestanden in allen Zeiten und Regionen des Vorderen Orients aus parallel gelegten Dachbalken, Schilf-
oder Reisigmatten und darüber gelegtem Lehmschlag,
der jedes Jahr verdichtet oder erneuert werden mußte.
In Südmesopot. wurden Palmstämme verwendet (Beschränkung der Spannweite auf 4 m); bei größeren
Weiten mußten Importhölzer herangezogen werden:
»Nadelhölzer« sind bezeugt in »Tempel C«, Uruk, E.
4. Jt. v. Chr.; Zedernbalken lit. belegt in den Tempel-
bauhymnen Gudeas von → Lagaš (E. 3. Jt. v. Chr.). Die
Dachfläche diente als zusätzlicher Wohn- und Arbeits-
raum. Von der Ü. urartäischer Steinarchitektur (→ Urartu) liegen nur bildliche Darstellungen vor, die Flachdächer und zinnenbekrönte Türme und Risalite zeigen.
Von eindrucksvoller Monumentalität muß die Ü. der
großen Säulensäle der achaimenidischen Paläste von
→ Pasargadai und → Persepolis gewesen sein (→ Palast):
Flache Holzdächer über bis zu 16 m hohen Steinsäu-
len (bildliche Darstellungen auf den Grabfassaden der
achaimenid. Herrscher in → Naqš-e Rostam).

Auch in Äg. waren Flachdächer normal; meist waren
sie von den hochgeführten Außenwänden eingefaßt.
Öffentliche Bauten besaßen oft aus Steinplatten über
Balkenlagen gefügte Ü., bei denen durch Schräglage
und Rinnen aufwendig für Entwässerung gesorgt wurde. Bei → Tempeln konnten Teile der Rituale auf dem
Dach stattfinden, wozu manchmal auch Dachkapellen
dienten.
→ Architektur; Grabbauten; Haus

J.-CL. MARGUERON, Recherches sur les palais
Mésopotamiens de l'âge du bronze, 1982 • P. A. MIGLUS,
Städtische Wohnarchitektur in Babylonien und Assyrien,
1999, 19–21 • W. KLEISS, Darstellungen urartäischer
Architektur, in: AMI 15, 1982, 53–77 • L. TRÜMPELMANN,
Ein Weltwunder der Ant.: Persepolis, 1988, 23–27 •
G. HAENY, s. v. Dach, LÄ 1, 974–976.   AR. HA. u. H. J. N.

II. GRIECHISCH-RÖMISCHE ANTIKE

Die Eindeckung der griech.-röm. → Architektur ist
vieldiskutierter Gegenstand der arch. Bauforsch.; dabei
ist jedoch auf die bes. Befundumstände hinzuweisen:
Erh. haben sich verschiedentlich Raumabdeckungen
aus Stein (v. a. bei → Grabbauten und vereinzelt am
→ Tempel V.), die jedoch quantitativ gegenüber der Ü.
aus vergänglichen bzw. gegen äußere Einflüsse wie Feuer bes. empfindlichen Materialien weit in der Minder-
zahl waren. Ü. aus z. T. komplizierten und aufwendigen
Holzkonstruktionen (→ *materiatio*) waren die Regel; sie
sind aber meist nicht mehr erh. und nur noch bedingt in
Form technischer Spuren (Einlassungen der Querbalken in der Mauer; Fundamentierungen der vertikalen
Stützen usw.) oder aufgrund der insgesamt nicht sehr
detailgetreuen Abbildungen ant. Bauten auf verschiedenen Bildträgern rekonstruierbar. Insofern sind die
zahlreichen, nicht selten widersprüchlichen und inko-
härenten Überlegungen der Forsch. zu diesem Pro-
blemkreis kritisch zu sichten und zu relativieren.

Die frühgriech. Architektur des 8./7. Jh. v. Chr. war
üblicherweise mit Flachdächern versehen, die auf Bal-
kenstützen ruhten (→ Megaron); jedoch dokumentieren Hausmodelle aus Ton bereits für das 8. Jh. v. Chr.
geneigte Satteldächer mit einem → Giebel, ferner auch
Pult- und Walmdächer. Der griech. Tempel war seit
dem späten 7. Jh. v. Chr. regelmäßig mit einem Gie-
beldach gedeckt; eine hierzu nötige Holzkonstruktion
(Pfetten- oder Sparrendach) trug die Dachhaut, die
meist aus aufliegenden → Ziegeln bestand; die zunächst
geringen Dachneigungen von ca. 10° (später höchstens
16°) sollten das Abrutschen der Ziegel verhindern. Details der Dachkonstruktionen sind nur vage aus der jeweiligen Spannweite zu erschließen. Größere Spannweiten von bis zu 12 m machten kompliziertere –
teilweise mittels einer Dreiecks-Binderkonstruktion
»selbsttragende« – Dachstühle (z. B. Selinus [4], Naïskos
der Demeter Malophoros) erforderlich; deren genaue
Rekonstruktion bleibt allerdings umstritten.

Beim größeren griech. → Tempel (IV. A.) lagerte der
Dachstuhl auf dem äußeren Säulenkranz, der Cellamau-
er (→ Cella [1]) und einer inneren Cella-Säulenstellung,
also hinsichtlich der Querachse des Bauwerks auf insgesamt sechs vertikalen Punkten. Exponentiell mit der
zu überspannenden Distanz wuchs die benötigte Stärke
der Holzbalken; am Kalksteintempel von Delphoi läßt
sich bei einer Spannweite von knapp 10 m eine Balken-
stärke von ca. 35 × 35 cm erschließen – ein Umstand,
der die hohen Materialkosten ebenso wie die hohen
qualitativen Anforderungen an Material und den handwerklichen Standard bei der Materialverarbeitung erklärt.

Die äußere Dachhaut des Tempels bestand aus verlegten Ziegeln, die mit 0,4 × 0,8 m² deutlich größer waren als h.; Dachziegel waren, ebenso wie die weiteren Terrakottaverkleidungen des Daches (First, → Sima, Wasserspeier etc.), Wertstücke, die nicht selten durch Einritzung oder Inschr. als Weihung gekennzeichnet waren (wie z. B. die Dachziegel des dorischen Tempels in Histria). Verschiedene Systeme der Verlegung von Dachziegeln sind nachweisbar (lakonisches, korinthisches, sizilisch-hybrides System mit jeweils unterschiedlicher Art der Überlappungen bzw. unterschiedlich geformten Verbindungsziegeln: Kalypteren; → Ziegel). Die Art der Befestigung der Ziegel auf dem Dachstuhl ist umstritten (Fixierung durch einfache Verlegung auf einer Lehm- oder Schilfbettung und/oder feste Verzapfung der Ziegel auf dem Dachstuhl). Ein Zeichen von bes. Bauluxus waren Dachziegel aus dünnem → Marmor (z. B. am Zeustempel von Olympia oder am → Parthenon; eine Erfindung, die von Paus. 5,10,3 einem gewissen → Byzes aus Naxos zugeschrieben wird) ebenso wie der Ersatz von Holzbalken zumindest an sichtbaren Stellen durch repräsentative Marmorbalken (geläufig in der Architektur der Kykladen: Delos, Naxier-Oikos; Naxos, Tempel von Sangri).

Die konstruktive Komplexität der Ü. des griech. Säulenbaus zeigt sich in aller Deutlichkeit in einer umfassend ausdifferenzierten griech. Terminologie, die im antiken Bauhandwerk Anwendung fand (detailliert bei [1. 35–52]).

Das Prinzip des offenen, also hypaethralen Daches ist im griech. Tempelbau eine eher seltene, gleichwohl gesicherte Ausnahme (z. B. Didyma, Apollontempel; Selinus [4], Tempel G). Inwieweit sich in dieser Baustruktur rel. Trad. spiegeln (etwa als »Herdhaus-Tempel« in der Konzeption des Apollontempels von Delphoi) oder eine eher technisch motivierte Baulösung für Architekturen mit unüberbrückbaren (bzw. als unüberbrückbar empfundenen) Spannweiten zu sehen ist, wird kontrovers diskutiert. Verschiedene Bauten (z. B. Olympieion von Akragas und Athen) sind mit jeweils nicht vollends überzeugenden Gründen als Hypaethralbauten bezeichnet worden.

Zu weiteren Formen und Prinzipien der griech.-röm. Ü. vgl. → Atrium; → Gewölbe- und Bogenbau II.; → Kuppel, Kuppelbau; → Pantheon [2].

1 EBERT.

M. BELL, Stylobate and Roof in the Olympieion at Akragas, in: AJA 84, 1980, 359–372 · N. K. COOPER, The Development of Roof Revetments in the Peloponnese, 1989 · F. W. DEICHMANN, Unt. zu Dach und Decke der Basilika, in: K. SCHAUENBURG (Hrsg.), Charites. FS E. Langlotz, 1957, 249–264 · W. B. DINSMOOR, The Roof of the Hephaisteion, in: AJA 80, 1976, 223–246 · B. FEHR, The Greek Temple in the Early Archaic Period, in: Hephaistos 14, 1996, 165–192 · M. Y. GOLDBERG, Greek Temple and Chinese Roofs, in: AJA 87, 1983, 305–310 · G. GRUBEN, Weitgespannte Marmordächer, in: Architectura 15, 1985, 115–129 · J. HEIDEN, Die Tondächer von Olympia (OlF 24), 1995 · A. T. HODGE, The Woodwork of Greek Roofs, 1960 · CH. HÖCKER, Sekos, Dipteros, Hypaithros – Überlegungen zur Monumentalisierung der archa. Sakralarchitektur Ioniens, in: R. ROLLE, K. SCHMIDT (Hrsg.), Arch. Stud. in Kontaktzonen der ant. Welt. FS H. G. Niemeyer, 1998, 147–163 · G. HÜBNER, Zur Forschungsgesch. griech. Dachziegel aus gebranntem Ton, in: Archaiologikḗ Ephēmerís 134, 1995, 115–161 · W. HOEPFNER, E. L. SCHWANDNER, Haus und Stadt im klass. Griechenland, ²1994, 352 (s. v. Dach) · S. E. IAKOVIDIS, Mycenaean Roofs, in: P. DARCQUE (Hrsg.), L'habitat égéen préhistorique (Kongr. Athen 1987), 1990, 147–160 · N. L. KLEIN, Evidence for West Greek Influence on Mainland Greek Roof Construction, in: Hesperia 67, 1998, 335–374 · A. MALLWITZ, Walmdach und Tempel, in: BJ 161, 1961, 125–140 · R. MARTIN, Manuel d'architecture grecque, Bd. 1: Matériaux et techniques, 1965, 65–112 · R. MEIGGS, Tree and Timber in the Ancient Mediterranean World, 1982 · W. MÜLLER-WIENER, Griech. Bauwesen in der Ant., 1988, 94–104 · A. OHNESORG, Inselionische Marmordächer, 1993 · TH. SCHATTNER, Griech. Hausmodelle, 1990, 177–190 · U. WALLAT, Ornamentik auf Marmorsimen des griech. Mutterlandes, 1997 · Ö. WIKANDER, Ancient Roof-Tiles. Use and Functions, in: OpAth 17, 1988, 203–216 · Ders., Archaic Roof-Tiles – The First (?) Generation, in: OpAth 19, 1992, 151–161 · C. K. WILLIAMS, Demaratus and the Early Korinthian Roofs, in: Stḗlē. FS N. Kontoleon, 1980, 345–353 · W. F. WYATT, C. EDMONDSON, The Ceiling of the Hephaisteion, in: AJA 88, 1984, 99–112.   C. HÖ.

Übergangsstil (Transitorial Style) s. Korinthische Vasenmalerei; Protokorinthische Vasenmalerei

Übersetzung s. Nachträge in Band 12/2

Ufens. Fluß in Latium (→ Latini), nach dem 318 v. Chr. die *tribus Oufentina* benannt wurde (Liv. 9,20,6; Fest. 212,7 ff. L.: *Ofens*); h. Uffente. Der U. entspringt im *mons Lepinus* (h. Monti Lepini) nördl. von → Setia und ergoß sich in die *Pomptinae paludes* (→ *ager Pomptinus*), wo er sich aufstaute (Verg. Aen. 7,801; Strab. 5,3,6; Sil. 8,382). Dort überquerte ihn die → *via Appia* auf einer zweibogigen Brücke. Östl. von Cerceii mündete er ins Meer.

M. CANCELLIERI, s. v. Ufente, EV 5, 354.   G. U./Ü: J. W. MA.

Ugarit (*Ra's Šamra*), entdeckt 1928, ist der Name einer ant. Stadt an der syrischen Küste (11 km nö von al-Lādiqīyā), die von ca. 6500 bis ca. 1180 v. Chr. durchgehend besiedelt war. Die strategisch günstige Lage am Kreuzungspunkt der Handelswege von Nord (Kleinasien) nach Süd (Palaestina, Äg.) sowie West (Zypern, Mittelmeerwelt) nach Ost (Mesopotamien) ließ U. zu einer bedeutenden Handelsmetropole heranwachsen (bereits im 18. Jh. bezeugt durch Briefe aus → Mari; Blütezeit vom 14. Jh. bis ca. 1180 v. Chr.). U. war das Zentrum eines Stadtstaates, zu dem ungefähr 150 Siedlungen gehörten (darunter der Hafen Mīnā' al-Baiḍā'), mit einer mächtigen Handels- und Kriegsflotte. Vor etwa 1340 befand sich U. im äg. Einflußbereich, danach unter hethitischer Oberhoheit (→ Ḫattusa). Die Bevölkerung bestand mehrheitlich aus (ugaritischsprachigen) → Semiten, ca. 25 % sprachen → Hurritisch. Die Könige von U. trugen mehrheitlich nw-semit. (»amurritische«) Namen (→ Amoritisch; → Amurru [1]). Die Abfolge der letzten acht Könige lautet [1. 732]: 1. Ammittamru I.; 2. Niqmaddu II. (ab ca. 1350; er schloß einen Vasallenvertrag mit Suppiluliuma I. von Ḫattusa); 3. Ar-Ḫalba; 4. Niqmepa (ca. 1313–1260; Zeitgenosse von Mursili II. und Muwattalli II. von Ḫattusa; zweiter Vasallenvertrag mit Mursili II.: U. verliert ein Drittel seines Gebiets im Süden); 5. Ammittamru II. (ca. 1260–1235, Zeitgenosse von Ḫattusili II. von Ḫattusa); 6. Ibirānu; 7. Niqmaddu III.; 8. Ḫammurapi (bis ca. 1180, Zeitgenosse von Suppiluliuma II. von Ḫattusa). Um 1180 v. Chr. (etwa zeitgleich mit dem neuhethit. Reich) wurde U. im Zuge der → Seevölkerwanderung zerstört und danach nicht wieder besiedelt.

U. wird seit 1929 kontinuierlich unter frz. Leitung ausgegraben. Fast alle Funde stammen aus der letzten Besiedlungsphase. Hervorzuheben sind zwei Tempelanlagen auf der sog. »Akropolis« der Stadt und ein großflächiger (6500 m² umfassender) Königspalast. Daneben entdeckte man eine große Zahl beschrifteter Tontafeln mit Texten in acht verschiedenen Sprachen: neben → Ugaritisch und → Akkadisch auch → Sumerisch, → Hurritisch, → Hethitisch, → Ägyptisch, Hieroglyphenluwisch (→ Hieroglyphenschriften II. A.) und Kyprominoisch (→ Kyprominoische Schriften). Dabei dominieren zwei Schriftsysteme: Die Hälfte der Tafeln (inzwischen ca. 2100) ist in syllabischer (mesopot.) → Keilschrift, die andere Hälfte (ca. 2000 Tafeln) in alphabetischer Keilschrift (→ Alphabet I.) geschrieben. Die syllab. Texte sind mehrheitlich akkadischsprachig (Staatsverträge, Briefe, Rechts- und Verwaltungsurkunden, mehrsprachige Vokabulare, vgl. → Übersetzung, Nachträge); zu den (keil)-alphabet. mehrheitlich ugaritischsprachigen Texten vgl. → Ugaritisch.

Die Faszination der reichen Lit. und Rel. U.s bestand von Anfang an darin, daß sie eine Trad. repräsentieren, die im ganzen ant. Kanaan verbreitet war und die gewissermaßen als Vorläuferin der biblischen Lit. angesehen wird. Die Entdeckung von U. kam somit einer Wiederentdeckung der kanaanäischen Welt gleich. Zu den wichtigsten Gottheiten des ugarit. Pantheons zählen: → El (höchster Gott); → Baal (Wettergott); Môt (Gott der Unterwelt); Yamm (Meeresgott); Šapš (»Sonne«); Yariḫ (»Mond«); Ašera (Gattin Els); → Anat (Geliebte/Schwester Baals); → Astarte (Kriegs- und Liebesgöttin).
→ Ugaritisch

1 W. G. E. WATSON, N. WYATT (Hrsg.), Handbook of Ugaritic Studies, 1999 · M. YON, La cité d'Ougarit sur le tell de Ras Shamra, 1997 · Ugarit-Forschungen (Fachzeitschrift, hrsg. von M. DIETRICH, O. LORETZ), 1969ff.   J. TR.

Ugaritisch. Bezeichnung für eine → semitische Sprache, benannt nach dem erst 1928 entdeckten → Ugarit, der Residenzstadt des gleichnamigen nordsyrischen Stadtstaates. In U. verfaßte Texte wurden außer in Ugarit noch in Mīnāʾ al-Baiḍāʾ (Hafenstadt von Ugarit), Raʾs Ibn Hāni und vereinzelt an anderen Orten, darunter auch auf Zypern, gefunden. Das U. stellt einen unabhängigen semit. Sprachtyp dar, dessen Zuordnung u. a. wegen seiner Verbalstämme und fehlender Vokalisation in der semit. Sprachforschung umstritten ist. Der Phonembestand steht dem Nordarabischen und Altsüdarabischen nahe, doch zeigen ungeachtet des Fehlens bestimmter Präpositionen die Mimation und der lexikalische Bestand des U. eine Affinität zum → Kanaanäischen, weshalb das U. in der älteren Lit. zumeist dem letzteren zugeordnet wird. U. ist in einer 30 alphabetische Keilschriftzeichen (→ Alphabet I.) umfassenden, rechtsläufigen Schrift auf Tontafeln aus dem 14.–12. Jh. v. Chr. überl. Daneben existiert eine jüngere Variante mit 22 Zeichen, die wohl einen anderen Dialekt repräsentiert. In Vokabularen begegnet auch U. in akkadischer syllabischer → Keilschrift. Das Textkorpus des U. ist sehr vielfältig, darunter Epen (→ Keret, Aqhat: → Epos I.; → Baal-Zyklus), Rituale, Opfer- und Götterlisten, Gebete, Schultexte, magische, divinatorische, astrologische sowie hippiatrische Texte, Briefe, Rechts- und Verwaltungsurkunden, Siegelinschr. u. a.
→ Semitische Sprachen

C. H. GORDON, Ugaritic Textbook, 1965 · J. TROPPER, U. Grammatik, 2000 · D. SIVAN, A Grammar of the Ugaritic Language, 1997 · W. G. E. WATSON, N. WYATT (Hrsg.), Handbook of Ugaritic Studies, 1999.   C. K.

Ugium. Ortschaft in der → Gallia Narbonensis, h. Saint-Blaise, östl. der Mündung des Rhodanus (Rhône), ca. 35 km nw von Massalia (Marseille) am Rand eines Plateaus. Umgeben ist das Plateau von vier Salzwasserseen (Étangs du Pourra, de Citis, d'Engrenier, de Lavalduc). Der ON ist den griech. Geographen unbekannt; er ist erst für die frühma. Siedlung bezeugt. Evtl. handelt es sich um den einheimischen Namen des massaliotischen *oppidum* Mastramele (Steph. Byz. s. v. Μαστραμέλη; Avien. 700: *Mastrabala*); urspr. könnte U. das *oppidum*, den Komplex von Saint-Blaise/Castelveyre und dem Teich von Lavalduc mit den Salzwerken (Strab. 4,1,7) bezeichnet haben. Die ant. Siedlung lag auf dem nördl. Teil des Plateaus (etwa 8 ha). Steil abfallende Hänge bildeten eine natürliche Befestigung; im Süden und SO begrenzte eine Mauer die Siedlung. Im 6. Jh. v. Chr. war U. ein wichtiges Wirtschaftszentrum für den Handel mit etr. Ware und zeugt für die Handelsbeziehungen der → Etrusci mit keltischen Stammesgebieten [2]. Drei größere Siedlungsperioden im sö Teil der Akropolis und im nö Teil der unteren Stadt sind erkennbar: (1) Rhodisch-ionische Periode (7.–5. Jh. v. Chr.): spätestens seit dem 6. Jh. bestand eine ausgedehnte Siedlung. (2) Massaliotische Periode (4.–1. Jh. v. Chr.): aus dieser Zeit stammt die zweite Umfassungs-

mauer mit vier Toren (frühestens 4. Jh., eher 3. Jh.
v. Chr.; [3]). Die Befestigungsanlage ist vergleichbar mit
griech. Wehranlagen. Wenige Reste sind aus röm. Zeit
erh. (3) Christl. Periode (5.–9. Jh. n. Chr.); die letzte
Besiedlung von U. erfolgte innerhalb der dritten Befestigungsanlage (zwei Kirchen: Saint-Pierre [1. 61–70],
Saint-Vincent). Eine christl. Nekropole liegt außerhalb
der Stadtmauer.

1 H. ROLLAND, Fouilles de Saint-Blaise 1951–1956 (Gallia
Suppl. 7), 1956 2 B. BOULOUMIE, Saint-Blaise et Marseille,
in: Latomus 41, 1981, 74–91 3 Ders., Saint-Blaise. Ein
eisenzeitliches Oppidum in der Provence, in: Antike Welt 9,
1978, 17–24.

G. DÉMIANS D'ARCHIMBAUD, L'oppidum de Saint-Blaise,
1994 · F. BENOÎT, Recherches sur l'hellénisation du Midi de
la Gaule, 1965, 145f. · J. BROMWICH, The Roman Remains
of Southern France, 1993, 196–200 · B. LIOU, Inscriptions
peintes sur amphores . . . , in: Archaeonautica 7, 1987,
55–139.   CH. W.

Uhr I. ALTER ORIENT UND ÄGYPTEN
II. KLASSISCHE ANTIKE

I. ALTER ORIENT UND ÄGYPTEN
A. WASSERUHR B. SONNENUHR C. STERNENUHR

A. WASSERUHR
Geräte zur Zeitmessung, die auf ausfließendem Wasser beruhten, sind in Äg. gefunden worden, das älteste
aus der Zeit Amenophis' [3] (1392–1355 v. Chr.) [2.
Taf. 18; 5. Abb. III.25]. Diese Geräte waren gewöhnlich
wie flachbödige Vasen geformt, jeweils mit einem Loch
im Boden und einem Ausfluß von 2 bis 4 cm Länge, und
innen mit einer Eichung versehen. Die Zeit wurde anhand der Wassermenge gemessen, um die der Wasserstand innerhalb des Gefäßes fiel. Nach [2. 15] sollte die
Verjüngung der Form sicherstellen, daß die gleiche
Wasserpegeldifferenz die gleiche Zeit mißt (Probleme
dieser Deutung [9]). Als Name der Wasseruhr (= W.)
wurde mh.s-pns.s, ›einer füllt es, einer leert es‹ vorge-
schlagen [6. 178]. Eine W. mit einfließendem Wasser,
die die Zeit verm. im Verhältnis zum Ansteigen des
Wasserstandes maß, wurde in → Edfu gefunden [2; 12;
5. Anm. 81, Abb. III.21a–III.36].

Aus Mesopot. sind keine derartigen Geräte erh. Eine
unverzierte Schale aus Nimrūd mit einem Loch im Boden [3. 119] könnte eine »sinkende« W. gewesen sein,
die – auf die Wasseroberfläche gelegt – anfing abzusin-
ken, sobald genug Wasser eingedrungen war, und dadurch ein einheitliches Zeitintervall maß. Der akkadische Terminus war verm. mašqu; dieses Gerät soll auch
die Dauer der Mondsichtbarkeit gemessen haben. Ein
weiterer keilschriftlicher Begriff für die W. war sumerisch giš dib.dib/akkad. dibdibbu, der onomatopoietisch
reflektiert, daß diese Uhren tropften. Ein altbabyloni-
scher mathematischer Text beschreibt ein giš dib.dib, das
zw. 32 und 135 l Wasser faßte und Zeitintervalle anhand
des sinkenden Wasserstands maß. Dies legt nahe, daß zu

dieser Zeit eine W. mit einem nahezu konstanten Wasserstand verwendet wurde. In einem solchen Gerät blie-
be die Geschwindigkeit, mit der der Wasserstand fällt,
mehr oder weniger dieselbe. Ein Gerät namens maštaq-
tum/maltaqtu wurde plausibel als W. gedeutet (eher unwahrscheinlich als Sand-U. [4]). Aufbauend auf BOR-
CHARDT [2. 15f.] schlug NEUGEBAUER [11] vor, das mal-
taqtu oder dibdibbu als Gerät zu verstehen, das leer lief.
Die Tatsache, daß das Herausfließen umso langsamer ist,
je niedriger der Wasserstand ist, erklärt für [11] das in
vielen Texten konstatierte ungenaue Verhältnis zw. der
Dauer der längsten und der Dauer der kürzesten Nacht.
Dies ist aber nicht der Fall, denn Textquellen weisen
nach [4], daß gleiche Zeiten durch gleiche Gewichte
von Wasser gemessen wurden. Das von [2] vorgeschlagene Modell war zu einfach [9].

B. SONNENUHR
Äg. U. zum Messen der Schattenlänge sind seit Thutmosis [3] III. (1479–1425 v. Chr.), Schattenrichtungs-
U. (vertikal aufgehängte Sonnenuhr = S.) seit Merenptah (1224–1214 v. Chr.) bis in röm. Zeit belegt. Die
Querstange an der Schattenlängen-U., die immer in
Ost-West-Richtung lag, wurde mrḥyt genannt. In späteren Zeiten (von ca. 320 v. Chr. an) wurde eine Schattenlängen-U. mit einer geneigten Schräge verwendet,
die direkt auf die Sonne gerichtet wurde [5. Abb. III.39–
III.57].

Aus Mesopot. sind keine Schatten-U. erh., wobei
jedoch das Verhältnis von Schattenlänge und Uhrzeit in
einer etwas konfusen Art im Text MUL.APIN II ii 21–42
beschrieben wird [10]. Messungen entlang des Horizonts sowie eine Beziehung zum astronomischen Buch
Henoch erscheinen möglich [8]. Unpublizierte Texte
beschreiben die Konstruktion eines Gerätes, bei dem es
sich entweder um eine S., die den Tag in 12 Temporal-
stunden (simanu) einteilt [13. 162–165] oder um ein Gerät zum Positionieren von → Tierkreis-Zeichen (im
Sommer nö, im Winter sö zum Zeiger) handeln soll.
Herodot (2,109) war der Meinung, daß die Griechen
pólos (»konkave S.«) und gnómōn (»Zeiger der S.«) aus
Babylonien übernommen hatten (s. u. II.). Fraglich ist,
ob die Wasser- und Schattenuhrtechnologie vom Vorderen Orient nach Indien übertragen wurde [7].

C. STERNENUHR
Eine Sternen-U., die die Stunden der Nacht anhand
der Überquerung des Meridians durch die Dekansterne
(→ Astronomie B.2.) anzeigt, ist schon im AR (2. H.
3. Jt. v. Chr.) in Äg. zu finden [5. 56f.]. Aus Mesopot. ist
die Zeitbestimmung in der Nacht durch Verwendung
sog. ziqpu oder kulminierender Sterne mindestens seit
der 1. H. des 1. Jt. v. Chr. bekannt [3. 111–113].
→ Zeitrechnung

1 L. BRACK-BERNSEN, H. HUNGER, The Babylonian Zodiac,
in: Centaurus 41, 1999, 280–292 2 L. BORCHARDT, Die
Altäg. Zeitmessung, in: E. VON BASSERMAN-JORDAN (Hrsg.),
Die Gesch. der Zeitmessung und der U., Bd. 1, 1920
3 D. BROWN, The Cuneiform Conception of Celestial
Space and Time, in: Cambridge Archaeological Journ. 10,

Sonnenuhren

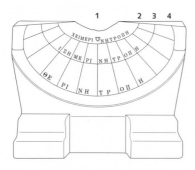

1 Einlaßloch des metallenen
  Zeigers (gnốmōn)
2 Wintersonnenwende
  (cheimerinē tropḗ)
3 Tag- und Nachtgleiche
  (isēmerinē tropḗ)
4 Sommersonnenwende
  (therinḗ tropḗ)

Pythagoreion (Samos). Arch. Museum,
Inv. 322 (2.H.2.Jh.v.Chr.).

0   20 cm

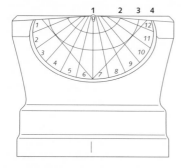

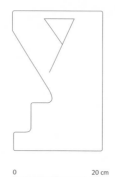

1 Einlaßloch des metallenen
  Zeigers (gnốmōn)
2 Sonnenstand im Winter
3 Tag- und Nachtgleiche
4 Sonnenstand im Sommer
1-12 Stundeneinteilung

Pythagoreion (Samos). Arch. Museum,
Inv. 323 (hell.-spätantik).

0   20 cm

2000, 103–121 **4** Ders. et al., The Water Clock in
Mesopotamia, in: AfO 46/47, 1999/2000, 130–148
5 M. CLAGETT, Ancient Egyptian Science. A Source Book,
Bd. 2: Calendars, Clocks, and Astronomy, 1995
6 J. J. CLÈRE, Rez. von M. F. L. MACADAM, The Temples of
Kawa I (1949), in: Bibliotheca Orientalis 8, 1951, 174–180
7 H. FALK, Measuring Time in Mesopotamia and Ancient
India, in: ZDMG 150, 2000, 107–132 **8** U. GLESSMER,
Horizontal Measuring in the Babylonian Astronomical
Compendium Mul.Apin, in: Henoch 18, 1996, 259–282
9 J. HOYRUP, Note on Water-Clocks and on the Authority
of Texts, in: AfO 44/45, 1997/98, 192–194 **10** H. HUNGER,
D. PINGREE, Mul.Apin – An Astronomical Compendium in
Cuneiform (AfO Beih. 24), 1989 **11** O. NEUGEBAUER, Stud.
in Ancient Astronomy VIII. The Water Clock in Babylonian
Astronomy, in: Isis 37, 1947, 37–43 **12** A. POGO, Egyptian
Water Clocks, in: Isis 25, 1936, 403–425
13 F. ROCHBERG-HALTON, Babylonian Seasonal Hours, in:
Centaurus 32, 1989, 146–170.   DA.BR.

II. KLASSISCHE ANTIKE

Als Vorrichtungen zur Bestimmung und Einteilung
des Volltages bzw. des Tages und der Nacht galten U.
in der klass. Ant. ebenso wie die Stundenteilung als
Übernahmen von den alten Hochkulturen in histor.
erinnerbarer Zeit. Ihre Verbreitung und Entwicklung

ist in engem Zusammenhang mit der Stundenrechnung
zu sehen.

A. SONNENUHREN   B. WASSERUHREN
C. SPEZIELLE UHRENKONSTRUKTIONEN
D. NACHANTIKE REZEPTION

A. SONNENUHREN

Nach Herodots Bericht (2,109,3) übernahmen die
Griechen die Sonnenuhr (= S.) mit ihrem Zeiger
(πόλος/pólos bzw. γνώμων/gnốmōn) zusammen mit der
Teilung des Tages und der Nacht in zwölf – entsprechend der Jahreszeit ungleich lange – Stunden von den
Babyloniern; die Übermittlung kann auch über Äg.
erfolgt sein. Primitive S. und die Verwendung der
ungleichen Stunden sind dort seit dem 2. Jt. v. Chr.
bezeugt. Diogenes [17] Laertios (2,1) schreibt → Anaximandros die Erfindung des gnốmōn oder eines »Schat-
tenfängers« (σκιόθηρον/skióthēron) bzw. seine Einführung in Sparta im 6. Jh. v. Chr. zu. Diese Vorrichtungen
werden dann auch als »Stundenweiser« = U. (ὡρο-
σκοπεῖον/hōro-skopeíon oder ὡρο-λόγιον/hōro-lógion) bezeichnet. Der alltäglichen Tageszeitbestimmung diente
dagegen nach Zeugnissen der attischen Komödie die in
Fuß ausgedrückte Länge von Schatten (z. B. Aristoph.
Eccl. 652).

Während des 4. und 3. Jh. v. Chr. wurden die S. von Astronomen und Mathematikern zu verläßlichen Beobachtungsgeräten, die die Schiefe der → Ekliptik und die geogr. Breiten berücksichtigten bzw. ermitteln ließen (→ Klima II.), zugleich mit einer theoretischen Gnomonik fortentwickelt. Bei den hell. Astronomen waren auch gleichlange bzw. Äquinoktialstunden gebräuchlich, jedoch wurden offenbar keine entsprechenden S. konstruiert. Die überl. Exemplare zeigen plane, teilkugelförmige bzw. sphärische (σκάφη/skáphē), konische und zylindrische Formen [1]. Den ausführlichsten Ber. über die verschiedenen S.-Typen, ihre tatsächlichen oder vermeintlichen Erfinder und die Methoden zu ihrer Konstruktion bietet Vitruvius (9,7 und 9,8,1, → análēmma). Außer von stationären berichtet Vitruv auch von tragbaren S., den sog. Reisehänge-U. (viatoria pensilia), die teilweise für alle Breitengrade (pros pan clima) verwendbar waren. Ihre Erfindung schreibt er Theodosios [1] aus Bithynien (1. Jh. v. Chr.) zu [2].

Die eher seltenen Beschriftungen von S. (vgl. Abb.) bieten – außer den Widmungen an Götter oder Herrscher und den Namen der Stifter – Zahlen oder Buchstaben für die Tagesstunden, die Monatsnamen und → Tierkreis-Zeichen und nennen gelegentlich einen Zusammenhang mit anderen Stiftungsobjekten wie Ausstattungen von Arenen, Brunnen, Tempeln, Schulen oder städtischen Waagen (→ Stiftungen). Plinius' Ber. von der Einführung der Stundenteilung und der S. in Rom im 3. Jh. v. Chr. vermerkt spöttisch, daß die Römer eine im J. 263 v. Chr. in Catania (→ Katane) erbeutete S. nach Rom gebracht und 99 J. lang nicht bemerkt hätten, daß ihre Linien für die Breite von Rom die Zeit falsch anzeigten. Erst Cornelius [I 83] Scipio Nasica habe 159 v. Chr. für Rom die Teilung der Tages- und der Nachtstunden durch die Stiftung einer Wasser-U. (primus aqua divisit horas) in einem Gebäude ermöglicht (Plin. nat. 7,212–215).

B. WASSERUHREN

Seit dem 6. Jh. v. Chr. wird in Griechenland die nach einem Saugheber für Flüssigkeiten – ähnlich einer großen Pipette – benannte κλεψύδρα/kleps(h)ýdra (»Wasserdieb«) beschrieben, zunächst bei der Erklärung physikalischer Phänomene. Seit dem 5. Jh. wird dieses einfache Gefäß mit einer engen Auslauföffnung sehr häufig im Zusammenhang der Befristung von Gerichtsreden erwähnt (zuerst bei Aristoph. Ach. 693). Dabei wurde den Parteien jeweils eine meist in → chus [1] ausgedrückte Wassermenge als Frist zugewiesen (Aristot. Ath. pol. 67,2), die für Zeugenvernehmungen und die Verlesung von Dokumenten unterbrochen wurde. Die Anklage erhielt mehr, die Verteidigung weniger Zeit; in Privatsachen wurde auch der Streitwert berücksichtigt. Nach einer Inschr. aus Iasos [5] aus dem frühen 3. Jh. v. Chr. diente die Klepsydra auch der Pünktlichkeitskontrolle in städtischen Gremien: Bei Sonnenaufgang wurde sie geöffnet; wer nach ihrem Auslaufen eintraf, erhielt kein Tagegeld [4]. Redezeitbegrenzungen ›nach dem Wasser‹ (πρὸς ὕδωρ) blieben bis in in die Spätant.

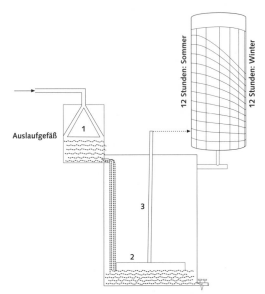

→ Wassereinlauf
1 Regulator (reguliert die Wasserzufuhr und hält den Wasserdruck im Auslaufgefäß konstant)
2 Schwimmer
3 Säule (zeigt Stunden auf der Skala an)

Wasseruhr des Ktesibios; hypothetische Rekonstruktion (nach Vitr. 9,8,2-7).

Bestandteil der Prozeßordnungen. In byz. Zeit kamen sie außer Gebrauch (Lyd. mag. 2,16). Zur U. (hōrológion) wurde die Klepsydra durch die rechnerische Verbindung des Flüssigkeitsmaßes mit den Tagesstunden; später wurden diese Maßangaben durch Stundenangaben ersetzt (Cass. Dio 40,52). Das Problem der wegen des ungleichmäßigen Wasserdrucks erforderlichen Kalibrierung der Auslauföffnung spricht Aineias [2] Taktikos (22,24–25) bei der gleichmäßigen Einteilung der mil. Nachtwachen an. Als mil. Nacht-U. ist die Klepsydra bis ins Früh-MA vielfach erwähnt.

Einfache Wasseruhren (= W.) wurden im südl. Mittelmeerraum zur Verteilungsregelung bei Bewässerungssystemen benutzt. Zuteilungen nach Stunden und halben Stunden bezeugen Inschr. in → Lamasba und ein Pap. aus der ägypt.-röm. Metropole Ptolemaïs [3] Euergetis von 113 n. Chr., wo ein ὑδρολόγιον/hydrológion in den Abrechnungen für das städtische Wasserleitungsnetz erwähnt wird [5]. Den allg. Gebrauch solcher stundenweisen Wasserzuweisungen belegen auch italische Inschr. und das Röm. Recht (z. B. Dig. 43,20,5).

In hell. Zeit wurden verbesserte W. (hydrológia) zu astronomischen Beobachtungen, angeblich zur Messung des Dm der Sonne oder des Mondes, oder von Herophilos [1] zur Pulszählung benutzt (Markellinos, De pulsibus 262 ff.). Als Motoren oder Komponenten aufwendiger → Automaten wurden W. zum Gegenstand der hell. → Mechanik.

C. Spezielle Uhrenkonstruktionen

Vitruvius (9,8,2ff.) berichtet ausführlich, aber technisch nicht ganz deutlich von den U.-Konstruktionen des → Ktesibios [1] (vgl. Abb.), die nicht nur kalibrierte Auslauföffnungen, von Schwimmern bewegte Wellen mit Gegengewichten, Zeigerwerke, »Zifferblätter« mit ganzjährigen Stunden- und Kalenderindikationen hatten, sondern auch Figurenwerke bewegten und akustische Signale auslösten. Solch unterhaltsames Beiwerk findet sich auch bei den Automaten des → Heron von Alexandreia. Dessen einschlägige Abh. Περὶ ὑδρίων ὡροσκοπείων/ *Perí hydríōn hōroskopeíōn* (›Über Wasseruhren‹) ist verloren. Zu einer mit bewegtem Zifferblatt versehenen U. gehört auch das Frg. einer bei Salzburg gefundenen Scheibe mit astronomischen Indikationen aus dem 2. Jh. n. Chr. [6].

Zu der Vielzahl der an prominenten öffentlichen Plätzen angebrachten S. trat in den großen Städten auch die öffentliche Zeit- und Kalenderindikation mittels W. In der Kaiserzeit war das mit U. gefüllte Rom ein Gegenstand für Spötter ebenso wie das nach Stunden geregelte oder gegen den normalen Tageslauf eingerichtete Leben der Städter. Über die technischen Details der W. an der Agora in Athen und Samos, am Amphiareion bei Oropos, beim Heiligtum in Pergamon oder im Theater von Priene ist wenig bekannt [7; 8]. Zur Regelung der für Frauen und Männer unterschiedlichen Öffnungszeiten waren → Bäder und → Thermen vielfach mit U. ausgestattet. Der von Andronikos von Kyrrhos im 1. Jh. v. Chr. in Athen konstruierte oktogonale »Turm der Winde« verband eine W. mit acht S. und der Anzeige der Windrichtungen durch eine drehbare Tritonfigur auf dem Giebel [9; 10].

Über die Entwicklung von Getrieben für die Darstellung astronomischer Bewegungen an U. ist wenig bekannt. Der 1961 nahe der Insel Antikythera (→ Aigila) geborgene Kalendermechanismus des 1. Jh. v. Chr. mit epizyklischen Getrieben hatte wohl ebensowenig wie die mit einem einfacheren Mechanismus verbundene S. des 5. Jh. n. Chr. aus London einen Antrieb [11; 12].

D. Nachantike Rezeption

Ant. U.-Technik wurde dem europäischen MA direkt nur in den einfachsten Formen, der Klepsydra und primitiven S., überliefert. Cassiodorus berichtet 507 von der Übersendung einer S. und einer W. in das scheinbar rückständige Burgunderreich (Cassiod. var. 1,45f.) und empfiehlt dann später in seinem Lehrbuch für das monastische Leben das *horologium aquatile* als hilfreichen Wecker für die »Soldaten Christi« (Cassiod. inst. 30,4f.). Die für den regeltreuen monastischen Tageslauf, bes. für die vormorgendlichen Offizien wichtigen Klosterwecker wurden im Hoch-MA erst zu aufwendigen technischen Vorrichtungen und im Spät-MA zu mechanischen U. weiterentwickelt. Die anspruchsvollere ant. U.-Technik wurde, obwohl Vitruvs Text in westl. Klöstern durchaus verbreitet war, nur in Byzanz fortgesetzt. Prokopios [2] aus Gaza berichtet vor 529 ausführlich von

einer aufwendigen öffentlichen Automaten-U. in seiner Stadt mit Stundenschlag auf einen Gong und mechanischen, während des Tages und der Nacht bewegten Figurenwerken [13]. Solche aufwendigen Automaten-U. wurden dann im islamischen Raum unter Rückgriff auf die hell. Mechaniker, z. B. Pseudo-Archimedes, weiterentwickelt und gelegentlich als vielbestaunte diplomatische Geschenke in den lat. Westen gebracht.

→ Astronomie; Kalender; Mechanik; Zeitkonzeptionen

1 S. L. Gibbs, Greek and Roman Sundials, 1976 2 E. Buchner, Ant. Reise-U., in: Chiron 1, 1971, 457–481 3 G. Langmann u. a., Die ägypt. Wasserauslaufuhr aus Ephesos, in: JÖAI, Beiblatt 1, 1984, 1–67 4 S. Young, An Athenian Clepsydra, in: Hesperia 8, 1939, 274–284 5 W. Habermann, Zur Wasserversorgung einer Metropole im kaiserzeitlichen Ägypten (Vestigia 53), 2000 6 O. Benndorf et al., in: JÖAI 6, 1903, 32ff. 7 R. Tölle, U. auf Samos, in: P. Zazoff (Hrsg.), Opus nobile. FS U. Jantzen, 1969, 164–171 8 J. E. Armstrong, J. M. Camp, Notes on a Water Clock in the Athenian Agora, in: Hesperia 46, 1977, 147–161 9 J. V. Noble, D. J. de Solla Price, The Water Clock in the Tower of the Winds, in: AJA 72, 1968, 345–355 mit Taf. 111–118 10 J. von Freeden, Oikia Kyrrestu. Stud. zum sog. Turm der Winde in Athen, 1983 11 D. Price, Gears from the Greeks. The Antikythera Mechanism, in: TAPhA 64.7, 1974, 1–70 12 M. T. Wright, The London Sundial-Calendar and the Early History of Geared Mechanisms, in: History of Technology 12, 1990, 65–102 13 H. Diels, Über die von Prokop beschriebene Kunstuhr von Gaza: Ed. und Übers. von »Ekphrasis Horologiou« (Abh. der preußischen Akademie der Wiss., Philos.-Histor. Kl. 1917.7).

G. Bilfinger, Die Zeitmesser der ant. Völker, 1886 · A. Rehm, s. v. Horologium, RE 8, 2416–2433 · M. C. P. Schmidt, Die Erfindung der ant. W., 1912.

G.D.-v.R.

Ukalegon (Οὐκαλέγων aus οὐκ ἀλέγων, »Ohnesorge«, lat. Ucalegon). Angehöriger des troianischen Ältestenrates (Hom. Il. 3,146). Bei Vergil einer der ersten Troianer, deren Häuser bei der Eroberung der Stadt in Flammen aufgehen (Verg. Aen. 2,311f., aufgegriffen in Iuv. 3,198f.).

F. Bliss, Ucalegon and the Scaean Gate, in: Vergilius 42, 1996, 50–54 · P. Wathelet, Dictionnaire des Troyens de l'Iliade, 1988, Nr. 253.

MA. ST.

Uldin (Οὔλδης). Herrscher über einen Verband von Hunnen nördlich der Donau. 400 n. Chr. ließ U. den über die Donau geflohenen → Gainas töten, sandte dessen Kopf zu → Arcadius und führte so den ersten hunnisch-röm. Vertrag herbei (Zos. 5,22,1–3). Noch 405/6 unterstützte er → Stilicho gegen → Radagaisus (Oros. 7,37,12). 408 fiel er selbst in Thrakien ein, doch löste sich sein Heer, von den Römern bestochen, auf (Soz. 9,5,1–5).

PLRE 2,1180 · G. Wirth, Attila, 1999, 31–37.

WE. LÜ.

Ulfila (Wulfila, »Wölfchen«, griech. Οὐλφίλας, auch Οὐρφίλας), * ca. 311, † 382 oder 383. Bischof der Goten (→ Goti), Schöpfer einer got. → Bibelübersetzung und damit der mit Abstand wichtigsten Quelle für die → gotische Sprache und die ostgerman. Sprachen überhaupt. Sohn einer griech.-christl. Mutter (got. Raubzugsbeute aus Kappadokien) und eines got. Vaters. Wohl 341 (Altersangabe: Auxentius von Durosturum bei Maximinus [6], Dissertatio 34: *triginta annorum episcopus est ordinatus*) wurde U. auf der Synode von Antiocheia [1] zum »Bischof der Christen im getischen Land« geweiht, wobei nicht klar ist, ob seine Zuständigkeit nur die got. Christen oder auch die christl. Nichtgoten unter got. Herrschaft umfaßte. Im Zuge der got. Christenverfolgungen (des → Athanarich?) floh U. 348 mit einigen zum Christentum bekehrten Goten über die Donau und bat um Aufnahme im röm. Reich, was auch gewährt wurde: Die Gruppe (deren zahlenmäßige Größe sich kaum abschätzen läßt) siedelte sich auf Erlaubnis Constantius' [2] II. als *Goti minores* in der Gegend von Nikopolis [2] an. 360 war U. Teilnehmer des Konzils zu Konstantinopolis.

U. war offenbar Anhänger der Richtung der Homoier; es wurde auch versucht, ihn anhand von Einzelbeobachtungen an seiner Bibel-Übers. als Arianer (→ Arianismus) einzuordnen (ἴσα θεῷ/*ísa theôi*, »Gott gleich«, Phil 2,6, wird mit *galeiko guda* wiedergegeben, sonst aber entspricht *galeiks* dem griech. ὁμοῖος/*homoîos*, »ähnlich«; ἴσος/*ísos*, »gleich«, wird mit *ibns* übersetzt). Das Leben des U. ist in mehreren Quellen recht gut bezeugt: In lat. Sprache liegt ein Schreiben seines Schülers Auxentius von Durosturum (Ende des 4. Jh.) vor, Bestandteil einer Slg. arianischer Streitschriften, notiert als Marginalien (Stilisierung der Vita nach dem biblischen Muster des David), ferner finden sich Nachr. bei Iord. Get. 51 und Isid. historia Gothorum 8. Im griech. Bereich sind zeitlich am nächsten Philostorgios 2,5 (Exzerpte bei Photios), ferner Sokr. 2,41 und 4,33 f., Soz. 6,37 und Theod. hist. eccl. 4,33 (jeweils 5. Jh.; Quellen bei [3]). Von U.s eigenen Schriften auf Latein, Griech. und Got. (Traktate, Bibelexegese) ist nichts erh.; auf uns gekommen sind lediglich Auszüge seiner Bibel-Übers. (die Auxentius im Gegensatz zu seinem sonstigen lit. Œuvre unerwähnt läßt). Da es sich hier um eine Erstverschriftung handelte, mußte U. zunächst ein Buchstabensystem entwickeln (→ Gotische Schrift [1]). Der Umfang der Übers. (wohl aus dem Griech.) ist nicht vollständig bekannt (erh. sind Fr. von Evangelientexten und den Paulinischen Briefen sowie ein kurzes Bruchstück aus Neh); laut Philostorgios verzichtete U. auf eine Übers. der ›Könige‹, um kriegerischen Tendenzen der Goten keine biblische Rechtfertigung zu liefern. Hauptzeuge ist der sog. *Codex Argenteus* (heute Uppsala), ein Purpur-Cod. des 6. Jh., der bei den Ostgoten entstand; dadurch stellt sich aber auch die Frage nach einer eventuellen ostgot. Rez. des urspr. westgot. Textes.

→ Bibelübersetzungen; Christentum; Goti; Gotische Schrift; Westgoten

1 W. KRAUSE, Hdb. des Got., ³1968 2 A. LIPPOLD, s. v. U. (1), RE 9 A, 512–531 3 W. STREITBERG, Die got. Bibel, Bd. 2, ⁷2000 4 H. WOLFRAM, Die Goten und ihre Gesch., 2001 5 Ders., Die Goten, ⁴2001.   V. BI.

Uliadai (Οὐλιάδαι). Familie, die mit der Heilkunde und dem Heilkult im süditalienischen → Velia [1] verbunden ist. Der Name leitet sich von *Úlios* (Οὔλιος; Strab. 14,1,6–8), einem der zahlreichen Beinamen des → Apollon (B. 4), ab und weist auf dessen Macht hin, zu schaden wie auch zu heilen (vgl. → Asklepios/Asklepiadai). Das erste nachweisliche Mitglied dieser Familie ist → Parmenides. Statuen und Inschriften in Velia, die v. a. um 20 n. Chr. entstanden, stellen Familienmitglieder, die den Namen Ulis oder Uliades trugen, als Ärzte und als φώλαρχος/*phólarchos* dar, was wohl auf eine Kultgemeinschaft hindeutet [1]. Einige dieser Inschr. geben Daten an, die dafür sprechen, daß diese Organisation sich von Parmenides herleitete oder ihn sogar zu ihrem Begründer erklärte. Die Verbindung von Medizin und Heilkult (→ Heilgötter) hat viele Parallelen [2].

1 M. FABBRI, A. TROTTA, Una scuola-collegio di età augustea, 1995 2 P. KINGSLEY, Ancient Philosophy, Mystery and Magic, 1995, 225.   V. N./Ü: L. v. R.-B.

Uliaros (h. Oléron, Dép. Charente-Maritime). Insel des *Aquitanicus sinus* (h. Biscaya; Plin. nat. 4,109; Sidon. epist. 8,6,12; Geogr. Rav 5,33), nahe der Mündung des → Garumna. Die Zuordnung zum Gebiet der → Santoni und damit zur → Aquitania ist hypothetisch.

P. MERLAT, s. v. U., RE 9 A, 533 f.   MI. PO.

Ulixes s. Odysseus

Ulme (lat. *ulmus*, f.). Von dieser Baumgattung aus der Familie der Ulmaceae wachsen im Mittelmeergebiet mehrere Arten, v. a. die Feld-U. (Ulmus carpinifolia Gled., griech. πτελέα/*ptelea*) und die in Griechenland nur buschig wachsende Berg-U. (U. scabra Mill.). Sie begegnet bereits bei Homer (Il. 6,419f.; 21,242–245 und 350). Theophrast (h. plant. 3,14,1) unterscheidet in seiner guten Beschreibung eine ὀρειπτελέα/*oreiptelea* (Ulmus scabra; *atinia* bei Plin. nat. 16,72; vgl. Colum. 5,6,2 und de arboribus 16,1) von der strauchigen gewöhnlichen U., wahrscheinl. U. nemoralis L. oder U. carpinifolia. Columella (l.c.) scheint noch die Weiß-U. (U. effusa Willd.) zu kennen. Die *gallica* und das *genus silvestre* (bei Plin. l.c.) sind unbestimmbar. Die irrtümliche Annahme der Unfruchtbarkeit einiger U.-Arten (Plin. l.c.) führte vielleicht zu ihrer Verbindung mit dem Tod und der Unterwelt (Hom. Il. 6,419f. als Bepflanzung eines Brandgrabes; Verg. Aen. 6,282–284 als Sitz der Träume im Totenreich). Wegen ihrer hervorragenden Eignung als Stützbäume für Weinreben züchtete man die U. bereits in der Ant. in Baumschulen (*seminaria*). Das erwünschte Zusammenwachsen von U. und Rebstock, das Colum. 5,6,6–22 (vgl. 4,1,6; de arboribus 16,1–4; Plin. l.c. und Geop. 4,1,2) genau beschreibt, nannte man *maritare* (Colum. 5,6,18; Pall. agric. 3,10,7). Die nach dem Zurückschneiden heranwachsenden jungen Triebe dienten als Viehfutter (Colum. de arboribus 16,2) und als Ruten zur Peitschung von Sklaven (vgl. z.B. Plaut. Amph. 1029; Plaut. Rud. 636). Das gelbliche, schwere (vgl. Plin. nat. 16,228), zähe und haltbare (ebd. 16,218) Holz wurde für kostbare Türen (Theophr. h. plant. 3,14,1), bes. für Türangeln und -füllungen (ebd. 5,3,5; vgl. Plin. nat. 16,210), aber auch für Hammerstiele und Griffe von Bohrern (ebd. 16,230) sowie Schiffsteile (Theophr. h. plant. 5,7,3) benutzt.

M. SCHUSTER, s.v. U., RE 9 A, 544–554.   C. HÜ.

Ulmerugi (got. **Hulmarugeis*, »Inselrugier«). German. Volk auf den Inseln im südl. → Mare Suebicum (h. Ostsee) nahe der Odermündung, eng benachbart zu den in Pommern ansässigen → Rugi. Eine etym. Beziehung des Namens U. mit Rügen ist nicht gesichert. Die U. wurden von den aus Skandinavien vordringenden → Goti aus ihren Wohnsitzen vertrieben (Iord. Get. 26). In der altnordischen Dichtung finden sie sich als Holmrygir; auch von dem ins 6. Jh. n. Chr. zu datierenden angelsächsischen Dichter des *Widsith* [1. 64] werden sie erwähnt.

1 L. SCHÜKKING, Kleines angelsächsisches Dichterbuch, ²1933.

W. JUNGANDREAS, s.v. U., RE 9 A, 555 f. • L. SCHMIDT, Gesch. der dt. Stämme, Bd. 1, 1910, 327.   G. H. W.

Ulmetum. Röm. *vicus* und Kastell, Knotenpunkt wichtiger Straßen in der Moesia Inferior (Scythia Minor; → Moesi), h. Pantelimon de Sus (Kreis Constanţa, Rumänien; Dobrudscha). Der *vicus* ist verm. unter → Traianus [1] entstanden (bezeugt sind *magistri* und *principes loci*). Die Bevölkerung war ethnisch gemischt (→ Bessi, Römer und wenige Griechen). Von den → Slaven zerstört, wurde U. von Iustinianus [1] I. wieder aufgebaut (Prok. aed. 4,7,17).

E. POPESCU, Inscriptiones intra fines Dacoromaniae repertae, 1976, 213 ff. • A. G. POULTER, Rural Communities (vici and komai), in: W. S. HANSON, L. J. F. KEPPIE (Hrsg.), Roman Frontier Studies, Bd. 3, 1980, 729–744 • TIR L 35 Bukarest, 1969, 76.   J. BU.

Ulna (ὠλένη, wörtl. »Ellenbogen«). Ein den Proportionen des menschlichen Körpers entnommenes Längenmaß, das v. a. in der Dichtung erscheint (vgl. etwa Hor. epod. 4,8; Verg. ecl. 4,105; Verg. georg. 3,355) und dessen Umfang uneinheitlich ist. Während der Begriff bisweilen syn. mit → *cubitus* (Elle = 1 ½ Fuß) verwendet wird, findet er sich beim älteren Plinius [1] auch als Übers. von ὄργυια/→ *órgyia* (Klafter = 6 Fuß; vgl. Plin. nat. 36,87 mit Hdt. 2,148,7), einer Länge, die ein Mensch mit beiden Armen umspannen kann (Plin. nat. 16,133; 16,202). Eine Verwendung als amtliches Längenmaß ist unwahrscheinlich.

F. HULTSCH, Griech. und röm. Metrologie, ²1882.   H.-J. S.

Ulpia
[1] U. Marciana s. Marciana
[2] U. Severina. Gattin des → Aurelianus [3] (SHA Aurelian. 50,2), wahrscheinlich 274 n. Chr. zur *Augusta* erhoben (CIL III 472; V 29; V 3330; IX 2327; AE 1927,81; 1934,44), *mater castrorum et senatus et patriae* (AE 1930, 150). Tochter des → Ulpius [4] Crinitus (?) (dagegen [1]). Mz.: RIC V 1, 313 f.

1 W. ECK, s.v. U. (57), RE Suppl. 14, 943 f.

KIENAST, ²1996, 236 f. • PIR V 586 • PLRE 1, 830 Nr. 2.
ME. STR.

Ulpianum (Οὐλπιανόν/*Ulpianón*, Οὐλπιάνα/*Ulpiána*). Röm. Kastell und wohl seit → Hadrianus → *municipium* in der Moesia Superior (→ Moesi; Ptol. 3,9,6; Prok. BG 4,25,13; Prok. aed. 4,1,29; Iord. Get. 285), h. Gračanica (Kreis Priština, Serbien). Bezeugt sind ein *decurio* und ein *ordo municipii*; in severischer Zeit (Anf. 3. Jh n. Chr.) nannte man U. *res publica Ulpiana* (CIL III 1685 f.). U. war das Zentrum eines Bergwerkdistriktes, ein wichtiger Straßenknotenpunkt und wahrscheinlich Zollstation. Im 5. Jh. wurde U. von → Goti erobert. Erh. sind Gebäudereste (u. a. einer Festung von 400 × 400 m), Nekropolen, Inschr.

TIR K 34 Sofia, 1976, 129.   J. BU.

Ulpianus. Domitius U. Röm. Jurist der Severerzeit aus Tyros in Syrien (Dig. 50,15,1 pr.), verm. Schüler des → Papinianus [2. 208 f.] und Lehrer des → Modestinus (Dig. 47,2,52,20). Unter Septimius [II 7] Severus Assessor seines Lehrers, der inzwischen Praetorianerpraefekt geworden war (SHA Pesc. 7,4; SHA Alex. 26,6), und wohl von 205 bis 209 n. Chr. Leiter der Kanzlei *a → libellis* (des kaiserlichen Justizbüros), unter Elagabal [2] → *praefectus* [4] *annonae* (Leiter der Lebensmittelversorgung; Cod. Iust. 8,37,4), unter Severus [2] Alexander 222 Praetorianerpraefekt (Cod. Iust. 4,65,4,1) und Mitglied des *consilium* (SHA Alex. 68,1). U. wurde verm. 223 n. Chr. durch die Praetorianergarde ermordet [5. 177 f.]. Unter dem Einfluß der → *constitutio Antoniniana* (Dig. 1,5,17), die eine Universalisierung des zum Reichsrecht gewordenen röm. → Rechts bedeutete [2. 26–29], verfaßte U. v. a. zur Zeit Caracallas (212–217) insgesamt etwa 240 Buchrollen. Damit schrieb er zwar weniger als der andere damalige »Enzyklopädist« → Iulius [IV 16] Paulus, doch einfacher, ausgewogener und klarer.

Seine Werke, eine um praktikable Kompromisse bemühte Synthese der röm. Jurisprudenz, füllen mehr als ein Drittel der iustinianischen → *Digesta* und bilden das Gerüst für deren wichtigste Titel. Die lit. Tätigkeit des U., die mit den bescheidenen *Notae* (›Anmerkungen‹) zu den *Digesta* des → Ulpius [8] Marcellus und zu den *Responsa* (›Rechtsgutachten‹) des Papinianus beginnt, schließt mit den im Gefolge von → Pomponius [III 3] verfaßten großen Komm. *Ad edictum* (83 B.; → *edictum* [2]; → Iulianus [1]) als Summe des Amtsrechts und *Ad*

Sabinum (51 B., unvollendet) als Summe des Zivilrechts. Im übrigen schrieb U. Komm. zur *lex Iulia et Papia* (20 B.), *lex Iulia de adulteriis* (5 B.) und *lex Aelia Sentia* (4 B.), privatrechtliche (*De fideicommissis*, ›Über letztwillige Zuwendungen durch Bitten an die Erben‹, 6 B.; *De sponsalibus*, ›Über das Verlöbnis‹, 1 B.), finanzrechtliche (*De censibus*, ›Über die Steuererhebung‹, 6 B.) und prozeßrechtliche (*De omnibus tribunalibus*, ›Über die gesamte Gerichtsbarkeit‹, 10 B.; *De appellationibus*, ›Über Berufungen‹, 4 B.) Monographien sowie kasuistische (*Disputationes*, ›Juristische Diskussionen‹, 10 B.; *Responsa*, 2 B.) und didaktische Werke (*Regulae*, ›Rechtsregeln‹, 7 B.; *Institutiones*, ›Lehrbuch der Grundlagen‹, 2 B.). Zahlreich sind U.' Instruktionsschriften über Beamtenaufgaben: *De officio proconsulis* (10 B.) und *De officio consulis* (3 B.; ›Über das Amt des Proconsuls der Consuls‹) sowie die Einzelbücher *De officio praefecti urbi, praefecti vigilum, curatoris rei publicae, praetoris tutelaris* und *quaestoris* (›Über das Amt des Stadtvorstehers, des Kommandeurs der Wache, Staatsbeauftragten, Vormundschaftsbeamten, Quaestors‹). Die Echtheit einiger anderer Werke, v. a. der *Regulae* (1 B.; dazu [6]) und der *Opiniones* (›Rechtsmeinungen‹, 6 B.; dazu [1]), wird mitunter angezweifelt [2. 106–128; 3; 4; 5. 207 f.].

Angesichts seiner fachlichen und lit. Qualitäten sowie seiner ausgesprochen imperialen Ideologie (Dig. 1,3,31; 1,4,1; dazu [8. 67–88]) wurde U. zum bes. beliebten Juristen der späten Kaiserzeit. Für die → *Fragmenta Vaticana* ist er die Hauptquelle, während in der → *Collatio legum Mosaicarum et Romanarum* nur die *Sententiae Pauli* stärker als seine Schriften vertreten sind. Im Westen war außerdem eine Slg. von Exzerpten aus seinem *liber singularis regularum* (›Einzelbuch Rechtsregeln‹, *Epitome Ulpiani*; dazu [7]), im Osten ein griech. Komm. zu seinem Werk *Ad Sabinum* (*Scholia Sinaitica*; dazu [5. 179]) im Umlauf. Das → Zitiergesetz von 426 (Cod. Theod. 1,4,3) nahm U. in das »Totengericht« auf. Die Einleitung aus U.' *Institutiones* (›Lehrbuch der Grundlagen‹, in dem er das Recht (→ *ius*) etym. von »Gerechtigkeit« (*iustitia*) ableitet, die Juristen als deren Priester (*sacerdotes*) und wahre Philosophen preist, zw. dem öffentlichen Recht und Privatrecht trennt sowie ein Naturrecht für alle Lebewesen fordert, stellten die Kompilatoren an den Anfang der *Digesta* (Dig. 1,1,1).

→ Digesta; Iuris prudentia; Responsa

1 B. SANTALUCIA, I Libri opinionum di Ulpiano, 2 Bde., 1971 2 A. M. HONORÉ, Ulpian, 1982 3 WIEACKER, RRG, 153 4 D. LIEBS, Recht und Rechtslit., in: HLL 5, 1989, 67 f. 5 Ders., Jurisprudenz, in: HLL 4, 1997, 175–187, 207–209 6 H. L. W. NELSON, Der Stil eines Kurzlehrbuches, in: K. ZIMMERMANN (Hrsg.), Der Stilbegriff im Alt., 1993, 81–87 7 F. MERCOGLIANO, Tituli ex corpore Ulpiani, 1997 8 V. MAROTTA, Ulpiano e l'Impero, Bd. 1, 2000.   T. G.

Ulpius

[1] M. U. Arabianus. Senator aus → Amastris [4] in Pontus; *cos. suff.*; consularer Statthalter von Syria Palaestina (→ Syrien) zw. 187 und 190 n. Chr. (IGR III 85 =

[1. 163, Nr. 16]); um 200 *proco.* von Africa (CIL VIII 15876). Sein Sohn war M. U. Domitius Aristaeus Arabianus, *qu.* und *legatus* des *procos.* von Asia 209/210 oder 210/211 (AE 1985, 804); vgl. PIR² D 134.

1 CHR. MAREK, Stadt, Ära und Territorium in Pontus-Bithynia und Nord Galatia, 1993.

[2] M. U. Asclepiodorus Rutilius Longus. Aus Kremna in → Pisidia stammend; Senator (ὑπατικός/*hypatikós* = Consular); er hatte verm. einen Suffektkonsulat erreicht; verwandt mit U. [6] und U. [11].

G. H. R. HORSLEY, S. MITCHELL, The Inscriptions of Central Pisidia, 2000, 57 f. Nr. 27.   W. E.

[3] U. Cornelius Laelianus. Röm. Kaiser 269, s. Laelianus

[4] Erfundener Senator in der Biographie des Kaisers Aurelianus [3] (270–275 n. Chr.) der *Historia Augusta*. Er habe sein Geschlecht auf Kaiser → Traianus [1] (98–117) zurückgeführt, sei dessen Ebenbild gewesen und von Valerianus [2] (253–260) zum Caesar designiert worden, habe das sonst unbekannte Amt des *dux Illyriciani et Thracici limitis* bekleidet, sei dreimal Consul gewesen und habe Aurelianus adoptiert (SHA Aurelian. 10,2–11,8; 13,1; 14,4–15,2; 38,2–4). Nichts davon läßt sich verifizieren, sicher falsch sind das zweite und dritte Konsulat. Vermutet wurde in ihm U. Crinitus (der Vater von Aurelianus' Gattin → Ulpia [2] Severina, doch ist deren Name allen lit. Quellen unbekannt). Zurückgehen dürfte die Erfindung auf eine Bezeichnung des Traianus [1] bei Eutropius als *Ulpius Crinitus Traianus*, womit eine Verbindung des in der *Historia Augusta* geschätzten *optimus princeps* zu dem Soldatenkaiser hergestellt werden sollte (Eutr. 8,2,1 MÜLLER).

W. ECK, s. v. U. (33) und (57), RE Suppl. 14, 939 bzw. 943 f. • K.-P. JOHNE, Kaiserbiographie und Senatsaristokratie, 1976, 148 f., 168 • F. PASCHOUD (ed.), Histoire Auguste 5.1, Vies d'Aurélien et de Tacite, 1996, 86–88 (mit frz. Übers.) • PLRE 1, 830 • R. SYME, Emperors and Biography, 1971, 100 f., 105, 220.   K. P. J.

[5] U. Eubiotus Leurus. Senator aus Athen, wo er den Archontat übernahm. *Cos. suff.* wohl in der 1. H. des 3. Jh. n. Chr. Auch seine Söhne gehörten dem Senat an.

W. ECK, s. v. U. (36, 37, 47), RE Suppl. 14, 940–942.

[6] M. U. Italicus. Senator, der wohl aus Kremna in Pisidia stammte. Er wird ὑπατικός/*hypatikós* (Consular) genannt, hatte also wohl einen Suffektkonsulat erreicht, vielleicht in der 1. H. des 3. Jh. n. Chr. Verwandt mit U. [2] und [11].

G. H. R. HORSLEY, S. MITCHELL, The Inscriptions of Central Pisidia, 2000, 55–57 Nr. 26.

[7] U. Marcellus. Senator, der nach einem Militärdiplom am 23. März 178 n. Chr. consularer Statthalter von Britannien war (RMD 3, 184; ferner wohl in einem noch unpubl. Diplom genannt); demnach bereits spätestens 177 nach Britannien gegangen. Nach Cass. Dio (73,8,2) soll ihn jedoch erst → Commodus 184 in diese Prov. gesandt haben, um eine mil. Niederlage zu bewältigen. Da bisher nicht bekannt ist, daß ein kaiserlicher Statthalter zweimal in dieselbe Prov. ging, ist wahrscheinlich, daß U. mindestens von 177 bis 184 die Prov. Britannia leitete. Es gelang ihm, die Einfälle der britann. Stämme zurückzuschlagen; vgl. [1. 140–142]. Ob er mit dem gleichnamigen Statthalter von *Pannonia inferior*, der nicht datiert werden kann, identisch ist, muß unsicher bleiben [2.].

1 BIRLEY 2 W.ECK, s.v. U. (42), RE Suppl. 14, 941.   W.E.

[8] U. Marcellus. Röm. Jurist ritterlicher Herkunft (2. Jh. n.Chr.), Consiliar des Antoninus [1] Pius (SHA Pius 12,1) und des Marcus [2] Aurelius, dem er die Entscheidung einer Erbsache gegen die Interessen des Fiskus empfahl (Dig. 28,4,3 pr.; dazu [4. 27]). Er schrieb *Digesta* (31 B.), einen Komm. *Ad legem Iuliam et Papiam* (›Zum Gesetz des Iulius und Papius‹, 6 B.), das in der Rechtslit. erste Werk *De officio consulis* (›Über das Amt des Consuls‹, mindestens 5 B.) und ein Einzelbuch *Responsa* (›Rechtsgutachten‹) [5]. U. annotierte auch die *Digesta* des → Iulianus [1] (dazu [1; 3. 129–132]) sowie den *liber singularis regularum* (›Einzelbuch Rechtsregeln‹) und vermutlich den Sabinus-Komm. des → Pomponius [III 3]. U.' → *Digesta* wurden von Cervidius → Scaevola [1] und von → Ulpianus mit Anmerkungen versehen. Statthalter von *Pannonia inferior* unter Marcus [2] Aurelius (CIL III, 3307) war wohl erst der gleichnamige Sohn des Juristen [2].

1 J.RASTÄTTER, Marcelli notae ad Iuliani Digesta, 1981
2 D.LIEBS, Jurisprudenz, in: HLL 4, 1997, 108–112
3 H.ANKUM, Le juriste Ulpius Marcellus, in: R.RUEDIN (Hrsg.), Mélanges C.A.Cannata, 1999, 125–136 4 Ders., Observations sur la méthode … d'U. Marcellus, in: M.ZABLOCKA (Hrsg.), Mélanges W.Wołodkiewicz, 2000, 17–32 5 C.ZÜLICH, Der liber singularis responsorum des Marcellus, 2001.   T.G.

[9] U. Saturninus. Praesidialprocurator (→ *procurator* [1–2]) in *Dacia inferior* im J. 160 [1. 337 Nr. 41]. 166 → *praefectus* [4] annonae, unter dem Sex. Iulius Possessor auf der iberischen Halbinsel als → *adiutor* tätig war (CIL II 1180 = ILS 1403). Vielleicht Nachkomme eines kaiserlicher Freigelassenen [2. 348].

1 B.STEIDLE, in: L.WAMSER (Hrsg.), Die Römer zw. Alpen und Nordmeer (Ausst.-Kat. Rosenheim), 2000
2 H.PAVIS D'ESCURAC, La préfecture de l'annone, 1976.

[10] M.U. Senecio Saturninus. Praetorischer Statthalter in der kaiserlichen Prov. *Thracia* unter Severus [2] Alexander.

THOMASSON I, 172f.

[11] M.U. Tertullianus Aquila. Senator aus Kremna. *procos.* von *Macedonia* 211/2 oder 212/3 n.Chr. (SEG 31, 634; zuletzt [1. 128, Nr. 63]. Er wird ὑπατικός/*hypatikós*

(Consular) genannt und war *logistés* (→ *logistaí*) von Attaleia [1] in Lycia-Pamphylia (IGR III 474; [2. 69f., Nr. 12] = [3. 74f., Nr. 44]). Verwandt mit U. [2] und U. [6] (PIR V 572).

1 PH.M. PETSAS et al., Inscriptions du sanctuaire de la mère des dieux autochtone de Leukopetra, 2000
2 G.H.R. HORSLEY, The Inscriptions from the So-called »Library« at Cremna, in: AS 37, 1987, 69f.
3 Ders., S.MITCHELL, The Inscriptions of Central Pisidia, 2000.

[12] M. Ulpius Traianus. Vater von Kaiser → Traianus [1]. Die Familie stammte aus → Italica in der Baetica (Cass. Dio 68,4,1, vgl. [1. 305–308]. Wohl unter Claudius [III 1] erhielt er Zugang zum Senat; dabei mag eine Verbindung mit der senatorischen Familie des Marcius [II 3] Barea, dessen Tochter Marcia [8] er wohl heiratete, hilfreich gewesen sein [2]. Der Anf. der Laufbahn, die noch unter Claudius begann, ist unbekannt, die meisten Ämter ab der Praetur finden sich auf einer Inschr. aus Milet (vgl. [3]). Wohl um 65/6 n.Chr. bereits *procos.* der Baetica; → Vespasianus setzte ihn als *legatus legionis X Fretensis* im Kampf in Iudaea ein, wo er mindestens noch in der 2. H. des J. 69 tätig war (Ios. bell. Iud. 3,289; AE 1977, 829). Verm. kehrte er mit Vespasianus nach Rom zurück, wo er E. des J. 70 *cos. suff.* wurde [4. 60 Anm. 63]. Etwa Mitte 73 übernahm er die Statthalterschaft in Syrien, die er bis 78 behielt. Dort wurde er mit den *ornamenta triumphalia* ausgezeichnet [5. 64–68]. 73/74 nahm ihn Vespasianus unter die Patrizier auf. 79/80 *procos.* von *Asia*. Zwei Priesterämter als *XV vir sacris faciundis* und *sodalis Flavialis* zeigen seine über die durchschnittlichen senator. Standesgenossen herausragende Stellung unter Vespasianus und → Titus [3]. Sein Verhältnis zu → Domitianus [1] ist nicht überl., ebensowenig, wann er starb. Sein Sohn erhob ihn später unter die *divi* (→ *consecratio*; RIC II Nr. 251f.; Nr. 762–764; BMCRE III 500–508). Zwei Kinder sind bekannt: sein gleichnamiger Sohn → Traianus [1], der 98 Kaiser wurde, und die Tochter Ulpia → Marciana.

1 CABALLOS (Senadores) 2 D.BOSCHUNG, W.ECK, Ein Bildnis der Mutter Traians?, in: AA 1998, 473–481
3 G.ALFÖLDY, Traianus pater und die Bauinschr. des Nymphäums von Milet, in: REA 100, 1998, 367–399
4 G.CAMODECA, Novità sui fasti consolari delle tavolette cerate della Campania, in: Epigrafia. Actes du colloque en mémoire de A. Degrassi (Rom 1988), 1991, 45–74
5 E.DĄBROWA, The Governors of Roman Syria from Augustus to Septimius Severus, 1998.   W.E.

[13] s. Traianus [1]

Ultima verba (»letzte Worte«). Die Wiedergabe wahrer oder fingierter *u.v.* war in der Ant. beliebt und z.T. lit. Topos, bes. in biographischer und historiographischer, aber auch in rhet. Lit. neben rein lit. Darstellungen in der Dichtung ([1. 7–22] mit Beispielen). Sie sollten Charakter und Haltung des Sterbenden erläutern;

mitunter wurde auch ein Gespräch überl., das der Betreffende angeblich in seinen letzten Stunden mit Vertrauten führte ([2]; vgl. Xenophons Rede an seine Söhne: Xen. Kyr. 8,7,6–28; [3. 1260]). Bes. die Darstellung vom Tod des → Sokrates [2] in Platons ›Phaidon‹ (bes. 115–116a, 117b-c, 118) wurde zum Vorbild für Spätere. So läßt Plutarchos [2] seinen Cato minor (792e–794a) vor dem Sterben den ›Phaidon‹ lesen; Platons Dialoge beeinflußten auch die taciteische Darstellung vom Tod des → Seneca [2] (Tac. ann. 15,60–64) und dem des P. → Clodius [II 15] Thrasea Paetus (ebd. 16,34f.). Beide tadeln wie Sokrates die weinenden Freunde, Thrasea spricht über die Unsterblichkeit der Seele, beide bringen dem Iuppiter Liberator eine Spende dar [3. 1258f.; 4. 60].

Neben dem Sterben von Philosophen und Oppositionellen, die den Tod standhaft auf sich nahmen, um ihren Prinzipien treu zu bleiben, was auch ihre *u.v.* bezeugen, stehen die Schilderungen vom Herrschertod (→ Tod II. H.). Nicht selten werden verschiedene Versionen der *u.v.* mitgeteilt, so z. B. von → Caesar [5. 108–110]. Bei Suet. Aug. 99,1 richtet → Augustus an seine Freunde die Frage, ob er in ihren Augen die Posse des Lebens ordentlich gespielt habe, fügt noch die übliche Schlußformel hinzu und stirbt in den Armen seiner Frau mit den Worten: *Livia, nostri coniugii memor vive, ac vale* (›Livia, denke zeitlebens an unseren Ehebund und lebe wohl‹; teilweise anders bei Cass. Dio 56,30, erheblich abweichend bei Suet. Tib. 21,2). Zum »theatralischen Sterben« des Augustus vgl. [6. 220], zu weiteren widersprüchlichen Überl. [1. 43–53; 4. 53f., 73–82].

Einige schon in der Ant. berühmte *u.v.* sind hervorzuheben. → Vespasianus soll gesagt haben: ›Ach, ich glaub', ich werde ein Gott‹ (*vae, puto, deus fio*, Suet. Vesp. 23,4; vgl. Cass. Dio 66,17); dies erinnert an die *u.v.* des → Claudius [III 1] in Senecas Satire: ›Ach je, ich glaube, ich habe mich beschissen‹ (*vae me, puto, concacavi me*, Sen. apocol. 4,3; [7. 126f.]). Berühmtheit erlangte das an ihren Mörder gerichtete letzte Wort der → Agrippina [3]: ›Triff den Bauch‹ (*ventrem feri*, Tac. ann. 14,8,5), dem Cassius Dio hinzufügt: ›weil er den Nero geboren hat‹ (61,13). Bes. Bewunderung erntete → Arria [1], die Gattin des → Caecina [II 5] Paetus, die sich vor ihrem Mann erstach und ihm den Dolch mit den Worten reichte: ›Es schmerzt nicht, Paetus‹ (*Paete, non dolet*, Plin. epist. 3,16,6), was Plinius als ein ›unsterbliches und beinahe göttliches Wort‹ bezeichnet (ebd., vgl. Mart. 1,13; Cass. Dio 60,16,6f.).

Daß solche Exempla vom Sterben herausragender Persönlichkeiten mit ihren *u.v.* bes. in Rom gern gelesen wurden, bezeugen neben Cic. fam. 5,12 auch Slgg., wie sie Diog. Laert. 7,184 für → Hermippos [2] aus Smyrna überliefert; in Rom soll es solche von Cicero (div. 2,22), C. Fannius (Plin. epist. 5,5) und Titinius Capito (Plin. epist. 8,12) gegeben haben [3. 1258, 1260–1263; 4. 41–43].

→ Tod

1 W. SCHMIDT, De ultimis morientium verbis, 1914 2 E. STAUFFER, s. v. Abschiedsreden, RAC 1, 29–35 3 A. RONCONI, s. v. Exitus illustrium virorum, RAC 6, 1258–1268 4 P. SCHUNCK, Stud. zur Darstellung des Endes von Galba, Otho und Vitellius in den Historien des Tacitus, in: Symbolae Osloenses 39, 1964, 38–82 5 W. H. FRIEDRICH, Der Tod des Tyrannen, in: A&A 18, 1973, 97–129 6 G. BINDER, Pallida Mors, in: Ders., B. EFFE (Hrsg.), Tod und Jenseits im Alt., 1991, 203–247 7 Ders. (ed.), L. Annaeus Seneca, Apokolokyntosis, 1999 (mit dt. Übers.).

P. A. MARX, Tacitus und die Lit. der exitus illustrium virorum, in: Philologus N. F. 46, 1937, 83–103 • J. MOLES, Some »Last Words« of M. Iunius Brutus, in: Latomus 42, 1983, 763–779 • K. SAUER, Unt. zur Darstellung des Todes in der griech.-röm. Geschichtsschreibung, 1930.   CL. E.

Ultor s. Mars I. C.

Ulubrae. Ortschaft in Latium, → *municipium* der *tribus Pomptina*, Kolonie der Triumvirn (→ Triumvirat), später wegen ihrer ungesunden Lage am Rand der *Pomptinae paludes* (→ *ager Pomptinus*) beim h. Sermoneta und Cisterna di Latina aufgegeben (Cic. fam. 7,12,2; 7,18,3; Hor. epist. 1,11,30; Iuv. 10,102; Plin. nat. 3,64; Porphyrio ad Hor. epist. 1,11,30).

NISSEN, Bd. 2, 637.   G. U./Ü: J. W. MA.

'Umar s. Omar

Umbella s. Schirm

Umber. Nach ihrer ursprünglichen Herkunft aus Umbria benannt, war diese Jagdhundrasse v. a. als Spürhund sehr beliebt (Grattius, Cynegetica 171 ff.; Sen. Thy. 497 ff.; Verg. Aen. 12,753–55: Hund hetzt Hirsch; Sil. 3,295 ff.). Das Aussehen kennen wir nicht. Die von Varro rust. 2,9,6 erwähnten, zu den Herden in Umbria von selbst zurückkehrenden Hütehunde gehörten ihr sicherlich nicht an. Die Abb. auf einer Aes-grave-Münze aus Hatria in Picenum könnte einen U. darstellen [1. 124, Fig. 49; 2. 95].

→ Hund

1 KELLER 2 TOYNBEE, Tierwelt.   C. HÜ.

Umbilicus

[1] (κοτυληδών/*kotylēdṓn*, κυμβάλιον/*kymbálion*, σκυτάλιον/*skytálion*, γῆς ὀμφαλός/*gēs omphalós*; lat. *umbilicus Veneris*, *cotyledon*), das Nabelkraut (Familie Crassulaceae) mit zwei noch h. im Mittelmeergebiet auf Felsen und Mauern wachsenden Arten (U. erectus und U. horizontalis), erwähnt bei Dioskurides (4,91–92 WELLMANN = 4,90–91 BERENDES) und Plinius (nat. 25,159). Die kleinen fleischigen Blätter, deren Preßsaft und die Wurzel wurden gegen Ausschlag, Entzündungen (v. a. der Augen), Frostbeulen, Geschwüre, äußerlich gegen Magenbrennen, Wassersucht, Blasensteine und als Diuretikum

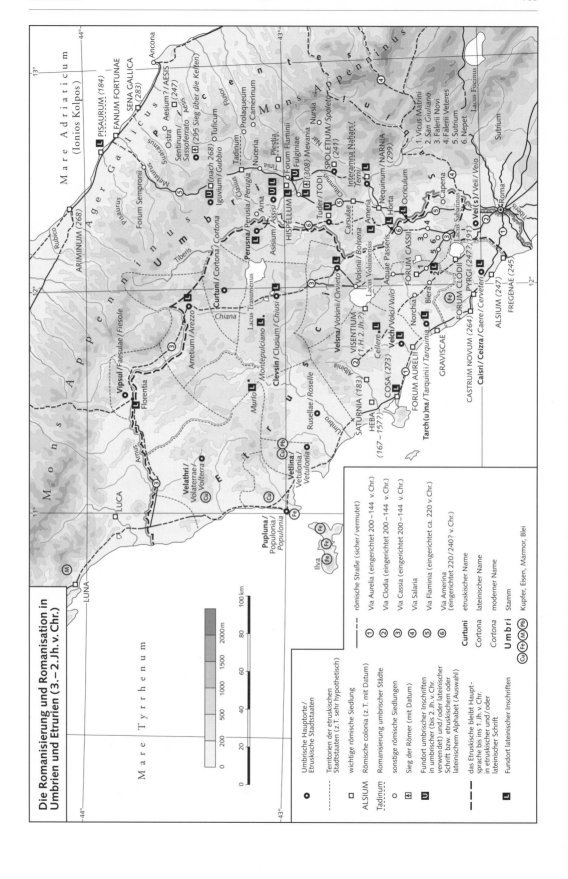

Die Romanisierung und Romanisation in Umbrien und Etrurien (3.–2. Jh. v. Chr.)

verordnet. Auch dienten sie als Aphrodisiakum und Mittel gegen Unfruchtbarkeit der Frau (Hippokr. de sterilitate 230 = 8,444 Littré; Nik. Ther. 681; Plin. nat. 26,32; 80; 106 und 119; Ps.-Apul. de herbis 43).

H. Gams, s. v. U., RE 9 A, 588–591.   C. Hü.

[2] s. Rolle

Umbrenus. Vom Volk der → Umbri abgeleitetes ital. Gentile (Schulze, 257; 523).
[1] U., P. Freigelassener, der aufgrund früherer Geschäftstätigkeiten mit Gallien vertraut war, weswegen er 63 v. Chr. die → Allobroges für → Catilina gewinnen sollte (Cic. Catil. 3,14; Sall. Catil. 40). Als der Senat seine Hinrichtung beschloß, war er auf der Flucht (Sall. Catil. 50,4).   J. Ba.

Umbri, Umbria
I. Geographie   II. Geschichte
III. Wirtschaft   IV. Verkehr

I. Geographie
Mittelital. Volk bzw. Hügel- und Berglandschaft (Flysch im Norden, Jurakalke im Süden) im Einzugsgebiet des oberen und mittleren → Tiberis zw. dem etr. → Appenninus und dem Tal der Chiana mit einem schmalen Zugang zum östl. Küstengebiet. Die Bergzüge verlaufen von NW nach SO, dazwischen liegen schmale, siedlungsarme Täler und wenige weitere Bekken (Tal des Tiberis, Ebene um den → Lacus Trasumenus). Durch die Kontrolle des Gebirgsfußes rechts und links des Appenninus sowie der Pässe kam Umbria (= Ua.) eine bes. infrastrukturelle Bed. zu, die sich auch histor. auswirkte.

In der Gebietsreform des Augustus 12 v. Chr. erhielt die Landschaft als *regio VI* eine verwaltungstechnisch klar umrissene Gestalt: Sie grenzte im Norden an die *regio VIII* (Aemilia; vgl. Plin. nat. 3,115–122); im Osten berührte Ua. mit einem Küstenstreifen, der im Norden → Ariminum (h. Rimini) ausschloß und sö durch die *regio V* (Picenum; vgl. Plin. nat. 3,110 f.) am Aesis (h. Esino) begrenzt wurde, das Ionische Meer (→ Ionios Kolpos); im Süden grenzte Ua. an die *regio IV* (Samnium; Plin. nat. 3,106–109) entlang der Talebene des Nar (Nera), um südl. von Ocriculum (h. Otricoli) den Tiberis zu erreichen, und schloß so die Berge des Hauptkamms des Appenninus bis zum → Tetrica mons (h. Monti Sibillini) ein; im Westen grenzte Ua. großenteils entlang des Tiberis an die *regio VII* (Etruria; Plin. nat. 3,50–55), vom *ager Faliscus* bis zu den Tiberquellen (vgl. auch Strab. 5,2,10; Ptol. 3,1,53 f.). Auf der Ostseite des Appenninus folgen von Norden nach Süden folgende Flüsse aufeinander: Pisaurus (h. Foglia), Metaurus [2] (h. Metauro), Suasanus (h. Cesano), Sena bzw. Miso (h. Misa) und Aesis; auf der Westseite (als Nebenflüsse des Tiberis): Clasius (h. Chiascio), Tinia (h. Topino) und Clitumnus (h. Timia).

II. Geschichte
Die U., ein ital. Stamm, wanderten Anfang des 1. Jt. v. Chr. aus dem Norden ein und ließen sich in Ober- und Mittelitalien zwischen Tyrrhenischem Meer (→ Mare Tyrrhenum) und Ionischem Meer (→ Ionios Kolpos) nieder. Sie waren evtl. Träger der → Villanova-Kultur. Im 7. Jh. v. Chr. bildete sich eine spezifisch umbr. Kultur mit auf Anhöhen gelegenen, befestigten Zentren und Fürstengräbern (FO Todi, Monteleone di Spoleto, Plestia, Terni) heraus, reich an Importware aus Etruria. Ab dem 7. Jh. v. Chr. wurden die U. aber von den → Etrusci bis über den Tiberis zurückgedrängt, an dessen Oberlauf von den → Sabini, die sich von den U. getrennt hatten, bedrängt, im Küstengebiet zw. Aesis und Rubico ab dem 4. Jh. von den Senones [1] von der See abgeschnitten. Daher verbündeten sie sich mit den Römern gegen die Etrusci (Verträge von Camerinum 309 v. Chr. und von Ocriculum 308 v. Chr.).

Doch kam es auch zu Spannungen zw. U. und Römern, die in der Schlacht bei Mevania 308 v. Chr. eine Gruppe von U. besiegten. Anstelle des umbr. Nequinum wurde 299 v. Chr. eine röm. Kolonie gegr. Es kam zu weiteren Koloniegründungen auf umbr. Gebiet, nachdem die Römer 295 v. Chr. bei Sentinum die Senones und 283 die Galli besiegt hatten: Deren Gebiet wurde eingezogen, die röm. Kolonie Sena Gallica an der umbr. Ostküste angelegt. 268 folgte die röm. Kolonie Ariminum; 247 v. Chr. wurde Aesis (h. Iesi), 241 v. Chr. Spoletium (h. Spoleto) gegr. An die Stelle der urspr. auf Hochebenen angelegten umbr. Siedlungen traten jetzt verschiedene Stadtgründungen in der Ebene. 232 bis 228 v. Chr. begann Rom mit der Parzellierung der gewonnen Gebiete im → *ager Gallicus* zw. Aesis und Rubico. 220 v. Chr. wurde durch die ganze Region die *via Flaminia* geführt, ein wirkungsvolles Mittel der → Romanisierung.

Nach dem → Bundesgenossenkrieg [3] (mit Karte) wurden die umbr. Städte 89 v. Chr. röm. *municipia.* 41/40 v. Chr. war speziell Ua. Schauplatz des röm. Bürgerkriegs mit dem Kampf um → Perusia (h. Perugia). Augustus gründete Kolonien in → Tuder (Todi), Pisaurum (Pesaro), Fanum Fortunae (Fano) und Hispellum (Spello). Mit der Prov.-Reform des → Diocletianus wurde die Region Teil der Prov. Tuscia und Ua., geführt von einem → *corrector.* Der Verfall einiger Städte erfolgte im Zuge des Gotenkriegs (536–552).

III. Wirtschaft
Grundlage der Wirtschaft in ländlichen Streusiedlungen, *villae rusticae* und Latifundien war die Landwirtschaft. Die alluvialen Mulden und die Hügel eigneten sich mehr für Obst- und Wein- als für Getreideanbau (Emmer, Weizen; vgl. Strab. 5,4,2). Auf den Almen wurde Vieh gehalten, v. a. Schafe und Rinder. Die Berge waren reich an Wäldern, die Holz für Schiff- und Hausbau lieferten. In zahlreichen Steinbrüchen gewann man Kalkstein (v. a. für den Hausbau); wichtig war auch Ziegel- und Keramikherstellung.

IV. Verkehr

Zwei Hauptverkehrsadern durchzogen die *regio VI*:
(1.) Die → *via Flaminia* überquerte bei Ocriculum den
Tiberis und verband folgende Städte miteinander: Narnia, über eine westl. Abzweigung Carsulae und Mevania, über eine östl. Abzweigung Interamna Nahars (h.
Terni) und Spoletium (von hier Abzweigung der *via
Nursina* nach Nursia), Sacraria (Heiligtum an den Quellen des Clitumnus), Trebiae und Fulginiae (Abzweigung
der *via Plestina* nach Plestia und Camerinum; eine weitere Abzweigung von Fulginiae nach Hispellum, Asisium und Perusia); die beiden Abzweigungen vereinigten
sich wieder bei Forum Flaminii, von wo aus sie in den
Appenninus nach Nuceria (Abzweigung nach Prolaqueum und weiter ins Picenum nach Ancona), Tadinum (bei Gualdo Tadino) und Helvillum (h. Sigillo; hier
Abzweigung über Attidium beim h. Fabriano, den Aesis
entlang nach Tuficum und Aesis, h. Iesi) hineinführte.
Man überschritt den Appenninus auf dem niedrigen
Scheggia-Paß (572 m) bei den Quellen des Aesis (Heiligtum des Iuppiter Peninus; Abzweigung nach Sentinum, Ostra und Sena Gallica), stieg hinab ins Tal des
Metaurus [2], durchquerte die Gola del Furlo, kam
durch Forum Sempronii (h. Fossombrone) und erreichte bei Fanum Fortunae den Ionios Kolpos. Von dort aus
gelangte man entlang der Küste nördl. nach Pisaurum
und Ariminum, den Endpunkt der Straße, an der zahlreiche röm. Brücken (vgl. Narni) und Viadukte erh.
sind.

(2.) Die *via Amerina* verlief parallel zur Via Flaminia,
überquerte den Tiberis südl. von Castellum Amerinum
(h. Seripola), führte nach Ameria [1], Tuder und Vettona (h. Bettona), gabelte sich und verlief linksseits
nach Perusia in Etruria, kehrte rechtsseits bei Arna und
Iguvium in die *regio VI* zurück, um sich auf dem Scheggia-Paß mit der *via Flaminia* zu vereinigen.

Für den Schifffstransport landwirtschaftlicher Erzeugnisse (bes. Holz) auf dem Tiberis standen verschiedene
Flußhäfen zur Verfügung. In der *Conca Umbra* waren
auch der Clitumnus und der Clasius schiffbar. Wichtig
waren die Häfen an den Mündungen der Flüsse in den
Ionios Kolpos.

→ Italien, Alphabetschriften (F.); Italien, Sprachen;
Oskisch-Umbrisch; Tabulae Iguvinae

G. Radke, s. v. U., RE Suppl. 9, 1818–1827 · G. Devoto,
Gli antichi Italici, ³1969, 186–196, 221–233 · D. Briquel,
A propos du noms des Ombriens, in: MEFRA 85, 1973,
357–393 · A. L. Prosdocimi, Le Tavole Iguvine, 1984 ·
W. V. Harris, Rome in Etruria and Umbria, 1971 ·
D. Manconi, M. A. Tomei, Ville e insediamenti rustici di
età romana in Umbria, 1983 · F. Roncalli (Hrsg.),
Antichità dall' Umbria in Vaticano, 1988 · M. P. Corbucci
(Hrsg.), Antichità dall' Umbria a New York (Ausst.-Kat.),
1991 · P. Fontaine, Cités et enceintes de l'Ombrie antique,
1990 · M. Luni, Scavi e ricerche nelle Marche, 1991 ·
G. Binazzi (Hrsg.), L'Umbria meridionale tra tardoantico
ed altomedioevo, 1991 · D. Manconi, s. v. Umbria, EAA
2. Suppl., Bd. 5, 1997, 875–887 · G. Bradley, Ancient
Umbria, 2000.   G. U. u. E. O.

Umbricius. C. U. Melior. *Haruspex Caesarum, patronus
municipii* (AE 1930, Nr. 52; der Delphin als Worttrenner
auf der Inschr. verortet wohl den Patronat in Tarent;
→ *haruspices* mit Abb.; → *patronus* D.). U. sagte → Galba
[2] am 15.1.69 aus Leberzeichen den Umsturz durch
→ Otho unmittelbar voraus (Tac. hist. 1,27; Plut. Galba
24). Seine Fachschrift *De Etrusca disciplina* war die jüngste Quelle des Plinius [1] für (Vogel-)Prodigien (Plin.
nat. 10; 11 index auct.; 10,19; [1]).
→ Divination VII.; Etrusci III. D.

1 D. Briquel, Sur un fragment d'U. Melior, in: Les
Écrivains et l'Etrusca Disciplina de Claude à Trajan
(Caesarodunum Suppl. 64), 1995, 17–26.   M. HAA.

Umbrisch s. Oskisch-Umbrisch

Umbro. Schiffbarer Fluß in Etruria (→ Etrusci; Plin.
nat. 3,51), h. Ombrone. Er entspringt bei → Saena/h.
Siena, wurde von der → *via Aurelia* überquert und bildete südl. vom → *lacus Prelius* an an seiner Mündung ins
Meer einen Hafen (Rut. Nam. 1,337–340; Itin. Anton.
500,4 f.). Der ON hängt mit dem *tractus Umbriae* zusammen, dem urspr. von → Umbri besiedelten Landstrich
zw. Saena und Telamo (Plin. nat. 3,51). Ein weiterer U.
(h. Ambra), linker Nebenfluß des → Arnus, wurde zw.
→ Clusium und Florentia [1] von der *via Cassia Hadriana*
überquert.   G. U./Ü: J. W. MA.

Umgangssprache s. Vulgärlatein

Ummidia

[1] U. Cornificia Faustina. Tochter von U. [3], Nichte von Marcus [2] Aurelius.

Raepsaet-Charlier, Nr. 827.

[2] U. Quadratilla. Tochter von U. [1]. Zu ihren möglichen Heiraten und Nachkommen [1. 662–665]. Plinius (epist. 7,24) schildert sie als eine extravagante Frau,
die sich noch in hohem Alter eine Gruppe von Pantomimen hielt; in ihrer Heimatstadt → Casinum ließ sie
ein Amphitheater und einen Tempel errichten (ILS
5628).

1 Syme, RP 2 Raepsaet-Charlier, Nr. 829.

[3] U. (Quadratilla). Verheiratet mit dem Consular
Asinius Marcellus, in den Fasti Ostienses für das J. 115
genannt (FO² 48; 111–113); Mutter von U. [1]. Ihre
genauere verwandtschaftliche Einordnung ist nicht
möglich.   W. E.

Ummidius

[1] C. U. Durmius Quadratus. Aus senatorischer Familie; vielleicht von einem U. aus Casinum adoptiert.
Die Laufbahn ist in CIL X 5182 = ILS 972 überl. Nach
einem schnellen Aufstieg (Quaestor 14 n. Chr., Praetor
bereits 18 n. Chr.) verlangsamte sich sein Vorwärtskommen. Nach einem Prokonsulat auf der Insel Cyprus und
der Statthalterschaft in Lusitania (im J. 37 bezeugt, ILS

190) wurde er erst um das J. 40 Suffektconsul. Unter Claudius [III 1] consularer Statthalter in Illyricum (entweder Dalmatia oder Pannonia), seit spätestens 51 Statthalter in Syrien, wo er bis zu seinem Tod, wohl im J. 60, amtierte. Dort wurde er in Apameia [3] geehrt [1]. Schon 51 wurde er in die Thronwirren in Armenien hineingezogen. Als Domitius [II 11] Corbulo das Kommando gegen die → Parther übernahm, kam es zum Konflikt mit U., der den Partherkönig Vologaeses I. zur Herausgabe von Geiseln bewogen hatte; Corbulo zwang U., die Geiseln ihm zu übergeben (Tac. ann. 13,9). In Iudaea hatte er mehrfach einzugreifen, um Unruhen in der Bevölkerung zu unterdrücken. Ventidius Cumanus, den röm. Verantwortlichen in Iudaea, sandte er nach Rom zurück. Seine Tochter war Ummidia [2] Quadratilla.

1 J.-Ch. Balty, Claudia Apameia, in: CRAI 2000, 459ff.
2 E. Dabrowa, The Governors of Roman Syria, 1998, 49–53.

[2] C. U. Quadratus Sertorius Severus. Enkel von Ummidia [2] Quadratilla, in deren Haus er lebte; als Redner von Plinius herausgestellt (Plin. epist. 6,11,1; vgl. 6,29). Um das J. 107 n. Chr. bereits verheiratet. Im April 118 *cos. suff.* (CIL VI 32374), was beweist, daß er mit Hadrian eng verbunden gewesen sein muß. Um 120 Statthalter von Moesia inferior [1. 132]. Am Ende der Regierungszeit Hadrians fiel er in Ungnade (HA Hadr. 15,7).

1 Thomasson 1   2 Syme, RP 2, 672–685.

[3] U. Quadratus. Nur indirekt bezeugt, wohl Sohn von U. [2]. Ehemann von Annia Cornificia Faustina, der Schwester des Marcus [2] Aurelius. Ihr Sohn war U. [4]. Ob er zum Konsulat gelangte, bleibt unsicher; doch könnte er mit C. Annianus Verus, *cos. suff.* 146 n. Chr. identisch sein.

Syme, RP 2, 685–689.

[4] M. U. Quadratus. Sohn von U. [3] und Neffe des Marcus [2] Aurelius (HA Aur. 7,4). Wohl identisch mit M. U. Annianus Quadratianus, einem der proconsularen Legaten in Africa 162 n. Chr. (CIL VIII 22691; [1. 687]). *Cos. ord.* 167.

1 Syme, RP 2, 686–689.

[5] U. Quadratus. Adoptivsohn von U. [4], leiblicher Sohn von Cn. Claudius [II 62] Severus und Annia Galeria Aurelia Faustina [1], der ältesten Tochter des Marcus [2] Aurelius. 182 n. Chr. kam er bei einer Verschwörung gegen → Commodus ums Leben (Cass. Dio 72,4,5f.; HA Comm. 4, 1–5) [2. 689f.].

1 R. Syme, The Ummidii, in: Historia 17, 1968, 72–105
2 Syme, RP 2, 659–693.   W. E.

Umwelt, Umweltverhalten

I. Methodische Vorbemerkung
II. Verhältnis zur natürlichen Umwelt
III. Umweltzerstörung durch Krieg
IV. Umweltschäden durch Zivilisation
V. Umweltprobleme der Grossstädte
VI. Rückgang und Vernichtung von Tierpopulationen

I. Methodische Vorbemerkung

Der Begriff U. ist sehr jung. Die öffentliche U.-Diskussion begann in den frühen 70er Jahren des 20. Jh.; mit ihr ging eine Schärfung des ökologischen Bewußtseins einher, wie sie zuvor unbekannt war. U.-ethische Ansätze, die daraus resultierten, haben ebensowenig eine lange Trad. wie die Erforschung ökolog. Zusammenhänge. Das alles begründet oftmals Skepsis gegenüber der Solidität u.-geschichtlicher Fragestellungen. Ihre methodische Berechtigung wird angezweifelt: modernes Bewußtsein werde in frühere Epochen zurückprojiziert. Solche Kritik kann sich indes nur auf eine Bewertung des histor. Befundes beziehen. Der Befund selbst ergibt sich aus der offenkundigen Interdependenz zwischen Natur und Ges., welche mithin u.-geschichtliche Forsch. legitimiert (zu grundsätzlichen methodischen Vorbehalten [1. 7f.]).

II. Verhältnis zur natürlichen Umwelt

Als φύσις/*phýsis* bzw. *natura* wird bezeichnet, was ohne Zutun des Menschen »wächst« und »entsteht«. Auf der einen Seite ist der Mensch selbst Teil dieses Geschehens, andererseits greift er mit seiner Zivilisation und → Technik in diesen Prozeß ein und gestaltet ihn aktiv mit. Tendenziell wird damit die im Mythos vom Goldenen → Zeitalter postulierte urspr. Harmonie zw. Mensch und Natur (= N.) aufgehoben oder zumindest gestört; das *autómaton*-Motiv einer den Menschen mit allem Lebensnotwendigen von sich aus versorgenden Mutter Erde (Hes. erg. 117–119; Verg. georg. 1,125–146; Ov. met. 1,101–112) ist ein Reflex der Vorstellung von einem seine U. noch nicht gestaltenden Menschen. Entsprechend können zivilisatorische Aktivitäten wie Ackerbau und → Bergbau als frevlerische Eingriffe in das natürlich Gewachsene gewertet werden (Verg. ecl. 4,39–41; Ov. met. 1,101f.; 1,138; vgl. Ps.-Sen. Octavia 414–419; das Wühlen in den Eingeweiden der Mutter Erde als Topos ant. Bergbaukritik: Plin. nat. 33,1f.; 2,158).

Die kultische Verehrung von Phänomenen der natürlichen U. war ein Grundzug ant. Religiosität. Unabhängig von ihrer wiss.-rationalen Erforschung erschien die N. von zahllosen göttlichen Wesen bevölkert, denen mit Ehrfurcht zu begegnen war. Dieser Glaube war eng an lokale oder regionale Konkretionen der natürlichen U. gebunden: Flüsse, Bäche, Quellen, Grotten, Haine, Bäume, Berge usw. wurden in Gestalt von N.-Dämonen (→ Nymphen) personifiziert und verehrt (Liste der Kultstätten [2]). Auch röm. *religio* erstreckte sich auf solche Örtlichkeiten (spöttischer Reflex der großen Zahl bei Petron. 17,5), die als heilige Stätten z. T. ausdrücklich gegen Eingriffe von Menschenhand geschützt waren (heilige → Haine: CIL VI 2107,15 f.; CIL X 4104; Einschränkungen zugunsten wirtschaftlicher Nutzung: Varro ling. 5,49, der von *avaritia* spricht). In Vergils Lehrdichtung verbindet sich diese Vorstellung mit der einer stetig erforderlichen »Zähmung« der N. durch den Menschen (bes. Verg. georg. 2, vgl. 2,22–176 und 458–540; [3]). Diesem Denken entspricht auch die verbreitete Deutung von → Naturkatastrophen als Reaktion der Götter auf Störungen in der Interaktion zw. Menschen und göttlich aufgefaßtem N. (Cic. nat. deor. 2,14; Plin. nat. 33,1 f.).

Neben Respekt und Furcht war ant. »N.-Gefühl« – der Begriff ist freilich in seiner Undifferenziertheit problematisch – auch durch Freude an und Liebe zur N. geprägt. Als schön wurden Landschaften mit blühenden Blumen (Bakchyl. 13,87 f.), Bäumen und Quellen (Plat. Phaidr. 230b) empfunden. Als *locus amoenus* der hell. Zeit galt der stadtferne, anmutige Hain mit kühlem Gewässer, in dessen Schatten sich die Hirten lagerten (Theokr. 5,31–34; 5,45–49; 7,135–145). Vergleichbare, von hell. Vorbildern inspirierte Landschaftsschilderungen finden sich in der röm. Lit. (Lucr. 2,30–33). Das N.-Gefühl der kaiserzeitlichen Oberschicht spiegelt sich in der Anlage palastartiger Villen in reizvoller Landschaft (Quint. inst. 3,7,27) oder in aufgelockertem Hügelland, wobei der schönen Fernsicht große Bed. zukam (Sen. epist. 86,8; Plin. epist. 5,6,7; Hor. epist. 1,10,23). Tendenziell zeigt sich in diesem Ideal durchaus der Wunsch nach Überlegenheit über die N.; dem entspricht auch die seit dem 1. Jh. v. Chr. zunehmende Neigung, die N. bei der Anlage von Parks mit Hilfe von Kunstgärtnern (*topiarii*) zu »domestizieren« (Cic. ad Q. fr. 3,1,5; Plin. epist. 5,6,33–36).

Wenig Freude empfanden Griechen und Römer an wild-»romantischen« Landschaften. Hohe Berge, tiefe Schluchten und undurchdringliche Wälder, Wüsten, Sümpfe und tosendes Meer verursachten als »lebensfeindliche N.-Räume« Furcht und Abneigung (Aischyl. Suppl. 792–799; Lucr. 5,200–217 und 5,1000 f.; Liv. 21,58,3: *foeditas Alpium*, ›Abscheulichkeit der Alpen‹). Der Mensch sah sich hier in Gegnerschaft zu einer natürlichen U., deren Bezwingung als zivilisator. Fortschritt gepriesen werden konnte (Anth. Gr. 7,626).

Das tatsächliche U.-Verhalten nahm wenig Rücksicht auf rel. Vorbehalte. Im Konflikt zw. Schonung und Ausbeutung der natürlichen U. setzten sich mil., ökonomische und zivilisatorische Interessen in aller Regel durch. Die dadurch verursachten Probleme waren meist, mit U.-Schäden seit dem 19. Jh. verglichen, gering, in ihren Auswirkungen auch auf folgende Generationen allerdings nicht marginal. Es existierte – auch mangels Problemdruck – kein »U.-Bewußtsein«. Mit mod. Begrifflichkeit läßt sich die »U.-Mentalität« der Ant. so skizzieren: Wirtschaften ohne Nachhaltigkeit und Folgen-Analyse, kurzfristiges Profit- und Erfolgsdenken, kaum langfristige Investitionsplanung, weit-

gehender Verzicht auf Streckung und Erneuerung von Ressourcen.

III. Umweltzerstörung durch Krieg

Kriegerische Aktivitäten richteten sich regelmäßig nicht nur gegen menschliche Gegner, sondern auch gegen deren Land. Die Verwüstung Attikas war im → Peloponnesischen Krieg wesentlicher Bestandteil der spartanischen Ermattungsstrategie (Thuk. 3,26,3 f.); v. a. die Abholzung großer Teile der Olivenbaumkulturen richtete langandauernde Schäden an (Lys. 7,7). Auch in der röm. Kriegführung gehörte die Verwüstung von Landschaft und → Landwirtschaft zur Strategie (Tac. Agr. 30,3 f.): Die Kriegserklärung bezog die *agri* der Feinde ausdrücklich mit ein (Macr. Sat. 3,9,10). Im 2. → Punischen Krieg wurde auch im eigenen Land die Strategie der verbrannten Erde praktiziert (Pol. 9,4,3; Liv. 23,41,13 f.; zu den Folgen [4. 101]; vgl. Caes. Gall., dazu [5]).

IV. Umweltschäden durch Zivilisation

→ Holz war einer der wichtigsten Rohstoffe der Ant. (als Energieträger; in Gebäude- und → Schiffbau, → Handwerk, → Landwirtschaft und → Bergbau). Mit dem Anstieg der Bevölkerungszahl seit dem Neolithikum wuchs der Bedarf an Holz sowie an agrarischer Nutzfläche. Abholzen ganzer Waldareale auch an Berghängen führte vielerorts zu Erosionsschäden. Die früheste Beschreibung dieses Verkarstungsprozesses findet sich bei Plat. Kritias 111a-e. Die Folgen kompletter Rodungen waren bekannt; zugunsten der anfangs überdurchschnittlich guten Erträge auf ehemaligem Waldböden nahm man die späteren Produktivitätseinbrüche infolge Ausschwemmens der Humusdecke in Kauf (Colum. 2,1,5–7). Die Transportwege für die Ressource Holz dürften seit dem 5. Jh. v. Chr. für zahlreiche griech. Staaten länger geworden sein, da der Holzbedarf meist zunächst siedlungsnah gedeckt wurde und Wiederaufforstungen weitgehend unterblieben (Ansätze dazu: POxy. 1188; CIL III 180). Athen importierte im 5. und 4. Jh. v. Chr. große Mengen Schiffsbauholz aus Thessalien und Makedonien (Thuk. 4,108,1; Xen. hell. 6,1,11); auch für andere Seemächte wie Rhodos in hell. Zeit und Rom war die zuverlässige Belieferung mit Holz aus waldreichen Regionen ein wesentlicher polit. Faktor [6].

Die meist rücksichtslosen Abholzungen müssen aus heutiger Sicht als ökolog. Raubbau angesehen werden. Als eklatantes Beispiel für eine nur an der aktuellen Bedarfslage orientierte kurzsichtige Ausbeutungsmentalität kann die Insel Elba gelten. Die Verhüttung des dort geförderten Erzes mußte in augusteischer Zeit auf das Festland verlegt werden, weil die Waldreserven der Insel aufgebraucht waren (Strab. 5,2,6; Diod. 5,13,1). Im ganzen galt It. damals aber noch als waldreich (Dion. Hal. ant. 1,37,4), bevor in der Kaiserzeit – auch wegen des enormen Holzkohleverbrauchs der → Thermen – Rodungen der Apennin-Abhänge zunahmen (Sidon. carm. 5,441–445). Trotz der für die Spätant. bezeugten Brennholz-Importe aus Afrika (Cod. Theod. 13,5,10) kann von Engpässen bei der Ressource Holz nicht die Rede sein. Übertriebene Vorstellungen von riesigen Verkarstungsschäden v. a. in Höhenlagen aus ant. Zeit werden durch ma. und frühneuzeitliche Quellen widerlegt. Die folgenschwersten ökolog. Eingriffe in den Waldbestand des Mittelmeerraumes begannen erst im viel stärker technisierten 19. Jh. [7. 386–403; 8. 36–38]. Irreversible U.-Schäden durch Kahlschläge wurden in der Ant. vornehmlich in Küstennähe verursacht. Erosionsschäden entstanden in manchen Gebieten auch durch Überweidung karger, mit mediterraner Macchia bewachsener Hänge [9. 77–90; 10].

Bergbauaktivitäten bedeuteten massive Eingriffe in das Landschaftsbild und das Ökosystem der betroffenen Regionen. Der Gedanke einer Rekultivierung ehemaliger Bergbaugebiete war der Ant. fremd; Abraum- und Schlackenhalden prägten das Bild dieser Gegenden (z. B. → Laureion, wo die Silberadern im 4. Jh. v. Chr. erschöpft waren). Zu den röm. Praktiken des Goldbergbaus gehörten das Umleiten von Flüssen zum Ausschwemmen des Erdreichs (Plin. nat. 33,74–76; Strab. 4,6,7; [11]) sowie künstlich bewirkte Bergeinstürze ohne sichere Aussichten auf tatsächliche Erzvorkommen (Plin. nat. 33,70–78; dort 76 f. Hinweise auf die landschaftszerstörerischen Folgen dieser Abbaumethoden). Kritik hieran ist weniger ökolog. als moralisch-rel. motiviert, wenngleich die Ursache-Folgen-Beziehung erkannt wurde (Plin. nat. 33,1–6). Gleichwohl blieben die Auswirkungen ant. Bergbau- und Steinbruchaktivitäten lokal oder allenfalls regional beschränkt. Das trifft – trotz des Baus hoher Schornsteine (Strab. 3,2,8; die kritischen Bemerkungen bei Plin. nat. 18,3 beziehen sich nicht explizit darauf) – auch auf die Kontamination der Luft durch giftige Gase zu, die bei der Silber- und Bleischmelze entstanden.

Zu den bedenklichen zivilisator. Einflüssen auf die natürliche U. ist seit spätrepublikanischer Zeit eine Tendenz zur Zersiedlung als schön empfundener Landschaften zu rechnen. Der »Landschaftsverbrauch« für prächtige Villen der Oberschicht (Sen. epist. 89,21) v. a. in der kampanischen Küstenregion war hoch. Die N. wurde von Bauherren und → Architekten als Herausforderung empfunden, gegen die man die bauliche Konzeption auch in Form des »Abtragens von Bergen und der Überbauung des Meeres« (Sall. Catil. 13,1; Bau eines Kanals, um künstlichen Fischteichen Meerwasser zuzuführen: Varro rust. 3,17,9; Plin. nat. 9,170) durchsetzte. Die »Wildnis« (natura) sollte vom menschlichen Gestaltungswillen domestiziert werden (Stat. silv. 2,2,52–62; Sen. epist. 122,8; Hor. carm. 3,1,33–37). Hierhin gehört auch die in der Kaiserzeit verbreitete Mode, Parks nicht nur durch Integration von Skulpturen, Wasserspielen und architektonischen Elementen zu »kultivieren« [12. 65–85; 13], sondern auch symmetrische Pflanzenarrangements und »Vegetationsplastiken« anlegen zu lassen (nemora tonsilia: Plin. nat. 12,13; Plin. epist. 5,6,16; 5,16,35).

V. UMWELTPROBLEME DER GROSSSTÄDTE

Über u.-bedingte Beeinträchtigungen des Lebens in ant. Großstädten liegt nennenswertes Quellenmaterial nur für das kaiserzeitliche Rom vor. Als Millionenmetropole und mit Abstand einwohnerreichste Stadt der Ant. war Rom einerseits ein Sonderfall, andererseits sind angesichts der vergleichbaren Siedlungsstruktur (starke Ballung der Bevölkerung im Zentrum) die dort registrierten U.-Belastungen wohl auch für andere große Städte wie Alexandreia [1] und Athen anzunehmen [9. 156]. Über Rom hing häufig eine smogartige, drückende Luft (gravitas urbis: Sen. epist. 104,6), die das Atmen erschwerte. Sie setzte sich zusammen aus den Emissionen zahlloser offener Feuerstellen (Hor. carm. 3,29,11 f.) und der dem Stadtzentrum nahegelegenen Krematorien (ustrina, z. B. auf dem → Campus Martius), hoch gewirbeltem Straßenstaub und dem Qualm der fast täglich irgendwo im Stadtgebiet ausbrechenden Brände (Sen. contr. 2,1,12; Iuv. 3,190–198). Die Luftverschmutzung (gravius caelum, Frontin. aqu. 2,88,3) verlieh vielen Hauptstädtern einen blassen Teint (Mart. 10,12,7–12). Das Leben auf den Straßen der übervölkerten Metropole wird als hektisch und streßverursachend beschrieben; trotz eines grundsätzlichen Fahrverbotes bei Tage (CIL I² 593,56–61) kam der Verkehr auch durch Fußgängerstaus häufig zum Erliegen (Sen. clem. 1,6,1). Die satirisch überspitzte Schilderung von Unfallgefahren (Iuv. 3,243–261; Hor. epist. 2,2,70–75) mag die Realität dramatisieren, hat diese aber als Bezugspunkt. Als krankmachend wird der Tag und Nacht herrschende → Lärm (strepitus Romae: Hor. carm. 3,29,12) beschrieben (Iuv. 3,233–238; Mart. 12,57; [12. 208–227]). Ein Entrinnen aus der von Lärm erfüllten Stadt (clamosa urbs: Stat. silv. 4,4,18; zu Alexandreia: Kall. fr. 260,63–69) gab es nur für Reiche, die in einer villa suburbana wohnten oder sich in ihr Landhaus zurückziehen konnten (Hor. epist. 2,2,76–78; Mart. 4,64; 12,18; 12,57) – eine frühe Form von »Umweltflucht«.

Ob der → Müll in ant. Großstädten ein gravierendes U.-Problem darstellte, läßt sich nicht sicher beantworten. Angesichts einer zumindest für Rom bezeugten, wenngleich hinsichtlich der Modalitäten nicht näher bekannten Müllabfuhr (CIL I² 593,66 f.) dürfte es kaum angemessen sein, generell von ›straßenhygienisch bedenklichen Zuständen‹ [15. 25] zu sprechen. Allerdings lagen Mülldeponien häufig direkt am Ortsrand, manchmal auch im näheren Wohnumfeld. Die Müllentsorgung über Flüsse (Tiber: Suet. Aug. 30,1; Tac. ann. 15,18; Fluß als Kloake im kleinasiat. Amastris: Plin. epist. 10,98 f.), Hafenbecken und Seen war üblich.

VI. RÜCKGANG UND VERNICHTUNG VON TIERPOPULATIONEN

Das Verhältnis zw. Mensch und Tier war in der gesamten Ant. durch ein Nebeneinander von Nähe und Distanz charakterisiert. Manifestationen von Tierliebe (Spieltiere, Schoßhunde, → Haustiere, s. Nachträge; CLE II,2 1512; 1174–1177) und enger Beziehungen v. a. zu → Hunden und → Pferden (Hom. Od. 17,290–323;

Athen. 12,520c-f) standen schon in klassisch-griech. Zeit mitleidlos inszenierte Tierkämpfe gegenüber, v. a. zwischen Hähnen (→ Hahnenkampf), → Hunden und → Katzen. Grundsätzlich dominierte eine pragmatische Einstellung zum Tier, das v. a. als Wirtschaftsgut in Bezug auf seinen Nutzen für den Menschen gesehen wurde [16. 80f., 140f.]; einen Tierschutzgedanken kannte das Alt. ebensowenig wie einen allg. N.-Schutzgedanken. Die vegetarischen Vorschriften der Pythagoreer (→ Vegetarismus) stellten insofern keine Ausnahme dar, als sie dem Glauben an eine → Seelenwanderung verpflichtet waren.

Die Abholzung von Wäldern und die Ausweitung der landwirtschaftlichen Nutzflächen engten seit dem Neolithikum den Lebensraum mancher Spezies ein. Einige Tierpopulationen wurden reduziert und in abgelegene Gebiete zurückgedrängt (Paus. 8,23,9). Angesichts der Gefahr, die wilde Tiere für die Menschen und ihre Nutztiere darstellten (Lucr. 5,990–993), erscheint es verständlich, wenn ihr erzwungener Rückzug vielfach als Sieg der Zivilisation gefeiert wurde.

Überjagung von Tierbeständen durch »normale« Jagdaktivitäten führte, obwohl Schonzeiten unbekannt waren, im allg. nicht zur Störung des ökolog. Gleichgewichts. Erst die hemmungslose Einfangjagd auf fast alle Arten wilder Tiere für die → venationes in den Amphitheatern (→ amphitheatrum) und Stadien der röm.-griech. Welt hatte erhebliche, z. T. desaströse Auswirkungen auf die Fauna einiger Regionen. Seit spätrepublikanischer Zeit stieg der Bedarf an »Material« für die Tierhetzen steil an. Die Opferzahlen gingen in die Hunderte, bisweilen in die Tausende (R. Gest. div. Aug. 22; Cass. Dio 66,25,1; 68,15; Einzelheiten: [17. 26–29]). Die allg. Popularität der venationes – auch im Osten des Imperiums – und die steigenden Ansprüche an Quantität und exotische »Qualität« bedingten eine kontinuierliche Nachschub-Logistik. Schon auf den langen Transportwegen (vgl. Karte bei [17. 29]) dürften zahlreiche Tiere verendet sein (Apul. met. 4,14,1 f.).

Nicht nur die massenhafte Tötung von Tieren bei Schau-venationes war Ausdruck einer imperialen Mentalität, die sich am teilweise raffiniert inszenierten Leiden der Kreatur delektierte (Mart. liber spectaculorum 9–14); auch die systematische »Entleerung« mancher Gebiete von gefährlichen Tieren wurde als Ausdruck imperial-zivilisator. Überlegenheit des Menschen gedeutet, der seinen Lebens- und Wirtschaftsraum dadurch ausdehnte (Claud. de consulatu Stilichonis 3,317–332; 343–369; Anth. Gr. 7,626; Strab. 2,5,33). Tatsächlich waren → Elefanten, → Nashörner und Zebras in Nordafrika im 4. Jh. weitgehend ausgerottet; → Nilpferd- und → Krokodil-Populationen waren weit nach Süden zurückgedrängt (Amm. 22,15,24).

1 O. RACKHAM, Ecology and Pseudo-Ecology: the Example of Ancient Greece, in: G. SHIPLEY, J. SALMON (Hrsg.), Human Landscapes in Classical Antiquity. Environment and Culture, 1996 2 W. RUGE, s. v. Nymphai, RE 17, 1527–1599 3 H. HECKEL, Das Widerspenstige

zähmen (Bochumer Alt.-wiss. Coll. 37), 1998 4 A. J. TOYNBEE, Hannibal's Legacy, Bd. 2, 1965 5 H. CANCIK, Rationalität und Militär – Caesars Kriege gegen Mensch und N., in: H. CANCIK, Antik – Modern, 1998, 103–122 6 A. C. JOHNSON, Ancient Forests and Navies, in: TAPhA 58, 1927, 199–209 7 R. MEIGGS, Trees and Timber in the Ancient Mediterranean World, 1982 8 K.-W. WEEBER, Smog über Attika. U.-Verhalten im Alt., 1990 9 J. D. HUGHES, Pan's Travail. Environmental Problems of the Ancient Greeks and Romans, 1994 10 C. A. YEO, The Overgrazing of Ranch Lands in Ancient Italy, in: TAPhA 79, 1948, 275–307 11 P. LEWIS, G. D. B. JONES, Roman Gold-Mining in Northwest Spain, in: JRS 60, 1970, 169–185 12 R. PÖRTSCH, Arch. Kommentar zu den Villenbriefen des Jüngeren Plinius, 1993 13 E. LEFÈVRE, Plinius-Stud. I. Röm. Baugesinnung und Landschaftsauffassung in den Villenbriefen, in: Gymnasium 84, 1977, 519–541 14 H. DAHLMANN, Über den Lärm, in: Gymnasium 85, 1978, 206–227 15 G. E. THÜRY, Müll und Marmorsäulen. Siedlungshygiene in der röm. Ant., 2001 16 W. MARTINI, M. LANDFESTER in: P. DINZELBACHER (Hrsg.), Mensch und Tier in der Gesch. Europas, 2000, 29–86; 87–144 17 K.-W. WEEBER, Panem et circenses. Massenunterhaltung als Politik im ant. Rom, 1994.

A. BIESE, Die Entwicklung des N.gefühls bei den Griechen und Römern, 2 Bde., 1882/1884 • E. BERNERT, I. VON LORENTZ, s. v. N.-Gefühl, RE 16, 1811–1885 • R. FAIRCLOUGH, Love of Nature among the Greeks and Romans, 1930 • G. JENNISON, Animals for Show and Pleasure in Ancient Rome, 1937 • J. HEALY, Mining and Metallurgy in the Greek and Roman World, 1978 • J. V. THIRGOOD, Man and Mediterranean Forest, 1981 • J. M. C. TOYNBEE, Tierwelt der Ant. Bestiarium romanum, 1983 • TH. A. WERTIME, The Furnace versus the Goat, in: Journal of Field Archeology 10, 1983, 445–452 • J. K. ANDERSON, Hunting in the Ancient World, 1985 • P. FEDELI, La natura violata. Ecologia nel mondo romano, 1990 • T. H. VAN ANDEL et al., Land Use and Soil Erosion in Prehistoric and Historical Greece, in: Journal of Field Archeology 17, 1990, 379–396 • K. SCHNEIDER, Villa und N. Eine Studie zur röm. Oberschichtkultur, 1994 • E. THÜRY, Die Wurzeln unserer U.-Krise und die griech.-röm. Ant., 1995 • X. DUPRÉ RAVENTÓS, J.-A. REMOLÀ (Hrsg.), Sordes urbis. La eliminación de residuos en la ciudad romana, 2000.   K.-W. WEE.

Uncia (griech.-sikul. ὀγκία/onkía; zu unus: Varro ling. 5,171, im Sinne von »Einheit«). 1/12 des zwölfteiligen Ganzen, des → as, als (1) Maß-, (2) Gewichts- und (3) Münzeinheit.

(1) Maßeinheit: a) Längenmaß: 1 u. = 1/12 des als as verstandenen → pes = 24,67 mm des pes Romanus [1. 654f.]. Im bis zur Kaiserzeit in It. ebenfalls gebräuchlichen oskischen Fuß war 1 u. = ca. 23 mm [1. 658]. b) Flächenmaß: 1 u. = 1/12 des den → as darstellenden → iugerum (= 2400 Quadratfuß = 210,3 m² [1. 658f.]). c) Hohlmaß: 1 u. = 1/12 der → hemína = 22,74 cm³, bei Wasser- und Weinfüllung = 22,74 g, bei Ölfüllung = 20,47 g Gewicht [1. 659–662]. d) Zeitmaß: 1 u. = 1/12 der Stunde = 5 Min., aber auch 1/12 des Tages, des Tagewerkes oder Jahres [1. 662f.]. e) Zinsmaß: Ein fenus unciarum ist schon in den Zwölftafeln (→ tabulae duode-

cim) bezeugt (Tac. ann. 6,16). 1 u. = ¹⁄₁₂ der → *centesima* von 1 % pro Monat. Zeichen für die Zins-*u.* ist ein liegendes S (ILS 6675).

(2) Gewichtseinheit: 1 u. = ¹⁄₁₂ der röm. → *libra* [1] = 27,288 g [1. 617–619; 5. 714], der osk. *libra* = 22,74 g [1. 630–633; 5. 714], der griech.-sikul. → *lítra* = 9,1 g [1. 614f.]. Mehrfachwerte der *u.* sind: → *sextans* (2 *u.*), → *quadrans* (3 *u.*), → *triens* (4 *u.*), → *quincunx* (5 *u.*), → *semis* (6 *u.*), *septunx* (7 *u.*), → *bes* (8 *u.*), → *dodrans* (9 *u.*), → *dextans* (10 *u.*) und → *deunx* (11 *u.*). Teilwerte sind: → *semuncia* (½ *u.*), → *sicilicus* (¼ *u.*), → *sextula* (⅙ *u.*), → *scripulum* (¹⁄₂₄ *u.*) und → *siliqua* (¹⁄₁₄₄ *u.*). Unzengewichte, bes. aus spätröm. und byz. Zeit, mit den Buchstaben Γο für ὀγκία/*onkía* sind in großer Zahl erh. [4. 11–13; 5. 714].

(3) Münzeinheit: Die *u.*-Unterteilung im Münzwesen findet sich bereits in der Br.-Prägung der Griechenstädte in Unteritalien und Sizilien, so z.B. in Rhegion (4./3. Jh. v. Chr., [2. 110–112]), Akragas (5. Jh. v. Chr., [2. 122]), Gela (5. Jh. v. Chr., [2. 142]), Kamarina (5. Jh. v. Chr., [2. 130]), Segesta (5. Jh. v. Chr., [2. 166]) und Syrakus (5./4. Jh. v. Chr., [2. 178]; zu Unteritalien und Sizilien auch [1. 641–645]). Im röm. → *aes grave* begegnet die *u.* mit einer Wertkugel – zuerst gegossen, dann geprägt – seit dem 1. Viertel des 3. Jh. v. Chr. [3. 133, Nr. 14.6] bis zur Einführung des → Semunzialstandards (91 v. Chr., z.B. [3. 35/6, 43/5, 57/8] etc.). In der Kaiserzeit wurde die *u.* nicht als Mz. geprägt, seit Augustus hatte der → *sestertius* das Gewicht einer *u.* [1. 645–648].

Die röm. Rechenbretter (→ *abacus*) wiesen unziale Teilung der ganzen Zahlen auf; das Zeichen der *u.* war ein Θ. Teile von Erbmassen, Schuldsummen, Preisen und Besitz wurden in *unciae* ausgedrückt. *Unciarius heres* bezeichnet einen Erben zu ¹⁄₁₂. Im Buchwesen bezeichneten die *litterae unciales* eine große und teure Buchschrift ([1. 663–665]; → Unziale, vgl. → Majuskel).
→ Flächenmaße; Hohlmaße; Maße

1 H. CHANTRAINE, s. v. U., RE 9 A, 604–665 2 HN 3 RRC 4 F. W. KRUSE, G. STUMPF, Auf die Goldwaage gelegt: Waage, Gewicht und Geld im Wandel der Zeiten, 1998 5 SCHRÖTTER, s. v. U., 713f. GE.S.

Unendlichkeit. Obwohl das »Unendliche« (ἄπειρον/*ápeiron*, lat. *infinitum*) bereits bei manchen frühen Denkern (Anaximandros, Pythagoreismus, Demokritos [1], Anaxagoras) begegnet, wurde der Begriff als solcher erst seit Zenon von Elea und Aristoteles [6] wirklich philos. thematisiert [2]; er betraf einerseits die unendliche (= une.) Ausdehnung, z.B. des Weltalls (so Epik. epist. ad Herodotum 41–44; lat. Fassung bei Lucr. 1,958–967) oder der Leere [1. 125–141; 2. 321–335], andererseits die Teilbarkeit physikalischer oder mathematischer Größen [3. 321–418]. Einer der Gründe für die Annahme einer real existierenden U. war nach Aristot. phys. 3,4,203b 18–20 die Forderung, das Prinzip des Seienden sei unerschöpflich. So ist das »Unbegrenzte« (*ápeiron*) bei Anaximandros ein ewiges und unerschöpfliches Etwas,

aus dem die bestimmte und begrenzte Welt (*kósmos*) entstanden ist. Diese Argumentation wird zwar von Aristoteles zugunsten der Idee eines permanenten kosmischen Kreislaufs verworfen (ebd. 3,8,208a 8–11); sie erscheint jedoch wieder im → Neuplatonismus (nun für formelle statt materielle Ursachen): Plotinos nennt sein höchstes metaphysisches Prinzip, das Eine, auch »une.«, weil dessen emanierendes Vermögen (*dýnamis*) unerschöpflich ist (z.B. 5,5,10,21–23; → Emanation). Im gleichen Sinne begründet Augustinus (epist. 118,24) die Idee der U. Gottes. Sowohl bei Plotinos (5,5,11,1–5) als auch in der griech. und lat. Patristik (z.B. Gregorios [2] von Nyssa, De vita Moysis 2,236; Hilarius von Poitiers, De Trinitate 2,6) wird die Idee der U. Gottes auch durch die Feststellung begründet, daß Gott von nichts umgeben oder begrenzt wird, oder daß er Begrifflichkeit und Vorstellungsvermögen transzendiert (Min. Fel. 18,8); [4].

Der Begriff der une. Teilbarkeit wurde von Zenon von Elea (bes. in den zwei ersten Paradoxien der Bewegung, 29 A 25 und 26 DK) problematisiert [5]: Läßt sich eine une. Menge von Teilen innerhalb einer begrenzten Substanz überhaupt denken, und sollte dann die Substanz (als Summe einer une. Menge von Teilen, die je für sich eine gewisse Ausdehnungsgröße haben) nicht vielmehr une. groß sein? Aristoteles setzte sich als erster mit solchen Fragen sowie mit dem Begriff des Une. überhaupt philos. auseinander; nur in drei Bereichen gebe es eine Art U. (Aristot. phys. 3,4–8): die Zeit ist une.; die – ihrerseits begrenzten – Substanzen sind ins Une. teilbar; und die Zahlenreihe hat kein Ende. Es handelt sich hier aber nicht um eine aktuelle, sondern um eine bloß *potentielle* U.: das Une. ist nicht dasjenige außerhalb dessen nichts mehr ist, sondern dasjenige, außerhalb dessen immer noch etwas ist (Aristot. phys. 3,6,206b 33). Ein begrenzter Körper besteht also nicht wirklich aus une. vielen Teilen, die Zahlenreihe endet nicht in einer wirklich une. Zahl (denn jede Zahl ist *per definitionem* zählbar, ebd. 3,5,204b 7–10), und auch die Zeit besteht nicht aus einer aktuell une. Menge von Tagen usw., denn die vergangenen Teile der Zeit existieren nicht mehr (ebd. 3,6,206a 25–b 3).

Hinsichtlich der Teilbarkeit des Kontinuums verteidigte der führende Stoiker Chrysippos [2] wohl eine Aristoteles vergleichbare Position: die Teilung einer Substanz sei zwar »une.«, gehe aber in Wirklichkeit nicht »ins Une.« (SVF II, 482). Epikuros dagegen leugnete jede Form der une. Teilbarkeit, sowohl im physikalischen Bereich, wo er die Atome für die kleinsten unteilbaren Einheiten hielt (→ Atomismus), als auch im theoretisch-mathematischen Bereich, wo er theoretisch unteilbare, minimale Größen annahm (Epik. epist. ad Herodotum 56–59) – eine den Grundlagen der → Mathematik schroff entgegentretende Auffassung. In der Spätant. spielte der aristotelische Finitismus noch eine wichtige Rolle bei der Debatte über die Ewigkeit der Welt [6]. Der christl. Neuplatoniker Iohannes → Philoponos verwendet bei seiner Verteidigung der Schöpfungsidee die aristotelische These, es gebe in Wirklichkeit keine aktuelle U., gegen die ebenfalls aristotelische These, die Welt sei ewig, habe also keinen Anfang gehabt. Im letzteren Fall wäre die Zahl der vergangenen Tage aktuell une. Sein Gegner → Simplikios wandte ein, daß die Zahl der vergangenen Tage nicht eine im aristotelischen Sinne aktuelle U. konstituiere, gerade weil diese Tage nicht mehr im relevanten Sinn existieren (Simpl. in Aristot. phys. 506, 3–18).

→ Kosmologie; Raum; Zahl; Zeitkonzeptionen

1 R. SORABJI, Matter, Space and Motion, 1988
2 K. A. ALGRA, Concepts of Space in Greek Thought, 1995
3 R. SORABJI, Time, Creation and the Continuum, 1983
4 L. SWEENEY, Divine Infinity in Greek and Medieval Thought, 1992 5 W. C. SALMON (Hrsg.), Zeno's Paradoxes, 1970 6 R. SORABJI, Infinity and the Creation, in: Ders. (Hrsg.), Philoponus and the Rejection of Aristotelian Science, 1987. K. AL.

Unguentum s. Kosmetik

Uni. Höchste weibliche etr. Gottheit, etym. mit der lat. → Iuno verwandt und vielleicht aus Latium stammend; schon früh der griech. → Hera assimiliert, u. a. Ehefrau von → Tinia/ → Zeus, hat U. jedoch auch ital. Elemente (Iono Sospita) mit bes. Beziehungen zu → Hercle/ → Herakles [1] und → Turan [1]/ → Aphrodite. U. war. → Kultgottheit von Städten, z. B. → Veii, von wo Kult und Statue 396 v. Chr. durch *evocatio* nach Rom wechselten (Iuno Regina) sowie von Heiligtümern (→ Pyrgi, → Graviscae, → Caere), häufig in Kultgemeinschaft mit anderen Gottheiten, wie Tinia/Zeus, Thesan/ → Eos und Turan/Aphrodite. In den Goldlamellen von Pyrgi ist U. mit der semitischen → Astarte gleichgesetzt. Reiche bildliche Überl. auf Vasen und Spiegeln, meist in myth. Kontext.

I. KRAUSKOPF, s. v. U., in: M. CRISTOFANI (Hrsg.), Dizionario della civiltà etrusca, 1985, 310f. •
L. M. MICHETTI, G. COLONNA, s. v. U., LIMC 8, 1997, 159–171. F. PR.

Universalgeschichte s. Geschichtsschreibung (II. E.)

Univira. Die Vorstellung, eine Frau solle in ihrem Leben nur mit einem einzigen Mann verheiratet sein, galt als traditionelles Ideal der röm. Ges.; dementsprechend waren zum Kult der → Pudicitia allein die Frauen zugelassen, die nur einmal geheiratet hatten (Val. Max. 2,1,3; Liv. 10,23,3–10). Obgleich in der späten Republik und im frühen Prinzipat die Zahl der Ehescheidungen zunahm und die Wiederverheiratung von geschiedenen Frauen und Witwen üblich war, behielt dieses Ideal seine Gültigkeit (Catull. 111,1f.). So betont Propertius in der Elegie auf Cornelia [I 1], diese sei nur einmal verheiratet gewesen, und unter Tiberius wurde zur → Vestalin eine *virgo* bestimmt, deren Mutter nur eine Ehe geführt hatte (Prop. 4,11,36; vgl. 4,11,68; Tac. ann. 2,86). Die germanische Sitte, nur eine Ehe einzugehen,

wird von Tacitus als Gegenbild röm. Verhältnisse gelobt (Tac. Germ. 18,1; 19,2).

Die nur einmal verheiratete Frau wird auf Grabinschriften als *u.* oder *univiria* bezeichnet und so gleichzeitig – meist vom Ehemann – gerühmt (Rom: ILS 4984; 8527; 8559; Ostia: ILS 6167; Puteoli: ILS 8442; Africa: ILS 8444).

→ Ehe (III.); Frau (II.); Geschlechterrollen; Witwe

1 S. DIXON, The Roman Family, 1992 2 M. HUMBERT, Le remariage à Rome. Étude d'histoire juridique et sociale, 1972 3 B. RAWSON (Hrsg.), Marriage, Divorce and Children in Ancient Rome, 1991 4 TREGGIARI, 233–237. H. SCHN.

Unterhaltungskünstler I. VORBEMERKUNG II. SPEZIALISTEN III. AUFFÜHRUNGSKONTEXTE IV. SOZIALER STATUS

I. VORBEMERKUNG

Akrobaten, Gaukler, Narren, Possenreißer und Zauberer traten in Stadt und Land vor das Publikum, um es zu unterhalten. Diese Spezialisten, die sich mit ihren Aufführungen den Lebensunterhalt verdienten, waren entweder fest ansässig oder fahrendes Volk der griech.-röm. Welt. Die Darbietungen richteten sich nach den Erwartungen der Zuschauer und reflektierten mitunter gesellschaftliche Normen, deren Gegenbilder oder auch Wunschvorstellungen.

II. SPEZIALISTEN

A. JONGLEURE   B. AKROBATEN   C. SEILTÄNZER D. TRAPEZKÜNSTLER   E. POSSENREISSER F. GAUKLER   G. ZAUBERKÜNSTLER

A. JONGLEURE

In der Phaiakengesch. der ›Odyssee‹ (Hom. Od. 8,370–379; → *Phaíakes*) führen die Söhne des Königs Alkinoos [1] einen Sprungtanz vor, zu dem das Emporwerfen und Fangen eines Balls gehört. Diese agonistische Leistung entsprach dem Wertekanon der aristokratischen Führungsschicht im Griechenland des 8. Jh. v. Chr. In klass. Zeit (5./4. Jh. v. Chr.) gehörte das Jonglieren von Gegenständen vor allem zum Repertoire professioneller U. [1]. Aus der röm. Kaiserzeit ist bekannt, daß die Jonglierkünste dadurch erschwert wurden, daß mit gläsernen Bällen gespielt wurde, die beim Fallen auf dem Boden zerbrachen (CIL VI 9797).

B. AKROBATEN

U., die einen Kopf- oder Handstand beherrschten oder sich in der Luft überschlugen, hießen *kybistētéres* (κυβιστητῆρες). In der ›Odyssee‹ werden diese Sprungtänzer im Zusammenhang eines Hochzeitsmahls erwähnt (Hom. Od. 4,15–19). Kunstspringer wurden ebenso bei agonistischen Wettbewerben geschätzt, wie die Darstellung auf einer pseudo-panathenäischen Amphore in Paris (um 540 v. Chr.) zeigt (Bibl. Nationale 243 [6]). Im 5. Jh. v. Chr. führten berufsmäßige U. Kopfsprünge zw. Schwertern vor (Xen. symp. 2,11).

Indische Gaukler der Kaiserzeit gestalteten den Salto-überschlag als gefährliche Attraktion (vgl. Philostr. Ap. 2,28).

C. SEILTÄNZER

Tänzer, die auf einem dünnen Seil balancierten, hießen *neurobátai* (νευροβάται). Daß ihre Darbietungen sogar mit Theateraufführungen konkurrieren konnten, zeigt der Prolog des → Terentius [III 1] zu seiner Komödie *Hecyra* (Ter. Hec. 4f.): Die Zuschauer schenkten ihre Aufmerksamkeit lieber einer Seiltanzgruppe.

D. TRAPEZKÜNSTLER

Diese Künstler und in erweiterter Bedeutung Gaukler allgemein hießen *petauristḗres* (πεταυριστῆρες; urspr. Form vielleicht *peteuristḗres*, lat. *petauristae* oder *petauristarii*). Die Benennung ist von dem benutzten Gerüst oder Brett abzuleiten (*pétauron*, lat. *petaurum*). Diese Gaukler hantierten zuweilen mit einer Leiter, auf deren Sprossen die Kunststücke ausgeübt wurden (Petron. 53,11f.).

E. POSSENREISSER

Sie beherrschten ein weites Repertoire von Späßen und lustigen Merkwürdigkeiten. Spaßmacher bzw. Narren hießen γελωτοποιοί (*gelōtopoioí*), lat. *derisores*, *scurrae* oder *moriones*. Sie traten auf Märkten und Straßen, insbesondere bei Trinkgelagen in Häusern und Heiligtümern auf (Lukian. symposion 18f.). Aus der Sicht des Publikums stellten diese U. mit ihrem normwidrigen Äußeren und unstandesgemäßen Verhalten ein Gegenbild zum geläufigen Ideal der ant. Ges. dar. Dieses Gegenbild bestätigte durch seine Lächerlichkeit die Wertvorstellungen der Zuschauer [2].

Scurrae als berufsmäßige Spaßmacher sind schon bei Cicero belegt (Cic. Verr. 2,3,146). Als Gesellschafter und Schmarotzer traten sie unter anderem bei Tische auf (vgl. den an epischen Einzelkämpfen orientierten Kampf zweier großsprecherischer *scurrae* bei Hor. sat. 1,5,52–70). Der Reichtum eines Gastgebers wurde durch ihre Teilhabe augenfällig.

F. GAUKLER

Der lat. Begriff *praestigiator* bezeichnete (wie θαυματοποιός/*thaumatopoiós*) keinen Vertreter einer bestimmten Kunstfertigkeit, sondern die verschiedenartigsten Gaukler, Taschenspieler und Zauberer. Zu ihnen gehörten selbst Wahrsager, Bauchredner oder Hypnotiseure. Der spätere Kaiser L. Verus führte auf seinem Asien-Feldzug einen Troß von U. mit sich, zu denen auch *praestigiatores* zählten (SHA Lucius Verus 8,11).

Ein *thaumatopoiós* bzw. *thaumaturgós* war ein U., der θαύματα/*thaúmata* (»Wunderdinge«) präsentierte, d.h. was beim Sehen oder Hören als außerordentlich und merkwürdig empfunden wurde [3].

G. ZAUBERKÜNSTLER

Zu den bekanntesten Darbietungen von Zauberkünstlern gehörte es, kleine Steine oder Kügelchen unter Bechern verschwinden zu lassen (Alki. 3,20). Die Aufführungen konnten sogar in der *orchḗstra* eines → Theaters stattfinden. So errichteten die Einwohner von → Histiaia auf Euboia dem Zauberkünstler Theodoros eine brn. Ehrenstatue im Theater, die ihn mit solchen Steinchen darstellte (Athen. 1,19b).

III. AUFFÜHRUNGSKONTEXTE

Für Darbietungen der U. eigneten sich v.a. öffentliche Plätze, wo sie von vielen Zuschauern gesehen wurden (Apul. met. 1,4). Zu Festzeiten traten sie in ländlichen und städtischen Heiligtümern auf (Aristot. rhet. 1401b 25) [4]. Bei Gastmählern und Trinkgelagen verdienten sich U. in bürgerlichen Wohnhäusern oder Palästen der Führungsschicht ihren Lebensunterhalt [5].

Der öffentliche Raum unterlag seit den Anfängen der → Stadt einem ständigen Prozeß der Vermehrung und Differenzierung. Mit der Schaffung neuer Freizeitarchitektur erhielten auch die U. erweiterte Aktionsfelder. Gaukler oder Akrobaten zeigten ihre Künste auch im → Gymnasion, im → Theater, Amphitheater (→ *amphitheatrum*) oder in den → Thermen.

IV. SOZIALER STATUS

Die professionellen U. gehörten wie Schauspieler (→ *histrio*) in der Regel zur unteren Schicht der ant. Gesellschaft. Es waren häufig umherziehende Gaukler, die als Fremde oder Ausländer begriffen wurden. Auch sind Sklaven als Akrobaten, Possenreißer etc. nachgewiesen. Daß mancher in diesem Beruf sogar Karriere machte und vielleicht als sozialer Aufsteiger verstanden wurde, wird durch die Errichtung von öffentlichen Ehrenstatuen für U. nahegelegt.

→ Freizeitgestaltung; Randgruppen; Schauspiele

1 A. SCHÄFER, Unterhaltung beim griech. Symposion, 1997, 70; 79, Taf. 37,1   2 Ders., Ein grotesker Tänzer im histor. Museum von Sibiu, in: Acta Musei Napocensis 35.1, 1998, 61–67   3 H. BLÜMNER, Fahrendes Volk im Altertum (SBAW 6), 1918, 8–53   4 M. MAASS, Das ant. Delphi, 1993, 83   5 L. GIULIANI, Die seligen Krüppel, in: AA 1987, 714–716   6 CVA Paris, Bibl. Nationale, Bd. 2, 1931, III He Taf. 88.

                  AL.SCH.

Unterhaltungsliteratur
I. BEGRIFFSBESTIMMUNG II. OKKASIONELLE UNTERHALTUNGSLITERATUR III. AFFEKTIVE REZEPTIONSFORMEN

I. BEGRIFFSBESTIMMUNG

Unterhaltung (lat. *delectatio*) ist – neben der Belehrung – laut Horatius [7] Aufgabe der Lit. (Hor. ars 333–346). Dies geht letztlich auf die rhet. Theorie des Aristoteles [6] zurück und wurde bereits im Peripatos auf die Lit.-Betrachtung angewendet. Der Unterhaltungscharakter (τέρψις/*térpsis*) von Lit. als Rezeptionshorizont ist jedoch bereits im homerischen → Epos sichtbar und spiegelt sich auch in der Debatte um Nützlichkeit und Erkenntnisfunktion von Dichtung (→ Hesiodos, Solon [1], Gorgias [2], Aristophanes [3], Platon [1]). Neben dieser allg. Funktionsbestimmung hat die Ant. keinen expliziten Begriff von U. als lit. Genre oder Textsorte entwickelt. Da zudem eine soziale Differenzierung von

Leserschichten nach Status und Bildungshorizont nur im Einzelfall möglich ist, bieten sich als Basis für eine Bestimmung des Begriffs im Sinne eines spezifischen Lit.-Typs zwei Zugriffsweisen an: (1) Einordnung von Lit. in okkasionelle, auf Unterhaltung zielende Zusammenhänge. (2) Beobachtung lit. Strategien und Rezeptionsformen, die auf die affektive Beteiligung des Lesers zielen.

II. Okkasionelle Unterhaltungsliteratur

Älteste und prominenteste Institution sind das συμπόσιον (*sympósion*)/ lat. *convivium* (→ Gastmahl) und die mit ihm verbundenen Formen der lit. Tafelunterhaltung (epischer Vortrag; sympotische Lyrik; Skolien; Epigramme; Rätsel; Tafelgespräche). Die Rezeptionsvoraussetzungen des Symposions instrumentalisiert auch Martialis [1] zur Charakterisierung seiner Epigramme als unterhaltende Texte (par. zu Verweisen auf → Saturnalia und → Floralia als Referenzrahmen). Anknüpfend an die ersten Formen der → Symposion-Literatur (Platon, Xenophon) entsteht in diesem Bereich die Konversations-Lit. als Sonderform von ant. *edutainment*, die v. a. in der Kaiserzeit verbreitet war (Plutarchos [2], Ailianos [2], Gellius [6], Athenaios [3] von Naukratis). Die Mischung aus → Bildung und Unterhaltung kennzeichnet auch das performative Auftreten der kaiserzeitlichen Redner und Philosophen (wie Ailios Aristeides [3]; Apuleius/Ap(p)uleius [III]; Dion [I 3] Chrysostomos; → Libanios; → Peregrinos Proteus; Apollonios [14] von Tyana; vgl. → Zweite Sophistik). Unterhaltungsbedürfnisse befriedigen auch lit. und sublit. Gattungen des Dramas, bes. → Komödie, → Satyrspiel, → Phlyaken-Posse, sowie im röm. Bereich noch Atellane (→ *Atellana fabula*) und Mimus (→ *Mimos* II.).

III. Affektive Rezeptionsformen

Als theoretischer Ausgangspunkt können Äußerungen zu den Wirkungskategorien der Historiographie (→ Geschichtsschreibung) dienen (Cic. fam. 5,12; Cic. fin. 5,51–52; Vitr. praef. 5,1), die mit Kategorien wie *voluptas, delectatio* (Lust, Ergötzen), pathetischer Steigerung, Spannung oder Faszination durch wundersame Gegenstände operieren. Hintergrund ist die hell. Historiographie (die sog. tragische Gesch.-Schreibung; → Ktesias; Historiographie um die Gestalt Alexandros' [4]: Kallisthenes [1], Nearchos [2], Kleitophon, → Onesikritos; vgl. → Alexanderroman), die einerseits das Geschehen dramatisiert und personalisiert, andererseits mit mirakulösen und phantastischen Elementen anreichert. In unterschiedlicher Intensität erscheinen diese Elemente auch in der sog. jüngeren → Annalistik, bei Livius [III 2] und v. a. in der Historiographie der hohen Kaiserzeit (→ Appianos; Herodianos [2]; Cassius [III 1] Dio) sowie in der biographischen Lit. (Plutarchos [2]; Suetonius [2]; *Historia Augusta*) und in den fingierten myth.-histor. Augenzeugenberichten des Dares [3] und des Dictys Cretensis (→ Troiaroman). Vergleichbare Tendenzen lassen sich auch in der christl. Lit. beobachten – bes. bei den apokryphen Apostelgeschichten (vgl. → Thomasevangelium; → Petrusakten; → Neutestamentliche Apokryphen) und in der Hagiographie (→ *Acta Sanctorum*), die teilweise geradezu novellistische Züge aufweisen.

Verwandten Leserinteressen dient auch die hell. und kaiserzeitliche → Reiseliteratur, die unabhängig vom Grad der Fiktionalität – die Bandbreite reicht von der phantastischen Reise (→ Euhemeros; → Iambulos; Antonios [3] Diogenes; Lukianos [1]) bis zum Reisebericht (Licinius [II 14] Mucianus) und zur sog. periegetischen Lit. (Pausanias [8]; vgl. → *periēgḗtēs*) – mit dem *mirabile*, dem »Wunder«, als Reise- und Leseimpuls operiert. Die besondere Disposition des Reisenden zu entsprechender Lektüre illustriert Gellius 9,4. Systematisch wird dergleichen bei den → Paradoxographoi dargeboten (Antigonos [7] von Karystos; → Phlegon von Tralleis).

Spannung, Angst, dramatische Gestaltung, pathetische Überhöhung, der Reiz exotischer Schauplätze und erotische Faszination sowie die affektive Involvierung des Lesers sind auch konstitutive Merkmale des ant. → Romans (→ Chariton; Xenophon von Ephesos; → Longos; → Achilleus Tatios [1]; Heliodoros [8]; Petronius [5]; Ap(p)uleius [III]; → *Historia Apollonii regis Tyrii* u. a.). Diese von den Elementen Staunen, *curiositas* (Neugierde), Mitleiden mit den handelnden Figuren und Ergötzen an der Erzählhandlung bestimmte Rezeptionshaltung wird durch die Autoren implizit (z. B. Heliodoros 1,1–6) oder explizit (z. B. Apul. met. 1,1; 2,3) vorgegeben. Auch die typisierte Handlungsführung (v. a. in den erotischen Romanen von Chariton bis Heliodor) und die kritischen Äußerungen zu ant. Romanen (SHA Alb. 12,12; Macr. somn. 1,2,7) lassen diese Textsorte als U. *par excellence* erscheinen.

→ Buntschriftstellerei; Deliciae; Freizeitgestaltung C.; Gastmahl III. B. 6.; Gastronomische Dichtung; Neutestamentliche Apokryphen; Novelle; Paradoxographoi; Rätsel; Reiseliteratur; Roman; Symposion-Literatur; Testamentum Porcelli

1 E. Bowie, The Ancient Readers of Greek Novel, in: G. Schmeling (Hrsg.), The Novel in the Ancient World (Mnemosyne Suppl. 159), 1996, 87–106 2 Th. Hägg, The Novel in Antiquity, 1983 3 J. Hahn, Der Philosoph und die Ges., 1989 4 N. Holzberg, Novel-like Works of Extended Prose Fiction II, in: s. [1], 619–653 5 G. Huber-Rebenich, Hagiographic Fiction as Entertainment, in: H. Hofmann (Hrsg.), Latin Fiction, 1999, 187–212 6 R. Kannicht, Der alte Streit zw. Philos. und Dichtung, in: AU 23.6, 1980, 6–36 7 M. Korenjak, Publikum und Redner (Zetemata 104), 2000 8 S. Merkle, News from the Past: Dictys and Dares on the Trojan War, in: s. [5], 155–166 9 K. Sallmann, Erzählendes in der Apologia des Apuleius, oder: Argumentation als Unterhaltung, in: Groningen Colloquia on the Novel 6, 1995, 137–157 10 Th. Schmitz, Bildung und Macht (Zetemata 97), 1997 11 R. Stoneman, The Alexander Romance: From History to Fiction, in: J. R. Morgan, R. Stoneman (Hrsg.), Greek Fiction. The Greek Novel in Context, 1994, 117–129 12 M. Zimmermann, Enkomion und Historiographie: Entwicklungslinien der kaiserzeitlichen Historiographie, in: Ders. (Hrsg.), Gesch.-Schreibung und polit. Wandel im 3. Jh. n. Chr. (Historia ES 127), 1999, 17–56.   H. KR.

Unteritalische Vasenmalerei.
I. Anfänge   II. Thematik
III. Verbreitung und Verwendung
IV. Technik und Gefässformen

I. Anfänge
Um die Mitte des 5. Jh. v. Chr. entstanden, von athenischen Vasenmalern gegründet, in Unteritalien die ersten Werkstätten für rf. Keramik. Dort wurden einheimische Künstler ausgebildet. So wurde die urspr. Abhängigkeit von attischen Vorbildern, die sich u. a. in Motivwahl oder attizierenden Formen äußerte (→ Lukanische Vasen), durch einen eigenen Malstil und Dekor- und Motivschatz ersetzt.

Mit dem E. des 5. Jh. v. Chr. kam es in der apulischen Vasenmalerei (→ Apulische Vasen) zur Entwicklung des sog. *ornate-* und *plain-style*, wobei die Maler des *ornate-style* im Laufe des 4. Jh. v. Chr immer reichhaltiger Zusatzfarben (bes. Weiß, Goldgelb, Purpurrot) verwendeten und Halsbilder oder die Seiten der Gefäße mit üppigem Pflanzen- und Rankenwerk versahen, in das sie vielfach Figuren, Köpfe oder Vögel setzten. Dies wirkte formgebend auf das künstlerische Schaffen der anderen unterital. Kunstlandschaften (Campania, Lucania, Paestum), erreichte hier jedoch nicht die Qualität der apul. Vorbilder.

II. Thematik
Nach 370 v. Chr. wandten sich die apul. Vasenmaler rel.-eschatologischen Themen zu, was dann in den anderen Werkstätten Unteritaliens Nachahmung fand. Hierunter fallen die Vasen mit Szenen aus dem Grabkult (→ Naïskosvasen) und die oftmals damit verbundenen Bilder mit Dionysos, Aphrodite oder Eroten, in denen sich eine jenseitige dionysische und aphrodisische Entrückung und Seligkeit ausdrückte. Auch die Kombination von Grabszenen mit Bildern des Götter- oder Heroenkreises formuliert die Hoffnung auf Unsterblichkeit und Vergöttlichung im Tode, wobei den sog. → Unterweltsvasen eine bes. Bed. zukommt. Daneben spiegeln auch Entführungsszenen (z. B. der → Persephone) die Hoffnung auf Aufnahme in den Götterkreis wider. Neben diesen auf → Jenseitsvorstellungen bezogenen Themen sind viele der Darstellungen Entlehnungen aus dem Bereich des Theaters, die sich auf die dramatischen Werke der großen attischen Tragödiendichter beziehen und diese in Szene setzen (→ Tragödie). Ebenfalls den Theaterbereich behandeln die → Phlyakenvasen, die den Alltag oder Göttermythen possenhaft persiflieren. Auch Italiker, z. B. → Osci oder → Samnites in der sie als Nicht-Griechen kennzeichnenden Tracht kommen vor, v. a. in Krieger-Abschiedsszenen, Jagd- und Kampfbildern. Bemerkenswert ist, daß die »Osker« in der apul. Vasenmalerei (= V.) bis zur Mitte des 4. Jh. v. Chr. nahezu ausschließlich auf Kolonettenkrateren erscheinen.

Ein weiteres Motiv, das in allen Werkstätten der u.V. zu finden ist, ist die Darstellung eines Frauenkopfes, auf großflächigen wie auf kleinen Gefäßen. Er kann auf beiden Seiten eines Gefäßes erscheinen oder auch mit einer anderen Darstellung (z. B. einer Naïskosszene) kombiniert werden. Oftmals befinden sich diese Köpfe auf den Halszonen von Volutenkrateren oder den Schulterzonen von Amphoren, wo sie aus einer aufsteigenden Blüte entspringen; nur selten lassen sie sich als Aphrodite- bzw. Amazonenköpfe benennen. Daneben finden sich Köpfe von Satyrn, Jünglingen, Eros oder Niken. Die Darstellung von Frauen in Toilettenszenen oder im hochzeitlichen Kontext ist ein weiteres großes Thema der u.V. Es kann sich nicht nur auf anonyme Gestalten, sondern auch auf Personen des Mythos (z. B. → Paris und → Helene [1]) beziehen. Aus der att. V. übernahm man die Darstellung der sog. Manteljünglinge, die die Rückseiten bes. von Glockenkrateren schmücken.

Alltags- und Palaistraszenen, die noch zum Repertoire der att. V. gehörten, sind in der u.V. recht selten. Das in Athen beliebte Symposion-Motiv erscheint auf den u.V. als Alltagsgelage nur in der Frühphase der unterital. Kunst und wurde im 4. Jh. v. Chr. in einen dionysischen-jenseitigen Bezug gestellt. Dionysische Motive (hierunter fallen vor allem Thiasosbilder; → *thíasos*), die Darstellung von Dionysos, → Satyrn und → Mänaden sind ebenfalls auf den Gefäßen aller unterital. Kunstlandschaften anzutreffen. Inschr. sind in der u.V. recht selten. Entsprechendes gilt auch für Künstlersignaturen; bis auf die beiden paestanischen Vasenmaler → Asteas und Python [5] sind unterital. Vasenmaler namentlich nicht bekannt; sie werden in der Forsch. nach dem Fund- oder Standort ihres Hauptwerkes, nach herausragenden Themen auf den Vasen oder bes. Merkmalen ihrer Arbeiten benannt.

III. Verbreitung und Verwendung
Die unterital. Vasen waren für den einheimischen Markt bestimmt, nur selten kamen Vasen in den Export; sie finden sich vereinzelt in Äg., Albanien, Frankreich, Karthago, Korinth, Sidon, Spina, Spanien und Südrußland. Von den bis h. ca. 21 000 bekannt gewordenen Werken der u.V. stellen die apul. Vasen mit etwa 11 000 den größten Anteil; auf die kampanischen Vasen entfallen ca. 4000 Expl., der Rest verteilt sich auf die lukan., paestan. und sizilische Vasen. Die unterital. Vasen waren vorwiegend für den Grabgebrauch bestimmt. Dies ergibt sich u. a. aus den zahlreichen Darstellungen von Grabmälern (→ Naïskosvasen) oder Unterweltsbildern (s. o.).

IV. Technik und Gefässformen
Ein Großteil der Vasen wurde mit einem separaten Fuß (bei Volutenkrateren) oder mit einem offenen Boden (bes. Amphoren, Volutenkrateren, Lutrophoren, Hydrien, Oinochoen der Form I) getöpfert, was einen Alltagsgebrauch ausschließt, oder hat im Verhältnis zu Größe und Gewicht viel zu dünne und zerbrechliche Henkel, die ein Tragen des Gefäßes verbieten. Eine weitere technische Besonderheit bieten die Brennlöcher oder Schlitze an Henkelrotellen der Volutenkratere und neben oder unter den Henkeln von Hy-

drien, die ein Reißen des Tons verhindern sollten. Die u.V. verwandte dieselben → Gefäßformen wie die att. Werkstätten; aus der einheimischen Keramik übernahmen die lukan. und apul. Werkstätten die → Nestoris, ferner kampan. Werkstätten die Bügelhenkelamphora ohne seitliche Henkel. Die u.V. benutzte mitunter beachtliche Gefäßgrößen; so ist eine Höhe um 1 m bei Volutenkrateren, Lutrophoren oder Amphoren keine Seltenheit. Monumentale Ausmaße weisen z.B. einige Volutenkratere in Neapel, NM mit 148 bis 155 cm Höhe auf. Aber auch traditionell kleinformatige Gefäße wie Oinochoen oder Lekythen konnten 50 cm und mehr erreichen. Diese Entwicklung setzte um 350 v.Chr. ein und blieb bis zum E. der rf. V. in Unteritalien bestehen.

Die u.V. beschränkte sich nicht nur auf die rf. Technik; anderen Dekor verwendete man auf → Gnathiavasen, → Canosiner Vasen und bei der → Centuripe-Gattung. Ferner wurden mit den sog. Pagenstecher-Lekythen in allen unterital. Werkstätten − mit Ausnahme der apul. − kleinformatige Gefäße (Lekythoi, Flaschen) wieder in sf. Technik bemalt. Mit den → Calener Vasen und → Teano-Gattungen kamen Stempeldekor und Reliefverzierung auf schwarzgefirnißten Gefäßen ab dem 3. Jh. v.Chr. in Mode.

→ Apulische Vasen; Baltimore-Maler; Calener Vasen; Canosiner Vasen; Centuripe-Gattung; Dareios-Maler; Gnathiavasen; Fischteller; Iliupersismaler; Kampanische Vasenmalerei; Kemai; Lasimos-Krater; Lykurgos-Maler; Naïskosvasen; Nestoris; Owl-Pillar-Gruppe; Paestanische Vasen; Perservase; Phlyakenvasen; Schwarzfigurige Vasenmalerei; Sizilische Vasen; Teano-Gattung; Unterweltsvasen; Xenon-Gattung

A. D. Trendall, Rf. Vasen aus Unteritalien und Sizilien, 1990 · J. M. Padgett, M. B. Comstock et al., Vase Painting in Italy. Red-Figure and Related Works in the Museum of Fine Arts, Boston, 1993 · B. Brandes-Druba, Architekturdarstellungen in der unterital. Keramik, 1994 · H. Frielinghaus, Einheimische in der apul. Vasenmalerei. Ikonographie im Spannungsfeld zw. Produzenten und Rezipienten, 1995 · Bilder der Hoffnung, Jenseitserwartung auf Prunkgefäßen Süditaliens (Ausst.-Kat. Gießen − Hamburg), 1995/1996 · L. Giuliani, Tragik, Trauer und Trost. Bildervasen für eine apul. Totenfeier, 1995 · R. Hurschmann, Die Pagenstecher-Lekythoi (29. Erg.-H. JDAI), 1997 · Ch. Zindel, Meeresleben und Jenseitsfahrt. Die Fischteller der Slg. Florence Gottet, 1998 · I. Alexandropolou, Gnathia- und Westabhangkeramik. Eine vergleichende Betrachtung, 2001 · K. Schauenburg, Stud. zur u.V., 3 Bde., 1999–2001 · S. Vrachionides, Stud. zur Tracht in der u.V., Diss. Würzburg 2000.   R.H.

Unterricht s. Erziehung; Grammaticus; Gymnasion; Philosophischer Unterricht; Schule

Unterwäsche
s. Kleidung; Perizoma; Strophium; Subligaculum

Unterwelt I. Mesopotamien
II. Ägypten   III. Kleinasien
IV. Klassische Antike   V. Christentum

I. Mesopotamien
→ Mythen, → Epen, → Gebete und → Rituale des 2. und 1. Jt. v. Chr. in sumerischer und akkadischer Sprache schildern die Lage der U. und ihre Beschaffenheit sowie die Lebensumstände ihrer Bewohner. Der unter der Erdoberfläche gelegene, vom Urgewässer → Apsû umgebene Bereich wird akkad. erṣetu (sumer. ki) genannt, womit sowohl die Erdoberfläche als auch die U. gemeint sein kann. Andere Begriffe bezeichnen bestimmte Eigenschaften dieses Raumes. Die U. zeichnet sich durch Zugangstore und Gebäude wie den Palast der Herrscherin der U., Ereškigal (»Herrin des großen Ortes«), aus. Die dort beheimateten Gottheiten und Totengeister leben in einer hierarchischen Ges., in der wahrscheinlich die Geister der Verstorbenen ihren Platz entsprechend ihrer Position im Diesseits einnehmen. Bieten die schriftlichen Quellen ein relativ einheitliches Bild der U., so beschreiben sie den Weg dorthin höchst unterschiedlich. Bereits gegen Ende des 3. Jt. ist die Vorstellung von der Überquerung des U.-Flusses belegt. Leitern führen an der Erdoberfläche hinab, 14 bzw. 7 von Pförtnern bewachte Tore markieren den Weg, den man zu Fuß wie die Göttin → Ištar oder im Streitwagen wie König → Urnamma zurücklegt. Als Ein- und Ausgang der U. gilt auch der Berg Mašu, an dem der Sonnengott seine 12 Doppelstunden Fahrt durch die U. beginnt und beendet.

Das Leben in der U. entspricht dem im Diesseits; Speise und Trank, Kommunikation und Sexualität spielen eine wesentliche Rolle. Die Geister der Verstorbenen sind von der regelmäßigen Versorgung durch ihre Nachkommen (→ Totenkult) abhängig. Bleibt diese aus, sind sie gezwungen, Staub und Brackwasser zu sich zu nehmen. Ein wesentliches Charakteristikum der U. zeigt sich in der Bezeichnung Ort »ohne Wiederkehr« (lā târi; sumer. kur-nu-gi₄-a): Einmal angekommen, müssen Götter und Totengeister als Wesen mit Identität (Name) und Körperlichkeit (Nahrungs- und Flüssigkeitsaufnahme) dort verbleiben. Nur die Intervention von »außen« − man vergleiche das Eingreifen Eas zugunsten der Ištar − ermöglicht unter Stellung eines Ersatzes (→ Tammuz) das Verlassen der U.
→ Tod; Totenkult

1 S. Lundström, Wenn Du in die Unterwelt hinabsteigen willst…, in: Th. Richter et al. (Hrsg.), Kulturgeschichten (FS V. Haas), 2001, 245–253 2 G. J. Selz, Den Fährmann bezahlen, in: Altorientalische Forsch. 22, 1995, 197–209.   S. LU.

II. Ägypten
Die U. spielte in der äg. Kosmographie neben Himmel und Erde eine bedeutende Rolle. Eine Reihe von verschiedenen Lexemen dafür ist wohl mit leicht unterschiedlichen Vorstellungen verbunden, die im ein-

zelnen jedoch schwer faßbar sind. Häufigste und allgemeinste Bezeichnung für die U. ist *dwꜣ.t*; diese scheint nach einigen sehr frühen Belegen in den Pyramidentexten (→ Totenliteratur III. B.) zunächst am Himmel lokalisiert worden zu sein [6. 207–215], häufiger ist dagegen die Vorstellung von einer unterirdischen Lage.

Die Geogr. und das Personal der U. werden insbes. in den sog. U.-Büchern (→ Totenliteratur III. E.) ausführlich geschildert. Sie ist das Reich der Totengötter, v. a. des → Osiris, und wird von den Verstorbenen sowie von zahllosen → Dämonen (II.) bevölkert, die Osiris schützen und die Verdammten bestrafen. Einige dieser Wesen sind an ihren Ort und ihnen dort zugewiesene Funktionen gebunden, während andere als Boten des Osiris auch auf die Erde geschickt werden können. Die Drohung, die U.-Dämonen zur Erde zu senden, schreckt im Mythos sogar die Götter [4]. Der Lauf der Gestirne mit ihren wechselnden Phasen von Sichtbarkeit und Unsichtbarkeit bestimmte das Bild der U. entscheidend. Sie nimmt allnächtlich den Sonnengott Re auf, der am Morgen wieder aus ihr hervorgeht. Die Verbindung zu den zwölf Nachtstunden führt in manchen Quellen zu ihrer Einteilung in zwölf durch Tore gegliederte Abschnitte. Die Fortbewegung der Sonne wird meist als Fahrt in einer Barke beschrieben, da der irdische Nil auch ein jenseitiges Korrelat besitzt. Die Ertrunkenen gelangen so auf direktem Weg ins Jenseits, eine Bestattung erübrigt sich. So ist auch die bisweilen vorkommende rituelle Deponierung von Figurinen des Osiris im Wasser zu erklären [8]. Einige Regionen der U. sind jedoch wasserarm und entsprechen mehr einer Sandwüste. Dort verwandelt sich die Barke in eine Schlange.

In der U. findet das wichtigste Mysterium der klass. Sonnenreligion statt, die Vereinigung von → Re und Osiris, aus der beide gestärkt hervorgehen. Dort haust jedoch auch Apophis, der schlangengestaltige Erzfeind des Re, der täglich aufs neue den Sonnenlauf zu stören versucht und deshalb bekämpft werden muß.

Die äg. U.-Bücher (ab dem NR, ca. 1550 v. Chr.) stellen die U. als finstere, gefährliche Region dar. Auch die Sargtexte (→ Totenliteratur III. C.) schildern sie als einen Ort, an dem das irdische Leben seine Umkehrung findet: die Toten müssen auf dem Kopf gehen und von Exkrementen leben, wenn sie nicht die richtigen Gegenmittel kennen [9].

Neben den rel. Corpora geben auch einige Werke profaner Lit. wichtige Aufschlüsse. Bes. zwei Texte (s. u.) thematisieren einen Abstieg in die U. und belegen, daß man Eingänge dorthin außer im individuellen Grab auch an bestimmten geogr. Punkten lokalisierte (solche Eingänge setzen auch die kosmographischen Texte, vgl. → Totenliteratur III. E., voraus, jedoch meist ohne nähere Bestimmung): Die Erzählung des Pap. Vandier kreist um die Abenteuer eines Magiers, der sich in die U. begibt, um für seinen todgeweihten König das Leben zu erbitten [7], was jedoch unweigerlich seinen eigenen Tod zur Folge hat; da der König die ihm gegebenen

Versprechen nicht hält, schreitet der Betrogene zur Rache. Dieser Text ist bes. interessant für das Verhältnis zw. Ober- und Unterwelt und die Möglichkeiten eines Verstorbenen, aus dem Jenseits heraus zu agieren. Die U. ist auch der Ort des Totengerichts; in der zweiten Setne-Erzählung wird geschildert, wie das Gericht für postume soziale Gerechtigkeit sorgt [1]: Der reiche Sünder wird gepeinigt, seine Grabausstattung wird dem gerechten Armen zugesprochen. Auch hier steigt ein Lebender ins Jenseits, um Zeuge dieser Vorgänge zu werden, doch ist er dadurch offenbar nicht in Gefahr, vielleicht weil er einen reinkarnierten Toten als Führer hat. Dieser späte Text (Hs. 1. Jh. n. Chr.) erweitert die traditionellen »Höllenqualen« um Elemente möglicherweise griech. Provenienz (z. B. → Oknos-Motiv [2]). Es ist recht wahrscheinlich, daß die äg. Jenseitsvorstellungen über koptische Vermittlung auf das christliche Höllenbild einwirkten (z. B. Petrus-Apokalypse, vgl. dazu unten (V.); → Jenseitsvorstellungen).

→ Tod; Totenkult; Totenliteratur

1 H. GRESSMANN, Vom reichen Mann und armen Lazarus, 1918 2 F. HOFFMANN, Seilflechter in der U., in: ZPE 100, 1994, 339–346 3 E. HORNUNG, Altäg. Höllenvorstellungen, 1968 4 L. KÁKOSY, Osiris als Gott des Kampfes und der Rache, in: J. ASSMANN et al. (Hrsg.), Fragen an die altäg. Lit., 1977, 285–288 5 H. KEES, Totenglauben und Jenseitsvorstellungen der Alten Ägypter, 1956 6 R. KRAUSS, Astronomische Konzepte und Jenseitsvorstellungen in den Pyramidentexten, 1997 7 G. POSENER, Le Papyrus Vandier, 1985 8 J. F. QUACK, Die rituelle Erneuerung der Osirisfigurinen, in: Die Welt des Orients 31, 2000/2001, 5–18 9 D. TOPMANN, Die »Abscheu«-Sprüche der altäg. Sargtexte, (in Druck) 10 J. ZANDEE, Death as an Enemy, 1960.   A. v. L.

III. KLEINASIEN

Die hethitischen Bezeichnungen für die U. sind – wohl auf hurritisch *timeri* etc. zurückgehend – *dankui tekan/dankuis daganzipas* (»dunkle Erde«), sowie *kattera utnē*, »unteres Land«. Die U. liegt unmittelbar unter der Erdoberfläche; Zugang zur U. bieten Höhlen, Gruben (somit auch Erdgräber), Brunnen, Quellen und Teiche. Das unter der Erdoberfläche befindliche Wasser kann als Meer oder Fluß bezeichnet werden: So sind »das Gestade der neun Meere« und »die neun Flußufer« (vgl. [1. 198]) ebenfalls Begriffe für die U., wobei die Zahl Neun die Gesamtheit ausdrückt. Das unterirdische Wasser tritt an den Meeresküsten der Oberwelt hervor, die als Ränder der Erde zugleich Grenze zw. Ober- und Unterwelt sind [2. 200]. Wie in der griech. Überl. scheint die Vorstellung vorzuliegen, daß Flüsse und Quellen je einen ober- und einen unterirdischen Lauf haben: Die Unterweltsflüsse tragen z. T. dieselben hethit. Namen wie die uns bekannten oberirdischen (vgl. [1. 128]).

Neben der Funktion als Totenreich ist die U. auch der Raum, zu dem mittels magischer Praktiken Unreinheitsstoffe transportiert werden [1. 908 f.], vgl. die Vorstellung von (sieben) brn. Kesseln mit bleiernen Dekkeln, in denen Verunreinigungen aller Art verschlossen werden (vgl. dazu das Motiv des *píthos* der → Pandora sowie Sach 5,5–11 [1. 911]). Daneben wird die »dunkle Erde« als Mutter verstanden, als gebärendes weibliches Prinzip, aus dem alle Fruchtbarkeit hervorgeht [2. 204]. Die Verbindung zw. diesen beiden zunächst gegensätzlich erscheinenden Funktionsbereichen (Totenreich und Ursprung der Vegetation) ist u. a. in der Vorstellung begründet, daß die Aussaat des Getreides als ein dem Begräbnis paralleler Akt angesehen wird. Diese Vorstellung findet sich im Mythologem des Hinabstoßens des Getreidegottes → Kumarbi in die U. durch den Wettergott Teššup [1. 85]. Die Kräfte der U. manifestieren sich in den in ihr wohnenden chthonischen Gottheiten (u. a. Sonnengötter der Erde, → Sonnengottheit III.), die nicht nur für die Vegetation und in der Magie eine wichtige Rolle spielen (s. o.), sondern auch Eid- und Schwurgötter sind [1. 133 f.].

1 V. HAAS, Gesch. der hethit. Rel., in: HbdOr Abt. 1.15, 1994, v. a. 127–135 **2** Ders., Die U.- und Jenseitsvorstellungen im hethit. Kleinasien, in: Orientalia 45, 1976, 197–212. B. CH. u. S. LU.

IV. KLASSISCHE ANTIKE
A. GRIECHISCH B. RÖMISCH

A. GRIECHISCH
Fast alle griech. U.-Bilder stammen aus lit. Quellen. Daher läßt sich nur schwer bestimmen, in welchem Grad sie allg. Vorstellungen entsprachen [1. 3–7; 2. 1–16]. Bereits die homerischen Epen enthalten viele (später immer wiederkehrende) Details [1. 7–16; 2. 10–106], die vielleicht auf den U.-Gang (→ *katábasis*) in vorhomerischen Epen zurückgehen: die U. als Land am westl. Rand der Welt, jenseits des → Okeanos, wo mehrere Flüsse zusammenfließen: Pyriphlegeton/→ Phlegeton [2] (der »Feuerfließende«), → Kokytos [1] (der »Klagende«), → Acheron [2] und → Styx. In späteren Quellen variieren Namen und Anzahl dieser Flüsse; die Styx, deren Wasser die Götter beim → Eid anrufen, wird fast immer genannt. In der Ilias wie auch anderswo scheidet die Styx (bzw. ein nicht benannter anderer Fluß) die U. von der Welt der Lebenden und verhindert den Unbefugten den Zutritt zu wie das Entkommen aus der U. Diese Funktion hat auch eine Mauer mit einem Tor (Hom. Il. 5,626; 23,71–74), das von einem Hund bewacht wird (Hom. Od. 11,622–625); bei Hesiod (theog. 311; 767–773) heißt dieser zum ersten Mal → Kerberos. Spätere Quellen fügen → Aiakos als Torhüter der U. hinzu oder machen → Hekate zur Verwalterin der Schlüssel zum U.-Tor (Apollod. 3,159; PGM 4,2292 u. a.). Dichte Pappelwälder und unfruchtbare Weiden säumen das an die U. grenzende Ufer des Okeanos. Nahe dem Eingang zur U. leben die → Kimmerioi, in ewige Nebelwolken gehüllt (Hom. Od. 11,14–22; vgl. weiter: Hom. Od. 10,508–515; 11,13; 11,155–159; 11,639; Hom. Il. 23,70–74).

→ Minos, später auch Aiakos, → Rhadamanthys und → Triptolemos schlichten als U.-Richter die Streitigkeiten unter den Toten (Hom. Od. 11,568–571). Gelegentlich wird Rhadamanthys speziell als Richter der Seligen genannt (Plat. Gorg. 524a; Plat. apol. 41a; Pind. O. 2,75). In einer Passage, die verm. spätere Interpolation ist (Hom. Od. 11,576–600), werden die Strafen der drei großen Sünderfiguren → Tityos, → Tantalos und → Sisyphos geschildert; in späteren Quellen kommen noch → Ixion (Pind. P. 2,21–48) und die → Danaiden (Plat. Ax. 371e) hinzu. Homer erwähnt keine Belohnungen in der U., doch entrinnen außergewöhnliche Menschen dem Tod und kommen ins → Elysion (Hom. Od. 4,563–567; vgl. Hes. erg. 167–173).

Das U.-Reich wird meist nach seinem König (Hom. Il. 15,185–193; 20,61; 23,244; Hom. Od. 11,635) als Haus des → Hades oder einfach als »Hades« bezeichnet (in der Ant. leitete man den Begriff von α-Ϝιδειν, »nicht-zu-sehen« ab: Plat. Gorg. 493b4). → Persephone ist seine Gattin und Herrscherin über die Schattenbilder der Toten (Hom. Il. 9,569; Hom. Od. 11,213; 11,226). Erst im Homerischen Hymnus auf Demeter (Hom. h. 2) erfahren wir, wie sie in die U. gelangte (vgl. Hes. theog. 912–914). → Tartaros und Erebos werden bisweilen als zwei andere, eigene U.-Regionen gedacht, mitunter aber auch als Syn. für Hades verwendet.

Die U.-Szene (zu Beginn von B. 24 der Odyssee, »zweite *Nékyia*«), die verm. jünger ist als der Rest der homer. Epen [2. 94–103], bietet weitere Details: Wenn man sich auf dunklen, feuchten Pfaden dem Hades nähert (vgl. Hom. Od. 11,93 f.; Hes. erg. 154), erblickt man einen weißen (den Leukadischen) Felsen, die Tore des Sonnengottes Helios, die dieser in der Dämmerung durchschreitet, das Land der Träume und die → Asphodelos-Wiese (Hom. Od. 24,10–14; vgl. 11,573). Obwohl auf eine Reise nach Westen verwiesen wird (Hom. Od. 24,12), wird die U. danach als unter der Erde »in verborgenen Tiefen« liegend geschildert (ebd. 24,203 f.). → Hermes wird hier zuerst eindeutig als *psychopompós* (»Seelengeleiter«) beschrieben (ebd. 24,1–13, vgl. aber 11,626). Erst im etwas späteren → *Minyás* [2] (fr. 1) tritt der Fährmann → Charon [1] auf, eine weitere Übergangsfigur von Ober- zu Unterwelt [2. 303–356].

Andere Vorstellungen, die sich bis zu den eleusinischen → Mysteria, den Mysterien des → Bakchos (Dionysos), zur → Orphik oder zu den philos. Lehren des → Pythagoras [2] und → Empedokles [1] zurückverfolgen lassen, widersprechen dem homerischen U.-Bild [3. 79–150; 4. 71–216]. Am auffälligsten ist das Hinzutreten drastischer Strafen und hoher Belohnungen für gewöhnliche Sterbliche: einerseits Gefangensein im Schlamm, Wasserholen mit einem durchlöcherten Gefäß oder starke Schmerzen (Plat. Phaid. 69c5 f.; Plat. Gorg. 493c; Plat. rep. 364e–365a; Orph. fr. 232; [3. 103–150]), andererseits Fest und Tanz auf einer sonnigen Wiese (Aristoph. Ran. 316–459; Pind. O. 2,55–80; Pind. fr. 133; [3. 94–98]). In den sog. → Orphicae Lamellae erhalten die geogr. Gegebenheiten in der U.

neue Bed.: Der Eingeweihte muß Wege, Bäume und Gewässer der U. identifizieren und richtig einschätzen können, um sein Ziel zu erreichen; vgl. auch Platons Mythos von → Er (Plat. rep. 614b2–621d3). Bei Platon und in »orphischen« Texten erscheint die U. als ein Ort, der die Menschen nach dem Tod durch Bestrafung oder Reinigung auf die nächste Inkarnation vorbereitet.

Im Laufe der Zeit wurden diese U.-Bilder immer stärker zu lit. *tópoi* (z. B. in Lukian. cataplus, Lukian. dialogi mortuorum, Lukian. necyomantia; vgl. Verg. Aen. 6). Manche der U.-Vorstellungen haben die Griechen wohl aus älteren Quellen des Nahen Ostens übernommen [5. 161–167]; doch finden sich viele von ihnen in der ganzen Welt wieder, was den Schluß nahelegt, daß sie kulturelle Universalien sind und sich in Griechenland unabhängig entwickelt haben könnten.

→ Eschatologie; Hades; Jenseitsvorstellungen; Paradies; Tod; Totenkult

1 S. I. JOHNSTON, Restless Dead, 1999
2 C. SOURVINOU-INWOOD, Reading Greek Death to the End of the Classical Period, 1995 3 F. GRAF, Eleusis und die orphische Dichtung Athens in vorhell. Zeit (RGVV 33), 1974 4 P. KINGSLEY, Ancient Philosophy, Mystery and Magic, 1995 5 M. L. WEST, The East Face of Helicon, 1997.
S. I. J./Ü: S. MO.

B. RÖMISCH

Die röm. U.-Vorstellungen – soweit sie lit. gestaltet sind – greifen weitgehend auf entsprechende griech. zurück. Der zentrale Text ist das 6. B. von Vergils *Aeneis*, in dem der Abstieg des Aeneas/→ Aineias [1] in die U. geschildert ist (→ Vergilius II.D.). Geführt von der → Sibylle, der Priesterin des Apollo auf der Burg von Cumae (→ Kyme [2]), und der Hekate am Aornossee (→ *lacus Avernus*), gelangt Aeneas zu einer Grotte in Cumae (Verg. Aen. 6,42–76) [1. 48–58]. Mit einem »goldenen Zweig«, der die Rückkehr zu den Lebenden garantiert (ebd. 6,136–147; 183–241), steigen sie durch eine Höhle am Avernersee (ebd. 236ff.; [1. 279–286]) schließlich in die Tiefe, wo der → Orcus bzw. das Reich des → Dis Pater beginnt. → Charon [1] setzt sie widerwillig über den → Acheron [2], Cerberus (→ Kerberos) wird unschädlich gemacht. In verschiedenen Regionen der U. erscheinen dann Gruppen von Verstorbenen: zunächst früh Verstorbene, z. T. aus Liebe (→ Dido), oder mythische Krieger (ebd. 426–534). Dann trennt sich der Weg: zum Elysium (→ Elysion) und zum Ort der Verdammten (ebd. 535–547) bzw. zur feuerumflossenen Bastion, wo die Büßer leiden (ebd. 548–627). Zuletzt kommt Aeneas zum Elysium und an den Ort, an dem die Seelen der führenden Persönlichkeiten der röm. Gesch. auf ihre Inkarnation warten (ebd. 702–892). Zwei Ausgänge, das hörnerne und das elfenbeinerne Tor der Träume (ebd. 893–900), eröffnen den Weg zurück in die Welt. Philos. ist die Darstellung sehr wahrscheinlich von → Poseidonios [3] beeinflußt; von Vergil ging auch die intensivste Wirkungsgeschichte aus (vgl. v. a. DANTE, *Divina commedia*). Weitere U.-Darstellungen in der röm. Lit.: Verg. Culex; Verg. georg. 4,466–

527; Ov. met. 4,432–480; 14,104–157; Sen. Herc. f. 661–696; Stat. Theb. 8,1 ff.; Claud. rapt. Pros. 35,282. Zur im engeren Sinne rel. U.-Vorstellung vgl. → Manes, → Jenseitsvorstellungen.

1 R. G. AUSTIN (ed.), P. Vergili Maronis Aeneidos liber Sextus, 1977 2 E. NORDEN (ed.), Aeneis, Buch 6 (mit Komm.), ³1926, ⁴1957 u.ö. L.K.

V. CHRISTENTUM

Für die Christen der Spätant. gelangten nur die → Märtyrer unmittelbar nach dem Tod zu Christus in den Himmel, die übrigen Christen jedoch ebenso wie die Nichtchristen in die U., den → Hades [5. 58]. Die Christen hatten aber keine genaueren Vorstellungen von der U., auch nicht von einem Zwischenzustand in Erwartung der göttlichen Rettung, denn für sie war das Ziel wichtig: Erlösung und Auferstehung. Zwar werden schon in den schriftlichen Quellen ab dem E. des 2. Jh., v. a. bei → Tertullianus [2], der Begriff des *refrigerium interim* (»Erfrischung im Zwischenzustand«; Tert. de monogamia 10,4; Tert. de anima 33,11; Tert. apol. 49,2; [5. 44f., 52f.]) sowie das Innere der Erde als Aufenthaltsort aller → Seelen angegeben (Tert. de resurrectione 44; Tert. de anima 55,1,2), aber weder durch diesen noch durch spätere christl. Schriftsteller genauer erklärt. Dementsprechend setzte für Hippolytos [2] (commentarii in Danielem 2,29,11; 3,31,2; 4,39,7) die Auferstehung den Aufenthalt der Seelen in der U. mit den (bösen) Tartarusengeln voraus [5. 66f.].

Aus diesem Grunde wurden christl. Grab-Inschr. mit den Begriffen *refrigerare* (»erfrischen«) und *anápausis* (»Erholung«), dann auch mit *in pace requiescat/dormit* (»er ruhe/schläft in Frieden«), sowie die bibl. sog. Rettungsdarstellungen auf Sarkophagen und in der Katakombenmalerei (Jonas, Daniel, Noah und Wunder Christi u. a.) aus dem 3. und 4. Jh. in der Forsch. zunächst als Abbildungen des Ortes des Zwischenzustandes der Seelen, also gewissermaßen der U., gedeutet [5. 105f., 120f.]. Diese Interpretation wird h. revidiert [4. 164; 3. 113]: Diese Bilder, die gleichzeitig auf vielfältige Weise im traditionellen Kontext der paganen Grabkunst neben bukolischen Darstellungen und Meeresszenen (*locus amoenus*) erscheinen, dürften als Ausdruck des Wunsches nach Erlösung nach dem Tod, nach Frieden in Gott sowie Hoffnung auf Auferstehung [4. 164–169; 1. 253–255; 2. 257–259; 3. 106f.] zu deuten sein. Die christl. Höllenvorstellung entwickelte sich v. a. im (jüd. und judenchristl. geprägten) apokalyptischen Schrifttum. In der Himmelfahrt des Jesaja (um 100) sowie in den → Apokalypsen des Petrus (um 135) und des Paulus [2] (um 200) finden sich die ältesten Beschreibungen der Hölle mit den verschiedenen Himmelszonen und Strafen der Verdammten; sie hat (neben Vergil) auch die *Divina Commedia* von DANTE beeinflußt.

→ Apokalypsen; Hades; Jenseitsvorstellungen; Neutestamentliche Apokryphen; Paradies; Tod; Totenkult

1 H. BRANDENBURG, Die Darstellungen maritimen Lebens, in: H. BECK, P. C. BOL (Hrsg.), Spätant. und frühes Christentum, 1983, 249–256 2 J. ENGEMANN, Die bukolischen Darstellungen, in: s. [1], 257–259 3 Ders., Deutung und Bed. frühchristl. Bildwerke, 1997 4 P.-A. FÉVRIER, La tombe chrétienne et l'au-delà, in: J.-M. LEROUX (Hrsg.), Le temps chrétien de la fin de l'Antiquité au Moyen Age, 1984, 163–183 5 A. STUIBER, Refrigerium interim, 1957. E. JA.

Unterweltsvasen. Gefäße (v. a. Volutenkratere) der apulischen rf. Vasenmalerei mit Darstellungen der Unterwelt; man findet das Götterpaar → Hades und → Persephone, mitunter in einer Palastarchitektur thronend, oft mit → Hermes. Weiter können auch anwesend sein: → Hekate, → Dike [1], Totenrichter (→ Triptolemos, → Aiakos, → Rhadamanthys), → Orpheus und → Eurydike [1], → Herakles [1], der den → Kerberos bändigt, → Megara [1] mit ihren Kindern. Daneben treten myth. Frevler und Büßer auf, wie Danaiden (→ Danaos), → Sisyphos, → Tantalos, → Theseus und → Peirithoos, die von → Dike oder einer Erinye (→ Erinys) bewacht werden. Die Bilder auf den U. sind typologisch nicht festgelegt. Die U. schildern keine myth. Begebenheiten; vielmehr thematisieren sie die unteritalischen → Jenseitsvorstellungen, nach denen den Verstorbenen Glückseligkeit oder Bestrafung erwarten können.
→ Apulische Vasen; Krater; Naïskosvasen; Unteritalische Vasenmalerei

K. SCHAUENBURG, Unterweltsbilder aus Großgriechenland, in: MDAI(R) 91, 1984, 359–387 · Ders., Zu zwei Unterweltskrateren des Baltimore-Malers, in: AA 1990, 91–100 · B. BRANDES-DRUBA, Architekturdarstellungen in der unterital. Keramik, 1994, 75–91. R. H.

Unterzeilige Schrift s. Schriftstile II. A.

Unziale I. DEFINITION
II. GRIECHISCH III. LATEINISCH

I. DEFINITION
Als U. wird seit dem 18. Jh. eine lat. Schrift bezeichnet, die vom 4. bis 9. Jh. n. Chr. verwendet wurde; sie leitet sich aus dem Mißverständnis einer Passage bei Hieronymus her (praef. ad Iob, PL 28, 1142), in der von *uncialibus ... litteris* (»Buchstaben von einer Unze«; vgl. → *uncia*) die Rede ist und unter denen man wohl die Majuskelschriften der Pracht-Hss. verstehen muß [1]. In der griech. Paläographie wurde der Terminus U. zur Definition einer Majuskelschrift durch den Begriff → »Majuskel« ersetzt.

1 P. MAYVAERT, Uncial Letters: Jerome's Meaning of the Term, in: Journ. of Theological Studies 34, 1983, 185–188.

II. GRIECHISCH
Die Rundmajuskel (auch »röm. U.« genannt nach der Epoche ihrer Blütezeit) hatte seit der Mitte des 1. Jh. ihre kanonische Form, war im 2. Jh. n. Chr. weit verbreitet und endete im 3. Jh. Ihr Name ist abgeleitet vom Hauptmerkmal der Buchstaben (runde Linienführung: Kreise, Bögen und Kurven), die gewöhnlich in ein Quadrat eingeschrieben werden können. Charakteristisch ist das M, bei dem die beiden Mittelstriche, verschmolzen zu einer einzigen gekurvten Linie, die Grundlinie berühren (ꟿ). Unterschiede zw. Grund- und Haarstrichen sind kaum feststellbar. Die strenge Zweizeiligkeit der Schrift verdeutlichen bisweilen recht auffällige (horizontale oder schräge) Schmuckstriche.

Die Bibelmajuskel leitet ihre Bezeichnung aus der Verwendung vorzugsweise für Codices des AT und NT ab. Sie wurde insgesamt vom 2. bis Anf. des 9. Jh. n. Chr. verwendet, erlangte im 3. Jh. ihre kanonische Form und wurde bis nach der Mitte des 4. Jh. verfeinert. Bis zur Mitte des 6. Jh. war sie die meistverwendete Buchschrift. Hauptmerkmale sind die schlichte Ausführung der Buchstaben, der harmonische Kontrast zw. Haarstrichen und Grundstrichen (auf Grund eines → Schriftwinkels von ca. 75 %); Schmuckstriche fehlen. Die Auflösung der kanonischen Form geht einher mit immer schwereren und künstlicheren Schriftzügen sowie mit übertriebener Varianz bei der Strichdicke. Zudem erscheinen zunehmend Krönungspunkte, kleine Quadrate und Dreiecke, die zu Schmuckzwecken an das Ende von Haarstrichen gesetzt werden.

Auch die Spitzbogenmajuskel (benannt nach der charakteristischen Form der engsten Buchstaben: Ε, Θ, Ο und C; ϵ, ϑ, ο, ϲ) entstand im 2. Jh. n. Chr., zeigte sich in kanonisierten Formen aber erst später und dann in mindestens zwei Typisierungen, der rechtsgeneigten und der senkrechten Spitzbogenmajuskel. Die rechtsgeneigte Spitzbogenmajuskel war während der gesamten spätröm. und dann der byz. Epoche weit verbreitet; eine gewisse Systematisierung ist erst seit dem Ende des 4. Jh. belegt. Die Buchstaben werden mit sehr spitzen Winkeln, gebrochenen Kurven und Kontrast zw. Haar- und Grundstrichen ausgeführt. Seit Mitte des 6. Jh. wird die Schrift manierierter; dies zeigen der künstliche Gegensatz in der Strichdicke ferner der immer betontere Gebrauch gebrochener Striche, die Kurven ersetzen (daher auch: »gotische U.«), sowie schließlich die hinzugefügten stilisierten Krönungen.

Auch die senkrechte Spitzbogenmajuskel, v. a. für rel. und liturgische Bücher verwendet, hat manche graphischen Merkmale mit den Papyri des 2. und 3. Jh. n. Chr. gemeinsam: winklige Schriftzüge, kontrastreicher Buchstabenaufbau und längliche Form der »engen« Buchstaben. Elemente, die verm. auf den Einfluß der Bibelmajuskel zurückzuführen sind (Aufrichten der Buchstabenachse, Verdickungen und Dreiecke an den Enden der Haarstriche) erscheinen nicht vor der Wende des 6. zum 7. Jh. n. Chr., als die senkrechte Spitzbogenmajuskel als → Auszeichnungsschrift für Codices verwendet wurde, die in einer anderen Schrift geschrieben sind (z. B. Bibelmajuskel, rechtsgeneigte Spitzbogenmajuskel). Im 10. Jh. endete der rechtsgeneigte Typ, nur die senkrechte Spitzbogenmajuskel wurde weiter verwendet.

Einen Kompromiß zw. senkrechter Spitzbogenmajuskel und Bibelmajuskel zeigt im 8. Jh. die sog. liturgische Majuskel (oder liturgische U.), die bis zum 12. Jh. v. a. für Evangelien und Evangeliarien verwendet wurde: Die ovalen, gebrochenen Formen von Є, Θ, O und C (Є, Θ, O, C) werden durch die entsprechenden runden der Bibelmajuskel ersetzt. Als alexandrinische Majuskel definiert man eine Buchschrift, wie sie schon die Ant. im Umfeld Alexandreias [1] kannte (*grámmata Alexandrína*) und die die Kopten ihrer Kirchenschrift anpaßten und bevorzugt verwendeten (früher »koptische U.« benannt). Es handelt sich um eine streng senkrechte Schrift, häufig mit kurvigen Formen und Linien sowie dicken »Knopflöchern« oder Verdickungen (die einen Helldunkel-Effekt bewirken), ferner Verlängerungen bestimmter Buchstabenstriche, so daß Pseudo-Ligaturen entstehen. Die ersten Spuren der stilistischen Hauptkennzeichen machen sich schon in den Papyri des 2. Jh. n. Chr. bemerkbar und bleiben durchgängig bis zur Kanonisierung im 5./6. Jh. bestehen. Ein Typ umfaßt einheitliche, beinahe quadratförmige Buchstaben, der andere abwechselnd breitere und engere Formen. Letzterer ist häufiger und bis zum 8./9. Jh. bezeugt, wobei er immer manieriertere Züge annimmt: schmückende Kringel, verschärfter Kontrast im Aufbau der Buchstaben, gelegentlich starke Vergrößerung der Buchstabenkörper (z. B. Φ).

G. Cavallo, Funzione e strutture della maiuscola greca tra i secoli VIII–XI, in: J. Glénisson (Hrsg.), La paléographie grecque et byzantine, 1977, 95–137 · Ders., Γράμματα Ἀλεξανδρῖνα, in: Jb. der öst. Byzantinistik 24, 1975, 23–54 · Ders., Osservazioni paleografiche sul canone e la cronologia della cosiddetta »onciale romana«, in: Annali della Scuola Normale Superiore di Pisa 36, 1967, 209–220 · Ders. Ricerche sulla maiuscola biblica, 1967 · Ders., Scritture ma non solo libri, in: Ders. et al. (Hrsg.), Scrivere libri e documenti nel mondo antico, 1998, 3–12 · Ders., H. Maehler, Greek Bookhands of the Early Byzantine Period, A. D. 300 – 800, 1987 · E. Crisci, La maiuscola ogivale diritta, in: Scrittura e civiltà 9, 1985, 103–145 · A. Porro, Manoscritti in maiuscola alessandrina di contenuto profano, in: ebd., 169–215.   G. M.

III. Lateinisch

Die lat. U. ist eine verm. in den afrikanischen Skriptorien (→ *scriptorium*) des 4. Jh. n. Chr. entstandene Buchschrift, die die Formen der Majuskelkursive für die christl. Öffentlichkeit eleganter gestaltete, als die → Kapitale, die Schrift der herkömmlichen griech.-röm. Kultur, die dem neuen Geschmack und neuen Ansprüchen nicht mehr genügte. Auch der Einfluß der griech. Bibelmajuskel ist nicht auszuschließen. Die lat. U. ist weitgehend eine → Majuskel von flüssiger, runder Ausführung. Typisch sind *A, D, E, M* (Λ, δ, є, m) sowie → Minuskel-Formen *h, p, q, v* (h, ρ, q, u); die übrigen Buchstaben stammen aus dem Alphabet der → Kapitale; Abkürzungen sind selten. Die lat. U. wurde bis zum 8./9. Jh. n. Chr. im gesamten lat. Westen benutzt und blieb in der Folgezeit als Auszeichnungsschrift

bestehen. Zw. dem 5. und 6. Jh. veränderte sich das Schriftbild: beträchtliche Versteifung der Formen, größerer Gegensatz zw. Haar- und Grundstrichen, Schmuckstriche an den Enden der horizontalen und vertikalen Grundstriche (*new style* gegenüber *old style*: [1]). Unter den verschiedenen Typisierungen sind die wichtigsten die röm. U. (6./7. Jh. bis Anf. des 9. Jh.), die durch »gepreßte« Buchstabenformen gekennzeichnet ist und auch die im England des 7. und 8. Jh. gebräuchliche U. beeinflußte, sowie die *BR*-U., so genannt wegen des hoch auf der Linie stehenden *B* und eines *R* mit fast waagerecht verlaufendem letzten Strich.

1 E. A. Lowe, A Sixth-Century Fr. of the Letters of Pliny the Younger Preserved in the Pierpont Morgan Library New York, 1922.

B. Bischoff, Paläographie des röm. Alt. und des abendländischen MA, ²1986, 91–98.   P. E.

Upis s. Opis

Upliscixe (georgisch *Uplisciche*), georgische »Herrscherfestung« (Kʿartʿlis Cʿhovreba p. 17; 33 u. ö.) [1]. Felsenstadt (9,5 ha) in → Iberia [1], ca. 20 km östl. von Gori am Nordufer des Kyros [5] (1. Jt. v. bis 18. Jh. n. Chr.). In der röm. Kaiserzeit wurde U. zur Stadt mit Graben und Lehmziegelmauer auf Steinfundament ausgebaut; die Höhlenanlagen waren z. T. von der hell. Felsarchitektur Kleinasiens inspiriert. Erh. sind ein Straßensystem mit Abwasserkanälen und Zisternen. Die Stadt war im georg. MA bedeutend.

1 R. W. Thomson, Rewriting Caucasian History, 1996, 24, 47.

O. Lordkipanidze, Arch. in Georgien, 1991, 161 f. Taf. 42 · D. Braund, Georgia in Antiquity, 1994, 166 f.   A. P.-L.

Ur (h. *Tall al-Muqayyar*; sumerisch uri^ki; im AT ʾŪr kaśdīm, vgl. Gn 11,28 und 31; 15,7 u. ö.); kein griech. Name, da im 4. Jh. v. Chr. verlassen). Stadt im äußersten Süden Babyloniens, 1854 entdeckt und identifiziert durch J. E. Taylor. Größere Grabungen fanden erst 1922–1934 unter C. L. Woolley statt, bekannt v. a. durch die Entdeckung der Königsgräber mit reichen Funden aus Gold, Silber und farbigen Steinen. Die Anfänge von Ur gehen in das 5. Jt. v. Chr. zurück (»ʿUbaid-Zeit«), erforscht in mehreren Tiefgrabungen. Eine fundsterile Schicht in den tiefen Lagen wurde von Woolley als Zeugnis für die Sintflut (→ Sintflutsage) gedeutet, geht aber sicher nur auf eine der häufigen lokalen Überflutungen zurück. Die zentralen Bauten wie das Heiligtum des Stadtgottes, der → Mondgottheit Nanna, lagen auf einem sich rasch aufbauenden zentralen → Tell, in dessen südöstlichen Abhang neben fast 2000 Privatgräbern in der Mitte des 3. Jt. 16 Schächte angelegt wurden. In gemauerten Grüften wurden Angehörige des Herrscherhauses bestattet. Trotz alter Beraubung fanden sich Zeugnisse unermeßlichen Reichtums neben Bestattungen einer umfangreichen Gefolgschaft.

Der Reichtum gründete sich auf die Funktion von Ur als Haupthafen Babyloniens, die der Stadt trotz Randlage in der 2. H. des 3. Jt. auch polit. Gewicht verlieh. Dies gilt bes. für die Zeit um 2000 v. Chr., als Ur unter → Urnamma und seinen Nachfolgern die Hauptstadt Babyloniens war. Innerhalb eines Ensembles zentraler Bauten erhielt der Tempelbezirk des Nanna mit der von Urnamma erbauten Ur-Ziqqurrat (Prototyp dieser Bauform; → Ziqqurrat) monumentale Gestalt. Trotz nachlassender polit. Bed. im 2. Jt. sorgte die Hafenfunktion für stetige wirtschaftliche Blüte (*sea-faring merchants*, vgl. [1]), was reiche Wohnviertel und zahllose Dokumente aus der 1. H. des 2. Jt. bezeugen. Dem AT folgend, das Ur als die Heimat → Abrahams [1] bezeichnet, identifizierte WOOLLEY eines der Wohnhäuser als das Abrahams, doch bestehen erhebliche Zweifel an der Identifizierung mit dem biblischen Ur. Der Tempel des Mondgottes wurde durch zahlreiche Herrscher der 2. H. des 2. und der 1. H. des 1. Jt. erneuert; → Nebukadnezar [2] II. (604–562 v. Chr.) faßte zudem den zentralen Bezirk durch eine monumentale Temenosmauer ein. Beachtung fand Ur noch einmal durch → Nabonid (555–539 v. Chr.) wegen seiner bes. Verehrung des Mondgottes. Kurz nach 300 v. Chr. scheint die Stadt wohl als Folge einer Verlagerung des → Euphrates aufgegeben worden zu sein. Die letzte datierte Urkunde stammt aus dem J. 7 des Philippos Arridaios [4].

1 A. L. OPPENHEIM, The Seafaring Merchants of Ur, in: Journ. of the American Oriental Society 74, 1954, 6–17.

J. OELSNER, Mat. zur babylonischen Ges. und Kultur in hell. Zeit, 1986 · E. STROMMENGER, U., 1964 · S. POLLOCK, s. v. U., Oxford Enc. of Arch. in the Near East, Bd. 5, 1997, 288–291 · M. VAN DE MIEROOP, Society and Enterprise in Old Babylonian U., 1992 · C. L. WOOLLEY, Ur Excavations, Bd. 2–10, 1934–1976 · Ders., P. R. S. MOOREY, U. of the Chaldees, 1982.   H. J. N.

Uraias. Neffe des → Vitigis (zum Namen vgl. [1. 430]), sicherte 538/9 n. Chr. die gotische Herrschaft in Ligurien und eroberte Mediolanum [1] (Prok. BG 2,18,19; 2,21). Sein Versuch, die Belagerung → Auximums durch die Byzantiner zu beenden, blieb erfolglos; der Verlust Liguriens 539 hinderte ihn, Vitigis in Ravenna zu unterstützen (Prok. BG 2,28,31–35). Nach dessen Gefangennahme 540 lehnte U. die angebotene got. Königswürde ab und schlug Hildebaldus dafür vor (Prok. BG 2,30,3–16). Nach einem Streit mit diesem wurde er 541 ermordet (Prok. BG 3,1,37–48).

1 P. AMORY, People and Identity in Ostrogothic Italy, 1997 2 PLRE 3, 1392f. 3 H. WOLFRAM, Die Goten, ⁴2001, 349–351.   WE. LÜ.

Urania (Οὐρανία, lat. *Urania*).
[1] Eine der → Musen (Hes. theog. 78), Mutter von → Linos (von Apollon: Excerpta ex Hygino 174 ROSE)

und → Hymenaios [1] (Catull. 61,2). Aus einschlägigen Bemerkungen bei Platon (Phaid. 259d) und seit der Zeit des Aratos [4] ist U. klar identifizierbar als Schutzherrin der → Astronomie/→ Astrologie (bildliche Darstellungen mit Globus, Zeigestab; [1]), der Naturwissenschaften und – wegen ihrer kosmischen Dimension (U. bringt Licht ins Dunkel) – auch der Philosophie (Diod. 4,1). Die z. T. auch mit Zügen der → Astraia versehene U. wird – wenn auch selten – nicht nur von ant. Dichtern in ihrer Funktion als Muse, die den Weltenlauf überblickt, angerufen (z. B. Bakchyl. 5,13; Cic. div. 2,149), sondern auch lit. verarbeitet von Autoren der Renaissance und der Neuzeit, z. B. von PONTANO [3], P. B. SHELLEY (Adonais, 1821) und J. BRODSKY (To U., 1988).
→ Musen

[2] Nymphe, Tochter des → Okeanos und der → Thetis (Hes. theog. 350).

[3] Beiname der → Hera, → Artemis, → Hekate, → Nemesis, → Hebe, wodurch zumeist die Zugehörigkeit zu den Olympiern betont wird (*Olýmpioi* = *Uraníōnes*).

[4] Beiname der → Aphrodite als Himmelskönigin [2] (vgl. Hdt. 1,105; 1,131; Paus. 1,14,7).

1 L. FAEDO, U. tra astrologia e astronomia, in: N. BLANC (Hrsg.), Imago antiquitatis. Religions et iconographie du monde romain. FS R. Turcan, 1999, 209–219 2 W. FAUTH, s. v. Himmelskönigin, RAC 15, 220–233, bes. 224ff. 3 E. KLECKER, Mista propago. Der Katasterismos der Virgo in Giovanni Pontanos U., in: WS 110, 1997, 221–244.
          C. W.

Uraniones (Οὐρανίωνες).
[1] Bezeichnung für die Nachkommen des → Uranos im allg. (Hes. theog. 461; 919) und im bes. für die → Titanen (Hom. Il. 5,898; Orph. fr. 57; Suda s. v. Oὐ.). Eine Liste aller U.: [1. 973–975].

1 E. WÜST, s. v. Uranos, RE 9 A, 966–980.

[2] »Die Himmlischen«, Sammelbezeichnung für die griech. Götter im allg., bald mit dem Zusatz θεοί/*theoí* (»Götter«; z. B. Hom. Il. 1,570; Hom. Od. 7,242; Orph. fr. 168,15; Q. Smyrn. 6,205), bald ohne (z. B. Hom. Il. 5,373; Hes. theog. 929; Theokr. 12,22; Orph. Lithica 282 ABEL; Q. Smyrn. 2,443; Nonn. Dion. 26,361).
          SI. A.

Uranios (Οὐράνιος).
[1] Bischof von → Emesa. Trotz örtlicher Widerstände und eines bereits zum Bischof gewählten Petros konnte U. nach 445 den Stuhl von Emesa einnehmen. Der Freund des Theodoretos [1] von Kyrrhos (epist. 122f. an U.: SChr 111, 84–91) zählt zu den Unterzeichnern der Absetzung des Eutyches 449 durch die endemische Synode in Konstantinopolis.

[2] Bischof von Himeria (Osrhoëne). Als Haupt der Opposition gegen den seit 435 amtierenden Metropoliten → Hiba von Edessa warf U. diesem Nestorianismus (→ Nestorios), Tyrannei und Veruntreuung von Kirchenvermögen vor und erreichte schließlich in Konstantinopolis die Einsetzung einer Untersuchungskommission. Auf der sog. »Räubersynode« von Ephesos 449 agitierte U. gegen die Bischöfe Hiba, Flavianos von Konstantinopolis und Eusebios [10] von Dorylaion.

1 Acta Conciliorum Oecumenicorum IV 3,2, 501f. (s.v. Uranius 2 und 4) 2 A. LIPPOLD, s.v. U. (20–21), RE 9 A, 950f.   J.RI.

[3] Verf. von *Arabiká*, wohl Anf. des 6. Jh.n.Chr. ([1; 2], anders [3]), eines genauen griech. geogr. Werkes in mindestens fünf B.; Reste bei → Stephanos [7] von Byzanz und Tzetzes (FGrH 675) erh.

1 G.W. BOWERSOCK, Jacoby's Fragments and two Greek Historians of Pre-Islamic Arabia, in: Aporemata 1, 1997, 173–185 2 FGrH 675 3 H.v. WISSMANN, s.v. U. (4), RE Suppl. 11, 1278–1292.   H.A.G.

Uranius. L. Iulius Aurelius Sulpicius Severus U. Antoninus, Usurpator, der 253/4 in → Emesa Mz. prägen ließ; sehr wahrscheinlich identisch mit dem Aphrodite-Priester Sampsigeramos (Ioh. Mal. 12 p. 296f.), der 253 den Angriff einer persischen Heeresgruppe auf Emesa abwehrte, wobei deren Anführer (im Text → Sapor [1] I. selbst!) getötet wurde. Auf diese Vorgänge beziehen sich möglicherweise auch or. Sib. 13,158–171 sowie IGLS 1799–1801. Als mit dem Entschluß des → Valerianus [2], der Persergefahr selbst zu begegnen, wieder halbwegs sichere Verhältnisse einkehrten, scheint U. seine (lokale) Kaiserwürde freiwillig abgegeben zu haben. Sein weiteres Schicksal ist unbekannt. PIR² I 195.

H.R. BALDUS, U. Antoninus of Emesa, in: Annales archéologiques arabes syriennes 42, 1996, 371–377.   M.SCH.

Uranopolis (Οὐρανόπολις).
[1] Stadt auf der Akte (→ Athos I.), von Alexarchos, dem jüngeren Bruder des → Kassandros, gegr., ist Plin. nat. 4,37 und Strab. 7a,1,35 zufolge auf dem Isthmos der Akte zu suchen. Man kann U. mit den ausgedehnten Ruinen sw vom h. Ierissos verbinden, deren Ausdehnung mit dem von Strab. l.c. angegebenen Umfang der Stadt (30 Stadien) übereinstimmt. U. wurde wohl ca. 315 v. Chr. angelegt, prägte eigene Mz. nach einem damals in Makedonia ungebräuchlichen Münzfuß, scheint aber nicht lange Bestand gehabt zu haben und im benachbarten → Akanthos [1] aufgegangen zu sein.

F. PAPAZOGLOU, Les villes de Macedoine à l'époque romaine, 1988, 431 · M. ZAHRNT, Olynth und die Chalkidier, 1971, 120, 209f.   M.Z.

[2] Stadt in der → Kabalis, deren genaue Lokalisierung noch aussteht, falls bei Ptol. 5,5,6 keine Verschreibung vorliegt [1].

1 E. WÜST, s.v. U. (2), RE 9 A, 966.   E.O.

Uranos (Οὐρανός, lat. *Uranus*). Göttliche → Personifikation des Himmels, von Hesiod (theog. 126–128) als myth. Figur behandelt. U. wird von → Gaia, der Erde,

ohne zeugenden Vater geboren, ›damit er sie völlig umhülle und den Göttern ein fester Sitz sei für ewig‹ (ebd.). U. zeugt daraufhin mit Gaia die → Uraniones (ebd. 424; 486), und zwar die → Titanen, u.a. → Kronos, den Vater des → Zeus. U. ist damit Ahnherr der Götter (ebd. 44f.; 105f.). Auch → Kyklopen und → Hekatoncheires (ebd. 132–152) stammen von ihm ab. Da U. die Titanen im Innern der Erde einschließt, überredet Gaia ihren Sohn Kronos zur Rache. Als U. die Erde wiederum begatten möchte, schneidet Kronos dem U. mit einer Sichel die Genitalien ab und wirft sie ins Meer. Aus den auf die Erde fallenden Blutstropfen entspringen die → Erinyes, → Giganten, → Nymphen, aus den im Meer treibenden Genitalien und ihrem schäumenden Sperma entsteht → Aphrodite (ebd. 173–206).

Diesem frühesten griech. → Weltschöpfungs-Mythos liegt der in vielen Kulturen verbreitete Mythos von der Trennung von Himmel und Erde zugrunde [1]. U. verkörpert als Gatte der Gaia die die Erde mit Wärme und Feuchtigkeit durchdringende Zeugungskraft des Himmels (vgl. Aischyl. Danaides, TrGF 3 F 44). Hesiods Darstellung insbes. der Sukzession U. – Kronos – Zeus geht ganz offensichtlich auf orientalische Vorbilder zurück. So entspricht in hurritisch-hethitischen Texten nach Alalu (ohne griech. Entsprechung) der Himmel Anu (= sumerisch An) dem U.; Anu wird kastriert von → Kumarbi (= Kronos), aus seinen Genitalien entstehen Götter; Kumarbi verschlingt seine Nachkommen (und einen Stein?) außer den Wettergott (= Zeus), der wiederum ihn stürzt. In akkadischen Texten, insbes. dem → *Enūma eliš*, tritt die Parallelität nicht so deutlich hervor, jedoch bilden → Apsû und → Tiāmat ein Ur-Paar ähnlich U. und Gaia. In der phönizischen Gesch. des → Sanchuniathon finden sich wie im Hethitischen vier Generationen: Elium (Alalu), Epigeios (Uranos, Anu), → El (Kronos, Kumarbi), Demarus (Zeus, Wettergott) [2. 18–31].

Kultische Verehrung genoß U. nirgends, auch entwickelte sich kein bildlicher Darstellungstypus.

1 W. STAUDACHER, Die Trennung von Himmel und Erde. Ein vorgriech. Schöpfungsmythos bei Hesiod und den Orphikern, 1942 (Ndr. 1968) 2 M.L. WEST (ed.), Hesiod, Theogony, 1966 (mit Prolegomena und Komm.).

H. ERBSE, Orientalisches und Griech. in Hesiods Theogonie, in: Philologus 108, 1964, 2–28 · H. SCHWABE, s.v. Weltschöpfung, RE Suppl. 9, 1433–1582 · E. WÜST, s.v. U., RE 9 A, 966–980.   L.K.

Urartäisch. Sprache der königlichen Keilinschriften von → Urartu; sie gehört weder der semitischen noch der indeur. Sprachgruppe an, sondern ist nur mit dem schon für das späte 3. Jt.v.Chr. belegten → Hurritischen verwandt. Die Bezeichnung »asianische Sprachen«, die für das Hurrit.-U., das → Elamische, das → Sumerische usw. geprägt wurde, ist eine Verlegenheitslösung. Sprachtypologisch ist das U. agglutinierend und ergativisch, und entsprechend wird es im Zusammenhang mit ganz unterschiedlichen Sprachen betrach-

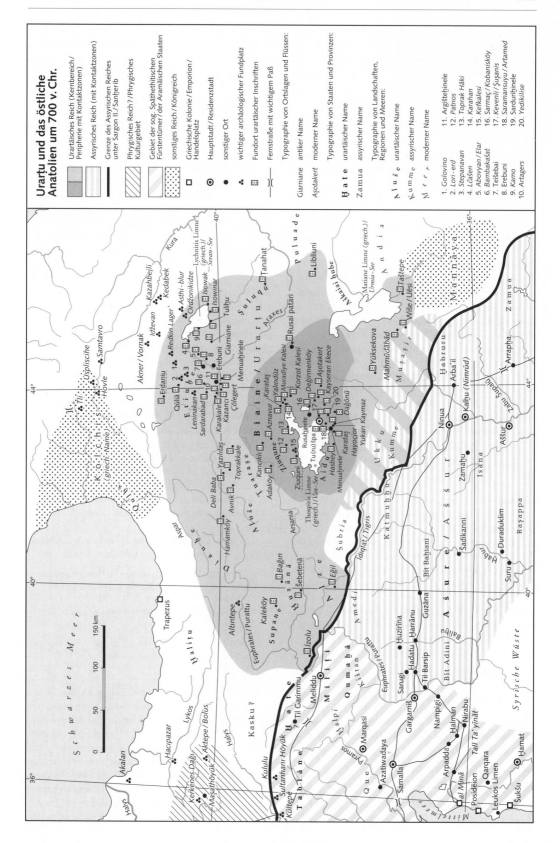

Urartu und das östliche Anatolien um 700 v. Chr.

Urartäisches Reich (Kernbereich / Peripherie mit Kontaktzonen)

Assyrisches Reich (mit Kontaktzonen)

Grenze des Assyrischen Reiches unter Sargon II. / Sanherib

Phrygisches Reich ? / Phrygisches Kulturgebiet

Gebiet der sog. Späthethitischen Fürstentümer / der Aramäischen Staaten

sonstiges Reich / Königreich

Griechische Kolonie / Emporion / Handelsplatz

Hauptstadt / Residenzstadt

sonstiger Ort

wichtiger archäologischer Fundplatz

Fundort urartäischer Inschriften

Fernstraße mit wichtigem Paß

Typographie von Ortslagen und Flüssen:

Giarniane — antiker Name

Aşotakert — moderner Name

Typographie von Staaten und Provinzen:

Ḫate — urartäischer Name

Zamua — assyrischer Name

Typographie von Landschaften, Regionen und Meeren:

Aluše — urartäischer Name

Kumme — assyrischer Name

Meer — moderner Name

1. Golovino
2. Lori-erd
3. Stepanavan
4. Lčašen
5. Abovyan / Elar
6. Bambakašat
7. Teišebai
8. Erebuni
9. Kamo
10. Artagers
11. Argištehinele
12. Patnos
13. Toprak Ḫāki
14. Karahan
15. Kefkalesi
16. Sarmac / Kobaniskóy
17. Keveni / Şuşanis
18. Saramansuyu / Artamed
19. Sarduriḫinele
20. Yedikilise

tet. Die Agglutination ist im U. rein suffigierend; die Verbalform nimmt als Enklitika andere Satzglieder auf: *aru=me* ›er-gab-mir‹; *sidistu=itu=ni* ›sie-bauten-es‹; *harharsu=itu=li* ›sie-zerstörten-sie‹ (Pl.). Verbreitet ist das Phänomen der Suffixaufnahme, d. h. die Wiederholung des Kasussuffixes des Regens beim Rectum: *Minua=i=ni=ei urishusi=ni=ei* ›(Objekt) der Schatzkammer der-des-Minua‹. Die Suffixaufnahme ist auch für die Bildung von Eigennamen von Belang, so daß der korrekten Wiedergabe von alten Ortsnamen stets eine Sprachanalyse vorausgehen muß. Der alte Name von Karmir Blur hieß nicht Teišebaini (obliquer Kasus; so meist falsch zitiert), sondern Teišebai.URU, »Stadt des (Wettergottes) Teišeba« (das *-ni* ist eine Suffixaufnahme).

→ Keilschrift

M. SALVINI, Gesch. und Kultur der Urartäer, 1995.   MI. SA.

Urartu. Staat im armenischen Hochland (9. bis 7. Jh. v. Chr.; vgl. Karte) mit eigenständiger Kultur, in stetiger Auseinandersetzung mit dem assyrischen Reich (→ Mesopotamien III. D.). Mil. Höhepunkte waren der Sieg des urartäischen Königs Argišti I. über Aššur-nirārī V. in der 1. H. des 8. Jh., der Zusammenstoß zw. Sarduri II. und Tiglatpileser [2] III. (745–727) an der Euphratgrenze im J. 743 und der lange Krieg um die Kontrolle über NW-Iran zw. Rusa I. und → Sargon [3] II. (722–705), der in der erfolgreichen 8. Kampagne Sargons im J. 714 gipfelte. Um 830 führte Sarduri I., der Gründer des Reiches von U., die → Keilschrift für seine Inschr. am Fuße des Van-Felsens bei der Hauptstadt Tušpa (Turušpa) ein.

Das urartäische Pantheon wurde vom Nationalgott Ḫaldi angeführt, in der Rolle vergleichbar dem Gott → Assur [2] in Assyrien. Er verlieh das Königtum und führte die siegreichen Armeen zu Eroberungen, die im 8. Jh. das Gebiet zw. Euphrat und iran. Aserbaidschan sowie das Becken des Sevan-Sees in Nord-Armenien umfaßten. Der Kult des Ḫaldi, dessen Heiligtum in Muṣaṣir (im h. NO-Iraq) lag, wurde von König Išpuini um 815 zu polit. Zwecken eingeführt. Eine reiche materielle Kultur in Form von Architektur (Festungen, Tempel und Paläste – z. B. Altıntepe und Çavuştepe –, Grabanlagen), Felsreliefs und -inschr., Kanälen, Treppentunneln usw. ist das sichtbare Erbe von U. Ausgrabungen wie Teišebai-Stadt (h. Karmir-blur), Bastam, Rusaḫinele (h. Toprakkale) oder Ayanis lieferten viele Beispiele u. a. der Bronzekunst (gegossene Statuetten; gehämmerte und verzierte Schilde, Köcher, Helme mit Inschr.). Steinskulptur (Basreliefs von Adilcevaz/Kefkalesi) ist nur für das 7. Jh belegt. Zur Sprache s. → Urartäisch.

M. SALVINI, Gesch. und Kultur der Urartäer, 1995 ·
R.-B. WARTKE, U., Das Reich am Ararat, 1993 ·
P. E. ZIMANSKY, Ancient Ararat. A Handbook of Urartian Studies, 1998.   MI. SA.

KARTEN-LIT.: K. KESSLER, Das Neuassyrische Reich der Sargoniden (720–612 v. Chr.), TAVO B IV 13, 1991 · W. RÖLLIG, Östliches Kleinasien. Das Urartäerreich (9.–7. Jh. v. Chr.), TAVO B IV 12, 1992 · S. SALVINI, Gesch. und Kultur der Urartäer, 1995 · A.-M. WITTKE et al., Östlicher Mittelmeerraum und Mesopotamien um 700 v. Chr. (TAVO B IV 8), 1993.   W. R. u. A. F.

Urbanae cohortes. Von Augustus wurden drei mil. organisierte Kohorten für den »Polizeidienst« (→ Polizei) in Rom aufgestellt. Sie trugen die Nummern X-XII, was ihre enge Verbindung mit den neun Kohorten der → Praetorianer zeigt. Sie waren auch im selben Lager, (*castra praetoria*) untergebracht, unterstanden jedoch nicht dem → *praefectus praetorio*, sondern dem → *praefectus urbi*. Dies konnte andere polit. Loyalitäten bedingen (vgl. Suet. Claud. 10,3 nach dem Tod des → Caligula). Die *u.c.* sollten v. a. für Ruhe in der Stadt sorgen. Wohl v. a. Claudius (41–54 n. Chr.) erhöhte die Zahl der Kohorten stark; 68 n. Chr. existierten insgesamt neun (mit den Nummern X-XVIII), von denen u. a. je eine in Puteoli, Ostia und Lugdunum (h. Lyon) stationiert war. Ab Vespasianus (69–79) standen in Rom vier Kohorten (X, XI, XII, XIV), eine in Karthago, eine weitere in Lugdunum, die jedoch unabhängig von den eigentlichen städtischen Kohorten kommandiert wurden. Wahrscheinlich war eine *cohors* je 500 Mann stark, erst Septimius [II 7] Severus (193–211) erhöhte sie auf 1500. Sie blieben in den *castra praetoria* stationiert, nicht in einem eigenen Lager am *Forum suarium*. Wann die *u. c.* aufgelöst wurden, ist bisher unbekannt, jedenfalls nicht gleichzeitig mit den Praetorianern 312 unter Constantinus [1]. Die Rekrutierung erfolgte bis weit ins 3. Jh. hinein aus der Bevölkerung Italiens.

F. BÉRARD, Le rôle militaire des cohortes urbaines, in: MEFRA 100, 1988, 159–182 · Ders., La cohorte urbaine de Lyon, in: Y. LE BOHEC (Hrsg.), La hierarchie (Rangordnung) de l'armée Romaine sous le haut-empire, 1995, 373–382 · H. FREIS, Die cohortes urbanae, 1967 · M. ROXAN, W. ECK, A Military Diploma of AD 85 for the Rome Cohorts, in: ZPE 96, 1993, 67–74.   W. E.

Urbanus. M. Damatius U., Verf. eines Komm. (4. Jh. n. Chr.) zu den Gedichten des → Vergilius, der sich mit älteren Erklärern (→ Cornutus [4], → Velius [3] Longus) auseinandersetzte und – neben Carminius und → Donatus [3] – den Grundstock von → Servius' [2] Komm. ausmacht; sein Einfluß auf Servius dürfte über den Umkreis der 11 Zit., die allein erh. sind, hinausgehen.

S. TIMPANARO, Per la storia della filologia virgiliana antica, 1986, 129–134 · R. KASTER, Guardians of Language, 1988, 438 · P. L. SCHMIDT, in: HLL 5, § 526.3.   P. L. S.

Urbicius (Οὐρβίκιος). Als oström. → *praepositus sacri cubiculi* unter → Theodosius [3] II. seit 434 n. Chr. und wieder unter → Leo(n) [4] I. und → Zenon bezeugt. Gegen Zenon begünstigte er zwar 475 den Usurpator → Basiliskos, trug aber 476 zu dessen Sturz bei. Er stand → Verina, der Witwe Leons I., nahe und unterstützte

wohl auch 481 ein Komplott gegen → Illos, der sie inhaftiert hatte. Zuletzt ist er als Befürworter der Wahl des
Kaisers → Anastasios [1] I. 491 und als Förderer frommer
Stiftungen in → Edessa [2] und im Heiligen Land 504/5
bezeugt. PLRE 2, 1188–1190.   F. T.

Urbicus s. Lollius [II 4]

Urbs Vetus (Οὐρβιβεντός/*Urbibentós*; h. Orvieto). Etr.
Stadt im Tal des Pallia (h. Paglia) auf einem hohen Tuff-
felsen (vgl. die Beschreibung der Lage der Stadt bei
Prok. BG 2,20,5–11; vgl. Geogr. Rav. 4,36: *Orbevetus*;
Paulus Diaconus, Historia Langobardorum 4,32; Prok.
BG 2,11,1; 2,18,19), die Identität mit → Volsinii Veteres
wird diskutiert.

BTCGI 13, 1–88.   M.M.MO./Ü: H.D.

Urgulania. Frau des M. Plautius (AE 1972,162), Mutter
des M. Plautius [II 12] Silvanus, Großmutter der Plautia
[1] Urgulanilla, der Frau des → Claudius [III 1]. Sie miß-
brauchte die Freundschaft zu Livia [2], die schließlich
eine Geldstrafe für sie übernahm (Tac. ann. 2,34,4),
nachdem U. sich geweigert hatte, persönlich vor Gericht zu erscheinen. Später schickte sie ihrem verurteilten Enkel M. Plautus [II 13] einen Dolch (Tac. ann.
4,21,1). Verarbeitet in dem Roman ›Das Geheimnis des
röm. Gartens‹ von J.-P. NÉRAUDAU.

C. M. PERKOUNIG, Livia Drusilla – Iulia Augusta, 1995,
176 f. · PIR V 684.   ME. STR.

Urgulanilla s. Plautia [1]

Urheberrecht. Ein juristisch fixiertes, strafbewehrtes
U. gab es in der griech.-röm. Ant. nicht ([1]; vgl. [2]).
→ Plagiate galten zwar als verwerflich, doch zogen sie
keine juristischen Folgen nach sich. Die in Vitr. 7 praef.
4–7 geschilderte Begebenheit, wonach → Aristophanes
[4] von Byzanz bei einem Dichterwettstreit in Alexandreia die Sieger des Plagiats überführte und diese daraufhin vom König bestraft wurden, ist ein Einzelfall.
Ebenso ist der Wunsch des → Martialis [1] (1,52, vgl. [3]
ad locum), ein Plagiator seiner Gedichte möge nach der
lex Fabia de plagiariis bestraft werden, Ausdruck der Ver-
ärgerung, nicht der juristischen Realität.

Das Recht des Autors an seinem Text ließ sich nur
durch inhaltliche Maßnahmen wie das Anfügen einer
→ *sphragís* [3] (vgl. → *subscriptio* II.; [4; 5]) oder durch
akrostichische Vermerke (→ Akrostichon; Cic. div.
2,112: *Q. Ennius fecit*) sichern [4]. Der beste Schutz vor
dem Plagiat dürfte freilich intensives öffentliches Gespräch über ein Werk und die dadurch gegebene Bekanntheit zumindest eines beträchtlichen Teils der Texte gewesen sein.

→ Abschrift; Autograph; Buch (C.); Fälschungen;
Sphragis [3]; Verfasser

1 K. ZIEGLER, s. v. Plagiat, RE 20, 1956–1997, bes. 1967 f.
2 M. ROSE, Authors and Owners, 1993 3 M. CITRONI (ed.),
M. Valerii Martialis Epigrammaton liber I, 1975 (mit
Komm.) 4 W. KRANZ, Sphragis, in: RhM 104, 1961, 3–46;
97–124 5 G. CERRI, Il significato di sphregis in Teognide e la
salvaguardia dell'autenticità testuale nel mondo antico, in:
Lirica greca e latina (Annali dell' Ist. Universitario di Napoli,
Sezione Filologico Letteraria 12), 1992, 25–43 6 E. VOGT,
Das Akrostichon in der griech. Lit., in: A&A 13, 1967,
80–95.   U. SCH.

Uria

[1] Stadt der → Sal(l)entini, von Idomeneus [1] gegr.
(Varro bei Prob. in Verg. ecl. 6,31), wohl identisch mit
Οὐρητόν (Strab. 6,3,5: urspr. *Barís*; Ptol. 3,1,76; Tab.
Peut. 7,2: *Veretum*) bei Kap Leuka; h. Santa Maria di
Vereto an der Ostküste It.s mit ant. Überresten; messa-
pische und röm. Inschr. [1; 2]. Strab. 6,3,6 war unklar,
ob Hyrie bei Hdt. 7,170 mit U. [1] oder U. [2] zu iden-
tifizieren sei.

1 C. PAGLIARA, Fonti per la storia di Veretum, in: Annali
Facoltà di Lettere Università di Lecce 5, 1969–1971,
121–136 2 C. SANTORO, Nuovi studi Messapici 1, 1982,
117–122.

M. LOMBARDO, I Messapi e la Messapia, 1992, 49 f., 98–102.

[2] (h. Oria). Stadt in Calabria (→ Calabri; Strab. 6,3,6;
Plin. nat. 3,100: *U. Messapia*; Ptol. 3,1,77: Οὐρητόν; Mz.
des 2. Jh. v. Chr.: *Orra*; vgl. [3]) zw. → Taras [2] und
→ Brundisium. Reste iapygischer (8.–7. Jh. v. Chr.) und
messapischer Siedlungen (Grundmauern, Nekropolen,
Heiligtum von Montepapalucio; Inschr. [1. 34–56; 2])
sowie der röm. Stadt sind erh.

1 C. SANTORO, Nuovi studi Messapici 1, 1982
2 J. BOERSMA, Oria and Valesio, in: MAMA 52, 1990, 57–108
3 A. TRAVAGLINI, La monetazione di Orra, in: Studi di
Antichità 6, 1990, 235–256.

D. YNTEMA, In Search of an Ancient Countryside, 1993 ·
J.-L. LAMBOLEY, Recherches sur les Messapiens, 1996,
120–135 · BTCGI 12, 505–516.   M. L.

[3] Stadt in → Daunia an der Nordküste des Mons Gar-
ganus; Ruinen liegen am Lago di Varano, westl. von
Rodi Garganico (Strab. 6,3,9: Οὔριον; Plin. nat. 3,103:
U.; Ptol. 3,1,17: Ὕριον).
[4] Stadt der → Sabini, Station an der Via Valeria (Strab.
5,3,11: Οὐαρία; Hor. epist. 1,14,3: *Varia*), h. Vicovaro.
[5] Stadt in → Campania (HN 37), evtl. identisch mit
→ Nola (vgl. Solin. 2,16: *Nola ab Yrinis*).   G. VA./Ü: H. D.

Uriel (hebr. ʾūrīʾēl, »Mein Licht ist Gott«) bezeichnet in
der → apokryphen Literatur neben → Michael [1],
→ Gabriel [1] und → Rafael einen der vier Erzengel. Er
ist als Deutegestalt (*angelus interpres*, 4 Esra 4,1 ff.) und als
Regent über alle Sterne und Lichter (1 Hen 75,3) belegt. U. führt → Henoch durch die oberen Himmel (1.
Hen 19 ff.). Bes. ist ihm die Herrschaft über die Engels-
heere und die Unterwelt (Scheol) übertragen (1 Hen

20,1), deren Pforten er bei der Totenauferstehung zertrümmert (or. Sib. 2,229). Als einer der Wächter des Thrones Gottes ist er in der jüd. Kabbala bedeutungsvoll.

Y. GUTMANN, s. v. U., in: C. ROTH (Hrsg.), Encyclopaedia Judaica 16, 1971, 7.   LUK.KU.

Urkunden I. ALLGEMEINES II. ALTER ORIENT III. ÄGYPTEN IV. JÜDISCHES RECHT V. KLASSISCHES GRIECHENLAND UND HELLENISMUS VI. RÖMISCHES RECHT

I. ALLGEMEINES
A. BEGRIFF B. GESCHÄFTSURKUNDEN

A. BEGRIFF

Rechtlich ist die U. eine rechtsgeschäftliche Erklärung in Schriftform; nach h. Auffassung handelt es sich um eine schriftlich verkörperte Willenserklärung, die geeignet und dazu bestimmt ist, im Rechtsverkehr Beweis zu erbringen, und die den Aussteller erkennen läßt (z. B. [2; 8]). Allg. bezeichnet U. alle nicht-lit. oder halb-lit. Texte (ausgenommen sind z. B. Dichtung bzw. Amulette), also neben Geschäfts-U. z. B. auch Prozeß-, Verwaltungs-U., Briefe und Rechnungen. Als U.-Träger dienten bevorzugt Ton, → Papyrus, Ostraka (→ óstrakon), Stein, Holz- oder Wachstafeln, Metall.

B. GESCHÄFTSURKUNDEN
1. FORMALES 2. WIRKUNG 3. SICHERUNG, AUSSTELLER, AUFBEWAHRUNG

1. FORMALES

Die U.-Gestaltung (z. B. Material und Form, Sprache, Textanordnung, notwendige Bestandteile, Stilisierung, Klauseln, Anbringung der Beglaubigungsmittel wie → Siegel) entsprang vielfach der (lokalen, zeitlichen u. ä.) Praxis. Die Beachtung der formalen Eigenheiten trägt zum Verständnis der U. bei und erlaubt z. T. weiterführende Schlußfolgerungen (z. B. zu Herkunft; Entstehungszeit; Verwaltungsgeschäftsgang). Im Gegensatz zu den ma. U. (»Diplomatik«; s. [1; 3]) gibt es U.-Lehren für die Ant. nur in beschränktem Umfang.

2. WIRKUNG

Zu unterscheiden sind Beweis- und Konstitutiv-U. Erstere beweist die außerhalb der U. erfolgte rechtsgeschäftliche Erklärung, letztere bewirkt unmittelbar das Zustandekommen des Rechtsgeschäfts. Anstelle von Konstitutiv-U. wird in der Rechts-Gesch. oft der Begriff »Dispositiv-U.« verwendet, der an sich eine ein Recht verkörpernde U. meint und mit den Wertpapieren zu verbinden ist. Die begriffliche Unschärfe ist unschädlich ([9. 489⁵]). Inhaltlich ist zw. dispositiven und deklaratorischen Klauseln zu differenzieren; erstere drücken nur die Rechtspraxis aus, letztere ändern sie ab. Besondere Beurkundungsformen und einen damit verbundenen gesteigerten Beweiswert (»private/öffentli-

che U.«) kannte erst die hell. Welt (s. u. V.). Ungeachtet der verbreiteten Verschriftung gibt es keine zwingende Schriftform.

3. SICHERUNG, AUSSTELLER, AUFBEWAHRUNG

Ein wichtiges Anliegen ist, die in der U. niedergelegte Aussage gegen Veränderung zu sichern; hierzu dienen die äußere Form (mehrfache Beurkundung, Siegelung, vgl. → Siegel: mit Abb., Autographie, Unterschrift) und Zeugen. Schriftkenntnis war in der Ant. nicht allg. verbreitet [4] (→ Schriftlichkeit). Privatleute bedienten sich häufig gewerbsmäßiger → Schreiber oder schrieben nur unbeholfen. Auch deswegen sind – ohnedies nur im Hinblick auf den Kenntnisstand der Beteiligten verfaßt – Privatbriefe oft unklar. Berufsschreiber drückten sich professionell aus und folgten in Schrift und Gestaltung meist Konventionen bzw. Vorlagen. Die Geübtheit der Schreiber war individuell verschieden, hatte aber nicht unbedingt rechtliche Unterschiede zur Folge. Private U. wurden bei der darin berechtigten Partei (Rechts-U.) aufbewahrt bzw. Briefe, Notizen u. ä. beim Empfänger, und erstere nach Erledigung zerstört, ungültig gemacht oder der Gegenseite zurückgegeben. Zusammengehörende U. bilden (im Zusammenhang erhaltene) »Archive« oder (modern zusammengestellte) »Dossiers« [5]. Verwaltungsarchive enthalten nur Verwaltungs-U. [7]; Hinterlegung sowie Registrierung von privaten Geschäfts-U. kam erst in griech.-hell. Zeit auf.

→ Demotisches Recht; Fajum; Papyrus; Schreibmaterial; Vertrag; Verwaltung

1 H. BRESSLAU, Hdb. der U.lehre für Deutschland und It., ⁴1968 ff. 2 TH. FRENZ, s. v. U. (rechtlich), in: Handwörterbuch der deutschen Rechtsgesch. 5, 1998, 574–576 3 Ders., s. v. U.lehre, in: ebd., 584–591 4 W. V. HARRIS, Ancient Literacy, 1989 5 A. JÖRDENS, Papyri und private Archive. Ein Diskussionsbeitrag zur papyrologischen Terminologie, in: E. CANTARELLA, G. THÜR (Hrsg.), Symposion 1997, 2001, 253–268 6 W. KUNKEL, s. v. Συγγραφή, syngrapha, RE 4 A, 1376–1387 7 E. POSNER, Archives in the Ancient World, 1972 8 H. STEINACKER, Die ant. Grundlagen der frühma. Privatu., 1927 9 F. WIEACKER, Rez. zu: H. Steinacker, »Traditio cartae« und »traditio per cartam«, ein Kontinuitätsproblem (1959/60) in: ZRG Rom. Abt. 79, 1962, 488–493.

II. ALTER ORIENT

Eine den gesamten keilschriftlichen Raum umfassende, aktuelle U.lehre gibt es nicht (s. aber [18. 114–174]). Entsprechende Angaben bieten Darstellungen zu einzelnen Epochen (z. B. [3; 17. 19–78]), Bearbeitungen von Urkundengruppen (z. B. [11. 13–25; 7. 46–52; 16; 10]) und verstreute Bemerkungen in U.-Edd.

A. ALLGEMEINES B. VERWALTUNGSURKUNDEN C. GESCHÄFTSURKUNDEN

A. ALLGEMEINES

Verwaltungs- (anfangs besonders Wirtschaftsverwaltungs-), Rechts- (Geschäfts-, Gerichts-U.; → Staatsvertrag) und sonstige U. (z.B. Briefe) gab es in → Keilschrift ab der frühdynastischen bis in die hell. Zeit (→ Keilschriftrechte). Wesentlicher U.-Träger war die Tontafel (sumerisch dub; akkadisch *tuppum* ohne Spezifizierung des Geschäftstyps; aram. Beischriften aus achäm. Zeit lassen inhaltlich differenzierende U.-Bezeichnungen erkennen, vgl. [17. 52]). Erst in der Spätzeit war die Tontafel nur noch bestimmten Geschäftstypen vorbehalten [14. 108]. Stein wurde (neben Ton) für offizielle Inschriften benutzt, ebenso frühdyn. (29./28. Jh. v. Chr.) und mittel-/neubabylon., z. T. für akkad. *kudurru* (»Grenzsteine«), welche Landvergaben dokumentierten [4; 1]. Die Wachstafel (sumer. ^{giš}DA; akkad. *lēʾu*, hethitisch ^{GIŠ}*lēʾu*, wörtl. »Holztafel«) ist seit der mittelassyr./mittelbabylon./hethit. Zeit erwähnt; sie wurde im außerlit. Zusammenhang v. a. in der Verwaltung und für deren Rechnungswesen [6; 19], jedoch kaum oder gar nicht für Rechts-U. verwendet (verm. wegen der Abänderbarkeit). Hethit. DUB.SAR.GIŠ (»Holztafelschreiber«) könnte auf die Verwendung von Holztafeln, evtl. für luw. Texte, hinweisen. → Pergament (akkad. *kussu*) und → Papyrus (*niāru*) sind ab Beginn des 1. Jt. v. Chr. bildlich bezeugt und erwähnt.

In Größe, Form und Wölbung der Fläche sowie Kolumnenzahl zeigen die Tontafeln deutliche – qualitative und verwendungsbezogene, zeitliche und geogr. – Unterschiede: Schreibübungen; kurze Verwaltungstexte (→ Ebla); Abrechnungen über Kleinvieh und Ernte sowie großformatige Tafeln mit fortlaufender Ein- und Ausgabendokumentation (Ur-III), gegenüber tabellarischer Dokumentation (mittelbabylon.); Querformate für Geschäfts-U. und Hochformat für Quittungen (neu-/spätbabylon.) usw.

B. VERWALTUNGSURKUNDEN

Der Ursprung der → Schrift liegt in der zur Dokumentation nötigenden Wirtschaftsverwaltung. Vorläufer der auf Tontafeln geschriebenen Verwaltungs-U. waren der Inventarisierung dienende Tonbullen (Tonhüllen): In letzteren eingesiegelt, verkörperten Tonsymbole Zahl und Art der gezählten Güter [13]. Rund 90% des keilschriftlichen Materials besteht aus Rechts- und Verwaltungs-U. Letztere überwiegen bei weitem und sind für manche Epochen oder Räume die einzigen überl. U. (→ Verwaltung).

C. GESCHÄFTSURKUNDEN
1. FORMALES 2. WIRKUNG
3. SICHERUNG, AUSSTELLER, AUFBEWAHRUNG

1. FORMALES

Die Verschriftung von Rechtsgeschäften geht auf die Sumerer zurück und folgte bereits vor der altbabylon. Zeit Formularen [4]. Zu betonen ist die lokal und zeitlich signifikante, im Detail oft übersehene Vielfalt in allen U.-Bestandteilen. Die U. sind höchst knappe, fast ausschließlich objektiv stilisierte Zeugenprotokolle des Geschäftsvorgangs. Wesentliche Elemente der U. sind: Geschäftsvermerk, Parteiangabe, ergänzende Klauseln

(z.B. Nichtanfechtungs- und Strafklausel), Benennung der Zeugen sowie (einschließlich oder gesondert) des U.-Schreibers und u. U. das Datum. Als U.-Typ spielt der »Verpflichtungsschein« eine große Rolle. Er bekundet grundsätzlich abstrakt eine Leistung, deren Zweck nur gelegentlich genannt wird. Von verbreiteter Bed. waren ferner u.a. die sumer. šu ba(n)ti-U. [11. 17f.], das von der Seite des Schuldners stilisierte Leistungsversprechen [11. 14–17], der *ina-pāni*-Kreditvertrag (akkad.) [16. 50f.] und die »Zwiegesprächs-U.« (neubabylon./hell. Epoche; [18. 152; 159f.]). Qualifizierte, d. h. die Vertragsdetails wiedergebende Quittungen (z.B. in → Nuzi) stehen anstelle von Vertrags-U. Die Formulare ließen sich den verschiedenen Rechtsgeschäften anpassen. Mitunter sind bei Rechtsakten und Vertragsschlüssen neben der Beurkundung Formalien [12] und Publizitätsformen (z.B. [18. 120f.; 200f.; 9. 67–81]) erkennbar, doch ist weder ein Formalismus röm. Art noch eine öffentliche U. von bes. Glaubwürdigkeit ersichtlich. Dies gilt auch für gerichtlich protokollierte Vereinbarungen.

Die Siegelung (eigenes oder fremdes Roll- und Stempelsiegel [8], → Siegel; aber auch Siegelersatz: Fingernagel-, Muschelabdrücke, Einritzungen [17. 35–40; 22]) vertrat die h. übliche Unterschrift. Gesiegelt wurde von (beiden oder der sich allein verpflichtenden) Partei(en) (auch Frauen und Unfreien) und Zeugen; es handelt sich grundsätzlich um Untersiegelung im Sinn eines Echtheitsbeweises, doch scheint die Anbringung der Siegel auf Hüllentafeln mitunter auch der Versiegelung gedient zu haben. Die Siegelung war örtlichen und zeitlichen Abweichungen unterworfen, z.B. wurden in → Lagaš zu siegelnde U. nicht als Hüllentafeln verfertigt, im nahegelegenen Umma dagegen regelmäßig (jeweils Ur-III). Verpflichtungsscheine waren vielfach nicht gesiegelt, wohl aber altassyrische.

2. WIRKUNG

Die Geschäfts-U. waren vorrangig Beweis-U., doch bildete sich eine dispositive Wirkung heraus [18. 137; 162–168]. Auf eine abstrakte Person (altassyr. *tamkārum*, »Kaufmann«) ausgestellt, ließ sich der altassyr./-babylon. Verpflichtungsschein wie ein Traditionspapier verwenden [2. 14f.]. U. ließen sich verpfänden und vererben; sie verkörperten die darin beschriebenen Rechte (mittel-/neuassyr. [17. 72f.]).

3. SICHERUNG, AUSSTELLER, AUFBEWAHRUNG

In der Regel nach dem Beschriften nur getrocknet, ließen sich Tontafeln – wie entsprechende Anweisungen widerspiegeln – nach Befeuchten abändern. Der Fälschungsabsicht beugte – geschäftsunabhängig – die Hüllentafel vor (Ur-III bis mittelbabylon./neuassyr., Ende 3. bis Mitte 1. Jt. v. Chr.). Dazu wurde die fertige U. mit einem flachen Tonstück umhüllt, dieses seitlich zusammengedrückt, beschrieben und gesiegelt; bei Zweifeln an der Richtigkeit des Textes der Hülle konnte diese erbrochen und der (nie verkürzte) Text der Innentafel geprüft werden. Ob die Hüllentafel das Entstehen von Doppelurkunden anderwärts beeinflußt hat, ist ungewiß [18. 127–130]. Der Sicherung diente (neubabylon.) die zweifache Ausfertigung; Abschriften, Sammelurkunden und Notizen dienten der Übersicht (z.B. in → Kaneš, vgl. [20]). Als Sicherung bediente man sich z.T. des (promissorischen) → Eids, des → Fluchs, der Nichtanfechtungsklausel und (u.U. blutigen) Vertragsstrafe. Die Beteiligung von einspruchsberechtigten Personen (an der U.) bewirkte den Verlust ihres Einspruchsrechts. Die Niederschrift erfolgte durch Berufsschreiber oder schreibkundige Privatpersonen. Indizien lassen vermuten, daß Schreibkenntnis verbreitet war (→ Schrift II.; [5]). Über die Schreibübungen wurden auch die Formulare und Klauseln eingeübt (→ Schreiber I.). U. wurden in (z.T. versiegelten) Tonkrügen o.ä. aufbewahrt, ferner in Regalen. Eine allg. Archivierung von Rechts-U. war unbekannt, doch fanden sich öffentliche wie private → Archive (z.B. [15; 21]). Nach Erfüllung wurden Verpflichtungs-U. vernichtet [17. 75f.].

1 J. A. BRINKMAN, s. v. Kudurru A, RLA 6, 267–274
2 G. EISSER, E. LEWY, Die altassyrischen Rechtsu. vom Kültepe, Bd. 1–2 (MVAG 33), 1930 3 G. EISSER, Zur U.lehre der altassyrischen Rechtsu. vom Kültepe, in: FS P. Koschaker, Bd. 3, 1939, 94–126 4 I. J. GELB et al., Earliest Land Tenure Systems in the Near East. Ancient Kudurrus, Bd. 2, 1989 5 P. D. GESCHE, Schulunterricht in Babylonien im ersten Jt. v. Chr., 2000 6 H. HUNGER, s. v. Holztafel, RLA 4, 459f. 7 B. KIENAST, Die altbabylonischen Briefe und U. aus Kisurra, 1978 8 E. KLENGEL-BRANDT (Hrsg.), Mit Sieben Siegeln versehen. Das Siegel in Wirtschaft und Kunst des Alten Orients, 1997 9 P. KOSCHAKER, Neue keilschriftliche Rechtsu. aus der El-Armarna-Zeit, 1928 10 U. LEWENTON, Stud. zur keilschriftlichen Rechtspraxis Babyloniens in hell. Zeit, 1970 11 H. LUTZMANN, Die neusumer. Schuldu., Diss. Erlangen 1971, 1976 12 M. MALUL, Studies in Mesopotamian Legal Symbolism, 1988 13 H. J. NISSEN et al., Frühe Schrift und Techniken der Wirtschaftsverwaltung im alten Vorderen Orient, 1990 14 J. OELSNER, Recht im hell. Babylonien, in: M. J. GELLER, H. MAEHLER (Hrsg.), Legal Documents of the Hellenistic World, 1995, 106–148 15 Ders., Siegelung und Archivierung von Dokumenten im hell. Babylonien, in: M.-F. BOUSSAC, A. INVERNIZZI (Hrsg.), Archives et sceaux du monde hellénistique, 1996, 101–112 16 H. PETSCHOW, Neubabylonisches Pfandrecht, 1956 17 K. RADNER, Die neuassyrischen Privatrechtsu. als Quelle für Mensch und Umwelt, 1997 18 M. SAN NICOLÒ, Beitr. zur Rechtsgesch. im Bereiche der keilschriftlichen Rechtsquellen, 1931 19 Ders., Haben die Babylonier Wachstafeln als Schriftträger gekannt?, in: Orientalia 17, 1948, 59–70 20 A. M. ULSHÖFER, Die altassyrischen Privatu., 1995 21 K. R. VEENHOF, Cuneiform Archives, in: Ders. (Hrsg.), 30ᵉ Rencontre Assyriologique Internationale 1983, 1986, 1–36 22 R. WALLENFELS, Private Seals and Sealing Practices at Hellenistic Uruk, in: M.-F. BOUSSAC, A. INVERNIZZI (Hrsg.), Archives et sceaux du monde hellénistique, 1996, 113–129.

III. ÄGYPTEN

A. ALLGEMEINES   B. HIERATISCHE UND KURSIVHIERATISCHE URKUNDEN   C. DEMOTISCHE URKUNDEN

A. ALLGEMEINES

Das Erscheinungsbild der äg. U. ist bestimmt von der Schrift (→ Hieroglyphen; → Hieratisch; → Demotisch) und den Schriftträgern (Stein-Inschr.; Pap.; bes. Kalkstein-Ostraka, → óstrakon). Ostraka dienten v.a. Notizen und anderen kurzen Texten. Man beschriftete sie nach dem verfügbaren Raum und folgte deshalb zwar der üblichen Phraseologie, aber nur bei Kurztexten (z.B. Abgabenquittungen) Formularen. Auf Inschr. werden → Hieroglyphen in Äg. bis in griech.-röm. Zeit verwendet. Die inschr. Dokumentation nicht nur öffentlicher, sondern auch privater Akte (→ Vertrag) macht dieses Material in vielerlei Hinsicht bedeutend. → Hieratisch und → Demotisch markieren (ungefähr) Zeitabschnitte: vor und nach dem 7. Jh. v. Chr. Sachlich Zusammengehörendes verbindet sich mit dem Begriff des → Archivs (B.1.): Öffentliche und private, hieratische und demotische, später griech., dann koptische U.-Archive sind erfaßt und bis zur arabischen Eroberung 643 n. Chr. belegt [11; 14. 248–261; 575–578]. Die Überl. von Verwaltungs.-U. setzt im 4. Jt. v. Chr. mit kleinformatigen Holz- und Elfenbeintäfelchen ein (z.B. [6]) sowie mit Gefäßaufschriften, die den urspr. Inhalt als Abgabenleistung kennzeichnen [10. 33f.].

Die der gleichen Epoche angehörenden Rollsiegel (→ Siegel) betreffen nicht das U.-Wesen, sondern dienten dem Versiegeln von Produkten nach der Kontrolle [9. 370f.]. Das künstlich hergestellte → Schreibmaterial → Papyrus ist seit der 5. Dyn. (um 2575–2465 v. Chr.) im (beschriebenen) Original belegt. Der Materialcharakter (Rollen-/Blattgröße; Faserverlauf, vgl. [7]) erlaubt es, zeitlich, örtlich und inhaltsspezifisch typische Verwendungsformen zu unterscheiden. Diese lassen sich bei entsprechender Darstellung in den zeitlich vorausgehenden wie späteren Inschr. wiedererkennen [7. 10–54; 142–145]. Inhaltlich dokumentieren die U. das Leben einer entwickelten Hochkultur: von Herrscherdekreten, Verwaltung, Rechtsverkehr bis zu Privatbriefen [7; 20. 21–31].

B. HIERATISCHE UND KURSIVHIERATISCHE URKUNDEN

Formate, Formulare, Beschriftungsweisen und Phraseologie weisen zeittypische, lokale und inhaltsbezogene Eigenheiten auf, jedoch mit verhältnismäßig wenigen Veränderungen vom AR bis NR (ca. 2700–1070 v. Chr.) [7] und darüber hinaus. Der wichtigste privatrechtliche U.-Typ war die Haus-U. (jmt-pr; → Testament II. B.), welche der Übertragung des Eigentums an Sachen von Bedeutung diente. Sie beginnt mit dem Datum; es folgen das U.-Soma (dispositiver Teil der U.) und die Namen der Zeugen. Der Schreiber wird nicht genannt; die U. wurde versiegelt [20. 22–25].

Als weiterer U.-Typ ist die kursivhieratische, subjektiv stilisierte Schreiber- und Zeugen-U. zu nennen [19. 18 f.]. Rechtsgeschäftlich wichtig sind ferner verpflichtende Anerkenntnisse enthaltende Protokolle fiktiver Prozesse [20. 27–29].

C. Demotische Urkunden

Einen Überblick über die Typen beurkundeter Geschäftsabschlüsse bietet [5. 123–152; bes. 139–148]. Die U. folgen einem strengen Schema, welches nachträgliche Veränderungen ausschließt. Sie sind einseitig formuliert. U.-Typen der äg. Spätzeit wie in der ptolem.-röm. Epoche sind die subjektiv und die objektiv stilisierte Schreiber- und Zeugen-U., ferner die Briefform. Doppelurkunden sind vorptolem. nicht belegt [19. 19–24; 21. 49–61]. Zur Registrierung und Archivierung demotischer U. im griech.-röm. Äg. vgl. [15] und unten (V. B.).

Eine auffallende Eigenheit ist die Aufspaltung eines Rechtsgeschäfts in mehrere U.: Erwerbsgeschäfte werden aufgespalten in Geldbezahlungs- und Abstandsschrift (*sḫ3 ḏb3 ḥḏ/sḫ3 n w3j*); dabei wird der Erhalt der Gegenleistung bestätigt, und der Veräußerer bekundet darüber hinaus, kein Recht am veräußerten Gegenstand zu haben (U.-Beispiele bei [12]). Eine ähnliche Aufspaltung gibt es bei → Eheverträgen [19. 72–79]. Rechts-U. haben Beweisfunktion; bei Erwerbsakten kommt dies in der Aushändigung von Vorerwerbs-U. zum Ausdruck, doch verkörpert die U. damit auch das erworbene Recht (vgl. [13. 328 f.]). Der Vollzug eines Rechtsgeschäfts kann ausgesetzt werden, indem die U. vorläufig nicht verwendet wird [18; 19]. Zeugen figurieren mit ihrem Namen oder zusätzlich mit einer eigenen Angabe zum beurkundeten Geschehen. Der U.-Text schließt mit dem Namen des → Schreibers. Gesiegelt wird selten [2; 3]. Als Bekräftigung und Sicherung finden sich Eid und Vertragsstrafe.

Von dem umfangreichen Fundbestand an demotischen U. ist bisher nur ein geringer Teil veröffentlicht worden (Ed.-Verzeichnis bei [4; 22]). Die Analyse von U.-Wesen, -Formularen und -Gestaltung ist trotz Arbeiten wie [19; 21] (weiteres bei [1. 105–111]) noch nicht abgeschlossen, da die Masse des demot. Materials noch der Veröffentlichung harrt. Bes. das Verhältnis zw. den im gleichen Milieu verfaßten demot. und griech. U. im ptolem. Äg. (vgl. unten V. B.-C.) und die dafür maßgebenden ges. Hintergründe sind erst in den letzten Jahrzehnten ins Augenmerk der Forsch. gerückt (z. B. [8]).

1 W. Boochs, Altäg. Zivilrecht, 1999 2 Ders., Siegel und Siegeln im Alten Äg., 1982 3 E. Bresciani, Gli archivi demotici dai templi di Fayum, in: M.-F. Boussac, A. Invernizzi (Hrsg.), Archives et sceaux du monde hellénistique, 1996, 303–306 4 J. F. Oates et.al., Checklist of Editions of Greek, Latin, Demotic and Coptic Papyri, Ostraca and Tablets, ⁵2001. 5 M. Depauw, A Companion to Demotic Studies, 1997 6 G. Dreyer, Umm el-Qaab: Das Grab U-j, 1998 7 W. Helck, Altäg. Aktenkunde des 3. und 2. Jt. v. Chr., 1974 8 J. H. Johnson (Hrsg.), Life in

Multi-Cultural Society. Egypt from Cambyses to Constantine and Beyond, 1992 9 P. Kaplony, Die Inschr. der äg. Frühzeit, Bd. 1, 1963 10 Ders., Die Inschr. der äg. Frühzeit, Suppl., 1964 11 E. Lüddeckens, s. v. U.archive, LÄ 6, 876–886 12 Ders., Demotische U. aus Hawara, 1998 13 Ders., Äg. Eheverträge, 1960 14 O. Montevecchi, La Papirologia, ²1988 15 P. W. Pestman, Les papyrus démotiques de Tsenhor (P Tsenhor), 1994, Bd. 1, 26–32 (mit Abb.) 16 Ders., Registration of Demotic Contracts in Egypt, P. Par. 65, 2ⁿᵈ Cent. B. C., in: J. A. Ankum et al. (Hrsg.), FS R. Feenstra, 1985, 16–25 17 Ders., Some Aspects of Egyptian Law in Graeco-Roman Egypt. Title Deeds and ὑπάλλαγμα, in: E. van't Dack et al. (Hrsg.), Egypt and the Hellenistic World, 1983, 281–302 18 Ders., Ventes provisoires de biens pour sûreté de dettes. ὠναὶ ἐν πίστει à Pathyris et à Krokodilopolis, in: Ders. (Hrsg.), Textes et études de papyrologie grecque, démotique et copte (Papyrologica Lugduno-Batava 23), 1985, 45–59 19 E. Seidl, Äg. Rechtsgesch. der Saiten- und Perserzeit, ²1968 20 Ders., Einführung in die äg. Rechtsgesch. bis zum E. des NR, 1957 21 Ders., Ptolem. Rechtsgesch., ²1962 22 S. P. Vleeming, A. A. den Brinker, Check-List of Demotic Text Editions and Re-editions, 1993 23 Th. Zauzich, Die äg. Schreibertradition in Aufbau, Sprache und Schrift der demotischen Kaufverträge aus ptolem. Zeit, 1968.

IV. Jüdisches Recht

Ant. U., welche Rückschlüsse auf ein formal eigenständiges jüdisches U.-Wesen geben könnten, fehlen. Unter den althebräischen Ostraka und Papyri (10.–6. Jh. v. Chr.) finden sich neben Briefen, Lieferscheinen, Listen u. a. nur vereinzelte Rechts- und Wirtschafts-U. [11]. Nach der Rückkehr aus dem babylonischen Exil wurde das → Hebräische als hl. Sprache im Alltag nicht mehr benützt, statt dessen → Aramäisch und Griechisch, ferner → Nabatäisch. U. liegen auf Ostraka, Papyri und Leder vor, aus dem achäm. und nabatäisch-röm. Palaestina (z. B. [3; 8]) sowie dem achäm. bis röm. Äg. (z. B. [10; 7; 1]). Reflexe von Alltags-U. finden sich im AT (z. B. Immobilienkauf: Gn 23,10–16, vgl. [9]; Scheidebrief: Dt 24,1), ferner im Talmud [4]. Insgesamt ist erkennbar, daß man sich in der U.-Form an die jeweilige kulturelle Umgebung anlehnte (vgl. ferner [5; 6]).

1 V. A. Tcherikover (ed.), Corpus Papyrorum Iudaicarum, Bd. 1–3, 1957–1964 2 D. Barthélemy et al. (Hrsg.), Discoveries in the Judean Desert of Jordan, 1955 ff. 3 I. Eph'al, J. Naveh, Aramaic Ostraca of the Fourth Century B. C. from Idumaea, 1996 4 A. Gulak, Das U.wesen im Talmud im Lichte der griech.-äg. Papyri und des griech. und röm. Rechts, 1935 5 E. Koffman, Die Doppelu. aus der Wüste Juda, 1968 6 C. Sirat et al., La Ketouba de Cologne. Un contrat de mariage juif à Antinoopolis, 1986 7 J. M. S. Cowey, K. Maresch, Papyri aus den Slgg. von Heidelberg, Köln, München und Wien, 2001 8 N. Lewis et al. (ed.), The Documents of the Bar Kokhba Period in the Cave of Letters, 1989 9 H. Petschow, Die neubabylonische Zwiegesprächsu. und Genesis 23, in: JCS 19, 1965, 103–120 10 B. Porten et al. (Hrsg.), The Elephantine Papyri in English: Three Millennia of Cross-Cultural Continuity and Change, 1996 11 J. Renz, W. Röllig, Hdb. der althebräischen Epigraphik, Bd. 1–3, 1995. JO. HE.

V. Klassisches Griechenland und Hellenismus

A. Urkunden der klassischen Zeit B. Die Bedeutung der gräco-ägyptischen Urkunde
C. Urkundentypen der hellenistischen Zeit
D. Fortentwicklung in römischer Zeit
E. Urkundensicherung und besondere Klauseln

A. Urkunden der klassischen Zeit

Die überl. griech. U. v. a. des 5.–4. Jh. v. Chr. sind durchweg → Inschriften (II.). Es dürfte aber auch U. auf anderen, nicht erh. Materialien wie Holz oder → Papyrus gegeben haben. Die Bed. der U. ist daher nicht nur aus der unmittelbaren Überl. zu schließen, sondern auch aus lit. Zeugnissen, bes. den Gerichtsreden des → Demosthenes [2] (auch → *syngraphaí*; → *syngraphḗ*).

Neben einer Fülle von Staats-U. (Gesetze, → Staatsverträge, Listen von Amtsinhabern oder öffentlichen Ausgaben) existierten U., die den Rechtsverkehr zw. Privatleuten betrafen (dazu grundlegend [1], vgl. auch [2; 3]). Bes. aus Attika sind zahlreiche → *hóroi* (»Grenzsteine«) bekannt (dazu v. a. [4]). Sie sind meist U. über Sicherheiten, nach der rechtlichen Konstruktion Verkäufe mit einem Ablösungs- und Nutzungsrecht (→ *prásis epí lýsei*) für den »Verkäufer«. Funktionell entspricht dies der Grundschuld oder Hypothek in mod. Rechten. Gesichert wurden auf solche Weise nicht nur → Darlehen, sondern z. B. auch die Rückgewähr einer Mitgift (→ *proíx*). Ein weiterer wichtiger Typus klass. U. ist die Freilassungs-U. (→ Freilassung B.). Sie kommt v. a. in Tempel-Inschr. (bes. in Delphoi) vor (vgl. dazu [5]). Diese U. enthalten außer der »Übereignung« des Sklaven an die Gottheit vielfach Gegenleistungen des → Freigelassenen, v. a. die Verpflichtung zu Diensten gegenüber dem bisherigen Herrn (→ *paramonḗ*). Eine große Rolle dürfte schließlich die U. über verschiedene Verträge in der Form der → *syngraphḗ* (»Schriftstück«) gespielt haben.

Die rechtstechnische Bed. der U. im klass. Griechenland ist aus den vorhandenen Quellen nicht mit Sicherheit zu erschließen. Es ist jedoch kaum anzunehmen, daß ihnen eine stärkere Wirkung als den U. der hell. Zeit zukam (dazu [6]). Deshalb kann man heute davon ausgehen, daß es sich um U. zu Beweiszwecken handelte, nicht um eine Form, die den entsprechenden privaten Rechtsakten erst die Wirksamkeit verschaffte. Diese ergab sich aus anderen Merkmalen wie einer Anzahlung (→ *arrabṓn*) oder allgemeiner aus einer → Zweckverfügung (s. auch → Vertrag). In juristischer Terminologie waren die U. reine Beweis-U., nicht Dispositiv- oder Konstitutiv-U.

B. Die Bedeutung der gräco-ägyptischen Urkunde

Überlieferungsgeschichtlich bes. wichtig sind die griech. U. aus Äg. in ptolem. und röm. Zeit (ca. 300 v. Chr.–ca. 300 n. Chr.). Diese Zeugnisse sind nicht nur in ungewöhnlich reichem Maße erh., ihnen steht auch keine mit dem klass. Griechenland oder gar dem *Corpus Iuris* des röm. Rechts vergleichbare lit. Überl. gegenüber, so daß die Rechtsgesch. Äg.s (oder jedenfalls des Griech. sprechenden Teils seiner Bevölkerung) unmittelbar aus den U. rekonstruiert werden muß (zu den demot. U. Äg.s s. o. III. C.). Im Vordergrund der wiss. Bearbeitung stehen hierbei die zahllosen gräco-äg. U. auf → Papyrus (Überblick bei [7]). Außerdem ist eine nicht geringe Menge von beschrifteten Tonscherben (→ *óstrakon*) überliefert; diese enthalten aber eher Notizen, kurze Briefe und interne Berechnungen, nicht Dokumente des Rechtsverkehrs. Unbedeutend ist der Bestand an erh. Pergament-U. Die Gesch. der U. Äg.s kann sich daher auf die (juristische) Papyrologie beschränken. Gegenstand der Papyri ist der gesamte Bereich des öffentlichen und des rechtlich relevanten privaten Lebens. Sie betreffen die staatliche (in röm. Zeit seit 30 v. Chr.: die Provinzial-) und die örtliche → Verwaltung, die Steuererhebung, die Amtsträger, das Militärwesen, die Tempel und Kirchen und die Belastung von Privatleuten durch öffentliche Aufgaben (→ *munus*, → Liturgie I.). Im Mittelpunkt des rechtsgesch. Interesses stehen vor allem Geschäfts-U., Gerichtsprotokolle und U. für die Zwangsvollstreckung.

C. Urkundentypen der hellenistischen Zeit

Der älteste, aus klass. Zeit bereits bekannte griech. Typus der U. ist die → *syngraphḗ* (dazu v. a. [6. 57–80]). Sie war bis E. des 2. Jh. v. Chr. eine rein private, aber unter Mitwirkung von sechs aufgeführten Zeugen errichtete U. Sie gab den Geschäftsvorgang »objektiv« wieder, also ohne daß die Geschäftspartner selbst ihre Erklärungen als eigene formulierten (vgl. unten VI. A.). In Äg. ist dieser Typus zur besseren Beweissicherung zunächst als Doppel-U. mit einer gleichlautenden Innen- und Außenschrift ausgestaltet. Ebenfalls der Sicherung des Beweiswertes diente die *kýria*- (»Wahrheitsbezeugungs«-)Klausel in der U. [7. 139]. Schließlich ist vielfach ein privater Verwahrer der U. (*syngraphophýlax*) angegeben. Die Doppel-U. gelangte in Folge des Aufkommens der Agoranomen-U. außer Gebrauch (dazu [6. 81–105]): Die staatlichen Notare (→ *agoranómoi*) versahen die Privat-U. nunmehr mit einer »Über-Schrift« (*anagraphḗ*) und registrierten sie amtlich. Die Notare nahmen aber auch selbst die private Erklärung in ein Protokoll auf und ließen die Parteien dann nur noch ihre »Unter-Schrift« (*hypographḗ*) darunter setzen. Damit trat die notarielle U. an die Stelle der privaten *syngraphḗ*. Dieser Wandel war in der röm. Zeit (ab 30 v. Chr.) abgeschlossen.

Ebenfalls schon in ptolem. Zeit war das → *cheirógraphon* (»Handschreiben«) verbreitet (dazu [6. 106–114]). Es stand für beliebige Geschäftstypen zur Verfügung und enthielt das persönliche (»subjektiv« gefaßte) Bekenntnis, etwas erhalten zu haben oder zu schulden. Auch auf diesen U. war die *kýria*-Klausel verbreitet. Anders als die Sechs-Zeugen-*syngraphḗ* blieb das *cheirógraphon* in röm. Zeit erh. und wurde als *chirographum* sogar – wie die notarielle U. als *testatio* (s.u. VI.) – in den Geschäftsverkehr zw. Römern aufgenommen (Cic. fam. 7,18,1; Gai. inst. 3,134). Durch Einreichung einer Ausfertigung oder des Originals bei einem → Archiv konnte der Beweiswert dieser U. noch gesteigert werden [6. 129–135].

D. FORTENTWICKLUNG IN RÖMISCHER ZEIT

Als privates, wiederum subjektiv formuliertes Vertragsangebot – vornehmlich für den Miet-/Pacht-/ Dienst- und Werkvertrag (→ *místhōsis*) – ist das in röm. Zeit vorkommende *hypómnēma* (»Bestätigung zur Erinnerung«) abgefaßt (dazu [6. 114–122]). Es diente wohl, entgegen seinem Wortlaut, als Beweis für den Vertragsschluß selbst. Schließlich bildete sich ebenfalls in röm. Zeit die objektiv gefaßte private U. über ein Rechtsgeschäft ohne Zeugen und ohne notariellen Vermerk heraus. Sie wird in der Sekundärlit. als »privates Protokoll« bezeichnet (dazu [6. 122–127]). Ob man sich des *hypómnēma* oder des privaten Protokolls bediente, scheint eher von örtlichen Gebräuchen bei den gewerblichen U.-Schreibern abzuhängen. Objektive rechtliche Erfordernisse für die Wahl sind nicht zu erkennen. Dies gilt im übrigen weitgehend auch für die Wahl zwischen den Typen der öffentlichen oder privaten U. [6. 113].

Zu den öffentlichen U. Äg.s gehörte in röm. Zeit die → *synchórēsis*, die v.a. in Alexandreia [1] verwendet wurde und die Gestalt eines (fiktiven) gerichtlichen Vergleichs (mit derselben Bezeichnung) hatte (dazu [6. 91–95]). Zuständig für U. dieses Typs war das → *katalogeíon* als »Staatsbehörde mit Notariatsaufgaben« [6. 28]. Aus der banktechnischen Fixierung von Geschäftsvorgängen entwickelte sich schließlich in der röm. Kaiserzeit als eine weitere »öffentliche« U. die *diagraphé* (→ *diagráphein*; dazu [6. 95–105]). Zunächst handelte es sich dabei um eine Eintragung in das Bankbuch. Mitteilungen hierüber durch die → Banken wurden wie amtliche Bescheinigungen als U. mit »öffentlichem Glauben« angesehen. In der letzten Phase der Entwicklung ging man dazu über, nicht nur den Zahlungsvorgang, sondern auch den → Kauf, das → Darlehen oder das sonstige Geschäft, das der Zahlung zugrunde lag (mod. ausgedrückt: das Kausalgeschäft) in eine Bank-U. aufzunehmen. Diese wurde wie alle öffentlichen U. »objektiv« abgefaßt. Gegen E. des 2. Jh. n. Chr. war die »selbständige«, von dem bloßen Zahlungsvorgang abgelöste *diagraphé* praktisch so allg. verwendbar wie die notarielle U. Wie diese und die *synchórēsis* kam sie aber am E. des 3. Jh. n. Chr. außer Gebrauch.

E. URKUNDENSICHERUNG UND BESONDERE KLAUSELN

Die Registrierung und Archivierung (dazu [7. 139–141]) diente in Äg. der Sicherung von U. und somit der Erhöhung ihres Beweiswertes. In ptolem. Zeit war das Mittel dazu die *katagraphé* (Registrierung, → Grundbuch). Sie war vorgeschrieben oder doch üblich für Grundstücks-, Haus- und Sklavenkäufe sowie für Freilassungen. Eine entsprechende Funktion hatten in röm.

Zeit die *bibliothékē enktéseōn* für Grundstücke und die *anákrisis* für Sklaven. Ein bes. wichtiger Bestandteil vieler griech. U. seit der klass. Zeit ist die → *práxis* [1]-Klausel. Sie ermöglichte nach einem Mahnverfahren die Zwangsvollstreckung (*práxis*) in das Vermögen des Schuldners (dazu [7. 143 f.]).

Das Fortbestehen und teilweise sogar die Sicherung und Erneuerung des U.-Wesens im röm. Äg. zeigt die Lebenskraft der hell. U. sogar gegenüber dem hochentwickelten röm. Recht. Dessen zunehmender Einfluß tritt freilich sinnfällig im Verlauf des 3. Jh. n. Chr. durch die Aufnahme der »Stipulationsklausel« hervor, mit der floskelhaft auf das Frage- und Antwortspiel der röm. → *stipulatio* verwiesen wird, die mit dem konkret beurkundeten Rechtsgeschäft ebensowenig zu tun hat wie mit griech.-hell. Rechtsdenken überhaupt [8]. Diese äußerlich-formale Annäherung konnte denn auch den Bestand der griech. öffentlichen U. nicht mehr sichern: Gegen E. des 3. Jh. n. Chr. wurde diese U. in Äg. zum einen durch die Privat-U. – *cheirógraphon* und *hypómnēma* – und zum anderen durch die U. der röm. → *tabelliones* (s.u. VI.) verdrängt.

1 D. BEHREND, Att. Pachturkunden, 1970 2 W. SCHWAHN, s. v. Syngraphai, RE 4 A, 1369–1376 3 G. THÜR, Bemerkungen zum altgriech. Werkvertrag, in: Studi in onore di A. Biscardi, Bd. 5, 1984, 471–514 4 M. I. FINLEY, Studies in Land and Credit in Ancient Athens, o.J. (1951, ²1985) 5 K. D. ALBRECHT, Rechtsprobleme in den Freilassungen der Böotier, Phoker, Dorier, Ost- und Westlokrer, 1978 6 WOLFF 7 H. A. RUPPRECHT, Kleine Einführung in die Papyruskunde, 1994 8 D. SIMON, Studien zur Praxis der Stipulationsklausel, 1964. G.S.

VI. RÖMISCHES RECHT

A. STILISIERUNG B. ÄUSSERE FORM
C. DOPPELURKUNDEN D. WIRKUNG
E. ERRICHTUNG F. ÜBERLIEFERUNG

A. STILISIERUNG

Zu unterscheiden ist zw. der *testatio* (Zeugenurkunde) und dem *chirographum* (»Handschreiben«, vgl. → *cheirógraphon*). Die *testatio* ist objektiv stilisiert, d. h. der zu dokumentierende Vorgang wird in der dritten Person berichtet (z. B. [1. 60,2,6]: *petiit et numeratos accepit*, ›er hat erbeten und das Geld erhalten‹). Dagegen beschreibt der Aussteller eines *chirographum* in der ersten Person, was geschehen ist (z. B. [1. 53,2,3–4]: *scripsi me accepisse et debere*, ›ich habe aufgeschrieben, daß ich erhalten habe und schulde‹); es handelt sich also um eine subjektiv stilisierte U. Idealtypischerweise wurde das *chirographum* vom Aussteller eigenhändig verfaßt; für nicht schreibkundige Personen schrieb unter ausdrücklichem Hinweis deren Sklave (*scripsi iussu domini mei coram ipso*, ›ich habe es auf Befehl meines Herrn vor diesem selbst aufgeschrieben‹, vgl. [1. 45,5,4–5]) oder ein Beauftragter (*scripsi rogatu et mandatu Titii*, ›ich habe dies geschrieben, auf Bitten und im Auftrag von Titius‹; *coram ipso*, ›in seiner Gegenwart‹, vgl. [1. 78,3,4–6]).

Bei beiden U.-Typen waren gewöhnlich Zeugen beteiligt, die die U. siegelten (→ Siegel, mit Abb.). Das *chirographum* siegelte zudem der Aussteller, üblicherweise an erster und letzter Stelle [1. 36f.]. Während die Zeugen bei der *testatio* die Wahrheit der in der U. berichteten Tatsachen bestätigten, beglaubigten sie beim *chirographum* nur die Identität des Ausstellers, also die Echtheit der U. Die zu beweisende Tatsache, nämlich die schriftliche Erklärung des Ausstellers, war beim *chirographum* in der U. selbst verkörpert. Mitte des 4. Jh. n. Chr. kam die objektiv stilisierte U. außer Gebrauch [12. 744; 13. 78⁴¹].

B. ÄUSSERE FORM

Als Beschreibstoff dienten meist → Schreibtafeln (*tabulae, tabellae*) aus Holz, die auf der Innenseite etwas ausgehoben und mit einer Schreibschicht (→ *cera*) überzogen waren (»Wachstäfelchen«, *tabulae ceratae*). Verwendung fand insbes. eine aus dem Sekret der Lackschildlaus gewonnene Masse ([14; zu anderen Beschichtungsmaterialien [15], [16]), in die der Text mit dem → Griffel (*graphium, stilus*) eingeritzt wurde. In erwärmtem Zustand war die Masse leicht verformbar, so daß sich die Beschriftung mit einem heißen Spachtel wieder löschen ließ. Die blanke Holzfläche der Außenseite konnte mit → Tinte (*atramentum*) beschrieben werden. Gelegentlich findet sich dort oder auf den Kanten der Täfelchen ein kurzes Inhaltsverzeichnis (*index*), das zur schnellen Information über den Inhalt der U. diente. Meist wurden zwei oder drei Täfelchen zu einem → Diptychon bzw. Triptychon zusammengebunden; selten kamen U. mit mehr als drei Täfelchen (Polyptycha) vor. Bei den Triptycha war das zweite Täfelchen außen mit einer quer liegenden Rille (*sulcus, stria*) versehen, in dem die Schnüre verliefen und die Siegel der Zeugen Platz hatten, so daß das dritte Täfelchen plan auf dem zweiten aufliegen konnte. Neben dem jeweiligen Siegel stand der Name des Zeugen im Genitiv. Die zu einer U. zusammengefaßten Täfelchen wurden als → codex (Sen. dial. 10,13,4) oder, bes. bei Testamenten, mit dem Pluralwort → *codicilli* bezeichnet; daneben findet sich auch die Bezeichnung → *pugillares* (Gai. Dig. 50,16,148, wörtlich: »Täfelchen, die man mit der Faust fassen kann«).

Mit dem Aufkommen von → Papyrus (*charta*) und → Pergament (*membrana*) wurden U. auch auf diesen Beschreibstoffen errichtet [12. 78–89]. Ulpian (Dig. 37, 11,1 pr.) stellt klar, daß die *tabulae testamenti* nicht nur aus Holz, sondern auch aus Pap. oder Pergament bestehen konnten. Bereits Gaius [2] (Dig. 2,13,10,2) spricht von Aufzeichnungen der Bankiers auf *membranae*.

C. DOPPELURKUNDEN

Um die Dokumente gegen Verfälschung zu sichern und dennoch den Zugriff auf deren Inhalt zu bieten, wählte man häufig die Form der Doppel-U. [12. 72–82; 17. 2408–2430], bei welcher der zu beurkundende Text zweimal aufgezeichnet wurde. Eine Fassung, die Innenschrift (*scriptura interior*), wurde verschnürt und versiegelt und war so vor nachträglicher Verfälschung ge-

schützt. Zu einem Bruch der Siegel kam es nur, wenn die U. im Streitfall als Beweismittel dienen sollte. Die Außenschrift (*scriptura exterior*) war dagegen frei zugänglich, so daß man sich jederzeit über den Inhalt der U. informieren konnte.

Bei den Wachstafeln befand sich die *scriptura interior* auf den Innenseiten der ersten beiden Täfelchen. Die *scriptura exterior* stand bei Diptycha mit Tinte auf der Außenseite des zweiten Täfelchens. Triptycha enthielten die *scriptura exterior* auf der Innenseite des dritten Täfelchens, die – wie die Innenseiten der ersten beiden Täfelchen – mit einer Schreibschicht versehen war. Vereinzelt findet sich bei Triptycha zudem eine dritte Textfassung (*tertia scriptura*), die auf den Außenseiten der ersten beiden Täfelchen verzeichnet war; die Funktion dieser dritten Fassung ist noch nicht abschließend geklärt [1. 31f.⁸⁸]. Um eine nachträgliche Verfälschung weiter zu erschweren, mußten nach dem *SC Neronianum* (61 n. Chr.) die Schnüre durch zwei zusätzliche Löcher am Rand der Täfelchen verlaufen (Suet. Nero 17; Paul. sent. 5,25,6; [18]).

Das Konzept der Doppel-U. findet sich auch bei den Papyri [12. 80–82; 19; 20. 6–12]. Der Text wurde auf dem Pap.-Blatt in zwei Versionen, die übereinanderstanden, aufgeschrieben. Der obere Teil der U. wurde aufgerollt, niedergefaltet und mit einem Faden in mehreren Schlaufen vernäht und verknotet. Die Zeugen unterzeichneten eigenhändig auf der Rückseite der U. neben den einzelnen Schlaufen. Anschließend rollte man die gesamte U. zu einem gut lagerbaren Zylinder auf (→ Rolle).

Doppel-U. waren auch die → Militärdiplome, die jeweils aus zwei Bronzetäfelchen bestanden, wobei die Innenschrift mit Draht verschlossen und versiegelt war.

D. WIRKUNG

Hinsichtlich der Wirkung von U. ist im röm. Recht zw. Beweis-U. und schuldbegründender (Dispositiv-, Konstitutiv-)U. zu unterscheiden [21. 518f.]. Bei der schuldbegründenden U. ist die Errichtung der U. notwendige und zugleich hinreichende Voraussetzung für die Wirksamkeit des beurkundeten Rechtsgeschäfts. Der Beweis der Unwahrheit der U. ist bei der schuldbegründenden U. von vornherein ausgeschlossen, weil die dem Inhalt entsprechende Rechtslage durch die U. gerade geschaffen wird. Denkbar ist nur der Nachweis der Fälschung. Dagegen läßt sich die Beweis-U., wenn der Abschluß des Rechtsgeschäfts nicht oder zumindest nicht mit dem beurkundeten Inhalt stattgefunden hat, durch den Nachweis des wahren Sachverhalts entkräften.

Schuldbegründende Wirkung hatte die Eintragung einer Umbuchungsforderung (*nomen transscripticium*) durch den Gläubiger in seinem Hausbuch (vgl. → *litterarum obligatio*). Zusammen mit dem Ermächtigungsbrief (*litterae*) des Schuldners bildete die Eintragung eine schuldbegründende U. [21. 499, 503–506, 519]. Im Gegensatz dazu war die Buchung einer Kassenforderung (*nomen arcarium*), der eine tatsächlich erfolgte Auszahlung zugrunde lag, nicht konstitutiv für die Verpflichtung des Schuldners, sondern bot als Beweis-U. nur einen Beleg für die Zahlung [22. 77–79].

Als Dispositiv-U. sieht Gaius (Gai. inst. 3,134) auch das hell. *cheirógraphon* und die hell. *syngraphai* (s.o. V.C.) an, die er als Vertragsarten dem peregrinen Recht zuweist [21. 521–523; 22. 303–306²⁴].

Ab der Mitte des 2. Jh. n. Chr. näherten sich röm. Beweis-U. zum Teil den schuldbegründenden U. an [21. 512 f., 520 f.]: Durch ein Reskript des Antoninus [1] Pius wurde gegen ein Siebensiegeltestament der Beweis, daß der Manzipationsakt in Wirklichkeit nicht stattgefunden habe, nicht zugelassen (Gai. inst. 2,120 f., 149a). Obwohl die Einrede der Nichtauszahlung des Darlehens (*exceptio non numeratae pecuniae*) anerkannt wurde, führte deren zeitliche Beschränkung zur unwiderleglichen Beweiswirkung der Darlehens-U. nach Fristablauf (Cod. Iust. 4,30,8: 228 n. Chr.). Im Prozeß hatten damit sowohl das Siebensiegeltestament als auch die Darlehens-U. dieselbe Wirkung wie eine schuldbegründende U. In Inst. Iust. 3,21 und Theophilos (hierzu [7]) wird die Verpflichtung aus einer Darlehens-U. daher als neue Form der *litterarum obligatio* bezeichnet.

E. ERRICHTUNG

Neben der eigenhändigen Errichtung bestand bereits in der Republik die Möglichkeit, schreib- und rechtskundige Dritte mit der Abfassung von U., etwa von → Testamenten (Cic. de orat. 1,57,245; 2,6,24), zu betrauen. In der Kaiserzeit begannen private gewerbsmäßige Urkundenschreiber (→ *tabelliones*), ihre Dienste anzubieten. Bei der sog. *formula Baetica* (CIL II 5042 = FIRA III 92), einem auf einer Kupferplatte aus dem 1. oder 2. Jh. eingravierten Mustervertrag, der verschiedene Arten von Kreditgeschäften enthält, handelt es sich wohl um das Ladenschild eines gewerbsmäßigen Urkundenschreibers [12. 757 f.; 21. 501 f.].

Im spätant. Prozeß (→ Prozeßrecht IV.) besaßen die U. der *tabelliones* als öffentlich errichtete U. (*instrumenta publice confecta*, Cod. Iust. 4,29,23,1: 530 n. Chr.) gesteigerte Beweiskraft [13. 80]. Gleichgestellt waren sog. *instrumenta quasi publice confecta*, d. h. U., die von mindestens drei Zeugen unterzeichnet waren [23. 1039]. Private Rechtsakte konnten in der Spätant. auch zum Gegenstand öffentlicher U. (*instrumenta publica*) gemacht werden, indem die Erklärungen zu Protokoll einer Behörde mit Beurkundungsrecht (*ius actorum conficiendorum*) abgegeben wurden [12. 748–754; 13. 80–82; 24. 30–38]; diese U. genossen volle und dauerhafte Beweiskraft (*perpetua firmitas*, Cod. Theod. 16,5,55: 414 n. Chr. = teilweise Cod. Iust. 7,52,6) [25. 601].

F. ÜBERLIEFERUNG

Die bedeutendste Slg. röm. Privat-U. (→ *tabulae privatae*) bietet das → Murecine-Archiv der Bank der Sulpicii (*Tabulae Pompeianae Sulpiciorum*, vgl. [1]), das 1959 in der Umgebung → Pompeiis entdeckt wurde (dazu [26; 27]). Neben der großen Anzahl gut erh. Dokumente zeichnet diesen Fund v. a. die Vielfalt der beurkundeten Gegenstände aus. Das Spektrum reicht von Prozeß- und Versteigerungs-U. über Geschäfts-U. zu → Kauf (III.), → Miete (IV.), Auftrag (→ *mandatum*), → Darlehen, → Bürgschaft (C.) und Pfandbestellung (→ Pfandrecht; → *pignus*) bis hin zu Schuldanerkenntnissen, Quittungen und U., die die Buchführung der → Bank betreffen. Da eine dauerhafte Konservierung der U. nicht gelang, bilden heute hauptsächlich Photographien, die kurz nach der Ausgrabung gemacht wurden, die Grundlage des Textes.

Ein weiterer bedeutender, wenn auch weniger reichhaltiger Fund gelang bei Grabungen in den 1930er Jahren in → Herculaneum (*Tabulae Herculanenses*). Die erste Ausgabe der herkulanensischen Täfelchen enthält allerdings nicht alle U. und weist zum Teil fehlerhafte Lesungen auf ([2]–[4]); eine neue Gesamtausgabe ist in Vorbereitung ([5]–[9]). Das 1875 entdeckte Archiv des pompeianischen Bankiers L. → Caecilius [III 4] Iucundus enthält eine Vielzahl von Quittungs-U. [10]. Zw. 1786 und 1855 wurden U. aus der Zeit von 139 bis 167 n. Chr. in einem Goldbergwerk bei → Alburnus maior (Rumänien) gefunden, die einen Einblick in das Rechtsleben der Prov. Dacia geben [11].

Den wichtigsten neueren Fund im Bereich des Provinzialrechts stellen die 1960/61 in der sog. »Cave of Letters« unweit des → Toten Meeres entdeckten Papyri (PYadin) dar [20], zu denen das Archiv der Babatha gehört. Diese U. stammen aus der Zeit zw. 93/94 und 132, vor dem Aufstand des → Bar Kochba. Enthalten sind u. a. der Vormundschaftsstreit der Babatha, Darlehens-, Pacht-, Schenkungs- und Heiratsverträge.

ED.: **1** G. CAMODECA, Tabulae Pompeianae Sulpiciorum, 2 Bde., 1999 **2** G. PUGLIESE CARRATELLI, Tabulae Herculanenses I-III, in: PdP 1, 1946, 379–385; 3, 1948, 165–184; 8, 1953, 455–463 **3** V. ARANGIO-RUIZ, G. PUGLIESE CARRATELLI, Tabulae Herculanenses IV-VI, in: PdP 9, 1954, 54–74; 10, 1955, 448–477; 16, 1961, 66–73 **4** M. DELLA CORTE, Tabelle cerate ercolanesi, in: PdP 6, 1951, 224–230 **5** G. CAMODECA, Per una riedizione delle tabulae herculanenses, in: Cronache Ercolanesi 23, 1993, 109–119; 24, 1994, 137–146 **6** Ders., in: Ostraka 2.2, 1993, 197–209 **7** Ders., in: Cahiers Glotz 7, 1996, 167–178 **8** Ders., Nuovi dati dalla riedizione delle tabulae cerate della Campania, in: Atti. XI Congresso Internazionale di Epigrafia Greca e Latina (Roma 1997), Bd. 1, 1999, 521–544 **9** Ders., Tabulae Herculanenses 59–62, in: U. MANTHE (Hrsg.), Quaestiones Juris. FS J. G. Wolf, 2000, 53–76 **10** K. ZANGEMEISTER, Tabulae ceratae Pompeis repertae annis MDCCCLXXV et MDCCCLXXXVII, in: CIL IV Suppl. 1, 1898, 273–454 **11** TH. MOMMSEN, Instrumenta Dacica in tabulis ceratis conscripta aliaque similia, in: CIL III 2, 1873, 921–960.
LIT.: **12** L. WENGER, Die Quellen des röm. Rechts, 1953 (Ndr. 2000) **13** KASER, RPR, Bd. 2 **14** S. AUGUSTI, Sulla natura e composizione delle »tavolette cerate«, in: Rendiconti dell'Accademia di archeologia, lettere e belle arti di Napoli, N. S. 37, 1962, 127 f. **15** R. BÜLL, Lit. und experimentelle technologische Studien über Wachsbeschreibstoffe, 1969 **16** Ders., E. MOSER, s. v. Wachs, RE Suppl. 13, 1366–1369 **17** L. WENGER, s. v. Signum (Doppelurkunden), RE 2 A, 2378–2448

18 G. CAMODECA, Nuovi dati dagli archivi campani sulla datazione e applicazione del »S.C. Neronianum«, in: Index 21, 1993, 353–364 19 WOLFF, 78 f. 20 N. LEWIS, The Documents from the Bar Kokhba Period in the Cave of Letters, Greek Papyri, 1989 21 H. L. W. NELSON, U. MANTHE (ed.), Gai institutiones III 88–181, 1999 (mit Komm.) 22 P. GRÖSCHLER, Die tabellae-U. aus den pompejanischen und herkulanensischen U.funden, 1997 23 M. KASER, s. v. Testimonium, RE 5 A, 1021–1061 24 A. STEINWENTER, Beitr. zum öffentlichen U.wesen der Römer, 1915 25 M. KASER, K. HACKL, Das röm. Zivilprozeßrecht, ²1996 26 J. G. WOLF, J. A. CROOK, Rechtsurkunden in Vulgärlatein (AHAW 1989.3), 1989 27 J. G. WOLF, Der neue pompejanische U.fund, in: ZRG 118, 2001, 73–132. P. GR.

Urkundenrelief s. Relief II. A.

Urkundenschrift I. GRIECHISCH II. LATEINISCH

I. GRIECHISCH

Die auf Papyri (→ Papyrus) und Ostraka (→ óstrakon) überl. griech. → Urkunden sind meist in Kursive (→ Schriftstile) oder Kanzleischrift verfaßt. Allerdings sind bei den frühesten Zeugnissen der griech. Schrift in Äg. (4.–Anf. 3. Jh. v. Chr.), als es noch keinen wesentlichen Unterschied zw. einer eigentlichen Kursive und der Buchschrift im epigraphischen Stil (→ Inschriftenstil) gab, die wenigen überl. Urkunden in Buchschriften abgefaßt. In der nachfolgenden Epoche verwendete man für die Mehrzahl der privaten Urkunden die Kursive, für die Verwaltungsurkunden jedoch die Kanzleischrift. Jedoch wurden auch zw. dem 1. und 3. Jh. n. Chr. flüssige, elegante und gut leserliche Schrifttypen benutzt, die sich einer strengen Klassifizierung entziehen, wenn sie auch aufgrund ihres Mischcharakters als »Halbbuchschriften« bezeichnet wurden. Bes. im 2. Jh. n. Chr. findet sich häufig in Urkunden (selbst in privaten) eine klare, saubere Schrift mit sehr wenigen → Ligaturen und kaum verformten Buchstaben (vgl. dagegen die zeitgenössische Rundmajuskel; → Unziale I.), deren weicher und flüssiger Duktus für Urkunden gut geeignet waren.

G. MESSERI, R. PINTAUDI, Documenti e scritture, in: G. CAVALLO et al. (Hrsg.), Scrivere libri e documenti nel mondo antico, 1998, 39–53. G. M.

II. LATEINISCH

Spätestens seit dem 1. Jh. v. Chr. tritt die Majuskel-Kursive (auch Capitalis-Kursive oder ältere röm. Kursive genannt; → Majuskel) auf, sie erlangte im darauffolgenden Jh. eine deutlich typisierte Form: Ihre Buchstaben sind stark senkrecht und unverbunden, dabei sind *A, E, F, O, R* regelmäßig kursiv geformt. Verwendet wurde diese Schrift v. a. in Graffiti, auf Wachstafeln (→ Schreibtafeln) und Urkundenpapyri (auf denen die Kursivität bes. zur Geltung kommt), selten für lit. Werke. Der Gebrauch der → Minuskel als Buch- und Gebrauchsschrift übertrug sich seit dem 3. Jh. n. Chr. auch

auf die Urkunden- und Verwaltungsschriften des röm. Imperiums, bis schließlich die Majuskel-Kursive im 5. Jh. (dann Minuskel-Kursive oder jüngere Kursive genannt) ersetzt wurde; daneben wurde diese Schrift auch für Randnotizen auf Hss. und für Haupttexte verwendet und bildete die graphische Grundlage für die neuen hoch-ma. Buchschriften.

B. BISCHOFF, Paläographie des röm. Alt. und des abendländischen MA, ²1986, 85–91. P. E.

Urlaub s. Freizeitgestaltung; Reisen

Urmensch. Die griech.-röm. Antike kannte einen U. im Sinne der jüd.-christl. Adam-und-Eva-Gesch. nicht. Einen ersten Ansatzpunkt liefert der bei Hes. erg. 109–200 überl. Weltaltermythos: Während des goldenen, silbernen, ehernen, heroischen und des (derzeitigen) eisernen → Zeitalters habe es verschiedene Menschengeschlechter gegeben, die (bis auf das letzte) jeweils vom nächsten abgelöst wurden. Während die ersten beiden noch eher übermenschlich-utopische Züge tragen, erscheint das dritte Geschlecht als das erste wirklich menschliche. Es ist aus Eschen entsprossen (ebd. 145, vgl. Hes. theog. 187), die aus den Blutstropfen des → Uranos entstanden sind (zur Abstammung des Menschen aus Eschen vgl. auch schol. T zu Hom. Il. 22,106; Palaiphatos 35; Hesych. s. v. μελίας καρπός; [1. 221; 2. 187]): Diese Menschen hießen nach der Esche (μελία/*melía*) Melioí (→ Melíai).

Daneben gab es viele Mythen, von denen fast jede griech. Landschaft einen besaß, die den ersten Menschen als direkt aus der (jeweils heimatlichen) Erde entsprossen ableiteten. Einige dieser U. nennt Hippolytos (refutatio omnium haeresium 5,7,3–6): Es sind u. a. Alalkomeneus aus Alalkomenai [1] (vgl. Eus. Pr. Ev. 3,1,6), die → Kureten vom Ida, Korybanten aus Phrygien, → Pelasgos aus Arkadien, → Dysaules von Eleusis, Kabeiros (→ Kabeiroi), → Alkyoneus [1] aus Pallene. Bes. die Athener betonten, daß der erste Mensch attischem Boden entstammte und begründeten so auch ihre Vorrangstellung durch ihre Autochthonie (Plat. Mx. 237d–238a). In Aigina soll das gesamte Volk als Ameisen aus der Erde gekrochen und in Menschen verwandelt worden sein (→ Myrmidones: Ov. met. 7,614ff.). Die erste Frau, die von den Göttern gemeinsam erschaffen wurde, war → Pandora. Mythische erfinderische Künstler (→ *prṓtos heuretḗs*), denen die Bildung von U. zugeschrieben wurde, sind die → *Dáktyloi Idaíoi*, die → Kabeiroi, → Pygmalion [2], auch → Prometheus, z. T. als Bildner der ersten Menschen aus Wasser und Erde (Plat. Prot. 320c; Apollod. 1,45), meist als Erzieher des Menschen aus einer tierischen Existenz. Eine »zweite« Menschenerschaffung nach der großen Sintflut erfolgt durch → Deukalion und → Pyrrha [1] (→ Sintflutsage), die Menschen neu erschaffen, indem sie Steine hinter sich werfen (Apollod. 1,46–51).

→ Anthropogonie; Sintflutsage; Weltschöpfung; Zeitalter

1 M. L. WEST (ed.), Hesiod: Theogony (mit Prolegomena und Komm.), 1966 **2** Ders. (ed.), Hesiod, Works and Days, 1978.

M. ELIADE, Die Schöpfungsmythen, ³1998. L.K.

Urna. Röm. → Hohlmaß für Flüssiges; entspricht der Hälfte der *amphora* [2] und damit gleichzeitig 4 *congii* bzw. 24 *sextarii*. Die Umrechnung liegt bei ca. 13,1 l. Als Mengenangabe erscheint die *u.* oft im Kontext des Weinbaus (Colum. 3,3,2; 3,3,10; 3,9,2f.).
→ Sextarius (mit Tab.)

F. HULTSCH, Griech. und röm. Metrologie, ²1882, 116ff.

H.-J.S.

Urnamma (2112–2095 v. Chr.), König von → Uruk; in der Nachfolge seines Bruders Utu-ḫeĝal (2119–2113) von der Sumerischen → Königsliste als Begründer der 3. Dyn. von → Ur bezeichnet. U. dehnte die Herrschaft der Stadt Ur allmählich zuerst über das südl. und dann bis zum nördl. Babylonien aus. Sein frühzeitiger Tod in der Schlacht gegen Feinde im Osten Mesopotamiens und sein Gang in die → Unterwelt sind Gegenstand der Dichtung ›Urnammas Tod‹.
→ Mesopotamien II. G.

E. FLÜCKIGER-HAWKER, U. of Ur in Sumerian Literary Trad., 1999. J.RE.

Urne I. DEFINITION II. ETRURIEN III. RÖMISCHE ANTIKE

I. DEFINITION

Urspr. runder Wasserbehälter, bezeichnet lat. *urna* den sepulkralen Behälter für Leichenbrand (Asche und Knochen). Morphologisch sind U. von Behältern des Alltagslebens und Kultes nicht immer zu trennen; teilweise imitieren sie Möbel- und Hausformen. In U. aus Terrakotta, Metall oder Stein wurde der Leichenbrand (*ossilegium*) in Stoff oder Gefäßen aufbewahrt. Im ant. Mittelmeerraum war die U. aufgrund der vorherrschenden Brandbestattung ab der Eisenzeit (frühes 1. Jt. v. Chr.) der übliche Totenbehälter mit regional und zeitlich ausgeprägten Formen und Dekorationen (vgl. griech. *hydría* und *amphoreús*/→ Amphora).

II. ETRURIEN

In Etrurien standen am Beginn teilweise anthropomorphe Formen aus Terrakotta oder Metall, die eine unmittelbare Bezugnahme zum Toten ausdrücken. Ab archa. Zeit bildeten sich lokal unterschiedliche Standardformen heraus, wie die Klinen von Caere (ab dem späten 6. Jh. v. Chr.) und Kisten in Hausform aus Terrakotta, Alabaster, Tuff und Kalkstein. Unmittelbar sepulkrale Themen wie Leichenspiele und Leichenbegängnis wurden meist in Relief, seltener in Malerei an Vorder- und Nebenseiten angebracht. In hell. Zeit trugen die Terrakotta- oder Alabaster-U. myth. Bilder, die ab der Mitte des 2. Jh. v. Chr. von stereotypen Motiven wie Girlanden und heraldischen Tierpaaren abgelöst wurden. Auf den Deckeln sind häufig die Verstorbenen

allein oder paarweise als Gelagerte plastisch wiedergegeben. Die L der Kästen schwankt zw. 40 und 80 cm, die H zw. 15 und 40 cm.

III. RÖMISCHE ANTIKE

Röm. U. waren in republikanischer Zeit einfache Behälter aus verschiedenen Steinsorten. Daneben wurden immer auch einfache runde Gefäße aus Ton oder Glas verwendet, die in der Kaiserzeit aus prunkvollen Steinen wie Alabaster und Porphyr nachgebildet wurden. In augusteischer Zeit setzte eine umfangreiche Produktion von Marmor-U. mit reicher Reliefdekoration ein. Die meisten der ca. 1500 erh. Expl. stammen aus Rom und der näheren Umgebung. Die Kistenform orientiert sich nicht mehr am Mobiliar oder Haus, sondern an sakralen Architekturen, auch an Altären. Neben rechteckigen Kisten gibt es achteckige und runde. Daneben treten mannigfaltige andere Behälterformen wie Gefäße, Körbe und selbst Geldkisten auf. Der Reliefschmuck greift die etr. Trad. auf, doch werden Mythen weniger ausführlich dargestellt. Stattdessen fand im 1. Jh. n. Chr. eine zunehmende Anreicherung des Reliefschmucks mit einzelnen Glücks- oder Luxussymbolen (z. B. Ranken, Girlanden, Füllhörner, Totenmahl oder Erotentreiben) statt. Fast immer erschien in einer hervorgehobenen Inschr.-Tafel der Name des verstorbenen Menschen, nicht selten auch sein Porträt. Als Umrahmung dienten Girlanden und anderer vegetabiler Dekor. Zw. die häufigen Architekturformen wie Säulen und Giebel wurden kleine Bilder eingestreut.

Das Bildrepertoire nahm in flavisch-traianischer Zeit (spätes 1. Jh./frühes 2. Jh. n. Chr.) gewaltig zu. Figürliche Darstellungen aus dem Leben wie Gelage und Handreichung der Ehepaare dienten der Selbstdarstellung, apollinische und dionysische Motive hatten eine Trostfunktion. Im 1. Viertel des 2. Jh. n. Chr. wurden die Bilder weniger, an ihre Stelle traten von Widderköpfen oder Eroten gehaltene Girlanden. Mit Beginn der umfangreichen Produktion von → Sarkophagen ab hadrianischer Zeit nahmen U. an Qualität und v. a. an Zahl ständig ab. Die spätesten Expl. stammen aus konstantinischer Zeit.
→ Bestattung

E. BRUNN, G. KÖRTE, I rilievi delle urne etrusche, 1870–1916 · F. H. PAIRAULT, Recherches sur quelques séries d'urnes de Volterra à représentations mythologiques, 1972 · J. M. C. TOYNBEE, Death and Burial in the Roman World, 1971, 253–268 · D. C. KURTZ, J. BOARDMAN, Thanatos. Tod und Jenseits bei den Griechen, 1985, 295–297; 367–380 · F. SINN, Stadtröm. Marmorurnen, 1987 · M. SANNIBALE, Le urne cinerarie di età ellenistica, 1994 · M. CRISTOFANO, F. SINN, s. v. U., EAA 2. suppl., Bd. 5, 1997, 907–912. R.N.

Urnenfelder-Kultur. Endabschnitt der mitteleuropäischen Brz. (13.–8. Jh. v. Chr.), benannt nach der vorherrschenden Sitte, die Toten zu verbrennen und den Leichenbrand in Urnen innerhalb größerer Gräberfelder (→ Nekropolen IX.) zu bestatten. Die U.-K. ist

durch diese gemeinsame dahinterstehende Vorstellungswelt – verbunden über Mitteleuropa mit verschiedenen Regionalgruppen – vom Nordrand der Mittelgebirge bis zum Alpenraum und von Zentralfrankreich bis an die Karpaten verbreitet. Als Vorläufer der eisenzeitlichen → Hallstatt-Kultur (8.–5. Jh. v. Chr.), die zumindest in ihrem jüngeren Abschnitt als keltisch angesehen wird, wird die U.-K. gelegentlich auch als kelt. Frühphase bezeichnet. Eine eigene Formenwelt (bei Keramik, Schmuck, Waffen), die charakteristische Bestattungsweise oder auch die ausgeprägte Sitte, Horte zu deponieren (→ Hortfunde), sprechen allerdings gegen einen ethnischen oder kulturellen Zusammenhang.
→ Keltische Archäologie

> H. MÜLLER-KARPE, Beitr. zur Urnenfelderzeit nördl. und südl. der Alpen, 1959 · H. DANNHEIMER, R. GEBHARD (Hrsg.), Das keltische Jt., 1993 · M. ZU ERBACH et al., Beitr. zur Urnenfelderzeit nördl. und südl. der Alpen, 1995.   V.P.

Uroboros (Oὐροβόρος). Schlange, die sich in den eigenen Schwanz beißt, als Symbol häufig von den ant. Alchemisten verwendet; sie erscheint aber auch mehrfach in den griech.-äg. → Zauberpapyri (PGM 7, col. 17; vgl. PGM 1,145f.; 12,203f.; 12,274f.; 36,184). Sie repräsentiert die Einheit aller Mächte und Vorgänge im Kosmos. Indem man eine Sache genau untersucht, erkennt man alles: Der Makrokosmos spiegelt sich im Mikrokosmos. Die Formel, die das Symbol erklärt, soll offenbar den Grundsatz ausdrücken, daß die individuelle Existenz um der Existenz des Ganzen willen existiert (und vice versa): ἕν τὸ πᾶν/*hen to pan*, ›Eins ist alles (und durch es ist alles, und für es ist alles, und wenn eines nicht alles enthält, ist alles nichts)‹ [1]. Der U. ist auch in Äg. bezeugt [2].

> 1 G. LUCK, Arcana Mundi, 1985, 367 2 A. PIANKOFF, The Shrines of Tut-Ankh-Amon, 1955, Taf. 48 3 Ders., Mythological Papyri, 1957, 22 fig. 3; 174 fig. 74; pap. 20; pap. 27.

> W. DEONNA, Ouroboros, in: Artibus Asiae 15, 1952, 163–170 · K. PREISENDANZ, Aus der Gesch. des U., in: F. HERRMANN et al. (Hrsg.), Brauch und Sinnbild. FS E. Fehrle, 1940, 194–209.   L.K.

Uroskopie. Medizinische Analyse des Urins (= Ur.; οὖρον/*úron*, lat. *urina*) eines Kranken zur Krankheitsdiagnose (oder auch -prognose). Ant. Quellen: das *Corpus Hippocraticum* (→ Hippokrates [6]; Hippokr. aphorismi 4,69–73; Hippokr. prognosticon 12; dazu jeweils der Komm. des Galenos 17,2,750–763 bzw. 18,2,146–165), Rufus [5] von Ephesos (*De renum et vesicae affectionibus*), Galenos (De crisibus 9,594–607), das *Corpus Galenicum* (De urinis 19,574–601; De urinis compendium 19,602–608; De urinis ex Hippocrate et Galeno 19,609–628; De signis ex urinis [1]) sowie die Enzyklopädien des Oreibasios (Synopsis pros Eustathion 6,4), Aëtios [3] (5,28–44) und Paulos [5] von Aigina (2,13).
Die Technik beruhte auf der Theorie von der Blutproduktion in der Leber: Im Fall einer Dysfunktion

führt der Prozeß zu einer unvollständigen Verdauung (*apepsía*). Die in den Nieren vom Blut getrennten Residuen des Ur. werden modifiziert und enthalten Spuren der pathogenen Ursachen, welche der Arzt anhand der Beschaffenheit des Ur. identifizieren kann. Explizit scheint die Theorie nicht vor → Galenos formuliert worden zu sein; bei diesem findet sich erstmals auch eine Liste möglicher Veränderungen des Urins (Farbe, Konsistenz, Sediment) und der entsprechenden Krankheiten sowie in manchen Fällen auch der Prognose. Urin zeigte auch die natürliche oder unnatürliche Ausgeglichenheit des Menschen (vgl. → Säftelehre).
Listen der Charakteristika des Ur. vervielfachten sich in frühbyz. Zeit (*Corpus Galenicum*, Magnus [1] von Emesa). Nach ihrer Übernahme im lat. Westen [2] und in der arabischen Welt kehrten sie in Übers. aus dem Arab. in die byz. Welt des 14. Jh. zurück (Avicenna: [3. Bd. 2, 286–302]; Syrer: [3. Bd. 2, 303–304]; Perser: [3. Bd. 2, 305–306]; anon.: [3. Bd. 2, 307–316]) und wurden neuen Abh., anon. [3. Bd. 2, 323–327] wie namentlich gezeichneten (Iohannes Aktuarios) zugrundegelegt. Byz. und lat. Hss. enthalten Darstellungen von Uringefäßen mit den im Text erwähnten Farben.
→ Medizin IV.

> 1 P. MORAUX, Anecdota Graeca minora VI. Pseudo-Galen, De signis ex urinis, in: ZPE 60, 1985, 63–74 2 G. KEIL, Die urognostische Praxis in vor- und frühsalernitanischer Zeit, 1970 3 J. L. IDELER (ed.), Physici et medici Graeci minores, 2 Bde., 1841f. (Ndr. 1963).

> U. C. BUSSEMAKER, Über Magnus von Emesus und dessen Buch vom Harne, in: Janus 2, 1847, 273–297 · A. DIAMANTOPOULOS (ed.), History of Greek Nephrology, 2000 · K. DIMITRIADIS, Byz. U., Diss. Bonn, 1971.
> A. TO./Ü: T.H.

Ursa s. Sternbilder

Ursache s. Kausalität

Urseius Ferox. Röm. Jurist des frühen Prinzipats (1. Jh. n. Chr.), referierte in mindestens 10 B. (Coll. 12,7,9) die Meinungen der Gründer von → Rechtsschulen, einerseits des Sabinus [II 5] und des Cassius [II 14], andererseits des Proculus [1]. Das Werk ist außer durch fünf Zitate bei Ulpianus und bei Iulius [IV 16] Paulus nur durch den Komm. des Iulianus [1] *Ad Urseium Ferocem* bekannt.

> O. LENEL, Palingenesia Iuris Civilis, Bd. 2, 1889, 1201–1224 · KUNKEL, 145f. · D. LIEBS, Rechtsschulen und Rechtsunterricht im Prinzipat, in: ANRW II 15, 1976, 200.
> T.G.

Ursicinus. Hochrangiger Militär unter Constantius [2] II. Er war von 349–359 n. Chr. *magister equitum* im Osten. Im Auftrag des Constantius [5] Gallus leitete er 354 Hochverratsprozesse in Antiocheia [1] (Amm. 14,9,1 und 3) und beseitigte 355 den Usurpator Silvanus [3] in Gallien (Amm. 15,5,18–31). Ab 357 wieder an der

Perserfront, verlor er aufgrund von Hofintrigen sein Kommando (Amm. 18,5,4), wurde jedoch 359/60 wieder als *magister peditum* eingesetzt (Amm. 18,6) und erneut abberufen, weil ihm der Verlust → Amidas (360) zur Last gelegt wurde (Amm. 20,2). Ammianus, der ein sehr wohlwollendes Bild von ihm zeichnet (z. B. 18,6,1), übergeht sein weiteres Schicksal. PLRE 1,985 f. Nr. 2.   W. P.

Ursinus. Der stadtröm. christl. Diakon U. wurde E. Sept. 366 in der Basilica Iulii (heute Santa Maria in Trastevere) zum Bischof gewählt, wohl gleichzeitig mit → Damasus, was zu Tumulten führte. U. wurde aus der Stadt vertrieben, aber am 15.9.367 aus dem Exil zurückgerufen und nach erneuten Unruhen am 16.11.367 nach Gallien verbannt. Zw. 370/1 und kurz vor 378 durfte sich U. mit seinen Freunden wieder in It. aufhalten, aber außerhalb Roms. U., der in Mailand → Valens [4] von Poetovio traf, agitierte von dort aus in Rom und wurde schließlich ins Exil nach Köln verbannt, wo er bis zu seinem Tod (nach 385) lebte.

S. REBENICH, Hieronymus und sein Kreis, 1990, 64 f. (Lit.).
S. L.-B.

Urso (Ὄρσων/*Órsōn*). Iberische Stadt der → Hispania Baetica im unteren Tal des → Baetis (Diod. 33,21,1; Bell. Hisp. 26; 28; 41 f.: Ursao; Strab. 3,2,2: Οὔρσων/*Úrsōn*; Plin. nat. 3,12; App. Ib. 274; Ptol. 2,4,14: Οὐρβόνη/*Urbónē*), h. Osuna östl. von → Hispalis (Sevilla). Die wohl schon im 3. Jh. v. Chr. bedeutende Siedlung war eines der Widerstandszentren gegen Rom im Kampf der → Lusitani unter → Viriatus 139 v. Chr. (Diod. 33,21,1 ff.; App. Ib. 61 ff.) und der Pompeianer gegen Caesar 45 v. Chr. (Bell. Hisp. 22,2; 26,3–6; 41,3; 42,1); dieser plante als Strafmaßnahme eine röm. Kolonie nach U. zu führen – eine Absicht, die erst nach seinem Tod 44 v. Chr. unter Beteiligung von Stadtrömern (Plin. l.c.) realisiert wurde: *colonia Genetiva Iulia sive Ursonensis* (1932 entdeckt: FIRBruns 28); sie gehörte zum *conventus* von → Astigis. Nur wenige ant. Überreste erh.: Reliefs, Inschr., Mz., Keramik.

A. D'ORS, Epigrafía jurídica de la España romana, 1953, 167–171 • TOVAR 1, 128 f.; 140–143 • J. L. ESCACENA CARRASCO, El poblamiento ibérico en el bajo Guadalquivir, in: A. RUIZ, M. MOLINOS (Hrsg.), Los Iberos, 1985, 273–297.   J. J. F. M.

Ursulus. 355–361 *comes sacrarum largitionum*, wichtiger Helfer des Caesar Iulianos [11] in dessen Finanznöten (Amm. 22,3,7). Mit Constantius [2] II. besuchte er 360 n. Chr. die Ruinen von → Amida und übte Kritik am fehlenden Mut der Soldaten (Amm. 20,11,5). Vielleicht deswegen wurde er in dem Gericht von Chalkedon, das Iulianos nach dem Tod des Constantius bestellt hatte, von den Militärs zum Tode verurteilt. Iulianos distanzierte sich später von dem Urteil (Amm. 22,3,8; vgl. Lib. or. 18,152; PLRE 1,988 Nr. 1).   W. P.

Ursus
[1] s. Iulius [II 140–141]
[2] s. Sternbilder

Urteil. Das U. aufgrund gerichtlicher Verfahren wurde in der griech. und röm. Ant. ganz durch die vorangehende Klage oder Anklage bestimmt, z. B. in Athen von → *díkē* [2] (Zivilklage) und → *graphḗ* [1] (Strafklage). Zur Findung des U. war dann nichts zu begründen; nur die Stimmen im Entscheidungsgremium waren auszuzählen. Der »Urteiler« (→ *iudex*) im röm. Recht hatte im wesentlichen nur Beweise zu erheben. Die rechtliche Würdigung war vorweggenommen mit der Zulassung der Klage (→ *actio* [2]), v. a. durch den → Praetor.
→ Prozeßrecht; Strafe, Strafrecht   G. S.

Urtica (von lat. *urere*, »brennen«; Äquivalent zu *cnide* bei Plin. nat. 32,146, [1. 91], griech. ἀκαλήφη/*akaléphē*, κνίδη/*knídē*).

[1] Die Brennessel mit ihren beiden unterschiedlich großen Arten U. dioica und U. urens aus der Familie der Urticaceae kann mit den Namen *u. silvestris* und *u. canina* (Plin. nat. 21,92) identifiziert werden, nicht aber mit der *herculanea*. Bes. die Art *silvestris* diente als Heilmittel, ihre Blätter, Samen und Wurzel u. a. bei Frauenkrankheiten (Hippokr. de morbis mulierum 1,31; 1,51; 1,74 und 2,175), bei Lungenentzündung und anderen Erkältungen (Catull. 44,15), gegen verschiedene Gifte (Nik. Alex. 201) sowie gegen allerlei Abszesse und Skrofeln (Dioskurides 4,93 WELLMANN = 4,92 BERENDES; Plin. nat. 22,31–36). Die jungen Triebe wurden in der Ant. wie auch h. noch von Unvermögenden gerne gegessen (Theophr. h. plant. 7,7,2; Plin. nat. 21,93; Hor. epist. 1,12,8; Pers. 6,69 f.). Durch Verzehr der – bei Berührung Brennen der Haut hervorrufenden – apotropäischen Pflanze im Frühling sollte man sich das ganze Jahr über vor Krankheiten schützen können.
[2] *U. marina* bezeichnete das Meertier Seeanemone aus dem Stamm der Cnidaria (Nesseltiere, vgl. → Qualle), das Aristot. hist. an. 4,6,531a 31–b 17 und Plin. nat. 9,146 f. gut beschreiben. Im Winter wurden sie gegessen (Aristot. l.c.; Aristoph. Equ. 422; Plaut. Rud. 298 u. a.). Hippokrates (de victu 2,48) empfiehlt sie als Abführmittel und Plinius in Wein getrunken gegen Blasensteine (nat. 32,102) sowie mit Meerzwiebelessig zerrieben und aufgetragen als Enthaarungsmittel (ebd. 32,135).

1 LEITNER.

H. GOSSEN, A. STEIER, s. v. Seeanemone, RE 2 A, 1032–1034.
C. HÜ.

Uruk (h. *al-Warkā'*; sumerisch unu(g)^ki^; im AT 'Erek/ 'rk, vgl. Gn 10,10; griech. Ὀρχόη/*Orchóē*). Stadt in Südbabylonien, 1849 durch W. K. LOFTUS entdeckt, seit 1912 (mit Kriegspausen) von dt. Archäologen erforscht. Auf Ansiedlungen des 5. Jt. v. Chr. entwickelte sich U. in der 2. H. des 4. Jt. (»U.-Zeit«) zu einer der ersten Großstädte mit 250 ha Fläche. Verm. seit ältester Zeit war U. die Kultstadt der Inanna/→ Ištar. In Eanna, ihrem heiligen Bezirk, entstand in der U.-Zeit auf einer Fläche von ca. 9 ha innerhalb einer Mauer ein Ensemble aus großen (Versammlungs-)Bauten und vielfältigen kleineren Gebäuden unbestimmter Funktion. Die Entstehung der ersten Schrift (*Proto-cuneiform* um 3200 v. Chr.; → Keilschrift) und der Gattung der Rollsiegel (→ Siegel) deuten auf ein kompliziertes Wirtschaftsleben, die ersten großformatigen Kunstwerke auf ein hohes kulturelles Niveau. Um 2900 erbaute der legendäre König → Gilgamesch von U. eine Mauer um die auf über 600 ha angewachsene Stadt. Die große Rolle auch anderer früher Herrscher von U. wie Enmekar, Lugalbanda oder Dumu-zi (→ Tammuz) in der späteren myth.-epischen sumer.-akkad. Lit. zeigt die andauernde Bed. von U., auch wenn sein polit. Gewicht zurückging. Dieses wurde erst wieder mit Utu-ḫeǧal sichtbar, der E. des 3. Jt. die Gutäer vertrieb und dessen Bruder → Urnamma von der Stadt → Ur aus die erneute Reichseinigung durchführte. Im 2. und 1. Jt. blieb die polit. Bed. hinter der kulturellen zurück. Der Tempel der Ištar wurde von zahlreichen Herrschern des 2. und 1. Jt. ausgebaut, so von → Marduk-apla-iddina [2] II., → Sargon [3] II., → Asarhaddon, → Nebukadnezar [2] II. und → Dareios [2] II.

Im 3. Jh. v. Chr. (→ Seleukiden) erlebte U. einen Rückgriff auf die babylonische Kultur: Im Westen des Zentrums wurde der gewaltige Mehrfachtempelkomplex Bīt Rēš (v. a. für den Himmelsgott Anu und seine Gemahlin Antum) in bewußt babylon. Bautrad. errichtet (Anu-uballiṭ Nikarchos, 243 v. Chr.; Anu-uballiṭ Kephalon 201 v. Chr.), ebenso wie der gleichartige Südbau und ein Neujahrsfesthaus (→ Akītu-Fest). Im Bīt Rēš befand sich verm. die Schreiberschule und Kopistenanstalt, der wir die Kenntnis zahlreicher sumer. Kulttexte verdanken. In parthischer Zeit (1.–2. Jh. n. Chr.) war zwar U. zum ersten Mal wieder die Großstadt, doch ist außer der Anlage um den sog. Gareus-Tempel, einem »Mithraeum« (?) und verschiedenen Wohnhäusern wenig erforscht. Im 1. Jh. v. Chr. war U. der Sitz einer Astrologen-Schule. Sāsānidische Mz. aus den ersten Jahren Ardaschirs [1] (Mitte des 3. Jh. n. Chr) bezeugen eine geringe Besiedlung, bevor U. ganz aufgegeben wurde.

Vorläufiger Ber. über die … Ausgrabungen in Uruk, 28 Bde., 1930–1983 • Ausgrabungen in U.-Warka, 8 Bde., 1936–1968 • R. M. BOEHMER (Hrsg.), Ausgrabungen in U.-Warka, Endberichte, bisher 24 Bde., seit 1987 • R. McC. ADAMS, H. J. NISSEN, The U. Countryside, 1972 • U. FINKBEINER, U.: analytisches Register zu den Grabungsberichten, 1993 • M. VAN ESS, U. (Warka), in: G. WILHELM (Hrsg.), Zw. Tigris und Nil, 1998, 32–41 • H. J. NISSEN, U. Eine Großstadt des 4. Jt. v. Chr., in: W. SEIPEL, A. WIECZOREK (Hrsg.), Von Babylon bis Jerusalem, Bd. 2, 1999, 189–221.   H. J. N.

Urvinum Mataurense (Οὐρβῖνον). Stadt (Plin. nat. 3,114; Geogr. Rav. 4,33) auf einer Anhöhe (451 m H) am Osthang des Appenninus zw. den Flüssen Metaurus

[2] und Pisaurus (h. Foglia), durch eine kurze Stichstraße mit der Via Flaminia an der Adria-Küste verbunden; h. Urbino (Marche). U. M. war → *municipium* (wohl erst nach dem Bundesgenossenkrieg [3] 89 v. Chr.), *tribus Stellatina* (quattuorviri belegt: CIL XI 6053–6068), *regio VI* (Umbria). In die Kämpfe zw. Goti und den Truppen des Iustinianus [1] verwickelt, wurde U. M. 538 n. Chr. von → Belisarios erobert (Prok. BG 2,10f.; 2,19f.). Seit dem 6. Jh. war U. Bischofssitz. Arch. Reste: Stadtmauer mit Toren, Theater, Zisterne, Thermenanlagen, Nekropolen.

M. LUNI, U. M. (Urbino). Dall'insediamento romano alla città medievale, in: M. L. POLICHETTI (Hrsg.), Il Palazzo di Federico da Montefeltro, 1985, 11–49 • Ders., s. v. Urbino, EAA 2. Suppl., Bd. 5, 1997, 904–906.   M. G. A. B./Ü: H. D.

Uscana. Hauptstadt der Penestai [2] (Liv. 43,18,5). Man sucht U. entweder beim h. Debar (Dibër, h. Mazedonien), beim h. Debrce nahe → Lychnidos oder beim h. Kičevo (Kerçovë). Die Ereignisse des 3. → Makedonischen Krieges (171–168 v. Chr.) tangierten die Stadt mehrfach (vgl. Liv. 43,10; 43,18; 43,20f.; zu den quellenkritischen Problemen vgl. [1]).

1 B. SARIA, s. v. U., RE 9 A, 1075 f.

F. PAPAZOGLOU, Les villes de Macédoine à l'époque romaine (BCH Suppl. 16), 1988, 46 Anm. 39; 75; 76 Anm. 17; 298.   PI. CA./Ü: E. N.

Uscha. Stadt in Untergalilaea, in den Annalen des Sennacherib (a,40) erwähnt; israelitische Besiedlung in biblischen Zeiten ist durch Grabungsfunde belegt. In Folge des → Bar-Kochba-Aufstandes ca. 140 n. Chr. Ort einer rabbinischen Synode (Sanhedrin; → Synhedrion II.), auf der führende Gelehrte der Zeit zunächst ohne den späteren Patriarchen Simon ben Gamaliel die rabbin. Ämter neu besetzten und vor allem familienrechtliche Erlasse herausgaben (Hohelied Rabbah 2,5,3). U. war zeitweilig Sitz des Patriarchen Simon ben Gamaliel. Jehuda ben Ilai unterhielt dort ein Lehrhaus, in dem u. a. Jehuda ha-Nasi studierte (tMeg 2,8). Die rabbin. Diskussionen von U. hatten großen Einfluß auf die Kompilation der Mischna (→ Rabbinische Literatur).   E. H.

Uschebti (äg. *wšb.tj*, »Antworter«, sekundär aus *šb.tj*, Bed. unsicher). Bezeichnung kleiner, magischer Figuren des äg. → Totenkults aus Holz, Stein oder Fayence, die den Toten in der Regel mumienförmig, manchmal in einen Sarg gebettet, darstellen. Nach Ausweis des zugehörigen, oft auf die Figuren geschriebenen Zauberspruchs (Sargtexte Spr. 472, Totenbuch Spr. 6, vgl. [2]) sollten sie anstelle des Toten antworten, wenn dieser im Jenseits zu Arbeiten aufgerufen wurde, um sie an seiner Statt auszuführen. Die ältesten U., aus Wachs, tauchen in der 11. Dyn. (ca. 2050 v. Chr.) auf; im MR noch selten, wurden sie später oft in großen Gruppen (idealiter eine Figur für jeden Tag des Jahres, ein Aufseher pro Dekade und ein Schreiber) meist in speziellen Kästen den Bestattungen beigegeben. Selten treten U. in Ritualdepots außerhalb des funerären Kontexts auf.

1 H. D. Schneider, Shabtis, 1977 2 H. Schlögl, s. v. Uschebti, LÄ 6, 896–899. S. S.

Usercheres s. Userkare

Userkare (äg. *Wsr-k3-Rˁ.w*). Äg. König, nach dem Zeugnis der → Königslisten zw. Teti I. und Pepi I. (→ Phiops [1]) in der 6. Dyn. (ca. 2300–2250 v. Chr.) anzusetzen; zeitgenössisch kaum belegt. Er wird teilweise als Usurpator oder Gegenkönig vor oder während der Regierung Pepis I. angesehen

J. Vercoutter, L'Égypte et la vallée du Nil, Bd. 1, 1992, 322. JO. QU.

Usipetes (auch Usipi). German. Stamm, verm. urspr. im Tal der → La(u)gona (h. Lahn) siedelnd, wurde 58 v. Chr. von den → Suebi abgedrängt. Nach Überschreiten des → Rhenus [2] (h. Rhein) vertrieben sie 56/5 v. Chr. die → Menapii und zogen anschließend südwärts weiter. 55 v. Chr. schlug Caesar die U. und → Tencteri vernichtend; zuvor hatte er die Führer der beiden Stämme widerrechtlich gefangengenommen, was in Rom zu scharfen Reaktionen führte (Caes. Gall. 4,1–16; 6,35,5; Plut. Caesar 22,1–5; App. Celt. fr. 1,12; Cass. Dio 39,47,1–50,1). Reste der U. flüchteten zu den rechtsrhein. → Sugambri, was Caesar zum ersten Übergang über den Rhenus veranlaßte. 12/1 v. Chr. überschritten sie erneut den Rhenus, wurden dann aber von → Claudius [II 24] Drusus unterworfen (Cass. Dio 54,32,2; 54,33,1; vgl. Liv. per. 140 und Flor. epit. 2, 30,33). Während des → Bataveraufstands waren U. 69 n. Chr. an der erfolglosen Belagerung von → Mogontiacum beteiligt (Tac. hist. 4,37,3). Nach dem → Laterculus Veronensis 14 erstreckte sich die röm. Herrschaft z. Z. des → Gallienus auch über die U., die später in den → Franci (Ripuarii) aufgingen.

S. Gutenbrunner, s. v. U., RE 9 A, 1087–1089 · L. Schmidt, Gesch. der dt. Stämme. Bd. 2: Die Westgermanen, ²1940, 189–199 · B. Krüger, Die Germanen, Bd. 1, 1976. RA. WI.

Uspe. Hochgelegener, befestigter Hauptort der sarmatischen → Siraki am Ufer des Panda [1] im Norden des Kaukasos (Tac. ann. 12,16,3); nicht lokalisiert.

D. D. Kacharava, G. T. Kvirkvelija, Goroda i poseleniya Pričernomor'ya antičnoi epokhi, 1991, 284. E. O.

Ustica (Οὐστίκα; auch h. Ústica). Kleine (8,6 km², 239 m H) urspr. vulkanische Insel vor der NW-Küste von → Sicilia (Plin. nat. 3,92; Ptol. 3,4,17), 57 km nördl. von Panormos [3] im *mare Tyrrhenum*, wohl identisch mit der bei Diod. 5,11,1 zu den *Aeoli insulae* gerechneten νῆσος Ὀστεώδης/*nésos Osteódēs* (vgl. Mela 2,7,120). Arch. Grabungen im Bereich von I Faraglioni (Colombaia): eine prähistor. Siedlung der mittleren Brz. und Gräber mit phoinikischen oder karthagischen Beigaben;

des weiteren Mosaike, Mz. und anderes Material aus röm. Zeit.

R. R. Holloway, s. v. U., EAA, 2. Suppl., Bd. 5, 1997, 914 f. · Ders., G. Mannino, U.: la polemica, in: Sicilia Archeologica 30, 1997, 13–20. H. A. G. u. Gl. F.

Ustrinum (»Krematorium«). Der architektonisch gefaßte, später oft nur noch durch einen → Altar überl. Einäscherungsplatz verstorbener röm. Herrscher. Bekanntestes Beispiel ist das von Strabon (5,3,8) beschriebene, repräsentativ und aufwendig erbaute und nach dem Akt der Kremierung als Denkmal erh. gebliebene U. des Augustus auf dem Marsfeld in Rom (→ Campus Martius; → Roma III.) nahe dem → Mausoleum Augusti. Bauliche Reste weiterer *ustrina* auf dem Marsfeld werden den Kaisern Hadrianus, Marcus Aurelius und Antoninus Pius zugewiesen.

A. Danti, s. v. Arae Consecrationis, LTUR 1, 1993, 75 f. · H. von Hesberg, S. Panciera, Das Mausoleum des Augustus, 1994, 148–161 · V. Jolivet, s. v. U. Augusti, LTUR 5, 1999, 97 · Richardson, s. v. U. Domus Augustae, 404. C. HÖ.

Usucapio (aus lat. *usus*, »Gebrauch«, und *capere*, »nehmen«), die Ersitzung (= Er.): Erwerb zivilen Eigentums (→ *dominium*) an Grundstücken und anderen Sachen aufgrund zwei- bzw. einjährigen Eigenbesitzes im röm. Recht (Mod. Dig. 41,3,3; Ulp. reg. 19,8; Boeth. ad Cic. top. 4,23; Isid. orig. 5,25,30). Die *u.* war nur röm. Bürgern zugänglich (Gai. inst. 2,65). Nach den XII Tafeln (→ *tabulae duodecim*, tab. 8,17) war eine Er. gestohlener Sachen ausgeschlossen (Gai. inst. 2,45; 49). Sie war aber nach einer *lex Atinia* (E. 3. Jh./Anf. 2. Jh. v. Chr.) wieder zugelassen, wenn die Sachen in die Gewalt des Bestohlenen – später: des Eigentümers – zurückgelangt waren (Paul. Dig. 41,3,4,6; zu Schwierigkeiten bei der Pfandkehr vgl. Labeo/Paul. Dig. 41,3,49; Paul. Dig. 41,3,4,21). Grundstücke konnten nicht »gestohlen« werden (in der Ant. strittig, Gai. inst. 2,51), waren davon also nicht betroffen. Weitere Ausnahmen galten nach einer *lex Plautia de vi* (78/63 v. Chr.) und einer *lex Iulia de vi* für gewaltsam entzogene Sachen (Gai. inst. 2,45), für *res sacrae* (wie Tempel) und *res religiosae* (Grabstätten; Gai. inst. 2,48), sowie schon nach den XII Tafeln (tab. 10,10) für Grabvorplatz (*forum*) und Brandstätte (*bustum*).

Der Erwerber mußte – fehlerfrei – Eigenbesitz erlangt haben. Die Er.-Frist betrug nach den XII Tafeln (tab. 6,3) ein oder zwei J.: *Usus auctoritas fundi biennium, ceterarum rerum annus esto*. (›Die Er.‹-Frist› soll bei einem Grundstück zwei J., bei anderen Sachen ein J. sein‹). Auf *u.* war angewiesen: (a) wer eine → *res mancipi* nur durch → *traditio* erh. hatte (Gai. inst. 2,41); ferner (b) wer eine Sache – *res mancipi* oder *res nec mancipi* – gutgläubig vom Nichteigentümer tradiert erhalten hatte (Gai. inst. 2,43). Die Anforderung des guten Glaubens (*bona fides*) und ebenso des Rechtsgrundes (*iusta causa*) wurde von den Juristen der Republik (*veteres*) entwik-

kelt. Streitig war, ob ein Käufer schon beim Kaufab-
schluß gutgläubig sein mußte und noch bei der *traditio*
(Paul. Dig. 41,3,48; 41,4,2 pr.) oder bei dieser allein
(Dig. 41,3,10 pr.).

Rechtsgründe für die *u.* waren Kauf (*emptio*), Schenkung (*donatio*), Mitgift (*dos*), Vermächtnis (*legatum*) u. a.
Ein Käufer ersaß den Gegenstand *pro emptore* (»als Käu-
fer«), ein Beschenkter *pro donato* usw. Die Rechtsgründe
mußten gültig sein. Eine verbotene Schenkung unter
Ehegatten konnte eine Er. daher nicht tragen (Paul.
Dig. 41,6,1,2), und zwar auch nicht nach späterer Scheidung, gemäß der Regel ›Niemand kann sich selbst die
Grundlage des Besitzes ändern‹ (*Nemo sibi ipse causam
possessionis mutare potest*, Cassius/Paul. Dig. 41,6,1,2).
Gegen die Ausdehnung der *u.* auf Fälle der irrtümlichen
Annahme eines Rechtsgrundes aus berechtigtem Anlaß
(Iulianus/Africanus Dig. 41,4,11) wandte sich Celsus
mit der Feststellung, die Vertreter dieser Ansicht irrten
selbst (Dig. 41,3,27). Bis zu einem SC unter Hadrianus
konnte der Besitzer eines Erbschaftsgegenstandes »als
Erbe« (*pro herede*) sogar ohne guten Glauben ersitzen.
Dadurch wollten die republikan. Juristen (*veteres*) den
Antritt der Erbschaft beschleunigen, damit die Toten-
opfer (*sacra*) ausgeführt würden und ein Schuldner der
Nachlaßverbindlichkeiten da sei (Gai. inst. 2,52,55–57).

Iustinianus [1] (6. Jh. n. Chr.) ordnete das Recht der
u. neu. Die *u.* wurde auf bewegliche Sachen beschränkt
und dauerte 3 J.; für die Er. von Grundstücken galt nun
generell die → *praescriptio longi temporis* mit einer Dauer
von 10 und 20 J. »unter Anwesenden« bzw. »unter Ab-
wesenden« (Cod. Iust. 7,31,1; Inst. Iust. 2,6 pr.).

→ Eigentum/Sachenrecht

M. Frunzio Giancoli, Sabino e l'usucapione delle »res
furtivae«, in: Labeo 42, 1996, 403–411 · G. Hamza, Zum
Verhältnis zw. u. und longi temporis praescriptio im klass.
röm. Recht, in: J.-F. Gerkens u.a. (Hrsg.), Mélanges
F. Sturm, Bd. 1, 1999, 189–203 · Honsell/Mayer-Maly/
Selb, 171–180 · Kaser, RPR, Bd. 1, 103 f.; 134–138;
418–423; 721 f.; Bd. 2, 285–288; 536.   D. Sch.

Usurpation   I. Definition
II. Hellenismus   III. Römisches Reich

I. Definition

Die U. (lat. *usurpatio* vom Verb *usurpare* aus *usu rapere*
= »etwas zum Gebrauch an sich reißen«) ist eine Form
des Herrscherwechsels, in dem ein Prätendent den amtierenden → Herrscher offen herausfordert [3. 228]. Da
dies zugleich heißt, die Loyalität der polit. maßgeblichen Gruppen zu erproben, ist U. dann nicht möglich,
wenn diese Gruppen unter keinen Umständen bereit
sind, vom noch lebenden Herrscher abzufallen, und
dieser erst durch einen Anschlag – meist durch »Beseitigung am Hof« – entfernt werden muß, bevor der Prätendent als solcher auftreten kann. U. ist demnach nur in
einem polit. System möglich, in dem der Herrscher seine Position verlieren kann, sobald er nicht mehr akzeptiert wird. Die Mechanismen der Akzeptanz (verlierbare

Zustimmung bestimmter relevanter Gruppen zur Herr-
schaftsbefugnis einer bestimmten Person) korrespon-
dieren daher mit der systembedingten Möglichkeit der
U. [6. 201–207]. Gelingt der Versuch, vor einer histor.
definierten polit. Öffentlichkeit mehr Akzeptanz zu gewinnen als der amtierende Monarch und ihn zu stürzen,
macht die U. den siegreichen Prätendenten zu einem
ebenso »legitimen« Herrscher wie eine gewaltlose
Übernahme der → Herrschaft.   E. F.

II. Hellenismus

In den hell. Monarchien ergab sich die Möglichkeit
zur U. aus dem charismatischen Charakter des hell. Königtums, d. h. aus dem Zwang, sich als Herrscher ständig
siegreich bewähren zu müssen. Obgleich das dynastische Prinzip mit der Etablierung stabiler Reiche
(→ Hellenistische Staatenwelt) an Bed. gewann, setzte
sich eine verbindliche Nachfolgeregelung in Form der
Primogenitur nie durch; daher konnten v. a. Brüder
(auch Halbbrüder) leicht zu Prätendenten werden.

Die Häufigkeit von U. in den einzelnen hell. Monarchien schwankt sehr. Das Reich der Attaliden (→ Attalos, Stemma) von Pergamon blieb auch in schwierigen
Situationen (→ Eumenes [3]) von U. frei. In Makedonien dagegen häuften sich – auch wegen dessen Bed.
für die Nachfolge Alexandros' [4] d. Gr. (→ Diadochenkriege) – die U. bes. in der Zeit von 310/9–276, bis mit
→ Antigonos [2] Gonatas (mit Stemma) dauerhafte
Ruhe einkehrte.

Im Reich der → Ptolemaier (mit Stemma) veränderte sich die relativ stabile Nachfolgeordnung, als Ptolemaios [9] VI. 170 v. Chr. Bruder und Schwestergemah-
lin (→ Geschwisterehe) zu Mitregenten erhob und dies
üblich wurde. Die Konflikte zw. den Geschwistern,
häufig verstärkt durch machthungrige Höflinge und die
Parteinahme der Bevölkerung Alexandreias [1], prägten
die ptolem. Gesch. bis zu ihrem Ende unter → Augustus.

Das Reich der → Seleukiden erfuhr als größtes und
deshalb polit. und ethnisch am meisten differenziertes
hell. Herrschaftsgebiet auch die meisten U., z. T. nur in
einzelnen Reichsteilen (z. B. → Achaios [5]; → Molon
[1]). Zwar war die Akzeptanz der Dyn. bei den wichtigsten Gruppen des Reiches, der Führungsschicht der
phíloi (→ Hoftitel) und dem Heer, anfangs sehr hoch,
doch setzten nach dem Tod des Antiochos [6] IV. 164
v. Chr. heftige Kämpfe innerhalb der Herrscherfamilie
ein, die bis zum Ende des Reiches 64 v. Chr. andau-
erten. Vorgebliche und tatsächliche Angehörige der
Dyn. und ihrer Seitenlinien forderten den amtierenden
Herrscher heraus, wobei ihnen die schwankende Loyalität der Truppen entgegenkam und sie mit der (keinesfalls selbstlosen) Hilfe benachbarter Staaten und dem
wachsenden Interesse der Römer an dieser Region
rechnen konnten. Ähnlich wie in Alexandreia [1] gewann gegen Ende der Seleukidenära die Bevölkerung
von Antiocheia [1] wachsende Bed. bei den Konflikten.

M. Ki.

III. Römisches Reich

Im logisch konstruierten System des ›Röm. Staatsrechts‹ Th. Mommsens sind prinzipiell alle röm. Kaiser Usurpatoren, und somit die röm. Monarchie das illegitimste Regime der Weltgesch.: Da es keine fortdauernde institutionalisierte Monarchie gebe, sterbe mit dem → Princeps immer der → Prinzipat. In der Sukzession von individuellen Prinzipaten sei deshalb ein Usurpator genauso »legitim« wie ein Herrscher, der nicht über eine U. an die Herrschaft kam [1. 842–844, 1133]. Dieser These steht die empirische Beobachtung gegenüber, daß es seit Beginn des Prinzipats keinen ernsthaften Versuch gab, die Monarchie wieder aufzugeben. Folglich war diese in hohem Grade »legitim«, nicht aber der einzelne Monarch, welcher sich nur solange halten konnte (also zur Herrschaft »legitimiert« war), wie er akzeptiert blieb. Nach dieser jüngsten Sicht des Prinzipats (von [6]) erklärt sich die U. aus den Mechanismen der Akzeptanz bzw. des Akzeptanzverlustes durch die gesellschaftlich relevanten Großgruppen: Heer, Senat (→ senatus) und stadtröm. Volk (→ plebs III.). Da diese Großgruppen keine gemeinsame Instanz herausbildeten, welche die Herrschaftsbefugnisse allg. verbindlich übertrug und entzog, konnte letztlich weder die Akklamation durch einen Truppenteil noch der Senatsbeschluß oder auch ein Volksbeschluß (lex de imperio; → lex de imperio Vespasiani) dem Kaiser definitiv die Herrschaft sichern [5. 237; 6. 193–196].

Der Verlauf der Herrscherwechsel zeigt, daß der Senat ohnehin konsensunfähig war und sich nie auf einen Kaiser einigen konnte; beim einzigen Fall einer Senatswahl (238 n.Chr.) wurden zwei Kaiser erhoben (→ Balbinus [1] und → Pupienus). Legion und Garde (→ Praetorianer) konnten wiederum ihre Zustimmung zurücknehmen, indem sie vom vorher akklamierten Herrscher abfielen (so bei → Galba im Jan. 69 [2. 15–27; 6. 240–292]. Erhoben mehrere Truppenteile jeweils einen → imperator, so entschied ein mil. Duell (z.B. zw. → Otho und → Vitellius; vgl. → Septimius [II 7] Severus → Aurelianus [3]). Dadurch blieb dem Heer das letzte Wort bei U., doch konnten selbst mächtige Heeresgruppen die Kaisererhebung nicht beeinflussen, falls ihr Wunschkandidat sich nicht akklamieren lassen wollte, etwa → Verginius Rufus bei der Rheinarmee [6. 262–275].

Obgleich leibliche oder adoptierte Söhne eines Herrschers größere Chancen hatten, Akzeptanz zu gewinnen (s. etwa → Tiberius [1]; → Nero [1]; → Titus [3]; → Adoptivkaiser) und die → Soldatenkaiser des 3. Jh. häufig ihre Söhne an der Herrschaft beteiligten [3. 185–188], blieb das »dynastische Prinzip« bis in die Spätant. hinein histor. unwirksam [7]: Da der Herausforderer sofort als Herrscher auftrat, stürzten die Söhne mit ihren Vätern.

Die U.-Wellen von 68/9 (→ Vierkaiserjahr), 192–195 (→ Septimius [II 7] Severus) und 248–269 (bes. → Gallienus; vgl. → Triginta tyranni) unterschieden sich zum einen nach dem Ausmaß des Engagements der provinzialen, v.a. der städtischen Bürgerschaften für »ihren« Kaiser (dies konnte aus den rein mil. Duellen regelrechte Kriege machen und führte 192–195 zu erheblichen Zerstörungen), zum andern nach dem Grad der Anhänglichkeit der Truppen an unterliegende Prätendenten und schließlich nach der jeweiligen Struktur des Heeres und seines Offizierskorps. Keine U. war je eine »Krise des monarchischen Systems«.

Das seit → Diocletianus gängige Mehrkaisertum (→ tetrárchēs IV.) veränderte im 4. Jh. bereits die Bedingungen für die U., da es praktisch kein »Zentrum« des Reiches mehr gab, welches zu erobern war. Deshalb versuchten Usurpatoren in einzelnen Reichsteilen, die Anerkennung durch den senior Augustus zu erhalten (so als erster Constantinus [1] im J. 306) [7. 28]. Ganz neue Bedingungen für U. entstanden seit dem E. des 4. Jh.: Im Westen wurde mit dem Aufstieg der Heermeister (→ magister militum) zu faktischen Oberbefehlshabern der zudem meist aus Reichsfremden bestehenden Truppen (s. etwa → Arbogastes, → Stilicho, → Ricimer) das Kaisertum an den Rand gedrückt und schließlich vernichtet. Im Osten, der von dieser Entwicklung verschont blieb, kam v.a. bei der Bevölkerung von Konstantinopolis als neuer zusätzlicher Faktor der Akzeptanz das Kriterium der Rechtgläubigkeit des christl. Kaisers oder Usurpators auf.

→ Herrschaft; Herrscher; Imperator; Kaiser; Monarchia; Prinzipat; Tyrannis; Verfassung

1 Mommsen, Staatsrecht 2 2 K. Wellesley, The Long Year 69 A.D., 1975 3 F. Hartmann, Herrscherwechsel und Reichsskrise, 1982 4 A. E. Wardman, Usurpers and Internal Conflicts in the 4th Century, in: Historia 33, 1984, 220–237 5 J. Szidat, Usurpationen in der röm. Kaiserzeit, in: H. Herzig (Hrsg.), Labor omnibus unus, FS G. Walser, 1989, 232–243 6 E. Flaig, Den Kaiser herausfordern. Die U. im Röm. Reich, 1992 7 Ders., Für eine Konzeptionalisierung der U. im spätröm. Reich, in: F. Paschoud, J. Szidat (Hrsg.), U. in der Spätantike, 1997, 15–34.   E.F.

Usus (wörtl. »Gebrauch«) hat im röm. Recht mehrere Bed.: So bezeichnete u. die tatsächliche Gewalt an Sachen und auch an Erbschaften als Voraussetzung der Ersitzung (→ usucapio, dort auch zu XII Tafeln, → tabulae duodecim, tab. 6,3), ferner die ein J. dauernde Vorstufe der »Ehegewalt« (→ manus) des Mannes über die Frau, die aber nach den XII Tafeln (tab. 6,4) unterbrochen wurde, wenn die Frau für drei Nächte (trinoctium) außer Haus blieb (Cic. Flacc. 34,84; Gell. 3,2,12 f.; Gai. inst. 1,111). U. war ferner ein Gebrauchsrecht, welches häufig durch Vermächtnis und oft an Häusern (domus u., Pomp. Dig. 7,8,22,1; Ulp. Dig. 7,8,2,1) und Landgütern (u. fundi, Ulp. Dig. 7,8,10,4) begründet wurde. Nicht zum u. gehörte die Fruchtziehung (frui; Gai. Dig. 7,8,1,1; Ulp. Dig. 7,8,2 pr.).

Der Umfang des u. selbst bildete den Gegenstand vieler Streitfragen. So konnte zwar ein Mann, der den u. an einem Haus durch ein Vermächtnis bekommen hatte, seine Ehefrau (Ulp. Dig. 7,8,4,1) und seine Familie (Ulp. Dig. 7,8,2,1) darin aufnehmen. Fraglich war je doch bei den republikanischen Juristen (*veteres*) z. B. der umgekehrte Fall (Aufnahme des Ehemannes durch eine Vermächtnisnehmerin; dafür erst Q. Mucius [I 9] Scaevola; Dig. 7,8,4,1) oder die Aufnahme eines Gastes (*hospes*; dafür Q. Aelius [I 17] Tubero). Der *u.* an einem Landhaus (*villa*, *praetorium*) schloß das Recht, dort zu wohnen, spazierenzugehen und zu reiten ein (Ulp. Dig. 7,8,10,4). Zugelassen wurde von den Juristen des 1. Jh. v. Chr. der Verbrauch von Brennholz zum täglichen Bedarf, ebenso die Verwendung des Gartens, von Obst und Gemüse, Blumen und Wasser (Sabinus [II 5], Cassius [II 14]), Stroh und Reisig (Cocceius [5] Nerva); die Zulassung einer Verwendung von Blättern, Öl, Getreide, Feldfrüchten war streitig (ablehnend Nerva, befürwortend Sabinus, Cassius, Antistius [II 3] Labeo, Proculus [1]; zu dem allen Ulp. Dig. 7,8,12,1).

Der *u.* war unveräußerlich, konnte nicht vermietet und auch nicht unentgeltlich einem anderen überlassen werden (Gai. Dig. 7,8,11; Ulp. Dig. 7,8,8 pr.). Das Wohnrecht (*habitatio*) wurde noch um 200 n. Chr. wie ein *u.* behandelt (Papinianus/Ulp. Dig. 7,8,10 pr.); bei Iustinianus [1] (6. Jh. n. Chr.) erscheint es hingegen als eigenständige Rechtsfigur (Cod. Iust. 3,33,13; Inst. Iust. 2,5,5). Für die Dauer des Wohnrechts vertrat schon P. Rutilius [I 3] Rufus (vor 100 v. Chr.) die Meinung, es bestehe auf Lebenszeit (Dig. 7,8,10,3). Als *u.* wurde auch der griech. Ausdruck *chrḗsis* in einem Vermächtnis gedeutet (Papinianus/Ulp. Dig. 7,8,10,1).

1 M. BRETONE, Gesch. des röm. Rechts, 1992, 181
2 HONSELL/MAYER-MALY/SELB, 132; 188 **3** KASER, RPR, Bd. 1, 78; 103 f.; 135; 140; 454; Bd. 2, 306 **4** O. PÉTER, Rez. zu [5], in: ZRG 113, 1996, 557–563 **5** I. PIRO, Usu in manum convenire, 1994.   D. SCH.

Ususfructus. Im röm. Recht die Befugnis, eine fremde Sache bei Erhalt ihrer Substanz zu gebrauchen (*uti*, daher *usus*) und aus ihr Früchte zu ziehen (*frui*, daher *fructus*; Paul. Dig. 7,1,1; Inst. Iust. 2,4 pr.). Der *u.* bildete sich schon im 3. Jh. v. Chr. heraus. Die Juristen der Republik (*veteres*) stritten darüber, ob das Sklavenkind (→ *partus ancillae*) zu den »Früchten« gehöre (Cic. fin. 1,4,12; Gai. Dig. 22,1,28,1; Ulp. Dig. 7,1,68 pr.). Der Eigentümer konnte den *u.* einem anderen im Wege der → *in iure cessio* einräumen (Gai. inst. 2,30), obwohl er hiermit paradoxerweise etwas übertrug, was er selbst nicht hatte (Paul. Dig. 7,1,63). Die Rückübertragung erfolgte auf dieselbe Weise (Gai. l.c.). Der Eigentümer konnte sich den *u.* z. B. bei einer → *mancipatio* durch »Abzug des *u.*« (*deducto/detracto usu fructu*) vorbehalten (Gai. inst. 2,33). Vielfach wurde der *u.* testamentarisch vermacht (Cic. top. 3,15; 3,17; 4,21; Cic. Caecin. 4,11; Alfenus Dig. 33,2,12). Der *u.* wurde als Teil des Eigentums (*pars dominii*) verstanden (vgl. Papin. Dig. 31,66,6; Paul. Dig. 7,1,4; 50,16,25 pr.), erlosch aber, wenn sein Inhaber Eigentümer wurde (Iulianus Dig. 7,4,17). Er bestand in einem Recht (*in iure consistens*). Dem Eigentümer blieb bei fremdem *u.* (*u. alienus*) »bloßes Eigentum« (*nuda proprietas*, Gai. inst. 2,30 u.a.). Der *u.* war unvererblich (Paul. sent. 3,6,33; Inst.

Iust. 2,4,3). Seinem Schutz diente die *vindicatio ususfructus* (Ulp. Dig. 7,6,1 pr.), für die der Nießbraucher dem Eigentümer wegen der Nutzung und der schließlichen Rückerstattung Sicherheit leisten mußte (Ulp. Dig. 7,1,13 pr.; 7,9,1 pr.).

Außer Sklaven waren Gegenstände des *u.* Landgüter, Grundstücke (Marcianus Dig. 7,1,41,1), Statuen und Bilder (ebd. 7,1,41 pr.), ganze Herden (Ulp. Dig. 7,1,68,2), bei denen sich dann das Problem des Ersatzerwerbs (→ *submissio*) stellte (Ulp. Dig. 7,1,68,2; 7,1,70; Pomp. Dig. 7,1,69); selbst das ganze Vermögen konnte einem *u.* unterliegen (Cic. top. 3,17; Cic. Caecin. 4,11). Ein im 1. Jh. n. Chr. ergangenes SC bezog verbrauchbare Sachen, wie Geld, in den *u.* ein (Gai. Dig. 7,5,2; Ulp. Dig. 7,5,1; Inst. Iust. 2,4,2). Ob Forderungen einem *u.* unterfallen konnten, war in dieser Zeit streitig; von Cocceius [5] Nerva wurde es verneint, von Cassius [II 14] und Proculus [1] hingegen bejaht (Ulp. Dig. 7,5,3). → Usus

HONSELL/MAYER-MALY/SELB, 184–191 • KASER, RPR, Bd. 1, 447–454; Bd. 2, 302–306 • D. LIEBS, Röm. Recht, ⁵1999, 150–152.   D. SCH.

Utens. Fluß, der im → Appenninus entspringt, das Gebiet der Senones [1] (→ *ager Gallicus*) nach Norden begrenzte (Liv. 5,35,3) und nördl. von → Ariminum (h. Rimini) zw. den Flüssen → Ariminus und → Rubico in die Adria (→ Ionios Kolpos) mündet; h. Uso. Kaum identisch mit dem Vitis in Plin. nat. 3,115 (h. Montone?).

NISSEN 2, 250; 257 • G. RADKE, s. v. Viae Publicae Romanae, RE Suppl. 13, 1417–1686, hier 1577 f.
                                    G. U./Ü: J. W. MA.

Uterus. Die beiden griech. Begriffe μήτρα/*métra* und ὑστέρα/*hystéra* sind etym. umstritten (Soran. gynaecia 1,6) und werden oft im Plur. verwendet (die Vorstellung von der Mehrkammrigkeit leitet sich aus zootomischen Befunden ab). Verf. hippokratischer Schriften (→ *Corpus Hippocraticum*) teilten die Vorstellung, der U. sei ein Gefäß, das sich in einer Röhre (→ *vulva*) im Körper auf- und abbewege und während der Schwangerschaft von selbst verschließe. Sie waren der Ansicht, der U. könne wie ein Lebewesen durch angenehme und unangenehme Gerüche angezogen bzw. abgestoßen werden und sei an keinen bestimmten Körperort gebunden (vgl. → Frau II. F.; → Gynäkologie B.). Auch könne er den Körper verlassen oder durch Druck auf andere Körperteile »hysterische Erstickungsanfälle« verursachen (→ Hysterie).

Die Vorstellung einer beweglichen Gebärmutter mit eigenständigem Antrieb blieb auch dann noch wirksam, als → Herophilos [1] in Alexandreia [1] zum ersten Mal weibliche Leichname seziert hatte. Obwohl er bereits eine ganze Reihe von wesentlichen Strukturen des U. einschließlich der äußeren Haltebänder beschrieb, stützte sich die anatomische Beschreibung (→ Anatomie) der Gebärmutter durch → Galenos – die detaillierteste, die wir aus der Ant. kennen – immer noch auf eine Mischung aus Human- und Tiersektion. Galens Zeitgenosse → Lykos [13] beschrieb den U. ausführlich und scheint einen toten wie auch einen lebenden Tierfötus seziert zu haben.

Die groben Votivdarstellungen des U., die aus Heilkultstätten (→ Heilgötter) wie dem Heiligtum des → Asklepios in Korinth stammen, unterstreichen seine krugartige Form (eine häufig verwandte Metapher, vgl. Hippokr. Epidemiae 6,5,11; Hippokr. de mulieribus 1,33). Auch mit einem Garten, einem Haus mit Türen oder einem Ofen wurde der U. verglichen (Artem. 2,10). Die Ofenmetapher paßte zu der Vorstellung, der Fötus werde in der Gebärmutter so lange »gekocht«, bis er zur Geburt »gar« sei. Griech. medizinische Schriftsteller (Aristot. de generatione animalium 764a 12–20; Hippokr. de natura pueri 15) betonten die schwammige Beschaffenheit des U., der so die für das Wachstum des Fötus erforderliche Feuchtigkeit enthalte und während der → Menstruation mit Blut überspült werde.

→ Frau (II. F.); Gynäkologie; Hysterie   V. N./Ü: L. v. R.-B.

Uthina. Stadt (wohl libyschen Ursprungs) der Africa Proconsularis (→ Afrika [3]; Plin. nat. 5,29; Ptol. 4,3,34; 8,14,11; Tab. Peut. 5,5 irrig: Uthica) etwa 30 km südl. von → Karthago, h. Oudna, mit vielen arch. Überresten (Triumphbogen, Tempel, Theater, Thermen, Amphitheater). Fraglich bleibt, ob U. identisch mit Adys (Pol. 1,30,5; [1. 89]) ist, wo 256 v. Chr. Karthager und Römer erstmals auf afrikan. Boden aufeinandertrafen. Caesar oder der nachmalige Augustus gründete in U. eine *colonia* für die Veteranen der 13. Legion. Punische Kulte des Saturnus und der Caelestis sind belegt [2. 297 f.]. Schon z. Z. des Tertullianus [2] (um 200) hatte U. einen Bischof (Tert. de monogamia 12,6). Inschr.: CIL VIII 1, 886; 3067; 2, 10521; CIL VIII Suppl. 1, 12400; Suppl. 4, 24011–24030; [3. 758–762]; AE 1969–1970, 633; 1987, 1063; 1989, 882.

1 F. W. WALBANK, A Historical Commentary on Polybius, Bd. 1, 1970 2 C. G. PICARD, Catalogue du Musée Alaoui. N. S. Bd. 1.1, o. J. 3 A. MERLIN (ed.), Inscriptions latines de la Tunisie, 1944.

AATun 050, Bl. 28, Nr. 48 · M. LEGLAY, Saturne africain (Monuments 1), 1961, 103.   W. HU.

Utica (Ἰτύκη/*Itýkē*). Stadt der Africa Proconsularis (→ Afrika [3]) an der Mündung des → Bagradas, 33 km nw von → Karthago, h. Henchir Bou Chateur, mit bedeutenden arch. Überresten (u. a. Mosaiken in Privathäusern); die älteste phoinik. Kolonie auf tunesischem Boden (Ps.-Aristot. mir. 134, = 844 a; Vell. 1,2,3; Mela 1,3,4; Plin. nat. 5,76; 16,216; Sil. 3,241 f.; Iust. 18,4,2; Steph. Byz. s. v. Ἰτύκη; [1. 35]). Der phoinik. bzw. punische Name der Stadt ist unbekannt; doch spricht das Iota im griech. überl. Namen für eine Bildung von pun. *ʿj* (»Insel«). Die ältesten Funde der Stadt stammen aus dem 8. Jh. v. Chr. [2. 367 f.]; doch dürften phoinik. Händler und Kolonisten bereits um 1000 v. Chr. mit

Bewohnern dieser Gegend in Kontakt getreten sein. Spätestens im 4. Jh. v. Chr. verlor U. gegenüber → Karthago die Eigenständigkeit (Ps.-Skyl. 111); doch behielt die Stadt einen gewissen Ehrenvorrang vor den anderen pun. Städten Nordafrikas (Pol. 3,24,1; 3,24,3; 7,9,5; 7,9,7). 307 v. Chr. eroberte Agathokles [2] die Stadt ein zweites Mal, nachdem er sie bereits zu einem früheren Zeitpunkt in seine Gewalt gebracht hatte (Pol. 1,82,8; Diod. 20,54,2–55,3). Während des 2. → Punischen Kriegs hielt U. zu Karthago.

Vor dem Ausbruch des 3. Punischen Kriegs trat U. auf röm. Seite über und wurde daher nach dem Krieg nicht nur in den Rang eines »freien Volks« erhoben (CIL I² 585,79; App. Lib. 135,640), sondern auch Sitz des röm. Statthalters der neuen Prov. Africa. 36 v. Chr. gab der nachmalige Augustus U. das röm. Bürgerrecht (Cass. Dio 49,16,1). Unter → Hadrianus *colonia Iulia Aelia Hadriana Augusta* (CIL VIII 1, 1181), unter → Septimius [II 7] Severus oder seinen Nachfolgern erhielt U. das *ius Italicum*. Aus phoinik. und pun. Zeit ist bezeugt, daß auch in U. → Baal Hammon das *molk*-Opfer (vgl. → Moloch) dargebracht wurde. In U. beging M. → Porcius [I 7] Cato (»Cato Uticensis«) im April 46 v. Chr. Selbstmord (→ Caesar C.).

Inschriften: CIL VIII 1, 1178–1203; Suppl. 1, 14309–14330; Suppl. 4, 25378–25411; 25438; [3. 1170–1179]; AE 1969–1970, 633; 1987, 1063; 1989, 882; 893.

1 HUSS 2 G. BUNNENS, L'expansion phénicienne en Mediterranée, 1979 3 A. MERLIN (ed.), Inscriptions latines de la Tunisie, 1944.

AATun 050, Bl. 7, Nr. 148 · M. A. ALEXANDER et al., Utique (Corpus des Mosaïques de Tunisie I 1–3), 1973–1976 · S. M. CECCHINI, s. v. Utique, DCPP, 489 · P. CINTAS, Deux campagnes de fouilles à Utique, in: Karthago 2, 1951, 1–122 · Ders., Nouvelles recherches à Utique, in: Karthago 5, 1954, 89–154, Abb. 1–80 · E. COLOZIER, Nouvelles fouilles à Utique, in: ebd., 155–161 · J. DESANGES (ed.), Pline l'Ancien, Histoire Naturelle (Livre 5, 1–46), 1980, 214–216 (mit Komm.) · J. KOLENDO, Le cirque, l'amphithéâtre et le théâtre d'Utique d'après la description d'A. Daux, in: A. MASTINO (Hrsg.), L'Africa romana (Atti del 6 convegno di studio I), 1989, 249–264 · C. LEPELLEY, Les cités de l'Afrique romaine, Bd. 2, 1981, 241–244 · A. LÉZINE, Utique. Notes de topographie, in: R. CHEVALLIER (Hrsg.), Mélanges d'archéologie et d'histoire offerts à A. Piganiol, Bd. 3, 1966, 1241–1255 · Ders., Carthage, Utique, 1968 · Ders., Utique, 1970 · Ders., Utique, Note d'archéologie punique, in: AntAfr 5, 1971, 87–93 · G. POMA, Un appello agli schiavi ad U. e il ruolo della provincia d'Africa negli anni della lotta tra Mario e Sulla, in: AntAfr 17, 1981, 21–35 · F. REYNIERS, Port à Utique, 1952 · G. VILLE, s. v. U., RE Suppl. 9, 1869–1894.
W. HU.

Utilitas publica (»Gemeinwohl, Gemeinnutzen«). Begriff aus dem Bereich der röm. Staatstheorie und -philosophie. In der lat. Lit. taucht *u. p.* zuerst bei → Cicero auf (Cic. off. 3,47; vgl. Cic. Sest. 91), der allerdings häufiger Wortpaare wie *utilitas rei publicae* oder *utilitas communis* verwendet [7]. Aufbauend auf die → politische

Philosophie von → Platon [1], → Aristoteles [6] und des → Stoizismus definiert Cicero in seiner Konzeption vom Gemeinwohl den Staat als naturbedingten Zusammenschluß von Menschen, die in der Anerkennung des Rechts und der Gemeinsamkeit des Nutzens verbunden sind (Cic. rep. 1,39: *coetus multitudinis iuris consensu et utilitatis communione sociatus*). Recht bzw. → Gerechtigkeit (*iustitia*) und der gemeinsame Nutzen sind aufeinander bezogen. Sie bilden den *optimus status rei publicae* (»beste Verfassung des Staates«, → *status* [3]). In einer auf Gerechtigkeit ausgerichteten Rechtsordnung sind daher die Vertreter der Führungsschicht aufgefordert, für die *u.p.* unbedingt Sorge zu tragen. Sinn und Zweck der Gesetzgebung ist das Gemeinwohl (Cic. leg. 3,8: *salus populi suprema lex esto*); *u.p.* und Individualinteresse sind im Idealfall kongruent (Cic. off. 3,101) [1; 7]. Röm. *principes* von → Augustus bis → Iustinianus [1] waren im allg. dem ciceronianischen Utilitätsgedanken verpflichtet [8; 5]. Allerdings findet sich schon bei Tacitus (bes. Tac. ann. 14,44,4) der Primat des Gemeinwohls, der auch ohne Rücksicht auf das Recht durchgesetzt wird (»Staatsraison«, [8; 5]; vgl. aber [7]).

Im röm. Recht diente die Berufung auf *u.p.* als Argument, mit dem öffentliche Belange begründet werden sollten, etwa bei Gefahrenprävention, Getreideversorgung oder fiskalischen Interessen [2]. In spätant. Texten kommt Berufung auf das Gemeinwohl häufiger vor [8]. Ende des 3. Jh. n. Chr. findet sich *u.p.* erstmals als Personifikation [9].

1 P. HIBST, U.p.: Gemeiner Nutz – Gemeinwohl, 1991 2 TH. HONSELL, Gemeinwohl und öffentliches Interesse im klass. röm. Recht, in: ZRG 95, 1978, 93–137 3 TH. MAYER-MALY, Gemeinwohl und necessitas, in: H.-J. BECKER (Hrsg.), Rechtsgesch. als Kulturgesch., FS A. Erler, 1976, 135–145 4 G. LONGO, U.p., in: Labeo 18, 1972, 7–71 5 TH. MAYER-MALY, Gemeinwohl und Naturrecht bei Cicero (1960), in: K. BÜCHNER (Hrsg.), Das neue Cicerobild, 1971, 371–387 6 U. LEPTIEN, Utilitatis causa. Zweckmäßigkeitsentscheidungen im röm. Recht., Diss. Freiburg i.Br. 1967 7 J. GAUDEMET, U.p. en bas empire, in: Rev. historique de droit français et étranger 29, 1951, 465–499 8 A. STEINWENTER, U.p. – utilitas singulorum, in: FS P. Koschaker 1939, 1, 84–102 9 M. DENNERT, s.v. u.p., in: LIMC 8.1, 1997, 171.   L. d. L.

Utioi (Οὔτιοι, bei Herodot 3,93 und 7,68) und Yutica/ Yutiyâ (mittelpersisch, in der Dareios-Inschrift von → Bisutun 40,23), als persischer Stamm in der 14. Satrapie genannt. Das Aufgebot der U. im Heer des Xerxes stand unter dem Befehl des Arsamenes, eines Sohnes des Dareios [1] I. Das Siedlungsgebiet wird in → Karmania vermutet.

H. TREIDLER, s. v. U., RE 9 A, 1185–1187 · R. BORGER, W. HINZ, Die Behistun-Inschr. Darius' des Gr., in: Dies., W. H. PH. RÖMER, in: TUAT 1.4, 1984, 419–450.   B. B.

Utman ('Uṯmān ben 'Affān; Οὐθμάν; pers.-türk. Osman). Dritter der vier »rechtgeleiteten« → Kalifen (644–655 n. Chr.). Nach der glanzvollen Herrschaft seines Vorgängers → Omar, dessen (Expansions-)Politik er fortführte, erntete U. eher Vorwürfe und Unzufriedenheit, u. a. wegen Nepotismus. Auch seine Zusammenstellung der göttlichen Offenbarungen zu ihrer endgültigen kanonischen Rezension (→ Koran), ein Schachzug zur Stärkung der Zentralgewalt, wurde in der Durchführung heftig kritisiert. Ungeklärte Geschehnisse nach der Niederschlagung einer ägypt. Revolte lieferten nur den äußeren Anlaß für sein gewaltsames Ende.

→ Abu Bakr; Ali; Islam

G. LEVI DELLA VIDA-[R. G. KHOURY], s. v. 'Uṯmān, EI 10, 2001.   H. SCHÖ.

Utopie   A. NAME UND BEGRIFF
B. BELEGE ANTIKER UTOPISCHER VORSTELLUNGEN
C. KATEGORIEN

A. NAME UND BEGRIFF

Obschon utopische (= ut.) Vorstellungen der klass. Ant. durchaus geläufig waren, wurde der Begriff erst in der Humanistenzeit (→ HUMANISMUS) geprägt: als Titel des h. berühmtesten neu-lat. Buches, der *Utopia* des Thomas MORUS (1516). Mit dem Wort »U.« wird h. dreierlei bezeichnet: a) das Werk des Morus; b) eine an dieses anschließende Roman-Gattung; c) eine darin entwickelte experimentelle Gedankenfigur, welche in phantasiereicher Vorwegnahme durch glückliche Gegenbilder verschiedene schmerzlich empfundene Beeinträchtigungen aufhebt, seien diese natürlicher Herkunft (wie Krankheit, Tod, Hunger, Durst, Hitze, Kälte, Entfernung usw.) oder gesellschaftlichen Ursprungs (wie Ausbeutung, Unterdrückung, Ausgrenzung, Ungerechtigkeiten gegenüber Individuen, Klassen, Rassen und dergleichen). So berührt sich die U. mit dem ant. *locus amoenus*. Das (nicht korrekt gebildete) »griech.« Wort *Utopia* (das urspr. bei Morus »lat.« *Nusquama* hatte heißen sollen) ist doppeldeutig gemeint: es soll einen τόπος/*tópos* (»Ort«) benennen, der in der Vorsilbe gleichzeitig als »nicht« existent (οὐ-/*u-*) und dazu als »angenehm« (εὐ/*eu*: Aussprache wie in engl. *Europe*) zu verstehen ist: also einen »Nicht-Ort« oder »Gut-Ort«. Dabei kann die Distanz zur postulierten Glücksgemeinschaft räumlich oder zeitlich gesehen werden; sie erscheint als weit entfernte Insel oder als weit zurückliegende Urzeit bzw. fernste Zukunft. Wunschräume stehen Wunschzeiten gegenüber.

B. BELEGE ANTIKER UTOPISCHER VORSTELLUNGEN

Bereits bei Homeros [1] finden sich irreale Glücksvorstellungen, so die Gärten der → Hesperiden, das → Elysion, die Inseln der Seligen (→ *Makárōn nḗsoi*). Auch das Phäakenidyll (→ Phaiakes) weist ut. Züge auf: Schiffe schnell wie der Wind oder gar wie der Gedanke, die wunderbar ihren Kurs von selbst finden (Hom. Od. 7,36; 8,557–563). Ebenso zeigt die griech. Myth. manche Züge der U.: die Flügelschuhe des Hermes, Roboter und Automaten bei Hephaistos (Hom. Il. 18,373–377; 417–420), desgleichen auch die Legende von der

Luftfahrt Alexandros' [4] d.Gr. im Greifenwagen. Das Goldene → Zeitalter wird bei Hesiodos als Epoche der Glückseligkeit dargestellt, wo ein jeder am allg. Wohlbefinden teilhat und allen alle Übel fernbleiben (Hes. erg. 109–120).

In den Staatsentwürfen der griech. Philosophen (vgl. → Politische Philosophie) wird versucht, die ideale Form der Bürgergemeinschaft (arístē → politeía) zu planen: → Phaleas von Kalchedon, → Hippodamos von Milet, → Platon [1] (Politeía und Nómoi), → Aristoteles [6] (Politiká, bes. B. 2). In der attischen Alten → Komödie werden ganz schlaraffenlandartige Zustände des Überflusses ausgemalt (bei Athen. 6,276ff.), in Texten der → Populärphilosophie (z.B. → Krates [5] von Mallos bei Diog. Laert. 6,85) metaphorische Seligkeiten (z.B. ungestörtes Leben oder Freizügigkeit) dargestellt. Im antiken → Roman (bes. bei → Theopompos [3], → Iambulos, → Hekataios [4], → Euhemeros) erscheinen Visionen von teils realistischen, teils phantastischen Glücksvorstellungen [6].

Am bekanntesten ist heute → Platons Darstellung des Lebens auf der mythischen Insel Atlantis (Plat. Tim. 21d–25c; Plat. Krit. 109a–121c; → ATLANTIS). Hier werden Uratlantis und Urathen einander gegenübergestellt. Die größte Leistung, die Athen je vollbrachte, war die 9000 Jahre zurückliegende Abwehr des Ansturms einer gewaltigen auswärtigen Macht: der Insel Atlantis aus dem Ozean (→ Ōkéanos), die den Mittelmeerraum erobern wollte. Beide Mächte gingen hernach durch Naturkatastrophen unter. Die Bewohner von Atlantis waren die Kinder des Poseidon und einer Sterblichen, regiert von König Atlas und seinen Nachkommen. Die Insel brachte alle Früchte im Lichte der Sonne hervor, schön und in unendlicher Fülle. Als im Laufe der Generationen der sterbliche Anteil in ihnen den göttlichen zurückdrängte, verloren sie ihre moralischen Vorzüge und auch die Gunst des Zeus. In der myth. Abwehrleistung Athens mögen die histor. Perserkriege ein Jh. vor Platons Niederschrift verbildlicht sein. Die Identifizierung der untergegangenen Insel ist viel versucht und nie sicher erreicht worden. Gegensätzliche Vorschläge (der Mittelatlantische Rücken; die Azoren; Tartessos in Spanien; Troia; Thera; Helgoland; das Bermuda-Dreieck; Sibirien) blieben unergiebig.

C. KATEGORIEN

Während die ant. Dichter meist nur U.-Beschreibungen vorlegen, bieten ant. Philosophen Entwürfe zu ihrer Verwirklung an (»deskriptive« oder »evasive« gegenüber »konstruktiven« U.; [7; 8]). Mit der positiven Glücksvorstellung (»Eutopia«) kontrastiert die warnende, negative bzw. »apotropäische« U. (»Kakotopia«, »Dystopia«; »Anti-Utopie«). Neben dem Gegensatz von Raum- (z.B. Inseln der Seligen) und Zeit-U. (z.B. Goldene Zeit) – die letztere unterteilt in Zukunftsvisionen und Vergangenheitsvorstellungen –, steht der Gegensatz von Korrekturen der natürlichen bzw. der gesellschaftlichen Wirklichkeit (phýsis – nómos). Das »ant.« U.-Modell (vor der industriellen Revolution) unterscheidet

sich von der »mod.« durch drei Gegensätze [2]: a) statisch vs. dynamisch (= asketisch vs. wunscherfüllend); b) begrenzt vs. weltweit; c) hierarchisch vs. egalitär. Als erste »mod.« U. gilt F. BACONS Nova Atlantis (1624). → Fortschrittsgedanke; Gerechtigkeit; Glück; Kulturentstehungstheorien; Okeanos; Paradies; Politische Philosophie; Roman; Verfassungstheorie; Zeit; ATLANTIS; UTOPIE

1 E. BLOCH, Gesamtausgabe, 1959ff. (darin: Geist der U.; Das Prinzip Hoffnung; Erbschaft dieser Zeit) 2 M. I. FINLEY, Utopianism Ancient and Modern, in: K. H. WOLF, B. MOORE (Hrsg.), The Critical Spirit. FS H. Marcuse, 1967, 3–20 (Ndr. in: Ders., The Use and Abuse of History, 1975, 178–192) 3 H. FUNKE (Hrsg.), U. und Trad., 1987 4 H. GNÜG, Lit. U.-Entwürfe, 1982 5 L. HÖLSCHER, U., in: W. CONZE, R. KOSELLECK (Hrsg.), Gesch. Grundbegriffe, Bd. 6, 1990, 733–788 6 B. KYTZLER, Zum utopischen Roman der Ant., in: Groningen Colloquia on the Novel 1, 1988, 7–16 7 Ders., U. Antik – Modern – Postmodern, in: R. FABER, B. KYTZLER (Hrsg.), Ant. heute, 1992, 238–248 8 F. E. und F. P. MANUEL, Utopian Thought in the Western World, 1979 9 M. NEUGEBAUER-WÖLK, R. SAAGE, Die Politisierung des Utopischen im 18. Jh., 1996 10 R. SAAGE, Das Ende der polit. U.?, 1990 11 J. STRASSER, Leben ohne U.?, 1990 12 E. SURTZ, S. J. und J. H. HEXTER (ed.), Th. Morus, Utopia, 1965 (Text und Komm.) 13 R. TROUSSON, Voyages aux pays de nulle part, ²1979 14 W. VOSSKAMP (Hrsg.), U.forsch., Bd. 1–3, 1982 15 M. WINTER, Compendium Utopiarum. Typologie und Bibliographie lit. Utopien, 1978. B. KY.

Uxellodunum

[1] Oppidum im Gebiet der → Cadurci (Caes. Gall. 8,32,2) in → Aquitania, von Caesar 51 v.Chr. erobert (Caes. Gall. 8,39–44). Die Lokalisierung von U. ist zw. folgenden Orten strittig: l'Impernal de Luzech [2. 109–111], le Puy d'Issolu bei Vayrac [2. 133–136], Murcens-Cras [1], Capdenac.

1 O. BUCHSENSCHUTZ, G. MERCADIER, Recherche sur l'oppidum de Murcens-Cras, in: Aquitania 7, 1989, 25–51 2 M. I. LABROUSSE, G. MERCADIER, Carte archéologique de la Gaule, 1990. J.-M. DE./Ü: E. N.

[2] (Uxelodu(n)um). Röm. Kastell beim h. Stanwix (Cumbria), wohl Kommandozentrale für den Hadrianswall (→ Limes II.; [1. 483; 2. 205]), wo im 4. Jh. n.Chr. die ala Augusta Gallorum Petriana milliaria stationiert war.

1 RIVET/SMITH 2 E. BIRLEY, Research on Hadrian's Wall, 1961.

D. J. BREEZE, B. DOBSON, Hadrian's Wall, ³1987 • TIR N 30, O 30 Britannia Septentrionalis, 1987, 72. M. TO./Ü: I. S.

Uxii.

Iranischer Stamm, der bei Diod. 17,67, Curt. 5,3,1–15, Arr. an. 3,17, Strab. 16,1,16–18 und Plin. nat. 6,133 genannt wird. Er wird in den Berichten über den Alexanderzug unter den Bewohnern von Ḥuzestān (Iran) erwähnt.

H. TREIDLER, s.v. U., RE 9 A, 1313–1319. B. B.

V

V (sprachwissenschaftlich). Konsonantisches ṷ wird im Lat. durch denselben Buchstaben wie /u/ bezeichnet (die mod. Laut-Graphem-Zuordnung hat sich erst seit Petrus Ramus (*1515) durchgesetzt [1. 9]), im Griech. dort, wo es noch erh. ist (Peloponnes, Nord- und Mittelgriechenland [2. 224]), durch → Digamma. Bis ins 1. Jh. v. Chr. wurde lat. /ṷ/ bilabial gesprochen, seither ist frikative Aussprache /ß/ bezeugt, die oft zu orthographischen Verwechslungen mit B führt (CIL IV 4874 BALIAT ~ *valeat*) [3. 41; 1. 139]. Im Griech. ist ṷ < uridg. ṷ noch lange bewahrt im Arkadischen, Boiotischen, Thessalischen und Kretischen (thess. Ϝοῖκος ~ att. οἶκος »Haus«, lat. *vīcus* < uridg. *ṷói̯ko-), vereinzelt bis in mod. Dial. (tsakon. βαννί »Lamm« < *Ϝαρνίον) [2. 224 f.], ansonsten (im Inlaut außerhalb des Att. ggf. mit Ersatzdehnung) geschwunden (att. κόρη »Mädchen« ~ ion. κούρη ~ arkad. κόρϜα) [4. 56]. Im Lat. entsteht ṷ außer aus uridg. ṷ (s. o. *vīcus*) auch aus *g*ʷ (*venio* »komme« zur Wz. *g*ʷ*em-*) [1. 131, 150].
→ Digamma

1 LEUMANN 2 SCHWYZER, Gramm. 3 W. ALLEN, Vox Latina, 1965 4 RIX, HGG.   GE. ME.

Vaballathus. L. Iulius Aurelius Septimius V. Athenodorus, Sohn des → Odaenathus [2] und der → Zenobia, vielleicht mit dem in der *Historia Augusta* erwähnten → Timolaos [5] identisch (SHA Gall. 13,2; SHA trig. tyr. 15,2 u. ö.; vgl. aber SHA Aur. 38,1). Er war bei der Ermordung seines Vaters (267 n. Chr.) noch ein Kind, so daß seine Laufbahn von Zenobia gesteuert wurde: V. erscheint nach 267 als *rex regum* und *corrector totius orientis* (CIS II 3971), wurde später *imperator* und *dux Romanorum* [1] und im Frühjahr 272 Augustus (ILS 8924). Mz. aus Alexandreia, die sowohl → Aurelianus [3] als auch V. zeigen, sind nicht als vorübergehende Anerkennung des V. durch Aurelianus zu deuten, sondern belegen eher Zenobias Werben um diese. V. geriet 272 in die Gefangenschaft des Aurelianus und überlebte die Reise nach Rom (Zos. 1,59). PLRE 1, 122.
→ Palmyra

1 T. BAUZOU, Deux milliaires inédits de Vaballath en Jordaine du nord, in: P. FREEMAN, D. KENNEDY (Hrsg.), The Defence of the Roman and Byzantine East, 1986, 1–8.

U. HARTMANN, Das palmyrenische Teilreich, 2001.
          M. SCH.

Vacalus (h. Waal). Der langsam fließende (Tac. ann. 2,6,3 f.) linke Mündungsarm des Rhenus [2] (h. Rhein); er nimmt den → Mosa [1] (h. Maas) auf und bildet so die *insula Batavorum* (Caes. Gall. 4,10,2; Tac. ann. 2,6: Vahalis; Serv. Aen. 8,727: Vahal) sowie den *Rhenus bicornis* (»mit zwei Hörnern«; vgl. Verg. Aen. 8,727).

P. GOESSLER, s. v. V., RE 7 A, 2018–2024.   RA. WI.

Vacantes. Röm. Titularbeamte (wie *honorarii*), führten also einen Amtstitel, ohne das betreffende Amt je bekleidet zu haben. Sie erhielten den Titel meist bei ihrem Ausscheiden aus dem aktiven Dienst und durften die Schärpe (*cingulum*) anlegen, was den *honorarii* nicht zustand. Den tatsächlichen Amtsträgern standen *v.* im Rang nach.   K. G.-A.

Vacantia bona. Der erbenlose Nachlaß (→ *bona*). In der Republik hatten die Angehörigen der → *gens* eines Verstorbenen ein Aneignungsrecht (Gai. inst. 3,17); wenn sie es nicht ausübten, konnte jeder den Nachlaß in Besitz nehmen und durch → *usucapio* (»Ersitzung«) erwerben (Gai. inst. 2,52–58). War in einem Testament (→ *testamentum*) ein Erbe eingesetzt, dieser aber weggefallen, war das Testament mit allen seinen Verfügungen unwirksam. Seit der → *lex Iulia et Papia* (18/9 v. Chr.) fielen die *v. b.* als → *caducum* (»Verfallenes«) an den Staat, der auch die testamentarischen Verfügungen erfüllte. War der Nachlaß überschuldet, fand ein Konkursverfahren statt (vgl. → *missio* [2]). Seit der Spätant. gab es Sonderberechtigungen, die *v. b.* zu erwerben (z. B. der mil. Einheit für die *v. b.* ihrer Soldaten).

R. ASTOLFI, La lex Iulia et Papia, ³1995, 291–298 · HONSELL/MAYER-MALY/SELB, 441 · KASER, RPR, Bd. 1, 103 f.; Bd. 2, 510; 723 · P. VOCI, Diritto ereditario romano 2, ²1963, 59–60.   U. M.

Vacatio. Allg. lat. »Freisein« von etwas (z. B. eines Sklaven von Arbeit, Colum. 1,8,19), insbes. die Entbindung von Pflichten (oder ein dafür geleistetes Entgelt, Tac. hist. 1,46). In der Juristensprache findet man *v.* u. a. für die Befreiung von der Übernahme einer → *cura* [2] oder → *tutela* (Pflegschaft oder Vormundschaft, s. → *excusatio*) und für die Freistellung von öffentlich-rechtlichen Verpflichtungen, wie den in der Spätant. häufigen Zwangsdiensten und Abgaben (→ *munus*) oder dem Militärdienst.

Die *v.* von *munera* wurde aus unterschiedlichen Gründen gewährt (Dig. 50,4 ff.; Cod. Iust. 10,41 ff.). Sie stand beispielsweise Veteranen, bestimmten Lehrern oder Personen zu, die mit der Getreideversorgung Roms (→ *cura annonae*) befaßt waren ([5. 45 ff.; 2. 81 ff.; weitere Fälle bei [3. 426–429]). Wer trotz Gründen für eine *v.* mit einem *munus* belastet wurde, konnte innerhalb einer Frist an den → *praes provinciae* (Provinzvorsteher) appellieren.

Die individuelle Befreiung vom Heeresdienst (*v. militiae*) lag, sofern nicht ein gesetzlicher Befreiungsgrund eingriff, im alleinigen Ermessen des Beamten bei der Musterung (*dilectus*; → Truppenaushebung) [4. 241–244]. Gesetzliche Gründe waren z. B. die Vollendung des 46. Lebensjahres, die Ableistung der vorgesehenen Dienstjahre oder wichtige öffentliche Aufgaben. Eine generelle *v. militae* genossen die Bewohner von röm. Bürgerkolonien.

Im Militärwesen war *v. munerum* (1) die Entbindung eines Soldaten von den allg. Dienstpflichten für Spezialaufgaben (Tarruntenus Paternus Dig. 50,6,7; seit dem 2. Jh. n. Chr. hießen solche Soldaten *immunes*) [6. 75f.]; (2) eine allg. Dienstfreistellung bzw. Urlaub, der durch Bestechung der Centurionen erkauft wurde; mit Otho (69 n. Chr.; Tac. hist. 1,46) beginnend übernahmen die Kaiser die Zahlungen, um die Moral und Loyalität der Soldaten zu steigern [6. 108].

Ebenfalls *v.* genannt wurden die Fristen zur Wiederverheiratung einer → Witwe oder einer geschiedenen Frau. Diese betrugen nach der *lex Iulia (de maritandis ordinibus,* »über den Ehestand«) urspr. 1 Jahr bzw. 6 Monate; die *lex Papia Poppaea* verlängerte sie um jeweils 1 Jahr (Ulp. reg. 14; → Ehe III.) [1. 84f.].

→ Heerwesen III.; Immunitas

1 R. Astolfi, La lex Iulia et Papia, ³1995 2 E. Höbenreich, Annona, 1997 3 Liebenam 4 Mommsen, Staatsrecht, Bd. 3 5 B. Sirks, Food for Rome, 1991 6 G. R. Watson, The Roman Soldier, 1969.   R. GA.

Vacca. Erst seit dem 12. Jh. finden sich in der Erklärung des Dichters → Lucanus [1] Spuren eines V. als *expositor Lucani.* Für die ihm zugeschriebenen Schol. sind ma. Erweiterungen des älteren Bestandes charakteristisch. V. kann also – ähnlich wie Cornutus bei Phocas, Persius und Iuvenalis (vgl. Cornutus [4]) – weder als ant. Kommentator Lucans noch als Verf. der den *Adnotationes super Lucanum* voranstehenden *Vita* gelten ([1; 2]; dagegen [3]); es dürfte sich um eine ma. Mystifikation handeln.

1 V. Ussani, Per l'edizione Teubneriana delle Adnotationes super Lucanum, in: RFIC 39, 1911, 258–262 2 P. Wessner, in: Bursians Jb. 188, 1921, 224f. 3 B. M. Marti, V. in Lucanum, in: Speculum 25, 1950, 198–214.   P. L. S.

Vaccaei (Οὐακκαῖοι/ *Uakkaîoi*). Keltischer Stamm im Tal des mittleren → Durius/Duero (Ptol. 2,6,50; Strab. 3,4,12f.: hier mit den → Celtiberi gleichgesetzt; Pol. 3,14,1) mit dem Hauptort → Palantia (h. Palencia); in ihrem Gebiet lagen außerdem Intercatia (h. Aguilar de Campos?) und → Cauca (Ptol. 2,6,50; Plin. nat. 3,26 kennt 17 Gemeinden). Die V. wanderten wohl im 6. Jh. v. Chr. in die spanische Halbinsel ein, wo sie seit dem 3. Jh. v. Chr. unter iberischen Einfluß gerieten. Erstmals lit. erwähnt werden sie mit ihren Städten Helmantica (h. Salamanca) und → Arbucale im Zusammenhang einer Expedition, die Hannibal [4] 221/0 v. Chr. zu ihren Siedlungsgebieten unternahm, wohl um die Getreidezufuhr für seine Truppen bei → Saguntum sicherzustellen (Pol. 3,14; Liv. 21,5,5f.). In den Kriegen der Celtiberi und → Lusitani gegen Rom spielten die V. eine wichtige Rolle: 193 v. Chr. kämpften sie gegen C. Flaminius [2] (Liv. 35,7,8), 179 v. Chr. gegen L. Postumius [I 6] Albinus (Liv. 40,50,6). Sie leisteten 151 v. Chr. dem röm. Consul Licinius [I 24] Lucullus Widerstand (App. Ib. 53f.) und waren gegen Rom 143 v. Chr. mit → Vi-

riatus (App. Ib. 76; 80; 87f.), 135–133 v. Chr. mit → Numantia (App. Ib. 83; 88) und 74 v. Chr. mit → Sertorius (App. civ. 1,112) verbündet. Nach weiteren Kämpfen gegen Rom in den J. 55 und 29 v. Chr. (Cass. Dio 39,54; 51,20,5) waren sie schließlich befriedet. Sie gehörten zum *conventus* von → Clunia (Plin. nat. 3,26). Im Gebiet der V. gab es reiches Getreideland, das gemeinschaftlich bearbeitet und dessen Ertrag gleichmäßig verteilt wurde (Diod. 5,34,3).

F. Wattenberg, La región vaccea, 1959 · Tovar 3, 98–103 · TIR K 30 Madrid, 1993, 230.   R. ST.

Vaccho (auch Wacho, Waccho, Vaces). König der → Langobardi, ermordete seinen Onkel Tato, vertrieb seinen Cousin Ildichis und suchte durch Heiratspolitik eine Verbindung zu den Thüringern, Gepiden und Herulern. Mit Byzanz verbündet, lehnte er es 539 n. Chr. ab, → Vitigis zu unterstützen. V. starb kurz darauf. (Paulus Diaconus, Historia Langobardorum 1,21; Prok. BG 2,22,11–12).

J. Jarnut, Gesch. der Langobarden, 1982, 20–22 · PLRE 3, 1350.   WE. LÜ.

Vacuna. Gottheit, deren Verehrung offenbar auf die ländlichen Gebiete des Sabinerlands, v. a. entlang der Via Salaria, beschränkt war (Hor. epist. 1,10,49; ILS 3484–3486; 9248; → Sabini). Laut Varro entspricht V. der röm. → Victoria (Varro, Antiquitates rerum divinarum fr. 1 Cardauns); dies macht die Identifizierung eines Kultzentrums der V. bei den auch für ihre Heilkraft bekannten Aquae (I.) Cutiliae wahrscheinlich, das jedoch nicht mit den bei Plinius erwähnten *nemora Vacunae* gleichzusetzen ist (Dion. Hal. ant. 1,15; Plin. nat. 3,109; [1. 83–93]). Die ant. etym. Herleitung von *vacuus* bzw. *vacare,* »leer, frei (sein)«, ist in der Forsch. strittig, für die Spekulation der Antiquare über die Identität der Gottheit (insgesamt sechs verschiedene *interpretationes Romanae,* → interpretatio II.) aber zentral (schol. Hor. l.c.; [2; 3]). Ovid erwähnt V. als Beispiel für eine alte Kultpraxis (Ov. fast. 6,305f.).

1 E. C. Evans, The Cults of Sabine Territory, 1939 2 G. Dumézil, V., in: J. Bergman (Hrsg.), Ex orbe religionum, Bd. 1, 1972, 307–311 3 Radke, 305f.   G. DI.

Vacuum s. Nachträge in Band 12/2

Vada. Röm. Auxiliarkastell, dessen genaue Lage unbekannt ist; wohl am linken Ufer des → Vacalus (h. Waal). Der Name läßt auf eine Furt schließen. Während des → Bataveraufstands wurde V. 70/1 n. Chr. von → Iulius [II 43] Civilis angegriffen und von Q. → Petillius [II 1] Cerialis erfolgreich entsetzt. Zu angeblichen inschr. Nennungen von V. vgl. [1].

1 H. Nesselhauf, Neue Inschr. aus dem röm. Germanien und den angrenzenden Gebieten, in: BRGK 27, 1938, 51–134, 119 Nr. 257.

P. Goessler, s. v. V., RE 7 A, 2043–2046.   RA. WI.

Vada Sabatia. Ursprünglich keltische (Steph. Byz. s. v. Σαββατία) Hafenstadt an der westligurischen Küste (Plin. nat. 3,48), schwer zugänglich, wo → Appenninus und → Alpes zusammentreffen (Cic. fam. 11,13,2); *statio*, wo die *via Iulia Augusta* (CIL V 8095; 8102) bzw. → *via Aurelia* (Itin. Anton. 295,2) von Westen auf die Küstenstraße, die *via Aemilia Scauri* (Strab. 5,1,11; Tab. Peut. 3,4), trifft; sumpfig gelegen (Strab. 4,6,1), h. Vado Ligure (bei Savona). In der röm. Kaiserzeit wohl → *municipium, tribus Stellatina* (vgl. [1. Nr. 3]) oder *Camilia* (CIL V 7779). Erstmals im Zusammenhang des röm. Bürgerkriegs 43 v. Chr. lit. erwähnt (Cic. fam. 11,10,2; 11,13,2). In V. S. besaß → Pertinax Landgüter (SHA Pert. 9,4; 13,4). Arch. Reste: zwei Nekropolen (auch christl. Gräber), Privatgebäude, Inschr., Statuen, Mz.

  1 G. MENNELLA, Regio IX, Liguria – V. S., in: Supplementa Italica 2, 1983, 197–214.

  G. FORNI (Hrsg.), Fontes Ligurum et Liguriae antiquae (Atti della Società Ligure 90), 1976, s. v. V. S. · N. LAMBOGLIA, Savona e Vado, in: Archeologia in Liguria 1: Scavi e scoperte 1967–1975, 1976 · A. BETTINI, I marmi di V. S., 1990.

                             R. PE./Ü: H. D.

Vada Volaterrana (h. Vada). Etr. Hafenstadt (Cic. Quinct. 6,24; Plin. nat. 3,5; 3,8; Rut. Nam. 1,453–462; Itin. maritimum 501,3 f.; Itin. Anton. 292,6; Tab. Peut. 4,2: Vada Volatera) seit dem 9. Jh. v. Chr. besiedelt am → Mare Tyrrhenum nw der Mündung des → Caecina [III 1]/Cecina. Das Hafenbecken lag zw. Punta Caletta und Punta del Tesorino. Reste sind in San Gaetano zu finden. In Poggetto Nekropolen, drei Thermen, Reste von *horrea* (Speichern) oder eines → *macellum* (1./2. Jh. n. Chr.) erh.

  P. GAMBOGI, M. PASQUINUCCI, V. e le problematiche storico-archeologiche della fascia costiera, in: Aspetti della cultura di Volterra etrusca (Atti del XIX Convegno di Studi Etruschi e Italici, Volterra 1995), 1997, 225–236 · M. PASQUINUCCI, S. MENCHELLI, V. V.: l'area archeologica in località S. Gaetano, 1995 · Dies., The Landscape and Economy of the Territories of Pisae and Volaterrae, in: Journal of Roman Archaeology 12, 1999, 122–141.

                          M. M. MO./Ü: H. D.

Vadimonium (wörtl. »Bürgenstellung«). Ein mittels einer → *stipulatio* vereinbartes Rechtsgeschäft, durch das sich eine Partei eines röm. Formularprozesses (→ Prozeßrecht IV.) dazu verpflichtete, sich zur Durchführung des Verfahrens zu einer bestimmten Zeit an einem bestimmten Ort einzufinden. Diese Selbstbindung löste die noch im Verfahren der → *legis actio* übliche Gestellung von Bürgen (*vades*) ab. Es wurden zwei Arten des *v.* unterschieden: Das freiwillige Ladungs-*v.* enthielt das (regelmäßig mit Geldbußen sanktionierte) Versprechen, zu einem letzten außergerichtlichen Vergleichsversuch in die Nähe der Gerichtsstätte zu kommen; scheiterte der Versuch, konnte der Gegner unmittelbar mit der → *vocatio in ius* vor den → *praetor* geladen werden. Das Verweisungs-*v.* war im praetorischen Edikt detailliert geregelt; für den Fall, daß ein Verfahren *in iure* (vor dem Praetor) nicht in einem Termin erledigt wurde oder daß eine Verweisung an ein anderes Gericht erfolgte, zwang der Magistrat den Beklagten zum Versprechen dieses *v.*, um dessen Erscheinen im neuen Termin sicherzustellen.

  M. KASER, K. HACKL, Das röm. Zivilprozeßrecht, ²1996, 226–231 · A. RODGER, V. to Rome (and Elsewhere), in: ZRG 114, 1997, 160–196.   C. PA.

Vadomarius

[1] (Ballomarius). König der → Marcomanni, verhandelte aus neutraler Position (?) gemeinsam mit Gesandten zehn weiterer Stämme 166 n. Chr. mit M. → Iallius Bassus, dem Statthalter von Oberpannonien, über einen Friedensschluß, nachdem angreifende Germanen eine Niederlage erlitten hatten (Cass. Dio, 71,3,1a = Petrus Patricius fr. 6 DE BOOR = Excerpta de legationibus 2,391 DE BOOR).

  P. KEHNE, s. v. Markomannenkrieg (Hist.), RGA 19, 2001, 308–316, bes. 312 (mit älterer Lit.).

[2] König der → Alamanni, dann röm. Offizier, ca. 354–371 n. Chr. 354 schloß → Constantius [2] mit V. Frieden, um ihn von Raubzügen nach Gallien abzuhalten (Amm. 14,10,1), stiftete ihn jedoch zu weiteren Angriffen an, um → Iulianus [11] in Gallien zu binden (Amm. 21,3,4–5). Trotz des Friedens mit Iulianus (359) kam es zur Gefangennahme des V. 361 und seiner Übernahme in röm. Dienst. 361–366 war V. *dux* in Phönizien (Amm. 21,3,5). 371 kämpfte er unter → Valens [2] gegen die Perser (Amm. 29,1,2).

  D. GEUENICH, Gesch. der Alamannen, 1997, 50–53 · PLRE 1, 928.   WE. LÜ.

Vaga. Stadt der Africa Proconsularis (→ Afrika [3]; vgl. Strab. 17,3,12; Plin. nat. 5,29) 35 km nördl. von → Thugga, h. Béja, mit einigen ant. Überresten (Stadtmauer, Basilika). Im 2. → Punischen Krieg stellte V. anscheinend Truppen für das karthagische Aufgebot (Sil. 3,259). Spätestens nach dem 3. Punischen Krieg fiel V. an → Massinissa. Während des Iugurthinischen Kriegs (→ Iugurtha) wurde V. von Caecilius [I 30] Metellus erobert (Sall. Iug. 29,4; 47,1; 66–69). Es war wohl Septimius [II 7] Severus, der V. zur *colonia* erhob (CIL VIII Suppl. 1, 14394). Einheimische Kulte hielten sich bis ins 3. Jh. n. Chr. Inschr.: CIL VIII 1, 1216–1256; 2, 10569; Suppl. 1, 14387–14425; Suppl. 4, 25472–25479; [1. 1225–1234]; AE 1973, 600; 1989, 881.

  1 A. MERLIN (ed.), Inscriptions latines de la Tunisie, 1944.

  AATun 050, Bl. 18, Nr. 128 · C. LEPELLEY, Les cités de l'Afrique romaine, Bd. 2, 1981, 228–230.   W. HU.

Vahram s. Wahram

Valamer. Ostgotenkönig, Bruder Theodemirs und Vidimirs, Onkel → Theoderichs [3] d. Gr., nahm an den Zügen → Attilas teil (Iord. Rom. 331; Iord. Get. 199), entzog sich aber nach 453 n. Chr. der hunnischen Herrschaft. Nach Ansiedlung in Pannonien (ca. 454) kämpften die Brüder 459–462 erfolgreich gegen Byzanz um bessere Vertragsbedingungen (→ Leo [4] I.). Um 468/9 fiel V. bei einem Angriff der Skiren (Iord. Get. 270 f.; 275 f.; [1. 265]). PLRE 2, 1135 f.

    1 H. WOLFRAM, Die Goten, ⁴2001, 259–265.   WE.LÜ.

Valcum (*Volgum*, h. Fenékpuszta). Station an der Straße von → Sopianis nach → Savaria am Westende des *lacus Pelso* (h. Plattensee; Itin. Anton. 233,3). Spätant. Festung mit zahlreichen ergrabenen Gebäuden, darunter das Palatium, ein Lagerhaus und eine Basilika.

    L. BARKÓCZI, s. v. V., PE 952 · E. TOTH, Zur Urbanisierung Pannoniens, in: Folia Archaeologica 37, 1986, 163–181.
    H. GR.

Valens

[1] Als Proconsul von Achaia ließ sich V. 261 n. Chr. in Makedonien zum Gegenkaiser des → Gallienus erheben. Er besiegte zwar den gegen ihn gesandten Piso (PIR² C 298), wurde jedoch bald darauf von seinen eigenen Soldaten ermordet (Aur. Vict. epit. Caes. 32,4; Amm. 21,16,10; SHA trig. tyr. 19; 21; SHA Gall. 2,2 f.).

    KIENAST² 227 · PIR V 7 · PLRE 1, 929 f.   T. F.

[2] Flavius Valens, oström. Kaiser 364–378; geb. 321 in Cibalae (Illyrien), niederer Herkunft, ohne tiefere Bildung, wurde er Soldat und ist unter → Iovianus als *protector domesticus* (Führer der Palastwache) bezeugt. Am 28.3.364 wurde er von seinem Bruder → Valentinianus [1] I. zum Augustus erhoben und kurz darauf bei der Teilung des Heeres und der Reichsverwaltung für die Präfektur *Oriens* mit Äg. und Thrakien zuständig. Ein Usurpationsversuch des → Prokopios [1], der sich als Sproß der constantinischen Dynastie präsentierte, blieb erfolglos; weitere ernsthafte Usurpationen unterblieben, doch lebte V. in ständiger Angst davor. Ein ziemlich genaues Bild seiner Regierungtätigkeit bieten narrative Quellen (→ Ammianus, → Zosimos, Kirchenhistoriker), die Reden des → Themistios, Gesetzestexte, Mz. und zahlreiche verstreute Zeugnisse.

Außenpolit. entstanden v. a. an zwei Fronten Konflikte: mit den Völkern an der Donau, insbes. den Terwingen (später Westgoten), und mit den Persern. Seit 367 führte V. den ersten »Gotenkrieg« im Gebiet der Feinde jenseits der Donau, die von → Athanarich geführt wurden, weil sie nicht nur Thrakien bedrohten, sondern auch Prokopios [1] unterstützten. V. konnte sich jedoch nicht durchsetzen und mußte 369 auf neutralem Gebiet (einem Donauschiff) mit Athanarich wie mit einem Gleichwertigen Frieden schließen. 376 überschritten von den Hunnen abgedrängte Terwingen mit Erlaubnis des V. die Donau; Versorgungsprobleme und fehlendes Geschick röm. Beamter führten zu einer Kri-

se, die in mil. Auseinandersetzungen mündete. Zwar erkannte V. die Schwere der Krise, konnte aber nur allmählich Verstärkung heranführen und verlor in der Entscheidung bei Hadrianopolis [3] (9.8.378) Schlacht und Leben. Die Terwingen setzten sich auf röm. Boden fest.

Gegenüber Persien mußte V. versuchen, die durch den Friedensschluß des → Iovianus eingetretenen Verluste auszugleichen, wobei er sich hauptsächlich in Armenien engagierte. In dem langdauernden Konflikt (369 bis 377) kam es kaum zu mil. Konfrontationen; als V. schließlich zum Krieg rüstete, zwang ihn die gotische Bedrohung zur Aufgabe dieser Pläne.

Die Innenpolitik war gekennzeichnet von pragmatischen Eingriffen, bes. zugunsten von *coloni* (→ *colonatus*) und *curiales* [2], sie sollte v. a. aber die Steuereinnahmen und Rekrutierungen sichern, ohne den Druck unerträglich werden zu lassen.

In der Religionspolitik führte sein starkes Mißtrauen gegenüber magischen Praktiken zu Maßnahmen, die als Verfolgung gedeutet werden konnten; doch blieb es Nichtchristen weiter möglich, nach ihrer rel. Überzeugung zu leben und auch in hohe Ämter zu gelangen ([3] mit [4]; → Toleranz). Die kirchliche Überl. machte V. zu einem energischen Vertreter der Homoier und Verfolger der Nicaener (→ Arianismus, → Nicaenum, → Trinität). Zwar sind seine Sympathien für die Homoier ebenso wie einzelne Verfolgungsmaßnahmen unbestritten, doch ließ seine zumeist differenzierte Politik etwa in Kappadokien oder Äg. auch eine Blüte des Nicaenertums zu (grundlegend [1]).

Die geringen außenpolit. Erfolge und die Schwäche der Persönlichkeit des V. stellten die Panegyrik vor merkliche Probleme; Themistios meisterte sie souverän, indem er den Kompromißfrieden mit den Goten als Ausdruck kaiserlicher Philanthropie deutete und in der Herkunft des V. die Kenntnis der unteren Schichten garantiert sah. Die scheinbar niederschmetternde Bilanz seiner Herrschaft hat bisher jeden Versuch einer Aufwertung des V. verhindert, obgleich seine pragmatisch orientierte Regierung eine differenzierende Behandlung verdiente. PLRE 1, 930 f.

    1 H. C. BRENNECKE, Stud. zur Gesch. der Homöer, 1988 2 U. WANKE, Die Gotenkriege des V., 1990 3 F. J. WIEBE, Kaiser V. und die heidnische Opposition, 1995 4 H. LEPPIN, Rez. zu [3], in: Gnomon 71, 1999, 82–84.
    H. L.

[3] Bischof von Mursa (h. Osijek, Kroatien), trat 335 in Tyros gegen → Athanasios auf, begleitete Anf. 336 → Constantinus [1] nach Konstantinopel. Zusammen mit Ursacius von Singidunum (h. Belgrad) war er ein wichtiger Träger der arianischen Bewegung. Auf der Synode (Syn.) von Serdica verurteilt, bat V. auf der Syn. von Mailand (345) um Wiederaufnahme in die Kirche und wurde 347 wieder aufgenommen, war aber ab 352 erneut an Aktionen gegen Athanasios beteiligt. Vor der Schlacht bei Mursa (28.9.351) traf V. in einer Kirche vor der Stadt mit Kaiser → Constantius [2] II. zusammen und teilte ihm dann auch als erster seinen Sieg mit. Fortan war V. in der Umgebung des Kaisers und nahm an den Syn. von Arles (351) und Mailand (355) teil. Im Sommer 357 verfaßte er auf der Syn. von Sirmium die sog. Zweite Sirmische Formel. Obwohl er führend an der Syn. von Rimini (Mai 359) beteiligt war, wurde er erneut verurteilt und am 10.10.359 in Nike wieder aufgenommen. Er nahm an den Syn. in Konstantinopolis (359) und Singidunum (366) teil und starb nach 367. V. vertrat eine homöische Trinitätslehre (→ Trinität) in einfacher Form.

→ Arianismus

H.Ch. Brennecke, Studien zur Gesch. der Homöer, 1988.

[4] Als Arianer zum Bischof von Poetovio (Pettau, h. Ptuj in Slowenien) gewählt und nach einem kirchenpolit. Umschwung verjagt, ging V. vor 378 nach Mailand, wo er den dort im Exil lebenden → Ursinus traf. Die Synode von Aquileia (3.9.381) bat die Kaiser, V. in seine Heimat zurückzuschicken.

R. Egger, Röm. Ant. und frühes Christentum, Bd. 1, 1962, 36; 62.   S.L.-B.

Valentia

[1] (h. Valencia). Röm. Stadt im Gebiet der → Edetani im Tal des unteren → Turia [2] nahe am Meer (Mela 2,92; Ptol. 6,6,61). Eine vorröm. iberische Stadt, bei Avien. 481 f. Tyris genannt, ist arch. hier nicht nachgewiesen. V. wurde 138 v.Chr. vom Consul D. Iunius [I 14] für Veteranen (wohl die röm., nicht die iberischen) des Kriegs gegen → Viriatus gegr. (App. Ib. 6,75; Diod. 33,1,3; vgl. Liv. per. 55); Anf. des 1. Jh. v. Chr. war V. colonia, evtl. als Folge des Krieges gegen → Sertorius, zu dem die Stadt treu gehalten hatte (Plin. nat. 3,20; Flor. epit. 2,10,9). In der Spätant. Bischofssitz. In westgotischer Zeit (Prov. Aurariola) eigene Mz.-Prägung (612–621 n.Chr.). Das Stadtgebiet von V. sucht man in der Umgebung der Kathedrale (größte Einzelfunddichte, bes. Keramik).

J. Esteve Forriol, Valencia, fundación romana, 1978 · Tovar 3, 282–285 · M. Leglay, s.v. V., PE 952.   J. J. F. M.

[2] Stadt der Gallia Narbonensis im Gebiet der → Segovellauni (Ptol. 2,10,12: Οὐαλέντια κολωνία; evtl. identisch mit Οὐεντία; Plin. nat. 3,36, *V.: in agro Cavarum*), h. Valence (Dép. Drôme), z.Z. Caesars [1; 4. 300] gegr. röm. Kolonie [1] am Rhodanus (h. Rhône), wegen ihrer Lage an schiffbarem Gewässer und der Straße von Vienna (Vienne) nach Arausio (Orange) bedeutender Verkehrsknotenpunkt. Über die Gesch. von V. in röm. Zeit ist wenig bekannt [2; 3]. Seit E. des 2. Jh. ist das Christentum für V. belegt [2. 39; 5]. Luftaufnahmen haben Elemente einer Zenturiation (→ Feldmesser) und des Stadtplanes nachgewiesen [2]. Ant. Überreste: äußere Theatermauer, → *cardo maximus*, Stadtmauer und Turmfundamente. Inschr. belegen Kulte für → Kybele sowie → Mercurius (CIL XII 1744 f.) und weisen auf ein Mithraeum (CIL XII 1746; → Mithras).

1 E. Will, Les origines de la colonie romaine de Valence, in: Bull. de la soc. nationale des antiquaires de France 1996, 92–102 2 A. Blanc, Valence romaine, 1953 3 Ders., La cité de Valence à la fin de l'antiquité, 1980 4 Rivet, 300–304 5 A. Blanc, Les sarcophages ornés in: Gallia 38, 1980, 215–228.   CH. W.

[3] s. Vibo Valentia

Valentinianer (Valentinianismus). V. heißen die Schüler des → Valentinus [1] (die Bezeichnung zuerst bei Iust. Mart. dial. 35,6 und Hegesippos bei Eus. HE 4,22,5), die wichtigste christl.-häretische Strömung des 2. und 3. Jh. n. Chr. (Spuren bis ins 7. Jh.); sie war im gesamten Mittelmeerraum verbreitet und für die entstehende katholische Mehrheitskirche eine ernste Konkurrenz. Hippolytos [2] (Refutatio omnium haeresium 6,35,7) berichtet von einer Spaltung in eine ital. (→ Ptolemaios [66], → Herakleon) und eine östliche Schule (→ Theodotos [10], Markos). Von anderen V. sind nur die Namen überl.: Sekundos (Iren. adv. haereses 1,11,2), Axionikos (Tert. adv. Valentinianos 4), Alexandros (Tert. de carne 15 f.), Theotimos (Tert. adv. Valentinianos 4,3), Florinos (zu Irenaeus' Auseinandersetzung s. Eus. HE 5,20,4–8), Candidus [1] (mit ihm disputierte Origenes ca. 230 n. Chr. in Athen: Rufin. de adulterio 7).

Zentral für die V. ist der kosmogonische Mythos über das Werden der göttlichen Aionen und den »Fall« der Sophia (→ Kosmogonie). Die wichtigsten Quellen, die nicht bestimmten V. zugewiesen werden können, sind → Eirenaios' [2] Referat in adv. haereses 1,1–20 (er nennt als Quelle ›Schüler des Valentinus‹; eine Par. bei Clem. Al. excerpta ex Theodoto 43–65); Hippolytos' [2] Darstellung der V. (Refutatio 6,29–36) und der »Lehrbrief« bei Epiphanios adv. haereses 31,5,2–6,10. Tertullianus' Schrift ›Gegen die V.‹ dagegen beruht auf sekundären Quellen; Ähnliches gilt von den antihäretischen Schriften des Ps.-Tertullian, → Epiphanios [1], → Philastrius von Brescia und Theodoretos [1].

Aus → Nag Hammadi sind Originaltexte in koptischer Sprache, d. h. als Übers. aus dem Griech., erh. (Abschriften aus dem 4. Jh.). Sie sind ohne Angaben zu Verf., Entstehungszeit und -ort überliefert. Zu nennen sind: ›Über das Evangelium der Wahrheit‹ (NHCod I,3, Fr. in XII,2), die ›Abh. über die Auferstehung‹ (NHCod I,4), *Tractatus Tripartitus* (NHCod I,5) und das ›Evangelium nach Philippus‹ (NHCod II,3); aus dem elften Cod. zwei nur fragmentarisch erh. Texte: ›Die Interpretation der Erkenntnis‹ (NHCod XI,1) und ›Valentinianische Exposition‹ (NHCod IX,2). Valentinianisch beeinflußt ist auch das ›Apokryphon des Johannes‹ (NHCod II,1; III,1; IV,1; Codex Berolinensis gnosticus 8502,2).

→ Häresiologie; Valentinus [1]

Bibliogr.: → Valentinus [1].
Ed.: W. Foerster, Die Gnosis, Bd. 1, ²1995, 162 ff. (dt. Übers.) · J. M. Robinson et al., The Nag Hammadi Library in English, ⁴1996.
Lit.: B. Layton, The Rediscovery of Gnosticism, Bd. 1: The School of V., 1980.   J. HO.

Valentinianus

[1] Flavius Valentinianus I. Röm. Kaiser 364–375.
I. HERKUNFT UND AUFSTIEG II. REICHSPOLITIK
III. INNEN- UND RELIGIONSPOLITIK

I. HERKUNFT UND AUFSTIEG

V. wurde 321 n.Chr. in Cibalae in Pannonien geboren (Zos. 3,36,2; Amm. 30,6,6) als Sohn des *comes rei militaris* Gratianus [1]. Er war 357 *tribunus* in Gallien (Amm. 16,11,6f.), ab 360/1 hatte er ein höheres mil. Amt in Mesopotamien inne; 362 war er dort *comes et tribunus cornutorum* (Philostorgios, Historia ecclesiae 7,7). Nach Teilen christl. Überlieferung verbannte ihn Iulianos [11] 362 wegen seiner christl. Haltung nach Thebai [1] in Ägypten (Theod. hist. eccl. 3,16; Philostorgios 7,7; 8,5; Oros. 7,32,2; Sokr. 4,1). → Iovianus holte ihn aus dem Exil zurück (Philostorgios 8,5) und ernannte ihn zum *tribunus scholae secundae scutariorum* (Amm. 25,10,9; 26,1,5).

Nach Iovianus' Tod wurde V. von hohen mil. und zivilen Beamten in Nikaia [5] zum Kaiser gewählt und am 26.2.364 inthronisiert (Amm. 26,1,5; Zos. 3,36,2f.). Da das Heer einen zweiten Kaiser verlangte, bestimmte V. in Konstantinopel seinen jüngeren Bruder → Valens [2] am 28.3.364 zum Mitkaiser (Amm. 26,4,3), teilte im Sommer in Naissus und Sirmium Hof, Verwaltung und Heer auf (Amm. 26,5,1–4) und übernahm für sich den westl. Teil des Reiches (Illyricum, It., Africa, Gallien) mit Mailand (→ Mediolanum [1]) als Residenz. Hier erließ er 364/5 zahlreiche Gesetze, u.a. zur Reform des Militär- und Postwesens (Cod. Theod. 7,18,1; 8,5,17). Am 27.8.367 ernannte er nach einer schweren Krankheit Gratianus [2], den Sohn aus erster Ehe mit Marina [1] Severa, ebenfalls zum Augustus (Amm. 27,6,4–16). Aus seiner zweiten Ehe mit → Iustina stammte sein Sohn Valentinianus [3] II.

II. REICHSPOLITIK

Nach 366 lag der Schwerpunkt von V.' Politik in der Reichsverteidigung. Er residierte nun meistens in Trier (→ Augusta [6] Treverorum), um die Bedrohung der Rheingrenze durch → Alamanni und → Franci abzuwehren. 365 und 366 unternahmen die Alamannen Beutezüge nach Gallien, weil sie mit den ihnen von V. Ende 364 in Mailand zugestandenen Jahrgeldern nicht einverstanden waren (Amm. 26,5,7; 27,1). Nach einem Überfall der Alamannen auf Mainz (→ Mogontiacum) 368 drang V. 368 und 369 erfolgreich auf rechtsrheinisches Gebiet vor (Amm. 27,10). Mit den Burgundern (→ Burgundiones) schloß er 369 einen Pakt (Symm. or. 2,13), scheute aber ein J. später ein gemeinsames Unternehmen gegen die Alamannen (Amm. 28,5,8–13). 374 kam es zu einem Friedensschluß mit dem alamann. König Macrianus [1] (Amm. 30,3,4–7). 370 gelangen Erfolge gegen die Sachsen (→ Saxones) am Niederrhein (Amm. 28,5,1–7; 30,7,8). Zur Sicherung der Rheingrenze legte V. von der Mündung bis zum Bodensee eine Reihe von Wachtürmen und Befestigungsanlagen an (Amm. 28,2,1; Symm. or. 2,2; ILS 774f.; vgl. Cod. Theod. 15,1,13).

Unruhen in → Britannia wurden 368 durch den *comes rei militaris* Theodosius [1], den Vater des späteren gleichnamigen Kaisers, eingedämmt (Amm. 27,8,6–10; 28,3). Die durch Austurianer verursachten Unruhen in Tripolitania konnten wegen des korrupten *comes Africae* → Romanus nicht ausreichend bekämpft werden (Amm. 28,6). Die unzufriedenen Provinzialen, insbes. die Donatisten (→ Donatus [1]), gegen die der Kaiser 373 ein Gesetz erließ (Cod. Theod. 16,6,1), unterstützten ab 372 (oder 370) die Usurpation des Firmus [3] in Mauretania. 374 schlug der inzwischen zum Heermeister beförderte Theodosius den Aufstand nieder (Amm. 29,5,5–50).

III. INNEN- UND RELIGIONSPOLITIK

V. hat Rom nie besucht. Wie gering er den Senatorenstand achtete, zeigt sich daran, daß er nur zwei Senatoren, aber sieben Heermeister zu Consuln ernannte. Immerhin hat er die Praetorianerpraefektur für Italien, Africa und Illyricum zweimal mit röm. Senatoren besetzt (Vulcacius Rufinus [5], Petronius Probus). Ansonsten hat er wie sein Bruder Valens v.a. Pannonier gefördert. Den Pannonier Maximus [3] ließ er ab 369 als *vicarius urbis Romae* zahlreiche Prozesse gegen Senatoren führen (Amm. 28,1,5–57). Ein Reflex senatorischer Verbitterung ist in den Reden des → Symmachus [4] erkennbar (Symm. or. 4 und 5; Symm. rel. 2).

Im kirchlichen Konflikt zw. den röm. Bischöfen → Damasus und → Ursinus stellte V. sich auf die Seite des ersteren (Avell. epist. 7,11,12). Ansonsten vertrat er, selbst orthodox gesinnt, religionspolit. → Toleranz (Cod. Theod. 9,16,9; Soz. 6,21,7), verbot jedoch Donatismus und Manichäismus (→ Mani; Cod. Theod. 16,5,3); er ließ die Tempelgüter der Altgläubigen einziehen (Cod. Theod. 5,13,3), tolerierte jedoch deren Kulte und erlaubte sogar die Haruspizin (→ *haruspices*; Cod. Theod. 9,16,9). Um Schenkungen an die Kirche zu begrenzen (→ Kirchenbesitz), verbot er Klerikern und Mönchen, die Häuser von Witwen und ledigen Frauen zu betreten (Cod. Theod. 16,2,20).

V.' Bemühen, die Lage der unteren Schichten zu verbessern, ist erkennbar an der reichsweiten Ausdehnung des Amtes des *defensor civitatis* (→ *defensor* II.), der die Interessen armer Leute zu vertreten hatte (Cod. Theod. 1,29,1 und 3–5; vgl. auch 13,3,8). Seine sparsame fiskalische Politik wird von Ammianus gelobt (Amm. 30,9,1). Sie wurde jedoch oft von seinen Beamten unterlaufen (Amm. 30,5,4–10; Ps.-Aur. Vict. epit. Caes. 45,6). In seiner späteren Regierungszeit erhöhte er die Steuern massiv (Zos. 4,16,1f.). Ammianus beklagt V.' Neigung zum Jähzorn (27,7,4) und seinen Haß auf Gebildete (30,8,10). V. verstarb am 17.11.375 bei Verhandlungen mit den auf röm. Territorium eingedrungenen → Quadi in Brigetio in Pannonien (Amm. 30,6). 382 wurde er dann in der Apostelkirche in Konstantinopolis beigesetzt (Amm. 30,10,1; Chron. min. 1,243).

J. CURRAN, in: CAH 13, 1998, 80–88 • M. FASOLINO, Valentiniano I. L'opera e i problemi storiografici, 1976 • JONES, LRE 139–151 • F. PERGAMI, La legislazione di

Valentiniano e Valente, 1993 · A. PIGANIOL, L'Empire
Chrétien, ²1972, 189–222 · PLRE 1, 933f. Nr. 7 ·
R. SORACI, L'imperatore Valentiniano I., 1971.

[2] V. Galates. Sohn des Kaisers Valens [2], geb. am
18.1.366 n. Chr. (Chron. min. 1,241), gest. um 370. 369
wurde er zum Consul ernannt. → Themistios trug zu
diesem Anlaß or. 9 vor, wobei er sich als V.' künftigen
Erzieher anbot (123c–124b). Die orthodoxe christl.
Überl. sah in V.' frühem Tod eine Strafe Gottes für die
arianische Haltung des Vaters (Soz. 6,16,1–10; Theod.
hist. eccl. 4,19,8–10; → Arianismus). PLRE 1, 381.

[3] Flavius V. (Valentinianus II.). Röm. Kaiser 375–
392, geb. 371. Fünf Tage nach dem Tod seines Vaters V.
[1] I. wurde er auf Betreiben von dessen ehemaligen
Ratgebern, den Heermeistern Equitius [2] und Merobaudes [1], am 22. November 375 in Aquincum von den
Truppen zum Kaiser erhoben (Chron. min. 1,242). Er
war damit neben seinem Onkel → Valens [2] und seinem Halbbruder → Gratianus [2], der der Erhebung nur
widerwillig zustimmte (Philostorgios 9,16), der dritte
Kaiser und regierte die Mitte des Reiches (It., Illyricum,
Africa; so Zos. 4,19,2) mit Mailand (→ Mediolanum [1])
als Residenz. Für den → Kinderkaiser leitete dessen arianische Mutter → Iustina die Regierung (Rufin. Eusebii
historia ecclesiastica 2,15; Sokr. 5,11,3–5).

Nachdem der Usurpator → Maximus [7] 383 Gratianus beseitigt hatte, wurde er zunächst von → Theodosius [2] I. (seit 379, nach dem Tod des Valens 378, Kaiser
im Osten) als Kaiser im Westen anerkannt (Zos. 4,37,3).
Zweimal (383 und 386) trat V. ergebnislos – mit
→ Ambrosius, dem orthodoxen Bischof von Mailand,
als Gesandtem – in Verhandlungen mit Maximus [7]
(Ambr. epist. 24).

384 bat → Symmachus [4], der Stadtpräfekt von
Rom, in seiner berühmten dritten *relatio* den Kaiser
um die Wiederaufstellung des → Victoria-Altars im
Sitzungssaal des Senats. Die Bitte wurde wegen des
Einspruchs des Ambrosius abgewiesen (Ambr. epist.
17; 18; 57). 385/6 kam es in Mailand angesichts der Forderung des Hofes nach arianischen Gottesdiensten
(→ Arianismus) zum Konflikt mit Ambrosius. Da
Ambrosius offenbar die Mehrheit des Volkes hinter sich
hatte, gaben V. und seine Mutter nach (Ambr. epist.
20f.; Ambr. sermo contra Auxentium).

Als 387 Maximus nach It. vorrückte, flüchtete V.
nach Thessalonike (Zos. 4,42f.). Theodosius zog nach
It., hob unterwegs ein pro-arianisches Gesetz V.' auf
(Cod. Theod. 16,5,15) und beseitigte Maximus im
Sommer 388 (Paneg. 12,44,2; Zos. 4,46). Im selben Jahr
starb Iustina. Bis 391 blieb Theodosius in It. V. wurde
nach Gallien geschickt und stand von nun an unter dem
Einfluß des fränkischen Heermeisters → Arbogastes
(Zos. 4,53,1). Als V. Arbogastes entlassen wollte, zerriß
dieser das Entlassungsschreiben (Zos. 4,53,2f,; Philostorgios 11,1). V. starb am 15.5.392, evtl. durch Selbstmord (Chron. min. 1,463 und 522; Iohannes Antiochenus fr. 187). Beim Begräbnis hielt Ambrosius die
Leichenrede (Ambr. obit. Valent.). PLRE 1, 934f. Nr. 8.

W. ENSSLIN, s.v. V. (3), RE 7 A, 2205–2232 ·
K. GROSS-ALBENHAUSEN, Imperator christianissimus, 1999,
64–92, 125–131 · B. CROKE, Arbogast and the Death of
Valentinian II., in: Historia 25, 1976, 235–244.

[4] Placidus V. (Valentinianus III.). Röm. Kaiser
425–455 (im Westen des Reiches), geb. am 2.7.419 in
Ravenna. Er war ein Sohn der → Galla [3] Placidia und
des → Constantius [6] III., der 421 von Honorius [3]
zum zweiten Kaiser im Westteil des Reiches ernannt
wurde, aber noch in demselben J. starb. Wegen Auseinandersetzungen mit Honorius floh V. mit seiner Mutter
nach Konstantinopolis zu → Theodosius [3] II. (Olym-
piodor fr. 40). Nach dem Tod des Honorius 423 ernannte Theodosius II. – angesichts der Usurpation des Iohannes [7] in It. – V. am 23.10.424 zum Caesar und
verlobte ihn mit seiner Tochter Licinia → Eudoxia [2]
(Philostorgios 12,13; Chron. min. 2,76). Nach dem Tod
des Iohannes wurde V. am 23.10.425 in Rom zum Kaiser erhoben (Olympiodoros fr. 34, 46; Sokr. 7,24). In
der Zeit bis zur Hochzeit mit Eudoxia [2] am 29.10.437
(Chr. pasch. sub anno 437) wurde die Regierung von
Galla [3] Placidia sowie den zeitweise untereinander rivalisierenden Heermeistern Bonifatius [1] (bis 432), Felix [6] (bis 430) und Aetius [2] (ab 430) geführt.

442 mußte V. → Geisericus' Vandalenreich in Africa
anerkennen (Chron. min. 1,479) und verlobte evtl. seine Tochter Eudokia [2] mit Geisericus' Sohn → Hunericus. Fast ganz Spanien wurde von Sueben und Westgoten, die auch Teile Galliens okkupierten, beherrscht.
Britannien wurde aufgegeben. 443 wies Aetius den
→ Alani und → Burgundiones Ländereien in Gallien an
(Chron. min. 1,660). Die → Hunni, die schon die Do-
nauprovinzen verheert hatten, zogen unter → Attila
nach Gallien. 451 kam es auf den → Campi Catalauni
zum Sieg der röm. Truppen unter Aetius und deren
v. a. westgotischen Bundesgenossen (Iord. Get. 191f.;
Chron. min. 1,481 f.).

Den Primatsansprüchen des Papstes Leo [3] I., der seit
440 den röm. Stuhl innehatte, stellte der oft in Rom
residierende V. trotz der dadurch bedingten Spannungen gegenüber dem Ostreich keinen Widerstand entgegen. Zusammen mit seiner Mutter setzte er sich für
Leos – letztlich am Widerstand Theodosius' [3] II.
gescheiterten – Wunsch ein, nach der Synode in
Ephesos 449, bei der Leo verurteilt worden war, eine
Reichssynode in It. abzuhalten (Leo, epist. 43f.; 55–57;
62f.). Die durch Gebietsverluste und Verwüstungen
bedingte schwierige finanzielle Situation des Westrei-
ches veranlaßte V. zu verschiedenen Maßnahmen: Ab
444 erhob er eine Steuer auf alle Umsätze (sog. *siliqua-
ticum*, Valentinianus, Novellae 15). Andererseits erließ
er zweimal (438 und 450) Steuerrückstände (Valentinianus, Novellae 1,1 und 3). 439 übernahm V. nach
einem Beschluß des röm. Senats die von Theodosius II.
erlassene Gesetzessammlung (*codex* II. C. *Theodosianus*).

454 verlobte V. seine Tochter Placidia [2] mit → Aetius' Sohn Gaudentius (Chron. min. 1,483). Noch im
selben Jahr, am 21. (oder 22.) 9.454, ermordete V. Ae-

tius aus Furcht vor dessen Macht eigenhändig (Sidon. carm. 5,305 f.). Am 16.3.455 wurde V. dann von Gefolgsleuten des Aetius umgebracht (Chron. min. 2,86; Iord. de summa temporum vel origine actibusque gentis Romanorum 334). PLRE 2, 1138 f. Nr. 4.   W.P.

Valentinus

[1] Christl. Theologe wohl aus Äg., lehrte ca. 140–160 n.Chr. in Rom (vgl. Iren. adv. haereses 3,4,3). Evtl. wollte er *episcopus* (→ *epískopos*) werden, wurde aber abgelehnt (Tert. adv. Valentinianos 4,1 f.); schließlich soll er auf Zypern gelebt haben (Epiphanios, Panarion 31,7,2). Neben wenigen erh. Ausschnitten aus Predigten und Briefen ist ein Werk ›Über die drei Naturen‹ (*Perí triôn phýseōn*) bezeugt.

V. soll Psalmen gedichtet haben; ein Fr. (bei Hippolytos, Refutatio omnium haeresium 6,37,7) nennt die göttliche Trias von Vater (Bythos genannt), Mutter (wohl die Sophia) und Kind. Das neugeborene Kind wird mit der göttlichen Ideenwelt, dem → *lógos*, identifiziert. V. versucht, das nt. Zeugnis mit der griech. Philos. zu verbinden. Die Erkenntnis, daß die Ordnung des Kosmos ihren Ursprung in diesem Kind hat, ist das entscheidende Erlösungsgeschehen.

Aus mittelplatonischen Konzepten (→ Mittelplatonismus) übernimmt V. die Unterscheidung zw. dem höchsten Gott (samt seinem *lógos*) und unteren Schöpfergestalten. Durch den *lógos* formt Gott die Materie. Die von der Materie ausgehenden Wirkungen werden als Engel und → *dēmiurgós* [3] dargestellt. Im Zusammenwirken der göttlichen und demiurgischen Kräfte entstehen Welt und Mensch; aber die unteren Kräfte befinden sich bezüglich des Göttlichen in Unwissenheit. Mit dieser Konzeption defizienter Schöpfungskräfte trennt sich V. von der Mehrheitskirche. Die Unwissenheit der Schöpfer, die Ursache des Bösen, prägt die Welt. Allein durch die Offenbarung Gottes in seinem Sohn kann der Mensch aus seiner Unwissenheit befreit werden. Die Frage, weshalb es neben Gott überhaupt diese Schöpfungskräfte gibt, wird V. in einem kosmogonischen Mythos beantwortet haben. → Valentinianer

BIBLIOGR.: D.M.SCHOLER, Nag Hammadi Bibliography 1948–1969 und 1970–1994, 1971 und 1997 (Suppl. in Novum Testamentum 40 ff., 1998 ff.).
LIT.: J.HOLZHAUSEN, Der Mythos vom Menschen im hell. Äg., 1994 · C.MARKSCHIES, V. Gnosticus?, 1992 · G.QUISPEL, The Original Doctrine of V. the Gnostic, in: Vigiliae Christianae 50, 1996, 327–352.   J.HO.

[2] Fungierte um 260 n.Chr. wahrscheinlich als *dux praeses* (?), den Cornelia → Salonina, die Gattin des Kaisers → Gallienus, mit der Beobachtung des ihr verdächtigen → Ingenuus [1] beauftragt hatte (Cass. Dio 3,743,162 BOISSEVAIN = Petros Patrikios, Excerpta de sententiis, Nr. 162 BOISSEVAIN).

PIR V 10 · PLRE I, 935.   T.F.

[3] Pannonier aus der Prov. Valeria, wegen Verbrechen nach Britannien verbannt; mit anderen Exilierten und der Hilfe der Armee bereitete er dort für 369 n.Chr. einen Aufstand vor. Nachdem die Pläne verraten worden waren, ließ → Theodosius [1] ihn gefangennehmen und hinrichten. PLRE 1, 935 Nr. 5.   K.G.-A.

[4] Seit ca. 535 n.Chr. oström. Befehlshaber von Reitertruppen im Gotenkrieg, 537 einer der Verteidiger Roms gegen die gotischen Belagerer, rettete 544 → Hydruntum vor der Einnahme durch die Goten. Er kam 545 in einem von → Totila gelegten Hinterhalt ums Leben. PLRE 3, 1352 f. Nr. 1.   F.T.

Valeria

[1] Schwester des P. Valerius [I 45] Poplicola, soll 488 v.Chr. Rom vor → Coriolanus gerettet haben (Plut. Coriolanus 33; Dion. Hal. ant. 8,39; 8,43,1 f.); erste Priesterin der Fortuna Muliebris (Dion. Hal. ant. 8,55,3–5; → Fortuna B.).

LATTE, 181.

[2] Tochter des P. Valerius [I 44] (nachgewählter *cos.* 509 v.Chr.), mit 19 weiteren Geiseln zu → Porsenna gesandt (Dion. Hal. ant. 5,32,3). Diese entkamen zwar nach Rom, wurden aber von Poplicola zurückgeschickt. Auf dem Rückweg von den Tarquiniern angegriffen, konnte sie sich als einzige selbst befreien (Plut. Poplicola 18,3; 19,1–8; Plut. mor. 250; Plin. nat. 34,29). Eine Reiterstatue an der Via Sacra war wahrscheinlich → Cloelia [1], nicht ihr gewidmet.

[3] Tochter eines Valerius Messala und einer Hortensia, Nichte des Redners → Hortensius [7]. Sie war die fünfte und letzte Frau des L. → Cornelius [I 90] Sulla, den sie 80 v.Chr. in zweiter Ehe heiratete (Plut. Sulla 35,5–36,1). Nach Sullas Tod gebar sie eine Tochter, Cornelia Postuma (Plut. Sulla 37,7).

H.BEHR, Die Selbstdarstellung Sullas, 1993, 149 · R.SEAGER, in: CAH 9, ²1994, 206.   ME.STR.

[4] Tochter eines Freigelassenen eines Valerius Flaccus, wohl Großvater des L. Valerius [I 24] Flaccus (Praetor 63 v.Chr.). Er war Vormund der V. vor ihrer Heirat mit Sextilius Andro. Da V. ohne Testament starb (Cic. Flacc. 84–89), trat Flaccus ihr Erbe an.

[5] Um die Pest in Falerii zu besiegen, forderte nach der Legende ein Orakel ein jährliches Jungfrauenopfer an Iuno. Der dazu erlosten V. entriß ein Adler das Schwert und warf es auf eine Weidekuh, auf den Altar ließ er einen Hammer fallen. V. opferte die Kuh und berührte die Kranken mit dem Hammer unter dem Zuruf ἔρρωσο (*errhōso* = lat. *vale*, »erstarke, gesunde«); der Name V. ist vielleicht aitiologische Deutung von *vale* (Aristeides Milesius FGrH 286, 10; Plut. mor. 314d-e).   ME.STR.

[6] **V. Galeria.** Tochter des → Diocletianus, spätestens seit 293 n.Chr. Gemahlin des → Galerius [5], spielte während der Ersten Tetrarchie (→ *tetrárchēs* IV.) keine öffentliche Rolle. Unmittelbar vor der Kaiserkonferenz von → Carnuntum 308 wurde sie zur *Augusta* erhoben

(ILS 8932), um damit den Vorrang ihres Gemahls zu betonen; parallel dazu erhielt eine der Prov. → Pannonias (III.) nach ihr den dynastischen Namen Valeria. Maximinus [1] Daia versuchte vergeblich, sie nach dem Tod des Galerius zu heiraten; von Licinius [II 4] wurde sie dann nach dem Sieg über → Maximinus hingerichtet (Lact. mort. pers. 50,2–51,2). Ihr Porträt am »Kleinen Galeriusbogen« im Palast von Thessalonike [1] wurde zu diesem Zeitpunkt überarbeitet. PLRE 1, 937.

TH. STEFANIDOU TIVERIOU, Il piccolo arco di Galerio a Salonicco, in: ArchCl 46, 1994, 279–304.　　B.BL.

[7] V. Messalina s. Messalina [2]

Valerianus

[1] Q. Cornelius V. Röm. Ritter des 1. Jh. n. Chr. (wohl um 45 *praef. vexillariorum* in Thracia). Verf. eines antiquarischen Sammelwerkes, das → Plinius [1] d. Ä. als Quelle zu B. 3 (?), 8, 10, 14 sowie 15 seiner *Naturalis historia* nennt und 3,108 (?), 10,5 und 14,11 zitiert.

PIR² C 1471.　　P.L.S.

[2] P. Licinius V., röm. Kaiser 253–260, geb. 199 (so sinngemäß Ioh. Mal. 12 p. 298; falsch SHA Valer. 5,1); aus vornehmer Familie (Aur. Vict. epit. Caes. 32,1). Seine Eltern sind unbekannt (fiktiv SHA Probus 5,2), seine einzige (irreführend SHA Valer. 8,1) Gattin Egnatia [1] Mariniana starb vor 253. V. wurde wohl unter Severus Alexander *consul suffectus* und war 238 einer der Gesandten der Gordiani, die dem Senat deren Erhebung meldeten (Zos. 1,14; verfälscht SHA Gord. 9,7). V. war unter Decius (249–251) an der Reichsverwaltung beteiligt (Zon. 12,20; übertreibend Eulogios bei Phot. 182; fiktiv SHA Valer. 5,4–8) und bekleidete Mitte 253 ein Kommando in Raetia (Aur. Vict. epit. Caes. 32,1), von wo er Truppen für → Trebonianus Gallus gegen den Usurpator Aemilianus [1] heranführen sollte, doch wurde Gallus von seinen Soldaten ermordet.

V. wurde nun von seinen Truppen zum Kaiser ausgerufen, die Soldaten des Aemilianus gingen zu ihm über (Zos. 1,28f.). Im Herbst 253 erreichte er Rom und erhob seinen Sohn → Gallienus zum Mitregenten. Die kritische Lage an der Ostgrenze (Eroberung Antiocheias [1] durch die Perser 253) ließ ihn bald selbst den Oberbefehl übernehmen (Zos. 1,30). Spätestens Anfang 255 erreichte er den Osten (antiochenische Goldemission vom 1.1. 255). Seine Anwesenheit in Antiocheia [1] ist für den 18.1. bezeugt (SEG 17,528). Nach Rom ist V. (trotz Dig. 6,42,15 vom 10.10.256) nie zurückgekehrt. 256 ergänzte → Sapor [1] I. seinen Angriff von 253 und eroberte → Dura Europos und Kirkesion. Eine *Victoria Parthica*-Prägung des V. zum 1.1.257 läßt eine erfolgreiche Abwehr dieser Offensive vermuten. Im Sommer 257 leitete V. mit einem ersten Gesetz christenfeindliche Maßnahmen ein (Eus. HE 7,10f.), die offensichtlich an seine Tätigkeit unter Decius anknüpften. Sie wurden 258 durch ein zweites Gesetz verschärft (Cypr. epist. 80,1f.) und mündeten in eine Christenverfolgung, der

Papst Xystus II. und Bischof Cyprianus [2] von Karthago zum Opfer fielen. Wohl im selben Jahr bemühte sich der Kaiser (mit mäßigem Erfolg) um die Abwehr eines Goteneinbruches in NW-Kleinasien (Zos. 1,34–36,1; → Goti). 260 rückte Sapor [1] erneut vor und belagerte Karrhai (→ Harran) und Edessa [2]. V. zog ihm mit (angeblich) 70000 Mann entgegen, wurde jedoch besiegt und geriet als einziger röm. Kaiser in Gefangenschaft (Sapor will ihn eigenhändig gefangengenommen haben: Res Gestae Divi Saporis, griech. Version, Z. 19–25; [1. 284–371]), wahrscheinlich im Frühsommer 260 (nicht 259).

Der pers. Großkönig verewigte seinen Sieg in vier Felsreliefs (→ Bischapur II-III, → Naqš-e Rostam, Darab; V. jeweils stehend abgebildet; ob der auf dem Relief von Bischapur I Liegende V. darstellt, ist umstritten). Das weitere Schicksal des Kaisers sowie Zeitpunkt und Umstände seines Todes sind unbekannt. Christliches Wunschdenken ist z.B. bei Lact. mort. pers. 5, noch extremer bei Agathias 4,23 (Schindung des V.) zu spüren, während die orientalische Überl. (Ṭabarī, [2]) von der Verstümmelung, Tötung oder aber der Freilassung des Kaisers wissen will (PIR² L 258).

→ Parther- und Perserkriege

1 M.BACK, Die sasanidischen Staatsinschr., 1978
2 TH. NÖLDEKE, Gesch. der Perser und Araber zur Zeit der Sasaniden. Aus der arab. Chronik des Tabari (dt. Übers. und Komm.), 32.

[3] P. Licinius Cornelius Egnatius V. Der älteste Sohn des → Gallienus, Enkel von V. [2], wurde im Herbst 256 n. Chr. zum Caesar erhoben. Nach seinem Tod (1. H. des Jahres 258) in Illyricum (nicht in Köln) wurde er als *Divus Valerianus Caesar* konsekriert (ILS 556, vgl. ILS 557). PIR² L 184.

A. CHASTAGNOL, La censure de Valérien, in: Historiae Augustae Colloquium Maceratense, 1995, 139–150 · M. H. DODGEON, S. N. C. LIEU (Hrsg.), The Roman Eastern Frontier and the Persian Wars, 1991 · J. F. DRINKWATER, The »Catastrophe« of 260, in: Rivista storica dell' Antichità 19, 1989, 123–135 · M. JEHNE, Überlegungen zur Chronologie der J. 259 bis 261 n. Chr., in: Bayerische Vorgeschichtsblätter 61, 1996, 185–206 · E. KETTENHOFEN, Vorderer Orient. Römer und Sāsāniden in der Zeit der Reichskrise (TAVO B V, 11), 1982 · Ders., Die röm.-persischen Kriege des 3. Jh. n. Chr. (TAVO-Beih. B 55), 1982 · W. KUHOFF, Herrschertum und Reichskrise (Kleine H. der Mz.-Slg. an der Ruhr-Univ. Bochum 4/5), 1979 · M. MEYER, Die Felsbilder Shapurs I., in: JDAI 105, 1990, 237–302 · K.-H. SCHWARTE, Die Christengesetze Valerians, in: W. Eck (Hrsg.), Religion und Ges. in der röm. Kaiserzeit, 1989, 103–163.　　M.SCH.

[4] Bischof von Aquileia (ca. 368/9 bis ca. 388), kämpfte gegen antiarianische Strömungen, bildete einen tüchtigen, der Askese zugeneigten Klerus heran, war 372 und 382 in Rom auf Synoden und führte an der Synode von Aquileia (3.9.381) den Vorsitz.

→ Arianismus

R. Egger, Röm. Ant. und frühes Christentum, Bd. 1, 1962, 36; 62 · J. N. D. Kelly, Jerome, 1975, 31 f.; 81.   S.L.-B.

[5] Priscus V. Gebildeter Gallier aus patrizischer Familie, Verwandter des Kaisers → Avitus [1] und Schwiegervater des Redners Pragmatius, vor 456 n. Chr. *praefectus praetorio per Gallias*. Wohl identisch mit dem in der *Epist. Eucherii* genannten, den alten Kulten zuneigenden V., dann auch verwandt mit dem Bischof von Lyon, → Eucherius [3]. PLRE 2, 1142 f. Nr. 8.   K.G.-A.

Valerius. Name eines alten patrizischen Geschlechtes, das unter König T. → Tatius mit V. [I 10] nach Rom eingewandert sein soll (Dion. Hal. ant. 2,46). Der Name, abgeleitet vom alten Individualnamen *Valesus/ Valerus*, lautete urspr. *Valesios* (vgl. V. [I 7]; CIL XII p. 298g: *Valesies*; Fest. 22; Varro, Rerum divinarum fr. 66 Cardauns [4; 5]); 312 v. Chr. führte der Censor App. Claudius [I 2] die neue Schreibung V. ein (vgl. Dig. 1,2, 2,36). Da der Name in der Ant. (etym. korrekt) von *valere*, »stark sein«, abgeleitet wurde, galt er bes. im mil. Bereich als gutes Vorzeichen (*boni ominis nomen*, Cic. div. 1,102; Cic. Scaur. 30 mit schol. Ambr. 274 St.; Fest. 108). Die lit. Überl. über die Gesch. der Familie, die durch den Annalisten V. [III 2] Antias wahrscheinlich stark ausgeschmückt wurde, zeichnet das Bild einer – im Gegensatz zum sprichwörtlichen »Hochmut« der Claudier – »volksfreundlichen« Haltung der ersten Valerier, wofür der sprechende Beiname *Poplicola* bei V. [I 42–46] und die Einführung bzw. Erneuerung der Gesetze über → *provocatio* durch Valerii steht. V. [I 44] schrieb man zahlreiche staatsrechtliche Neuerungen am Beginn der Republik zu, wie auch andere Angehörige der *gens* bei erstmaliger Erwähnung von späteren Bräuchen genannt werden (ein V. [I 5] als angeblich erster *dictator* 501: Liv. 2,18,6 f.; als erster → *fetialis*: Liv. 1,24,6; erster *princeps senatus*: V. [I 30]; erste → *supplicatio* für L. V. Poplicola 449: Liv. 3,63,5; Valeria [1] war die erste Priesterin der → Fortuna Muliebris).

Die Familie teilte sich bereits im 5. Jh. in die *Maximi* und *Poblicolae*. Im 3. Jh. wurde der Beiname *Poblicola* durch *Flaccus* und *Laevinus*, *Maximus* durch → *Messalla* abgelöst. Den wichtigsten Zweig bildeten seitdem die *Flacci*, die seit V. [I 18] sechs Generationen von Consuln (mit insgesamt acht Konsulaten) stellten. Die Linie der *Messallae* setzte sich bis weit in ins 1. Jh. n. Chr fort. Noch der Consul 340 n. Chr., Aradius V. Proculus (PLRE 1,747 f.), galt als Nachkomme der republikanischen V. (Symm. epist. 1,2.4). Der Palast der Familie lag bis in die späte Kaiserzeit auf dem Caelius [1; 2]. Bezeugt ist das Ehrenrecht einer → *sella curulis* im Circus, sowie seit alters her ein Haus und ein später nicht mehr benutzter Begräbnisplatz auf der Velia in Rom (Plut. Poplicola 23; Plut. qu. R. 79, angeblich noch von V. [I 44] Poplicola stammend; [2]), den ein Familienmonument mit Ehreninschriften schmückte (InscrIt 13,3, Nr. 77; vgl. CIL VI 1327). Plebeiische Zweige der Familie waren die *Tappones* und *Triarii*.

1 F. Coarelli, s. v. Domus: P. V. Publicola, LTUR 2, 1995, 209 f. 2 F. Guidobaldi, s. v. Domus: Valerii, in: LTUR 2, 1995, 207 3 F. Münzer, De gente Valeria, 1892 4 J. Reichmuth, Die lat. Gentilicia, 1956, 25–27; 97 5 Walde/Hofmann 2, 727.   K.-L. E.

I. Republikanische Zeit

[I 1] V. Myth. Figur aus Tusculum, zeugt unwissend mit seiner Tochter Valeria den Aigipan (mit → Silvanus [1] und → Pan gleichgesetzt; FGrH 286 F 5).   L.K.

[I 2] V., C. Klagte 52 v. Chr. M. Saufeius [2] wegen der Ermordung des Clodius [I 4] an (Ascon. 55 C).   J.BA.

[I 3] V., L. Er leitete nach Iosephus (ant. Iud. 14,145– 148) 47 v. Chr. als Praetor eine Senatssitzung, in der beschlossen wurde, die Freundschaft Roms mit dem jüd. Staat zu erneuern. Authentizität, tatsächlicher Zeitpunkt und Identifizierung des Magistrats (Par. zu dem nach 1 Makk 15,15–24 von einem *cos.* Lucius zur Zeit des Hohepriesters Simon [6] herbeigeführten SC) sind offen.

Schürer 1, 194–197.

[I 4] V., L. Wird 54/3 v. Chr. in den Briefen Ciceros als Freund und Rechtsgelehrter erwähnt (Cic. fam. 1,10; 3,1,3; 7,11,2).   J.BA.

[I 5] V., M'. Livius (2,18,1–7) nennt V. als ersten Dictator, im J. 501 v. Chr. wegen eines drohenden Krieges gegen die → Sabini eingesetzt, gibt aber auch eine andere, von ihm selbst bevorzugte Version, nach der Larcius [I 1] eingesetzt wurde (V. als erster Dictator nur bei Fest. 216; MRR 1,9 f.; vgl. hierzu [1. 281 f.]).

1 R.M Ogilvie, A Commentary on Livy, Books 1–5, 1965.

[I 6] V., M. Bruder von V. [I 30] und V. [I 44]. Als *cos.* 505 v. Chr. (MRR 1,7) kämpfte er gegen die → Sabini und errang mit seinem Kollegen einen Triumph über sie; später Gesandter zu den Latinern, um die Umtriebe des Tarquinius [12] Superbus und des Octav(i)us Mamilius [2] zu unterbinden. Er fiel in der Schlacht am → *lacus Regillus*, nach Livius durch die Hand des T. Tarquinius [8], nach Dionysios von Halikarnassos von Mamilius tödlich verwundet (Liv. 2,16,1; 2,20,1–3; Dion. Hal. ant. 5,37–39; 5,53 f.; 6,12,1 f.; InscrIt 13,1,64 f.).   C.MÜ.

[I 7] V., P. (*Poplios Valesios*). Um 500 v. Chr. (wohl nicht staatlich gebundener) *condottiere* und Anführer einer Gruppe von Kriegern (*suodales*, »Gefolgsleute«) in Latium, die in → Satricum eine Weihung an Mars darbrachten (sog. → *Lapis Satricanus*). Zur Identität s. V. [I 44].

Lit. s. → Lapis Satricanus.   K.-L. E.

[I 8] V., P. 44 v. Chr. als Freund und Gastgeber Ciceros in Rhegion bezeugt (Cic. Att. 16,7,1; Cic. fam. 12,25,3; Cic. Phil. 1,8).

[I 9] V., Q. Freund → Ciceros (Brut. 169), wahrscheinlich identisch mit dem Redner und Antiquar Q. V. [III 7].   J.BA.

[I 10] V., Volusus. Der Überl. nach Ahnherr der *gens Valeria*, der zusammen mit T. → Tatius nach Rom kam und zw. ihm und → Romulus [1] vermittelte. Er nahm seinen Wohnsitz in Rom, war nach dem Tod des Romulus ein Kandidat für die Königswürde, die V. dann aber dem → Numa Pompilius antrug (Plut. Numa 5,2; Plut. Poplicola 1; Dion. Hal. ant. 2,46). Das dem V. beigegebene Praen. → Volusus war verm. ein Individualname, aus dem das Gent. V. abgeleitet wurde, und insofern in Verbindung damit ein Anachronismus; nach anderen handelt es sich hierbei um ein echtes, bei den Valerii verwendetes Praen. (vgl. [1. 61] mit weiterer Lit.).

1 SALOMIES 2 J. POUCET, Les origines de Rome, 1985, 269 f.

[I 11] V. (Maximus) Corvus, M. Einer der bekanntesten Valerier der röm. Republik, dessen Leistungen in der Verwebung von histor. Fakten und legendärer Ausschmückung nur teilweise erkennbar sind. Die Überl. verzeichnet für ihn insgesamt sechs Konsulate in den J. 348, 346, 343, 335, 300, 299 v. Chr. (als *cos. suff.*) und zwei Diktaturen in den J. 343/2 und 301 v. Chr., zudem drei Triumphe, die er als *cos. II* für einen Sieg über die → Volsci und die Einnahme von → Satricum, als *cos. III* für zwei Siege über die → Samnites und als *cos. IV* für die Einnahme von → Cales erh. haben soll (Quellen in MRR 1 zu den J.). Diese Häufung an Ämtern und Auszeichnungen ist unglaubwürdig im Hinblick auf die zeitliche Diskrepanz zw. den früheren Ämtern und der zweiten Diktatur bzw. den zwei letzten Konsulaten seines Sohnes V. [I 31] (vgl. [1. 295 f.], der die von [2. 2417 f.] insgesamt verworfene Diktatur für histor. hält). Zu der V. als *cos.* 300 zugeschriebenen *lex de provocatione* vgl. V. [I 46]. Sein Cogn. *Corvus* (»Rabe«, z. T. auch *Corvinus*: Dion. Hal. ant. 15,1,2; Val. Max. 8,13,1) rührt her von einem Zweikampf, den V. als *tr. mil.* 349 mit Hilfe eines Raben gegen einen riesigen Gallier gewonnen haben soll (Liv. 7,26; zum Hintergrund [3. 394]).

1 R. RILINGER, Die Ausbildung von Amtswechsel und Amtsfristen, in: Chiron 8, 1978, 247–312 2 H. VOLKMANN, s. v. V. (137), RE 7 A, 2413–2418 3 S. P. OAKLEY, Single Combat in the Roman Republic, in: CQ 35, 1985, 392–410.

S. P. OAKLEY, A Commentary on Livy, Books 6–10, 1997–1998, Index s. v. V.   C. MÜ.

[I 12] V. Falto, M. Gehörte als Quaestorier zur Delegation, die 205 v. Chr. die → Mater Magna nach Rom holte (Liv. 29,11,3; 29,11,8). 203 war er curulischer Aedil, 201 Praetor. Die Angaben über seinen Aufgabenbereich – Bruttii (Liv. 30,40,5) oder Campania (Liv. 31,8,9) – und eine Stellung *pro praetore* auf Sardinien 200 (ebd.) sind unzuverlässig.

[I 13] V. Falto, Q. 242 v. Chr. Stadtpraetor. In Vertretung des verwundeten Consuls C. Lutatius [1] Catulus soll er entscheidenden Anteil am röm. Sieg bei den Aegatischen Inseln gehabt und danach mit dem Ober-

befehlshaber um einen Triumph gestritten haben (Val. Max. 2,8,2; Zon. 8,17,1). 239 war er Consul.
→ Punische Kriege (I.)

W. KUNKEL, Staatsordnung und Staatspraxis der röm. Republik 2, 1995, 187, Anm. 326.

[I 14] V. Flaccus, C. 209 v. Chr. vom *pont. max.* P. Licinius [I 18] Crassus als *flamen Dialis* eingesetzt. Obwohl der ausschweifend lebende junge Mann das Amt nur wider Willen übernahm, soll ihn die Aufgabe schnell bekehrt haben (Liv. 27,8,4–10; Val. Max. 6,9,3). In diese Darstellung sind wohl spätrepublikanische Debatten über das lange vakante Amt ebenso eingeflossen wie ein Konflikt zw. Licinius und V., als dieser 208 gegen dessen Widerstand für sich qua Amt einen Senatssitz erzwang (Liv. l.c.). Die sakralrechtlichen Schranken, die den Flaminat mit höheren Magistraturen schwer vereinbar und deswegen später höchst unattraktiv machten, konnten damals überwunden werden, so daß V. 199 curulischer Aedil (Liv. 31,50,6–9; vgl. L. V. [I 19] Flaccus; [1; 3]) und – nach einem allerdings ungewöhnlich langen Intervall – 183 Praetor wurde (Liv. 39,45,2; 39,45,4 mit [2]). Vor 174 starb er.

1 W. KUNKEL, Staatsordnung und Staatspraxis der röm. Republik 2, 1995, 95, Anm. 152 2 R. RILINGER, Der Einfluß des Wahlleiters bei den röm. Konsulwahlen, 1976, 182–184 3 J. H. VANGGAARD, The Flamen, 1988, 60.   TA. S.

[I 15] V. Flaccus, C. Bruder von V. [I 23]. 96 v. Chr. *praetor urbanus*, 93 *cos.* Von 92–81 war er *procos.* wohl beider spanischen Prov., kämpfte erfolgreich gegen die Keltiberer und wurde zum *imperator* akklamiert (App. Ib. 100). Ab 85 (?) verwaltete er zusätzlich Gallia Transalpina (Münzprägung: RRC 365; zu seiner Provinzialverwaltung [3; 4]); 82 trat er auf die Seite von L. Cornelius [I 90] Sulla und wurde deshalb 81 vom Marianer Q. → Sertorius als Statthalter Spaniens abgelöst. Sulla ließ ihn 81 *de Celtiberis et Gallia* in Rom triumphieren (Granius Licinianus p. 25 CRINITI).

1 E. BADIAN, Studies in Greek and Roman History, 1968, 88–93 2 MRR 3, 211 3 J. S. RICHARDSON, The Tabula Contrebiensis, in: JRS 73, 1983, 33–41 4 Ders., Hispaniae, 1986, 164 f.   K.-L. E.

[I 16] V. Flaccus, C. 59 v. Chr. erschien der Sohn des V. [I 24] im Prozeß seines Vaters (Cic. Flacc. 106). 51/0 ist er in Kilikien als Gefolgsmann Claudius [I 24] Pulchers bezeugt (Cic. fam. 3,4,1; 3,11,3). 48 fiel er auf Seiten des Pompeius [I 3] bei Dyrrhachium (Caes. civ. 3,53,1).   J. BA.

[I 17] V. Flaccus, L. 321 v. Chr. *mag. equitum* des Dictators M. Aemilius [I 29] Papus (MRR 1,151).   C. MÜ.

[I 18] V. Flaccus, L. Führte als Consul 261 v. Chr. zusammen mit T. Otacilius [I 3] Crassus Krieg auf Sizilien (Pol. 1,20,4–7).
→ Punische Kriege (I.)

[I 19] V. Flaccus, L. War 201 v. Chr. *aed. cur.* (Liv. 31,4,5–6), 199 *praetor* (Sicilia; Liv. 31,49,12; 32,1,2); zuvor hatte er seinen Bruder V. [I 14] vertreten, der durch rel. Rücksichten gehindert war, einen Eid zu leisten (Liv. 31,50,7–9). 196 wurde er → pontifex (Liv. 33,42,5). Als cos. 195 stand er im Schatten seines Kollegen M. Porcius Cato [1]; so bleibt seine Rolle im Streit um die lex Oppia (→ Oppius [I 1]) unbekannt. Das → ver sacrum nach einem Gelübde aus dem J. 217 mußte wegen Formfehlern 194 wiederholt werden (Liv. 33,44,1 f.; 34,44,1–3). Bedeutende Siege, die er als Consul und nach Verlängerung seines Amtes in Ober-It. erfochten haben soll, sind ebensowenig glaubhaft (Liv. 34,22, 1–3; 34,46,1) wie angebliche frühere Erfolge unter seiner maßgeblichen Teilhabe als legatus (Liv. 31,21,8; 31,21,13–16). V. begleitete M. Acilius [I 10] Glabrio auf dem Feldzug gegen Antiochos [5] III. und kämpfte mit wechselndem Erfolg. An den Friedensverhandlungen mit den → Aitoloi war er beteiligt und stellte diesen die röm. Sicht der → deditio vor Augen. 190 beaufsichtigte er als Leiter einer Dreierkommission Neuansiedlungen um → Bononia [1]. 189 gescheitert, wurde er 184 mit Cato [1] zum censor gewählt, der ihn wieder an Bed. überragte, aber auch zum princeps senatus machte (Liv. 39,52,1); 180 starb er an einer Seuche (Liv. 40,42,6).

[I 20] V. Flaccus, L. 163 v. Chr. curulischer Aedil (Ter. Haut. didascalia), danach (160 oder 159? vgl. ILS 3836 mit [1]) spätestens 155 Praetor. 152 starb er während seines Konsulates (InscrIt 13,1,53). Ein cos. suff. wurde anscheinend nicht gewählt. Ob dieser Mangel mit dem angeblich aus rel. Gründen nötigen Rücktritt aller Priester und Magistrate zusammenhängt (Obseq. 18), ist unklar.

1 F. MÜNZER, s. v. V. (174), RE 7 A, 20 f.

[I 21] V. Flaccus, L. Wurde 131 v. Chr. als flamen Martialis Consul; sein Kollege P. Licinius [I 19] Crassus Mucianus, der zugleich pontifex maximus war, verbot ihm, die Stadt zu verlassen. Die Volksversammlung hob zwar die Strafandrohung auf, bestätigte aber die Anordnung. Crassus sicherte sich so das Kommando im Krieg gegen Aristonikos [4] (Cic. Phil. 11,8,18).

J. H. VANGGAARD, The Flamen, 1988, 56 f.   TA. S.

[I 22] V. Flaccus, L. Sohn von V. [I 21]. Wie sein Vater flamen Martialis, triumvir monetalis 108 oder 107 v. Chr. (RRC 306). Es folgte die Praetur; eine anschließende Statthalterschaft und die darauf folgende Anklage wegen Erpressung durch M. Aemilius [I 37] Scaurus ist umstritten (Cic. div. in Caec. 63; MRR 3, 211 f.). In seinem Konsulat 100 trat er ganz hinter seinem Kollegen C. → Marius [I 1] zurück (Plut. Marius 28,4 f.) und wurde 97 Censor. Die Bürgerkriegszeit überlebte er unbeschadet, wurde 86 princeps senatus und suchte zw. den Anhängern des Marius und denen des L. → Cornelius [I 90] Sulla zu vermitteln. Nach Sullas Rückkehr 82 nach Rom ernannte ihn V. als → interrex aufgrund eines Volksbeschlusses zum → dictator (Cic. leg. agr. 3,5; Cic. Att. 9,15,2; App. civ. 1,458–461) und schuf damit die legale Basis für dessen Herrschaft. Sulla machte ihn daraufhin zu seinem mag. equitum.

[I 23] V. Flaccus, L. Vater von V. [I 24]. 99 oder 98 curulischer Aedil, 96 oder 95 Praetor, dann Propraetor in Asia [1. 337–339]. Während seiner Amtszeit spendeten die asiatischen Städte Geld für Feiern zu seinen Ehren, das wegen des → Mithradatischen Krieges der Stadt Tralleis zur Verwahrung übergeben wurde, die unter dem Patronat der Valerier stand. 62 zog es dann sein Sohn während seiner Statthalterschaft ein (Cic. Flacc. 55–61). Im Bürgerkrieg zw. L. → Cornelius [I 90] Sulla und C. → Marius [I 1] trat V. 87 auf die Seite des Marius und spielte ihm Ostia in die Hände. Nach dessen Tod als cos. 86 wurde er cos. suff. und erließ ein Gesetz, das drei Viertel aller privaten Schulden tilgte (lex de aere alieno, Vell. 2,23,2). Dann ging er mit dem Auftrag, Sulla im Krieg gegen Mithradates [6] VI. abzulösen, in den Osten. Nach Verlusten der Flotte bei der Überfahrt nach Kleinasien und Übertritt eines Teiles des Heeres zu Sulla kam es zum Konflikt mit seinem Legaten C. Flavius [I 6] Fimbria und, auch aufgrund der mil. Unfähigkeit des V., zum Aufstand der von Fimbria aufgewiegelten Soldaten, die V. 85 auf der Flucht in Nikomedeia ermordeten (App. Mithr. 203–209; Memnon FGrH 434 F 24).

1 J.-L. FERRARY, Les inscriptions du sanctuaire de Claros en l'honneur de Romains, in: BCH 124, 2000, 331–376.

K.-L. E.

[I 24] V. Flaccus, L. Um 103 bis nach 56 v. Chr., Sohn von L. V. [I 23] Flaccus, den er 86 auf dem Feldzug nach Asien begleitete (Cic. Flacc. 5). Ca. 83–81 diente er dann im Heer seines Onkels C. V. [I 15] in Gallia → Narbonensis, ab 78 als Militärtribun bei Servilius [I 27] Vatia in Cilicia (Cic. Flacc. 6). 70 folgte die Quaestur in Spanien (Cic. Flacc. 6), 68–67 bewährte sich V. als Legat in Creta und Achaia (Cic. Flacc. 6; 62 f.; Cic. Planc. 27; Solin. 1,91), 66/5 als Legat des Pompeius [I 3] im Kaukasus (Cass. Dio 36,54). Aed. cur. 66 (so AE 1987,53) kann er daher kaum gewesen sein. 63 war er als Praetor eine wichtige Stütze Ciceros im Kampf gegen → Catilina (Cic. Att. 2,25,1; Sall. Catil. 45 f.) und verwaltete 62/1 die Prov. Asia (Cic. Flacc. 6; IMagn 144–146; [2. 345–350]; verm. auch IPerg 416). Nach einer Gesandtschaft nach Gallien 60 (Cic. Att. 1,19,2 f.) kam es 59 zu einem Prozeß wegen Erpressungen (→ repetundarum crimen) in Asia. Obwohl nicht ganz schuldlos [1], wurde V. von → Cicero und Hortensius [7] erfolgreich verteidigt (Macr. Sat. 2,1,13). Ciceros Rede Pro Flacco und ein ant. Komm. dazu (schol. Bobiensia 93–108 St.) sind die wichtigste Quelle für V.' Leben. 58–56 war V. noch einmal Legat in Macedonia (Cic. Pis. 54), bald danach wird er gestorben sein.

1 D. ERKELENZ, Cicero, Pro Flacco 55–59, in: Chiron 29, 1999, 43–57 2 J.-L. FERRARY, Les inscriptions du sanctuaire de Claros, in: BCH 124, 2000, 331–376 3 L. HAYNE, The Valerii Flacci, in: AncSoc 9, 1978, 223–233.   J. BA.

[I 25] V. Flaccus, P. 227 v. Chr. Consul. Alle weiteren Informationen – wie die, daß er an einer Gesandtschaft zu dem → Saguntum belagernden → Hannibal [4] teilgenommen (Liv. 21,6,8; Cic. Phil. 5,10,27), daß er 216 als Legat vor → Nola gekämpft (Liv. 23,16,13) und 215–214 eine Flottenabteilung kommandiert habe (Liv. 23,34,4–9; 23,38,7–11; 24,40,5) – sind nur in schlechter annalistischer Trad. belegt. Auch die entscheidende Rolle in der Debatte während Hannibals Marsch auf Rom 211 (Liv. 26,8,6–8) bezeugt höchstens, daß V. damals noch als angesehener Konsular lebte.

→ Annalistik; Punische Kriege (II.)

[I 26] V. Laevinus, C. Begleitete 189 v. Chr. M. Fulvius [I 15] Nobilior (seinen Halbbruder) im Krieg gegen die → Aitoloi. Diese nutzten ein offensichtlich auf den Vater V. [I 27] zurückgehendes Patronat für ihre Friedensbemühungen (Pol. 21,29,10–12; Liv. 38,9,8). 179 amtierte V. als Praetor auf Sardinien (Liv. 40,44,2; 40,44,7); eine angebliche zweite Praetur 177 (Liv. 41,8,1–3) ist schlecht mit der *lex Villia* (→ *cursus honorum*) vereinbar. 176 gelang V. als *cos. suff.* kein entscheidender Erfolg gegen die → Ligures. Weil auch der zweite *cos. ord.* zu Tode gekommen war, versuchten die → *augures* zu verhindern, daß V. als *cos. suff.* die Wahlen leitete (Liv. 41,18,15 f.). 174 und 173 nahm er an Gesandtschaften in den griech. Osten teil [1]. 169 scheiterte er als Kandidat für die Censur (Liv. 43,14,1).

1 GRUEN, Rome, 236.

[I 27] V. Laevinus, M. 227 v. Chr. der erste Praetor auf Sicilia (Solin. 5,1). Die Datier. einer ersten Amtszeit als *cos. suff.* bleibt unsicher. 215 kommandierte er – obwohl *praetor peregrinus* (Liv. 23,24,4; 23,30,18) – in Apulien (Liv. 23,32,16 f.; 23,33,5–8; 23,37,12 f. im einzelnen unzuverlässig). Gegen das neue Bündnis Hannibals [4] mit Philippos [7] wurde V. eine Flotte zur Kriegsführung gegen letzteren übertragen (Pol. 8,1,6; Eutr. 3,12,3 f.; Zon. 9,4,3; vgl. Liv. 23,38,7–12; 24,10,4; 24,11,3). Zunächst soll er 214 Tarent/→ Taras gesichert haben (Liv. 24,20,9–16); auf einen Hilferuf von Orikos hin setzte er über die Adria; die Rückeroberung der Stadt und der Entsatz von Apollonia [1] gelang (Liv. 24,40). V. blieb für diesen Kriegsschauplatz verantwortlich. Einzelheiten sind nicht überl. bis zum Abschluß des Vertrages mit den → Aitoloi 211 (Liv. 26,24,1–14; StV 2,536; zum Datum [1]). Danach eroberte er Zakynthos sowie die akarnanischen Städte Oiniadai und Nasos (Liv. 26,24,15 f.; Pol. 9,39,2 f.). Im Frühjahr 210 nahm er noch Antikyra ein, bevor ihn die Nachricht über die erfolgte Wahl zum Consul nach Rom zurückrief (Liv. 26,26,1–4). Dort erwarteten ihn Diskussionen über den Umgang mit ehemaligen Verbündeten [2] und Finanzprobleme: V. konnte die Senatoren überzeugen, als Vorbilder freiwillige Beiträge zu zahlen; andere schlossen sich an (Liv. 26,36).

Danach brach er in die Prov. Sicilia auf, die er mit dem Kollegen getauscht hatte (Liv. 26,29,9). Er nahm durch Verrat Akragas, eroberte den Rest der Insel, erreichte den Abzug von Marodeuren und sicherte so für die Zukunft einen wesentlichen Teil der Getreideversorgung (Pol. 9,27,11; Liv. 26,40; 27,5,1–7). Nach

Auseinandersetzungen um die Wahlleitung in Rom [3] kehrte V. nach Sicilia zurück, wo er bis 206 – seit 208 neben einem Praetor – *pro consule* amtierend die Landwirtschaft förderte und gelegentlich mit der Flotte nach Afrika übergriff (vgl. Liv. 27,8,13–19; 27,29,7 f.; 28,4,5–7; 28,10,16). Der Auftrag im J. 205, Truppen zum Schutz gegen → Mago [5] nach Arretium zu bringen, ist annalistische Fälschung (Liv. 28,46,13 mit [4]). V. führte die Gesandtschaft zur Abholung der → Mater Magna (Liv. 29,11,1–8). 204 wurde auf V.' Antrag hin die Rückzahlung der 210 erbrachten Aufwendungen beschlossen (Liv. 29,16,1–3). 203 soll sich V. gegen den von P. Cornelius [I 71] Scipio ausgehandelten Frieden ausgesprochen haben (Liv. 30,23,5). Den Krieg gegen Philippos [7], zu dem er (nach schlechter Überl.) gedrängt haben soll, erlebte er nicht mehr (Liv. 31,3,3–6; 31,5,5 f.; 31,50,4).

→ Makedonische Kriege; Punische Kriege (II.); Sicilia

1 H. TRÄNKLE, Livius und Polybios, 1977, 211–215
2 J. VON UNGERN-STERNBERG, Capua im Zweiten Pun. Krieg, 1975, 83–122 3 R. FEIG VISHNIA, State, Society and Popular Leaders, 1996, 59–62 4 D.-A. KUKOFKA, Süditalien im Zweiten Punischen Krieg, 1990, 130–132.

[I 28] V. Laevinus, P. Erlitt 280 v. Chr. als *cos.* bei Herakleia [10] eine schwere Niederlage gegen → Pyrrhos [3], verhinderte aber den Verlust von Capua, Neapolis [2] und Rhegion. Die Überl. dieser Ereignisse ist stark entstellt (Liv. per. 13; Dion. Hal. ant. 19,11–12; Plut. Pyrrhus 16,3–17,4; Zon. 8,3–4).

→ Annalistik

P. LEVÊQUE, Pyrrhus, 1957, 317–334; 351–358.   TA.S.

[I 29] V. Laevinus, P. Gelangte trotz seines Adels nicht über die Quaestur hinaus (Hor. sat. 1,6,12–17 und Porph. Hor. comm. 1,6,13 f.). Vielleicht ist er der Laevinus, der V. [II 16] Messalla Corvinus erzürnte (Plin. nat. 35,8).   J.BA.

[I 30] V. Maximus, M'. Wegen der in den ant. Quellen schwankenden Angaben zu V.' Praen. (M'. in InscrIt 13,1,66 f.; M. z. B. in Liv. 2,30,4; vgl. hierzu [1. 116–118]) in der Forsch. z. T. mit seinem Bruder V. [I 6] identifiziert. → *Dictator* in der inneren Krise des J. 494 oder Bekleidung des Konsulats (MRR 1,14). Uneins ist die Überl. über die Umstände der Diktatur: Nach Livius (2,30,5–7; 2,31,1–3; 8–11) wurde V., als das Volk trotz drohenden Kriegs den Kriegsdienst verweigerte, zum *dictator* gewählt, führte die Aushebungen durch, errang einen Triumph, dankte aber ab wegen des Widerstands des Senats gegen die von ihm geplanten Reformen. Nach anderer Version (u. a. Cic. rep. 2,58; Plut. Pompeius 13; Synthese aus beiden Versionen in Dion. Hal. ant. 6,23–25; 6,67) wurde V. *dictator* nach der → *secessio plebis* und bewegte die Plebs zur Rückkehr. Für seine Leistungen als *dictator* wurde V. das Cogn. *Maximus* gegeben (Plut. l.c.; Zon. 7,14). Zudem erwähnt die Überl. eine Vielzahl von Ehrungen für V. (u. a. Liv. l.c.; Fest.

464; Plut. Poplicola 10,2; Elogium auf V. aus augusteischer Zeit: InscrIt 13,3, Nr. 78).

1 H. VOLKMANN, s. v. V. (243), RE 8 A, 116–120.

[I 31] V. Maximus (Corvus oder Corvinus), M.
Sohn von V. [I 11]. Gesichert sind V.' Konsulate in den
J. 312 und 289 v. Chr., ein Konsulat V.' im J. 286 ist
demgegenüber fraglich. Hinzu kommen zwei weitere
in den J. 300 und 299 (als *cos. suff.*) und eine in ihrer
Historizität jedoch umstrittene Diktatur im J. 301, die
die ant. Überl. fälschlich seinem Vater (s. V. [I 11]) zuschrieb (MRR 1 zu den J.). Letztlich muß unklar bleiben, ob der bei Fest. 458 als *IIIvir coloniae deducendae* (313:
Saticula in Samnium) genannte M. V. Corvus dieser V.
oder sein Vater war. Livius (8,35,10) erwähnt V. als Legaten des Papirius [I 15] Cursor in dessen Streit mit Fabius [I 28] Rullianus (zur Zweifelhaftigkeit des Streits
und damit der Rolle V.' → Papirius [I 15]). Glaubhaft
ist hingegen V.' Sieg als *cos. I* über die → Samnites
(und Soraner: Liv. 9,29,3; mit Triumph nach InscrIt
13,1,70f.) und die Gründung von Interamna und Li-
renas. Im J. 307 bekleidete V. die Censur.

[I 32] V. Maximus Lactuca, M. Als *cos.* 456 v. Chr.
(MRR 1, 41) soll er – histor. schwerlich zutreffend – mit
dem *tr. pl.* → Icilius [1] wegen dessen *lex de Aventino
publicando* in Streit geraten sein (Dion. Hal. ant. 10,31f.).
Ab seinem Konsulat wurden die → *ludi* (III. K.) *saeculares*
gerechnet.

C. MÜ.

[I 33] V. Maximus Messalla, M'. Ihm gelang als *cos.*
263 v. Chr. mit M'. Otacilius [I 2] Crassus ein beein-
druckender Feldzug, der → Hieron [2] II. zum Frieden
zwang (Pol. 1,16,1–5; Diod. 23,4,1; Eutr. 2,19; Zon.
8,9,10f. mit [2; 3]; vgl. StV 2, Nr. 479). Obwohl beide
Consuln sowohl als Feldherren als auch beim Frieden
mitgewirkt hatten, erscheint der Ruhm ausschließlich
mit V. verbunden. Das ist nicht einer parteiischen
Überl. anzulasten (so [1]), sondern Folge von Entscheidungen im Amtsjahr selbst: V. allein verblieb nach dem
Abschluß mit Hieron und der Halbierung der Truppen
auf Sizilien (Pol. 1,17,1–2), konnte eine prestigeträch-
tige Expedition mit reicher Beute gegen den karthagischen Herrschaftsbereich führen (Naev. fr. 3 FPL³;
Diod. 23,4,2–5,1; Zon. 8,9,12 mit [2; 3]), erhielt allein
einen Triumph als Sieger über Punier und Hieron [2]
(InscrIt 13,1,74f.) und den Beinamen *Messalla* (InscrIt
13,1,40f.), der anzeigt, daß er ein im Interesse des Verbündeten Messana [1] begonnenes einheitliches Geschehen zu einem ruhmvollen Abschluß gebracht hatte.
V. ließ neben der röm. *curia Hostilia* ein Gemälde auf-
hängen, das seinen Sieg verherrlichte (Plin. nat. 35,22).
Zum selben Zweck stiftete er aus der Beute eine Sonnenuhr, die neben der Rednerbühne installiert wurde
(Plin. nat. 7,214). Selbst Entscheidungen, die er 252 als
Censor fällte, sind wohl Versuche, seine Großtat ins
rechte Licht zu setzen (Frontin. strat. 4,1,22; Val. Max.
2,9,7).
→ Punische Kriege (I.); Sicilia

1 M. GELZER, KS 3, 1964, 61 **2** B. D. HOYOS, Unplanned
Wars, 1998, 104–112 **3** J. MOLTHAGEN, Der Triumph des
M. V. Messalla, in: Chiron 9, 1979, 53–72.

[I 34] V. Messalla, M. 226 v. Chr. Consul und ab 210
als Flottenkommandant unter M. V. [I 27] Laevinus bezeugt, der ihn aber nicht als Wahldictator durchsetzen
konnte (Liv. 27,5,15–17).
→ Punische Kriege (II.)

[I 35] V. Messalla, M. Gewährte als *praetor peregrinus*
193 v. Chr. (Liv. 34,55,6) → Teos Asylie [1]. Nach einer
gescheiterten Kandidatur wurde er 188 Consul (Liv.
37,47,7; 38,35,1), konnte im Amtsbereich *Pisae cum Li-
guribus* keine Erfolge erzielen (Liv. 38,42,1), kehrte 181
als Legat des L. Aemilius [I 32] Paullus nach Ligurien
zurück (Liv. 40,27,3) und war 174 Gesandter in Makedonien (Liv. 41,22,3). Seit 172 einer der → *quindecimviri
sacris faciundis*; er starb nach 167.

1 K. J. RIGSBY, Asylia. Territorial Inviolability in the
Hellenistic World, 1996, 314–316, Nr. 153; vgl. 286.

[I 36] V. Messalla, M. 161 v. Chr. Consul, 154 Censor.
Der Plan, in Rom ein → Theater aus Stein zu errichten,
wurde von P. Cornelius [I 83] Scipio Nasica Corculum
als dekadent verhindert (Liv. per. 48; Val. Max. 2,4,2;
Vell. 1,15,3; Oros. 4,21,4; Aug. civ. 1,31; 1,33).

M. SORDI, La decadenza della repubblica e il teatro del 154
a. C., in: Invigilata lucernis 10, 1988, 327–341.

TA. S.

[I 37] V. Messalla, M. *Cos. suff.* 32 v. Chr. Vielleicht
war er ein Sohn von V. [I 40] und 53 *monetalis* [1. 228].

1 SYME, AA.

J. BA.

[I 38] V. Messalla, Potitus. Sohn von V. [I 40], *quin-
decimvir sacris faciundis, qu., praef. urbi*; 29 v. Chr. *cos. suff.*,
danach (zw. 21 und 17?) zwei J. *procos.* von Asia (ILS
8964; Cass. Dio 51,21,1), darauf *legatus Augusti pro praetore* vielleicht von Syria. Erwähnt auch in den Akten der
Säkularfeiern 17 v. Chr. (ILS 5050, Z. 150). Der in Klaros geehrte *qu.* M. V. Messalla Potitus ist vielleicht ein
jung verstorbener Sohn [1. 364–366].

1 J.-L. FERRARY, Les inscriptions du sanctuaire de Claros en
l'honneur des Romains, in: BCH 124, 2000, 331–376
2 SYME, AA, 33; 48; 211; 228f.

K.-L. E.

[I 39] V. Messalla Niger, M. Um 104–vor 46 v. Chr.
Von Sulla schon um 81 zum *pontifex* gemacht (ILS 46;
[1. 227]), hatte V. verm. dennoch 80 Sex. Roscius [I 2]
unterstützt (Cic. S. Rosc. 149; schol. Gronoviana 303
ST.). Er wurde in der Folgezeit zwei Mal *tr. mil., qu.* und
praetor urbanus (ILS 46). 61 war er mit Pupius [I 3] Piso
Consul. Anders als dieser orientierte sich V. in der Bona
Dea-Affäre (→ Clodius [I 4]) an den konservativen Se-
natskreisen (Cic. Att. 1,13 f.), trat dann aber nicht weiter
hervor. Polit. keineswegs festgelegt, war er 59 in dem
bes. Fünferausschuß der Kommission des Ackergesetzes
Caesars (ILS 46). 55 gelangte V. zur Censur (ILS 46; Plin.
nat. 7,55), in der er mit seinem Kollegen P. Servilius

Die Valerii Messallae und ihre Familienverbindungen (3. Jh. v. Chr. – 1. Jh. n. Chr.)

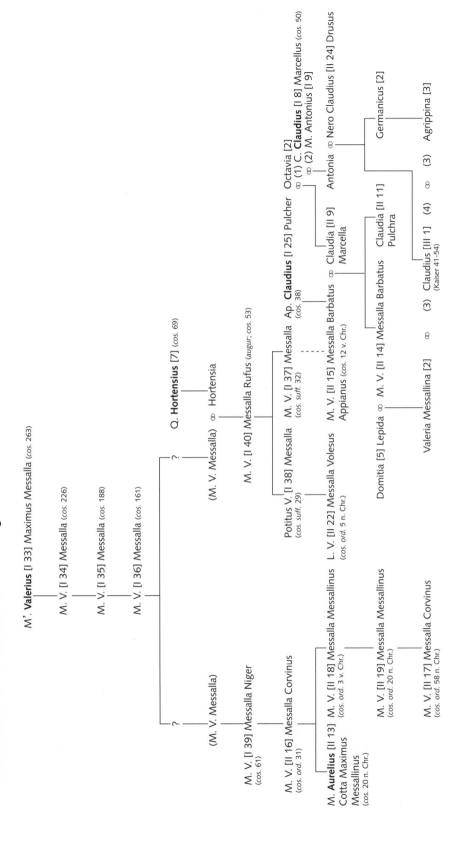

Valerius = Gentes   ------ = Adoption   [ ] = Numerierung nach DNP

[I 27] Isauricus den Tiber regulierte (ILLRP 496; AE 1983,32; 1984,45), aber den → *census* nicht vollendete (Cic. Att. 4,16,8). 54 verteidigte er mit anderen Aemilius [I 38] Scaurus (Ascon. 20 C) und wurde in den Wahlwirren 55, 53 und 52 dreimal → *interrex* (ILS 46). Von Cicero wird er 46 unter den bereits verstorbenen Rednern gewürdigt (Cic. Brut. 246). Vater von V. [II 16].

1 SYME, AA.

[I 40] V. Messalla Rufus, M. Um 102–27/6 v.Chr., wurde als Bruder von Cornelius [I 90] Sullas Frau Valeria [3] schon um 81 Augur. 61 verm. Praetor [1. 61 f.], wurde V. nach anfänglichem Widerstand des Pompeius [I 3] und vielen Querelen (Cic. Att. 4,9,1; 4,15–17; Cic. ad Q. fr. 2,14 f.; 3,1–3) im Sommer 53 mit Domitius [I 10] für den Rest des J. zum Consul gewählt (Cass. Dio 40,45,1). 51 wurde V. wegen Bestechung bei der Wahl von 53 angeklagt, zunächst freigesprochen, dann aber erneut angeklagt und verurteilt (Cic. fam. 8,2,1; 8,4,1; Val. Max. 5,9,2). 47–46 ist er als Legat Caesars bezeugt (Bell. Afr. 28; 86–88). Später trat er als Schriftsteller hervor, bekannt sind die Werke *De auspiciis* (Gell. 13,15,3) und *De familiis* (Plin. nat. 35,8). Sein Sohn war 53 Münzmeister (RRC 435).

1 F. X. RYAN, The Moment of the Trial of P. Sulla in 62, in: The Ancient History Bull. 11, 1997, 61 f.

[I 41] V. Orca, Q. Trat 57 v.Chr. als Praetor für Cicero ein (Cic. p. red. in sen. 23), anschließend verwaltete er Africa (Cic. fam. 13,6 f.). 49 eroberte er als Legat Caesars Sardinia (Caes. civ. 1,30 f.) und war 45 *legatus pro praetore* für Landzuteilungen (Cic. fam. 13,4 f.). J.BA.

[I 42] V. Poplicola, L. Konsulartribun 394, 389, 387, 383, 380 v.Chr. (MRR 1 zu den J.). Ob es sich bei dem in Livius (5,48,5) genannten L. V., 390 *mag. equitum* des Furius Camillus, um ihn oder um V. [I 50] handelt, ist nicht zu entscheiden (vgl. [1. 737]).

[I 43] V. Poplicola, M. Sohn von V. [I 42]. *Cos.* 355 und 353 v.Chr., jeweils mit C. Sulpicius [I 18] Peticus, in dessen Diktatur 358 V. das Amt des *mag. equitum* bekleidete (MRR 1, 121; 124 f.).

[I 44] V. Poplicola, P. *Cos. suff.* 509, *cos.* 508, 507, 504 v.Chr. (MRR 1,2; 1,5 f.; 1,7 mit Quellen). Sohn von [I 10], Bruder von [I 6] und [I 30]. Legendäre Gestalt der röm. Geschichte, der die Überl. eine gewichtige Rolle am Beginn der Republik zuweist: Er war beteiligt am Sturz des Königtums, nach Entdeckung der Verschwörung zur Rückführung der Tarquinier und dem Rücktritt des Tarquinius [9] Collatinus vom Amt des Consuls *cos. suff.* 509 mit Iunius [I 4] Brutus, auf den er nach dessen Tod die → *laudatio funebris* hielt. Zunächst verdächtigt, nach Alleinherrschaft zu streben, zerstreute er den Verdacht durch Abriß seines Hauses auf der → *Velia* und durch mehrere volksfreundliche Gesetze (Liv. 2,8,2; Plut. Poplicola 11 f.), v.a. die *lex Valeria de provocatione* (→ *provocatio*; zu den Gesetzen [1. 59–69]). Die ant. Überl. erklärt aus diesen Maßnahmen sein

Cogn. *Poplicola* (»Volksfreund«; z. T. auch *Publicola*, Liv. 2,8,1; zur Etym. vgl. [2. 339]). Als *cos. II* bzw. *III* kämpfte er gegen → Porsenna, als *cos. IV* gegen die → Sabini und gegen → Veii, über die er einen Triumph feierte (Liv. 2,16; InscrIt 13,1,64 f.). V. erhielt ein Staatsbegräbnis, zudem wurde für ihn (und seine Familie) ein Bestattungsplatz an der Velia bestimmt (Plut. Poplicola 23; Liv. 2,16,7; vgl. [3. 301]). Die histor. Gestalt hinter der legendären Überl. ist u. U. der im → *Lapis Satricanus* genannte Poplios Valesios (vgl. V. [I 7]). Sind beide identisch – was freilich nicht endgültig zu klären ist –, steht hinter dem V. der Überl. verm. einer der *condottieri* jener Zeit.

1 D. FLACH, Die Gesetze der frühen röm. Republik, 1994
2 WALDE/HOFMANN, Bd. 2 3 F. FONTANA, s. v. Sepulchrum: Valerii, LTUR 4, 1999, 301.

F. COARELLI, s. v. Domus: P. V. Publicola, LTUR 2, 1995, 209 f. · R. M. OGILVIE, A Commentary on Livy, Books 1–5, 1965, Index s. v. V.

[I 45] V. Poplicola, P. Sohn von V. [I 44]. Die Überl. nennt V. als *cos. I* 475 v.Chr. (Triumph über → Veii und die → Sabini: InscrIt 13,1,166 f.; Liv. 2,53,1–3) und → *interrex* 462, zeichnet V. zudem im Sinne der den Valerii zugeschriebenen volksfreundlichen Haltung: V. trat vermittelnd auf im Streit um die → *rogatio* des Publilius [I 2] (Dion. Hal. ant. 9,49), brachte nach Liv. 3,15–18 (vgl. [1. 423–428]) als *cos. II* 460 die Plebs mit dem Versprechen, eine Beratung des umstrittenen Antrags des → Terentilius Harsa nicht zu verhindern, dazu, den Kampf gegen App. Herdonius [1] aufzunehmen, wurde hierin tödlich verletzt und erhielt ein von der Plebs mitfinanziertes Begräbnis (MRR 1 zu den J.).

1 R. M. OGILVIE, A Commentary on Livy, Books 1–5, 1965.

[I 46] V. Poplicola Potitus, L. *Cos.* 449 v.Chr. Nach Livius (3,55,3–7) brachte er zusammen mit seinem Kollegen Horatius [3] Barbatus (MRR 1, 47) nach dem Ende der Herrschaft der → *decemviri* [1] die *leges Horatiae Valeriae* durch: bindende Gesetzeskraft von Beschlüssen der plebeiischen Volksversammlung (*consilium plebis*) für das gesamte Volk, *sacrosanctitas* (»Unverletzlichkeit«, vgl. → *sacrosanctus*) plebeiischer Amtsträger, Recht der → *provocatio*. Deren Einrichtung bringt die Überl. dreimal mit Mitgliedern der »volksfreundlichen« gens Valeria in Verbindung (Liv. 10,9,3–6: V. [I 44], V. selbst und V. [I 11]; zur umstrittenen Historizität der → *leges* insgesamt s. Horatius [3]. Die V. [I 11] zugeschriebene *lex de provocatione* gilt überwiegend als authentisch [1. 61]). Zudem soll er einen durch Volksbeschluß bewilligten Triumph über die → Aequi errungen haben (Liv. 3,63,8; InscrIt 13,1,66 f.).

1 D. FLACH, Die Gesetze der frühen röm. Republik, 1994.

[I 47] V. Potitus, C. Sohn von V. [I 49]. Konsulartribun 386, 384, 380, 377, 370 und 367 v.Chr. (MRR 1 zu den J.). Der Überl. nach errang er 386 einen Sieg über die Etrusker (Liv. 6,9,7–11), 377 über die → Volsci und → Aequi (Liv. 6,32; Diod. 15,61,1).

[I 48] V. Potitus, C. In sein Konsulat 331 v. Chr. fiel eine Reihe von Giftmorden, was zum Rücktritt V.', der Ernennung eines → *dictator* mit V. als *mag. equitum* und zur Verurteilung von insgesamt 170 angesehenen Frauen führte (Liv. 8,18; InscrIt 13,1,34f.).

S. P. OAKLEY, A Commentary on Livy, Books 6–10, Bd. 2, 1998, 594–602.   C. MÜ.

[I 49] V. Potitus, L. Sohn von V. [I 6]. Nach einem Zweig der annalist. Überl. ließ er mit seinem Kollegen Kaeso Fabius [I 37] Vibulanus als *qu.* 485 v. Chr. Sp. Cassius [I 19] nach dessen Konsulat wegen Hochverrats (→ *perduellio*) von einem Volksgericht verurteilen und vom Tarpeischen Felsen stürzen (→ *Tarpeium saxum*; Liv. 2,41,11; Dion. Hal. ant. 8,77,1–80,1; MRR 1,22). Dieses quaestorische Komitialverfahren dürfte spätrepublikan. Rückprojektion sein [1. 344f.]. Als *cos.* 483 soll er mit seinem Kollegen außerhalb der Stadtgrenze (des Amtsbereichs der *tr. pl.*) Aushebungen gegen den Willen des *tr. pl.* C. Maenius [I 2] durchgeführt haben (Liv. 2,42,7; Dion. Hal. ant. 8,87,2–90,6). 470 soll er als *cos. II* erfolglos die Forderung der Volkstribunen nach einer Landaufteilung gegen den Einspruch des Ap. Claudius [I 5] unterstützt und Krieg gegen die → Aequi geführt haben (Liv. 2,62,1f.; Dion. Hal. ant. 9,51–55).

1 R. M. OGILVIE, A Commentary on Livy, Books 1–5, 1965.   K.-L. E.

[I 50] V. Potitus, L. Sohn von V. [I 46]. Konsulartribun 414, 406, 403, 401, 398 und *cos.* 392 v. Chr. (MRR 1 zu den J.). 406 griff V. → Antium an (Liv. 4,59,2), 401 belagerte er Anxur/→ Tarracina (Liv. 5,12,6), 398 war er Mitglied einer Gesandtschaft nach Delphoi (Plut. Camillus 4,6). Ebenfalls als Mitglied einer Gesandtschaft nach Delphoi mit Weihegeschenken der Beute aus → Veii erscheint er für 394 (Liv. 5,28,2–5; zum Verlauf der Gesandtschaft s. → Timasitheos). Zunächst zum *cos.* 393 gewählt, mußte er verm. noch vor Amtsantritt zurücktreten (vgl. InscrIt 13,1,30f.; 100; 386f. und [1. 192]), wurde dann aber *cos.* 392 (Liv. 5,31,1–4: Triumph über die Aequer; Veranstaltung der *ludi magni*). Die Überl. nennt V. insgesamt dreimal als → *interrex* (397, 392 nach Niederlegung des Konsulats wegen Krankheit, 387; vgl. MRR 1 zu den J.), doch sind diese Ämter durchaus zweifelhaft (hierzu [1. 193f.]; vgl. V. [I 42]).

1 H. VOLKMANN, s. v. V. (307), RE 8 A, 191–194.

[I 51] V. Potitus Volusus, C. Als *cos.* 410 v. Chr. soll er gegen den Widerstand des *tr. pl.* Menenius [3], aber mit Unterstützung der übrigen *tr. pl.* Aushebungen durchgeführt haben, die von den → Aequi besetzte *arx Carventana* (→ Carventum) zurückerobert und eine → *ovatio* erhalten haben (Liv. 4,53,1–12; zur zweifelhaften Historizität der Episode vgl. [1. 614]). Zudem Konsulartribun 415, 407 und 404 (MRR 1 zu den Jahren).

1 R. M. OGILVIE, A Commentary on Livy, Books 1–5, 1965.   C. MÜ.

[I 52] V. Triarius, C. Besiegte 77 v. Chr. als Propraetor Sardiniens Aemilius [I 11] Lepidus (Ascon. 19 C; Exuperantius 40f.). Ab 74 war er als Legat (Liv. per. 98) des Licinius [I 26] Lucullus im Krieg gegen → Mithradates [6] VI. Während der röm. Offensive in Bithynien 73 eroberten er und Barba Apameia, Prusa, Prusias-Kios und Nikaia [5] (App. Mithr. 333f.; Memnon FGrH 434,28,5–8). Vor Nikomedeia stieß V. zu Aurelius [I 11] Cotta, doch entkam Mithradates (Memnon 29,1f). Gegen die heimkehrende Flotte des Mithradates entsandt, besiegte V. diese bei Tenedos (Memnon 29,5; 33,1f.). Von Cotta zur Hilfe gerufen, gelang es ihm im Jahr 70, Herakleia [7], Tios und Amastris durch Verrat zu erobern (App. Mithr. 369; Memnon 34,5–36). 69 half er dem zuvor von Piraten überfallenen Delos und befestigte den Kern der Stadt (Phlegon FGrH 257,12,13; [1]). 68 befreite er Fabius Hadrianus in Kabeira (App. Mithr. 88; Cass. Dio 36,10), erlitt aber 67 in der Nähe von Zela eine vernichtende Niederlage, die ihm unfreiwilligen Ruhm bescherte (App. Mithr. 402–408; Bell. Alex. 72; Cass. Dio 36,12f.; Plin. nat. 6,10; Plut. Lucullus 35).

1 F. DURRBACH, Choix d'inscriptions de Délos, 1923, 248–250.

[I 53] V. Triarius, C. Verm. Sohn von V. [I 52]. 50 v. Chr. läßt Cicero V. in *De finibus* 1 und 2 als Dialogteilnehmer auftreten. 49 befehligt V. mit D. Laelius [I 4] für Pompeius [I 3] die kleinasiat. Schiffe und riet bei → Pharsalos, Caesars Angriff abzuwarten (Caes. civ. 3,5; 3,92). Vielleicht fiel V. im Kampf, denn Cicero würdigt den Toten, über dessen Kinder er die Vormundschaft übernommen hatte (Cic. Brut. 265f.; Cic. Att. 12,28). Unsicher ist, welcher C. V. Triarius Aedil in Fundi war (ILS 5325).

[I 54] V. Triarius, P. Sohn von V. [I 52]. 54 v. Chr. klagte er Aemilius [I 38] Scaurus vergeblich wegen Erpressung an (Ascon. 18f.; 29 C; Cic. Att. 4,17,4), war dann aber mit einer zweiten Anklage wegen Wählerbestechung (→ *ambitus*) erfolgreich (App. civ. 2,91; Cic. Att. 4,17,5). Da das Praen. P. unsicher überl. ist, ist die Identität mit V. [I 53] nicht auszuschließen.

GRUEN, Last Gen., 332–348.   J. BA.

[I 55] V. Troucillus, C. s. Troucillus.

II. KAISERZEIT

[II 1] (D.) V. Asiaticus. Senator aus Vienna in der Narbonensis, aus gallischer Familie, mit Verbindung zu Antonia [4] Augusta und zu L. → Vitellius; Ämter vor dem Suffektkonsulat im J. 35 (FO² 42) sind unbekannt. Eng mit → Caligula verbunden, der wohl mit Lollia [2] Saturnina (PIR² L 329), der Frau des V., ein Verhältnis hatte. Er soll an der Verschwörung gegen Caligula beteiligt gewesen sein; angeblich hegte er auch selbst Ambitionen auf die Herrschaft. Einflußreich unter → Claudius [III 1], den er nach Britannien begleitete; *cos. II ord.* im J. 46. → Messalina, deren Liebhaber er nicht werden wollte, ließ ihn durch → Suillius [3] vor Claudius anklagen: V. habe Verbindung zu gallischen Regionalpotentaten aufgenommen, um gegen Claudius zu putschen. Er wurde im Schnellverfahren verurteilt, durfte die Todesart wählen und ließ sich darauf die Pulsadern öffnen. Die Aversion des Claudius gegen ihn ist in seiner Rede über das *ius honorum* (→ *magistratus* C. 2.) der Gallier zu spüren (ILS 212 II, Z. 15 ff.). V. war außerordentlich reich durch Besitzungen in Rom, It., Gallien und Ägypten (vgl. zuletzt [1. 194–196]). Sein Sohn war V. [II 2] ([2. 416]). PIR¹ V 25.

1 P. J. SIJPESTEIJN, Another οὐσία of D. Valerius Asiaticus in Egypt, in: ZPE 79, 1989, 194–196 **2** Y. BURNAND, Senatores Romani ex provinciis Galliarum orti, in: EOS 2, 387–437.

[II 2] V. Asiaticus. Sohn von V. [II 1]. 69 n. Chr. praetorischer Legat der Belgica, schloß sich sofort → Vitellius an, der ihm seine Tochter zur Frau gab. Designation zum Consul, verm. als *ordinarius* für das J. 70; doch konnte er das Amt wohl nicht antreten, sondern starb als *cos. designatus*, wenn sich CIL VI 1528 (vgl. VI p. 4709) auf ihn beziehen. Ende 69 hatte er nach Vitellius' Tod im Senat Ehrenbeschlüsse für die Führer der flavischen Partei fassen lassen (Tac. hist. 4,4,3). PIR¹ V 26.

[II 3] M. Lollius Paulinus D. V. Asiaticus Saturninus. Sohn von V. [II 2], Patrizier (Laufbahn in IGR IV 960 und IEph. III 695B erh., ebenso der Name seines Sohnes, V. Taurus Catullus Messalinus Asiaticus). *Cos. suff.* 94 n. Chr.; *proconsul Asiae* ca. 108/9 [1. 346]. *Praefectus urbi* vor 125 [2. 297]. *Cos. II ord.* 125. Wohl zweimal verheiratet mit einer Asiatica (IGR I 967) und einer → Fabulla. PIR² L 320.

1 W. ECK, Jahres- und Provinzialfasten der senatorischen Statthalter von 69/70 bis 138/139, in: Chiron 12, 1982, 281–362 **2** L. VIDMAN, Osservazioni sui praefecti urbi nei primi due secoli, in: EOS 1, 289–303.

[II 4] M. V. Bradua Mauricus. *Cos. ord.* 191 n. Chr. *Curator operum publicorum; curator aquarum, censitor Aquitaniae, proconsul Africae* um 206.

THOMASSON, Fasti Africani 80.

[II 5] V. Capito. Senator, der auf Betreiben Agrippinas verbannt, von Nero aber 59 n. Chr. wieder zurückberufen wurde (Tac. ann. 14,12,3).

[II 6] L. V. Catullus Messalinus. Aus alter senatorischer Familie, nicht mit dem bei Ios. bell. Iud. 7,439–453 genannten Proconsul von Creta-Cyrenae identisch. *Cos. ord.* im J. 73 n. Chr. mit → Domitianus; *cos. II suff.* im J. 85, wieder mit Domitian; ob *proconsul Africae*, muß unsicher bleiben. Einer der einflußreichsten Senatoren unter Domitianus, der später als bösartiger Berater, vor allem gegen oppositionelle Senatoren, dargestellt wurde (vgl. etwa Iuv. 4,113 f.; Plin. epist. 4,22,5 f.). PIR¹ V 41.

THOMASSON, Fasti Africani, 45.

[II 7] P. V. Comazon. Freigelassener, der zunächst als Pantomime auftrat. Später Soldat in Thracia; von Claudius [II 8] Attalus zur Flotte strafversetzt. Wie ihm der

Aufstieg im Heer gelang, ist nicht genau zu erkennen. 218 n. Chr. kommandierte er eine Legion in Syrien. Beteiligt an der Revolte gegen → Macrinus. Von Elagabalus wurde er zum *praefectus praetorio* ernannt und erhielt die → *ornamenta consularia*; Aufnahme in den Senat; zwei- oder dreimal *praefectus urbi*; *cos. II ord.* 220 zusammen mit Elagabalus. Auch noch kurzzeitig unter Severus [2] Alexander als *praefectus urbi* tätig. Seine Nachkommen sind bis E. des 3. Jh. nachweisbar. PIR¹ V 42.

PFLAUM 2, 752–756 · LEUNISSEN, 310 f.

[II 8] C. Calpetanus Rantius Quirinalis V. Festus. Senator, Sohn von Calpetanus [2] Rantius (Laufbahn in CIL V 531 = ILS 989). Nach der Praetur Legat der *legio III Augusta* in Africa 69 n. Chr. Nach einigem Zögern schloß er sich, obwohl mit → Vitellius verwandt, Vespasian an; den *proconsul Africae*, Calpurnius Piso, ließ er ermorden. Wegen eines Sieges über die → Garamantes erhielt er nach seinem Suffektkonsulat im J. 71 *dona militaria*. Consularer Legat von Pannonia 73, dann von Hispania citerior.

THOMASSON, Fasti Africani, 134.

[II 9] V. Licinianus s. → Licinianus [2]

[II 10] P. V. Marinus. Als → *Arvalis frater* in den Arvalakten des J. 69 n. Chr. genannt. Von → Galba [2] zum Consul für 69 bestimmt; nach der Niederlage Othos ließ Vitellius ihn nicht zum Konsulat zu (Tac. hist. 2,71,2). Ob er mit dem Praetorier V. Marianus, der nach Plin. nat. 19,3 im J. 70 nach Alexandreia [1] segelte, identisch ist, muß offen bleiben (PIR¹ V 75/76). Der gleichnamige Sohn des *Arvalis frater* erhielt 91 einen Suffektkonsulat.

W. ECK, Senatoren von Vespasian bis Hadrian, 1970, 67 Anm. 73.

[II 11] M. V. Maximianus. Sohn eines Munizipalbürgers aus Poetovio in Pannonia superior. Längere ritterliche Laufbahn, beteiligt an Kämpfen gegen die Parther und verschiedene Germanenstämme unter Marcus [2] Aurelius. Eigenhändig tötete er den Naristenhäuptling (→ Naristi) Valao, wofür er von Marc Aurel öffentlich geehrt wurde. Procurator von Moesia inferior, dann von Moesia superior und von Dacia Porolissensis. Aufnahme in den Senat; mehrere Legionskommanden in der Spätzeit der Donaukriege unter Marc Aurel und Commodus. Legat der *legio III Augusta* zw. 183 und 185 n. Chr.; Suffektkonsulat *in absentia*.

THOMASSON, Fasti Africani, 164–166.

[II 12] L. V. Maximus. *Cos. ord.* 233 n. Chr.; *praefectus urbi* 255; *cos. ord. II* 256. Der gleichnamige *cos. ord.* von 253 ist eher sein Sohn.

W. ECK, s. v. V. (241), RE Suppl. 15, 652 f. · LEUNISSEN, 113; 137; 360.

VALERII MESSAL(L)AE [II 13–II 22]

[II 13] L. V. Messala (Apollinaris?). *Cos. ord.* 214 n. Chr. Verwandt wohl mit V. [II 21].

LEUNISSEN, 359.

[II 14] M. V. Messalla Barbatus. Sohn von V. [II 15]; über seine Mutter mit Kaiser Claudius [III 1] verwandt (Suet. Claud. 26). Geb. spätestens 12 v. Chr.; verheiratet mit Domitia [5] Lepida; Vater von Valeria Messalina [2], der Frau des Claudius. Gest. wohl vor 23 n. Chr.

SYME, AA 150, 164–166.

[II 15] M. V. Messalla Barbatus Appianus. Von Geburt ein App. Claudius Pulcher, adoptiert wohl von M. V. [I 37] Messalla (*cos.* 32 v. Chr.). *Consul* 12 v. Chr.; er starb noch im selben Jahr. Verheiratet mit Claudia [II 9] Marcella, der jüngeren Tochter der Octavia [2]; auf diese Weise dem Haus des Augustus verwandtschaftlich verbunden. Sein Sohn war V. [II 14]; seine Tochter Claudia [II 11] Pulchra. PIR¹ V 89.

SYME, AA 147–149, 228 f.

[II 16] M. V. Messalla Corvinus. Patrizier, Sohn des V. [I 39] Messalla Niger (*cos.* 61 v. Chr.). Geb. wohl 64 v. Chr. (PIR¹ V 90); in jungen Jahren in Athen; Cicero kannte bereits seine rhet. Fähigkeiten. 42 wurde V. proskribiert, weshalb er zu Iunius [I 10] Brutus floh; er stand in hohem Ansehen bei diesem und bei Cassius [I 10] (Vell. 2,71,1). Er nahm an der Schlacht von Philippoi teil und eroberte mit Brutus das Lager des → Octavianus. Nach der verlorenen Schlacht schloß er sich Antonius [I 9] an, bei dem er lange blieb, ohne sich aber grundsätzlich gegen Octavian zu stellen. V. war beteiligt am Krieg gegen Sex. Pompeius [I 5] auf Sizilien; danach wurde er als *supernumerarius* unter die → *augures* aufgenommen. Armeekommando im Krieg Octavians in Illyricum 35 v. Chr.; wohl 34 ein Kommando gegen die Salassi im Nordwesten It.s (Cass. Dio 49,38,3). Erst danach war er nochmals bei Antonius; spätestens Anfang 32 muß er ihn verlassen und eindeutig Partei für Octavian ergriffen haben (Vell. 2,71,1). Die Belohnung dafür war der Konsulat zusammen mit Octavian 31 (anstelle des M. Antonius). V. publizierte mehrere polemische Schriften gegen Antonius (Char. 104,18; 129,7; 146,34). Bei → Aktion/Actium war er wohl anwesend; dann mit Octavian im Osten; für kurze Zeit Statthalter von Syrien, vielleicht 30/29, wo er eine Gladiatorentruppe des Antonius beseitigen ließ (Cass. Dio 51,7,2–7), dann Statthalter in Gallien; dort erhielt er den Imperatortitel. Am 25.9.27 feierte er einen Triumph, war also wieder in Rom. Wohl Anf. Januar 26 war V. für sechs Tage *praefectus urbi*, doch trat er zurück, angeblich weil die *potestas incivilis* war (Hier. chron. p. 164 HELM). 26 v. Chr. ließ er die Straße nach Tusculum und Alba erneuern (Tib. 1,7,57 f.). Als sein Haus auf dem Palatin abbrannte, unterstützte ihn → Augustus (Cass. Dio 53,27,5). V. war der erste *curator aquarum*, von 11 v. Chr. bis zu seinem Tod (Frontin. aqu. 99). 2 v. Chr. stellte er den Antrag,

Augustus den Titel → *pater patriae* zu verleihen (Suet. Aug. 58,2). Mit 72 Jahren – wohl 8 n. Chr. – starb er (Hier. chron. p. 170 HELM). Er war mindestens zweimal verheiratet; seine Söhne sind V. [II 18], ferner Aurelius [II 13] Cotta Maximus Messallinus. V. war ein berühmter Redner seiner Zeit und produktiver Autor von Geschichtswerken, Gedichten, grammatischen Schriften, mit Tibull, Horaz und Ovid bekannt. Ein *panegyricus Messallae* ist im *corpus Tibullianum* (III 7) überl.; *Catalepton 9* ist an ihn adressiert (zuletzt dazu [1]).

1 A. VALVO, M. Valerio Messalla Corvino negli studi piu recenti, in: ANRW 2,30,3, 1983, 1663–1680 · SYME, AA, 200–226.

[II 17] M. V. Messala Corvinus. Sohn von V. [II 19]. → *Arvalis frater* seit 46/7 n. Chr. *cos. ord.* 58 zusammen mit → Nero. Da die Familie verarmt war, erhielt er von diesem eine jährliche Zuwendung von 500 000 Sesterzen. Wohl der letzte des patrizischen Zweigs der Valerii Messallae.

SCHEID (Frères) 240 f.

[II 18] M. V. Messalla Messallinus. Sohn von V. [II 16], älterer Bruder des Aurelius [II 13] Cotta Maximus Messallinus, dem er sein *cognomen* hinterließ (Vell. 2,112,2). Aufnahme unter die → *quindecimviri viri sacris faciundis* vor dem Tod Tibulls; an den Säkularspielen des J. 17 v. Chr. beteiligt. *Cos. ord.* 3 v. Chr.; Legat des Augustus in Illyricum; beteiligt an den Kämpfen gegen die aufständischen Pannonier, wofür er die → *ornamenta triumphalia* erhielt; Teilnahme am Triumph des → Tiberius [1] über Illyricum 12 n. Chr. (Vell. 2,112,1 f.; Ov. Pont. 2,2,81–84). Unter Tiberius trat er mit Anträgen im Senat im J. 14 und im J. 20 beim Prozeß gegen Calpurnius [II 16] Piso hervor; wahrscheinlich geht der Antrag auf Ehrung der *domus Augusta* im *SC de Cn. Pisone patre* auf ihn zurück; [1. 88 f.; 237 f.]. Ovid richtete an ihn Tristia 4,4 und Pont. 1,7; 2,2. Tacitus zeichnet ihn als begabten Redner und Schmeichler (Tac. ann. 1,8,4; 3,18,2; 3,34). PIR V 93.

1 A. CABALLOS et al., Das senatus consultum de Cn. Pisone patre, 1996 2 SYME, AA 229–234.

[II 19] M. V. Messalla Messallinus. Sohn von V. [II 18]. *Cos. ord.* 20 n. Chr. während des gesamten Jahres. Am Prozeß gegen Calpurnius [II 16] Piso war er nicht aktiv beteiligt. Vgl. V. [II 18].

SYME, AA 239.

[II 20] L. V. Messalla Thrasea Poblicola Helvidius Priscus. Senator, der relativ jung, nämlich als designierter Praetor, starb; auffällig ist das Legionskommando vor der Praetur; eine Datier. ist schwierig, aber wegen der Form des Grabaltars kaum vor dem Beginn des 2. Jh. n. Chr. möglich, CIL VI 41158. Verwandt mit V. [II 21].

[II 21] L. V. Messalla Thrasea Priscus Minicius Natalis. Patrizier. Seine Laufbahn ist durch eine Inschr. aus Lanuvium bekannt. Nach *quaestor Augustorum* wurde er durch *adlectio* unter die Praetorier aufgenommen; Legat in der Belgica für die Abhaltung eines Census, *cos. ord.* 196 n. Chr.; danach *curator aquarum et fraudis Miniciae* [1. 239]. Unter Caracalla wurde er, der eine herausragende Stellung einnahm, hingerichtet (Cass. Dio 77,5,5). Verwandtschaftliche Verbindung mit V. [II 20]. Einer seiner Vorfahren könnte der *cos. suff.* des J. 146, L. Poblicola Priscus, sein [2].

> 1 D. NONIS, Un patrono dei dendrofori di Lavinium. Onori e munificenza in un dossier epigrafico di età severiana, in: RPAA 49, 1999 2 P. WEISS, Das Konsulnpaar vom 7. April 145 n. Chr., in: ZPE 134, 2001, 261–266.

[II 22] L. V. Messalla Volesus. Sohn von Potitus V. [I 38] Messala. *Triumvir monetalis* (BMCRE I 45). *Cos. ord.* 5 n. Chr.; die *lex Valeria Cornelia* trägt seinen Namen, [1. 519–521]. Durch ihn und seinen Kollegen wurden auch neue Zusätze in der *lex portorii Asiae* veranlaßt [2. 153–156; 2. 50 und 55]. Noch unter Augustus war er *proconsul Asiae*; er wurde wegen *crudelitas* angeklagt und verurteilt (Sen. contr. 7,6,22); auch Augustus äußerte sich zu seinem Fall (Tac. ann. 3,68,1). PIR¹ V 96.

> 1 M. CRAWFORD, Roman Statutes, Bd. 1, 1996
> 2 H. ENGELMANN, D. KNIBBE, Das Zollgesetz der Prov. Asia. Eine neue Inschr. aus Ephesos (EA 14, 1989).

[II 23] V. Oculatius. *Praefectus classis Misenensis* 225 n. Chr.

> M. M. ROXAN, A. U. STYLOW, Ein neues Flottendiplom vom 18. Dez. 225, in: Chiron 29, 1999, 183–192.

[II 24] P. V. Patruinus. Senator aus Ticinum in Oberit., verheiratet mit einer Vettia; seine Tochter Valeria Vetilla war Gattin des Domitius [II 6] Apollonaris. *Cos. suff.* 82 n. Chr.; Statthalter von Syrien ca. 87–90 [1. 70f.; 2. 596–598]; AE 1997, 176f.

> 1 E. DĄBROWA, The Governors of Roman Syria, 1998
> 2 SYME, RP, Bd. 7.

[II 25] C. V. Paulinus. Sohn des gleichnamigen Procurators V. [II 26]. *Cos. suff.* 107 n. Chr., *amicus* des jüngeren Plinius. Er hatte Besitzungen bei Forum Iulii. PIR V 107; 108; PIR² P 173.

[II 26] C. V. Paulinus. Ritter aus Forum Iulii in der Prov. → Narbonensis. Praetorianertribun; Procurator der Narbonensis 69 n. Chr.; aus alter Verbundenheit mit → Vespasianus bewog er die Prov., sich diesem anzuschließen; Fabius [II 21] Valens, der die Narbonensis zurückerobern wollte, schlug er zurück. Später *praefectus* [4] *annonae* und *praefectus Aegypti* unter Vespasian. Sein Sohn ist V. [II 25]. PIR¹ V 105; PIR² P 173.

[II 27] L. V. Poblicola Balbinus Maximus. Sohn von V. [II 12]. Patrizier, der nach einer kurzen Laufbahn 253 n. Chr. *cos. ord.* wurde (ILS 1190f.; vgl. CIL VI p. 4709f.).

[II 28] L. V. Proculus. Ritter, vielleicht aus Malaca in der Baetica stammend. Nach ritterlichen mil. Dienststellungen Praefekt der Flotte von Alexandreia [1] in

Äg. Praesidialprocurator der Alpes maritimae, wo er verm. auch einen *dilectus* (»Truppenaushebung«) durchführte. Procurator von Hispania Baetica, von Cappadocia, Asia, sodann von drei Prov. zusammen (ILS 1341), ca. 142–144 n. Chr. *praefectus* [4] *annonae*, vorher wohl *a → rationibus*. Schließlich *praefectus Aegypti* mindestens 144–147.

> H. PAVIS D'ESCURAC, La préfecture de l'annone, 1976, 342 · W. HABERMANN, Zum Ende der Amtszeit des Präfekten L. Valerius Proculus, in: ZPE, 117, 1997, 180–184.

[II 29] C. V. Pudens. Praetorischer Legat von Pannonia inferior wohl zu Beginn der Regierungszeit von Septimius [II 7] Severus; *cos. suff.* vor 197 n. Chr.; consularer Legat von Germania inferior 197. Statthalter von Britannien 205; *proconsul Africae* 210/11 oder 211/12.

> ECK (Statthalter), 190 · THOMASSON, Fasti Africani, 82 f.

[II 30] V. Senecio. Suffektconsul 186 n. Chr. (RMD I 69). Sein Sohn, M. V. Senecio, war Legat der *legio III Augusta* in Numidia unter Caracalla, Suffektconsul *in absentia* und unmittelbar anschließend Statthalter von Germania inferior.

> THOMASSON, Fasti Africani, 180. W. E.

[II 31] Flavius V. Severus. Röm. Kaiser (305–307 n. Chr.). Nach einer Militärkarriere, die ihn in eine höhere, nicht genau bestimmbare Stellung (Lact. mort. pers. 18,12) brachte, wurde er nach der Abdankung des → Diocletianus und Maximianus [1] 305 Caesar in der Zweiten Tetrarchie (→ *tetrárchēs*) und regierte It. und Africa (teils irrige bzw. unvollständige Angaben bei Anon. Vales. 5; 9; Eutr. 10,2,1; Aur. Vict. Epit. Caes. 40,1). Die Behauptung, V. sei eine nur dem Augustus des Ostens, Galerius [5], verpflichtete Kreatur gewesen (Lact. mort. pers. 18,12; Eutr. 10,2,1; Anon. Vales. 4,9), kann als späte Konstruktion gelten. Nach dem Tod des Constantius [1] 306 rückte V. in die vakante Stelle des Augustus des Westens auf (CIL XII 5527 u.ö.). Als er E. des J. gegen die inzwischen erfolgte Usurpation des → Maxentius vorging und gegen Rom marschierte, gelang es dessen Vater Maximianus [1], der wieder aktiv in die Politik eingriff, einen Großteil der Soldaten des V. für sich und seinen Sohn zu gewinnen. V. mußte sich deshalb eilig mit dem Rest nach Ravenna zurückziehen (Zos. 2,10,1 f.; Lact. mort. pers. 26,8–10; Anon. Vales. 6). Dort wurde er von Maximianus gefangengenommen und nach → Tres Tabernae (nahe Rom) gebracht (Zos. 2,10,2; [Aur. Vict.] epit. Caes. 40,3). Als 307 Galerius in It. einfiel, um Rom für die Tetrarchie zurückzugewinnen, ließ Maxentius den V. töten (Anon. Vales. 10). PLRE 1,837 f. B. BL.

[II 32] M. V. Turbo. *Proconsul Asiae*, in einer noch unpublizierten Inschr. aus Smyrna genannt (Mitteilung P. Herrmann). Wenn er mit dem in CIL IX 338 Z. 32 an letzter Stelle der senatorischen *patroni* genannten gleichnamigen Senator identisch ist, könnte der Prokonsulat etwa in die Mitte des 3. Jh. n. Chr. gehören; PIR¹ V 146.

[II 33] L. V. Valerianus. Ritter, dessen lange Laufbahn durch eine Inschr. aus Caesarea Maritima überl. ist (AE 1985, 829 = [1. 37–41 Nr. 4]). Nach den ritterlichen → *tres militae* wurde er *procurator* in zahlreichen Stellungen, zuletzt unter Caracalla in der Prov. Syria Palaestina, wo er auch durch eine weitere (unpublizierte) Inschr. aus Caesarea bezeugt ist.

1 C. M. LEHMANN, K. G. HOLUM, The Greek and Latin Inscriptions of Caesarea Maritima, 2000.

[II 34] Q. V. Vegetus. Senator, wohl aus Iliberris in der Hispania Baetica stammend. *Cos. suff.* 91 n. Chr.; sein gleichnamiger Sohn wurde *cos. suff.* 112.

CABALLOS (Senadores), Bd. 1, 301 ff.

[II 35] C. V. Victor. Senator. Legat des Proconsuls von Asia 110/11 n. Chr.; *praetor designatus* [1. 128].

1 R. HAENSCH, Heraclea ad Salbacum, in: W. ECK (Hrsg.), Lokale Autonomie und röm. Ordnungsmacht in den kaiserzeitlichen Prov., 1999, 115–139.   W. E.

III. LITERARISCH TÄTIGE

[III 1] V. Aedituus. Verf. von zwei bei Gell. 19,9,10 ff. – wohl aus der Einl. von Suet. pratum 15 [5] – zit. erotischen Epigrammen, die das Eindringen dieser hell. Gattung in das Rom des ausgehenden 2. Jh. v. Chr. (vgl. → Lucilius [I 6]) belegen. Eine Identifikation von V. A. mit V. [III 7] Soranus kommt nicht in Frage (vgl. [4. 46–50]).

FR.: **1** COURTNEY, 70–74 **2** FPL³ 92 f. (mit Bibl.).
LIT.: **3** B. LUISELLI, Stud. sulla poesia bucolica latina 1, in: Annali della Facoltà di Lettere e Filosofia della Univ. Cagliari 28, 1960, 46–50 **4** J. GRANAROLO, D'Ennius à Catulle, 1971, 40–42, 50–55 **5** P. L. SCHMIDT, in: HLL 4, § 404.   P. L. S.

[III 2] V. Antias. Röm. Historiker verm. munizipaler Herkunft, einflußreichster Vertreter der »jüngeren« → Annalistik, nach Velleius Paterculus (2,9,6) Zeitgenosse des → Sisenna und Claudius [I 30] Quadrigarius (in sullanischer Zeit); nach manchen Modernen schrieb er erst nach 50 v. Chr. (Cic. leg. 1,6 f. scheint ihn nicht zu kennen: vgl. bes. [7. 117–121]). Seine annalistische Gesamtgesch. Roms reichte von der Gründung bis mindestens 91 v. Chr. (fr. 64 P.). Da die Kapitulation des C. Hostilius [8] Mancinus (137 v. Chr.) im 22. Buch erwähnt war (fr. 57), entfielen von den wenigstens 75 B. des Werkes zwei Drittel auf die jüngere Gesch. Roms (seit den Gracchen), während die frühe und mittlere Republik viel kürzer als bei Livius [III 2] behandelt war. Die wenigen wörtlichen Fr. sind bis auf einzelne altmodische Formen (*prior* als Neutrum: fr. 16) und Manierismen (reduplizierte Perfektformen: fr. 57; 60; 62) stilistisch unauffällig; Frontos Urteil ›unattraktiv‹ (*invenuste*: p. 134,2 VAN DEN HOUT²) schließt archa. Stilisierung aus.

Der Inhalt des Werkes ist besser bekannt, bes. durch zahlreiche Erwähnungen bei Livius, der V. A. aber viel öfter benutzt, als er ihn zitiert (umfassende Hypothesen dazu in [2]). V. A. widmete sich ausführlich der Darstellung förmlicher Vorgänge, z. B. Provinz- und Truppenverteilung, Behandlung von Vorzeichen, Koloniegründungen. Seine Schlachtbeschreibungen beeindruckten durch extrem hohe (meist frei erfundene) Zahlenangaben für Gefallene, Gefangene und Waffenbeute (scharf kritisiert von Liv. 26,49,3; 33,10,8; 36,38,6 f.; 38,23,8; verfehlter Rechtfertigungsversuch in [3]). In manchen Fällen erfand er wohl auch ganze Schlachten (z. B. Liv. 32,6,5–8). Den Unterhaltungswert steigerten Klatschgeschichten (fr. 25), aitiologische Erzählungen (z. B. fr. 6) und effektvolle Bearbeitungen alter Berichte im Sinne der dramatisierenden hell. Geschichtsschreibung (bes. deutlich in der romanhaften Darstellung der Scipionenprozesse in fr. 45; → Cornelius [I 71] Scipio). Die unsichere Quellenlage der älteren Zeit nutzte er anscheinend, um Vertretern der *gens Valeria* unbezeugte Ämter und Taten zuzuweisen (vorsichtig dazu [4. 91]). Auch sonst hatte er keine Bedenken, die »Trad.« durch mehr oder weniger plausible Erfindungen (auch von Dokumenten: *senatus consultum* in fr. 15) zu erweitern und auszuschmücken ([1. 21; 6. 2324 f.]; abwägende Zusammenstellung: [4. 89–92]). V. A.' ausführliche und vielseitige Darstellung wurde viel gelesen (Vermutungen zum Publikum: [5. 113–117]); außer Livius benutzten ihn Dionysios [18] von Halikarnassos und (für die Zeit des Hannibal-Krieges) Plutarchos [2], aber auch der ältere Plinius [1] und Silius [II 5] Italicus.

FR.: HRR I² 238–275 (sowie → Origo gentis Romanae 19,4; 21,1).

1 E. BADIAN, The Early Historians, in: T. A. DOREY (Hrsg.), Latin Historians, 1966, 21 f. **2** A. KLOTZ, Livius und seine Vorgänger, 1940/1 **3** R. A. LAROCHE, V. A. and His Numerical Totals. A Reappraisal, in: Historia 26, 1977, 358–368 **4** S. P. OAKLEY, A Commentary on Livy, Books VI–X, Bd. 1, 1997 **5** D. TIMPE, Erwägungen zur jüngeren Annalistik, in: A&A 25, 1979, 97–119 **6** H. VOLKMANN, V. A., in: RE 7 A, 1948, 2313–2340 **7** T. P. WISEMAN, Clio's Cosmetics, 1979.   W. K.

[III 3] V. Cato, P. Röm. Dichter und Grammatiker des 1. Jh. v. Chr., über dessen Leben wir durch Suet. gramm. 11 wissen. Geb. um 95 v. Chr. in Norditalien, verlor er im Sullanischen Bürgerkrieg (→ Cornelius [I 90] Sulla) sein Vermögen und scheint es auch später trotz ausgedehnter Lehrtätigkeit nicht zu Reichtümern gebracht zu haben. Als Lehrer und älterer Freund eines lockeren Kreises jüngerer Dichter, der sog. → Neoteriker – direkt auf ihn bezogen sind die Namen von → Furius [I 9] Bibaculus, → Helvius [I 3] Cinna und → Ticida (vgl. Suet. gramm. 4,3) –, hatte V. in Musterinterpretationen und exemplarischen Werken entscheidenden Anteil an der Übertragung von Poesie und Poetik des Kallimachos [3] nach Rom. Seine gramm. Arbeiten [1; 2] und die autobiographische *Indignatio*, in der V. auf seiner freien Geburt insistierte, sind ebensowenig erh. wie seine Gedichte, das gelehrte Epyllion *Diana (Dictynna)* und die Slg. erotischer (Ov. trist. 2,436) Kleingedichte *(nugae) Lydia* − nicht identisch mit den *Nugae* der → *Appendix Vergiliana* −, welche die beiden Haupttypen neoterischer Produktion präformierten.

TESTIMONIEN: **1** FPL³, 195 f. **2** J. GRANAROLO, L'époque néoterique . . . , in: ANRW I 3, 1973, 335−339.
FR.: **3** GRF, 141−143.
LIT.: **4** G. BRUGNOLI, Grammatici novi, in: Riv. di cultura classica e medioevale 4, 1962, 154−161 **5** J. GRANAROLO, s. [2], 294−299. P.L.S.

[III 4] C. V. Flaccus Setinus Balbus.

Quintilianus [1] bedauert ca. 95 n. Chr. den offenbar kurz zuvor erfolgten Tod des V. Flaccus (Quint. inst. 10,1,90). Er meint damit wohl den dem Senatorenstand entstammenden [1] Verf. der *Argonautica*, eines myth. Epos, das ca. 75 n. Chr. [2] entstanden sein dürfte, jedoch von seinem Dichter nicht vollendet werden konnte ([3]; anders [11. V.4]). Es schildert die Argonautenfahrt (→ *Argonaútai*) und bricht im 8. B. während der Darstellung der Rückfahrt der Argonauten und deren Verfolgung durch die Kolcher ab. Zu den wichtigsten erh. Vorlagen des V. (das Argonautenepos des Varro [3] Atacinus ist verloren) zählen Pind. P. 4, Apollonios [2] von Rhodos und Ov. met. 7,1−293. Bes. Bed. kommt Vergils *Aeneis* zu, die nicht nur in inhaltlicher, sondern auch in formaler Hinsicht für V. wichtig war [13]. Z. B. gelingt V. eine Umsetzung des *fatum*-Gedankens Vergils (→ Schicksal), die dessen Schlüssigkeit und Sinnerfülltheit problematisiert [4]. Auch übernimmt er den vergilischen Götterapparat [5], läßt dessen Wirken jedoch fragwürdig erscheinen [6]. Gegenüber der Trad. verleiht V. der Medeagestalt (→ Medeia) deutlich mitleiderweckende Züge [7]. Dem Dichter gelingt eine interessante Synthese, die die Suche nach einem eigenen Stil zeigt, der über bloße Vergilnachahmung hinausweist [8] und ein höchst anspruchsvolles Spiel mit der lit. Trad. erkennen läßt [9].

LIT.: **1** P. BOYANCÉ, La science d'un quindécimvir au Iᵉʳ siècle après J.-C., in: REL 42, 1964, 334−346 **2** E. LEFÈVRE, Das Proömium der Argonautica des V. Flaccus (AAWM 1971.6) **3** H. M. POORTVLIET, V. Flaccus and the Last File, in: M. KORN, H. J. TSCHIEDEL (Hrsg.), Ratis omnia vincet. Unt. zu den Argonautica des V. Flaccus (Spudasmata 48), 1991, 35−43 **4** F. MEHMEL, V. Flaccus, 1934, 89−98 **5** D. C. FEENEY, The Gods in Epic, 1991, 313−337 **6** G. MANUWALD, Die Cyzicus-Episode und ihre Funktion in den Argonautica des V. Flaccus (Hypomnemata 127), 1998 **7** U. EIGLER, Monologische Redeformen bei V. Flaccus, 1988, 78−132 **8** A. J. KLEYWEGT, Die Dichtersprache des V. Flaccus, in: ANRW II 32.4, 1986, 2448−2490 **9** A. ZISSOS, Allusion and Narrative Possibility in the Argonautica of V. Flaccus, in: CPh 94, 1999, 289−301 **10** J. ADAMIETZ, Zur Komposition der Argonautica des V. Flaccus (Zetemata 67), 1976.
ED.: **11** W. W. EHLERS, V. Flaccus, 1980.
ÜBERS.: **12** H. RUPPRECHT, Argonautica (dt.), 1987.

KOMM.: **13** TH. BAIER, V. Flaccus. Argonautica B. VI., Einl. und Komm. (Zetemata 112), 2001, 65−68.
FORSCH.-BER.: **14** M. SCAFFAI, Rassegna di studi su Valerio Flacco (1938−1982), in: ANRW II 32.4, 1986, 2359−2447.
KONKORDANZ: **15** M. KORN, W. A. SLABY, Concordantia in Valerii Flacci Argonautica, 1988. U.E.

[III 5] V. Maximus.

Verf. eines Hdb. histor. Exempla für rhet.-polit. oder moralische Argumentation; die *Facta et dicta memorabilia* (›Erinnerungswürdige Taten und Aussprüche‹; urspr. 10 B., vgl. Gell. 12,7,8), gewidmet dem Kaiser Tiberius [1], wurden nach 27 n. Chr. begonnen, nachdem V. M. seinen Gönner Sex. → Pompeius [II 4] nach Griechenland und Kleinasien begleitet (2,6,8) hatte, und bald nach dem Fall des → Aelius [II 19] Seianus (E. 31, vgl. 9,11 ext. 4) fertiggestellt. Die Beispiele sind nach B. und Abschnitten gegliedert, die je auswärtige auf röm. Belege folgen lassen. Da nur die einzelnen Exempla-Ketten thematisch geschlossen sind, kann die Gesamtstruktur vernachlässigt werden: Der Bereich der Rel. (B. 1), polit. Institutionen (B. 2) und *virtutes* (B. 3−6) sowie die Diverses ergänzenden B. 7−9 bilden die groben und auch im Detail nicht immer konsequenten Gliederungseinheiten; die Rubriken werden meist nur locker eingebunden. Quellen waren ähnliche Slgg. der augusteischen Zeit (Pomponius Rufus, vgl. Val. Max. 4,4; → Hyginus), die V. M. aus eigener Lektüre (Cicero, Livius, Varro) erweiterte. Beim Exzerpieren und Koordinieren unterliefen ihm histor. Irrtümer; eine historiographische Wertung des Werkes würde indes seine Intention verkennen (vgl. etwa [7]; ein Vergleich mit dem Zeitgenossen → Velleius [4] Paterculus etwa bei [4; 9]). Sein Stil ist in den eigenständigen Partien stark rhet. überformt.

Als vielfältige Gebrauchs-Lit. wurden die Exempla schon in der Ant. mehrfach bearbeitet, zuerst durch verdeutlichende Kap.-Überschriften, dann durch Umarbeitung der letzten B., die die Gesamtzahl auf 9 reduziert hat, und schließlich durch Voranstellung einer Inhaltstafel, die bereits eine Lücke in 1,1−4 voraussetzt. In der Ant. nur vereinzelt benutzt, gewann das Werk in der Spätant. an Beliebtheit, wie die beiden Epitomatoren Iulius [IV 14] Paris und → Ianuarius Nepotianus bezeugen.

Für die enorme Rezeption in MA und Humanismus sprechen die etwa 350 vollständigen Hss. [5. 81 ff.] und seit dem 14. Jh. die Komm. (etwa von Dionigi da Borgo San Sepolcro, vgl. [6. 777 ff.]) und Übers. ins It. (Boccaccio, vgl. [8. 49 ff.]), Frz. (Simon de Hesdin/Nicolas de Gonesse) und Katalanische (Antoni Canals). V. M.' Exempla haben ihre Bed. als histor. Quelle, die noch Spuren der vorlivianischen Annalistik bewahrt hat, als Symptom des rhet. Betriebs der frühen Kaiserzeit und schließlich als Vermittler eines anekdotisch strukturierten Ant.-Bildes im MA und der frühen Renaissance.

LIT.: **1** C. BOSCH, Die Quellen des V. M., 1929 **2** A. KLOTZ, Stud. zu V. M. (SBAW Philos.-histor. Abteilung 1942.5) **3** G. COMES, V. M., 1950 **4** M. L. PALADINI,

Rapporti tra Velleio Patercolo e Valerio Massimo, in: Latomus 16, 1957, 232–251 **5** D. M. SCHULLIAN, A Preliminary List of Manuscripts of V. M., in: L. B. LAWLER (Hrsg.), Stud. in Honor of B. Ullman, 1960, 81–95 **6** G. DI STEFANO, Per la fortuna di Valerio Massimo nel Trecento, in: Atti della Accademia delle Scienze di Torino 96, 1961/62, 777–790 **7** T. F. CARNEY, The Picture of Marius in V. M., in: RhM 105, 1962, 289–337 **8** M. T. CASELLA, Il Valerio Massimo in Volgare: dal Lancia al Boccaccio, in: Italia Medioevale e Umanistica 6, 1963, 49–136 **9** J.-M. ANDRÉ, L'otium chez Valère-Maxime et Velleius Paterculus, in: REL 43, 1965, 294–315 **10** P. L. SCHMIDT, s. v. V. (B. 8), KlP 5, 1117 f.

ED.: C. KEMPF, 1854. ²1888 · R. FANRANDA, 1971   J. R.

[III 6] M. V. Messala Corvinus s. V. [II 16]

[III 7] Q. V.,

nach seiner latinischen Heimatstadt → Sora oft Soranus genannt, lat. Redner (Cic. Brut. 169) und berühmter (Cic. de or. 3,43) Antiquar, Freund Varros [2] (Fr. 3 und 7) und Ciceros. Geb. um 130 v. Chr., seit etwa 90 röm. Vollbürger, wurde er 83 als Volkstribun auf der Flucht vor Cornelius [I 90] Sulla in Sizilien von Pompeius [I 3] ermordet [4]. Eine Identifikation mit V. [III 1] Aedituus kommt chronologisch nicht in Frage; hingegen dürfte Q. V. [I 41] Orca sein Sohn sein.

V.' Lehrgedichte, deren eines P. Cornelius [I 82] Scipio Nasica (Praetor von 93 und Schwiegersohn des Licinius [I 10] Crassus) gewidmet war (Fr. 1), galten Problemen der Sprache (Fr. 2) und rel. Altertümern; in einem Werk über weibliche Schutzgottheiten (Ἐπόπτιδες, Epóptides, vgl. [5]), das durch ein Inhaltsverzeichnis eingeleitet war (Plin. nat. praef. 33) und aus dem der Anf. eines Zeus-Hymnus erh. ist [7], soll V. den Geheimnamen Roms ausgeplaudert haben. Die spärlichen Fr. sind über Varro und Plin. nat. vermittelt.

FR.: **1** COURTNEY, 65–68 **2** FPL³, 103–106 (mit Lit.) **3** GRF 77–79.
LIT.: **4** C. CICHORIUS, Zur Lebensgesch. des V. S., in: Hermes 41, 1906, 59–68 **5** T. KÖVES-ZULAUF, Die Ἐπόπτιδες des V. S., in: Ders., KS (hrsg. von A. HEINRICHS), 1988, 113–147 (zuerst in: RhM 113, 1970, 323–358) **6** L. ALFONSI, Un incontro greco-latino, in: CH. K. SOÏLE (Hrsg.), Aretés mnémē (FS K. I. Vourveris), 1983, 213–217 **7** J. PRÉAUX, L'hymne à Jupiter de V. de Sora, in: R. CRAHAY (Hrsg.), Hommages à M. Delcourt (Latomus 114), 1970, 182–195 **8** W. SUERBAUM, in: HLL 1, § 145.
                                                                 P. L. S.

Valesiana Excerpta s. Excerpta Valesiana

Valet(i)um.

Gemeinde im Norden von → Brundisium (auch Carbinium): Guido, Geographia 27; 71, h. Carovigno; Inschr. und Überreste messapischer Zeit (8.–2. Jh. v. Chr.).

M. LOMBARDO, I Messapi e la Messapia, 1992, 222–224.
                                                                 M. L.

Valetudinarium s. Krankenhaus C.

Valetudo

(»Gesundheit«). Im Gegensatz zur generell positiv konnotierten → salus ist v. als Bezeichnung der Gesundheit neutral und wird daher mit qualifizierenden Epitheta versehen (bona: Lucr. 3,102; incommoda: Liv. 5,31,9; vgl. bes. Manil. 3,140 f.) oder kann, je nach Kontext, diametral gefärbt sein (positiv: Liv. 4,25,3; negativ: 8,12,2). Der Wunsch nach guter Gesundheit war häufig (Sen. epist. 10,4; Petron. 61), scheint aber schon in der röm. Republik (so bei Livius [I 7] Drusus 91 v. Chr.: Vir. ill. 66,11 f.; Hirtius, 44 v. Chr.: [3. 266 f.]) den Charakter des rein Privaten überstiegen zu haben; diese Tendenz läßt sich im frühen Prinzipat noch nachweisen (Augustus: R. Gest. div. Aug. 9,2; Tiberius: Tac. ann. 3,71; Caligula: Suet. Cal. 14,2; Nero: Act. Arv. 83,1), ging später aber in der Praxis der offiziellen vota pro salute (»feierlichen Bitten um das Wohlergehen«; → Weihung) auf (so Domitian: Act. Arv. 122; Commodus: Act. Arv. 185; [3. 268]).

V. als Gottheit (→ Personifikation) und deren Verehrung ist inschr. in zahlreichen Gegenden des röm. Reiches belegt (zusammengestellt bei [2. 147–177]); deutlich wird ihre enge Nähe zur griech. → Hygieia (z. B. CIL III 7279, Athen: Aesculapio et Valetudini) und zur röm. → Salus (Denar des M'. Acilius [I 6] Glabrio, RRC Nr. 442; zu einem Aureus des Antistius [II 6] Vetus vgl. RIC 1, Nr. 151, mit der Verbindung V. – Victoria [3. 267]). Ein → collegium von magistri valetudinis ist nachgewiesen für Mevania (heute Bevagna/Umbrien; [2. 103–121]). Tempel für die Gottheit befanden sich im gallischen Glanum [1] und im mauretanischen → Auzia (CIL VIII 20747).

1 H. ROLLAND, Un temple de V. à Glanum, in: RA 46, 1955, 27–53 **2** G. PROSPERI VALENTI, V., 1998 **3** S. WEINSTOCK, s. v. V., RE 8 A, 264–270.   JO. S.

Valgius

[1] Valg(i)us.

Schwiegervater (Cic. leg. agr. 3,3) des Servilius [I 26] Rullus. Unter Cornelius [I 90] Sulla hatte sich V. im ager Hirpinus und in Casinum Grundbesitz angeeignet (ebd. 2,69; 3,8–14). Vielleicht ist er mit dem als → patronus (D.) des hirpinischen Aeclanum, als quinquennalis einer Stadt bei Frigento und als duumvir von Pompeii und in Casinum bezeugten C. Quinctius Valgus (ILLRP 523; 565; 598; 645; 646) identisch.

P. HARVEY, Socer Valgus, Valgii and C. Quinctius Valgus, in: E. BORZA, R. CARRUBBA (Hrsg.), Classics and the Classical Trad., 1973, 79–94.   J. BA.

[2] C. V. Rufus.

Berühmter röm. Schriftsteller der augusteischen Zeit, geb. um 65 v. Chr., Schüler des griech. Rhetors → Apollodoros [8]; für Beziehungen zum Kreis um Valerius [II 16] Messalla Corvinus spricht die Andeutung von Plänen eines panegyrischen Epos für Messalla (vgl. Panegyricus Messallae, Tib. 3,179 f.). Horatius (sat. 1,10,81 ff.) zeigt V. im Kreis des → Maecenas [2] und versucht ihn (Hor. carm. 2,9) zu einem Epos über des Augustus jüngste Triumphe zu animieren. 12 v. Chr. war V. Suffektconsul.

V. hat sich bes. als Dichter einen Namen gemacht; die erh. Fr. (Distichen, Hexameter, ein Epigramm) verweisen auf die neoterische Trad. (vgl. → Neoteriker; Fr. 2 wendet sich an → Helvius [I 3] Cinna): (1.) Mit dem Sammeltitel *Elegiae* ist v. a. die Trauer um den unter dem Pseudonym Mystes besungenen Freund (Hor. carm. 2,9,9ff.) gemeint. (2.) Ein Augustus gewidmetes Werk über Heilkräuter ist von Plin. nat. 20–27 (vgl. bes. 25,4) benutzt worden. (3.) Die lat. Bearbeitung der rhet. *téchnē* des Apollodoros lobt Quint. inst. 3,1,18. (4.) Das mehrbändige Werk *De rebus per epistulam quaesitis* (Gell. 12,3,1) hat seine Spuren in der Trad. der Gramm. hinterlassen.

LIT.: FPL³, 266–270 · GRF 482–486 · COURTNEY, 287–290 · H. DAHLMANN, Zu Fr. röm. Dichter 1 (AAWM 1982.11), 34–47. P.L.S.

Vallatum. Station an der Straße von → Regina Castra (h. Regensburg) nach → Augusta [7] Vindelicum (h. Augsburg; Itin. Anton. 250,5); Standort der letzten Einheit der *legio III Italica* und einer → *ala* [2] (Not. dign. occ. 25,17; 35,26). ON (der auf eine vorröm. grabenlose Verwaltung schließen läßt) und Entfernungsangaben im Itin. Anton. ließen V. in der Ringwallanlage des keltischen → *oppidum* (II.) → Manching vermuten; doch fehlen hier Hinweise auf eine spätant. Militäranlage. Seit der Ergrabung eines spätant. Kleinkastells auf dem Frauenberg bei Weltenburg (1978/80) neigt ein Teil der Forsch. dazu, V. (vgl. Namens-Trad.) dort zu lokalisieren [1. 101; 2. 76]. Zwar deuten die Funde auf eine Besiedlung bis E. des 5. Jh., für eine große Abschnittsbefestigungsanlage erbrachten jüngste Grabungen aber keine Hinweise [3. 233]. Die Identifikation von V. mit den spätant. Regina Castra (vgl. [4]) beruht auf Fehlinterpretation der Quellen.

1 S. RIECKHOFF-PAULI, Die röm. Besiedlung, in: K. SPINDLER (Hrsg.), Die Arch. des Frauenberges, 1981, 78–101 **2** T. FISCHER, Römer und Bajuwaren, 1988 **3** M. MACKENSEN, Late Roman Fortifications, in: J. D. CREIGHTON, R. J. A. WILSON (Hrsg.), Roman Germany, 1999, 199–239 **4** W. VON REITZENSTEIN, Lex. bayerischer ON, 1986, 310.

W. CZYSZ u. a., Die Römer in Bayern, 1995, 368 f.; 536 f. G.H.W.

Vallenses. Vier Stämme im Wallis (ILS 169: *civitates quattuor Vallis Poeninae*). Das Gebiet der → Nantuatae, → Veragri, → Seduni und → Uberi wurde beim Alpenfeldzug 16/15 v. Chr. von Rom okkupiert und zunächst mit → Raetia und Vindelicia (→ Vindelici) unter einem *legatus* gemeinsam verwaltet. Claudius [III 1] vereinigte die V. mit den → Alpes Graiae, deren *procurator* zeitweilig in → Octodurus residierte. Diese neue *civitas* erhielt → Latinisches Recht (Plin. nat. 3,135).

G. WALSER, Stud. zur Alpengesch. in ant. Zeit, 1994, 59–67, 87–92 · F. WIBLÉ, Deux procurateurs du Valais et l'organisation des districts alpines, in: Antiquité tardive 6, 1998, 181–191. H. GR.

Vallia. Westgotenkönig, seit 415 n. Chr. in Spanien Nachfolger des → Segericus. V. plante vielleicht, nach Africa überzusetzen (s. dazu [2. 89]), um sich dem Druck des → Constantius [6] auf die Goten zu entziehen, schloß jedoch 416 einen Vertrag mit Ravenna, in dem wohl ein Einsatz der Goten gegen die Germanen in Spanien und die spätere Ansiedlung der Goten in Gallien vereinbart wurde. (MGH AA 11,19; Oros. 7,43,10–15; Olympiodoros fr. 30 BLOCKLEY; [2. 88–93]). V. starb 418 vor der Ansiedlung der Goten, sein Nachfolger war → Theoderich [1] (Olympiodoros fr. 35 BLOCKLEY; [1. 197f.]).

1 P. HEATHER, Goths and Romans, 1991
2 W. LÜTKENHAUS, Constantius III., 1998 **3** PLRE 2, 1147. WE.LÜ.

Vallis. Stadt der Africa Proconsularis (→ Afrika [3]; Itin. Anton. 25,4; 48,9; 49,1; 51,1; Tab. Peut. 5,3f.) etwa 60 km sw von → Karthago, h. Sidi-Mediene, mit bedeutenden ant. Resten (Stadtmauer, Tempel); eine einheimische Gemeinde, in der offenbar ein röm. → *pagus* eingerichtet wurde, dann → *municipium*, im 3. Jh. *colonia*. Inschr.: CIL VIII 1, 1272–1294; 2, 10612; Suppl. 1, 14770–14790; 3, 22004; 4, 25827–25833; [1. 1279–1282]; AE 1934, 31.

1 A. MERLIN (Ed.), Inscriptions latines de la Tunisie, 1944.

AATun 050, Bl. 27, Nr. 117 · N. FERCHIOU, Le grand temple de V., in: RA 1988, 41–50 · C. LEPELLEY, Les cités de l'Afrique romaine, Bd. 2, 1981, 230–232. W.HU.

Vallum (mit lat. *vallus*, »Schanzpfahl«, verwandt), bisweilen in der allg. Bed. »Schutzwall« (Liv. 9,14,7; 36,18,2; Frontin. strat. 3,17,9), meist in mil. Kontext verwendet. Die typisch röm. Verteidigungsanlage, die während eines Feldzuges oder einer Belagerung errichtet wurde, bestand aus *fossa* (»Graben«), *agger* (»Erdwall«) und v. (»Palisade«); die Soldaten hoben den Graben aus, warfen die Erde nach innen und errichteten auf diesem Erdwall das v. (Veg. mil. 3,8,7–9; 4,28,3; Liv. 10,25,6f.; vgl. auch die präzise Beschreibung des röm. v.: Liv. 33,5,5–12). Mit v. werden schließlich verschiedene Befestigungswerke bezeichnet ([1]; CIL III 11965; 14149²). → Befestigungswesen

1 R. G. COLLINGWOOD, R. P. WRIGHT, The Roman Inscriptions of Britain, Bd. 1, 1965, 1445; 2034; 2200; 2205.

A. JOHNSON, Röm. Kastelle des 1. und 2. Jh. n. Chr. in Britannien und in den germanischen Prov., 1987, 59–81 · J. NAPOLI, Recherches sur les fortifications linéaires romaines, 1997. Y. L. B./Ü: C. SK.

Valvata. Straßenstation an der *via Quinctia* zw. → Faesulae und → Pisae am → Arnus (Tab. Peut. 4,1 f.) beim h. Càscina.

A. MOSCA, Via Quinctia 2, in: Journal of Ancient Topography 9, 1999, 165–174. G. U./Ü: J. W. MA.

Van-See s. Thospitis Limne; Urarṭu

Vandali. Ostgermanisches Volk bzw. Völkergemeinschaft; Aussagen über ihre Frühgesch. und Herkunft (evtl. aus dem SW Schwedens und Nord-Dänemark [1]) sind hypothetisch. Auch späte Hinweise auf Kämpfe mit → Goti und → Langobardi (Iord. Get. 26f.; Paulus Diaconus, Historia Langobardorum 1,7ff.) sind problematisch.

Nach Plin. nat. 4,99f. bezeichnet V. eine Gruppe von Stämmen (evtl. identisch mit Vandilii: Tac. Germ. 2,4); sie gehörten wohl zu dem kult. begründeten Stammesverbund der → Lugii [1] und waren verwandt mit den → Nahanarvali. Im 1. Jh. v. Chr. lag das Siedlungsgebiet der V. zw. Oder und Weichsel (Przeworsk-Kultur). Wohl schon im 2. Jh. n. Chr. existierten zwei Untergruppen, die Hasdingi (an der Grenze zu Dakia; → Dakioi) und die → Silingi (Siedlungsgebiet in Schlesien), jeweils mit eigenem Herrscherhaus (Doppelkönigtum). Der Beginn der Wanderbewegung nach SW ist unklar. Die Hasdingi nahmen am german. Ansturm auf die röm. Nordgrenze z.Z. des → Marcus [2] Aurelius teil. Um 270 n. Chr. fielen sie in → Pannonia ein und wurden dort von → Aurelianus [3] zurückgeschlagen (Zos. 1,48,1). Ca. 278 ließ sich ein Teil der V. in Britannia nieder. Andere Teile siedelten im 3. Jh. östl. der oberen und mittleren → Tisia (h. Theiß) als westl. Nachbarn der Westgoten. Um 330 suchten die von Goti angegriffenen und nach Süden abgedrängten Hasdingi in Pannonia nach Siedlungsplätzen (Iord. Get. 161). Viele blieben in der Ebene des Pathissus, die Silingi in Schlesien.

Ende des 4. Jh. schlossen sich die nun wieder vereinigten V. zusammen mit anderen Völkern (u. a. → Alani) dem Zug der → Hunni nach Westen an. 406/7 überquerten sie zw. Mogontiacum (h. Mainz) und Borbetomagus (h. Worms) den Rhein (→ Rhenus [1]) und drangen tief nach → Gallia ein. Ihr König → Godigiselus fiel im Kampf mit den → Franci (Oros. 7,40,3; Greg. Tur. Franc. 2,9). 409 drangen die V. über die Pyrenäen (→ Pyrene [2]) nach → Hispania (mit Karte) vor. Die Hasdingi ließen sich zusammen mit den Suebi in Gallaecia, die Silingi in der Baetica nieder. Hier nahmen die V. den arianischen Glauben (→ Arianismus) an (Salv. gub. 7,66). 417 vernichteten die Westgoten auf Drängen des weström. Kaisers Honorius [3] die Silingi in der Baetica fast völlig. Die Hasdingi wanderten im Verbund mit Alani unter → Gundericus nach Süden in die Baetica. 429 setzten die V. (ca. 80000 Mann) unter → Geisericus I. nach → Afrika [4] über, eroberten mit Hilfe einheimischer Mauri (→ Mauretania) innerhalb kürzester Zeit die röm. Gebiete mit Ausnahme von Ost-Tripolitania und der Cyrenaica. Am 19. Okt. 439 fiel mit → Karthago (I. B.) die letzte röm. Bastion in Afrika. 442 wurde in einer Friedensregelung mit → Valentinianus [4] III. der Herrscher der V. als souverän anerkannt (Herrschaft über Africa Proconsularis, Byzacena, West-Tripolitana, Ost-Numidia, Mauretania Tingitana) und sein Sohn

→ Hunericus mit Eudokia [2], der Tochter Valentinianus' III., verlobt.

Das Reich der V. in Nordafrika behielt die röm. Verwaltungsstrukturen weitgehend bei. Von Afrika aus unternahmen die V. weite und erfolgreiche Eroberungszüge zur See (am 2. Juni 455 Eroberung Roms; 468–476 die → Sicilias). Unter Hunericus (Victor von Vita, Historia persecutionis Africanae provinciae 2,6; 3,1) und → Thrasamund kam es zur Verfolgung von orthodoxen Christen: Hunericus erließ 483 ein Dekret, das 5000 Orthodoxe in die von Mauri beherrschten südl. Grenzgebiete verbannte. Erst → Hildericus (523–530) beendete die Verfolgungen. Nach der byz. Rückeroberung Afrikas durch → Belisarios 533/4 und Deportationen von V. im Zusammenhang mit der Bekämpfung verschiedener Usurpationsversuche (vgl. Prok. BV 2,8; 2,14ff.; 2,28; Coripp. Iohannis 3,307ff.) lebten um 550 kaum mehr V. in Afrika. Das Gebiet wurde von → Iustinianus [1] I. als → Exarchat organisiert.

Die den V. schon von ant. Autoren zugeschriebene Grausamkeit (Oros. 7,38; v. a. Victor von Vita, ebd. 2,12ff.), seit der Renaissance mit der Eroberung von Rom 455 n. Chr. verbunden, veranlaßte den 1794 vom Bischof von Blois, H. Grégoire, geprägten Begriff des »Vandalismus« als Schlagwort für sinnlose Zerstörung. → Völkerwanderungen; VANDALEN

1 K. TAUSEND, Lugier – Vandilier – Vandalen, in: Tyche 12, 1997, 229–236.

CH. COURTOIS, Les Vandales et l'Afrique, 1955 · F. M. CLOVER, The Late Roman West and the Vandals, 1993 · T. HODKIN, Huns, Vandals and the Fall of the Roman Empire, 1996 · P. HULTEN, The True Story of the Vandals, 2001 · M. TODD, Die Germanen, 2000, 172–176 · A. CAMERON, Vandal and Byzantine Africa, in: CAH 14, 2000, 552–569.   G. H. W.

Vangio. Suebe, stürzte zusammen mit Sido seinen Onkel → Vannius 51 n. Chr., teilte das Reich mit → Sido und regierte danach in enger Anlehnung an das röm. Reich, jedoch angeblich gehaßt von seinen Untertanen (Tac. ann. 12,30).   WE.LÜ.

Vangiones. Verm. german., später keltisiertes Volk, deren urspr. Wohnsitze rechts des → Rhenus [2] (h. Rhein) unbekannt sind. Über den Rhenus zogen sie mit → Ariovistus, der 58 v. Chr. von Caesar geschlagen wurde (Caes. Gall. 1,51,2). Die V. wurden zunächst größtenteils über den Rhenus zurückgedrängt. In augusteischer Zeit, spätestens aber vor der Mitte des 1. Jh. n. Chr. (Tac. ann. 12,27,2) wurden sie am linken Rhenus-Ufer nördl. der → Triboci und → Nemetes, südl. von → Mogontiacum angesiedelt; Hauptort ihrer *civitas* war → Borbetomagus (h. Worms). 69/70 schlossen sich Triboci und V. den aufständischen → Treveri an, gingen aber bald zu den Römern über (Tac. hist. 4,70,3). Im 6. Jh. fiel ihr Land an die → Franci.

H. BANNERT, s. v. V., in: RE Suppl. 15, 654–662 · G. LENZ-BERNHARD, H. BERNHARD, Das Oberrheingebiet, in: Mitt. des Historischen Vereins der Pfalz 89, 1991, 1–347 • R. HÄUSSLER, The Romanisation of the Civitas Vangionum, in: Univ. College London Inst. of Arch., Bulletin 30, 1993, 41–104 • W. BOPPERT, Röm. Steindenkmäler aus Worms und Umgebung, 1998, 1–5.

R.A.WI.

Vani. Ort in West-Georgien, ca. 25 km sw von Kutaisi; ein Zentrum der ant. → Kolchis. Seit 1896 (mit Pausen) Ausgrabungen in einer dreiterrassigen Anlage, die Mitte des 1. Jh. v. Chr. zerstört wurde. Drei Phasen (I: 8.– 6. Jh.; II: 5.–4. Jh.; III: 3.–1. Jh. v. Chr.) werden unterschieden. Freigelegt wurden zahlreiche Bauten (Umfassungsmauer mit Tor in Phase III) und Gräber (Goldschmuck mit Granulation); zu den Funden zählen umfangreiche griech. Importe, darunter ein hell. Br.-Torso nach Vorbildern des → Strengen Stils und Frg. einer griech. Br.-Inschr. E. 4./Anf. 3. Jh. v. Chr. (zur Einhaltung von Kultpraktiken [1]). Bronzeguß-Werkstatt (Mittelterrasse). Die Identifikation mit Strabons (11,2,17) Leukothea [2] ist unsicher [3].

1 J. VINOGRADOV, The Inscribed Bronze from Vani, in: Ders., Pontische Stud., 1997, 577–601
2 O. LORDKIPANIDZE, Vani. Ein ant. rel. Zentrum im Lande des Goldenen Vlieses (JRGZ 42), 1995, 400 f. 3 D. BRAUND, Georgia in Antiquity, 1994, 148–150.

O. LORDKIPANIDZE (Hrsg.), Vani. Archaeological Excavations, bisher 9 Bde., 1972 ff. • Ders., Arch. in Georgien, 1987, 133–146.

A.P.-L.

Vannius. Quade, wurde 19 n. Chr., nachdem → Maroboduus und → Catualda ausgeschaltet waren, von → Drusus [II 1] als König zw. Marus und Cusus (March und Waag?) eingesetzt (Tac. ann. 2,63). Seine Herrschaft baute er *praedationibus et vectigalibus* (»durch Raubzüge und Zölle«) aus (ebd. 12,29). V. konnte sich schließlich 51 n. Chr. wegen innerer Schwierigkeiten (Aufstand des → Vangio und des → Sido) und des Drucks der → Hermunduri und der → Lugii nicht mehr halten. Kaiser → Claudius [III 1] griff in diese Kämpfe nicht ein, gewährte V. jedoch Zuflucht in Pannonien (ebd. 12,30).

T. NAGY, Die Machtpolitik des Tiberius an der Mitteldonau, in: Acta Archaeologica Academiae Scientiarum Hungaricae 41, 1989, 61–67.

WE.LÜ.

Vanth. Etr. Unterweltsdämonin. Als Künderin des Todes und Wächterin am Grab erscheint die meist geflügelte V. v. a. im Funerärbereich (→ Bestattung, → Totenkult), z. T. zusammen mit Charun (→ Charon), z. T. in myth. Szenen. Ein älterer Darstellungstyp mit langem → Chiton läßt sich bis ins 5. Jh. v. Chr. verfolgen; in hell. Zeit ist ihr Erscheinungsbild stark von der griech. → Gorgo [1] (Schlangenhaar) und den Erinyen (Stiefel, kurzer Chiton, Kreuzbänder; → Erinys) beeinflußt [1; 2]. Ihre Attribute sind Fackel, Schwert, Schlüssel oder Buchrolle; daneben existiert der Typus der nackten V. (»V.-Gruppe« in der rf. Vasenmalerei). Der Name ist ab dem 4. Jh. v. Chr. siebenmal inschr. belegt (z. B. Tomba François, Vulci); eine frühe Inschr. aus dem 7. Jh.

v. Chr. ist umstritten [1; 3]. Neben V. gibt es noch weitere etr. Unterweltsdämoninnen (z. B. Culsu).
→ Charon; Erinys; Lasa; Turan

1 C. WEBER-LEHMANN, s. v. V., LIMC 8.1, 173–183
2 I. KRAUSKOPF, Todesdämonen und Totengötter im vorhell. Etrurien, 1987 3 PFIFFIG, 327–330.

E. PASCHINGER, Die etr. Todesgöttin V., 1992 (problematisch).

P. AM.

Vapincum. Stadt der Gallia Narbonensis, Hauptort der Avantici [1. 75, 287, 290] im Gebiet des Stammesverbands der → Vocontii, h. Gap (Dép. Hautes-Alpes). Bedeutende Station (*mansio*; Becher von Vicarello 66 MILLER: *Vappincum*) an der Verbindungsstraße zw. dem Tal des Rhodanus (Rhône) und It. Früheste Besiedlungsspuren (Dolmen) stammen aus dem Chalkolithikum [2. 1, 20]. Zwei vorröm. *oppida* liegen auf dem Hügel von Saint-Mens im Osten [2. 17] und dem von Puy-Maure im Westen [2. 14] der h. die röm. Siedlung überdeckenden Stadt [3. 111]. V. war wohl seit 69 n. Chr. röm. → *civitas* (Plin. nat. 3,37). Um 400 n. Chr. rechnet die Notitia Galliarum 16,5 die *civitas Vappincensium* zur Prov. Narbonensis II. Seit dem 4. Jh. war V. Bischofssitz. Ant. Überreste: Funde aus dem Heiligtum am → Seleucus mons sw von V. (CIL XII 1535–1538: Weihungen an → Mars, → Mithras, → Silvanus [1], → Victoria Augusta; vgl. [3. 111–115]). Eine Befestigung mit Türmen ist verm. spätant. [3. 111 f.].

1 G. BARRUOL, Les peuples préromains du Sud-Est de la Gaule (Revue archéologique de Narbonnaise, Suppl. 1), 1969 2 R. CHEMIN, Carte archéologique de Gap, document final de synthèse, 1994 3 I. GANET, Les Hautes-Alpes (Carte archéologique de la Gaule 5), 1995.

RIVET, 251–255.

CH. W.

Varazdates s. Warazdat

Varciani (Οὐαρικιανοί/*Uarikianoí*). Evtl. kelt. Volksstamm in → Pannonia (Plin. nat. 3,148; Ptol. 2,15,2), dessen Siedlungsgebiet wohl im SO der Pannonia Superior östl. von den Sisciani (→ Siscia) zu suchen ist. Wohl schon während des großen pannonischen Aufstandes (6–9 n. Chr.) wurden V. für das röm. Heer rekrutiert (vgl. CIL XIII 7707; 7804; 8188; CIL V 875; CIL VI 3257) und v. a. in der *cohors Varcianorum equitata* eingesetzt.

B. SARIA, s. v. V., in: RE 8 A, 363–365 • A. GRAF, Übersicht der ant. Geogr. von Pannonien, 1936, 16 • TIR L 35 Tergeste, 1961, 75.

J. BU.

Vardagate. Stadt am Südufer des oberen Padus (h. Po), evtl. h. Casale Monferrato. → *Municipium, tribus Pollia, regio IX* (Plin. nat. 3,49). Vgl. das Reskript eines unbekannten Kaisers aus dem 1.–2. Jh. n. Chr. an Clodius Secundus [1. 240–242, Nr. 1].

1 G. MENNELLA, E. ZANDA (Hrsg.), Supplementa Italica 13, 1996, 231–249.

E. GABBA, Aspetti sociali del rescritto imperiale di Vardagate, in: M. CÉBEILLAC-GERVASONI (Hrsg.), Les élites municipales de l'Italie péninsulaire, 2000, 457–461.

E. S. G. / Ü: H. D.

Vardanes

[1] Bei Ptol. 5,8,2 und 14 (Οὐαρδάνης) südlichster der jenseits des → Tanais (Don) von Osten in die → Maiotis (Asowsches Meer) mündenden sieben Flüsse, an dem fünf Städte genannt sind; der V., den auch Amm. 22,8,26 kennt, war ein großer, schiffbarer Fluß, der mit dem Kuban zu identifizieren ist. Dieser trug in der Ant. auch die Bezeichnung → Hypanis [2], in röm. Zeit hatte er jedoch den sarmatischen Namen V.

E. POLASCHEK, s. v. V. (1), RE 8 A, 367f. • V. GAJDUKEVIČ, Das Bosporanische Reich, 1971, 396.   A. P.-L.

[2] Jüngerer leiblicher Sohn des frühestens 39 n. Chr. gestorbenen Partherkönigs → Artabanos [5] II., dem zunächst sein Adoptivsohn → Gotarzes II. gefolgt war. Gegen dessen Schreckensherrschaft erhob sich V. um 41. Es gelang ihm, Gotarzes vom Thron zu verdrängen und in sein Stammland Hyrkania zu vertreiben. Im Frühsommer 42 gewann V. auch das seit sieben J. aufständische Seleukeia [1], mußte aber auf sein Vorhaben, Armenia zu erobern, angesichts der Unwilligkeit seines Vasallen → Izates [2] II. von Adiabene verzichten. Da es Gotarzes trotz mehrerer Versuche nicht gelang, V. mil. zu besiegen, ließ er ihn im Sommer 45 ermorden (Tac. ann. 11,8–10; Ios. ant. Iud. 20,3,4).

V. hinterließ einen nicht namentlich bekannten Sohn (als *filius Vardanis* nur bei Tac. ann. 13,7,2 erwähnt), der sich 55 gegen → Vologaises I. erhob. Sein Aufstand läßt sich durch von November 55 bis Juni 58 geprägte → Tetradrachmen von Seleukeia mit einem jugendlichen Königsportrait datieren. Er ist ohne Zweifel identisch mit dem Führer einer für 57–61 belegten Erhebung der Hyrkanier (Tac. ann. 13,37; 14,25; 15,1–2; vgl. Iohannes Lydos, De magistratibus 3,34). Offenbar war der Sohn nach der Ermordung seines Vaters zu seinen atropatenischen Verwandten gebracht worden und wurde nach dem Untergang des Gotarzes in dessen Stammland Hyrkania eingesetzt. Sein Kampf um die Großkönigskrone scheiterte jedoch.

M. J. OLBRYCHT, Vardanes contra Gotarzes II., in: Folia Orientalia 33, 1997, 81–100 • M. SCHOTTKY, Parther, Meder und Hyrkanier, in: AMI 24, 1991, 61–134; bes. 87, 103–109; 117–130; Stammtafel VII • Ders., Quellen zur Gesch. von Media Atropatene und Hyrkanien in parthischer Zeit, in: J. WIESEHÖFER (Hrsg.), Das Partherreich und seine Zeugnisse, 1998, 435–472, bes. 445; 447f.; 452; 458; 464f.; 467.   M. SCH.

Vardo. Fluß in der Gallia Narbonensis (fischreich nach Sidon. epist. 2,9,9), h. Gard oder Gardon. Von den Quellflüssen Gardon d'Anduze und Gardon d'Alès im Cebenna mons (Cévennes) gespeist, mündet er nördl. von Tarusco [1] in den Rhodanus (Rhône). Den Fluß überquert bei Remoulin ein dreistöckiger Aquaedukt

(h. Pont du Gard), Teil der um 50 n. Chr. gebauten Wasserleitung (50,1 km L; Gefälle 12,27 m), die das Quellwasser der Eure bei → Ucetia nach → Nemausus (Nîmes) führte [1]. Der Pont du Gard besitzt eine L von 142,35 m auf der untersten Etage, 490 m auf der obersten Etage und eine H von 48,77 m; h. führt die mod. Straße D 981 über die 1743 verbreiterte Trasse auf den untersten Bogen.

1 G. FABRE u. a. (Hrsg.), L'aqueduc de Nîmes et le pont du Gard, ²2000.

M. LOUIS, A. BLANCHET (Hrsg.), Carte archéologique de la Gaule Romaine VIII: Gard, 1941, 180f., Pl. III.   CH. W.

Vareia (Οὐαρία/ *Uaría*). Stadt der → Berones an einer Brücke über den → Iberus [1] (h. Ebro), der von hier flußabwärts schiffbar war (Plin. nat. 3,21; vgl. Strab. 3,4,12; Ptol. 2,6,55), → *mansio* an der Straße Tarraco-Asturica (Itin. Anton. 393), h. Varea im Westen von Logroño. Die urspr. iberische Siedlung lag auf dem h. Monte Cantabria und wurde im 1. Jh. v. Chr. in die Ebene verlegt. Arch. Überreste: verschiedene Häuserfundamente, Fußbodenmosaike.

W. ESPINOSA, V. en el universo romano, in: J. SESMA (Hrsg.), Historia de la ciudad de Logroño 1, 1955, 101–115 • TOVAR 3, 331 • TIR K 30 Madrid, 1993, 236.   J. J. F. M.

Varenus. Röm. Gentile etr. Herkunft (SCHULZE, 248).
[1] **V., L.** Wurde um 80 v. Chr. wegen Mordes angeklagt und von → Cicero verteidigt. Dieser behauptete, daß die Tat im Interesse des Anklägers Ancharius [2] Rufus gelegen habe und daher dieser der Mörder sei, verlor aber den Prozeß (Prisc. institutiones grammaticae 7,70; 12,29; Quint. inst. 5,13,28; 7,1,9; 7,2,36; 9,2,56).   J. BA.

[2] **V. Rufus.** Senator; vertrat im Senat die Prov. → Bithynia et Pontus gegen den Proconsul Iulius [II 28] Bassus, der wegen Erpressung angeklagt war (Plin. epist. 5,20). Wahrscheinlich 105/6 n. Chr. selbst praetor. Proconsul in Pontus-Bithynia, 106 im Senat wegen desselben Vergehens (→ *repetundarum crimen*) in dieser Prov. angeklagt, von Plinius [2] d. J. und Iunius [II 17] Homullus verteidigt. Während des Prozesses gab es lange Debatten über die Form der Verhandlung (Plin. epist. 5,20; 6,5,1; 6,13). Schließlich widerrief eine Gesandtschaft der Prov. die Anklage, so daß die Sache vor den Kaiser kam (Plin. epist. 7,6; 7,10). Verm. wurde der Prozeß nicht fortgeführt.   W. E.

Vargunteius. Röm. Gentile, das seit dem 2. Jh. v. Chr. bezeugt ist (AE 1997,283; SCHULZE, 160).
[1] Röm. Rezitator des 2. Jh. v. Chr., der die *Annales* des → Ennius [1] an bestimmten Tagen unter großem Zulauf vortrug (Suet. gramm. 2) und den die spätere Zeit als Grammatiker verstand. Aus dem *Anecdoton Parisinum* (GL 7,534) durch Konjektur des Namens eine Textausgabe zu gewinnen ist problematisch.

HLL 1, § 38 (im Druck).   J. R.

[2] Fiel 53 v. Chr., als er als Legat im Partherkrieg des M. Licinius [I 11] Crassus mit seinen vier Kohorten den Anschluß zum Heer verlor (Plut. Crassus 28,2; Oros. 6,13,3).

[3] V., L. Senator. Schon 66 v. Chr. Mitverschwörer → Catilinas (Cic. Sull. 67); er sollte 63 → Cicero ermorden (Sall. Catil. 28,1). 62 *de vi* (»wegen Gewaltanwendung«) angeklagt, wurde er verm. verurteilt (Cic. Sull. 6).   J.BA.

Varia. So soll die Großmutter des → Elagabal [2] geheißen haben (HA Opil. 9, 1–3; HA Heliog. 10,1; 12,3; 31,4). Dies dürfte Fiktion nach dem Namen des Vaters Elagabals sein (s. → Varius [II 6] Marcellus).   W.E.

Varius. Römischer Familienname, wahrscheinlich von → *Varus* abgeleitet. Träger sind frühestens für das 1. Jh. v. Chr. bezeugt, erlangen aber erst in der Kaiserzeit einige Prominenz.

SCHULZE, 249.   K.-L.E.

I. REPUBLIKANISCHE ZEIT

[I 1] V. Cotyla, L. 48, 47 oder 44 v. Chr. Aedil (Cic. Phil. 13,26), 43 für M. Antonius [I 9] Gesandter in Rom und dessen Legat in der Gallia Transalpina (Cic. Phil. 5,5–7; 8,24–32; Plut. Antonius 18,8).   J.BA.

[I 2] V. Rufus, L. Berühmter röm. Dichter (Hor. ars 55) der augusteischen Zeit (ca. 70–15 v. Chr.). Gemeinsam mit seinem Freund Vergilius (Verg. catal. 7,1; Quint. inst. 10,3,8), dessen *Aeneis* er auf Wunsch des Augustus edierte (Don. Vita § 37 ff.), stand er im Zentrum des Kreises um → Maecenas [2] (Laus Pisonis 238 f.; Mart. 12,3,1 f.), in den Vergil und V. auch Horaz einführten (Hor. sat. 1,6,54 f.; 1,5,39–42; 1,5,93; 1,9,22 f.; 1,10,81–83); auf mehr Distanz hingegen läßt Prop. 2,34 schließen, wenn sich hinter dem Pseudonym Lynceus V. verbirgt.

Werke: Mit dem in wenigen Fr. erh. Lehrgedicht *De morte* (›Über den Tod‹), das in der Trad. der Epikureer (vgl. Quint. inst. 6,3,78) Lucretius [III 1] und Philodemos' (*Perí thanátu*) die Todesfurcht bekämpfte, war V. in den späten 40er J. als Epiker (Hor. sat. 1,10,43 f.) zu Ansehen gelangt (Verg. ecl. 9,35 f.; zu Einflüssen auf Vergil vgl. Macr. Sat. 6,1,39 f.; 6,2,19 f.). Als potentiellen Panegyriker Agrippas [1] nennt ihn nach 29 v. Chr. Hor. carm. 1,6,1–4, und aus einem späteren Panegyricus des V. auf Augustus (vgl. Hor. epist. 2,1,245–250) stammen (nach Ps.-Acro ad locum) Hor. epist. 1,16,25–29. An den Spielen nach Actium (29) wurde V.' *Thyestes*, der als den griech. Trag. ebenbürtige Meisterleistung galt (Quint. inst. 10,1,98; Tac. dial. 12,6; Mart. 8,18,7 f.), aufgeführt und mit einer Million Sesterzen belohnt.

Mit der philos. motivierten Beschränkung auf Gattungen des hohen Stils hat V. die augusteische Klassik entscheidend geprägt. Während seine Werke bis zu Quintilianus [1] und Tacitus [1] rezipiert wurden (vgl. die *imitatio* von *De morte* Fr. 4 bei Sil. 10,77 ff.), stammen spätere Testimonien und Fr. in erster Linie aus der bio-

graphischen Trad. zu Vergil und den Schol. zu Vergil und Horaz; nur der *Thyestes* war in der Spätant. noch erh.

GRF, 571 ff. · FPL³, 249–252 · TRF 1953, 309 f. · BARDON 2, 28–34 · J.-P. BOUCHER, L'Œuvre de L. Varius Rufus. D'après Properce II,34, in: REA 60, 1958, 307–322 · L. ALFONSI, La 34a elegia del II libro di Properzio e il poeta Lynceo, in: Maia 15, 1963, 270–277 · F. DELLA CORTE, Vario e Tucca in Filodemo, in: Aegyptus 49, 1969, 85–88 · W. WIMMEL, Der Augusteer L. V. R., in: ANRW II 30.3, 1983, 1562–1621 · P. L. SCHMIDT, s. v. V. (III.), KIP 5, 1130 f.   J.R.

[I 3] V. Severus (?) Hibrida, Q. Aus Sucro in Hispania, Volkstribun 90 v. Chr. Er war Urheber eines Gesetzes über Hochverrat (*lex Varia de maiestate*; → *maiestas*) mit der Einsetzung eines Sondergerichtes mit Geschworenen aus dem Ritterstand (→ *equites Romani*). Es sollte zunächst die röm. Verantwortlichen aus der Nobilität für den Aufstand der Italiker (→ Bundesgenossenkrieg [3]) aburteilen (bes. die Anhänger des M. Livius [I 7] Drusus), allerdings wurden auch zahlreiche unschuldige Hochadlige angeklagt und z. T. verurteilt. 89 wurden Senatoren wieder in die Juries aufgenommen, V. aufgrund seines eigenen Gesetzes verurteilt und verbannt, die Prozesse dann eingestellt (Val. Max. 8,6,4; Ascon. 22; 73; 79 C; App. civ. 1,165–168).

ALEXANDER, 53–58 · E. BADIAN, Quaestiones Variae, in: Historia 18, 1969, 447–491 · E. S. GRUEN, Roman Politics and the Criminal Courts, 147–78 B. C., 1968, 216–220.
                                                          K.-L.E.

II. KAISERZEIT

[II 1] Q. Planius Sardus L. V. Ambibulus. Sohn des kaiserlichen *procur.* L. Varius Ambibulus (vgl. [1]). Aufnahme in den Senatorenstand. Nach den üblichen senator. Eingangsämtern wurde er nach der Praetur → *praefectus* [10] *frumenti dandi*, *procos.* von *Macedonia* 124/5 [2. 53]. Legat der *legio I Italica*, Legat der *legio III Augusta* in Africa 132, kurz darauf *cos. suff.* Seine Schwester war Varia Pansina (AE 1971, 85). Er stammte aus Capua [1. 825 f.: V. (9); 3. 145 f.]. Zu seiner weiteren Verwandtschaft [4. 55 f.].

1 W. ECK, s. v. V. (8a) und (9), RE Suppl. 14, 825 f.
2 P. M. FRASER, The Inscriptions on Stone (Samothrace 2.1), 1960 3 THOMASSON, Fasti Africani 4 W. ECK, M. ROXAN, Two New Military Diplomas, in: R. FREI-STOLBA, M. A. SPEIDEL (Hrsg.), Röm. Inschr. FS H. Lieb, 1995.

[II 2] V. Avitus s. Elagabal [2]

[II 3] T. V. Clemens. Ritter aus → Celeia in Noricum. Nach insgesamt fünf ritterlichen Militärstellungen seit der späthadrianischen Zeit wurde er zunächst Finanzprocurator in Cilicia, anschließend in Lusitania. 152 als Praesidialprocurator in Mauretania Caesariensis bezeugt (unpubliziertes Diplom), sodann in Raetia (157 dort bezeugt, CIL XVI 183). Darauf nochmals Finanzprocurator der Belgica und der beiden germanischen Prov. Unter → Marcus [2] Aurelius und Lucius → Verus am Hof als *ab* → *epistulis*. Später verm. in den Senat aufgenommen, da er im *consilium* der → *tabula Banasitana* in senator. Rang verzeichnet ist. Sein Bruder ist V. [II 7].

J. Šašel, in: Ders., Opera selecta, 1992, 206–213 · Thomasson, Fasti Africani, 202 f.

[II 4] V. Crispinus. Tribun der → Praetorianer, der 69 n. Chr. im Auftrag → Othos die *cohors XVII urbana* (→ *urbanae cohortes*) in Ostia bewaffnen sollte. Durch Mißverständnisse kam es zu einem Massaker der Praetorianer unter deren Soldaten (Tac. hist. 1,80).

Demougin, 550 f.

[II 5] V. Ligus. In einen Prozeß wegen → *adulterium* mit einer Aquila im J. 25 n. Chr. verwickelt (Tac. ann. 4,42,3); im J. 36 beschuldigt, er habe die Ankläger des Mamercus Aemilius [II 14] Scaurus bestechen wollen (Tac. ann. 6,30,1). Keinen Zusammenhang mit Valerius Ligus sieht [1. 129].

1 Demougin.

[II 6] Sex. V. Marcellus. Vater des späteren Kaisers → Elagabal [2], aus Apameia [3] in Syrien stammend, verheiratet mit Iulia [22] Soaemias Bassiana; über sie mit Septimius [II 7] Severus verschwägert. Ritterl. Laufbahn: *procur. aquarum* in Rom, *procur. prov. Britanniae*, *procur. rationis privatae*, Stellvertreter der *praef. praet.* (→ *praefectus praetorio*) und des → *praefectus urbi*, wohl 212 [1. 226–234]. Danach Aufnahme in den Senatorenstand, → *praefectus* [2] *aerarii militaris*, Statthalter von Numidia unter → Caracalla (CIL X 6569 = ILS 478 = IGR I 402 [2. 179 f.]). Ob er in einem Diplom aus dem J. 202 genannt ist [3], muß unsicher bleiben.

1 H. Halfmann, Zwei syr. Verwandte des severischen Kaiserhauses, in: Chiron 12, 1982, 217–235 2 Thomasson, Fasti Africani 3 S. Dušanić, Frg. of a Severan Auxiliary Diploma, in: ZPE 122, 1998, 219–228.

[II 7] V. Priscus. Bruder von V. [II 3]; Ritter aus → Celeia. Nach fünf mil. Dienststellungen *praefectus classis Britannicae*, Praesidialprocurator von Dacia inferior und von Mauretania Tingitana (157 dort bezeugt, CIL XVI 181), schließlich von einer weiteren Prov. ([1]; auch in AE 1987, 796).

1 J. Šašel, [ ]arius [ ]iscus, Celeiensis, in: ZPE 52, 1983, 175–182 2 Devijver 4, 1762 V 52bis; 5, 2272.   W. E.

Varos (Οὔαρος). Sophist aus Perge, um ca. 150 n. Chr., aus einer adligen Familie, verm. den Plancii (→ Plancius; vgl. [1. 22; 2]). Sohn eines Kallikles und Schüler eines Quadratus (Philostr. Soph. 2,6), vielleicht des von Aristeid. 50,63 (vgl. [1. 25]) als Rhetor und Proconsul von Asia erwähnten.

1 G. W. Bowersock, Greek Sophists in the Roman Empire, 1969 2 PIR P 441, 443.   E. BO./Ü: RE. M.

Varro

[1] Bei Ios. bell. Iud. 1,398 als ἡγεμών (*hēgemṓn*) von Syrien ca. 25–23 v. Chr. genannt. Die Identifizierung ist unsicher. Zuletzt dazu [1. 17 f.].

1 E. Dąbrowa, The Governors of Roman Syria, 1998.   W. E.

[2] V. Terentius, M. (Reatinus). Der bedeutendste röm. Universalschriftsteller.

I. Leben   II. Antiquarisch-historische Werke III. Linguistische und literarhistorische Werke   IV. Enzyklopädie und Fachschriften V. Dichtung   VI. Würdigung

I. Leben

Der röm. Staatsbeamte und Gelehrte V. wurde 116 v. Chr. (Hier. chron.) in Reate (Symm. epist. 1,2) oder Rom (Aug. civ. 4,1) geb. und eignete sich in Rom eine weitreichende lit. und philos. Bildung an: V. hörte den Grammatiker und Tragödiendichter L. → Accius, dem er das Werk *De antiquitate litterarum* widmete (vor 86), studierte v. a. bei dem oft zit. Sprachforscher und Antiquar L. → Aelius [II 20] Stilo (s. [1]), wohl um 84–82 auch bei dem Platoniker und Reformer der Akademie → Antiochos [20] von Askalon (Cic. ac. 1,12), dem Lehrer → Ciceros und seines Bruders Q. → Tullius [I 11] Cicero. Verheiratet war er mit → Fundania, die im Sabinerland Besitzungen hatte (Varro rust. 1,15), Tochter des *curator viarum* und Volkstribuns von 68 C. Gallus Fundanius [1].

V. war nach dem Militärtribunat 90 *triumvir capitalis* (Gell. 13,12,6), 86 *quaestor*, 68 *praetor* (App. civ. 4,202). Nach Sullas Tod 78 hatte er den Proconsul C. Cosconius [I 1] als Legat in den Illyrerkrieg (78/7) begleitet (rust. 2,10,8), sich dann aber dem 10 J. jüngeren → Pompeius [I 3] angeschlossen, zuerst als dessen Proquaestor im Sertoriuskrieg (77–72); den designierten Consul Pompeius beriet er 71 mit dem *Eisagōgikós* (s. u. IV., Nr. 51), selbst war er wohl 70 Volkstribun (Gell. 13,12,6). Als Flottenkommandeur kooperierte er 67 mit Pompeius im Piratenkrieg (rust. 2 praef. 3); unsicher ist die Legation im 3. → Mithradatischen Krieg zw. 74 und 63 (Solin. 93 nach Plin. nat. 6,51) und seine Propraetur in Asia 66 (Varro ling. 7,109).

Obwohl V. den sog. Ersten → Triumvirat 59 mit dem Pamphlet *Trikaranos* (›Dreikopf‹) verurteilte, betätigte er sich zu Ciceros Enttäuschung als → *viginvir agris dandis* bei → Caesars Landreform, hielt sich in den 50er J. aber klug von Ämtern fern. 49 übergab er, als 67jähriger senatorischer Legat und Proquaestor des Pompeius (vgl. Denar, RRC 447,1a), in Hispania ulterior bei Italica seine verbliebene Legion (die andere war vorher bei Gades desertiert) kampflos der Übermacht des Sex. Iulius [I 10] Caesar (Caes. civ. 2,19 f.) und traf in Corduba C. Caesar (September 49) selbst. Er begab sich sofort zu Pompeius nach Dyrrhachion, kehrte aber nach dessen Niederlage bei Pharsalos von Korkyra [1] aus nach Rom zurück. Dem *pontifex maximus* Caesar widmete er nach dessen

Rückkehr im Oktober 47 die *Antiquitates rerum divinarum*, ehrte aber auch das Andenken des Pompeius mit einer ausführlichen Würdigung (*De Pompeio libri III*).

V. selbst wurde von Caesar 46 mit der Errichtung einer öffentlichen → Bibliothek in Rom beauftragt (Suet. Iul. 44,2), die allerdings ein Opfer der Unruhen nach Caesars Tod wurde; auch V. selbst, von M. → Antonius [I 9] proskribiert und seiner Besitztümer (bes. der Landgüter bei Casinum, Cic. Phil. 2,103 f., bei Cumae, Cic. ac. 1,1 und am Vesuv, rust. 1,15) beraubt, wäre fast deren Opfer geworden – Q. → Fufius [I 4] Calenus, mit Antonius gut bekannt, rettete ihm das Leben (App. civ. 4,203). V. konnte, hochgeehrt mit einer Ehrenbüste in der ersten röm. öffentlichen Bibl. des → Asinius [I 4] Pollio, noch 15 J. schriftstellerisch wirken bis zu seinem Tod im J. 27. Er ließ sich nach pythagoreischem Ritus bestatten (Plin. nat. 35,160).

Von V.s Werk vollständig erh. sind nur die *Rerum rusticarum libri III*, schon mit Lücken *De lingua Latina* (nur B. 5–10); von den *Saturae Menippeae* gibt es immerhin fast 600 Fr. (verlorene Werke sind mit * gekennzeichnet). Von den meisten Werken werden nur die Titel und geringe Fr. zit. Eine Werkliste (= cat.) hatte Hieronymus in der verlorenen Epist. ad Paulam (Hinweis: Hier. vir. ill. 54 = PL 32,1 p. 702) angelegt, auf die Rufin. apologia 20 (PL 21,599) Bezug nimmt, die aber erst 1848 in England als Druck einer Hs. aus Arras aufgefunden, von [2] im selben J. ediert, noch 1856 von Ch. Chappuis durch Abschriften in zwei Pariser Mss. ergänzt wurde (cat.). Das Gesamtwerk wird h. auf 74 Titel in zusammen 620 B. geschätzt, die im wesentlichen zw. 59 und 50 sowie 42 und 27 v. Chr. geschrieben wurden, deren Chronologie aber nur in wenigen Fällen erschließbar ist.

II. Antiquarisch-historische Werke

(1) Hauptwerk sind die *Antiquitates rerum humanarum et divinarum libri XXXXI* (›Altertümer menschlicher und göttlicher Institutionen‹; Aug. civ. 6,3; cat.), 47 oder 46 Caesar gewidmet und von Cicero (ac. 1,9) 45 mit Lob überhäuft. Aufbau in Hexaden bzw. Triaden (Aug. l.c.): B. 1 Einleitung und Disposition, B. 2–7 *de hominibus* (Menschen), 8–13 *de locis* (Orte), 14–19 *de temporibus* (Zeiten), 20–25 *de rebus* (Sachen), wovon etwa 70 Fr. existieren. Es handelt sich um histor. Forsch., sicher auch Spekulationen und etym. Ableitungen der röm. Zivilisation mit dem Ziel, der röm. Welt ihren traditionsorientierten Eigenwert zu verschaffen, um sich nicht mehr als kulturelle Dependance Griechenlands fühlen zu müssen. Das hat Cicero (ac. 1,9) richtig erkannt, wenn er V. das Verdienst zuschreibt, den Römern, die bisher wie Fremde in ihrer Welt lebten, ihre verdiente Beheimatung geschenkt zu haben: Stätten, Gebäude, Kultobjekte, Bildnisse, Inschr. usw. in Rom und It. (keine ganze »Geographie« [3]), *gentes* (→ *gens*) und *familiae*, Kalender, Chronologie (mit Datier. der Gründung Roms auf 753 nach L. → Tar(r)utius Firmanus [4]) [5], Institutionen und Magistrate (von Plut. qu. R., Suet. Pratum, Cens. 21 und Iohannes Ly-

dos, *De magistratibus* ausgewertet) erhielten nun Gesicht und Gewicht. Dahinter steht nicht Kulturromantik, sondern die Gewinnung des Fundaments eines neuen Selbstbewußtseins der Bürgerkriegsgeneration, das später → Augustus und seine Architekten, Priester und Literaten ausgestalteten [6]. Ohne V. wäre weder die *renovatio Augusta* möglich gewesen [7] noch eine rationale Auseinandersetzung der Kirchenväter [8], bes. des → Augustinus, mit der klass. Ant. [9].

Par. ist der Aufbau des zweiten Teils, der (besser rekonstruierbaren [10]) *Res divinae*, angelegt: B. 26 Einführung und Disposition, 27–29 *de hominibus*, 30–32 *de locis*, 33–35 *de temporibus*, 36–38 *de sacris*, 39–41 *de dis* über Priesterkollegien, Kultstätten, Feste, Rituale und röm. »Theologie«, wieder im Sinne histor. Aitiologie, nicht etwa als Anweisungsbuch für den *pontifex maximus*. Das Werk bildet die zentrale Quelle für Ovids *Fasti*, für Sueton und Schriften anderer Autoren wie Cornelius [II 19] Labeo über Sakralaltertümer, es wurde aber v.a. Zielscheibe der patristischen Kritik (Tert. nat. 2; Lact. inst. 1; v. a. Aug. civ. 4;6;7) am röm. »Heidentum«. Besonderes Interesse des Augustinus fand V.s Lehre von den drei *genera* (»Arten«) der *theologia*: *genus mythicum* (die künstlich-künstlerische Myth. der Dichter), *g. physicum* (die metaphysisch verstandenen Naturmächte der Philos.), *g. civile* (der myth. und superstitiös getrübte Kult in Volk und Staat), dem V.s besonderes Interesse gilt. V. will die röm. Staats-Rel. als histor. angereicherte Form der ursprünglichen Natur-Rel. verstehen, die auf dem (stoisch-neuakademischen) Prinzip einer göttlichen Weltseele (*anima mundi*) beruht, die stufenweise alle Teile der Welt, auch den Kultus, erreicht (Durchdringungstheorie).

(2) *De vita populi Romani libri IV ad Atticum* (Char. p. 161,1; cat.), nach 49, über 100 Fr. bei Nonius: Rekonstruktion der röm. Zivilisations-Gesch. [11] (Kleidung, Wohnung, Nahrung, Rituale, Ämter) seit der Königszeit aufgrund annalistischen Materials. Offenbar mit kulturpessimistischer Tendenz: Luxus verdrängt Nützlichkeit.

(3) *De gente populi Romani libri IV* (Arnob. 5,8), um 43, eine röm. Ur-Gesch., die mit der Prähistorie (bis zur ogygischen Flut, → Mythos V. C.) einsetzte und über die mythisch-heroische Epoche (bis zur 1. Olympiade) zur röm. Gesch. führte (Fall Troias, Aeneas); das chronologische System in Anlehnung an die *Chronica* des → Kastor [2] von Rhodos.

(4) *De familiis Troianis libri* (Serv. Aen. 5,704) mit Ableitung der alten röm. *gentes* von Troern, z. B. der *gens Iulia* vom Aeneassohn Iulus [12].

(5) *Aetia* (mehrfach bei Servius erwähnt) dürften ebenfalls den Ursprung röm. Sitten und Institutionen behandelt haben.

(6) *Tribuum liber* (Varro ling. 5,56) erklärte die Entwicklung und die Namen der 35 → *tribus*.

(7) *Annalium libri III* (Char. p. 133,26; cat.), vielleicht eine synchrone histor. Zeittafel [13].

(8) Zwei B. oder mehr (im folgenden mit + markiert) *Historiarum libri II+* (Veroneser Schol. zu Verg. Aen. 2,717), wenn nicht aus *Humanarum . . .* verschrieben; das Zit. betrifft Aeneas' Flucht aus Troia.

(9) *Rerum urbanarum libri III* (Char. p. 170,19, cat.), vielleicht eine histor. Stadtchronik in der Art der von Caesar eingeführten *Acta diurna* (→ acta 3.).

III. Linguistische und literarhistorische Werke

(10) Hauptwerk *De lingua Latina libri XXV*, eine systematische Darstellung der ›Lateinischen Sprache‹. V. hatte schon 47 Cicero die Widmung einer größeren Arbeit angekündigt (Cic. Att. 13,12,3), dem er das Werk dann noch zu dessen Lebzeiten überreichte, allerdings augenscheinlich mit Eile und ohne Schlußredaktion beendet [14].

Obwohl von 25 B. nur 6 erh. sind, ist die dreigeteilte Schrift gut rekonstruierbar [15]: B. *1 Einleitung und Disposition. Teil I (B. 2–7) *impositio verborum* (Wortbildung, Semantik), und zwar *2 Argumente gegen die Etym. [16] als Methode, *3 Argumente dafür, *4 – als Ergebnis (so auch in folgenden Buchgruppen) – die Form der vernünftigen Etym. in vier Abstufungen [17]. Dann 5 Anwendung auf die Dinge (*res* in stoischer Kosmoshierarchie), 6 auf die Bewegung (*tempora, actiones*), 7 auf die *vocabula poetica*, d. h. auf schwierige Nomina der Dichtersprache. Teil II (B. 8–13) *declinatio* (Flexion [18]) mit derselben Dreiteilung: 8 Argumente für die Geltung der unsystematischen *consuetudo* (anomalia, → Anomalie) nach der Lehre des Pergameners → Krates [5] von Mallos, 9 Gegenargumente zugunsten der konsequenten Flexion (*analogia*, → Analogie [2]) nach der Lehre des Alexandriners Aristarchos [4], wobei V. diesen Antagonismus um der Schematik willen selbst konstruiert zu haben scheint [19], 10 (unvollständig) rechtes Verständnis zentraler methodischer Begriffe (*simile/dissimile, ratio/lógos, analogia/consuetudo*); dann die Anwendung *11 auf die *res*, *12 auf *tempora, actiones*, *13 auf die Dichtersprache. Teil III (B. 14–25) *coniunctio* (Syntax), mit je 2 B.: *14/15, *16/17, *18/19 für und gegen die *consuetudo* des Satzbaus und die vernünftige Form, dann wieder *20/21, *22/23, *24/25 Anwendung auf die *res*, auf *tempora/actiones* und die Praxis der Dichter.

Trotz des Rückgriffs auf den → Stoizismus (Einteilung der Dingwelt, Etym.) und die hell. Sprachtheorie der Alexandriner (Flexion) geht es V. weniger um die paradigmatische Erfassung des Lat. als um die Prägung eines röm. Sprachbewußtseins, wie die Wahl der histor.-antiquarischen Beispiele illustriert. Das in unruhigen Zeiten verfaßte Fachbuch behält trotz dialogischer Ansätze den extrem trockenen und verknappten Vorlesungsstil bei [20], was die Überl. erschwerte. Deren Basis ist allein der Florentinus F, geschrieben im 11. Jh. in Montecassino (die davon abhängigen Recentiores sind ohne Wert), der nach dem Erstdruck 1471 durch Pomponius Laetus früh die kritische Beachtung der Humanisten fand (1566 A. Turnebus, 1566 J. J. Scaliger,

1602 G. Scioppius; Auswertung z. B. bei G. d'Halluin in seiner *Restauratio linguae Latinae*, 1533).

(11) *Epitoma linguae Latinae libri IX* (cat.); nach einem Einführungsbuch Kürzung der drei Teile von *De lingua latina* auf ein Drittel, also 2+2+4 B.

(12) *De sermone Latino libri V* (Char. p. 132,1; cat.) über die Umgangssprache, dem 45 ermordeten M. Claudius [I 15] Marcellus gewidmet.

(13) *De utilitate sermonis libri IV* (Char. p. 157,3) enthielt verm. eine anomalistische Behandlung (→ Anomalie) griech. Fremdwörter im Lat.

(14) *De similitudine verborum libri III* (Char. p. 116,9; cat.) müßte dann die Prinzipien der → Analogie vorgestellt haben.

(15) *De origine linguae Latinae* (Prisc. GL 2,30,12; cat.) behandelte Interferenzen zw. ital. Dialekten und dem Griech. [21].

(16) *De antiquitate litterarum ad Accium libri II+* (Prisc. GL 2,7,27), um 90, erörterte Namen, Anzahl, Form und Ordnung des Alphabets [22].

(17) *Perí charaktḗrōn libri III* (Char. p. 246,3) betraf entweder auch die Buchstaben oder Charaktertypen im Sinne Theophrasts oder am wahrscheinlichsten die Typen der Wortbildungsformen in der Flexion.

(18) Mit V.s bibliothekarischem Auftrag dürften *De bibliothecis libri III* (Char. p. 110,13) zusammenhängen, wohl eine Gesch. der großen hell. → Bibliotheken (vgl. Gell. 7,17), vielleicht auch (19) *De proprietate scriptorum libri III* (Non. 527,4 L. = 537,29 M.; cat.), falls es dort um Echtheits- und Stilfragen ging.

(20) *De descriptionibus libri III* (cat.) mag die dramatischen Bühnencharaktere besprochen haben; (21) *De lectionibus* (cat.), vielleicht die Gesch. röm. (Dichter-)Rezitationen.

Der Dichtungstheorie verpflichtet sind (22) *De poetis* (Gell. 1,24,3), eine Art biographischer Lit.-Gesch. [23] von Livius [III 1] Andronicus an [24] und Quelle für Suetons *De poetis*, sowie (23) *De poematis libri III* (Varro ling. 7,36; cat.), eine Übertragung der (aristotelischen?) Poetik auf die röm. Dichtung mit der Rangstufung *poema – poesis – poetice* nach Form (Metrum, Stil) und Inhalt [25].

Mit der Bühne befassen sich (24) *De scaenicis originibus libri III* (Char. p. 101,9), eine vielbenutzte röm. Theater-Gesch. [26], (25) *De actionibus scaenicis libri III* (Char. p. 186,24; cat. *De actis scaenicis*), eine Aufstellung röm. Didaskalien (→ didaskalíai II.) [27], (26) *De personis* (cat.) über → Masken der Trag. und Komödie, (27) *Quaestionum Plautinarum libri V* (cat.), eine Kommentierung schwieriger Wörter bei Plautus, (28) *De comoediis Plautinis* (Gell. 3,3,9), eine Echtheitserklärung und Kanonisierung der 21 h. noch als solche geltenden Plautus-Komödien.

Über die Verssatire des Lucilius [I 6] könnte (29) *De compositione saturarum* (Non. 93,16 L. = 90,16 M.) gehandelt haben.

Allg. betrafen die (30) *Epistulicarum quaestionum libri VII+* (Gell. 6,10,2) allerlei linguistische und lit. Proble-

M. Terentius Varro: Werkübersicht

Nr. (im Text)	Titel (lat.)	Deutscher Titel bzw. Thema	Erhaltungs-zustand[1]	Edition; Testimonia; Catalogus Hieronymi[2] (= C)
1 (II. 5)	*Aetia*	Ursprünge röm. Sitten und Gebräuche	6 Fr.	SEMI 3, 142 f.
2 (II. 7)	*Annalium libri III*	Chronographie (3 B.)	2 Fr.	SEMI 3, 121; HRR 2, 24, Nr. 1 f. **C**
3 (II. 1)	*Antiquitates rerum humanarum et divinarum, libri XXXXI*	Denkmäler der Profan- und Sakral-archäologie (41 B.)	ant. hum.: 107 Fr. ant. div.: 292 Fr.	SEMI 2, 121–142; 142–177; MIRSCH (hum.); CARDAUNS (div.) **C**
4 (III. 25)	*De actionibus scaenicis libri III*	Didaskalien röm. Dramenaufführungen (3 B.)	17 Fr.	SEMI 2, 89–91; GRF 1, 218 f., Nr. 82–86
5 (IV. 41)	*De aestuariis*	Von den Gezeiten	Titel	SEMI 3, 110; (Varro ling. 9,26)
6 (III. 16)	*De antiquitate litterarum ad Accium libri II+*	Gesch. des röm. Schriftwesens (mind. 2 B.)	5 Fr.	SEMI 2, 9 f.; GRF 1, 183 f., Nr. 1 f.; (Pomp. GL 5 p. 98,20)
7 (III. 18)	*De bibliothecis libri III*	Hell. Bibliotheksgeschichte (3 B.)	2 Fr.	SEMI 2, 79
8 (III. 28)	*De comoediis Plautinis*	Die Echtheit der Komödien des Plautus	1 Fr.	SEMI 2, 12 f.; GRF 1, 220–222, Nr. 88; (Gell. 3,3)
9 (III. 29)	*De compositione saturarum*	Die Struktur der röm. (Vers-?)Satire	1 Fr.	SEMI 2, 88; GRF 1, 222, Nr. 89; (Non. 93,16 L)
10 (III. 20)	*De descriptionibus libri III*	Typologie der Bühnencharaktere? (vgl. Nr. 52) oder: Ekphrasisstudien? (3 B.)	Titel	SEMI 2, 11 **C**
11 (II. 4)	*De familiis Troianis libri*	Über die aus Troia stammenden röm. Familien (Buchzahl unbekannt)	1 Fr.	SEMI 3, 122; HRR 2, 9, Nr.1; (Serv. Aen. 5,704)
12 (IV. 47)	*De forma philosophiae libri III*	Grundzüge der Philosophie (3 B.)	1 Fr.	SEMI 2, 112 **C**
13 (II. 3)	*De gente populi Romani libri IV*	Histor. Genealogie der Römer (4 B.)	23 Fr.	SEMI 3, 112–121; FRACCARO; HRR 2, 10–24, Nr. 1–23
14 (IV. 45)	*De gradibus libri*	Von den Verwandtschaftsgraden	1 Fr.	SEMI 2, 92
15 (IV. 44)	*De iure civili libri XV*	Alte Institutionen im röm. Recht (15 B.)	Titel	SEMI 3, 109 **C**
16 (III. 21)	*De lectionibus*	Gesch. der Rezitationen	Titel	SEMI 2, 97 **C**
17 (III. 10)	*De lingua Latina libri XXV*	Die lat. Sprache (25 B.)	6 B. (B. 5–10: lückenhaft; 39 Fr.)	SEMI 1; vgl. 2, 48–71; GOETZ-SCHOELL; MARCOS CASQUERO. Einzelne Bücher: B. 5: COLLART; B. 6: RIGANTI; FLOBERT; B. 8: DAHLMANN; B. 10: TRAGLIA; TAYLOR
18 (IV. 40)	*De litoralibus*	Handbuch der Küstenschiffahrt (?)	Titel	SEMI 3, 110; (Solin. 11,6)
19 (IV. 43)	*De mensuris*	Handbuch der Gromatik	1 Fr.	SEMI 3, 143; (Prisc. GL 2, 420)
20 (IV. 39)	*De ora maritima*	Handbuch der Nautik	2 Fr.	SEMI 3, 109 f.; (Serv. Aen. 1,108; 112)
21 (III. 15)	*De origine linguae Latinae libri III*	Die Herkunft der lat. Sprache aus der griech. (3 B.)	1 Fr.	SEMI 2, 11; GRF 1, 184 f., Nr. 3; (Lyd. mag. 1,5 ad Pompeium) **C**
22 (III. 26)	*De personis*	Über die Masken	Titel	SEMI 2, 91 **C**
23 (IV. 46)	*De philosophia*	Schulen und Systeme der Philosophie	Auszüge: Aug. civ.19,1–3	SEMI 2, 112–120
24 (III. 23)	*De poematis libri III*	Die Kategorien der Poetik (3 B.)	5 Fr.	SEMI 2, 85 f.; GRF 1, 213 f., Nr. 63–67 **C**
25 (III. 22)	*De poetis*	Die röm. Dichter (und ihre Werke)	15 Fr.	SEMI 2, 79–84; GRF 1, 209–212, Nr. 55–62
26 (IV. 50)	*De Pompeio libri III*	Schutzschrift für Pompeius (3 B.)	1 Fr.	SEMI 3, 110; (Plin. nat. 33,136) **C**
27 (IV. 48)	*De principiis numerorum libri IX*	Zahlentheorie? oder: Metrik? (9 B.)	Titel	(vgl. Gell. 1,20,4) **C**
28 (III. 19)	*De proprietate scriptorum libri III*	Die persönlichen Stilqualitäten röm. Autoren (lit. Echtheitskriterien; 3 B.)	1 Fr.	SEMI 2, 92; GRF 1, 219, Nr. 87 **C**
29 (V. 60)	*De rerum natura*	Die Natur der Dinge (Lehrgedicht) (Zuweisung an Varro unsicher)	(Titel)	SEMI 2, 98; (Quint. inst. 1,4,4; vgl. Lact. inst. 2,12,4)
30 (III. 24)	*De scaenicis originibus libri III*	Röm. Theatergeschichte (3 B.)	8 Fr.	SEMI 2, 88; (Char. p. 101,9)
31 (III. 12)	*De sermone Latino libri V*	Die korrekte lat. Umgangssprache (5 B.)	16 Fr.	SEMI 2, 14–35; GRF 1, 199–205, Nr. 33–48 **C**
32 (III. 14)	*De similitudine verborum libri III*	Die Rolle der Analogie im Lat. (3 B.)	2 Fr.	SEMI 2, 14; GRF 1, 185 f., Nr. 4 **C**

33 (III. 13)	*De utilitate sermonis libri IV*	Die Rolle der Anomalie im Lat. (4 B.)	1 Fr.	SEMI 2, 14; GRF 1, 186, Nr. 5; (Char. p. 157,3)	
34	*De valetudine tuenda liber*	Die Erhaltung der Gesundheit (vgl. Nr. 50: *Logistoricus Messalla de valetudine tuenda*)	Titel	vgl. SEMI 3, 107	C
35 (II. 2)	*De vita populi Romani libri IV ad Atticum*	Kulturgesch. der Römer nach Epochen, Atticus gewidmet (4 B.)	152 Fr., meist bei Nonius	SEMI 3, 121–143; RIPOSATI; GRF 1, 251–258, Nr. 191–216	C
36 (IV. 54)	*De vita sua libri III*	Aus meinem Leben (3 B.)	1 Fr.?	SEMI 3, 122; (Char. p. 113, 13–18)	C
37 (IV. 38)	*Disciplinarum libri IX*	Die (neun) freien Künste (9 B.)	42 Fr.	SEMI 2, 36–48; vgl. 2, 72–79; GRF 1, 205f., Nr. 49; 258–260, Nr. 218–221	C
38 (IV. 51)	*Eisagōgikós ad Pompeium* (Εἰσαγωγικός)	Einführung des Pompeius in die Staatskunst	2 Fr.	SEMI 3, 111f.; (Gell. 14,7)	
39 (IV. 42)	*Ephemeris navalis ad Pompeium*	Handbuch der Seewetterkunde, Pompeius gewidmet	1 Fr.	SEMI 3, 109; GRF 1, 263, Nr. 230; (Itin. Alexandri 3)	
40 (III. 31)	*Epistulae*	Briefe über antiquarische und sprachliche Fragen	3 Fr.	SEMI 2, 97; (Gell. 2,10)	
41 (III. 32)	*Epistularum Latinarum libri II+*	Lat. Briefe (in der Lit.-Gesch.?; mind. 2 B.)	Titel	(Non. 174,15 L.)	
42 (III. 30)	*Epistulicarum quaestionum libri VII+*	Kulturhistor. Einzelprobleme (mind. 7 B.)	23 Fr.	SEMI 2, 92–97; GRF 1, 260–263, Nr. 223–228	
43	*Epitoma antiquitatum, libri IX*	Kurzfassung von Nr. 3 (9 B.)	Titel	SEMI 2, 9	C
44	*Epitoma hebdomadum, libri IV*	Kurzfassung von Nr. 46 (4 B.)	Titel		C³
45 (III. 11)	*Epitoma linguae Latinae, libri IX*	Kurzfassung von Nr. 17 (9 B.)	Titel	SEMI 2, 9	C
46 (IV. 37)	*Hebdomades vel de imaginibus libri XV*	Porträts berühmter griech. und röm. Persönlichkeiten in Siebenergruppen (15 B.)	4 Fr.	SEMI 2, 87; (Plin. nat. 35,11) C	
47 (II. 8)	*Historiarum libri II+*	Forschungen (mind. 2 B.)? Oder identisch mit Nr. 2? Oder mit Nr. 3 (em. *Humanarum*)?	Titel	(Schol. Veron. zu Verg. Aen. 2,717)	
48 (III. 34)	*Laudationes*	Lobschriften (gehört evtl. zu Nr. 51)	Titel	SEMI 3, 111; (Cic. ac. 1,8; vgl. Cic. Att. 13,48,2 *laudes Porciae*)	
49 (IV. 52)	*Legationum libri III*	Über Rechte und Aufgaben der (eigenen?) Legationen (3 B.)	Titel	SEMI 3, 110	C
50 (IV. 49)	*Logistorici libri LXXVI*	Gelehrt-lit. Essays (76 B.)	18 Einzeltitel, 76 Fr.	SEMI 2, 99–111; BOLISANI	C
51 (III. 33)	*Orationum libri XXII*	Reden (22 B.)	Titel	SEMI 3, 111	C
52 (III. 17)	*Perí charaktḗrōn libri III* (Περὶ χαρακτήρων)	Flexionsstereotypen der lat. Wortbildung? oder: Charaktertypologie? (vgl. Nr. 10; 3 B.)	1 Fr.	SEMI 2, 11; GRF 1, 206f., Nr. 50; (Char. p. 246,3)	
53 (V. 58)	*Poematum libri X*	Dichtungen (Kleinpoesie?; 10 B.)	Titel	SEMI 2, 98; (Char. p. 246, 3–14)	C
54 (V. 57)	*Pseudo-tragoediarum libri VI*	Lesedramen? (6 B.)	Titel	SEMI 2, 98	C³
55 (III. 27)	*Quaestionum Plautinarum libri V*	Wortuntersuchungen zu Plautus (5 B.)	2 Fr.	SEMI 2, 12; GRF 1, 207f., Nr. 51f.	C
56 (III. 55)	*Rerum rusticarum libri III*	Von der Landwirtschaft (3 B.) (einziges vollständig erhaltenes Werk Varros)		SEMI 4, 9–180; GÖTZ; HEURGON, GUIRAUD; FLACH	
57 (II. 9)	*Rerum urbanarum libri III*	Stadtchronik? (3 B.)	1 Fr.	SEMI 3, 122; HRR 2, 24, Nr. 1; (Char. p. 170,19 f.)	C
58 (III. 36)	*Rhetoricorum libri III*	Einzelprobleme der Rhetorik? (3 B.)	1 Fr.	vgl. SEMI 2, 39; (Prisc. GL 2,489,2)	
59 (V. 56)	*Saturae (Menippeae), libri CL*	Menippeische Satiren (150 B.)	591 Fr. meist bei Nonius	SEMI 3, 11–100; BUECHELER; HERAEUS; ASTBURY; CÈBE	C
60 (V. 59)	*Saturarum libri VI*	(Vers-?)Satiren (6 B.)	Titel	SEMI 2, 98; (Porph. Hor. epist. 1,3)	C
61	*Singulares libri X*	(Thema nicht erschließbar; 10 B.)	Titel (aus C extrapoliert)	SEMI 3, 143	
62 (III. 35)	*Suasionum libri III*	Begründungen von Gesetzesanträgen?	Titel	SEMI 3, 111	C
63 (II. 6)	*Tribuum liber*	Die Namen der römischen Tribus	1 Fr.	SEMI 3, 143; GRF 1, 258, Nr. 217; (Varro ling. 5,56)	
64 (IV. 53)	*Trikáranos* (Τρικάρανος)	Dreikopf (1. Triumvirat)	Titel	vgl. SEMI 3, 94; (App. civ. 2,9)	

1 Die hier angeführten Fragmentzahlen (SEMI) stellen, da im einzelnen sehr umstritten, nur Anhaltspunkte dar.
2 Der Teilkatalog der Werke Varros bei Hieronymus, epist. 33 (CSEL 44, 1910 HILBERG) nach B. CARDAUNS (vgl. [63]), 85–87.
3 Nur in den C-Apographa Paris Lat. 1628/1629.

me in Briefform; außerdem scheint es (31) *Epistulae (Gell. 2,10) als persönliche Lehrbriefe gegeben zu haben sowie besondere (32) *Epistularum Latinarum libri II+ (Non. 174,15 L.), wohl neben (griech. verfaßten?) *Epistulae Graecae (?) [28].

Ob die (33) *Orationum libri XXII (cat.) V.s eigene Reden veröffentlichten [29] und von den (34) *Laudationes (›Lobreden‹; Cic. ac. 1,8) und den (35) Suasionum libri III (cat.; → suasoriae) zu trennen sind, bleibt ungewiß; immerhin bezeugt Prisc. GL 2,489,2 (36) *Rhetoricorum libri III, die aber weder Cicero noch Spätere zu kennen scheinen.

IV. ENZYKLOPÄDIE UND FACHSCHRIFTEN

(37) *Hebdomades vel de imaginibus libri XV (›Siebenergruppen oder über Bilder‹; Gell. 3,10; cat.), 39 v. Chr.; nach dem Vorbild der Pínakes des Kallimachos [3] (120 B.) sammelte V. die Porträtzeichnungen kultureller und polit. Geistesgrößen der griech. und röm. Gesch. [30]. Nach Plin. nat. 35,11 waren es 700 Porträts mit Epigramm-Untertiteln, verteilt auf B. 2–15 mit jeweils paritätischen 7×7=49, also 686 Bildern plus 2×7 Archetypen im Einleitungsbuch: Demonstration der röm. Ebenbürtigkeit (wie Plutarchs Parallelviten).

Die pythagoreische Siebenzahl [31] kehrt bedingt wieder in den (38) *Disciplinarum libri IX (Vitr. 7 praef. 14; Gell. 10,1,6; cat.); 34/3 v. Chr., denen die 7 griech. → artes liberales [32; 33; 34] – allerdings erweitert um die praktischen Fächer Medizin [35] und Architektur – zugrundeliegen ([36]; vgl. → enkýklios paideía).

Zu Einzelfächern:

a) Erdkunde: (39) *De ora maritima (Serv. Aen. 1,108), vielleicht eine Küstenschiffahrtskunde des Flottenkommandeurs von 67. (40) *De litoralibus (Solin. 11,6) berichtete möglicherweise von eigenen Beobachtungen zur See. (41) *De aestuariis (Varro ling. 9,26) scheint die Gezeiten nach Poseidonios' [3] Perí ōkeanú erklärt zu haben. Die (42) *Ephemeris navalis ad Pompeium (Itin. Alexandri 3) sollte Pompeius [I 3], der 77 nach Spanien aufbrach, eine praktische Wetterprognostik an die Hand geben. Eine gromatische Schrift (43) *De mensuris (Prisc. GL 2,420; (Ps.-)Boeth. ars geometrica) über die etr. centuriatio (s. Corpus agrimensorum romanorum p. 10,20 THULIN) [37].

b) Rechtskunde: (44) *De iure civili libri XV (cat.), eher über Rechtsaltertümer als aktuelle Rechtskunde, keine Spuren. (45) *De gradibus libri (Serv. Aen. 5,412) definierten Verwandtschaftsgrade, wohl unter rechtlichen Aspekten.

c) Philosophisches: (46) *De philosophia (Aug. civ. 19,1–3) verband Antiochos' [20] Wertlehre mit → Karneades' [1] Systematik und errechnete 288 mögliche philos. Systeme, von denen faktisch nur 3 übrigbleiben: (1) → Virtus (»Tugend«), ist Mittel der naturgegebenen Uranlage des Menschen (prima naturae), (2) die prima naturae sind Mittel der virtus, (3) virtus und prima naturae gelten um ihrer selbst willen – Modelle, denen alle bestehenden philos. Schulen zuzuordnen seien ([38]; zur histor. Komponente des Werkes [39]).

(47) *De forma philosophiae libri III (Char. p. 131,15; cat.) könnte, wenn forma wie in ling. 7,110 mit Bezug auf die Themen von B. 4 und 10 verwendet ist, eine oder mehrere dogmatische Philosophien entwickelt haben. (48) *De principiis numerorum libri IX (cat.) müßte sich auf die pythagoreische Arithmologie beziehen.

(49) Mit dem Gattungstitel Logistorici libri LXXVI (cat.) faßte V. Einzel-Essays über verschiedene Lebensfragen zusammen, ähnlich der Traktatform von Ciceros Cato maior de senectute oder später Censorinus' [4] De die natali. Nachgewiesene Titel einzelner Logistorici: Catus de liberis educandis, Curio de cultu deorum, Marius de fortuna, Messalla de valetudine, Tubero de origine humana, Atticus de numeris, Gallus Fundanius de admirandis, Orestes de insania, Pius de pace [40], Sisenna de historia, Calenus de . . . , Laterensis de . . . , Nepos de . . . , Scaevola de . . . , Scaurus de . . . , . . . de moribus, . . . de pudicitia, . . . de saeculis. Bekannte Zeitgenossen werden mit Referaten über ihre Kompetenzgebiete betreffende Themen geehrt [41].

d) Histor.-Biographisches: (50) *De Pompeio libri III (cat.), eine polit. Verteidigungsschrift für den früheren Weggenossen Pompeius [I 3], wohl 48 nach dessen ruhmloser Ermordung verfaßt, vielleicht Quelle für die Pompeius-Daten bei Plin. nat. 7. (51) *Eisagōgikós ad Pompeium (Gell. 14,7), 71 v. Chr., eine juristisch-administrative Handreichung für den künftigen Consul Pompeius [I 3] ([42]). Die (52) *Legationum libri III (cat.) waren wohl weniger autobiographisch – trotz V.s zahlreicher Einsätze als Legat – denn histor.-juristisch, zumal V. seine öffentlichen Dienste nie hochgehängt zu haben scheint. (53) *Trikáranos (App. civ. 2,9), eine offenbar scharfe polit. Kommentierung des sog. ersten Triumvirats [43]. (54) *De vita sua libri III (Char. p. 113,14; cat.) muß dagegen eine Rückschau im Alter gewesen sein, wieder eher besondere Erlebnisse als die eigene Person herausstellend; vielleicht stammt hierher die Werkliste (= cat.), die Hieronymus besaß und ergänzte.

e) Landwirtschaft: (55) Rerum rusticarum libri III (›Landwirtschaftliches‹), 37 v. Chr. Das Werk behandelt eine »catonische«, sehr röm. Disziplin [44], doch kleidet V. diese ars in eine anspruchsvolle, sorgfältig gerahmte Dialogform mit spielerischem Witz und umgangssprachlicher Lockerheit [45] (utilitas und elegantia) in der Manier des Herakleides [16] Pontikos (viele Personen, kurze Vorträge), gedacht weniger als Lehrbuch (wie Catos [1] De agricultura) denn als Demonstration realer rustikaler Lebensmöglichkeit nach der physischen und moralischen) Vernichtung It.s durch die Bürgerkriege. B. 1 de agricultura (Ackerbau) [46] mit bevorzugter Tripartition, etwa bei den Arbeitsmitteln instrumentum vocale (Bauer, Sklave) – semivocale (Zugvieh) – mutum (Gerätschaften; Varro rust. 1,17–22, [47]), ein trad. Schema nach Aristot. eth. Nic. 8,11; Aristot. poet. 20; B. 2 ratio et scientia pastoris: pastio agrestis (Großviehhaltung; → Stallviehhaltung, → Viehwirtschaft), B. 3 pastio villatica (→ Kleintierzucht) [48], darin die Beschreibung seines privaten Aviariums mit zugehörigem Speisesaal in

→ Casinum [49]; hinzu kommen → Bienen- und Fisch-
zucht (→ *piscina* [1]). Die Schrift ist innerhalb von V.s
Werk-Corpus ein Glücksfall; sie zeigt den Forscher
(Ableitung der Quellen [50] in gerader Filiation von
Mago [12] Carthaginiensis, rust. 1,1,7–10 [51]) und den
Praktiker mit eigener (wenn auch nicht professioneller)
Erfahrung, den Dialogregisseur und didaktischen Stoff-
disponenten, den Fachautor (u. a. von Plinius [1] d. Ä.
[52] und Palladius [1] herangezogen) und Stilisten. Die
Überl. stützt sich primär auf den (seit dem 16. Jh. verschollenen) Laurentianus S. Marci, dessen Lesarten
A. Poliziano in die *Ed. princeps* des Merula (Venedig
1472) eintrug; hinzu kommen Abschriften, bes. Laurentianus 51,4, sowie unabhängig der Parisinus 6842A
(12./13. Jh.) und der (defekte) Vindobonensis 33H.

V. Dichtung

Schon früh trat V. im Bereich der → Satire mit den
(56) *Saturae (Menippeae) libri CL* (cat.) hervor (einziges
vollständig erh. Gattungsbeispiel: Senecas [2] *Apocolocyntosis*, nicht Petronius' [5] *Satyrica*), prosimetrischen
Dialogen (→ *prosimetrum*) und grotesken Fiktionen in
der Art des Kynikers → Menippos [4] von Gadara (dessen Werk wieder nur aus Lukians Nachbildungen, s.
→ Lukianos [1] B. 3., erschließbar ist). Diese unterhalt-
samen und paränetischen Satiren [53] konservativ-
asketischer Moral bedienten sich phantastischer Szena-
rien (z. B. *Marcipor*: Wolkenfahrt mit Absturz; *Sexagesis*:
Wiedererwachen nach Generationen in verfremdeter
Umwelt; *Eumenides*: distanzierte Optik von hohem
Turm; *Quinquatrus*: Bankett; ›Du weißt nicht, was der
späte Abend bringt‹: s. Gell. 13,11,1) und einer exquisit-
wortschöpferischen griech.-lat. Sondersprache, deren
intensiver Behandlung bei Nonius [III 1] die vielen
Klein-Fr. verdankt werden. Benutzt hat Nonius anscheinend eine ältere Slg. (aus den J. 80–67 v. Chr. [54])
mit Einworttiteln der einzelnen Satiren (wie *Geronto-
didáskalos, Parmeno, Flaxtabula*) und eine spätere mit
Doppeltiteln (vom Typ *Tithonus* περὶ γήρως/*perí gḗros*
oder *Papiapapae* περὶ ἐγκωμίων/*perí enkōmíōn*; [55]). Leider ist kein Stück im ganzen rekonstruierbar (zur neuzeitlichen Wiederbelebung der Gattung – etwa Samuel
Butler, *Mercurius Menippeus*, um 1650 – s. [56]).

Nur bezeugt sind (57) *Pseudo-tragoediarum libri VI*
(cat.), vielleicht kynische Lesestücke, (58) *Poematum
libri X* (cat.), (59) *Saturarum libri VI* (cat.), die aber selbst
Horaz nicht kennt, (60) *De rerum natura* (Quint. inst.
1,4,4; Vell. 2,36; Lact. inst. 2,12,4), ein Lehrgedicht, das
früher dem V. [3] Atacinus zugewiesen wurde.

VI. Würdigung

Neben Cicero [57] verkörpert V. am prägnantesten
das röm. Geistesleben des 1. Jh. v. Chr., sogar vielseitiger und in bestimmtem Sinne »römischer« wegen der
stärkeren Bindung an die ital. Trad., doch ohne Verlust
an Vertrautheit mit der griech. Kultur [58]. Wenn Ciceros Adaption der griech. Philos. für Spätant. und MA
entscheidend war, so V.s Forsch. – mag er auch sein

»Programm« noch ganz auf die alte Republik bezogen
haben [59] – für das *Saeculum Augustum* und seinem
Selbstbild in Gesch., Rel. und Lit. [60]. Ähnlich wie sein
Freund Pomponius [I 5] Atticus konnte er dank seiner
geistigen Distanz von der Tagespolitik das schwierigste
Jh. Roms in ungebrochener Schaffenskraft überdauern,
ohne sich dabei seiner praktischen Bürgerpflicht und
dem patriotischen Engagement zu entziehen. Die hell.
Philos. eignete er sich sozusagen im Querschnitt an und
machte von ihr souveränen kasuellen Gebrauch, band
sich aber an keine Schule [61]. Insofern kann V. durchaus als »mod.« Persönlichkeit gelten. Seine Wirkung war
bis in die Renaissance erheblich [62].

→ Agrarschriftsteller; Artes liberales; Bibliothek;
Biographie; Buntschriftstellerei; Cicero; Enzyklopädie;
Fachliteratur; Grammatiker; Philologie; Prosimetrum;
Satire

Gesamt-Ed.: F. Semi, 4 Bde., 1965 ‧ A. Traglia,
M. T. V., Opere, 1974 (ohne Fr., mit it. Übers.; Ndr. 1979).
Einzel-Ed.: G. Goetz, F. Schoell, 1910 (ling. mit
gramm. Fr.) ‧ M. A. Marcos Casquero, 1990 (ling.) ‧
J. Collart, 1954 (ling. B. 5, mit frz. Übers. und Komm.) ‧
E. Riganti, 1978 (ling. B. 6, mit it. Übers. und Komm.) ‧
P. Flobert, 1985 (ling. B. 6, mit frz. Übers. und Komm.) ‧
H. Dahlmann, 1940 (ling. B. 8, mit dt. Übers. und Komm.,
Ndr. 1966) ‧ A. Traglia, 1956 (ling. B. 10, mit it. Übers.
und Komm.) ‧ D. J. Taylor, 1996 (ling. B. 10, mit engl.
Übers. und Komm.) ‧ G. Goetz, 1929 (rust.) ‧
J. Heurgon, Ch. Guiraud, Économie rurale, 3 Bde.,
1978–1997 (rust., mit frz. Übers. und Komm.) ‧ D. Flach,
Gespräche über die Landwirtschaft, 1996/97 (rust. B. 1–2,
mit dt. Übers. und Komm.) ‧ F. Buecheler (Men.), in:
Ders., W. Heraeus (ed.), Petronius Arbiter, Saturae, 1871
(⁶1922), 177–250 ‧ R. Astbury, 1985 (Men.) ‧ J.-P. Cèbe,
13 Bde., 1972–1999 (Men., mit frz. Übers. und Komm.) ‧
P. Mirsch, 1882 (Antiquitates rer. hum.,
erneuerungsbedürftig) ‧ B. Cardauns, 1976 (Antiquitates
rer. div.; Bd. 1: Fr., Bd. 2: Komm. und dt. Übers.) ‧
B. Riposati, 1939 (De vita p. R.; ²1972; mit Komm.) ‧
P. Fraccaro, Studi Varroniani, 1907 (De gente p. R., mit
Komm.) ‧ E. Bolisani, 1937 (Logistorici).
Slgg. von Fr. verschiedener Werke: GRF 1, 179–371:
461 Fr. der Werke (1, z. T.), (2)–(3), (6), (10), (12)–(17), (19),
(22)–(25), (27)–(30), (38), (42) ‧ HRR 2, xxxii–xxxx, 10–25:
Fr. der Werke (3), (4), (7), (9), (53) ‧ V. Brown, V., in:
P. O. Kristeller et al. (ed.), Catalogus translationum et
commentariorum, Bd. 4, 1980, 451–500.

Index: M. Salvadore, Concordantia Varroniana, 2 Bde.,
1995 (ling. und Fr.) ‧ W. W. Briggs, T. R. While,
C. G. Shirley, 1983 (rust.) ‧ E. Zaffagno, 1972, in: Studi
Noniani 2, 1972, 139–229 (Men.).
Bibliogr.: B. Riposati, A. Marastoni, Bibliografia
Varroniana, 1974 (bis 1973) ‧ G. Galimbert-Biffino,
Rassegna di studi Varroniani, 1981 (bis 1980) ‧
B. Cardauns, Stand und Aufgaben der V.-Forsch.
1935–1980, 1982 (AAWM 1982/84).

Lit.: 1 Y. Lehmann, La dette de Varron à l'égard de son
maître Lucius Aelius Stilo, in: MEFRA 97, 1985, 515–525
2 F. Ritschl, Die Schriftstellerei des M. T. V., in: Ders.,
Opuscula 3, 1877 (Ndr. 1978), 419–505 3 K. Sallmann,
Die Geogr. des Älteren Plinius in ihrem Verhältnis zu V.,

1971, 237–268 **4** A. T. Grafton, N. M. Swerdlow, Technical Chronology and Astrological History in V., Censorinus and Others, in: CQ 35, 1985, 454–465 **5** L. Deschamps, Temps et histoire chez Varron, in: S. Boldrini (Hrsg.), Filologia e forme letterarie. FS F. Della Corte 2, 1987, 167–192 **6** H. D. Jocelyn, V.'s »Antiquitates rerum divinarum« and Religious Affairs in the Late Roman Republic, in: Bull. of the John Rylands Library 65, 1982, 148–205 **7** B. Cardauns, V. und die röm. Rel., in: ANRW II 1, 1978, 80–103 **8** M. Wifstrand-Schiebe, Lactanz und V., in: RhM 137, 1994, 162–186 **9** J. H. Waszink, Varrone nella letteratura cristiana dei primi secoli, in: Atti del congresso internazionale di studi varroniani (1974), 1976, Bd. 1, 209–223 **10** H. D. Jocelyn, On Editing the Remains of V.'s »Antiquitates rerum divinarum«, in: RFIC 108, 1980, 100–122 **11** B. Reischl, Reflexe griech. Kulturentstehungslehren bei augusteischen Dichtern, 1976, Kap. 2–4 **12** S. Weinstock, Divus Iulius, 1971, 4ff., 80ff. **13** T. Tarver, V., Caesar and the Roman Calendar, in: A. H. Sommerstein (Hrsg.), Religion and Superstition in Latin Literature, 1996, 39–57 **14** W. Ax, Disputare in utramque partem, in: RhM 138, 1995, 146–177 **15** H. Dahlmann, V. und die hell. Sprachtheorie, 1932 (²1964) **16** C. Fresina, La langue de l'être, 1991 **17** W. Pfaffel, Quartus gradus etymologiae, 1981 **18** D. J. Taylor, Declinatio, a Study of the Linguistic Theory of M. T. V., 1975 **19** D. Fehling, V. und die gramm. Lehre von der Analogie und der Flexion, in: Glotta 35, 1956, 214–270; 36, 1957, 48–100 **20** A. Traglia, Elementi stilistici nel De lingua Latina di Varrone, in: ASNP 12, 1982, 481–511 **21** G. Pascucci, Le componenti linguistiche de latino secondo la dottrina varroniana, in: Studi su Varrone in onore di B. Riposati, 1979, Bd. 2, 339–363 **22** F. Della Corte, La filologia latina dalle origini a Varrone (1937), ²1981, 149–216 **23** L. Deschamps, Varron et les poètes, in: Latomus 49, 1990, 591–612 **24** G. D'Anna, Alcune osservazioni sulle fonti di Gellio N. A. 17,21, in: ArchCl 25/26, 1973/74, 166–237 **25** F. Sbordone, Sul de poematis di Varrone, in: s. [9], Bd. 2, 515–524 **26** P. L. Schmidt, Postquam ludus in artem paulatim verterat, in: G. Voigt-Spira (Hrsg.), Stud. zur vorlit. Periode im frühen Rom, 1989, 77–134 **27** A. Pociña, Varron y el teatro latino, in: Ders., Comienzos de la poesía latina: épica, tragedia, comedia, 1990, 91–121 **28** R. Rocca, Le lettere di Varrone in Nonio, in: Stud. Noniani 5, 1978, 203–223 **29** A. Traglia, Sul testo di un'orazione accademica di Varrone, in: A. Biagio (Hrsg.), Cultura e lingue classiche 3, 1993, 887–892 **30** A. Manzo, Spunti di storia dell'arte e di critica dell'arte in Varrone, in: RIL 109, 1975, 252–268 **31** A. Grilli, Sul numero sette, in: s. [21], Bd. 1, 203–219 **32** A. Traglia, L'ars grammatica vista da Varrone in rapporto con le altre arti, in: s. [9], Bd. 1, 177–195 **33** J.-Y. Guillemin, La conception des mathématiques de Varron, in: D. Conso (Hrsg.), Mél. F. Kerlouégan, 1994, 269–281 **34** U. Pizzani, La sezione musicale dei 'Disciplinarum libri' di Varrone Reatino, in: s. [9], Bd. 2, 457–476 **35** S. Boscherini, La medicina in Catone e Varrone, in: ANRW II 37.1, 1993, 729–755 **36** I. Tozzi, L'eredità varroniana in sant'Agostino in ordine alle disciplinae liberales, in: RIL 110, 1976, 281–291 **37** O. A. W. Dilke, V. and the Origins of Centuriation, in: s. [9], Bd. 2, 353–358 **38** W. Görler, Antiochos von Askalon und seine Schule, in: GGPh² 4.2, 971–975 **39** T. Tarver, V. and the Antiquarianism of Philosophy, in: J. Barns (Hrsg.),

Philosophia togata, Bd. 2, 1997, 130–164 **40** B. Katz, V., Sallust, and the Pius de pace, in: CeM 36, 1985, 127–158 **41** B. Zucchelli, V. logisticorus, 1981 **42** K. Kumaniecki, De Varronis libro isagogico ad Pompeium eiusque dispositione, in: Acta classica Universitatis Scientiarum Debreceniensis 10/11, 1974/75, 41–44 **43** B. Zucchelli, L'enigma del Τρικάρανος, in: s. [9], Bd. 2, 609–625 **44** A. Cossarini, Unità e coerenza del 'De re rustica' di Varrone, in: Rendiconti dell'Accademia delle Scienze dell'Istituto di Bologna. Classe di Scienze morali 65, 1976/77, 177–197 **45** E. De Saint-Denis, Syntaxe du latin parlé dans les 'Res rusticae' de Varron, in: RPh 21, 1947, 141–162 **46** J. E. Skydsgaard, V. the Scholar, 1968 **47** W. Hübner, V.s instrumentum vocale im Kontext der ant. Fachwiss., 1984 (AAWM 1984.8) **48** C. M. C. Green, Free as a Bird, Varro De re rustica 3, in: AJPh 118, 1997, 427–448 **49** L. Deschamps, La salle à manger de Varron à Casinum, in: Bull. de la Soc. toulousaine d'ét. classiques 191/192, 1987, 61–93 **50** G. Jackson, Il »de re rustica« di Varrone, in: Vichiana 17, 1988, 33–80 **51** K. D. White, Roman Agricultural Writers I: V. and His Predecessors, in: ANRW I 4, 1973, 439–497 **52** W. Kaltenstadler, Arbeitsorganisation und Führungssystem bei den röm. Agrarschriftstellern, 1978 **53** E. Woytek, V., in: J. Adamietz (Hrsg.), Die röm. Satire, 1986, 311–355 **54** E. Zaffagno, I problemi delle Satire Menippee, in: Studi Noniani 4, 1977, 207–252 **55** W. A. Krenkel, V.: Menippeische Satire, Wiss. und Technik, 2000 **56** H. Castrop, Die varronische Satire in England 1660–1690 (Anglistische Forsch. 161), 1983, 25–120 **57** Ch. Rösch-Binde, Vom »δεινὸς ἀνήρ« zum »diligentissimus investigator antiquitatis«, 1998 **58** F. Della Corte, Varrone il terzo gran lume romano, 1954 (²1970) **59** A. Traglia, Varrone e la prosa letteraria del suo tempo, in: s. [21], Bd. 2, 497–539 **60** Th. Baier, Werk und Wirkung V.s im Spiegel seiner Zeitgenossen, 1997 **61** Y. Lehmann, Varron théologien et philosophe romain, 1997 **62** J. Ijsewijn, De fortuna Varronis apud scriptores latinos renatarum litterarum aetate, in: s. [9], Bd. 1, 225–242 **63** B. Cardauns, M. Terentius V., Einführung in sein Werk, 2001. KL.SA.

[3] V. Terentius, P. (Atacinus, nach dem Fluß → Atax in der Nähe seiner Heimatstadt → Narbo, h. Narbonne, Südfrankreich). Zu den Resten der Sueton-Vita vgl. Hier. chron. 151; danach wurde V. 82 v. Chr. geb. Seine poetische Produktion umfaßte (1.) eine Übertragung der *Argōnautiká* des Apollonios [2] Rhodios (4 B. wie das Original) ins Lat., (2.) Satiren (vgl. Hor. sat. 1,10,46), in denen er u. a. eine Geliebte unter dem Pseudonym Leucadia – vgl. Lucilius' [I 6] Collyra – besang (Prop. 2,34,85f.; Ov. trist. 2,439f.), (3.) ein panegyrisches Epos (mindestens 2 B.) *Bellum Sequanicum* über → Caesars Kampf mit → Ariovistus vom J. 58, (4.) nach 48/7 ein geogr. Lehrgedicht *Chorographia* in drei Teilen (Europa-Afrika-Asien) nach dem Original des → Alexandros [22] von Ephesos und (5.) die *Ephemeris* [3. 36–41], eine Übertragung von mindestens dem zweiten Teil von Aratos' [4] *Phainómena* (erh.: 938ff.).

Mit → Ennius [1] (vgl. [2]) und → Lucilius [I 6] als lit. Vorbildern sowie mit der Präferenz für Epos und Lehrgedicht steht V. außerhalb des kallimacheischen Einflusses auf die → Neoteriker und somit den Dichtern der älteren Generation, bes. → Laevius [2] und Cicero, nahe. Während seine Werke von den Augusteern (Vergilius, *Panegyricus Messallae*, Ovidius, vgl. auch Vell. 2,36,2) verarbeitet wurden, die *Chorographia* von Plin. nat. 3–6 benutzt wird und Lehrgedichte sowie *Argonautae* noch bei Quint. inst. 10,1,87 eingeschränkte Anerkennung finden, kennt die spätere Trad. nur die spärlichen Grammatikerzitate.

LIT.: **1** SCHANZ/HOSIUS, Bd. 1, ⁴1927, 312f. **2** E. HOFMANN, Die lit. Persönlichkeit des P. Terentius V. Atacinus, in: WS 46, 1928, 159–176 **3** W. SPEYER, Varronische Stud. 2 (AAWM 1959.11), 1960, 35–47.

FR.: FPL³, 226–241 · A. TRAGLIA, Poetae novi, ²1974, 20–23, 88–97, 155–159, 191–216 · J. GRANAROLO, L'époque néotérique ou la poésie romaine d'avant-garde au dernier siècle de la République, in: ANRW I 3, 1973, 278–360, bes. 307–311, 351–360.   P. L. S.

Varuṇa. Erstmals zusammen mit Mithras (I.) in einem Vertrag zw. Hethitern (→ Ḫattusa) und → Mittani im 14. Jh. v. Chr. genannt, war V. derjenige Gott des vedischen Pantheons, der über die Normen und Gebote des seßhaften und friedlichen Zusammenlebens der Menschen wachte und Verstöße unnachgiebig bestrafte. Damit übernahm er auch die Zuständigkeit für die Ordnung des Kosmos. Funktionen des idg. Himmelsgottes übernehmend und fortsetzend hat V. im zarathustrischen → Ahura Mazdā einen engen Verwandten. In nach-vedischer Zeit nahm seine Bed. immer mehr ab, einzig seine enge Beziehung zum Wasser blieb ihm als Gott des Meeres erh.
→ Religion V.

TH. OBERLIES, Die Rel. des Ṛgveda, Bd. 1: Das rel. System des Ṛgveda, 1998, 193–195, 261–264 (mit Lit.).   TH. O.

Varus

[1] Häufiges röm. Cognomen, zunächst Individualbeiname (»der Krummbeinige«, vgl. Plin. nat. 11,254). Bezeugt für Alfenus [3; 5], Aternius, Licinius [I 46–47], Quinctilius [I 1–3; II 7–8], Vibius. Bekanntester Namensträger ist P. → Quinctilius [II 7] V.

DEGRASSI, FCap., 149 · Ders., FCIR, 271 · KAJANTO, Cognomina, 242.   K.-L. E.

[2] Sophist aus Perge, s. Varos

[3] (Οὐᾶρος, h. Var). Fluß im gallisch-ital. Grenzbereich (Plin. nat. 3,31; Mela 2,72; Ptol. 2,10,1; 2,10,8; 3,1,1), der am Caenia (h. Mont Pelat) entspringt (Plin. nat. 3,35), im Winter bis zu 7 Stadien breit werden konnte (Strab. 4,1,3) und zw. → Antipolis und Nikaia (h. Nice) die Küste erreicht (Strab. 4,1,9). Caesar entließ im Sommer 49 v. Chr. nach erfolgreicher Beendigung der Kämpfe gegen Legaten des Pompeius in Hispania am V. einen Teil seines Heeres (Caes. civ. 1,86f.; vgl. App. civ. 2,172f. mit einer Rede Caesars am V.).

P. GOESSLER, V. (1), RE 8 A, 420–425.   H. GR.

Varvaria (Οὐαρουαρία). Stadt im Süden von Liburnia (→ Liburni; Ptol. 2,17,9; Plin. nat. 3,130; 3,139), nördl. vom h. Šibenik, sw von → Burnum beim h. Bribir. Unter Tiberius war V. → *municipium* im *conventus* von → Scardona (*quattuorviri*).

J. J. WILKES, Dalmatia, 1969, 205, 216f., 487–492 · B. SARIA, s. v. V., RE 8 A, 418–420.   PI. CA./Ü: E. N.

Vasaces. 62 n. Chr. gelang es dem Parther → Vologaises I., das röm. Heer des Caesennius [4] Paetus bei Rhandeia einzuschließen. Für Kapitulationsverhandlungen wurde von parth. Seite der Reiteranführer V. abgestellt. In der Diskussion rühmte sich Paetus der seit Licinius [I 26] Lucullus und Pompeius [I 3] bestehenden röm. Oberhoheit über Armenia, während V. an die faktische parth. Macht erinnerte. Sein Anteil an den folgenden Vereinbarungen ist nicht klar auszumachen, da von parth. Seite noch der im Vergleich zu V. ranghöhere König Monobazos [2] II. von Adiabene als Zeuge zu den Verhandlungen stieß (Tac. ann. 15,14).
→ Parther- und Perserkriege B.   M. SCH.

Vasarium (von lat. *vas*, »Gerät«). Aufwandsentschädigung, die dem in seine Prov. abgehenden röm. Beamten aus der Staatskasse (→ *aerarium*) im voraus gezahlt wurde, damit er den Unterhalt für sich, sein Gefolge und seine Soldaten bestreiten konnte. Es handelt sich hierbei nicht um eine Reiseausrüstung, so noch [1. 296]; dagegen [2. 351 f.], der überdies *v.* als t.t. ablehnt und die maßgebliche Stelle (Cic. Pis. 86) mit Verweis auf Cato (agr. 145,3) als ›vertragliche Nebenleistung‹ versteht.

1 MOMMSEN, Staatsrecht, Bd. 1 **2** W. KUNKEL, Die Magistratur, 1995.   L. d. L.

Vasates. Ligurisch-kelt. Stamm in Aquitania (nach der Reform des Diocletianus in der Prov. Novempopulana) an beiden Ufern des unteren Garumna (Amm. 15,11,14: Vasatae; Ptol. 2,7,15: Οὐασάτιοι); im Norden den Bituriges Vivisci, im Osten und Süden den Nitiobriges, im SW den Tarbelli, im Westen den Boiates benachbart. Die Identifikation der V. mit den bei Caes. Gall. 3,23,7 genannten Vocates ist unsicher, es dürfte sich dort eher um die Boiates handeln. Die V. gehörten zu den vier Völkerschaften der südl. Aquitania, die z.Z. der Gründung der *ara Romae et Augusti* (→ Gallia B. 2.) in Lugdunum noch selbständig und daher noch nicht im *concilium Galliarum* vertreten waren. Bei der Neuordnung durch Augustus wurden sie wohl der *civitas* der Bituriges Vivisci zugeordnet und bildeten erst im späten 3. Jh. eine eigene *civitas*. Ihr Hauptort war Cossio (Caes. Gall. 3,23,7; Ptol. l.c.: Κόσσιον), nachmals *civitas Vasatica* (Notitia Galliarum 14) oder *civitas Vasatas* (Itin. Burdig. 550,2), daher h. Bazas (Département Gironde), die dritte Poststation nach dem Ausgangspunkt Burdigalia des Itin. Burdig. → Ausonius' Vater stammte aus Cossio (Auson. ad lectorem 3; Auson. Epicedion 4).

P. GOESSLER, s. v. V., RE 8 A, 435–439 · H. SION, Carte Archéologique de la Gaule 33, La Gironde, 1994, 52, 83–87.

MI. PO.

Vascones (Οὐάσκωνες). Völkergruppen, die das Gebiet der h. Prov. Navarra und Teile des h. Aragón, nördl. des Hiberus zw. Jaca und Capo Higuer bewohnten (Strab. 3,3,7; 3,4,10; Plin. nat. 3,22; 4,110). Pompelo (h. Pamplona; Strab. 3,4,10) war offenbar der Hauptort der V.; im Gebiet der V. lagen außerdem Cascantum (h. Cascante), Graccurris und Calagurris [1] (Ptol. 2,6,67). Über ihre Herkunft ist nichts bekannt; ihr Name dürfte indeur. sein (*barscunes, bascunes*; [1]). Lit. werden sie erstmals im Zusammenhang mit den Feldzügen des → Sertorius 76 v. Chr. erwähnt (von Liv. fr. 21; vgl. weiter Sall. hist. 2,93; Plin. nat. 3,22; 4,110; Strab. 3,3,7; 3,3,10). Bekannt waren sie für die Kunst der → Vogelschau (SHA Alex. 27,6). Die V. sind die Vorfahren der h. Basken.

1 TOVAR 3, 49–59.

J. MALUQUER DE MOTES, Cortes de Navarra, 1954/58 · TIR K 30 Madrid, 1993, 236f.

R. ST.

Vasen

s. Rotfigurige Vasenmalerei; Schwarzfigurige Vasenmalerei; Töpfer; Tongefäße II.; Vasenmaler; VASEN

Vasenbilder, Vasenikonographie

s. Tongefäße II. A. 4.

Vasenmaler. Die Sammelbezeichnung »Vasen« für griech. bemalte → Tongefäße (II. A.), die ihres z. T. reichen Dekors wegen in der Feinkeramik eine Sonderstellung einnehmen, kam im 18. Jh. auf, als in Kampanien und Etrurien die ersten *vasi antichi* entdeckt wurden. Die Verzierung solcher Gefäße gehörte zu den Aufgaben des → Töpfers, darum fehlt eine eigene ant. Berufsbezeichnung des V., er konnte seine Leistung aber durch die Signatur ἔγραψεν/*égrapsen* (»hat gemalt«) kennzeichnen. Vereinzelte Signaturen von V. tauchen bereits auf früh-archa. kykladischen und korinthischen Gefäßen auf.

In Athen bietet → Sophilos [1] um 580 v. Chr. mit einer ἐποίησεν/*epoíēsen*- (»hat gemacht«) und mit drei *égrapsen*-Signaturen das früheste Beispiel. Im sf. Stil haben viele Töpfer ihre Gefäße noch selbst bemalt (→ Nearchos [1]; → Amasis-Maler, → Exekias), nach 530 v. Chr. führte der zunehmende Bedarf an Gefäßen zu einer steigenden Zahl von V. (→ Epiktetos [1], → Oltos, → Psiax, Phintias [2], Euphronios [2], Smikros, → Euthymides) und zu deutlicher Arbeitsteilung. Der Schalenmaler Oltos arbeitete z. B. für sechs verschiedene Töpfer (darunter Pamphaios, Kachrylion und Euxitheos); Epiktetos [1] u. a. für Andokides [2], Pamphaios und Hischylos; Euphronios [2] für Kachrylion und Euxitheos. Im frühen 5. Jh. signierte Euphronios [2] dagegen selbst als Schalentöpfer, einer seiner Maler war → Onesimos [2]. Zahlreiche V. sind nur über ein

bis zwei Jahrzehnte zu verfolgen, wohl weil das Dekorieren vorwiegend jüngeren Gehilfen oblag. Das schließt freilich längere Schaffenszeiten anderer V. nicht aus (→ Duris [2], → Makron, → Hermonax [1], → Achilleus-Maler). Auf attischen Vasen der klass. Zeit begegnen Signaturen von V. seltener (→ Polygnotos [2], Polion, → Aison [2], Aristophanes), ebenso in der → unteritalischen Vasenmalerei des 4. Jh. (→ Asteas, → Python [5]). Rund 40 namentlich bekannte att. V. belegen gegenüber rund 100 Töpfernamen den nachgeordneten Rang der V. im ant. Arbeitsprozeß, h. bedingt dagegen das Interesse für die künstlerische Leistung der V. eine umgekehrte Wertung.

Ausgehend von den erh. Signaturen setzte schon im 19. Jh. die Erforschung der V. ein. Der engl. Archäologe J. D. BEAZLEY (1885–1970) widmete ihr sein Lebenswerk. Er erkannte unterschiedliche Individualstile und weitete seine Werklisten auch auf anonyme Hände aus, die er u. a. nach zugehörigen Töpfernamen (→ Amasis-Maler, Andokides [2], Kleophrades, → Meidias-Maler), nach → Lieblingsinschriften (→ Antimenes-Maler, → Antiphon-Maler, Euaion, Kleophon), Aufbewahrungsorten charakteristischer Werke (Berlin, Kopenhagen) oder nach Bildthemen (→ Achilleus-Maler, → Erzgießerei-Maler, → Gorgo-Maler, → Niobiden-Maler, → Pan-Maler, → Penthesilea-Maler) benannte. Durch weitere stilistische Ordnungskriterien (Art, Gruppe, Klasse, Kreis, Nachfolge) erfaßte BEAZLEY außerdem das Umfeld einzelner Maler und ermöglichte damit Einblicke in Formen der Werkstattorganisation. Die Unterscheidung von Malerhänden auf Vasen anderer griech. Kunstlandschaften dient dagegen lediglich der genaueren Klassizifizierung.

BEAZLEYS Zuschreibungskriterien (anatomische Details, Gesichtsprofile, Inskriptionen, Faltensysteme) gehen auf G. MORELLI (1816–1891) zurück. Als bezeichnend für den Stil eines V. gelten ferner Linienduktus, Figurentypen, Flächen- und Bildorganisation, Themenwahl und Erzählweise. Grundsätzlich bestand die Kunst der V. ihrer keramischen Techniken wegen mehr aus Zeichnung als aus Malerei. Vorbilder fand sie vorwiegend im eigenen Handwerk, seltener in → Toreutik oder Monumentalkunst (→ Niobiden-Maler, → Polygnotos [2]). In der Serienproduktion wurden primäre Bildschöpfungen wiederholt, variiert und allmählich stereotyp vereinfacht.

Vom unterschiedlichen Bildungsgrad der V. zeugen Abstufungen im Umgang mit Bildinhalten und Ausdrucksmitteln wie auch mit der Schrift. Im 6. Jh. v. Chr. erweisen sich attische wie nichtattische V. in Signaturen und anderen Selbstzeugnissen, in → Lieblingsinschriften, Bildbeischriften, Liedanfängen, Weiheformeln u. ä. als zunehmend schreibkundig. Individuelle Unterschiede beobachtete man sowohl an Buchstabenformen wie im Schriftbild.

→ Keramikherstellung; Rotfigurige Vasenmalerei; Schwarzfigurige Vasenmalerei; Tongefäße II.

E. Simon, M. Hirmer, Die griech. Vasen, 1972 · C. M. Stibbe, Lakonische V. des 6. Jh. v. Chr., 1972 · Amyx, CVP · H. R. Immerwahr, Attic Script, 1990 · M. Robertson, The Art of Greek Vase-Painting in Classical Athens, 1992 · D. Williams, Refiguring Attic Red-Figure, in: Revue archéologique, 1996, 227–252 · Ph. Rouet, Approaches to the Study of Attic Vases. Beazley and Pottier, 2001.   I. S.

Vasenmalerei s. Tongefäße; Vasenmaler

Vasenornamentik s. Ornament

Vasio (Οὐασίων; h. Vaison-la-Romaine im Département Vaucluse). → Oppidum der Gallia → Narbonensis, Hauptort der civitas Vocontiorum (→ Vocontii; Strab. 4,1,11; Mela 2,5,75; Ptol. 2,10,16; CIL XII 5669: c(ivitas) V(asio) V(ocontiorum); ILS 2709: res publica Iuliensium; decuriones, praetores, praefecti, aediles: CIL XII 1307; 1368ff.; 1529; civitas foederata: Plin. nat. 3,37; vgl. 7,78). Der Name V. ist vorkeltisch, vgl. Quelle und Fluß V. (CIL XII 1301; 1336). In der Spätant. gehörte die civitas Vasiensium zur Prov. Viennensis (Notitia Galliarum 11,10). V. war Bischofssitz (vgl. die Teilnahme des Bischofs Daphnus am Konzil von Arelate 314; 442 und 529 Konzile in V.). Im 5. Jh. von Franci zerstört. Aus V. stammen Sex. Afranius [3] Burrus und L. Duvius Avitus, der fähige Feldherr z. Z. Neros in Germania.

Das keltische oppidum wird auf dem linken Ufer der Ouvèze im Bereich der h. Colline du Chateau vermutet. Um 20/19 v. Chr. wurde die Siedlung auf das rechte Ufer verlegt. Im 1. Jh. n. Chr. entwickelte sich V. zw. dem Fluß und dem Hügel Puymin (auf 70/75 Hektar) zu einer blühenden Stadt. Das Forum ist noch nicht entdeckt. An öffentlichen Bauten sind bekannt: fünf Thermen, Heiligtum, Porticus-Anlage, Basilica, Theater, Brücke und Aquaedukt, der den Fluß auf der Höhe der späteren röm. Brücke überquerte. Das Viertel am Fluß ist so gut wie unbekannt, die Grabungen haben bisher v. a. zwei private Wohnviertel freigelegt: (1.) Im Quartier Puymin Privathäuser (Maison des Messii mit mehreren Mosaiken); die porticus Pompeia – ein rechteckiger Platz mit Säulengängen und Exedren, die mit Bildwerken (u. a. eines Diadumenos, eines Jünglings, der sich die Siegerbinde ums Haupt legt; jetzt in London, BM) geschmückt sind –, ein Nymphaeum sowie ein an den Hügel gebautes Theater (Dm 96 m). Dessen Anlage ist klass., in der Bühnenwand mehrere Bildwerke (Statuen der Kaiser Tiberius, Hadrianus, der Sabina sowie von Munizipalbeamten; Köpfe der Venus, des Apollo und des Bacchus; Masken). (2.) Im Quartier La Villasse eine Basilika und reiche Privathäuser (Maison du buste en argent, Maison à atrium, Maison au dauphin) mit Wandgemälden und Mosaiken; Thermen und Fundamente der aus dem 6./7. Jh. stammenden Kathedrale.

M.-E. Bellet, Recherches archéologiques récentes à Vaison-la-Romaine et aux environs (Notices d'archéologie vauclusienne 2), 1992 · C. Goudineau, Y. de Kisch, Vaison-la-Romaine, 1991 · Grenier, Bd. 3, 194, 766; Bd. 4, 104f. · P. Gazzola, Ponti romani, 1963, 128f.
                MI. PO.

Vates. Lat. »Künder« von vaticinationes, »Weissagungen«, die durch göttliche Inspiration geschehen und nach Cicero Teil der »natürlichen« Divination (= Div.) sind (Cic. div. 1,4; 1,34 u.ö.; → Divination VII.: Abb. zum Kommunikationsmodell); gelegentlich werden aber auch Vertreter der »künstlichen« Div. (→ haruspices; → augures) als v. bezeichnet (z.B. Liv. 2,42,10). Der v. spricht in gebundener Rede (canere seit Enn. ann. 207; carmina: Sall. hist. 1,77,3 u.ö.) und ist damit Bestandteil einer allgemeinen ant. Trad. inspirierter prophetischer Textproduktion. Histor. faßbare v. diesen Typs sind ein Publicius (Cic. div. 1,115; 2,113), Cn. Marcius [I 2] sowie verm. dessen Bruder aus dem frühen 3. Jh. v. Chr.: Die carmina Marciana sollen die Einrichtung der ludi Apollinares 212 v. Chr. veranlaßt haben (→ ludi III.A.) und anschließend in die → Sibyllini libri aufgenommen worden sein [1. 59]. V. kann aber unterschiedliche Typen des Div.-Spezialisten bezeichnen: den Weissager im allg. (Plaut. Mil. 911; Nep. Att. 16,4; vgl. Liv. 26,41,19) oder aber spezielle göttliche (z.B. Apollon: Verg. Aen. 6,12), myth. (z.B. die → Sibylle: Lucan. 1,564) und histor. »Propheten«. Cicero (div. 1,132) subsumiert unter den verwandten Begriffen v. und → harioli Astrologen, Los- und Traumdeuter, aber auch sozial niederrangige → augures und → haruspices.

Der sozial oft niedere v. trat in Rom in Konkurrenz (Liv. 25,1,8–12; 39,8,3 f. u.ö.) zu den → quindecimviri sacris faciundis, augures und haruspices als den Vertretern der öffentlichen Div. Die Vorwürfe gegen ihn als privaten rel. Anbieter für die natürliche Div. sind mit den Anschuldigungen gegen andere Div.-Spezialisten, wie den griech. → mántis oder den hariolus, vergleichbar: rel. Eifern (→ superstitio), fehlende Kenntnisse und mangelnde Inspiration, Habgier und Betrug (Enn. scaen. 319–323; Enn. ann. 374; Lucr. 1,102–111; Cic. div. 1,132; 2,149). Unbeschadet solcher Vorwürfe wurden die Dienste der v. häufig in Anspruch genommen (z.B. Liv. 25,1,6–12; Cic. Catil. 4,2; Cic. de consulatu suo fr. 10,28 f. Traglia; Sall. hist. 1,77,3; [1]).

Zwar deutet Varro (ling. 7,36) den Begriff v. als schon altlat. Bezeichnung für den Dichter (poeta), doch scheint erst seine Etym. (im Werk de poematis) diese Bed. zu etablieren: Mit der Ableitung von vis mentis, der »Ergriffenheit des Geistes«, bleibt er dem Verständnis des v. als eines besessenen Künders verpflichtet; doch hiermit verknüpft er nun, darin der griech. Konzeption des Dichters als → Rhapsoden folgend, die Ableitung a viendis carminibus, »vom Flechten der Gedichte« (z.B. Isid. orig. 8,7,3; schol. Bernense Verg. ecl. 9,34; [2]). Erst diese doppelte Etym. verschafft der lat. Poetologie einen – nur scheinbar altlat. – Ausdruck für den göttlich inspirierten, prophetischen Sänger/Künder gesellschaftlich relevanter Dichtung. Varros Ableitung [3] und Bed.-Erweiterung folgen die Dichter, beginnend mit Vergil (ecl. 7,27f.; 9,33f.; vgl. Hor. epod. 16,66; 17,44; ausführlich [4]).

→ Divination (VII.); Priester (V.); Prophet (IV.)

1 T. P. WISEMAN, Historiography and Imagination, 1994, 49–67 2 H. DAHLMANN, V., in: Philologus 97, 1948, 337–353 (Ders., KS, 1970, 35–51) 3 M. KORENJAK, V.: *a vi mentis*, in: Göttinger Forum für Alt.-Wiss. 2, 1999, 1–4 4 J. K. NEWMAN, The Concept of V. in Augustan Poetry, 1967.   A. BEN.

Vatinius

I. REPUBLIKANISCHE ZEIT

[I 1] V., P. Vorfahr von V. [I 2] aus Reate, dem 168 v. Chr. im Traum der Sieg über Perseus [2] verkündet wurde (Cic. nat. deor. 2,6; 3,13; Val. Max. 1,8,1).

[I 2] V., P. Um 95 bis nach 42 v. Chr. Verm. aus Reate stammend (Cic. nat. deor. 2,6 zu V. [I 1]), gelang V. unter dem Patronat der Iulii Caesares der polit. Aufstieg in Rom: Da er mit Antonia, einer Nichte L. Iulius [I 6] Caesars, verheiratet war (schol. Bobiensia 149 ST.), protegierte dieser als Consul 64 vielleicht V.' Wahl zum Quaestor 63 (Cic. Vatin. 11). Die Bewertung der Person und der polit. Tätigkeit des V. in den J. 60–54 wird dadurch erschwert, daß die ausführlichsten Quellen von seinem erklärten Feind (vgl. Quint. inst. 6,3,68) → Cicero stammen (v. a. Cic. Sest.; Cic. Vatin.; ähnlich feindselig Catull. 14; 52f.). Als Volkstribun erwies sich V. 59 als effektiver Helfer → Caesars (schol. Bob. 135 ST.): Er wirkte wohl an der Anerkennung der polit. Maßnahmen (*acta*) des Pompeius [I 3] im Osten [4] und an der Bekämpfung des Widerstands der → optimates mit (Cic. Vatin. 21–26; schol. Bob. 147 ST.; Cass. Dio 38,6,6) und verschaffte Caesar durch Volksbeschluß die → Gallia Cisalpina und das → Illyricum als Prov. Cicero (Att. 2,9,1; fam. 1,9,7; Sest. 135; Vatin. passim) warf ihm später verschiedene Gesetzesverstöße vor. Durch Cicero (Vatin. 33f.) ist für 58 nur ein Prozeß wegen Amtsmißbrauchs sicher bezeugt, dem sich V. nach der Rückkehr von der Legatenstelle bei Caesar durch Anrufung des Volkstribunen Clodius [I 4] entzog. V. und Clodius scheinen in den von Gewalt und Prozeßkriegen geprägten J. 58–56 mehrfach eng kooperiert zu haben, z. B. in den Prozessen gegen Sestius [3] und Annius [I 14] Milo, also gegen Vertreter der Interessen der *optimates* bzw. des Pompeius (Cic. Vatin. 1f.; 40f.; [1. 301–303]).

Bei der Wahl um die Aedilität für 56 waren beide jedoch Konkurrenten und dieses eine Mal äußerte sich Cicero (Sest. 114; Vatin. 16) erfreut über einen Sieg des Clodius. Die Praetur erreichte V. 55 dank massiver Einflußnahme der nun wieder einigen Triumvirn (Plut. Cato minor 42). Über seine Amtstätigkeit ist nichts bekannt, doch es kam zu Versuchen, den Amtsantritt zu verhindern (Cic. ad Q. fr. 2,8,3; Cic. fam. 1,9,19) bzw. ihn hinterher wegen des Wahlkampfes zu belangen. Cicero verteidigte auf Drängen der Triumvirn nun seinen Feind erfolgreich (Cic. fam. 5,9,1; 1,9,19; Quint. inst. 6,1,13; [1. 317]). Nach der erzwungenen Aussöhnung blieben feindselige Äußerungen Ciceros weitge-

hend aus (vgl. aber Macr. Sat. 2,3,5), vielleicht auch, weil V. in der röm. Innenpolitik nicht mehr hervortrat. 51/0 ist er als Caesars Legat (Caes. Gall. 8,46,4) bezeugt, ebenso 48 (Caes. civ. 3,19). 48/7 verteidigte V. den wichtigen Hafen Brundisium gegen die Pompeianer (Caes. civ. 3,100), gewährte Cicero dort Aufnahme (Cic. Att. 11,5,4) und gewann in einem Kurzfeldzug die Adria für Caesar zurück (Bell. Alex. 43–47). 47 erhielt er dafür das Konsulat und wurde außerdem → augur (Cic. fam. 5,10a,2). 45–43 war er Proconsul im Illyricum und erhielt für seine Erfolge dort eine → supplicatio und einen → Triumph zugesprochen (vgl. [2]). 43 liefen seine Truppen zu Iunius [I 10] Brutus über (Cic. Phil. 10,11; Vell. 2,69,3f.), er selbst blieb Caesarianer. 42 durfte er seinen Triumph abhalten (InscrIt 13,1,86f.; 342f.), verm. bald danach starb er.

Durch einfache Herkunft und körperliche Gebrechen (einen Kropf; Cic. Sest. 135; Cic. Vatin. passim; Sen. dial. 2,17,3) benachteiligt, schaffte es V. durch seinen zur Selbstironie fähigen Humor und eine Cicero ebenbürtige Schlagfertigkeit, sich im öffentlichen Leben Roms zu behaupten. Im Gefolge Caesars gelang ihm dank seiner mit teilweise rücksichtsloser Entschlossenheit verbundenen polit. und mil. Fähigkeiten eine beachtliche polit. Karriere.

1 GRUEN, Last Gen. 2 G. MARASCO, Appiano e il proconsolato di P. Vatinio in Illiria, in: Chiron 25, 1995, 283–297 3 L. POCOCK, A Commentary on Cicero In Vatinium, 1926 4 Ders., Lex de actis Cn. Pompeii confirmandis, in: CQ 19, 1925, 16–21.   J. BA.

II. KAISERZEIT

[II 1] Aus Benevent (→ Beneventum) stammend, körperlich mißgestaltet, u. a. mit übergroßer Nase (Mart. 14,96); bei Nero erlangte er als witziger Höfling (*scurra*) großen Einfluß, den er nach Tacitus (ann. 15,34,3) zum Schaden vieler anderer nutzte. Durch seine *avaritia* (»Habgier«) gelangte er zu großem Reichtum (Tac. hist. 1,37,5); in Benevent gab er im Beisein Neros ein Gladiatorenspiel (→ munus [III]; Tac. ann. 15,34,2). Nach Tacitus (dial. 11,2) brach Curiatius Maternus (PIR² C 1604) seine »Macht« (*potentia*), was aber inhaltlich unklar bleibt (PIR V 208).   W. E.

Vatrenus. Fluß, der im → Appeninus entspringt, Forum Cornelii (h. Imola) passiert und nördl. von → Ravenna in die Adria mündet (Plin. nat. 3,119f.; Mart. 3,67,2: Vaternus), h. Santerno. In röm. Zeit mündete er von rechts in einen Flußarm des → Padus (h. Po), den Spineticus; der Hafen an dessen Mündung hieß deshalb *portus Vatreni*.

G. UGGERI, La romanizzazione dell'antico Delta Padano, 1975, 37.   G. U./Ü: J. W. MA.

Vaxtang Gorgasal (georg. »Wolfshaupt«). König des kaukasischen Iberien (→ Iberia [1]), 2. H. 5./Anf. 6. Jh. n. Chr., dessen im 11. Jh. niedergeschriebene Vita (Kartlis Cxovreba, 139–244) [1; 2] ihn als Vorkämpfer für nationale Identität und Christentum zeichnet.

1 R. THOMSON, Rewriting Caucasian History, 1996, 153–251 (engl. Übers.) **2** G. PÄTSCH, Das Leben Kartlis. Eine Chronik aus Georgien, 300–1200, 1985 (dt. Übers.).

B. MARTIN-HISARD, Le roi V. G., in: Temps, mémoire, tradition au Moyen âge, 1983, 207–242 · M. VAN ESBROECK, Lazique, Mingrélie, Svanéthie et Aphkhazie du IVe au IXe siècle, in: Il Caucaso. Cerniera fra culture del Mediterraneo alla Persia (sec. IV-XI), 1996, 198–213.
A. P.-L.

Veamini(i). Ligurischer Stamm in den → Alpes Maritimae, von Augustus unterworfen (Plin. nat. 3,137; vgl. die Inschr. auf dem Augustus-Bogen in → Segusio: CIL V 7231).

G. BARRUCH, Les peuples préromaines du sud-est de la Gaule, 1969, 360 f.   H. GR.

Vectigal s. Steuern

Vediovis s. Veiovis

Vedius. Ital. Gentilname, belegt seit dem 1. Jh. v. Chr.

I. REPUBLIKANISCHE ZEIT

[I 1] V., P. Freund des Cn. Pompeius [I 3], rief im März 50 v. Chr. Ciceros Spott (Cic. Att. 6,1,25) wegen protzigen Reisestils und des Sammelns von Miniaturporträts verheirateter Frauen hervor. Evtl. identisch mit V. [II 4].
JÖ. F.

II. KAISERZEIT

[II 1] P. V. Antoninus. Bürger von Ephesos ritterlichen Ranges. *Praefectus cohortis* und *tribunus militum legionis I Italicae* (IEph III 726; 726a). In Ephesos selbst war er *prýtanis*, *grammateús*, ferner auch *asiárchēs* in traianischer Zeit (cf. IEph VII 1, p. 88; [1. 95]). Ob seine Familie auf V. [II 4] zurückgeht, bleibt offen [2. 526]. Sein adoptierter Sohn trägt den Namen M. Claudius P. V. Antoninus Sabinus (IEph VII 1, p. 88). Dieser scheint nur Funktionen in Ephesos selbst bzw. Asia übernommen zu haben. Sein Enkel ist V. [II 2].

1 C. SCHULTE, Die Grammateis von Ephesus, 1994 2 SYME, RP 2.

[II 2] M. Claudius P. V. Antoninus Phaedrus Sabinianus. Enkel von V. [II 1]. Er wurde in den Senat aufgenommen, wohl erst unter Antoninus Pius: *XXvir*, *tribunus legionis IV Scythicae* in Syrien, Quaestor von Zypern. Seine Haupttätigkeit entfaltete er in Ephesos, wo er u. a. als *prýtanis*, *grammateús*, *gymnasíarchos* wirkte; ferner *asiárchēs* und Gesandter zu Senat und Kaiser. Zahlreiche Bauten wurden von ihm finanziert; doch kam es auch zum Konflikt mit den Ephesiern, in den schließlich → Antoninus [1] Pius eingriff (IEph V 1491–1493). Seine Tochter Vedia Phaedrina heiratete T. Flavius [II 20] Damianus, drei ihrer Söhne, T. Fl. Damianus, T. Fl. Phaedrus und T. Fl. Vedius Antoninus, wurden Mitglieder des Senats und erreichten den Konsulat; auch die Nachkommen des letzteren, T. Fl. Vedius Apellas, T. Fl. Vedius Antoninus und Fl. Damianus, hatten einen Sitz im Senat [1. 629]. Sein Sohn ist V. [II 3].

1 H. HALFMANN, Die Senatoren aus den kleinasiatischen Prov. des röm. Reiches vom 1. bis 3. Jh., in: EOS 2, 603–650.

[II 3] M. Claudius P. V. Papianus Antoninus. Sohn von V. [II 2]. Er erbte von seinem Vater den senatorischen Rang (er wird *synklētikós* genannt), scheint aber keine Ämter in Rom oder den Prov. übernommen zu haben. Bei seinem Tod vermachte er einen wesentlichen Teil seines Besitzes der Heimatstadt Ephesos (IEph VII 1, p. 88 mit Verweis auf alle Zeugnisse).

[II 4] P. V. Pollio. Freund (*amicus*) des → Augustus. Sohn eines Freigelassenen, verm. aus Beneventum stammend. Über seine frühe Zeit ist nichts Sicheres bekannt; möglicherweise ist er bereits in Briefen Ciceros zu fassen [1. 518 ff.]. Verm. schon während der Triumviratszeit, sicher nach der Schlacht von → Aktion/Actium war er einer der wichtigen Helfer des → Octavianus; bezeugt v. a. in Asia, wohl vor 27 v. Chr., wo er eine offizielle Position eingenommen haben muß, da noch 43/4 n. Chr. in Ephesos auf eine *constitutio Vedi Pollionis* verwiesen werden konnte (IEph Ia, Nr. 19A,6, Z. 2 und 8). Auch auf Mz. von Tralleis erscheint sein Porträt und Name (RPC I 2634 f.). V. war wohl zumindest der Finanzagent des Octavianus in diesem Provinzbereich, vielleicht vertrat er den Machthaber auch umfassend. Mit der Konsolidierung des Prinzipats paßte er wegen seiner sozialen Herkunft nicht mehr in das wieder traditionell geprägte polit. Erscheinungsbild, weshalb er in den Hintergrund treten mußte. Es blieb ihm sein großer Reichtum, mit dem er in Beneventum ein Caesareum finanzierte (ILS 109). Sein Luxus soll von Augustus verabscheut worden sein (Tac. ann. 1,10,5); er soll ungehorsame Sklaven an seine → Muränen verfüttert haben (Sen. de ira 3,40,2; Plin. nat. 9,77; Cass. Dio 54,23,2–5). Bei seinem Tod 15 v. Chr. vermachte er das → Pausylipum bei Neapel und seinen Palast auf dem Esquilin an Augustus, der diesen niederreißen und für das Volk die *porticus Liviae* errichten ließ [2]. PIR V 213.

1 R. SYME, Who Was Vedius Pollio?, in: SYME, RP 2, 518–529 **2** LTUR 2,211 f., s. v. *domus*: P. Vedius Pollio.
W. E.

Vegetarismus läßt sich für die griech.-röm. Ant. mehrfach und an prominenten Vertretern belegen, ist aber nicht im mod. Sinne der strikten Veganismusdefinition zu verstehen (Ablehnung aller tierischen Produkte, so auch von → Milch, → Honig oder → Wolle), sondern beschränkt sich meist auf die Ablehnung des → Fleischkonsums; der Begriff ist neuzeitlich. Insgesamt wird V. im griech.-röm. Alltag keine allzu auffällige Erscheinung gewesen sein, da Fleisch ohnehin nur einen kleinen Anteil der Nahrung ausmachte.

Der Mythos verlegt Züge vegetarischer (= veg.) Lebensweise schon in die früheste Zeit: V. galt häufig (aber nicht immer) als Charakteristikum des »Goldenen Zeitalters« (*aurea aetas*; z. B. bei Emp. fr. 411 KIRK/RAVEN/SCHOFIELD; Plat. polit. 272 f.; Ov. met. 1,101–112; 15,96–142). Friedliche Gesinnung und V. gehen schon in Homers märchenhafter Schilderung der → Lotophagen miteinander einher (Hom. Od. 9,82–104; vgl. auch 9,190f. die Bezeichnung σιτοφάγος/*sitophágos*, »kornessend«, für die zivilisierte Menschheit), während die fleischverzehrenden → Skythen meist als roh galten und ihnen gelegenlich gar der Vorwurf der Menschenfresserei gemacht wurde (z.B. im Ber. des Ephoros bei Strab. 7,3,9).

Histor. faßbarer Archeget des V. war → Pythagoras [2]. Dessen Verbot oder zumindest Einschränkung des Fleischgenusses (ἐμψύχων ἀποχὴ πάντων/*empsýchōn apochḗ pántōn*, eigentlich »Enthaltung von allem Beseelten«, vgl. Iambl. de myst. 5,4; vgl. auch Aristot. fr. 275 KIRK/RAVEN/SCHOFIELD) gründet primär auf dem in Anlehnung an die → Orphik entwickelten Glauben an die Seelenwanderung; alles Lebende galt als miteinander verwandt. Daher durften Pythagoreer auch Eier, die den Keim eines lebenden Wesens enthielten, nicht essen (Plut. symp. 2,3,1 [635e]). Andere, z.T. bereits für die → Pythagoreische Schule belegbare (Neben-)Motive zur Fleischabstinenz sind Gerechtigkeitsempfinden gegenüber Tieren, Askese, Charakterbildung [3. 140–144] und verschiedene medizinische Empfehlungen, die meist auf einen nur zeitweisen V. abzielen (z.B. bei Caelius [II 11] Aurelianus, tardarum sive chronicarum passionum libri 1,4,117: Fleisch- und Weinverbot bei → Epilepsie). Keiner der großen Mediziner (→ Hippokrates [6], → Galenos, → Celsus [7]) vertrat prinzipiell veg. Prinzipien.

Vegetarier waren auch viele Anhänger des → Kynismus. → Platon [1] selbst mag eine gewisse Sympathie für veg. Kost gehabt haben [3. 189f.], fordert V. im Rahmen seiner Seelenwanderungslehre jedoch nicht ausdrücklich. In röm. Zeit scheint der V. eine Renaissance erlebt zu haben, so z.B. in der kurz vor der Zeitenwende gegr. Schule der Sextier (→ Sextius [I 1]). Einen strikten V. praktizierte im 1. Jh. n.Chr. der Neupythagoreer Apollonios [14] von Tyana (zu ihm vgl. die 8 Bücher Philostr. Ap.), der sogar Kleidung aus Tiermaterialien ablehnte. Das bedeutendste Werk zum ant. V. ist → Porphyrios' Schrift *De abstinentia*: Tiere, ausgenommen die reißenden, dürften nicht getötet werden (Porph. de abstinentia 2,22; 3,26). Neben moralischen Überlegungen zur Empfindung und Vernunft der Tiere steht als Hauptmotiv die zu erlangende Reinheit des Menschen.

→ Ernährung; Fleischkonsum; Kathartik; Pythagoras [2]; Seelenwanderung

1 J. ANDRÉ, Essen und Trinken im alten Rom, 1998 (frz. ²1981) 2 M. CORBIER, The Ambiguous Status of Meat in Ancient Rome, in: Food and Foodways 3, 1989, 223–264 3 J. HAUSSLEITER, Der V. in der Ant. (RGVV 24), 1935 4 F. ORTH, s.v. Kochkunst, RE 11, 944–982. CH.S.

Vegetius. P.V. Renatus, lat. Autor der Spätant. Neben einem veterinärmedizinischen Werk (*Digesta artis mulomedicinae*; vgl. → Mulomedicina Chironis; → Veterinärmedizin) schrieb V. eine mil.-technische Schrift (*Epi-*

toma rei militaris), die in vier B. Fragen der Rekrutierung und mil. Ausbildung (B. 1), die Organisation röm. Legionen (B. 2; → legio), strategische und taktische Probleme (B. 3) sowie die Belagerung von Städten und die maritime Kriegführung behandelt (B. 4; → Seekrieg). Nachdem V. die Schrift *De dilectu atque exercitatione tironum* (= B. 1) verfaßt hatte, erhielt er vom Kaiser den Auftrag, einen Abriß des röm. Militärwesens zu schreiben (Veg. mil. 2 praef.).

V. stammte vielleicht aus dem spanisch-gallischen Raum, war Christ und bekleidete als senatorischer → *illustris vir* zeitweise wohl das Amt eines *comes sacrarum largitionum* (oder des *comes sacri stabuli*; vgl. → *comes* A.). Der Hinweis auf den vergöttlichten Gratianus (Veg. mil. 1,20,3) zeigt, daß die Schrift nach 383 n.Chr. verfaßt wurde, und aus der → *subscriptio* einer Hs. ergibt sich als *terminus ante quem* das J. 450. Genauere Datier. bleiben hypothetisch: Als Adressaten der Schrift sind Theodosius [2] I., Valentinianus [3] II., Honorius [3] und Valentinianus [4] III. in die Diskussion gebracht worden; die größte Plausibilität besitzt die These von [3. XXV—XXIX], V. habe sein Werk an Theodosius I. gerichtet, zumal es zeitlich wohl vor dem → *Anonymus de rebus bellicis* anzusetzen ist. V. ging es primär darum, durch Vergegenwärtigung der ruhmreichen mil. Vergangenheit Roms Lehren für die eigene Gegenwart zu formulieren, die Barbarisierung der röm. Armee zu stoppen – ein Anliegen, das etwa gleichzeitig auch von Synesios [1] in Konstantinopolis formuliert wurde – und somit die altröm. Sieghaftigkeit neu zu gewinnen. Dieser Glorifizierung früherer Zeiten entspricht der reiche Gebrauch, den V. von früheren Schriften zum Militärwesen macht: Er konsultierte vornehmlich → Catos [1] *De re militari*, das gleichnamige Werk des unter Marcus Aurelius wirkenden Juristen und Praetorianerpraefekten P. → Taruttienus Paternus, die *Artes* des A. Cornelius → Celsus [7] sowie die mil.-strategischen Schriften des Sex. Iulius → Frontinus (Veg. mil. 1,8,10–12; 2,3,6–8). V. war offensichtlich kein mil. Praktiker: Er schöpft aus schriftlichen Quellen und verbindet aktuelle Erfahrungen mit Gedanken seiner Vorläufer. Altröm. Gedankengut verrät auch seine Überzeugung von der verweichlichenden Wirkung langer Friedenszeiten (Veg. mil. 1,28).

Im MA und in der frühen Neuzeit wurde das Werk des V. in großem Umfang rezipiert; davon zeugen allein schon die zahlreichen V.-Hss. aus der Zeit bis 1300. MACHIAVELLIS *L'arte della guerra* (1521) stellt in manchen Teilen geradezu den Versuch dar, die Ausführungen des V. direkt für die eigene Zeit nutzbar zu machen.

→ Militärschriftsteller; Mulomedicina Chironis; Taktik; Veterinärmedizin

ED.: 1 A. ÖNNERFORS, Epitoma rei militaris, 1995 2 F.L. MÜLLER, Epitoma rei militaris, 1997 (mit dt. Übers.) 3 N.P. MILNER, Epitoma rei militaris, 1996 (engl. Übers.) 4 E. LOMMATZSCH, Mulomedicina, 1903. LIT.: 5 H. BRANDT, Zeitkritik in der Spätant., 1988 6 W. GOFFART, The Date and Purpose of Vegetius' *de re militari*, in: Traditio 33, 1977, 65–100 **7** M. SPRINGER, V. im MA, in: Philologus 123, 1979, 85–90 **8** C. ZUCKERMAN, Sur la date du traité militaire de Végèce et son destinataire Valentinien II, in: Scripta classica Israelica 13, 1994, 67–75.

H. B.

Vegoia. Etr. Nymphe, auch als Begoe (Serv. Aen. 6,72) bekannt; etr. *vecui(a)*, *vecuvia* (vgl. den Gentilnamen *vecu/viku*, bes. in Chiusi belegt). V. wird von der röm. Trad. als Schöpferin/Verkünderin (eines Teils?) der hl. etr. Bücher über die Blitzlehre (*libri fulgurales*; Serv. l.c.) und eines Teils der Ritualbücher genannt; diese wurden zusammen als *libri Vego(n)ici* (Amm. 17,10,2) bezeichnet (Teil der *Etrusca disciplina*) und später im Apollontempel auf dem Palatin aufbewahrt (Serv. l.c., gemeinsam mit den → Sibyllini *libri*). Eine in den späten Schriften der röm. → Feldmesser enthaltene Prophezeiung an den Etrusker Arruns Veltymnus wird ebenfalls V. zugeschrieben (Gromatici Veteres Bd. 1, 350,17–351,11 LACHMANN) [4]: Der lat. Text enthält Hinweise auf eine etr. Kosmogonie und Strafandrohungen für jene (*domini* ebenso wie *servi*), die die gottgewollte Grenzziehung zw. den Äckern und Ländereien Etruriens verändern wollen. Als Prophezeiung zwar wohl fingiert [3] und trotz umstrittener Datier. [4. 19–53] verm. im konservativen und Agrarreformen gegenüber feindlich eingestellten etr. Grundbesitzer-Milieu des 2. oder frühen 1. Jh. v. Chr. anzusiedeln (der Text selbst nennt das 8. *saeculum* der etr. Zeitrechnung; vgl. Plut. Sulla 7, 6–13), verdeutlicht sie dennoch die enge Verbundenheit zw. etr. Religion und den Techniken der Landvermessung und Grenzziehung (→ *limitatio*) und läßt ältere, genuin etr. Elemente erkennen. Die seltenen bildlichen Darstellungen aus dem 4. und frühen 3. Jh. v. Chr. zeigen V. als junge Frau, z. T. mit Flügeln (→ Lasa) [1; 2].

→ Divination VII.; Etrusci, Etruria III.; Limitatio; Tages

1 M. HARARI, s. v. V., LIMC 8.1, 183 f. **2** F.-H. MASSA-PAIRAULT, Lasa Vecu – Lasa Vecuvia, in: Dialoghi di archeologia 6, 1988, Fasz. 1, 133–143 **3** PFIFFIG, 157–159 **4** A. VALVO, La profezia di V., 1988 (mit älterer Lit.).

P. AM.

Veiento. Röm. Cognomen, urspr. Herkunftsbezeichnung (→ Veii); → Fabricius [II 2] und → Perperna [5].

KAJANTO, Cognomina, 119; 189 f.

K.-L. E.

Veii (Οὐιοί, Βηϊεντία/*Bḗïentía*; etr. *Vei(s)*). Etr. Stadt (App. It. 8,1; Liv. 5,22,8; 5,24,6; Eutr. 1,20) auf der Hochebene (ca. 180 ha) zw. Cremera (h. Valchetta) im Norden und dem h. Piordo im Süden, 15 km nördl. von Rom bei der h. Isola Farnese. Erh. haben sich Zeugnisse der Protovillanova- (10. Jh. v. Chr.) und der Villanova-Zeit (9./8. Jh. v. Chr.), in der hier mehrere Siedlungen (Nekropolen: Pozzetto- und Fossagräber, Beigaben lokalen Handwerks sowie aus anderen etr. Städten, aus Latium und aus Mitteleuropa) entstanden (s. Plan). Aus dem 7. Jh. v. Chr. stammen teilweise bemalte Kammergräber (Tomba delle Anatre, Tomba Campana; Grabbeigaben: handgefertigte Keramik, lokale und im-

portierte Br.-Ware). Im 6. Jh. v. Chr. wurde auf der vermutlichen »Akropolis« (der h. Piazza d'Armi) ein Tempel errichtet (s. Detailplan). Erste Heiligtümer wie das von Portonaccio entstanden. In Keramikwerkstätten von V. sollen die Tarquinii (→ Tarquinius [11–12]) die Kultstatue und Dekoration für den → Tempel (V. C. mit Abb. 1) des Iuppiter Capitolinus in Rom in Auftrag gegeben haben (Varro bei Plin. nat. 35,157; Plut. Publicola 13,1). Im 5. Jh. entstand ein über das große Gebiet von V. (*ager Veientanus*) gespanntes Wasserversorgungsnetz, desgleichen die Festungsmauern der Stadt.

V. soll schon z. Z. der röm. Könige (Romulus [1]: Liv. 1,15; Dion. Hal. ant. 2,54 f.; Plut. Romulus 3,23 f.; Tullus Hostilius [4]: Dion. Hal. ant. 3,23 f.; Liv. 1,27,3–11; Ancus Marcius [I 3]: Dion. Hal. ant. 3,41) mit Rom in einen Konflikt geraten sein (Rückprojektion späterer Ereignisse in die Königszeit?), der sich wohl am Herrschaftsanspruch über das Gebiet der Septem Pagi (Liv. 1,15,5; 2,13,4; Dion. Hal. ant. 2,55,5; Plut. Romulus 25,5) und der Salinen rechts der Mündung des → Tiberis sowie von → Fidenae links des Tiberis entzündet hatte. Nach verschiedenen Zusammenstößen (vgl. Vir. ill. 15; Liv. 2,48,8 ff.; 4,20,5 ff.; Dion. Hal. ant. 9,14 f.; Diod. 11,53) kam es E. des 5. Jh. v. Chr. zu einem zehnjährigen Krieg zw. V. und Rom (Flor. epit. 1,6), der 396 v. Chr. mit der Niederlage von V. endete. Die Stadt wurde zerstört, ihr Gebiet von Rom annektiert (Einrichtung von vier neuen → tribus: Liv. 6,5,8; Diod. 14,16). Auf dem Gebiet von V. (z. Z. von Prop. 4,10,9 noch verlassen) entstand in spätrepublikanischer Zeit ein *municipium* (z. Z. von Strab. 5,2,9 bereits gegr.), nachmals *municipium Augustum Veiens* (CIL XI 3797; 3805; 3808). Arch. nachgewiesen (s. Plan) sind die Stadtmauer mit NW-Tor, Fundamente von Häusern und Tempeln, so eines Minerva-Tempels, der auch nach der Zerstörung der Stadt Anf. des 4. Jh. bestand (außerhalb der Stadtmauern der sog. Portonaccio-Tempel, wo die Apollon-Statue des → Vulca aus V., h. in der Villa Giulia, Rom, gefunden wurde); Zisternen, Nekropolen.

→ Etrusci, Etruria; Grabbauten III. C.; Nekropolen VII.

J. B. WARD-PERKINS, V. The History and Topography of the Ancient City, in: PBSR 29, 1961, 1–123 · M. MORETTI, J. B. WARD-PERKINS et al., V. (Isola Farnese). Scavi in una necropoli villanoviana in località »Quattro Fontanili«, in: NSA 17, 1963, 77–236; NSA 19, 1965, 49–236; NSA 21, 1967, 87–286; NSA 24, 1970, 178–329; NSA 1972, 195–384 · M. CRISTOFANI, F. ZEVI, La tomba Campana di V., in: ArchCl 17, 1965, 1–35 · A. P. VIANELLO CÓRDOVA, Una tomba »protovillanoviana« a V., in: SE 35, 1967, 295–306 · M. CRISTOFANI, Le tombe da Monte Michele, 1969 · L. VAGNETTI, Il deposito votivo di Campetti a V., 1971 · G. BARTOLONI, F. DELPINO, Monumenti antichi pubblicati per cura della Reale Accademia dei Lincei 1, 1979 · F. DELPINO, Cronache veientane, 1985 · G. COLONNA, Note preliminari sui culti del santuario del Portonaccio a V., in: Scienze dell'Antichità 1, 1987, 419–446 · A. COMELLA, G. STEFANI, Materiali votivi del santuario di Campetti a V., 1990 · A. GUIDI, La necropoli veiente dei Quattro Fontanili, 1993.

GI. C./Ü: J. W. MA.

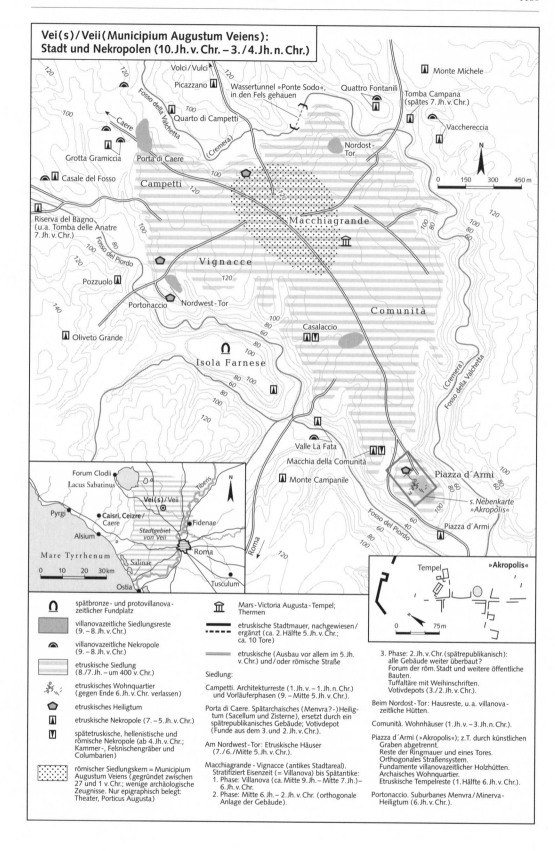

Vei(s)/Veii(Municipium Augustum Veiens):
Stadt und Nekropolen (10.Jh. v. Chr. – 3./4.Jh. n. Chr.)

Volci/Vulci
Picazzano
Wassertunnel »Ponte Sodo«, in den Fels gehauen
Quattro Fontanili
Monte Michele
Tomba Campana (spätes 7. Jh. v. Chr.)
Quarto di Campetti
Fosso della Valchetta
(Cremera)
Caere
Nordost-Tor
Vacchereccia
Grotta Gramiccia
Porta di Caere
Casale del Fosso
Campetti
Macchiagrande
N
0 150 300 450 m
Riserva del Bagno (u.a. Tomba delle Anatre 7. Jh. v. Chr.)
Fosso del Piordo
Vignacce
Mars-Victoria Augusta-Tempel; Thermen
Pozzuolo
Portonaccio
Nordwest-Tor
Comunità
Oliveto Grande
Casalaccio
Isola Farnese
Valle La Fata
Macchia della Comunità
Monte Campanile
Piazza d´Armi
(Cremera)
Fosso della Valchetta
s. Nebenkarte »Akropolis«
Piazza d´Armi
Fosso del Piordo

Nebenkarte (Übersicht)

Forum Clodii
Lacus Sabatinus
Tiberis
N
Vei(s)/Veii
Pyrgi
Caisri, Ceizre/Caere
Fidenae
Alsium
Stadtgebiet von Veii
Mare Tyrrhenum
0 10 20 30km
Salinae
Roma
Roma
Ostia
Tusculum

Nebenkarte »Akropolis«

Tempel
»Akropolis«
0   75m

Legende

Ω spätbronze- und protovillanovazeitlicher Fundplatz

▬ villanovazeitliche Siedlungsreste (9.–8. Jh. v. Chr.)

◖ villanovazeitliche Nekropole (9.–8. Jh. v. Chr.)

▤ etruskische Siedlung (8./7. Jh. – um 400 v. Chr.)

⚏ etruskisches Wohnquartier (gegen Ende 6. Jh. v. Chr. verlassen)

⬠ etruskisches Heiligtum

⬛ etruskische Nekropole (7.–5. Jh. v. Chr.)

⬜ spätetruskische, hellenistische und römische Nekropole (ab 4. Jh. v. Chr.; Kammer-, Felsnischengräber und Columbarien)

▦ römischer Siedlungskern = Municipium Augustum Veiens (gegründet zwischen 27 und 1 v. Chr.; wenige archäologische Zeugnisse. Nur epigraphisch belegt: Theater, Porticus Augusta)

🏛 Mars-Victoria Augusta-Tempel; Thermen

▬▬ etruskische Stadtmauer, nachgewiesen/ergänzt (ca. 2. Hälfte 5. Jh. v. Chr.; ca. 10 Tore)

═══ etruskische (Ausbau vor allem im 5. Jh. v. Chr.) und/oder römische Straße

Siedlung

Campetti. Architekturreste (1. Jh. v.– 1. Jh. n. Chr.) und Vorläuferphasen (9.– Mitte 5. Jh. v. Chr.).

Porta di Caere. Spätarchaisches (Menvra?-) Heiligtum (Sacellum und Zisterne), ersetzt durch ein spätrepublikanisches Gebäude; Votivdepot (Funde aus dem 3. und 2. Jh. v. Chr.).

Am Nordwest-Tor: Etruskische Häuser (7./6./Mitte 5. Jh. v. Chr.).

Macchiagrande - Vignacce (antikes Stadtareal). Stratifiziert Eisenzeit (= Villanova) bis Spätantike:
1. Phase: Villanova (ca. Mitte 9. Jh. – Mitte 7. Jh.) – 6. Jh. v. Chr.
2. Phase: Mitte 6. Jh. – 2. Jh. v. Chr. (orthogonale Anlage der Gebäude).

3. Phase: 2. Jh. v. Chr. (spätrepublikanisch): alle Gebäude weiter überbaut? Forum der röm. Stadt und weitere öffentliche Bauten. Tuffaltäre mit Weihinschriften. Votivdepots (3./2. Jh. v. Chr.).

Beim Nordost-Tor: Hausreste, u.a. villanovazeitliche Hütten.

Comunità. Wohnhäuser (1. Jh. v. – 3. Jh. n. Chr.).

Piazza d´Armi (»Akropolis«); z.T. durch künstlichen Graben abgetrennt. Reste der Ringmauer und eines Tores. Orthogonales Straßensystem. Fundamente villanovazeitlicher Holzhütten. Archaisches Wohnquartier. Etruskische Tempelreste (1. Hälfte 6. Jh. v. Chr.).

Portonaccio. Suburbanes Menvra/Minerva-Heiligtum (6. Jh. v. Chr.).

Veilchen (ἴον/*íon*, ἰωνία/*iōnía*; lat. *viola*). Die ant. Namen bezeichneten neben den verschiedenen Arten der Violaceae einige hier nicht zu berücksichtigende gelb und weiß blühende Kreuzblütlerarten (Goldlack: Cheiranthus cheiri L., Levkoje: Mathiola incana R. Br., Nachtviole: Hesperis matronalis L.). So könnte auch bei Hom. Od. 5,72 *íon* kein V., sondern generell eine ›dunkelblühende Blume‹ [1] sein. Schon Theophrastos (h. plant. 6,6,7) beschreibt das wohlriechende, blau-violett blühende V., Viola odorata (ἴον μέλαν = lat. *viola* sc. *nigra*; vgl. [2. Farbabb. 331]), ebenso Dioskurides (4,121 WELLMANN = 4,120 BERENDES) und (zusammen mit den andersfarbigen V.) Plinius (nat. 21,27). Aus der Betonung des Duftens nur dieser Art (Theophr. c. plant. 6,20,1) kann man auf die Kenntnis anderer V.-Arten schließen. Die aufgrund der Verbreitung durch Ausläufer einfache Kultivierung in Gärten (Athen. 9,372b) übernahmen die Römer.

Die dunkelblaue Farbe machte V. neben dem Duft (vgl. Plin. nat. 21,35) für die Verwendung in Kränzen (Plat. symp. 212e; Theokr. 10,28 f.; Plin. nat. 21,14) beliebt. Als Nektarspender pflanzte man sie unweit von Bienenständen an (Verg. georg. 4,32; Colum. 9,4,4 und 9,5,6), doch sind an den genannten Stellen mit den *violaria* wohl Goldlackgärten gemeint. In der Medizin verwendete man die Blätter des wohlriechenden V. zur Kühlung und zu Umschlägen bei Magenkrankheiten, Augenentzündung und Vorfall des Mastdarmes; der dunkle Teil der Blüte, mit Wasser getrunken, sollte bei der Entzündung des Schlundmuskels und Epilepsie von Kindern helfen (Dioskurides l.c.; Plin. nat. 21,130), der Samen gegen Skorpionstiche (nur Plin. l.c.). Mit in Wasser abgekochten getrockneten V. imitierte man nach Plin. nat. 33,163 die Farbe »Himmelblau« (*caeruleum*).

Am zu unterschiedlichen Zeiten gefeierten V.-Tag (*dies violaris*; Belege bei [3]) legte man in Rom V. auf die Gräber; denn das V. galt als Unterweltpflanze: → Persephone wird nämlich von einer mit Hyazinthen (→ Hyakinthos [2]), → Krokus, → Rosen und V. (vgl. Hom. h. 2,6; Athen. 15,684c) bestandenen Wiese (nach Diod. 5,3 auf Sizilien) geraubt (vgl. die Verwandlung des Blutes von → Attis und → Agdistis in ein V.: Paus. 7,17,9-12; Arnob. 5,5).

1 V. HEHN (hrsg. von O. SCHRADER), Kulturpflanzen und Haustiere, ⁸1911 (Ndr. 1963), 260 f. 2 H. BAUMANN, Die griech. Pflanzenwelt, 1982 3 G. WISSOWA, Rel. und Kultus der Römer, ²1912, 434,3.

M. SCHUSTER, s. v. V., RE 8 A, 591-600.   C. HÜ.

Veiovis (auch Vediovis oder Vedius). Röm. Gott, dessen Kult in Rom T. → Tatius begründet haben soll (Varro ling. 5,74). Über Funktion und Charakter bestand spätestens Mitte des 1. Jh. v. Chr. Unklarheit (Cic. nat. 3,62): Ausgehend von der Vorsilbe *ve*- wurde V. entweder als junger/kleiner Iuppiter (Ov. fast. 3,445-449; Paul. Fest. 519,22) oder als dessen Gegenbild verstanden (Gell. 5,12,8-12), was die mod. Deutung des V. als chthonische Gottheit (→ chthonische Götter) u.a. bedingt [1; 2]. In den *Fasti Venusini* ist am 21. Mai ein *agonium* (»Opfer«) für V. notiert (InscrIt 13,2,57). Anfang des 2. Jh. v. Chr. erhielt V. in Rom zwei Tempel. Die Überl. hierzu ist problematisch [3; 4]. Der am 1. Jan. 194 eingeweihte Tempel auf der Tiberinsel ging auf ein Votum des Praetors L. → Furius [I 31] Purpureo 200 v. Chr. zurück (InscrIt 13,2,2 und 111; Liv. 31,21,7; 34,53,7). Der *dies natalis* des 192 eingeweihten zweiten Tempels in der Senke zw. Capitolium und Arx (*inter duos lucos*) war der 7. März (InscrIt 13,2,6 und 121; Liv. 35,41,8). Reste dieses Tempels wurden 1939 gefunden, darunter auch Teile einer überlebensgroßen Statue des V. aus Marmor, die wohl eine 80 n. Chr. durch Brand zerstörte Kultstatue aus Zypressenholz (Plin. nat. 19,216) ersetzte; mit dem pfeiletragenden V. war eine Ziege dargestellt (Ov. fast. 3,437-448; Gell. 5,12,11). Eine Ziege wurde dem V. auch *ritu humano* (»nach menschlichem Brauch«) geopfert (Gell. 5,12,12), was laut Fest. 91,24 auf den → Totenkult (V.) verweist. Oft angenommene Mz.-Darstellungen des V. werden heute weitgehend verneint [5; 6]. Die Weihinschr. eines Altars in → Bovillae (ILS 2988; ILLRP 270), die auf ca. 100 v. Chr. datiert wird, weist V. als Gentilgottheit der → gens Iulia aus [7]. V. wird in der Devotionsformel für Karthago erwähnt (Macr. Sat. 3,9,10).
→ Iuppiter

1 C. KOCH, Der röm. Juppiter, 1937, 60-90 2 M. SCHUSTER, s. v. V., RE 8 A, 600-610 3 RADKE, 306-310 4 J. BRISCOE, A Commentary on Livy Books XXXI-XXXIII, 1981, 112-114 5 M. BENTZ, Juppiter, Tinia oder V.?, in: AA 1994, 159-183 6 SIMON, GR, 210-212 7 S. WEINSTOCK, Divus Julius, 1971, 8-12.   G. DI.

Velabrum. Ein urspr. sumpfiges Gelände innerhalb der Stadt → Roma (mit Plan 2), zwischen Capitol, Palatin und dem Tiber-Ufer gelegen; die Benennung und die Herkunft des Wortes (von etr. *vel*, »Sumpf«?) waren schon in der Ant. umstritten (vgl. Varro ling. 5,43). Das Gelände wurde bereits in republikanischer Zeit mit Hilfe der → *cloaca maxima* drainiert, nach dem neronischen Stadtbrand (64 n. Chr.) zudem aufgeschüttet und daraufhin, als zentrumsnahes, merkantil bedeutendes Viertel dicht bebaut. Die → *Forma urbis Romae* zeigt das V. als eng bebautes Innenstadtviertel.

F. GUIDOBALDI, C. ANGELELLI, s. v. V., LTUR 5, 1999, 102-108 · RICHARDSON, s. v. V. Maius, 406 f.   C. HÖ.

Velauni(i). Kelt. Volk in den westl. Alpes, von → Augustus (G.) zw. 25 und 14 v. Chr. unterworfen (Plin. nat. 3,137). Ein Gastfreundschaftsvertrag (σύμβολον πρὸς Οὐελαυνίους/*sýmbolon pros Velauníus*) mit einer griech. Stadt ist durch eine griech. Inschr. auf einer Br.-Hand bezeugt (2./1. Jh. v. Chr., IG XIV 2432, h. im Cabinet des Médailles, Paris).

G. BARRUOL, Les peuples préromains du sud-est de la Gaule, 1969, 372 f.   H. GR.

Velch(ans). Etr. Gott, inschr. mit abgekürztem Namen *velch* und dem Beinamen *lvsl* auf der Br.-Leber von Piacenza (1. Jh. v. Chr.) nachgewiesen (ET Pa 4.2). *Velcha* ist in Etrurien auch als Familienname häufig belegt (ET s. v. V.). Ikonographisch ist V. nicht bezeugt. Die mod. Ergänzung zu *Velch(ans-l)* und Gleichsetzung mit röm. → Volcanus als dem »Gott des kultischen Feuers« sind sachlich vom etr. Schmiedegott → Sethlans [4. 210f., 225; 3. 295ff.; 1. 355ff.] zu unterscheiden. V. könnte urspr. ein Vegetationsgott gewesen sein [3. 296]: Nach einer Glosse (vgl. [2]) ist *Velcitanus* die etr. Bezeichnung für den Monat März, in dem die Vegetation wiedergeboren wird. V. wird auch als jugendlicher Verehrer einer weiblichen Gottheit angesehen [1. 411ff.].
→ Etrusci, Etruria (III.)

1 G. CAPDEVILLE, Volcanus, 1995 2 M. PALLOTTINO (ed.), Testimonia linguae etruscae, ²1968, 856 3 PFIFFIG 4 H. RIX, Teonimi etruschi e teonimi italici, in: Annali della fondazione per il Museo Claudio Faina 5, 1998, 207–229. L.A.-F.

Veldidena. Ortschaft am Fuße des Berges Isel auf einem Schutt- und Schwemmkegel über der Sill an der Brennerpaß-Route (Itin. Anton. 256; 258f.; 275; 279f., evtl. identisch mit Vetonia der Tab. Peut. 4,2), h. Wilten (südl. Stadtteil von Innsbruck). Latènezeitliche Spuren (→ Latène-Kultur) dort, wo wohl unter dem h. Prämonstratenser-Stift vom 1. bis ins 4. Jh. n. Chr. eine Siedlung existierte (Gebäude mit ca. 500 m² Grundfläche; → *mansio*?). Nördl. von V. entstanden um 330/340 n. Chr. drei dreischiffige *horrea* (»Speicherbauten«; vgl. [1]), von denen zwei um 370 [2] kastellartig befestigt wurden (0,44 ha). E. 5./Anf. 6. Jh. wurde das Kastell weitgehend zerstört.
→ Raeti, Raetia (mit Karte)

1 L. BORHY, Non castra sed horrea, in: Bayerische Vorgeschichtsblätter 61, 1996, 214–216 2 M. MACKENSEN, Die Innenbebauung und der Nordvorbau des spätröm. Kastells Abusina/Eining, in: Germania 72, 1994, 507f.

L. ZEMMER-PLANK (Hrsg.), V., 1985 • A. HÖCK u. a., Der Fundplatz »Südwestecke Innsbruck-Wilten-Veldidena«, in: Veröffentlichungen des Tiroler Landesmus. Ferdinandeum 75/76, 1995/96, 167–218. G.H.W.

Veleda. Germanische Seherin, die eine bedeutende Rolle während des → Bataveraufstandes 69/70 n. Chr. spielte (→ Iulius [II 43] Civilis). Tacitus zufolge gehörte sie zum Stamme der → Bructeri und wohnte in einem hohen Turm an der Lippe (*Lupia*; Tac. hist. 4,61,2; 5,22,3). Sie stand bei den rechtsrheinischen Stämmen in göttlichen Ehren und wurde als Schiedsrichterin angerufen (Tac. Germ. 8,2f.; Tac. hist. 4,65). Petillius [II 1] Cerialis machte ihr ein geheimes Friedensangebot. Tacitus berichtet spöttisch, daß sogar Teile der → Batavi in Opposition zu Civilis äußerten, es sei ehrenhafter, dem röm. Princeps als german. Frauen zu gehorchen, eine Anspielung auf den großen Einfluß der V. Kurz zuvor hatten die Germanen bei einem nächtlichen Überfall

das Flaggschiff der röm. Rheinflotte gekapert und der Seherin zum Geschenk gemacht (Tac. hist. 5,22; 24,1f.; 25,2). 77 n. Chr. scheint V. in Gefangenschaft gelebt zu haben (Stat. 1,4,89f.). Einem griech. Spottgedicht aus → Ardea zufolge hat sie ihr Leben später dort als Tempeldienerin verbracht [3; 4].
→ Germani, Germania [1]

1 R. BRUDER, Die germanische Frau im Lichte der Runeninschriften und der ant. Historiographie, 1974 2 R. SIMEK, s. v. V., Lexikon der german. Myth., 1984, 437f. 3 A. WILHELM, Das Gedicht auf V., in: AAWW 85, 1948, 151–154 4 I. KEIL, Ein Spottgedicht auf die gefangene Sehern V., in: AAWW 84, 1947, 185–190. W.SP.

Veleia (Βελεία; Βελία; Οὐελεία). Ligurische Stadt (aber in der *regio VIII*) im Tal des oberen Chero (Nebenfluß des Po), ca. 30 km südl. von → Placentia; h. Velleia. Evtl. augusteische *colonia*, *tribus Galeria* (Plin. nat. 3,47; ILS 1079, Z. 8: *res publica Velleiat[ium]*; ILS 5560: *municipes*); nach dem arch. Befund offenbar im 4./5. Jh. n. Chr. zerstört und aufgegeben. Teile des Forums sind erh. (Drainage-System; Pflasterung, vgl. CIL XI 1184; Basilika; Portrait-Statuen der iulisch-claudischen Dyn. und des Calpurnius [II 16] Piso; Thermen), desgleichen Reste von Wohnhäusern und eines Amphitheaters (?) sowie Gräber. In und bei der Basilika wurde die sog. *Tabula Alimentaria*, ein Verzeichnis der Güter, die für ein von → Traianus [1] gewährtes Darlehen zu 5 % Zinsen im Gebiet von V. und verschiedenen Nachbargemeinden verpfändet wurden (CIL XI 1147), sowie Teile einer *lex* (*Rubria de Gallia Cisalpina* vom J. 41 v. Chr.?, ebd. 1146 mit Verwaltungsbestimmungen) gefunden.

In seinem Werk ›Über Langlebige‹ erwähnt → Phlegon mehrere Personen aus V. (FGrH 257 F 37,8; 37,16; 37,24; 37,42f.; 37,75; zum Phänomen der Langlebigkeit in V. vgl. auch Plin. nat. 7,163).

C. AMBROSINI, A. TACCHINI, Il ciclo statuario della basilica di Velleia, in: G. SENA CHIESA (Hrsg.), Augusto in Cisalpina, 1995, 205–227 • M. MARINI CALVANI, V., 1975 • Dies., Archeologia, in: F. GHIZZONI (Hrsg.), Storia di Piacenza, Bd. 1.2, 1990, 765–906 • N. CRINITI, La Tabula alimentaria di V., 1991 • S. DE MARIA, Iscrizioni e monumenti nei fori della Cisalpina romana, in: MEFRA 100, 1988, 48–57 • U. LAFFI, La lex Rubria de Gallia Cisalpina, in: Athenaeum 64, 1986, 5–44 • J. ORTALLI, Complessi forensi e architetture civiche nelle città romane dell'Emilia Romagna, in: Antichità Altoadriatiche 42, 1995, 290–299 • C. SALETTI, Il ciclo statuario della basilica di Velleia, 1968. E.S.G./Ü: H.D.

Velia

[1] (Οὐέλιαι), auch Elea (Ἐλέα, erstmals bei Plat. soph. 216a; Ὑέλη/*Hyélē*, Ἔλη/*Élē*). Hafenstadt der → Oenotri (Hdt. 1,167) in Lucania (→ Lucani) an der Küste des Mare Tyrrhenum (Mela 2,69; Ptol. 3,1,8), wo der → Hales (Βελέα/*Beléa* bei Steph. Byz. s. v. Ἐλέα) zw. steilen Ufern mündet (App. civ. 5,98), mit nur wenig fruchtbarem Land (Strab. 6,1,1); Versandung der Flußmündung (Bradyseismos) führte zu → Küstenver-

laufsänderungen, weswegen die Unterstadt im MA aufgegeben wurde. Ant. Überreste (Stadtmauern mit Türmen und Toren, Viadukt, Agora, verschiedene Heiligtümer) sind ca. 500 m von der Küste entfernt beim h. Castellamare di Velia zu finden. Dort legten Siedler aus → Phokaia eine Stadt an, nachdem sie, von den Persern aus ihrer Heimat vertrieben, in → Massalia und → Aleria (auf Corsica) Zuflucht gesucht, dann aber, in einer Seeschlacht mit → Etrusci (I. I.) und → Karthago 540 v. Chr. konfrontiert, schließlich auf einen Orakelspruch hier Zuflucht gefunden hatten (vgl. Hdt. 1,163–167; Antiochos FGrH 555 F 8). Die Stadt umfaßte anfangs nur die Akropolis, dehnte sich aber bald in die angrenzende Ebene aus und war seit Anf. des 5. Jh. v. Chr. befestigt. Der Druck der → Lucani bewog V. 389 v. Chr. zum Eintritt in den Italiotischen Bund (→ Magna Graecia I. B.; Polyain. 6,11). V. zählte zu den Städten der Magna Graecia, die den Römern im 1. → Punischen Krieg Schiffe für die Überfahrt nach Sicilia zur Verfügung stellten (Pol. 1,20,14); auch im 2. Punischen Krieg stellte V. den Römern Schiffe (210 v. Chr.; Liv. 36,29,5). V. war seit etwa 272 v. Chr. *civitas foederata* (Pol. 1,20,13 f.; Liv. 26,39,1–5), nach dem Bundesgenossenkrieg 89 v. Chr. *municipium, tribus Romilia* (Cic. Balb. 55; Val. Max. 1,1,1; CIL X 452).

Wegen des milden, von Ärzten geschätzten Klimas unterhielten vornehme Römer in V. Landhäuser (Cic. fam. 7,20,1; Cic. Att. 16,6,1; Plut. Aemilius Paullus 39,1). In V. wirkten → Parmenides, der der Stadt eine Verfassung gegeben haben soll (vgl. Strab. 6,1,1; Diog. Laert. 9,23) und → Zenon (→ Eleatische Schule). Zahlreiche Kulte sind inschr. bezeugt (Poseidon Asphaleios, Zeus Orios, Zeus Pompaios, Zeus Hypatos, Hera Thelxine, Athena, Demeter, Persephone, Hades, Kairos, Apollon Ulios).

G. PUGLIESE CARRATELLI u. a., V. e i Focei in Occidente, in: PdP 21, 1966, 155–421 • Ders. u. a., Nuovi studi su V., in: PdP 25, 1970, 7–300 • W. LESZL, Pitagorici ed Eleati, in: G. PUGLIESE CARRATELLI (Hrsg.), Magna Grecia, 1988, 197–226 • E. GRECO, V. e Palinuro, in: MEFRA 87, 1975, 81–142 • Ders., F. KRINZINGER (Hrsg.), V. Studi e ricerche, 1994.   A.MU./Ü: H.D.

[2] Hügel in der Stadt → Roma, der in der Ant. den → Mons Palatinus mit dem Mons Oppius verband. Die Topographie des Ortes bleibt vage, da die V. im Zuge der in den 1930er-Jahren errichteten *Via dei Fori Imperiali* weitgehend abgetragen wurde. In republikanischer Zeit krönte ihn ein Tempel für die Penaten, später (z.Z. Hadrians) der Tempel für Venus und Roma (→ Roma III. G.).

F. COARELLI, s. v. V., LTUR 5, 1999, 109–112 • RICHARDSON, s. v. V., 407 f. • A. TOMEI, A proposito della V., in: MDAI(R) 94, 1994, 233–251.   C.HÖ.

Veliocasses. Keltisches (laut Caes. Gall. 2,4,1 urspr. german.) Volk der Gallia → Belgica (Caes. Gall. 2,4,9; vgl. 7,75,3; 8,7,4; Oros. 6,7,14; 6,11,12; Ptol. 2,8,8:

Οὐενελιοκάσιοι/ *Veneliokásioi*; Liv. per. 67), im Norden, zum geringen Teil auch im Süden des Unterlaufs des → Sequana (h. Seine; im Süden des Dép. Seine-Maritime und im Norden des Dép. Eure). Hauptort der V. war in vorröm. Zeit wohl das *oppidum* »Camp de Calidou« bei Caudebec, seit augusteischer Zeit Rotomagus (h. Rouen) in der Prov. → Lugdunensis (Plin. nat. 4,107). Der Name der V. lebt in der Landschaftsbezeichnung *le Vexin* fort.

→ Gallia (mit Karte)

H. BANNERT, s. v. V., RE Suppl. 15, 777–783 • S. FICHTL, Les Gaulois du nord de la Gaule, 1994, 157, 173 • R. BEDON, Les villes des Trois Gaules de César à Néron, 1999, 73, 124 f.   MI.PO.

Velites. Die *v.* eröffneten wie vormals die *rorarii* (Liv. 8,8,8; 8,9,14) als leichte röm. Fußtruppen vor dem formierten Manipularheer die Schlacht. Ausgerüstet mit Lederhelm, Rundschild, Kurzschwert und sieben Lanzen (→ *hasta* [1]; Pol. 6,21,9–22,4; Liv. 38,21,13) fiel ihnen die Aufgabe zu, den Feind mit einem Speerhagel zu demoralisieren, um sich nach diesem »Geplänkel« (*velitatio*) wiederum hinter die eigenen Reihen zurückzuziehen (Pol. 2,30,1–5; 3,65,5–7; Liv. 23,29,3); entscheidend war dabei die Geschwindigkeit des Vorpreschens, um aus kurzer Distanz die Lanzen zu werfen. 211 v. Chr. erfolgte diese Aktion vor → Capua im Verbund mit der → Reiterei, indem die *v.* als »Beisitzer« zu Pferde das Feld überwanden (Liv. 26,4,4–10). Später kämpften die *v.* meist in traditioneller Form (Liv. 27,18,2; Pol. 10,39,1; 11,22,10), doch sind auch gemeinsame Aktionen mit der Reiterei bekannt (Liv. 31,35,2–7; 42,58,12; Sall. Iug. 46,7); die Abwehr von Kriegselefanten gehörte ebenfalls zu den Aufgaben der *v.* (Liv. 21,55,11; 30,33,3). Im Lager oblag ihnen der Wachdienst (Pol. 6,35,5). Im 2. Jh. v. Chr. wurde die Funktion der *v.* zunehmend von Auxiliareinheiten übernommen (→ *auxilia*; Liv. 38,21,2; 38,26,8; App. Ib. 89; Sall. Iug. 105,2); zuletzt sind die *v.* 86 v. Chr. für das Heer des Cornelius [I 90] Sulla erwähnt (Chaironeia: Frontin. strat. 2,3,17).

1 M. J. V. BELL, Tactical Reform in the Roman Republican Army, in: Historia 14, 1965, 404–422 2 J. B. McCALL, The Cavalry of the Roman Republic, 2002 3 S. P. OAKLEY, A Commentary on Livy, Books VI–X, Bd. 2, 1988, 469–471 4 E. RAWSON, The Literary Sources for the Pre-Marian Army, in: Dies., Roman Culture and Society, 1991, 34–57.   LE.SCH.

Velitrae (Οὐελίτραι). Stadt in Latium an den südl. Ausläufern der h. colli Albani nördl. des → Ager Pomptinus und des Siedlungsgebiets der → Volsci (Strab. 5,3,10; Liv. 2,30,14; Steph. Byz. s. v. Βέλιτρα; Dion. Hal. ant. 3,41,5; Sil. 8,379; 13,229: Veliternum), h. Velletri. Die Anf. sind umstritten: urspr. latinisch (Dion. Hal. ant. 5,61,3), von den Volsci besetzt und von Ancus Marcius [I 3] erobert (ebd. 3,41) oder urspr. volskisch (Liv. 2,30,14). 498 v. Chr. im → Latinischen Städtebund (Dion. Hal. ant. 5,61; vgl. → Latini, mit Karte), 494 von den Römern erobert, die in V. eine *colonia* anlegten (Liv. l.c.; 2,31,4; zwei J. später verstärkt: Liv. 2,34,6). Trotzdem kam es in den folgenden J. immer wieder zu mil. Auseinandersetzungen zwischen Rom und V. (380: Liv. 6,29,6; Plut. Camillus 42,1; 371/70: Liv. 6,36,1–9; 6,37,12; 6,38,1; 6,42,4; 358: Liv. 7,15,11; 340: Liv. 8,3,9); 338 v. Chr. wurde V. schließlich von den Römern erobert und schwer bestraft: die Befestigungsanlagen wurden geschleift, die Ratsherren der Stadt nach Rom deportiert, ihr Besitz konfisziert (Liv. 8,14,5 f.). V. wurde *municipium*, seine Bürger erhielten die → *civitas* (B.) *sine suffragio*. Unter Claudius [III 1] wurde V. in den Rang einer *colonia* erhoben (Liber coloniarum 238).

Aus V. stammte der Vater des nachmaligen Augustus (Suet. Aug. 1,2; Cass. Dio 45,1); Caligula besaß in V. ein Landgut (Plin. nat. 12,10). Berühmt war der Wein von V. (Plin. nat. 14,65). Der älteste Stadtkern lag um den volskischen Tempel (unter der Kirche S. Maria della Neve), später dehnte sich V. mehr nach SO und Westen aus. Das unter der h. Piazza Umberto I. lokalisierte Forum und die Basilika sind auch inschr. bezeugt (CIL X 6583; 6588), ebenso das Amphitheater (CIL X 6565), während ein Apollo-Tempel und ein Tempel des → Sancus nur bei Liv. 32,1,10 erwähnt werden. Unter der Chiesa delle Stimmate Fundamente eines archa. Tempels; in der Umgebung verschiedene Nekropolen (frühe Brz., frühes Christentum).

> F. R. FORTUNATI, Il tempio delle Stimmate di V., in: E. RYSTEDT et al. (Hrsg.), Deliciae fictiles. Proceedings of the First International Conference on Central Italic Architectural Terracottas (Rom 1990), 1993, 255–265 · C. BRUUN, Herakles and the Tyrant. An Archaic Frieze from Velletri, in: ebd., 267–275 · G. CRESSEDI, V., 1953 · T. CECCARINI u. a., Museo Civico di V., 1989 · L. DEVOTI, R. MAMMUCCARI, Velester Velitrae Velletri, 1997.
> M. M. MO./Ü: H. D.

Velius

[1] V. Cerialis. *Amicus* des jüngeren Plinius (Plin. epist. 4,21).

[2] D. V. Fidus. Senatorischer Suffektconsul im Nov./Dez. 148 n. Chr., zusammen mit M. Calpurnius [II 16] Longus (AE 1996, 1384 = [1]); Statthalter der Prov. Syria Palaestina 150 (PSI IX 1026 = [2]). Mitglied der → *pontifices* 155 (CIL VI 2120). IGLS VI 2777 ist wohl seine Grabinschr. [3].

> 1 J. D'ARMS, Memory, Money, and Status at Misenum: Three New Inscriptions from the Collegium of the Augustales, in: JRS 90, 2000, 126–144 2 J. REA, Two Legates and a Procurator of Syria Palaestina, in: ZPE 26, 1977, 217–222 3 W. ECK, Miscellanea prosopographica, in: ZPE 42, 1981, 227–256.
> W. E.

[3] V. Longus. Lat. Grammatiker aus der Zeit des Hadrianus (117–138 n. Chr.). Von seinen Werken sind verloren: (1.) *De usu antiquae lectionis* (Gell. 18,9,4), (2.) über die von Eigennamen abgeleiteten Adjektive (Char. 1,199,12–15 B.) und (3.) ein Vergilkomm., von

dem in der Schol.-Trad. noch zahlreiche Spuren faßbar sind. Erh. ist (4.) *De orthographia*, in dem orthographische Regeln nach der Lehre des → Verrius Flaccus dargelegt sind. Die Überl. geht auf einen 1493 gefundenen Codex Bobiensis zurück.

> LIT.: 1 GL 7, 39–81, 154 f. 2 P. L. SCHMIDT, V. L., in: HLL 4, 227–229 3 Ders., s. v. V. (6), KIP 5, 1160 4 L. STRZELECKI, in: Eos 39, 1938, 11–27.
> J. R.

[4] V. Paulus. Praetorischer Proconsul von Pontus-Bithynia ca. 79/80 n. Chr. (Plin. epist. 10,58,3; 10,60,1). Zum Namen vgl. [1. 302 f.[89]].

> 1 W. ECK, Jahres- und Provinzialfasten der senatorischen Statthalter von 69/70 bis 138/9, in: Chiron 12, 1982, 281–362.

[5] C. V. Rufus. Aus Heliopolis (→ Baalbek) stammend (ILS 9200). *Primus pilus* der *legio XII Fulminata*, *praefectus* einer Vexillationstruppe (→ *vexillatio*) aus acht Legionen; *tribunus* der *cohors XIII urbana* (→ *urbanae cohortes*) in Karthago; *dux exercitus Africi et Mauretanici* in einem Krieg in Mauretanien; Teilnahme am Krieg gegen → Marcomanni, → Quadi und → Sarmatai unter Domitianus, bei dem er auch die Führung bei einer *expeditio* (»Feldzug«) durch das Königreich des → Decebalus hatte. Schließlich Procurator Domitians in Pannonia/Dalmatia und in Raetia. Er erhielt Auszeichnungen im Jüdischen Krieg 69/70 unter Titus [3] und im Quadenkrieg Domitians. 72 hatte er die Söhne des Antiochos [18] von Kommagene aus dem Partherreich zu Vespasianus zurückgeführt (s. → Iulius [II 11]). Die Datier. der mil. Ämter ist umstritten; vgl. [1. 114–117] (AE 1983, 928). Nach Mart. 9,31 gelobte er während eines Feldzuges an der Donau eine goldene Gans für die → *salus* Domitians. Seine Nachkommen sind V. [2], [6] und [7].

> 1 PFLAUM 1.

[6] V. Rufus. Genannt bei Fronto [6] (Ad amicos 1,11) und Marcus [2] Aurelius (Eis heautón 12,27). Er war senatorischer Nachkomme von V. [5], entweder Vater oder Bruder von V. [2] und muß senatorischen Ranges gewesen sein [1. 666].

> 1 G. W. BOWERSOCK, Roman Senators from the Near East: Syria, Judaea, Arabia, Mesopotamia, in: EOS 2, 651–668.

[7] D. V. Rufus Iulianus. Nachkomme von V. [5]. Senator; *cos. ord.* 178 n. Chr. Commodus ließ ihn hinrichten (HA Comm. 4,10).

> H. HALFMANN, Die Senatoren aus dem östlichen Teil des Imperium Romanum, 1979, 189.
> W. E.

Vellaunodunum. Keltisches *oppidum* der → Senones [2], von C. Trebonius [I 1], einem Legaten Caesars, im J. 52 v. Chr. erobert (Caes. Gall. 7,11,1; 7,11,4; 7,14,1). Die genaue Lokalisierung zw. → Agedincum und → Cenabum ist nicht möglich, denkbar sind Château-Landon sowie Terres-Blanches du Grand-Villon nördl. von Montargis (Dép. Loiret).

M. PROVOST, Carte archéologique de la Gaule 45. Le Loiret, 1988, 161–163, 165 • TIR M 31, 1975, 184.   MI.PO.

Vellavii. Keltischer Volksstamm, Nachbarn der → Gabali, → Arverni, → Allobroges, der → Segovellauni und → Helvii, im Gallischen Krieg mit den Arverni verbündet (→ Caesar I. C.): An der Schlacht bei → Alesia 52 v. Chr. nahmen sie in deren Kontingent teil (Caes. Gall. 7,75; Strab. 4,2,2). Unter Augustus wurden sie der Prov. → Aquitania mit dem Hauptort Ruessium (h. Saint-Paulien) zugeordnet. Unter Claudius [III 1] oder Tiberius [1] erhielten sie das *ius Latii* (→ Latinisches Recht II.; vgl. [2. Nr. 25]). In der Spätant. gehörten sie zur Aquitanica Prima.

1 M. PROVOST, B. REMY, Carte archéologique de la Gaule. La Haute-Loire 43, 1994 2 B. RÉMY, Inscriptions latines d'Aquitaine (ILA): Vellaves, 1995 3 P. WUILLEUMIER, s. v. V., RE 8 A, 636f.   J.-M. DE./Ü: E. N.

Velleius. Röm. Gentilname (von *vel(l)a* [1. 377]).

1 SCHULZE.

[1] V., C. Aus Lanuvium (wie Q. Roscius [I 4]: Cic. nat. deor. 1,79), röm. Senator, vielleicht dank L. Cornelius [I 90] Sulla; nach ca. 70 v. Chr. nicht mehr erwähnt. Eventuell (vgl. MRR 2,474) identisch mit C. V., Freund des L. Licinius [I 10] Crassus seit ca. 90 (Cic. de orat. 3,78), Senator spätestens 77, Vertreter der Epikureer bei Cicero (nat. deor. 1,15; 1,18–56).

[2] V., C. Aus Campania? [2. 383]; Großvater von [4], 52 v. Chr. *iudex selectus*, später *praef. fabrum* des Cn. Pompeius [I 3], M. Iunius [I 10] Brutus (44–42 in Macedonia?) und zuletzt des Ti. Claudius [I 19] Nero im *bellum Perusinum* (→ Perusia). 41 beging V. Selbstmord (Vell. 2,76,1).

[3] (V.?) Sohn von V. [2], geb. 57 v. Chr. oder später [1], Bruder (?) eines Senators (V.?) Capito (Vell. 2,69,5) und *praef. equitum* in Germania bis 5 n. Chr., als sein Sohn aus der Ehe mit Magia, V. [4], ihn ersetzte (Vell. 2,104,3).

1 G. V. SUMNER, The Truth about V. Paterculus, in: HSPh 74, 1970, 257–297 2 SYME, RR.   JÖ. F.

[4] V. Paterculus. Röm. Geschichtsschreiber (zum zweifelhaften Praenomen s. [7. 658]).
I. LEBEN II. WERK

I. LEBEN

Geb. 20/19 v. Chr., gehörte nach väterlicher Abstammung dem röm. Ritterstand, mütterlicherseits einer führenden Familie des campanischen Munizipaladels an. V. diente als Militärtribun in Thracia und Macedonia (Vell. 2,101,3), war Zeuge der Begegnung zw. Caesar und dem Partherkönig Phraates [5] (2,101, 2–3) und wurde unter → Tiberius [1] *praef. equitum* (2,104,3). 6 n. Chr. wurde er *quaestor*, ließ aber die Anwartschaft auf eine Prov. fallen, um als *legatus* Tiberius in Pannonia gegen Aufständische zu unterstützen

(2,111,3). Dort blieb er, von kurzen Unterbrechungen abgesehen, bis 9 n. Chr. (2,111,4; 2,113,3; 2,114,5–115,1); von 9–11 nahm er an Tiberius' Feldzügen in Germania, im J. 12 an dessen → Triumph in Rom teil (2,121,3). 15 bekleidete er die Praetur, für die ihn Augustus noch kurz vor seinem Tode empfohlen hatte (2,124,4). Danach ist als biographisches Ereignis nur die Widmung seines Werkes an M. → Vinicius belegbar, den Sohn seines ehemaligen Kommandanten, anläßlich dessen Konsulats 30 n. Chr.

II. WERK

Die 1515 n. Chr. im elsässischen Kloster Murbach aufgefundene *Historia Romana* des V. ist die einzige erh. histor. Darstellung über die Zeit des Augustus und des Tiberius durch einen Zeitzeugen. Da V. – offenbar als besondere Hommage an den Widmungsadressaten – die histor. Ereignisse nicht nur *ab urbe condita* (»seit Gründung der Stadt <Rom>«; vgl. → Eponyme Datierung II. C.), sondern auch nach dem Abstand zum Konsulatsjahr des Vinicius datiert (1,8,1; 2,7,5; 2,49,1; 2,65,2), muß die Schrift wohl im J. 30 oder kurz davor abgefaßt worden sein [1. 17–20]. Der Titel, der auf die *Editio princeps* des Beatus Rhenanus (1520/1521) zurückgeht, wird dem Inhalt insofern nicht gerecht, als das in 2 B. gegliederte Werk sich als Universal-Gesch. im Taschenformat [2. 282; 3] darstellt. Von B. 1 sind das Prooemium und die Anf.-Kap. verlorengegangen, ferner die Zeit von Romulus bis zur Schlacht von Pydna (168 v. Chr.), so daß der Ber. mit der Gründung von Metapont einsetzt, B. 2 ist nahezu vollständig erh. Die B.-Grenze bildet der Fall → Karthagos (146 v. Chr.) – für V. wie für Sallustius [II 3], mit dem er das Gesch.-Bild gemein hat, das entscheidende Epochenjahr der röm. Gesch. Mit Beginn des Bürgerkrieges zw. Caesar und Pompeius bis zur Zeit des Augustus und Tiberius verbreitert sich die Darstellung zusehends und mündet in ein Gebet auf das Reich und Kaiser Tiberius. In der überaus hohen Wertschätzung für letzteren steht V. in völligem Gegensatz zur übrigen ant. Überl. (bei Tacitus [1], Suetonius [2] und Cassius [III 1] Dio).

Bemerkenswert an der Darstellung sind die eingestreuten lit. und polit. → Exkurse, z. B. eine Aufzählung aller von Rom gegründeten Kolonien (1,14–15), ein Exkurs über griech. und röm. Lit. und Rhet. (1,16–18) und über Homeros [1] und Hesiodos (1,5; 1,7), ferner über Kolonien (2,7,7–8), über die bedeutenden lat. Schriftsteller der Republik und frühen Kaiserzeit (2,9; 2,36) und die Prov. des röm. Reiches (2,38–39). Dementsprechend umstritten sind die Quellen- und Gattungsfrage und der historiographische Wert der Schrift [4]. Sie hat in der Ant. jedenfalls kaum Wirkung entfaltet. Auch nach der Entdeckung des *Codex unicus* fand sie höchst zwiespältige Aufnahme [5. 9–23] und galt lange als rhet. Machwerk eines opportunistischen und schmeichlerischen Hofchronisten ([6. 48]; zum Stil vgl. [7. 647–650]; 8], zur Gattung [9. 412–416]). Erst seit kurzem arbeitet man intensiv an einer Neubewertung des V. und seines Œuvres als eines ›interpretationsfähigen und interpretationsbedürftigen Textes *sui generis* ([5; 10. 190–192]; vgl. auch [11. 114–116], zur Vertrauenswürdigkeit des V. [12. 13 f., 22 f.]).

→ Geschichtsschreibung III.; Tiberius [1]

LIT.: **1** C. KUNTZE, Zur Darstellung des Kaisers Tiberius und seiner Zeit bei V. P., 1985 **2** G. V. SUMNER, The Truth about V. P., in: HSPh 74, 1970, 257–297 **3** R. J. STARR, The Scope and Genre of V.' History, in: CQ 31, 1981, 162–164 **4** A. J. WOODMAN, Questions of Date, Genre and Style in V. Some Literary Answers, in: CQ 25, 1975, 272–306 **5** U. SCHMITZER, V. P. und das Interesse an der Gesch. im Zeitalter des Tiberius, 2000 **6** M. ERREN, Einführung in die röm. Kunstprosa, 1983 **7** A. DIHLE, s. v. V. (5), RE 8 A, 637–659 **8** F. PORTALUPI, Osservazioni sullo stile di V. P., in: Civiltà classica e cristiana 8, 1987, 39–57 **9** M. KOBER, Die polit. Anfänge Octavians in der Darstellung des V. und dessen Verhältnis zur historiographischen Trad., 2000 **10** K. CHRIST, V. und Tiberius, in: Historia 50, 2001, 180–192 **11** A. MEHL, Röm. Gesch.-Schreibung, 2001 **12** Z. YAVETZ, Tiberius. Der traurige Kaiser, 1999.

ED.: J. HELLEGOUARC'H, 2 Bde., 1982 (mit Komm. und frz. Übers.) · A. J. WOODMAN, Bd. 1, V. P. The Caesarian and Augustan Narrative (Vell. 2,94–131), 1977; Bd. 2, V. P. The Tiberian Narrative (Vell. 2,41–93), 1983 (jeweils mit Komm.) · M. GIEBEL, V. P., Historia Romana (mit dt. Übers.), 1989 · M. ELEFANTE, 1997 (mit Komm.).   G. K.

Vellocatus. Britanne, ein Schildträger (*armigerus*) des → Venutius (Tac. hist. 3,45); 69 n. Chr. mit der Brigantenkönigin → Cartimandua verheiratet, die ihn kurzfristig an der Herrschaft beteiligte, um Unterstützung zu gewinnen.

→ Cartimandua

W. S. HANSON, G. WEBSTER, The Brigantes. From Clientage to Conquest, in: Britannia 17, 1986, 73–89.   C. KU.